Diccionario para Ingenieros

Engineers' Dictionary

SPANISH-ENGLISH

and

ENGLISH-SPANISH

By

Louis A. Robb

Member of

THE AMERICAN SOCIETY OF CIVIL ENGINEERS

Diccionario para Ingenieros

ESPAÑOL-INGLÉS
E
INGLÉS-ESPAÑOL

Louis A. Robb

Miembro de
LA SOCIEDAD AMERICANA DE INGENIEROS CIVILES

SÉPTIMA REIMPRESIÓN
MÉXICO, 2002

COMPAÑÍA EDITORIAL CONTINENTAL

Título original de la obra:
ENGINEER'S DICTIONARY
SPANISH-ENGLISH AND ENGLISH-SPANISH

Edición autorizada por:
John Wiley and Sons, Inc.
Copyright © John Wiley and Sons, Inc.

Diseño de Portada:
Selene Corona Vallejo

**Para establecer comunicación
con nosotros puede hacerlo por:**

correo:
Renacimiento 180, Col. San Juan
Tlihuaca, Azcapotzalco,
02400, México, D.F.

fax pedidos:
(015) 561 4063 • 561 5231

e-mail:
info@patriacultural.com.mx

home page:
http://www.patriacultural.com.mx

Diccionario para ingenieros: Español-Inglés e Inglés-Español
Derechos reservados respecto a la edición en español:
©1956, Louis A. Robb/John Wiley and Sons, Inc.
©1956, Compañía Editorial Continental, S.A. de C.V.
©2000, GRUPO PATRIA CULTURAL, S.A. DE C.V.
bajo el sello de Compañía Editorial Continental
Renacimiento 180, Colonia San Juan Tlihuaca,
Delegación Azcapotzalco, C.P. 02400, México, D.F.

Miembro de la Cámara Nacional de la Industria Editorial
Registro núm. 43

ISBN 968-26-1118-0 (Segunda edición, cambio de portada)
(ISBN 968-26-0894-5 Primera edición)

Impreso en México
Printed in Mexico

Primera edición: 1956
Segunda edición: 1997
Sexta reimpresión: 2001
Séptima reimpresión: 2002

Esta obra se terminó de imprimir en abril del 2002
en los talleres de Programas Educativos, S. A. de C. V.
Calz. Chabacano No. 65, Col. Asturias
C.P. 06850, México, D.F.

Empresa Certificada por el Instituto Mexicano de Normalización y
Certificación A. C. bajo la Norma ISO-9002: 1994/NMX-CC-004:1995
con el Núm. de Registro RCS-048 y bajo la Norma ISO-14001:
1996/SAA-1998 con el Núm. de Registro RSAA-003

PREFACIO

Cuando los originales del *Engineers' Dictionary* quedaron listos en 1943, la segunda guerra mundial estaba en su apogeo y esto llevó a la casa editora y al autor a convenir de que el libro no debía exceder de unas cuatrocientas cincuenta páginas. Algún material debió ser retirado y aunque el libro resultante trataba detenidamente de ingeniería civil, no pudo contener muchos términos usados en otras ramas de la ingeniería.

Poco tiempo después de su publicación yo me retiré del trabajo activo de ingeniería y desde entonces he tenido amplias oportunidades para dedicarme a la compilación de un diccionario más extenso. El material que debió ser retirado se ha agregado ahora y se ha estudiado una gran cantidad de material nuevo. He consultado con muchos amigos de la América Latina y en cada viaje he traído conmigo publicaciones técnicas de diversas clases como fuente de términos españoles. Constantemente he escudriñado las revistas de ingeniería y los libros nuevos publicados en ambos idiomas.

El campo de acción sigue siendo la ingeniería y las referencias frecuentes a la química, la geología o la metalurgia no significan que estas materias estén totalmente abarcadas en este libro. Cada una de ellas necesitaría un volumen aparte. Los términos incluidos de estas u otras materias son aquellos regularmente requeridos en un trabajo o estudio de ingeniería. Igual criterio se ha seguido en la selección de algunos pocos términos de finanzas, seguros y transportes.

Al ampliar la obra mis principales propósitos han sido los siguientes:

Abarcar la ingeniería eléctrica y mecánica en manera mucho más amplia. La radio que no se mencionó para nada en la primera edición ha recibido cuidadoso estudio. Se han incluido términos importantes de la televisión.

Poner al día todos los ramos de la ingeniería civil. Se ha dado especial atención a la mecánica de los suelos, a la fotogrametría y al proyecto y construcción de aeropuertos.

Incluir los términos más importantes correspondientes a minería, arquitectura naval, explotación forestal, industria azucarera y campos petrolíferos.

Una nueva adición es la indicación de género de los substantivos en español.

El objeto de un diccionario técnico es proporcionar información que no se encuentra en otra parte. Se supone que el diccionario de Webster incluye todas y cada una de las palabras del idioma inglés, aún las más técnicas, pero no abarca las frases que figuran en glosarios oficiales de las sociedades de ingeniería. Muchas de las palabras de este libro se encuentran también en los mejores diccionarios generales inglés-español. *Buttress* se encuentra en cualquiera de ellos, igualmente que *thread*, pero no *buttress thread*. *Aguja* y también *infernal* se encuentran, pero no *aguja infernal*. La mayoría de mis esfuerzos se han concentrado en el registro de significados o equivalentes de locuciones que no pueden expresarse con una sola palabra.

La nomenclatura de piezas de maquinaria requiere un constante uso de buen criterio. Cada fabricante tiene su propia lista de piezas para cada máquina y algunas máquinas constan de tantas que llegan al millar. Las partes principales de una máquina deben enumerarse y con ellas, fuera de los términos como cojinete, leva, tornillo, resorte, rodillo y válvula, deben identificarse con un nombre la gran mayoría de las piezas componentes.

A pesar de algunos consejos adversos recibidos, yo creo todavía que las definiciones están fuera de lugar en un diccionario técnico bilingüe. El interesado que busca en un libro como éste el término *slip-ring motor* quiere encontrar el equivalente aceptado en español y no una descripción del motor. Las definiciones aumentarían mucho el volumen del libro. La práctica seguida ha sido la de definir un término solamente al carecer de un equivalente satisfactorio y en algunos casos para evitar ambigüedades.

Es obvio que existen en este libro muchas palabras, tanto en español como en inglés, que tienen otros significados además de los anotados. Se han omitido los significados no técnicos, así como aquellos que pertenecen a la botánica, zoología y otras ciencias de interés muy relativo para el ingeniero.

Algunos de los términos de la obra original han sido criticados llamándolos "mal español". Un crítico me ha dicho que la incorporación de tales términos a un diccionario tiende a perpetuarlos y a perjudicar el idioma. Mi punto de vista es que la exactitud de los términos técnicos en cualquier idioma es establecida por los técnicos que los crean y los usan, y la tarea del compilador del diccionario es la de registrar su uso. En esta obra se trata de dar a los técnicos de habla inglesa de la América del Norte la terminología de ingeniería usada en los países de habla española de América y viceversa. Términos tomados de publicaciones oficiales, de especificaciones de ingenieros y de libros de texto se consideran expresiones usadas y "aceptadas". Para muchos miles de términos en inglés no hay equivalente en "buen español" si se sigue el criterio de la Real Academia. Esta es la razón de la diferencia entre unos 125,000 términos en el diccionario de la Academia y de unos 500,000 en el de Webster.

Los equivalentes en español de marcas de fábrica o de comercio en inglés presentan un problema. La simple aseveración de que estos nombres no pueden traducirse no soluciona el problema, porque muchas traducciones son de uso corriente en los países de habla española. Muchos de estos términos ya se han incorporado a otros diccionarios en español o en español-inglés. Hay propietarios de marcas de fábrica o comercio quienes han creado expresamente equivalentes en español para usarlos en su propaganda. Yo he seguido la práctica de incluir todo término de esta clase que he encontrado en buen uso *técnico*. Debe notarse que muchos términos en inglés de esta clase se han hecho tan conocidos que con la sanción de Webster regularmente se escriben sin mayúscula. Para la mayoría de estos términos hay equivalentes en español igualmente bien establecidos.

Muchos amigos que me proporcionaron consejos en la preparación de la obra original me han ayudado de nuevo. Estoy particularmente agradecido al señor George C. Bunker con quien he pasado muchas horas en Caracas. Además de concederme amplio tiempo, me presentó a ingenieros venezolanos de quienes obtuve material de gran valor. Para muchos términos de ingeniería sanitaria, tanto en inglés como en español, tengo que agradecer al señor Edmund B. Besselievre de la Dorr Company y al señor Tomás R. Yglesias de la ciudad de México. El señor Juan de Dios Tejada de la Habana me facilitó su consejo experto en muchas cosas. El vocabulario de exploración geofísica tanto en inglés como en español me fué suministrado por ingenieros de la Socony Vacuum Oil Company.

L. A. R.

Nueva York
Septiembre, 1949

PREFACE

Under the war conditions of 1943, when the original *Engineers' Dictionary* was in preparation, publisher and author agreed that the book ought to be kept down to about 450 pages. Some material had to be laid aside, and although the resulting book dealt thoroughly with civil engineering, it could not go very far with the terms of other fields.

Shortly after publication of the original book I retired from active work and have since found ample time to devote to the compilation of a much more comprehensive dictionary. The items formerly laid aside have been worked in and a mass of new material has been studied. I have consulted many friends in Latin America and from each trip have brought back technical publications of many kinds to be worked over for my Spanish terms. I have constantly combed the engineering periodicals and the newest books in both languages.

My field is still engineering. Frequent references to chemistry, geology, or metallurgy do not mean that these subjects are covered. Each of them would need a volume of its own. Terms of these and other sciences here included are those which are regularly needed in connection with engineering work. The same criterion has governed the selection of a very few of the terms of finance, insurance, and transportation.

In enlarging the book my principal objectives have been three:

1. To cover electrical and mechanical engineering much more thoroughly. Radio, of which the first edition had nothing, has been given thorough study. Important terms of television have been included.

2. To bring all branches of civil engineering up to date. Special attention has been given to photogrammetry, soil mechanics, and airport construction.

3. To include the important terms peculiar to mining, shipbuilding, logging, sugar milling, and oil-field operations.

A new feature is the notation of gender with all Spanish nouns.

The purpose of a technical dictionary is to furnish information not found elsewhere. *Webster's* is supposed to include every word in the English language no matter how technical, but it does not cover the phrases that are listed in official glossaries of the engineering societies. Many of the words in this book will be found also in the best English-Spanish general dictionaries. *Broad* is found anywhere and so is *irrigation*, but not *broad irrigation*. *Buttress* is found and so is *thread*, but they cannot be combined into an equivalent for *buttress thread*. Most of my effort has gone into pinning down the phrases.

The listing of machine parts calls for the constant use of judgment. Every manufacturer has his own list of parts for each machine, and some machines have parts running into the thousands. The principal members of a machine must be listed, and with these, plus terms like bearing, cam, bolt, spring, roller, and valve, equivalents of the vast majority of part names may be written easily.

In spite of some advice to the contrary I still believe that definitions are out of place in a two-language technical dictionary. The user who turns to *slip-ring motor* in a book such as this wants the accepted Spanish equivalents of that term and is not looking for a description of a slip-ring motor. Definitions would add greatly to the book's bulk. My practice has been to define a term only in default of a satisfactory equivalent or occasionally to avoid ambiguity.

Obviously there are many words here, both Spanish and English, that have meanings other than those given. Nontechnical meanings have usually been ignored, as have those which belong to botany, zoology, or other sciences that do not concern the engineer.

Some of the terms in the original book have been criticized as "bad Spanish." One critic tells me that the listing of such terms in any dictionary tends to perpetuate them and does an injury to the language. My own view is that the correctness of technical terms in any language is established by the technical men who create them and use them, and the job of the dictionary maker is to record this usage. This book aims to give the North American technical man the accepted engineering terminology of Spanish America, and vice versa. Terms taken from official publications, from engineers' specifications, and from textbooks are "accepted" terms. For many thousands of English technical terms there are no "good Spanish" equivalents, if the Royal Academy is to be the criterion. This is the principal reason for the difference between some 125,000 entries in the *Academy* dictionary and 500,000 in *Webster's*.

Spanish equivalents of English trade names are a problem. The simple statement that proprietary names cannot be translated does not cover the situation because they are regularly being translated in Spanish-speaking countries. Many such terms have already appeared in other dictionaries, both straight Spanish and English-Spanish. There are owners of English trade names who have deliberately created Spanish equivalents for use in their advertising. My rule has been to include every term of this kind that I have found in good *technical* use. It is to be noted also that there are a great many trade names in English that have become so well known that, with Webster's approval, they are regularly written without the capital letter. For most of the terms in this class there are Spanish equivalents equally well established.

Many friends who advised with me in the preparation of the original book have again been helpful. I am particularly grateful to Mr. George C. Bunker with whom I have spent many hours in Caracas. Besides giving freely of his own time he introduced me to Venezuelan engineers from whom I obtained material of great value. For terms of sanitary engineering, both in English and in Spanish, I have to thank Mr. Edmund B. Besselievre of the Dorr Co. and Mr. Tomás R. Yglesias of Mexico City. Señor Juan de Dios Tejada of Havana gave me his expert advice on many questions. The vocabulary of geophysical exploration, both English and Spanish, was furnished by engineers of the Socony Vacuum Oil Co.

L. A. R.

New York
September, 1949

ABREVIATURAS

A	Argentina	Ec	Ecuador	Par	Paraguay
AC	América Central	Es	España	Pe	Perú
B	Bolivia	EU	Estados Unidos	PR	Puerto Rico
C	Cuba	F	Filipinas	RD	República Dominicana
Col	Colombia	M	México	U	Uruguay
Ch	Chile	Pan	Panamá	V́	Venezuela

a	adjetivo	ds	dique seco	loco	locomotora
aa	acondicionamiento del aire	ec	equipo de construcción	lu	lubricación
adv	adverbio	ed	edificio	*m*	masculino
ag	agregados	ef	explotación forestal	mad	madera
ais	aislamiento	eléc	eléctrico	mam	mampostería
al	alcantarillado	em	elaboración de maderas	maq	maquinaria
an	arquitectura naval			mat	matemática
ap	aeropuerto	en	engranaje	mec	mecánico
arq	arquitectura	es	escalera	med	medida
as	aserradero	est	estructural	met	metalurgia
asc	ascensor	exc	excavación	mg	motor de gasolina
auto	automóvil	*f*	femenino	mh	máquina-herramienta
az	ingenio de azúcar	fc	ferrocarril	min	minería
bm	bomba	fin	finanzas	miner	mineralogía, cristalografía
ca	camino	fma	fotogrametría		
cab	cable	for	ingeniería forestal	mo	moldaje
cal	caldera	ft	ferretería	mot	motor eléctrico
carp	carpintería	fund	fundición	mr	marea
cb	caballete	geof	geofísico	mrl	meteorología
cf	calefacción	geog	geografía	ms	mecánica de suelos
cn	construcción naval	geol	geología, petrografía	mtl	material
co	camión	gr	grúa	mv	máquina de vapor
com	comercial	her	herrería	mz	mezcladora
conc	concreto	herr	herramienta	náut	náutico
cons	construcción	hid	hidráulica	nav	navegación
cont	contabilidad	il	ingeniería de iluminación	of	oficina
ct	cemento			op	obras portuarias
cú	cúbico	inst	instrumento	or	orugas
cuch	cucharón	irr	irrigación	ot	obras de tierra
cv	cablevía	is	ingeniería sanitaria	pa	purificación de **agua**
ch	chapería	kilo	kilogramo(s)	pav	pavimentación
dac	disposición del agua de cloacas	lab	laboratorio	pb	plomería
		lad	enladrillado	pet	petróleo
di	Diesel	leg	legal	pi	pilotaje
diám	diámetro	lev	levantamiento	pint	pintura
dib	dibujo	lib	libra(s)	pl	pala
				pr	preposición

xiii

pte	puente	*s*	substantivo	tub	tubería
pulg	pulgada(s)	seg	seguro	tún	túnel
quím	química	si	sierra	turb	turbina
r	río	sol	soldadura	tv	televisión
ra	radio	sx	sondeo de exploración	*v*	verbo
re	remache	tc	tractor	vá	válvula
ref	refuerzos	tel	teléfono, telégrafo	ve	ventilación
rfg	refrigeración	to	techo	vi	vidrio
rfr	refractarios	top	topografía	vol	voladura
roc	rociador automático	tr	transportación		
rs	rosca	ts	tablestacado		

ABBREVIATIONS

A	Argentina	DR	Dominican Republic	Ph	Philippines
B	Bolivia	Ec	Ecuador	PR	Puerto Rico
C	Cuba	M	Mexico	Sp	Spain
CA	Central America	Pan	Panama	U	Uruguay
Ch	Chile	Par	Paraguay	US	United States
Col	Colombia	Pe	Peru	V	Venezuela

a	adjective	eng	engine	mech	mechanical
ac	air conditioning	exc	excavation	met	metallurgy
act	accounting	F	Fahrenheit	mi	mile
adv	adverb	fdy	foundry	min	mining
ag	aggregates	fin	financial	miner	mineralogy, crystal-lography
ap	airport	fo	forms		
ar	architecture	for	forestry	mot	motor
auto	automobile	gal	gallon(s)	mrl	meteorology
bdg	bridge	ge	gasoline engine	mt	machine tools
bl	blasting	geog	geography	mtl	material
bldg	building	geol	geology,petrography	mx	mixer
bo	boiler	geop	geophysical	*n*	noun
bs	blacksmithing	gi	girder	na	naval architecture
bu	bucket	gl	glass	naut	nautical
bw	brickwork	ht	heating (building)	nav	navigation
cab	cable	hw	hardware	of	office
carp	carpentry	hyd	hydraulics	p	piping
ce	construction equip-ment	il	illuminating engi-neering	pav	paving
				pb	plumbing
chem	chemistry	in.	inch(es)	pet	petroleum
ci	cast iron	inl	insulation	pi	piling
cm	centimeter(s)	ins	insurance	pmy	photogrammetry
com	commercial	inst	instrument	*pr*	preposition
conc	concrete	irr	irrigation	pt	painting
cons	construction	kilo	kilogram(s)	pu	pump
cr	crawler	lab	laboratory	pw	port works
ct	cement	lb	pound(s)	qt	quart(s)
cu	cubic	lbr	lumber	r	river
cy	cableway	leg	legal	ra	radio
dd	dry dock	lg	logging	rd	road
de	derrick	loco	locomotive	re	rivet
di	Diesel	lu	lubrication	reinf	reinforcing steel
diam	diameter	m	meter(s)	rf	roof
dwg	drafting	machy	machinery	rfg	refrigeration
ea	earthwork	mas	masonry	rfr	refractories
elec	electrical	math	mathematics	rr	railroad
elev	**elevator**	meas	measure	sa	sawmill

ABBREVIATIONS

sb	shipbuilding	su	sugar mill	tu	truss
sd	sewage disposal	surv	surveying	tun	tunnel
se	steam engine	sw	sewerage	turb	turbine
sec	second(s)	t	tool	tv	television
sen	sanitary engineering	tb	test boring	*v*	verb
sh	shovel	tc	tractor	va	valve
sk	automatic sprinkler	tel	telephone, telegraph	ve	ventilation
sm	soil mechanics	th	thread	w	welding
sml	sheet metal	ti	tide	wp	water purification
sp	sheet piling	tk	truck	wr	wire rope
sq	square	tl	trestle	ww	woodworking
st	stair	top	topography		
str	structural	tr	transportation		

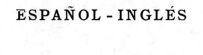

ESPAÑOL - INGLÉS

ababán m, an Argentine lumber (semihard).

abacá m, Manila hemp.

ábaco m, (ar) abacus; (min) washtrough, buddle; (conc bldg)(M) drop panel; (A) graph, chart, nomograph.

abajadero m, downgrade.

abajador m (min)(Es)(M), tool boy, tool carrier.

abajar, to lower, let down; to fall, descend.

abajo adv, down, below, under.

abalanzar, to balance.

abalizar, to buoy; to place beacons; abalizarse (náut), to take bearings.

abamperio m (eléc), abampere.

abancalar, to terrace, bench.

abanderado m (lev), flagman.

— delantero, head flagman.

— trasero, back flagman.

abanderar, to register a vessel.

abanico m, fan; anything fan-shaped; small derrick or crane; (rr)(C)(PR) switch target.

— aluvial (r), alluvial fan.

— de deyección (geol), debris cone.

— eductor, exhaust fan.

abaniqueo m (auto), shimmy.

abarbetar, (naut) to lash, stop; (cab) to serve, seize.

abarcón m (Es), clamp, cramp, anchor; iron ring.

abarloar (náut), to berth, dock, bring alongside.

abarquillamiento m (est), crippling.

abarquillar, to warp, curl; abarquillarse, to buckle, warp.

abarrancar, to form gullies; abarrancarse, to run aground.

abarrotar, (cons) to place a waler or strongback; (naut) to batten; to stow (cargo).

abarrotes m, dunnage.

abastar, to furnish, supply.

abastecedor m, supplier.

abastecer, to furnish, supply.

abastecimiento m, supply, furnishing.

— de agua, water supply.

— de combustible, fueling.

abastecimientos, abastos m, supplies.

abasto de agua, water supply.

abatanador m (M), wooden maul.

abatible, descending; collapsible.

abatidero m (Es), drain, gully, gutter.

abatimiento m, lowering; (str) disassembling; (bldg) demolition; (conc) slump; (naut) leeway; (machy) disassembly, teardown; batter, rake; (pu)(M) drawdown.

abatir, to lower; to knock down, disassemble; to demolish, raze; (naut) to make leeway; to batter, rake, slope.

abculombio m (eléc), abcoulomb.

abecedario (m) de estarcir, stencil for lettering.

abecedario para marcar, marking stamp.

abedul m (mad), birch.

abelita f, abelite (explosive).

aberración f, aberration.

— cromática lateral (fma), lateral chromatic aberration.

— cromática longitudinal (fma), longitudinal chromatic aberration.

— de coma (fma), coma.

— de esfericidad, spherical aberration.

— de refrangibilidad, chromatic aberration.

abertura f, an opening, aperture; open country between mountains; cove, small bay.

— de chispa (eléc), spark gap.

— de dosificación (di), metering passage.

— de la raíz (sol), root opening.

— libre, clear span, net opening.

aberturas de aligeramiento (cn), lightening holes.

abete m (mad), fir, deal.

abetinote m, rosin.

abeto m, fir, spruce, hemlock.

— balsámico, balsam fir.

— blanco, white fir, white spruce.

— Douglas, Douglas fir, Oregon pine, red fir, yellow fir.

— negro, black spruce; black hemlock.

— rojo, red fir, Douglas fir, Oregon pine, red spruce.

abetunar, to coat or impregnate with pitch.

abey m, jacaranda (and other tropical hardwoods).

abfaradio m (eléc), abfarad.

abhenrio m (eléc), abhenry.

abierto, open.

abigarrado, (miner) variegated, mottled (soil).

abisagrar, to hinge.

abisal (geol), abyssal.

abiselar, to bevel, chamfer.

abismal m, shingle nail, clasp nail; a (geol) abyssal, abysmal.

— de tejar, slating nail.

abismo m (geol), abyss.

abitaque m, a timber; joist.

abitar, to make fast on a bitt.

abitón m (náut), bitt.

abladera f, howel, cooper's adz.

ablandador m (met)(agua), softener.

ablandar, to soften; to temper (mortar); ablandarse, to soften, become soft.

ablandecer, to soften.

abmho (eléc), abmho.

abocardado, countersunk; bellmouthed.

abocardador (m) de tubos (cal), tube expander.

abocardar, to splay; to countersink; to counterbore.

abocardo m, countersink, countersinking drill.

— de cabeza chata, flathead countersink.

— de fondo plano, (t) counterbore.

— tipo caracol, snail-head countersink.

— tipo rosa, rosehead countersink.

abocinado, bellmouthed.

abocinador m, flarer, flaring tool.

— de tubos (cal), tube expander.

abocinar, to flare, form with a bellmouth.

abohmio m (eléc), abohm.

abolladura f, dent.

abollar, to dent.

abombar, to crown, arch, camber; abombarse, to buckle; to warp, bulge; (rd) to mushroom.

abonado, abonada s, subscriber, customer, consumer (electric current); (rr) commuter.

abonar, to fertilize; (act) to credit.

abonaré m (com), note.

abono m, fertilizer; (rr) commutation.

aboquillado, bellmouthed.

aboquillar, to splay.
abordaje *m*, **abordo** *m*, fouling of two vessels, collision.
abordar (náut), to make a port; to berth at a dock; to foul (another vessel).
abovedado *m*, crown of a road.
abovedadora *f*, road shaper, subgrader.
abovedar, to arch, vault, crown.
aboyar, to buoy.
abra *f*, (top) gap, pass; (geog) cove; (min)(geol) fissure; (Col) window sash; (surv) clearing for line of sight.
abrasión *f*, abrasion, (hyd) scour.
abrasivo *m a*, abrasive.
—— **de acero**, crushed steel.
abrazadera *f*, clamp, clip; clevis; cleat; keeper (lock); (reinf)(Pe) column hoop.
—— **antideslizante**, (rr) anticreeper; (elec)' grade clamp.
—— **contrafuga** (pet), leak clamp.
—— **de anclaje**, rail clamp (crane); (elec) strain clamp.
—— **de ballesta** (auto), spring shackle.
—— **del cabezal** (torno), headstock clamp.
—— **de carril** (fc), rail brace; rail clip.
—— **de compresión**, pinchcock.
—— **de contacto** (sol), contact jaw.
—— **de la coraza** (eléc), armor clamp.
—— **de la excéntrica** (mv), eccentric strap.
—— **de guardacarril** (fc), guardrail brace.
—— **de hincar** (pet), drive clamp.
—— **de masa** (eléc), ground clamp.
—— **de porcelana** (eléc), porcelain cleat.
—— **de reparación**, repair clamp.
—— **de servicio** (tub), service clamp.
—— **de silla** (tub), saddle clamp.
—— **de taladrar**, (p) drilling crow; (str) old man.
—— **para cable**, cable clip.
—— **para caño**, pipe clamp; (A) hose band.
—— **para manguera**, hose band or clamp.
—— **para retenida**, guy clamp or clip.
—— **para viga I**, beam clamp.
—— **terminal** (eléc), dead-end clamp.
—— **universal** (mo), Universal clamp (trademark).
abrazadera-aislador, cleat insulator.
abrazar, to clamp, clip.
abrebrechas *m* (ec), trailbuilder, Gradebuilder, Bullgrader.
abrehoyo *m* (pet), reamer, hole opener.
abretrochas *m* (ec), trailbuilder.
abretubos *m*, (pet) pipe swage; (bo)(M) tube expander.
—— **de rodillos**, roller swage.
abrevar, to water (horses); to wet down a wall before stuccoing; (pu) to prime.
abreveredas *m* (ec), trailbuilder.
abridor *(m)* **de llantas** (auto)(M), tire spreader.
abridura *f* (min)(M), enlargement of a gallery.
abrigo *m*, protection, cover; windbreak; harbor; (min) width of a vein of ore.
abrir, to open, unlock, unfasten.
abrojos *m* (náut), reef, hidden rocks.
abromado, honeycombed by the teredo, worm-eaten.
abromarse, to become worm-eaten.

abronzado *m* (min)(M), name applied to several different ores of copper.
absaroquita *f* (geol), absarokite.
abscisa *f* (mat), abscissa.
absoluto, absolute (all senses).
absorbechoque *m*, shock absorber.
absorbedero *m* (Es), leaching cesspool; sewer catch basin.
absorbedor *m*, **absorbedora** *f*, absorber.
absorbedor de choque, shock absorber.
absorbencia *f*, absorption; absorbency; absorptivity.
—— **específica**, specific absorptive index.
absorbente *m*, absorbent; *a* absorbent, absorptive.
absorber, to absorb; (chem) to occlude.
absorbible, absorbable.
absorciómetro *m*, absorptiometer.
absorción *f* (hid)(eléc)(quím), absorption.
—— **atmosférica** (ra), atmospheric absorption.
—— **del suelo** (ra), ground absorption.
absorsor *m* (A), absorber.
abuinche *m* (Col), kind of machete.
abulonar (A), to bolt.
abultar, to bulk, swell.
abvoltio *m* (eléc), abvolt.
acabado *m*, finish (surface); finishing coat.
—— **a frota mecánica** (conc), machine finish.
—— **brillante**, glossy finish.
—— **en frío**, cold-finished.
—— **ligado** (conc), bonded finish.
—— **mate**, flat or dull finish.
—— **satinado o semimate** (ft), satin finish.
acabadora *f*, finishing machine; finishing tool.
—— **de frota** (ca), float finisher.
—— **de subrasante** (ca), subgrade planer.
acabadora-pisonadora (ca), tamping finisher.
acabar, to finish (all senses).
acafelar (Es)(Col), to plaster; to wall up a door or window.
acajú *m* (C)(PR)(RD)(M), name applied to various trees yielding construction lumber.
acalabrotado, cable-laid (rope), hawser-laid; (elec cab) rope-laid.
acamado, on the flat; horizontal.
acampanado, bellmouthed, bell-shaped.
acampanar, to flare, splay.
acampar, to camp; to build a camp.
ácana *m f*, a West Indian construction timber.
acanalado, corrugated, fluted, grooved, troughed.
acanalador *m*, channeling machine; groover; rabbet plane.
acanaladora *f*, channeling machine, quarrying machine; (t) crease.
acanaladura *f*, groove, channel; (ar) flute; (elec) raceway, gutter.
acanalar, to groove, channel, corrugate, flute; to canalize.
acantilado *m*, cliff; *a* steep.
acantita *f*, acanthite (silver ore).
acaparar (com), to monopolize, corner, control.
acarreadizo, portable; shifting (sand).
acarreador *m* (tr), carrier.
acarrear, to haul, transport, cart, carry, convey.
acarreo *m*, hauling, cartage, transportation, haul.
—— **extra** (ot), overhaul.

—— **fluvial,** silt, alluvium; river transportation; river drift.
—— **fluvioglacial** (geol), fluvioglacial drift.
—— **hidráulico,** sluicing, hydraulicking.
—— **libre** (ot), free haul.
acarreos, material carried by a stream, bed load; (geol) drift; (min) float ore.
—— **del escurrimiento** (hid), silt runoff.
—— **de glaciar,** glacial drift.
acarreto *m* (M)(PR), cartage, hauling.
acartelado, bracketed, cantilever, corbeled.
acartelamiento *m,* knee brace; corbel, oversailing.
acastillaje *m* (cn), freeboard; upper works.
accelador *m* (is), Accelator (trademark).
accelofiltro *m* (dac), Accelofilter (trademark).
accesibilidad *f,* accessibility.
accesible, accessible.
acceso *m,* an approach; access.
—— **dirigido desde tierra** (ap), ground-controlled approach.
accesorio *m,* fitting, attachment, appurtenance; *a* accessory.
—— **cargador** (ec), loader attachment.
—— **de acceso** (eléc), access fitting.
—— **de barrenar** (em), boring attachment.
—— **de cruce inferior** (eléc), crossunder fitting.
—— **de dos vías** (tub)(C), Y branch.
—— **de escoplear** (em), mortising attachment.
—— **para fresar** (torno), milling attachment.
—— **solar** (tránsito), solar attachment.
accesorios, fittings, accessories.
—— **abocinados** (tub), flare fittings.
—— **de brida** (tub), flanged fittings.
—— **de bronce** (vá), brass trimmings.
—— **de cadena,** chain attachments.
—— **de caldera,** boiler fittings.
—— **de cañería,** pipe fittings.
—— **de circulación** (tub), circulating boiler fittings.
—— **de compresión** (tub), compression fittings.
—— **de conducto** (eléc), conduit fittings.
—— **de curva abierta** (tub), long-sweep fittings.
—— **de grúa,** derrick fittings or irons.
—— **de inserción** (conc), inserts.
—— **de norma** (auto), standard equipment.
—— **de orejas** (tub), drop fittings,
—— **de pie** (tub), base fittings.
—— **de reborde** (tub), beaded or banded fittings.
—— **de sección completa** (tub), full-flow fittings.
—— **de tornillo** (tub), screwed or threaded fittings.
—— **de torno,** lathe attachments.
—— **de tractor,** tractor equipment.
—— **de tubería,** pipe fittings.
—— **de unión** (tub), union fittings.
—— **de vía** (fc), track accessories.
—— **de voladura,** blasting accessories.
—— **drenables** (tub), drainage fittings.
—— **embridados** (tub), flanged fittings.
—— **para árbol de boca de pozo** (pet), Christmas-tree fittings.
—— **para cable,** cable attachments or fittings or accessories.
—— **partidos** (eléc), split fittings.
—— **pendientes** (tub), drop fittings.
—— **soldables** (tub), welding fittings; solder-joint fittings.

—— **tipo de perilla,** ball-pattern handrail fittings.
accidentado, (top) hilly, broken; (Sp)(A)(Ch) injured in an accident.
accidental (mat)(física), accidental.
accidente *m,* accident.
accidentes geológicos, geologic structural projections.
accidentes topográficos o **del terreno,** hills and valleys.
acción *f,* action.
—— **de anillo** (ms), ring action.
—— **disparadora** (ra), trigger action.
—— **rápida, de,** quick-acting.
—— **simple, de,** single-acting.
acciones, shares of stock.
—— **ordinarias,** common stock.
—— **preferidas** o **privilegiadas,** preferred stock.
accionado, driven, actuated, operated.
—— **a vapor,** steam-driven.
—— **eléctricamente,** motor-driven.
—— **por correa,** belt-driven.
—— **por engranajes,** gear-driven.
accionamiento *m,* operation, drive.
—— **a mano,** hand operation.
—— **por banda,** belt drive.
—— **por cadena,** chain drive.
—— **por tornillo sin fin,** worm drive.
accionar, to drive, actuate, operate.
accionista *m f,* stockholder.
acebo *m* (mad), holly.
acebollada (mad), showing shakes.
acebolladura *f* (mad), shake.
aceitado *m,* oiling, lubrication.
aceitador *m,* oiler (man); oil cup, lubricator.
—— **a presión,** force-feed lubricator.
—— **cuentagotas,** sight-feed lubricator.
—— **de línea** (perforadora), air-line oiler.
aceitaje *m,* oiling, lubrication.
aceitar, to oil, lubricate.
aceite *m,* oil.
—— **aislante,** insulating oil.
—— **antracénico,** anthracene oil.
—— **bruto,** crude oil; oil in bulk.
—— **cocido** (pint), boiled or drying oil.
—— **combustible,** fuel or furnace oil.
—— **crudo,** raw oil; crude oil.
—— **de alquitrán,** tar oil.
—— **de alumbrado,** illuminating oil, kerosene.
—— **de azufre,** oil of vitriol, sulphuric acid.
—— **de ballena,** train or whale oil.
—— **de calefacción,** furnace oil.
—— **de carbón,** kerosene, coal oil.
—— **de cárter** (auto), crankcase oil.
—— **de castor** (lu), castor oil.
—— **de colza,** rape or colza oil.
—— **de creosota,** creosote oil, dead oil.
—— **de engrase,** lubricating oil.
—— **de esperma de ballena,** sperm oil.
—— **de esquisto,** shale or schist oil.
—— **de grasa de cerdo** (A), lard oil.
—— **de horno,** furnace or fuel oil.
—— **de lámpara** (M), kerosene.
—— **de linaza** o **de lino,** linseed oil.
—— **de linaza blanqueado,** bleached oil.
—— **de maíz,** corn oil.
—— **de manteca,** lard oil.

—— de nabina, rape oil.
—— de palo, tung or China wood oil.
—— de perilla, perilla oil.
—— de pescado, train or fish or menhaden oil.
—— de ricino, castor or rincinus oil.
—— de taladrar, drilling oil.
—— de trementina, oil of turpentine.
—— de vitriolo, oil of vitriol, sulphuric acid.
—— esencial, essential or volatile oil.
—— fluidificante (ca), flux oil.
—— graso, fatty oil.
—— imprimador (ca), priming oil.
—— isolante (Ec), insulating oil.
—— lampante (Es), light oil; kerosene.
—— lubricante de motor, motor oil.
—— mate (pint), flatting oil.
—— mineral, mineral oil, petroleum.
—— mineral de foca, mineral seal oil.
—— mineral de manteca, mineral lard oil.
—— muerto, dead or creosote oil.
—— para máquinas, machine or engine oil.
—— para temple (met), quenching oil.
—— quemado (auto)(C), crankcase oil.
—— secante (pint), boiled or drying oil.
—— soluble, soluble or cutting oil.
—— volátil, volatile or essential oil.
—— vulcanizado, factice, vulcanized oil.
aceitera f, oiler, oilcan; oil cup.
—— a presión, squirt can.
—— con gota visible, sight-feed oil cup.
—— cónica, pyramid oiler.
—— de línea, air-line oiler (drill).
—— de mecha, wick oiler.
—— de resorte, oil gun.
—— ferrocarrilera, railroad oiler.
aceitería f, oil house.
aceitero m, oiler (man); a Cuban hardwood.
aceitífero (M), oil-bearing.
aceitillo m (PR), a hardwood.
aceitón m, (lu) olive oil.
aceitosidad f, lubricity.
aceitoso, oily.
aceleración f, acceleration.
—— casual (fma), random acceleration.
—— de entrada (hid), entrance acceleration.
—— de gravedad, acceleration of gravity.
—— negativa, deceleration, negative acceleration, retardation.
acelerador m, (auto)(chem)(mas)(sk)(pmy) accelerator; (met) energizer.
—— de fraguado, accelerator of cement setting.
—— de mano (auto), hand throttle.
—— de pedal (auto), foot accelerator.
—— de reacción (quím), catalyst, accelerator.
—— de taladrado, drill speeder.
acelerante m (quím), accelerante.
acelerar, to accelerate.
acelerógrafo m, accelerograph (earthquake).
acelerograma m, accelerogram.
acelerómetro m, accelerometer.
—— integrador, integrating accelerometer.
—— registrador, recording accelerometer.
acendrar, to refine.
acéntrico, acentric.
acentuación f (ra), accentuation.
acentuador m (ra), accentuator.

aceña f (Es), water wheel; water-power mill.
acepilladora f, planer, surfacer.
—— cerrada, closed planer.
—— de banco, bench planer.
—— de engranaje recto, spur-geared planer.
—— de engranajes cónicos, bevel-gear planer.
—— de herramienta móvil, traveling-head planer.
—— de lado abierto, openside planer.
—— de tornillo sin fin, worm-geared planer.
—— limadora, shaping planer.
—— para curvas, radius planer.
—— vertical, wall or vertical planer.
acepilladura f, planing.
acepilladuras, wood shavings, cuttings, turnings.
acepillar, to plane, dress, face, mill; to brush.
aceptación f (com), acceptance.
—— libre, clean or general acceptance.
aceptador m, aceptante (com), acceptor.
aceptar, to accept.
aceptor m (quím)(ra), acceptor.
acequia f, irrigation ditch, canal; (Pe) brook.
—— derivada, branch canal.
—— evacuadora, return ditch.
—— madre o maestra o troncal, main canal.
acequiador m, irrigation workman, ditch digger.
acequiaje m, irrigation dues.
acequiar, to ditch.
acequiero m (irr), canal tender, ditch-maintenance man.
ácer m, maple.
acera f, sidewalk, footwalk; (Sp) face of a wall.
—— de transporte, moving sidewalk.
aceración (f) superficial (met), chilling.
acerar, (met) to chill, harden; (mas) to face with stone; (Col) to stucco; to lay a sidewalk.
acería f, steel mill.
acero m, steel.
—— al carbono, carbon steel.
—— al cobre, copper-bearing steel.
—— al hogar abierto, open-hearth steel.
—— al manganeso, manganese steel.
—— al níquel, nickel steel.
—— Bessemer, Bessemer steel.
—— cementado, casehardened or blister steel.
—— cobaltocromo, cobalt-chrome steel.
—— colado, cast steel.
—— colado de crisol, crucible cast steel.
—— cromado, chromium steel.
—— cromoníquel, chrome-nickel steel.
—— cromovanadio, chrome-vanadium steel.
—— de aleación pobre, low-alloy steel.
—— de aleación rica, high-alloy steel.
—— de alta velocidad, high-speed steel.
—— de alto carbono, high-carbon steel.
—— de arado superior, improved plow steel.
—— de construcción, structural steel.
—— de crisol, crucible steel.
—— de fácil tallado, free-cutting steel.
—— de herramientas, tool steel.
—— de horno eléctrico, electric steel.
—— de liga, alloy steel.
—— de lingote o de tochos, billet or new-billet steel.
—— de nitruración, nitrided steel.
—— de textura orientada, grain-oriented steel
—— desplegado, expanded steel (pole).

— **dulce,** mild or soft or low-carbon steel, (sb) flange steel.
— **empavonado,** blue steel.
— **encerrado,** rimmed steel.
— **encobrado,** copper-bearing steel.
— **fundido,** cast steel.
— **harveyizado,** Harveyized steel.
— **inmanchable** o **inoxidable,** stainless or rustless steel.
— **intermedio,** medium steel.
— **manganésico,** manganese steel.
— **mediano,** medium or medium-carbon steel.
— **moldeado,** cast steel.
— **muerto,** killed steel.
— **para nitruración,** nitriding steel, nitralloy.
— **perfilado,** structural shapes, rolled steel sections.
— **rápido,** high-speed steel.
— **relaminado,** rerolled steel.
— **semimuerto,** semikilled steel.
— **Siemens-Martin,** open-hearth steel.
— **suave,** soft or mild or low-carbon steel.
— **tapado,** capped steel.
— **ultrarrápido,** high-speed steel.
acerocromo *m*, chromium steel.
aceroníquel *m*, nickel steel.
acerrojar, to bolt (door); (str)(C) to bolt.
acetaldehido *m* (lab), acetaldehyde.
acetato *m*, acetate.
— **butílico,** butyl acetate.
— **cúprico,** cupric or copper acetate.
— **de alfa-naftilamina,** alpha-naphthylamine acetate.
— **de uranio** o **de uranilo,** uranyl acetate.
acético, acetic.
acetilénico, acetylenic.
acetileno *m*, acetylene.
acetiluro de cobre, copper or cuprous acetylide.
acetina *f*, acetin.
acetol *m*, acetol, acetyl carbinol.
acetona *f*, acetone, dimethyl ketone.
aciberar, to grind, pulverize.
acíclico (eléc), acyclic.
aciculita *f*, needle ore, aikinite.
aciche *m*, paver's hammer.
acidez *f*, acidity.
acidificar, to acidify, (pet) to acidize.
acidímetro *m*, acidimeter.
ácido *m a*, acid.
— **acético glacial,** glacial acetic acid.
— **bórico,** boric or boracic or orthoboric acid.
— **carbólico,** carbolic acid, phenol.
— **carbónico,** carbonic acid.
— **clorhídrico** o **hidroclórico,** hydrochloric or muriatic acid.
— **de acumulador,** battery acid.
— **fénico,** carbolic acid, phenol.
— **hidriódico,** hydriodic acid, hydrogen iodide.
— **lodoso** (pet), sludge acid.
— **nitrohidroclórico** o **nitromuriático,** nitrohydrochloric acid, aqua regia.
— **sulfúrico,** sulphuric acid, oil of vitriol.
— **tánico,** tannic acid, tannin.
ácidos grasos, fatty acids.
acidular, to acidulate, (pet) to acidize.
acimut *m*, azimuth.

— **asumido,** assumed azimuth.
— **de atrás,** back azimuth.
— **de cuadrícula,** grid azimuth.
— **de frente,** forward azimuth.
— **terrestre** (fma), ground azimuth.
— **verdadero,** true azimuth.
acimutal, azimuthal.
acitara *f*, partition wall; curtain wall.
aclarador *m*, clarifier.
aclarar, to clarify.
aclástico, aclasto, aclastic (optics).
acle *m* (F), a construction lumber.
aclimatar, to acclimatize.
aclínico, aclinic.
acmita *f* (miner), acmite (pyroxene).
aco *m* (V), a construction lumber.
acodadera *f*, stonecutter's chisel.
acodado *m*, a bend; *a* bent to an angle.
— **abierto** (tub), eighth bend.
— **recto** (tub), quarter bend.
acodalamiento *m*, shoring, trench bracing.
acodalar, to shore, brace; **acodalarse,** to jam.
acodamiento *m*, bend, elbow; shoring, trench bracing.
acodar, to bend; to shore, brace; to square up (surv) to offset.
acodillado, bent to an angle; (str) crimped.
acodilladora *f* (cn), joggling machine.
acodillar, to bend to an angle; **acodillarse,** to jackknife.
acojinar, to cushion.
acolchado, *n* riprap, apron, hearth; *a* (cab) strand-laid.
acolchar, to cushion; to lay (rope).
acolchonar, to cushion.
acollador *m*, calker; calking tool.
acollar, to calk with oakum.
acombar, to warp, buckle.
acometer, (p)(sw)(min) to branch.
acometida *f*, (p)(sw) house connection; branch.
— **de cable,** electric service connection.
acometimiento *m*, house connection.
acomodado a mano, hand-placed (rock fill).
acomodamiento *m* (cab)(M), lay.
acomodar, to place, arrange, fit in.
acomodo *m*, (V) assembly, framing.
acompañado *m* (Col), conduit, pipe trench.
acompañar, (Ch) to fill holes in a wall, to chink.
aconcharse, to run aground; (Ch) to deposit sediment.
acondicionador *m* (aa)(dac)(pa)(pet), conditioner.
— **de agua,** water softener or conditioner.
— **de cienos** (dac), sludge conditioner.
— **de lodo** (pet), mud conditioner.
— **de radiación** o **de tubos** (aa), surface-type conditioner.
— **de rocío** (aa), spray-type conditioner.
— **enterizo** o **unitario** (aa), unit conditioner.
acondicionamiento *m*, conditioning.
acondicionar, to condition; to repair, overhaul.
acopación *f* (mad), cupping.
acopado, hollowed out, cupped, cup-shaped.
acopar, to cup, hollow out; (min) to batter (side timbers).
acope *m* (min), batter of side timbers.

acopiar, to store, stock.
acopio *m*, storage, (hyd) pondage.
—— de sobrecarga (hid), surcharge storage.
—— en las riberas (hid), bank storage.
—— muerto, dead storage.
—— para uso (hid), conservation storage.
acoplado *m*, (A) trailer; (U) tow of barges.
—— directamente, direct-connected.
acoplador *m*, a coupling, coupler.
—— ajustable (ra), loose coupler.
—— de unión (tub), union coupling
acopladura *f*, coupling, joint, connection.
acoplamiento *m*, coupling, splice, joint, connection; (A) clutch; (carp) accouplement.
—— a bayoneta, bayonet coupling.
—— al ras, flush joint.
—— cadena (ra)(A), link coupling.
—— capacitivo (ra), capacitive or electrostatic coupling.
—— cerrado (ra), close coupling.
—— cónico, cone coupling.
—— corriente (tub), standard coupling.
—— crítico (ra), critical or optimum coupling.
—— de ajuste, flexible coupling.
—— de bobina de reactancia (ra), choke coupling.
—— de bridas (maq), flange coupling.
—— de casquillos de caucho, rubber-bushing coupling.
—— de compresión, compression coupling.
—— de dilatación, expansion joint.
—— de disco flexible, flexible-disk coupling.
—— de doble cono, double-cone coupling.
—— de engranajes fijos, fixed-gear coupling.
—— de garras, clutch or jaw or claw coupling.
—— de inserción (tub), inserted joint.
—— de manguito, sleeve coupling.
—— de pestaña, flange coupling.
—— de planchitas empaquetadas, cushioned-plate coupling.
—— de reacción (ra), choke coupling.
—— de resistencia (ra), resistance coupling.
—— de rosca (tub), screwed or threaded joint.
—— de rosca escalonada (tub), step-thread joint.
—— de Sellers, cone or Sellers coupling.
—— débil (ra), weak or loose coupling.
—— dentado, clutch or jaw coupling.
—— electromagnético, magnetic clutch.
—— en cascada (eléc), cascade connection.
—— entreválvula (ra), intervalve coupling.
—— eslabón (ra)(A), link coupling.
—— estrecho (eléc), close or tight coupling.
—— flexible a correa, belt-type or flexible-band coupling.
—— flexible de ajuste doble, doubler-slider coupling.
—— flojo (ra)(Es), weak or loose coupling.
—— flúido (auto)(A), fluid drive.
—— hidráulico, fluid drive.
—— impulsor, impulse coupling.
—— intervalvular (ra), intervalve coupling.
—— óptimo (ra), optimum or critical coupling.
—— por impedancia (ra), impedance coupling.
—— por resistencia-capacidad (ra), resistance-capacitance coupling.
—— recalcado interior (tub), internal upset joint.
—— resistivo (ra), resistive or resistance coupling.

—— semirrás (tub), semiflush joint.
—— sin rosca, threadless coupling.
—— universal, universal joint.
acoplar, to couple, join, connect, hook up.
acople *m* (A), acoplo *m* (C), a coupling.
acorazado *a*, armored; enclosed; (elec) ironclad.
acorchado, lined with cork.
acordamiento *m*, pieza de, transition piece.
acordar, to make level or flush; (ra) to tune.
acordelar, to lay out with a chalk line.
acordonado, cord (tire).
acordonar (ca)(Ch)(U), to windrow.
acortar, to shorten; acortarse, to contract, shrink, shorten.
acorvar, to bend.
acostarse, to get out of plumb.
acostillado, ribbed.
acotación *f*, elevation or dimension marked on a plan; boundary mark or monument; (C) elevation.
acotamiento *m*, setting boundary monuments; dimensioning; (M) shoulder of a road.
acotar, to mark elevations, dimension; (surv) to mark out, set monuments.
acotillo *m*, sledge, striking hammer.
acre *m*, acre.
acrecencia *f*, acrecimiento *m* (geol)(for), accretion.
acreedor *m*, creditor.
acrepié *m*, acre-foot.
acrepulgada *f*, acre-inch.
acribar, to screen, sift.
acribillar, to perforate, riddle.
acrisolar, to assay; to refine.
acromático, achromatic.
acrómetro *m*, oleometer, acrometer.
acta *f*, memorandum of action signed by parties thereto.
actas, minutes of a meeting.
actínico, actinic.
actinio *m* (quím), actinium.
actinismo *m*, actinism.
actinodieléctrico, actinodielectric.
actinoelectricidad *f*, actinoelectricity.
actinofónico, actinophonic.
actinografía *f*, actinography.
actinógrafo *m*, actinograph.
actinograma *m*, actinogram.
actinolita, actinota *f* (miner), actinolite (amphibole).
actinología *f*, actinology.
actinometría *f*, actinometry.
actinométrico, actinometric.
actinómetro *m*, actinometer.
actinomicetales (is), Actinomycetales.
activable (is), activable.
activador *m* (quím), activator, promoter.
activar, to activate.
activo *m*, assets; *a* (chem) active.
—— circulante, working capital, liquid assets.
—— invisible, good will.
actuador *m*, actuator.
actuante *m* (Es), actuator.
actuar, to actuate, drive, operate.
acuagel *m* (pet), aquagel.
acuamotor *m* (Es), hydraulic ram.

acuarela *f*, water color, wash drawing.
acuático, aquatic.
acuatizaje *m* (ap), landing on the water.
acueducto *m*, aqueduct, conduit, flume; water system, waterworks.
ácueo, aqueous.
ácueoglacial (geol), aqueoglacial.
ácueoígneo (geol), aqueoigneous.
acuerdar, to lay out with a chalk line.
acuerdo *m*, agreement; resolution, decree.
acuerdo, pieza de (tub), fitting; transition piece.
acuicierre *m*, acuiclusa *f*, aquiclude (geohydrology).
acuífero, water-bearing.
acuifuga *f*, aquifuge (geohydrology).
acumulación *f*, accumulation; (geol) accretions.
acumulador *m*, (mech) accumulator; (elec) storage battery or cell; (ac) cumulator.
—— ácido de plomo, lead acid or lead-lead acid cell.
—— compensador, floating battery.
—— de alta gravedad, high-gravity battery.
—— de baja gravedad, low-gravity battery.
—— de hierro-níquel, nickel-iron or Edison storage battery.
—— de plomo-cinc, lead-zinc cell.
—— de vapor, steam accumulator.
—— empastado (eléc), pasted battery.
—— flotante, floating battery.
—— hidráulico, hydraulic accumulator.
—— hidroneumático, hydropneumatic accumulator.
—— Planté, Planté battery.
acumuladorista *m* (M), battery-maintenance man.
acumulativo, cumulative.
acuñador (*m*) de balasto (fc), ballast tamper.
acuñamiento *m* (geol), thinning out of a vein.
acuñar, to wedge, chock, key; to jam; to tamp (ties); acuñarse, to jam.
acuoso, aqueous.
acuosoluble, soluble in water.
acuotubular (cal), watertube.
acústica *f*, acoustics.
acústico, acoustic.
acutángulo, acute-angled.
achaflanar, to bevel, chamfer, splay.
acharolar, to japan; to varnish.
achatador *m* (her), flatter.
achatar, to flatten.
achicador *m*, bailer.
—— de lodo (pet), mud socket.
—— de sótanos, cellar drainer.
achicadura *f*, unwatering, bailing, drainage, draining.
achicar, to unwater, bail out, drain.
achiflonado (min)(Ch), sloping.
achiguar (A)(Ch), to bulge, buckle.
achique *m*, unwatering, bailing, draining.
acholole *m* (irr)(M), excess water that runs off.
acholoear (irr)(M), to run off (excess water).
achololera *f* (irr)(M), ditch to collect excess water.
achurada *f* (dib)(M), hatching.
achurar (dib)(M), to hatch.
ad valórem, ad valorem.

adala *f*, dale, spout, trough.
—— de bomba, pump dale.
adamantino (miner), adamantine.
adamelita *f* (geol), adamelite, plagioclase-granite.
adaptador *m*, (mech)(ra) adapter; (p) transition piece, fitting.
—— de antena (ra), antenna adapter or eliminator.
—— de onda (ra), wave adapter.
—— de válvula (ra), valve adapter.
—— para tubería (pet), casing adapter.
adaptar, to fit.
adaraja *f*, bondstone; (conc) bonding key; toothing.
adelantador (*m*) de fases (eléc), phase advancer.
adelantar, to advance (all senses).
adelante, ahead; forward.
adelanto *m*, progress; advance payment; (se) (geop) lead.
adelgazador *m* (pint), thinner.
adelgazar, to make thin; to taper, skive; to soften (water); to thin (paint); to cut back (asphalt).
adema *f* (min), shore, prop.
ademado *m*, timbering, bracing, shoring; (M) well casing.
—— de cajón, cribwork.
ademador *m*, timberman, shorer.
ademadora *f*, ax used in mine timbering.
ademar, to shore, timber.
ademe *m* (min), strut, shore.
—— de prestado, temporary timbering.
adentar, to tooth.
adentelladura *f*, toothing.
adentellar, to tooth; (conc) to form bonding keys.
adentro *adv*, inside.
aderezadora *f*, (mech) dresser; buzz planer.
aderezar, to fit out, rig, equip; to dress, rectify.
aderezo *m*, dressing (belt, etc.).
adeudar (cont), to debit.
adherencia *f*, adhesion, bond.
adherente, adhesive.
adherirse, to adhere, cohere.
adhesión *f*, adhesion, bond; (w) freezing.
adhesivo, adhesive.
adiabático, adiabatic.
adiactínico, adiactinic.
adiatérmico, adiathermic.
adición *f*, addition.
adicionante *m* (conc)(M), admixture.
adicional *m* (conc)(A), admixture.
adinola *f* (geol), adinole.
adintelar (Col), to place a lintel.
aditamento *m*, a fitting, attachment, accessory (auto) equipment; (conc)(Col) insert.
—— de muela (torno), grinding attachment.
—— de taladrar (em), boring attachment.
—— para fresar (torno), milling attachment.
aditamentos
—— de cadena, chain attachments.
—— de tractor, tractor equipment.
—— de tubería (Col), pipe fittings.
aditivo *m*, additive; (elec) addition agent; *a* additive.
—— de combustible, fuel dope.

—— **en polvo** (conc), powdered admixture.
adjudicar, to award, let (contract).
adjudicatario *m*, successful bidder.
administración *f*, administration, management; manager's office; headquarters.
—— **delegada,** agency form of contract, cost plus.
—— **judicial,** receivership.
administrador *m*, manager.
—— **auxiliar,** assistant manager.
—— **de obras,** construction manager.
—— **interino,** acting manager.
—— **judicial,** receiver.
admisión *f*, (eng) admission, intake.
—— **total** (turb), full admission.
admitancia *f* (eléc), admittance.
—— **de entrada** (ra), input admittance.
—— **electródica** (ra), electrode admittance.
adobar, to apply dressing (belt, etc.).
adobe *m*, adobe, mud construction; unburned brick; kind of loess; (bl) mudcap.
adobera *f*, mold for adobe brick; adobe brickyard.
adobería *f*, adobe brickyard.
adobo *m*, belt dressing; cable compound.
adobón *m*, (Ch) one pour of adobe wall; (V) large brick.
adoquín *m*, stone paving block.
—— **de asfalto,** asphalt block.
—— **de madera,** wood paving block.
adoquinado *m*, block paving.
—— **granítico,** granite-block paving.
adoquinador *m*, paver.
adoquinar, to pave with blocks.
adosar, to abut against, back up to.
adovelado (arco), built of voussoirs.
adrales *m*, sideboards or racks of a truck.
—— **sobresalientes,** flareboards.
adrizar (náut), to trim, right.
adsorbedor *m* (aa), adsorber.
adsorbente, adsorbent.
adsorber, to adsorb.
adsorción, adsorption.
aduana *f*, customhouse.
aduanar, to enter in the customhouse; to pay duty; to put in bond.
aduanero *m*, customs official.
aduja *f*, coil (rope).
adujadas *f*, coils.
adujar, to coil.
adulzar, to soften (metals or water).
advección *f*, advection.
advectivo, advective.
adyacente (mat), adjacent, contiguous.
aeración *f*, aeration.
—— **de dos etapas,** two-stage aeration.
—— **graduada** (dac), tapered aeration.
—— **por vertedero,** weir aeration.
aerar, to aerate.
aereador *m*, aerator.
—— **a difusión,** diffusion aerator.
—— **a rocío,** spray aerator.
—— **a salpicadura,** splash aerator.
—— **de aspiración mecánica,** forced-draft aerator.
—— **de batea de coque,** coke-tray aerator.
—— **de boquilla,** nozzle aerator.
—— **de cascadas o de escalones,** cascade or step aerator.

—— **de cono múltiple,** multicone aerator.
—— **de corriente descendente,** downdraft aerator.
—— **de escobilla,** brush aerator.
—— **de paletas,** paddle aerator.
—— **de placas deflectoras,** baffle-plate aerator.
aerear, to aerate.
aéreo, aerial.
aerífero, containing air.
aerificar, to aerify.
aeriforme, aeriform.
aeroacetilénica, air-acetylene (welding).
aeroacondicionamiento *m* (A), air conditioning.
aeroalternador *m* (U), alternator driven by a windmill.
aerobacter (is), aerobacter.
aerobase *f*, air base, aviation base.
aeróbico, aerobic.
aerobio *m*, aerobe.
aerobiosis *f* (is), aerobiosis.
aerocartógrafo *m* (fma), aerocartograph; aerial photographic surveyor.
aerocreto, aeroconcreto *m* (Col), (conc) Aerocrete (trademark).
aerocroquis *m* (fma), mosaic.
aerodinámica *f*, aerodynamics.
aerodinamicista, aerodynamicist.
aerodinámico, streamlined; aerodynamic.
aeródromo *m*, airport.
aeroeléctrica, planta (M), wind-driven generating plant.
aeroembolismo *m* (A), the bends, caisson disease.
aeroexpreso *m* (tr), air express.
aeroeyector *m* (hid)(Es), air lift.
aerofaro *m*, airway beacon.
aerofiltración *f*, aerofiltration.
aerofiltro *m*, aerofilter.
aerófono *m*, aerophone.
aerófora *f* (min), aerophore.
aerofotografía *f*, aerial photography, aerophotography.
aerofotográfico, aerophotographic.
aerofotograma *m*, aerial photogram.
aerofotogrametría *f*, aerial photogrammetry, aerosurveying.
aerofotogramétrico, aerophotogrammetric.
aerofotopografía *f*, topography by aerial photography.
aerogasolina *f*, aviation gasoline.
aerógeno *a*, aerogenic.
aerógenos *m* (is), aerogenes.
aerografía *f*, aerography.
aerográfico, aerographic.
aerógrafo *m* (ra), aerograph.
aerograma *m*, aerogram; (pmy) aerial mosaic.
aerohidrodinámico, aerohydrodynamic.
aerolita *f*, aerolite (aluminum alloy).
aeromagnético, aeromagnetic.
aeromecánica *f*, aeromechanics.
aeromecánico, aeromechanical.
aerometría *f*, aerometry.
aerómetro *m*, aerometer.
aeromotor *m*, aeromotor; (Sp)(U) windmill.
aeronafta *f*, aviation gasoline.
aeronivelación *f* (A), aerial leveling.
aeroplano *m*, airplane.

aeropoligonación *f* (fma), aerial traversing.
aeroproyección *f* (fma), aeroprojection.
aeroproyector *m* (fma), aeroprojector.
aeropuerto *m*, airport.
—— aduanero, airport of entry.
—— de control, control airport.
—— de enlace, feeder airport.
—— de todo tiempo, all-weather airport.
—— marítimo, seaplane base, marine airport.
aeropulverizador *m*, compressed-air atomizer.
aerosimplex (fma), aerosimplex.
aerosol *m* (aa), aerosol.
aerostática *f*, aerostatics.
aerostático, aerostatic.
aerotécnico, aerotechnical.
aerotopógrafo *m* (fma), aerotopograph.
aerotransporte *m*, air transport.
aerotriangulación *f*, aerial triangulation, aerotri-
　　angulation.
aerovía *f*, airway.
—— de cable, aerial tramway.
afallamiento *m* (geol)(M), faulting.
afanita *f* (geol), aphanite.
afanítico, aphanitic.
afeitanar, to cut off rivetheads.
aferrar, to bind with iron clamps; to grapple; to
　　anchor, moor; aferrarse (maq), to seize,
　　freeze.
afianzador *m*, fastener.
afianzar, to tie, make fast; to bond (employee).
afiladera *f*, sharpener, whetstone.
afilado, (t) sharp.
—— a máquina (herr), machine-dressed.
afilador (*m*) de barrenas, drill sharpener.
afiladora (*f*) de brocas, bit grinder.
afilar, to sharpen, whet, grind.
afilón *m*, sharpening stone.
afinación *f*, affination; finishing; refining.
afinado *m*, finish (surface).
afinadora *f*, (rd) finisher; surfacer.
afinar, to finish; to refine; to regulate, adjust.
afinidad *f* (quím), affinity.
—— electrónica, electron affinity.
afino *m*, refining; (met) fining.
afirmadero *m* (Ch), strut, shore.
afirmado *m*, road surfacing, pavement; (V) road-
　　bed.
afirmar, to make fast; (ea) to compact; (rd) to
　　pave.
aflojar, to loosen, slack; aflojarse, to get loose,
　　work loose, loosen up, start.
afloramiento *m*, outcrop; (conc)(A) bleeding.
aflorar, to crop out, outcrop; to emerge (ground
　　water).
afluencia *f* (hid), runoff, inflow.
afluente *m a*, tributary.
afluir, to flow in.
aflujo *m*, inflow, runoff; afflux.
afolador *m*, calking iron, calking chisel; calker.
afolar (cal), to calk.
afondar, afondarse (náut), to sink.
aforador *m*, stream gage; gager; appraiser.
—— de aduana, customs appraiser.
—— de alambre y pesa, wire-weight gage.
—— de cadena, chain gage.
—— de cinta, tape gage.

—— de flotador, float gage.
—— de gancho, hook gage.
—— de resalto, standing-wave flume.
—— registrador, recording gage.
aforar, to measure; (r) to gage; to appraise.
aforo *m*, (r) gaging, measurement; appraisal;
　　classification (freight).
—— americano (A), American wire gage.
—— con disolución salina (hid), salt-dilution
　　method of gaging.
—— de Birmingham (A), Birmingham wire gage.
—— por flotadores (hid), float gaging.
—— por inercia-presión (hid), inertia-pressure
　　method of gaging.
—— por molinete (hid), current-meter gaging.
—— por velocidad de sal (hid), salt-velocity
　　method of gaging.
—— químico (hid), chemical gaging, salt-dilution
　　method.
aforrar, to line, sheathe; (fo) to lag; (cab) to
　　serve.
aforro *m*, lining, sheathing, lagging; (cab) serv-
　　ing.
aftita *f*, aphtit (alloy).
aftitalita *f* (miner), aphthitalite, glaserite, arca-
　　nite.
agar *m* (lab), agar.
—— de bilis, bile agar.
—— nutritivo, nutrient agar.
agar-agar, agar-agar.
agargantado (Es), grooved.
agarrabolsas *f* (fc), mailbag catcher, mail crane.
agarradera *f*, handle, grip, haft; clamp.
—— D, D handle (shovel); spade handle (elec
　　switch).
—— de cinta (lev), tape grip.
—— de pistola, pistol grip.
—— de puerta, door pull.
—— de serrucho, saw pad.
—— de ventana, sash lift.
agarradero *m*, clamp; handle, grip; (naut) an-
　　choring ground.
—— de cable, cable clip.
—— de puerta, doorknob; door pull.
agarrador *m*, handle, grip; (re) passer; (lg) dog-
　　ger.
—— de riel (herr fc), gripper.
—— de tensión (lev), tension handle (for tape).
—— de tubo (pet), tubing catcher.
agarradora *f* (ef), skidding grab.
agarradurmientes *m* (fc)(M), tie tongs.
agarrar, to grip, grapple; agarrarse (maq), to
　　seize, freeze, drag (brake).
agarratubos *m* (pet), tubing catcher.
agarre *m*, (re)(mech) grip.
agarrotar (ef), to choke.
agencia (*f*) de colocaciones, employment agency,
　　labor exchange.
agente *m*, agent.
—— catalítico, catalytic agent.
—— comprador, purchasing agent.
—— de aduana (C), customhouse broker.
—— de carga (fc), freight agent.
—— de equipajes (fc), baggage agent.
—— de vía (fc)(A), roadmaster, supervisor.
—— expedidor, forwarding agent.

—— meteórico, atmospheric agency.
—— químico, chemical agent.
—— reductor (quím), reducer, reducing agent.
agitador *m*, agitator, mixer.
—— de chorro, jet agitator.
agitar, to agitate, stir.
aglomeración *f*, agglomeration.
aglomerado *m*, (geol) agglomerate; coal briquet.
aglomerante *m*, binder, matrix.
—— para machos (fund), core binder.
aglomerar, to agglomerate.
aglutinador *m*, binder, cementing material.
aglutinante *m*, cementing material; (elec) binder.
aglutinar, to agglutinate; to cement, bind; aglutinarse, to cake.
agojía *f* (min), drain.
agojo *m*, a Philippine lumber.
agolparse (M), to jam.
agónico, agonic.
agotador *m*, exhauster.
agotamiento *m*, depletion; exhaustion; drainage; running down.
—— de metales, fatigue of metals.
agotar, to drain, unwater, evacuate; to exhaust, run down.
agradación *f* (geol), aggradation.
agramilar, to mark with a marking gage, to mark out.
agrandahoyos *m* (pet), reamer, hole enlarger.
agregado *m*, (conc)(rd)(geol) aggregate, road metal.
—— coloidal (pet), admixture.
—— en polvo (conc), powdered admixture.
—— escalonado o graduado, graded aggregate.
—— grueso, coarse aggregate.
—— premezclado (conc), premixed aggregate.
—— tal como sale, run-of-bank aggregate.
agregados (mec)(A), attachments, accessories.
agremiado *m*, union man; *a* unionized.
agremiar, to unionize.
agrietamiento *m*, (geol) jointing; (lbr) checking.
agrietarse, to crack, (lbr) to check.
agrillétar, to fasten with a shackle.
agrimensor *m*, surveyor, land surveyor.
—— de minas, mine surveyor.
agrimensura *f*, land surveying.
agrio, brittle; harsh; sour.
—— al frío (met), cold-short.
agrónomo *m*, agricultural engineer, agronomist.
agrumador *m* (pa), flocculator, floc former.
agrupación *f*, grouping, banking; (ra) ganging.
agrupar, to group, bank.
agua *f*, water.
—— basta o bruta, raw or untreated water.
—— blanda, soft water.
—— capilar (ms)(irr), capillary water.
—— connata (geol), connate or fossil water.
—— corriente, running or flowing water; water-distribution system.
—— cruda, raw or unfiltered water; hard water.
—— de albañal, sewage.
—— de alimentación (cal), feed water.
—— de cal, limewater.
—— de cantera, quarry water.
—— de cohesión (ms), cohesive water.
—— de cola, glue water.

—— de complemento (cal), make-up water.
—— de consolidación (ms), water of compaction.
—— de constitución (quím), water of constitution.
—— de elaboración, process water, (conc) mixing water.
—— de enjuague (M), (wp) wash water.
—— de expulsión (geol)(A), water of compaction.
—— de fondo (pet), bottom water.
—— de formación (geol)(A), connate water.
—— de gravedad (irr)(ms), gravitational or gravity or free water.
—— de hidratación (quím), water of hydration.
—— de imbibición (irr), water of absorption or of imbibition.
—— de lavado (filtro), wash water.
—— de noria (M), well water.
—— de pie, spring water.
—— de reemplazo o de rellenar (cal), make-up water.
—— de salida, tail water (powerhouse).
—— de tormenta, storm water.
—— delgada, soft water.
—— dulce, fresh water; (su) sweet water.
—— estancada, standing or stagnant water.
—— freática, ground or suspended water.
—— freática a gravedad (irr), gravity ground water.
—— freática afluente, influent ground water.
—— freática efluente, effluent ground water.
—— fuerte, aqua fortis, nitric acid.
—— gorda o gruesa, hard or brackish water.
—— libre (ms)(irr), free water.
—— llovediza o llovida o pluvial, rain water.
—— muerta, still or stagnant water; slack water.
—— pelicular (ms), pellicular water.
—— pluvial de albañal, storm sewage.
—— potable, drinking or potable water; domestic water supply.
—— regia, aqua regia, nitrohydrochloric acid.
—— singenética (geol)(A), connate water.
—— solidificada (ms), solidified water.
—— subálvea, water in the bed of a stream.
—— subterránea adherida, attached ground water.
—— subterránea aislada, perched ground water.
—— subterránea endicada (A), perched ground water.
—— subterránea fijada (A), attached ground water.
—— subyacente (pet), bottom or edge water.
—— superior (pet), top water.
—— surgidora o surtidora, artesian water.
—— vadosa (geol)(A), vadose water.
—— viva, running or flowing water.
aguas
—— abajo, downstream.
—— altas, high water.
—— aprovechables, water resources.
—— arriba, upstream.
—— bajas, low water.
—— blancas (Es)(A)(Pe), storm-water drainage.
—— broncas (M), flood waters.
—— caseras (Es)(Pe), domestic sewage.
—— cloacales combinadas, combined sewage.
—— cloacales de infiltración, ground or infiltration water.

—— cloacales industriales, industrial or trade wastes.
—— cloacales pluviales, storm sewage.
—— cloacales sanitarias, sanitary or house or domestic sewage.
—— cloacales separadas, separate sewage.
—— corrientes (A), municipal water supply.
—— de cabecera (PR), (r) headwaters.
—— de fregadero (al), sink water.
—— de retroceso (PR), tail water (powerhouse).
—— estiales, low water.
—— excluídas (Pe), sewage.
—— fecales, sewage, sanitary sewage.
—— industriales, industrial wastes or sewage.
—— inmundas, sewage.
—— juveniles (geol), juvenile waters.
—— meteóricas, rain or storm water; meteoric waters.
—— mínimas, low water.
—— negras, sewage, domestic or house sewage.
—— pluviales, rainfall.
—— rejuvenecidas (geol), rejuvenated water.
—— residuales domiciliarias, house or domestic sewage.
—— residuales industriales, industrial wastes.
—— servidas, sewage.
—— servidas caseras, house sewage.
—— someras (A), surface water.
—— suspendidas, suspended water.
—— telúricas (A), ground or well water.
—— vertientes (hid), runoff.
aguabresa f (Es), soil pipe.
aguacero m, heavy shower, downpour, cloudburst.
—— presumido (hid), design storm, assumed rainfall.
aguachinar (Es), to saturate (soil).
aguada f, water station; flood; (pt) kalsomine; (CA) watering trough.
aguadero m, water station.
aguador m, waterboy, water carrier.
aguaducho m, conduit; flood.
aguaje m, tiderace; tidal wave; hydraulic bore; (C)(Ec) heavy shower; (M) well; (M) watering trough; (M) cistern.
agualotal m (AC), bog, swamp.
aguallita f (Pe), shallow water.
agualluvia f, rain water.
aguamanil m, washbasin.
aguanieve f, sleet.
aguantador m (re), dolly; bucker-up.
aguantar, to resist, support; (re) to buck up.
aguantatubos m (pet), pipe hook.
aguante m (mec), endurance, strength.
—— al calor, heat endurance.
aguañón m, hydraulic engineer.
aguar, to water, dilute; aguarse, to be drowned out.
aguarrás m, turpentine.
—— mineral, turpentine substitute.
aguatal m (Ec), pool; swamp.
aguatero m (A), water cart; water carrier.
aguatocha f, pump.
aguatorre f, water tower.
aguay, aguaí m, an Argentine hardwood.
aguazal m, swamp, bog, marsh.

aguce m (herr), sharpening.
agudeza f, sharpness.
agudizar, to sharpen.
agudo, sharp, acute; sharp (curve).
agüera f, irrigation ditch.
aguiero m (Es), round shoring timber.
aguilón m, (de) boom, jib, mast arm; (rf) beveled tile at hip or valley; (rf) diagonal horizontal tie.
—— acodado, gooseneck boom.
—— activo, live boom.
—— de grúa, crane boom; derrick boom.
—— de pala, shovel boom.
—— para carga pesada (cn), heavy-lift or jumbo boom.
—— para pala de cable de arrastre, dragline boom.
aguja f, needle; (rr) switch point; (hyd) needle beam; (carp) brad, finishing nail; (inst) hand, needle; (cons) shore, spreader; (min) small branch vein; (surv) marking pin, arrow; (fo) spreader.
—— aérea, aerial frog (trolley wire).
—— de agrimensor, surveyor's marking pin, arrow.
—— de brújula, compass needle.
—— de cadeneo (lev), marking pin, arrow.
—— de cambio o de carril o de chucho (fc) switch point or blade.
—— de carril cortado (fc)(Es), stub switch.
—— de Gillmore (lab), Gillmore needle.
—— de inclinación, dipping needle.
—— de manómetro, hand of a pressure gage.
—— de marcar, scriber.
—— de marear, mariner's compass.
—— de medición, (surv) tally pin, arrow; (ge) metering pin.
—— de pared (ed), needle.
—— de plasticidad (ms), plasticity needle.
—— de polvorero, blasting needle.
—— de velero, sail needle.
—— de Vicat (lab), Vicat needle.
—— descarriladora (fc), derail switch.
—— dosificadora, metering pin (carburetor).
—— imanada, magnetic needle.
—— indicadora, (eng) bouncing pin.
—— infernal, plug and feathers, wedge and shims.
—— para marcar, center punch.
—— trazadora (planímetro), tracing point.
agujas, (min)(Sp) poling boards.
—— de arrastre (fc), trailing-point switch.
—— de encuentro o en contrapunta (fc), facing-point switch.
—— de resorte (fc), spring switch.
—— enclavadas (fc), interlocked switch.
—— verticales (hid), needle beams.
agujal m (Col), hole in a wall left by form bolt or spreader.
agujereador m, drill.
—— de banco, bench drill.
—— de columna, post drill.
agujereadora f, punch; drill, boring machine.
agujerear, to bore, drill, perforate; agujerearse, to form a pipe (earth dam); to form holes.
agujero m, hole.
—— aceitero (A), oilhole.

—— **ciego,** blind hole.
—— **de acceso,** handhole, manhole.
—— **de culebra** (vol), snake hole.
—— **de engrase,** oilhole.
—— **de hombre,** manhole (boiler, tank, etc; not used for street manholes).
—— **de inyección,** grout hole.
—— **de lubricación,** oilhole.
—— **de mano,** handhole.
—— **de muestreo** (is), sampling hatch.
—— **de nudo,** knothole.
—— **de paso,** manhole (tank, etc.).
—— **de perno,** bolthole.
—— **de prueba,** test hole.
—— **de remache,** rivet hole.
—— **de sonda,** drill hole, boring.
—— **manual,** handhole.
—— **oblongo,** (str) slotted hole.
—— **para espiga** (ais), pinhole.
—— **para pasador** (est), pinhole.
—— **para poste,** posthole.
—— **pasante,** through hole.
—— **piloto,** pilot hole.
—— **por roscar,** tapping hole.
—— **sin salida** (A), blind hole.
agujeros de aliviamiento (cn), lightening holes.
agujeros de guía (mh), guide holes.
agujetero m (mo)(V), through bolt to hold a bulkhead.
agujista m (fc), switchman.
agujón (dib), pricker.
agujuela f, brad, finishing nail.
agusanado, worm-eaten.
aguzadera f, whetstone.
aguzador m, drill sharpener.
—— **de lápices,** pencil sharpener.
aguzadora (f) **de pernos,** bolt pointer.
aguzar, to sharpen, whet, point; (pet) to dress (bit).
aherrumbrarse, to rust.
ahilar, to line up, align.
ahitar (lev), to set monuments.
ahocinarse (r), to cut a gorge.
ahogadizo, nonfloating, heavier than water.
ahogado, submerged, drowned; lacking air for combustion; (M) embedded.
ahogador m (auto)(M), choke.
ahogar, to submerge, drown, flood (carburetor); (M) to embed; **ahogarse,** to be submerged; (eng) to stall.
ahondar, to deepen, dig, sink (shaft).
ahonde m, deepening, sinking.
ahorcaperro m, running bowline; hitch.
ahorcarse, to jam.
ahorquillado, forked.
ahuecado, hollowed out.
ahuecador (m) **metálico** (ed), metal floor pan.
ahuecamiento m, cavity, void, hollow.
ahulado m, (CA) waterproof fabric; a rubber-covered.
ahusado m, taper, (fdy) draft.
—— **al revés** (herr), back taper, longitudinal relief.
—— **de entrada** (herr), entering taper.
—— **Jarno,** Jarno taper.
—— **Morse,** Morse taper.

ahusamiento m, taper.
ahusar, to taper, skive; to batter.
ailsita f (geol), ailsyte (microgranite).
aire m, air.
—— **a presión** (M), compressed air.
—— **arrastrado,** entrained air.
—— **comprimido,** compressed air.
—— **detonante,** firedamp.
—— **libre, al,** outdoors.
—— **libre por minuto,** free air per minute (compressor).
airear, to aerate; to ventilate.
aislación f, insulation; (A) waterproofing.
—— **de humedad,** dampproofing.
—— **de relleno,** fill insulation.
—— **de sonido,** soundproofing.
—— **reflectora,** reflective insulation.
—— **térmica,** heat insulation.
aislado de papel, paper-insulated.
aislador m, insulator.
—— **a botón clavado,** nail knob.
—— **abrazador,** cleat insulator.
—— **corriente,** standard-duty insulator.
—— **de amarre,** strain insulator.
—— **de anclaje,** terminal strain insulator.
—— **de botón partido,** split-knob insulator.
—— **de cadena,** string or suspension insulator.
—— **de campana,** bell or petticoat insulator.
—— **de caperuza,** hood insulator.
—— **de carrete,** spool insulator.
—— **de derivación múltiple,** take-off insulator.
—— **de espiga,** pin insulator.
—— **de fabricación húmeda,** wet-process insulator.
—— **de horquilla y macho,** clevis-and-tap insulator.
—— **de ojillo y horquilla,** eye-and-clevis insulator.
—— **de perilla,** knob insulator.
—— **de semianclaje,** semistrain insulator.
—— **de tres campanas,** triple-petticoat insulator.
—— **distanciador** o **de pie,** standoff insulator.
—— **mural,** wall insulator tube.
—— **para horquilla,** fork-bolt or clevis insulator.
—— **para viento,** guy-strain insulator.
—— **prensado en seco,** dry-process insulator.
—— **seccionador,** section insulator.
—— **tensor,** turnbuckle or strain insulator.
—— **tipo de niebla,** fog-type insulator.
—— **tubular,** leading-in insulator, wall insulator tube.
aislamiento m, insulation; isolation; (A) waterproofing.
aislante m, insulating material, insulant.
—— **de cambray,** cambric insulation.
—— **de ebonita,** hard-rubber insulation.
—— **de pergamino,** parchment insulation.
aislar, to insulate, isolate.
ajarafe m, tableland; flat roof.
ajornalar, to employ by the day.
ajustable, adjustable.
ajustado, tight, close; fitted; adjusted.
ajustador m, machinist, fitter, mechanic; adjusting tool; (mech)(carp) adjuster; (ins) adjuster.
—— **a cero** (eléc), zero adjuster.
—— **de banderola,** transom operator.

—— de batiente (carp), stop-bead adjuster.
—— de claraboya, skylight operator; transom operator.
—— de tuercas, nut runner or tightener or setter.
—— de ventana batiente, casement adjuster.
ajustadora f, any adjusting device.
ajustaje m, fitting, adjusting; (A) machining.
ajustar, to fit, adjust, make true; (surv) to balance; ajustarse a, to fit into; ajustarse sobre, to fit over.
ajuste m, adjustment, fitting, setting; (machy) a fit; (C) piecework, small contract.
—— a golpe ligero, tapping fit.
—— a inglete, miter joint.
—— a martillo, driving fit.
—— a prueba de vapor, steam fit.
—— ahusado, taper fit.
—— apretado, tight or close fit.
—— clavado, drive fit.
—— con holgura, loose fit.
—— corredizo, sliding fit.
—— de fase (tv), phasing.
—— de llave, wrench fit.
—— de presión, press fit.
—— de rotación libre, running fit.
—— del trazado, balancing the survey.
—— empotrado en caliente, shrink fit.
—— escogido, selective fit.
—— estrecho, press fit, shrink fit.
—— forzado, tight or force or press or drive fit.
—— forzado mediano, medium force fit.
—— holgado, loose or free fit.
—— libre, easy or light fit.
—— por contracción, shrink fit.
—— preciso, fine fit.
—— sin holgura, snug or wringing or tunking or push or working fit.
ajustes, (p)(machy) fittings.
ajustero m (Col), small contractor; pieceworker.
ajustón m (Ec), tight fit.
al costado (náut), alongside.
ala f, wing (dam or bldg); leg (angle); flange (I beam); blade (propeller); leaf of a hinge; leaf of a folding door.
—— del corazón (fc), wing rail (frog)
—— de mosca (Es), brad; tack.
alabandina, alabandita f (mineral de manganeso), alabandite, manganblende.
álabe m, (turb) bucket; (turb) gate, vane; (mx) blade.
—— director o del distribuidor (turb), wicket gate, guide vane.
—— regulable, adjustable blade.
alabearse, to warp.
alabeo m, warping, wind; (rd)(V) crown.
alacena f, locker, closet.
alacrán m, swivel; (Col) clamp.
aladrar, to plow.
aladrero m (min)(Es), timberman.
aladro m, plow.
alagadizo, liable to be inundated.
alagado m, inundated land.
alagar, to inundate, swamp, flood; alagarse (náut)(B), to leak.
alagunar (Ch), to inundate, flood.
alambicar, to distill.

alambique m, a still.
—— acorazado o de casco, shell still.
—— de tubos, pipe or tube still.
—— de vacío, vacuum still.
—— desintegrador (pet), cracking still.
—— despojador (pet), stripping still.
—— destufador (pet)(M), sweetening still.
—— desulfurador (pet), sweetening still.
—— discontinuo, batch still.
—— para redestilación (pet), rerun still.
alambiquero m, (pet) stillman; (C) distillery.
alambor m, bevel cut, splay.
alambrado m, wiring; wire mesh; wire fence.
—— de botón y tubo, knob and tube wiring.
—— de festón, festoon wiring.
—— descubierto, exposed or open wiring.
—— encerrado, concealed wiring.
alambrador m (A), wire-fence erector.
alambraje m, wiring; wire fencing.
alambrar, to wire.
alambre m, wire.
—— a prueba de intemperie (eléc), weatherproof wire.
—— agrio o brillante o claro, bright wire.
—— bañado de cobre, coppered wire.
—— cargado, live wire.
—— cinta, flat wire.
—— cobrizado, copper-clad wire.
—— de aporte (sol), filler wire.
—— de atar (ref), tie wire.
—— de campanilla (eléc), bell wire.
—— de contacto, trolley or contact wire.
—— de cuadro indicador (eléc), annunciator wire.
—— de disparo (vol), leading wire.
—— de edificación (eléc), building wire.
—— de entrada (eléc), lead-in wire.
—— de espinas, barbed wire.
—— de guardia (eléc), guard or ground wire.
—— de masa (eléc), ground wire.
—— de púas, barbed wire.
—— de puente (vol), bridge wire (in the exploder)
—— de relleno, (wr) filler wire.
—— de soldadura, wire solder; welding wire.
—— desnudo, bare wire.
—— dulce, soft or annealed wire.
—— enterizo (eléc), solid wire.
—— espigado (AC), barbed wire.
—— espinoso (Es), barbed wire.
—— estirado en frío, cold-drawn wire.
—— estirado medio duro, medium-hard-drawn wire.
—— forrado de algodón, cotton-covered wire.
—— forrado de asbesto, asbestos-insulated wire.
—— forrado de caucho, rubber-covered wire.
—— forrado de plomo, lead-sheathed wire.
—— forrado de vidrio, glass-covered wire.
—— fundente, welding wire.
—— fundente de latón, brazing wire.
—— fusible, fuse wire, a wire fuse.
—— mejor de lo mejor (eléc), best best (BB) wire.
—— nudo, bare wire.
—— para artefactos (eléc), fixture wire; appliance wire.
—— pescador (eléc), fish wire.
—— piloto (eléc), pilot wire.

—— por reestirar, redrawing wire.
—— soldador, welding wire; wire solder.
—— tejido, wire fabric or netting.
—— trefilado, stranded wire.
—— trenzado, braided or stranded wire.
alambrecarril m (A), aerial tramway.
alambrera f, wire netting.
alambrón m (met)(M), wire rod.
álamo, poplar.
alamud m, door bolt.
alanita f (miner), allanite.
alar m, eaves; (Col) sidewalk.
alargadera f, lengthening bar for compass; lengthening bar for drill; (chem) adapter.
alargamiento m, elongation, expansion.
—— al fallar, ultimate elongation.
alargar, to lengthen, extend, elongate; alargarse, to expand, lengthen, stretch.
alarife m, mason; builder.
alarma f, alarm.
—— de falta de agua (cal), low-water alarm.
—— de incendio, fire alarm.
alasquita f (geol), alaskite (granite).
alastrar, to ballast.
albañal m, sewer, drain; (C) sewage.
—— de alivio, relief sewer.
—— de rebose, relief or overflow sewer.
—— derivado, branch or lateral sewer.
—— doméstico o de servicio, house sewer, service connection.
—— madre, main sewer.
—— pluvial, storm sewer.
—— sanitario, sanitary sewer.
albañalero m, sewer builder; sewer cleaner.
albañear, to do mason work.
albañil m, mason, bricklayer.
—— de cemento, cement mason.
albañilería f, masonry.
—— ciclópea, cyclopean concrete.
—— de piedra bruta, rubble masonry.
—— de piedra labrada, ashlar masonry.
—— en hileras, ashlar masonry.
—— en seco, dry masonry.
albarda f, packsaddle.
albardilla f, coping, capstone; small packsaddle; (C) riding saddle.
—— de cumbre (ed), saddle stone.
albardillado, crowned; troughed.
albardón m, (bldg)(Ca) coping; (hyd)(A) check dam; dike; ridge; (M) saddle.
albarrada f, mud wall; dry stone wall.
albarradón m, dike, small earth dam.
albayaldar, to coat with white lead.
albayalde m, white lead.
—— anaranjado, orange lead, mineral orange.
—— de plomo, white lead.
—— rojo, red lead.
albedén m, gutter, drain.
albedo m (fma), albedo.
albellón m, sewer.
alberca f, pool, pond; basin, tank.
albercón m, reservoir.
albergue m, bunkhouse, barracks, dormitory.
alberquero m, tank tender, reservoir custodian.
albina f, salt pool or marsh; (miner) apophyllite.
albita f (miner), albite (feldspar).

albitana f (cn), apron, stemson; propeller post.
albolita f (mam), albolite.
albollón m, drain, sewer.
albortante m (M), lighting post.
albufera f, tidal lagoon.
albuhera f, pond, reservoir.
albúmina f, albumin.
albuminoide m, albuminoid.
albuminoideo a, albuminoid.
albumosa f (is), albumose.
albura f, sapwood.
—— de primavera, springwood.
—— de verano, summerwood.
alburno m, alburnum, sapwood.
alcachofa f (bm), strainer, footvalve and strainer.
alcalescencia f, alcalescence.
alcalescente, alcalescent.
álcali m, alkali.
alcalimetría f, alkalimetry.
alcalímetro m, alkalimeter.
alcalinidad f, alkalinity.
alcalinizar, to render alkaline.
alcalino, alkaline.
alcalinotérreo a, alkaline-earth.
alcalizador m (az), liming tank.
alcalizar, to alkalize, render alkaline; (su) to lime.
alcance m, reach; range; drift (tackle); (rr) rear-end collision; (com) balance; (rd) overtaking; (ra) coverage; (ac) blow, throw.
—— de cavadura (pl), digging reach.
—— de descarga (pl), dumping reach.
—— de planeo (ap), gliding range or distance.
—— de la vista (ca), sight or visibility distance.
alcancía f (M), bin, hopper; (min) chute, mill hole; (conc) tremie.
alcantarilla f, culvert; sewer, drain; conduit; (elec)(Sp) cable duct; (M) basin, cistern.
—— anidable, nestable metal culvert.
—— arqueada, arch culvert.
—— de alivio, relief sewer.
—— de cajón, box culvert.
—— de chapas múltiples, multiple-plate corrugated culvert.
—— de descarga, outfall sewer.
—— de platabanda (V), box culvert.
—— de pozo, drop-inlet culvert.
—— interceptadora, intercepting sewer.
—— maestra, trunk sewer.
—— para ganado (fc), cattle pass.
—— pluvial, storm-water sewer.
—— sanitaria, sanitary sewer.
—— visitable (Es), sewer big enough for a man to enter.
alcantarillado m, sewerage.
—— separativo, separate system of sewerage.
—— unitario, combined system.
alcantarillaje m, sewage.
alcantarillar, to sewer, drain; to build culverts.
alcanzar, to reach; to overtake.
alcaparrosa f, copperas.
alcarria f, plateau.
alcatifa f, layer of cinders or other filling under floor or roof tiles.
alcayata f, spike; (C) staple; (surv) spad.
—— de caño, pipe hook, leader hook; gutter spike.
—— de rosca (fc), screw spike.

—— de vía, track spike.
alcázar m (an), poop deck, quarter-deck.
alce m, raising.
alcohol m, alcohol; (min) galena.
—— amílico, amyl alcohol.
—— desnaturalizado, denatured alcohol, methylated spirit.
—— etílico, ethyl or grain alcohol.
—— metílico, methyl or wood alcohol.
—— propílico, propyl alcohol.
alcor m, hill.
alcornoque m, cork tree.
alcorozado m (ed)(M), space between beams on a wall; filling between beams.
alcotana f, pick, mattock; stonecutter's hammer.
—— de dos hachas, asphalt mattock.
alcribís m, tuyère.
alcuba f, dome, cupola; vault.
alcubilla f, covered reservoir; basin, pond.
alcumita f, Alcumite (alloy)(trademark)
alcuza f, oilcan.
aldaba f, latch, catch, retainer.
—— de candado, hasp.
—— de contraventana, shutter bar.
—— de picaporte, latch hasp.
—— de resorte, spring latch.
—— de seguridad, safety latch.
—— dormida, deadlatch.
aldabía f, crossbar on a double door; horizontal timber against a wall; plate or sill of a partition.
aldabilla f (ft), hook, latch.
aldohexosa f (az), aldohexose.
aleación f, alloy.
—— a base de aluminio, aluminum-base alloy.
—— cuaternaria, quaternary alloy.
—— de imprenta, type metal.
—— de níquel al plomo, leaded nickel alloy.
—— de punto bajo de fusión, low-melting alloy.
—— delta, delta metal.
—— no ferrosa, nonferrous alloy
aleaje m (U), alloy
alear, to alloy.
alecrín m, an Argentine lumber very hard and heavy.
alefriz m (carp), rabbet.
alegrador m, reamer, broach.
alegrar, to ream, broach.
alejamiento m, receding, separation.
alejamientos y desviaciones (lev)(M), latitudes and departures.
alema f, duty of irrigation water.
alemontita f (miner), allemontite, arsenical antimony.
alerce m, larch, tamarack, hackmatack.
alero m, eaves; (bldg)(dam) wing; (bdg) wing wall.
alerón m, aileron; damper.
alesador m (A), operator of a drill (shop)
alesadora f, drill.
alesaje m, bore (cylinder).
alesna f, awl.
alesnado, sharp-pointed.
aleta f, (mech) lug; fin, gill; leaf (hinge); (mx) blade; (turb) vane; (na) quarter.
—— amortiguadora, damping vane.

—— de hélice, propeller blade.
—— de semáforo (fc), semaphore blade.
—— desviadora (turb), redirecting blade.
—— directriz o distribuidora (turb), wicket gate, guide vane.
aletas de enfriamiento, cooling fins.
alevante m (min)(M), overhand stope.
aleviador m (hid), alleviator.
alfa-naftol m, alpha-naphthol.
alfagra f (Es), channel, gorge.
alfajía f, door or window frame; batten; timber 10 by 14 cm; (Col) roofing board.
alfametilnaftaleno, alfametilnaftalina, alpha-methyl naphthalene.
alfaque m, shoal, bar.
alfarda f, (carp) light wooden beam, scantling; rafter; irrigation dues.
alfardar, to join in an irrigation development.
alfardón m (C), girder, heavy beam.
alfarería f (V), brick masonry; tilework.
alfarjar, to wainscot.
alfarje m, wainscot; paneling.
alfarjía, same as alfajía.
alféizar m, splay of door or window.
alfiler m (M), peg, pin.
—— de París (Es), wire nail.
alfilerillo m, finishing nail, brad.
—— cortado, cut finishing nail.
—— de alambre, wire finishing nail.
alfombrado m (mam)(V), base course, mat.
alga f, alga.
algas, algae.
algáceo, algal.
algaida f, sand dune.
algarrobo m, carob wood.
álgebra f, algebra.
algebraico, algebraic.
algecida m, algaecide.
algodón m, cotton.
—— colodión, collodion cotton.
—— de calafateo, calking cotton.
—— explosivo, guncotton.
—— mineral (A), slag wool.
—— pólvora, guncotton, nitrocotton; cotton powder.
—— pólvora nitrado (vol), tonite.
—— trenzado (eléc), cotton braid.
algoso, full of algae.
alguaza f, hinge.
alicatado m (C), wall of brick laid on edge.
alicates m, pliers; tongs; pincers.
—— aislados, insulated or electrician's pliers.
—— de ángulo, diagonal pliers.
—— de articulación movible, slip-joint pliers.
—— de ayustar (cab), splicing tongs.
—— de combinación, combination pliers.
—— de corte lateral, side-cutting pliers.
—— de crisol (lab), crucible tongs.
—— de expansión, slip-joint pliers.
—— de garganta, open-throat pliers.
—— de gasista, gas pliers.
—— de guardalínea, lineman's pliers.
—— de punta plana, flat-nose pliers.
—— de punta redonda, roundnose pliers.
—— narigudos, long-nose pliers.
—— punzonadores, punch pliers.

alidada *f*, alidade.
— **de anteojo,** telescope alidade.
— **de anteojo fijo,** fixed-tube alidade.
— **de explorador,** exploration or expedition alidade.
— **de geólogo,** geological alidade.
— **de mirilla,** peep-sight alidade.
— **de pínulas,** open-sight alidade.
— **de topógrafo,** engineering alidade.
— **para plancheta,** plane-table alidade.
aligación *f*, tie; bond; alloy.
aligerar, to lighten.
alijador *m*, lighterman.
alijadora *f*, lighter; sander.
alijar, to lighten; to sandpaper.
alije *m*, unloading, lightening of a ship.
alijo *m*, unloading; (C) locomotive tender.
alimentación *f*, feed (all senses), feeding.
— **a sinfin,** worm feed.
— **al vacío o por aspiración,** vacuum feed.
— **con gasto constante** (pa), constant-rate feed.
— **de retroceso** (ra), feedback.
— **directa** (pa), dry feed, direct feed (chlorine).
— **en seco** (pa), dry feed.
— **forzada,** force feed.
— **mecánica,** power feed; mechanical stoking.
— **visible** (lu), sight feed.
alimentado a petróleo (cal), oil-fired, oil-burning.
alimentado por gas, gas-fired.
alimentador *m*, feeder; feed wire; stoker.
— **basculante,** jog feeder.
— **con descarga por detrás** (cal), rear-cleaning stoker.
— **de bandeja,** tray feeder.
— **de carbón,** stoker.
— **de correa,** belt feeder.
— **de criba corrediza,** traveling-grizzly feeder.
— **de descarga lateral,** side-cleaning stoker.
— **de disco rotatorio,** rotary-disk feeder.
— **de dosificación** (pa), proportioning feeder.
— **de enlace** (eléc), tie feeder.
— **de hogar,** mechanical feeder.
— **de parrilla corrediza,** traveling-grate stoker.
— **de película** (fma), film-metering device.
— **de la red** (eléc), network feeder.
— **de vaciado superior,** overfeed stoker.
— **oscilante,** reciprocating feeder.
— **pesador,** weighing or weigh feeder.
— **sin fin,** screw feeder.
alimentar, to charge; to feed.
alimento *m* (mec), feed, feeding.
aindar, to mark boundaries.
alinderar (AC), to mark boundaries.
alineación *f*, alignment.
— **y rasante,** line and grade, line and level.
alineador *m*, aligning tool.
alinear, to line, line up, align.
alisador *m*, finishing tool; smoothing iron (asphalt); smoothing blade (road machine); (fdy) sleeker, smoother; (A) reamer.
alisadora *f*, surfacing machine; dresser.
— **de caminos,** road scraper.
alisaduras *f*, shavings, turnings.
alisar, to plane, face, smooth up, surface.
alisatubos *m* (pet), casing scraper.
alisios *m*, trade winds.
alistador (*m*) **de tiempo,** timekeeper.

alistonar, to lath; to cleat.
alita *f* (ct), alite.
aliviadero *m*, spillway, wasteway; sluiceway; weep hole.
— **de agua sobrante** (al), storm overflow.
— **de crecidas,** (r) floodway; (sw) storm overflow.
— **de cresta libre,** open spillway (no gates).
— **de fondo,** sluiceway, undersluice.
— **de lluvia** (Es), inlet to a storm sewer.
— **de pozo,** shaft spillway.
— **de seguridad,** emergency spillway.
— **de superficie,** wasteway, spillway.
— **lateral,** side-channel spillway.
— **superior** (irr), overchute.
— **vertical de arena** (ot), sand drain.
aliviador *m*, spillway; relief valve.
alivianar (PR)(A), to lighten.
alivio *m*, easing, relief.
— **de esfuerzos,** stress relief.
— **de expansión,** expansion relief.
— **de vacío,** vacuum relief.
aljaba (*f*) **de electrodos** (sol), electrode carrier.
aljarafe *m*, flat roof.
aljez *m*, gypsum, plaster of Paris.
aljezar *m*, gypsum quarry.
aljibe *m*, pool, tank, cistern; tank barge.
aljofifa *f*, mop.
aljofifar, to mop.
aljor *m*, gypsum.
aljorozado *m* (V), scratch coat of lime and mud.
aljorozar, to plaster; to smooth up.
alma *f*, core (dam); (str) web, stem (T); (cab) center, core; (lbr) heart; drill core; scaffold pole.
— **calada o de celosía** (est), lattice web.
— **combada** (ts), arched web.
— **de andamio,** scaffold pole.
— **de cáñamo,** (wr) hemp center.
— **de ensayo,** test or sample core.
— **de riel,** web of a rail.
— **fibrosa,** (wr) fiber core.
— **llena** (est), solid web, plate web.
almacén *m*, warehouse, storehouse, storeroom; store; magazine (camera).
— **afianzado,** bonded warehouse.
— **de agua,** cistern, tank.
— **de pólvora,** magazine.
almacenador *m*, warehouseman.
almacenaje *m*, storage, warehousing; warehouse charges.
almacenamiento *m*, storage.
— **de desbordamiento** (hid), valley storage.
— **de sobrecarga** (hid), surcharge storage.
— **en las riberas** (hid), bank storage.
— **momentáneo** (hid), instantaneous storage.
— **muerto,** dead storage.
— **para uso** (hid), conservation storage.
almacenar, to store, stock.
almacenero, almacenista *m*, storekeeper, warehouseman.
almádana, almádena, almádina *f*, stone hammer, spalling hammer.
almadía *f*, raft.
almagra *f*, **almagre** *m*, red ocher, ruddle.
almaina *f*, stone hammer.

almanque *m* (Col), putlog.
almarbatar, to frame (timber).
almártaga *f*, litharge.
almatriche *m*, irrigation ditch.
almenado, dentated.
almenara *f*, (irr) return ditch; (Col) surge tank.
almendrilla *f*, fine coal; fine gravel; (geol) conglomerate of fine stones; small file.
almendrón *m* (Es), conglomerate of large stones.
almidón *m*, starch.
—— yodado (is), starch-iodine.
almilla *f* (carp), tenon.
almirez *m* (lab), mortar.
—— y mano, mortar and pestle.
almoceda *f* (Es), water rights; irrigation rate.
almohada *f*, cushion.
—— del escobén (cn), hawse bolster.
almohadilla *f*, pad, cushion.
—— de apisonar, tamping pad.
—— de tope, buffer block.
—— filtradora (V), filter block.
almohadillas de freno, brake blocks.
almohadillas de fricción, (eng) friction blocks.
almohadillado *m* (sol), padding.
almohadillar, to cushion.
almohadón *m*, lowest voussoir in a semicircular arch.
—— de agua, water cushion.
almohatre *m*, sal ammoniac.
almojaya *f*, putlog; outlooker.
alógeno (geol), allogenic, derivative.
alojamiento *m* (mec), seat, bearing, socket.
alosar, to lay tiles.
aloxito *m*, aloxite (abrasive).
alpax *m*, alpax (alloy)
alpende *m*, tool house.
alquilar, to rent; to alkylize.
alquiler *m*, rent, rental.
alquilizar, to alkylize.
alquitarar, to distill.
alquitrán *m*, tar, pitch.
—— cortado, cutback tar.
—— de carbón, coal tar.
—— de gas, gas tar, gashouse coal tar.
—— de gas de aceite, oil-gas tar.
—— de gas de agua, water-gas tar.
—— de hornos de coque, coke-oven tar.
—— de hulla, coal tar, coal-tar pitch; gas tar; coke-oven tar.
—— de hulla diluído, coal-tar cutback.
—— de leña, Stockholm tar.
—— de madera, pine tar.
—— de petróleo, oil tar; petroleum pitch.
—— de turba, peat tar.
—— mineral, asphalt.
—— rebajado, cutback tar.
—— vegetal, coal or wood tar.
alquitranado *m*, tarpaulin; application of tar, tarring.
alquitranadora *f*, tar-spraying machine.
alquitranaje *m*, tarring.
alquitranar, to treat with pitch; to coat with tar.
alquitranoso, tarry.
alta *f* (min), hanging wall.
—— ley, de, high-grade (ore).
—— multiplicación, de, high-geared.

—— nitidez (tv), high definition.
—— polarización, de, high-test (sugar).
—— resistencia a corta edad (ct), high early strength.
—— tarea (C), high duty.
—— volatilidad, de, high-test (gasoline).
altas (cn), upper works.
—— aguas, high water.
altar *m* (horno), bridge wall, fire bridge.
—— de agua, water bridge.
—— de humero, flue bridge.
altavoz *m*, loudspeaker.
alteración *f* (geol), alteration.
alternación, alternation.
alternado, alternating.
alternador *m* (eléc), alternator.
—— de imanes permanentes, magneto alternator.
—— de inducido giratorio, revolving-armature alternator.
—— de inductor e inducido fijos, inductor alternator.
—— de inductor giratorio, revolving-field alternator.
alternador-transmisor (ra), alternator transmitter.
alternador-volante, flywheel alternator.
alternancia *f* (eléc)(A), alternation, alternance.
alternar las juntas, to break or stagger joints.
alternativo, (elec) alternating; (eng) reciprocating.
alterno, alternating; alternate.
alternogenerador *m* (Es), alternating-current generator.
alternomotor *m* (Es)(A), alternating-current motor.
altibajos *m*, broken or uneven ground.
altígrafo *m*, altigraph.
altillano *m* (Col), plateau.
altillo *m*, small hill; penthouse, bulkhead; (A) small addition on top of a one-story building; (A)(Col) garret.
altimetría *f*, altimetry, running levels, topographical survey.
altímetro *m*, altimeter.
—— de agrimensor, surveying altimeter.
—— registrador, recording altimeter, altigraph.
altiplanicie *f*, plateau, tableland.
altiplanimétrico, topographical.
altiplano *m*, plateau.
altitud *f*, altitude, elevation.
alto *m*, height; hill, elevation; (geol) hanging wall; (bldg) floor, story, upper floor; (rr) (auto) a stop; *a* high.
—— calor, de, high-heat (cement).
—— carbono, de, high-carbon (steel).
—— explosivo, high explosive.
—— horno, blast furnace.
—— rendimiento, high duty.
altos *m* (A), first floor above the ground.
altoparlante *m*, loudspeaker.
—— a condensador, capacitor loudspeaker.
—— de conductor móvil, moving-conductor loudspeaker.
—— dinámico, moving-coil or dynamic loudspeaker.
—— electromagnético, magnetic-armature loudspeaker.

—— **electrostático,** condenser or electrostatic loudspeaker.
altozano *m,* small hill.
altura *f,* elevation, altitude, height; (hyd) head; (str) depth; (r) stage.
—— **cinética** (hid), dynamic head.
—— **de aspiración** (hid), suction head; suction lift.
—— **de carga** (hid), head.
—— **de descarga o de impulsión** (bm), discharge head.
—— **de despejo o de franqueo,** clearance height.
—— **del instrumento o del ojo** (lev), height of instrument.
—— **de paso,** headroom.
—— **de presión** (hid), pressure head.
—— **de succión** (bm), suction head.
—— **de tiro** (aa), draft head.
—— **dinámica** (hid), velocity head.
—— **efectiva,** (str) effective depth; working depth (gear).
—— **estática** (hid), static head.
—— **hidráulica** (al), hydraulic grade.
—— **libre,** vertical clearance, clear height, headroom; freeboard.
—— **manométrica total** (bm), total head.
—— **metacéntrica** (an), metacentric height.
—— **piezométrica** (hid), piezometric head.
—— **útil** (est), effective depth.
alud *m,* avalanche, snowslide.
alumbrado *m,* lighting; *a* lighted; treated with alum.
—— **a tubo de gas,** gas-tube lighting.
—— **de caveto,** cove lighting.
—— **de contorno,** outline lighting.
—— **de festón,** festoon lighting.
—— **reflejado,** indirect lighting.
—— **semiindirecto,** semi-indirect lighting.
alumbrar, to light, illuminate; to treat with alum; to emerge (ground water).
alumbre *m,* alum.
—— **crómico,** chrome alum.
—— **de amonio,** ammonia alum.
—— **para filtros** (V), filter alum.
—— **potásico,** potash alum, potassium aluminum sulphate.
alumbrera *f,* alunite quarry.
alúmbrico, containing alum.
alúmina *f,* alumina, aluminum oxide.
aluminato *m,* aluminate.
—— **dicálcico** (ct), dicalcium aluminate.
—— **sódico** (pa), sodium aluminate.
—— **tricálcico** (ct), tricalcium aluminate.
alumínico, aluminic.
aluminífero, containing aluminum, aluminiferous.
aluminio *m,* aluminum, aluminium.
aluminita *f* (miner), aluminite (aluminum sulphate).
aluminizar, to aluminize.
aluminoférrico, aluminoferric.
aluminosilicato *m,* aluminosilicate.
aluminoso, aluminous.
aluminotermia *f* (met), aluminothermy, aluminothermics.
aluminotérmico, aluminothermic.

alundo *m* (rfr), alundum.
alunita *f* (miner), alunite, alum rock.
aluvial, aluvional, alluvial.
aluvión *m,* alluvial deposit, alluvium; flood of silt; (A) flood, inundation.
aluvionamiento *m* (A), silting up.
aluvionario (A), alluvial.
álveo *m,* bed of a river, channel.
alveolado (M), honeycombed.
alza *f,* rise, lift; shim; (hyd) flashboard, leaf of a bear-trap gate; (hyd)(Sp) stop log; (Sp) fulcrum.
—— **de tablero basculante** (hid), automatic flashboard, shutter weir, hinged-leaf gate.
—— **de la válvula,** valve lift.
alzacarros *m,* car-lifting device.
alzacoche *m,* automobile lift.
alzada *f,* (dwg) elevation; face of a building.
—— **extrema,** end elevation.
alzado *m,* (ar) elevation; (Sp) superstructure.
—— **de costado,** side elevation.
—— **delantero,** front elevation.
—— **en corte,** sectional elevation.
—— **trasero,** rear elevation.
alzador *m,* any lifting device.
alzadura *f,* hoisting, raising.
alzaguara *f* (Es), spring (water).
alzaprima *f,* crowbar, lever, pinch bar.
—— **de traviesa** (fc), nipper.
alzaprimar, to pry, move with a lever.
alzar, to hoist, raise, lift.
alzatubos *m,* pipe jack.
alzaválvula *m* (auto), tappet.
alzaventana *m* (auto), window opener.
allanador *m* (her), a flatter.
allanar, to grade, level; to flatten; (met) to planish.
allane *m* (M), leveling, grading.
allegador *m* (Es), fire hook, poker.
amacizar, to compress; to make solid.
amacrático, amacratic (lens).
amachambrado (PR)(Es), tongued and grooved.
amachetar, to chop with a machete.
amadrinar, to couple, join.
amaestrar, (mas) to set grounds; (hw) to master-key.
amainador *m* (min), man who handles bucket at top of shaft.
amainar, to lower, slack off; (min) to land the bucket of ore.
amaine *m,* lowering, slacking off.
amalgama *f* (met)(miner), amalgam.
amalgamador *m* (met), amalgamator.
amalgamar, to amalgamate.
amantillar (gr), to top, peak, luff.
amantillo (gr), topping lift, topping or peaking line.
amanzanar (A)(U), to lay out land in blocks.
amaños *m,* tools, equipment, outfit.
amaraje *m,* landing on the water (seaplane).
amarar, to land on the water.
amarillo *m a,* yellow.
—— **benzo** (is), benzo yellow.
—— **de cinc,** zinc yellow (pigment).
—— **de montaña** (miner), yellow earth or ocher.
amarra *f,* tie, lashing; mooring; (Ch)(M) cable clip.

—— de aleta (náut), quarter fast.
—— de bote (náut), painter.
—— de popa (náut), stern fast.
—— de proa (náut), bow or head fast.
—— de puerto (náut), mooring.
—— de través (náut), breast fast, breast line.
amarras para correa, belt hooks or clamps.
amarradera f (Col), mooring line; sling.
amarradero m, mooring post; mooring berth.
amarraje f, wharfage; (cab) serving.
amarrar, to tie, lash, splice, belay, make fast; to moor; (cab) to serve, seize.
amarrazones f (náut), ground tackle.
amarre m, tie, splice, lashing; anchorage, mooring; (conc)(M)(Pe) bond.
—— a pata de ganso, bridle mooring.
amartillar, to hammer.
amasada f (M), batch of mortar.
amasadero m, pugmill, clay mill.
amasar, to mix (mortar); to puddle (fill); to pug, temper.
amasillar, to putty.
amatol m, amatol (explosive).
amberita f, amberite (explosive).
ámbito m, ambit, contour.
ambulante, traveling (derrick), walking (dragline).
ameba f, amoeba.
amelga f (irr), ridge, dike.
amelgar, to set boundary monuments; to furrow.
amellar, to notch.
amerar (Es), to seep, percolate.
amiantista m, asbestos worker.
amianto m, asbestos, amianthus.
amiba f, amoeba.
amibiano, amíbico, amoebic.
amibicida m a, amoebicide.
amicrón m (quím), amicron.
amida f, amido m, (chem) amide.
amigdaloide a (geol), amygdaloid.
amilasa f (is), amylase.
amilo m (quím), amyl.
aminoácido m (is), amino acid.
p-aminodimetilanilina (pa), p-aminodimethylaniline.
amo m, owner; employer; superintendent, foreman.
amohosarse (A)(Ch), to rust.
amojonar, to set monuments.
amojosearse (A)(Ec), to rust.
amoladera f, grindstone, grinder.
amolado m, grinding.
—— de avance longitudinal, end-feed grinding.
—— de avance normal, in-feed grinding.
—— de avance pasante, through-feed grinding.
amoladora f, grinder.
—— de armazón oscilante, swing-frame grinder.
—— de asientos de válvulas, valve grinder.
—— de banco, bench grinder.
—— de brocas, bit grinder.
—— de espigas, shank grinder (drill).
—— de pie, floor-stand grinder.
—— de puntas, center-type grinder.
—— húmeda, wet grinder.
—— sin puntas, centerless grinder.
amolar, to grind, sharpen.

amoldar, to mold, shape.
amollar (cab), to slack, ease off.
amoniacal, ammoniacal.
amoniación f, ammoniation.
amoníaco m, ammonia.
—— albuminoideo (is), albuminoid ammonia.
amoniador m (pa), ammoniator.
—— de alimentación directa, direct-feed ammoniator.
amónico a, ammonium, ammonic.
amonio m, ammonium.
amonización f, ammonization, ammonification.
amontonador m, amontonadora f, stacker, piler.
amontonador de carbón, coal trimmer.
amontonar, to pile, pile up.
—— el fuego, to bank the fire.
—— en camellones (ca), to windrow.
amordazar, to clamp.
amorfo, amorphous.
amortiguación f, deadening; absorbing; (mech) (elec) damping.
—— crítica (eléc), critical damping.
—— de las crecidas (r), flood control.
—— periódica (eléc), periodic damping, underdamping.
amortiguador m, (mech) shock absorber, damper, dashpot; (carp) door check; (hyd) stilling pool; (auto) muffler; (elec) damper; (auto) snubber; (chem) buffer.
—— de chispas, spark arrester.
—— de choque, shock absorber; bumper.
—— de energía, energy absorber; (hyd) stilling pool, tumble bay.
—— de escape, (eng) exhaust head, exhaust silencer.
—— de los faroles (auto), headlight dimmer.
—— de golpes de agua, water-hammer suppressor.
—— de luz, (auto) dimmer.
—— de oleaje (hid), surge suppressor; surge snubber.
—— de ruido, silencer, muffler.
—— de sacudidas (auto), harmonic balancer.
—— del sonido, sound absorber.
—— de torsión, torsion damper.
amortiguamiento (m) de sonido, soundproofing.
amortiguar, to cushion, deaden, lessen; to damp; to absorb (shocks); (chem) to buffer.
amortización f, amortization.
amortizar, to amortize; to redeem; to refund.
amovible, removable, demountable.
amparar, to protect; (leg) to hold harmless; (min) to satisfy conditions for working a claim.
ampelita f, ampelite (coal).
amper m (Es), ampere.
amper-espira f (Es), ampere-turn.
amperaje m, amperage.
—— de carga, charging rate (battery).
—— efectivo, virtual amperes.
amperímetro m, ammeter, amperemeter.
—— calórico (Es), hot-wire ammeter.
—— de abrazadera, clamp ammeter.
—— de alcance múltiple, multirange ammeter.
—— de bolsillo, pocket ammeter.
—— de expansión o de hilo caliente, expansion or hot-wire or thermal ammeter.

— dinamométrico, dynamometer ammeter.
— indicador, indicating ammeter.
— para tablero, switchboard-type ammeter.
— registrador, recording ammeter.
— térmico, thermal ammeter, thermoammeter.
— termocupla, thermocouple ammeter.
amperio *m*, ampere.
— internacional, international ampere.
amperio-hora *f*, ampere-hour.
amperio-pie *m*, ampere-foot.
amperio-vuelta *f*, ampere-turn.
amperios-vueltas transversales, cross ampere-turns.
amperivuelta *f*, ampere-turn.
amperómetro *m*, ammeter, amperemeter.
— térmico, thermal or hot-wire ammeter.
ampliación *f* (fma), enlargement.
— angular (fma), angular magnification.
— del plazo, extension of time (contract).
ampliadora *f*, enlarging outfit (photo).
ampliar, to enlarge, amplify, extend.
amplidina *f* (ra), amplidyne.
amplificación *f*, (elec) amplification, gain; (optics) magnification, amplification.
— de potencia, power amplification.
— de tensión, voltage amplification.
— dinámica (geof), dynamic magnification.
— multigradual o en cascada, cascade amplification.
— transportadora (ra), carrier amplification.
amplificador *m*, magnifier; booster; amplifier.
— a válvula, vacuum-tube amplifier.
— clase A(AB, B, BC, C) (ra), class-A(AB, B, BC, C) amplifier.
— de audiofrecuencia (ra), audiofrequency or audio amplifier.
— de desviación (tv), deflection amplifier.
— de energía (ra), power amplifier.
— de enfrenamiento, brake booster.
— de exploración (tv), scanner amplifier.
— de faja (ra), band-pass amplifier.
— de oratoria (ra)(A), speech amplifier.
— de poder (A), power amplifier.
— de realimentación inversa (ra), degenerative or inverse-feedback amplifier.
— de sonido, loudspeaker.
— equilibrado (ra), push-pull amplifier.
— previo (Es)(A), preamplifier.
— realimentación, feedback amplifier.
— reflejo (ra), reflex amplifier.
— separador (ra), buffer amplifier.
amplificar (eléc), to amplify.
amplitud *f* (mat)(eléc)(ra), amplitude.
— de la marea, tidal amplitude; range of the tide.
ampolla *f*, blister, bulb, ampoule; (A) lamp bulb.
— de congelación (ca), frost boil.
— de válvula (ra), envelope.
ampollarse, to blister.
ampolleta *f*, incandescent lamp; bulb, ampoule.
ampolloso (min), porous, containing cavities.
amura *f* (an), bow, fore part of ship.
— bulbosa, clubfoot, bulb bow.
amurada *f* (an), inside face of the shell plating.
amurallar, to wall; to build into a wall.
amurar (A), to embed in a wall.

anabergita *f* (miner), annabergite, nickel bloom.
anabólico (is), anabolic.
anacarado (miner), pearly (luster).
anaclinal (geol), anaclinal.
anaeróbico (is), anaerobic.
anaerobio *m*, anaerobe.
anaerobiosis *f*, anaerobiosis.
anaerogénico (lab), anaerogenic.
anaglífico (fma), anaglyphic.
anáglifo (fma), anaglyph.
anaglifoscopio *m* (fma), anaglyphoscope.
analático (óptica), anallatic.
analatismo *m* (lev), anallatism.
analcima, analcita *f* (miner), analcime, analcite.
analcitita *f* (geol), analcitite, analcimite.
análisis *m f*, analysis.
— de cedazo o de tamices, screen or sieve analysis.
— de comprobación, check analysis.
— de hornada (met), ladle analysis.
— electrolítico, electroanalysis.
— inmediato, proximate analysis.
— ponderal, gravimetric analysis.
analista *m f*, analyst.
analítico, analytical.
analizador *m*, analyst; (mech) analyzer; (ra) analyzer; (tv) scanner.
— de armónicos (ra), harmonic analyzer.
— de distorsión (ra), distortion analyzer.
— de ondas (ra), wave analyzer.
— de ruidos (ra), noise analyzer.
— de tambor (tv), drum scanner.
analizar, to analyze; (tv) to scan.
analogía (*f*) de la placa, slab analogy.
análogo *m*, analogue.
anaquel *m*, shelf.
anaranjado de metilo (lab), methyl orange.
ancaramita *f* (geol), ankaramite.
ancaratrita *f* (geol), ankaratrite.
ancla *f*, (naut)(mech) anchor.
— de asta giratoria, swivel anchor.
— de campana, mushroom anchor.
— de espiar, kedge anchor.
— de hélice, screw anchor (for guy).
— de pared (ed), wall anchor.
— de seta, mushroom anchor.
— de tierra, guy or earth anchor.
— de tornillo, screw anchor.
— de vía (fc), anticreeper.
— sin cepo, stockless anchor.
ancladero *m*, anchorage, anchoring ground.
anclaje *m*, anchorage; anchoring; anchorage charges.
anclar, to anchor.
anclote *m*, anchor.
anclotillo *m*, small anchor, kedge.
anco *m* (min)(Pe), a silver ore.
ancón *m*, bay, cove; (PR) small lighter.
anconada *f*, large cove, bay.
anconaje *m* (PR), lighterage.
áncora *f*, anchor.
ancoraje *m*, anchorage.
ancorar, to anchor.
ancorería *f*, anchor shop.
ancorero *m*, anchor maker.
anchico *m*, an Argentine hardwood.

ancho _m_, width, breadth; _a_ wide.
—— de faja (ra), band width.
—— de vía (fc), gage.
—— tipo (fc)(M), standard gage.
anchura _f_, width, breadth.
anchurón _m_ (min), chamber, stall, room.
andada _f_, trail, path.
andadera _f_, traveler, traveling derrick, traveling scaffold.
andadero _m_, footwalk.
andador _m_, footwalk; (A) motor scooter.
andalucita _f_ (miner), andalusite.
andamiada _f_, scaffolding.
—— de carenaje (ds), gridiron.
andamiador _m_, scaffold builder, stagebuilder.
andamiaje _m_, scaffolding, staging.
andamiar, to scaffold.
andamio _m_, scaffold; (bdg)(Ec) falsework.
—— acartelado, bracket scaffold.
—— ambulante o corredizo, traveler, traveling scaffold.
—— colgante, hanging scaffold.
—— de báscula (Col), scaffold on outlookers tied back to wall above.
—— de caballetes, horse scaffold.
—— de parales, pole scaffold.
—— suspendido, swinging or hanging scaffold.
—— tubular, pipe scaffold.
—— voladizo o volado, flying or cantilever or óutrigger scaffold.
andana _f_, row, file, line, tier.
andarache _m_ (min)(Es), scaffold.
andarivel _m_, aerial tramway, cableway, ropeway; cable guardrail; single whip; cable ferry; cable railway; (C) ferryboat.
andén _m_, (rr) platform; sidewalk on a bridge; walkway; towpath; (top)(Pe)(B) terrace; (ap) loading apron.
—— de cabeza (fc), end platform.
—— de entrevía (fc), island platform.
—— de llegada (fc), arrival platform.
—— de salida (fc), departure platform.
—— de trasbordo, transfer platform.
ándito _m_, sidewalk; piazza.
andullo _m_ (náut), fender, mat.
anegable, subject to inundation.
anegación _f_, inundation.
anegadizo, liable to be overflowed; nonfloating.
anegar, to submerge, flood, inundate; (pu) to drown; anegarse, to be flooded; to sink; to become waterlogged.
aneléctrico, anelectric.
anemográfico, anemographic.
anemógrafo _m_, anemograph, recording wind gage.
anemograma _m_, anemogram.
anemometría _f_, anemometry, wind gaging.
anemométrico, anemometric.
anemómetro _m_, anemometer, wind gage.
—— indicador, indicating anemometer.
—— registrador, recording anemometer.
anemometrógrafo _m_, anemometrograph, recording wind gage.
anemoscopio _m_ (mrl), anemoscope.
aneróbico (is), anaerobic.
anerobiosis _f_, anaerobiosis.

aneroide _m a_, aneroid.
—— altimétrico, altitude aneroide barometer.
—— de topógrafo, surveying aneroid.
aneroidógrafo _m_, aneroidograph.
anetadura _f_ (náut), puddening.
anexo _m_ (M), addition to a building, ell, wing.
anfibio _m a_ (ap), amphibian.
anfíbol _m_ (miner), hornblende, amphibole.
anfibólico, amphibolic.
anfibolífero, containing amphibole.
anfibolita _f_ (geol), amphibolite.
anfibolosquisto _m_ (geol), hornblende schist.
anfótero (quím), amphoteric.
angaletar (A), to miter.
angalete _m_ (carp)(A), miter box.
angarillas _f_, handbarrow.
angarillear (Ch), to move material in handbarrows.
angla _f_, (geog) cape.
anglesita _f_, anglesite, native lead sulphate.
angostar, to narrow, contract.
angosto, narrow, close.
angostura _f_, gap, pass, narrows, gorge; throat.
—— de la marea, tiderace.
angra _f_, cove, small bay.
angstrom _m_ (física), angstrom.
anguena _f_ (min)(Es), a silver ore.
anguilas _f_, launching ways.
angular _m_, (Sp)(C)(Pe) steel angle, angle iron; any rolled steel shape; _a_ angular, sharp (sand).
—— canal, channel iron.
—— ele (C), steel angle, angle iron.
—— T, T bar, T iron.
—— Z, Z bar.
ángulo _m_, angle.
—— ascendente (lev), angle of elevation.
—— atiesador (est), stiffening angle.
—— comprendido, included angle.
—— con bordón o con nervio (est), bulb angle.
—— de arista redonda (est), round-back angle.
—— de asiento (est), shelf or seat angle, erection seat.
—— de ataque, angle of attack; (mt) working angle.
—— de aterrizaje (ap), landing angle.
—— de atraso (eléc), angle of lag.
—— de avance, (se) angle of lead, angular advance; (elec) angle of lead or of lag.
—— del bisel (sol), groove angle, bevel angle.
—— de contingencia (fc), angle of intersection.
—— del chaflán (sol), groove or bevel angle.
—— de deflexión (fc)(M)(AC)(Ec), deflection angle.
—— de deriva (fma), angle of crab.
—— de desfasamiento (eléc), phase angle.
—— de despojo (mh), clearance angle.
—— de desviación, deflection angle; angle of deviation; (cab) fleet angle.
—— de entrada (mh), entering angle.
—— de espacio libre labial, lip-relief angle (twist drill).
—— de esviaje, angle of skew; (cab) fleet angle.
—— de filo (mh), tool angle, angle of keenness.
—— de fricción, angle of friction or of repose.
—— de frotamiento interno, angle of internal friction.

—— de la hélice (herr)(rs), helix angle.
—— de la herramienta (mh), tool angle, angle of keenness.
—— de incidencia, angle of incidence.
—— de inclinación lateral (mh), side-rake angle.
—— de juego (mh)(A), relief angle.
—— de llegada (ra), angle of arrival.
—— de planeo (ap), angle of glide, obstruction ratio.
—— de la ranura (sol), bevel or groove angle.
—— de rayo (ra), beam angle.
—— de rebajo o de relieve (mh), relief angle.
—— de reposo, angle of repose or of friction.
—— de resbalamiento (A), angle of repose.
—— de resistencia al corte (ms), angle of shearing resistance.
—— de retraso (eléc), angle of lag, phase angle.
—— de rincón vivo (est), square-root angle.
—— de rozamiento, angle of friction.
—— de rumbo (geof), angle of strike.
—— de salida, (ra) angle of departure; (geop) angle of emergence.
—— de separación (mh), front clearance.
—— de sesgo, angle of skew.
—— de varenga (cn), reverse frame.
—— de vista (fma), angle of view or of coverage.
—— descendente (lev), angle of depression.
—— desigual (est), angle with unequal legs.
—— entrante, re-entrant angle.
—— horario, hour angle.
—— igual (est), angle with equal legs.
—— incluso, included angle.
—— labial (A), lip angle (twist drill).
—— lateral de caída (mh), side rake.
—— paraláctico, angular parallax, parallactic angle.
—— periférico (fc)(V), deflection angle.
—— recto, right angle.
—— subtenso (lev), subtense angle.
—— sujetador (est), clip angle.
—— superior de inclinación (mh), back-rake angle.
—— tangencial (fc), deflection angle.
—— trancanil (cn), stringer angle.
—— trasero de caída (mh), back rake.
—— vertical (lev), vertical angle, angle of elevation, altitude or site angle.
ángulos
—— adyacentes, adjacent angles.
—— alternos, alternate angles.
—— de ensamblaje (est), connection angles.
—— en cruz (est), starred angles.
—— espalda con espalda, angles back to back.
angulosidad *f*, angularity.
anguloso, angular; sharp (sand)./
anhídrico, anhydrous.
anhídrido *m*, anhydride.
anhidrita *f* (miner), anhydrite.
anhidro, anhydrous.
anidable, nestable.
anidado, nested.
aniego *m*, aniegue *m* (M), inundation, flooding.
anilina *f*, aniline.
anilla *f*, ring.
anillar, to form rings or hoops.
anillo *m*, ring, hoop, collar, rim.

—— abrazadera (mh), clamp ring.
—— aceitador (lu), oil ring.
—— anual (mad), growth ring.
—— colector (eléc), slip or collector ring.
—— conector (carp), ring connector.
—— de albura (mad), sap ring.
—— del asiento (vá), seat ring.
—— de bolas tipo empuje (cojinete), thrust ball race.
—— de cierre, lock ring (tire).
—— de cierre hidráulico (bm), lantern ring.
—— de crecimiento (mad), growth ring.
—— de émbolo, piston or packing ring.
—— de empaque, washer, packing or junk ring; (str) filling ring.
—— de empuje, thrust collar.
—— de engrase (lu), oil ring.
—— de estancamiento (lu), seal ring.
—— de estopas o de guarnición, (eng) junk or packing ring.
—— de frotamiento (mot), slip ring.
—— de la garganta (turb), throat ring.
—— de goteo (lu), drip ring.
—— de grasa (lu), grease ring.
—— de guarapo (az), juice ring.
—— de horquilla, clevis ring.
—— de levas, cam ring.
—— de lubricación, oil ring.
—— de prensaestopas, (eng) junk ring.
—— de remate (est), cap ring.
—— de resorte, snap ring (piston).
—— de respaldo (sol), backing ring.
—— de retenidas, (de) guy ring.
—— de retículo (inst), cross-hair ring.
—— de rodadura, bearing race, raceway.
—— de rodete, turbine case.
—— de salida (turb), discharge ring.
—— de traviesas (turb)(U), speed ring.
—— desgastable, wearing ring.
—— distribuidor (turb), speed or stay ring.
—— fiador, retainer (ball bearing).
—— fraccionado (mad), false ring.
—— guardapolvo, dust ring.
—— limpiador de aceite (lu), wiper ring.
—— llenador (est), filling ring.
—— micrométrico, micrometer collar.
—— portabolas, cage of a ball bearing, ball race.
—— portante (turb), case ring.
—— portapaletas (turb), guide-vane ring.
—— regulador (turb), gate or shifting ring.
—— restregador (émbolo), scraper or wiper ring.
—— rozante (mot), slip ring.
—— salpicador (ra), splash ring.
—— seguidor (hid), follower ring (gate).
—— sincronizador (auto), synchronizing ring.
—— sujetador (mh), shell chuck.
ánima *f*, (cab) center, core; web (drill); (mech) bore.
anión *m*, anion.
anisométrico, anisometric.
anisotrópico, anisótropo, anisotropic.
anódico (eléc), anodic, anodal.
anodizar, to anodize.
ánodo *m* (eléc), anode.
—— acelerador (ra)(tv), accelerating anode.
—— partido, split anode.

—— **retenedor**, holding anode.
anofeles, anopheles (mosquito).
anofelino, anopheline.
anolito *m* (eléc), anolyte.
anomalía *f*, anomaly (all senses).
anortita *f* (miner), anorthite (feldspar).
anortosita *f* (geol), anorthosite.
anotador *m*, recorder, note keeper.
anotar, to take notes.
anotrón (ra), anotron.
antagonista, antagónico (mec), reactive, antagonistic.
antebahía *f* (M), entrance to a bay.
antecámara *f*, (hyd) forebay; lobby, anteroom; (di) antechamber.
—— **de compresión** (M), air lock.
antecedentes *m*, preliminary data.
antecrisol *m*, forehearth.
antedársena *f*, entrance to a dock; first of a series of basins.
antedique *m*, entrance to a dry dock.
anteesclusa *f*, entrance to a lock.
anteespolón *m*, works to protect a mole or jetty.
anteestudio *m*, preliminary study.
antefondo *m*, step protecting the floor of a lock.
antefornalla *f*, front part of firebox.
antegrada *f* (cn), lower end of launching ways.
antehogar *m*, front part of firebox.
antena *f* (ra), antenna.
—— **Adcock**, Adcock antenna.
—— **aperiódica**, deadbeat or aperiodic antenna.
—— **artificial**, artificial or dummy antenna.
—— **Beverage**, wave or Beverage antenna.
—— **binomia**, binomial array.
—— **cargada**, loaded antenna.
—— **compensadora**, balancing aerial.
—— **de abanico**, fan antenna.
—— **de argolla**, loop antenna.
—— **de capacitancia**, condenser or capacitor antenna.
—— **de capas**, tier array.
—— **de cuadro**, radio loop, loop antenna.
—— **de cuarto de onda**, quarter-wave antenna.
—— **de doblete**, doublet antenna.
—— **de fajas múltiples**, multiband antenna.
—— **de haz** (Es), beam antenna.
—— **de inversión**, antenna reflector.
—— **de jaula**, cage antenna.
—— **de lazo**, loop or coil antenna.
—— **de media onda**, half-wave antenna.
—— **de molinete**, turnstile antenna.
—— **de onda**, wave or Beverage antenna.
—— **de plena onda**, full-wave antenna.
—— **de reflexión**, antenna reflector.
—— **de techo plano**, flat-top antenna.
—— **de toda onda**, all-wave antenna.
—— **de vientre** (Es), loop antenna.
—— **dipolo**, dipole antenna, (Sp) doublet antenna.
—— **direccional**, antenna array, beam or directional antenna.
—— **direccional transmisora**, directive antenna.
—— **emisora**, transmitting antenna.
—— **en V**, folded-wire or V antenna.
—— **espina de pescado**, fishbone antenna.
—— **falsa**, artificial antenna.

—— **fantasma**, phantom or dummy antenna.
—— **ficticia** (A), dummy antenna.
—— **giratoria**, rotary-beam antenna.
—— **indicadora de dirección** (ap), direction finder.
—— **larga**, long-wire or harmonic antenna.
—— **múltiple**, multiple-tuned antenna.
—— **paraguas o sombrilla**, umbrella antenna.
—— **rómbica**, diamond antenna.
—— **sintonizada**, tuned antenna.
antenas entongadas, stacked array.
anteojo *m*, telescope (transit or level).
—— **astronómico o de imagen invertida o de ocular simple**, astronomical telescope (inverted image).
—— **buscador** (fma), telescopic finder.
—— **de erección o de imagen recta**, erecting or terrestrial telescope.
—— **de foco exterior**, external-focusing telescope.
—— **de inversión** (Es), erecting telescope.
—— **de puntería** (fma), sighting telescope.
—— **meridiano**, meridian instrument.
—— **solar** (lev), solar telescope.
anteojos de camino, goggles.
antepagar, to prepay.
antepaís *m*, foreland.
antepecho *m*, railing; parapet; panel or apron or filler wall; spandrel; (min) bench.
antepozo *m* (A)(Es), pump pit for semiartesian well.
antepresa *f* (Es), upstream cofferdam.
antepresupuesto *m*, preliminary estimate.
anteproyecto *m*, preliminary design.
antepuerto *m*, outer harbor, anchorage outside an artificial port.
—— **fluvial**, protective works above a river port.
antesolera *f* (hid), upstream hearth.
antestudio *m*, preliminary study.
antetecho *m* (Ch), overhang of a roof, eaves.
antetrén *m*, forecarriage.
anteumbral *m* (hid), upstream sill.
antiablandecedor, nonsoftening.
antiácido, acid-resisting.
antiaferrado, antiagarrador (maq), nonseizing.
antialabeo, nonwarping.
antialcalino, antalkaline.
antianofelino, antianopheline (mosquito).
antiarañador, nonscoring.
antiarcos (eléc), nonarcing.
antibiosis *f* (is), antibiosis.
anticapacitivo (eléc), anticapacitive.
anticatalizador *m* (quím), anticatalyst.
anticátodo *m* (ra), anticathode, anode.
anticlástico (mat), anticlastic.
anticlinal *m* (geol), anticline; *a* anticlinal.
—— **compuesto o múltiple**, anticlinorium.
—— **interrumpido**, arrested anticline.
—— **recostado**, recumbent anticline.
—— **tumbado**, overturned anticline.
anticlinorio *m* (geol), anticlinorium.
anticloro *m* (quím), antichlor.
anticoagulante, anticoagulant.
anticohesor *m* (ra), anticoherer.
anticombustible *m*, any fire-extinguishing chemical.
anticondensación, anticondensation.
anticongelador *m*, deicer, anti-icer.

anticongelante, antifreeze.
anticontracción, nonshrink.
anticorrosivo, rust-resisting, anticorrosive, noncorrosive.
anticorto-circuito (eléc), antishort.
antichirrido, antisqueak.
antiderrapante (M), nonskid.
antideslizante (m) para correas, belt dressing.
antideslumbrante (vi), antiglare.
antidesvanecedor (ra), antifading.
antidetonancia f (mg), antiknock value.
antidetonante m, antiknock, antidetonant, fuel dope; a antiknock.
antiebullicivo (cal), antipriming.
antieconómico, unprofitable.
antiendurecedor, nonhardening.
antiengrane (A), antiseize.
antiespuma (cal), antifoam, nonfoaming.
antiestático (ra), antistatic.
antifase f (eléc), antiphase, opposite phase.
antifluctuación (eléc), antihunting.
antifricción, antifriction.
antigénico (lab), antigenic.
antígeno m (lab), antigen.
antigiratorio (cab), nonspinning.
antigolpeteo (mg), antiknock.
antihalo (fma), antihalation.
antiherrumbroso, rust-resisting.
antihigroscópico (A), nonhygroscopic, moistureproof.
antiinductivo (eléc), anti-induction.
antilarvario, larvae-destroying.
antilogaritmo m, antilogarithm.
antimagnético (A), nonmagnetic.
antimalárico (C), antimalarial.
antimicrofónico (ra), antimicrophonic.
antimoniado, containing antimony, antimoniureted.
antimonial, antimonial.
antimoniato m, antimonate.
antimónico a, antimony, antimonic.
antimonífero, containing antimony.
antimonio m, antimony.
—— arsenical (miner), allemontite, arsenical antimony.
—— blanco (miner), valentinite, white antimony.
—— gris (miner), stibnite, gray antimony.
—— pirofórico, explosive antimony.
—— rojo, red antimony; kermes mineral.
antimonioso, antimonious.
antimonita f (miner), antimonite, stibnite.
antimonito m (quím), antimonite.
antimoniuro m, antimonide.
antincrustante m, boiler or antiscale compound; a preventing scale formation; (pt) antifouling.
antinodo m (ra), antinode.
—— de la corriente, current antinode or loop.
antinormal, antinormal.
antioxidante, antirust, rust-resisting, antioxidant.
antipalúdico, antimalaria.
antiparalela f (mat), antiparallel.
antiparalelo a, antiparallel.
antiparásito (eléc), antiparasitic.
antiparras f, goggles.
antipatinador m, antiskid device.

antipírico (C), fire-resisting.
antirrajadura, antisplitting.
antirrechinante, antisqueak.
antirresbalidizo, nonslip, nonskid.
antirresonancia f (ra), antiresonance.
antirresonante, (A) soundproof.
antisalpicadura, nonsplash (funnel).
antiséptico, antiseptic; (pt) antifouling.
antisifonaje, antisiphon.
antisimétrico, antisymmetrical.
antisísmico, earthquake-proof, antiseismic.
antisonoro, soundproof.
antisuero m (lab), antiserum.
antitérmico, nonconducting of heat.
antivaho (A), antiglare (glass).
antizumbido (eléc), antihum.
antlerita f, antlerite, native copper sulphate.
antorcha f, welding torch; plumber's torch.
—— a soplete, blowtorch.
—— cortadora, cutting torch.
—— de arco eléctrico (sol), arc torch.
—— de guitarra o de pared, banjo or wall torch.
—— para camino, highway or road torch, fusee.
—— soldadora, welding torch.
antraceno m, anthracene.
antracífero (geol), anthraciferous.
antracita f, anthracite or hard coal.
antracítico, anthracitic.
antracitoso, anthracitous, containing anthracite.
anulador (m) de energía, stilling pool, any device for dissipating the energy of falling water.
anular a, annular.
anunciador m (eléc), annunciator.
anunciar, to advertise.
anuncio m, announcement; advertisement.
aojada f (Col), skylight.
apaciguador (m) de arco (sol), arc pacifier.
apagabrasas m (loco), live-coal extinguisher.
apagachispas m, spark extinguisher or arrester.
apagada al aire, air-slaked (lime).
apagador m, quencher, extinguisher; slaker; (elec)(M) light switch.
—— a espuma, foam fire extinguisher.
—— de arco (eléc), arc quencher.
—— de cal, lime slaker.
—— visible (M), surface switch.
apagafuego, apagaincendios, apagallamas m, fire extinguisher.
apagar, to extinguish, quench; to slake (lime); (elec) to switch off.
apainelado, elliptical (arch); (Col) paneled.
apalancar, to pry, move with a lever.
apaleadora f (C), power shovel.
apalear, to shovel.
apamate m, a Venezuelan lumber.
apancle, apantle m (M), irrigation ditch; flume.
apantallar (ra), to shield, screen.
apantanar, to flood, inundate.
aparadura f (cn), garbel, plate of the garboard strake.
aparar, to dress with an adz, to dub.
aparatista (Es), instrument maker.
aparato m, apparatus, device, fixture.
—— de distribución (eléc), switchgear.
—— de mando, control mechanism.
—— de seguridad, safety device.

—— **de timoneo** (cn), steering gear.
—— **dibujador,** drafting machine.
—— **restituidor** (fma), restitution machine.
—— **rotulador** (dib), lettering machine.
—— **tensor,** take-up tackle, tightening device.
aparatos sanitarios, plumbing fixtures.
aparedar, to wall up.
aparejador *m,* rigger; one who lays out the work; (lg) fitter, marker.
aparejar, to rig; to lay out; (pt) to prime, size, fill; (mas) to bond; (lbr) to rough-dress.
aparejo *m,* block and fall; chain block; tackle, rigging; purchase; (pt) priming, sizing, filler; (mas) bond; (mas) laying out; pack-saddle.
—— **a cadena,** chain block.
—— **atesador o de compensación,** take-up tackle.
—— **cruzado** (lad), cross or Dutch bond.
—— **cuádruple,** four-part tackle.
—— **de dibujo,** drafting machine.
—— **de lantia,** single whip.
—— **de maniobras** (pet), draw works.
—— **de molinete,** capstan pulley blocks (for line-men).
—— **de perforación** (pet), drilling rig.
—— **de retenida** (cn), vang purchase, guy tackle.
—— **de sogas biseladas** (lad), clipped or secret bond.
—— **de válvula** (mv)(M), valve gear.
—— **diferencial,** differential hoist, chain block.
—— **espigado** (lad), herringbone bond.
—— **flamenco u holandés** (lad), Flemish bond.
—— **inglés** (lad), English bond.
—— **inglés y cruzado** (lad), block-and-cross or cross-and-English bond.
—— **quíntuplo,** five-part line.
—— **tensor,** take-up or tension tackle.
apartadero *m,* (rr) siding; (rr) turnout; (rd) wide place for passing; (canal) wide spot where boats may tie up.
—— **de paso,** passing siding, turnout.
—— **muerto,** dead-end siding.
—— **particular,** private siding.
apartaderos solapados (fc), lap sidings.
apartado *m,* (min) ore separation; (M) smelting; post-office box.
apartador *m,* ore picker; smelter.
apartamiento (*m*) **meridiano,** meridian distance.
apartar, to sort, separate, classify; (rr) to side-track.
apartarrayos *m,* lightning arrester.
apatita *f* (miner), apatite.
—— **fluor,** fluorapatite.
apeadero *m* (fc), small station.
apeador *m,* land surveyor.
apeadura, surveying.
apear, to fell (trees); to chock (wheel); to survey; to shore, timber, brace; (Col) to support; (M) to underpin.
apelotonar, to form into balls.
apelmazar, to compress.
apeo *m,* a survey; timbering, shoring; cutting trees; (M) underpinning.
aperador *m,* wheelwright; foreman; (min) store-keeper.
aperar, to repair wagons.

aperiodicidad *f,* aperiodicity.
aperiódico (eléc), aperiodic.
apernar, to bolt; to pin.
aperos *m,* tools, equipment, outfit.
apertura *f,* act of opening.
apestañar (Es), to flange.
apilador *m* (ef), decker.
apiladora *f,* stacker, portable elevator.
apilar, to pile, stack.
apilonar (C)(PR)(M), to pile, pile up, stack.
apiñadura *f* (ef), a jam.
apiñamiento (*m*) **del espectro** (eléc), spectrum crowding.
apiñar, apiñarse, to jam, clog, stick, stall.
apique *m,* mine shaft.
apirí *m,* laborer in a mine.
apisonado *m* (V), roadbed, subgrade.
apisonador *m,* rammer, tamper.
—— **de relleno,** backfill tamper.
—— **de vapor,** steam roller.
apisonadora *f,* tamper; roller.
—— **de neumáticos,** rubber-tire roller.
—— **de patitas de carnero,** sheepsfoot or tamping roller.
—— **niveladora** (ca), tamping and leveling machine.
apisonar, to tamp, compact, ram.
apitón *m,* a Philippine lumber.
apizarrado, containing slate.
apizarrar, to do slatework.
aplanadera *f,* straightedge; mason's float; road drag.
aplanador *m,* roller; grader; (bs) flatter; (mas) float.
aplanadora *f,* roller; grader; mason's float; dresser.
—— **a vapor,** steam roller.
—— **automotriz,** motor roller.
—— **con pies de cabra o de pezuña,** sheepsfoot or tamping roller.
—— **mecánica** (ec), power float.
—— **pata de cabra,** sheepsfoot roller.
aplanar, to level, grade; to smooth up; (mas) to float.
aplantillar, to work to a template.
aplastamiento *m,* collapsing; crushing; (pi) brooming; (conc)(Pe)(U)(A) slump.
aplastar, to flatten; to crush, (pi) broom; **aplastarse,** to collapse.
aplayar (r), to overflow.
aplicador *m* (ca)(lab), applicator.
aplicar, to place against, apply to.
aplita *f* (geol), aplite.
aplobasalto *m* (geol), aplobasalt.
aplogranito *m,* aplogranite.
aplomar, to plumb; to coat with lead; **aplomarse,** to collapse.
aplomo *m,* verticality; plumb line; *a* plumb, vertical.
apocromático, apochromatic (lens).
apomecómetro *m* (lev), apomecometer.
apopado (náut), down by the stern.
aporiolita *f* (geol), aporhyolite.
aporreador *m* (Ch), sledge, maul, striking hammer.
aportación *f,* (hyd) inflow, runoff; (w) weld metal used in one operation.

aportadero *m*, anchorage in a port.
aportar (náut), to arrive in port.
aporte *m* (hid), runoff, inflow.
aporticado (est)(A), rigidly framed (columns and connecting beam or truss).
aportillar, to make an opening in; aportillarse, to collapse.
apostadero *m*, naval station.
—— de hidroaviones, seaplane base, air harbor.
apotema *f* (mat), apothem.
apoyadero *m*, strut, shore, support.
apoyado libremente (viga), simply supported.
apoyaherramienta *m*, tool rest.
apoyapié *m* (auto), footrest.
apoyar, to support; apoyarse en, to abut against, rest on.
apoyo *m*, support, bearing, cradle.
—— colgante, shaft hanger.
—— de dilatación, expansion bearing.
—— de oscilación (est), rocker bearing.
—— de pasador, pin bearing.
—— de rodillos (pte), roller or expansion bearing.
apozarse (Col)(PR), to back up (water), to form pools.
apreciación *f*, appraisal, valuation; estimate; (inst) smallest reading.
appreciador *m*, appraiser.
apreciar, to value, appraise; to estimate.
aprecio *m*, appraisal, valuation.
aprendiz, apprentice.
aprendizaje *m*, apprenticeship.
apresar (Es), to dam.
aprestado *m*, dressing.
aprestador *m* (pint), primer.
aprestar, to make ready; (pt) to prime, size.
apresto *m*, outfit, equipment; (pt) priming.
—— a soplete (pint), flame priming.
—— para correas, belt dressing.
apretado, tight, close; compact.
apretador *m*, tightener.
—— de corredera, zipper.
—— de tuercas (Ch), nut runner or setter.
apretar, to tighten, to set (brake); (sh) to crowd; to crimp (blasting cap).
apretatubo *m*, hosecock, pinchcock.
apretón *m* (min), pressure.
apretura *f*, tightness; (top) gorge, narrows.
aprietacable *m* (A), cable clip.
aprietacadena *m*, chain tightener.
aprietatuercas *m*, nut runner or setter.
aprieto *m*, (min) pressure; (machy) seizing.
aproche (Col), aproches (M) *m*, approach.
apropiación *f* (C), appropriation.
aprovechamiento *m*, development, utilization, exploitation; reclamation.
—— forestal, logging, lumbering.
—— hidroeléctrico, hydroelectric development.
aprovisionamiento (*m*) de agua, water supply.
aprovisionar, to furnish, supply.
aproximación *f*, approximation; approach.
aproximado *a*, approximate.
apuntador *m*, timekeeper; note keeper, recorder.
apuntadora *f* (mh), pointing tool.
apuntalamiento *m*, shoring, timbering, trench bracing; falsework.
apuntalar, to shore, brace, prop.

apuntar, to take notes; to sketch; to point; (inst) to sight.
apunte *m*, rough sketch; memorandum, note.
apuntillado *m* (min), wedging, shimming.
apurar, to purify; to finish; to hurry.
aquastato *m*, Aquastat (trademark).
aquebradizar, to embrittle.
aquerita *f* (geol), akerite.
arabana *f* (az), araban.
arabinosa *f* (az), arabinose.
arado *m*, plow.
—— de caminos, road plow.
—— de nieve, snowplow.
—— desarraigador, rooting or rooter plow; grub hook.
—— descargador (fc), train plow, ballast plow.
—— múltiple, gang plow.
—— quitanieve, snowplow.
araguaney, araguato *m*, Venezuelan lumber trees.
aralejo *m*, a West Indian hardwood.
arancel *m*, tariff.
—— aduanero, schedule of customs duties.
—— consular, list of consular fees.
arandela *f*, washer, gasket; burr.
—— abierta, slip washer, C or slotted washer.
—— acopada, cup washer.
—— achaflanada o ahusada, bevel washer.
—— cortada, cut washer.
—— de aceite, oil retainer.
—— de cabo, grommet.
—— de cimacio o de gola, ogee or cast-iron washer.
—— de cojín, cushion washer.
—— de empaque o de guarnición, packing washer.
—— de empuje, thrust washer.
—— de grifo, bibb washer.
—— de placa, plate washer.
—— elástica o de resorte, spring washer.
—— espaciadora o separadora, spacing washer, separator.
—— fiador o de seguridad, lock washer.
—— fijadora, check or lock washer.
—— lubricadora, oiling washer.
—— nervada, ribbed cast-iron washer.
—— partida, split washer.
—— taza (A), cup washer.
araña *f* (mec), spider, yoke, crowfoot.
arañar, to score, scratch.
arar, to plow.
araucaria *f*, a South American pine.
arazá *m*, a South American hardwood.
arbitración *f*, arbitration.
arbitrador, árbitro *m*, arbitrator.
arbitraje *m*, arbitration; arbitrage.
arbitrar, to arbitrate.
árbol *m*, tree; mast; (machy) shaft, axle; mandrel; (bldg) center post of a spiral stairway.
—— acodado, crankshaft.
—— balanceador (mg)(A), rocker-arm shaft.
—— cardán, cardan shaft.
—— cigüeñal, crankshaft.
—— compensador, compensating axle.
—— de anclaje (ef), spar tree, head spar.
—— del balancín, balance arbor.
—— de boca de pozo (pet), Christmas tree.

—— **de cabezal**, head shaft.
—— **de camas** (A), camshaft.
—— **de cola** (ef), tail tree.
—— **de conexiones** (pet), Christmas tree.
—— **de contramarcha**, countershaft.
—— **de desembrague**, clutch-shifter or clutch-throwout shaft.
—— **del diferencial** (auto), live axle.
—— **de dirección** (auto), steering shaft.
—— **de distribución**, camshaft.
—— **de excéntricas** (C), camshaft.
—— **de impulsión**, driving shaft.
—— **de levas**, camshaft.
—— **de mando** (auto) propeller shaft.
—— **de reenvío** (Es), countershaft, secondary shaft.
—— **de sierra**, saw mandrel.
—— **de torsión**, torque shaft.
—— **de transmisión**, driving shaft, (auto) propeller shaft.
—— **gigantesco**, big tree, sequoia; redwood.
—— **grúa** (ef), spar tree, head spar or tree.
—— **motor**, driving shaft or axle; crankshaft.
—— **partido**, split shaft.
—— **propulsor**, driving shaft, (auto) propeller shaft.
arbolar, to plant trees; to set a mast.
arbollón *m*, sewer, drain.
arborización *f*, **arborestación** *f* (M), forestation.
arbotante *m*, semiarch supporting a vault, strut of a flying buttress; outlooker, hoisting beam.
arca *f*, box.
—— **de agua**, cistern.
—— **de herramientas**, toolbox.
arcada *f*, arcade, series of arches.
arcaduz *m*, conduit; elevator bucket.
arce *m*, maple.
—— **sacarino** o **de azúcar**, sugar maple.
arcén *m* (Es), curb around a shaft or well; riverbank.
arcilla *f*, clay
—— **batida**, puddled clay.
—— **cocida**, burnt clay.
—— **de batán**, fuller's earth.
—— **de cohesión** o **de liga** (ms), bond clay.
—— **de filtro**, filter clay.
—— **de ladrillero**, brick clay.
—— **de pedernal**, flint clay.
—— **de pudelaje** (M), clay puddle.
—— **descoloradora**, bleaching clay.
—— **endurecida** (V), clay stone.
—— **esquistosa**, shale.
—— **ferruginosa**, iron clay, clay ironstone.
—— **laminar** (V), shale.
—— **refractaria**, fire clay.
—— **refractaria apedernalada**, flint clay.
arcillar *m*, deposit of clay; *v* to spread clay; to mix with clay.
arcillita *f* (V), clay stone.
arcilloarenoso (geol), argilloarenaceous.
arcillocalcáreo (geol), argillocalcareous.
arcilloso, clayey, argillaceous.
arco *m*, arch; arc; (elec) arc.
—— **a regla**, flat arch.
—— **acarreador de trozas** (M), logging arch.

—— **adintelado**, flat arch.
—— **apainelado**, elliptical arch.
—— **articulado**, hinged arch.
—— **birrotulado**, two-hinged arch.
—— **capialzado**, arch behind a lintel.
—— **carbónico** (eléc)(A), carbon arc.
—— **carpanel**, three-centered or elliptical arch.
—— **crucero**, rib at intersection of groined arches.
—— **cubierto** (sol), shielded arc.
—— **de aligeramiento**, relieving arch.
—— **de ángulo constante**, constant-angle arch (dam).
—— **de asa de canasta** (M), three-centered arch.
—— **de centro pleno**, semicircular or full-centered arch.
—— **de cuatro centros**, four-centered arch.
—— **de declinación** (inst), declination arc.
—— **de descarga**, relieving arch.
—— **de dos articulaciones**, two-hinged arch.
—— **de encuentro**, groined arch.
—— **de enjuto abierto**, open-spandrel arch.
—— **de filete**, fillet arch.
—— **de la hélice** (cn), propeller arch, bridge piece, tuck plate.
—— **de llama** (eléc), flaming arc.
—— **de medio punto**, semicircular or full-centered arch.
—— **de radio constante**, constant-radius arch (dam).
—— **de sardinel**, rowlock (brick) arch.
—— **de segmento**, segmental arch.
—— **de sierra**, hacksaw frame.
—— **de tres articulaciones** o **de triple charnela** o **de triple rótula**, three-hinged arch.
—— **de tres centros**, three-centered arch.
—— **descubierto** (sol), unshielded arc.
—— **en esviaje**, skew arch.
—— **escarzano** o **rebajado**, segmental arch.
—— **forestal** (tc), logging arch.
—— **inverso** (ra), arc-back, backfire.
—— **múltiple**, multiple arch (dam).
—— **nervado**, ribbed arch.
—— **para troncos** (tc), logging arch.
—— **parlante** (ra), speaking arc.
—— **protegido** (sol), shielded arc.
—— **rampante**, rampant arch.
—— **rectilíneo**, flat arch.
—— **reticulado**, framed arch.
—— **rotulado**, hinged arch.
—— **sesgado**, skew arch.
—— **sonoro** (eléc), singing arc.
—— **taquimétrico** (inst), stadia arc.
—— **tricéntrico** o **zarpanel**, three-centered arch.
—— **trirrotulado**, three-hinged arch.
—— **vuelto**, inverted arch.
arcón *m*, bin, bunker; caisson.
—— **carbonero**, coalbin.
arcosa *f* (geol), arkose (sandstone).
archivador *m*, filing cabinet.
archivar, to file (documents).
archivero *m* (M), filing cabinet.
archivos *m*, (of) files.
arder, to burn.
área *f*, area; (meas) are.
—— **alimentadora** o **colectora** (hid), drainage or catchment area, watershed.

—— de calentamiento (ap), warming-up area.
—— de captación o drenaje (hid), catchment area, watershed.
—— de escurrimiento (hid)(Col), drainage area, watershed.
—— de inundación, flooded area; flood plain.
—— de retención (irr), check.
—— de sobrerrecorrido (ap), runover area.
—— de soporte (est), bearing area.
—— de sustentación, bearing area.
—— de viraje (ap), turn-around.
—— exploradora (tv), scanning spot.
—— vertiente (hid), watershed, drainage area.
áreas extremas (ot), end areas.
arena f, sand.
—— acarreadiza, blow sand.
—— corrediza, quicksand.
—— cuarzosa, quartz sand.
—— chancada, crusher sand.
—— de aristas vivas, sharp sand.
—— de cantera o de mina, pit sand.
—— de conchas, shell sand.
—— de duna, blow or dune sand.
—— de escape (pet), thief sand.
—— de fundición, molding or foundry sand.
—— de granos angulosos, sharp sand.
—— de mar o de playa, beach sand.
—— de revocar, plastering sand.
—— de sílice, silica sand.
—— flúida o movediza, quicksand.
—— fluvial, river sand.
—— gasífera, gas sand.
—— gorda o gruesa, coarse sand.
—— molida, rolled or manufactured sand.
—— normal, standard sand.
—— oriental (A), sand from Uruguay.
—— petrolífera, oil sand.
—— productiva (pet), pay or producing sand.
—— recia, coarse sand.
—— refractaria, fire or refractory sand.
—— ródada, buckshot sand.
—— verde (fund), green sand.
arenáceo, sandy, arenaceous.
arenador m, sander; sandbox; (loco) sand dome; (A) sandblast outfit.
arenadora f (ca), sand spreader, sander.
arenal m, deposit of sand, sand pit or bar; (M) sand dune.
arenar, to sand.
arenera f (M), sandblast outfit.
areneo m, sanding, sandblasting.
arenero m, sandbox; sand trap, settling basin; grit chamber; (loco) sand dome.
arenilla f, fine sand, molding sand; grit.
arenillas (min)(M), tailings.
arenisca f, sandstone.
—— arcósica, arkose.
—— verde, greensand.
arenisco, arenoso, sandy.
areometría f, (chem) hydrometry, areometry.
areométrico, areometric.
areómetro, hydrometer, areometer, (su) spindle.
aretillo m, a Cuban hardwood.
argallera f (Es), grooving saw, croze.
argamasa f, (mas) mortar.
argamasar, to lay in mortar, to cement.

argamasón m, lump of mortar.
árgana f (Es), derrick, crane.
arganeo m, anchor ring.
argénteo, argental; silver-plated.
argéntico, argentic.
argentífero, containing silver, argentiferous, silver-bearing.
argentino, argental, silvery.
argentita f, argentite (silver ore).
argentoso, argentous.
argilolita f, clay stone.
argilla f, clay.
argirita, argirosa f (miner), argyrite, argyrose, argentite.
argiritrosa f (miner), argyrythrose, pyrargyrite.
argo m (quím), argon.
argolla f, ring; staple; shackle.
argüe m, windlass, capstan.
aridez f, aridity.
árido m, (conc)(rd) aggregate, road metal; a arid.
—— fino, fine aggregate, sand.
—— graduado, graded aggregate.
—— grueso, coarse aggregate.
ariegita f (geol), ariegite (pyroxenite).
arietazo m (hid), water hammer.
ariete m, ram; water hammer.
—— a vapor, steam ram.
—— hidráulico, hydraulic ram; water hammer.
arigue m (ed)(F), post, stud.
arista f, edge; salient angle; curb.
—— cortante, cutting edge.
—— cortante del fuste (herr), body-cutting edge.
—— cortante de la punta (herr), point-cutting edge.
—— de encuentro, groin, intersection of groined arches.
—— hidrográfica (V), watershed divide.
—— matada, beveled edge.
—— metálica de defensa, curb bar; corner bead.
—— viva, sharp edge; draft edge.
aristero m (to)(A), hip.
aristón m, line of intersection of groined arches; reinforced corner.
aritmética f, arithmetic.
aritmético, arithmetical.
aritmómetro m, calculating machine.
armada f, erection, assembly; navy.
armadía f, raft.
armado, built-up, framed, assembled; reinforced; trussed.
—— con pasadores, pin-connected.
armador m, erector, framer; shipowner.
—— de buques, shipfitter, shipbuilder; shipowner.
—— de puentes, bridgeman, steel erector.
armadura f, erection, assembly; bent, framework; truss; armature (magnet), keeper; mounting; (conc) reinforcement; (V) concrete forms; (elec)(C) armature.
—— A, A frame.
—— articulada, pin-connected truss.
—— atiesadora, stiffening truss.
—— Baltimore, Baltimore truss.
—— Burr, Burr truss.
—— comprimida (conc), compression reinforcement.
—— contraquebranto (cn), hog frame.

—— cruzada (conc), two-way reinforcement.
—— de arco y cuerda, bowstring truss.
—— de cubierta, roof truss.
—— de dos péndolas, queen-post truss.
—— de enrejado, lattice truss.
—— de lúnula, crescent truss.
—— de malla (conc), mat reinforcement; mesh reinforcement.
—— de pasadores, pin-connected truss.
—— de pendolón, king-post truss.
—— de rigidez, stiffening truss.
—— de segueta (C), hacksaw frame.
—— de surgencia (pet)(V), Christmas tree.
—— de tablero inferior, through truss.
—— de tablero superior, deck truss.
—— de tijera, scissors truss.
—— de viga, trussing of a beam.
—— en abanico, fan truss.
—— en arco, arch truss.
—— en espiral (conc), spiral reinforcement.
—— en K, K truss.
—— enana (V), pony truss.
—— Howe, Howe truss.
—— Pennsylvania, Pennsylvania or Petit truss.
—— Petit, Petit truss.
—— Pratt, Pratt truss.
—— rebajada, pony truss.
—— rechoncha (V), pony truss.
—— selectiva, selective assembly.
—— superior (A), through truss.
—— tejida (conc), mesh reinforcement.
—— triangular, triangular or Warren truss, Warren girder.
—— volada, cantilever truss.
—— Warren, Warren girder or truss, triangular truss.
—— Warren de doble intersección, double triangular truss.
—— Whipple, Whipple truss, double-intersection Pratt truss.
armaduría f, assembling shop.
armaje m, erection, assembly; (A) framework.
armar, to assemble, erect, frame; to reinforce; to truss.
armario m, cabinet.
—— de cortacircuito (eléc), cutout box.
—— de dibujos, plan file.
—— de herramientas, tool cabinet.
armazón f, framework, skeleton, frame, chassis; floor system of a bridge; (V) concrete reinforcement.
—— A, A frame.
—— contraladeo (est), sway frame.
—— de orugas, (cr) track frame, crawler frame.
—— de sustentación, cribwork, crib.
—— del timón (cn), rudder frame.
—— para serrucho (A), hacksaw frame.
—— para troncos (tc), logging arch.
armella f, eyebolt; staple.
—— de resalto, shoulder eyebolt.
armónico m a (mat)(eléc), harmonic.
aro m, hoop, ring; (auto) tire rim.
—— del aguilón (gr), boom band.
—— de barril, barrel hoop.
—— de base plana (auto), flat-base rim.
—— de caja (auto), hollow rim.

—— de compresión (émbolo), compression ring.
—— de émbolo, piston or packing ring.
—— de freno, brake ring.
—— de guarnición, packing ring.
—— de neumático (auto), rim.
—— de pistón, piston ring.
—— de resorte, snap ring (piston).
—— de ventilación (auto), ventilated piston ring.
—— dentado, ring gear.
—— desmontable (auto), demountable rim.
—— empaquetador, packing ring.
—— portabolas o de rodillos, ball race (bearing), roller cage.
—— rasca-aceite (auto)(A), scraper ring.
—— rascador, scraper ring.
—— regulador de aceite (auto), oil-control ring.
arpeo m, cant hook; grapnel.
arpeos de pie, climbing irons, climbers.
arpillera f, burlap, bagging.
arpón m (pet), spear.
—— de circulación y desprendimiento, releasing and circulating spear.
—— de disparo, trip spear.
—— desalojador, releasing spear.
—— pescacable, rope spear.
—— pescatubos, casing spear.
—— pescaválvulas, valve spear.
arponado, pronged, ragged (bolt).
arqueador m, ship surveyor.
arquear, to arch; to survey a ship; arquearse (an), to hog.
arqueo m, arching; measurement of a vessel; tonnage of a vessel; (com) audit; appraisal of assets.
—— bruto, gross tonnage.
—— de registro, registered tonnage, tons register.
—— neto, net tonnage.
arquería f, series of arches, arcade.
arquitecto m, architect.
—— naval, naval architect.
—— paisajista, landscape architect.
arquitectónico, architectural.
arquitectura f, architecture.
—— civil, architecture.
—— hidráulica, hydraulic engineering.
—— militar, military engineering.
—— naval, naval architecture.
arquitectural (M)(Es), architectural.
arquitrabe m, architrave; (C) beam; (Col) lintel.
arrabio m, pig iron; an ingot.
arramblarse, to be covered with sand by a flood.
arrancaalcayatas m (fc), spike puller.
arrancaclavos m, claw bar, nail puller.
arrancada f, starting.
arrancador m, puller; grubber, ripper; (auto) self-starter; (elec) starting compensator; (pet) fishing tool.
—— a botón, push-button starter.
—— automático, self-starter.
—— Bendix, Bendix drive.
—— de estator (eléc)(A), field starter or controller.
—— de postes de cerco, fence-post puller.
—— de raíces, grubber.
—— de rotor (A), armature starter.
—— de yerbajos, weed eradicator.

—— **por inercia**, inertia starter.
arrancaengranajes *m*, gear puller.
arrancaescarpias *m* (fc), spike bar.
arrancapernos *m*, spike puller.
arrancapilotes *m*, pile puller or extractor.
arrancar, to start; to pull, draw; to root out; to spring (arch); (min) to mine, dig.
arrancarraíces *m* (ec), rooter, ripper.
arrancasondas *m*, drill extractor.
arrancatablas *m* (ts), plank puller.
arrancatocón *m*, stump puller.
arrancatubos *m*, pipe puller, tube extractor.
arranque *m*, (machy) starting; beginning, intake (canal); spring line (arch); (rr) lead; (rr) turnout; (min) breaking ground; (min) mining, digging.
—— **domiciliario**, service connection to a main.
—— **en frío**, (eng) cold starting.
—— **práctico o real** (fc), practical lead.
—— **teórico** (fc), theoretical lead.
arrasador *m* (Ch), leveling or finishing machine.
arrasar, to level; (bldg) to wreck, demolish, raze.
arrastradero *m* (ef), skidding or snaking trail.
arrastradora (*f*) **de troncos** (ef), log hauler.
arrastrar, to haul, move, pull, draw, drag; (hyd) to scour, wash out; (r) to carry in suspension; (hyd)(chem) to entrain; (lg) to skid, snake, twitch, yard.
arrastratubos *m*, pipe puller.
arrastre *m*, haulage, hauling, carrying, dragging; washout; drag mill; slope of an adit; (ra) pulling; (ra) tracking.
—— **capilar**, capillary entrainment.
—— **de agua** (cal), priming.
—— **de émbolo** (auto), piston drag.
—— **de fondo** (r), bed load.
arrastres, suspended matter in a stream, silt.
arrecife *m*, ridge of rock, ledge, reef; causeway.
—— **barrera o de barra**, barrier reef.
—— **costero**, fringing reef.
arreglador (*m*) **de averías** (seg), average adjuster or surveyor.
arremolinado *m* (r), eddy.
arremolinarse, to eddy, swirl, form whirlpools.
arrendador *m*, lessor.
arrendamiento *m*, lease.
arrendar, to rent, lease.
arrendatario *m*, lessee, leaseholder.
arrestachispas *m*, spark catcher.
arrestallamas *m*, flame arrester.
arriada *f*, flood.
arriar, to lower; to slack off; (cab) to pay out; **arriarse**, to be flooded.
arriba *adv*, above, overhead, upstairs.
—— **de la corriente**, upstream.
arricete *m*, reef of rocks.
arrimadero *m*, berth at a dock; ferry slip.
arrimadillo *m*, wainscot, dado.
arrimaje *m*, lighterage; (Ph) loading platform.
arrimar, to place against; (naut) to dock, berth.
arrimo *m*, curtain wall; party wall.
arriostramiento *m* (est), bracing.
—— **contracimbreo o contraladeo**, sway bracing.
—— **contraviento**, wind bracing.
—— **de portal** (pte), portal bracing.

—— **secundario o de contratensión** (pte), counterbracing.
arriostrar, to brace, stay.
arroba *f*, weight of 25 lb; measure varying from 3⅓ to 4¼ gal.
arrojar (exc), to cast, dump; to waste.
arrolladizo, rolling.
arrollado en derivación (eléc), shunt-wound.
arrollado en serie (eléc), series-wound.
arrolladura *f* (mad), shake.
arrollamiento *m* (eléc), winding.
—— **anular**, ring winding.
—— **compensador**, compensating winding.
—— **de arranque**, starting winding.
—— **de cuerdas**, chord or short-pitch or fractional-pitch winding.
—— **de lazo**, lap winding.
—— **de marcha**, running winding.
—— **de tambor**, drum winding.
—— **diametral**, full-pitch winding.
—— **inducido**, armature winding.
—— **inductor**, field winding.
—— **ondulado**, wave or undulatory winding.
—— **regulador**, regulating winding.
arrollar, to roll, wind, reel.
arromar, to blunt, dull.
arroyada *f*, channel of a small stream, gully, brook.
arroyado, gullied.
arroyo, brook, stream, creek; small valley, gully, draw; gutter.
—— **consecuente** (geol), consequent stream.
—— **obsecuente** (geol), obsequent stream.
—— **resecuente** (geol), resequent stream.
—— **subsecuente** (geol), subsequent stream.
arroyuelo *m*, small brook or valley.
arrufadura *f* (an), sheer.
arrufo *m* (an), sheer; sagging.
arruga *f*, corrugation, wrinkle.
arrugas de doblez (tub), bending creases.
arrugado, corrugated, fluted.
arrugamiento *m* (geol), small fold.
arruma *f* (cn), a hold, cargo compartment.
arrumaje *m*, stowage, stowing.
arrumar, to stow.
arrumbamiento *m*, (surv)(nav) bearing; (geol) strike.
arrumbe, arrumbre *m* (Ch), rust.
arrumbrarse (Ch), to rust.
arsenal *m*, shipyard, dockyard; navy yard arsenal.
arseniato *m*, arsenate, arseniate.
arsenical, arsenical.
arsénico *m a*, arsenic.
—— **blanco**, white arsenic, arsenic trioxide.
—— **piritoso** (miner), arsenical pyrites, arsenopyrite.
—— **rojo**, red arsenic, realgar.
arsenioso, arsenious.
arsenito *m*, arsenite.
arseniuro *m*, arsenide.
arsenopirita (mineral de arsénico), arsenopyrite. arsenical pyrites.
artefacto *m*, device, appliance, fixture.
artefactos de alumbrado, lighting fixtures.
artefactos sanitarios, plumbing fixtures.

artesa *f*, trough, tray, launder, mortar tub; (Col) river basin.
—— **de almacenamiento** (Col), storage basin or reservoir.
—— **de amortiguación** (hid)(Col), stilling pool.
—— **de criba**, screen pan.
—— **de despumación o de espumas** (dac), skimming or scum trough.
—— **de lavado** (pa), wash trough.
—— **de rebose** (az), save-all, catchall.
—— **de salpicadura** (lu), splash trough.
—— **de vía** (fc), track pan.
—— **de volteo** (mz), dumping chute.
—— **oscilante** (min), cradle.
artesano *m*, artesan, skilled workman, mechanic.
—— **de banco**, bench worker, benchman.
artesianismo *m* (Pe), condition of artesian water.
artesiano, artesian.
artesón *m*, tub, mortar box; panel; (min) wash-trough.
artesonado *m*, paneling, wainscoting.
articulación *f*, joint, hinge, articulation, knee joint.
—— **cardán**, cardan joint.
—— **de cruceta** (A), universal joint.
—— **esférica o de rótula**, ball-and-socket joint.
—— **giratoria**, swivel joint.
—— **universal**, universal joint.
articulado, jointed, articulated.
—— **con pasadores**, pin-connected.
articular, to hinge, articulate, joint.
artífice *m*, artisan, skilled workman; maker.
artificial, artificial.
artificio *m*, device, appliance.
artillero *m* (min)(Es), blaster, powderman.
artisela *f*, rayon.
as (*m*) **de guía**, bowline knot.
asa *f*, handle, haft, bail; (M) thimble.
—— **de cubo**, bail (bucket).
asbestiforme (miner), asbestiform.
asbestina *f* (pint), Asbestine (trademark).
asbestino, made of asbestos, asbestine.
asbesto *m*, asbestos.
—— **acolchonado**, (inl) asbestos blanket.
—— **de corcho**, mountain cork.
—— **en cartón**, asbestos board.
asbesto-cambray barnizado (ais), asbestos-varnished cambric.
ascensión recta, right ascension.
ascenso *m*, rise; promotion.
—— **muerto** (an), dead rise.
ascensor *m*, elevator.
—— **de acera**, sidewalk elevator.
—— **de carga**, freight elevator.
—— **de tambor**, drum-type elevator.
—— **de tracción**, traction-type elevator.
—— **hidráulico**, plunger elevator.
—— **sin engranaje**, gearless elevator.
ascensorista *m f*, elevator operator.
ascua *f*, anything incandescent or red-hot.
asegurado *m*, the assured.
asegurador *m*, fastener, anchor; insurer.
aseguradores contra incendios, fire underwriters.
asegurar, to fasten; to insure.
asentable (hid), settleable.
asentado *m* (auto)(A), running in.

asentado de canto (mam), face-bedded.
asentador *m*, stonemason; chisel; (pet) settler.
—— **de chavetas**, key-seating chisel.
—— **de válvulas**, valve grinder.
asentamiento *m*, settlement; (conc)(A)(C)slump.
—— **con vibración** (conc), vibratory slump.
—— **normal** (conc), standard slump.
asentar, (str) to set, seat; (act) to enter; (mas) to bed; (t) to hone; (machy)(A) to run in; **asentarse**, to settle.
aseo (*m*) **urbano**, street cleaning.
aserradero *m*, sawmill.
—— **a sierra sin fin**, band mill.
—— **múltiple**, gang mill.
—— **para chapa**, veneer mill.
—— **para durmientes**, tie mill.
—— **transportable**, portable sawmill.
aserradizo, fit to be sawed into lumber.
aserrado por cuartos, quartersawed, edge-grain.
aserrado (*m*)(simple, tangent-sawing, plain-sawing, bastard-sawing.
aserrador *m*, sawyer, sawmill worker; (Ec) sawmill.
aserradora *f*, power saw.
—— **de banda**, band saw, band mill.
—— **de banda para repasar**, band resaw.
—— **de cantero**, stone saw.
—— **en caliente**, hot saw.
—— **en frío**, cold saw.
aserradura *f*, sawing; a saw cut.
aserraduras, sawdust.
aserrar, to saw.
—— **a contrahilo**, to saw across the grain.
—— **al hilo o a lo largo**, to ripsaw.
—— **metales**, to hacksaw.
aserrín *m*, sawdust.
aserrío *m* (C)(M), sawmill.
aserruchar, to saw.
asesor *m*, consultant; (ins) adjuster.
—— **de averías**, average or insurance adjuster.
—— **legal**, counsel.
—— **técnico**, technical adviser.
asfaltador *m*, asphalt paver.
asfaltaje *m*, asphalting.
asfaltar, to asphalt.
asfalteno (M), asphaltene.
asfáltico, asphaltic.
asfaltífero, containing asphalt.
asfaltina *f*, asphaltene.
asfaltita *f* (pet), asphaltite.
asfalto *m*, asphalt.
—— **adelgazado** (M), asphalt cutback.
—— **artificial**, artificial or oil asphalt.
—— **cortado**, asphalt cutback.
—— **de alta penetración** (ca), high-penetration asphalt.
—— **de cura rápida**, rapid-curing asphalt.
—— **de curado lento**, slow-curing asphalt.
—— **de petróleo**, petroleum asphalt.
—— **de roca**, rock asphalt.
—— **diluído**, cutback asphalt.
—— **fluxado** (ca)(M), flux asphalt.
—— **insuflado**, blown asphalt.
—— **lacustre**, lake asphalt.
—— **mineral**, rock asphalt.
—— **natural**, native asphalt.

—— **plástico,** asphalt putty.
—— **rebajado** (ca), flux asphalt, asphalt cutback.
—— **rebajado de curación mediana,** medium-curing cutback.
—— **refinado al aire,** air-blown asphalt.
—— **refinado al vapor,** steam-blown asphalt.
—— **rellenado,** filled asphalt, asphalt enamel.
asidero m, handle.
asiento m, (str) bearing, seat; (conc) slump; settlement (foundation); (hyd) settlement, settling; site; (act) entry; (A) saddle of a lathe.
—— **del aguilón** (gr), boom-seat casting.
—— **de los aguilones** (cn), boom or mast table.
—— **de cola** (auto), rumble seat.
—— **de deslizamiento** (maq), sliding bearing.
—— **de expansión** (pte), roller or expansion bearing.
—— **de montaje** (est), erection seat.
—— **de puente,** bridge seat.
—— **de recambio** (vá), renewable seat.
—— **de zaga** (auto), rumble seat.
—— **longitudinal** (cn), trim.
—— **mineral,** mining region.
—— **postizo** (vá), renewable seat, valve insert.
asignación f, salary; appropriation.
asimetría f, asymmetry.
asimétrico, asymmetrical, unsymmetrical.
asincrónico, asíncrono (eléc), asynchronous.
asincronismo m, asynchronism.
asintonizar (ra), to detune.
asíntota f (mat), asymptote.
asintótico, asymptotic.
asismicidad f, aseismicity.
asísmico, aseismic.
asistente, assistant, helper.
asnado m, mine timber.
asnas f, rafters.
asnilla f, strut, shore; (bldg) (Sp) needle.
asnillo m, carpenter's horse; shore.
asociación f, association, company, union.
—— **de fabricantes,** manufacturers' association.
—— **obrera,** labor union.
—— **patronal,** employers' association.
—— **profesional obrera** (Ch), trade-union.
asomo m (geol), outcrop, inlier.
asotonar, to dig a cellar.
aspa f, vane, wing, flight; (mx) blade; (min) intersection of two veins.
aspas, X bracing.
aspereza f, roughness; (conc) harshness.
áspero, rough; (conc) harsh.
asperón m, grindstone; flagstone, stone slab; sandstone.
—— **de diamante,** diamond wheel.
asperonar (M), to grind (tools).
asperosidad f (M), roughness.
aspersor m, sprinkler.
aspillera f, opening in a wall.
aspiración f, suction, draft.
—— **de polvo,** dust exhaust.
—— **mecánica,** forced draft.
—— **normal,** natural draft.
aspirador m, suction pipe; draft tube; exhauster; aspirator.
—— **de aserrín,** sawdust collector.

—— **de polvo,** vacuum cleaner, dust exhauster.
aspirar, to suck, draw in.
asquístico (geol), aschistic.
asta f, pole; (t) handle, shank; (mas) header.
—— **de canto** (lad), bull header.
—— **de suspensores** (cv), carrier horn.
—— **, muro de,** wall 1 brick thick.
—— **y media, muro de,** wall 1½ bricks thick.
astaticidad f, astaticism.
astático (eléc), astatic.
astatizar, to astatize.
astial m (Es), side wall of a sewer; (min) side wall of a gallery.
astil m, shank, handle; beam of a scale.
astilla f, chip, splinter; spall.
—— **de cantera,** quarry spall.
—— **de laminación** (met), spill, lap.
—— **muerta** (an), dead rise.
astillar, to splinter, (pi) broom; **astillarse,** to spall; to splinter, (pi) broom.
astillero m, shipyard, dockyard, naval station; rack for pipe or bars.
—— **de torre** (pet), finger board.
astilloso, splintery, easily chipped; (met) spilly.
astrágalo m (arq), astragal.
astronómico, astronomic, astronomical.
asurcar, to furrow.
atabe m (pb) (Es), cleanout opening; vent.
atabladera f, drag, road planer.
atablar, to screed, smooth off.
atacadera f (vol), bulling bar, tamping stick.
—— **de bloque,** tamping block.
—— **de barro** (min) (tún), bull, clay iron, claying bar.
atacador m, tamping stick or bar.
atacamita f, atacamite (copper ore).
atacar (vol), to tamp, ram, stem.
atado m, a bundle.
atador (m) **de troncos** (ef), load binder, stretcher jack.
atadora (f) **de listones,** lath binder.
atadura f, tie, fastening.
ataguía f, (hyd) cofferdam; (mech) guides.
—— **celular,** cellular (sheet-pile) cofferdam.
—— **de cajón,** open caisson.
—— **de cofre,** crib cofferdam.
—— **de encofrado y relleno,** puddle-wall cofferdam.
—— **de tablestacado simple,** single-wall sheet-pile cofferdam.
—— **encajonada,** box cofferdam, open caisson.
—— **metálica** (M), cofferdam of steel sheet piling.
ataguiar, to cofferdam.
atajadero m (hid), small gate; (irr) division gate; diversion dam.
atajadizo m, baffle wall.
atajador m (mec), arrester.
—— **de golpe de ariete,** water-hammer suppressor.
atajar, to obstruct; to dike.
atajo m, dike; (A) cofferdam; (M) cutoff wall; trail, path; barrier.
atalajar, to haul; to couple; to harness, hitch up.
atalaje m, harness; coupling; hitching up.
ataludadora f (ca), backsloper, sloper blade.
ataludar, ataluzar, to slope; to batter.

atanor *m*, draintile.
atapialar (Ec), to build mud walls.
ataque *m*, tamping of powder; (Pe) breaking ground.
ataques (min), deads, rubbish.
atar, to tie, bind, lash.
atarazana *f*, shipyard.
atarjea *f*, drainpipe, small culvert; (M) small sewer; (Pe) reservoir.
—— doméstica, house connection to a sewer.
atarquinamiento *m*, silting up, covering with mud.
atarquinarse, to silt up.
atarrajar, to thread, tap.
atarugar, to plug; to wedge.
atascadero *m*, mudhole, bog.
atascado (cab), foul.
atascamiento (*m*) de hielo, ice jam.
atascar, to stop up, obstruct; (bl)(A) to tamp powder; atascarse, to stick, jam; to bog down; (eng) to stall.
atasco *m*, jamming, sticking.
ataujía *f* (AC), conduit, drain.
ateje *m*, a hardwood of the West Indies.
atejo *m* (Col), bundle.
atemperador *m* (aa), attemperator.
atemperar (aa), to temper; to condition.
atenuación *f* (eléc), attenuation.
atenuador *m* (eléc), attenuator, pad; (ra)(A) fader.
atérmico, athermic.
aterrajado cónico, taper thread.
aterrajar, to thread, tap; (fdy) to strickle.
aterraje *m* (ap)(A), landing.
aterrar, to fill with earth; to demolish; aterrarse, to silt up.
aterrizaje *m* (ap), landing.
—— a ciegas, blind or instrument landing.
—— a favor del viento, down-wind landing.
—— aplastado, pancake landing.
—— con velocidad crítica, stall landing.
—— de precisión, spot or precision landing; accuracy landing.
—— en tres puntos, three-point landing.
—— planeado, glide landing.
aterronarse, to become lumpy, to cake.
atesador *m*, stiffener; take-up tackle.
—— de correa, belt tightener.
atesar, to tighten; to stiffen.
atibar, (min) to pack, fill up; (Col) to load, stow.
atices *m* (min)(Col), lagging, spilling.
atierre *m*, filling with earth; silting up; (min) slide of waste material.
atierres (min), deads.
atiesacadena *m*, chain tightener.
atiesador *m*, stiffener; take-up tackle.
—— de apoyo, (gi) bearing stiffener.
—— de mamparo (cn), bulkhead stiffener.
—— extremo, (gi) end stiffener.
atiesar, to tighten; to stiffen.
atirantar, to guy, stay; to truss.
atizador *m*, poker, slice or clinker or slash bar fire hook; stoker.
atizar, to trim a fire.
atizonar, to bond with headers; to embed in a wall.

atmómetro *m*, atmometer.
atmósfera *f*, atmosphere.
—— tipo, standard atmosphere.
atmosférica *f* (ra)(M), static, atmospherics.
atmosférico, atmospheric.
atoaje *m*, towing, towage; a tow.
atoar, to tow.
atolladero *m*, bog; (machy) pocket, dead end.
atollar, atollarse, to stick, clog, jam.
atómico, atomic.
atomizador *m*, atomizer.
—— de pintura, paint sprayer.
atomizar, to atomize.
átomo *m*, atom.
átomo-gramo, gram-atom.
atorarse, to jam, stick.
atornillador *m*, screwdriver.
—— de empuje, automatic or spiral screwdriver.
atornilladora (*f*) de tuercas, nut runner or tightener.
atornillar, to screw; (C) to bolt.
atoro *m*, obstruction, jam.
atracadero *m*, wharf, landing place, berth; ferry slip.
—— paralelo, marginal wharf.
atracar (náut), to berth, dock, bring alongside.
atrapador *m*, trap; (ra) catcher.
—— de agua, steam trap.
—— de mandíbulas, alligator grab.
—— de ondas (ra)(A), wave trap.
—— de polvo, dust collector.
atrapadora (*f*) de arena (pet), sand trap.
atrapanúcleos *m* (pet), core catcher.
atrapar, to trap.
atraparripio *m* (pet), junk catcher.
atraque *m*, landing place, wharf; mooring.
atrasarse, (elec) to lag; (rr) to be late.
atraso *m* (eléc), lag.
—— de imanación, magnetic lag.
—— histerético, hysteresis lag.
atravesado *m*, (mas)(M) header, bondstone; *a* crosswise.
atravesaño *m*, header, cap, crosspiece; (bdg) floor beam; (C) crosstie.
atravesar, to cross, pass through; to place crosswise; (tv) to traverse.
atravieso *m* (top)(Ch), gap, pass.
atrecho *m* (PR), trail, path.
atril *m* (lab), rack.
atronadura *f* (mad), check.
audibilidad *f* (ra), audibility.
audible, audible.
audífono *m*, headphone, earphone.
audio *a* (ra), audio.
audioamplificador *m* (ra), audio or audiofrequency amplifier.
audiofrecuencia *f* (ra), audiofrequency.
audiómetro *m*, audiometer.
audión (ra), audion.
audiooscilador *m* (ra), audio or audiofrequency oscillator.
audioseñal *f* (ra), audio signal.
auditor *m* (M), auditor.
auditoría *f* (M), auditing.
augita *f* (miner), augite, pyroxene.

augita-pórfido (geol), augitophyre, augite-porphyry.
aullido m (ra), howl.
— de borde, fringe howl.
aumentador m, aumentadora f, booster; increaser; augmenter; magnifier.
— de presión, pressure booster.
— de velocidad, speed increaser.
— de salto (hid), fall increaser.
aureola f (geol), contact zone, aureole.
auricular m (tel), earpiece; a aural.
— de mano (ra), hand receiver.
auriculares (ra), headphone.
aurífero, gold-bearing.
austemplado m (met), austempering.
austenita f (met), austenite.
austenítico, austenitic.
austral, southern, austral.
ausú m (PR), a construction lumber.
ausuba f, ausubo m (PR)(RD), a hardwood.
autigénico (geol), authigenic.
autoabridor, self-opening.
autoactuador, self-acting.
autoaeración f, self-aeration.
autoafilador, self-sharpening.
autoaguzador, self-sharpening.
autoajustador, self-adjusting.
autoalargador, self-lengthening.
autoalimentador, self-feeding.
autoalineamiento m, self-alignment.
autoamolador, self-sharpening, self-grinding.
autoarrancador m, self-starter.
autobajador, self-lowering.
autobasculante, self-tipping, self-dumping.
autobias (ra), self-bias.
autobomba f, motor fire engine.
autobote m, motorboat, powerboat.
autobús m, motorbus.
— de trole, trolley coach or bus.
autocalafateador, self-calking.
autocalibrador, self-calibrating.
autocamión m, motor truck, autotruck.
autocapacidad f (eléc), self-capacitance.
autocarenaje m, self-docking.
autocargador, self-loading.
autocarril m, automobile on a railroad track; (rr)(Ec) motorcar.
autocartógrafo m (fma), autocartograph.
autocatalítico (pet), autocatalytic.
autocebadura f, self-priming.
autocentrador, self-centering.
autocerrador, self-locking.
autoclástico (geol), autoclastic.
autoclave f, autoclave; retort.
autocoagulación f, self-coalescence.
autocohesor m (ra), autocoherer.
autocolimación f (fma), autocollimation.
autocompensador, self-compensating.
autoconducción f (eléc), autoconduction.
autocontrolado, self-excited (oscillator).
autoconvertidor m (eléc), autoconverter.
autóctono (geol), autochthonous.
autodepuración f (r), self-purification.
autodesplazable, self-moving.
autodina f (ra), autodyne.
autodinámico, autodynamic.

autodinar (ra), to autodyne.
autodino a (ra), autodyne.
autoelevador, self-raising.
autoencendido m, self-ignition.
autoendurecedor, self-hardening.
autoengrasador, self-lubricating.
autoenrasillante (ed), self-furring.
autoequilibrador (eléc), self-balancing.
autoestable, independently stable, self-supporting.
autoestibante (náut), self-stowing.
autoestrada f (A)(M)(Es), automobile road.
autoexcitación f (eléc), self-excitation.
autoferro m (U), automobile on a railroad track.
autofiltrador, self-filtering (lens).
autofocador, autofocusing, self-focusing.
autofundente, self-fluxing.
autogenerador, self-generative.
autogenético, autogenésico, (geol) autogenetic.
autogenizador m (sol), autogenizer.
autógeno (sol), autogenous.
autogiro m (ap), autogiro, autogyro.
autógrafo m (inst), autograph.
autoheterodino (ra), autoheterodyne.
autoignición f, self-ignition; spontaneous combustion.
autoigualador, self-equalizing.
autoimpedancia f (eléc), self-impedance.
autoimpulsor m (auto)(Es), self-starter.
autoindicador, self-indicating.
autoinducción f (eléc), self-induction.
autoinductancia f (eléc), self-inductance, coefficient of self-induction.
autoinductivo, self-inductive.
autoinductor m (eléc), self-inductor.
autoinflamación f, self-ignition; spontaneous combustion.
autolavador, self-scrubbing, self-washing.
autoligador, self-bonding.
autolimpiador, self-cleaning.
autolubricación f, self-oiling.
autolubricador a, self-oiling.
automático, automatic.
automezclador m (conc), truck or transit mixer.
automotor m, (rr) motorcar; (A) motor vehicle; a self-moving, automotive.
automóvil m, automobile.
— de plaza (A), taxicab.
— de vía, automobile on a railroad track.
automovilario a, automotive, automobile.
automultiplicador, self-energizing (brake).
autonafta f, motor spirit.
autonivelador m (ca), motor grader.
autoómnibus m, motorbus.
autooscilación f (ra), self-oscillation.
autooscilador m (ra), self-oscillation.
autooxidación f (quím), autooxidation.
autopatrol m (ca)(A)(V), motor patrol.
autopatrullera f (ca), motor patrol.
autopista f (A), automobile road.
autopolarización f (ra)(A), self-bias.
autoportante (A), self-supporting.
autopositivo (fma), Autopositive (trademark).
autopotencial m (geof), self-potential.
autoprensor m, clamshell bucket.
autopropulsor, self-moving, automotive.

autoprotector, self-protecting.
autopurificación f, self-purification.
autorrecocido m, self-annealing.
autorrectificador (ra), self-rectifying.
autorreductor, self-reducing.
autorregadora f, street-sprinkling truck.
autorregistrador, self-recording.
autorregulador, self-regulating.
autorroscante, self-tapping (screw).
autorrotativo, self-rotating.
autosellador, self-sealing.
autosifonaje m, self-siphoning.
autosostenido, self-supported.
autotanque m (Es), tank truck.
autotécnica f, automotive engineering.
autotécnico m, automotive engineer.
autotrabador, self-locking.
autotransformador m (eléc), autotransformer, balancing coil.
autotransporte m, motor transport.
autotrófico (dac), autotrophic.
autovehículo m (A), motor vehicle.
autoventilador, self-ventilating.
autovía f, automobile highway; m (A), gasoline-driven handcar.
autovolcante, self-tipping, self-dumping.
autozorra f (A), handcar with power.
auxiliar, n helper, assistant, auxiliary: a auxiliary.
auxiliares m (tub), specials, fittings.
avalancha f, avalanche; (A) flood.
avaliz m (A), beacon.
avalorar, to appraise.
avaluador m, appraiser.
avaluar, to appraise; to evaluate.
avalúo m, appraisal, valuation.
avance m, (mech) feed, advance; (tun) heading; (rr) lead, frog distance; (se) lead, lap; (elec) lead, pitch.
—— a mano (mec), hand feed.
—— angular (eléc), angular pitch.
—— con frente entero (tún), full-face tunneling.
—— de la admisión (mv), admission lead.
—— del encendido (mg), advancing the ignition.
—— del escape (mv), exhaust or inside lead.
—— de fase (eléc), phase lead or displacement.
—— de trabajo (fc), practical lead.
—— por fricción (mh), friction feed.
—— por gravedad, gravity feed.
—— práctico (fc), practical lead.
—— teórico (fc), theoretical lead.
—— y banco (tún), heading and bench.
avantrén m, front truck of any piece of rolling stock, forecarriage.
avanzada (f) de onda (eléc), wave front.
avanzador m, feeder.
avanzar, to advance; (mech) to feed; (tun) to drive.
—— la chispa (auto), to advance the spark.
avejigar, to blister.
avellanado y cincelado (re), countersunk and chipped.
avellanador m, countersinking bit.
avellanar, to countersink.
avellano m (A), a softwood.
avenamiento m, drainage, draining, subdrainage.

avenar, to drain.
avenida f, flood; avenue.
aventador m, blower, fan.
—— de arena, sandblast outfit.
avería f, damage, breakdown; a damaged article, a second; (ins) average.
—— gruesa, general or gross average.
—— particular o simple, common or particular average.
averiar, to damage.
aviar, to equip, fit out; to finance, advance money to.
avión m, airplane.
—— marino, seaplane, hydroplane, flying boat.
—— terrestre, landplane.
avíos m, tools, equipment, outfit.
avisador m, indicator; warning sign; alarm; (ra) (Sp) monitor.
—— de bajo nivel (cal), alarm gage.
—— de incendio, fire alarm.
aviso m, advertisement; notice; advice.
—— de embarque, shipping notice.
avivador m (Es), rabbeting plane; molding plane.
axial, axil, axial.
áxico (Es), axial.
axinita f (miner), axinite.
axonométrico (dib), axonometric.
ayacahuite m, a Mexican pine.
ayudante, helper, assistant.
ayuí m, an Argentine wood (semihard).
ayunque m (M), anvil.
ayustadera f, marlinespike.
ayustador m, splicer.
ayustadora f, cable-splicing rig.
ayustar (Cab), to splice.
ayuste m, splice.
—— corto, short or tuck splice.
—— de cuatro inserciones, four-tuck splice.
—— de maderero, logging splice.
—— de ojal, eye or loop or thimble splice.
—— largo, long or endless splice.
azada f, spade; hoe; (C) adz.
—— para cunetas, drain spade.
—— para hoyos, post spade.
—— para zanjas, ditch spade.
azadón m, (t) hoe, grub hoe, spud; (ce) trench hoe, backdigger.
—— de pala, scuffle or weeding hoe.
—— mecánico (ec), trench hoe, backdigger.
—— para arcilla, pneumatic clay spade.
azadonar, azadonear, to spade.
azafrán m (cn), rudder frame.
azanca f (min)(Es), subterranean spring.
azarbe m, irrigation ditch (return).
azarbeta f, subsidiary irrigation ditch.
azarcón m, red lead.
azimut m, azimuth.
—— asumido, assumed azimuth.
—— de cuadrícula (fma), grid azimuth.
—— terrestre (fma), ground azimuth.
—— verdadero, true azimuth.
azimutal, azimuthal.
azoato m, nitrate.
azocalar (Ch), to build (a wall) with heavy base or water table.
ázoe m, nitrogen.

azogar, to slake (lime).
azogue *m*, quicksilver, mercury; (M) silver ore.
azoguería *f*, amalgamation works.
azoico, (geol) azoic; (chem) nitric.
azoladora *f* (fc), adzing machine.
azolar, to adz; to dub.
azolvarse, to silt up; to become obstructed.
azolve *m*, silt.
azolvos *m*, silt; obstructions.
azotea *f*, roof, flat roof, (bldg) terrace.
azótico, nitric.
azúcar *m f*, sugar.
— amarilla, brown sugar.
— aprovechable, available sugar.
— blanco, white or refined sugar.
— concreto, concrete sugar.
— crudo, raw sugar.
— de alta polarización, high-test sugar.
— de caña, cane sugar.
— de centrífuga, centrifugal sugar.
— invertido, invert sugar.
— mascabada o morena o terciada, brown sugar.
— reductor, reducing or invert sugar.
— refino, refined or white sugar.
— turbinado (C), centrifugal sugar.
azucarero *m*, sugar-mill worker, sugarhouse foreman; sugar technologist.
azuchar, to shoe piles.
azuche *m*, pile shoe.
azud *f*, diversion dam, weir.
— de encofrado, crib dam.
— para peces, fish weir.
azuela *f*, adz.
— curva, spout adz.
— de cotillo completo, full-head adz.
— de espiga o de ribera, spur-head or ship carpenter's adz.
— de medio cotillo, half-head adz.
— ferrocarrilera, railroad adz.
azufre *m*, sulphur.
azufroso, sulphurous.
azul *m a*, blue.
— de bromoclorofenol (lab), bromochlorophenol blue.
— de bromofenol (lab), bromophenol blue.
— de bromotimol (dac), bromothymol blue.
— de metileno (dac), methylene blue.
— de Prusia (dib), Prussian blue.
— de timol (dac), thymol blue.
azulado por recocción, blue-annealed.
azulejar, to set glazed wall tiles.
azulejería *f*, glazed tiling.
azulejero *m*, tilemaker; tile setter (wall).
azulejo *m*, glazed tile; (A) wall tile.
— antisonoro, acoustical tile.
azumagarse, (Ch) to rust; (lbr)(Ec) to decay.
azurita *f*, azurite, blue copper ore, blue malachite.
azutero *m*, custodian of a diversion dam or irrigation intake.

babazas *f*, slime (water mains).
babeta *f* (to)(A), flashing.
babor *m* (náut), port, larboard.
bacilar, bacillary.

bacilo *m*, bacillus.
— coli, colon bacillus, *Bacillus coli*.
bacteriano, bacterial.
bacterias *f*, bacteria.
— autotróficas, autotrophic bacteria.
— coliformes, coliform bacteria.
— nitrificantes, nitrifying bacteria.
bactericida *f*, bactericide.
bacteriófago *m* (is), bacteriophage.
bacteriología *f*, bacteriology.
bacteriólogo *m*, bacteriologist.
bacteriostático, bacteriostatic.
báculo *m* (M), transit rod, range pole.
bachadora *f* (M), road-patching machine.
bache *m*, rut; mudhole; pothole; (C) sump.
bacheado (*m*) en frío (ca), cold patch.
bachear, to patch a road.
bacheo *m* (ca), patching, filling ruts.
badén *m*, gutter; gully; (A) paved ford.
badilejo *m*, bricklayer's trowel.
bagacillo *m* (az), trash, fine-cut bagasse.
bagazo *m*, bagasse; (min) mud from drill hole.
bahareque *m*, wall of cane plastered with mud and chopped straw.
bahía *f*, bay, harbor.
bahorrina *f* (dac)(M), sludge.
bailar (auto)(A), to shimmy.
bailoteo *m* (auto), shimmy.
baja *f*, fall, drop; discharge (employee).
— definición (tv), low definition.
— frecuencia, low frequency.
— ley, low grade (ore).
bajada *f*, descent, slope, downgrade; downspout; (p) riser; (min) ladderway.
— de antena (ra), leadin, down-lead.
— de inmundicias (pb), waste stack; soil stack.
— pluvial (ed), leader, downspout.
bajamar *f*, low tide (sometimes used to mean ebb).
— más baja, lowest low tide.
— media, mean low tide.
— media más baja, mean lower low water.
bajante *m*, low water; leader, downspout; (p) stack; standpipe.
— de aguas de lluvia, leader, downspout.
— de aguas negras, soil stack.
— de aguas servidas, waste stack.
— de ventilación, vent stack.
bajar, to lower; to descend; to drop, fall.
bajareque, see bahareque.
bajial *m*, low ground subject to overflowing.
bajío *m*, sand bar, shoal; lowland.
bajo *m*, sand bar, shoal; (min)(M) footwall, floor; *a* low; *adv* below; *pr* under.
— calor de endurecimiento (ct), low heat of hardening.
— octanaje, de, low-octane (rating).
bajos *m*, ground floor.
bajomando *m* (auto), underdrive.
bajura *f* (PR), lowland.
bakelita *f*, bakelite.
bala *f*, ball; bale.
balance *m*, balance; (act) balance sheet.
— calórico, heat balance.
— de comprobación (cont), trial balance.
— del oxígeno (dac), oxygen balance.

—— de la sacarosa (az), sucrose balance.
—— de saldos (cont), trial balance.
balanceador (m) **armónico** (auto), harmonic balancer.
balancear, (mech)(elec)(act) to balance; **balancearse,** to rock, roll, wobble.
balanceo m, balancing; oscillation, rocking, swinging; (naut) rolling.
balancín m, working beam, balance beam; bascule; handle; rocker arm; beam of a scale; whiffletree; spreader; pump jack; (A) swinging scaffold; (A) eccentric-arbor press.
—— **compensador,** equalizing beam.
—— **de bomba,** pump brake.
—— **del freno,** brake beam.
—— **de tiempo** (mg)(A), timing lever.
—— **tiracable** (pet), spudder arm.
balancines de la brújula (cn), gimbals.
balancinero m (A), operator of an eccentric-arbor press.
balandra f, small sailing vessel; (A) scow.
balanza f, scale, balance; (min) blind shaft.
—— **analítica** (lab), analytical balance.
—— **de humedad** (ms), moisture scale.
—— **de inducción** (eléc), induction balance.
—— **de plataforma,** platform scale.
—— **de precisión,** analytical balance.
—— **de resorte** o **de tensión,** spring balance.
—— **de torsión,** torsion balance.
balanza-balde m, weighing bucket.
balanza-tolva f, weigh hopper.
balao m, a Philippine lumber.
balastaje m, ballasting.
balastar, to ballast.
balastera f, ballast pit.
balasto m, ballast; road metal; (U) conglomerate used for road building.
balastrar (M), to ballast.
balata f, balata (also used for various gum-yielding trees and sometimes used to mean rubber); (V) a hardwood; (M) brake lining.
balate m, terrace; border of a trench.
balaustrada f, balustrade.
balaústre m, baluster; (Ec) bricklayer's trowel.
balcón m, balcony; (M)(Pe) sidehill cut; (Ch) car platform; (pet) derrick platform.
balconcillo m (pet), monkey board, derrick platform.
balconería f, balcony construction; balcony material.
balconero m (M), erector of iron balconies.
baldada f, bucketful.
balde m, bucket, pail.
—— **arrastrador** (A), drag scraper.
—— **basculante,** dump or contractor's bucket.
—— **cargador** (mz)(A), skip loader.
—— **de arrastre,** dragline bucket; drag scraper.
—— **de ascensor** (B), elevator bucket.
—— **de extracción,** mine bucket.
—— **de hormigón** (A), concrete bucket.
—— **de maniobra** (ec), rehandling bucket.
—— **de pozo** (exc), shaft bucket.
—— **de transportadora** (A), conveyor bucket.
—— **excavador** (A), digging bucket.

—— **grampa** (A), clamshell or grab bucket.
—— **volcador** o **de volteo,** dump or contractor's bucket.
baldeadora f, flusher.
baldear, to bail out; to wash, flush.
baldeo m, bailing; washing, flushing.
baldío m, uncultivated land; public land.
baldosa f, floor tile, paving tile.
—— **de techar** (A), roof tile.
—— **de vidriado mate,** matt-glazed or dull-glazed tile.
—— **gres,** clay floor tile.
baldosado m, tile paving.
baldosar, to lay floor tiles.
baldosín m, floor tile.
—— **de ladrillo** (Col), a brick 20 x 20 x 4 cm.
balero m (M), ball bearing.
—— **de rodillos,** roller bearing.
balicero m (lev)(M), rodman.
balinero m, ball race; ball bearing.
balines m, small balls (bearing); shot.
balita f (F), measure of about 0.69 acre.
baliza f, buoy; survey pole; marker, beacon.
—— **a farola** (A), light beacon.
—— **de acercamiento** (ap), approach beacon.
—— **delimitadora** (ap), boundary marker.
—— **fija,** beacon, range marker.
—— **luminosa,** gas buoy; light beacon.
balizador m, buoy tender.
balizaje m, buoying; system of beacons; beaconage.
balizar, to buoy; to mark with beacons.
balón m, (lab) balloon; balloon tire.
balsa f, pool, pond; raft; balsa, corkwood; (A) ferryboat; (V) flatboat; (min) hanging scaffold used in shaft timbering.
—— **de clasificación** (ef), sorting jack.
—— **salvavidas,** life raft.
balsada f, raft load, boatload.
balsadera f, ferry.
balsaje m, rafting; ferrying.
bálsamo m (Es)(V), (lbr) balsam.
—— **del Canadá,** Canada balsam.
balsear, to raft; to ferry.
balseo m, rafting; (Ch) ferry.
balsero m, ferryman.
balsón m (M), backwater, pool.
ballesta f, laminated spring.
—— **de arco** o **de media pinza,** semielliptical spring.
—— **de cayado,** three-quarter elliptical spring.
—— **doble,** elliptical spring.
bambolear, to sway, wobble, (auto) shimmy.
bamboleo m, sway, swinging, wobbling, (auto) shimmy.
bambú m, bamboo.
banca f, bench; banking; brokerage.
bancada f, bench; (machy) bedframe, solepiece, bed (lathe); (machy)(A) bearing; (min) stope.
bancal m, berm, bench, terrace; sandbank.
bancarrota f, bankruptcy.
bancaza f, bedplate; heavy bench.
—— **del torno,** lathe bed.
banco m, (fin) bank; (geol) stratum; (carp) bench; (cons)(M) bent; (r) sand bar; level ground.

— **aserradòr**, saw table.
— **barrera**, barrier beach.
— **de arena**, sandbank, sand bar.
— **de balasto** (fc), ballast pit.
— **del camino** (Ec), roadbed.
— **de coral**, coral reef.
— **de cota fija** (lev), bench mark.
— **de desperdicio** (ot)(M), spoil bank.
— **de doblar** (ref), bending table, fabricating bench.
— **de emisión**, bank of issue.
— **de estirar**, drawbench.
— **de grava**, gravel bank.
— **de hielo**, ice floe.
— **de interruptores** (eléc)(PR), switchyard.
— **de liquidación**, clearinghouse.
— **de nivel** (lev), bench mark.
— **de pruebas**, test stand, testing bench.
— **de sierra**, saw table.
— **de soldar**, welding slab or table.
— **de taller o de trabajo**, workbench.
— **hipotecario**, mortgage bank.
banda *f*, belt, band; (CA) window sash; iron tire; (M) belt course; side of a ship; (cr) track.
— **cruzada**, crossed belt.
— **de cadena** (M), chain belt.
— **de cuero**, leather belt.
— **del embrague**, clutch band.
— **de esteras o de oruga**, crawler belt.
— **de freno**, brake band.
— **de guardia** (ra), guard band.
— **de hule**, rubber belt.
— **de río**, riverbank.
— **de rodamiento**, tread band (tire); (cr) track.
— **de sintonización** (ra), tuning band.
— **de transmisión**, driving or transmission belt.
— **de transmisión libre** (ra), pass or filter-transmission band.
— **del ventilador** (auto), fan belt.
— **eslabonada** (M), endless belt.
— **lateral inferior** (ra), lower side band.
— **lateral superior** (ra), upper side band.
— **maciza** (Es), solid tire.
— **portadora** (eléc), carrier band.
— **transportadora**, belt conveyor.
— **V, V** belt.
bandaje *m*, tire (rubber or iron); rim.
— **del inducido** (eléc), armature band.
— **macizo**, solid tire.
bandarria, see **mandarria**.
bandeador *m* (C), tap wrench.
bandear, to sway, weave, oscillate; (Ch) to perforate.
bandeja *f*, tray.
— **cogegotas**, drip pan.
— **de burbujeo** (pet), bubble tray.
— **de resudación** (pet), sweating pan.
bandeo *m*, sway, weaving.
bandera *f*, (rr)(surv) flag.
banderero *m* (M), flagman.
banderín *m*, signal flag.
banderola *f*, (rr) switch target; (bldg)(A) transom; (surv) flag.
— **a balancín** (A), pivoted transom.

banquear, to level; to bench; (Col)(V) to excavate; (pmy) to bank (airplane).
banqueo *m*, leveling, grading, benching; a bench; (pmy) banking; (Col)(V) excavation.
— **de préstamo** (ot)(V), borrow pit.
banqueta *f*, berm; sidewalk; haunch, shoulder of a road; banquette.
banquilla (*f*) **de aserrar** (M), sawbuck.
banquillo *m* (to), cricket, cant, saddle.
banquina *f*, berm, shoulder; (A) wall footing.
banquisa *f* (A), pack ice.
banquito *m* (A), rail clip.
bañadera *f*, bathtub.
bañado *m* (A)(U), marsh, wet land.
— **de asfalto**, asphalt-dipped, asphalt-coated.
— **de cinc**, zinc-coated.
— **en caliente**, hot-dipped.
— **en estaño**, tin-dipped.
bañar (pint), to dip.
bañera *f*, bathtub.
baño *m*, bath; bathtub; bathroom; coating (paint, etc.).
— **congelador**, freezing bath.
— **de aceite**, oil bath.
— **de ducha o de lluvia o de regadera**, shower bath.
— **de inversión** (fma), reversing bath.
— **endurecedor** (fma), hardening bath.
— **fijador** (fma), fixing bath.
— **María** (lab), water bath, double boiler.
— **para tubos**, pipe dip.
bao *m* (an), beam, cross timber, deck beam.
— **de bodega**, hold beam.
— **de horquilla**, fork beam.
— **del peto de popa**, transom beam.
— **maestro**, midship or main beam.
— **sesgado**, cant beam.
baos de los raceles, panting beams.
baquelita *f*, bakelite.
baquelizar, to bakelize.
baqueta *f* (vol)(Es), tamping stick.
bara *f*, bar (unit of pressure).
baranda *f*, **barandado** *m*, **barandaje** *m*, **barandal** *m*, railing, handrail, balustrade, banister.
barandilla *f*, railing; sideboard of a wagon; (PR) stake of a flat truck.
— **de resguardo**, highway guardrail.
barba (*f*) **de taladro**, burr (steel), fin.
barbacana *f*, narrow opening in a wall; weep hole; (hyd)(A) gate opening.
barbeta *f*, lashing; (cab) seizing, serving; (naut) gasket, stop.
barbetar (cab), to serve, seize.
barbilla *f* (carp), beveled end of a timber for framing; tenon.
barbotaje *m*, **barboteo** *m* (lu), splash.
barca *f*, boat, barge.
— **carbonera**, coal barge.
— **chata**, flatboat, scow.
— **de grúa**, derrick barge.
— **tanque**, tank barge.
barcada *f*, bargeload, boatload.
barcaza *f*, lighter, barge, flatboat.
— **alijadora**, lighter.
— **perforadora**, drilling barge.
barco *m*, vessel, boat, barge.

—— costero o de cabotaje, coasting vessel.
—— de carga, cargo boat, freighter.
—— de transbordo, ferryboat.
—— petrolero, oil tanker.
barco-puerta *f*, caisson of a graving dock, caisson gate.
baricéntrico, barycentric.
baricentro *m*, barycenter.
bario *m* (quím), barium.
barita *f*, baryta.
baritel *m*, windlass.
baritina *f* (miner), barite, barytes, barytine.
barjuleta *f*, tool bag.
barlovento *m*, windward.
barniz *m*, varnish.
—— aislador, electric or insulating varnish.
—— al aceite o al óleo, oil varnish.
—— craso o graso, oil varnish.
—— de alcohol, spirit varnish.
—— de alto aceite, long-oil varnish.
—— de aparejo o de apresto, sizing.
—— de bajo aceite, short-oil varnish.
—— de inmersión, dipping varnish.
—— de intemperie, spar varnish.
—— de laca, shellac.
—— de rociar, spraying varnish.
—— exterior o marino, spar or exterior varnish.
—— japonés, japan drier; japan varnish.
—— mate, flat varnish.
—— para secado al horno, baking varnish.
—— secante, drier.
barnizador *m*, varnisher.
barnizar, to varnish.
barodinámica *f*, barodynamics.
barodinámico, barodynamic.
barógrafo *m*, barograph, recording barometer.
barograma *m*, barogram.
barométrico, barometric.
barómetro *m*, barometer.
—— altimétrico, altitude barometer.
—— aneroide, aneroid barometer.
—— de mercurio, mercurial barometer.
—— registrador, recording barometer.
barometrógrafo *m*, barometrograph, barograph.
baroscopio *m*, baroscope.
barotermógrafo *m*, barothermograph.
barotermómetro *m*, barothermograph.
barquear, to transport by boat, to ferry.
barquero *m*, boatman, ferryman, lighterman.
barquín *m*, bellows.
barra *f*, bar, rod; sand bar.
—— alimentadora, feed rod.
—— angular (fc), angle bar, splice bar.
—— arrugada (ref), corrugated bar.
—— atiesadora (est), sag rod.
—— cabecero (ref), header bar.
—— colectora (eléc), bus bar.
—— colectora de compensación, equalizer bus.
—— colectora de control, control bus.
—— colectora para fallas, fault bus.
—— colisa (mh)(A), swivel bar.
—— comercial, merchant bar.
—— corrugada (ref), corrugated bar.
—— cuadrada giratoria (pet), grief stem, kelly.
—— cuadrada torcida (ref), square twisted bar.

—— cuello-de-ganso (herr), gooseneck bar, wrecking bar.
—— de alinear (fc), lining bar.
—— de arco (met), arch bar.
—— de argolla (est), eyebar, loop rod.
—— de argüe, capstan bar.
—— de asiento (compuerta), seat bar.
—— de atalaje, drawbar.
—— de brida (fc), splice bar, angle bar, fishplate.
—— de celosía (est), lattice bar; web member.
—— de conexión, (eng) connecting rod, pitman; (elec) connection bar.
—— de contratensión (pte), counterbrace, counterdiagonal.
—— de corredera, (se) valve stem.
—— de corto circuito (eléc), shorting bar.
—— de cremallera, rack bar.
—— de cuña (met), wedge bar.
—— de chucho (fc), bridle or switch or head rod.
—— de distribución (eléc)(C), bus bar.
—— de emergencia (ft), panic bar.
—— de emparrillado (cal), grate bar.
—— de empedrador, paving bar.
—— de enclavamiento (fc), detector bar.
—— de enganche, drawbar.
—— de enrejado (est), lattice bar.
—— de entibar (re), dolly bar.
—— de estancamiento (compuerta), seal bar.
—— de guarnición, curb bar; corner bead.
—— del inducido (eléc), armature bar.
—— de mina (min), hand drill.
—— de ojo (est), eyebar.
—— de orejas (ref), lug bar.
—— de parachoques (auto), buffer bar.
—— de parrilla (cal), grate bar; clinker bar.
—— de percusión (pet), sinker bar.
—— de recalcar, swage bar (saw).
—— de remolque, towing bar.
—— de río, shoal, bar.
—— de rosca, threaded rod.
—— de suspensión, hanger.
—— de taras (báscula), tare bar.
—— del tejido (V), (tu) web member.
—— de tiro o de tracción, drawbar.
—— de torsión (auto), torque arm.
—— de trabazón o de unión (ref), bond bar, dowel.
—— de uña, claw bar, nail puller.
—— de ventana, muntin, window bar.
—— deformada (ref), deformed bar.
—— desviadora (fc), deflecting bar.
—— en U (met), U bar.
—— I (met), I bar.
—— imanada, bar magnet.
—— indicadora (fc), detector bar.
—— lisa (ref), plain or smooth bar.
—— ómnibus (eléc), bus bar.
—— para encintado, curb bar.
—— patrón, test bar.
—— perforadora (pet), sinker bar.
—— plana acanalada, channel flat.
—— plana bruñida, ground flat.
—— plana con cantos de fleje, band-edge flat
—— punta-de-cuña, wedge-point crowbar.
—— punta-de-espolón, pinch-point crowbar.
—— punzón (vol), punch bar.

— **radial** (auto), radius rod.
— **rociadora** (ca), spray bar.
— **sacaclavos**, stripping bar, nail puller; wrecking or claw bar.
— **subtensa** (lev), subtense bar.
— **T**, T bar, T iron.
— **taladradora**, boring bar.
— **tirante**, tie rod.
— **torneada** (met), turned bar.
— **tractora** (fc)(mh), drawbar.
— **trancanil** (cn), stringer bar.
— **trazadora** (planímetro), tracing arm.
— **tumbadora** (fc), tumbling rod.
— **V**, V bar.
— **Z**, Z bar.
barras
— **de armadura**, reinforcing bars.
— **de barreno**, drill steel.
— **de deslizamiento**, guides (gate).
— **de enlace** (est)(C), lacing bars.
— **de yunque** (az), anvil bars.
— **espaciadoras** (ref), spacing bars.
— **portavástago** (pet), carrier bars.
— **repartidoras** (ref), distributing bars, spacing bars.
barraca f, barrack, bunkhouse; warehouse, shed.
— **de hierro** (Ch), hardware store.
— **de maderas** (Ch), lumber shed, lumberyard.
barracón m, barracks.
barraganete m (cn), bulwark stay.
barraje m, dike, barrage, diversion dam.
barrales m (Ch), sideboards of a wagon.
barramina f (Ec), drill.
barranca f, cliff, bluff; gorge, ravine; (A) river bank; (A)(U) downgrade.
— **abajo** (A), downgrade, downhill.
— **de falla**, fault scarp.
— **de falla con erosión**, fault-line scarp.
barranco m, precipice, cliff; gorge.
barrancón, m, gorge, canyon.
barrancoso (top), broken, rough.
barranquilla f (M), gully.
barraquero m (A), warehouseman.
barreal m, clay pit.
barredera f (ot)(Ec), drag scraper.
barredor m, sweeper (man).
— **de locomotora**, pilot, cowcatcher.
barredora f (maq), sweeper.
— **de goma**, squeegee.
— **de tractor** (ca), tractor sweeper.
— **eléctrica** (M), vacuum cleaner.
— **patrulladora** (ca), patrol sweeper.
— **remolcada**, drawn road broom.
barrena f, drill, auger, gimlet, drill bit; crowbar.
— **adamantina** (M), adamantine drill.
— **batidora**, churn drill.
— **cola de pescado**, fishtail bit.
— **cortanúcleo**, core bit.
— **de arrastre** (pet), drag bit.
— **de cable**, cable or well or churn drill.
— **de canaleta recta**, pod auger or bit.
— **de canteador**, stonecutter's or plug drill.
— **de caracol**, twist drill, auger bit.
— **de cateo**, earth borer.
— **de cesto** (pet), basket bit.
— **de cincel**, chisel bit.

— **de columna**, column drill.
— **de corchos** (lab), cork borer.
— **de cruz**, star bit or drill.
— **de cuatro alas** (pet), four-wing bit.
— **de diamantes**, diamond drill.
— **de discos** (pet), disk bit.
— **de filo en cruz**, star drill.
— **de fricción** (pet), drag bit.
— **de guía**, center bit.
— **de gusano**, worm auger.
— **de limpieza** (sx), cleanout auger.
— **de mano**, hand drill, jumper.
— **de ojo**, ring auger.
— **de pecho**, breast auger.
— **de perforación desviada** (pet), directional bit.
— **de rodillos** (pet), roller bit.
— **de tierra**, earth auger, posthole digger, well or soil auger.
— **espiral**, twist drill, auger bit.
— **iniciadora** (pet), spudding bit.
— **para berbiquí**, brace bit.
— **para cabillas**, dowel bit.
— **para hoyo de poste**, posthole auger.
— **para macho**, tap drill.
— **para mortajas**, slotting auger.
— **para pozos**, well drill.
— **picadora** (sx), chopping bit.
— **piloto**, pilot drill or bit.
— **principiadora** (pet), spudding bit.
— **rompepavimento**, pavement breaker, bullpoint.
— **sacanúcleos o sacatestigos**, core drill.
— **salomónica**, twist drill; screw auger.
— **tubular**, core drill; calyx drill.
barrenas, drill steel.
barrenador m, drill runner; auger, drill.
barrenadora f, drill.
— **de arcilla**, pneumatic clay spade.
barrenar, to drill; to blast; **barrenarse** (tún)(M), to hole through, connect up.
barrendera f (maq), sweeper.
barrendero m, sweeper (man).
barrenero m, drill runner.
barrenillo m, boring insect.
— **de caña**, cane borer.
— **de muelles**, wharf borer.
barrenista m, drill runner.
barrenita (f) **de mano**, gimlet.
barreno m, drill; drill hole, borehole; (Col) drilled well.
— **cebado** (vol)(M), missed hole.
— **de alivio** (min), block hole.
— **de enlechado**, grout hole.
— **de voladura**, blasting hole.
— **fallido** (vol)(M), missed hole.
barrenos
— **de alivio** (tún), relief holes.
— **de corte** (tún)(M), cut holes.
— **de cuele o de franqueo** (min), cut holes.
— **de destrozo** (min)(tún), breakers, breaking-down holes.
— **de ensanche** (min)(tún), holes for enlarging shots.
— **del perímetro** (tún), rim holes.
— **limitadores** (vol), line holes.

barrer, to sweep; (di) to scavenge.

barrera *f*, fence, barrier, barricade; (rr) crossing gate; clay pit; (hyd) diversion dam.

—— colectora (ef), bag or sack boom.

—— corrediza (fc), sliding gate.

—— cortafuego, firebreak, fire stop.

—— de báscula (fc), hinged and counterweighted crossing gate.

—— de cable (ca), cable guardrail.

—— de cinta (ca), traffic tape.

—— de clasificación (ef), sorting boom.

—— de detrito (hid)(A), drift barrier.

—— de guardia (ca), guardrail.

—— de guía (ef), sheer or fender or glancing boom.

—— flotante, log boom.

—— guardacamino, traffic or road guard, highway guardrail.

—— guardacruce (fc), crossing gate.

—— interceptadora (ef), catch or trap boom.

—— para basuras (r), drift barrier.

—— parahielos (r), ice screen.

barrero *m*, clay mixer; clay pit; mudhole.

barreta *f*, crowbar; bullpoint; small bar; (min) moil.

—— con espolón, pinch bar.

—— de pinchar (A), pinch bar.

—— de punta, bullpoint.

—— de punta recalcada (vol), bulge-point driving iron.

—— de soldadura (V), welding rod.

—— de uña, claw bar.

—— desquiciadora (Ec), bar for loosening rock.

—— pata-de-cabra, claw bar.

—— rompedora, bit of a paving breaker, bullpoint.

barretas, (M) drill steel.

barretear, to bar, work with a bar.

barretero *m*, miner, drill runner in a mine; man who works with a bar.

barretón *m*, heavy crowbar; (Col) miner's pick.

barrida *f* (ciudad), district, ward, quarter.

barrial *m*, clay pit; mudhole.

barrica *f*, cask, barrel.

barricada *f*, barricade.

barrida *f*, sweeping; (di) scavenging.

barrido *m* (tv)(ra), sweep.

barriga *f*, bulge, belly.

barril *m*, barrel; measure of about 20 gal.

—— de frotación, tumbling barrel.

barrilada *f*, capacity of a barrel.

barrilete *m*, clamp; pawl, dog; keg.

—— de leva, cam clamp.

barrilla *f* (min)(B), concentrates; metallic copper mixed in ore.

barrio *m* (ciudad), district, ward, quarter; suburb.

barro *m*, mud, clay, silt; sludge; earthenware; adobe; (pet) slush.

—— amasado, clay puddle.

—— cloacal (dac), sludge.

—— cocido, terra cotta, burnt clay.

—— de barreno, drill sludge.

—— digerido (dac), digested sludge.

—— esmaltado, glazed clay or terra cotta.

—— refractario (C), fire clay.

barros activados (dac), activated sludge.

barroso, muddy, clayey, silty.

barrote *m*, heavy bar; grate bar; rung; (A) door bolt; (rr)(C) angle bar; (sb) hatch bar hatch batten.

barrotín *m*, batten of a hatch; hatch bar; (rr) carline; (sb) carling.

barya *f* (física), barye.

basa *f*, base, pedestal.

basada *f* (cn), launching cradle.

basal (V), basal.

basáltico, basaltic.

basaltiforme, basaltiform.

basalto *m* (geol), basalt.

—— analcítico, analcite basalt.

—— prismático, columnar basalt.

—— vítreo, basalt glass, vitrobasalt, hyalobasalt.

basaltoide, basaltoid, basaltiform.

basamento *m*, base; pedestal; (A) footing, foundation.

báscula *f*, scale (for weighing); (rr)(Ec) crossing gate.

—— de balancín, beam scale.

—— de plataforma, platform scale.

—— de pozo, pit scale.

—— de vía, track scale.

—— enclavable, dormant scale.

báscula-puente *m*, weighbridge.

báscula-tolva *f* (ag)(A), weighing batcher.

báscula-vagones *m*, car dumper.

basculador *m*, dumper; rocker; (min) tippleman; any tipping device.

—— de caja (co), body rocker.

—— de carros, car dumper.

bascular, to tip, tilt.

base *f*, basis; base (all senses); rail flange.

—— compound (mh), compound rest.

—— de aviación, air or aviation base.

—— de comparación (lev), comparator base.

—— de comprobación (lev), check base.

—— de cuchilla (motocaminera), blade base.

—— de hidroaviones, air harbor, seaplane base.

—— de riel (fc), base of rail.

—— de rodado (A), wheel base.

—— de ruedas, wheel base.

—— de la soldadura, root of weld.

—— de tope (pet), landing base.

—— naval, naval base.

—— negra (ca), black base.

—— sanitaria (ed), sanitary base.

bases del concurso, bidding conditions.

bases de licitación, bidding conditions, information for bidders.

basicidad *f*, basicity.

básico (quím)(geol)(met), basic.

basitas (geol)(A), basic rocks.

bastarda, bastard (file).

bastidor *m*, frame, bedframe; chassis; (Col) window sash.

—— auxiliar (auto), subframe.

—— de carril (tc), crawler or track frame.

—— de puerta, door buck, doorframe.

—— de rodaje, truck frame.

—— de rodillos (met), stand of rolls.

—— de sierra para metales, hacksaw frame.

—— de ventana, window frame.

—— **inferior,** underframe.
basto, rough, unfinished; coarse.
bastón *m,* (rr) staff (block system); (su) proof stick, sampler.
bastrén *m,* (t) spokeshave.
basural *m* (Ch), garbage dump.
basuras *f,* trash, rubbish, dirt, refuse; garbage; river drift.
basurero *m,* garbage dump.
batalla *f,* wheel base, distance between axles.
batayola *f* (cn), handrail.
bate *m* (fc), tamping pick.
batea *f,* trough, launder; tray, mortar tub; (V) paved ditch; (V) paved ford; (min) batea; (auto) oil pan; (A) paved gutter crossing a road.
—— **de coque,** coke tray (aerator).
—— **de pilada** (conc), batch box.
bateador *m* (fc), tamping bar, tamper.
bateadora *f,* power tamper.
—— **unitaria,** unit tamper.
batear, to tamp (ties).
bateo *m,* tamping.
batería *f,* battery (all senses).
—— **A** (ra), A or filament battery.
—— **anódica** (ra), anode or plate battery.
—— **B** (ra), plate or B battery.
—— **C** (ra), grid or C battery.
—— **compensadora** (eléc), floating battery; buffer battery.
—— **de acumuladores,** storage battery.
—— **de calderas,** battery of boilers.
—— **de camiones** (M), fleet of trucks.
—— **de filamentos** (ra), A or filament battery.
—— **de inmersión** (eléc), plunge battery.
—— **de mazos,** stamp mill.
—— **de pantalla** (ra), screen battery.
—— **de pega** (min), blasting battery.
—— **de pisones,** stamp mill.
—— **de placa** (ra), B or plate or anode battery.
—— **de polarización negativa** (ra), bias cell.
—— **de rejilla** (ra), grid or C battery.
—— **elevadora** (eléc), booster battery.
batey *m,* ground occupied by a sugar mill and appurtenances; (PR) area in front of a country house.
batidera *f,* beater, maul; (Sp) mortar hoe.
batido *m,* (ra) beat; *a* hammered, wrought.
—— **en frío,** cold-hammered.
batidor *m,* beater, agitator; (A) mixer; (min) dolly; (met) shingler.
batiduras *f* (met), mill or hammer scale.
batiente *m,* jamb; gate sill; lock sill; (dam) apron, hearth, (dd) apron; (carp) stop bead.
—— **de esclusa,** miter or lock sill.
batir, to beat, hammer, pound, tamp; to stir.
batista barnizada (ais), varnished cambric.
batómetro *m,* bathometer.
baud (tel), baud.
bauxita *f,* bauxite (aluminum ore).
bayoneta *f,* (mech) bayonet; (auto) bayonet gage (oil level).
bedano *m,* mortising chisel.
Beggiotoa (is), Beggiotoa.
begohmio *m* (eléc), begohm.

bejuco *m,* rattan.
bel (eléc), bel.
belio *m* (eléc)(A), bel.
benceno *m,* benzene.
bencidina *f,* benzidine.
bencina *f,* gasoline; benzine.
beneficiable (min), workable.
beneficiador *m,* operator of a mine or smelter; processor; cultivator.
beneficiar, to smelt, refine; to work a mine; to beneficiate (ore); to process.
beneficio *m,* smelting, ore reduction, beneficiation; working of a mine; profit.
—— **de explotación,** operating profit.
—— **de madera,** lumbering.
—— **de minerales,** smelting.
bentonita *f,* bentonite.
bentonítico, bentonitic.
bentos (is), benthos.
benzol *m,* benzol, benzene.
berbique, berbiquí *m,* carpenter's brace; (U) crankshaft.
—— **acodado,** angular bitstock.
—— **de engranaje,** angle brace.
—— **de herrero o de pecho,** breast or fiddle drill.
—— **de matraca,** ratchet brace.
—— **de ribera,** ship carpenter's brace.
—— **para rincones,** corner brace.
—— **y barrenas,** brace and bits.
berilio *m* (quím), beryllium.
berlinga *f,* pole, round timber, spar.
berma *f* (ot), berm, (rd) shoulder.
berroqueña *f a,* granite.
besar, a, block and block, chockablock, two-blocks.
betanaftol *m* (quím), beta-naphthol.
betatrón *m* (ra), betatron, rheotron.
betonera *f* (Ch), concrete mixer.
betumen *m,* bitumen.
betuminadora *f* (ca)(Es), bituminous distributor.
betún *m,* bitumen, pitch, (C) stucco.
—— **judaico o de Judea,** asphalt.
betunar, to coat with pitch; (C) to stucco.
bias (ra), bias.
—— **C o de rejilla,** grid bias, C bias.
biasar (ra)(A), to bias.
biaxil, biaxial.
biáxico (Es)(A)(V), biaxial.
biberón *m* (lab), nipple.
bibirú *m* (mad), greenheart.
bicable, *a* double-cable.
bicarbonato *m,* bicarbonate.
bicilíndrico (eng), double-cylinder.
bicloruro *m,* bichloride.
—— **de estaño,** tin or stannous chloride.
—— **de mercurio,** mercuric chloride, corrosive sublimate.
bicóncavo, biconcave, double-concave, concavo-concave.
bicónico, biconical.
biconvexo, biconvex, double-convex.
bicromato *m* (quím), bichromate.
bicrón *m* (med), bicron.
bichero *m,* boat hook.
bidé, bidet *m* (pb), bidet.
bidimensional, two-dimensional.

bidireccional (eléc), bidirectional.
bidón m, steel drum; (C) drum of a hoist; a tin, large can.
biela f, (eng) connecting rod, pitman.
—— motriz, connecting or main driving rod.
—— paralela o de acoplamiento (loco), coupling or side rod.
bienes m, property.
—— inmuebles o raíces o sedientes, real estate.
—— muebles, personal property.
—— semovientes, cattle.
bienhechuría f (C), improvements (real estate).
bifásico (eléc), two-phase.
bifilar (eléc), two-wire, bifilar.
bifluoruro m (quím), bifluoride.
bifurcación f, junction of streams; crotch; (p) Y branch; (rr)(C)(Sp) junction.
—— de ramal paralelo (tub), upright Y branch.
—— doble (tub), double Y branch.
—— en U (tub), U branch.
bifurcador m (aa), bifurcator.
bifurcarse, to fork, branch.
bigorneta f, small anvil; tinsmith's stake.
—— de acanalar (ch), creasing stake.
—— de arista viva (ch), hatchet stake.
—— de costura (ch), seaming or grooving stake.
—— de pico, beakhorn stake.
bigornia f, anvil.
bigote de gato (ra)(A), cat whisker.
bigotera f, (dwg) bow compass, bow dividers; slag tap (blast furnace).
bigrilla (ra)(A), double-grid.
bihilar (eléc), two-wire.
bijáguara f, a Cuban hardwood.
bilabarquín m (Ec), carpenter's horse.
bilateral (eléc)(mec), bilateral.
bilis f (lab), bile.
—— lactosa, lactose bile.
bimbalete m (M), strut; ridgepole; pump jack.
bimetal m, bimetal.
bimetálico, bimetallic.
bimórfico (ra), bimorph.
bimotor, two-motor, bimotor.
binario (quím)(mat), binary.
binaural, binaural.
binocular a, binocular.
binodo m (ra)(mat), binode.
binomio (mat), binomial.
bioactivación f (dac), bio-activation.
bioaeración f (dac), bio-aeration.
biofiltración f (is), biofiltration.
biofiltro, biofilter.
biofloculación f (is), bioflocculation.
biogenético (is), biogenetic.
biólisis f, biolysis.
biolítico (dac), biolitic.
biológico, biological.
bioprecipitación f, bioprecipitation.
bioquímica f, biochemistry.
bioquímico, biochemical.
biorreducción f (dac), bioreduction.
biosa f (az), biose, disaccharide.
biotita f (miner), biotite, black mica.
biotrón m (ra), biotron.
bióxido m (quím), dioxide.
—— carbónico, carbon dioxide.

—— de estaño, tin dioxide, stannic oxide.
bipié m, bipod.
bipolar, bipolar, two-pole.
biposte, bipost (lamp).
biprima (mat), double prime (x'').
biriquí m (Ec)(AC), carpenter's brace.
birlo m (M), stud bolt.
birrectángulo, birectangular.
birrefringencia f (fma), birefringence.
birrefringente, birefringent.
birrotulado, two-hinged.
bisagra f, hinge, butt hinge.
—— a munición, ball-bearing hinge.
—— acodada, offset hinge.
—— con levante, rising hinge, skew hinge.
—— de bolitas, ball-tip door butt.
—— de fricción, friction hinge.
—— de muelle, spring hinge.
—— de paleta o de ramal, strap or joint hinge.
—— de pasador fijo, fast-pin butt.
—— de pasador suelto, loose-pin butt.
—— de resorte, spring hinge.
—— de superficie, flap or surface or full-surface hinge.
—— de tiro ancho, wide-throw hinge.
—— de tope, butt hinge.
—— desmontable, loose-pin butt.
—— en T, T hinge.
—— inerte, dead hinge.
—— medio superficial, half-surface or half-mortise hinge.
bisecar, to bisect.
bisección f, bisection.
bisectriz f, bisector.
bisel m, a bevel, chamfer; (lbr) wane.
—— al hilo (mad), bevel rip.
—— a inglete, bevel miter.
—— de trozar (mad), bevel cutoff.
biselado, beveled; (lbr) waney.
biseladora f, chamfering tool.
biselar, to bevel, chamfer, skive.
bisilicato m (quím), bisilicate.
bismutina f (miner), bismuthine, bismuthinite, bismuth glance.
bismutinita f, bismuthinite, native bismuth sulphide.
bismuto m (quím), bismuth.
—— blenda (miner), bismuth blende, eulytite.
bisulfato (m) de sodio, sodium bisulphate.
bisulfito m, bisulphite.
bisulfuro m, disulphide, bisulphide.
bita f (náut), cleat, bitt.
—— de amarre, mooring bitt.
—— de remolque, towing bitt; towing post.
bitácora f (cn), binnacle.
bitadura f, turn of a rope around a bitt.
bite m (A), bead (on a board).
bitón m, bitt; double-head chock.
—— de fondeo, riding bitt.
—— de remolcar, towing bitt.
bitoque m, (M) faucet, cock; (CA) sewer.
bitulítico, bitulithic.
bitumástico, bitumastic.
bitumen m (U)(M), bitumen.
bituminífero, containing bitumen.
bituminoso, bituminous.

bituvia *f* (ca), Bituvia (trademark).
bivalencia *f*, bivalence.
bivalente (quím), bivalent.
biviario, two-lane (highway).
bizcocho *m* (Col), a salmon brick.
blanco *m*, gear blank; blank form; *a* white.
— de antimonio, antimony white (pigment), antimony trioxide.
— de barita (pigmento), baryta white, barium sulphate.
— de bismuto (pigmento), bismuth white.
— de cinc (pigmento), zinc white.
— de China, Chinese or zinc white.
— de España, whiting, Spanish white.
— de plomo, white lead.
— de yeso, whiting.
blando, soft.
blandura *f*, softness.
blanquear, to whitewash; to bleach.
blanquillo *m*, an Argentine lumber (semihard).
blastogranítico (geol), blastogranitic.
blastoporfirítico (geol), blastoporphyritic.
bleck o bleque (A), a term applied to all tar and asphalt products.
blenda *f* (miner), blende, sphalerite.
— cadmífera, greenockite, cadmium blende.
— córnea (M), hornblende.
— de zinc, zinc blende.
— roja, ruby blende (sphalerite).
blindado, armored, ironclad; (elec) shielded.
blindaje *m*, armor; (elec) shielding; (Sp) tunnel lining.
— antimagnético, magnetic screen or shield.
— cerrado (eléc), interlocking armor.
— del radiador (tc), radiator guard.
blondín *m* (Es), cableway.
bloque *m*, block.
— amortiguador, cushion block.
— calibrador, gage block.
— comparador (lab), block comparator.
— de barrenar, boring block.
— de batir (ch), dolly block.
— de casas (PR), city block, block of houses.
— de cilindros, cylinder block.
— de clavar, nailing block, wood brick.
— de doblar (ref), bending block.
— de enrasillar (ed), furring block.
— de estampar (her), swage block.
— de fallas (geol), fault block.
— de fusibles (eléc), fuse block.
— de golpeo (pb), driving block, turnpin, tampion.
— de motor, engine block.
— de patas (fc), heel block, heel raiser.
— de recalcar (si), swage block.
— de relleno (ed), filler block.
— desabollador (ch), dolly block.
— para triscar (si), setting block.
— partido de enrasillar, split furring tile.
— portaherramienta (mh), tool block.
— refractario de construcción, structural tile.
— seccional (fc), block (signal).
bloquear, to block (all senses); (M) to chock; (min)(B) to block out.
bloqueo *m* (fc)(ra), blocking.
— absoluto o definitivo (fc), absolute blocking.

— condicional o facultativo (fc), permissive blocking.
— manual (fc), manual blocking.
bloquera *f* (Es), concrete-block machine.
bobina *f*, (elec) coil; (elec) bobbin.
— apagachispas, blowout coil.
— captadora (ra), pickup coil.
— con núcleo de hierro pulverizado, dust-core coil.
— con temblador, vibrator coil.
— de acoplamiento (ra), coupling coil.
— del campo, field coil.
— de carga, loading coil.
— de cesto (ra), basket coil.
— de compensación, compensating coil.
— de chispas, spark coil.
— de choque (A)(Col), choke or impedance coil.
— de desenganche, release coil.
— de devanado universal (A), honeycomb coil.
— de disparo, tripping coil.
— de encendido o de ignición, spark or ignition coil.
— de enfoque (ra), focusing coil.
— de ensayo, exploring coil.
— de extinción, blowout coil.
— de inductancia, inductance coil, reactor, inductor.
— de máxima, overload release coil.
— de núcleo de hierro, iron-core coil.
— de oposición, bucking coil.
— de panal, lattice-wound or honeycomb coil.
— de prueba, exploring coil.
— de reacción, choking or reactance or impedance or retardation coil, reactor, kicking coil.
— de reactancia, reactance coil, inductor.
— de regeneración, feedback or tickler coil.
— de retención, retaining or holding coil.
— de la voz (ra), voice coil.
— deflectora o desviadora (ra), deflecting coil.
— en derivación, shunt coil, (inst) potential coil.
— excitadora, exciting coil.
— exploradora, exploring or search coil, explorer.
— inductora, induction coil.
— nido de abeja (ra), honeycomb coil.
— sintonizadora (ra), tuning coil.
— térmica (tel), heat coil.
— tipo canasto (ra), basket-weave coil.
— vibratoria, vibrator or trembler coil.
bobinado *m*, bobinaje *m* (eléc), winding.
bobinadora *f*, winding machine.
bobinar, to wind.
bobo *m* (PR)(V), a lumber used in building.
boca *f*, mouth, entrance; nozzle; (tun) portal; (hyd) intake; (top) gap, pass, saddle; (t) peen, nose.
— de agua, hydrant.
— de aspiración, air inlet.
— de caída (al), drop inlet.
— de calle, inlet to a storm sewer.
— de carbón (cn), coaling hatch.
— de carga, fire door of a boiler.
— de cepillo, a (mam)(V), finished with a wooden float.

— de corazón (fc), toe of a frog.
— de corneta, bellmouth.
— de desagüe, drain inlet.
— de descarga, outlet, discharge opening.
— de entrada, intake, inlet; portal; manhole.
— de incendio, fire hydrant, fireplug.
— de inspección, manhole.
— de limpieza, cleanout hole; sluiceway.
— de manómetro, gage hatch.
— de pez, fishmouth (splice).
— de pozo (pet), wellhead.
— de puerto, entrance to a harbor.
— de registro, manhole, manhead.
— de río, mouth of a river.
— de salida, outlet.
— de tormenta (A)(U)(Pe), inlet to a storm-water sewer.
— de visita, manhole.
— escotilla, hatchway.
— tipo de hongo (aa), mushroom outlet.
bocacalle f, street intersection.
bocacaz m, opening in a flume or dam.
bocal m, mouth, entrance; (top) gap; strait, narrows (harbor); (min) pit head.
bocallave f, keyhole; keyhole plate; (A) socket wrench.
bocamejora f (min), auxiliary shaft.
bocamina f, entrance to a mine.
bocana f (Col), mouth of a river.
bocarte m, crusher, stamp mill; drag mill.
bocartear, to crush.
bocarteo m, crushing.
bocateja f, first tile in a course; hollow under a roof tile; (V) eaves.
bocatoma f (hid), intake.
bocazo m (vol), blowout, pop shot.
bocel m, molding plane; convex molding.
boceladora f, molding plane.
bocelar, to form moldings.
bocelete m, small molding plane.
bocelón m, large molding plane; (rf)(Col) ridge roll.
bocina f, bushing; bell end of a pipe; (auto)(ra) horn; (C) hubcap; bellmouth; (sb) stern tube; (hyd)(A) morning-glory (spillway).
— de bruma, foghorn.
— exponencial (eléc), exponential horn.
bocina-vertedero (hid), morning-glory spillway.
bocoy m, large barrel, hogshead; (C) measure of about 175 gal.
bochorno m, sultry weather; (min)(M) afterdamp; chokedamp, blackdamp.
bodega f, warehouse, storehouse; (naut) hold; cellar; (Ch) boxcar.
— de herramientas, tool house.
— de tramo (fc), section tool house.
bodegaje m, storage charges, warehousing.
— en húmedo, wet storage (battery).
— en seco, dry storage (battery).
bodeguero m, storekeeper.
bogie m (fc), truck.
— de arrastre, trailing truck.
— giratorio o de un solo eje, pony truck.
— piloto, pilot truck.
bogue m (Es), Boghead coal.
boicot, boicoteo m, boycott.

boj m, boxwood.
boje m, a hardwood of Cuba and Puerto Rico.
bola f, ball.
— rompedora, skull cracker, wrecking ball, ball breaker.
— y cuenca, ball and socket.
bolas del regulador (mv), governor balls.
bolardo m, bollard, mooring post.
boleo m, boulder; deposit of boulders; (sb) camber, roundup.
boletería f (fc), ticket office.
boletero m (fc), ticket agent.
boleto m, ticket.
bolín m, ball; shot.
bolina f, sounding line; (naut) bowline.
bolo m, (lbr)(C) bole; (Ph) machete.
bolómetro m (eléc), bolometer.
bolón m, cobble, boulder; rubble stone.
bolsa f, bag, sack; pocket; stock exchange; pocket of rich ore.
— de aire, air pocket, (eng) air lock.
— de atacadura (vol), tamping bag.
— de compensaciones (C), clearinghouse.
— de contracción (met), pipe, contraction cavity.
— de corteza (mad), bark pocket.
— de resina (mad), pitch pocket.
— de valores, stock exchange.
— de válvula, valve bag.
— de vapor (mg)(pet), vapor lock.
bolsada f, pocket, cavity; pocket of rich ore.
bolsón m, (geol) bolson; (min) pocket of rich ore.
bolsonero (min)(B), in rich pockets.
bomba f, pump; fire engine; bomb; (V) mudhole.
— a mano, hand pump.
— a nafta, gasoline-driven pump.
— al vacío, vacuum pump.
— a vapor, steam pump.
— alimentadora, feed or boiler-feed pump.
— alternativa, reciprocating pump.
— aspirante, suction pump.
— barrera, dredging or mud pump.
— calorimétrica, bomb calorimeter.
— centrífuga difusora, diffuser-type centrifugal pump.
— centrífuga voluta, volute-type centrifugal pump.
— colgante (exc), sinking pump.
— contadora, metering pump (gasoline).
— contra incendios, fire pump; fire engine.
— chupadora, suction pump.
— de acción simple, single-acting pump.
— de aceleración (auto), accelerator pump.
— de aletas, vane-type rotary pump.
— de aletas deslizantes, sliding-vane pump.
— de aspiración doble, double-suction pump.
— de aspiración simple, single-suction pump.
— de balancín, beam pump.
— de barrido (di), scavenge pump.
— de carena, bilge pump.
— de carrera regulable, variable-displacement pump.
— de cigüeña, crank-action pump.
— de cigüeña y volante, crank-and-flywheel pump.
— de cilindro corredizo (pet), traveling-cylinder pump.

—— de concreto, Pumpcrete (trademark).
—— de chorro, jet or water-jet pump.
—— de desplazamiento positivo, positive displacement pump.
—— de difragma, diaphragm pump.
—— de doble efecto, double-acting pump.
—— de doble paso o de dos escalones o de dos etapas o de dos grados, two-stage pump.
—— de dosaje, measuring pump.
—— de dragado, dredging pump.
—— de efecto único, single-acting pump.
—— de émbolo, piston pump.
—— de émbolo buzo o de émbolo macizo, plunger pump.
—— de engranaje de oreja triple, three-lobe rotary pump.
—— de estribo, stirrup pump.
—— de fango, mud pump.
—— de gasto variable, variable-discharge pump.
—— de hélice, propeller or screw pump.
—— de impulso, impulse pump.
—— de impulsor abierto, open-impeller pump.
—— de impulsor cerrado, closed-impeller pump.
—— de impulsores opuestos, opposed-impeller pump.
—— de inflar (A)(U), tire pump.
—— de inmersión, submersible or deep-well turbine pump.
—— de lóbulos, lobar-type rotary pump.
—— de lodo, mud jack; sludge pump; dredging or mud pump; (pet) slush pump.
—— de mortero (M), plunger pump.
—— de ocho grados, eight-stage pump.
—— de oxígeno, oxygen bomb.
—— de paletas deslizantes, sliding-vane rotary pump.
—— de paletas oscilantes, swinging-vane rotary pump.
—— de paso múltiple, multiple-stage pump.
—— de paso recto, straightway pump.
—— de pique (auto)(A), accelerator pump.
—— de pistón, piston pump.
—— de potencia, power pump (reciprocating pump driven by external power).
—— de presión (pet), pressure bomb.
—— de resorte, spring-actuated pump.
—— de rodete doble, double-runner pump.
—— de rosario, chain pump.
—— de salvataje, salvage or wrecking pump.
—— de sentina, bilge pump; sump pump.
—— de simple efecto, single-acting pump.
—— de succión al extremo, end-suction centrifugal pump.
—— de succión lateral, side-suction centrifugal pump.
—— de sumidero, sump pump.
—— de trasiego, transfer pump.
—— de turbina, turbine pump.
—— de vaivén (A), reciprocating pump.
—— desarenadora, sand pump.
—— doble, duplex pump.
—— giratoria, rotary pump.
—— impelente, force or pressure pump; impeller pump.
—— impulsora de diafragma, diaphragm force pump.

—— inatascable, clogless pump.
—— insertada (pet), insert pump, casing pump.
—— inyectora de combustible, fuel-injection pump.
—— manual, hand pump.
—— medidora, measuring pump; (auto) metering or dispenser pump.
—— multigradual, multistage pump.
—— para pozos profundos, deep-well pump.
—— quíntupla, quintuplex pump.
—— rarificadora (ra), vacuum pump.
—— recíproca (Pe), reciprocating pump.
—— recogedora (pet), pickup pump.
—— reforzadora, booster pump.
—— rotativa, rotary pump.
—— rotativa de engranaje interior, internal-gear pump.
—— sumergible, submersible or deep-well turbine pump.
—— surtidora de gasolina, service-station or gasoline-dispensing pump.
—— suspendida (exc), sinking pump.
—— triple, triplex pump.
bombas gemelas, duplex pump.
bombaje m, pumping.
bombardeo electrónico, electron bombardment.
bombeable, pumpable.
bombeado m, pumping; arching, crowning; a arched, crowned; dished.
bombeador m, pumpman, pumper.
bombear, to pump; to crown; to camber; bombearse, to bulge, spring.
bombeo m, pumping; crowning; bulging; camber.
bombero m, pumpman; fireman.
bombilla f, incandescent lamp; bulb.
bombillo m, small pump; (p) trap; (C) lantern globe; (C) incandescent lamp; (C) radio tube.
bombón m, pump used in sugar mills.
bonanza f, large deposit of rich ore.
bonderita f, Bonderite (rustproofing)(trademark).
bonderizar, to bonderize (rustproof).
bonete m (vá), bonnet.
bongo m, scow, flatboat.
bonguero, boatman, bargeman, lighterman.
bonificación f, bonus; (irr)(M) reclamation.
bonificar (cont), to credit.
bonista (C), bondholder.
bono m, (fin) bond.
—— a corto plazo, short-term bond.
—— colateral, collateral-trust bond.
—— de primera hipoteca, first-mortgage bond.
—— hipotecario, mortgage bond.
boquera f, head gate; sluice gate; outlet; (Sp) cesspool.
boquerel m, nozzle.
boquerón m, large opening; (top) gap, pass.
boquete m, gap, pass; opening in a wall; (elec)(A) air gap.
boquilla f, small opening; chuck, collet; socket; bushing; nipple; nozzle; (tel)(hyd) mouthpiece; (w) tip; (top) gap, pass; (mas) chink.
—— ahusada (mh), spring collet, draw-in collet.
—— aisladora, insulating bushing.
—— aspiradora, aspirating nozzle.

—— de agua, needle nozzle.
—— de anillo a escuadra, square-ring nozzle.
—— de anillo agudo, undercut-ring nozzle.
—— de Borda (hid), Borda's mouthpiece.
—— de borne (eléc), terminal bushing.
—— de brida, flanged nozzle.
—— de calorífero, radiator bushing.
—— de collar, ring chuck.
—— del electrodo (sol), electrode tip.
—— de engrase, oilhole.
—— de flujo, flow nozzle.
—— de forro, liner bushing.
—— de guía, jig bushing.
—— de inundación (aa), flooding nozzle.
—— de manguera, hose nozzle.
—— de pulverizadora, spray or airbrush nozzle.
—— de quijadas convergentes (mh), collet or draw-in or push-out chuck.
—— de reborde hembra (tub), outside head bushing.
—— de reborde macho, inside head bushing.
—— de sujeción (herr), chuck.
—— de tuerca fiadora (eléc), lock-nut bushing.
—— entrante (hid), Borda's or re-entrant mouth-piece.
—— fibrosa (eléc), fiber bushing.
—— inyectora de combustible, fuel-injection nozzle.
—— lanzaarena, sandblast nozzle.
—— mezcladora, mixing nozzle.
—— muestreadora (vapor), sampling nozzle.
—— para macho, tap chuck.
—— para soldar (tub), soldering bushing.
—— rociadora, spray nozzle.
—— sin cabeza, headless bushing.
—— sin reborde (tub), face bushing.
boratera f (A)(B)(Ch), borax deposit.
borato m (quím), borate.
bórax m, borax.
borbollar, borbotar, to gush, boil up.
borbollón m, spring; boiling up.
borboteo m, gushing, bubbling, boiling up.
borbotón m, boil in sand, a spring.
borda f (cn), bulwark; gunwale.
borde m, edge; dike, levee.
—— de ataque, upstream or leading or entering edge.
—— de desviación (irr), border check.
—— de encauzamiento, levee.
—— de entrada, leading edge.
—— de obturación, masking edge.
—— de retacadura, calking edge.
—— de salida, downstream or trailing or leaving edge.
—— de solapa (cn), sight edge.
—— de la soldadura, toe of weld.
—— laminado, rolled edge (steel plate).
—— recortado, sheared edge (steel plate).
bordeadora f, tube expander, beading tool, (bo) flue roller; (irr) ridger.
—— de discos (irr), disk ridger.
bordear, to flange; to edge.
bordillo m, curb, shoulder.
—— de labio (ca), lip curb.
bordo m, dike; edge; side of a ship.
—— de contención, levee, dike.

—— de encauzamiento, levee.
—— libre (hid)(cn), freeboard.
—— provisional (M), cofferdam.
bordón m, flange of a wheel; bulb on an angle or T.
boreal, northern.
bórico (quím), boric, boracic.
borna (eléc), see borne.
borne m, (elec) terminal, binding post; a hard-wood.
—— de contacto, contact terminal.
—— de masa (auto), ground terminal.
borneadero m (náut), berth; turning basin.
bornear, (naut) to swing, turn; bornearse, to warp.
bornita f, bornite, purple copper ore.
boro m (quím), boron.
borolón m, Borolon (abrasive)(trademark).
borra f (min), barren rock.
—— de algodón, cotton waste; cotton linters.
borrador m, rough draft; eraser.
—— de tinta, ink eraser.
borradura f, erasure.
borrar, to erase.
borrasca f, an unproductive or worked-out mine.
borrico m, (carp) sawhorse; donkey.
borricón m, scaffold horse, large sawhorse.
borriquete m, sawhorse, carpenter's horse.
boruro m (quím), boride.
bosque m, forest.
bosquejar, to sketch.
bosquejo m, sketch.
bota (f) de ascensor (B), elevator boot.
botas de goma, rubber boots.
botada f, launching.
botadero m (ot), dump, spoil bank.
botador m, (carp) nail set; (re) backing-out punch; (sb) setbolt; tappet.
—— de válvula, valve tappet.
botafango m, mudguard.
botaganado m, cowcatcher, locomotive pilot.
botaguas m (ed), water table; flashing; rain shed; hood over a door; leader boot; weathering.
botalodo m (PR), mudguard.
botalón m, derrick boom; (V) stake.
—— de pala, shovel boom.
—— para cable de arrastre, dragline boom.
botalonear (V), to stake out.
botar, to dump; (exc) to waste; to launch; (re) to back out.
—— al agua, to launch.
botarel m, buttress, counterfort.
botavaca m (PR), (loco) pilot, cowcatcher.
botavara f, boom, gaff; boat hook; wagon pole.
botazo m (cn), fender, rubbing strip.
bote m, boat; container; (M) bucket, skip; (sh) (M) dipper.
—— de draga (M), dragline bucket.
—— de lata, tin container.
—— de paso, ferryboat.
—— de valva de almeja (M), clamshell bucket.
—— salvavidas, lifeboat.
—— volador, flying boat.
bote-sifón, siphon can.
botella f, bottle.
—— aspiradora (lab), aspirator bottle.

—— **cuentagotas** (lab), dropping bottle.
—— **de lavar** (lab), wash bottle.
—— **de presión** (lab), pressure bottle.
—— **de sondeo**, sounding bottle.
—— **para filtrar**, filter flask.
botero *m*, boatman.
boterola *f*, dolly; rivet set or snap.
botiquín *m*, medicine chest.
—— **de emergencia**, first-aid-kit.
—— **de urgencia**, first-aid kit; first-aid station.
boto, blunt.
botón *m*, button; doorknob; crankpin; (chem)
    bead; (lbr) knot; (M) snap team of mules
    or bulls; (mech)(C) boss.
—— **del alumbrado** (auto), light button.
—— **de arranque**, (auto) starter pedal; (elec)
    starting button.
—— **de avance transversal** (mh), cross-feed knob.
—— **de bocina** (auto), horn button.
—— **de la calefacción** (auto), heater button.
—— **del cebador** (auto), choke button.
—— **de contacto**, push button; contact button.
—— **de embrague** (mh), clutch knob.
—— **del estrangulador de aire** (auto), choke but-
    ton.
—— **de manubrio**, (eng) crankpin.
—— **de pestillo** o **de puerta**, doorknob.
—— **de presión**, push button.
—— **de la puesta en marcha** (auto)(A), starter
    button or pedal.
—— **de sintonización** (ra), tuning knob.
—— **de tope** (cv), button stop.
—— **de tráfico** (ca), traffic-marking button.
—— **partido** (eléc), split knob (insulator).
—— **pulsador**, push button.
—— **reflector** (ca), reflecting button.
—— **y tubo** (eléc), knob and tube (work).
botones de herramentero, toolmakers' buttons.
botonera *f*, panel of push buttons.
bournonita *f*, bournonite, wheel ore.
bóveda *f*, vault; arch; (geol) dome, cupola; (A)
    crown of a road.
—— **corrida**, barrel arch or vault.
—— **de aligeramiento**, relieving arch.
—— **de aristas**, groined arch, cross vault.
—— **de, centro pleno**, semicircular arch.
—— **de crucería**, groin vault.
—— **de descarga**, relieving arch.
—— **del fogón** (cal), fire arch.
—— **del hogar**, fire arch.
—— **de medio cañón**, barrel arch; semicircular
    arch.
—— **de medio punto**, semicircular arch.
—— **de panderete** (Es), timbrel or Guastavino arch.
—— **de segmento**, segmental arch.
—— **en cañón**, barrel arch or vault.
—— **escarzana**, segmental arch.
—— **esférica**, dome.
—— **rebajada**, flat arch.
—— **tabicada** (Col), arch of brick laid on the flat.
bovedilla *f*, arch between steel floor beams;
    closed body of a truck; (sb) poop, stern
    overhang, counter, fantail.
bovedón *m* (Pe), chamber in a mine.
boya *f*, buoy; float.
—— **cilíndrica**, can buoy.

—— **cónica**, nun buoy.
—— **de amarre** o **de anclaje**, mooring buoy.
—— **de asta**, spar buoy.
—— **de campana**, bell buoy.
—— **de cuarentena**, quarantine buoy.
—— **de doble cono**, nun buoy.
—— **de espía**, warping buoy.
—— **de gongo**, gong buoy.
—— **de medio canalizo**, mid-channel buoy.
—— **de palo** o **de pértiga**, spar buoy.
—— **de pito** o **de silbato** o **de sirena**, whistling
    buoy.
—— **de tambor**, can buoy.
—— **luminosa**, gas buoy, light buoy.
—— **sonora**, bell buoy.
boya-farol, gas or lighted buoy.
boya-tonel, can buoy.
boyante, buoyant.
boyar, to buoy; to float.
bracero *m*, laborer, workman.
braga *f*, sling; spreader for hoisting.
bramante (*m*) **aislador**, insulating twine.
bramil *m*, chalk line; a line marked with chalk.
branca *f* (Col), pier, pilaster.
brancal *m*, frame of a wagon; (PR) wagon shaft.
brandal *m*, backstay, tieback.
branque *m* (cn), stem.
brasero *m*, brazier, fire pot, salamander.
—— **de gasolina**, plumber's torch.
braunita *f*, braunite (ore of manganese).
braza *f* (náut), fathom.
brazada *f* (Col)(V), fathom.
—— **de piedra** (M), a cubic measure used in sell-
    ing building stone.
brazaje *m*, depth of water.
brazal *m*, irrigation ditch.
brazo *m*, arm; leg of an angle; branch of a tree;
    branch of a stream; mast arm.
——, **a**, by hand.
—— **de adrizamiento** (an), righting lever or arm.
—— **de ataque** (pl)(M), dipper stick.
—— **del cigüeñal**, (eng) crank arm.
—— **de compás**, leg of a compass.
—— **del cucharón** (pl), dipper stick.
—— **de dirección** (auto), steering arm.
—— **del émbolo**, piston rod.
—— **de gobierno** (auto), control arm.
—— **de grúa**, (crane) boom, jib; (de) stiffleg.
—— **del muñón de dirección** (auto), steering-
    knuckle arm.
—– **de palanca**, lever arm, leverage.
—— **de pared**, wall bracket.
—— **de romana**, beam of a scale.
—— **de ruptura** (auto), breaker arm.
—— **montador** (tún), erector arm.
—— **oscilante**, rocker arm; (pet) swing arm.
—— **para lámpara**, lamp bracket.
—— **para retenida** (poste), guy arm.
—— **polar**, pole arm (planimeter).
—— **rastrillador** (is), raking arm.
—— **rígido**, (de) stiffleg.
—— **trazador**, tracer arm (planimeter).
—— **volado** (pte), cantilever arm.
brazos, labor (men).
—— **de cucharón a horcajadas** (pl), straddle-type
    dipper sticks.

brazola *f*, coaming; curb.
—— de escotilla, hatch coaming.
—— de registro, manhole coaming.
brea *f*, pitch, tar, brea, petroleum asphalt.
—— de alquitrán (M), coal-tar pitch.
—— de carbón o de hulla, coal tar.
—— de hulla residual, coal-tar pitch.
—— de primera destilación, straight-run pitch.
—— de tierra, earth pitch.
—— mineral, asphalt, mineral pitch; maltha, mineral tar.
brear, to coat with pitch.
breccia *f* (geol), breccia.
brecha *f*, a breach, opening, crevasse; (geol) breccia.
—— de dislocación (A), crush or friction or fault breccia.
—— de fallas o de fricción o de trituración, fault or crush or friction breccia.
—— de talud, talus breccia.
brechación *f* (geol), brecciation.
brechiforme, brecciated.
brechero *m* (ec)(M), trailbuilder.
brechoide (B), brecciated.
brechoso, brecciated.
breque *m*, brake; (Pe) baggage car.
brequero *m* (Col), brakeman.
brete *m* (fc)(A), cattle pass, cattle ramp.
briaga *f*, sling; (Col) hoisting rope.
brida *f*, (p) flange; clamp; splice plate; bridle (cable); bridle (harness); (rr) splice bar; (mt) dog.
—— angular (fc), angle bar.
—— ciega (tub), blind flange; blank flange.
—— corrediza (tub), slip-on flange.
—— curva (tub), saddle or tank or boiler flange.
—— de acoplamiento, companion flange; coupling flange.
—— de arrastre (mh), clamp dog.
—— de collar (tub), neck or collar flange.
—— de copa (tub), hat flange.
—— de deslizamiento (V), slip-on flange.
—— de enchufe (tub), socket flange.
—— de junta montada (tub), Van Stone or lapped-joint flange.
—— de obturación (tub), blind flange.
—— de orificio (tub), orifice flange.
—— de piso (pb), waste nut, floor flange.
—— grapa (A), lathe dog.
—— lisa (tub)(M), blank flange.
—— loca, loose flange.
—— para artefacto (pb), fixture flange.
—— para martillar (tub), peening flange.
—— para plato (torno), chuck plate.
—— postiza (C), loose flange.
—— reductora, reducing flange.
—— roscada, screwed flange.
—— soldada, welded flange.
—— tapadera (tub), blind flange.
—— tapón (tub), barrel flange.
bridas gemelas o de unión, flange union, companion flanges.
bridar, to flange.
brigada *f*, party, squad, gang; (tk) fleet.
—— de campo, field forces or party.
—— de dibujantes, squad of draftsmen.

—— de tractores, fleet of tractors.
—— del tránsito (lev), transit party.
—— sanitaria, sanitary squad.
—— topográfica (A), survey party.
brillante, bright (wire); glossy (finish).
brillantez *f* (il), brilliance, luminosity, subjective brightness.
brillo *m*, (miner) luster; (il) brightness; gloss; (ra) glow.
—— anacarado, pearly luster.
—— ceroso, waxy luster.
—— craso, greasy luster.
—— de betún, pitchy luster.
—— grasiento o mantecoso, greasy luster.
—— grasoso (B), greasy luster.
—— mate, dull luster.
—— nacarado, pearly luster.
—— resinoso, resinous luster.
—— sedoso, silky luster.
—— subjetivo (il), subjective brightness, luminosity, brilliance.
—— terroso, earthy luster.
—— vítreo, vitreous luster.
brinco (*m*) hidráulico, hydraulic jump.
briqueta *f*, briquet.
briquetar, briquetear, to briquet.
briqueteadora *f*, briqueting press; briquet mold.
brisa *f*, breeze, light wind.
—— eléctrica, electric wind.
—— ligera, light or gentle wind.
—— moderada, moderate or fresh wind.
brisera *f* (C)(PR), windshield.
brisero (Col), windshield.
brisote *m*, strong wind.
brístol *m* (dib), Bristol board.
brizna *f*, splinter, chip.
broca *f*, drill, drill bit; (A) driftpin.
—— buriladora, router bit.
—— centradora, center bit or drill.
—— de acanalado doble, double-flute drill.
—— de acanalado recto, straight-flute drill.
—— de acanalado simple, single-flute drill.
—— de acanaladura triple, three-fluted drill.
—— de alambre, wire drill.
—— de alegrar, reamer.
—— dc avellanar, countersinking bit.
—— de barrena, drill bit.
—— de canal de aceite, oil-tube drill.
—— de canaleta recta, pod bit.
—— de cuchara, pod drill, spoon or pod bit.
—— de diamantes, diamond bit.
—— de doble corte, dual-cut drill.
—— de espiga ahusada, taper-shank drill.
—— de espiga recta, straight-shank drill.
—— de manguito, shell drill.
—— de paso corto, high-spiral or high-helix drill.
—— de trinquete, ratchet drill.
—— desmontable, detachable bit.
—— destornilladora, screwdriver bit.
—— espiral o helicoidal, twist drill.
—— estrellada, star bit.
—— pasadora (est), driftpin.
—— piloto, pilot bit.
—— postiza o recambiable, detachable bit.
—— salomónica, twist drill.

brocal *m*, rim; mouth of a shaft; curb around a shaft; (M) sidewalk curb; (min) collar; (exc) pit boards, well curb.
brocantita *f* (miner), brochantite (copper sulphate).
brocha *f*, brush.
—— de alambre, wire brush.
—— de blanquear, whitewash brush.
—— para pintura, paintbrush.
—— para ventanas, sash tool, fitch.
brochada *f*, brush stroke; brush coat.
brochal *m*, header beam.
brochar, to brush.
broche *m*, hasp.
broches para correa (C)(A), belt hooks or lacing.
brochón, whitewash brush.
broma *f*, teredo, shipworm.
bromado, worm-eaten.
bromato *m* (quím), bromate.
bromhidrato *m*, hydrobromide, hydrobromate.
bromhídrico, hydrobromic.
brómico, bromic.
bromito *m* (quím), bromite.
bromo *m* (quím), bromine.
bromofenol *m* (is), bromophenol.
bromuro *m*, bromide.
—— metílico, methyl bromide.
bronce *m*, bronze; brass; (min) iron pyrites.
—— al estaño, tin bronze.
—— al estaño-plomo, leaded tin bronze.
—— amarillo, brass.
—— antiácido, acid bronze.
—— cromado, chromium bronze.
—— de alto plomo, high-lead bronze.
—— de aluminio, aluminum bronze.
—— de campanas, bell metal, hard bronze.
—— de cañón, gun metal.
—— de carbón (min), coal brass or blende.
—— de níquel-estaño, nickel-tin bronze.
—— duro, hard bronze, hard or bell metal.
—— fosforado, phosphor bronze.
—— hidráulico, hydraulic bronze.
—— manganésico, manganese bronze.
—— silicado, silicon bronze.
—— Tobin, Tobin bronze.
bronces (fc), car brasses.
bronceado, brass-plated, bronzed.
broncería *f*, bronze work, brasswork; bronze or brass shop.
—— de obra, structural bronze work.
broncero *m*, broncista *m*, brassworker, bronzesmith.
brookita *f*, brookite (titanium ore).
broqueles *m* (tún)(Es), poling boards.
broquero *m* (mh)(M), bit dresser.
brotadero *m*, spring (water).
brotar, to crop out; to emerge (ground water).
brotazón *m*, an outcrop.
brote *m* (C), outcrop.
—— de filtración, seepage outcrop.
broza *f*, brushwood; (Ch) mine waste; (Pe)(B) poor ore.
brucita *f*, brucite, native magnesium hydroxide.
brújula *f*, compass, magnetic needle.
—— de agrimensor, surveyor's compass, circumferentor.

—— de artesa, trough compass.
—— de azimut, azimuth or amplitude compass.
—— de bolsillo, pocket compass.
—— de declinación, declination compass.
—— de geólogo, geologist's compass.
—— de inclinación, dipping compass, dip needle.
—— de inducción, induction or earth-inductor compass.
—— de minero, mine dial, mining compass.
—— de nonio, vernier compass.
—— de reflexión, prismatic compass.
—— de selvicultura, forester's compass.
—— de senos, sine galvanometer.
—— de tangentes, tangent galvanometer.
—— de topógrafo (M), surveyor's compass.
—— giroscópica, gyrocompass, directional gyro.
—— goniométrica, radio compass.
—— marítima, mariner's compass.
—— minera, mining compass.
—— repetidora, repeater compass.
—— suspendida (min), hanging compass.
bruñidor *m*, burnisher.
bruñir, to burnish, polish.
brusca *f* (cn), camber, roundup.
brusco, sharp (curve or grade).
bruto, gross; crude.
bruza *f*, coarse brush.
bucear, to dive.
buceo *m*, diving, submarine work.
bucharda *f* (mam), bushhammer; crandall.
buchardar, to bushhammer.
bufarse, to swell, heave.
buhardilla *f*, garret; (A) skylight.
buja *f* (tub)(maq)(M), bushing.
bujarda *f* (mam), bushhammer.
buje *m*, bushing, sleeve.
—— al ras (tub), flush bushing.
—— de ballesta (auto), spring bushing.
—— de contratuerca (eléc), lock-nut bushing.
—— de reborde (tub), shoulder bushing.
—— de reducción (tub), bushing.
—— de tubo-conducto (eléc), conduit bushing.
—— maestro, master bushing.
—— para manguera, hose bushing.
—— para soldar (tub), soldering or welding bushing.
—— partido, split bushing.
bujía *f*, spark plug; candle; candle power.
—— caliente, hot spark plug.
—— de encendido o de inflamación, spark plug.
—— decimal (il), decimal candle.
—— eléctrica, electric or Jablochkoff candle.
—— esférica (il), spherical candle power.
—— fría, cold spark plug.
—— Hefner (il), Hefner candle.
—— hemisférica (il), hemispherical candle power.
—— hora, candle-hour.
—— internacional, international or British standard candle.
—— luminosa o lumínica, candle power.
—— métrica, meter-candle.
—— normal o patrón, standard candle.
—— plomada (tún), plumb candle.
bujía-pie, foot-candle.
bulárcama *f* (cn), rider.
bulbo *m*, (A) bulb (lamp); (ra)(M) tube.

—— al vacío (M), vacuum tube.
—— de amplificación (ra)(M), amplifier.
—— de fuerza (ra)(M), power tube.
—— de presión (ms), bulb of pressure.
—— electrónico (M), electron tube.
—— fotoeléctrico (A), phototube, photoclectric tube.
—— indicador de sintonía (ra)(M), tuning indicator tube.
—— mezclador (ra)(M), mixer tube.
bulón m, bolt, (A) machine bolt.
—— común, machine bolt.
—— de ajuste (est), fitting-up bolt.
—— de anclaje, anchor bolt.
—— de arado, plow bolt.
—— de cabeza de hongo y cuello cuadrado, carriage bolt.
—— de cabeza perdida, countersunk bolt; flathead stove bolt.
—— de cabeza ranurada, stove bolt.
—— de carrocería (A), carriage bolt.
—— de eclisa (fc), track bolt.
—— del émbolo, (eng) piston pin.
—— de fijación (A), stud bolt, setscrew; clamp bolt.
—— de grillete, shackle bolt.
—— de montaje (est), erection bolt.
—— de ojo, eyebolt.
—— de pistón, (eng) piston pin.
—— de vía (fc), track bolt.
—— nervado (est), rib bolt.
—— ordinario, machine bolt.
—— para cangilones, elevator bolt.
—— para peldaños, step bolt.
—— torneado, turned bolt.
—— zurdo, bolt with left-hand thread.
bulonado m, bolting, fitting up.
bulonar, to bolt.
bullir, to boil.
buque m, boat, vessel; (CA) doorframe.
—— carguero, cargo boat, freighter.
—— cisterna, tanker.
—— costanero o de cabotaje, coasting vessel.
—— fanal o faro, lightship.
—— frigorífico, refrigerator ship.
—— petrolero, oil tanker.
burbuja f, blister; bubble.
burda f, backstay, tieback.
burel m, marlinespike, fid.
bureta f (lab), buret.
buril m, small chisel, graver.
burilada f, chisel cut.
buriladora f, graver; router.
burilar, to chisel, carve.
burlete m, weather strip; (p) joint runner, gasket.
burnetizar (mad)(M), to burnettize.
burro m, sawhorse; trestle bent; (min) windlass; donkey; (sb) vang; (PR) stepladder; (C) cheek plate.
buscacloaca m, sewer-pipe locator.
buscador m, (inst) finder; (ra)(A) cat whisker.
—— de fajas (fma), strip finder.
—— de visión directa (fma), direct-vision view finder.
buscafallas m (eléc), fault localizer, faultfinder.
buscahuella m (auto), spotlight.

buscapolos m (eléc), pole finder.
buscatubo m, pipe finder.
busco m (hid), gate or lock or miter sill; toe wall.
butano m, butane.
buterola f, dolly, rivet set.
buzamiento m, (geol) dip; (min) pitch.
—— arriba, updip.
buzar (geol), to dip.
buzarda f (cn), breasthook.
buzo m, diver; plunger.
buzón m, bin, bunker; letter box; (B) chute; (Pe) manhole.
—— de compensación (ag), surge hopper.
—— de inspección (al)(Pe), manhole.
—— de metralla, scrap bin.
—— para carbón, coal bunker, coalbin.
buzones cargadores (conc), mixer bins.
buzonera f, (M) drain.

cabalgadura, pack animal.
cabalgar, to lap over.
caballaje m (C), horsepower.
caballería f, a land measure about 33¼ acres in Cuba, 106 acres in Mexico, 194 acres in Puerto Rico, about 111 acres in Central America; saddle horse.
caballeriza f, stable.
caballero m (ot), spoil bank.
caballete m, trestle bent, A frame; horsehead; (M) gantry; (A) truss; sawhorse; ridge of a roof, ridgepole, ridge roll; (va) yoke; (mech) saddle; (ca) ridge, small dike; (rd) windrow.
—— A, A frame.
—— de los aguilones (cn), boom crutch.
—— de andamio, scaffold horse.
—— de aserrar, sawhorse.
—— de cablevía, cableway tower.
—— de extracción (min), headframe.
—— de maniobra, (rr) switch stand; floor stand (gate).
—— de múltiples tramos, multiple-story bent.
—— de pilotes, pile bent.
—— en H, H frame.
—— en marco, framed bent.
—— oscilante, rocker bent.
—— portapoleas (pet), crown block.
caballo m, horse; horsepower; sawhorse; wood roof truss.
—— de carga, pack horse.
—— de fuerza o de vapor, horsepower.
—— de fuerza al freno, brake horsepower.
—— de montar, saddle horse.
—— de tiro, draft horse.
—— eléctrico, electric horsepower.
—— métrico, metric horsepower.
caballo-hora, horsepower-hour.
caballos
—— al eje, shaft horsepower.
—— de establecimiento (Es), installed horsepower.
—— de régimen (mot), horsepower rating.
caballón m, dike, levee.
—— desviador (ca), water bar.

cabecear, to rock; to pitch (ship); (M) to cap; (lbr)(M) to end-match.

cabeceo *m*, (naut) pitching; (M) stone revetment.

cabecera *f*, headwall; intake; capital city.

cabeceras *f* (Col), headwaters.

cabecero *m*, header beam; cap, lintel; head block; (mas) header, bondstone; yoke of a window frame.

—— de caballete, cap of a trestle bent.

—— de esclusa, lock head.

—— de pilotes, pile cap.

—— de pozo (al), manhole head.

—— de puerta, doorhead, lintel.

cabecilla *f* (eléc)(U), binding post, terminal; *m* (F), foreman.

cabellera *f* (fma), coma.

cabestrillo *m* (carp), strap, diagonal tie.

cabeza *f*, head (rivet, bolt, nail); head of water; head of horses; (gi) flange; addendum (gear).

—— avellanada (re), countersunk head.

—— caliente (met), sinkhead, hot top, feedhead.

—— cilíndrica ranurada, fillister head (screw).

——, de, on end.

—— de la biela, (eng) big end.

—— de botón alto (re), acorn head, high buttonhead.

—— de cementación (pet), cementing head.

—— de circulación (pet), circulating head.

—— de émbolo, pistonhead.

—— de empaque (pet), stuffing box.

—— de esclusa (hid), lock head.

—— de la fábrica (re), manufactured head.

—— del filtro (az), filterhead.

—— de golpear (pet), driving head.

—— de hervidores (cal)(A), header.

—— de hincado (pet), drivehead, driving cap.

—— de hongo, mushroom head (column); buttonhead (rivet or bolt).

—— de mina, entrance to a mine.

—— de negro (M), niggerhead, boulder.

—— de perforación (pet), drilling head.

—— del pilote, butt of a pile.

—— de pozo (pet), wellhead; casing head.

—— de remache, rivethead.

—— de seta (re), buttonhead.

—— de sonda (pet), drilling head.

—— del timón (cn), rudderhead.

—— de tornillo, screwhead.

—— de tubería (pet), tubing head.

—— de válvula (A), valve bonnet.

—— embutida (re), countersunk head.

—— encajadora (pet)(M), drivehead.

—— fijadora (tornillo)(A), fillister head.

—— fuera de la cuerda (en), chordal addendum.

—— fungiforme, mushroom head (column).

—— inferior, (gi) bottom flange.

—— martillada (re), driven head.

—— para llave, wrench head (bolt).

—— perdida (re), countersunk head.

—— superior, (gi) top flange.

—— trasera (perforadora), back head.

—— (Para otros tipos de cabeza véase remache y perno.)

cabezada *f*, bridle, halter; (C) headwaters; (top) highest part of a region; (min) header beam; (naut) pitching.

cabezal *m*, cap, header, lintel; bridle; header brick; (mt) headstock.

—— alzador (gato), lifting head.

—— de balancín (pet), beamhead.

—— de cajón (cal), box header.

—— de cerco (cal), ring header.

—— de conducto de servicio (eléc), service head.

—— de conexión múltiple (tub), branch T.

—— de control (pet), control head.

—— de choque (fc), bumper, bumping post or block.

—— de entrada (az), inlet head.

—— de entubamiento (pet), casing head.

—— de nivelación (inst), leveling head.

—— de pozo, wellhead, (pet) casing head.

—— de pozo con prensaestopa (pet), bradenhead.

—— de seguridad (pet), safety head.

—— de sujeción (mh), workhead.

—— de taladrar (mh), boring or drilling head.

—— de torno (mh), lathe head, headstock.

—— de tubería de revestimiento (pet), casing head.

—— de tubo de producción (pet), tubing head.

—— de tubos, (p) branch T; (bo) tube header; (C) tube sheet.

—— divisor (mh), dividing or index head.

—— fijo (mh), headstock.

—— giratorio (mh), toolhead.

—— mezclador (sol), mixing head.

—— móvil (mh), tailstock, poppethead.

—— obturador (pet), packing head.

—— para barrenar (mh), drilling head.

—— para tubería de perforación (pet), drilling head.

—— portacuchillas (as), adz or cutter block, cutter cylinder.

—— portatronco (as), head block.

—— transferente (as), transfer block.

cabezales (az), mill cheeks, housing.

cabezo *m*, submerged rock, reef.

cabezón *m*, boulder, niggerhead; (Col) eddy, whirlpool.

cabezorro *m*, bolt with large head.

cabezote *m*, rubble or one-man stone, (conc) plum.

cabida *f*, contents; capacity, space.

cabilla *f*, steel bar, dowel, driftbolt, treenail; (naut) belaying pin; pintle; (conc) reinforcing bar.

—— de repartición (ref)(M), distributing bar.

—— de tensión (ca), tension dowel.

—— estriada (ref)(V), deformed bar.

—— U, U bolt.

cabillón *m*, ladder rung.

cabina *f*, elevator car; (tk)(sh) cab; cabin of an airplane.

cabio *m*, joist; trimmer beam; lintel; rafter.

cabío *m*, lintel; rail of a door.

cable *m*, cable, rope, line; (elec) cable.

—— acorazado (eléc), armored cable.

—— agitador (pet), jerk line.

—— alimentador (eléc), feed cable.

—— antigiratorio, nonspinning wire rope.

—— armado, armored cable; multiple-conductor cable.
—— arrollado con encaje, (wr) locked-coil cable.
—— atesador, tightening or take-up line.
—— blindado, armored cable.
—— carril (cv), track cable.
—— cerrado (Es), locked-coil cable.
—— cinta, flat wire rope.
—— concéntrico (eléc), concentric-lay cable.
—— corredor, running rope.
—— de abacá, Manila rope.
—— de aceite (eléc), oil-filled cable.
—— de acercamiento (cv), inhaul cable.
—— de acero, wire rope or cable.
—— de achique (pet), swabbing line.
—— de alambre, wire rope.
—— de alambres ajustados, (wr) locked-wire cable.
—— de alambres pareados (eléc), paired or non-quadded cable.
—— de alejamiento, (cy) outhaul cable; (lg) haulback.
—— de algodón, cotton rope.
—— de almas múltiples, multiple-core cable.
—— de alzar, hoisting line.
—— de aproximación (cv), inhaul cable.
—— de arrastre, dragline, hauling cable.
—— de arrollado liso, (wr) smooth-coil cable.
—— de avance (pl), crowd line.
—— de botones (cv), button line.
—— de cadena, chain cable.
—— de cáñamo, Manila or hemp rope.
—— de carga, load or carrying cable.
—— de cierre (cuch), closing or digging line.
—— de cola, tag line.
—— de compensación, take-up line.
—— de conductor múltiple (eléc), multiple-conductor cable.
—— de conductores de sector (eléc), sector cable.
—— de conductores encerrados (eléc), shielded-conductor cable.
—— de conductores gemelos (eléc), twin wire.
—— de conductores separados (eléc), split-conductor cable.
—— de cordones planos, flattened-strand wire rope.
—— de corrida, running rope.
—— de la cuchara (pet), bailing line.
—— de descarga (cuch), dumping or trip line.
—— de elevación, hoisting or fall or load line.
—— de empuje (pl), crowd line.
—— de espira cerrada, (wr) locked-coil cable.
—— de extracción, cable on a mine hoist.
—— de gas (eléc), gas-filled cable.
—— de giro (gr), sluing line.
—— de henequén, sisal rope.
—— de izar, fall or hoisting or load line.
—— de labor, running rope.
—— de ladeo (tún)(náut), bull line.
—— de levante (M), hoisting line.
—— de mando, operating cable.
—— de nudos (cv), button line.
—— de recorrido (cv)(A), hauling or endless line.
—— de refrenamiento, snubbing line.
—— de remolque, hawser, towing line, towline; (type of wire rope) hawser, mooring line.

—— de retención, guy cable; (bu) holding line.
—— de retroceso, (sh) backhaul rope; (lg) haulback, receding line.
—— de las tenazas (pet), tong line.
—— de torcido concéntrico (eléc), concentric-lay cable.
—— de tracción, (wr) haulage cable; (cy) hauling or endless line; (ce) dragline.
—— de traslación, (cy) hauling or endless line; (lg) straw or grass line.
—— de vía (cv), track or main cable.
—— de volteo (cuch), dumping line.
——, de un solo, (bu) single-line.
—— grúa (Es), cableway.
—— guardacarretera, highway guard cable.
—— Manila, Manila rope.
—— mensajero, carrying or messenger or load cable.
—— metálico de alma fibrosa, fiber-core wire rope.
—— muerto, standing rope; (pet) dead line.
—— para encarrilamiento (fc), wrecking rope.
—— para intemperie (eléc), weatherproof cable.
—— para maniobras (fc), switching rope.
—— para vientos, guy cable.
—— portador, (cy) main or load cable; suspension cable.
—— preformado, preformed wire rope.
—— protegido (eléc), shielded cable.
—— rastrero, hauling cable.
—— rosario (cv)(A), button line.
—— soltador (cuch), tripping line.
—— suspendedor (pte), suspender cable.
—— sustentador, carrying or load cable.
—— teleférico, aerial tramway.
—— tractor o sin fin (cv), hauling or endless line.
—— transbordador, cableway.
—— trenzado (eléc), stranded or braided cable.
—— vaciador (cuch), dumping line.
cableado m (cab), lay.
—— corriente, regular lay.
—— cruzado, (cab) regular lay; plain lay (rope).
—— paralelo, lang lay.
cablear (cab), to twist, to lay.
cablecarril m, cableway; aerial tramway.
—— corredizo, traveling cableway.
—— giratorio, radial cableway.
cablero m (M), rigger.
cablerriel m (cv), track cable.
cablevía m, cableway; aerial tramway.
—— de arrastre (ef), cableway skidder.
—— de cable templado, Tautline cableway (trademark).
—— flojo, slackline cableway.
—— radial, radial cableway.
—— trasladable, traveling cableway.
cabo m, rope, strand; foreman; handle; cape; end
—— ciego (A), cap nut.
—— de cuadrilla, straw boss, assistant foreman.
—— de hacha, ax handle.
—— de labor, running rope.
—— de mecha (A), shank of a drill.
—— de pico, pick handle.
—— de pistola, pistol grip.
—— de retenida, guy cable; guy strand.
—— guardacamino (ca), guardrail strand.
—— Manila, Manila rope.

—— **mensajero**, suspension or messenger strand.
—— **muerto**, standing rope, guy cable.
—— **para vientos**, guy strand.
cabotaje *m*, pilotage; coastwise shipping, cabotage.
cabrestante *m*, winch, crab, capstan; A frame, breast or house derrick.
—— **corredizo** (hid), traveling gate hoist.
—— **de cadena**, chain block.
—— **manual**, hand-power winch.
—— **para remolcar**, towing winch.
cabrestantero *m* (pet), winch-head man, cathead man.
cabria *f*, winch, capstan, windlass, crab; crane, derrick; A frame, gallows frame, house derrick; (lg) jammer; oil derrick.
—— **chinesca**, differential windlass.
—— **de aguilón**, jib crane.
—— **de manivela**, crank windlass.
—— **de martinete**, pile-driver leads.
—— **de pies rígidos**, stiffleg derrick.
—— **de tres patas**, shear legs, tripod derrick.
—— **de vientos**, guy derrick.
—— **izadora de compuerta** (hid), gate hoist.
—— **remolcadora** (tc), towing winch.
—— **transportadora de troncos**, logging arch.
cabriada *f* (A), truss; pile-driver leads.
cabrial *m*, rafter.
cabrilla *f*, sawhorse, sawbuck; trestle horse.
cabrio *m*, joist; rafter.
cabrión *m*, chock.
cabús *m* (fc)(M), caboose.
cabuya *f*, sisal or hemp rope.
cabuyá *m*, an Argentine hardwood.
cabuyería *f*, rigging, outfit of ropes or cables; ship chandlery.
cabuyero *m*, ship chandler.
cacaraña *f*, pitting (rust).
cacarañado, pitted.
cacera *f*, channel, canal, irrigation ditch.
cacerola *f* (lab), casserole.
cachacera *f* (az), mud tank, blowup.
cachar (mad), to split; to rip.
cachaza *f* (az), scum, froth, foam, mud.
cacheta *f* (ft), ward of a lock.
cachete *m*, splice plate, scab, fishplate; jaw or cheek plate.
cachimba *f*, (A) shallow well, spring; (M) miner's lamp; (Pe) house connection to a sewer.
cachimbo *m*, (V) nozzle; (V) inlet.
cachizo (mad), fit to be sawed.
cachorro, cachorrero *m* (vol)(A)(Ch), very light blast.
cachucho *m* (Ch), bucket; coil pan in nitrate plant.
cachuela *f* (Pe), rapids of a river.
cadahalso *m*, shed.
cadalso *m*, scaffold, staging.
cadena *f*, chain; log boom; (cons) tie, brace, reinforcement, buttress.
—— **afianzada**, stud-link chain.
—— **antiderrapante** (M), tire chain.
—— **antideslizante**, tire chain.
—— **articulada**, block chain; pitch or pintle chain.
—— **comprobada**, proof coil chain.
—— **con juntas de pasador**, pin-connected chain.

—— **de adujadas**, coil chain.
—— **de agrimensor**, surveyor's chain (66 feet).
—— **de aisladores** (eléc), chain insulator, insulator string.
—— **de ajuste**, toggle chain, (lg) bunk chain.
—— **de amarrar**, mooring chain.
—— **de cable** o **de contretes**, cable or stud-link chain.
—— **de distribución** (auto), timing chain.
—— **de dragado**, dredge chain.
—— **de empuje** (pl), crowding chain.
—— **de engranaje**, pitch chain.
—— **de escalera**, ladder chain.
—— **de eslabón con travesaño**, stud-link chain.
—— **de eslabón torcido**, twist-link chain.
—— **de eslabones cortos**, close-link chain.
—— **de eslabones planos**, flat-link chain.
—— **de fondeo**, mooring chain.
—— **de Gall**, Gall's chain.
—— **de Gunter**, Gunter's or surveyor's chain.
—— **de herramientas** (pet), string of tools.
—— **de mando**, transmission or driving chain.
—— **de medir**, surveyor's or Gunter's chain; engineer's chain.
—— **de montañas**, mountain range.
—— **de oruga**, crawler belt.
—— **de paso corto**, short-pitch chain (flat link).
—— **de paso largo**, long-pitch chain.
—— **de producción**, assembly or production line.
—— **de rocas**, reef, ridge of rock.
—— **de rodillos**, roller chain.
—— **de señales** (cn), telegraph chain.
—— **de transmisión**, chain belt, driving chain.
—— **de troncos**, log boom.
—— **enroscadora** (pet), spinning chain.
—— **lubricadora**, oiling chain.
—— **motora**, driving chain.
—— **para hojas de ventana**, sash chain.
—— **para ingenieros** (lev), engineer's chain (100 feet).
—— **para neumático**, tire chain.
—— **rotatoria**, roller chain.
—— **silenciosa**, silent chain.
—— **sin soldar**, weldless chain.
—— **sorda**, silent chain.
—— **transportadora**, chain conveyor.
cadenas de cola (ef), tag chains.
cadenada *f* (lev), length of one chain.
cadenear (lev), to chain.
cadeneo *m*, chaining.
cadenero *m*, chainman.
—— **delantero**, head chainman.
—— **trasero**, rear chainman.
—— **zaguero** (A), rear chainman.
cadenetas *f* (Ch), bridging between joists.
cadenilla (*f*) **de tiro** (eléc), pull chain.
cadmiado, cadmium-plated.
cadmio *m*, cadmium.
caedizo *m*, lean-to; *a* unstable, ready to fall; deciduous (tree).
caer, caerse, to fall, drop; to fail.
cagafierro *m*, slag, scoria.
caico *m* (C), reef, shoal.
caída *f*, fall, drop; (hyd) head; (geol) dip; (str) failure; (min) slip, fall of rock; (bldg) roof leader.

—— **bruta** (hid), gross head.
—— **de agua**, waterfall.
—— **de fricción**, (hyd) friction drop.
—— **de tensión de la reactancia** (eléc), reactance drop, quadrature component.
—— **efectiva** (hid), effective head.
—— **estática** (hid), static head.
—— **IR** (eléc), IR drop.
—— **pluvial**, rainfall.
—— **por impedancia** (eléc), impedance drop.
—— **útil** (hid), useful head.
caídos (min), fallen material.
caimán *m*, Stillson wrench; (M) ore chute; (pet) tongs.
caipón *m* (RD), a timber tree.
cairel *m* (cn), rail.
caja *f*, box, case; car body, truck body; (carp) mortise, recess; (elec) cabinet; (machy) housing, casing; (elec) outlet box, junction box; (rd) section excavated for pavement; (min) thickness of a vein; (com) cash; safe, cashbox; cashier's office; fund; (Ch) river bed.
—— **basculante**, dump body.
—— **chica**, petty cash.
—— **de abonado** (eléc)(agua), service box.
—— **de acceso**, inspection box; (elec) pull box.
—— **de la aguja** (inst), compass box.
—— **de ahorros**, savings bank.
—— **de alimentación** (az), feed well.
—— **del alma** (sx), core box.
—— **de amortización**, sinking fund.
—— **de arranque** (eléc), starting box.
—— **de ascensor**, elevator shaft.
—— **de avance** (mh), feedbox.
—— **de banjo** (auto), banjo housing.
—— **de báscula**, scale box (weighing).
—— **de bobinas** (auto), coil box.
—— **de bolas** (cojinete), ball cage, retainer.
—— **de bomba**, pump casing.
—— **de borne** (eléc), terminal housing.
—— **de cadenas** (cn), chain locker.
—— **de cambio**, (auto) gear case, gearbox; (mt) speed box.
—— **de cambios rápidos** (torno), quick-change gearbox.
—— **de caracol** (turb), scroll case.
—— **de carretilla**, wheelbarrow tray.
—— **de carro**, car body; wagon body.
—— **de caudales**, safe.
—— **de cepillo** (herr), plane stock.
—— **de cerradura** (ft), lock case.
—— **de cigüeñal** (auto), crankcase.
—— **de contacto** (eléc), receptacle, socket.
—— **de contador**, meter box, (elec) meter trough.
—— **de contrapeso** (ventana), weight box.
—— **de cortacircuito** (eléc), cutout box.
—— **de la chapaleta** (vá), clack box.
—— **de chumacera**, journal box, pillow block; axle box.
—— **de décadas** (eléc), decade box.
—— **de derivación**, (elec) junction or tap box; service box; (sd) diverting box.
—— **de derrame** (az), overflow box.
—— **del diferencial** (auto), differential case or housing.

—— **de distribución**, (se) valve chest; (elec) distribution or junction box.
—— **del eje**, journal box, axle box.
—— **del embrague** (auto), clutch case.
—— **de empacadura** (M), stuffing box.
—— **de empalme** (eléc), junction or splice or joint box.
—— **de empaque** (M), packing case.
—— **de empaquetadura**, stuffing box.
—— **de enchufe** (eléc), receptacle, outlet.
—— **de engranajes**, gear case, gearbox; (auto) transmission.
—— **de engrase** (fc), journal box, axle box.
—— **de entrega** (irr), delivery box.
—— **de escalera**, stair well.
—— **de esclusa**, sluice box.
—— **de estopas**, stuffing box.
—— **de extracción**, mine cage.
—— **de fuego** (cal), firebox.
—— **de gasto visible**, sight-flow box.
—— **de grasa**, grease case.
—— **de herramientas**, toolbox, tool chest.
—— **de humo**, smokebox, breeching.
—— **de incendio**, hydrant.
—— **de ingletes** (carp), miter box.
—— **de jubilaciones**, pension fund.
—— **de lavado** (al), flush tank.
—— **de menores**, petty cash.
—— **de muestras** (sx), core box.
—— **de orificio** (hid), orifice box.
—— **de paso** (eléc), pull box.
—— **de pilada** (mam), batch or mortar box.
—— **de puente trasero** (auto), rear-axle housing.
—— **de la puerta** (M), door buck.
—— **de registro**, manhole (street).
—— **de resistencias** (eléc), resistance box.
—— **de retiros**, retirement fund.
—— **de rodillos** (cojinete), roller race.
—— **de salida** (eléc), outlet or conduit box.
—— **de salida doble**, double or two-gang outlet box.
—— **de salida simple**, single or one-gang outlet box.
—— **de salida triple**, triple or three-gang outlet box.
—— **de sebo** (U), grease cup.
—— **de seccionamiento** (eléc), sectionalizing box.
—— **de seguridad**, safe; safe-deposit box.
—— **de servicio**, (elec) service box; (irr) delivery box.
—— **de sulfitación** (az), sulphur box.
—— **de transferencia** (co), transfer case.
—— **de transmisión** (auto), gear or transmission case.
—— **de unión**, junction box.
—— **de vagón**, car body.
—— **de válvula**, valve chest; valve box.
—— **de válvula al cordón**, curb box.
—— **de vapor** (mv), steam chest.
—— **de velocidades**, (auto) gear or transmission case; (mt) speed box.
—— **de ventilación**, air or ventilation shaft.
—— **de visita**, manhole, inspection box.
—— **del volante** (auto), flywheel housing.
—— **de volteo**, dump body.
—— **derivadora** (irr), delivery box.

—— distribuidora (ca), spreader box, cradle.
—— esparcidora (ca), spreader box.
—— espiral (turb), scroll case.
—— estancadora (maq), gland.
—— fuerte, safe.
—— grasera (fc)(Ch), journal box.
—— partida, split casing.
—— pequeña (Ec), petty cash.
—— playa (co)(A), flat body.
—— portacuchilla acabadora (mh), finishing box tool.
—— portacuchilla desbastadora (mh), roughing box tool.
—— repartidora (irr)(M), division box.
—— volcable o volquete, dump body.
—— y espiga, (carp) mortise and tenon; (p)(M) bell and spigot.
caja-dique m, cofferdam.
cajear, to mortise, recess.
cajera f, groove, channel, recess, key seat.
—— colectora (lu), collecting groove.
—— de chaveta (maq), keyway, key seat.
—— del eje, journal box, pillow block.
—— de lubricación, oil groove.
cajero m, cashier; box maker.
cajón m, packing case; caisson; bin; skip, scalepan; car body; locker; (Ch)(V) gorge, canyon; (Col) concrete forms; (elec) cabinet; (Ec) box culvert.
—— cargador, loading skip.
—— de aire comprimido, pneumatic caisson.
—— de carro, wagon body; car body.
—— de embalaje, packing case.
—— de madera (exc), scale box.
—— de volteo, dump body.
—— esqueleto, crate.
—— neumático o sumergible, pneumatic caisson.
cajones de agregados, aggregate bins.
cajonero m, (exc) man who handles skips or scalepans, (min) bottomer, onsetter.
cajuela f, groove, recess.
cal f, lime.
—— aérea (Es), quicklime; high-calcium lime.
—— apagada, slaked lime.
—— blanca, high-calcium lime.
—— cáustica, caustic lime, quicklime.
—— grasa, rich or high-calcium lime.
—— gruesa (A), quicklime.
—— hidratada, hydrated or slaked lime, mason's hydrate.
—— libre, free lime.
—— muerta, slaked or hydrated lime.
—— pobre, lean or magnesium lime.
—— tal como sale, run-of-kiln lime.
—— viva, quicklime, caustic lime.
—— y canto, stone masonry.
cala f, cove, small bay; hold of a vessel; (naut) draft; test core, test boring; test pit.
—— de prueba, test boring, boring core.
calabozo m (C), kind of machete.
calabrote m, hawser.
calado m, (naut) draft, depth; (C) stencil, openwork; (elec)(A) angular displacement.
—— de popa, draft aft.
—— de proa, draft forward.
—— en plena carga, load draft.

—— en rosca (A), light draft.
—— máximo, extreme draft.
—— medio, mean draft.
—— sin carga, light draft.
calador m, calking iron; drill for taking samples.
—— para árboles (for), increment or accretion borer.
caladura f, boring.
calafate m, calking chisel or iron.
calafateador m, calker (man); calking tool.
—— agudo, butt or sharp iron.
—— angosto, spike iron.
—— de cubierta, dumb or deck iron.
—— de estopa, yarning iron.
calafatear, to calk; (mas)(Col) to point.
calafateo m, calking.
calaje m, (elec) angular displacement; (t) setting (angle).
calamansanay m, a Philippine lumber.
calamina f (miner)(met), calamine.
calaminas(Ch)(B), galvanized corrugated sheets.
calandria f, (chem) calandria; (machy) calender.
calaña f (Es), guard railing, parapet, bulkhead.
calar, n limestone quarry; v to perforate; to wedge; to treat with lime; to make core borings; to sink (caisson); (naut) to draw; a calcareous.
calavera f (auto)(M), taillight.
calaverita f, calaverite (gold ore).
calca f, a copy.
—— heliográfica, sun print, blueprint.
calcado m, tracing.
calcador m, tracer.
calcantita f, chalcanthite, native copper sulphate.
calcar, to trace, copy.
calcáreo, calcareous.
calce m, wedge, liner, shim; underpinning; iron tire.
cálcico a (quím), calcic, calcium.
calcina f, (Sp) concrete.
calcinador m, calciner; (min) roaster.
calcinar, to calcine, burn, roast (ore).
calcio m, calcium.
—— clorurado, calcium chloride.
calcita f (miner), calcite, calcspar.
calco m, a tracing; (V) original drawing on transparent paper.
—— a lápiz, pencil tracing.
—— heliográfico (A), blueprint.
—— litográfico, lithotracing.
calcocita, calcosina f, chalcocite (copper ore).
calcopirita f, chalcopyrite, yellow copper ore, yellow pyrites.
calculador m, calculating machine; estimator, computer.
—— circular, circular slide rule.
—— de red (eléc), network calculator.
calcular, to compute, calculate; (str)(C) to design.
calculista, computer, estimator; (str)(C) designer.
cálculo m, computation; calculus.
calda f, heating; a heat (steel).
caldeador m, heater.
caldear, to heat; to weld.

caldén *m*, an Argentine wood used for paving blocks.

caldeo *m*, heating; welding.
— a martillo, hammer welding.
— a rodillo, roll welding.
— de herrero, blacksmith welding.
— por inducción, induction heating.

caldera *f*, boiler; tar kettle; (min) winze; (min) sump.
— a combustión de aceite, oil-fired boiler.
— acuotubular, watertube boiler.
— acuotubular rápida, express boiler.
— de calefacción, heating boiler.
— de calor de desecho o de calor residual, waste-heat boiler.
— de colector múltiple, multidrum boiler.
— de cuatro pasos, four-pass boiler.
— de hogar contenido, integral-furnace boiler.
— de hogar exterior, external-firebox boiler.
— de paso único, once-through-type boiler.
— de retorno de llama, return-tubular boiler.
— de tiro descendente, downdraft boiler.
— de tornallama, return-tubular boiler.
— de tres colectores, three-drum boiler.
— de tubo directo, through-tube boiler.
— de tubos al aire, exposed-tube boiler.
— de tubos de agua o de tubos hervidores, watertube boiler.
— de tubos de humo o de tubos de llama, fire-tube boiler.
— de tubos sumergidos, submerged-tube boiler.
— de vacío, vacuum boiler.
— eléctrica, electric steam generator, electric boiler.
— enteriza con hogar, integral-furnace boiler.
— escocesa, Scotch boiler.
— humotubular (M), fire-tube boiler.
— ígneotubular, fire-tube boiler.
— instantánea o rápida, flash boiler.
— locomóvil, portable boiler on wheels.
— multitubular escocesa, Scotch marine boiler.
— semifija, semiportable boiler.
— tipo locomotora, locomotive-type boiler.
— tubular de retorno, return-tubular boiler.
— tubular sin retorno, through-tube boiler.
— vaporizadora de mercurio, mercury boiler.

calderada *f*, water capacity of a boiler.
calderería *f*, boilermaking; boiler shop.
calderero, calderista *m*, boilermaker.
calderilla *f* (min), blind shaft.
caldero *m*, boiler; caldron; (met) ladle.
— de brea, tar kettle.
— de colada, ladle.

caldo *m* (lab), broth.
— de formiato ricinolado, formate ricinoleate broth.
— de lactosa y bilis verde brillante, brilliant green bile lactose broth.
— lactosado violeta cristal, crystal violet lactose broth.

calefacción *f*, heat, heating.
— a panel radiante, radiant-panel heating.
— a tubería simple (ed), one-pipe heating system.
— a vacío, vacuum heating system.
— a vapor, steam heating.
— a vapor de muy baja presión, vapor heating.
— de punto, spot heating.
— por aire aspirado, draw-through hot-blast heating.
— por aire soplado, blow-through hot-blast heating.
— por vapor de escape, exhaust-steam heating.

calefaccionar, to heat.
calefaccionista *m*, heating contractor.
calefactor *m*, heater.
— de panel, panel radiator.
calefón (*m*) eléctrico (A), electric heater.
calentada *f*, a heat (steel).
calentado al blanco, white-hot.
calentado al rojo, red-hot.

calentador *m*, heater.
— a presión, pressure feed-water heater.
— a rocío, spray-type feed-water heater.
— a soplo de aire, air-blast heater.
— a vacío, vacuum or primary feed-water heater.
— a vapor de escape, exhaust-steam feed-water heater.
— a vapor vivo, live-steam feed-water heater.
— atemperador (aa), tempering heater.
— de agua de alimentación, feed-water heater.
— de cambiavía (fc), switch heater.
— de contraflujo, counterflow feed-water heater.
— de chorro de aire (aa), blast heater.
— de dinamita, dynamite thawer.
— de escape directo (cal), through or thorough-fare heater.
— de espacio, space heater.
— de paso múltiple, multiflow feed-water heater.
— de serpentín, coil-type heater.
— de superficie (asfalto), surface heater.
— desaereador, deaerating feed-water heater.
— inducido, induced or draw feed-water heater.
— unitario, unit or space heater.

calentamiento (*m*) suplementario (sol), concurrent heating.
calentar, to heat; calentarse, to heat up, run hot.
calera *f*, limekiln; limestone quarry.
calería *f*, limekiln.
calero *m*, operator of a limekiln; *a* calcareous.
calesa *f* (min)(M), bucket.
calesín *m*, cart, wagon; concrete buggy.
caleta *f*, cove, small bay, inlet; (PR) short street.
caletero *m*, coasting vessel; (V) stevedore.
caleza *f* (Ch), ore bucket.
calibita *f* (mineral de hierro), chalybite, siderite.
calibración *f*, calibration.

calibrador *m*, gage, calipers; sizer; (rr) clearance template; (rr)(V) track gage.
— a cursor, slide caliper.
— con arco, wing calipers.
— convertible, inside and outside calipers.
— de ahusamiento, taper gage.
— de alambre, wire gage.
— de árboles, tree compass.
— de cinta, feeler ribbon.
— de corteza, bark-measuring instrument.
— de cubo, socket gage.
— de engranajes, gear-tooth caliper.
— de espigas, shank gage (drill).
— de mechas, drill gage.

— de muescas, groove gage.
— de roscas, screw-pitch gage.
— macho, male gage.
— para dientes, gear-tooth caliper.
— para espesor, outside calipers; slip gage.
— para interior, inside calipers.
— para planchas, sheet gage.
calibraje *m*, gaging, calibration.
calibrar, to gage; to caliper; to calibrate.
calibre *m*, gage, bore, caliber; (inst) gage, jig; calipers; (rr)(M) gage.
— a colisa, slide caliper.
— a vernier, vernier caliper.
— americano, American or Browne and Sharpe wire gage.
— corredizo, sliding calipers, caliper rule.
— de altura, surface gage.
— de anillo, ring gage.
— de articulación ajustable, lock-joint calipers.
— de articulación fija, firm-joint calipers.
— de Birmingham, Birmingham wire gage.
— de centro, center gage.
— de circunferencia, circumference gage.
— de comparación, master or reference gage.
— de comprobación, check or setting gage.
— de copa, socket gage.
— de dientes limpiadores (si), raker gage.
— de espesor, outside calipers; thickness gage.
— de estirar, drawplate.
— de juego máximo, not-go gage.
— de juego mínimo, go gage.
— de límites, limit gage.
— de macho, plug gage.
— de nonio, vernier calipers.
— de profundidåd, depth gage.
— de ranuras, groove gage.
— de resorte, spring calipers.
— de superficie, surface gage.
— de taller o de trabajo, working gage.
— de tolerancia, limit gage.
— de traspaso, transfer calipers.
— de triscado (si), tooth-set gage.
— determinado o específico, definite gage.
— escalonado, step gage.
— exterior, snap gage; outside caliper.
— hembra, receiving gage.
— hermafrodita, hermaphrodite calipers.
— indicador, indicator calipers; indicating gage.
— interior, male gage.
— maestro o patrón, master or standard gage.
— micrométrico, micrometer calipers.
— normal, stándard gagé.
— para guardarriel (fc), guardrail gage.
— para troncos, log calipers.
— Stubs, Stubs wire gage.
— trazador, marking caliper.
calicanto *m*, stone masonry.
calicata *f* (A), test pit.
caliche *m*, caliche (stiff whitish clayey soil); (B) (Ch) soil that produces sodium nitrate.
calichera *f* (Ch)(Pe), nitrate deposit; residue of the caliche after production of the salitre.
calidra *f* (M), a special kind of hydrated lime.
calientarremaches *m*, rivet heater.
caliente, hot, warm.
calisuar *m* (A), reamer.

— de estrías, fluted reamer.
calita *f*, calite (alloy).
caliza *f*, limestone.
— cavernosa, cavern limestone.
— magnesiana, magnesian limestone, dolomite.
calizo, calcareous, containing lime.
calmar (met), to kill, deadmelt.
calor *m*, heat.
— aprovechable, useful heat.
— concomitante (sol), concurrent heating.
— de desecho, waste heat.
— de fraguado (conc), heat of setting.
— de hidratación, heat of hydration.
— de humedecimiento (ms), heat of wetting.
— de remojo (aa), heat of wetting.
— de rozamiento, frictional heat.
— de sublimación (aa), heat of sublimation.
— específico, specific heat.
— latente de fusión, latent heat of fusion.
— moderado de endurecimiento (ct), moderate heat òf hardening.
— sensible (aa), sensible heat.
caloría *f*, calorie.
— grande, large or great calorie, kilogram-calorie.
— pequeña, small calorie, gram-calorie.
caloría-gramo, gram-calorie, small calorie.
caloría-kilogramo, kilogram-calorie, great calorie.
calórico, caloric.
calorífero *m*, radiator, heater; *a* giving heat.
— de aire, hot-air furnace.
— de tubería, pipe-coil radiator.
— de vapor, steam radiator; heating boiler.
— directo-indirecto, direct-indirect radiator.
— mural, wall radiator.
— seccionado de fundición, sectional cast-iron radiator.
— tapado, concealed radiator.
calorífico, calorific.
calorífugo, nonconducting of heat, heat-resisting.
calorimetría *f*, calorimetry.
calorimétrico, calorimetric.
calorímetro *m*, calorimeter.
— de estrangulación, throttling calorimeter.
— de separación, separating calorimeter.
calorita *f* (aleación), calorite.
calorizar (met), to calorize.
calota *f* (tún)(A), top heading.
caloventilador *m* (M), heating fan.
caluma *f* (top)(Pe), gap, pass, gorge.
calza *f*, wedge, chock, shim, liner; (str) shoe; (C) brake block; (t) tip.
calzada *f*, paved roadway, causeway; (A) improved road; (Ph) wagon road.
calzador *m* (vol)(A), tamping stick.
calzar, to wedge, chock, scotch, shim; to key; (rr) to tamp ties; (t) to tip.
calzo *m*, wedge, chock; shim; foot block; friction block; (machy) shoe.
— de detención (fc), scotch block.
— de puerta (ft), binder.
calzos de estiba (C), dunnage.
calzón *m* (tub), Y, bifurcation.
callapo *m*, (min)(Ch) strut; (B) handbarrow.
calle *f*, street.
— urbanizada (Es), street paved and curbed.

callejón *m*, lane, alley; (top) pass.
—— **del eje** (cn), shaft tunnel, shaft alley.
callejuela *f*, small street; (M) traffic lane.
cama *f*, bed, bedplate; stratum; cog; cam; body of a flat truck or car.
—— **de mortero**, bed of mortar.
—— **de roca**, bedrock, ledge rock.
camada *f*, stratum, layer.
camagón *m*, a Philippine lumber.
cámara *f*, chamber, room; camera; (auto) inner tube; (min) stall, room, chamber.
—— **aerofotogramétrica**, camera for aerial photography, aerocamera.
—— **ampliadora**, enlarging camera.
—— **anublada** (lab), fog room; cloud chamber.
—— **captadora** (hid)(Pe), intake chamber.
—— **cartográfica**, mapping camera.
—— **cernidora** (is)(Pe), screen chamber.
—— **compensadora** (com), clearinghouse.
—— **cuádruple** (fma), four-couple or four-lens camera.
—— **de aire**, air chamber.
—— **de aire comprimido**, pneumatic caisson.
—— **de ángulo ancho** (fma), wide-angle camera.
—— **de aspiración**, (eng) suction chamber.
—— **de bajada** (ve), downtake chamber.
—— **de bifurcación** (al), junction chamber.
—— **de calma** (hid), stilling well or box.
—— **de carga** (hid), surge tank or chamber; forebay.
—— **de cascajo** (dac), grit chamber.
—— **de comercio**, chamber of commerce.
—— **de compensación**, (hyd) surge tank or chamber; (com) clearinghouse.
—— **de la compuerta** (ds), caisson chamber.
—— **de confluencia** (al), junction chamber.
—— **de copiar**, copying camera.
—— **de decantación**, settling basin.
—— **de descompresión** (tún), decompression chamber.
—— **de digestión** (dac), digestion compartment, sludge-digestion chamber.
—— **de dosificación** (dac), dosing chamber.
—— **de empalme** (eléc), splicing chamber.
—— **de equilibrio** (hid), surge tank.
—— **de esclusa**, lock chamber.
—— **de horizonte** (fma), horizon camera.
—— **de limpia** (al)(U), automatic flush tank.
—— **de mando**, control room.
—— **de máquinas**, engine room.
—— **de oleaje** (hid), surge chamber.
—— **de película continua** (fma), continuous-strip camera.
—— **de pleno** (ve), plenum chamber.
—— **de presión** (hid), forebay.
—— **de pulverización** (auto)(U), mixing chamber.
—— **de reducción**, reduction camera.
—— **de repartición** (irr), division box.
—— **de retención** (dac)(Pe), detention chamber.
—— **de rocío** (aa), spray chamber.
—— **de salida** (hid), afterbay.
—— **de subida** (ve), uptake chamber.
—— **de trabajo**, working chamber.
—— **de tranquilización** (hid), stilling chamber.
—— **de turbina**, wheel pit.
—— **de turbulencia** (di), turbulence chamber.

—— **de vapor** (mv), steam chest.
—— **de vertedero** (hid), weir chamber.
—— **de visita**, manhole, inspection chamber.
—— **desripiadora** (dac), grit chamber.
—— **desviadora**, diversion chamber.
—— **doble** (fma), two-couple or two-lens camera.
—— **espiral** (turb), scroll case.
—— **estereofotogramétrica**, stereocamera.
—— **fotográfica**, camera.
—— **granangular**, wide-angle camera.
—— **húmeda** (lab), fog room.
—— **limpia** (al)(U), flush tank.
—— **múltiple** (fma), multiple-lens camera.
—— **nónupla** (fma), nine-lens camera.
—— **proyectora**, projection camera.
—— **quíntupla** (fma), five-lens camera.
—— **rectificadora** (fma), rectifying camera.
—— **registradora** (fma), recording camera.
—— **separadora** (hid), screen chamber.
—— **séptica** (dac), septic tank.
—— **simple** (fma), single-lens camera.
—— **televisora**, television camera.
—— **tomavistas** (fma), view camera.
—— **triple** (fma), three-lens camera.
camarín *m*, elevator car; shaft cage.
camarón *m* (Ch), wheels and axle used to handle logs.
camarote (cn), stateroom.
cambará *m* (A), a softwood.
cambiacorrea *m*, belt shifter.
cambiador *m*, changer; switchman; (elec) switch; (rr)(Ch)(M) switch; belt shifter.
—— **de calor** (M), heat exchanger.
—— **de frecuencia** (ra), frequency changer.
—— **de polos** (eléc), pole changer.
—— **de toma** (eléc), tap changer.
—— **de torre** (fc), towerman.
—— **de velocidad**, speed-changer, variable-speed transmission.
cambiar, to change, exchange; to switch.
—— **engranajes** (auto), to shift gears.
—— **marcha** (maq), to reverse; to change speed.
cambiavía *m* (fc), turnout; switch; (C)(M)(PR) switchman; (M) turntable.
—— **de aguja**, point switch.
—— **de desvío doble**, Y switch.
—— **de resorte**, spring switch.
—— **de tope**, stub switch.
—— **de traspaso doble**, diamond switch, double crossover.
—— **en Y**, Y switch.
—— **saltacarril**, jumper switch.
—— **tándem**, tandem switch.
—— **tumbadora**, ground throw, ground-lever switch.
cambio *m*, change; (rr) switch; (auto) shift; (com) exchange.
—— **aéreo**, overhead frog (trolley).
—— **corredizo** (fc), slip switch.
—— **corrido** (fc), flying switch.
—— **de aguja** (fc), point or split or tongue switch.
—— **de arrastre** (fc), trailing-point switch.
—— **de banda** (ra)(A), band switch or selector.
—— **de bases** (quím)(Pe), base exchange.
—— **de cruzamiento** (fc)(A), slip switch.
—— **de descarrilar** (fc), derail switch.

—— **de marcha,** (eng) reversing.
—— **de rasante,** break in grade.
—— **de resorte** (fc), spring switch.
—— **de talón** (fc), trailing-point switch.
—— **de tope** (fc), stub switch.
—— **de trazo** (fc), change of line, relocation.
—— **de tres tiros** (fc), three-throw switch.
—— **de velocidad** (auto), gearshift.
—— **de vía** (fc), switch; turnout.
—— **de vía triple** (fc), three-throw switch.
—— **digital** (auto), gearshift on the steering wheel.
—— **enfrentado** (fc), facing-point switch.
—— **extranjero** o **exterior** (fin), foreign exchange.
—— **inglés** (fc)(A), slip switch.
—— **químico,** chemical change.
—— **volumétrico** (ms), volume change.
cambista m, switchman; money changer.
cámbium m (mad), cambium.
camboatá m, an Argentine lumber (semihard).
cambray m, cambric.
—— **barnizado** (ais), varnished cambric.
—— **impregnado,** empire cloth, cambric insulation.
camelia f (met), camelia.
camellón m, sawhorse; (top) ridge; windrow, (irr) border.
—— **distribuidor** (hid), spreader ridge.
camilla f, stretcher; handbarrow.
caminamiento (lev)(Es), traversing.
caminante, foot passenger.
caminero m, road workman; (rr)(A) track laborer; a pertaining to roads.
caminillo m (C), runway, footwalk.
camino m, road.
—— **afirmado,** paved roadway, improved road.
—— **carretero,** wagon road.
—— **carrozable** (Ec), wagon road.
—— **de acceso,** access road.
—— **de acceso controlado,** controlled-access road, through highway, parkway.
—— **de acceso ilimitado,** local-service road, service drive.
—— **de acceso limitado,** through or limited-access highway, freeway, parkway, thruway.
—— **de arrastre** (ef), skid road.
—— **de fomento,** feeder road.
—— **de recua** (V), trail.
—— **de remolque,** towpath.
—— **de simple vertiente,** hanging road.
—— **de sirga,** towpath.
—— **de tierra,** dirt or unimproved road.
—— **de troncos,** corduroy road.
—— **de un agua,** hanging road.
—— **en balcón,** benched road.
—— **mejorado,** improved road.
—— **natural,** unimproved or dirt road.
—— **real** o **troncal,** highway, main road.
—— **vecinal,** local or subsidiary road.
camión m, truck.
—— **a horcadas,** straddle truck.
—— **agitador** (conc), truck mixer; truck agitator.
—— **andamio,** (elec rr) tower truck.
—— **automóvil,** motor truck.
—— **basurero,** garbage truck.
—— **batidor** (conc), truck agitator; truck mixer.
—— **cisterna** (A), tank truck.

—— **cuba,** tank truck.
—— **chato,** flat truck.
—— **de adrales,** flat truck with racks.
—— **de auxilio,** wrecking car.
—— **de barandas** (A), flat truck with racks.
—— **de caballete,** straddle truck.
—— **de cama plana,** flat truck.
—— **de disparo** (geof), shooting truck.
—— **de escalera,** (elec rr) tower truck.
—— **de estacas,** stake-body truck.
—— **de expreso,** express or pickup truck.
—— **de extensión,** reach truck.
—— **de grúa,** truck crane.
—— **de maroma** (M), dump truck.
—— **de medio carril,** half-track.
—— **de pilada** o **de revoltura** (conc), batch truck.
—— **de plataforma,** flat truck.
—— **de registro** (geof), recording truck.
—— **de reparto,** express or pickup or delivery truck.
—— **de taladro** (geof), drill truck.
—— **de teleros** o **de varales,** flat truck with stakes.
—— **de volteo,** dump truck.
—— **elevador** o **levantador,** lift truck.
—— **esparcidor** (ca), distributor truck.
—— **materialista** (M), truck for hauling concrete materials.
—— **mezclador** (conc), truck mixer.
—— **multicelular** (conc)(A), multiple-batch truck.
—— **plano,** flat or platform truck.
—— **playo** (A), flat truck.
—— **regador,** sprinkler truck.
—— **remolcador,** tow truck.
—— **tanque,** tank truck.
—— **tractor,** truck tractor.
—— **volquete,** dump truck.
camionada f, truckload.
camionaje m, trucking, truckage.
camionero m, truckman, truck driver; truck owner, hauling contractor.
camioneta f, light truck.
camisa f, jacket, lagging; sleeve, bushing; drill chuck.
—— **de agua,** water jacket.
—— **de caldera,** boiler lagging.
—— **de nudo** (M), coupling sleeve.
—— **del pistón** (auto)(A), piston skirt.
—— **de polvo** (ag), dust jacket.
—— **de vapor,** steam jacket.
—— **húmeda** (auto), wet-type cylinder liner.
—— **seca** (auto), dry-type cylinder liner.
camón m, felloe, felly.
campamento m, camp.
campana f, bell; anything bell-shaped; (p) hub, bell; (elec) petticoat (insulator).
—— **de aire,** air chamber, air receiver.
—— **de bucear** o **de buzo,** diving bell.
—— **de freno** (A), brake drum.
—— **de goteo** (eléc), drip petticoat.
—— **de lodo,** mud socket (drilling).
—— **de nieblas,** fog bell.
—— **de pesca** (pet), socket.
—— **de soldar** (tub), welding bell.
—— **de vidrio** (lab), bell glass or jar.
—— **neumática** (M), pneumatic caisson.
—— **y espiga** (tub), bell and spigot.

campanilla (f) **eléctrica**, electric bell.
campaña f, level country; field (work).
campista m, miner who works on shares, tributer.
campo m, field (all senses); mining camp.
— **de aterrizaje**, landing field, airfield, airpark.
— **de aviación o de decolaje**, airpark, airfield.
— **de fuerzas** (eléc), field of force.
— **de imagen** (fma), image field.
— **de la lente** (fma), field of view.
— **de radiación** (ra), radiation field.
— **fijo** (eléc), stationary or constant field.
— **gasífero**, gas field.
— **giratorio** (eléc), rotating or revolving field.
— **petrolero o petrolífero**, oil field.
— **productor** (pet), producing field.
— **raso**, open or flat country.
— **visual**, field of view or of vision.
can m, corbel, bracket, bolster; column cap; shoulder; pawl, dog.
canal m, canal, channel, gullet; chute, flume, race; (min) ground sluice; (ra) channel; (elec) raceway, wireway.
— **alimentador**, feeder canal, headrace.
— **asociado** (ra), associated channel.
— **auxiliar** (eléc), auxiliary gutter.
— **cribador**, screen chute.
— **de acceso** (hid), head canal, approach channel.
— **de aducción**, headrace, head canal.
— **de agotamiento**, drainage canal.
— **de alcantarillado**, drainage or sewer canal.
— **de barras colectoras** (eléc), busway.
— **de carga** (Es), headrace, open penstock, pentrough.
— **de combinación** (eléc), combination raceway.
— **de conducción**, aqueduct canal.
— **de corriente portadora** (eléc), carrier channel.
— **de derivación**, diversion channel.
— **de descarga**, spillway channel, wasteway; tailrace.
— **de desfogue** (M), tailrace.
— **de escurrimiento** (ms), flow channel.
— **de flotación**, log sluice.
— **de fondo abierto** (eléc), open-bottom raceway.
— **de fuga**, tailrace; spillway channel.
— **de lodo** (pet), mud ditch.
— **de llegada**, headrace; channel of approach.
— **de mareas**, tideway.
— **de piso metálico celular** (eléc), cellular-metal-floor raceway.
— **de radiodifusión**, broadcasting channel.
— **de riego**, irrigation canal.
— **de traída**, headrace.
— **derivado**, branch canal.
— **descubierto**, open channel.
— **desviador**, diversion channel.
— **dosificador** (is), dosing flume.
— **en balcón** (M), bench flume.
— **evacuador**, spillway channel, wasteway; (irr) return ditch.
— **madre** (irr)(Pe), main canal.
— **maestro**, main canal.
— **marítimo**, ship canal.
— **medidor**, measuring flume.

— **medidor de Parshall**, Parshall flume.
— **metálico superficial** (eléc), surface metal raceway.
— **para alambres** (eléc), raceway, conduit.
— **para barras conductoras** (eléc), busway.
— **para lanchones**, barge canal.
— **troncal** (irr), main canal.
— **vertedor**, trough spillway, chute spillway; spillway channel.
canal f, conduit, pipe, duct; channel iron; roof gutter; groove, slot.
— **de aluminio** (est), aluminum channel.
— **de bajada** (ed), leader, downspout.
— **de barra** (est), bar-mill channel.
— **de cables**, cable duct.
— **de cruzamiento** (fc), frog channel.
— **de desagüe** (Pe), sewer pipe.
— **de enrasillado** (ed), furring channel.
— **de humo** (M), flue.
— **de lluvia** (to), gutter.
— **de pestaña**, flangeway.
— **de ventilación**, ventilation duct.
— **para construcción de carros**, car-building channel.
— **para construcciones navales**, shipbuilding channel.
— **U** (M), channel iron.
canalado, corrugated, fluted, grooved.
canalador m, channeler; rabbeting plane.
canaladura f, corrugation, fluting.
canalera f (Es), roof gutter.
canalería f, system of ducts or ditches.
canalero m (irr), custodian of a canal; (M) irrigation subscriber.
canaleta f, chute; groove, corrugation; roof gutter; eaves trough; (A) street gutter; (conc) spout.
— **de aforos venturi**, Venturi flume.
— **de carga**, loading chute.
— **de descarga**, dumping chute.
— **de repartición** (irr), head flume.
— **de toma en marcha** (fc), track pan.
— **plegadiza**, jackknife chute.
canalistas m (Ch), irrigation subscribers.
canalización f, canalization; flume; piping; system of ducts; (elec) wiring; (elec) layout of conduits; (ra) channeling.
— **de circunvalación simple** (eléc), single run-around wiring.
— **de desagües**, sewer system.
— **de red doble** (eléc), double-grid wiring.
— **de red simple** (eléc), single-grid wiring.
— **descubierta** (eléc), exposed work.
— **eléctrica**, electric wiring; system of conduits for electric wiring.
— **maestra**, mains.
— **oculta** (eléc), concealed work.
canalizar, to canalize; to channelize.
canalizo m, flume, channel; fairway, gut.
— **de control**, control flume.
— **de evacuación**, sluiceway; (irr) return ditch.
— **medidor**, measuring flume.
canalón m, flume; gutter, eaves trough; (elec) gutter; waste pipe; (M) chute.
— **armado o ensamblado** (to), box or built-up gutter.

— de garganta, throat flume.
— de media ladera, bench flume.
— de Parshall, Parshall flume.
— medidor, control or measuring flume.
— suspendido (to), hanging gutter.
canasta *f*, basket; (hyd) strainer.
canastilla *f*, (M) bucket; (M) car of aerial tramway.
canastillo (hid), trashrack.
canasto *m*, basket; (A) small mortar bucket.
cancagua *f* (Ch), a stiff sandy soil.
cáncamo *m*, eyebolt; bolt.
— arponado (M), ragged bolt.
— de cuello, shoulder eyebolt.
— de ojo, eyebolt.
— de remache, rivet ringbolt.
cancel *m*, screen; (CA) partition.
cancha *f*, yard; level tract of land; airpark; wide stretch of a river; (U) path, road.
— de almacenaje, store yard.
— de aterrizaje, landing field, airfield, airpark.
— de equipo (cons), equipment yard.
— de secamiento (dac)(Ch), sludge-drying bed.
canchal *m*, deposit of boulders, (M) moraine.
canchamina *f*, yard around a mine shaft.
canchaminero *m* (Ch), laborer in a mine yard.
canchero, yard foreman.
candado *m*, padlock; latch.
— de aldaba, hasp lock.
— de combinación, combination padlock.
candela *f*, flare, torch.
candelero *m*, support, cradle; stanchion.
candelón *m* (RD), a hardwood.
candencia *f*, incandescence.
candente, incandescent, red-hot.
candil (*m*) de minero, miner's lamp.
candileja *f*, (il) footlight; (rr) fusee.
canecillo *m*, corbel, bracket.
canel *m* (Es), cannel coal.
caney *m*, small bay; (C) bend of a river.
canga *f* (A)(B), a soil containing iron.
cangagua *f* (Col), a soil used for making adobe brick.
cangahua *f* (Ec), hardpan.
cangalla *f*, mine refuse, tailings.
cangilón *m*, bucket; (Col)(V) rut; (Ec) mudhole; (PR) small waterfall.
— basculante, tip bucket.
— de arrastre, dragline bucket.
— de elevador, elevator bucket.
— volquete, dump or contractor's bucket.
cangrejo *m* (mec), any grappling device, (pet) casing spear.
canguilón *m* (Ch), bucket.
canilla *f*, faucet, spigot, bibb, cock; reel, spool.
— para manga, hose bibb.
— surtidora, faucet.
canoa *f*, flume, trough; launch, canoe; (CA) roof gutter.
canon *m*, list; rate; tax; royalty.
— de arrendamiento, rental rate.
— de riego, irrigation rate.
cantal *m*, stony ground; spall.
cantalita *f* (geol), cantalite.
canteador *m*, canteadora *f*, (t) edger; edging saw; pitching tool.

— cóncavo, in-curve edger.
— convexo, out-curve edger.
— de acera, curb tool.
— de peldaños, step edger.
— en bisel, bevel edger.
— múltiple (as), gang edger.
cantear, to lay on edge; to cut stone; to pitch (stone); to edge.
cantera *f*, quarry.
— de arena, sand pit.
— de grava, gravel pit or bank.
— de lastre, ballast pit.
— de préstamo (ot), borrow pit.
cantería *f*, stonecutting; quarrying; cut stone, ashlar masonry; stonecutting yard.
cantero *m*, stonecutter, quarryman; (A) raised area held by curbs.
cantidad *f*, quantity.
— negativa, minus quantity.
cantil *m*, cliff.
cantilever *m*, cantilever.
cantimplora *f*, weep hole.
cantina *f*, commissary store, canteen; saloon.
cantizal *m*, stony ground.
canto *m*, edge; thickness of a board; ashlar stone; pebble, boulder.
—, de, on edge.
— de corte, cutting edge.
— laminado, rolled edge (steel plate).
— recortado, sheared edge (steel plate).
— rodado, boulder, cobble, pebble.
— sin labrar, rough ashlar.
— vivo, square edge.
cantonera *f*, curb angle or bar, corner bead, any piece reinforcing a corner or edge; (Sp) angle iron.
cantorral *m*, gravelly or stony ground.
caña *f*, shank, handle; shaft; (naut) tiller; cane, reed; stem, stalk; rod.
— brava, bamboo.
— del ancla, shank of an anchor.
— de azúcar, sugar cane.
— de barrena, drill shank.
— de Bengala o de Indias, rattan.
— de columna, shaft of a column.
— de mina, mine gallery.
— del timón, tiller.
— de volar, blasting hole.
— dulce o melar, sugar cane.
cañada *f*, ravine, gorge, gulch; (C)(PR) brook; (A) inlet, estuary.
cañadón, canyon, gorge.
cañahuate *m*, lignum vitae.
cañamazo *m*, burlap; canvas.
cañamelar *m*, sugar plantation.
cañamiel *f*, sugar cane.
cáñamo *m*, hemp, jute; (CA) hemp cord; (Ec) burlap.
— de calafatear, calking yarn.
— de empaquetar, hemp packing.
— de las Indias, jute.
— de Manila, Manila hemp, abaca.
— embreado, tarred marline.
— trenzado, braided hemp.
cañería *f*, piping, pipe, conduit; pipework.
— bridada, flanged pipe.

—— conductora (pet), line pipe.

—— corriente, standard pipe.

—— de acueducto, water mains.

—— de aducción, supply line, aqueduct.

—— de arcilla vitrificada, sewer pipe, glazed tile pipe.

—— de barra enclavada, Lock-bar pipe (trademark).

—— de carga, penstock, force main.

—— de conducción (hid), aqueduct, supply line.

—— de duelas de madera, wood-stave pipe.

—— de entubación (pet), casing pipe.

—— de fundición, cast-iron pipe.

—— de fundición liviana, soil pipe, lightweight cast-iron pipe.

—— de hierro centrifugado, centrifugal cast-iron pipe.

—— de hierro forjado legítimo, genuine wrought-iron pipe.

—— de macho y campana, bell-and-spigot pipe.

—— derivada, branch pipe line.

—— extrapesada, extra-heavy pipe.

—— forzada o de presión, pressure conduit, penstock.

—— maestra o matriz, mains.

—— remachada en espiral, spiral-riveted pipe.

—— roscada, screwed pipe.

—— sin costura, seamless tubing.

—— surtidora, aqueduct, supply pipe.

—— universal, Universal cast-iron pipe.

cañero m, cañista m, pipeman, plumber, pipe fitter, steam fitter.

cañito (m) pasador, pipe sleeve.

caño m, pipe, conduit; gutter; roof leader; small stream; (pw) channel; (A) hose; (C) sump, floor drain, street inlet to a sewer.

—— arenero (loco), sand pipe.

—— aspirante (bm), suction pipe, (A) suction hose.

—— de absorción (A), perforated well pipe.

—— de acotamiento, service connection.

—— de alimentación, feed or inlet pipe.

—— de bajada (ed), downspout, leader.

—— de bridas, flanged pipe.

—— de chimenea, stack.

—— de desborde, overflow pipe.

—— de drenaje, drainpipe, draintile.

—— de expulsión (bm)(A), discharge pipe.

—— de impulsión (bm), discharge pipe.

—— de perforación, drill pipe; drive pipe.

—— de servicio (A)(C), service connection.

—— de subida, riser.

—— de tornillo, screwed or threaded pipe.

—— expelente, (eng) exhaust pipe; (pu) discharge pipe.

—— pluvial (ed), leader, downspout.

cañón m, pipe, tube; gorge, canyon; barrel of an arch; barrel of a gun; barrel of a hydrant; (Col) tree trunk; (min) drift, gallery.

—— de ascensor, elevator shaft.

—— de caldera, boiler tube.

—— de cemento, cement gun.

—— de columna, shaft of a column.

—— de chimenea, chimney flue.

—— de escalera, stair well.

—— de escobén (cn), hawsepipe.

—— de expansión (cn), expansion trunk.

—— de llave, shank of a key.

—— de ventilación, air shaft.

—— electrónico (ra), electron gun.

—— lanzacemento, cement gun.

—— para tubos (ed), pipe shaft.

—— perforador (pet), perforating gun.

cañuela f (vol)(M), fuse.

caoba f, mahogany.

—— falsa, bastard or false mahogany.

caobilla f (C)(PR), an inferior variety of mahogany.

caobo m, mahogany tree.

caolín m, kaolin, China clay

caolínico, kaolinic.

caolinita f (miner), kaolinite, kaolin.

capa f, layer; stratum; ply; (pt) coat; (mas) course; coat of plaster; (min) seam, vein· (C) slicker, oilskin coat.

—— acuífera, water-bearing stratum, aquifer.

—— aisladora de humedad (A), waterproofing course.

—— Appleton (ra), Appleton or F layer.

—— azotada (U), scratch coat (plaster).

—— barrera (ra), barrier or blocking layer.

—— blanca (yesería), finishing or white or putty or skin or skim coat.

—— café (M), brown coat (plaster).

—— de acabado, finishing coat; (plaster) white or putty coat.

—— de baldeo (ca), flush seal.

—— de base (ca), base course.

—— de conglomerante (ca)(Ch), binder course.

—— de cubierta (ca), cover stone or coat.

—— de defensa o de desgaste, wearing coat or surface.

—— de desgrose (A), scratch coat of plaster.

—— de emparejamiento o de enrase (ca), leveling course.

—— de Heaviside (ra), Heaviside layer, ionosphere.

—— de imprimación (pint), priming coat.

—— de ladrillos, course of brick.

—— de ligazón, binder course.

—— dé mortero, bed of mortar.

—— de pega (ca)(V), tack coat.

—— de reflexión (geof), reflecting layer or horizon.

—— de rodamiento (ca), wearing surface.

—— de sellado (ca), seal or carpet coat.

—— de velocidad (geof), speed or velocity bed.

—— F (ra), F or Appleton layer.

—— freática, ground water, water table, aquifer.

—— gasífera (pet), gas cap.

—— pegajosa (ca)(M), tack coat.

—— rayada, scratch coat (plaster).

—— sellante (ca), seal coat.

—— superficial (ca), surface course.

capá m (PR), a hardwood.

capacidad f, capacity; (elec) capacitance.

—— al ras (ec), struck capacity.

—— asignada, rated capacity.

—— colmada (ec), heaped capacity.

—— corporal (ra), body capacitance.

—— de asiento (ms)(M), bearing capacity.

—— de conducción, (hyd) flow capacity; (elec) current-carrying capacity.

—— de ganancia, earning power.
—— de modulación (eléc), modulation capability.
—— de soporte del terreno, bearing power of soil.
—— directa (ra), straight-line capacitance.
—— dispersa (ra), stray capacitance.
—— distribuída (ra), distributed capacitance.
—— electrostática, permittance, electrostatic capacity.
—— encubridora (pint), hiding power, covering capacity.
—— entre electrodos (ra), interelectrode capacitance.
—— grilla-placa (ra), grid-plate capacitance.
—— inductiva específica (eléc), permittivity, specific inductive capacity, dielectric constant.
—— interruptora (eléc), interrupting capacity.
—— parásita (ra), stray capacitance.
—— portante, carrying capacity, bearing power.
—— rebosada (V), heaped capacity.
—— térmica, heat or thermal capacity.
capacímetro m (A), capacitance meter.
capacitador m (eléc), capacitor, condenser.
—— compensador (ra), buffer capacitor.
—— de acoplamiento, coupling capacitor.
—— de bloqueo, blocking capacitor.
capacitancia f (eléc)(mec), capacitance.
—— acústica (ra), acoustic compliance or capacitance.
—— de entrada (ra), input capacitance.
—— de salida (ra), output capacitance.
—— interelectródica (ra), interelectrode capacitance.
—— lineal, straight-line capacitance.
—— propia, self-capacitance.
—— rejilla-cátodo, grid-cathode capacitance.
—— rejilla-placa, grid-plate capacitance.
—— vagabunda, stray capacitance.
capacitivo (eléc), capacitive.
capacitómetro m, (ra)(A) capacitance meter, (M) condenser meter.
capacitor m (eléc), capacitor, condenser.
—— de décadas (ra), decade condenser or capacitor.
—— de placas ajustables, variable or adjustable capacitor.
—— de placas paralelas, parallel-plate capacitor.
—— filtrador (ra), smoothing capacitor.
—— regulable, variable capacitor.
capacho m, bucket; (sh) dipper; brick hod.
—— con descarga por debajo, bottom-dump bucket.
—— de elevador, elevator bucket.
—— de extracción, mine bucket.
—— de pala, shovel dipper.
—— de tiro, dipper of a pullshovel or trench hoe.
—— de torre (conc), tower bucket.
—— pesador, weighing bucket.
—— tipo cáscara de naranja (Ch), orange-peel bucket.
caparrosa f, copperas.
capataz m, foreman.
—— de brigada, squad boss.
—— de carpinteros, foreman carpenter.
—— del desencofrado (mo), stripping foreman.
—— del patio, yard foreman.
—— del tramo (fc), section foreman.

—— de turno, shift boss.
—— de la vía, track foreman.
—— general, general foreman, walking boss.
caperuza f, pipe cap; hood.
capialzado m, flashing over door or window.
capilar, capillary.
capilaridad f, capillarity.
capilla f, bonnet, hood, cowl.
—— de válvula (mg)(Es), valve chamber.
capillo m (met), cupel.
—— de prensaestopas (pet), packing gland.
capital m, capital (money).
—— activo, working capital; (Ch) capital assets.
—— de explotación, working capital.
—— en giro, working capital.
—— físico (Ch), capital assets.
—— integrado o realizado, paid-up capital.
—— pasivo (Ch), capital liabilities.
—— social, capital stock.
capital f, capital (city).
capitalista, s a, capitalist.
capitalizar, to capitalize.
capitán m, captain; foreman.
—— de patio, yard foreman.
—— del puerto, harbor master, captain of the port.
capitanía (f) del puerto, office of the harbor master.
capitel m, capital, column head, (conc) column cap.
capó m (auto), hood.
caporal m (V), foreman.
capota f, hood; auto top; cowling (airplane).
capote m, hood; (Col) topsoil.
cápsula f, capsule, bottle cap; cartridge shell; lid, cover; (lab) dish.
—— de carbón (tel), carbon button or capsule.
—— de evaporación (lab), evaporating dish.
—— detonante, exploder, blasting cap.
—— detonante de tiempo, delay blasting cap.
—— fulminante, blasting cap, exploder.
captación f, (hyd) catchment, impounding; diversion; (r)(A) capture; (ra) pickup.
captador (m) de polvo, dust collector.
captar (hid), to impound, collect; to divert.
captura f (r), capture.
capuchina f (Col), door or window latch.
capuchón m, (auto) valve cap; (pi) driving cap; chimney cap.
capulí m (Pe), kind of timber used in mines.
cara f, face; cheek.
—— anterior (dib), near side.
—— brillante (cuero), flesh side.
—— de campana, bell face (hammer).
—— de la flor o de pelo (cuero), hair or grain side.
—— de la raíz (sol), shoulder, root face.
—— de rueda, tread of a wheel.
—— posterior (dib), far side.
caracol m, spiral; (turb) scroll case; (A) worm gear.
característica f (mec)(eléc)(mat), characteristic.
—— anódica (ra), plate characteristic.
—— de desprendimiento (ra), emission characteristic.
—— de grilla (ra), grid characteristic.

—— de traspaso (ra), transfer characteristic.
caramero m (V), drift carried by a flood.
carato (m) de cemento (V), cement grout.
carátula f (M), dial of an instrument.
carbodinamita f (vol), carbodynamite.
carbohidrato m (is), carbohydrate.
carbohidrógeno m, carbohydrogen.
carbólico, carbolic.
carbolíneo m, carbolineum (wood preservative).
carbolita f (abrasivo), Carbolite (trademark).
carbolón m (abrasivo), Carbolon (trademark).
carbón m, coal; charcoal; carbon.
—— activado (pa), activated carbon.
—— aglomerante o aglutinante, caking coal.
—— animal, bone charcoal, bone black.
—— antracitoso, anthracite.
—— bituminoso, bituminous coal.
—— brillante, glance coal.
—— conglomerante, caking coal.
—— de ampelita o de bujía, cannel coal.
—— de astilla, splint coal.
—— de forja o de fragua, blacksmith coal.
—— de gas (V), gas carbon.
—— de huesos, animal charcoal, bone black.
—— de leña o de madera, charcoal.
—— de llama corta, smokeless or hard coal.
—— de llama larga, soft coal.
—— de piedra, coal.
—— de retorta, gas carbon.
—— entrozado (M), broken coal.
—— graso, bituminous or soft or gas coal.
—— lustroso, pitch coal.
—— mate, cannel coal.
—— mineral, coal.
—— no aglutinante, noncaking or free-burning coal.
—— para calderas, steam coal.
—— pezoso, pitch coal.
—— seco, dry or nonvolatile coal.
—— semigraso, semibituminous coal.
—— tal como sale, run-of-mine coal.
—— vegetal, charcoal.
carbonación f (pa)(Pe), carbonation.
carbonado m, carbon or black diamond.
carbonatación f, carbonation.
carbonatador m, carbonator.
carbonatar, to carbonate.
carbonato m, carbonate.
—— ácido de sodio, acid sodium carbonate, bicarbonate of soda.
—— amónico, ammonium carbonate.
—— de calcio, calcium carbonate, carbonate of lime.
—— magnésico, magnesium carbonate, (miner) magnesite.
—— sódico anhidro, soda ash, anhydrous sodium carbonate.
carboncillo m, fine coal, slack.
carbonear, to char, carbonize; to load coal.
carbonera f, coalbin; coal mine; (bl)(A) coyote hole.
carbonería f, coalyard.
carbonero m, coal miner; coaldealer; coal handler; a pertaining to coal.
carbónico, carbonic.
carbonífero, coal-bearing, carboniferous; coal-carrying.

carbonilla f, fine coal, pulverized coal; cinder.
carbonita f (miner)(vol), carbonite.
carbonizador m, carbonizer.
carbonizar, to carbonize; to char.
carbono m, (chem) carbon.
—— de temple (met), temper carbon.
carbonómetro m, carbonometer.
carbonoso, carbonaceous.
carborundo m, carborundum (abrasive).
carburación f, carburetion, carburizing.
—— doble, dual carburetion.
—— por agente sólido (met), pack carburizing.
—— por pulverización, spray carburetion.
carburador m, carburetor.
—— a succión ascendente, updraft carburetor.
—— de barboteo (Es), surface carburetor.
—— de corriente descendente, downdraft carburetor.
—— de chorro, spray carburetor.
—— de evaporación, surface carburetor.
—— de flotador, float-feed or constant-level carburetor.
—— de inyector, jet or injection carburetor.
—— de pico compuesto, compound carburetor.
—— de pulverizador, spray carburetor.
—— de surtidor (Es), spray carburetor.
—— de tiro descendente, downdraft carburetor.
carburante m, carburetant.
carburar, to carburize, carburet.
carburizador m, carburizer.
carburizar, to carburize, caseharden; to carburet.
carburo m, carbide.
—— cementado, cemented carbide.
—— de hierro, iron carbide, cementite.
—— de silicio, silicon carbide, carborundum.
carburómetro m, carburometer.
cárcamo m, sump; wheel pit; (min) drain; (min) flume.
—— de succión, suction pit.
carcasa f, casing; framework.
—— de motor (eléc), motor frame.
—— espiral (turb), scroll case.
cárcava f, gully, ditch, gutter.
carcavón m (top), gorge.
carcax m (M), carcass (tire).
cárcel f, clamp, cramp; vise; (hyd) gate groove; timber frame in a shaft; notch, (min) hitch; (il) carcel.
—— de banco, bench vise.
—— para sierra, saw clamp.
—— para taladradora, drill or jig vise.
cárcel-hora (il), carcel-hour.
carcoma f, wood borer, timber worm; dust made by the borer.
—— blanca (mad), white rot.
—— roja (mad), red rot.
carcomerse, to become worm-eaten; to decay; to be undermined.
carcomida f, decay; corrosion; (conc) honeycomb.
carcomido m, (Pe) wormhole; a worm-eaten, (lbr) wormy; corroded; decayed; honeycombed.
carda (f) para limas, file card or brush.
cardán, Cardan (joint).
cardánico, Cardanic.

cardenillo *m*, verdigris.
cardiar (V), to ream.
cardinal (mat), cardinal.
carear, to face, smooth up; to mill.
carena *f*, ship repair, careening; ship's bottom.
carenaje *m*, ship repair; careenage.
carenar, to careen; to repair a ship, to dock for repairs.
carenero *m*, dockyard, shipyard; graving dock.
carenote *m* (cn), bilge keel, rolling chock.
careta *f*, mask, face shield.
— **antigás**, gas mask.
— **de soldador**, welding mask, face shield.
carga *f*, load, loading; freight, cargo, lading; (hyd) head; (conc) charge, batch; (elec) charge, load; (met) heat, charge; (ra) loading.
— **a granel**, bulk cargo.
— **absoluta** (hid), absolute head.
— **accidental**, live load.
— **admisible**, allowable load.
— **alar** (ap)(A), wing loading.
— **bruta** (an), dead-weight tonnage.
— **conectada** (eléc), connected load.
— **de altura** (hid), elevation head.
— **de arranque en frío** (cf), pickup load, warming-up allowance.
— **de aspiración** (bm), suction head.
— **de atraque** (vol)(A), stemming, tamping.
— **de barreno**, blasting charge.
— **de buque**, cargo.
— **de calefacción** (aa), heat load.
— **de camión**, truckload.
— **de carro**, wagonload; carload.
— **de cucharón**, bucketful; (sh) dipperful.
— **de descarga** (bm), discharge head.
— **de energía** (hid), energy head.
— **de enfriamiento** (aa), cooling load.
— **de ensayo**, test load.
— **de entrada** (hid), entrance head.
— **de faja** (ms), strip load.
— **de flexión** (est), beam loading.
— **de fractura**, breaking load.
— **de fricción** (hid), friction head.
— **de funcionamiento** (hid), operating head.
— **de hormigonera**, batch of concrete.
— **de llegada** (hid), head of approach, velocity head.
— **de ocupación** (aa), occupancy load.
— **de presión** (hid), pressure head.
— **de prueba**, test load, trial load.
— **de punta**, (str) column loading; (elec)(A) peak load.
— **de rotura**, breaking or rupture load.
— **de rueda**, wheel load.
— **de seguridad**, safe load.
— **de servicio o de trabajo**, working load.
— **de succión** (bm), suction head.
— **de utensilios** (aa), appliance load.
— **de vacío** (hid), vacuum head.
— **de velocidad** (hid), velocity or dynamic head.
— **dinámica**, moving load; dynamic head.
— **efectiva**, (hyd) effective or net head; (tr) pay load.
— **espacial** (ra), space charge.

— **específica**, unit load.
— **estática**, (hyd) static head; (str) static or dead load.
— **explosiva**, blasting charge.
— **fraccionada** (est), partial loading.
— **fundamental** (eléc), base load.
— **hidráulica**, head.
— **inductiva** (eléc), inductive or lagging load.
— **límite**, safe or allowable load.
— **muerta** (est), dead load.
— **neta** (an), cargo dead-weight tonnage.
— **pagada**, pay load.
— **permanente** (est), dead load.
— **plena**, full load.
— **por lotes**, less-than-carload freight.
— **por vagones**, carload freight.
— **presumida o prevista o supuesta**, assumed loading, design load.
— **propia** (est), dead load.
— **remanente**, residual charge, electric residue.
— **rodante**, moving or rolling load.
— **tipo** (est), standard loading.
— **transversal** (est), beam loading.
— **útil**, pay or useful load; live load.
— **viva**, live load.
cargada *f*, a load.
cargadero *m*, loading platform; freight station; charging opening.
cargado sobre vagón, loaded on cars, FOB (free on board).
cargador *m*, loader; mucking machine; mucker (man); (bo) stoker; (elec) charger; shipper, freighter.
— **a parrilla articulada** (cal), chain-grate or link-grate stoker.
— **autoalimentador**, force-feed loader.
— **de acumuladores o de baterías**, battery charger.
— **de alimentación superior** (cal), overfeed stoker.
— **de cadena sin fin** (cal), chain-grate stoker.
— **de cangilones o de cubos**, bucket loader, portable elevator.
— **de carbón** (cal), stoker.
— **de hogar**, mechanical stoker.
— **de hormigonera** (mz), skip loader.
— **de mandil**, apron loader.
— **de parrilla corrediza** (cal), traveling-grate stoker.
— **de retorta lateral** (cal), side-retort stoker.
— **de retorta única** (cal), single-retort stoker.
— **de retortas múltiples** (cal), multiple-retort stoker.
— **de tractor** (ec), tractor shovel; tractor loader.
— **distribuidor o esparcidor**, spreader stoker.
— **por debajo**, underfeed stoker.
— **portátil**, wagon loader, portable conveyor.
— **sacudidor** (mz), shaking skip loader.
cargadora *f*, any loading or stoking apparatus.
— **de troncos** (ef), logger.
— **de túnel**, tunnel shovel, mucking machine.
cargamento *m*, load, cargo, loading.
cargar, to load; to charge; to stoke; (act) to debit, charge.
cargo *m*, cargo, freight; office, position; (act) charge.

cargómetro m, Loadometer (trademark).
cargueo m (Ch), loading.
carguero m, carrier; beast of burden; loader, charger; (A) cargo boat.
carguío m, cargo, load.
cariado, disintegrated, rotten.
caries (f) seca, dry rot.
carleta f, (t) file.
carlinga f (cn), mast step.
carnalita f, carnallite (ore of magnesium and potassium).
carneta f (AC), notebook, field book.
carpa f, tent; (Ch) tarpaulin.
carpanel, see arco carpanel.
carpero m (lev)(Ec), man who looks after tents.
carpeta f, coating; pavement; (U)(M) slab.
— **asfáltica,** sheet asphalt.
— **bituminosa** (ca), skin coat of bituminous material.
— **de desgaste,** wearing surface.
— **de fundación,** foundation slab or mat.
carpintear, to do carpenter work.
carpintería f, carpentry; carpenter shop.
— **a vapor** (A), shop carpentry.
— **de armar** (V), structural carpentry.
— **de blanco,** trim, millwork.
— **de encofrado,** form carpentry; form carpenter shop.
— **de modelos,** patternmaking.
— **de obra,** structural carpentry.
— **de taller,** shop carpentry, millwork.
— **mecánica,** millwork; mill, carpenter shop.
— **metálica,** light ironwork in a building, especially doors and windows.
— **naval,** ship carpentry.
carpintero m, carpenter.
— **ademador,** timberman.
— **armador,** erecting carpenter, framer.
— **de banco,** shop carpenter.
— **de buque o de navío o de ribera,** shipwright, ship carpenter.
— **de carreta o de prieto,** wheelwright.
— **encofrador o de moldaje,** form carpenter.
— **maestro,** foreman or master carpenter.
— **modelador,** patternmaker.
carraca f, ratchet brace, ratchet.
— **estiradora de alambres,** fence ratchet.
carrada f (Es), carload; wagonload.
carrasca f, **carrasco** m, pin oak, swamp white oak; woodland.
carrascal m, woodland; (Col) gravel bed.
carrera f, strongback, waler, stringer, ranger; (Col) girder; (carp) wall plate, sill; purlin; girt; highway; (Col) avenue; (machy) stroke, throw, travel; (mas) course; (dock) stringpiece, backing log.
— **al aterrizar** (ap), landing run.
— **ascendente,** upstroke (piston).
— **de admisión,** (eng) admission or intake stroke.
— **de aspiración,** (eng) suction stroke.
— **de barrido** (di), scavenging stroke.
— **de compresión,** (eng) compression stroke.
— **de la compuerta** (hid), gate travel.
— **de defensa** (muelle), fender.
— **de descarga** (bm), delivery stroke.

— **del distribuidor** (mv), valve travel.
— **del émbolo,** piston stroke or travel.
— **de encendido,** (eng) ignition or working stroke.
— **de erogación** (bm)(A), delivery stroke.
— **de escape,** (eng) exhaust stroke.
— **de la excéntrica,** throw of the eccentric.
— **de expulsión,** exhaust stroke, (di) scavenging stroke.
— **de filtración** (pa)(U), filter run.
— **de fondo,** groundsill.
— **de fuerza,** power stroke.
— **de ladrillos,** course of brick.
— **de la leva,** lift of the cam.
— **de la marea,** range of the tide.
— **del martinete,** drop of a pile hammer.
— **de pared** (carp), wall plate.
— **de retroceso,** back stroke.
— **de soga** (lad), stretcher course.
— **de techo,** ceiling joist.
— **de tizones** (lad), header course.
— **de trabajo,** working stroke (piston).
— **descendente,** down stroke.
— **motriz,** (eng) working or power stroke.
— **portacabio** (to), binding rafter.
carrero m, teamster, truckman; operator of a handcar.
carreta f, cart, wagon.
— **de remolque,** trailer.
— **volquete,** dumpcart.
carretada f, cartload, wagonload.
carretaje m, cartage, drayage.
carretal m (Es), rough ashlar stone.
carrete m, reel, coil; spool; (elec) coil.
— **de autoinducción** (eléc), self-induction coil.
— **de encendido** (auto), ignition coil.
— **de inducción** (eléc), induction coil.
— **de película** (fma), film spool.
— **de resistencia** (eléc), resistance coil.
— **en derivación** (eléc), shunt coil, (inst) potential coil.
— **excitador** (eléc), exciting coil.
— **extintor de chispas** (eléc), blowout coil.
— **inducido** (eléc), armature coil.
— **inductor,** induction coil.
— **terminal** (ais), dead-end spool.
carreteable (ca), fit for hauling.
carretear, to cart, haul; (ap) to taxi.
carretel m, reel, spool; winch head, (pet) cathead.
carreteo m (ap), taxiing.
carretera f, highway, road.
— **biviaria,** two-lane highway.
— **cuadriviaria,** four-lane highway.
— **de acceso,** access road.
— **de accesos limitados,** limited-access highway, freeway.
— **de cuatro vías,** four-lane highway.
— **de dos trochas,** two-lane highway.
— **de trochas múltiples,** multilane highway.
— **de vía libre,** express highway.
— **expresa,** through or express highway, freeway.
— **matriz o troncal,** main or through highway.
carretera-parque (B), parkway.
carretería f, wagon shop; wheelwright work.
carretero m, truckman, teamster; wheelwright.

carretilla *f*, wheelbarrow; small car; hand truck; tramway bucket; cableway carriage; (rr) truck; trolley; (A)(U) small wagon; (lg) bummer, skidder, dolly, drag cart.
— a horcada, straddle truck.
— alzadora, lift truck.
— concretera, concrete barrow.
— corrediza, I-beam trolley; cableway carriage.
— de atrás (loco), trailing truck.
— de cuerpo de acero, steel-tray wheelbarrow.
— de equipaje, baggage truck.
— de mano, hand or warehouse truck.
— de riel (fc), pony car.
— de suspensión, cableway carriage.
— de vía (fc), track barrow.
— eléctrica (vol), electric squib.
— elevadora, lift truck.
— pesadora, weigh larry.
— portante (fc), pony truck.
— portatubos (pet), casing wagon.
— tubular, tubular-frame wheelbarrow.
carretillada *f*, wheelbarrow load.
carretillero *m*, wheelbarrow man; (min) trammer.
carreto *m* (Col)(V), a hardwood.
carretón *m*, wagon, cart, truck; (PR) reel; (M) concrete buggy.
— corredizo, cableway carriage.
— cuba, tank wagon.
— de carriles o de orugas, track or crawler wagon.
— de remolque, trailer.
— de volteo, dumpcart, dump wagon.
— herramental, tool wagon.
— regador, sprinkling wagon.
— semicarril, half-track.
— tanque, tank wagon.
carretonada *f*, wagonload, truckload, cartload.
carretonaje *m*, cartage, trucking, hauling.
carretonero *m*, truck or cart driver, teamster.
carricuba *m*, sprinkling cart, tank wagon.
carril *m*, rail; track, traffic lane; treadway; narrow road; (V) rut.
— a garganta, grooved or streetcar rail.
— americano, T rail.
— conductor, third rail, contact or conductor rail.
— contraaguja, stock rail.
— de aguja, switch or point rail.
— de alambre, aerial tramway.
— de alivio (fc), easer rail.
— de arranque (fc), lead rail.
— de báscula, weigh rail.
— de cambio, switch rail.
— de canal, grooved or streetcar rail.
— de cremallera, rack rail.
— de desecho, scrap rail.
— de hongo o de patín, T rail, standard railroad rail.
— de muelle, spring rail (frog).
— de puerta corrediza, track for sliding door.
— de ranura, grooved or streetcar rail.
— de toma, third or conductor rail.
— dentado, rack rail.
— doble T, girder rail.
— guía, guardrail.
— maestro, stock or running rail.

— partido (tranvía), slot rail.
— único, monorail.
— Vignola, T rail, standard railroad rail.
carriles de oruga, crawler tread.
carriles para recolocación, relayers.
carrilada *f*, flangeway; treadway.
carrilano *m* (Ch), worker on a railroad, track-man.
carrileo *m* (V), scraping a road to fill ruts.
carrilera *f*, track; rut; (rr)(C) siding; (Col) grating; (tc) track.
— de carena, track of a marine railway.
— de grúa, crane runway.
— de oruga, crawler tread.
— de transbordador, runway of a transfer table.
— decauville, narrow-gage track.
— industrial, industrial railway.
carrilero *m* (Ch), railroad worker.
carrillo *m*, small cart; tackle block; I-beam trolley; (Sp) sheave, pulley.
— de contacto (fc eléc), contact plow.
carriola *f* (Col), purlin.
carrito *m*, small car; concrete buggy; cableway carriage; sliding-door hanger; traveler, trolley; (lg) bummer, dolly, skidder; (ea) (V) scraper.
— cargador (ef), loading carriage.
— corredizo, cableway carriage; lathe carriage; traveler, trolley; (lg) skidding carriage.
— de cigüeña, small car moved by hand power.
— de mano, handcar.
— para ruedas, wheel dolly.
— portador (mh), lathe carriage.
carro *m*, car; wagon, truck, cart; automobile.
— aguatero, watering cart.
— andamio (fc eléc), tower car.
— automotor (fc), motorcar.
— barrenador, drill carriage; wagon drill.
— basculador, dump car.
— basurero, garbage car; trash car.
— bodega (Ch), boxcar.
— caja (M), boxcar.
— calichero (Ch), nitrate car.
— carbonero, coal car.
— cargador, charging carriage.
— cerrado, boxcar.
— correo, mail car.
— cuba, tank car; tank wagon.
— de aparejo o de auxilio, wrecking or derrick car.
— de aserradero, sawmill carriage.
— de cajón, boxcar; (C) gondola car.
— de carga, freight car.
— de costado bajable, drop-side car.
— de despejo, clearance car.
— de dos vertientes, gable-bottom car.
— de embudo (C), hopper-bottom car.
— de equipajes, baggage car.
— de escalera (A), tower car (eléc rr).
— de expreso, express car.
— de extracción, mine car.
— de grúa, wrecking or derrick car; crane truck.
— de hacienda (A), cattle car.
— de herramientas, tool car; tool wagon.
— de mangueras, hose cart.
— de mano, handcar, push car.

— de perforadoras, drill carriage, jumbo.
— de plancha (C), flatcar.
— de plataforma, flatcar.
— de remolque, trailer.
— de riego, sprinkling cart.
— de socorro, wrecking car.
— de taladros, drill carriage.
— de tolva, hopper-bottom car.
— de torno, lathe carriage.
— de torre (fc eléc), tower car.
— de trampas, drop-bottom car.
— de traslación, transfer car or carriage.
— de volteo, dump car.
— de vuelco, dump car; tip cart.
— decauville, narrow-gage dump car.
— dormitorio (M), sleeping car.
— elevador, lift truck.
— entero, por, in carload lots.
— estafeta, mail car.
— ganadero, cattle car, stockcar.
— góndola, gondola car.
— herramental, tool car.
— inferior, undercarriage.
— lastrero (Ch), ballast car.
— motor (fc), motorcar.
— nevera, refrigerator car.
— pagador, pay car.
— para trozos, sawmill carriage.
— petrolero (Ch), tank car.
— pipa, water cart.
— plano, flatcar.
— portaherramienta (mh), tool carriage, tool-slide.
— portasierras (as), saw carriage.
— raso, flatcar.
— reja, cattle car.
— salitrero (Ch), nitrate car.
— salón, chair car.
— separador, idler car.
— tanque, tank car; water cart.
— traílla (ec), wagon scraper.
— transversal (mh), cross carriage.
— tranvía o urbano, streetcar.
— volcador, dump car; dump wagon.
carro-montacargas, lift truck.
carro-soporte, lathe saddle.
carros completos, por, in carload lots.
carrocería f, automobile body (not usually applied to trucks); (M) truck body.
— de turismo, touring-car body.
— de volteo (M), dump body.
— transformable, convertible body.
carrocero m (Es), wheelwright.
carrosage m (auto), inclination of the front wheels.
carroza f (cn), companion, companion head.
carruaje m, any kind of vehicle.
carrucha f (AC), reel; sheave, pulley.
carta f, chart, map; letter, document.
— caminera (Ch), road map.
— certificada, registered letter.
— colorimétrica (lab), color chart.
— constitucional, incorporation papers, charter.
— de ciudadanía, naturalization papers.
— de crédito simple, clean letter of credit.
— de fletamento, charter party.

— de pago, receipt.
— de porte, freight bill; bill of lading; (A) waybill.
— de privilegio, franchise, concession.
— de venta, bill of sale.
— dinamométrica, dynamometer card.
— diurna (tel), day letter.
— geográfica, map.
— geográfica aérea, aerocartograph.
— hidrográfica, chart.
— magnética, magnetic chart.
— marina (A), chart.
— nocturna (tel), night letter.
— planialtimétrica (A), contour map.
cartabón m, square; rule; gage; (dwg) triangle; (str) gusset plate; peak of a roof; (A) splay.
— con transportador, protractor triangle.
— corredizo, slide caliper.
— de inglete, bevel square.
— de profundidad, depth gage.
— de rotulación (dib), lettering angle.
— dilatable (Es), bevel protractor; protractor triangle.
— para madera (A), board rule.
cartabonear (A), to work with a square.
cartán m (V), a hardwood.
cartela f, bracket, corbel, console, bolster; knee brace, gusset.
— aguantadora (cn), toe bracket.
— atiesadora (cn), tilting bracket; stiffener bracket; tangency bracket.
— de tangencia (cn), tangency bracket.
cárter m, housing, casing, cover.
— del diferencial (auto), differential case.
— de engranajes (auto), gearbox.
— del motor (auto), crankcase.
cartera f, (Col) notebook, field book.
cartografía f, cartography.
— aérea, aerial photographic surveying, airplane mapping.
cartografiar, to survey, make maps.
cartográfico, cartographic.
cartógrafo m, cartographer.
cartómetro m, chartometer.
cartón m, cardboard, millboard, heavy paper; (M) gusset plate, bracket.
— alquitranado, tar paper.
— comprimido o de Fuller, pressboard, Fuller board.
— de asbesto, asbestos board.
— de bagazo, celotex.
— de fibra, fiberboard.
— de paja, strawboard.
— de yeso, plasterboard, wallboard.
— embetunado, tar paper.
— fieltro (U), roofing paper or felt.
— piedra, papier-mâché.
— tabla (C), wallboard.
cartoteca f (V), map file.
cartucho m, cartridge.
— de dinamita, dynamite cartridge.
— de fusible (eléc), fuse cartridge.
— filtrante, filter cartridge.
— fusible (eléc), cartridge fuse.
cartulina f, Bristol board.
carupal m, a Venezuelan lumber.

casa f, house; firm.
— **central,** main or home office.
— **constructora,** construction company.
— **de azotea,** penthouse.
— **de bombas,** pump house.
— **de calderas,** boilerhouse.
— **de cambio,** money-exchange office.
— **de cartas** (cn), chart house.
— **de comando,** control house.
— **del comando** (cn), bridge house.
— **de comercio,** business concern.
— **de las compuertas** (hid), gatehouse.
— **de departamentos,** apartment house.
— **de distribución** (eléc), switch house.
— **de fuerza,** powerhouse.
— **de liquidación,** clearinghouse.
— **de máquinas,** enginehouse; powerhouse.
— **de los molinos** (az), mill house.
— **de los tachos** (az), boiling house.
— **de tramo** (fc), section house.
— **matriz,** main office.
— **redonda** (fc)(M), roundhouse.
cascada f, waterfall, cascade.
cascadas (C), rapids.
cascajal, cascajar m, gravel pit or bed.
cascajero m, gravel bed; worked-out mine.
cascajo m, gravel; quarry waste; (rr) ballast;
    (sd) grit; (A) rubble aggregate, cobbles.
cascajoso, gravelly.
cáscara f, casing, shell; bark.
— **de naranja,** (bu) orange peel.
cascarón m, shell, casing; (ar) vault; (A) deposit
    of scale.
casco m, shell, casing; cask; (naut) hull; (V)
    central part of a city.
— **de buzo,** diver's helmet.
— **de caldera,** shell of a boiler.
— **de cojinete,** bearing shell.
— **del radiador** (auto), radiator shell.
— **de soldador,** welding helmet, head shield.
cascote m, debris, rubbish; rubble; (A) brickbat;
    (exc) muck.
cascotear (Col), to level up with rubbish.
caseoso (ms)(M), compressible, easily deformed.
caseta f, small building, shed; cabin; (tk)(sh) cab.
— **de balanza,** scale house, weighhouse.
— **de cabezal** (min), head house.
— **de control** (eléc), switch house.
— **de guardaagujas** (fc), switchman's shanty.
— **del guardacrucero** (fc), crossing watchman's
    shanty.
— **de mando,** control house.
— **de mando de compuertas** (hid), gatehouse.
— **herramental,** tool house.
— **telefónica,** telephone booth.
casetón m (ds)(M), caisson gate.
casilla f, small building, shed; privy; post-office
    box; (loco) cab; (elec) cubicle; cabinet;
    (Ec) water closet; (Sp) column in a note-
    book.
— **de aceites,** oil house.
— **del cambiador** (fc), switchman's shanty.
— **de compuertas** (hid), gatehouse.
— **de correo,** post-office box.
— **de herramientas,** tool house.
— **del maquinista** (loco), cab.

casillero m, rack (for pipe, etc.); (C) bin.
casimba f, well; spring.
casiterita f, cassiterite (tin ore).
caso (m) **fortuito,** force majeure, contingency,
    act of God.
casquete m, cap; shell; helmet.
— **de burbujeo** (pet), bubble cap.
— **del cabezal** (torno), headstock cap.
— **de espiga** (ca), dowel-bar cap.
— **de hincar** (pi), drive cap.
— **de soldador,** welding helmet.
— **de tubo,** pipe cap.
— **de unión** (vá), union bonnet.
— **de la válvula,** valve bonnet.
— **guardahumo,** smoke helmet.
— **sellador** (vá), seal cap.
casquijo m, gravel, gravel bar.
casquillo m, ferrule; gland; sleeve, bushing;
    socket; pipe cap; base of an incandescent
    lamp; horseshoe; (min) blasting cap, ex-
    ploder.
— **abierto** (cab), open socket.
— **acuñado** (cab), wedge socket.
— **cerrado** (cab), closed socket.
— **conectador** (eléc), hickey.
— **del alma** (sx), core barrel.
— **de bayoneta,** bayonet-socket base (lamp).
— **de boca cuadrada,** square-drive socket.
— **de calafateo** (tub), calking ferrule.
— **de doce estrías,** twelve-point socket.
— **de empaque,** packing follower.
— **de guía** (mh), guide bushing.
— **de motón,** coak.
— **de ocho estrías,** eight-point socket.
— **de prensaestopa,** gland.
— **de puente** (cab), bridge socket.
— **de rosca,** screw base (lamp).
— **de soldar** (tub), soldering bushing, sweating
    thimble.
— **de tubo-conducto** (eléc), conduit bushing.
— **deslizante,** slip bushing.
— **destornillador,** screwdriver socket.
— **escalonado** (cab), stepped socket.
— **escariador,** reaming shell (drill).
— **estriado,** (t) socket.
— **flotante,** floating bushing.
— **para cabilla** (ca), dowel socket.
— **partido,** split bushing.
— **por soldar** (tub), welding neck; stub end.
— **reductor,** pipe bushing.
— **universal,** universal socket.
casquillos (fc), car brasses.
castañeteo m (herr), chatter.
castaño m, chestnut wood.
castañuela f, lewis; lewis bolt; stone bolt, split
    bolt; (naut) cleat.
— **de cantera,** lewis.
castillejo m, scaffolding, trestlework; pedestal;
    bed frame.
castillete m, scaffold; trestle bent; A frame;
    horse; pile-driver leads; gallows frame; oil
    derrick; (min) headframe.
— **armado,** framed bent.
— **de cablevía,** cableway tower.
— **de pilotes,** pile bent.
— **de transmisión,** transmission tower.

—— provisorio (pte), falsework.
castillo *m*, (min) headframe; (sb) forecastle.
—— de popa (cn), poop deck.
—— de proa (cn), forecastle.
castina *f*, flux.
casucha *f*, shanty; (sh) cab.
cata *f*, test pit; testing, test boring, exploration.
cataclástico (geol), cataclastic.
catadora *f*, earth auger, any tool for exploring the ground.
catalejo *m*, telescope.
catalina *f* (Es)(C), sprocket, gear wheel.
catálisis *f* (quím), catalysis.
catalítico, catalytic.
catalizador *m*, catalyst, catalytic agent.
—— de lecho fijo (pet), fixed-bed catalyst.
—— usado, spent catalyst.
catalizar, to catalize.
catálogo *m*, catalogue.
catalpa *f* (mad), catalpa.
catar, to explore the ground, dig test pits; to sample.
catarata *f*, waterfall, cataract; (se) cataract.
catarina *f* (M), sprocket.
catarocas *f* (geol)(A), cataclastic rocks.
catastral, cadastral.
catastro *m*, inventory of real estate in a district; census, cadastre.
cateador *m*, prospector; sampler, trier.
catear, to make borings, explore the ground, prospect; to sample.
catenaria *f*, catenary.
—— hidrostática, hydrostatic catenary, elastica.
cateo *m*, prospecting, exploration; sampling.
cateto *m*, leg of a right triangle.
catetómetro *m* (lab), cathetometer.
catetrón *m* (ra), cathetron.
catiguá *m*, an Argentine wood (semihard).
catión *m* (eléc), cation, kation.
catiónico, cationic.
catódico, cathodic.
cátodo *m* (eléc), cathode.
—— a calefacción directa, directly heated cathode.
—— de calentamiento indirecto, indirectly heated or equipotential cathode.
—— de charco (de mercurio), pool-type cathode.
—— virtual (ra), virtual cathode.
catodógrafo *m*, cathodograph, radiograph.
catolito *m* (eléc), catholyte.
catóptrico, catoptric (light).
catraca *f* (A), ratchet.
cauce *m*, channel, river bed.
—— de alivio, floodway.
—— de derivación, diversion channel.
—— de escape, tailrace.
—— de evacuación, spillway channel.
—— de llegada, headrace.
—— libre, open channel.
caución *f*, security, guaranty.
—— de licitador, bid security.
caucionar, to bond (employee).
caucho *m*, rubber; (V) automobile tire.
—— endurecido, hard rubber.
—— regenerado, reclaimed rubber.
—— silvestre, native or wild rubber.
cauchotado (A), rubberized, waterproofed.

cauchotar, to treat with rubber.
caudal *m*, volume of flow.
—— afluente, runoff, inflow.
—— crítico, critical flow.
—— de avenida, flood flow.
—— de estiaje, low-water flow.
—— graduado o regularizado, regulated flow.
—— instantáneo, momentary flow.
—— medio, mean flow.
—— sólido, material in suspension in a stream.
—— subcrítico, streaming flow.
—— supercrítico, shooting or supercritical flow.
caudaloso, of great volume, running full, in flood
causticador *m*, causticizer.
causticar, to causticize.
cáustico, caustic (all senses).
cautil *m* (AC), soldering iron.
cautín *m*, soldering iron.
cava *f*, pit, excavation.
cavadizo, easily excavated.
cavador *m*, excavator.
—— de agujeros de postes, (t) posthole digger.
—— de zanjas, trench machine, ditcher.
cavadora *f*, excavator.
—— cargadora, elevating grader.
—— de arcilla, pneumatic clay spade.
—— de capachos, bucket excavator.
—— de desagües, drainage ditcher.
cavadura *f*, excavation, digging.
cavar, to excavate, dig.
cavazanjas, máquina, trench machine.
cavazón *f* (Es), excavation.
cavén *m*, a Chilean hardwood.
caverna *f*, cavern, hollow.
cavernoso, full of cavities, porous, containing voids.
caveto *m*, quarter-round concave molding.
cavidad *f*, cavity.
cavitación *f*, cavitation.
cayo *m*, small island, cay, key; shoal.
caz *m*, flume, canal, race.
—— de descarga, tailrace.
—— de traída, headrace.
—— vertedor, spillway channel.
cazaclavos *m*, nail puller, claw bar.
cazadera *f*, (min) hitch.
cazangueo *m* (M), clearing land.
cazarremaches *m*, rivet set or snap.
cazo *m*, ladle, bucket, dipper.
—— de cola, gluepot.
—— de colada, pouring or charging ladle.
—— de fundidor, casting ladle.
—— para asfalto, asphalt dipper.
cazoleta *f*, bucket of a turbine; pan; dolly; (Sp) water-closet bowl.
—— del diferencial (auto), housing of the differential.
cazonete *m*, toggle.
cebadero *m*, opening for charging a furnace.
cebador *m*, (auto) priming cup; choke; (pu) primer.
cebadura *f*, priming.
cebar, (bl) to prime; (pu) to prime; (bo) to feed, charge; cebarse (vol)(M), to misfire.
cebo *m*, (bl) primer, fuse; (rd) binder; (bo) charge.

— **de gelatina** (vol), gelatin primer.
— **eléctrico**, exploder.
— **fulminante**, blasting cap, exploder.
— **retardado**, delay blasting cap.
cebolla f (bm), strainer for footvalve.
cedazo m, screen, sieve, strainer, riddle.
— **corredizo**, traveling screen.
— **de arrastre**, drag screen.
— **de banda**, band screen.
— **de disco**, disk screen.
— **giratorio**, revolving screen.
— **para peces** (hid), fish screen.
— **sacudidor**, shaking screen.
— **vibrante**, vibrating screen.
ceder, to yield, give way, fail; to assign.
cedro m, cedar.
cédula f, certificate, official document; schedule; (fin)(A) bond.
— **de cambio**, bill of exchange.
— **de investigación** (tr), tracer.
— **hipotecaria** (A), mortgage bond.
cegar, to wall up; to plug, stop up.
cegesimal a, centimeter-gram-second.
ceiba f, **ceibo** m, tropical tree that yields kapok.
ceja f, flange; (M) tire bead; (C) trail, path.
celador m, watchman; maintenance man.
celaje m (Es), skylight; transom.
celda f, cell; bin.
— **de batería** (A), battery cell.
— **de energía**, (eng) energy cell.
— **fotoeléctrica**, photoelectric cell.
celita f, (ct)(conc admixture) cellite.
celoidina f (fma), celloidin.
celosía f, (str) latticing, lacing; window blind, lattice.
— **de ventilación**, louver.
célula f, cell; cubicle.
— **fotoeléctrica** (A), photoelectric cell, photocell.
— **fotoemisora**, phototube.
— **talofido** (ra), thalofide cell.
celular, cellular.
celuloide m, celluloid.
celulosa f, cellulose.
celulósico, cellulosic.
celuloso a, cellular.
cementación f (mam)(met), cementation.
cementador m (pet), cementer, cementing outfit.
cementadora f, (Sp) cement gun; (pet)(Ec) cementing equipment.
cementar, to cement; to carburize, caseharden.
cementero a, pertaining to cement.
cementista m, cement worker, cement mason.
cementita f (met), cementite.
cemento m, cement.
— **a granel**, bulk or loose cement.
— **artificial** (Es), Portland cement.
— **armado**, reinforced concrete.
— **asfáltico**, asphalt cement.
— **de alta resistencia a corto plazo** (M), high-early-strength cement.
— **de alta resistencia inicial,** high-early-strength cement.
— **de alta velocidad** (M), high-early-strength cement.
— **de alto calor**, high-heat cement.

— **de alto horno**, slag cement.
— **de bajo calor**, low-heat cement.
— **de calor moderado de fraguado**, moderate-heat-of-hardening cement.
— **de empizarrar**, slater's cement.
— **de escoria**, slag cement.
— **de fraguado lento**, slow-setting cement.
— **de fraguado rápido**, quick-setting or high-early-strength cement.
— **de goma**, rubber cement.
— **de sílice**, silica cement.
— **modificado**, modified cement.
— **natural**, natural cement.
— **para empaquetadura**, gasket cement.
— **para pisos de vidrio**, vault-light cement.
— **plástico para techos**, roofing cement.
— **Portland**, Portland cement.
— **puzolánico**, pozzolanic cement.
— **reforzado** (Col), reinforced concrete.
— **refractario**, high-temperature or refractory cement.
— **resistente a los sulfatos**, sulphate-resisting cement.
— **romano** (Es), natural cement.
— **sin arena**, neat cement.
— **suelto**, bulk or loose cement.
cementoso, cementitious.
cenagal m, swamp.
cenagoso, swampy.
cenicero m, ashpan, ashpit.
cenit m, zenith.
cenital, zenithal.
ceniza f, ash.
— **de soda**, soda ash, anhydrous sodium carbonate.
cenizal m, ashpit, ash dump.
cenizas, ashes, cinders.
— **de plomo**, litharge, lead ash.
— **volcánicas**, volcanic ash.
centelleo m (ra), flicker.
centesimal, centesimal.
centésimo m a, hundredth.
centiárea f, centiare, centare.
centibara f, centibar.
centígrado, centigrade.
centigramo m, centigram.
centilitro m, centiliter.
centimetrado (A), divided into centimeters (tape).
centímetro m, centimeter.
centinormal, centinormal.
centipoise, centipoise.
centner m, centner.
— **métrico**, metric or double centner.
centrador m, centralizer, centering device.
— **de embrague** (auto), clutch pilot.
— **fijo** (mh), steady rest.
centradora f, (mt) spotting tool.
centraje m, centering.
— **propio, de**, self-centering.
central f, plant, station; powerhouse; sugar mill telephone exchange; (A) central.
— **auxiliar**, stand-by power plant.
— **azucarera**, sugar mill.
— **de bombeo** (Col), pumping station.
— **de energía o de fuerza**, power plant, power-house.

—— de escorrentía (PR), river-run power plant.
—— de hormigón (A), concrete-mixing plant.
—— de transformación, transformer station, substation.
—— eléctrica a vapor, steam-electric powerhouse.
—— electrógena o generadora, generating or central station, electric powerhouse.
—— elevadora, pumping plant; hoisting installation.
—— hidráulica, water-power plant.
—— medio encerrada (eléc), semioutdoor station.
—— telefónica, telephone exchange.
—— térmica, steam power plant.
—— termoeléctrica, steam-electric power plant.
central m (C), sugar mill.
centrar, to center.
céntrico, central, centric.
centrífuga, centrifugadora f, centrifuge, centrifugal.
centrifugar, to centrifuge.
centrífugo a, centrifugal.
centrípeto, centripetal.
centro m, center.
—— a centro, center to center.
—— de la carga o de distribución (eléc), load center, center of distribution.
—— de deformación (fma), center of distortion.
—— de estación (fma), camera station.
—— de figura (mat), center of figure.
—— de flotabilidad (an), center of buoyancy.
—— de flotación (an), center of flotation.
—— de giro, center of gyration.
—— de gravedad, center of gravity.
—— de inercia o de masa, center of inertia or of mass.
—— de momentos, center of moments.
—— de perspectiva (fma), perspective center.
—— de presión, center of pressure.
—— de rotación, center of gyration.
—— de simetría, center of symmetry.
—— de la vista (fma), center of vision.
—— demográfico, center of population.
—— fotográfico (fma), photographic or plate center.
—— geométrico, center of figure.
—— momentáneo, instantaneous center.
—— muerto, dead center (twist drill).
—— substituto (fma), substitute center.
centroidal, centroidal.
centroide m, centroid.
centropunzón m (C), center punch.
ceolita f (miner)(pa), zeolite.
cepa f, butt end; stump; (Ch) trestle bent; (M) footing, cutoff wall.
cepillado por cuatro caras (mad), dressed four sides.
cepillado por un canto (mad), dressed one edge.
cepilladora f, planer, plane; jointer.
—— de banco oscilante, reciprocating-table planer.
—— desbastadora, jack plane.
cepilladuras f, shavings.
cepillar, to plane, face, dress; to brush.
cepillo m, plane; brush.
—— acabador, smooth plane.
—— acanalador, fluting plane.

—— biselador, chamfer plane.
—— bocel, plane for making half-round moldings.
—— cóncavo, hollow plane.
—— convexo, round plane.
—— de achaflanar, bevel plane.
—— de alambre o de acero, wire brush.
—— de albañil (V), float.
—— de alisar, smooth plane.
—— de angaletar (A), miter plane.
—— de astrágalos, beading plane.
—— de banco, bench plane.
—— de cantear, edge plane.
—— de contrafibra, block plane.
—— de costado, side plane.
—— de encabezar escalones, nosing plane.
—— de ensamblar, dovetail plane.
—— de gramil, rabbet plane with fence.
—— de hierro doble, double-iron plane.
—— de juntas, jointing plane.
—— de madera (V), mason's float.
—— de mediacaña, half-round or reed plane.
—— de molduras, molding plane; beading plane.
—— de ranurar, grooving or rabbet or plow or dado plane.
—— de refrentar, cross-grain plane.
—— dentado, toothing plane.
—— desbastador, jack plane.
—— limador, shaping planer.
—— machihembrador, matching plane.
—— mecánico, planer, jointer.
—— mecánico de banco, bench planer or jointer.
—— metálico, wire brush.
—— raspador, scraper plane.
—— rebajador, rabbet or plow or sash plane.
—— redondo, compass plane.
—— universal, combination plane.
cepillo-juntera, jointing plane.
cepillo-rasqueta, scraper plane.
cepo m, waler, ranger, ribbon, stringpiece, strongback; cap of a bent; stock of an anvil; stock of an anchor; shell of a tackle block; clamp, vise.
cequión m (Ch)(V), irrigation canal.
cera f, wax.
—— amarilla (pet), yellow wax.
—— de parafina, paraffin wax.
—— para correas, belt wax.
cerámica de construcción, hollow tile, structural terra cotta.
cerámico, ceramic.
cerargirita f, cerargyrite, horn silver, native silver chloride.
cerca f, fence.
—— alambrada, wire fence.
—— alemana (C), worm or snake fence.
—— de estacas, paling fence.
—— de lienzos (C)(PR), fence built in panels between posts.
—— de nacer, fence of wire on posts that have taken root.
—— de pie (C)(PR), paling fence.
—— de piedra, stone wall.
—— defensa de cable (ca), cable guardrail.
—— en zigzag, worm fence.
—— paranieve, snow fence.
—— viva, hedge.

cercado *m*, fence, fencing.
—— eslabonado, chain-link fencing.
cercar, to fence.
cerco *m*, fence; hoop; frame; (auto) rim; iron tire.
—— de alambre, wire fence.
—— de barril, barrel hoop.
—— de puerta, doorframe.
—— de rueda, tire.
—— de ventana, window frame.
cerco-guía (hid), gate frame.
cercha *f*, rib of an arch center; (Pan)(U) truss; (Col) template; screed; (M) stair string; (dwg) spline; (rr) clearance gage.
cerchámetro *m* (fc)(A), clearance gage.
cerchón *m*, arch centering.
cerda *f* (inst), hair of the reticle.
céreo *a*, wax, waxy.
ceresita *f*, Ceresit (trademark)(waterproofing).
cerezo *m*, cherry wood.
cerillo *m*, a Cuban lumber.
cernedor *m*, screen, sieve.
cerner, to screen, sift.
cernido (*m*) húmedo, wet screening.
cernidor *m*, screen, sieve; (Col) buddle; sifter.
cerniduras *f*, screenings.
cernir, to screen; (Col) to buddle.
cero *m*, zero.
ceroso, waxy.
cerrable (eléc), sealable.
cerradero *m*, keeper or strike of a lock; padlock eye; staple; any locking device.
—— angular, angle strike.
cerrado, closed; sharp (curve).
cerrador *m*, window shutter; locker; any closing or locking device.
cerradura *f* (ft), lock.
—— a tambor (A), cylinder lock.
—— de aplicar (A), rim lock.
—— de arrimar, rim lock.
—— de caja, rim lock; safe lock.
—— de cilindro, cylinder lock.
—— de cilindro paracéntrico, paracentric lock.
—— de combinación, combination lock.
—— de dos cilindros, duplex lock.
—— de dos vueltas, double-throw lock.
—— de embutir, mortise lock.
—— de molinillo (Es), cylinder lock.
—— de muelle o de resorte, spring or snap lock.
—— dormida, dead lock.
—— rebajada, rabbeted lock.
—— recercada (M), rim lock.
cerraja *f* (Es), lock.
cerrajear, to do locksmith work.
cerrajería *f*, locksmithing; locksmith's shop; builder's hardware; light ironwork; ironworks.
cerrajero *m*, locksmith; architectural ironworker.
cerramiento *m*, closure; bulkhead; fence; partition; curtain wall; (min) dam, dike.
cerrar, to close; to fasten, lock; to enclose; to obstruct, block; to seal.
—— con llave, to lock.
—— el trazado, to close the survey.
cerrillada *f*, range of low hills.
cerrillar, to mill, knurl.
cerro *m*, hill.

cerrojo *m*, door bolt, bolt of a lock, latch; (C) machine bolt.
—— acodado, neck bolt.
—— cilíndrico de aplicar, barrel bolt.
—— de aplicar, surface bolt.
—— de caja, case bolt.
—— de caja tubular, barrel bolt.
—— de embutir, mortise bolt, flush bolt.
—— de pie o de piso, foot or floor or bottom bolt.
—— de resorte, latch, spring bolt.
—— dormido, dead bolt.
certeneja *f* (Ch), hole scoured in the bed of a stream.
certificado *m*, certificate.
—— de acciones, stock certificate.
—— de ensayo, test certificate.
—— de incorporación, corporation charter, incorporation papers.
—— de nacimiento, birth certificate.
cerusa *f*, white lead, ceruse, cerussite.
cerusita *f*, cerussite (lead ore).
cesante *a*, unemployed; discharged.
cesantear, to discharge (men).
cesantes *s*, unemployed, discharged workers.
cesantía *f*, unemployment, discharge.
cesio *m* (quím), cesium.
césped *m*, sod, grass, turf.
cespol *m*, cespul *m*, (pb) floor drain, cesspool (sd)(M) cesspool; (pb) trap.
cesta *f*, basket; bucket; strainer.
—— de aspiración (bm), strainer for foot valve.
—— pescarripio (pet), junk basket.
cesto *m*, basket.
—— de la centrífuga (az), centrifugal basket.
—— de pesca (pet), junk basket.
cestón *m*, gabion, bundle of brushwood filled with stone used in bank protection or stream diversion.
cestonada *f*, revetment of gabions.
cetano *m* (pet), cetane.
cianita *f* (miner), cyanite, kyanite, disthene.
cianizar, to cyanize.
cianofíceas (is), Cyanophyceae.
cianógeno *m* (quím), cyanogen.
cianuración *f* (met), cyaniding.
cianúrico, cyanuric.
cianuro *m*, cyanide.
cíciclo, cyclic.
ciclo *m* (eléc)(mec)(quím), cycle.
—— cerrado o completo, closed or complete cycle.
—— compuesto, (eng) mixed cycle.
—— de cuatro tiempos (mg), four-stroke cycle.
—— de enfriamiento invertido (aa), reverse-refrigeration cycle, heat-pumping.
—— de filtración (pa), filter cycle.
—— de imanación, magnetic cycle.
cicloidal, cycloidal.
cicloide *f*, cycloid.
cicloinversor *m* (eléc), cycloinverter.
ciclómetro *m*, cyclometer.
ciclón *m*, cyclone.
ciclónico, cyclonic.
ciclópeo (mam), cyclopean.
ciclótomo (mat), cyclotomic.
cicuta *f* (mad), hemlock.

ciego, blind (flange, nut, window, etc.); blank (flange, etc.).

cielo *m*, ceiling; top.

— abierto, a, on the surface, in open cut.

— del hogar (cal), crown sheet.

— descubierto, a, on the surface.

— raso, flat or flush ceiling, plastered ceiling.

— raso acústico, accoustical ceiling.

ciénaga *f*, swamp, marsh.

ciencia *f*, science.

cienegal *m* (PR), swamp.

cienmilésimo *m*, one hundred-thousandth.

cienmilímetro *m*, one hundredth of a millimeter.

cienmillonésimo *m*, one hundred-millionth.

cieno *m*, mud; sludge.

— activado (dac), activated sludge.

— de acumulador (eléc), battery mud.

— digerido (dac), digested sludge.

— elutriado (dac), elutriated sludge.

— húmico (dac), humus sludge.

científico, scientific.

ciento, cien *m a*, hundred.

cierracompuerta *m* (hid), gate-closing device.

cierrapuerta *m*, door check.

cierre *m*, closure, sealing, locking.

— a tornillo, screw lock.

— del cojinete (maq), bearing seal.

— de línea (pet), line blind.

— del trazado (lev), closure.

— de vapor (mg)(M), vapor lock.

— definitivo (presa), final closure.

— hidráulico, water seal.

— relámpago, zipper.

cierro *m*, inclosure; fence.

cifra (*f*) global, lump sum (contract).

cigüeña *f*, crank; sweep; winch, windlass, capstan; (C) handcar, automobile on a railroad track.

cigüeñal *m*, crankshaft.

— de compensación, balanced crankshaft.

— de cuatro codos, four-throw crankshaft.

— de dos codos, two-throw crankshaft.

— de siete cojinetes, seven-bearing crankshaft.

— equilibrado, balanced crankshaft.

— simple o de un codo, single-throw crankshaft.

— voladizo, overhanging crankshaft.

cilanco *m*, slack or stagnant water, backwater.

ciliado *a* (is), ciliate.

cilindrada *f*, piston displacement, cylinder capacity.

cilindradora *f*, road roller.

cilindraje *m*, rolling, compacting.

cilindrar, to roll, compact.

cilindreo *m*, rolling.

cilíndrico, cylindrical.

cilindro *m*, cylinder; roller, roll.

— apisonador, tamping roller; paving roller.

— — compresor, road or paving roller.

— de bomba, pump cylinder; working barrel.

— de caldera, shell of a boiler.

— de caminos, road roller.

— de culata en T, T-head engine cylinder.

— de curvar, bending roll.

— de frenaje, brake cylinder.

— de laminar, roll in a steel mill.

— de prueba, test cylinder.

— graduado (lab), graduate cylinder.

— maestro (auto), master cylinder (brake).

— primitivo (en), pitch cylinder.

— sacanúcleos, core barrel (drill).

— triturador, crushing roll.

cilindros

— de conformar, forming rolls.

— de enderezar, straightening rolls, (sb) mangle rolls.

— de expansión (pte), expansion rollers.

— de forjar, forging rolls.

— terminadores (met), finishing rolls.

cilindroide *m*, cylindroid.

cilonita *f*, Zylonite (trademark).

cima *f*, crest, summit, peak, top.

cimacio *m*, ogee; (M) spillway bucket.

— vertedor, rollway (dam).

cimborrio *m*, dome; (min) roof, ceiling.

cimbra *f*, arch centering.

cimbrar, to center (arch); cimbrarse, to sway, vibrate.

cimbreo *m*, sway, vibration.

cimbrón *m* (A), vibration.

cimbronazo *m* (V), earthquake.

cimentación *f*, foundation, footing.

— de cajón, pneumatic-caisson foundation.

— de emparrillado, grillage foundation.

— de zampeado, mat foundation.

— escalonada, stepped footing.

— sobre pilotes, pile foundation.

cimentar, to lay a foundation, to found.

cimento *m* (geol), cementing material.

cimiento *m*, foundation, footing; foundation material; cement.

— de retallo, stepped footing.

— ensanchado, spread footing.

— romano (Pe), hydraulic lime.

cimómetro *m* (ra), cymometer.

cimoscopio *m* (eléc), cymoscope.

cinabarita *f* (Es), cinnabar.

cinabrio *m*, cinnabar (mercury ore).

cinc *m*, zinc.

— no gastable (eléc), wasteless zinc.

cincado, galvanized, zinc-plated, zinc-coated.

— a fuego, hot-galvanized.

cincar, to galvanize, zincify.

cincel *m*, chisel, cutter, graver.

— arrancador, floor or box chisel.

— de filo en cruz (cantero), cross chisel.

— de fundidor, flogging chisel.

— de pico redondo, roundnose chisel.

— de uñas (Es), stonecutter's chisel.

— dentado (cantero), tooth chisel, bumper.

— debastador, drove chisel, boaster, drove, boasting chisel.

— hendedor, splitting chisel.

cincelador *m*, chipping hammer; chipping chisel; stonecutter.

cincelar, to chisel, carve; to chip.

cincífero, containing zinc, zinciferous.

cincita *f*, zincite, red zinc ore, red oxide of zinc

cinco sextos, five sixths.

cincha *f*, girth, belt.

— de seguridad, safety belt.

cinchar, to cinch; to hoop, band.

cincho *m* (M), belt, hoop, band, iron tire; (min) frame for shaft timbering.
— de plomo, lead shield (for screw).
— para herramientas, tool belt.
cinemática *f*, kinematics.
cinemático, kinematic.
cinética *f*, kinetics.
cinético, kinetic.
cinglador *m*, blacksmith's hammer; (met) shingler; (met) squeezer.
— de quijadas, alligator or crocodile squeezer.
— rotativo o de leva, rotary or cam squeezer.
cinglar, to shingle (iron).
cinguería *f* (A), sheet-metal work, sheet-metal shop.
cinguero *m* (A), sheet-metal worker, tinsmith.
cinta *f*, belt; tape; strip; (carp) batten, waler, ribbon; (str) girt; sliver (rope).
— aisladora (eléc), insulating or friction or binding tape.
— barnizada (eléc), varnished tape.
— conectora (carp), ribbon connector.
— de acero, steel tape.
— de agrimensor, measuring tape.
— de bolsillo, pocket tape (measuring).
— de cordones, corded tape (measuring).
— de diámetros (ef), diameter tape.
— del embrague, clutch band.
— de empalme (eléc), friction or insulating tape.
— de encajonar, box strapping.
— de freno, brake band; brake lining.
— de fricción, friction band; (elec) friction or binding tape.
— de género (med), cloth tape.
— de hierro, strap or band iron.
— de lienzo, linen tape.
— de limpieza (al), cleaning tape.
— de medir, tape line, measuring tape.
— de resorte, spring-winding tape (measuring).
— de selvicultor, circumference or forester's tape.
— de tela (lev), cloth tape.
— de tela reforzada (lev), metallic tape.
— de transporte, belt conveyor.
— de urdimbre metálica (C), metallic tape.
— de vidrio (eléc), glass tape.
— fusible (eléc), fuse link.
— metálica (lev), metallic tape; (A)(Sp) steel tape.
— metálica articulada (Es), chain belt.
— métrica, measuring tape.
— pescadora (eléc), fish wire, snake, pull wire, fish tape.
— vitrificada (eléc), glass tape.
cintada *f* (lev), tape length, tape measurement.
cinteada *f* (geol), band, streak.
cintero *m*, (Sp) hoisting line; (surv) tapeman.
— delantero, head tapeman.
— trasero, rear tapeman.
cintillo *m* (PR), sidewalk curb.
cintra *f*, arch centering.
cintrar, to center (arch).
cintrel *m*, template for an arch.
cintura *f*, throat of a chimney; belt.
cinturón *m*, belt.

— de guardalínea, lineman's belt.
— de seguridad, safety belt.
— para herramientas, tool belt.
cipo *m* (Es), boundary monument; milepost.
ciprés *m*, cypress.
circón *m* (miner)(rfr), zircon.
circonia *f* (rfr), zirconia.
circónico, zirconic.
circonio *m* (quím), zirconium.
circuito *m* (eléc), circuit.
— aceptor (ra), acceptor circuit.
— amortiguador, damping circuit.
— anódico (ra), anode or plate circuit.
— atenuador de las altas (ra), bass-boosting circuit.
— cátodo-tierra (ra), cathode follower.
— combinado, compound circuit.
— compuesto (tel), composited circuit.
— de absorción (ra), absorption or tank circuit.
— de acoplamiento por resistencia, resistance-coupled circuit.
— de admisión (ra)(A), acceptor circuit.
— de aproximación (fc), approach circuit.
— de descarga (tv), discharge circuit.
— de disparo (ra), trigger circuit.
— de entrada, input circuit.
— de línea (fc), line circuit.
— de media onda (ra), half-wave circuit.
— de placa (ra), plate or anode circuit.
— de plena onda (ra), full-wave circuit.
— de prueba, test circuit.
— de rejilla (ra), grid circuit.
— de salida, output circuit.
— de sangría (ra), bleeder circuit.
— de vía (fc), track circuit.
— de vía libre (fc), clearing circuit.
— de vuelta, return circuit.
— derivado, branch circuit.
— desviador (tv), deflection circuit.
— en puente, bridge circuit; jumper circuit.
— equilibrado, balanced circuit.
— fantasma, phantom circuit.
— inducido, secondary circuit.
— inductor, primary circuit.
— oscilador (ra), oscillatory circuit.
— oscilante barredero (ra), sweep circuit.
— receptor (ra), receiving circuit.
— rechazador o repulsor (ra), rejector circuit.
— reflejo (ra), reflex circuit.
— restaurador (tv), restorer circuit.
— tanque (ra)(A), tank circuit.
— trampa (ra), trap circuit.
circulación *f*, circulation.
— a gravedad (cf), gravity circulation.
— forzada, forced circulation.
circulador *m*, circulator.
circular, *v* to circulate; *a* circular.
círculo *m*, circle.
— anual (mad), annual ring.
— azimutal, azimuth circle.
— cenital (tránsito), vertical circle.
— de ahuecamiento (en), dedendum circle.
— de aterrizaje (ap), circle marker.
— de cabeza (en), addendum circle.
— de esfuerzos, circle of stress.
— de Mohr, Mohr's circle.

—— de pie (ms), toe circle.
—— de punto medio (ms), mid-point circle.
—— de talud (ms), slope circle.
—— primitivo (en), pitch or rolling circle.
—— taquimétrico (inst), stadia circle.
circumpolar, circumpolar.
circunferencia f, circumference.
—— de ahuecamiento o de raíz (en), dedendum or root circle.
—— de base (en), base circle.
—— de rotura, circle of rupture.
—— de tensión (A), circle of stress.
—— primitiva (en), pitch circle.
circunferencial, circumferential.
circunscribir (mat), to circumscribe.
cisco m, coal dust, culm, slack; (V) cinders.
—— de coque, coke breeze.
cisterna f, tank, cistern.
citación (f) a licitadores, call for bids, invitation to bidders.
citara f, brick wall 1 brick thick; (Col) partition wall.
citarilla f, thin partition wall; (M) thin partition block.
citarón m, (C) wall 2 bricks thick; (Col) header.
citrato (m) férrico amónico (lab), ferric ammonium citrate.
ciudad f, city.
ciudadela f (cn)(A), bridge deck.
cizalla f, a shear.
—— de dentar (si), gummer shear.
—— de escuadrar, squaring shear.
—— de guillotina, guillotine or gate shear.
—— de palanca, lever or alligator shear.
—— hendedora, splitting shears.
—— múltiple, gang shear.
—— para chapa, sheet-metal shear.
—— para metralla, scrap shear.
—— para planchas, plate shear.
cizallador m, shearer (man).
cizallamiento m, shearing stress; shearing.
cizallar, to shear.
cizalleo m, shearing; shearing stress.
ciara f (A), spacing, span.
claraboya f, skylight; transom; clearstory.
—— de bóveda, vault light.
—— sin masilla, puttyless skylight.
claridad f, (il) brightness; (tv)(Sp) brilliance.
clarificador m, clarifier.
—— de batea (pa), tray clarifier.
—— de batea múltiple (pa), multiple-tray clarifier.
—— intermitente, intermittent clarifier.
clarificar, to clarify.
clarifloculador m (is), Clarifloculator (trademark).
clarigestor m (is), Clarigester (trademark).
clarión m, crayon.
claro m, clear space; clear span, bay, opening; a bright (wire); clear (glass); light (color).
—— de compuerta, gate opening.
—— de puente, span of a bridge.
—— de puerta, doorway.
—— de ventana, window opening.
clasificador m (is)(min)(ag), classifier; screen.
—— cónico, cone classifier.
—— de arrastre, drag classifier.

—— de cedazo, screen classifier.
—— de paletas o de rastrillo, rake classifier.
—— de rastro de vaivén, reciprocating-rake classifier.
—— de rebose, overflow classifier.
—— de taza, bowl classifier.
—— en espiral (arena), spiral classifier.
—— hidráulico, hydraulic classifier, jig.
clasificar, to classify, grade; to screen; to rate.
clástico (geol), clastic.
clavador m, (surv)(Ec) stake driver.
—— de cabillas, (t) driftbolt driver.
—— de pernos, bolt driver; spike driver.
—— de postes de cerco, fence-post driver.
clavaestacadas m, sheeting hammer.
clavar, to nail, spike; to drive piles; (sh) to crowd.
—— a firme (C), to drive to refusal.
—— hasta el rebote (pi), to drive to refusal.
clavazón f, stock of nails.
clave f, key, keystone; (conc) bonding key; quoin; (V) lintel; (dwg) legend.
—— de trabazón (conc), bonding key.
clavellino m, a South American lumber.
clavera f, nail hole.
clavete m, small nail, tack.
clavetear, to tack, nail.
clavija f, pin, peg, dowel, driftbolt; cotter; pintle; (elec) plug; (elec) stud.
—— a cuchilla (eléc), knife plug.
—— de la cigüeña, (eng) crankpin.
—— de conexión (eléc), terminal stud; attachment plug.
—— de contacto (eléc), plug.
—— de corrección (inst), adjusting pin.
—— de desconexión (eléc), disconnecting plug.
—— de división (mh), index pin.
—— de dos patas, cotter pin.
—— de escala, ladder rung.
—— de expansión (M), expansion bolt.
—— de infinidad (eléc), infinity plug.
—— de piso (eléc), floor plug.
—— de trepar, pole step.
—— hendida, cotter pin, split pin, spring cotter.
—— sincronizadora (eléc), synchronizing plug.
—— tándem (eléc), tandem-blade plug.
clavito m, brad, small nail, tack.
—— cortado, cut finishing nail.
—— de cabeza cónica, flooring brad.
—— de París, wire brad.
—— para contramarcos, casing nail.
clavo m, nail, spike; (min) chimney; (min)(M) rich body of ore.
—— agrio, bright nail; (C) cut nail.
—— arponado de techar, barbed roofing nail.
—— común de alambre, common wire nail.
—— corriente, common nail.
—— cortado, cut nail.
—— cuadrado (C), cut nail.
—— de alambre, wire nail.
—— de barquilla, boat spike.
—— de cabeza acopada, cupped-head nail.
—— de cabeza embutida o perdida, countersunk nail.
—— de cabeza excéntrica, offset-head nail.
—— de chilla, lathing nail.
—— de doble cabeza, double-headed nail.

—— de embarcaciones, boat spike.
—— de filo de cincel, chisel-point nail.
—— de fundición, foundry nail.
—— de listonaje, lath nail.
—— de muelle, dock spike.
—— de punta de aguja, needle-point nail.
—— de punta diamante, diamond-point nail.
—— de punta excéntrica, side-point nail.
—— de punta roma, blunt-point nail.
—— de ripiar, shingle nail.
—— de rosca, screw nail, drive screw.
—— de techar, roofing nail.
—— de tinglar, clout nail.
—— de vía, track spike.
—— de 1 pulg, twopenny nail.
—— de $1\frac{1}{4}$ pulg, threepenny nail.
—— de $1\frac{1}{2}$ pulg, fourpenny nail.
—— de $1\frac{3}{4}$ pulg, fivepenny nail.
—— de 2 pulg, sixpenny nail.
—— de $2\frac{1}{4}$ pulg, sevenpenny nail.
—— de $2\frac{1}{2}$ pulg, eightpenny nail.
—— de $2\frac{3}{4}$ pulg, ninepenny nail.
—— de 3 pulg, tenpenny nail.
—— de $3\frac{1}{4}$ pulg, twelvepenny nail.
—— de $3\frac{1}{2}$ pulg, sixteenpenny nail.
—— de 4 pulg, twentypenny nail.
—— de $4\frac{1}{2}$ pulg, thirtypenny nail.
—— de 5 pulg, fortypenny nail.
—— de $5\frac{1}{2}$ pulg, fiftypenny nail.
—— de 6 pulg, sixtypenny nail.
—— de 8 pulg, eightypenny spike.
—— español (C), cut nail.
—— fechado, dating nail.
—— francés, wire nail; (C) finishing nail.
—— harponado, barbed nail.
—— inglés (C), cut nail.
—— lancero (M), toenail.
—— marcador (min), spud, spad.
—— para bisagra, hinge nail.
—— para hormigón, concrete nail.
—— para lanchón, barge spike.
—— para remachar, clinch nail.
—— rielero, track spike.
clavo-pija, fetter-drive lag screw.
clavo-tornillo, drive screw.
clica f (ft)(A), keeper of a lock.
clima m, climate.
clima artificial (M), air conditioning.
climático, climatic.
climatología f, climatology.
clinógrafo m, clinograph.
clinometría f, clinometry.
clinómetro m, clinometer, slope level, angle
 meter.
clínquer m (M), clinker.
clisímetro m (M), slope gage.
clistron m (ra), klystron.
clitómetro m, clinometer.
clivaje m (geol), cleavage, stratification.
—— de disyunción, fracture cleavage.
—— de flujo, flow cleavage.
cloaca f, sewer:
—— colectora, intercepting sewer.
—— de alivio o de rebose, relief or overflow sewer.
—— de descarga, outfall sewer.
—–- del edificio, house drain.

—— de empotramiento (V), house connection to
 a sewer.
—— de presión, depressed sewer.
—— derivada, branch sewer; lateral sewer.
—— domiciliaria, house sewer.
—— emisaria, outfall sewer.
—— escalonada, flight sewer.
—— interceptadora, intercepting sewer.
—— maestra o máxima o troncal, trunk or main
 sewer.
—— ovoide, egg-shaped sewer.
—— pluvial, storm sewer.
—— secundaria, submain sewer.
—— tubular, pipe sewer.
—— unitaria (C)(A), combined sewer.
cloacal, pertaining to sewerage.
cloaquista m (A), man who lays sewer pipe.
cloche m (V), clutch.
cloque m, grapnel, grappling iron.
cloración f, chlorination.
—— al punto de saturación (is), break-point
 chlorination.
—— con residuo combinado aprovechable (pa),
 combined residual chlorination.
—— con residuo libre aprovechable (pa), free
 residual chlorination.
—— simple (pa), plain chlorination.
clorador m, chlorinator.
—— al vacío, vacuum chlorinator.
—— de alimentación directa, direct-feed chlorinator.
—— de mano, manual chlorinator.
—— de vacío visible, visible-vacuum chlorinator.
cloramida f (quím), chloramide.
cloramina f (pa), chloramine, ammonia chlorine.
cloraminación f, chloramination.
cloramoniar, to treat with chloramine.
clorar, to chlorinate.
clorato m (quím), chlorate.
clorhidrato m, hydrochlorate.
clorhídrico, hydrochloric.
clórico, chloric.
clorificar, to chlorinate.
clorímetro m, chlorimeter.
clorinación f, chlorination.
clorinador m, chlorinator.
clorinar, to chlorinate.
clorinómetro m, chlorometer.
clorita f (miner), chlorite.
clorítico, chloritic.
cloritización f, chloritization.
clorito m (quím), chlorite.
clorización f, chlorination.
clorizador m, chlorinator.
clorizar, to chlorinate.
cloro m, chlorine.
—— amoniacal, proceso (pa), chlorine-ammonia
 process.
—— combinado disponible, combined available
 chlorine residual.
—— libre disponible, free available chlorine residual.
—— residual o restante (pa), chlorine residual.
cloroalimentador m (pa), Chlorofeeder (trademark).
cloroamoníaco m (is), chloramine.

clorocresol *m* (is), chlorocresol.
clorofenol *m* (is), chlorophenol.
clorofíceas (is), Chlorophyceae.
clorofila *f*, chlorophyll.
clorometría *f*, chlorometry.
clorómetro *m*, chlorometer.
cloroplatinato *m*, chloroplatinate.
— de amonio (lab), ammonium chloroplatinate.
— potásico (is), potassium chloroplatinate.
cloroso, chlorous.
clorurar (quím)(met), to chloridize.
cloruro *m*, chloride.
— áurico, gold chloride.
— de amonio, ammonium chloride, sal ammoniac.
— de cal, chloride of lime, bleaching powder.
— de hidrógeno, hydrogen chloride, hydrochloric acid.
— sódico, sodium chloride, common salt.
coagulación *f*, coagulation.
— de flujo ascendente (is), upflow coagulation.
coagulador *m*, coagulator.
coagulante *m*, coagulant; *a* coagulant, flocculent.
coagular, to coagulate; to clump; coagularse, to coagulate, form floc; to clot, clump.
coágulo *m*, floc, coagulum, clot.
coaltar *m* (Es), tar, pitch.
coaltarizar, to coat with pitch.
coaltitud *f*, coaltitude, zenith distance.
coasegurador *m*, coinsurer.
coaxial, coaxil, coaxial.
cobaltífero, containing cobalt.
cobaltina, cobaltita *f* (miner), cobaltite, cobaltine.
cobalto *m*, cobalt.
— arsenical (miner), smaltite.
— gris, smaltite, gray cobalt.
cobaltoso, cobaltous.
cobertizo *m*, shed; penthouse; (Col) lean-to; (ap) hangar.
— de trasbordo, transfer shed.
— de trenes, train shed.
— para carros, carbarn, car shed.
— para nieve, snowshed.
cobertura *f*, cover, covering.
cobijadura *f* (geol)(A), overthrust; alluvial deposit.
cobola *f*, a Costa Rican pine.
cobre *m*, copper.
— abigarrado, bornite, purple copper ore.
— amarillo (miner), copper pyrites, chalcopyrite.
— ampolloso, blister copper.
— añilado, covellite, indigo copper; azurite, blue copper ore.
— azul, azurite, blue copper ore, blue malachite.
— de acarreo (geol), drift copper.
— del cátodo (met), cathode copper.
— de cementación, cement copper.
— gris, tetrahedrite, gray copper ore.
— negro, blister or black copper.
— piritoso, copper pyrites, chalcopyrite.
— rojo, red copper ore, cuprite.
— tenaz, tough-pitch copper.
— verde (miner), malachite, green malachite.
— vítreo, vitreous copper, torbernite.

cobreado, copper-plated.
cobrería *f*, copper work; copper shop.
cobrero *m*, coppersmith.
cobrizado, copper-plated.
cobrizo, containing copper; copper-colored.
coca *f*, kink.
cocción *f*, baking, roasting, burning (brick).
coceo *m* (M), thrust.
cocer, to bake; to boil.
cociente *m*, quotient.
— diferencial, differential coefficient or quotient.
coco *m* (is), coccus.
cocobolo *m*, cocobolo (hardwood).
cocodrilo *m* (mec), grab; squeezer.
cocha *f* (B)(Ec), lake, pond.
coche *m*, (rr) car, coach; closed automobile.
— automotor (fc), motorcar.
— comedor, dining car.
— de estación (auto), station wagon.
— de observación, observation car.
— de pasajeros (Ch), passenger car.
— de remolque, trail car.
— de tranvía, streetcar, trolley car.
— de turismo (auto), touring car.
— dormitorio, sleeping car.
— motor, (rr) motorcar.
— salón, chair car.
cochecito lateral, sidecar (motorcycle).
cochera *f*, carbarn; garage.
cocherón *m*, enginehouse, roundhouse.
cochinilla *f* (mad), wood louse.
cochino *m* (met), pig.
cochitril *m*, crib.
cochura *f*, baking, roasting.
codal *m*, strut, spreader, spur, trench brace; frame of a saw; try square.
— del eje (cn), shaft strut.
codaste *m* (cn), sternpost; stern frame.
— popel, rudderpost, sternpost.
— proel, sternpost, propeller post, body post.
codeclinación *f*, codeclination, polar distance.
codera *f* (náut), breast fast.
código *m*, code.
— de edificación, building code.
— de señales, signal code.
Código Eléctrico Nacional, National Electric Code.
código Morse (tel), Morse code.
codillo *m*, knee, elbow, bend.
codímero *m* (pet), codimer.
codo *m*, (cons) knee; (machy) crank; (p) elbow, bend.
— abierto, long elbow.
— angular, miter elbow.
— cerrado, short elbow.
— compensador, expansion bend.
— con base o con soporte, base elbow.
— con derivación o con salida lateral, side-outlet elbow.
— con lomo o de copa, bossed elbow.
— de campanas, bell-and-spigot quarter bend.
— de curva alargada o de radio largo, long-radius elbow.
— de doble ramal, double-branch elbow.
— de enchufes, socket-end elbow (for welding).

—— **de inglete,** miter elbow.
—— **de orejas,** drop elbow.
—— **de palanca** (maq), crank.
—— **de pendiente o de rosca inclinada,** pitch elbow.
—— **de reducción,** reducing elbow.
—— **de retorno unido,** return bend-close type.
—— **de servicio,** service or street elbow.
—— **de tangente larga,** long-tangent elbow.
—— **de toma particular,** service elbow.
—— **de tres salidas,** three-way elbow.
—— **de unión,** union elbow.
—— **de $\frac{1}{8}$,** eighth bend.
—— **de $\frac{1}{4}$,** quarter bend.
—— **de $5\frac{5}{8}°$,** sixty-fourth bend.
—— **de $11\frac{1}{4}°$,** thirty-second bend.
—— **de $22\frac{1}{2}°$,** sixteenth bend.
—— **de 45°,** eighth bend, 45° elbow.
—— **de 60°,** sixth bend.
—— **de 72°,** fifth bend.
—— **de 180°,** return or half bend.
—— **doble,** offset; return bend; three-way elbow.
—— **en escuadra,** right-angle bend.
—— **en octavo,** eighth bend.
—— **en U,** return bend.
—— **falso** (as), false knee.
—— **macho y hembra,** service or street elbow.
—— **obtuso** (A), eighth bend.
—— **para baranda,** railing elbow.
—— **para inodoro** (pb), closet bend.
—— **recto con desplazamiento,** single-offset quarter bend.
—— **reductor,** taper or reducing elbow.
—— **suave,** long-radius elbow.
coeficiente m, coefficient.
—— **completo de traspaso de calor** (aa), over-all coefficient of heat transfer.
—— **de absorción** (óptica), absorption factor, coefficient of absorption.
—— **de acidez** (geol), acidity coefficient, oxygen ratio.
—— **de acoplamiento** (eléc), coupling coefficient.
—— **de afluencia** (hid), runoff coefficient.
—— **de amortiguación,** coefficient of damping (vibration).
—— **de amortiguación viscosa** (ms), coefficient of viscous damping.
—— **de amplificación** (ra), amplification factor or constant.
—— **de aprovechamiento** (eléc), load factor.
—— **de aspereza** (hid), coefficient of roughness.
—— **de autoinducción** (eléc), coefficient of self-induction, self-inductance.
—— **de caída de tensión** (eléc), drop factor.
—— **de cambio de volumen** (ms), coefficient of volume change.
—— **de cargamento** (tr), load factor.
—— **de caudal** (hid), coefficient of discharge.
—— **de compactación** (ms), coefficient of consolidation.
—— **de conductividad térmica,** coefficient of thermal conductivity.
—— **de consolidación,** (ea) coefficient of shrinkage, shrinkage factor; (sm) coefficient of consolidation.

—— **de deformación** (ms), deformation coefficient.
—— **de derrame** (hid), runoff coefficient.
—— **de descargue** (hid), coefficient of discharge.
—— **de deslizamiento,** sliding factor (dam).
—— **de desviación** (ra), deflection factor.
—— **de diagrama,** (eng) diagram factor.
—— **de dilatación,** coefficient of expansion.
—— **de dispersión** (eléc), leakage factor.
—— **de elasticidad,** modulus of elasticity.
—— **de entrada** (ve), coefficient of entry.
—— **de escamas** (pa), coefficient of scale hardness.
—— **de escorrentía** (hid), runoff coefficient.
—— **de escuadreo** (an), block coefficient, coefficient of fineness of displacement.
—— **de escurrimiento superficial** (hid), surface runoff coefficient.
—— **de explotación** (fc), operating ratio.
—— **de extinción** (quím), extinction coefficient, specific absorption index.
—— **de filtración** (ms), coefficient of percolation.
—— **del filtro** (fma), filter factor.
—— **de finura,** coefficient of fineness.
—— **de flecha** (est), deflection coefficient.
—— **de fricción o de frotamiento,** friction factor, coefficient of friction.
—— **de fricción de deslizamiento,** coefficient of sliding friction.
—— **de gasto** (hid), coefficient of discharge.
—— **de hinchamiento** (ms), coefficient of swelling.
—— **de inflación** (ms)(A), coefficient of swelling.
—— **de luminosidad** (il), luminosity factor.
—— **de modulación** (eléc), modulation factor or index.
—— **de mortalidad,** death rate.
—— **de operación** (fc), operating ratio.
—— **de pandeo** (est), buckling coefficient.
—— **de permeabilidad,** (hyd) percolation coefficient; (sm) coefficient of permeability.
—— **de Poisson,** Poisson's ratio.
—— **de precipitación,** rainfall coefficient.
—— **de producción,** load factor (compressor).
—— **de productividad** (pet), productivity index.
—— **de propulsión** (an), propulsive coefficient.
—— **de reactancia** (eléc), reactive factor.
—— **de rectificación** (ra), rectification factor.
—— **de recuperación o de rechazo** (pi), coefficient of restitution.
—— **de recuperación elástica** (ms), coefficient of elastic recovery.
—— **de reflexión,** (ra) reflection coefficient; (il) reflection factor.
—— **de relajamiento** (met), relaxation factor.
—— **de remoldeo** (ms), remolding index.
—— **de rendimiento** (aa), coefficient of performance.
—— **de resistencia,** coefficient of strength.
—— **de restitución** (ms)(fma), coefficient of restitution.
—— **de retardo,** (hyd) coefficient of retardation; (wp) drag coefficient.
—— **de retraso** (hid), coefficient of retardation.
—— **de riego,** duty of irrigation water.
—— **de rozamiento,** coefficient of friction.
—— **de rugosidad** (hid), roughness coefficient.

— de seguridad, factor of safety.

— de sequedad (irr), wilting coefficient.

— de superficie (ag), surface coefficient, surface-area factor.

— de trabajo, factor of safety.

— de transmisión, (ht) coefficient of transmission; (il) transmission factor.

— de traspaso superficial de calor (aa), film coefficient of heat transfer.

— dieléctrico, dielectric constant.

— espumante, foaming coefficient (water).

— resistivo (eléc)(A), coefficient of resistance.

— uniforme (ms)(C), uniformity coefficient.

coeficientes del Almirantazgo (an), Admiralty constants.

coercitividad *f* (eléc), coercivity, coercive force.

cofa *f* (cn), top, crow's-nest.

cofactor *m* (mat), cofactor.

cofásico, cophasal.

cofre *m*, box; crib; bin; (A) concrete form; (auto) (M) hood.

cogedero *m*, handle, grip; bail.

— indicador de tensión (lev), tension handle, spring balance.

cogegotas *m*, drip pan.

coger, to grasp; to collect; to close up, obstruct; (mas)(Col)(V) to point.

cogollo *m*, small end of a pole or pile.

coherencia *f* (mat), coherence.

coherente *m*, binder; *a* cohesive, coherent.

cohesión *f*, cohesion, bond.

— aparente (ms), apparent cohesion.

— verdadera (ms), true cohesion.

cohesivo, cohesive.

cohesor *m* (ra), coherer.

cohete *m* (min), blasting fuse; blast hole; (M) dynamite cartridge.

cohetear (min)(M), to blast.

coigüe *m*, a South American softwood.

coihue *m*, a Chilean hardwood.

coincidencia *f*, coincidence.

coincidente, coincident.

coincidir, to coincide; to match (rivet holes).

cojear, (eng) to knock.

cojín *m*, cushion, pad; pillow block.

— del embrague, clutch cushion.

— de vacío (conc), vacuum mat.

— roscado para soldar (tub), welding pad.

cojinete *m*, bearing, pillow block, journal box; bushing; (th) die.

— a municiones, ball bearing.

— a rulemán, roller bearing.

— acabador (rs), sizer die.

— autoalineador, self-aligning bearing.

— autolubricador, oilless or self-lubricating bearing.

— axial, axial or thrust bearing.

— cerrado, solid bearing.

— cónico, cone bearing.

— de agujas, needle bearing.

— de alineamiento, alignment bearing.

— de anillo esférico, spherical-race bearing.

— de asiento (A), step bearing.

— de bancada, base or main bearing.

— de bolas axial, thrust-type ball bearing.

— de bolas con adaptador, adapter-type ball bearing.

— de bolas con anillo de resorte, snap-ring-type ball bearing.

— de bolas de contacto angular, angular-contact ball bearing.

— de bolas de empuje, thrust-type ball bearing.

— de bolas de empuje doble, two-direction thrust ball bearing.

— de bolas de protección doble, double-shielded ball bearing.

— de bolas de protección simple, single-shielded ball bearing.

— de bolas doble, double-row ball bearing.

— de bolas radial, radial ball bearing.

— de bolillas, ball bearing.

— de casco recambiable, replaceable-shell bearing.

— de cola, tail bearing.

— de collares, collar bearing.

— de descanso, pillow block.

— de doble efecto, two-direction (roller) bearing.

— de efecto simple, single-direction (roller) bearing.

— de empuje, thrust or axial bearing.

— de engrase automático, self-lubricating bearing.

— de fila única, single-row (ball) bearing.

— de filas múltiples, multirow (ball) bearing.

— de guía, pilot or guide bearing.

— de manguito, sleeve bearing.

— de piedra (inst), jewel bearing.

— de resorte (mh), spring die.

— de rodillos ahusados, tapered roller bearing.

— de rodillos esféricos, spherical roller bearing.

— de rodillos rectos, straight roller bearing.

— de rolletes, roller bearing.

— de rolletes cónicos, tapered roller bearing.

— de roscar, die for threading, screw plate.

— de suspensión, suspension bearing.

— de terraja, die for threading.

— de tope (U), thrust bearing.

— enterizo, unit or solid pillow block.

— exterior, outboard bearing.

— flotante, floating bearing.

— partido, split pillow block.

— piloto, pilot bearing.

— radial, radial or annular bearing.

— radioaxial, radial-thrust bearing.

— recalentado, hot bearing.

cok *m*, coke.

— de petróleo, petroleum coke.

— de retorta, gas coke.

— para altos hornos, blast-furnace coke.

cola *f*, glue; tail; (t) tang, fang, shank; stub, stump.

— aislante, insulating glue.

— animal o de huesos, animal glue.

— de agua fría o de caseína, cold-water or casein glue, casein cement.

— de barrena, shank of a drill.

— de carpintero, joiner's glue.

— de golondrina (carp)(mec), swallowtail dovetail.

— **de martillo,** peen of a hammer.
— **de milano o de pato,** dovetail.
— **de pescado,** isinglass; fish glue; fishtail (bit).
— **de rata,** rattail (file); driftpin.
— **marine,** marine glue.
— **para madera laminada,** plywood glue.
colas (min), tailings, chats.
colada *f,* (met) melt; (conc) pour; (conc) lift; (conc) batch.
— **de prueba,** trial batch.
coladera *f,* strainer; (M)(PR) leaching cesspool; (M) sewer, drain.
coladera-punta, well point.
coladero *m* (min), winze, ore chute.
colado en el lugar (conc), poured in place.
colador *m,* strainer.
— **a presión,** pressure strainer.
— **de caño pluvial** (to), leader strainer.
— **de cesta,** basket-type strainer.
— **de coque,** coke strainer.
— **de lodo** (pet), mud screen, shale shaker.
— **para hojas** (hid), leaf screen.
colagón *m* (M), conduit, canal.
colanilla *f,* door bolt.
colapez *f,* isinglass; fish glue.
colapsible (M), collapsible.
colapso *m* (M), failure, collapse.
colar, to pour; to strain; to cast; (tun)(M) to drive, bore; to sink (shaft): **colarse,** to seep, percolate; to sift.
— **en basto,** to rough-cast.
colatitud *f,* colatitude.
colato de sodio (lab), sodium cholate.
colcótar *m* (abrasivo), colcothar, rouge.
colcha *f* (ais), quilt, blanket.
colchado *m* (cab), lay.
— **a la derecha,** right lay.
— **a la izquierda,** left lay.
— **corriente o cruzado,** regular or plain lay.
— **lang o paralelo,** lang or cable lay.
colchar, to lay rope.
colchón *m,* cushion, mattress; (elec cab) bedding.
— **amortiguador** (hid)(Col), stilling pool.
— **de agua,** water cushion, stilling pool.
— **de barro** (hid), clay blanket.
— **de cieno** (dac), sludge blanket.
— **filtrador** (pa), filter blanket.
— **hidráulico** (M), stilling pool.
colear, to yaw, buck; (auto) to shimmy.
colectivo *m* (tr)(A), small public bus.
colector *m,* collector; catch basin, trap; intercepting sewer; (irr) return ditch; (elec) commutator; (elec) collector; (min) collector; (p) (Pan) manifold.
— **cloacal,** main sewer.
— **de aceite,** oil trap; drip pan; (auto) oil pan.
— **de aguas blancas** (A), storm-water sewer.
— **de aire,** air trap.
— **de aire comprimido,** air receiver (compressor).
— **de alivio** (M), relief sewer.
— **de arco** (fc eléc), bow trolley.
— **de avenidas** (Es), storm sewer.
— **de barro,** mud trap, catch basin.
— **de cascajo,** grit collector.
— **de condensado,** condensate or steam trap.

— **de corriente** (eléc), current collector.
— **de desagüe,** (pb) main soil pipe, house drain (Pe) sewer.
— **de escamas** (pet), scale trap.
— **de espumas** (dac), scum collector.
— **de fango,** mud trap.
— **de grasa,** grease trap.
— **de humedad,** moisture separator or trap.
— **de lodos,** sludge collector.
— **de pértiga** (fc eléc), pole trolley.
— **de polvo,** dust collector.
— **de sedimentos** (cal), mud drum.
— **de tormentas** (Es), storm sewer
— **de tubos,** manifold header.
— **de vapor** (loco), steam drum.
— **pantógrafo,** pantograph trolley
— **pluvial,** storm-water sewer.
— **sanitario,** sanitary sewer.
— **visitable** (Es), sewer large enough for a man to enter.
colector-cabezal, header of a boiler.
cólera (*m*) **asiático,** Asiatic cholera.
colero *m,* gluepot; (min)(M)(Pe) labor foreman.
coleta *f,* burlap.
colgadero *m,* hanger.
colgadizo *m,* shed, lean-to; *a* hanging, suspended.
colgador *m,* hanger.
— **autoalineador,** self-aligning hanger.
— **de artefacto** (eléc), fixture hanger.
— **de cable,** (cy) fall-line carrier; (elec) cable hanger.
— **de canalón** (to), gutter hanger.
— **de mensajero** (eléc), messenger hanger
— **del revestidor** (pet), liner hanger.
— **de tubo,** pipe hanger.
— **de vigueta,** joist hanger.
colgante *m,* hanger, pendant; *a* suspended, hanging.
— **de servicio** (eléc), service drop.
— **giratorio,** swivel hanger.
colgar, to hang.
coli-aerógenes (is), coli-aerogenes.
colibacilo *m* (is), colon bacillus, *Bacillus coli.*
coliforme, coliform (bacteria).
colillas *f* (min), tailings.
colimación *f,* collimation.
colimador *m,* collimator.
colimetría *f* (pa)(U), coliform density.
colina *f,* hill.
colineación *f* (mat), collineation.
colineal, collinear.
colisa *f,* slide; (eng) link.
— **de Stephenson** (mv), Stephenson link.
colisión *f,* collision.
colmado, heaped up.
colmatación *f,* **colmataje** *m,* filling; earth fill; (A) silting up.
colocabilidad *f* (conc)(M), placeability.
colocado en frío (ca), cold-laid.
colocador *m,* setter, placer, positioner; (sa) setworks.
— **de ladrillos** (C), bricklayer.
— **de vagones,** car spotter.
— **de vía** (maq), track layer.
colocadora *f,* setter, placer.
— **neumática,** pneumatic concrete placer.

colocar, to place, locate, set; to invest.
colodión m, collodion.
colofonia f, resin.
cologaritmo m, cologarithm.
coloidal, colloidal.
coloide m, colloid.
colonia f, (PR) sugar plantation; (A) farm; (lab) colony.
color m, color.
color de recocido, temper color.
　amarillo, yellow.
　amarillo claro, light yellow.
　amarillo de paja, straw color.
　amarillo oscuro, dark yellow.
　amarillo pálido, faint yellow.
　azul, blue.
　azul brillante, bright blue.
　azul oscuro, dark blue.
　azul puro, full blue.
　blanco, white.
　castaño amarillento, brown yellow.
　castaño purpúreo, purple brown.
　castaño rojizo moteado, spotted red brown.
　cereza claro, light cherry.
　negro rojizo, black red.
　pajizo oscuro, dark straw.
　pajizo pálido, pale straw.
　púrpura, purple.
　rojo cereza mediano, medium cherry red.
　rojo cereza oscuro, dark cherry red.
　rojo cereza puro, full cherry red.
　rojo de sangre oscuro, dark blood red.
　salmón, salmon.
　salmón claro, light salmon.
color patrón, standard color.
colorante m, coloring matter.
colorimetría f, colorimetry.
colorimétrico, colorimetric.
colorímetro m, colorimeter.
colpa f, copperas; (min)(Pe) a silver ore.
columna f, column.
—— cerrada, box column.
—— combinada, combination column.
—— compuesta, (str) built-up column; (conc) composite column.
—— de agua (fc), water column.
—— de asiento esférico, round-end column.
—— de barras Z, Z-bar column.
—— de burbujeo (pet), bubble column.
—— de caja, box column.
—— de celosía, latticed column.
—— de dirección (auto), steering column.
—— de equilibrio (hid), surge tank.
—— de extremo fijo, fixed-end column.
—— de fraccionamiento, fractionating tower.
—— de fundición, cast-iron column.
—— de plancha y ángulos, plate-and-angle column.
—— de planchas atiesadoras, battened column.
—— escalonada (est), stepped column.
—— fénix, Phoenix column.
—— H, H column.
—— Lally, Lally column.
—— positiva (eléc), positive column.
—— reguladora (hid), surge tank, standpipe.
—— tubular, steel-pipe column.

—— zunchada (conc), hooped column.
columnar (geol)(miner), columnar.
columnata f, row of columns, colonnade.
columpio m, bascule, any device with a swinging motion.
coluvial (geol), colluvial.
collado m, hill; saddle, gap, pass.
collar m (mec), collar, collet.
—— de bolas, ball race (bearing).
—— de cementar (pet), cementing collar.
—— de circulación (pet), mud collar.
—— del excéntrico (mv), eccentric strap.
—— de hincar (pi), drive sleeve.
—— de mástil (cn), mast collar.
—— de perforación (pet), drill collar.
—— de terraja (mh)(A), threading die.
—— de tope, stop collar.
—— de vaciado (tub)(V), joint runner.
—— micrométrico, micrometer collar.
—— para rueda (fc), wheel seat.
—— poratescobillas (eléc), brush ring.
collarín m, collar.
—— de empuje, thrust collar.
—— del prensaestopas, gland.
collera f (fc)(A), a length of track between two pairs of opposite joints.
coma f (fma), coma.
comalón m (eléc)(C), come-along clamp.
comando m, control.
—— a distancia, remote control.
—— digital, finger-tip control.
comarca f, region, territory.
comba f, warp, wind, bulge; camber; (rd) crown; (Pe) maul, sledge; (auto)(A) caster; (ra) (Sp) antinode, loop.
—— de canto (mad), crook.
—— de plano (mad), bow.
combada de oxígeno disuelto (is), oxygen sag.
combadura f, warping, bulging; camber; sag.
combar, to camber; to bend; (Ch) to strike with a maul; combarse, to sag, warp, bulge; (na) to hog.
combersa f (to)(A), valley.
combés m, waist of a ship.
combinación f (mat)(quím), combination.
combinado químicamente, chemically combined.
combinador m (eléc), controller.
—— de gobierno, master controller.
—— magnético, full-magnetic controller.
combinarse (quím), to combine.
combo m, maul, sledge.
comburente m a, combustible.
combustibilidad f, combustibility.
combustible m, fuel; a combustible.
—— de seguridad, safety fuel.
—— tipo, reference fuel.
combustión f, combustion.
—— a presión invariable, constant-pressure combustion.
—— a volumen constante, constant-volume combustion.
—— espontánea, spontaneous combustion.
—— fraccionada, fractional combustion.
—— fumívora, smokeless combustion.
—— retardada, afterburning.
combustóleo m, fuel oil.

—— de calefacción, furnace oil.
—— Diesel, Diesel oil.
—— para buques, bunker oil.
comején m, termite.
comerciable, marketable; merchantable (grade).
comisaría f, commissary.
comisariato m (Ec), commissary.
comisario (m) de averías (seg), average surveyor.
comisión f, committee, commission; (surv)(C) party, corps; (com) commission.
—— de estudios (C), survey party.
compacidad f (ot)(V)(PR), compaction, compactness.
compactación f, compacting, consolidating.
compacto, compact, dense.
compañía f, company, corporation.
—— anónima, stock company, corporation.
—— aseguradora, insurance company.
—— colectiva, partnership.
—— fiadora, bonding company.
—— por acciones (C), stock company.
comparador m, comparator; comparer.
—— de banco, bench comparator.
—— de bloque, block comparator.
—— de color, color comparator.
—— de pie, pedestal comparator.
comparágrafo m (fma), comparagraph.
compartidor m (A), official charged with the distribution of irrigation water.
compartimiento m, compartment, (rr) stateroom.
—— de calderas (cn)(A), boiler room.
—— de mando (co), driving compartment.
—— de máquinas (cn)(A), engine room.
comparto m (irr)(A), division box.
compás m, compass, dividers, calipers.
—— con arco, wing compass or dividers; quadrant compass.
—— de agrimensor, surveyor's compass.
—— de bisección, bisecting dividers.
—— de calibres (Es), calipers.
—— de corredera (Es), slide caliper.
—— de cuadrante (Es), wing compass or dividers.
—— de división, dividers.
—— de división a resorte, hairspring or spring dividers.
—— de espesor, calipers, outside calipers.
—— de espirales, volute compass.
—— de exterior, outside calipers.
—— de gruesos, calipers, outside calipers.
—— de mar, mariner's compass.
—— de marcar, scribing compass.
—— de muelle, bow pencil or pen or dividers.
—— de precisión, hair compass, hairspring dividers.
—— de proporción, proportional dividers.
—— de punta fija o de punta seca, dividers.
—— de reducción, proportional dividers.
—— de regla (B), beam compass.
—— de trazar, draftsman's compass.
—— de tres piernas, triangular compass.
—— de vara, beam compass, trammel.
—— deslizante, beam compass.
—— divisor, dividers.
—— giratorio, rotating or drop spring or rivet compass.
—— hermafrodita, hermaphrodite caliper.

—— interior, inside calipers.
—— micrométrico, micrometer calipers.
—— para huecos, inside calipers.
—— portalápiz, pencil compass.
—— universal, universal compasses.
compensación f, compensation; balancing; take-up.
—— de bajos (ra), bass compensation.
—— de la brújula, compass compensation.
—— de la pendiente (fc), grade compensation (for curvature).
—— de tierra (ra)(Es), counterpoise.
—— de tierras (ot), balancing cuts and fills.
—— por accidentes de trabajo, workmen's compensation.
compensador m, compensator (all senses); equalizer, adjuster.
—— armónico (auto), harmonic balancer.
—— de arranque (eléc), starting compensator.
—— de freno, brake adjuster.
—— de impedancia (eléc), impedance compensator.
—— de pérdida de tensión (eléc), line-drop compensator.
—— de ruedas (auto)(A), wheel balancer.
—— elevador (eléc), balancer-booster.
compensar, to compensate (all senses); to balance, equalize.
competencia f, competence, fitness, capacity; competitive bidding, competition; (r) competence.
competente (geol), competent.
complejo m a, complex.
—— fundamental (geol), basal complex.
complementario (mat), complementary.
complemento m (mat), complement.
complexo a, complex.
componente m f, component (all senses); (chem) constituent.
—— desvatada (eléc), wattless component.
—— electromagnética (ra), magnetic component.
—— en fase (eléc), inphase component.
—— harmónica (eléc), harmonic component.
—— negativa de secuencia (eléc), negative sequence component.
—— nula de secuencia (eléc), zero sequence component.
—— positiva de secuencia (eléc), positive sequence component.
—— vatada (eléc), active or inphase component.
componer, to repair, overhaul.
composición f (quím)(mat), composition.
composturas f, repairs.
compound a (mv)(eléc), compound.
—— cruzado, cross-compound.
—— en tándem, tandem-compound.
compoundaje m, compounding.
comprador m, buyer.
compregnado, compregnated (plywood).
compresibilidad f, compressibility.
compresible, compressible.
compresímetro m (A), compression gage.
compresión f, compression.
—— de dos etapas, two-stage compression.
compresivo, compressive.
compreso, compressed.

compresómetro *m*, compression gage, compressometer.

compresor *m*, compressor.
— de ángulo, angle compressor.
— de anillo (herr), piston-ring compressor.
— de chorro (aa), jet compressor.
— de un grado, single-stage compressor.
— de volumen (ra), volume compressor.
— en línea recta, straight-line compressor.
— multigradual, multistage compressor.
compresores gemelos, duplex compressor.
compresora *f*, compressor.
— a correa, belt-driven compressor.
— a motor, motor-driven compressor.
— axial, axial-flow compressor.
— centrífuga de aletas radiales, radial-blade centrifugal compressor.
— de aletas corredizas, sliding-vane rotary compressor.
— de cinco grados, five-stage compressor.
— elevadora, booster compressor.
— móvil, portable compressor.
— neumática (M), air compressor.
— rociadora, spraying compressor.
— rotativa, rotary compressor.
compresorista *m*, operator of a compressor.
comprimible, compressible.
comprimir, to compress, compact.
comprobación (*f*) **del tránsito** (Ec), tracing (a shipment).
comprobador *m*, checker; tester.
— de contadores, meter tester.
comprobante *m*, voucher.
— de venta, bill of sale.
comprobar, to check, verify; to prove.
compuerta *f*, (hyd) gate; (bldg) half door; (tk) gate; (V) bulkhead in a concrete form.
— abatible (co), down-folding gate.
— acuñada (vá), wedge gate.
— aforadora, metergate.
— basculante, tilting gate.
— Broome, Broome or caterpillar gate.
— cilíndrica, rolling or roller gate; ring gate.
— de abanico (M), Tainter or radial gate.
— de abatimiento, bear-trap gate; drum gate.
— de aguja, needle valve.
— de aletas ajustables (aa), multiple-louver damper.
— de alzas, bear-trap gate, roof weir.
— de anillo, ring gate.
— de anillo corredor (Col), ring-follower gate.
— de anillo estancador, ring-seal gate.
— de anillo seguidor, ring-follower gate.
— de arco (min), arc or radial gate.
— de arco inferior (min), underswung arc gate.
— de arco superior (min), overhung arc gate.
— de arranque, head gate.
— de basuras, skimming gate.
— de bifurcación (irr), bifurcation gate.
— de buzón (ag), bin gate.
— de cabecera, head gate.
— de cierre anular, ring-seal gate.
— de cizalla, shear gate.
— de cola (co), tail gate.
— de cuña, wedge gate (valve).
— de chapaleta o de charnela, flap gate.

— de desagüe o de evacuación, sluice or waste gate.
— de deslizamiento, sliding gate.
— de doble cuña, double-disk gate (valve).
— de esclusa, sluice gate; lock gate, floodgate.
— de guillotina, shear gate; sliding gate.
— de limpia, sluice gate (dam).
— de marea, tide gate, floodgate.
— de orugas, caterpillar or Broome gate.
— de paso, shutoff gate.
— de perforación (pet), drill gate.
— de postigo (turb), wicket gate.
— de purga, sluice gate.
— de retención, backwater gate.
— de rodamiento, roller gate.
— de rodillos, fixed-wheel gate, truck-type gate; Stoney gate; coaster gate.
— de ruedas fijas, fixed-wheel gate.
— de sector, sector gate; drum gate.
— de sector rodante, rolling sector gate.
— de segmento, segmental or Tainter gate.
— de servicio (irr), delivery gate.
— de tablero engoznado, hinged-leaf gate, shutter weir.
— de tambor, drum gate.
— de tiro, damper (flue).
— de tolva (ag), bin gate.
— de toma, intake or head gate.
— de urgencia, emergency gate.
— de vagón (Es), truck-type or fixed-wheel gate.
— deflectora (aa), deflecting damper.
— derivadora (irr), delivery gate, turnout, division gate.
— desarenadora, sand or sluice gate.
— descargadora, sluice or waste gate.
— deslizable (A), coaster gate.
— desripiadora (Ch), sluice gate.
— desviadora, diversion gate.
— elevadora o levadiza, rising gate.
— estranguladora (aa), throttling damper.
— flotante (ds), caisson.
— medidora (irr), metergate.
— partidora (irr), bifurcation or division gate.
— piloto, filler gate.
— radial, radial or Tainter gate; (min) arc gate.
— radial inferior (min), underswung arc gate.
— radial superior (min), overhung arc gate.
— rodante, roller gate; rolling sector gate.
— trasera (co), tail gate.
— trasera cargadora, tail-gate loader.
— tubular (Es), gate valve.
compuertas
— de demasías, spillway gates.
— de derrame, spillway or crest gates.
— del umbral, crest gates.
compuesto *m*, a compound; *a* compound, (str) built up.
— aditivo (quím), addition compound or product.
— aislador, insulating compound.
— de cortar (mh), cutting compound.
— de curación (conc), curing compound.
— de enfriamiento, cooling compound; (mt) cutting compound.
— de pulir, lapping or buffing compound.

—— **de retacar, calking** compound.
—— **de sellar** (eléc), sealing compound.
—— **de soldar,** soldering paste; brazing compound.
—— **de tarrajar,** thread dope.
—— **desincrustante,** boiler compound.
—— **impermeabilizador,** waterproofing compound.
—— **inflamable** (vol), flash compound.
—— **para banda,** belt dressing.
—— **para cable,** cable compound or dressing.
—— **para enchufes** (tub), joint compound.
—— **para engranajes,** gear compound.
—— **para roscas,** thread paste.
—— **para terminador de cable** (eléc), pothead compound.
—— **químico,** chemical compound.
—— **sellador de juntas** (ca), joint-sealing compound.
computador m (inst)(M), computer.
computar, to compute, calculate.
computista m, computer.
cómputo m, computation.
comunicación f, communication.
concadenamiento m, linkage.
concavidad f, concavity.
cóncavo m, **cóncava** f, cavity, hollow.
cóncavo a, concave, dished.
cóncavo-convexo, concave-convex.
concentración f, concentration.
—— **en seco** (min), dry concentration.
—— **hidrogeniónica** (pa), hydrogen-ion concentration.
—— **por venteo** (min), dry blowing.
concentrado m, a concentrate; a concentrated.
concentrador m, concentrator.
concentrar, to concentrate.
concentricidad f, concentricity.
concéntrico, concentric.
concesión f, concession, grant; (mech) allowance.
—— **social,** corporate franchise or charter.
concesionar (M), to grant a concession.
concesionario m, holder of a concession, licensee, grantee.
conconete m (M), small irrigation ditch.
concordancia (f) **de fases** (eléc), phase coincidence.
concreción f (geol), concretion.
concrecional, concretionary.
concrecionar, to sinter.
concretar, to concrete.
concretera f (C), concrete mixer.
concreto m, (cons) concrete; (su) concrete, concrete sugar.
—— **a soplete** (AC), gunite.
—— **acorazado,** armored concrete.
—— **agrio,** harsh concrete.
—— **aguado,** sloppy concrete.
—— **armado,** reinforced concrete.
—— **ciclópeo,** cyclopean concrete.
—— **de cenizas,** cinder concrete.
—— **de clavar,** nailing concrete, Nailcrete (trademark).
—— **de escorias,** slag concrete; (C) cinder concrete.
—— **en masa,** mass concrete.

—— **fresco,** green concrete.
—— **graso,** rich concrete.
—— **grueso,** harsh concrete.
—— **magro o pobre,** lean concrete.
—— **premezclado,** ready-mixed or plant-mixed concrete.
—— **premoldeado,** precast concrete.
—— **reforzado,** reinforced concrete.
—— **simple,** plain concrete.
—— **tieso,** stiff concrete.
—— **trabajable,** workable concrete.
concurrente (mat)(seg), concurrent.
concursante, bidder.
concurso m, meeting, assembly.
—— **de acreedores,** creditors' meeting.
—— **de competencia** (A), competitive bidding.
concusión f, concussion.
concha f, shell, casing; boiler scale; (V) mill scale; (V) scale of rust; (ce)(M) scalepan, skip.
—— **de almeja,** (bu) clamshell.
conchabador m (A), labor contractor.
conchabero m (Col), taskworker, pieceworker.
conchífero, containing shells.
conchudo, shelly, shaly.
condensable, condensable.
condensación f, condensation.
condensado m, condensate.
condensador m (mec)(eléc)(fma), condenser, (elec) capacitor.
—— **a vacío,** vacuum condenser.
—— **acorazado,** shell-and-tube condenser.
—— **atmosférico** (aa)(rfg), atmospheric condenser.
—— **cerámico** (eléc), ceramic capacitor.
—— **compensador** (ra), balancing condenser.
—— **de acoplamiento** (ra), coupling capacitor or condenser.
—— **de aire** (eléc), air condenser.
—— **de bajas pérdidas** (ra), low-loss condenser.
—— **de bloqueo** (eléc), stopping or blocking condenser.
—— **de casco,** shell-and-tube condenser.
—— **de contraflujo** (aa), counterflow condenser.
—— **de corrientes opuestas,** countercurrent condenser.
—— **de corrientes paralelas,** parallel-flow condenser.
—— **de chorro,** jet condenser.
—— **de chorro múltiple,** multijet condenser.
—— **de décadas** (ra), decade condenser or capacitor.
—— **de derivación** (ra), by-pass condenser.
—— **de doble flujo,** double-flow or two-pass condenser.
—— **de electrolito pastoso,** dry electrolitic capacitor.
—— **de filtro** (ra), filter capacitor.
—— **de inundación,** flooded condenser.
—— **de inyección,** jet condenser.
—— **de pasaje** (A), by-pass condenser.
—— **de paso** (eléc), by-pass condenser.
—— **de paso múltiple,** multiflow condenser.
—— **de placa** (eléc), plate condenser.
—— **de reflujo,** reflux condenser.
—— **de rejilla** (ra), grid condenser.

—— de rocío, shower condenser.
—— de superficie, surface condenser.
—— de un paso, single-flow condenser.
—— de vapor acuoso, vapor condenser.
—— fraccionador, fractionating condenser.
—— múltiple (ra), gang condenser.
—— neutralizador (ra), neutralizing capacitor.
—— patrón, standard capacitor.
—— radial, radial-flow condenser.
—— regulable (eléc), variable or adjustable condenser.
—— rotatorio (eléc), rotary or synchronous condenser.
—— sintonizador (ra), tuning condenser.
—— sumergido (aa)(rfg), submerged condenser.
—— variable (ra), trimmer or variable condenser.
condensar, to condense.
condensita f (eléc), Condensite (trademark).
conducción f, conduction; transportation, cartage; (auto) driving.
—— de calor, thermal conduction.
—— delantera (auto)(M), front drive.
—— electrolítica (quím), electrolytic conduction.
—— final (auto)(M), final drive.
—— rasante (PR), gravity conduit.
conducir, to carry, conduct, convey; (auto) to drive.
conductancia f, conductance.
—— anódica (ra), plate conductance.
—— de dispersión (eléc), leakage conductance, leakance.
—— de entrada (ra), input conductance.
—— de grilla (ra), grid conductance.
—— electródica (ra), electrode or grid or plate conductance.
—— específica (is), specific conductance.
—— molar (quím), molar conductance, molecular conductivity.
—— unitaria de convección (aa), unit convection conductance, film coefficient for convection.
conductibilidad f, conductivity.
—— calorífica, thermal conductivity.
conductividad f, conductivity.
—— magnética, magnetic conductivity, permeability.
—— molecular, molecular conductivity, molar conductance.
—— térmica, thermal conductivity.
conductivo (eléc), conductive.
conducto m, conduit, flume, aqueduct; duct; flue; chute; (elec) conduit.
—— celular (eléc), conduit (street).
—— de abastecimiento (hid), supply line, aqueduct.
—— de aceite, oil duct or groove; oil pipe.
—— de aducción, supply line, aqueduct, supply pipe; supply duct.
—— de alambres, wireway, raceway, electric conduit.
—— de arcilla vitrificada, clay conduit.
—— de banqueta (hid), bench flume.
—— de barro vitrificado, vitrified-tile conduit.
—— de basuras (hid), trash chute.
—— de caja (hid), box flume.
—— de calibración (hid), rating flume.

—— de captación (Pe), intake pipe.
—— de cuatro pasos (eléc), four-way cable duct.
—— de desagüe, sewer, drain.
—— de desembanque (presa), silt sluice.
—— de desfogue (hid), sluiceway, wasteway.
—— de entrada (ds), filling culvert.
—— de espuma (az), foam canal.
—— de evacuación, outlet pipe; sluiceway.
—— de fibra (eléc), fiber conduit, fiber-duct raceway.
—— de humo, flue.
—— de impulsión (hid), force main.
—— de irrigación, irrigation canal.
—— de servicio (eléc), service conduit.
—— de tormenta (Es)(A), storm-water sewer.
—— de troncos (ef), log slide, dry slide, slip, log chute.
—— de vaciamiento (ds), emptying culvert.
—- de ventilación, ventilation duct.
—— de vía única (eléc), single-duct conduit.
—— eductor (aa), exhaust duct.
—— eléctrico, electric conduit, raceway.
—— fibroso flexible (eléc), loom, flexible tubing.
—— forzado (hid), pressure conduit, penstock.
—— metálico flexible (eléc), flexible metallic conduit, flexible raceway.
—— metálico superficial (eléc), surface metal raceway, metal molding, wireway.
—— múltiple (eléc), multiple-duct conduit.
—— para barras colectoras (eléc), busway.
—— para hielo (hid), ice chute.
—— para zócalo (eléc), baseboard raceway.
—— pluvial, storm-water sewer; roof leader.
—— por gravitación (hid), gravity conduit.
—— portacable (eléc), cable duct.
—— simple (eléc), single-duct conduit.
—— sin fondo (eléc), open-bottom raceway.
—— superficial de alambres (eléc), wireway, surface raceway, molding.
—— superficial de madera (eléc), surface wooden raceway, wood molding.
—— surtidor, supply pipe.
conductométrico (quím), conductometric.
conductómetro m, conductometer.
conductor m, (elec) conductor; (rr) conductor (auto) driver, chauffeur; (Sp) motorman operator of a machine; conveyor, carrier (w) lead; a (elec) conductive.
—— a tierra, ground wire, grounding conductor.
—— a tierra de la red, system grounding conductor.
—— compuesto (eléc), composite conductor.
—— de alimentación, feed wire, feeder.
—— de arrastre, drag conveyor.
—— de artesas, pan conveyor.
—— de bagacillo (az), trash conveyor.
—— de bagazo (az), bagasse carrier.
—— de bateas, pan conveyor.
—— de caña (az), cane carrier.
—— de cinta en espiral, ribbon conveyor.
—— de contacto (eléc), contact conductor.
—— de correa, belt conveyor.
—— de cubetas, bucket conveyor or elevator.
—— de cubiletes (C), bucket conveyor.
—— de entrada (eléc), lead-in wire.

—— de entrada de servicio (eléc), service entrance conductor.
—— de estera (C), apron conveyor.
—— de gusano, screw conveyor.
—— de husillo (C), spiral conveyor.
—— de locomotora, engine driver, locomotive engineer.
—— de obras (A)(Ch), construction manager; resident engineer.
—— de paletas, flight conveyor.
—— de rastrillo (C), drag conveyor.
—— de retorno, (elec) return conductor; (ce) return conveyor.
—— de segmento (eléc), segmental conductor.
—— de tablillas, slat or flight conveyor.
—— de toma (eléc), collector conductor.
—— de tornillo (C), screw conveyor.
—— espiral, screw or spiral conveyor.
conductores de compensación (eléc), compensatory leads.
conductores de derivación (eléc), shunt leads.
condulete m (eléc)(V), Condulet (trademark).
conectador m, connector; (elec) outlet.
—— de elementos, cell connector.
—— de manguera, hose connector.
—— eléctrico de carriles (fc), rail bond.
conectar (mec)(eléc), to connect.
conector m, connector (all senses).
—— a presión (eléc), pressure or solderless connector.
—— a tierra (eléc), grounding connector.
—— angular (carp), elbow connector.
—— cerrador (eléc), locking connector.
—— corrugado (carp), corrugated joint fastener.
—— de anillo dentado (carp), toothed ring connector.
—— de anillo partido (carp), split-ring connector.
—— de bridas, flanged connection.
—— de caja (eléc), box connector.
—— de cordón (eléc), cord connector.
—— de derivación (eléc), tap connector.
—— de entrada (tub), service or house connection.
—— de perno partido, split-bolt connector.
—— de rosca, threaded connection.
—— de torones (cab), strand connector.
—— ele (carp), elbow connector.
—— en cruz, cross connector.
—— sin soldadura (eléc), pressure or solderless connector.
conexión f, connection, joint.
—— de campo o de montaje (est), field connection.
—— de estrella (eléc), star or Y or wye connection.
—— de rosca, threaded connection.
—— domiciliaria (tub)(eléc), house service.
—— empernada, bolted connection.
—— en cascada (eléc), cascade connection.
—— en delta (eléc), delta connection.
—— en serie paralelo (eléc), series-parallel or multiple-series connection.
—— en T (eléc), branch or T joint, T or Scott connection.
—— en triángulo (eléc), delta connection.
—— en V (eléc), V or open-delta connection.
—— estrella-estrella (eléc), star-star connection.
—— para tubería, pipe coupling; pipe fitting.

—— particular (tub)(eléc), house connection.
—— perfecta a tierra (eléc), dead earth or ground.
—— por enchufe, (elec) plug connection; (p) bell-and-spigot joint.
—— triángulo-estrella (eléc), delta-star connection.
—— triángulo-triángulo (eléc), delta-delta connection.
configuración f (quím)(top)(mat), configuration.
confitillo m (M), pea gravel or stone.
conflación f, smelting, ore reduction.
confluencia f, confluence, junction of streams; (rr) junction.
confluente m a, tributary, confluent.
confocal, confocal.
conformador m, grader, road shaper; driftpin; (mt) shaper; contour machine; forming machine.
—— de bastidor inclinable, leaning-frame grader.
—— de motor, motor grader.
—— de ruedas inclinables, leaning-wheel grader.
conformadora f, grader; shaper; former.
—— de arrastre, pull grader.
—— de caminos, road scraper or grader, subgrader.
—— elevadora, elevating grader.
conformante (mat), conformal.
conformar, to shape.
conforme m, approval; a (math) conformal.
congelar, congelarse, to freeze.
conglomerádico (geol)(A), comglomeratic.
conglomerado m (geol), conglomerate; a conglomeratic.
—— de boleos, boulder conglomerate.
—— de chinos, cobble conglomerate.
—— de fallas, fault conglomerate.
—— de granito (A), granolithic (floor).
—— de peñas (V), cobble conglomerate.
—— de peñones (V), boulder conglomerate.
—— de trituración, crush conglomerate.
—— fundamental, basal conglomerate.
conglomerante m, binding material.
conglomerático, conglomeratic.
conglutinador m, coalescer.
conglutinarse, to coalesce, coagulate, cake.
congosto m, canyon, gorge; pass.
congruente (mat), congruent.
conicidad f, taper; conicity.
cónico, conical.
cónicohelicoidal, conico-helicoidal, spiral bevel.
conífera f (mad), conifer.
conífero, coniferous.
coniforme, cone-shaped.
conjugado, conjugate.
conjuntador-disruptor m (auto), make and break.
conjunto m (mec), assembly.
—— de fusible, fuse unit.
—— de la impulsión final, final-drive assembly.
—— de varias salidas (eléc), multioutlet assembly.
—— motriz (auto)(A), power plant.
conmutador m (eléc), transfer or change-over switch; commutator.
—— al vacío (ra), vacuum switch.
—— antena-tierra (ra), lightning switch.
—— de bandas (ra)(M), band selector or switch.

—— de cilindro, drum switch.
—— de cuatro terminales, four-way switch.
—— de cuchillas, knife switch.
—— de derivaciones, tap switch.
—— de dos direcciones, two-way switch.
—— de escobillas, brush switch.
—— de gobierno, master switch.
—— de polos, reversing switch.
—— de tres direcciones, three-way switch.
—— de vuelta (mot), direction switch.
—— giratorio, dial switch.
—— inversor, reversing switch.
—— para rayos (ra), antenna or lightning switch.
—— reductor (auto), dimmer switch.
conmutar, to cummutate; to throw over (elec switch).
conmutatriz f (eléc), converter.
cono m, cone.
—— aluvial, alluvial cone, cone delta.
—— basculable (ap), tipover cone.
—— de depresión de bombeo, cone of pumping depression.
—— de deyección (geol), debris cone.
—— de espigas (tub)(V), reducer with spigot ends.
—— de pulverización, spray cone.
—— de revenimiento (conc)(M), slump cone.
—— de silencio (ap), cone of silence.
—— de viento (ap), wind sock.
—— dispersor (hid), diffusing cone.
—— entre cono (geol), cone-in-conc.
—— hidráulico, hydraucone.
—— Imhoff (dac), Imhoff cone.
—— primitivo (en), pitch cone.
—— recto, right cone.
—— roscado (mo)(A), cone nut.
—— sacabarrena (pet), horn socket.
conocimiento m, bill of lading; voucher.
—— corrido o directo, through bill of lading.
—— de almacén o de depósito, warehouse receipt.
—— de embarque, bill of lading.
—— limpio, clean bill of lading.
—— marítimo, ocean bill of lading.
—— negociable, order bill of lading.
—— no traspasable, straight bill of lading.
—— tachado, foul bill of lading.
—— terrestre, inland bill of lading.
—— uniforme (fc), (US) uniform bill of lading.
conoidal, conoidal.
conoide m, conoid.
conquilífero (Es), containing shells.
consecuente (mat)(geol), consequent.
consejo m, commission, board, council.
—— de administración, board of directors.
—— de aseguradores, board of underwriters.
—— de sanidad, board of health.
—— directivo, board of directors.
conservación f, maintenance; conservation, conservancy.
—— de la vía (fc), track maintenance, maintenance of way.
—— del lecho (fc), roadway maintenance.
—— de material móvil (fc), maintenance of equipment.
—— de vía y obras (fc), maintenance of way and structures.

conservador m (eléc), conservator, expansion tank.
conservadora f (maq), maintainer.
—— caminera, road maintainer.
—— de cuchillas múltiples, multiple-blade maintainer.
conservar, to maintain.
—— la derecha (ca), to keep to the right.
consignación f, consignment, shipment; appropriation.
——, en, on consignment.
consignador m, consignor.
consignar, to consign.
consignatario m, consignee.
consistencia f, consistency.
consistente, consistent (material).
consistómetro m, consistency meter, consistometer.
consola f, bracket, console.
—— colgante, shaft or drop hanger.
—— de andamiaje, scaffold bracket, builder's jack.
—— para poste, post hanger.
consolidar, to compact, consolidate; consolidarse, to settle, become compact.
consolidómetro m, consolidometer.
consonancia f (eléc), consonance, resonance.
consonante (eléc), consonant, resonant.
constantán, constantana, constantano m f, constantan (alloy).
constante f a, constant.
—— de amortiguación (eléc), damping constant.
—— de elasticidad, spring constant (vibration).
—— del elemento (az), cell constant.
—— de fase (ra), phase or wave-length constant.
—— de gravitación, gravitational constant.
—— de refracción, constant of refraction, specific refractive power.
—— de rejilla (óptica), grating constant.
—— del retículo (lev), stadia-interval factor.
—— de sintonía (ra), tuning constant.
—— de tiempo (eléc), time constant.
—— taquimétrica (lev), stadia constant.
constantes de calibración (fma), calibration constants.
constitución f (geol)(quím), constitution.
constitutivo, constitutive.
constituyente m (quím), constituent.
constricción f, constriction.
construcción f, construction; structure.
—— a tope, end construction (hollow tile).
—— de combustión lenta (ed), slow-burning or mill construction, heavy timber construction.
—— de puentes, bridge building.
—— esquelética (ed), skeleton construction (walls carried on frame).
—— incombustible, fireproof construction.
—— naval, shipbuilding.
—— por etapas, stage construction.
—— resistente al fuego, fire-resistive construction.
—— reticulada, framed structure.
—— Seale (cab), Seale construction.
—— vial, road building.
—— Warrington (cab), Warrington construction.

constructor *m*, constructor.
—— de ascensores, elevator constructor.
—— de buques, shipbuilder.
—— de carros, carbuilder.
—— de rasantes (ec), Gradebuilder.
—— de veredas (ec), trailbuilder.
—— naval, shipbuilder; naval architect.
—— vial, road builder (man).
constructora (*f*) de caminos (ec), Roadbuilder.
construído en el lugar, built-in-place.
construir, to construct, build, erect.
consultor *m*, consultant; *a* consulting (engineer).
consumidor *m*, consumer.
consumo *m*, consumption; (elec) current drain.
—— unitario, specific consumption.
contabilidad *f*, accounting.
contabilista, contable, accountant.
contactador *m* (eléc), contactor.
contacto *m*, contact (all senses).
—— corredizo (eléc), sliding contact.
—— de inversión (eléc), reverse contact.
—— de resorte (eléc), spring contact.
—— de rosca (eléc), screwed contact.
—— de tope (eléc), butt contact.
—— perfecto a tierra (eléc), dead earth or ground.
—— por humedad (eléc), weather contact.
—— rodante, rolling contact.
—+ rozante (eléc), sliding contact.
contactos del distribuidor (mg), distributer points.
contactos del ruptor (mg), breaker points.
contactor *m*, contactor.
—— de enfriamiento superficial (aa), surface-cooled contactor.
—— de leva, cam contactor.
—— de reposición (eléc), reset contactor.
contador *m*, accountant; meter; counter.
—— a cantidad, quantity meter.
—— a carga diferencial (hid), head meter.
—— compuesto (agua), compound meter.
—— de altura, altimeter.
—— de amperios-horas, ampere-hour meter.
—— de área variable (hid), variable-area meter.
—— de caldera, boiler (steam) meter.
—— de constricción (hid), constriction meter.
—— de consumo, service meter.
—— de corriente, (hyd) current meter; (elec) ampere-hour meter.
—— de costos, cost accountant.
—— de choque (hid), impact meter.
—— de demanda máxima, demand meter.
—— de desplazamiento (agua), displacement-type meter.
—— de disco rotatorio, rotary-disk meter.
—— de émbolo, piston-type water meter.
—— de enchufe (eléc), socket-type or detachable meter.
—— de energía desvatada (eléc), reactive kva meter.
—— de estacionamiento (auto), parking meter.
—— de expansión de la arena (pa), sand-expansion recorder.
—— de exposiciones (fma), exposure counter.
—— de factor de potencia (eléc), power-factor meter.
—— de factor de reactancia (eléc), reactive-factor meter.

—— de flujo o de gasto, flowmeter.
—— de frecuencia, frequency meter, (ra) frequency indicator.
—— de hélice, propeller meter.
—— de kilometraje, speedometer.
—— de motor (eléc), motor meter.
—— de orificio con placa delgada, thin-plate orifice meter.
—— de paletas, vane meter (water).
—— de prueba, testing meter.
—— de radiación (ra), radiation counter.
—— de reloj, clock meter.
—— de revolturas (conc), batch meter.
—— de tantos (M), batch meter.
—— de tarifas múltiples o de tipo múltiple (eléc), multirate meter.
—— de tiempo, timing device.
—— de turbina, turbine-type meter.
—— de vatio-horas, watt-hour meter.
—— de voltamperios reactivos, varmeter.
—— de volumen (hid), volume or quantity meter.
—— de vueltas, revolution counter, speed indicator.
—— indicador, indicating meter.
—— indicador de sintonización (ra), tuning meter.
—— integrador a intervalos, intermittent integrating meter.
—— maestro, master meter.
—— positivo (hid), positive or displacement meter.
—— público o titulado, certified public accountant.
—— registrador de demanda, recording demand meter.
—— removible (eléc), detachable or socket-type meter.
—— tipo ilativo (hid), inferential meter.
—— vertedor (hid), weir meter.
contaduría *f*, accounting; accounting office.
contaminación *f*, contamination.
contaminador *m*, contaminant.
contaminar, to contaminate, pollute.
contén *m*, curb
contenido *m*, content.
contera *f*, ferrule; pile shoe.
contingencias *f*, contingencies.
continuante *m* (mat), continuant.
continuidad *f*, continuity.
continuo *m* (mat), continuum; *a* continuous.
contorneador *m* (mh), router.
contornear, to saw around, cut a profile; to rout; to trace a contour; to scribe; to streamline.
contorno *m*, outline, contour.
—— bañado (hid), wetted perimeter.
—— de deslizamiento (ms), shear pattern.
—— de inundación (hid), flowage line.
contra, against, counter, opposite to.
contra-amperios-vueltas *f*, back ampere-turns.
contraaguja *m* (fc), guardrail at a switch.
contraalabeo *m* (sol), prespringing, initial distortion.
contraalcancía *f* (min), counterchute.
contraantena *f* (ra), counterpoise.
contraárbol *m*, countershaft.
contraataguía *f*, secondary cofferdam; buttress to strengthen a cofferdam.

contrabalancear, to counterbalance.
contrabalancín m, balance bob.
contrabalanza f, counterbalance.
contrabisagra f, leaf of a hinge.
—— de jamba, jamb leaf.
—— de puerta, door leaf.
contrabordo m (M), curb.
contraboterola f (re), dolly, holder-on.
contrabóveda f, inverted vault or arch.
contrabranque m (cn), apron, stemson.
contrabrazo m (auto), drag link.
contrabrazola f (cn), headledge.
contrabrida f, counterflange; follower (Dresser coupling).
contracabeza f, lip forming flangeway of a grooved rail.
contracalibre m, mating gage.
contracanal m, branch canal.
contracañón m (min)(M), drift in the footwall.
contracarril m (fc), guardrail.
—— de resalte (fc), easer rail.
contracción f, contraction.
—— completa (hid), full contraction.
—— eliminada (hid), suppressed contraction.
—— lateral (hid), end contraction.
—— por desecación (conc), drying shrinkage.
—— superficial (hid), surface contraction.
contracercos m, door and window trim.
contracielo m (min)(M), raise, upraise.
—— de acceso, manway raise.
—— escalonado, stope raise.
—— piloto, pilot raise.
—— ramal, branch or cutout raise.
—— ventilador, ventilation raise.
contracimiento m, wall or paving to protect a foundation.
contraclave f, voussoir next to the keystone.
contraclavija f, gib, key, fox wedge.
contracodaste m (cn), propeller post, sternpost.
contracodo m (tub), S bend.
contraconducto (min), counterchute.
contracorazón m (fc), wing of a frog.
contracorriente f, countercurrent, eddy, reverse current; a contracorriente, upstream.
contracuaderna f (cn), reverse frame.
contracuchilla f, fixed blade of a shear.
contracuneta f, intercepting ditch at top of a slope, counterdrain, berm ditch.
contracuña f, gib.
contracurva f, reverse curve.
contrachapada, madera (M), plywood.
contrachaveta f, gib.
contrachoque m, bumper, buffer.
contradegüello m (her), bottom fuller.
contradepósito m (Es), reservoir below a dam.
contraderivación f (eléc), back shunt.
contradiagonales f, (tu) counterbracing.
contradique m, supporting dike, spur dike, counterdike; (A) cofferdam.
contradurmiente m (cn), clamp.
contraeje m, countershaft, jackshaft; tail shaft.
—— de velocidades (auto), transmission countershaft.
contraelectromotriz, counter electromotive.
contraembalse m (A), equalizing reservoir.
contraempuje m, counterthrust.

contraensayo m, check analysis.
contraerse, to contract, shrink.
contraescalón m (es), riser.
—— atiesador, false riser.
contraescarpa f (hid), hearth, apron, counterscarp.
contraestampa f (est), dolly, bucker.
contraestay m (náut), preventer.
contraexplosión f (auto), backfire.
contrafianza f, indemnity bond.
contrafibra f, cross grain.
contrafilo m (herr), back edge.
contrafilón m (min), counterlode, countervein.
contraflecha f, camber.
contraflujo m, reverse current, countercurrent, counterflow, eddy.
contrafondo m (A), front.
contrafoso m, counterdrain.
contrafrente m (A), back.
contrafricción, antifriction.
contrafuego, fireproof, fire-resisting.
contrafuerte m, counterfort, buttress; (top) spur; (M) abutment.
—— de gravedad, massive buttress (Ambursen dam).
contragalería f (min), countergangway.
contragolpe m, return stroke (piston); kickback.
contragrada f (es), riser.
contragradiente f, reverse grade.
contraguía f, stiffener for elevator guides; (hyd) steel lining in gate guides; counterguide.
contrahierro m (cepillo), top iron, frog.
contrahilo m (mad), end grain; cross grain.
contrahuella f (es), riser.
contraincendios, fireproof, fire-resisting; for fire fighting.
contraladeo m (est), sway brace.
contralecho m (M), lower bed of an ashlar stone.
contralecho, a (mam)(Es), laid with natural bed vertical.
contralistonado m (ed), counterlathing.
contralor m, controller, auditor; (elec)(A) controller.
contraloría f, auditing; auditor's office.
contramaestre m, foreman; master mechanic; (naut) boatswain.
contramanivela f, drag link.
contramarcar, to matchmark.
contramarcos m, door or window trim.
contramarcha f, (eng) reverse, reversing.
contramarchar, (eng) to run in reverse.
contramarea f, tidal countercurrent.
contramartillo m (re), dolly, bucker.
contramatriz f, top die.
contramecha f, counterbore.
—— piloto, counterbore pilot.
contramina f, adit; drift connecting two mines.
contramotor m, opposing motor; haulback motor.
contramuro m (A)(Col), wall built against another.
contraonda f (ra)(A), back wave.
contrapar m, eaves board; rafter.
contrapaso m (Pe), stair riser.
contrapeado m (Es), plywood.
contrapeldaño m (es), riser.
—— de rigidez, false riser.

contrapendiente *f*, reverse grade, acclivity; (Es) (A) downgrade following an upgrade.

contraperno (V), stop screw.

contrapesador (*m*) de ruedas (auto), wheel balancer.

contrapesar, to counterweight.

contrapeso *m*, counterweight; counterpoise, (ra) balancing capacity.

—— de las tenazas (pet), tong counterbalance.

—— de ventana, sash weight.

contrapilastra *f*, astragal, molding covering a door joint.

contrapiso *m*, subfloor; (A)(rd) subgrade.

contraplaca *f*, anchor plate.

contraplacado *m*, plywood.

—— metálico (A), plymetal.

—— superprensado, superpressed or high-density plywood.

contraplancha *f*, (str) splice plate; (w) backing strip.

—— de escurrimiento (to), counterflashing.

contrapolea *f* (Es), tail pulley.

contrapozo *m* (min), raise, upraise.

contrapresa *f*, (Sp) downstream cofferdam; (A) stilling-pool weir.

contrapresión *f*, back pressure.

contraproducente, unprofitable.

contraprueba *f*, check test.

contrapuerta *f*, lining inside of firebox door; storm door.

contrapunta *f* (mh), back center; tailstock, poppethead.

—— con cono, cone center.

—— con palanca de mano (mh), hand-lever tailstock.

contrapunzón *m*, counterpunch.

contraquebranto *m* (cn), hog frame, longitudinal trussing.

contraquilla *f* (cn), keelson; false keel.

contrarrampa *f* (Es)(A), upgrade following a downgrade.

contrarrasante *m* (C), adverse grade.

contrarreguera *f*, subsidiary irrigation ditch; ditch connecting ends of parallel irrigation ditches.

contrarremachador *m* (re), holder-on, dolly.

contrarremachar, to clinch; (re) to buck up.

contrarrestar, to resist (stress); to counteract.

contrarriel *m* (fc), guardrail.

contrarroblón *m*, burr, riveting washer.

contrarroblonador *m* (re), holder-on, bucker, dolly.

contrarroda *f* (cn), stemson, apron.

contrarrotación *f*, counterrotation.

contrasalmer *m*, arch stone next to the skewback.

contraseguro *m*, reinsurance.

contrastar, to assay; to compare with a standard (weights and measures).

contraste *m*, an assay; comparison with a standard; (tv) contrast.

contrata *f*, a contract.

contratajamar *m* (pte), downstream nosing.

contrataladrar, to counterbore.

contrataladro *m*, counterbore.

contratalud *m*, counterslope, (rd) foreslope.

contratante *s*, contracting party.

contratapa *f*, auxiliary top or cover.

contratar, to contract (a job).

contratensión *f* (eléc)(A), counter electromotive force.

contraterraplén *m* (A), any structure to hold a fill.

contratiro *m*, back draft; (min)(M) auxiliary shaft.

contratista *m*, contractor.

—— acarreador, hauling contractor.

—— calefaccionista, heating contractor.

—— camionero, hauling or trucking contractor.

—— de la comisaría, commissary contractor.

—— de edificación, building contractor.

—— electricista, electrical contractor, electragist.

—— general, general contractor.

—— sanitario (ed), plumbing contractor.

contrato *m*, contract.

—— a costo más honorario, cost-plus or fee contract.

—— a destajo, taskwork contract; (Ec) unit-price contract of limited extent, duration, and number of men employed.

—— a precio determinado, fixed-price contract.

—— a precio global o a suma alzada, lump-sum contract.

—— a precios unitarios, unit-price contract.

—— de enganche, contract for furnishing workmen.

—— de fletamiento, charter party.

—— de trabajo, employment contract.

—— por medida, unit-price contract.

contratope *m*, rear stop, back bumper.

contratorcimiento *m* (sol), counterdistortion.

contratuerca *f*, lock or set or jam nut; nut lock; (U) lock washer.

contravapor *m*, back-pressure steam.

contravástago *m*, piston tail rod.

contravena, contraveta *f* (min), counterlode, countervein.

contraventamientos *m* (U), wind bracing; guys.

contraventana *f*, window shutter; storm sash.

contraventanas a prueba de incendio, fire shutters.

contraventar, to brace; to guy.

contraventeo *m*, wind bracing; set of guys.

—— de portal, portal bracing.

contraviaje *m* (Col), skew, bevel.

contravidriera *f*, window blind; storm sash.

contravidrio *m*, glazing molding.

contraviento *m*, a guy; wind bracing.

contravoltaje *m* (A), counter electromotive force.

contrete *m*, stay bolt; (Ec) shore, strut.

control *m*, control.

—— a cable (tc), cable control.

—— a cristal (ra), crystal control.

—— a distancia, remote control.

—— al tacto, finger-tip control.

—— automático de volumen (CAV)(ra), automatic volume or automatic gain control.

—— de avenidas (r), flood control.

—— de las bajas (ra), bass control.

—— de brillo (tv), brightness control.

—— de contraste (tv), contrast control.

—— por tensión regulable (eléc), adjustable-voltage control.

—— remoto, remote control.

controlador *m*, **controladora** *f*, controller (all senses).
—— de gasto (pa), rate controller.
—— de velocidad, speed controller.
controlar, to control; to check, verify.
controler *m* (eléc), controller.
convección *f*, convection.
convectivo, convective.
convector *m* (eléc)(cf), convector.
convenio *m*, agreement, contract.
convergencia *f*, (surv)(math) convergence, convergency; (auto) toe-in.
convergente, converging.
conversión *f* (mat)(eléc), conversion.
conversor *m*, **conversora** *f*, converter (all senses).
convertible, convertible.
convertidor *m* (eléc)(met), converter.
—— **Bessemer**, Bessemer converter.
—— de arco (eléc), arc converter.
—— de fases (eléc), phase converter.
—— de frecuencia (eléc), frequency changer or converter
—— de onda (ra), wave converter.
—— de refuerzo, booster converter.
—— de torsión, torque converter.
—— en cascada (eléc), cascade converter.
—— pentarrejilla (ra), pentagrid converter.
—— rotativo (eléc), rotary or synchronous converter.
convertir (quím)(eléc)(met), to convert.
convexidad *f*, convexity.
convexo, convex.
convoy *m*, (A)(M)(Sp) railroad train.
coordenadas *f*, coordinates.
—— cartesianas, Cartesian coordinates.
—— en el espacio, space coordinates.
—— esféricas, spherical coordinates.
—— planas polares, plane polar coordinates.
—— terrestres (fma), ground coordinates.
coordinatógrafo *m*, coordinatograph.
coordinatómetro *m* (fma), coordinatometer.
copa *f*, cup; anything cup-shaped.
—— de inflamación (di), ignition cup.
—— enfocadora (ra), focusing cup.
copador *m* (herr), fuller; creaser.
—— inferior (her), bottom fuller.
—— superior (her), top fuller.
copal *m*, copal.
copete *m*, crest.
copia *f*, copy.
—— al carbón, carbon copy.
—— al ferroprusiato, blueprint.
—— azul, blueprint.
—— de contacto (fma), contact print.
—— heliográfica, blueprint, sun print.
—— negrosina, vandyke print.
copiloto *m* (fma), copilot.
copilla *f*, small cup.
—— de aceite, oil cup.
—— de cebar, priming cup.
—— de engrase, grease or oil cup, lubricator.
—— de grasa, grease cup.
copla *f* (Ch), a coupling.
coplano *m*, (pmy) coplane; *a* coplanar.
—— básico (fma), basal coplane.
cople *m*, a coupling.

coplín *m* (C), a coupling.
coque *m*, coke.
—— de alquitrán, pitch coke.
—— de alto horno, blast-furnace coke.
—— de fundición, foundry coke.
—— de gas o de retorta, gas coke.
—— de petróleo, petroleum coke.
coquificar, **coquizar**, to coke.
coquimbita *f* (miner), coquimbite, white coperas.
coral *m*, coral.
corálico *a* (V), coral.
coralífero, **coralígeno** *a*, coral.
coralina *f*, corallin; *a* coral.
coraza *f*, armor, protective covering.
—— reticulada (eléc), basket-weave armor.
—— trabada (eléc), interlocking armor.
corazón *m*, core; heartwood; (rr) frog, (A) frog point.
—— con carril de muelle engoznado (fc), hinged-spring-rail frog.
—— con insertados de acero endurecido (fc), anvil-faced frog.
—— con pata de liebre móvil (fc), spring-rail frog.
—— de arcilla (hid), puddle core.
—— de cable, (wr) center strand, core.
—— de plancha (fc), plate frog.
—— de prueba (sx), drill core.
—— de punta móvil (fc), movable-point frog.
—— de riel fijo (fc), fixed-rail frog.
—— de rieles ensamblados (fc), built-up frog.
—— medio (fc), crotch frog.
—— rojo (mad), red heart.
corazonar (sx), to core.
corbata *f*, (sb)(A) collar; (auto)(M) canvas protector of inner tube.
corchado *m* (cab), lay.
—— cruzado, regular lay.
—— directo, lang lay.
corcheta *f* (Es), rabbet in a doorframe.
corchete *m*, cramp; catch, latch; belt clamp.
corcho *m*, cork.
cordaje *m*, cordage, rope.
cordel *m*, rope, cord; belt course; a measure of length (20.35 m); a measure of area (414 centiares); formerly in Cuba a measuring tape.
—— de marcar, chalk line.
cordelería *f*, rigging; rigging yard; ropewalk; cordage.
cordelero *m*, ropemaker; (surv)(C) tapeman, chainman.
cordería *f*, storehouse for rigging.
cordillera *f*, mountain range.
—— divisoria, divide.
cordita *f*, cordite (explosive).
cordón *m*, cord, strand of rope; belt lacing; sidewalk curb; (str) chord, flange; (mas) course. belt course; (p) spigot end; (carp)(w) bead, (A)(C) mountain chain; (A)(Ch) windrow.
—— comprimido (viga), compression flange.
—— de alambre, wire strand.
—— de alambre con eje fibroso, fiber-center wire strand.
—— de andariveles, (wr) tramway strand.
—— de cerros, range of hills.

—— de lámpara (eléc), lamp cord.
—— de oropel (eléc), tinsel cord.
—— de servicio recio (eléc), hard-service cord.
—— de suspensión (eléc), drop cord.
—— de traslapo (sol), overlap bead.
—— de vereda, curbstone, sidewalk curb.
—— guardapretil (pte), barrier curb.
—— inferior, (tu) lower chord, (gi) bottom flange.
—— para correa, belt lacing.
—— para tranvías, (wr) tramway strand.
—— plano, (wr) flattened strand.
—— reflector (ca), reflecting curb.
—— sobrepasable (ca), surmountable curb.
—— superior, (tu) upper chord, (gi) top flange.
coribronce m (M)(B), chalcopyrite (copper ore).
corindón m (miner), corundum, corindon.
cornamusa f (cn), cleat, bitt.
—— de guía, chock.
—— de remolcar, towing bitts.
—— escotera, chock, snatch cleat.
corneana f (geol), hornfels.
corneta (f) de niebla, foghorn.
cornija f, cornice.
cornijal m, corner post.
cornijón m, street corner of a building.
cornisa f, cornice; (pet)(V) crown block.
cornisa, en (ca)(V), built up on a sidehill.
cornisón m, street corner of a building; (M) coping.
corolario m, corollary.
corona f, annular space; ring gear; (elec) corona; crest (dam); (auto) rim; tubular drill bit; crown of a road; (pet)(V) crown block.
—— cortante (pet), boring head.
—— de arco, crown of an arch.
—— de diamantes, diamond bit.
—— de rodillos (cojinete), roller race.
—— dentada, sprocket, gear; crown wheel; ring gear; calyx.
—— fija (turb), speed ring.
—— para municiones, shot-drill bit.
coronación f, crest.
coronadora f (lab), capping machine.
coronamiento m, crest, coping, top.
coronar, to top out; to cap.
corporación f, corporation.
corral m, corral, yard for stock.
—— de almacenamiento, store yard.
—— de maderas, lumberyard.
corralón m, yard, store yard.
corrasión f (geol), corrasion.
correa f, belt, strap; purlin, girt.
—— alisadora (ca), finishing belt.
—— articulada, link or chain belt.
—— cóncava, trough belt.
—— conductora, belt conveyor.
—— corrugada, cog belt.
—— cruzada, crossed belt.
—— de cadena, chain belt.
—— de siete capas, seven-ply belt.
—— de trallas, whipcord belt.
—— dentada, cog belt.
—— en aspa, crossed belt.
—— en cuña, V belt.
—— en V-múltiple, multiple-V belt.
—— seleccionadora, sorting belt.

—— sin fin, endless belt.
—— transmisora, driving or transmission belt.
—— transportadora, belt conveyor.
—— trapezoidal, V belt.
correaje m, belting.
—— articulado de cuero, leather link belting.
—— compuesto, composition belting.
—— de alambre tejido, woven-wire belting.
—— de cuero crudo, rawhide belting.
—— de suela, leather belting.
corrección f, correction; (inst) adjustment.
—— de estación (lev), station adjustment.
—— de los lados (lev), side adjustment.
—— del polígono (lev), figure adjustment.
—— por flecha (lev), correction for sag.
—— prismoidal (ot), prismoidal correction.
corredera f, track, slide; (V) screed; slide valve; skid; (surv) target; (inst) cursor, slide; (mas) screed board; door hanger; (naut) log line; (mt) ram; (r)(A) rapids.
—— a municiones, ball-bearing hanger (door).
—— de cablevía, cableway carriage.
—— de calibre, slide of a caliper rule.
—— de cuadrante oscilante (mv), slide block.
—— de guía (ef), fender skid, sheer skid, glancer.
—— de mira, target of a level rod.
—— de parrilla, gridiron valve.
—— de regla, slide of a slide rule.
—— de Stephenson (mv), Stephenson link.
—— reguladora del cortavapor (mv), cutoff or expansion valve.
correderas, guides; skids.
—— de compuerta (hid), gate guides.
—— de la cruceta (mv), crosshead guides.
corredero, corredizo a, sliding, traveling.
corredor m, passage, corridor; broker.
—— de aduana, customhouse broker.
—— de cambios, foreign-exchange broker.
—— de línea (pet), line walker, pipe-line inspector.
—— de maquinaria (cons), equipment broker or dealer.
—— de vía (fc), trackwalker.
—— marítimo, ship broker.
corredura f, flow; overflow.
corregible (inst), adjustable.
corregir, to correct; (inst) to adjust.
correlación f (geol)(mat), correlation.
correntada f, corrental m, swift flow of a river.
correntilíneo (M), streamlined.
correntímetro m, current meter.
correntón m (PR), strong current.
correntoso, flowing strongly, torrential.
correón m, heavy strap or belt, (M) clevis.
correoso, tough.
correr, to run; to flow; to travel, slide; correrse (pint), to sag.
—— niveles, to run levels.
—— una línea (lev), to run a line.
correspondencia f (fma), correspondence.
corretaje m, brokerage.
corrida f, run, travel; (mas)(Ch) course; (min)(Ch) outcrop; (min)(M) strike of a vein; (min)(B) drift; (surv) a run (of levels).
corrido, continuous; lineal, running.

corriente *f*, current, flow; stream, river; electric current; (C) slope of a roof; *a* regular, common, standard, plain.
— abajo, downstream.
— alterna (c.a.), alternating current (a.c.).
— alterna simple, single-phase current.
— alternada, alternating current.
— anódica (ra), anode or plate current.
— arriba, upstream.
— avanzada (eléc), leading current.
— baja (r), low water.
— catódica (ra), cathode current.
— con rotor fijo (mot), blocked-rotor current.
— con rotor libre (mot), free-rotor current.
— conductiva (eléc), conduction current.
— continua (eléc), continuous or nonpulsating direct current.
— cruzada, crosscurrent.
— de adelanto (eléc), leading current.
— de atraso (eléc), lagging current.
— de cierre (eléc), sealing current.
— de desplazamiento (eléc), displacement or dielectric current.
— de disparo (eléc), drop-out current.
— de escape o de fuga o de falla (eléc), leakage or fault current.
— de funcionamiento (eléc), pickup current.
— de grilla (ra)(A), grid current.
— del haz (ra), beam current.
— de ionización (ra), gas or ionization current.
— de la marea, tidal current, tide.
— de placa (ra), anode or plate current.
— de rayos anódicos (ra), anode-ray or positive-ray current.
— de rejilla (ra), grid current.
— de remolino (A), eddy current.
— desvatada (eléc), wattless or idle current.
— desviada (eléc), stray current.
— directa (c.d.), direct current (d.c.).
— directa con fluctuaciones (eléc), ripple current.
— efectiva (eléc), effective or root-mean-square current.
— en triángulo (eléc), delta current.
— en vacío (eléc), no-load or idle or reactive current.
— espacial (ra), space current.
— específica (eléc), current density.
— freática (r), subsurface flow, water-table stream.
— inductiva (eléc), induced current.
— invariable o permanente (eléc), constant current.
— momentánea (eléc), transient current; instantaneous current.
— momentánea máxima (eléc), rated short-time current.
— oscilatoria (eléc), oscillating current.
— parásita (eléc), eddy or parasitic or Foucault current.
— portadora (eléc), carrier current.
— pulsativa (eléc), pulsating current.
— reactiva (eléc), idle or reactive current.
— retrasada (eléc), lagging current.
— sangradora (ra), bleeder current.
— sinusoidal (eléc), sinusoidal or simple harmonic current.
— subálvea (r), underflow.
— subsiguiente (eléc), follow current.
— subterránea aislada (r), subsurface perched stream.
— térmica, thermocurrent.
— terminadora (eléc), finishing rate or current.
— vaga o vagabunda (eléc), stray current.
— vatada (eléc), active or watt current.
— vectorial (eléc), vector or complex sinusoidal current.
corrientes dispersas (eléc), leakage current.
corrientes terrestres (geof), earth currents.
corrimiento *m*, sliding; landslide; run; (elec) creepage; (geol)(A) thrust.
— de fase (ra)(A), phase shift.
corroer, to corrode.
corromper, (M) to pollute, contaminate.
corromperse, to rot, decompose.
corrosible, corrodible.
corrosión *f*, corrosion.
— con esfuerzo, stress corrosion.
corrosividad *f*, corrosivity.
corrosivo, corrosive.
corroyente, corrosive; abrasive.
corrugación *f*, corrugation; rut.
corrugado, corrugated.
corta *f*, cutting; (lg) felling.
cortaalambre *m*, wire cutters, nippers.
cortaarandelas *m*, washer cutter.
cortabarras *m*, bar cutter.
cortabilidad *f* (met), cuttability.
cortabulones, cortacabillas *m*, boltcutter.
cortacable *m*, wire-rope cutter.
cortacadena *m*, chain cutter.
cortacaño *m*, pipe cutter.
cortacircuito *m* (eléc), circuit breaker, switch, cutout; cutoff.
— de disparo instantáneo, instantaneous-trip circuit breaker.
— de fusible, fuse cutout.
— de fusible de caída, drop-out fuse cutout.
— de fusible de expulsión, expulsion cutout.
— de fusible restablecedor, reclosing fuse cutout.
— de tiempo, time-delay circuit breaker.
— para sobretensiones, overvoltage cutout.
— térmico, thermal cutout.
cortaclavos *m*, nail clippers.
cortacorrea *m*, belt cutter.
cortacorriente (eléc), current breaker.
cortacristal *m*, glass cutter.
cortachapa *m*, sheet-metal cutter.
cortada *f* (exc), cut, through cut.
cortadera *f*, blacksmith chisel.
— en caliente, hot chisel.
cortado a medida, cut to length.
cortado a troquel, die-cut.
cortador *m*, cutter, clipper; (sa) slasher.
— a diamante (mh), diamond cutter.
— de agujeros ciegos (eléc), knockout cutter.
— de banco, bench cutter.
— de brechas (ec), Gradebuilder, trailbuilder.
— de cable, wire-rope cutter.
— de carbón (min), coal cutter.

—— de carriles (fc), track chisel.
—— de hoja metálica, sheet-metal cutter.
—— de malezas, brush or weed cutter.
—— de raíces (ec), root cutter.
—— de ramas (ef), knotter, limber, knot bumper, busher, swamper.
—— en caliente, hot cutter.
—— en frío, cold cutter.
—— múltiple, gang cutter.
cortadora f, cutter, chisel.
—— de engranajes, gear cutter.
—— de ranuras, slot or keyway cutter.
cortadura f, cutting, shearing; shearing stress.
—— con arco metálico, metal-arc cutting.
—— de penetración, punching shear (stress).
—— doble, double shear (stress).
—— horizontal, horizontal shearing stress.
—— oxiacetilénica, oxyacetylene cutting.
—— por llama, flame-cutting.
—— simple, single shear (stress).
cortaduras, cuttings.
cortaespoleta m, fuse cutter.
cortafierro m, cold chisel.
cortafiletes, máquina, thread-cutting machine.
cortafrío m, cold chisel or cutter.
—— con punta rómbica, diamond-nose chisel.
—— de herrero, cold cutter.
—— quitarrebabas, burr chisel.
—— ranurador, cape chisel.
cortafuego m, fire wall or stop; (elec) fire cutoff.
cortahierro m, cold chisel or cutter.
—— de ranurar, cape chisel.
—— para canaletas, lantern chisel.
cortahoyo lateral (pet), side rasp, side hole cutter.
cortaladrillos m, front chisel, bricklayer's chisel.
cortamatas m, brush or bush hook.
cortamecha m (vol), fuse cutter.
cortametal, sierra, hacksaw.
cortamuestras m, sample cutter.
cortante, cutting, sharp.
cortanúcleos m, core bit or drill.
cortaperno m, boltcutter.
cortar, to cut.
—— al hilo (carp), to rip.
cortarraíces m, (t) root cutter.
cortarremaches, rivet buster or cutter.
cortarriel m (fc), track chisel.
cortarroscas f, threading machine.
cortatraviesa m (fc), tie cutter.
cortatubo m, pipe cutter; tube cutter.
—— de caldera, boiler-tube cutter.
—— de pozo (pet), casing cutter.
—— de tres cuchillas, three-wheel pipe cutter.
cortavapor m (mv), cutoff.
cortavidrios m, glass cutter.
cortaviento m, windbreak, windshield.
cortavolandera m, washer cutter.
corte m a cut; a section; cutting edge; shearing stress.
—— a faldeo simple (A), see corte a ladera entera.
—— al hilo en bisel (mad), bevel rip.
—— a ladera entera, cut on a hillside for full width of roadbed.
—— a media galería (A), sidehill cut with overhanging roof.
—— a media ladera, sidehill cut.

—— cerrado, (Ec) cut more than 2 m deep.
—— con arco de carbón, carbon-arc cutting.
—— con arco metálico, metallic-arc cutting.
—— de acabado (mh), finishing cut.
—— de cuña (tún)(min), wedge cut, V cut.
—— de desbaste, roughing cut.
—— de empotramiento, fixed-end shear (stress).
—— de pluma (carp)(A), bevel cut.
—— de préstamo, borrow pit.
—— de prueba (mh), trial cut.
—— en balcón (M), sidehill cut.
—— en bisel, bevel cut.
—— en cajón (exc)(A)(M), through cut.
—— en trinchera (A), through cut.
—— específico, specific shear (stress).
—— esquilante (mh)(A), shearing cut.
—— longitudinal (dib), longitudinal section.
—— pasante (exc), through cut.
—— perimetral (A), perimeter shear.
—— piramidal (tún)(min), pyramid cut.
—— típico (dib), typical section.
—— transversal, cross section.
—— X (cristal ra), X cut, Curie cut.
—— Y (cristal ra), Y cut.
—— y relleno, cut and fill.
corteza f, bark; crust; rind (sugar cane).
cortina f, curtain; (hyd) core wall, (A) cutoff wall; (M) dam, nonoverflow dam.
—— de acero articulada, rolling steel shutter.
—— de agua, water curtain.
—— de arcos múltiples (M), multiple-arch dam.
—— de cabeza (M), roundhead-buttress or dia-mond-head-buttress dam.
—— de enrocamiento (M), rock-fill dam.
—— de inyecciones, grout curtain.
—— de machones (M), buttress dam.
—— enrollable, rolling shutter.
—— impermeable, (hyd) core wall.
—— metálica de enrollar, rolling steel shutter.
—— vertedora (M), spillway dam.
cortina-puerta, rolling steel door.
corto, short.
—— circuito (eléc), short circuit.
—— circuito cabal, dead short circuit.
—— circuito directo, dead short circuit.
cortocircuitadora f, short-circuiting device.
cortocircuitar (A), to short-circuit.
corundita f (rfr), Corundite (trademark).
corundo m, corundum, native alumina.
corvadura f, curvature.
corvo, bent, curved.
cosecante m, cosecant.
coseno m, cosine.
—— verso, coversed sine, versed cosine.
coser, to make a seam; to lace (belt).
cosinusoide f (Es), cosine curve.
cosmético m, belt dressing.
coso m, wood borer, timber worm.
costa f, coast, shore.
—— de barlovento, weather shore.
—— de sotavento, lee shore.
—— marítima, seacoast.
costado m, side.
—— vapor, free alongside (FAS).
costal m, bag, sack.
costalera f (M), burlap.

costanera *f*, slope; (lbr) slab; (carp) scab, flitch, fishplate.
costaneras (ed), siding.
costanero *a*, pertaining to the coast; sloping.
coste *m*, see costo.
costear, to pay the cost of.
costeo *m*, financing, paying for.
costero *m* (mad), slab; flitch; *a* (C) coastwise.
costilla *f*, (str) rib; (tun) poling board; (bldg) furring strip; lagging strip (arch); (Col) rafter.
costillaje *m*, furring; ribbing; frame of a ship; (tun) lagging.
costo *m*, cost.
—— efectivo, actual cost.
—— en plaza, market price.
—— más honorario fijo, cost plus fixed fee.
—— más porcentaje, cost plus percentage.
—— más sobrecosto (M), cost plus fee.
—— menos depreciación, cost less depreciation.
—— neto, prime cost, net cost.
—— primitivo, original cost.
——, seguro y flete (CSF), cost, insurance, and freight (CIF).
—— unitario, unit cost.
costra *f*, scale; crust; (met) scab.
—— de caldera, boiler scale.
—— de forjadura (met), forge or hammer scale.
—— de fundición, skin of a casting.
—— de herrumbre, rust scale.
—— de laminado (met), mill or roll scale.
costroso, scaly.
costura *f*, seam, joint.
—— con solapa, lap seam.
—— de pelo (met), hair seam.
—— de soldadura, welded seam.
—— por recubrimiento, lap seam.
cota *f* (top), elevation.
—— de altura o de nivel, elevation.
—— de comparación, datum.
—— de referencia, datum plane, datum.
—— de retenida (hid), storage level.
cotación *f*, elevation.
cotana *f*, mortise.
cotangente *f*, cotangent.
cote *m*, half hitch.
cotillo *m*, poll (ax or hammer); striking face.
cotización *f* (com), quotation.
cotizar, to quote.
coto *m*, boundary monument.
cotunita *f*, cotunnite, native lead chloride.
covacha *f*, a void, small cave.
covelina, covelita *f* (miner), covellite, indigo copper.
coyunda *f* (C)(AC), rope.
coz *f*, big end of a pole or pile; (min)(M) hitch.
craquear (pet)(A), to crack.
craqueo *m* (pet)(A), cracking.
cráter *m* (eléc)(geol)(sol)(pet)(vol), crater.
crece *f* (Ch), flood.
crecer, to increase; (r) to rise.
crecida *f*, flood.
creciente *f* (r), flood, rise.
—— de la marea, flood tide.
crédito *m*, (act) credit.
—— confirmado, confirmed credit.

—— irrevocable, irrevocable credit.
créditos pasivos, liabilities.
crema de alúmina (lab), alumina cream.
cremallera *f*, rack, rack rail, cograil.
—— de girar (gr), swinging rack.
—— en segmento, segment rack.
—— reguladora (di), control rack.
—— y piñón rack and pinion.
cremona *f*, large door bolt.
crenótrix (is), crenothrix.
creosota *f*, creosote.
creosotado a presión, pressure-creosoted.
creosotar, to creosote.
crepitación *f*, crepitation, crackling; (ra)(A) motorboating.
cresa *f*, maggot.
cresol *m* (quím), cresol.
cresolftaleína *f* (lab), cresol phthalein.
cresta *f*, crest.
—— de la corriente anódica (ra), peak plate current.
—— de gas (pet), gas cap.
—— divisoria (top), divide.
—— normal (hid), standard crest.
—— vertiente o vertedora (hid), spillway crest.
crestería *f* (top), ridge, watershed line.
crestón *m*, outcrop; (top) crest.
creta *f*, chalk.
cretáceo, chalky, cretaceous.
cretácico (geol), Cretaceous.
creyón (*m*) de marcar, marking or lumber crayon
criadero *m* (min), seam, vein, deposit.
—— de mosquitos, mosquito-breeding area.
—— de petróleo, oil pool.
criba *f*, screen, strainer, grizzly, riddle; cribbel.
—— corrediza, traveling screen.
—— de ala, wing screen.
—— de aspiración (bm), strainer for foot valve.
—— de barrotes, bar screen.
—— de cesta, basket screen.
—— de correa, band screen.
—— de jaula, cage screen.
—— del lodo (pet), shale shaker, mud screen.
—— de persiana (pozo), shutter screen.
—— de tambor, drum screen.
—— de vaivén, shaking screen.
—— giratoria, revolving screen.
—— graduadora, gradation screen.
—— hidráulica (min), jig.
—— lavadora, scrubbing or washing screen.
—— para basuras (hid), trash screen.
cribado *m*, screening.
—— con lavado, wet screening.
—— en seco, dry screening.
cribador *m*, sifter, screen tender.
cribadora *f*, screen.
cribar, to screen.
cribón *m*, grizzly.
cric *m*, jack, crick; ratchet.
—— de cremallera, ratchet jack.
—— de palanca, lever jack.
—— de tornillo, screw jack, jackscrew.
—— hidráulico, hydraulic jack.
criofílico (is), cryophilic.
criógeno, cryogenic.
criolita *f*, cryolite (aluminum ore).

criptocristalino (geol), cryptocrystalline.
criptol *m* (eléc), kryptol.
criptón *m* (quím), krypton.
crique *m*, (A) ratchet; pawl; jack; (CA) brook.
criseno *m* (pet), chrysene.
crisócola *f* (miner), chrysocolla.
crisol *m*, crucible, melting pot; hearth of a furnace.
crisolada *f*, charge of a crucible.
crisotilo *m* (miner), chrysotile (asbestos).
cristal *m*, glass; flint glass; a pane of glass; crystal.
—— armado, wire glass.
—— cilindrado, plate glass.
—— de corte AT (ra), AT-cut crystal.
—— de reloj (lab), watch glass.
—— de roca, flint glass; rock crystal.
—— de seguridad, nonshattering or safety glass.
—— deslustrado o esmerilado, ground glass.
—— estriado, ribbed glass.
—— irrompible (M), safety or nonshattering glass.
cristalinidad *f*, crystallinity.
cristalino, crystalline.
cristalizador *m*, crystallizer.
—— al vacío (az), vacuum crystallizer.
cristalizar, to crystallize.
cristaloblástico (geol)(miner), crystalloblastic.
cristalografía *f*, crystallography.
cristalográfico, crystallographic.
cristolón *m*, crystolon (abrasive).
criterio *m*, criterion.
crítico, critical.
crocidolita *f*, crocidolite, blue asbestos.
crocoíta *f*, crocoite, red lead ore.
croche *m* (V), clutch.
cromado, chromium-plated.
cromatar, to chromate.
cromática *f*, chromatics.
cromático, chromatic.
cromato *m*, chromate.
—— de bario, barium chromate or chrome.
—— de plomo, lead chromate, (miner) crocoite.
cromel *m*, chromel (alloy).
crómico, containing chromium, chromic.
cromita *f*, chromite (chrome ore).
cromito *m* (quím), chromite.
cromo *m*, chromium, chrome.
cromóforo *m* (eléc)(quím), chromophore.
cromogénico, cromógeno (is), chromogenic.
cromómetro *m*, chromometer.
cromoníquel, chrome-nickel (steel).
cronófero *m* (eléc), chronopher.
cronografía *f*, chronography.
cronográfico, chronographic.
cronógrafo *m*, chronograph.
cronometría *f*, chronometry.
cronométrico, chronometric.
cronómetro *m*, chronometer.
cronoscopio *m* (eléc), chronoscope.
croquis *m*, sketch.
cruce *m*, crossing; (rr) crossing frog; (p) cross.
—— a nivel o de vía, grade crossing.
—— caminero, highway or grade crossing.
—— en arco (tub), crossover.
—— en trébol (ca), clover-leaf intersection.

—— inferior, undergrade crossing.
—— superior, overhead crossing.
cruces de rigidez (M), bridging (wood floor).
crucero *m*, batten, crosspiece; (elec) crossarm; (p) cross; (rr) frog; crossing frog; road crossing; cleavage (stone); (min) cross heading, crosscut; cross timber; (miner) cleavage.
—— a nivel, grade crossing.
—— básico (miner), basal cleavage.
—— cúbico (miner), cubic cleavage.
—— de carril continuo (fc), continuous-rail frog.
—— de combinación (fc), a set of slip switches and movable-point crossings.
—— de puntas movibles (fc), movable-point crossing.
—— en hoja de trébol (ca), clover-leaf intersection.
—— embridado (tub), flanged cross.
—— para soldar (tub), welding cross.
—— reductor (tub), reducing cross.
—— roscado (tub), screwed cross.
cruceros laterales (est), lateral bracing.
cruceta *f*, crossarm; crosshead; crosspiece.
—— abierta o de alas (mv), wing-type crosshead.
—— atravesada (eléc), buck arm, reverse arm.
—— cerrada (mv), box-type crosshead.
—— de cabeza (mv), crosshead.
—— de cuatro espigas (eléc), four-pin crossarm.
—— de poste (eléc), crossarm.
—— del timón (cn), crosshead.
crucetas, X bracing; bridging (wood floor).
cruciforme, cruciform.
crudeza *f*, hardness of water.
crudo, crude; raw (untreated); hard (water).
crujía *f*, corridor, passage; (bldg)(M) bay.
crujido *m*, creaking, crackling.
cruz *f*, (p) cross; (min) crossing of two veins.
—— con salida lateral (tub), side-outlet cross.
—— de campanas (tub), all-bell cross.
—— de curva abierta (tub), long-sweep cross.
—— de limpieza (tub), blowoff cross.
—— de San Andrés (Es)(V), X bracing.
—— de seis pasos (tub), double cross.
—— embridada (tub), flanged cross.
——, en, at right angles.
—— filar (inst), cross hairs.
—— intercaladora (tub), cutting-in cross.
—— para escalera (tub), stair-railing cross.
—— para lavabo (pb), basin cross.
—— para soldar (tub), welding cross; solder-joint cross.
—— para tabiques (tub), partition cross.
—— reductora (tub), reducing cross.
—— reticular (inst), cross hairs.
—— roscada (tub), screwed cross.
—— sanitaria (tub), sanitary cross.
cruzada *f* (min), crosscut.
cruzadilla *f* (AC), grade crossing.
cruzamiento *m*, crossing; (rr) crossing frog, frog.
—— aéreo, aerial frog (trolley wire).
—— con cambiavía (fc), slip switch.
—— de carril engoznado (fc), swing-rail frog.
—— de plancha (fc), plate crossing, plate frog.
—— enlazado (fc)(C), slip switch.
—— ensamblado (fc), built-up frog.

—— remachado (fc), riveted plate crossing.
cruzar, to cross; to place crosswise.
cuacuaversal (geol), quaquaversal.
cuaderna f, frame (especially of a ship).
—— invertida (cn)(A), reverse frame.
—— maestra, midship frame.
cuadernas (cn)
—— de escuadra, square frames.
—— de los receles, panting frames.
—— inclinadas, inclined frames.
—— sesgadas, cant frames.
cuadernal m, tackle block; (M) block and tackle.
cuaderno m, notebook, field book.
—— de hojas sueltas, loose-leaf notebook.
—— de nivelación, level book.
cuadra f, stable, box stall; city block, square; a
measure of length—150 varas in Chile and
Argentina, 100 varas in Uruguay, Para-
guay, and Ecuador.
—— de popa (an), quarter.
—— de proa (an), forward quarter.
cuadradillo m, grillage.
cuadrado m, square; (math) square; a square.
cuadral m, knee or diagonal or angle brace.
cuadrangular, quadrangular.
cuadrángulo m, quadrangle; a quadrangular.
cuadrantal, quadrantal.
cuadrante m, quadrant; dial of an instrument.
—— azimutal, azimuth dial.
—— oscilante (mv), Stephenson link.
cuadrar, (math)(carp) to square.
cuadrático, quadratic.
cuadratura f, squaring; measuring areas; (math)
(elec) quadrature.
—— de espacio (eléc), space quadrature.
—— de tiempo (eléc), time quadrature.
cuadrícula f, grillage; anything in checkerboard
pattern.
—— de azimut (fma), azimuth grid.
—— de perspectiva (fma), perspective grid.
—— de tanteo (fma), trial grid.
—— de trazar (fma), plotting grid.
cuadriculado m, checkerwork; a in squares.
cuadricular, v to graticulate, mark off in squares;
a in squares.
cuadrifilar (A), four-wire.
cuadrilátero m a, quadrilateral.
cuadrilongo, rectangular.
cuadrilla f, gang, party, squad.
—— aserradora (ef), saw crew.
—— caminera, road gang.
—— de arrastre (ef), skidding crew.
—— de colocación (conc), placing gang.
—— de dibujantes, squad of draftsmen.
—— de perforación (pet), drilling crew.
—— de reparaciones, repair gang.
—— de salvamento, wrecking gang.
—— de sanitación, sanitary squad.
—— de tramo (fc), section gang.
—— de tumba (ef), felling crew.
—— de urgencia (fc), wrecking crew.
cuadriviaria a (ca), four-lane.
cuadro m, square; timber frame; table of figures,
tabulation; (elec) switchboard; (tv) frame;
(min)(B) shaft; (min) case, frame, set.
—— anunciador, indicator board.

—— armado (min), truss set.
—— calculador (eléc), calculating board.
—— con mando de frente (eléc), live-front switchboard.
—— corredizo (eléc), draw-out-type switchboard.
—— de carretillas (eléc), truck-type switchboard.
—— de conmutadores (eléc), switchboard, panel
board.
—— de contador (eléc), meter panel.
—— de distribución, switchboard.
—— de enchufes (tel), plug switchboard.
—— de entibación (min)(tún), drift frame, square
set.
—— de estación (fc)(A), widened right of way to
include a station with its sidings, etc.
—— de frente muerto (eléc), dead-front switchboard.
—— de fusibles (eléc), fuseboard.
—— de gobierno, control board.
—— de instrumentos, instrument board.
—— de propuesta, bidding schedule.
—— de puerta, doorframe.
—— de pupitre (eléc), desk switchboard.
—— de señales, signal board.
—— estadimétrico (lev), stadia table.
—— indicador, annunciator.
—— provisional (min), false set.
—— rígido (est)(U), rigid frame.
cuádruple m, (pet) fourble; a quadruple.
cuádruplex (eléc), quadruplex.
cuádruplo m a, quadruple.
cuajada f, a Costa Rican lumber.
cuajará m (C), a wood used for construction.
cuajarse, to coagulate, clot; to cake.
cualitativo, qualitative.
cuantiar, to appraise.
cuantitativo, quantitative.
cuantómetro m, quantometer.
cuarcífero, quartziferous.
cuarcita f, quartzite, quartz rock.
cuarcítico, quartzitic.
cuarta f, quart; quarter; lineal measure of $\frac{1}{4}$
vara.
—— caña, quarter round.
cuarteadura f, crack, split.
cuartear, to split; to divide into blocks; to quarter; cuartearse, to crack, split, (lbr) to
check.
cuartel m, barracks; city district; (sb) hatch
cover.
cuarteo m, crack, fissure; splitting, dividing into
parts, quartering; (min)(M) piecework.
cuarterón m, panel; (M) measure of 25 liters,
(Ch) diagonal brace in a partition.
cuarteta f (C), a measure of area, about 2 acres.
cuartillo m, a liquid and dry measure having
various values; in Argentina about 1 US
qt; in Mexico about $1\frac{3}{4}$ qt dry and about
$\frac{1}{2}$ qt liquid; in Spain about 1 qt dry or
liquid; in Costa Rica 4.6 liters.
cuarto m, quarter; room; a quarter.
—— bocel, quarter-round molding.
—— de calderas, boiler room, fireroom, (sb)
stokehold.
—— de caña, quarter round.
—— de galón, quart.

—— de mando, control room

—— de máquinas, engine room.

—— de los tachos (az), pan room.

—— de vuelta, quarter turn.

—— húmedo (lab), fog room.

—— oscuro (fma), darkroom.

cuartón m, girder, large beam, timber; (C) parcel of land; (min) boulder; (M) flagstone.

cuarzo m, quartz.

—— bastardo, bastard or bull quartz.

—— citrino, citrine quartz.

cuarzo-monzonita, quartz-monzonite.

cuarzoso, quartzose.

cuaternario m (mat), quaternion; a (math)(geol) quaternary.

cuaternio m (mat), quaternion.

cuaterno (mat), quaternary.

cuatrifilar a, four-wire.

cuatro m a, four.

—— capas, de, four-ply.

—— codos, de, four-throw (crankshaft).

—— etapas, de, four-stage.

—— inserciones, de, four-tuck (splice).

—— pasos, de, four-way (valve).

—— pisos, de, four-story (building).

—— tiempos, de, four-cycle (engine).

—— vías, de, four-lane (highway).

cuatropear (M), to break joints.

cuba f, tank, vat, tub; cask; tank car; bucket of a turbine; conveyor bucket; stack of a blast furnace.

—— del flotador, float chamber (carburetor).

cubaje m, volume, cubical contents.

cubertura f, cover; (auto) cowl.

cubeta f, bucket, pail; basin; leader head; water-closet bowl; (A) spillway bucket; keg; tub; cuvette; (geol)(V) basin.

—— autoprensora, clamshell bucket.

—— del carburador (mg), float chamber.

—— de elevador, elevator bucket.

—— del termómetro, bulb of a thermometer.

—— sacalodo, sand pump.

—— volcadora, dump or contractor's bucket.

cubeta-draga, dragline bucket.

cubetada f, bucketful.

cubicación f, cubical contents, cubage; computation of volumes.

cubicaje m, cubical contents, volume, cubage, displacement.

cubicar, to cube; to compute volumes; (min) to block out.

cúbico, cubic, cubical.

cubículo m (eléc), cubicle.

cubierta f, cover, covering, lid; roof, roof covering; (sb) deck; (str) cover plate; (mech) casing, hood; (A)(U) tire shoe; (exc)(M) overburden; face slab (dam).

—— de aire libre (cn), weather deck.

—— a copete o a cuatro aguas, hip roof.

—— a dos aguas, peak roof.

—— biológica (is), biological film.

—— corrida (cn), flush deck.

—— de abrigo (cn), shelter deck.

—— del alcázar (cn), quarter deck.

—— de arqueo (cn), tonnage deck.

—— de bordo libre (cn), freeboard deck.

—— de la bovedilla (cn), poop deck.

—— de castillo (cn), forecastle deck.

—— del cilindro (mv), cylinder lagging.

—— del diferencial (auto)(U), differential housing.

—— de escotilla (cn), hatch cover.

—— de filón (min), hanging wall.

—— de las lanchas (cn), boat deck.

—— de lona, tarpaulin, canvas cover.

—— de los mamparos (cn), bulkhead deck.

—— de motor (auto), hood.

—— de paseo (cn), promenade deck.

—— de popa (cn), after deck.

—— del puente (cn), bridge deck.

—— del sollado (cn), orlop, orlop deck.

—— de tubería, pipe insulation.

—— de un agua, lean-to roof.

—— flotante, floating roof (tank).

—— guardanieve, snowshed.

—— rasa (cn), flush deck.

cubierto m, cover, roof, shed.

cubilete m (lab), beaker.

cubilote m (met), cupola.

cubo m, pail, bucket, skip; cube; cubical contents; hub; socket; boss; brick hod; (math) cube; (Ch) volume of excavation or concrete.

—— de aguilón, boom bucket (paver).

—— de almeja, clamshell bucket.

—— de andarivel, tramway bucket.

—— de arrastre, dragline bucket.

—— de bayoneta, bayonet socket.

—— de desmontes, volume of excavation.

—— de extracción, mine bucket.

—— de garras (pet), spider.

—— de la hélice (cn), propeller boss.

—— de incendio, fire bucket.

—— del inducido (eléc), armature hub.

—— de pala, shovel dipper.

—— de rosario, elevator bucket.

—— de trailla (ec), bowl of a scraper.

—— volcador o de volteo, tip or dump bucket.

cubreasiento m (auto)(M), seat cover.

cubrecadena m, chain guard.

cubrecostura m (cn), seam strap.

cubrechasis m (ra), chassis cover.

cubrejunta m, splice plate, butt strap, fishplate, scab; astragal; (sb) edge strip, seam strip, seam strap; (p) joint runner.

—— longitudinal (cn), seam strap, edge strip.

cubreneumático m (auto), tire cover.

cubreplaca m (est), cover plate.

cubrerrueda m, mudguard.

cubretablero m (auto), cowl.

cubrir, to cover.

cuchara f, spoon; bucket; dipper, scoop, ladle; (mx)(A) skip loader; (A)(C) mason's trowel; posthole shovel; (pet) bailer; molder's spoon; (turb) bucket.

—— agarradera, grab bucket, clamshell.

—— automática, clamshell.

—— cogedora (Es), grab bucket, clamshell.

—— de albañil, trowel.

—— de arrastre (Es), drag scraper.

—— de biela (auto), connecting-rod dipper.

—— de colar, ladle.

—— de cuatro gajos (M), orange-peel bucket.
—— de cuerno (lab), horn spoon.
—— de desnatar, skimming ladle.
—— de fundición, casting ladle.
—— de polvorero (vol), blasting spoon.
—— de vaciar (fund), pouring ladle.
—— desabolladora (ch), spoon.
—— limpiapozos (pet), cleanout bailer, swab.
—— muestreadora (sx), sample spoon.
—— para horadar, tunneling scoop.
—— para hoyos, telegraph or post spoon.
—— taladradora (mh), shell bit.
—— vertedora (pet), dump bailer.
cuchara-draga (Ec), dragline bucket.
cucharada f, bucketful, (sh) dipperful.
cuchareo m (pet), bailing.
cucharín m (A), pointing trowel.
cucharón m, bucket, dipper, scoop, skip; scraper.
—— aplanador (pl), skimming dipper.
—— bivalvo (M), clamshell bucket.
—— cargador (mz), skip loader, charging skip.
—— cogedor, scraper bucket, scraper.
—— de almeja excavador, digging clamshell.
—— de almeja para remanejo, rehandling clam-
    shell.
—— de arrastre, dragline bucket; drag scraper.
—— de botalón, boom bucket (paver).
—— de colada, ladle.
—— de conchas de almeja (M), clamshell bucket.
—— de descarga por debajo, bottom-dump or
    drop-bottom bucket.
—— de draga, dredge dipper; dragline bucket.
—— de extracción, ore or mine bucket.
—— de gajos de naranja (M), orange-peel bucket.
—— de garfios (M), grab bucket.
—— de garras o de mordazas, clamshell bucket.
—— de granada, orange-peel bucket.
—— de maniobra, rehandling bucket.
—— de pala, shovel dipper.
—— de quijadas, clamshell or grab bucket.
—— de traílla (ec), bowl of a scraper.
—— de tres gajos, three-blade orange-peel bucket.
—— de un cable (ec), single-line bucket.
—— de valvas de almeja (M), clamshell bucket.
—— desencapador (pl), skimmer scoop.
—— excavador, digging bucket.
—— para cajón, caisson bucket.
—— para muestreo, sampling scoop.
—— para remanipuleo, rehandling bucket.
—— prensor (M), grab bucket.
—— recogedor, scraper bucket.
—— tipo casco de naranja, orange-peel bucket.
—— volcador, dump bucket.
cuchilla f, blade, knife, cutting tool; wall scraper;
    moldboard; (Pan) road scraper; (top)(Col)
    (U) ridge.
—— de acepillar, planer knife.
—— de arado, colter.
—— de cepillo, plane iron.
—— de contacto (eléc), blade of a switch.
—— de dos mangos, drawknife.
—— de interruptor (eléc), switch blade.
—— de moldurar, molding knife.
—— de rajar (si), slitter knife.
—— empujadora o niveladora (ec), bulldozer,
    Bullgrader, Roadbuilder; moldboard.

—— para ingletes, miter knife.
— para masilla, putty knife.
—— para yeseros, wall scraper.
—— quitahielo, sleet cutter.
—— separadora (top)(U), divide.
—— zanjeadora, ditcher.
cuchillas de caña (az), cane knives.
cuchillo m, knife, blade; scraper; (Col) rafter;
    (top) ridge.
—— a dos manos, drawknife.
—— de vidriero, putty knife.
—— para rayos, spokeshave.
—— perimetral, cutting edge (caisson).
cuchillo-serrucho, saw knife.
cuchillón m (Ch), broadax.
cuele m (min), driving (drift), penetration; sink-
    ing (shaft); (M) blasting hole.
cuelga f, (Col)(Ch) slope, grade (especially river
    or canal).
cuelgaballesta m (loco)(auto), spring hanger.
cuelgacable m (eléc), cable hanger.
cuelgamuelle m (auto)(A), spring hanger.
cuelgatubo m, pipe hanger.
cuello m, collar, neck, throat; (machy) journal;
    gland (stuffing box); (Col) collar beam;
    (pet) pipe coupling.
—— de cisne o de ganso, gooseneck.
—— de empuje, thrust collar.
—— teórico (sol), theoretical throat.
—— Venturi, Venturi throat.
—— verdadero (sol), actual throat.
cuenca f, basin, drainage area, watershed; val-
    ley; (geol) trough, graben.
—— alimentadora (hid)(A), watershed, catch-
    ment area.
—— carbonífera, coal basin.
—— cerrada (geol), closed basin.
—— colectora o de captación, drainage or catch-
    ment area, watershed.
—— de drenaje (A), drainage area.
—— de fallas (geol), graben, fault trough.
—— de retención, detention basin.
—— de sedimentación (geol), sedimentary basin.
—— fluvial, river basin.
—— hidrográfica o tributaria, watershed, drain-
    age area.
—— hullera, coal basin.
—— imbrífera (A)(U), drainage area, water-
    shed.
—— petrolífera, oil pool.
—— pluviométrica (Col), catchment area, water-
    shed.
—— recolectora (A), drainage area, watershed.
cuenco m, pool, basin.
—— amortiguador (hid), stilling pool.
—— de esclusa, lock chamber.
cuenta (f) de gastos, expense account.
cuentas a cobrar, accounts receivable.
cuentas por pagar, accounts payable.
cuentaemboladas m, piston-stroke counter.
cuentagotas m (lab), dropping tube.
—— de engrase, sight-feed lubricator.
cuentakilómetros m, speedometer (kilometers).
cuentamillas m, speedometer (miles).
cuentapasos m, pedometer, odometer, passom-
    eter.

cuentarrevoluciones *m*, speedometer, tachometer, revolution counter.

cuentavueltas *m*, tachometer, counter.

cuerda *f*, cord, line, rope; chord; cord of wood; (gi) flange; (PR) land measure of about 1 acre; (M) screw thread; (Ec) beam, joist; (sb) ledge.

—— **de algodón**, cotton rope.

—— **de alinear o de marcar**, chalk line.

—— **de cáñamo**, Manila rope.

—— **de correa**, belt lacing.

—— **de plomada**, plumb line.

—— **de señal**, signal cord.

—— **inferior**, (tu) lower chord, (gi) bottom flange.

—— **izquierda** (M), left-hand thread.

—— **larga** (fc), long chord.

—— **mecha** (vol), fuse.

—— **para ventanas**, sash cord.

—— **superior**, (tu) upper chord, (gi) top flange.

cuerillo *m*, a Costa Rican lumber.

cuerno *m*, horn.

—— **de amarre** (eléc), outrigger.

—— **de arco** (eléc), arcing horn.

—— **de colgadores** (cv), horn of a cableway carriage.

—— **de yunque**, horn of an anvil.

cuero *m*, leather.

—— **cromado**, chrome-tanned leather.

—— **crudo o verde**, rawhide.

—— **de cochino**, pigskin.

—— **de montaña**, mountain leather (asbestos).

—— **de suela**, sole leather.

—— **de vaca**, cowhide.

cuerpo *m*, body; corps, party.

—— **central** (cn), middle body.

—— **compuesto** (quím), chemical compound.

—— **de agrimensores**, survey party.

—— **de arco**, arch ring.

—— **de bomba**, pump barrel; pump casing.

—— **de cabrestante**, barrel of a capstan.

—— **de caldera**, boiler shell.

—— **de carretilla**, wheelbarrow tray.

—— **de columna**, shaft of a column.

—— **de émbolo**, piston barrel.

—— **de fundición guarnecido de bronce** (vá), iron body bronze-mounted.

—— **de ingenieros**, engineer corps.

—— **de polea**, shell of a tackle block.

—— **de popa** (an), afterbody.

—— **de proa** (an), forebody.

—— **de remache**, shank of a rivet.

—— **de la válvula**, valve body.

—— **dividido** (bm), split casing.

—— **espiral**, (turb) spiral casing, scroll case; (pu) volute casing.

—— **maestro** (an), middle body.

—— **mineral**, ore body.

—— **muerto**, deadman; (pw) permanent mooring.

—— **simple** (quím), element.

cuesco *m*, core.

cuesta *f*, slope, hill, grade.

—— **abajo** *adv*, downgrade.

—— **arriba** *adv*, upgrade.

cueva *f*, cave; cellar.

cuezo *m*, hod, mortar box; trough, basin.

culata *f*, butt; haunch; (ge) cylinder head; yoke, (Col) rear wall; (C)(PR) side wall.

—— **abovedada** (mg), domed head.

—— **antiturbulente** (mg), nonturbulent head.

—— **de tubos**, pipe header.

—— **de turbulencia** (mg), high-turbulent head.

—— **en F** (mg), F head.

—— **en L** (mg), L head.

—— **en T** (mg), T head.

culatazo *m*, kick, recoil.

culateo *m*, backlash, recoil, kick.

culatín *m*, shank.

culombímetro *m*, coulomb meter, coulometer.

culombio *m* (eléc), coulomb.

culote *m*, base, butt, bottom.

cultivadora *f* (ec), cultivator.

cumarona *f* (pint)(ais), cumar, coumarone resin.

cumbre *f*, crest, summit, ridge, peak, top.

cumbrera *f*, ridge; cap; ridgepole; ridge cap, ridge roll; crown of an arch.

—— **para poste** (eléc), ridge iron.

cumulante *m* (mat), cumulant.

cumulativo, cumulative.

cuna *f* (mec), cradle.

—— **de botadura** (cn), launching cradle, sliding ways.

cuneta *f*, ditch, gutter; (na) waterway.

—— **de escape** (ca), rundown, escape gutter.

—— **de guardia**, intercepting ditch, counterdrain, (rd) berm ditch.

cuneteadora *f* (maq)(A), ditcher.

cuña *f*, wedge, chock; key, gib; frog of a plane; paving stone; gad; (pet) slip.

—— **aislante** (eléc), insulating wedge.

—— **con agujas**, plug and feathers.

—— **de cantero**, stone wedge.

—— **del colector** (eléc), commutator bar.

—— **de grada** (cn), a slice.

—— **de talla transversal** (pet), crosscut slip.

—— **de trozador** (ef), bucking wedge.

—— **de tumbar** (ef), falling wedge.

—— **enteriza** (vá), solid wedge.

—— **para hender**, splitting wedge.

—— **para tubería** (pet), casing slip.

—— **partida** (vá), split wedge.

—— **sacamecha** (mh), drift or center key.

cuñas gemelas (M), gib and cotter.

cuñar, to wedge.

cuñero *m*, (C) keyway, key seat; (pet) man who places wedges.

cuñete *m*, keg.

cuota (*f*) **de agua**, water rate.

cuota de flete, freight rate.

cupla *f*, a coupling; (A) torque.

—— **antagónica** (A), countertorque.

—— **de reducción**, reducing coupling.

—— **momento** (A), torque.

cupo *m*, tax rate; quota.

cupón *m*, coupon; (U) short rail.

cúprico, copper-bearing, cupric.

cupríferо, copper-bearing.

cuprita *f*, red copper, cuprite, ruby copper ore.

cupromanganeso *m*, cupromanganese (alloy).

cuproníquel *m* (aleación), nickel bronze, cupronickel.

cuprosilicio *m*, cuprosilicon (alloy).

cuproso, copper-bearing, cuprous.
cúpula *f*, dome, cupola; (geol)(B)(V) dome.
—— **de arena** (loco), sand dome.
—— **de caldera o de vapor** (loco), steam dome.
cura *f* (conc), curing.
curá *m*, a Central American hardwood.
curación *f*, (conc) curing; (lbr) seasoning; (met) aging.
—— **húmeda** (lab), fog curing.
curado *m*, curing.
—— **al agua** (conc), water curing.
—— **con saturación** (lab), fog curing.
—— **en masa,** mass curing.
curar, (conc) to cure; (lbr) to season.
curiche *m* (B), lake, pool.
currentilíneo, streamlined.
curso *m*, stroke, throw, course, travel; (sb) strake.
—— **del émbolo,** piston travel.
—— **fluvial o de agua,** watercourse, stream.
cursor *m*, (machy) slide; indicator (slide rule).
—— **del objetivo** (inst), objective slide.
—— **en ángulo** (mh), angular slide.
—— **portaherramienta** (mh), toolslide.
—— **transversal** (mh), cross slide.
curtido al cromo, chrome-tanned.
curtido al roble, oak-tanned.
curtiduría, curtiembre *f*, tannery.
curupaina, curupay *m*, a South American hardwood.
curva *f*, curve, bend.
—— **abierta,** (rr) easy curve; (p) long sweep.
—— **adiabática,** adiabatic curve or line, adiabatic.
—— **aguda o brusca,** sharp curve.
—— **cerrada,** (rr) sharp curve; (p) short sweep.
—— **compensadora con doble desplazamiento** (tub), double-offset expansion U bend.
—— **compensadora en U** (tub), expansion U bend.
—— **compuesta,** compound curve.
—— **de acuerdo,** (rr) transition curve; (handrail) ramp, easement.
—— **de altura-gasto** (r), stage-discharge curve.
—— **de cabidas** (hid), capacity curve.
—— **de deformación-esfuerzo,** deformation or stress-strain curve.
—— **de dilatación** (tub), expansion bend.
—— **de enlace,** (rr) transition curve; junction curve; (handrail) ramp, easing.
—— **de gastos** (hid), flow curve.
—— **histéresis** (eléc), hysteresis loop.
—— **de nivel,** contour line.
—— **de oxígeno colgante** (is), oxygen sag.
—— **de paso** (tub), crossover.
—— **de paso con salida atrás** (tub), back-outlet crossover.
—— **de persistencia** (hid)(A), duration curve.
—— **de pie** (tub), base elbow.
—— **de recorrido-tiempo** (vibración), travel-time curve.
—— **de remanso** (hid), backwater curve.
—— **de retorno abierto** (tub), return bend-open type.
—— **de retorno cerrado** (tub), return bend-close type.
—— **de ribera,** flow line (reservoir).

—— **de transición,** (rr) transition or easement curve.
—— **de velocidades en una vertical** (hid), vertical-velocity curve.
—— **de 45°** (tub), eighth bend.
—— **de 90°** (tub), quarter bend.
—— **de 180°** (tub), half bend.
—— **elástica,** elastica, elastic curve.
—— **en U** (tub), U bend.
—— **en U ancha** (tub), return bend-open type.
—— **en U con desplazamiento** (tub), single-offset U bend.
—— **en U con doble desplazamiento** (tub), double-offset U bend.
—— **en U estrecha** (tub), return bend-close type.
—— **en U para soldar** (tub), welding return.
—— **entrópica,** entropy diagram.
—— **estrecha o forzada o fuerte,** sharp curve.
—— **hipsométrica** (A), contour line.
—— **inversa,** reverse curve.
—— **irregular** (dib), French or irregular curve.
—— **isóbata,** depth contour.
—— **isocora,** isochor.
—— **loxodrómica,** rhumb line, loxodromic curve.
—— **senoidal,** sine curve.
—— **suave,** easy curve.
—— **tipo hoz** (pct), sickle bend.
—— **vertical cóncava** (ca), sag vertical.
—— **vertical de cumbre** (ca), summit vertical.
curvas
—— **del arquitecto naval** (dib), ship curves.
—— **freáticas,** ground-water contours.
—— **para vía** (dib), railroad curves.
curvabarras *m*, bar bender.
curvación *f*, curvature.
curvadora *f*, bender.
curvar, to bend, curve.
curvarricles *m*, rail bender.
curvatubos *m*, pipe bender.
curvatura *f*, curvature; bending
—— **escalar o scalar or specific curvature.
—— **por arrugas** (tub), wrinkle bending.
—— **por pliegues** (tub), crease bending.
curvígrafo *m* (C), French or irregular curve.
curvilíneo, curvilinear.
curvímetro *m*, curvometer.
curvo, curved.
cúspide *f*, crest, apex, peak, vertex; cusp.
cuyá *m* (C), a hardwood.

chacarrandal, chacarrandán, chacarranday, Venezuelan lumber.
chafirro *m* (AC), machete, knife.
chaflán *m*, bevel, chamfer; (M) knee brace; (rf) cricket, cant.
—— **abierto** (cn), open bevel.
—— **cerrado** (cn), closed bevel.
chaflanador *m*, beveling tool.
chaflanar, to chamfer, bevel.
chalana *f*, scow, lighter, flatboat.
—— **cisterna,** tank barge.
—— **de compuerta,** dump scow, hopper barge.
—— **de paso** (V), ferryboat.
chalcocita *f*, chalcocite (copper ore).

chalupa *f*, launch, boat, small vessel; (M) ore bucket, skip.

chamarasca *f*, brushwood.

chamba *f*, (Ec) sod, turf; (Col) ditch; (M) occupation.

chambear, (Col) to dig trenches; (Ec) to sod.

chambranas *f* (carp), trim.

chamburgo *m* (Col), pool, backwater.

champa *f* (A), sod (especially that used to reinforce border of irrigation ditch).

champán *m*, large flatboat.

chanca *f*, crushing.

chancado *m*, crushed stone.

—— **sin cribar**, crusher-run aggregate.

chancadora *f*, crusher.

—— **de cilindros**, roll crusher.

—— **de cono**, cone crusher.

—— **de discos**, disk crusher.

—— **de mandíbulas o de quijadas**, jaw crusher.

—— **de martillos**, hammer mill.

—— **giratoria**, gyratory crusher.

—— **reductora**, reduction crusher.

chancar, to crush.

chanchorona *f*, an Argentine wood (semihard).

chanfle *m*, bevel, chamfer; (A) quarter round (concave).

chanflear, to bevel.

chango *m* (pet)(M), derrickman.

changote *m*, steel billet, bloom.

chanto *m* (Es), flagstone.

chapa *f*, sheet, plate; veneering; (C) brass check door lock; (auto)(C) license plate.

—— **abovedada o combada**, buckle plate.

—— **acanalada o corrugada**, corrugated sheet.

—— **aplomada o emplomada**, terneplate.

—— **calada**, perforated plate.

—— **canaleta** (A), corrugated sheet.

—— **de caldera**, boiler plate.

—— **de cinc**, sheet zinc.

—— **de circulación** (auto)(C), license plate.

—— **de guarda** (puerta), finger plate.

—— **de nudo** (est), gusset plate.

—— **del ojo**, keyhole escutcheon.

—— **de palastro**, plate steel; sheet iron.

—— **de pared** (eléc), wall or switch plate.

—— **de patente** (auto), license plate.

—— **de relleno** (est), filler plate.

—— **de unión**, splice plate.

—— **desplegada**, expanded metal.

—— **escamada** (U), checkered plate.

—— **estampada**, stamped or pressed metal.

—— **estriada**, checkered plate.

—— **etiqueta o de identidad**, name plate.

—— **lisa**, flat sheet metal.

—— **matrícula** (auto), license plate.

—— **metálica**, sheet metal; (C) sheet brass.

—— **nodal** (est), gusset plate.

—— **ondulada**, corrugated sheet metal.

—— **para llave** (eléc), switch or wall plate.

—— **plomo-estaño**, terneplate.

—— **rayada**, ribbed plate.

—— **tubular** (cal), tube sheet.

chapaleta *f*, flap valve; clapper of a check valve.

chapapote *m* (M), tar; asphalt.

chapapotear, to coat with tar.

chaparrón *m*, cloudburst, downpour.

chapeado *m*, veneering; plywood.

—— **de latón**, brass-plated.

chapear, to veneer; to line with metal; (C)(PR) to clear land, grub.

chapeo *m* (C), clearing, grubbing.

chapera *f* (Es), ramp of boards with cleats.

chapería *f*, plate work; sheet-metal work.

chaperno *m*, a Central American lumber.

chapista *m*, sheet-metal worker, tinsmith.

chapistería *f*, sheet-metal work.

chapistero *m*, sheet-metal worker, tinsmith tinker.

chapita *f*, brass check.

chapitel *m*, capital (column).

chapoteo *m*, splash.

chapuro *m* (AC), asphalt; tar.

chaquear (A)(B), to clear land.

chaqueta *f*, casing; jacket.

—— **de agua**, water jacket.

—— **de caldera**, boiler lagging or insulation.

—— **de cilindro**, cylinder lagging.

—— **de polvo**, dust jacket (screen).

chaquiro *m*, a Colombian pine.

charca *f*, **charco** *m*, pool, pond, puddle.

charcal *m* (AC), pond.

charnela *f*, hinge, knuckle, articulated joint.

—— **de dirección** (auto), steering knuckle.

—— **de piso**, floor hinge.

charol *m*, a coating; varnish; patent leather.

—— **japonés**, japan.

charolar, to varnish, japan; to coat.

charpado *m* (carp), scarf.

—— **en caliente**, hot-scarfed.

charpar, to scarf.

charquear (min), to bale out, unwater.

charquero *m* (min), drainage ditch.

charral *m* (AC), thicket, underbrush.

chasis *m* (auto)(ra), chassis; (pmy) plateholder

chasquear (maq), to clatter.

chata *f*, flat truck; flat barge.

—— **alijadora**, a lighter.

—— **barrera**, mud scow.

chatarra *f*, junk, scrap iron.

chatarrería *f*, junk shop or yard.

chatarrero *m*, junk dealer.

chato, flat.

chauti *m* (M), clay.

chautoso (M), clayey.

chaveta *f*, cotter, key, gib, wedging piece.

—— **cóncava**, saddle key.

—— **de cabeza**, gib-head key.

—— **embutida**, sunk key.

—— **hendida o de dos patas**, cotter pin, cotter.

—— **y contrachaveta**, gib and cotter.

chavetero *m* (U), key seat.

chaza *f*, (Pe) inner basin of a port; (Ch) cooper's driver.

chazo *m* (Col), nailing block, wood brick.

checar (M), to check; to crack.

chedita *f*, cheddite (explosive).

cheje *m* (AC), link.

cheque *m*, check; (C) check valve.

—— **aprobado o certificado o intervenido**, certified check.

—— **de viajero**, traveler's check.

—— **propio o de administración**, cashier's check.

chequeador *m* (AC), checker.
chequear, (Col)(CA)(C) to check, verify; (CA) to draw a check or draft.
chequeo *m* (C), checking.
cherardizar (Es), to sherardize.
chicana *f*, baffle.
chicotes *m*, packing, junk.
chicuite *m* (min), small bucket.
chicharra *f*, ratchet; electric buzzer; (B) jackhammer.
chicharrón *m* (C), a hardwood.
chicharrones (az), tailings.
chichón *m* (C), (mech) boss.
chiflón *m*, flume; strong draft of air; chamber in a mine; (min) slide of loose stone; (min) inclined gallery; (Ch) rapids; (CA) waterfall; (Col) spring (water); (M) nozzle.
— de agua (M), water jet.
— de arena (M), sandblast.
chigre *m* (Es), crab, winch.
chigua *f* (Ch), bulge, belly.
chileno *m* (min), edge or Chile mill.
chiluca *f* (M), kind of porphyry used as building stone.
chilla *f*, clapboarding; lathing; thin board.
— de metal, metal lath.
chillado *m*, weatherboarding, clapboarding; lathing.
chillar, to creak, squeak.
chillido *m*, squeaking; (ra) howl.
chillón *m*, small nail, lathing nail.
— real, spike.
chimbuzo *m* (Ec), funnel.
chimenea *f*, chimney, stack; fireplace; (min) ascending gallery, drawhole, shaft.
— de aire, air shaft.
— de equilibrio (hid), surge tank.
— de extracción (min), drawhole.
— de visita, inspection shaft.
china *f*, small stone, cobble.
chinarro *m*, pebble; cobble.
chinata *f* (C), pebble; cobble.
chinateado *m*, paving of small cobbles.
chinche *m*, chincheta *f*, thumbtack.
— de ranura, slotted thumbtack.
— estampado, stamped-steel thumbtack.
chino *m*, cobble; (PR) boulder; (min) iron or copper pyrites.
chipodeado (mam)(M), rock-faced.
chiquero *m* (C), crib, cribwork.
chirca *f*, an Argentine lumber (semihard).
chirle *m* (Col), grout; whitewash.
chirriar, to squeak, creak.
chirrido *m* (maq), squeaking; (ra) birdie.
chispa *f*, spark.
— apagada (eléc), quenched spark.
— atrasada (auto), spark retarded.
— avanzada (auto), spark advanced.
— de entrehierro (eléc), jump spark.
— piloto (eléc), pilot spark.
chispas de hielo (hid), frazil ice.
chispear, to spark; (PR) to spray, sprinkle.
chispeo *m*, sparking.
chispero *m*, spark arrester; blacksmith.
chispómetro *m* (eléc), measuring spark gap.
— disparador, triggering gap.

chisporroteador *m* (vol), spitter.
chisporrotear, to spark; (bl) to spit (fuse).
chisporroteo *m*, (elec) sparking; (w) spatter, sputter.
chiva *f* (min)(M), claw bar.
chivato *m* (B), helper, apprentice.
chocar, to collide; (naut) to foul.
choco *m* (Ch), stump.
chófer, chauffeur.
chompa *f* (V), churn or hand drill.
chompín *m* (V), hand drill.
chopo *m*, poplar.
choque *m*, impact, shock, collision.
— de agua o de ariete, water hammer.
— eléctrico, electric shock.
chorizo *m*, mud wall; mixture of mud and straw for plastering a wall.
chorreadero *m* (min)(M), ore chute.
chorrear, to spout, gush; to drip.
chorreo *m*, spouting, gushing.
chorro *m*, jet; stream.
— contraído (hid), vena contracta.
— de arena, sandblast.
— de marcha en vacío (mg), idling jet.
— de municiones o de perdigones, shot blast.
— de vapor, steam jet.
choy *m* (M), kind of soft shale.
chozo *m*, shed, shanty.
chubasco *m*, squall, shower.
chuchero *m* (fc)(C), switchman.
chucho *m*, (rr) switch; (elec) switch; (rr)(C) siding; (rr)(C) turnout.
— biselado (fc), lap switch.
— de aguja (fc), point or split switch.
— de arrastre (fc), trailing switch.
— de cuchilla (eléc)(C), knife switch.
— de descarrilar (fc), derail switch.
— de tope (fc), stub switch.
— de tres tiros, three-throw switch.
— enfrentado o en contrapunta (fc), facing switch.
— muerto (fc)(C), dead-end siding.
chulano *m* (min), upward drill hole.
chumacera *f*, bearing, pillow block, journal box; rowlock (boat).
— a rodillos, roller bearing.
— anular, annular or radial bearing.
— de balines, ball bearing.
— de bolas encerrada, double-shielded ball bearing.
— de camisa, sleeve bearing.
— del contravástago (mv), tail bearing.
— de empuje, thrust bearing.
— del timón (cn), rudder bearing.
— exterior, outboard bearing.
— partida, split bearing.
— recalentada, hotbox, hot bearing.
chumba *f*, chumbe *m* (miner)(B), zinc blende sphalerite.
chumero, chunero *m* (AC), helper, apprentice.
chupadero *m*, suction pipe.
chupador *m*, (pu) strainer for foot valve; (lab) nipple; (pet) swab.
chupar (bm), to suck, draw.
chupón *m*, plunger; (A)(C) foot valve.
chuzo *m*, pike pole; (Ch) crowbar.

dacita *f* (geol), dacite.
dacítico, dacitic.
dactilógrafa *f*, typist.
dactilografista *m f*, typist.
dactilógrafo *m*, typewriter; typist.
dado *m*, die; (mas) small pier; capstone; (M) jackbit.
—— de barrena (M), jackbit.
—— de operación (vá)(V), operating nut.
—— de resorte (rs), spring or prong die.
—— de roscar, die.
dados
—— de amortiguamiento (hid), baffle blocks.
—— deflectores (hid), baffle piers or blocks, dentals.
—— para tornillos (rs), bolt dies.
—— para tubería (rs), pipe dies.
daga *f* (PR), machete.
dagame *m*, a hardwood of Central America and the West Indies.
dala *f*, dale, spout, trough; (M) slab.
dama *f*, dam of a blast furnace; (A) mound of earth left under an engineer's stake.
damar *m*, dammar.
damero-estampa (A), swage block.
dañar, to damage.
daño *m*, damage.
daños y perjuicios (leg), damages.
dar, to give.
—— alcance, to overtake.
—— bocazo (vol), to blow out.
—— contra, to collide with, strike against.
—— contramarcha o contravapor (maq), to reverse.
—— cuele (tún)(M), to drive.
—— cuerda (inst), to wind.
—— de baja, to discharge (men); (Ch) to scrap.
—— en un bajo (náut), to run aground.
—— fondo (náut), to anchor, drop anchor.
—— fuego, to put off a blast; to blow in a furnace.
—— interés (A), to bear interest.
—— manija (auto)(A), to crank.
—— manivela (auto), to crank.
—— mechazo (vol), to misfire.
—— presión (cal), to get up steam.
—— vapor (cal), to steam.
—— viaje, to taper.
—— vueltas, to revolve, slue.
daraf (eléc), daraf.
dardo *m* (pet), dart.
dársena *f*, basin, dock, inner harbor.
—— de flote, wet dock, basin.
—— de maniobra, turning basin.
—— de marea, tidal basin.
—— para embarcaciones menores, marina, boat haven, boat harbor.
dato *m*, datum.
datos, data.
datolita *f* (miner), datolite, humboldtite.
davina *f*, miner's safety lamp.
débil, weak.
debilitar, to weaken.
decaamperio *m*, deca-ampere.
década *f*, decade.
decaedro *m*, decahedron.
decaestéreo *m*, decastere.

decagonal, decagonal.
decágono *m*, decagon.
decagramo *m*, decagram.
decalado, decalaje *m* (eléc)(herr), angular displacement.
decalador (*m*) de fase (eléc), phase shifter.
decalaje de escobillas (eléc), brush shifting.
decalescencia *f*, decalescence.
decalescente, decalescent.
decalina *f*, decalin, decahydronaphthalene.
decalitro *m*, decaliter.
decámetro *m*, decameter.
decano *m* (quím), decane.
decantable (hid), settleable.
decantación *f* (hid), sedimentation, settling, decantation; pouring.
—— contracorriente (is), countercurrent decantation.
decantador *m*, settling tank, catch basin, (sw) silt basin; (su) settler.
—— de arena, sand trap or separator, catch basin.
decantar, to deposit silt, settle; to pour; to drain off.
decapitación *f* (geol)(A), stream capture.
decarbonatador *m* (mg), decarbonator.
decarbonatar (M), to decarbonate.
decarbonizar, to decarbonize.
decarburación *f* (M), decarburation, decarbonization.
decárea *f*, decare.
decauville, narrow-gage (especially portable track and side-dump cars).
deceleración *f*, deceleration, negative acceleration, retardation.
deciamperio *m*, deciampere.
deciárea *f*, deciare.
decibelímetro *m*, decibel meter.
decíbelo *m*, decibel.
deciestéreo *m*, decistere.
decigramo *m*, decigram.
decilitro *m*, deciliter.
decimal *s a*, decimal.
—— periódico o repetidor, recurring or periodic decimal.
decimétrico (ra), decimetric.
decímetro *m*, decimeter.
décimo *m a*, tenth.
decinormal, decinormal.
declinación *f* (brújula), declination, variation.
declinador *m*, declination compass.
declinógrafo, declinograph.
declinómetro *m*, declinometer.
declive *m*, slope, grade, incline, pitch.
—— de subida, upgrade.
declividad *f*, slope.
declorinación *f* (Pe), dechlorination.
decolaje *m* (ap), take-off.
decolar (ap), to take off.
decrecer, to ebb (tide); to fall (level of river); to decrease.
decremento *m*, decrement.
decrémetro *m*, decremeter.
decrepitación *f*, decrepitation.
dedal *m*, cap, ferrule.
dedo (*m*) de contacto (eléc), contact finger.
defasaje *m* (eléc)(A), phase difference.

defecación *f*, defecation.
defecador *m*, defecator.
defecante *m*, defecant.
defecar, to defecate.
defecto *m*, defect, flaw.
defectuoso, defective.
defensa *f*, guard, fender, protection.
—— de la escotilla (cn), coaming.
—— de orillas, shore protection.
—— fluvial o de riberas (r), bank protection.
—— marítima (A), sea wall.
déficit *m*, deficit; shortage.
definición *f* (fma)(tv), definition.
—— amplia (tv), high definition.
—— escasa (tv), low definition.
definitivo, final, definitive.
deflación *f* (geol), deflation.
deflagrador *m* (Es), blasting machine.
deflagrar, to deflagrate.
deflección *f* (est)(ra)(Es)(A), deflection.
defleccionar (est)(A), to deflect.
deflectómetro *m*, deflectometer.
deflector *m*, baffle, deflector; bucket (dam).
—— de aceite (lu), oil thrower.
—— de descarga, belt plow.
—— fumívoro (cf), smokeless arch.
—— separador, separating baffle.
deflegmador *m*, deflegmator.
deflegmar, to deflegmate.
deflexión *f*, (str)(surv) deflection.
—— de la aguja, magnetic deviation.
defloculante *m* (is)(M), deflocculant.
defloculant (C)(M), to deflocculate.
deforestar, to deforest.
deformación *f*, deformation, strain; distortion.
—— anelástica (A), plastic flow.
—— armónica (ra), harmonic distortion.
—— de amplitud-frecuencia (ra), attenuation distortion, amplitude-frequency distortion.
—— de corte, shearing strain.
—— del envolvente (ra), envelope distortion.
—— de fase (ra), phase distortion.
—— en frío, cold deformation.
—— lindera o de límite (ms), boundary deformation.
—— plana, plane deformation.
—— plástica, plastic deformation, (A) plastic flow.
deformar, deformarse, to deform, distort.
deformómetro *m*, deformeter.
degausaje *m* (cn), degaussing.
degeneración *f* (ra), degeneration, negative or inverse feedback.
degolladura *f* (lad)(Es), vertical joint.
degradable, erosible (soil).
degradación *f*, erosion; disintegration; (chem) (geol) degradation.
degradador *m* (mam), mortar chisel.
degradar, (chem)(geol) to degrade; (mas) to rake joints.
degüello (*m*) inferior (her), bottom fuller.
degüello superior (her), top fuller.
delantal *m* (mec)(auto)(hid), apron.
—— de embarcar (ap), loading apron.
—— de soldador, welder's apron.
—— impermeabilizante (M), face slab of a dam.
delantera *f*, front end, front part.

delantero *m*, (st) nosing; *a* front.
delator de fallas (eléc), fault localizer.
delegado *m*, delegate (union).
deletéreo, deleterious.
deleznable, unstable (ground), crumbly, brittle (soil).
deleznamiento *m*, slaking (soil).
delfín *m*, mooring post, dolphin, pile cluster.
delga *f*, thin sheet; commutator bar.
delgadez *f*, slenderness.
delgado *a*, thin, light.
delicuescencia *f*, deliquescence.
delicuescente, deliquescent.
delineación *f*, delineation.
delineador, delineante *m*, draftsman, designer.
delinear, to design, draw.
delta *m* (r), delta; *f* (eléc), delta.
deltaico, deltaic.
demanda *f*, demand, load.
—— bioquímica de oxígeno (is), biochemical oxygen demand.
—— de cloro (is), chlorine demand.
—— de recalefacción (aa), reheating load.
—— de transmisión (aa), transmission load.
—— máxima (eléc), peak load.
—— por aparatos (aa), appliance load.
—— por infiltración (aa), leakage load.
—— por ocupación (aa), occupancy load.
demarcación *f*, laying out; (A) fencing.
demérito *m* (cont), depreciation.
demodulación *f* (ra), demodulation.
demodulador *m* (ra)(A), demodulator.
demoledor *m*, building wrecker.
demoledora *f*, demolition tool.
demoler, to demolish, raze, (bldg) wreck.
demolición *f*, wrecking, demolition.
demora *f*, delay; (rr) demurrage; (naut) bearing
—— del envolvente (ra), envelope delay.
demulsibilidad *f*, demulsibility.
demulsionar, demulsificar, desemulsionar, to demulsify.
dendriticismo *m* (sol), dendriticism.
dendrómetro *m* (ef), dendrometer.
denominador *m*, denominator.
densidad *f*, density.
—— de corriente (eléc), current density.
—— de flujo dieléctrico, electric induction, dielectric flux density.
—— de flujo magnético, magnetic flux density magnetic force or intensity.
—— en masa (ms), bulk density.
densificación *f* (ms), densification.
densimetría *f*, densimetry.
densimétrico, densimetric.
densímetro *m*, densimeter; hydrometer.
densitómetro *m*, densitometer.
denso, dense, thick; (conc)(A) stiff.
dentado *m*, toothing, indentation, (hyd) dental (conc) bonding key; *a* dentated, toothed indented.
dentador *m* (si), gummer.
dentar, to tooth, notch, indent.
dentellado, toothed, notched, dentated.
dentellón *m*, cutoff wall (dam); toothing of a brick wall.
denudación *f*, denudation.

denuncia *m* (min), denouncement.
—— de accidente, accident report.
denunciar (min), to denounce.
departamento *m*, compartment; department; apartment; (rr) stateroom.
—— de calderas, boiler room.
—— de caminos, highway department.
dependencia *f*, branch office; department, bureau.
depleción *f* (A), depletion.
deposición *f* (met)(sol)(geol), deposition.
—— electrolítica, electrodeposition.
—— electrónica (met), sputtering.
depositación *f* (hid)(A), sedimentation.
depositar, to deposit; depositarse, to settle (dregs).
depósito *m*, storehouse, warehouse; store; bin; tank; reservoir; sediment, precipitate; deposit; (geol) deposition.
—— alimentador, distributing reservoir.
—— aluvial, alluvial deposit.
—— compensador, regulating reservoir.
—— compresor, pressure tank.
—— de acarreos (hid), silt deposition.
—— de acumulación, storage reservoir.
—— de aduana, customs warehouse.
—— de aire comprimido, air receiver (compressor).
—— de baldeo (al), flush tank.
—— de captación, impounding reservoir.
—— de carbón, coalbin.
—— de carga (hid)(Es), forebay.
—— de compensación, (ag) surge bin; (hyd) regulating reservoir.
—— de detención, detention basin.
—— de distribución, distributing reservoir.
—— de explosivos, magazine.
—— de incrustaciones, deposit of scale.
—— de limpia (al)(Es), flush tank.
—— de locomotoras (fc), enginehouse, roundhouse.
—— de maderas, lumberyard.
—— de minerales, mineral deposit.
—— de rebose (ag), overflow bin.
—— de retención (dac)(Pe), detention basin.
—— decantador o de sedimentación, settling basin.
—— fiscal, government warehouse.
—— franco, warehouse in a free port.
—— regulador, regulating reservoir; standpipe.
—— unitario (sol), rate of deposition.
depreciación *f*, depreciation.
—— acumulada, accrued depreciation.
—— de desuso (eléc), shelf depreciation.
depreciar, depreciarse, to depreciate.
depresión *f*, (top) depression, hollow; gap, pass; (hyd)(V)(Pe) drawdown; (surv) depression.
depresor *m*, depressor (all senses).
deprimido *m* (hid), drawdown.
depurador *m*, cleaner, purifier; filter.
—— centrífugo (aa), centrifugal cleaner.
—— de cok, coke scrubber (gas).
—— de vapor, steam scrubber or purifier.
depurar, to purify.
derecha *f*, right hand.

derecho *m*, grant, concession; law; *a* straight; right (hand).
—— de bosque o de monte, timber rights.
—— de paso o de vía, right of way.
derechos, taxes, duties, fees; rights.
—— aduaneros o arancelarios, customs duties.
—— consulares, consular fees.
—— de agua, water rights.
—— de almacenaje, storage or warehouse charges.
—— de anclaje, anchorage dues.
—— de atraque, wharfage.
—— de baliza, beaconage.
—— de barrera (ef), boomage.
—— de depósito, storage dues.
—— de entrada o de importación, import or customs duties.
—— de esclusa, lockage, locking charges.
—— de exportación, export duties.
—— de faro, lighthouse dues.
—— de grúa, cranage, crane charges.
—— de lanchaje, lighterage.
—— de mineraje, mining royalty.
—— de muelle, wharfage.
—— de patente, patent royalty.
—— de puerto o de quilla, harbor dues, keelage.
—— de remolque, towage, towing charges.
—— de riego, irrigation rights; irrigation dues.
—— de salida, export duty.
—— de salvamento, salvage.
—— de tonelaje, tonnage dues.
—— petroleros, oil rights.
—— portuarios, port charges, harbor dues.
deriva *f*, (naut)(geop)(pmy) drift; (naut) leeway.
derivación *f*, diversion; by-pass; branch, service connection; overflow; (elec) shunt; (math) derivation.
—— central (ra), center tap.
—— corta (eléc), short shunt.
—— del abonado (eléc), service connection.
—— de cable partido (eléc), split cable tap.
—— de enrollado múltiple (eléc), multiple-wrap cable tap.
—— de nudo (eléc), knotted tap joint.
—— de servicio (tub), house connection or service.
—— enrollada (eléc), wrapped tap joint.
—— larga (eléc), long shunt.
—— maestra (eléc), master service.
—— particular (tub), house service.
derivada *f* (mat), derivative.
derivado *m*, (chem) derivative; branch.
derivados de coque, coke by-products.
derivador (*m*) de seguridad (vol), safety shunt.
derivar, to divert; (elec) to shunt; to branch off; (naut) to drift; (elec)(chem) to derive.
—— las juntas (Ch), to break joints.
derivativo *a* (quím)(mat), derivative.
derivómetro *m* (fma), drift meter.
derramadero *m*, (hyd) apron; spillway; (M) valley of a stream.
derramamiento *m* (hid), runoff.
derramarse, to overflow; to run off.
derrame *m*, (hyd) runoff, flow, effluent, overflow: (bldg) water table; splay of a window or doorjamb; (C) drip, overhang.
—— sólido (r)(A), silt load.

derrapada *f* (auto)(M), skid, skidding.
derrapar (auto)(M), to skid.
derretido *m*, (su) a melt; (cons) grout; *a* melted, molten.
— de cemento, (C) cement grouting.
derretidor *m*, melter.
derretir, to melt, fuse; derretirse, to melt, thaw; to fuse.
derribaárboles *m* (tc), treedozer.
derribador *m*, felling ax; building wrecker.
derribar, to wreck, demolish; to fell.
derribo *m*, wrecking, demolition, felling.
derribos, building rubbish, debris.
derrisco *m* (top)(C), gorge.
derrocadora *f* (A), rock breaker.
derrocamiento *m*, demolition; (A) rock excavation.
derrocar, to tear down, demolish
derrochar, to waste.
derroche *m*, waste.
derrota *f*, ship's course.
derrotero *m* (náut), course, route.
derrubiar, to erode, wash away.
derrubio *m*, erosion, undercutting, scour, undermining; material eroded.
— glacial (A), glacial drift.
derrumbarse, to fail, collapse; to slide (earth).
derrumbe *m*, fall, failure; slip, landslide; cave-in; (sm) slump, flow; (min) cave, run.
— por deslizamiento (muro), sliding failure.
— por volcamiento (muro), tilting failure.
desabollador *m*, tool for straightening sheet metal.
desabollar, to straighten out dents or bulges.
desabsorción *f*, desorption.
desaceitado, lacking lubrication.
desacelerar (M), to decelerate.
desacentuador *m* (ra), deaccentuator.
desacidificar, to neutralize acids.
desacoplar, to uncouple, disconnect; (ra) to decouple.
desacople *m*, uncoupling, throwout.
desacoplo, desacoplamiento *m* (ra), decoupling.
desactivar, to deactivate.
desacuñar, to remove wedges; to unseat.
desadoquinar, to tear up pavement.
desaereador *m*, deaerator.
desafilado, (t) dull.
desafilarse, to become dull.
desaforrar, to remove sheathing; (cab) to unserve.
desagarrar, to release a clamp or clutch.
desagotar, to unwater, drain.
desagote *m* (C)(M), unwatering, draining.
desagregación *f*, disintegration.
desagregado, disintegrated.
desagrupación *f* (ra), debunching.
desaguable, drainable.
desaguadero *m*, drainpipe, drain; (M) sewer.
desaguador *m*, a drain; drainer; dewaterer.
— de basuras (hid), trash sluice.
desaguadora (*f*) de sótanos, cellar drainer.
desaguar, to drain, unwater; to discharge; desaguarse, to drain, drain off.
desaguazar, to drain.
desagüe *m*, drainage; a drain, drainpipe; gutter.

— cloacal, sewer; sewerage.
— de azotea (pb), roof drain.
— de desperdicios (hid)(M), wasteway.
— de fondo, sluiceway, undersluice.
— de piso (pb), floor drain.
— domiciliario (pb), house drain.
— filtrante (pa), filter drain.
— inferior, subdrainage, underdrainage.
— pluvial, storm-water sewer.
— superficial, surface drainage.
desahogado (hid), unsubmerged.
desahogador *m*, relief valve or trap.
desahogar, to vent, relieve pressure; (Sp) to drain.
desahogo *m*, vent, discharge, relief of pressure.
desahuciar, (Ch)(Ec) to discharge (men).
desahucio *m*, (Ch)(Ec) discharge (men); (Pan) exhaust.
desaire *m* (A), venting.
desairear, to deaerate.
desaislación *f*, removal of insulation.
desajustarse, to get out of order.
desajuste *m*, bad order, breakdown.
desalabear, to straighten.
desalineado *m*, drift (rivet); *a* out-of-line, untrue, unfair (holes).
desalinearse, to get out of line.
desalmacenar, to take out of a warehouse.
desalojamiento *m* (M), displacement.
desalojar, to dislodge, clear away.
desamoldar (conc), to strip forms.
desanchar (min)(M), to resue.
desanche *m* (min)(M), resuing.
desangramiento *m* (conc)(M), bleeding.
desaparejar, to dismantle, strip, unrig.
desapernar, to loosen bolts; to remove bolts.
desaplomado, out-of-plumb.
desapretar, to loosen.
desapuntalar, to remove shores.
desarbolar, to dismast.
desarborización *f*, deforestation.
desarenador *m*, sand trap, grit chamber, catch basin, (sw) silt basin; sluiceway, sand sluice.
desarenar, to remove sand, desand.
desarmable, collapsible, detachable, demountable.
desarmado, knocked down, dismantled.
desarmador *m*, (Ec) claw bar, stripping bar; (M) screwdriver.
— de cruz (M), screwdriver for recessed-head screws.
desarmar, to dismantle, disassemble; (fo) to strip.
desarme *m*, dismantling.
desarraigador *m* (ec), rooter.
desarreglado, out-of-order.
desarreglo *m*, bad order.
desarrollar, to unroll; to develop.
desarrollo *m*, development.
— de potencia, power development.
desarticular, to disjoint.
desasfaltar (pet), to remove asphalt, deasphalt
desasiento *m*, unseating (pressure).
desatascar, to remove an obstruction.

desaterrar, to remove silt; to clean up rubbish; (min) to remove deads.

desatierre *m* (min), removal of rubbish; a dump.

desatorar, to remove obstructions; to clear away spoil or rubbish.

desatornillador *m* (AC), screwdriver.

desatornillar, to unscrew.

desazolvar (M), to remove silt.

desazolve *m* (M), desilting.

desazufrar, to desulphurize, (pet) sweeten.

desbacterización *f* (A), sterilization.

desbalanceo *m* (V), unstable equilibrium.

desbanque *m*, (M) stripping top soil; (Ec) side-hill excavation.

desbaratar, to wreck, demolish.

desbarate *m* (Ch), rubbish from a demolished building.

desbarbador *m*, chipping chisel.

desbarbadora *f*, snagging wheel; chipping hammer.

desbarbar, to chip, trim, smooth off, snag.

desbarnizar, to remove varnish.

desbarrar, to remove sludge or silt.

desbastador *m*, hewer; any trimming or shaping tool; (sa) trimmer; dresser.

debastar, to dress roughly, trim, scabble, snag; to hew.

desbaste *m*, hewing; roughdressing.

desbisagrar, to unhinge.

desbocarse, (machy) to race; (bl)(Pe) to blow out.

desbordarse, to overflow.

desboscar, to cut down trees, deforest, clear.

desbosque *m*, clearing (land), cutting trees.

desbroce *m*, clearing (land), grubbing, (lg) swamping; brushwood, branches.

desbrozador *m* (ef), swamper, busher.

desbrozar, to clear (land), to grub, (lg) to swamp.

desbrozo *m*, clearing (land); brushwood.

desbutanizador *m* (pet), debutanizer.

descabezamiento *m*, tension on a rivet; cutting off rivethead.

descafilar, to clean mortar from brick.

descalcador *m*, reeming iron, ravehook, ripping iron.

descalcar, to remove calking.

descalce *m*, removing wedges; undermining.

descalibración *f* (M), faulty calibration.

descalzar, to remove underpinning; to remove wedges or chocks; to undermine.

descamador *m* (herr), scaler.

descamarse, to scale off.

descaminarse, to run off a road.

descamino *m*, running off a road.

descansadillo, descansapié *m* (auto), footrest.

descansillo *m*, stair landing.

descanso *m*, bearing, pillow block; stair landing; level stretch in a steep stream; (Ch) water closet; (str)(A) bearing.

—— de bolas, ball bearing.

—— de rodamiento o de rodillos, roller bearing.

descansos, (rr)(Pe) car brasses.

descantear, to chamfer, splay; to round off.

descantilladora *f*, (t) chipper.

descantilladuras *f*, chips, spalls.

descantillar, to chip off, spall; to bevel the edges

descantillón *m* (Col), template; straightedge.

descapotar (Col), to strip topsoil.

descarbonatar, to decarbonate.

descarbonizador *m* (az), decarbonizer.

descarbonizar, to remove carbon; to decarbonize.

descarburar, to decarbonize.

descarga *f*, unloading, dumping; (hyd) discharge, outlet; (machy) exhaust; (elec) discharge.

—— espontánea (eléc), self-discharge, local action.

—— inferior, bottom dump (car).

—— lateral, side dump (car).

—— luminiscente (eléc), glow discharge.

—— oscura (eléc), dark discharge.

—— radiante (eléc), brush discharge.

—— superficial (eléc), surface leakage.

—— trasera (co), rear dump.

descargadero *m*, unloading platform.

descargador *m*, (hyd) wasteway, outlet, escape; (elec) lightning arrester; (elec)(steam) discharger; unloader (compressor).

—— a disco (eléc), disk discharger.

—— de acumulador, battery discharger.

—— de carros, car unloader.

—— de chispa apagada (ra), quenched gap.

—— de fondo (presa), sluiceway, silt sluice.

—— electrostático, electrostatic arrester.

descargadora (*f*) de vagones, car unloader.

descargar, to unload; to discharge; (eng) to exhaust; descargarse, to discharge; to run down (battery).

descargo *m*, unloading; (com) discharge.

descargue *m*, unloading.

descarrilador *m* (fc), derail switch.

descarrilarse, to run off the track.

descarrilo *m* (A), derailment.

descascararse, to spall, scale, flake.

descebarse (bm), to lose prime.

descentrado, out-of-line, off-center, eccentric.

descimbrar, to strike centers (arch).

descimentar, to undermine.

descincado *m*, dezincification.

desclavador *m*, claw bar, nail puller.

desclavar, to pull nails.

desclavijar, to remove a pin or cotter.

desclorar, to dechlorinate.

desclorinación *f*, dechlorination.

desclorinador *m*, dechlorinator.

descoagulante, clot-dissolving.

descobrar, to decopperize.

descohesión *f*, decoherence.

descohesor *m* (ra), decoherer.

descolchar (cab), to unlay.

descolmatar, to desilt.

descoloración *f* (pa), color removal.

descolorante *m*, decolorizer.

descolorar, to remove color, bleach, decolorize.

descombrar, to muck, remove spoil, clean up.

descombro *m*, muck, excavated material, rubbish.

descomponer, to decompose; to break down; to take apart; (math) to resolve; descomponerse, to decompose, decay, rot; to get out of order.

descomponible, decomposable.

descomposición *f*, decomposition.

—— **de fuerzas,** resolution of forces.
—— **térmica** (pet), cracking.
descompostura *f,* bad order, breakdown.
descompresión *f,* decompression.
descompresor *m,* decompressor.
descompuesto, out-of-order; disintegrated.
desconcentrador *m,* deconcentrator.
desconchamiento (*m*) **a soplete** (met), flame-scaling.
desconchar, to strip off; (met) to chip, scarf; **desconcharse,** to spall, scale off; to exfoliate, flake.
desconectador *m,* disconnect, disconnecting switch, disconnector.
—— **fusible,** disconnecting fuse.
desconectar, to disconnect; (elec) to cut out.
iesconexión *f,* disconnecting.
—— **a tensión mínima** (eléc), undervoltage release.
descongelación *f* (aa), defrosting.
descongelador *m,* defroster.
descongelar, to thaw.
descontacto *m* (M), breaking contact.
descontaminación *f,* decontamination.
descontinuidad *f,* discontinuity.
descontinuo, discontinuous.
descorregido (inst), out-of-adjustment.
descortezador *m* (ef), barker, rosser, peeler, spudder.
descortezadora *f,* bark mill.
descortezar, to strip bark; to strip topsoil.
descostrador *m,* boiler compound.
descostrar, to remove scale; **descostrarse,** to spall; to scale.
descrecer, (ti) to ebb; to fall (level of river).
descripción *f* (lev), description.
descuajar, to grub.
descuaje *m,* grubbing.
descubierto, exposed, open.
—— **, al,** above ground, in sight, in the open air, in open cut.
descubridor (*m*) **de tubos,** pipe locator.
deschavetar, to remove a key or cotter.
desdoblar, to straighten out, open up, take apart.
desecación *f,* drying, desiccation; (lbr) seasoning; (M) drainage.
desecador *m,* drier, dehydrator, desiccator.
—— **a rocío** (aa), spray drier.
—— **de cienos** (dac), sludge drier.
—— **de contacto** (aa), contact drier.
—— **de tambor rotativo** (aa), rotary-drum drier.
—— **instantáneo,** flash drier.
desecante *m a,* desiccant.
desecar, to dry, season, desiccate; (M) to drain, dewater.
desecativo *m,* drier.
desechar, to scrap.
desecho *m,* scrap, junk; (surv) offset; (rd) detour.
desechos, spoil, waste, rubbish; scrap; rejects (screen); (min) deads; (min) tailings, chats.
—— **de curtido** (is), tannery wastes.
—— **de chancado,** crusher waste.
—— **de fundición,** foundry scrap.
—— **de hierro,** scrap iron.
—— **de lavandería** (is), laundry wastes.

—— **de tintorería** (is), dye wastes.
desembaldosar, to take up tile pavement.
desembalsar (A), to discharge from a reservoir.
desembancar, to remove silt.
desembanque *m,* silt removal.
desembarcadero *m,* landing place, wharf.
—— **flotante,** landing stage or float.
desembarcar, to unload; to disembark.
desembarco, desembarque *m,* unloading; debarkation.
desembarrar, to clear of mud or silt.
desembocadura *f,* outlet, mouth, outfall.
desembocar (r), to discharge, empty.
desemboque *m,* mouth, outlet.
desembragar, to release a clutch.
desembrague *m,* clutch release, throwout.
—— **por sobrecarga,** overload release.
desempañador *m,* windshield cleaner.
desempapar, to desaturate.
desempaquetar, to remove packing.
desempatar, to disjoint, take apart.
desempedrar, to tear up paving.
desempernar, to remove bolts.
desempleo *m,* unemployment.
desemplomar, to remove lead.
desempotrar, to loosen something fixed or embedded.
desenastar, desencabar, to remove a handle.
desencadenar, to remove chains.
desencajar, to throw out of gear, unmesh, disjoint.
desencapadora *f* (ec), stripping shovel, skimmer scoop.
desencapar, to strip (topsoil).
desencapillar, to strip, unrig, dismantle.
desencastrar, to free something embedded; to disconnect a mortise joint.
desencebarse (bm)(Es), to lose prime.
desencespedar, to strip sod.
desenclavar, to pull nails; to release a clutch.
desenclavijar, to remove a dowel or pin.
desencofrar (conc), to strip forms.
desencolar, to remove gluing or sizing.
desencorvar, to straighten.
desenchufar, to unmesh; to unsocket; to unnest.
desenergizar, to de-energize.
desenfangar, to desilt, remove mud.
desenfocado, out-of-focus.
desenfrenar, to release brakes.
desengalgar, to remove a chock or wedge.
desenganchar, to unhook, disconnect, disengage, release, uncouple.
desenganche *m,* unhooking, uncoupling; (elec) release.
—— **de retraso** (eléc), time release.
desengoznar, to unhinge.
desengranar, to throw out of gear, disengage, unmesh.
desengrasador *m,* grease remover.
desengrasar, to degrease.
desengrase *m,* degreasing.
desengrilletar, to unshackle.
desenjarciar, to unrig.
desenladrillar, to take up brick pavement.
desenlame *m* (M), removal of mud.
desenlodar, to desilt, remove mud.

desenlosar, to take up flagstones.
desenmangar, to remove a handle or haft.
desenmohecer, to clean off rust.
desenraíce m, grubbing.
desenraizadora f (ec), rooter.
desenraizar, to grub.
desenrollar, to unreel, unwind, uncoil, unspool.
desenroscar, to unscrew.
desenrosque m, unscrewing.
desensamblar, to knock down, disassemble.
desensibilizador m (fma), desensitizer.
desensibilizar (fma), to desensitize.
desensortijar, to remove kinks.
desentablar, to strip off boards.
desentarimar, to remove planking.
desentarquinar, to desilt.
desentechar (AC), to unroof.
desentejar, to strip off roof tiles.
desentornillar, to unscrew.
desentubar, to remove boiler tubes.
desenyerbar, to strip, remove grass.
desenyesar, to tear off plaster.
desequilibrado, unbalanced.
desequilibrio m, unstable equilibrium, unbalance.
—— de impedancia (ra), mismatch.
desescamador m, scaling chisel.
desescamar, to remove scale.
desescarchador m, defroster.
desescombrador (m) de alcantarilla, culvert cleaner.
desescombrar, to clear away rubbish; to muck.
desescombro m, cleaning up; mucking.
desespumar, to remove scum.
desestañar, to detin.
desexcitar, to de-energize.
desfasado, desesfaje m (eléc), phase displacement; (ra) outphasing.
desfasador m, phase shifter.
desfasamiento m (eléc), phase difference.
desfatigar, to relieve stress.
desferrificar, desferrizar, to deferrize.
desfibradora f, shredder, disintegrator.
desfiladero m (top), gap, pass, defile.
desflemadora f, dry kiln.
desfloculador m (is), deflocculator.
desflocular, to deflocculate.
desflorarse (V), to disintegrate, break up.
desfogar, to vent; (hyd) to drain off, sluice.
desfogue m, relief (pressure); vent; outlet; (hyd) (M) wasteway, sluice.
desforestación f, deforestation.
desforrador de cable (eléc), cable stripper.
desforrar, to remove sheathing or lining.
desfrenar, to release brakes.
desganchar, to unhook.
desgarrador m, ripper (road).
desgarramiento m, (est) crippling; (V) shattering, breaking up.
desgarrón m, rent, tear, cut.
desgasificador m, degasifier.
desgasificar, to degasify.
desgastar, to erode, wear, abrade; desgastarse, to wear, wear out.
desgaste m, erosion, abrasion, wear, detrition.
desgoznar, to unhinge.

desgracia f, accident.
desgrasar, to degrease.
desguace m (mad), rough-dressing.
desguarnecer, to strip off fittings, dismantle.
desguarnir, to unreeve; to strip rigging.
desguazar (mad), to rough-dress.
deshacerse, to disintegrate.
deshelador m, deicer.
—— de dinamita, dynamite thawer.
deshelar, to thaw; to deice; to unfreeze; deshelarse, to thaw.
desherrar, to strip ironwork.
desherrumbrar, to clean off rust.
deshidratador m, dehydrator, dewaterer.
—— de gas (pet), knockout.
deshidratar, to dehydrate, dewater.
deshidrogenación f, dehydrogenation.
deshidrogenar, to dehydrogenize, dehydrogenate.
deshielo m, thawing, thaw.
deshierbar, to grub.
deshierbe m, grubbing.
deshilachador (az), cane shredder.
deshincar, to pull (piles).
deshojador m (hid), leaf screen.
deshollinador m, soot catcher.
deshollinar, to remove soot.
deshumectador m (aa), dehumidifier.
deshumectar, deshumedecer (aa), to dehumidify.
deshumedecedor m (aa), dehumidifier.
—— de rocío, spray-type dehumidifier.
deshumidificar (A), to dehumidify.
desifonar (A), to siphon.
desigual, unequal.
desigualdad f, inequality.
desimanador m, demagnetizer.
desimanar, desimantar, to demagnetize.
desincrustador m, boiler-tube cleaner; scaling hammer.
desincrustante m, boiler compound.
desincrustar, to remove scale.
desinfectante m a, disinfectant.
desinfectar, to disinfect, sterilize.
desinflado, flat (tire).
desinflar, to deflate.
desintegración f, disintegration; (pet) cracking.
—— catalítica, catalytic cracking.
—— térmica, thermal cracking.
desintegrador m, disintegrator; (pet) cracking unit.
—— de caña (az)(C), cane shredder.
desintegrar, to disintegrate.
desintonizar (ra), to detune.
desionizar, to deionize.
desisobutanizar (pet), to deisobutanize.
desjuntar, to disjoint, take apart.
desladrillar, to tear up brick paving.
deslamar, to desilt, remove mud; (min) to deslime.
deslastrar, to remove ballast.
deslatar, to strip off laths or battens.
deslavable, erosible, erodible.
deslavar, to erode, wash away; to wash, rinse.
deslave m, erosion; eroded material; (min) tailings.
deslefr, to dilute.
deslindar, to mark boundaries; to survey.

deslinde *m*, marking boundaries.
deslingar, to unsling.
desliz *m*, slipping, slip.
deslizaderas *f*, slides; (hyd) gate guides; (sb) slippers; (lg) slip skids.
deslizadero *m*, chute; (sb) slipway, launching way.
deslizamiento plástico (A), plastic flow.
deslizar, to slide, slip; (rr) to creep (rails).
deslubricado (A), lacking lubrication.
deslumbramiento *m*, glare.
deslustrado, dull (finish); ground (glass).
desmagnetizador *m*, demagnetizer.
desmagnetizar, to demagnetize, de-energize.
desmangar, to remove a handle.
desmaniguar (C)(PR), to clear land.
desmantelar, to dismantle.
desmejorar, to damage, impair; **desmejorarse**, to deteriorate.
desmenuzable, friable; unstable.
desmenuzadora *f*, pulverizer, crusher, shredder.
desmenuzar, to crush, pulverize; **desmenuzarse**, to crumble, disintegrate.
desmezclado (conc), separated, unmixed.
desmineralizador *m* (pa), demineralizer.
desmineralizar, to demineralize.
desmochar, to cut off, crop; (Col) to unroof.
desmochos *m* (met), crop.
desmodulación *f* (ra), demodulation, detection.
—— por rejilla, grid detection.
desmodulador *m* (ra), demodulator.
desmoldador *m*, stripper (forms).
desmoldar, to strip forms.
desmontable, detachable, removable, collapsible, demountable.
desmontado, knocked-down, dismantled.
desmontador *m*, demounter.
—— de neumáticos (herr), tire remover.
desmontaje *m*, dismantling, demounting, disassembly, teardown.
desmontar, to dismantle, disassemble, take apart; to demount; to clear (land); to excavate, dig, cut.
desmontaválvulas *m*, valve lifter.
desmonte *m*, clearing; excavation, cut; dirt moving.
—— y terraplén, cut and fill.
desmontes (min), deads.
—— de cantera (Ch), quarry refuse.
desmoronadizo, crumbly, easily disintegrated, unstable (soil).
desmoronarse, to crumble, disintegrate.
desmultiplicación *f*, reduction (gear).
desmultiplicador *m*, reduction gear.
desmurar, to wreck walls.
desnatador *m*, skimmer, (su) foam scraper.
desnatar, to skim, remove scum.
desnevado *m*, a thaw.
desnitrificar, to denitrify.
desnivel *m*, difference of elevation, fall, drop, (hyd) head.
—— bruto, gross head.
—— de funcionamiento, operating head.
—— efectivo, net or effective head.
—— útil, useful head.
desnivelación *f*, difference of elevation.

desnivelarse, to get out of level.
desnudo, bare (wire).
desocupación *f*, unemployment.
desocupados, the unemployed.
desodorante *m*, deodorant.
desodorar, desodorizar, to deodorize.
desoxicolato de sodio (lab), sodium desoxycholate.
desoxidar, to deoxidize.
desoxigenar, to deoxygenate, deoxidize.
desozonizar, to deozonize.
despachador *m*, sender; dispatcher.
—— del petróleo, oil dispatcher.
—— de trenes, train dispatcher.
despachante de aduana, customhouse broker.
despachar, to ship; to fulfill (an order).
despacho *m*, office; shipping, shipment; dispatch.
—— de billetes, ticket office.
—— de equipajes, baggage room.
—— de telégrafos, telegraph office.
—— telegráfico, telegram.
despachurramiento *m* (est), crippling.
despalmador *m*, dockyard.
despalmar, to clean a vessel's bottom; to roughdress.
desparafinaje *m* (pet), dewaxing.
desparafinar (pet), to dewax, remove paraffin.
desparedar, to throw down a wall.
desparramador *m*, distributer; spreader.
desparramar, to spread.
desparrame *m*, spreading (fill).
despasar (cab), to unreeve; to fleet.
despasioso (r), sluggish.
despedazado, shattered, broken.
despedida *f*, discharge (men).
despedir, to discharge (men), lay off.
despegar, to separate, detach, disunite; **despegarse**, to take off (airplane).
despegue *m*, separation, detachment; take-off (airplane).
despejar, to strip (topsoil), clear; (math) to solve for.
despeje *m* (mh)(A), clearance.
despejo *m*, clearing, stripping; clearance.
despensa *f*, storeroom.
despensero *m*, storekeeper.
despeñadero *m*, cliff, precipice.
desperdicio *m*, spoil, excavated material; waste.
desperdicios, wastes.
—— auranciáceos (is), citrus wastes.
—— de algodón, cotton waste.
—— de cantera, quarry spalls; quarry waste.
—— de hierro, junk, scrap iron.
—— de lana, wool waste.
—— industriales (is), industrial wastes.
desperfecto *m*, damage, injury.
despezar, to taper.
despezo *m*, taper, (fdy) draft.
despido *m* (Ec), discharge (employee).
despiezo *m*, taper; (Col) laying out or bonding of stones in masonry construction.
despilar, to remove pillars in a mine; to remove shores.
despilarar (min), to throw down pillars.
desplantar (M), to excavate; to set, place, lay out.

desplante *m* (M), excavation; subgrade.
desplayado *m*, flats left by receding water.
desplazador *m* (mec), displacer.
— de engranajes (auto), gearshift.
desplazamiento *m*, (geol)(elec)(pmy)(na)(se) displacement; (rr)(U) change of line, relocation; (surv) offset; (mt) setover; (ra) drift.
— cargado (an), loaded displacement.
— de construcción (an), molded displacement.
— de fase (eléc), phase displacement or difference.
— de paralaje (fma), parallactic displacement.
— de relieve (fma), relief displacement.
— en plena carga (an), loaded displacement.
— en rosca o sin carga (an), light displacement.
— sin plancheado (an), molded displacement.
desplazar, to displace.
desplegador *m* (herr), spreader.
despliegue *m*, unfolding; spreading.
— en abanico (geof), fan spread.
— en cruz (geof), cross spread.
desplomar, to batter, incline; desplomarse, to get out of plumb; to collapse.
desplome *m*, batter; (M) overhang; collapse; (conc) slump.
desplomo *m*, deviation from the vertical.
despojado (maq), backed off.
despojar, (mech) to back off; (pet) to strip.
despojo *m* (mec), backing off.
despojos, debris, rubbish, spoil.
— de albañal, sewage.
— de hierro, scrap iron, junk.
despolarizador, despolarizante *m* (eléc), depolarizer.
despolarizar, to depolarize.
desprender, to detach, unfasten; to give off, emit; desprenderse (ot) to slip, slide, sag, slough.
desprendible, detachable.
desprendimiento *m*, loosening; (ra) emission; landslide, slip; (sm) slump, flow.
— de rejilla (ra), grid emission.
— termiónico (ra), thermionic emission, Edison effect.
despropanizadora *f* (pet), depropanizer.
despulido, ground (glass).
despumación *f*, skimming; despumation.
despumador *m* (is), foam collector.
despuntes *m*, cuttings; short ends of bars or shapes.
desquebrajada (M), shattered (rock).
desquiciar, to unhinge; to dislodge, break loose.
desquijerar, to tenon.
desraizar, to grub.
desrecalentador *m*, desuperheater.
desrielar, to derail.
desripiador *m* (dac), grit chamber.
desripiar, to remove gravel.
desroblar, desroblonar, to cut out rivets.
desrocamiento *m* (A), rock excavation.
destajador *m*, striking hammer.
destajero, destajista *m*, pieceworker; (min) tributer.
destajo *m*, taskwork, piecework; (min) tribute.
destapadero *m* (eléc), knockout.
— a palanquita, pry-out.

destapar, to uncover, strip.
destechar, to unroof.
destejar, to remove roof tiles.
destellador *m* (eléc), flasher.
destemplar, to anneal; destemplarse, to lose temper.
destemple *m*, annealing; (pt) distemper.
destilación *f*, distillation.
— al vacío, vacuum distillation.
— intermitente (pet), batch distillation.
— pirogénica (pet), cracking distillation.
destiladera *f*, destilador *m*, a still.
destilado *m*, distillate.
destilar, to distill.
destilería *f*, distilling plant; (pet) refinery.
destinatario *m*, consignee.
destitución *f*, discharge (men).
destituir, to discharge (men).
destorcer, to untwist, (cab) unlay.
destornillador *m*, screwdriver; wrench.
— a crique, ratchet screwdriver.
— acodado o descentrado, offset screwdriver.
— automático, spiral screwdriver.
— de berbiquí, screwdriver bit.
— de golpe o de percusión, impact screwdriver.
destornillar, to unscrew.
destrabador *m* (pet), bumper jar.
destral *m*, hatchet.
destripador *m* (az), cane shredder.
destrógiro, clockwise.
destroncar, destronconar (M)(V), to clear land; to pull stumps.
destroncadora *f* (ec), treedozer; stump puller.
destronque *m*, clearing, grubbing; stump pulling.
destrozar, to destroy; to shatter.
destrucción *f*, destruction.
destructor *m*, destructor, destroyer.
— de basuras, refuse destructor.
— de malezas, weed killer.
— del vórtice (hid), whirlpool breaker.
destruir, to destroy, demolish; destruirse (mat), to cancel.
destufación *f* (pet), sweetening.
destufador, desulfurador *m* (pet), sweetener, sweetening still.
desulfurar, to desulphurize, desulphurate, (pet) sweeten.
desusarse, to become obsolete.
desuso *m*, obsoleteness.
desvanecedor *m* (ra), fader.
desvanecimiento (ra), fading.
desvaporar, to let off steam.
desvaporizar, to devaporize.
desvatado, desvatiado (eléc), wattless.
desvegetación *f* (M), stripping of vegetation.
desventador *m*, vent.
desventar, to vent.
desviación *f*, diversion; deviation (compass); deflection (angle); (surv) departure; (rd) detour; (str)(C) deflection; (pet) drift (machy) runout; (elec) displacement (brush), shift; displacement (crank); (ra) drift, deflection.
— del arco (sol), arc blow.
— de las escobillas (mot), brush displacement or shift.

—— **electromagnética** (ra), electromagnetic deflection.
desviadero m (fc), siding; turnout.
desviador m, deflector, baffle; diversion dam; diverter; by-pass.
—— **de correa**, belt shifter.
—— **del rayo** (auto), headlight deflector.
desviaje m, diversion.
desviar, to divert; to deflect; (rr) to switch; **desviarse**, to deviate; to branch off.
desvío m, diversion; by-pass; (rr) siding, turnout; (rd) detour; (ra) drift.
—— **de atajo** (fc), catch siding.
—— **de las escobillas** (eléc)(A), brush shifting.
—— **de frecuencia** (ra), frequency drift.
—— **muerto**, dead-end siding, spur track, stub track.
—— **transversal** (fc), crossover.
—— **volante** (fc), flying switch.
desviómetro m (pet), drift meter.
desvitrificación f, devitrification.
desvolcanarse (Col), to collapse; to be destroyed.
desvolvedor m, tap wrench; (Sp) monkey wrench.
desvulcanizador m, devulcanizer.
desvulcanizar, to devulcanize.
desyerbador m, grubber.
desyerbar, to grub.
desyerbe m, grubbing.
desyuye m (A), grubbing.
detallar, to detail.
detalle m, detail.
detección f (ra)(M), detection, demodulation.
—— **por diodo**, diode detection.
—— **por placa**, plate detection.
—— **por rejilla**, grid detection.
—— **por válvula termiónica**, tube detection.
detectador m (eléc)(Col), detector.
detector m, (elec) detector; (rr)(A) detector bar.
—— **a diodo** (ra), diode detector.
—— **a ley de cuadrados** (ra), square-law detector.
—— **a válvula**, vacuum-tube detector.
—— **de cristales** (ra), crystal detector or rectifier.
—— **de escapes o de fugas**, leak or water-waste detector.
—— **de gas** (pet), gas detector.
—— **de polarización negativa de rejilla** (ra), grid-bias detector.
—— **lineal** (ra), linear or plate detector.
—— **termiónico** (ra), valve detector.
detector-zapata (fc)(A), detector bar.
detención f, stop, delay, standstill, (mech) dwell.
detenedor m (mec), arrester, catch.
—— **de ariete**, water-hammer suppressor.
—— **de llamas**, flame arrester.
—— **de polvo** (aa), dust arrester.
deterioro m, wear and tear; deterioration.
determinación (f) **en blanco** (lab), blank determination.
determinación hidrogeniónica, hydrogen-ion determination.
determinado (mat), determinate.
determinante m f (mat), determinant.
—— **continuante**, continuant.
—— **cumulante**, cumulant.

detonación f, detonation; (auto) knocking, pinking.
detonador m, blasting machine; blasting cap, detonator, exploder.
—— **común**, blasting cap.
—— **de explosión demorada**, delay blasting cap.
—— **eléctrico**, exploder.
—— **eléctrico de tiempo**, delay electric blasting cap.
—— **instantáneo**, instantaneous blasting cap.
—— **retardado**, delay blasting cap.
detonadora f, blasting machine.
detonancia f (mg), knocking, detonation.
detonante, highly explosive, detonating.
detonar, to detonate, explode.
detrítico (geol), detrital.
detrito (m) **de falda** (A), talus.
detritor m (dac), Detritor (trademark).
detritos m, detritus, (tun) muck.
deuda f, debt.
—— **a largo plazo**, long-term debt.
—— **consolidada**, funded debt.
—— **flotante**, floating debt.
devanadera f, reel, spool.
devanado m (eléc), winding.
—— **amortiguador**, damper or amortisseur winding.
—— **anular o de anillo**, ring winding.
—— **de arranque** (mot), starting winding.
—— **de cadena**, chain winding.
—— **de canto**, edge winding.
—— **de compensación**, compensating winding.
—— **de cuerdas**, chord or short-pitch or fractional-pitch winding.
—— **de espiras múltiples**, banked winding.
—— **de fase partida**, split-phase winding.
—— **de marcha o de trabajo** (mot), running winding.
—— **de tambor**, drum winding.
—— **diametral o de paso entero**, full-pitch winding.
—— **en derivación**, shunt winding.
—— **en jaula**, squirrel-cage winding.
—— **en paralelo**, parallel or multiple winding.
—— **en serie**, series or wave winding.
—— **en zigzag**, zigzag winding.
—— **estabilizador**, stabilizing or tertiary winding.
—— **imbricado**, lap or multiple winding.
—— **inducido**, armature winding.
—— **ondulado**, wave or undulatory winding.
—— **regulador**, regulating winding.
—— **reticulado**, basket winding.
—— **simple**, single winding.
devanador m, reel, spool.
devanadora f, winding machine; reel.
devanar, to reel; to wind.
devatado (eléc)(A), wattless.
dextrógiro, dextrogiratorio, turning clockwise.
dextrorrotatorio (az), dextrorotatory.
dextrorso, clockwise; toward the right.
deyección f (geol), debris.
deyecciones humanas, human excrement, fecal matter.
día m, day.
—— **de la marea**, tide day.
—— **de pago**, payday.

—— feriado, holiday.
—— hábil (A), working day.
—— laborable o útil, working day.
días de gracia (tr), days of grace.
diabasa *f* (geol), diabase.
diabásico, diabasic.
diablo *m*, (M)(A) rail bender; (Col) jack; (Ch) (M) pair of wheels for moving logs; (Sp) warehouse truck; (pet)(M) go-devil.
diaclasa *f* (geol), diaclase.
diaclasado, fractured, diaclastic.
diaesquistoso (geol), diaschistic.
diafonía *f* (tel), cross talk.
diáfono *m*, diaphone (siren).
diafragma *m*, diaphragm; (bdg)(M) backwall.
—— iris, iris diaphragm.
diagómetro *m* (eléc), diagometer.
diagonal *f a*, diagonal.
diagonales cruzadas, X or diagonal bracing.
diagráfico, diagraphic.
diágrafo *m*, diagraph.
diagrama *m*, diagram.
—— de acumulación (hid), mass diagram.
—— de corte (ms), shear pattern.
—— de fuerzas, force diagram.
—— del indicador, (eng) indicator diagram.
—— de volúmenes (ot), mass diagram.
—— estereográfico (geol), block diagram.
—— vectorial, vector diagram.
diagrámetro *m*, diagrammeter.
diálaga *f* (miner), diallage (pyroxene).
dialagita *f* (geol), diallagite.
diamagnético, diamagnetic.
diamagnetismo *m*, diamagnetism.
diamante *m*, diamond.
—— borde o negro, bort, black or carbon diamond.
—— cortavidrio o de vidriero, glazier's diamond.
diamantina *f*, diamantine (abrasive).
diametral, diametrical, diametral.
diámetro *m*, diameter.
—— conjugado, conjugate diameter.
—— de huella (M), tread diameter (sheave).
—— del paso (rs), pitch diameter.
—— de rodamiento, tread diameter (sheave).
—— exterior, outside diameter, (th) major diameter.
—— máximo (rs), major or outside diameter (screw); full diameter (nut).
—— mayor (rs), major diameter.
—— menor (rs), minor diameter.
—— mínimo (rs), minor or core diameter (screw); inside diameter (nut).
—— primitivo (rs)(en), pitch or effective diameter.
dianegativa *f* (fma), dianegative.
dianegativo *a* (fma), dianegative.
diapositiva *f*, diapositive.
diapositivo *a*, diapositive.
diario *m*, log book; (act) journal.
diastasa *f* (is), diastase.
diatomáceo, diatomaceous.
diatomea *f*, diatom.
diatomita *f*, diatomite, diatomaceous or infusorial earth; diatomite (explosive).
dibromoquinona *f* (is), dibromoquinone.

dibujador, dibujante *m*, draftsman.
dibujar, to draw, draft.
—— en escala, to draw to scale.
dibujo *m*, drawing, plan; design, pattern.
—— a mano alzada (C), freehand drawing.
—— a mano libre o a pulso, freehand drawing.
—— acotado, dimensioned drawing.
—— de construcción en fábrica, shop drawing.
—— de detalle, detail drawing.
—— de ejecución o de trabajo, working drawing.
—— de líneas, line drawing.
—— de montaje, erection plan.
—— de rodamiento (auto), design of the tire tread.
—— de taller, shop drawing.
—— en perspectiva, perspective drawing.
—— lavado, wash drawing.
—— patrón, standard plan or drawing.
dibujos del contrato, contract plans.
dicálcico *a*, dicalcium.
dicalita, Dicalite (trademark), diatomaceous silica.
dicloramina *f* (quím), dichloramine.
diclorodifluorometano *m* (rfg), dichlorodifluoromethane.
dicromato potásico, potassium bichromate.
dieciseisavo *m*, one-sixteenth.
dieléctrico *m a*, dielectric.
diente *m*, tooth, cog; (conc) bonding key; (hyd) cutoff wall, toe wall; (hyd) dental.
—— americano (si), great American tooth.
—— biselado (si), gullet tooth.
—— cepillado (en), machine-cut tooth.
—— común (si), peg or common or tenon or plain tooth.
—— cortante (si), cutting tooth.
—— de diamante (si), diamond tooth.
—— de empotramiento (hid), cutoff wall.
—— de envolvente normal (en), involute standard tooth.
—— de envolvente truncado (en), stub involute tooth.
—— de lanza (si), lance tooth.
—— de lobo (si), gullet tooth.
—— en M (si), lightning tooth.
—— fresado, machine-cut tooth.
—— limpiador o raspador (si), raker or drag tooth.
—— postizo (si), bit, inserted tooth.
—— tipo campeón (si), champion tooth.
—— triangular (si), mill tooth.
dientes de choque (hid), baffle piers or blocks.
diezmilésimo *m*, one ten-thousandth.
diezmilímetro *m*, one-tenth of a millimeter.
diezmillonésimo *m*, one ten-millionth.
difásico (eléc)(A), two-phase.
diferencia *f* (mat), difference.
—— de tensión (eléc), electric potential difference.
—— en más, plus difference.
—— en menos, minus difference.
diferenciable (mat), differentiable.
diferenciación *f*, differentiation.
diferenciador *m* (ra), differentiator.
diferencial *f*, differential (all senses); (M) chain block; *a* differential.

—— de cuatro satélites (auto), four-pinion differential.
diferir, to defer, postpone; extend, prolong; to differ.
difracción *f*, diffraction.
difractar, to diffract.
difundir, to diffuse.
difusibilidad *f*, diffusibility, (conc)(chem) diffusivity.
difusión *f*, diffusion; (ra) broadcasting.
difusivo, diffusive.
difuso, diffused.
difusor *m* (dac), diffuser, disperser.
—— oscilante (dac), swing diffuser.
difusora *f* (ra), broadcasting station.
αigestión *f*, digestion.
—— del fango o de los lodos (dac), sludge digestion.
—— por etapas (dac), stage digestion.
digestor *m*, digester.
—— de basuras, garbage digester.
—— de cienos (dac), sludge digester.
dilatación *f*, expansion, enlargement.
dilatador, dilatante, dilatant.
dilatancia *f*, dilatancy.
dilatar, dilatarse, to dilate, expand.
dilatómetro *m*, dilatometer.
dilución *f*, dilution.
diluente *m*, diluent; (pt) thinner.
diluído, dilute, thin, weak.
diluir, to dilute; to cut back (asphalt).
dilutor *m*, diluter.
diluvial (geol), diluvial.
diluvio *m*, flood; heavy rain.
diluvión *m* (geol), diluvium.
dimensión *f*, dimension (all senses).
—— a escala, scaled dimension.
—— acotada, figured dimension.
—— extrema, over-all dimension.
dimensional, dimensional.
dimensionar, to proportion, dimension; to size.
dimetálico, dimetallic.
dimetilketol (az), dimethyl ketol.
dina *f*, dyne.
dinágrafo *m*, dynagraph.
dinámetro *m*, dynameter.
dinamía *f*, dyne.
dinámica *f*, dynamics.
dinámico, dynamic.
dinamita *f*, dynamite.
—— amoniacal, ammonia dynamite.
—— corriente, straight dynamite.
—— de alto amoníaco, high-ammonia dynamite.
—— de baja densidad, low-density dynamite.
—— de base explosiva, extra dynamite.
—— de nitroglicerina, nitroglycerin dynamite.
—— gelatina, gelatin dynamite.
—— para explotación forestal, logging dynamite.
—— para sismógrafo, seismograph dynamite.
dinamitar, to blast.
dinamitero *m*, blaster, powderman.
—— sísmico (geof), seismic shooter.
dínamo *m f*, dynamo.
—— dinamométrico, electric-cradle dynamometer.
dínamo-freno, eddy-current brake.

dínamo-motor, motor generator.
dinamoeléctrico, dynamoelectric.
dinamométrico, dynamometric.
dinamómetro *m*, dynamometer.
—— a fricción de agua, water brake.
—— de aletas, fan-brake dynamometer.
—— de corriente parásita, eddy-current brake.
—— de fricción flúida, fluid-friction dynamometer.
—— de retraso magnético, magnetic-drag brake.
—— de torsión, torsion dynamometer.
—— de transmisión, transmission dynamometer.
—— eléctrico de cuna, electric-cradle dynamometer.
—— friccional, absorption dynamometer.
—— hidráulico, hydrodynamometer.
dinamotor *m* (eléc), dynamotor.
dinatrón *m* (ra), dynatron.
dinodo *m* (ra), dynode.
dintel *m*, lintel, cap, doorhead.
dintelar, to place a lintel.
diodo *m* (eléc), diode.
diópsido *m* (miner), diopside (pyroxene).
dioptra *f*, sight of an instrument; alidade.
dioptria *f*, diopter (unit of lens power).
dióptrico, dioptric.
diorita *f* (geol), diorite.
—— micácea, mica diorite.
—— nefelínica, nephelite-diorite.
—— orbicular, corsite, napoleonite.
diorítico, dioritic.
dióxido *m* (quím), dioxide, bioxide.
—— carbónico, carbon dioxide, carbonic-acid gas.
—— de azufre, sulphur dioxide, sulphurous anhydride.
—— de silicio, silicon dioxide, silica.
diplex (ra), diplex.
diplococos (is), diplococci.
dipolar, dipolar.
dipolo *m a* (eléc), dipole.
—— magnético, magnetic doublet or dipole.
dipolos entongados, stacked dipoles.
dipotásico *a*, dipotassium.
dique *m*, dike, levee; dam; (geol) dike, rib; (A) dock; (C)(Sp) dry dock.
—— a cabeza redonda (A), round-head-buttress dam.
—— a contrafuertes, buttress dam.
—— a gravedad, gravity dam.
—— a vertedero, spillway or overflow dam, weir.
—— aligerado (A), hollow dam.
—— de afloramiento, subsurface dam.
—— de arco múltiple, multiple-arch dam.
—— de ataje (A), cofferdam.
—— de aterramiento (A), desilting dam.
—— de captación, impounding dam.
—— de carena o de buque, dry or graving dock.
—— de cierre, bulkhead or nonoverflow dam.
—— de contención de arrastres, desilting dam.
—— de defensa, levee, dike.
—— de desvío, diversion dam.
—— de embalse o de represa, impounding or storage dam.
—— de encauzamiento, levee.
—— de escollera o de enrocamiento, rock-fill dam.
—— de guía, training dike.

— de machones de cabeza redonda, round-head-buttress dam.

— de retardo, retard, current or stream retard.

— de retención, bulkhead or nonoverflow dam; check.

— de ribera (U), levee.

— de tierra, earth or earth-fill dam.

— de utilizacion múltiple, multiple-purpose dam.

— de zanja, ditch check.

— derivador o de toma, diversion dam.

— distribuidor (A), diversion dam.

— en arco, single-arch dam, arch dam.

— flotante, floating dry dock.

— insumergible, nonoverflow or bulkhead dam.

— lateral, saddle dam; wing of a dam.

— marginal, levee.

— nivelador, diversion dam.

— provisorio, cofferdam, temporary dam.

— repartidor (A), diversion dam.

— seco, dry or graving dock.

— seco de carena, graving dock, graving dry dock.

— sumergible o vertedor, spillway dam, weir, overflow dam.

— tajamar (A), cofferdam.

— tipo muro alivianado (A), roundhead-buttress dam.

dirección f, management; manager's office; (A) department, division, section; board of directors; address; (auto) steering; direction; instruction; (geol) strike.

— de edificación, building department.

— de vialidad, highway department.

— general, headquarters.

— reversible (auto), reversible steering gear.

direccional, directional.

directiva f, board of directors.

directividad f (ra), directivity.

directivo m, director (member of the board).

directo, direct; straight.

director m, director, manager, chief; (ra) director.

— de obras, construction manager.

— ejecutivo, executive director.

— general, general manager.

directorio m, board of directors.

directrices f (turb), guide vanes.

directriz f, directrix; arch template; (turb) guide vane.

dirigir, to manage, direct; (auto) to steer; to direct (letter).

disacárido m (lab), disaccharide, biose.

disco m, disk.

— alimentador (mh), dial feed.

— analizador (eléc), scanning disk.

— centrador con ranura, crotch center (lathe).

— compensador (bm), balance disk.

— del émbolo, pistonhead.

— de estrella (ra)(Es), spider.

— de levas, cam ring.

— de mando del embrague (auto), clutch-driving disk.

— del nonio (inst), vernier plate.

— de taladrar, drill pad (lathe).

— distribuidor (mv), wrist plate.

— explorador o de orificios (tv), scanning disk.

— motor (auto), driving disk.

— para engranaje, gear blank.

— para tubería (pet), casing disk.

disconformidad f (geol), disconformity.

discontinuidad f, discontinuity.

discontinuo, discontinuous.

discordancia f (geol), unconformity, discordance.

discordante (geol), unconformable, discordant.

discreto a (mat), discrete.

discriminación f (ra), discrimination.

discriminador m (ra), discriminator.

discriminante m a (mat), discriminant.

discurrimiento m (U), flow.

disector (m) de imágenes (tv), image dissector.

disentería f, dysentery.

— amibiana, amoebic dysentery.

— bacilar, bacillary dysentery.

diseñador m, designer.

diseñar, to design; to sketch.

diseño m, design; sketch.

disgregación f, disintegration, separation.

disgregador m, cutterhead (dredge).

— de cienos (dac), sludge disintegrator.

disilicato m (quím), disilicate.

disilícico, disilicic.

disimetría f, dissymmetry.

disimétrico, unsymmetrical.

disimilación f (is), dissimilation.

disipación de placa (ra), anode dissipation.

disipador m, (hyd) disperser; a dissipative.

— de energía (hid), energy disperser.

— de neblina (ap), fog disperser.

disipar, to dissipate (heat), disperse.

dislocación f, a slide; (geol) dislocation, heave, offset; fault.

— ascendente (geol), upthrow.

— descendente, downthrow.

— longitudinal (A), strike fault.

— rumbeante (A), strike fault.

— transversal, cross fault.

dislocado (geol), faulted, displaced.

disociación f (quím), dissociation.

disódico a (quím), disodium.

disoluble, dissoluble.

disolución f, solution; disintegration; dissolution.

— de sal, método de (hid), chemical or titration or salt-dilution method.

— disolutivo a, solvent.

disolutor m (az), melter.

disolvente m, solvent, dissolvent; a dissolvent.

disolver, disolverse, to dissolve.

disonancia f (eléc), dissonance.

disparada f (maq), racing.

disparador m, tripper, release; blaster, powderman; (geop) shooter.

— de electrones, electron gun.

— de tensión nula, no-voltage release.

disparadora f (pet), blasting machine.

disparar, to trip, release; to explode; (bl) to shoot, fire, put off; dispararse (maq), to race.

disparejo, uneven.

disparo m, discharge, explosion; (bl) shooting trip.

— en abanico (geof), fan shooting.

dispersador *m* (dac), disperser.
—— de chorro, jet disperser.
dispersión *f*, dispersion; (elec) leakage; (elec) dissipation.
—— anómala (tv), anomalous dispersion.
—— anormal (tv)(Es), anomalous dispersion.
—— electródica (ra), electrode dissipation.
—— magnética, magnetic leakage, leakage flux.
—— sónica de la niebla (ap), sonic fog dispersal.
—— térmica de la niebla (ap), thermal fog dispersal.
dispersivo, dispersive.
dispersor *m* (dac), disperser, diffuser.
—— de energía (hid), energy disperser or dissipator.
—— tipo de hongo (aa), mushroom air diffuser.
disposición *f*, disposal; disposition, arrangement.
—— del agua de cloacas, sewage disposal.
—— del albañal (C), sewage disposal.
—— de las basuras, garbage disposal: refuse or waste disposal.
dispositivo *m*, device, appliance, fixture, mechanism; arrangement, layout; facility.
—— de evacuación (hid), outlet works; blowoff arrangement.
—— de gobierno (tc), control or power control unit.
—— de mando, control mechanism.
—— de retroceso, (eng) reversing gear.
—— de seguridad, safety device.
—— de sobrecorriente (eléc), overcurrent device.
—— derivador (vol), shunt attachment.
dispositivos
—— de distribución (eléc), switchgear.
—— de salida (hid), outlet works.
—— de servicio (eléc), service equipment.
—— de toma (hid), intake works.
—— para torno, lathe attachments.
disrupción *f*, disruption.
disruptivo, disruptive.
distancia *f*, distance.
—— cenital, zenith distance.
—— de agrupación (ra), drift space.
—— de decolaje o de despegue (ap), take-off distance.
—— de enfoque (fma), focal length.
—— de interrupción (eléc), break distance.
—— de visibilidad (ca), sight or visibility distance.
—— disruptiva (eléc), spark gap.
—— entre ejes, wheel base.
—— explosiva (eléc), spark gap.
—— exterior (fc), external distance.
—— focal posterior (fma), back focal distance.
—— polar, polar distance, codeclination.
—— progresiva (lev), cumulative distance.
—— tangencial (fc), tangent distance.
—— taquimétrica, stadia distance.
distanciamiento *m*, spacing, pitch.
distanciométrico, telemetric.
distanciómetro *m* (Es)(A), telemeter.
distorsión *f*, distortion.
—— de atenuación-frecuencia (ra), attenuation or amplitude-frequency distortion.
—— del campo (eléc), field distortion.
—— de retardo (ra), delay distortion.

distorsionar (M), to distort.
distribución *f*, distribution.
—— del encendido (mg), ignition timing.
—— de sector (mv), link motion.
—— por circuito cerrado (eléc), loop distribution.
—— por derivaciones múltiples (eléc), tree system of distribution.
—— por parrilla (eléc), network system of distribution.
—— Stephenson (mv), Stephenson's link motion.
distribuidor *m*, distributor (all senses); spreader; (se) slide valve; (turb) speed ring; (reinf) distributing bar; (p) manifold.
—— a presión (ca), pressure distributor.
—— cilíndrico o de émbolo (mv), piston valve.
—— de encendido (auto), distributor, timer.
distribuir, to distribute.
distributivo, distributive.
disuelto *m* (quím), solute; *a* dissolved.
disyunción *f* (geol), fracture.
disyuntor *m* (eléc), circuit breaker, disjunctor, cutout.
—— de contracorrientes, reverse-current circuit breaker.
—— de dos vías, double-throw circuit breaker.
—— de máxima, overload circuit breaker.
—— de mínima tensión, undervoltage circuit breaker.
—— de tapón, plug cutout.
—— de vía única, single-throw circuit breaker.
—— en aceite, oil circuit breaker.
—— en el aire, air breaker.
divergencia *f*, divergence; (auto) toe-out.
divergente, divergent, diverging.
divergir, to diverge.
dividendo *m* (mat)(fin), dividend.
divisas *f*, foreign exchange or currency.
divisible, divisible.
división *f*, (math)(rr) division; (mech) indexing.
—— continental, continental divide.
—— diferencial (maq), differential indexing.
—— simple (maq), direct indexing.
divisor *m*, (math) divisor; (dwg)(A) dividers.
—— de fase (eléc), phase splitter.
—— de frecuencia (eléc), frequency divider.
—— de fuerza (auto), power divider.
—— de muestras (lab), sample splitter.
—— de voltaje, voltage or potential divider.
divisora (*f*) de tensión, voltage or potential divider.
divisoria *f* (top), divide.
—— continental, continental divide.
—— de las aguas, divide, ridge.
—— de las aguas freáticas, ground-water divide.
divorcio (*m*) de las aguas (top), divide, ridge.
dobla *f* (Pe), night shift.
dobladillo *m* (ch), hem.
doblado, bent.
—— al fuego o en caliente, hot-bent.
—— en frío, bent cold.
doblador *m*, (t) bender; (ra) doubler.
—— de frecuencia (ra), frequency doubler.
—— de rieles, rail bender.
—— de tubos-conductos (eléc), hickey, conduit bender.
dobladora *f*, bending machine.

—— de chapas, cornice brake.

doblar, to bend; to double; to snub (belt); (auto) to turn

doble, double, duplex.

—— asta, muro de, wall 2 bricks thick.

—— campana (tub), double hub.

—— citara, wall 2 bricks thick.

—— decímetro (A), a rule 20 cm long.

—— efecto, de, double-acting.

—— escuadra (dib), T square.

—— extrafuerte (tub), double-extra-strong.

—— fondo (cn), double bottom.

—— T, I beam; (p) cross.

—— trenza, double-braid (insulation).

—— turno, double shift.

doblegarse (est), to buckle.

doblete m (eléc)(fma), doublet.

doblez m, bend, kink.

documentos de embarque, shipping documents.

dóile m, dolly; rivet set.

doladera f, broadax; howel.

dolador m, stonecutter; hewer; trimmer.

dolar, to hew; to trim.

dolerita f (geol), dolerite.

—— traquítica (geol), trachydolerite.

dolobre m, stone hammer; spalling hammer.

dolomía f (geol)(miner), dolomite.

dolomita f (M), dolomite.

dolomítico, dolomitic.

dolomitizar, to dolomitize.

dominante (mat)(eléc), dominant.

domo m (arq)(geol)(miner), dome.

—— de vapor (loco), steam dome.

—— salino (geol), salt dome.

donqui m (AC), cargo hoist, winch.

donsantiago m, rail bender.

dormido m, mudsill, sleeper; (sb) deadwood.

dorso m, back edge, heel.

dos aguas, a, peaked (roof).

dos bocas, de, double-ended (wrench).

dos capas, de, two-ply; two-coat.

dos colas, de, double-tang (file).

dos etapas, de, two-stage (pump).

dos tandas, de, double-shift.

dos vueltas, de, double-throw (lock).

dosadora f (A)(Pe), dosing or proportioning apparatus.

dosaje m, mixture, proportioning.

dosificación f, dosing; (conc) proportioning, mixture.

dosificador m, proportioner, dosing apparatus; (conc)(A) batcher.

dosificar, to proportion a mixture.

dotación f, duty (water), irrigation requirement; supply; crew, personnel.

—— corriente (auto)(maq), standard or regular equipment.

—— de agua (U), water supply.

—— unitaria de riego (irr), water duty, allowance per unit of area.

dovela f, voussoir.

—— de ladrillo, arch brick.

dovelaje m, set of arch stones.

dovelar, to cut arch stones.

dozavado, twelve-sided.

draga f, dredge; dragline outfit; drag.

—— a balde (A), clamshell dredge.

—— a cuchara, dipper dredge.

—— ambulante o andadora o caminante, walking dragline.

—— aspirante o a succión, suction or hydraulic dredge, sand dredger.

—— cavadora, dragline excavator; slackline cableway.

—— de almeja, clamshell dredge.

—— de arcaduces o de cangilones o de escalera o de rosario, ladder or bucket or elevator dredge.

—— de arrastre, slackline cableway, slackline-dragline; power drag scraper.

—— de bomba centrífuga, suction dredge.

—— de cucharón, dipper dredge.

—— de cucharón de quijadas, clamshell dredge.

—— de palanca (M), dipper dredge.

—— de tolvas, hopper dredge.

—— de valvas de almeja (M), clamshell bucket.

dragado (m) hidráulico, hydraulic dredging.

dragadora f, dredge.

dragaje m, dredging.

dragalina f (Es), dragline.

dragalínea f (M), dragline excavator.

dragar, to dredge; (naut) to drag.

dren m, drain.

—— inferior, underdrain.

drenabilidad f, drainability.

drenable, drainable.

drenaje m, drainage.

—— de poblaciones, sewerage.

drenar, to drain.

dualina f, dualin (dynamite).

ductibilidad f (A)(M), ductility.

dúctil, ductile.

ductilidad f, ductility.

ductilómetro m, ductilometer.

ducto (m) de cables (M), cable duct.

ducha f, shower bath.

duela f, stave.

—— para piso (M), flooring board.

duelas para cielo (M), ceiling.

duelería f, set of staves; hewing, trimming, rough-dressing.

dulce, fresh (water); soft (steel); (chem) sweet.

dulcita f (lab), dulcitol, dulcite.

dulzura f (Pe), softness (water).

dulzurar, to remove salt (water).

duna f, dune.

dunita f, (geol) dunite; dunnite (explosive).

duodecimal, duodecimal.

duodiodo m (ra), duodiode, double diode.

duolateral (ra), duolateral.

duotriodo m (ra), duotriode, double triode.

duplicador (m) de voltaje (ra), voltage doubler

duplicadora f (mh), duplicator.

dúplice, duplex, double.

duplo m, double.

duque de Alba, (pw) cluster of piles.

durabilidad f, durability.

durable, durable, sound.

duración (f) de servicio, service life.

duradero, durable.

duralita f, Duralite (trademark).

duraluminio m, duralumin (alloy).

duramen *m*, duramen, heartwood.

dureza *f*, hardness; hardness of water.

—— a indentación, indentation hardness.

—— Brinell, Brinell hardness.

—— carbonatada o de carbonatos (pa), carbonate hardness.

—— carbonática (pa)(V), carbonate hardness.

—— del escleroscopio, scleroscope hardness.

—— de jabón (pa), soap hardness.

—— de sulfatos (pa), sulphate hardness.

—— esclerométrica (miner), scratch or scleroscope hardness.

—— no carbonatada (pa), noncarbonate hardness.

durmiente *m*, mudsill, groundsill, ground plate, solepiece; (hyd) gate sill; (rr) tie, crosstie; (sb) clamp.

—— de aguja (fc), switch tie.

—— de caballete, sill of a trestle bent.

—— de cambio o de chucho (fc), switch tie.

—— de grúa, derrick sill.

—— de palo (fc), pole tie.

—— de puente (fc), bridge tie.

durmientes de desvío (fc), switch timber.

durmientes de grada (cn), ground ways.

duro, hard.

—— al rojo, red-hard.

durómetro *m*, durometer.

ebanista *m*, joiner, cabinetmaker.

ebanistería *f*, joining, cabinetmaking; (V) trim, millwork.

ébano *m*, ebony.

ebonita *f*, ebonite.

ebonizar, to ebonize.

ebullición *f*, ebullition, boiling.

eclímetro *m*, clinometer.

eclisa *f* (fc), splice bar, fishplate.

—— angular o cantonera, angle bar.

—— de alivio o de resalte, easer joint bar.

—— de deslizamiento, creeping plates.

—— eléctrica (Ch), rail bond.

eclisar, to place splice bars.

economato *m*, commissary store.

económetro *m*, econometer.

economía *f*, economy; saving.

economista de petróleo, petroleum economist.

economizador *m*, economizer.

—— de combustible, fuel economizer.

—— de petróleo, oil saver.

economizador (*a*) de trabajo, laborsaving.

ecuación *f*, equation.

—— de estado (aa), equation of state.

—— de primer grado, simple equation.

ecuador *m* (geog)(mat), equator.

echado *m* (geol)(M), dip.

echar (exc), to cast.

—— a andar, (machy) to start.

—— a pique (náut), to wreck; to sink.

—— abajo, to wreck, demolish.

—— carbón, to stoke.

—— el ancla, to drop anchor.

—— el escandallo, to take soundings.

—— un remiendo, to patch.

edafológico, edaphological.

edificación *f*, building; a building.

edificador *m*, builder.

edificar, to build, construct, erect.

edificatorio, pertaining to building.

edificio *m*, a building.

—— de administración (ap), administration building.

—— de combustión lenta, slow-burning building (mill construction).

—— de madera, frame building.

—— incombustible, fireproof building.

educción *f*, eduction; (eng) exhaust; (pu) discharge.

eductor *m*, eductor, exhauster; steam ejector.

edulcorar (A), to soften (water).

efectivo (mec)(eléc), effective.

efecto *m* (mec)(eléc), effect.

—— ametralladora (ra)(A), shot effect.

—— de arco (ms), arching effect.

—— de borde (ra), fringe effect.

—— de chimenea (aa), stack or chimney effect.

—— de parpadeo (ra), flicker effect.

—— doble, de, double-acting.

—— Edison (ra), Edison effect (thermionic emission).

—— Joule (eléc), joulean effect.

—— Kelvin (eléc), skin or Kelvin effect.

—— pelicular (eléc), skin effect.

—— simple, de, single-acting.

—— termoeléctrico, thermocurrent, thermoelectric effect.

—— único, de, single-acting.

—— útil de transmisión, transmission efficiency.

—— volante (ra), flywheel effect.

—— Volta (eléc), contact tension, Volta effect.

efectos

—— eléctricos (C), electrical supplies.

—— marinos, marine hardware or supplies.

—— sanitarios (C), plumbing fixtures.

eficaz, effective.

eficiencia *f*, efficiency.

eficiente, efficient.

eflorescencia *f*, efflorescence; (min)(Pe) outcrop.

eflorescerse, to effloresce.

efluente *m*, effluent, outflow.

efluvio *m* (eléc), effluvium.

efusivo (geol), effusive, extrusive.

egión *m* (M), scab, cleat, chock, bracket.

egreso *m*, egress, exit.

eidógrafo *m* (dib), eidograph.

eje *m*, axis; shaft, axle, sheave pin; core.

—— acanalado, spline shaft.

—— acodado o cigüeñal, crankshaft, crank axle.

—— auxiliar, countershaft.

—— baricéntrico (est), centroidal or gravity axis.

—— cardánico, cardan shaft.

—— compensador, compensating axle.

—— completamente flotante, full-floating axle.

—— de ajuste (as), set shaft.

—— de atrás, rear axle.

—— de cambio (auto), shifter shaft.

—— de cáñamo (cab), hemp center.

—— de carretón, axletree.

—— de centro bajo (auto), drop-center axle.

—— de colimación, line of collimation.

—— de contrapunta (mh), tailstock spindle.
—— de coordenadas, axis of coordinates.
—— de dirección (auto), steering shaft.
—— de doble reducción (auto), double-reduction axle.
—— del émbolo, (Sp) piston rod; (auto) piston pin.
—— de la excéntrica, eccentric shaft.
—— de excéntricas (mg)(A), camshaft.
—— de la hélice (cn), propeller shaft.
—— de henequén (cab), hemp center.
—— de impulsión, driving shaft or axle.
—— de inclinación (fma), axis of tilt.
—— de levas, camshaft.
—— de línea, line shaft.
—— de mando, driving axle.
—— de manivelas (C), crankshaft.
—— de momentos, center of moments.
—— de oscilación, axis of oscillation.
—— de propulsión (auto), propeller shaft.
—— de sierra, saw arbor, saw mandrel.
—— de transmisión, driving or line or transmission shaft.
—— de vaina, quill shaft.
—— de la vía (fc), center line of track.
—— de visación (lev), line of sight.
—— delantero, front axle.
—— director, steering axle.
—— dividido, split shaft.
—— exterior (tránsito), outer spindle.
—— fibroso, fiber center (wire strand).
—— fiducial (fma), fiducial or plate or photograph axis.
—— flotante (auto), floating axle.
—— fuera de bordo (cn), tail shaft.
—— impulsado, driven shaft.
—— interior (tránsito), inner spindle.
—— intermedio o de transmisión intermedia, countershaft, jackshaft.
—— libre (est)(A), axis of inertia normal to latticing.
—— loco, idler shaft.
—— maestro (maq), line shaft.
—— magnético, magnetic axis.
—— material (est)(A), axis of inertia parallel to latticing.
—— mayor, major axis.
—— menor, minor axis.
—— momentáneo, instantaneous axis.
—— motor, driving shaft, driving or live axle.
—— muerto, dead axle, (tk) trailing axle.
—— neutro, neutral axis.
—— oscilante, rockshaft.
—— partido, split shaft.
—— polar (fma), polar axis.
—— portahélice (cn), propeller shaft.
—— separador, isolating shaft.
—— sísmico, seismic axis.
—— tres cuartos flotante, three-quarter-floating axle.
—— vivo (M), live axle.
eje-balancín, rocking axle.
eje-mandril (A), lathe mandrel.
ejercicio m, fiscal year.
ejión m, scab, cleat, chock, bracket.
elaboración f, manufacture, fabrication, processing.

—— de los agregados (conc), aggregate processing.
—— de maderas, woodworking.
elaborar, to work (material), process; to manufacture; (Ch) to fabricate.
elastancia f (eléc), elastance.
—— específica, elastivity.
elasticidad f, elasticity, resilience, spring.
—— eléctrica, electric elasticity, elastivity.
elástico m, (auto) a spring; a elastic.
elastita f, Elastite (trademark) (expansion joint).
ele f, angle iron; pipe elbow.
—— cerrada, short elbow.
—— con derivación, side-outlet elbow.
—— de base, base elbow.
—— de curva abierta, long-radius elbow.
—— de lomo, bossed elbow.
—— de reducción, reducing elbow.
electricidad f, electricity.
—— dinámica, dynamical or voltaic electricity.
—— estática, statical electricity.
electricista m, electrician.
—— de obras, erecting or installing electrician, wireman.
eléctrico, electric.
electrificar, electrizar, to electrify.
electroacero m (M), electric steel.
electroacústico, electroacoustic.
electroafinidad f, electroaffinity.
electroanálisis m, electroanalysis.
electroanalizador m, electroanalyzer.
electrobomba f, motor-driven pump.
electrocapilar, electrocapillary.
electrocinético, electrokinetic.
electrocloración f, electrochlorination.
electrocomunicación f, electrocommunication.
electrocorrosión f, electrolytic corrosion.
electrochapeado m, electroplating.
electrodeposición f, electrodeposition, electroplating.
electrodinámica f, electrodynamics.
electrodinámico, electrodynamic.
electrodinamómetro m, electrodynamometer.
electrodo m, electrode.
—— acelerador (ra), accelerating electrode.
—— bañado (sol), washed or bare or lightly coated electrode.
—— cubierto (sol), covered electrode.
—— de calomelanos, calomel electrode.
—— de enfoque (tv), focusing electrode.
—— de placa, plate electrode.
—— de tierra, grounding electrode.
—— desnudo (sol), bare or lightly coated electrode.
—— revestido con fundente (sol), flux-coated electrode.
—— semirrevestido (sol), semicoated electrode.
electrodos coplanos (ra), coplanar electrodes.
electroesherardización f (met), electrosherardizing.
electroestática f, electrostatics.
electroestático, electrostatic.
electrofiltración f (geof), filtration.
electrófono m, electrophone.
electroforesis f, electrophoresis.

electroforjado, electrofraguado, Electroforged (trademark).
electrofusión f, electrofusion.
electrogalvánico, electrogalvanic.
electrogalvanizar, to electrogalvanize.
electrogenerador m, electric generator.
electrógeno, generating electricity.
electrográfico, electrographic.
electrohidráulico, electrohydraulic.
electroimán m, electromagnet.
electrolero m, electrolier.
electrólisis f, electrolysis.
electrolítico, electrolytic.
electrólito m, electrolyte.
electrolizar, to electrolyze.
electrolón m, Electrolon (trademark)(abrasive).
electromagnético, electromagnetic.
electromagnetismo m, electromagnetism.
electromecánica f, electromechanics.
electromecánico m, worker on electrical machinery; a electromechanical.
electrometalurgia f, electrometallurgy.
electrometría f, electrometry.
electrométrico, electrometric.
electrómetro m, electrometer.
—— de balanza, balance or absolute electrometer.
—— de cuadrante, quadrant electrometer.
—— de torsión, torsion electrometer.
electromotor m, electric motor; a electromotive.
electromotriz, electromotive.
electromóvil m, electric automobile; a (A) motor-driven.
electrón m, electron.
electronegativo, electronegative.
electroneumático, electropneumatic.
electrónica f, electronics.
electrónico, electronic.
electroósmosis f, electroosmosis.
electroosmótico, electroosmotic.
electropolar, electropolar.
electropositivo, electropositive.
electropropulsión f (an), electric drive.
electroquímica f, electrochemistry.
electroquímico, electrochemical.
electrorreceptivo, electroreceptive.
electrorreducción f, electroreduction.
electrorrefinación f, electrorefining, electrolytic refining.
electroscópico, electroscopic.
electroscopio m, electroscope.
electrosemáforo m (A), electrically operated semaphore.
electrosiderurgia f, electrometallurgy of iron and steel.
electrósmosis f, electrosmosis, electroosmosis.
electrosoldadura f, electric welding.
electrostática f, electrostatics.
electrostático, electrostatic.
electrotecnia f, electrical engineering, electrotechnology.
electrotécnica f, electrotechnics, electrical engineering.
electrotécnico m, electrical engineer; a electrotechnical.
electrotérmica f, electrothermics.
electrotérmico, electrothermal, electrothermic.

electrotermóstato m, electrothermostat.
electrotitulación f, electrotitration.
elemento m, (chem) element; (elec) element, cell; (str) member.
—— de acumulador (eléc), storage cell.
—— de cadmio (eléc), cadmium or Weston cell.
—— de caldeo, heating element.
—— del objetivo (fma), lens element.
—— de resistencia (eléc), resistor element.
—— motor (tel), motor element.
—— obturador (pet), pack-off element.
—— testigo (eléc), pilot cell.
elementos de urgencia (eléc), emergency cells.
elementos hidráulicos, hydraulic elements.
elevación f, elevation, altitude; (dwg) elevation; lift.
—— acotada (top), spot or figured elevation.
—— delantera, front elevation.
—— desarrollada, developed elevation.
—— en corte, sectional elevation.
—— en el extremo, end elevation.
—— lateral, side elevation.
—— posterior, rear elevation.
elevado m (M)(PR), elevator.
elevador m, elevator, lift; hoist; booster.
—— cargador, elevating charger.
—— del aguilón (pl), boom hoist.
—— de automóviles, automobile lift.
—— de bagacillo (az), trash elevator.
—— de baldes (V)(B), bucket elevator.
—— de caja de camión, truck-body hoist.
—— de cangilones o de capachos, bucket elevator, ladder.
—— del carbón animal (az), char elevator.
—— de carga, freight elevator.
—— de cenizas, ash hoist.
—— de cienos (dac), sludge elevator.
—— de la compuerta (hid)(M), gate hoist.
—— de correa, belt elevator.
—— de cristal (auto), window opener.
—— de cubos, bucket elevator.
—— de cuezos, hod hoist or elevator.
—— de efecto directo (co), direct-lift hoist.
—— de la potencial (eléc), booster.
—— de leva y rodillo (co), cam-and-roller hoist.
—— de tensión (eléc), booster.
—— de tubería (pet), tubing elevator.
elevador-reductor (eléc), reversible booster.
elevadora (f) conformadora (M), elevating grader.
elevar, to elevate, hoist, raise.
—— al cuadrado (mat), to square.
—— a potencia (mat), to raise to a power.
elevatorio a (Pe), elevating, raising.
eliminación f, elimination.
—— de las basuras, garbage disposal.
—— de olores (is), odor removal.
—— de sabor (pa), taste removal.
eliminador m, eliminator.
—— de aceite, oil separator or eliminator.
—— de antena (ra), antenna eliminator or adapter.
—— de arena (ec), sand eliminator.
—— de baterías (ra), battery eliminator.
—— de golpe de ariete, water-hammer suppressor.

—— de remanso (hid), backwater suppressor.
elinvar *m*, elinvar (alloy).
elipse *f*, ellipse.
elipsógrafo *m*, ellipsograph.
elipsoidal, ellipsoidal.
elipsoide *m*, ellipsoid.
elíptico, elliptical.
elongación *f*, elongation.
elongámetro *m* (Es), extensometer.
elutriación *f*, elutriation.
elutriador *m*, elutriator.
elutriar, to elutriate.
eluvial (geol), eluvial.
eluvión *m* (geol), eluvium.
emanación *f*, (chem) emanation; (bl) fumes.
embadurnar, to butter (brick).
embalaje *m*, packing (for shipment).
embalamiento *m*, (eng) racing, run-up.
embalar, to pack; to bale; (machy) to race, spin;
    embalarse, (machy) to race.
embalastar, to ballast.
embaldosar, to pave with tile; to flag.
embalsadero *m*, marsh; pool.
embalsado *m* (A), marsh; pool.
embalsar, to impound, dam, pond.
embalse *m*, impounding (water); reservoir; (Sp)
    dam.
—— de acumulación (A), storage reservoir.
—— de almacenamiento o de reserva, storage
    reservoir.
—— de aprovechamiento múltiple, multipurpose
    reservoir.
—— de compensación, equalizing reservoir.
—— de detención, detention basin.
—— de retención, flood-control reservoir.
—— de uso simple, single-purpose reservoir.
—— regulador, regulating reservoir.
—— retardador, retarding basin or reservoir.
embancamiento *m* (Ec), embankment.
embancarse, to silt up (reservoir).
embanque *m*, silting; deposit of silt; (Ec) em-
    bankment.
embanquetar (M), to lay a sidewalk.
embarbillar (carp), to join, frame, assemble.
embarcación *f*, boat, vessel.
—— de alijo, lighter.
embarcadero *m*, loading platform, wharf; ferry;
    ferry slip; (lg) yard, landing.
—— flotante, landing stage.
embarcador *m*, shipper; shipping agent.
embarcar, to ship; to load.
embarnizar, to varnish.
embarque *m*, shipment, loading.
embarrado *m*, mud plastering; rough plastering.
embarrancarse, to stick in the mud; (naut) to
    run aground.
embarrar, to plaster with mud; to rough-plaster;
    to pug.
embarrilar, to pack in barrels.
embarrotar (náut), to batten.
embasamiento *m*, footing; base course, plinth
    course.
embayonetar (est)(A), to crimp.
embeber, to imbibe; (Col) to embed.
embecadura *f*, spandrel (arch).
embestida *f* (pl), crowding.

embetunar, to impregnate with pitch; to bitu-
    minize.
embisagrar, to hinge.
emblandecer, emblandecerse, to soften.
emblecar (A), to treat with tar or asphalt.
embobinar (eléc)(M), to wind.
embocadero *m*, embocadura *f*, mouth, outlet.
embolada *f*, piston stroke; piston displacement.
émbolo *m*, piston.
—— amortiguador, damping piston.
—— buzo de empaque central (bm), center-
    packed or inside-packed plunger.
—— buzo de prensaestopa exterior (bm), outside-
    end-packed plunger.
—— compensador, balance piston; (turb) dummy
    piston.
—— de cierre hidráulico, water-packed piston.
—— de cubeta, cup-type piston.
—— de disco, disk piston.
—— distribuidor (mv), piston valve.
—— economizador (auto), economizer piston.
—— equilibrador (bm), balancing piston.
—— macizo, plunger, ram.
émbolos opuestos, opposed pistons.
embolsador *m*, bagging machine, cement packer.
embolsar, to put in bags.
embonado *m* (V), leveling course of mortar under
    roof tiles.
embonar, to repair; to reinforce.
embono *m* (cn), liner, filler.
emboque *m*, mouth.
emboquillado *m*, mouth, portal; (mas) pointing
    or chinking joints.
emboquillar, to splay; (mas) to point or chink
    joints.
embornal *m*, scupper.
embotar, to blunt, dull.
embragar, to throw in a clutch; to sling.
embrague *m*, clutch.
—— a flúido (auto)(A), fluid drive.
—— amortiguador, cushion clutch.
—— de anillo, rim or ring friction clutch.
—— de avance o de marcha (pl), travel clutch.
—— de banda o de cinta, band clutch.
—— de cojín, cushion clutch.
—— de compresión, compression clutch.
—— de dirección, steering clutch.
—— de disco flotante, floating-disk clutch.
—— de disco seco, dry-disk clutch.
—— de disco único, single-disk clutch.
—— de discos múltiples, multiple-disk clutch.
—— de expansión interior, internal-expanding
    clutch.
—— de frotamiento, friction clutch.
—— de garras, claw or dog clutch.
—— de giro (pl), swinging clutch.
—— de manguito, sleeve or coupling clutch.
—— de mordazas o de quijadas, jaw clutch.
—— de placa seca, dry-plate clutch.
—— de placa triple, three-plate clutch.
—— de platos, disk or plate clutch.
—— de rodillos, roller clutch.
—— de rueda libre (auto), overrunning or free-
    wheeling clutch.
—— dentado, toothed or dental clutch.
—— deslizante, slip clutch.

—— espiral, coil clutch.
—— maestro, master clutch.
embreadora *f* (cn), pitch payer.
embrear, to coat or impregnate with tar.
embridar, to flange.
embrochalar, to frame with a header beam.
embudador *m*, oil hole to hold a funnel.
embudiforme (A), funnel-shaped.
embudo *m*, funnel; leader head; (M)(C) hopper; (C) bin; (top) hollow.
—— acodado, offset funnel.
—— de abatimiento de presión, cone of pressure relief (ground water).
—— de azotea, leader head.
—— de caña (az), cane hopper.
—— de depresión del nivel freático, cone of water table depression.
—— ensacador (az), bagging bin.
—— separador (lab), separatory funnel.
—— sumidero (hid)(A), shaft or glory-hole spillway.
embujar (maq)(C)(A), to bush.
embulonar (A), to bolt.
embutidera *f*, rivet set; nail set.
embutido, countersunk; embedded; flush.
—— y emparejado (re), countersunk and chipped.
embutidor *m*, nail set; pile follower; rivet set, driving die; punch.
—— de tapones (fc), tie-plug punch.
embutir, to embed; to countersink; (carp) to let in.
emergencia *f*, emergence; emergency.
emisario *m*, outlet, outfall.
emisión *f* (ra), emission.
—— espectral (il), spectral emission.
emisividad *f*, emissivity.
emisor *m* (ra), transmitter, emitter.
emisora *f*, broadcasting station.
emitir, to emit; (ra) to broadcast, beam.
empacable, nestable.
empacar, to pack (for shipment).
empadronar, to take a census; to register irrigation subscribers.
empajar, to cover with straw.
empalizada *f*, paling fence.
empalizadas (A), trench sheeting.
empalmador *m*, connector, clamp; splicer.
empalmadora (*f*) de correa, belt lacer.
empalmadores (*m*) para correa, belt clamps or hooks.
empalmar, to splice, join, connect.
empalme *m*, (carp) joint; (elec) splice; (rr) junction; (cab) splice; (p) coupling, joint; (mech) connection, joint; (rd) intersection, junction.
—— a cola de rata (eléc), rat-tailed joint.
—— a media (carp), halved joint.
—— a rosca, threaded connection.
—— a tope, butt joint.
—— amilanado o de cola de milano, dovetail joint.
—— biselado, miter joint.
—— borde (C), butt joint.
—— britania (eléc), Britannia joint.
—— carretero, road intersection.
—— corto (cab), short splice.

—— cubierto (eléc), shielded joint.
—— charpado (eléc), scarf joint.
—— de aletas (eléc), lug splice.
—— de compresión (eléc), compression splice.
—— de cruz (eléc), cross joint.
—— de derivación (eléc), tap joint or splice.
—— de enrollado múltiple (eléc), multiple-wrap cable splice.
—— de enrollado simple, single-wrap cable splice.
—— de espiga y mortaja (carp), mortise-and-tenon joint.
—— de reducción (eléc), reducing joint.
—— de solapa, lap joint.
—— de vías (fc), junction.
—— derecho (eléc), straight-line splice.
—— doblado (eléc), back-turn splice.
—— en cruz de enrollamiento paralelo (eléc), double cross joint.
—— invisible (ca), blind intersection.
—— largo (cab), long or endless splice.
—— para artefacto (eléc), fixture splice.
—— para manguera, hose coupling.
—— retorcido (eléc), twist splice.
—— termoeléctrico, thermojunction.
empalomado *m* (Es)(Col), diversion dam of dry masonry.
empalletado (*m*) de choque, fender or collision mat.
empandarse, to deflect, sag.
empanelado *m* (V), paneling.
empantanar, to swamp, submerge; empantanarse, to stick in the mud, bog down.
empañetar, to plaster.
empañete *m*, plaster, stucco.
empapar, to soak, saturate.
empaque *m*, gasket, packing, oakum; (elec cab) bedding; (str) filler plate.
—— acopado, seating cup (oil-well pump).
—— de cara completa (tub), full-face gasket.
—— de cojín (eléc), cushion gasket.
—— de hule con inserción de tela, cloth-insertion packing.
—— de vástago, rod packing.
—— para calafatear (M), calking yarn.
empaquetadura *f*, packing, gasket.
—— con inserción de alambre, wire-insertion packing.
—— de cáñamo, hemp packing.
—— de cinta, gasketing tape.
—— de cuero crudo, rawhide packing.
—— de laberinto, labyrinth packing.
—— de lino, flax packing.
—— del lodo (pet), mud seal.
—— de mecha, wick packing.
—— laminar, sheet packing.
—— metálica fibrosa, fibrous metallic packing.
—— retorcida, twist packing.
—— tubular, tubular gasketing.
empaquetar (mec), to pack.
emparchar, to patch.
emparedar, to wall up.
emparejadora *f*, straightedge, screed.
emparejar, to grade, level off; (rr) to surface; (re) to chip; to screed; to rough-plaster.
emparrillado *m*, grillage, grating, grate, grid; (rr) gridiron tracks.

—— de báscula, tilting grate.
—— de piso, floor grating.
—— oscilante, shaking grate.
empastar, to paste; (M) to grass.
empatar, to splice, join.
empate m, joint, splice, seam.
—— a inglete, miter joint.
—— de solapa, lap joint.
—— de tope, butt joint.
—— para cadena, connecting or repair link.
—— para cinta (lev), tape splice.
empatillar (A), to splice, join.
empavonado, blue (steel).
empedrado m, stone pavement.
empedrador m, paver.
empedrar, to pave with stone.
empegar, to coat with pitch.
empelotarse (C), to spall.
empernar, to bolt, spike, dowel, pin; (str) to fit
   up.
empilar (V), to pile, pile up.
empinado, steep; high.
empinarse, to slope up; to stand at a steep slope.
empino m, crown of an arch.
empírico, empirical.
empizarrar, to roof with slate.
emplantillado m (Ch), floor paving.
emplasto m, patch (tire).
emplazamiento m (PR), location, site.
emplazar (A), to set, place, locate.
empleado m, employee; office employee.
emplear, to employ.
empleo m, employment.
emplomado, poured or coated with lead.
emplomador m, leadworker.
emplomadura f, leadwork.
emplomar, to lead.
empolvarse, to become dusty.
empotrado, embedded; fixed (beam).
—— por una extremidad, fixed one end.
empotramiento m, abutment; embedding; (p)(V)
   branch outlet; (V) service connection to a
   sewer.
empotrar, to embed, to fix in a wall; (carp) to let
   in; (B) to mortise.
empotre m (V), house connection to a sewer; tap
   in a main.
empozarse, to form pools, become stagnant.
empresa f, undertaking, enterprise; company.
—— constructora, construction company.
—— de acueducto o de agua potable, water company.
—— de servicios públicos, public-utility company.
—— de transporte, carrier, transportation company.
—— fiadora, bonding company.
—— fiscal, a government enterprise.
—— , por, by contract.
empresas municipales, municipal utilities.
empresario m, contractor; employer.
empréstito m, borrowed fill; a loan.
empujador m, pusher.
—— de carros, car mover or pusher.
—— de tubos, pipe pusher.
empujadora f, pusher.

—— de almeja, bull clam shovel.
—— de ángulo, angledozer.
—— de traílla, scraper pusher.
—— niveladora, bulldozer, Bullgrader, Roadbuilder.
empujar, to push.
empujatierra f, bulldozer.
empuje m, thrust, push, pressure; bearing (rivet
   or pin); (sh) crowding.
—— a cable (pl), cable crowd.
—— de cadena (pl), chain crowd.
—— hidrostático (pet), water drive.
—— por gas (pet), gas drive.
empuñadura (f) de pistola, pistol grip.
emulsificadora f, emulsifier.
emulsificar, to emulsify.
emulsión f, emulsion.
—— de penetración (ca), penetration or quick-
   breaking emulsion.
emulsionadora f, emulsifier.
emulsionar, to emulsify.
emulsivo, emulsive.
emulsoide m, emulsoid.
emulsor m, emulsifier; (hyd)(Sp) air lift.
enaguazar, to flood; to saturate.
enajenación (f) forzosa, expropriation, condemnation.
enchanchar, to widen.
enangostar, to narrow.
enarcar (Es), to arch.
enarenación f, sanding; plastering of lime and
   sand.
enarenar, to sand; to deposit sand, silt up.
enastar, to put a handle on.
encaballar, to lap.
encabar (C)(PR), to put a handle on.
encabezado m (PR), foreman.
encabezador m, heading tool.
—— de pernos, bolt-heading tool.
—— de remaches, rivet header.
encabezamiento m, heading; title of a drawing.
—— en frío, cold-heading (bolt).
encabezar, to cap; to place on end; to frame end
   to end; to head (bolts).
encabillar, to dowel, pin.
encabriar, to place rafters.
encachado m, (tun) lining; paving of a culvert;
   (C) riprap.
encachar, to line with concrete; to riprap; to
   pave a stream bed or culvert.
encadenado m, (mas) bond; (A) bracing; (V)
   buttress, retaining wall.
encadenar, to chain; to brace; to buttress; (mas)
   to bond.
encajable, nestable.
encajar, to rabbet; to gear; to fit.
encaje m, rabbet, recess; socket; fitting; (Col)
   gear; (Sp) bell end of a pipe.
—— chaflanado (Col), bevel gear.
encajonado m, cofferdam; boxing; a narrow, confined by steep hillsides.
encajonar, to box, pack; to cofferdam; to confine; encajonarse (r), to run in a canyon.
encalado m (V), finishing coat of plaster, white
   or skim coat.
encalar, to treat with lime; to whitewash.

encalladero *m*, shoal, sandbank.
encallar, to run aground, strand.
encamación *f* (min), timbering; lagging.
encamisar, to place lagging, lining, sleeve, or bushing.
encanalar (Es), to conduct (water); to canalize.
encanalizar (Es), to canalize.
encandilamiento *m* (auto)(M), glare, dazzling.
encañada *f* (B), canyon.
encañado *m*, (Sp) gutter; (Sp) conduit; (V) framework of cane.
encañar, to pipe; to drain.
encape *m* (min)(B), overburden.
encapillar (tún)(min), to enlarge a heading.
encapsular (lab), to capsule.
encarcelar, to clamp.
encargado *m*, man in charge.
— del tránsito (lev), transitman, instrumentman.
— de vía (fc), roadmaster, supervisor.
encarriladera *f* (fc), wrecking frog, rerailing device.
encarrilador *m*, wrecking frog, car replacer.
encarrilar, to rerail, place on the rails.
encarrujamiento *m* (cab), kink.
encasquillar, to bush; to ferrule; to shoe horses.
encastillada, castellated (nut).
encastrar, to embed; to let in; (wr) to socket.
encastre *m*, groove; socket; insert; (U) recess.
— abierto (cab), open socket.
— acuñado (cab), wedge socket.
— cerrado (cab), closed socket.
— cerrado para puente (cab), closed bridge socket.
— con gancho (cab), hook socket.
— con gancho giratorio (cab), swivel-hook socket.
— de muñón (náut), gudgeon, gudgeon socket.
— de puente (cab), bridge socket.
— escalonado (cab), stepped socket.
— giratorio (cab), swivel socket.
encauchar, to treat with rubber.
encauzar, to guide (stream), to canalize.
encenagamiento *m* (A), deposit of mud.
encendedor *m*, (bl)(di) igniter; (ge) sparker, igniter; (ra) igniter, exciter.
— a hilo caliente (vol), hot-wire fuse lighter.
— de mecha (vol), fuse igniter.
— de tiempo (vol), delay igniter.
encender, to ignite; encenderse, to ignite, take fire.
encendido *m*, ignition; (bl)(Sp) firing.
— a cabeza ardiente, hot-bulb ignition.
— anticipado, preignition.
— doble, dual ignition.
— espontáneo, self-ignition, spontaneous ignition.
— por compresión, compression ignition.
— por chispa, spark ignition.
— por tubo incandescente, hot-tube ignition.
encepar, to place a cap or header.
encerado *m*, tarpaulin, oilskin.
encerar, to make stiffer (mortar).
encerrable, (elec) sealable.
encerrado, enclosed; sealed.
encerrojamiento *m* (fc), interlocking.

encespedar, to sod, turf, grass.
encima *f* (quím), enzyme; *adv* overhead, on top.
encina *f*, encino *m*, oak.
encingar (Ch), to place galvanized sheet-metal work.
encintado *m*, curb; (elec) taping.
encintar (eléc), to tape.
enclavamiento *m*, nailing, spiking; (mech)(rr) (elec) interlocking.
— de aproximación (fc), approach locking.
— de tiempo (fc), time locking.
— de tráfico (fc), traffic locking.
— de tramo (fc), section locking.
— de trazado (fc), route locking.
— indicador (fc), indication locking.
enclavar, to nail, spike; to lock, interlock; to drive (well); enclavarse, to lock.
enclavijar, to dowel, pin.
encobrado, copper-plated; copper-bearing.
encobrizado, copper-plated.
encofrado *m*, forms; planking, sheeting, framing; cribwork.
— deslizante, traveling forms.
encofrador *m*, form carpenter.
encofrar, (conc) to form; to plank.
encoger, encogerse, to contract, shrink.
encolado *m* (pint), sizing.
encoladora *f*, gluing machine.
encolaje *m*, sizing; gluing.
encolamiento *m* (A), glue, cementing material.
encolar, to glue; to size.
encorchetar, to clamp.
encordar, to lash (occasionally means to reeve).
encorozar, (Ch) to smooth up a wall; (Col) to fill in between beams on a wall.
encorvado en frío, bent cold.
encorvador (*m*) de rieles, rail bender, jim-crow.
encorvar, to bend, curve; encorvarse, to deflect, buckle.
encostillado *m*, lathing; lagging in a mine or tunnel.
encostrarse, to form scale.
encribado *m*, cribwork, blocking.
encristalado *m*, glazing.
encrucijada *f*, street intersection, road crossing.
— con glorieta, rotary intersection, road crossing with traffic circle.
encuadrado *m* (tv), framing.
encuadrar, to square; to frame.
encubado *m* (min), cribbing, tubbing.
encuelladero *m* (pet), monkey board.
encuellador *m* (pet), man who couples pipe, derrickman.
encuentro *m*, joint; junction; intersection.
encuesta (*f*) sanitaria (V), sanitary survey.
encuñar, to wedge, key.
enchapado con cadmio, cadmium-plated.
enchapado de plomo, lead-coated.
enchapar, to veneer; to line with sheet metal; (A) to plate; (conc)(V) to build up by plastering.
enchaquetado, jacketed.
encharcado, swampy.
encharcarse, to become swampy, form pools, (sd) to pool.
enchavetar, to key.

enchinar, to pave with cobbles.
enchuchar (fc)(C), to switch.
enchufar, to telescope; to nest; to mesh; to plug in.
enchufe *m*, bell end of a pipe; bell-and-spigot joint; (elec) plug; (cab) socket.
—— abierto (cab), open socket.
—— cerrado (cab), closed socket.
—— de aprieto (mh), grip socket.
—— de campana, (p) bell-and-spigot joint; (pet) bell socket.
—— de pesca (pet), overshot.
—— de puente (cab), bridge socket.
—— desalojador (pet), releasing socket.
—— desprendedor (pet), releasing socket or overshot.
—— fusible, fuse plug.
—— hembra, bell end of pipe.
—— macho, spigot end of pipe; (elec)(A) plug.
—— y cordón o y espiga (tub), bell and spigot, hub and spigot.
endentado *m*, (conc) keyway; (mas) toothing; (hyd) toe wall; *a* toothed, dentated.
endentar, to key, tooth; to mesh.
enderezador *m*, straightener; rectifier.
—— de cocas, (wr) kink iron.
—— de diamante, diamond dresser.
—— de pozos (pet), hole conditioner.
—— de ruedas (auto), wheel straightener.
enderezadora *f*, straightener; rectifier.
enderezar, to line, straighten; (elec) to rectify; (pmy)(A) to rectify.
endicamiento *m*, dike, levee.
endicar, to build dikes.
endoble *m* (min), shift of double length.
endoclinal *m* (geol), endocline; *a* endoclinal.
endodino (ra)(Es), endodyne.
endoenzima *f* (is), endoenzyme.
endolado *m* (ed)(Ch), soffit of a door or window opening.
endoparásito (is), endoparasite.
enduído *m* (A), brush coat of grout or a waterproofing material; finishing coat of plaster.
endulzar, to soften (water); to sweeten (oil).
endurecedor *m*, hardener (all senses).
endurecer, to harden; to indurate; endurecerse, to harden, get hard.
—— a martillo, to hammer-harden.
endurecido, hardened.
—— al aire, air-hardened.
—— a martillo, hammer-hard.
—— superficialmente (met), casehardened
endurecimiento *m*, hardening; hardness.
—— de trabajo (met), work hardness.
—— por deformación (met), strain hardening.
—— por inducción (met), induction hardening.
—— por precipitación (met), precipitation hardening.
energía *f*, energy, power.
—— absorbida, input.
—— continua, firm power; primary power.
—— de base (U), firm power; primary power.
—— de deformación, strain energy.
—— de salida, output.
—— específica (hid), specific energy.
—— firme (M), firm power.

—— hidráulica, water power.
—— inversa, reverse power.
—— permanente, firm or primary power; primary energy.
—— primaria, firm power; primary energy.
—— provisoria, dump power; secondary power.
—— radiante, radiant energy.
—— secundaria, secondary energy; secondary or surplus power.
—— térmica, steam-generated power.
energizar, to energize.
enésimo (mat), *n*th (power).
enfajinado *m* (r), fascine work, bank protection of branches; (M) stone riprap.
enfangar, to cover with mud; enfangarse, to silt up.
enfardadora (*f*) de sacos, cement-bag baler.
enfermedad (*f*) hídrica (Ec)(V), water-borne disease.
enfermedad profesional, occupational disease.
enferradura *f*, ironwork; (Ch) reinforcing steel.
enfilar, to line up, align, range.
enfocar, to focus.
enfoque *m*, focusing.
—— a gas o iónico (ra), gas or ionic focusing.
enfoscado *m* (M), coat of plaster.
enfoscar, to patch or fill with mortar.
enfrenar, to brake.
enfrentado y perforado (tub), faced and drilled.
enfrentar, to face.
enfriadero *m*, cooler.
enfriado, cooled.
—— a líquido, liquid-cooled.
—— por agua, water-cooled.
—— por aire, air-cooled.
enfriador *m*, cooler; coolant; (pet) chiller.
—— intermedio, intercooler.
—— unitario (aa), unit cooler.
enfriamiento *m*, (eng)(ac) cooling; refrigeration.
—— atmosférico o evaporativo, atmospheric or evaporative cooling.
—— de elaboración, process cooling.
—— de punto (aa), spot cooling.
—— de rocío, spray cooling.
—— de superficie (aa), surface cooling.
—— indirecto (aa), indirect cooling or refrigeration.
enfriar, to cool; enfriarse, to cool, cool off.
enfurgonar (PR), to load a box car.
engalabernar (Col), to frame timbers together.
engalgar, to chock, scotch.
enganchador *m*, coupler; labor agent; (lg) hooker, hook tender; (min) bottomer, onsetter.
—— de correa, belt stud.
enganchar, to hook, couple, engage; to employ, to recruit labor.
enganche *m*, coupling, coupler; hooking on; hitch; recruiting (labor).
—— completamente flotante, full-floating hitch.
—— de gancho, snatch hitch
—— de garras, jaw or M.C.B. coupler.
—— de vuelta, anchor hitch.
—— giratorio, swivel hitch.
—— para remolque, towing hitch; trailer hitch.
—— universal, universal hitch.
engargantar, to mesh, engage.

engargoladora *f*, matcher, groover.
engargolar, to groove; to make a male-and-female joint.
engarzar, to hook, couple.
engasamiento *m* (pet)(M), gassing.
engastador (*m*) de tornillo, screw chaser.
engastar, to embed, incase.
engaste, setting, bedding.
engatillar, to clamp, cramp.
engendrador *m* (mat), generator.
—— de engranajes, gear generator.
engendrar (mat), to generate.
engomado, rubberized; gummy (oil).
engomarse, to gum (oil).
engoznar, to hinge.
engramar, to grass, sod.
engrampar, to clamp; to staple.
engranado directamente, direct-geared.
engranaje *m*, gearing; a gear.
—— angular o cónico, bevel gear.
—— cilíndrico, spur gear.
—— circumferencial, girth gear.
—— cónicohelicoidal, spiral bevel gear.
—— de aumento, increasing gear.
—— de avance, feed gear.
—— de baja (auto), low gear.
—— de cambio (de velocidad), change or change-speed gear.
—— de contramarcha (auto), reverse gear.
—— de corona, crown wheel; face gear.
—— de dientes escalonados, stepped or staggered-tooth gear.
—— de dientes helicoidales angulares, double helical gear.
—— de dientes postizos, mortise gear.
—— de distribución (mg), timing or distributer gear.
—— de espina de pescado, herringbone gear.
—— de Ginebra, Geneva motion.
—— de giro (gr), bull gear.
—— de inglete, miter gear.
—— de inversión (mh), tumbler gear.
—— de linterna, pin gear.
—— de lóbulos, lobe gear.
—— de mando, driving gear.
—— de manguito, quill gear.
—— de marcha atrás o de retroceso (auto), reverse gear.
—— de paso corto, fine-pitch gear.
—— de reducción simple, single-reduction gearing.
—— de reversa (auto)(M), reverse gear.
—— de rosca o de tornillo sin fin, worm gear.
—— de rotación (gr), swinging gear.
—— de transposición, transposing gear.
—— de triple reducción, triple-reduction gear.
—— desplazable, sliding gear.
—— diferencial planetario, planet differential.
—— doble helicoidal, herringbone gear.
—— en bisel, bevel gear.
—— espiral, spiral or helical gear.
—— fresado, machine-cut gear.
—— helicoidal, helical or worm gear; screw wheel.
—— hipoidal, hypoid gears.
—— impulsado o mandado, driven gear.
—— impulsor o motor, drive gear, driver.

—— intermedio o loco, idle gear.
—— maestro, master gear.
—— moldeado, molded gear.
—— multiplicador, increasing gear, over-gear.
—— planetario o satélite, planetary gear.
—— receptor (A), driven gear.
—— recto, spur gear.
—— reductor, reducing gear.
—— sol, sun gear.
—— tallado, cut-tooth or machine-cut gear.
—— trabador (auto), locking gear.
—— transmisor, drive gear.
engranajes (mh)
—— de cambio rápido, quick-change gears.
—— de reversión (A), change gears.
—— traseros, back gearing.
engranar, to gear, engage; engranarse, to mesh, engage; (A) to seize, stick.
engrane *m*, gear; meshing; (machy)(A) seizing.
engranzar (A), to surface with gravel or crushed stone.
engranzonar (V), to surface with gravel.
engrapadora *f*, any clamping device.
engrapar, to clamp, cramp.
engrasadera *f*, grease cup.
engrasador *m*, grease cup; grease gun; oiler.
—— a pistola, grease gun.
—— de compresión, grease cup.
—— de gotas visibles, sight-feed lubricator.
—— de pistón, grease gun.
engrasaje *m*, lubrication, greasing.
engrasar, to grease, lubricate.
engrase *m*, lubrication, greasing.
—— por anillos, ring lubrication.
—— por gravedad (auto), gravity lubrication.
—— por mecha, wick lubrication.
—— por presión, forced lubrication.
engravar, to surface with gravel.
engravillar, to surface with grits or stone screenings.
engredar, to treat with clay.
engrilletar, to attach a socket, clevis, or shackle.
engrosar, to upset (bar); engrosarse, to swell.
engrudo *m*, belt dressing; paste.
enguijarrar, to surface with gravel; to pave with cobbles.
enhuacalado *m*, (M) cribwork; crating.
enhuacalar, to crate.
enhuecar, to hollow out.
enjarciadura *f*, rigging.
enjarciar, to rig.
enjarje *m* (lad), toothing.
enjaular (min), to load in the cage.
enjuagar, to rinse; (C) to flush; (M) to backwash (filter).
enjugador *m* (pet), stripper.
enjunque *m*, pig-iron ballast, kentledge.
enjuta *f*, spandrel (arch).
enjutado *m* (Es), spandrel filling.
enjutar, to dry.
enjuto, dry; (conc) lean.
enlacar (M), to shellac.
enlace *m*, interlocking; lacing; linkage; bond; (rr) crossover; (rr) ladder track; (p) connection.
—— domiciliario (tub)(A), house connection.

enlaces de correa, belt lacing.
enladrillado *m,* brick paving, brickwork; brick-laying.
—— **reforzado,** reinforced brickwork.
enladrillador *m,* bricklayer; brick paver.
enladrillar, to lay brick, to pave with brick.
enlagunar, to flood, inundate.
enlajar, to lay flagstones.
enlamar, to cover with silt.
enlatar, to roof with tin; to lath; to lag; to cleat.
enlazadora *(f)* **de correas,** belt lacer.
enlazar, to join, connect, splice.
enlechar, to grout.
enlegamar, to cover with mud; **enlegamarse,** to silt up.
enlistonado *(m)* **metálico,** metal lathing.
enlistonar, to lath; to cleat, batten; to lag.
enlodamiento *m,* silting up; covering with mud; (machy) fouling.
enlodar, to place mud; to seal with mud; **enlodarse,** to become muddy.
enlodazar, to cover with mud.
enlosado *(m)* **hueco** (V), hollow-tile construction.
enlosador *m,* tile paver.
enlosar, to pave with flags or tiles.
enlozar, to enamel, glaze.
enlucido *m,* plaster coat; sidewalk finish.
enlucidor *m,* plasterer.
enlucir, to plaster.
enllantar, to put a tire on; to rim.
enmaderación *f* (Ch), boarding, forms.
—— **de zanjas,** trench timbering.
enmaderador *m,* timberman, shorer.
enmaderar, to plank, board, timber.
enmadrar (Col), to confine a river, canalize.
enmangar, to put a handle on.
enmasillar, to putty.
enmechar (carp)(M), to rabbet; to mortise.
enmendar, to fleet (tackle); to revise (plans).
enmienda *(f)* **de planos,** revision of plans.
enmohecerse, to rust.
enmontado, wooded (country).
enmuescar, to notch, mortise.
enmurado, built into a wall.
enquiciar, to hinge.
enrajonar, to build a wall with rubble; to riprap; (C) to chink joints.
enrallado *m* (Col), tie beam of a wood truss.
enramado *m,* mattress of branches.
enrarecer, to rarefy.
enrasador de tierra (irr), land plane.
enrasar, to make level, grade; to rough-plaster; to screed, smooth up; to fur; to dub out.
enrase *m,* leveling up, grading.
enrasillado *m,* furring; filling on top of floor arches.
enrejado *m,* (str) grillage; (str) latticing, lacing; (hyd) trash rack, bar screen; grizzly; (V) (Col) lap of roof tiles; *a* foul (rope); (M) kinked.
—— **de alambre,** wire netting, wire mesh.
—— **del radiador** (auto), radiator shutter.
—— **simple** (est), lacing.
enrejalar (Col), to lay brick with open spaces between.

enrejar, to place gratings or grills; (str) to lace, lattice.
enrejillado *m,* grating, grid.
enrieladura *f,* rail laying; rails in place.
enrielar, to lay rails; to put on the rails.
enripiar, to surface with gravel.
enrocamiento *m,* rock fill, stone riprap; enrockment.
—— **acomodado,** rock fill hand-placed.
—— **vertido,** rock fill dumped, dump fill.
—— **volteado** (M), rock fill dumped.
enrocar, to fill with rock; to riprap.
enrojecido al fuego, red-hot.
enrollable, rolling (shutter).
enrollado *m* (eléc), winding.
enrollador *m,* reel; (met) coiler.
enrollamiento *m* (eléc), winding.
—— **apilado** (A), banked winding.
—— **superpuesto** (A), banked winding.
enrollar, to wind, reel, coil.
enromar, to blunt, dull.
enroscar, to thread; to screw up.
enrosque *m,* threading; screwing up.
ensabanado *m,* scratch coat of plaster.
ensacar, to put in bags.
ensamblado, dovetailed, built-up, framed.
ensamblador *m,* joiner; framer.
ensambladora *f,* assembling machine.
ensambladura *f,* joint.
—— **a cola de milano,** dovetail joint.
—— **a media madera** (carp), halved joint.
—— **a tope,** butt joint.
—— **de caja y espiga,** mortise-and-tenon joint.
—— **de inglete,** miter joint.
—— **de lengüeta,** tongue-and-groove joint.
—— **de pasador,** pin-connected joint.
—— **enrasada,** flush joint.
—— **solapada,** lap joint.
—— **soldada,** weldment.
ensamblaje *m,* assembling, joining, joint, framing.
—— **a medio inglete,** half-miter joint.
—— **charpado,** scarf joint.
—— **de lengüeta postiza,** splined or loose-tongue joint.
—— **de media madera en bisel,** beveled halving.
—— **de rebajado dentado,** tabled joint.
—— **selectivo** (maq), selective assembly.
ensamblar, to assemble, frame, join, connect.
ensamble *m,* joint, assembly.
ensanchador *m,* widener; reamer, broach, drift; (bo) tube expander; (str) driftpin; (pet) enlarger.
—— **de entrecarril de expansión** (fc), rail-joint expander.
—— **de fondo** (pet), underreamer.
—— **de neumáticos** (auto), tire spreader.
ensanchadora *(f)* **de caminos,** road widener.
ensanchadora-acabadora, widening finisher.
ensanchar, to widen, enlarge; to ream.
ensanchatubos *m,* pipe expander.
ensanche *m,* widening, extension, enlargement.
ensardinado *m* (Ch), rowlock, course of brick on edge.
ensayador *m,* assayer, tester; testing machine.
ensayar, to assay, test.

ensaye *m*, test, assay.
—— por árbitro, umpire assay or test.
ensayo *m*, test, assay.
—— al choque, impact test.
—— al freno, brake test.
—— al jabón (pa), soap test.
—— a tinte, dye test.
—— a la tracción, tensile test.
—— de adherencia (ref), pull-out test.
—— de arrastre (is), elutriation test.
—— de asiento (conc), slump test.
—— de campaña, field test.
—— de candi (az), candy test.
—— de desgaste por rozamiento, abrasion test.
—— de doblado, bending test (bar).
—— de envejecimiento (met), aging test.
—— de extendido (conc)(A), slump or consist-
     ency test.
—— de flexión, bending test (beam).
—— de golpe, shock test; impact test.
—— de golpeo, rattler test.
—— de maza caediza, drop test.
—— de remoldaje (conc), remolding test (for
     workability).
—— por gotas (az), spot test.
ensebar, to grease.
ensenada *f*, cove, small bay, embayment.
ensenarse (r), to embay.
ensortijamiento *m*, kink.
ensortijar, ensortijarse, to kink.
enstatita *f* (miner), enstatite.
entabicar, to partition; to wall up.
entablar, to sheath with boards, to plank.
entablerar (carp)(M), to panel.
entablillado *m* (V), tiling on flat roof.
entablillar, to batten, cleat.
entablonado *m*, planking.
—— de contención, bulkhead.
entalpía *f*, enthalpy, heat content.
entalladura *f*, mortise, notch, groove, dap; (mas)
     (C)(M) pointing.
entallar, to notch, dap, mortise; to carve, make
     a cut; (mas)(C)(M) to point.
entamborado *m* (V), door or window trim.
entarimar, to sheath with boards.
entarquinamiento *m*, deposit of mud or silt.
entarquinarse, to silt up (reservoir).
entarugar, to plug; to lay wood blocks.
entechar, to roof.
entejar, to lay roof tiles.
entenalla para empalmar (C), splicing clamp.
entenallas *f*, small vise.
entepar (A), to sod.
entérico (is), enteric.
enteritis *f* (is), enteritis.
enterizo, in one piece, solid, integral.
entero *m*, integer, whole number; *a* whole, inte-
     gral, complete.
entibado *m*, timbering; cribwork, blocking.
entibador *m*, timberman; (re) bucker, dolly.
entibadora (*f*) neumática (re), holder-on.
entibar, to timber, shore, prop; (re) to buck up.
entibo *m*, shore, prop.
entintar (dib), to ink in.
entizar (Ch)(Pe) to plaster.
entornillar, to thread.

entoscar (A), to fill or surface with tosca.
entrada *f*, entrance; (hyd) intake, inlet; (rd) ap-
     proach; (min) entry; (com) cash receipts;
     point of a drill or reamer; (conc) embedded
     end of a beam; encased part of a lock.
—— de operación, operating income.
entradas brutas, gross receipts.
entradas y salidas, receipts and expenditures.
entramado *m*, floor framing, framework; stud-
     ding; cribwork; (Col) grillage.
—— continuo (est)(A), continuous frame.
entrante *m*, recess, rabbet, step; (top) hollow; *a*
     re-entrant.
entrecanal *f*, space between canals; spacing of
     grooves or corrugations.
entrecarril *m* (fc)(V), gage.
—— compensador (fc), expansion gap.
entrecavado, partly excavated.
entrecierre *m*, interlock; partial closing.
entrecinta *f*, (tu) collar beam.
entrecorteza *f*, bark showing in interior of timber.
entrecruzado, intercrossed.
entrecubiertas *m* (cn), between decks.
entrediente *m* (si), gullet.
entredós *m* (C), filler, spacer, separator; pipe
     nipple.
entreeje *m*, distance between axles, wheel base.
entrefino, medium-fine.
entrega *f*, delivery; (Col) the part of a beam em-
     bedded in a wall.
entregar, to deliver; to embed.
entrehierro *m* (eléc), clearance, air gap.
—— para ondas, surge gap.
entrejuntar, to put together, assemble, fit up.
entrelaminado (geol), interbedded.
entrelazar, to interlace; to interlock; to hook up
     (power plants).
entremezclar, to intermix.
entrenzado *m* (est), lacing, latticing.
entrepaño *m*, panel; shelf.
entreperfil *m* (Es), distance between cross sec-
     tions.
entrepilastra *f*, spacing of pilasters.
entrepiso *m*, (bldg) mezzanine; (M)(A)(V) upper
     floor; (A) floor structure (in a reinforced-
     concrete or steel-frame building the wear-
     ing surface is **piso**, the cinder-concrete fill
     contrapiso, and the floor structure **en-
     trepiso**); (min) intermediate gallery be-
     tween two main levels.
—— de losa plana (A), flat-slab (concrete) floor.
—— nervurado (A), ribbed floor.
entrepuentes *m* (cn), between decks.
entrerranuras *m* (A), space between grooves,
     land.
entrerrápido, medium-fast.
entrerreborde (maq), interflange.
entrerrenglonar (tv), to interlace.
entrerrieles *m* (fc)(Es), distance between tracks.
entrerrosca *f* (tub), nipple.
—— con tuerca, hexagon-center nipple.
—— corta, short nipple.
—— de largo mínimo, close nipple.
—— larga, long nipple.
—— para tanques, tank nipple (special thread).
entresecado, partly seasoned.

entresuelo *m*, mezzanine; (min)(M) intermediate gallery between two main levels; shallow basement.
entresurco *m*, spacing of furrows.
entretenimiento *m* (Es), (machy) maintenance.
entreválvula (ra), intervalve.
entreventana *f*, mullion, pier between windows.
entrevía *f* (fc), gage; (Sp)(C) space between tracks.
— angosta, narrow gage.
— normal, standard gage.
entrevigado *m*, space between beams.
entrevigar (Es), to fill in between beams.
entroncar (fc), to join, make a junction.
entronque *m*, (rr) junction; (C) sewer or water connection to a main.
entropía *f*, entropy.
entubación *f*, piping, tubing, well casing; (M) piping (earth dam).
entubado (*m*) de pozos, well casing.
entubar, to pipe; entubarse (M), to pipe (earth dam).
entuercadora *f* (herr), nut runner or setter or tightener.
entumecerse, to swell.
enturbiarse, to become turbid.
envagonar (Pe)(PR), to load a car.
envarillado *m*, (A) grill; (A)(M) concrete reinforcement.
envasar, to pack (for shipment).
envase *m*, packing, boxing; a container.
envejecimiento *m*, aging (all senses).
— por sumersión (met), quench aging.
— por deformación (met), strain aging.
envergadura *f* (ap), span or spread of an airplane.
enverjado *m* (est)(Es), latticing; web member.
enviajado *m*, skew.
enviar, to send, ship, forward.
envigado *m*, floor framing, system of beams.
envigar, to set beams.
envío *m*, shipment.
envoltorio *m* (A), housing, container.
envoltura *f*, casing, jacket, housing; lagging.
— de guitarra (auto), banjo housing.
— de neumático (M), tire shoe.
envolvente *m*, casing, jacket; (math) envelope.
— aislador, insulation, lagging.
— de caldera, boiler shell; boiler lagging.
— del embrague (auto)(U), clutch housing.
— del volante (auto), flywheel housing.
enyerbar, to sod, grass.
enyesado *m*, plastering.
enyesador *m*, plasterer.
enyesar, to plaster.
enzarzado *m*, frame of stakes and header used in river-bank protection.
enzima *f* (quím), enzyme.
enzímico, enzymic.
enzolvar (hid)(M), to silt up.
enzunchar, to hoop, band.
eólico (geol), aeolian.
eosina *f* (is), eosin.
eosinato *m* (lab), eosinate, eosate.
epicentral (geol), epicentral.
epicentro *m*, epicenter.

epidiorita *f* (geol), epidiorite.
epidoto *m*, epidota *f* (miner), epidote.
— calizo, lime epidote, zoisite.
— manganésico, piedmontite, manganese epidote.
epipolar (fma), epipolar.
epipolo *m* (fma), epipole.
época *f* (geol), epoch.
— de crecidas, flood season.
— de lluvias, rainy season.
— de magras (A), season of low water.
— de sequía, dry season.
epsomita *f*, epsomite, native Epsom salt.
eptodo *m* (ra)(Es), heptode.
equiángulo, equiangular.
equiaxil, equiaxial.
equicohesivo (met), equicohesive.
equidepresión *f* (fma), equidepression.
equidimensional, of equal dimensions, equiaxed.
equidistancia *f*, spacing, pitch; equidistance.
equidistante, equidistant.
equidistribución *f* (M), equal distribution.
equigranular, equigranular.
equilátero, equilateral.
equilibrador *m*, balancer; equilibrator.
equilibrante *m*, equilibrant.
equilibrar, to balance, counterbalance; to equilibrate.
equilibrio *m*, equilibrium, balance.
— al deslizamiento (Col), stability against sliding (dam).
— de calor, heat balance.
— de oxígeno (is), oxygen balance.
— de sucrosa (az), sucrose balance.
— dinámico, dynamic or running balance.
— estable, stable equilibrium.
— estático, static or standing balance.
— indiferente, neutral equilibrium.
— inestable, unstable equilibrium.
— plástico (ms), plastic equilibrium.
equilibristato *m* (fc), equilibristat.
equimolecular, equimolecular.
equinoccio (*m*) otoñal, autumnal equinox.
equinoccio vernal, vernal equinox.
equipar, to equip, fit out.
equipo *m*, equipment, plant, outfit, rig; kit; gang, shift.
— clasificador (ag), screening equipment.
— de día, day shift.
— de dosificación (conc), batching plant.
— de emergencia, wrecking gang.
— de ingenieros, engineering party or corps.
— de machaqueo, crusher plant.
— de noche, night shift.
— de ocasión (ec), used equipment.
— de perforación, drilling rig.
— de reparaciones, repair gang.
— de trabajo, construction plant.
— de tumbadores (ef), falling crew.
— de urgencia, wrecking crew.
— dragador, dredging equipment.
— mudador de tierra, earth-moving equipment.
— normal o de norma (auto), standard equipment.
— proporcionador (conc), batcher plant.
— rodante (fc), rolling stock, equipment.

—— suavizador, softening plant (water).
equipotencial, equipotential.
equivalencia f, equivalence.
equivalente m a, equivalent.
—— centrífugo de humedad (ms), centrifuge moisture equivalent.
—— de humedad en el campo (ms)(C), field moisture equivalent.
—— mecánico del calor, mechanical equivalent of heat.
era f, paved or graded area, working area; mixing board.
erección f, erection.
erector m, erector, steelworker; erector (optics).
ergio m, erg.
erigir, to erect, set up, build.
eritrina f (miner), erythrite, cobalt bloom.
eritrosina f (lab), erythrosin.
erogación f, expenditure; (pu)(A) delivery.
—— de combustible (A), fuel consumption.
erosión f, erosion.
erosional, erosional.
erosionar, to erode.
erosivo, erosive.
errático (geol), erratic.
error m (mat), error.
—— de cierre (lev), error of closure.
—— restante (mat), residual error.
—— sistemático (mat), constant or systematic error.
erstedio m (eléc)(A), oersted.
erupción f, eruption.
eruptivo, volcanic, eruptive.
esbeltez (f), relación de (est), slenderness ratio.
esbozar, to sketch.
esbozo m, sketch.
escabroso, rough, rugged (ground).
escafandrista m, diver.
escafandro m, diving suit.
escafilar, to trim brick.
escala f, ladder; scale (of a drawing); scale (draftsman's); gage; port of call.
—— absoluta (temperatura), absolute or Kelvin scale.
—— de aguja (hid), point gage.
—— de arquitecto (dib), an architect's scale (feet and inches).
—— de cable, rope ladder.
—— de calado (náut), draft gage.
—— de cinta (hid), tape gage.
—— de dureza, scale of hardness.
—— de emergencia, fire escape.
—— de esclusas, flight of locks.
—— de flotador (hid), float gage.
—— de gancho (hid), hook gage.
—— de garfios, hook ladder.
—— de gato (náut), rope or Jacob's ladder.
—— de graduación total (dib), chain scale.
—— de ingeniero (dib), an engineer's scale (decimal).
—— de listones, cleat ladder.
—— de mareas, tide gage.
—— de millas, scale of miles.
—— de octanos, octane scale.
—— de peces o de pocillos (hid), fish ladder, fishway.

—— de plomada (hid), plumb-bob gage.
—— de sueldos, wage scale.
—— fluviométrica o hidrométrica, stream or staff gage.
—— fraccionaria (dib), fractional scale, representative fraction.
—— gráfica (dib), graphic scale.
—— platino cobalto (pa), platinum cobalt scale.
—— real (cn), accommodation ladder.
—— registradora diferencial (hid), recording differential gage.
—— salmonera (hid), fishway, salmon ladder.
escala-transportadora, protractor scale.
escalador m (A), escalator.
escaladores, climbers.
escalafón m, scale of wages; register of employees.
escalar, v (dwg) to scale; a scalar.
escaleno (mat), scalene.
escalera f, stair, stairway, ladder.
—— de caracol o de husillo, spiral stairway.
—— de cuerda, rope ladder.
—— de escape o de salvamento, fire escape.
—— de escapulario, ladder fixed in a shaft or manhole.
—— de ganchos, hook ladder.
—— de ida y vuelta o de media vuelta, half-turn stairs.
—— de largueros corredizos, extension ladder.
—— de mano, ladder, stepladder.
—— de papagayo, pole with peg steps.
—— de peces (hid), fishway.
—— de portalón (cn), accommodation ladder.
—— de tijera, stepladder; trestle ladder.
—— mecánica o móvil, escalator.
—— rampante (A), ramp with cleats, chicken ladder, crawling board.
—— rodante (A), escalator.
—— sin fin (C), escalator.
—— voladiza, hanging stairs.
escalerilla f, rack (for pinion); car step.
—— para cables (eléc), cable rack.
escalerista m (A), stairbuilder.
escalero m (Es), man who reads the stream gage.
escalímetro m, escalógrafo m (dib)(A), triangular scale.
escalinata f, small stairway; outside stairway.
escalines (Ch), manhole steps.
escalón m, step, rung, stair tread; gradin; (exc) bench; (dd) altar; (min) stope.
—— de banco (min), underhand stope.
—— de barra, manhole step.
—— de cielo (min), overhand stope.
—— de denudación (geol)(A), escarpment produced by erosion.
—— de fractura (geol)(A), fault scarp.
escalonado, stepped; graded (gravel).
escalonamiento m, steps; (elec) notching; (ag) rock ladder.
escalonar, to form in steps; (surv) to offset.
escama f, boiler scale, scale of rust, flake.
escamaciones f, incrustations, scale.
escamarse (Pe), to form scale, scale off.
escamoso, scaly, flaky; (geol) platy.
escandallar, to take soundings.
escandallo m, sounding lead.
escantillar, to gage, to measure; to lay out.

escantillón *m*, straightedge, screed, strickle, screed board; rule; gage; template; level board; (rr) gage bar.
— **de Birmingham,** Birmingham wire gage.
— **de bisel,** miter rod.
— **para puntas** (mh), center gage.
— **para roscas,** screw-pitch gage.
— **vibratorio** (pav), vibratory screed.
escape *m*, leak; exhaust; outlet; escapement (rr)(M) siding; (pu) slip.
— **de fondo** (Col), sluiceway (dam).
— **de incendio** (M), fire escape.
— **de rejilla** (ra)(A), grid leak.
escapolita *f* (miner), scapolite, wernerite.
escarabajo *m*, beetle; (fdy) air hole.
— **de corteza** (mad), bark beetle.
— **de podrición seca** (mad), powder-post beetle.
escaramujo *m*, barnacle.
escarbador *m*, plugging chisel.
— **de juntas,** bricklayer's jointer.
escarbar juntas (lad), to rake joints.
escariado *m*, reaming, broaching.
— **de desbaste,** rough reaming.
— **de superficie,** surface broaching.
— **rústico** (A), rough reaming.
escariador *m*, reamer.
— **acabador,** finishing reamer.
— **acanalado o arrugado,** fluted reamer.
— **ahusado o cónico,** taper reamer.
— **ajustable,** expansion reamer.
— **centrador,** center reamer.
— **cilíndrico,** straight reamer.
— **corona** (A), shell reamer.
— **chato,** flat reamer.
— **de cabeza cortante,** rose reamer.
— **de canal espiral o de estrías espirales,** spiral-fluted reamer.
— **de empuje,** push broach.
— **de espiga cilíndrica,** straight-shank reamer.
— **de espiga cónica,** taper-shank reamer.
— **de estrías rectas,** straight-fluted reamer.
— **de fondo** (pet), underreamer.
— **de lomo,** ridge reamer.
— **de mandril,** chucking reamer.
— **de pared de pozo** (pet), wall scraper.
— **de trinquete,** ratchet reamer.
— **desbarbador o quitarrebabas o de rebaba,** burring reamer.
— **escalonado,** stepped or roughing reamer.
— **esférico,** ball reamer.
— **estructural,** bridge reamer.
— **hueco,** shell reamer.
— **paralelo,** straight or full-bottoming reamer.
escariadora *f*, broaching machine, reamer.
escariar, to ream, broach.
escarificador *m*, harrow, scarifier, ripper, rooter.
— **de dientes,** tooth harrow.
— **de discos,** disk harrow.
escarificar, to scarify, harrow.
escarpa *f*, batter; escarpment; (M) sidewalk.
— **de fractura** (geol)(A), fault scarp.
escarpado, steep; battered.
escarpar, to escarp, slope.
escarpe *m*, scarp, escarpment; (M) batter; (hyd) apron; (A) scarf.
escarpelo *m*, rasp.

escarpia *f*, spike; (surv) spad; (Sp) staple.
— **con filo de cincel,** chisel-pointed spike.
— **cortada,** cut spike.
— **de filo paralelo,** reverse-point spike.
— **de madera,** tie plug, wooden spike.
— **de vía,** track spike.
escarpiador *m* (fc), spiker.
escarpiar, to spike.
escarzano, segmental (arch).
escasear (Es), to bevel.
escatol *m* (is), skatole.
escayola *f*, scagliola; (Col) white coat of plaster.
esclerógrafo *m* (pet), sclerograph.
esclerométrico, sclerometric.
esclerómetro *m*, sclerometer.
escleroscopio *m*, scleroscope.
esclusa *f*, sluice; air lock; navigation lock.
— **contra la marea,** tide lock.
— **de cuenco,** navigation lock.
— **de desviación,** diversion sluice.
— **de emergencia,** emergency lock.
— **de escape** (tún), escape lock.
— **de salida,** tail lock.
— **en T** (tún), T lock.
— **neumática,** air lock.
— **para armadías** (r), log sluice.
— **para escombros** (tún), material lock.
esclusa-hospital, hospital or medical lock.
esclusada *f*, lockful, volume of water in a lock.
esclusaje *m*, lockage; sluicing.
esclusar, to lock (vessel); to sluice.
esclusero *m*, lock tender.
escoba *f*, broom.
— **caminera,** road broom.
— **de arrastre,** drag broom.
— **de caucho,** squeegee.
— **de piazava,** bass broom.
— **mecánica,** sweeper, power broom.
escobén *m* (cn), hawsehole.
escobilla *f*, brush; (elec) brush.
— **de alambre,** wire brush.
— **de alambres** (eléc), wire commutator brush.
— **de carbón** (eléc), carbon brush.
— **de prueba** (eléc), pilot brush.
— **de tela metálica** (eléc), wire-gauze brush.
— **desincrustadora** (cal), flue brush or cleaner.
— **grafítica** (eléc), graphite brush.
— **limpialimas,** file card or cleaner.
— **limpiatubos** (cal), flue brush or cleaner.
escobillón *m*, boiler-flue cleaner; push broom; (pet) swab.
escobina *f*, chips, sawdust, filings.
escoda *f*, stonecutter's hammer.
escodar, to cut stones.
escofina *f*, rasp, rasp-cut file; (C) bastard file.
— **bastarda,** bastard file.
— **cortapared** (pet), side rasp.
— **de herrador,** farrier's rasp.
— **de picadura simple,** float-cut file.
— **dulce,** smooth rasp.
— **encorvada,** riffler.
— **para madera,** wood rasp.
escofinar, to rasp, file.
escollera *f*, rock fill; riprap; breakwater.
— **acomodada o a mano,** rock fill placed by hand.

—— arrojada o vertida o a granel o a piedra perdida, rock fill dumped.
escollerado *m*, rock fill, riprap.
escollo *m*, reef; (M) breakwater.
escombramiento *m* (V), dirt moving.
escombrar, to muck, remove spoil; to clean up rubbish.
escombrera *f*, dump, spoil bank; spoil, muck.
escombro (*m*) glacial (A), glacial drift.
escombros, spoil, muck, rubbish, debris, dirt; quarry waste; (min) deads; river drift.
esconce *m* (Es), rabbet.
escopladura *f*, chisel cut.
escopleadora *f*, mortising or gaining machine.
—— de broca hueca, hollow-chisel mortizer.
escopleadura *f*, notch, mortise; chiseling.
—— con llama de gas, flame-gouging.
escoplear, to mortise, notch, dap; to chisel.
escoplo *m*, chisel, socket or framing or mortising chisel.
—— ancho de torno, slick chisel.
—— angular, corner chisel.
—— biselado, bevel chisel.
—— calafateador de estopa, yarning chisel.
—— con rabo, tang chisel.
—— de acabar, finishing chisel.
—— de descortezar, bark spud.
—— de ebanista, cabinet chisel.
—— de espiga hueca, socket chisel.
—— de mano, pocket or paring chisel.
—— de torno, turning chisel.
—— de vidriero, glazier's chisel.
—— degradador, mortar chisel.
—— para bisagras, butt chisel.
—— perforador, chisel bit.
—— ranurador, cope chisel.
—— separador, parting chisel.
escoplo-punzón, firmer chisel.
escoraje *m* (ds), shoring.
escorar, (dd) to shore; (ti) to reach the low point.
escoras *f* (ds), shores.
escoria *f*, slag, clinker; (A)(C) cinders.
—— de cemento, cement clinker.
—— de fragua, anvil dross, hammer slag.
—— de fundición, slag.
—— de hulla, clinker.
—— filamentosa, mineral wool.
escorias de alto horno, blast-furnace slag.
escorial *m*, slag dump; deposit of volcanic ash; lava bed.
escoriar, escoriarse, to slag, clinker.
escorificador *m*, scorifier.
escorificar, to reduce to slag, clinker, scorify.
escorredero *m* (Es), drainage ditch.
escorredor *m* (Es), drainage ditch; sluice gate.
escorrentía *f*, (hyd)(PR)(Pe) runoff.
escota *f*, stone hammer; miner's pick.
escotadura *f*, notch, recess; opening, trap door.
—— de aforo (hid), gage notch.
escotar, to notch, cut out.
escote *m*, notch.
—— de descarga, (M) measuring weir.
escotera *f* (náut), chock.
—— con rodillo, roller chock.
—— de espiar, warping chock.
—— de remolcar, towing chock.

escotilla *f*, shaft (elevator); hatchway, trap door.
—— de bodega (cn), cargo hatch.
—— de calderas, boiler hatch, fiddley.
—— de camarote, companion hatchway, booby hatch.
—— de máquinas, engine hatch.
—— de muestrear (dac), sampling hatch.
escotillón *m*, trap door, hatchway.
—— de cargar, loading trap.
escotillones de acera, sidewalk doors.
escrepa *f* (ot)(M), scraper.
—— de arrastre, drag scraper.
—— de empuje, bulldozer.
—— de empuje en ángulo, angledozer.
—— de ruedas, wheeled scraper.
—— fresno, fresno scraper.
—— hidráulica, hydraulically operated scraper.
escritorio *m*, desk; (A)(Ec) office.
escritura *f*, contract; deed; policy; legal instrument.
—— de constitución, corporation charter.
—— de fundación, incorporation papers, certificate of organization.
—— de propiedad, title deed.
—— de seguro, insurance policy.
—— de venta, bill of sale; (C) deed.
—— matriz, notary's original document.
—— pública, contract registered with the official notary.
—— social, incorporation papers; partnership agreement.
escrúpulo *m*, pennyweight.
escuadra *f*, square; angle iron; (dwg) triangle; knee, corner brace, gusset plate; (sb) bracket, beam knee; (Ch) gang (men).
——, a, square, at right angles.
—— abordonada o con nervio (est), bulb angle.
—— de agrimensor (Es)(A), goniometer.
—— de ajustar (carp), framing square.
—— de diámetros (carp), center square.
—— de ensambladura o de unión (est), gusset plate.
—— de espaldón (carp), try square.
—— de espejos (lev), angle mirror.
—— de inglete (carp), miter square.
—— de reflexión (Es), reflecting goniometer.
—— en T (dib), T square.
—— falsa (carp), bevel square.
——, fuera de, out of square.
—— para cabrios (carp), rafter square.
—— prisma (lev), angle prism.
—— rebordeada (est)(A), bulb angle.
—— universal de dibujo (Es), drafting machine.
escuadra-transportador (dib)(A), bevel protractor.
escuadras del cordón, (gi) flange angles.
escuadras de ensamblaje (est), connection angles.
escuadrar, to square.
escuadreo *m*, squaring; sectional area.
escuadría *f*, a section; sectional area.
escuchador (*m*) de prueba (ra), monitor.
escudete *m*, (tun) shield; (str)(Sp) gusset plate; (hw) escutcheon plate; (elec) canopy; (elec) wall plate, faceplate.
—— de borrar (dib), erasing shield.

—— de cerradura, rose (lock).
—— de expansión, expansion shield (bolt).
—— de pulsador (eléc), push-button plate.
—— de receptáculo (eléc), receptacle plate.
escudilla *f*, rose (lock).
escudo *m*, shield; escutcheon plate; (elec) canopy.
—— de perforación, tunnel shield.
—— ensanchador, expansion shield (bolt).
escudriñamiento *m* (tv), scanning.
escurrente *m*, effluent.
escurrideras *f* (M), water running off from irrigated land.
escurridero *m*, drain hole, outlet; weathering; drip; leak.
escurrimiento *m*, (hyd) runoff; (M) piping (earth dam); (elec) creepage.
—— crítico (hid), critical flow
—— específico (irr), specific yield.
—— plástico, plastic flow, (conc) creep, time yield.
—— pluviométrico (Col), runoff.
—— sólido, silt runoff.
escurrirse, to run off, drain; to leak.
esencia *f*, essence; (Sp) gasoline.
—— de petróleo (Es), gasoline; kerosene.
—— de trementina, oil of turpentine.
—— mineral, (Sp) mineral oil; mineral spirits.
esencial, essential.
esfalerita *f* (miner), sphalerite, zinc blende.
esfeno *m*, esfena *f* (miner), sphene, titanite.
esfera *f*, sphere; dial of a gage.
esfericidad *f*, sphericity.
esférico, spherical.
esferoidal, esferoédrico, spheroidal.
esferoide *m*, spheroid.
esferoidizar (met), to spheroidize.
esferómetro *m*, spherometer.
esforzar (U), to stress.
esfuerzo *m*, stress; effort.
—— admisible, safe or allowable stress.
—— compuesto, compound stress.
—— cortante de penetración, punching shear.
—— cortante doble, double shear.
—— cortante simple, single shear.
—— de adhesión (ref), bond stress.
—— de aplastamiento, crushing stress.
—— de apoyo, bearing stress (beam).
—— de cizallamiento, shearing stress.
—— de compresión, compressive stress.
—— de contracción (conc), shrinkage stress.
—— de corte perimétrico, perimeter shear.
—— de dobladura (cab), bending stress.
—— de empuje, bearing stress on rivets or pins.
—— de extensión, tensional stress.
—— de flexión (est), bending stress.
—— del hincado (pi), driving stress.
—— de impacto de rodaje (ap), rolling impact stress.
—— de límite (ms), boundary stress.
—— de manipulación, handling stress.
—— de montaje (pte), erection stress.
—— de prueba, proof stress.
—— de rotación, torsional stress.
—— de ruptura, breaking stress, ultimate or rupture strength.
—— de seguridad, safe stress.

—— de tensión, tensile stress.
—— de trabajo, working stress.
—— de tracción, tractive effort; tensional stress.
—— de tracción diagonal, diagonal tension.
—— de tronchadura (Es), shearing stress.
—— de zuncho, hoop or tangential stress.
—— dieléctrico, electric or dielectric stress.
—— electrostático, electrostatic pressure or stress.
—— en la fibra, fiber stress.
—— específico, unit stress.
—— flexor (est), bending stress.
—— límite de trabajo, allowable working stress.
—— lindero, boundary stress.
—— principal, principal stress; (A) diagonal tension.
—— rasante, (Sp) longitudinal shear; (M) shear.
—— restante, residual stress.
—— tangencial, tangential or shearing stress; hoop stress.
—— tractor, tensile stress; tractive effort.
—— unitario, unit stress.
esguazable (r), fordable.
esherardizar (met), to sherardize.
eslabón *m*, link.
—— con mallete o de travesaño, stud link.
—— de acoplamiento (ra), link coupling.
—— de ajuste, hunting link.
—— de arrastre (auto)(M), drag link.
—— de compostura, missing or repair link.
—— de retención, grab link, slip grab.
—— de seguridad (turb), breaking link.
—— de solapa, lap link.
—— fusible (eléc), fuse link.
—— giratorio, swivel.
—— interruptor (eléc), disconnecting link.
—— pivotante, swing link.
—— reparador, connecting or chain-repair link.
eslabonamiento *m*, linkage.
eslinga *f*, sling.
—— de brida de dos partes, two-leg bridle sling.
—— de brida doble, double bridle sling.
—— de cables múltiples, multiple-part sling.
—— de cadena, chain sling.
—— de doble suspensión, basket hitch.
—— de igualación, equalizing sling.
—— estranguladora, choker sling or hitch, anchor hitch.
—— sin fin, endless-rope sling.
eslingaje *m*, slinging charge (ship's cargo).
eslingar, to sling.
eslora *f* (náut), length.
—— de clasificación, classification length.
—— de flotación, water-line length.
—— entre perpendiculares, length between perpendiculars.
—— total, over-all length.
esmaltar, to enamel.
esmalte *m*, enamel.
—— de asfalto, filled asphalt, asphalt enamel.
esmaltina, esmaltita *f* (miner), smaltite.
esmeril *m*, emery.
esmerilado *m*, grinding.
—— al aire o sin puntas, centerless grinding.
—— en húmedo, wet grinding.
esmerilador *m*, emery wheel, grinder.
—— de válvulas, valve grinder.

esmeriladora *f*, grinder; honing machine.
—— de banco, bench grinder.
—— de pie, pedestal grinder.
—— de roscas, thread grinder.
—— de velocidad graduable, adjustable-speed grinder.
—— para brocas, bit grinder.
—— para mandril de torno, chucking grinder.
—— sin centros, centerless grinder.
esmerilaje *m*, grinding.
esmerilar, to grind; to polish with emery.
esmitsonita *f*, smithsonite, zinc spar.
espaciado *m*, spacing, (re) pitch.
espaciador *m*, separator, spacer, packing block.
—— del balancín (pet), beam spacer.
—— de barras (ref), bar spacer.
—— del empaque, packing spacer.
espacial, spatial.
espaciamiento *m*, spacing; extent, space.
espaciar, to space; (mech) to index.
espacio *m*, space.
—— libre, clearance.
—— libre labial (A), lip relief (twist drill).
—— muerto, clearance.
—— nocivo, clearance (cylinder).
—— oscuro catódico (eléc), cathode or Crookes dark space.
espadilla *f*, (conc)(A) blade tamper.
espadín *m* (fc)(Es), switch blade.
espalda *f*, back.
—— con espalda, back to back.
espaldón *m*, shoulder, heel.
españoleta *f*, door bolt.
esparavel *m*, plasterer's hawk, mortarboard; plasterer's float.
esparcidor *m*, spreader, finisher.
—— corredizo (dac), traveling distributer.
—— de asfalto, asphalt spreader.
—— de cascajo (ca), chip spreader.
—— de hormigón, concrete spreader.
—— giratorio, rotary distributer.
esparcidora *f*, spreader, finisher.
—— acabadora, spreader-finisher.
—— de cola, glue-spreading machine.
esparcimiento (*m*) de banda (ra)(A), band spread.
esparcir, to spread, distribute.
espárrago *m*, pin, peg; (w) stud; (C) stay bolt; (A) stud bolt.
esparramar (A), to spread.
espático, spathic, sparry.
espato *m* (miner), spar.
—— adamantino, adamantine spar, corundum.
—— azul, blue spar, lazulite.
—— bruno, brown spar (dolomite or magnisite).
—— calcáreo o calizo, calcite, calc-spar, calcareous spar.
—— de hierro, siderite, sparry iron.
—— de Islandia, Iceland spar (calcite).
—— de manganeso, manganese spar (rhodonite or rhodochrosite).
—— ferrífero, siderite, sparry iron, chalybite.
—— fluor, fluor spar, fluorite.
—— lustroso, satin spar (calcite or gypsum).
—— pardo, brown spar, dolomite, magnesite.
—— pesado, heavy spar, barite.

—— romboidal, rhomb spar, dolomite.
espátula *f*, mason's float; trowel; putty knife, spatula; molder's spoon; (auto)(M) tire iron.
especialidades (*f*) para vapor, steam specialties.
especificación *f*, specification.
—— modelo o normal, standard specification.
especificar, to specify.
específico, specific.
espécimen *m*, specimen.
espectral, spectral.
espectro *m*, spectrum.
—— de faja, band spectrum.
—— de frecuencias portadoras (eléc), carrier spectrum.
—— lineal, line spectrum.
espectrofotoeléctrico, spectrophotoelectric.
espectrofotométrico, spectrophotometric.
espectrofotómetro *m*, spectrophotometer.
espectrógrafo *m*, spectrograph.
espectrometría *f*, spectrometry.
espectrómetro *m*, spectrometer.
espectromicroscopio *m*, spectromicroscope.
espectrorradiométrico, spectroradiometric.
espectrorradiómetro *m* (il), spectroradiometer.
espectroscopia *f*, spectroscopy.
espectroscópico, spectroscopic.
espectroscopio *m*, spectroscope.
—— monocromático, monochromator.
especular, specular (iron).
espejo *m*, mirror; (Pan) stair riser; (C) seat of a slide valve.
—— de agua, water surface.
—— de falla o de fricción (geol), slickenside.
—— de horizonte (inst), horizon glass.
—— de popa (cn), escutcheon.
—— retroscópico o retrovisor (auto), rear-vision mirror.
espejuelo *m*, (Ch) fine gravel, grits; (PR) a hardwood; (miner) selenite, (Ch) calcite.
espeque *m*, lever, handspike.
espera *f* (carp), dap, notch, rabbet, mortise, gain.
espesador *m* (is), thickener.
—— de batea, tray thickener.
—— de cieno (dac), sludge thickener.
espesar, to thicken.
espesartita *f* (geol), spessartite.
espeso, thick, heavy, dense.
espesor *m*, thickness, gage (sheet), depth (slab).
—— de arco (en), circular thickness.
—— de cuerda (en), chordal thickness.
espesura *f*, density; thickness.
espetón *m*, poker; iron pin.
espía *f*, warping cable; (mech) telltale.
espiar (náut), to warp.
espiche *m*, peg, dowel.
espidómetro *m* (M), speedometer.
espiga *f*, pin, peg, needle, dowel, (sb) setbolt; tenon; (t) shank, fang; (p) spigot; (re) shank.
—— ahusada (herr), taper shank.
—— cilíndrica (herr), straight shank.
—— con oreja, lugged shank.
—— cuadrada cónica, square taper shank.
—— de aislador (eléc), insulator pin.

—— **de balsar,** raft dog.
—— **de la bisagra** (ft), hinge pin.
—— **de la excéntrica** (mv), eccentric pin.
—— **de reborde** (barrena), lug shank.
—— **de la válvula** (Es)(C), valve stem.
—— **estriada,** fluted shank (drill).
—— **guía,** guide stem.
—— **para trinquete,** ratchet shank.
—— **pareja,** straight shank (drill).
—— **roscada,** dowel screw.
—— **y campana** o **y enchufe** (tub), bell and spigot.
espigadora f, tenoner; (pav) dowel-setting machine.
—— **doble,** double-end tenoner.
—— **simple,** single-end tenoner.
espigar, to dowel, pin; to tenon; to shank.
espigón m, jetty, wing dam, pier dam, spur dike; pier, dock.
espigueta f, blasting needle.
espiguilla f, herringbone (bond).
espilita f (geol), spilite.
espina f, barb; thorn; splinter.
—— **de arenque** o **de pescado,** herringbone (gear).
espinazo m, (Col) crown of a barrel arch.
—— **de pescado,** herringbone.
espinela f (miner), spinel.
espinillo m, an Argentine hardwood.
espinterómetro m (eléc), measuring spark gap.
espiocha f, mattock, pick.
espira f, turn, loop; spiral.
—— **cerrada** (cab), locked coil.
espiractor m (pa), Spiractor (trademark).
espiral f a, spiral; (miner) gyroidal.
—— **de diez cuerdas** (ca), ten-chord transition curve.
—— **de transición** (ca)(fc), transition curve.
espirilos m (is), spirilla.
espíritu (m) **de petróleo,** mineral or white spirits.
espita f, cock, faucet; spout.
—— **de prueba** (cal), try cock.
—— **de purga,** drain cock.
espoleta f, (elec)(bl) fuse; (auto)(U) hood.
—— **de tiempo,** time fuse.
—— **eléctrica** (vol)(M), exploder.
—— **fulminante** (M), blasting cap.
espolón m, cutwater; wing dam, jetty, pier dam, groin; mole; starling, fender; (top) spur.
espolvorizar, to spray with powder.
esponja f, sponge.
esponjamiento m, swelling.
esponjarse, to swell.
esponjoso, spongy.
esporas f (is), spores.
esporífero, containing spores, spore-forming.
esporulación f (is), sporulation.
esporulario, sporular.
espuela f, spur; (rr) siding; (C) climbing iron; (t) point, tooth.
espuma f, scum; foam, froth.
—— **apagadora,** fire foam.
espumadera f, skimmer; spray nozzle; (loco) scum cock.
espumadora f, foam generator.
espumante m (min), frother.
espumar, to foam; to froth; (bo) to prime.
espurio (ra), spurious.

esqueleto m, crate; blank form; (conc) coarse aggregate; (str) frame skeleton.
esquema m, sketch, plan, diagram; scheme, plan.
—— **alámbrico** (eléc), wiring diagram.
—— **de las cargas,** load diagram.
esquemático, diagrammatic, schematic.
esquifada f, vault, groined arch.
esquife m, skiff; barrel arch; (M) scalepan, skip.
esquilar (mh)(A), to shear.
esquileo m (A), shearing.
esquina f, corner.
esquinal m, knee brace; corner post.
esquinera f, corner post or piece; knee brace, gusset.
esquirol m, strikebreaker.
esquisto m, shale, slate, schist.
—— **aluminoso,** alum shale or schist.
—— **arcilloso,** clay slate, killas.
—— **clorítico,** chlorite schist.
—— **de barro,** mudstone.
—— **micáceo,** mica schist.
—— **petrolífero,** oil shale.
—— **talcoso,** talc schist.
esquistoideo, schistoid.
esquistosidad f, schistosity.
esquistoso, slaty, shaly, schistic, schistose.
esquistosomas (is), schistosomes.
esquistosomiasis f (is), schistosomiasis.
esquizomicetos (is), schizomycetes.
estabilidad f, stability.
—— **al deslizamiento** o **al resbalamiento,** stability against sliding (dam).
—— **al giro** o **al vuelco,** stability against overturning (dam).
—— **de volumen** (ct), constancy of volume.
estabilización(f) **de suelos,** soil stabilization.
estabilizador m, **estabilizadora** f, stabilizer.
—— **de arco** (sol), arc stabilizer.
estabilizar, to stabilize.
estable a, stable.
establecimiento m, (A)(U)(Ch) plant, installation.
—— **de aguas corrientes** (A), waterworks.
—— **de depuración** (A), purification plant.
—— **del puerto,** establishment of the port.
—— **siderúrgico** (A), steel mill.
establo m, a stable.
estaca f, stake, paling; pile, sheet pile.
—— **de cerca,** fence post.
—— **de declive** (M), slope stake.
—— **de rasante,** grade stake.
—— **directriz,** guide stake.
—— **indicadora** (lev), witness stake.
—— **limitadora de talud,** slope stake.
—— **volada** (tún), spile.
estacas de avance (tún), poling boards, spilling.
estacada f, sheeting, sheet piling; fence.
—— **flotante,** log boom.
estacar, to stake out.
estación f, station, plant; season; survey station.
—— **cabecera** (fc)(A), terminal station.
—— **carbonera,** coaling station.
—— **central** (eléc), central station, generating plant, powerhouse.
—— **de aforos** (hid), gaging station.
—— **de bombeo,** pumping plant.

—— de carga, freight station.
—— de fuerza, power plant, powerhouse.
—— de machaqueo (Es), crushing plant.
—— de radiofacsímile, facsimile broadcast station.
—— de secas, dry season.
—— de servicio, service station.
—— de toma (fma), camera or exposure station.
—— de transbordo (fc), transfer station.
—— de transformación al aire libre (eléc), outdoor substation.
—— del tránsito (lev), transit point.
—— de viajeros, passenger station.
—— depuradora, purification plant.
—— difusora, broadcasting station.
—— ferroviaria, railroad station.
—— filtradora, filter plant.
—— fluviométrica o hidrométrica (hid), gaging station.
—— generatriz, central station, powerhouse.
—— gravimétrica (geof), gravity station.
—— lluviosa o pluvial, rainy season.
—— naval, naval station.
—— pluviométrica, rain-gaging station.
—— radiofaro, radio range station.
—— recolectora (pet), gathering station.
—— transmisora (ra), sending station.
estacionamiento m, (auto)(ap) parking; (conc) (A) curing; (lbr)(M)(A) seasoning.
estacionar, (auto) to park; (A) to berth (ship); (A)(M) to season (lumber); (surv)(Sp) to set up.
estacionario, stationary.
estacón m, large stake; pile; (M) pole.
estacha f, hawser, towline.
estadal m, a measure of length about 3.3 m; a square measure about 11.2 sq m; (M) level rod.
—— de corredera, level rod.
—— enrollable, flexible level rod.
—— estadimétrico, stadia rod.
estadalero m (M), rodman (level).
estadia f, stadia.
estadía f, demurrage; stay; (naut) lay days.
estadiágrafo m (inst), stadiagraph.
estadimétrico, a stadia, stadiametric.
estadio m, stadium; furlong.
estadiómetro m, stadiometer.
estadística f, statistics.
estado m, state, condition; (r) stage; statement, report; staff; state (US, M, etc.); (meas) 2 varas.
—— de cuenta, statement of account.
—— de pago, estimate for payment (contract).
estafilococos (lab), staphylococci.
estai m (C), stay.
estajar (est), to crimp.
estaje m, (str) crimping; (CA) piecework, taskwork.
estajear (AC), to do work by the task or piece system.
estajero m (AC), taskworker, pieceworker.
estalagmómetro m (lab), stalagmometer.
estallabilidad f, explosibility.
estallable, explosible.
estalladora f, blasting machine.

—— de empuje, push-down machine.
—— de vuelta, twist-type machine.
estalladura f, (auto) blowout; (bl) blast, shot.
—— de roca (min), rock burst.
estallar, to explode, burst.
estambor m (cn), sternpost.
estampa f, (re) dolly; (bs) swage; rivet set; stamp.
—— de collar, collar swage.
—— inferior, bottom swage.
—— superior, top swage.
estampas de empatar, seaming dies.
estampado profundo, deep drawing.
estampadora f, stamping machine.
estampar, to stamp; to swage.
—— en caliente, to hot-swage.
estancado, stagnant; dammed.
estancamiento m, damming; backing up (water); waterproofing.
estancar, to dam; to make watertight; estancarse, to back up (water), to stagnate.
estanco, watertight, airtight, weathertight.
—— al aceite, oiltight.
—— al agua, watertight, waterproof.
—— al aire, airtight.
—— al gas, gastight.
—— al goteo, driptight.
—— a la humedad, moisturetight.
—— a llamas, flametight.
—— al polvo, dust-tight.
—— al vapor, steamtight, vaportight.
estándar (V)(M), standard.
estandardización f (M)(A)(V), standardization.
estannato m (quím), stannate.
estánnico (quím), stannic.
estannita f (miner), stannite, tin pyrites.
estannito m (quím), stannite.
estannoso (quím), stannous.
estannuro m (quím), stannide.
estanque m, reservoir, basin.
—— almacenador, storage reservoir.
—— amortiguador, stilling or cushion pool.
—— de acumulación (A), storage reservoir.
—— de clarificación o de deposición, settling tank or basin.
—— de distribución, distributing reservoir.
—— de enfriamiento, cooling pond.
—— de lixiviación, leaching tank.
—— de rociada, spray pond.
—— decantador, settling basin.
—— mezclador, mixing tank.
—— para colas (min), tailings pond.
—— regulador, regulating reservoir.
—— séptico, septic tank.
estanquedad f, watertightness.
estanquero m, reservoir attendant.
estantal m (Es), buttress, pilaster.
estante m, post, upright; buck.
—— de probetas (lab), test-tube rack.
—— para cerca (V), fence post.
estantería f, shelving, rack.
estañado, tin-plated.
estañador, estañero m, tinworker.
estañadura f, tinwork.
estañar, to tin; to tin-plate; to solder; to blanch
estañífero, containing tin.
estaño m, tin.

—— de acarreo o de placer (miner), stream tin (cassiterite).
—— emplomado, terne (plate).
—— en lingotes, pig tin.
—— fosforado, phosphor tin.
—— leñoso (miner), cassiterite, wood tin.
—— piritoso (miner), stannite, tin pyrites.
—— vidrioso (miner), tinstone, cassiterite.
estañoso (quím), stannous.
estaquear, to stake out.
estaqueo m, staking out.
estaquero m (lev), axman.
estaquilla f, peg, pin, dowel; stake.
—— de aislador (eléc), insulator pin.
—— de nivel, grade stake.
estaquillar, to stake out.
estarcido m, stencil.
estarcir, to stencil.
estática f, statics; (ra)(M)(C) static.
—— gráfica, graphical statics.
estáticamente indeterminado, statically indeterminate.
estático, static.
estáticos m (ra)(A), static.
estatizar (Ch), to convert to government ownership or operation.
estator m (eléc)(turb), stator.
estatóscopo, estatoscopio m (V), statoscope.
—— registrador, recording statoscope.
estaurolita f (miner), staurolite, cross-stone.
estay m, stay; stay bolt.
este m, east.
esteatita f (miner), steatite, soapstone.
estefanita f, stephanite, brittle silver ore.
estei m (C), stay.
estelita f (met), stellite.
estemenara f (cn), futtock.
estemple m, timber bent in a mine or tunnel; strut, stull, stemple.
—— de alas, wing stull.
—— en V invertido, saddleback stull.
estenodo (ra), stenode.
estenógrafo, estenógrafa, stenographer.
esteo m (M), strut, shore.
estepa f, steppe, tract of arid land.
estera f, mat; (mech) apron; (C) slat conveyor.
—— de aterrizaje (ap), landing mat.
—— de refuerzo (conc), mesh reinforcement.
—— de tablillas (C), slat conveyor.
—— para voladuras, blasting mat.
esteras, crawlers, caterpillar tread.
esterbón m, Sterbon (abrasive)(trademark).
estéreo m (med), stere; a stereoscopic, stereo.
estereoautógrafo m (fma), stereoautograph.
estereocartógrafo m (fma), stereocartograph.
estereocomparador m (fma), stereocomparator.
estereocomparágrafo m (fma), stereocomparagraph.
estereofónico (ra), stereophonic.
estereofotografía f (fma), stereophotography; stereophotograph.
estereofotograma m, stereophotogram.
estereofotogrametría f, stereophotogrammetry.
estereofotogramétrico, stereophotogrammetric.
estereogoniómetro m (fma), stereogoniometer, stereoscopic goniometer.

estereografía f (dib), stereography.
estereográfico (fma)(dib), stereographic.
estereógrafo m, stereograph.
estereograma m, (pmy) stereogram; (geol) block diagram.
estereolevantamiento m, stereosurveying.
estereometría f (mat), stereometry.
estereométrico, stereometric.
estereómetro m, stereometer.
estereomicrómetro m, stereomicrometer.
estereoplanígrafo m (fma), stereoplanigraph.
estereoscopía f (fma), stereoscopy.
estereoscópico, stereoscopic.
estereoscopio, estereóscopo m (fma), stereoscope.
estereosimplex (fma), stereosimplex.
estereotelémetro m (fma), stereotelemeter.
estereotomía f, stereotomy (stonecutting).
estereotopográfico (fma), stereotopographic.
estereotopógrafo m (fma), stereotopograph.
estereotopómetro m (fma), stereotopometer.
estereotrazado m (fma), stereoplotting.
estereotrazador m (fma), stereoplotter.
—— radial, stereo-radial plotter.
estéril, sterile, (pet) dry (well).
esterilizador m, sterilizer, sterilizing agent.
esterilizar, to sterilize.
esterilla f, mesh; matting.
—— de alambre, wire mesh.
—— de aterrizaje, landing mat (airfield).
estero m, estuary, inlet; (A)(M) swamp; (V) pond; (Ch) small stream.
estiaje m, (r) low water; (A) low tide.
estiba f, stowage; (A) loading.
estibador m, stevedore, longshoreman, dock laborer.
estibar, to stow; to load cargo.
estibnita f (miner), stibnite, gray antimony.
estilete m, style, pencil of a recording instrument; (dwg) stylus, tracer.
estilo m, style, gnomon.
estilladura f (PR), split, crack; spall.
estillarse (PR), to crack; to spall; to splinter.
estimación f, an estimate, estimating.
—— grosera (A), rough estimate.
estimador m, estimator.
estimar, to estimate, appraise.
estimativo, estimated.
estirado, drawn (tubing); expanded (metal); stretched.
—— en caliente, hot-drawn.
—— en duro, hard-drawn.
—— en frío, cold-drawn, hard-drawn.
estirador m, stretcher.
estiraje m, stretching.
estiramiento m (A)(V), elongation.
estirar, to draw, stretch.
—— por presión, to extrude.
estireno m, styrene.
estivador m (A), stevedore.
estivaje m (A), stowing, stevedoring.
estoa f, slack tide, stand of the tide.
estopa f, oakum, calking yarn; (C) cotton waste.
—— alquitranada (M), tarred marline.
—— de acero, steel wool.
—— de algodón, cotton waste.

— de lana, wool waste.
— de plomo, lead wool.
estopar, to pack.
estopera f (C)(M), stuffing box.
estopero m, calking iron or chisel.
estoperol m, wick; (M) spike; (Sp) clout nail.
estopín m (vol), exploder.
estorbar, to obstruct, be in the way.
estrada f, paved roadway, causeway.
estrangulador m, throttle; (auto) choke; (lg) choker.
— de aire (auto), choke.
— de botón (auto), push-button throttle.
— manual, hand throttle.
estrangulamiento m (top)(A), gap, pass.
estrangular, to throttle; to wiredraw (steam); (auto) to choke.
estratificación f, stratification, stratum, bedding.
— cruzada (geol), cross-bedding.
— entrecruzada (A), cross-bedding.
estratificado, stratified.
estratigrafía f, stratigraphy.
estratigráfico, stratigraphic.
estrato m, stratum.
estratómetro m (sx), stratameter.
estratosfera f, stratosphere.
estrave m (cn), forefoot.
estrechar, to narrow; estrecharse, to contract, narrow.
estrecho m, strait, gut, neck; gap, pass; a narrow, close; sharp (curve).
— de la marea, tiderace.
estrechura f (top), gap, narrows.
estrella f, (mech) star, spider, yoke; (elec) star.
— polar, north star.
estrellado, (lbr) checked; (miner) stellate.
estrematógrafo m (fc), stremmatograph.
estrenar (maq), to run in.
estreno m (maq), running in.
estreptococos m (lab), streptococci.
estría f, groove, fluting; (geol) stria.
— de lubricación, oil groove.
estriación f (geol), striation.
estriado, fluted, ribbed; checkered (plate); serrated (gasket); knurled.
estriadora f, machine to cut grooves; knurling tool.
estriadura f, fluting; (geol) striation.
estriar, to groove, flute, knurl, score.
estribación f, counterfort; (top) spur.
estribar en, to rest on, abut against, be based on.
estribo m, abutment; buttress; (reinf) stirrup, hoop; (bldg) joist hanger, bridle iron; (auto) running board; (rr) car step; stirrup (saddle).
— de aguilón (gr), boom bail.
— de la biela (pet), pitman stirrup.
— de fleje (ref)(A), hoop.
— de mástil (gr), mast bail.
— de pared (ed), wall hanger.
— de tiro (eléc), pulling-in iron.
— en U, U abutment.
estribor m (náut), starboard.
estringa f (M), stringer.
estrobar, to place grommets; to furnish with a becket.

estrobo m, grommet; becket; (C) sling.
estroboscópico, stroboscopic.
estroboscopio m (ra), stroboscope.
estrobotrón m (ra), strobotron.
estroncio m (quím), strontium.
estropajear (M), to mop.
estropajo m, mop.
estropeado, broken down.
estropeo m, damage; rough handling.
estructura f, structure; (conc) forms; (geol) formation.
— abajo (pet), downstructure.
— armada o reticulada, framed structure.
— arriba (pet), upstructure.
— costrosa (suelo), crusted structure.
— de migas (suelo), crumb structure.
— de terroncillos (suelo), cloddy structure.
— esquelética, skeleton construction.
— harinosa (suelo), floury or fluffy structure.
— inferior, substructure.
— superior, superstructure.
estructuras de descarga (hid), outlet works.
estructuración f (U), construction.
estructural, structural.
— comerciable (mad), merchantable structural.
— de corazón (mad), heart structural.
— de primera calidad (mad), prime structural.
estrujar, to extrude.
estuación f (mr), flood, rising.
estuarino (geol), estuarine.
estuario m, estuary, inlet.
estucar, to stucco.
estuco m, stucco.
estuche m, case, box.
estudiar, to study; to plan, design.
estudio m, study, consideration; designing, planning, devising; survey; design.
— de desperdicios de agua, water-waste survey.
— de trazado, location survey.
— definitivo (fc)(M), final location.
— geoeléctrico, geo-electric survey.
— gravimétrico (geof), gravity survey.
— pitométrico, pitometer survey.
— sanitario, sanitary survey.
— sismográfico, seismograph survey.
estufar (mad)(M), to season, kiln-dry.
estuque m, stucco.
estuquista m, plasterer, cement mason.
esviaje m, skew.
esviar, to skew.
etapa f, station, stop; stage of the work; (machy) stage.
— amplificadora (ra), amplifier stage.
— de entrada (ra), input stage.
— desmoduladora (ra), demodulator stage.
— detectora (ra), detector stage.
— impulsora (ra)(A), driver stage.
— mezcladora (ra), mixer stage, first detector
— preamplificadora (ra), driver stage.
etapas múltiples, de, multiple-step.
éter m (quím)(física), ether.
— de petróleo, petroleum ether.
eternita f, Eternit (trademark).
etilo m, ethyl.
etiqueta f, label, tag.
eucalipto m, eucalyptus.

eudiómetro *m* (lab), eudiometer.
eupateoscopio *m* (aa), eupatheoscope.
eutéctica *f*, eutectic.
eutéctico *a*, eutectic.
eutectoide (met), eutectoid.
evacuador *m*, (hyd) wasteway, escape, (A) spill-way; (mech) evacuator.
evacuar, to empty, exhaust, evacuate; (sw) to carry off, discharge.
evaluación *f*, valuation, appraisal; evaluation; computation.
evaporación *f*, evaporation.
evaporador *m*, evaporator.
—— a temperatura alta, high-heat-level evapora-tor (245 F).
—— a temperatura baja, low-heat-level evapora-tor (210 F).
—— de cuádruple efecto (az), quadruple-effect evaporator.
—— de efecto múltiple (az), multiple-effect evap-orator.
—— de rejilla, grid-coil evaporator.
—— de tubos acodados, bent-tube evaporator.
—— instantáneo, flash evaporator.
evaporadora *f*, evaporator, (lab) evaporating dish.
evaporar, evaporarse, to evaporate.
evaporativo, evaporatorio, evaporative.
evaporímetro *m*, evaporation tank, evaporimeter, atmometer.
evaporizar, evaporizarse, to evaporate.
evaporómetro *m*, evaporometer, atmometer.
evapo-transpiración *f* (irr), evapotranspiration.
eventualidades *f*, contingencies.
exactitud *f*, accuracy.
exaedro *m*, hexahedron.
exagonal, hexagonal.
exágono *m*, hexagon; *a* hexagonal.
exanitrodifenilamina *f*, hexanitrodiphenylamine (explosive).
exapolar (eléc), six-pole.
exaración *f* (geol)(A), glacial erosion.
excavación *f*, excavation, cut, digging.
—— a cielo abierto, open cut.
—— a granel (M), mass excavation.
—— a media falda o a media ladera, sidehill ex-cavation.
—— de corte pasante, through cut.
—— de ensayo, test pit or excavation.
—— en balcón (M), sidehill excavation.
—— en masa, mass excavation.
—— en zanja, trench excavation.
excavador *m*, excavator (man), digger.
—— de agujero, (t) posthole digger.
excavadora *f* (ec), excavator; (A)(M)(Col) power shovel.
—— a cangilones, trench machine, bucket ex-cavator.
—— acarreadora, carryall scraper.
—— ambulante, traveling excavator.
—— ambulante de cable de arrastre, walking dragline.
—— cargadora (M), elevating grader.
—— de arcilla, pneumatic clay spade.
—— de arrastre, power scraper.
—— de cable, cableway excavator.

—— de cable aflojable o de cable aéreo, slack-line cableway, slackline-dragline.
—— de cable de arrastre, slackline cableway or excavator.
—— de cable de tracción, dragline excavator; power scraper.
—— de capachos o de rosario, bucket excavator.
—— de cuchara, power shovel.
—— de mordazas (Es), clamshell bucket.
—— de tiro (A), backdigger, pullshovel.
—— de torre, tower excavator.
—— de tractor, tractor shovel or excavator.
—— de zanjas, trench digger, ditcher.
—— elevadora (M), elevating grader.
—— explanadora (Es), elevating grader.
—— funicular, slackline cableway.
—— neumática, clay digger, pneumatic clay spade.
—— para profundidad (A), ditcher, backdigger.
—— teleférica de caballetes, trestle excavator.
excavar, to excavate, dig.
excedente *m* (cont), surplus.
excéntrica *f* (maq), eccentric.
excentricidad *f*, eccentricity; (mt) setover.
excéntrico *a*, eccentric.
exceso (*m*) esférico (mat), spherical excess.
excitación *f* (eléc), excitation.
—— compuesta, compound excitation.
—— en derivación, shunt excitation.
—— en serie, series excitation.
—— por choque (ra), impact or shock excitation.
—— propia, self-excitation.
—— pulsativa (ra), impulse excitation.
excitador *m* (eléc), exciter.
—— piloto, pilot exciter.
excitar, to excite, energize.
excitatriz *f*, exciter.
excitrón *m* (eléc), Excitron (trademark).
exclusa *f* (hid), lock; sluice.
excreción *f*, excretion.
excrementicio, excremental, excrementitious.
excremento *m*, excrement.
excretorio (is), excretal.
excretos *m*, excreta.
excusado *m*, water closet, toilet room, privy; (V) toilet, water-closet (fixture).
exfiltración *f*, exfiltration.
exfoliación *f*, scaling, exfoliation.
exfoliar, to exfoliate.
exhalar, to emit vapor.
exhaustar (C)(PR), to exhaust.
existencia, en, in stock.
existencias *f*, stock, storage.
exodo *m* (ra), hexode.
exoenzimas *f* (is), exoenzymes, ectoenzymes.
exógeno, exogenic, exogenous.
exolón *m*, exolon (abrasive).
expandidor *m*, expander.
—— de aros de émbolo, piston-ring expander.
—— para tubos (A), boiler-tube expander.
expandir, to expand.
expansible, expansible.
expansión *f*, expansion.
expansionarse (C)(Es), to expand.
expansivo, expansive.
expansor *m* (A)(M), expander.

—— **de aros,** piston-ring expander.
—— **de volumen** (ra), volume expander.
expedidor m, shipper; shipping agent, forwarder.
expediente m, file of papers, docket.
—— **de construcción** (A), documents of an application for building permit.
expedir, to ship, forward.
expeler, to eject, expel.
expensar (M), to pay the cost of, finance.
experiencia f, experience; experiment, test.
experimentado, experienced, expert.
experimentador m, experimenter.
experimental, experimental.
experimentar, to test; to experiment; to experience.
experimento m, experiment.
experticia f (V), expert testimony or advice.
experto m a, expert.
explanación f, grading; subgrade, roadbed.
explanada f, level space.
explanadora f, grader; scraper.
—— **caminera,** road grader.
—— **cargadora o elevadora,** elevating grader.
—— **de armazón inclinable,** leaning-frame grader.
—— **de arrastre,** pull grader.
—— **de cuchilla,** road scraper, blade grader.
—— **de empuje,** bulldozer.
—— **de motor,** motor grader.
—— **de rueda recta,** straight-wheel grader.
—— **de ruedas inclinables,** leaning-wheel grader.
explanar, to level, grade.
explayar, to extend in area.
exploración f, exploration, prospecting; (tv) scanning.
—— **a salto de línea** (tv)(Es), line-jump scanning.
—— **alterna de líneas** (tv)(Es), alternate-line scanning.
—— **cercana o fina** (tv), close scanning.
—— **eléctrica** (geof), electrical prospecting.
—— **entrelazada** (tv), interlaced or alternate-line scanning.
—— **geofísica,** geophysical survey.
—— **progresiva** (tv), progressive or sequential scanning.
—— **sísmica,** seismic prospecting.
—— **sismográfica,** seismograph survey.
explorador m, prospector; (ra) exploring coil, explorer; (tv) scanner.
explorar, to explore.
exploratorio, exploratory.
explosímetro m (min)(al), Explosimeter (trademark).
explosión f, explosion.
—— **de retroceso** (auto)(A), backfire.
explosivo m a, explosive.
—— **aprobado o permisible,** permissible explosive.
—— **deflagrante,** deflagrating explosive.
—— **destructor o instantáneo o violento,** high or disruptive explosive.
—— **detonante,** detonating explosive.
—— **lento o no detonante,** low or nondetonating explosive.
—— **lento detonante,** low powder.
explosor m, exploder; (A)(M)(Sp) blasting machine; (elec) spark gap.

explotable, workable.
explotación f, operation, working; (min) a working.
—— **fiscal** (Ch), Government operation.
—— **forestal,** logging.
—— **hidráulica** (min), hydraulicking.
—— **maderera,** logging, lumbering.
—— **particular,** private operation.
explotador m, operator of an enterprise.
explotar, to operate, work; to exploit; (A)(C) to explode; (M) to blast.
exponencial (mat), exponential.
exponente m, exponent.
exposición f (fma), exposure.
exposímetro m (fma)(V), exposure meter.
expreso m (tr), express.
—— **aéreo,** air express.
exprimir, to express, press out.
expropiación f, expropriation.
expropiar, to expropriate, condemn.
expuesto (fma), exposed.
expulsanúcleos m (pet), core pusher.
expulsión f, expulsion, ejection; (eng) exhaust; (pu) discharge.
expulsor m, expeller.
exsicación f, exsiccation.
extendedor m, **extendedora** f, spreader.
—— **de balasto** (fc), ballast spreader.
—— **de cuchilla** (ca), blade spreader.
—— **de tornillo** (ca), screw spreader.
extender, to stretch; to spread; to lay out; to swage (saw); to draw (check); to draw up (contract).
extensibilidad f, extensibility.
extensible, extensible.
extensión f, extension; tension; (A) elongation.
—— **de avenamiento** (hid)(Col), drainage or catchment area.
—— **de plazo,** extension of time (contract).
extensómetro m, extensometer.
extensor m, extension piece.
—— **de cubiertas** (A), tire spreader.
exterior, externo, outside, external, exterior.
extinción f, extinguishing, extinction.
extinguidor m, extinguisher; (elec) quencher.
—— **a espuma,** foam fire extinguisher.
—— **aprobado,** labeled fire extinguisher (approved by Underwriters).
extinguir, to extinguish.
extintor m, extinguisher.
—— **a granada,** grenade fire extinguisher.
—— **de incendio,** fire extinguisher.
extirpador m (ec)(Es), rooter.
extra, extra.
—— **mejor del mejor** (alambre), extra best best (EBB).
—— **selecto** (mad), extra select.
extra-alta (ra), ultrahigh (frequency).
extracción f, removal of ore from a mine, winning, exploitation; yield, output of a mine' (tun) mucking; (su) extraction.
—— **de agregados** (conc), aggregate procuring.
—— **de raíz** (mat), extraction of a root.
extracelular (is), extracellular.
extracorriente f (eléc), extra current.
extracorta (ra), ultrashort (wave).

extractivo (M), extractive.
extractor *m*, extractor, puller.
—— de buje, bushing puller.
—— de cojinetes, bearing puller.
—— de engranaje, gear puller.
—— de grasa, grease extractor.
—— de muestras, sampler.
—— de neblina (pet), mist extractor.
—— de núcleos, core extractor (drill).
—— de piñón, pinion puller.
—— del revestidor (pet), liner puller.
—— de ripio (pet), junk catcher.
—— de rueda (auto), wheel puller.
—— de válvulas, valve remover.
extradós *m*, extrados.
extraelevada (ra), ultrahigh (frequency).
extraer, to extract; to pull (piles).
extrafino, extra-fine.
extraflexible, extra-flexible, extra-pliable.
extrafuerte, extra-strong, heavy-duty.
extragrueso, extra-thick, extra-heavy.
extraíble (min), minable.
extraliviano, extra-light.
extrapesado, extra-heavy.
extrapolación *f*, extrapolation.
extrapotente, high-power.
extrarresistente, extra-strong.
extraviarse, to get out of line.
extremidad *f*, extremo *m*, end.
extremo a extremo, out-to-out, over-all.
extremo (*m*) muerto, dead end.
extrusivo (geol)(M), extrusive.
exudación *f* (ca), bleeding.
exudar, to exude.
eyector *m*, ejector, eductor.
—— a chorro de agua, water-jet eductor.
—— a chorro de vapor, steam-jet ejector.
—— cebador (bm), priming ejector.
—— condensador, ejector condenser.
—— de agua a vapor, steam-operated water ejector.
—— de aguas negras, sewage ejector.
—— de cenizas (cn), ash ejector.
—— de fusible (eléc), fuse ejector.

fábrica *f*, factory, mill, shop; plant; masonry; a building.
—— central (eléc), central station.
—— de acero, steelworks.
—— de azúcar, sugar mill.
—— de cantería, ashlar masonry.
—— de cemento, cement mill.
—— de electricidad, electric power plant.
—— de gas, gasworks, gas plant.
—— de hierro, ironworks.
—— de ladrillos, brick masonry; brick factory.
—— de piedra bruta, rubble masonry.
—— de sillería, ashlar masonry.
—— generatriz, central station, powerhouse.
—— siderúrica, steel mill.
fabricación *f*, fabrication, manufacture.
fabricante *m*, manufacturer, fabricator.
fabricar, to fabricate, manufacture; to construct; to process.

fabriquero *m* (Es), manufacturer.
facsímile, facsímil *m*, facsimile.
factor *m*, factor (all senses); (rr)(Sp) freight or baggage agent.
—— compensado de filtración (hid), weighted filtration factor.
—— contra el deslizamiento, sliding factor (dam).
—— de absorción, absorption coefficient.
—— de abultamiento (ms), bulking factor.
—— de amortiguación (ms)(eléc), damping factor.
—— de amplificación, magnification factor (vibration).
—— de amplitud (eléc), amplitude or crest or peak factor.
—— de área superficial (ag), surface-area factor, surface coefficient.
—— de capacidad (eléc), capacity or use factor.
—— de capacidad de la estación, plant capacity factor.
—— de carga (eléc), load factor.
—— de carga de la planta, plant load factor.
—— de carga de la red, system load factor.
—— de deformación (eléc), distortion factor (wave).
—— de demanda (eléc), demand factor.
—— de desviación (eléc), deviation factor.
—— de diafonía (ra), cross-talk factor.
—— de dispersión (eléc), leakage or dissipation factor.
—— de disponibilidad (eléc), availability factor.
—— de diversidad (eléc), diversity factor.
—— de eficiencia eritémica (il), erythemal factor.
—— de empuje (ms), earth-pressure factor.
—— de encaramiento (aa), exposure factor.
—— de escala (fma), scale factor.
—— de escurrimiento (hid)(Col), runoff coefficient.
—— de espacio (eléc), space factor.
—— de estabilidad (ms)(eléc), stability factor.
—— de evaporación (cal), factor of evaporation.
—— de explosivos (exc), powder factor.
—— de filtración (hid), creep ratio, percolation factor.
—— del filtro (fma), filter factor.
—— de flexión, bending factor, kern distance.
—— de funcionamiento, operation factor.
—— de gasto, load factor (water meter).
—— de infiltración (aa), leakage factor.
—— de marea, tidal constant.
—— de mieles (az), molasses factor.
—— de percolación (hid), filtration factor, creep ratio.
—— de potencia (eléc), power factor.
—— de producción, output factor.
—— de propagación (ra), propagation or transfer factor.
—— de reflexión (il), reflectance, reflection factor.
—— de reflexión espectral, spectral reflection factor.
—— de reflexión especular, regular reflection factor.
—— de rendimiento, performance factor, load factor (compressor).
—— de resistencia (ms), bearing capacity factor.
—— de rigidez, stiffness factor.

—— de seguridad, factor of safety.
—— de seguridad final, ultimate factor of safety.
—— de simultaneidad (eléc), demand factor.
—— de transmisión difusa (il), diffuse transmission factor.
—— de transmisión directa (il), regular transmission factor.
—— de transmisión espectral (il), spectral transmission factor.
—— de utilización, (elec) utilization factor; (tr) load factor.
—— gravado de percolación (hid), weighted filtration factor.
factoría f, factory; agency; (Ec) foundry.
—— naval (Es), shipyard.
factorial (mat), factorial.
factorizar (mat), to factorize.
factura f, bill, invoice.
—— comercial, commercial invoice.
—— consular, consular invoice.
—— de embarque, shipping memorandum.
—— simulada o pro forma, pro forma invoice.
facturar, to bill, invoice; to enter on a bill of lading; to check baggage.
facultativo (is), facultative.
fachada f, façade, front of a building.
—— de caldera, boiler front.
fadómetro m, Fadeometer (trademark).
faena f, work; (Ch) gang, shift.
faenero m, common laborer.
faetón m, (ce) carrying scraper; (conc) buggy; (auto) phaeton.
faja f, strip, belt, band; (rd) lane; (ra) channel.
—— central (ca), separation strip, parkway.
—— de aceleración (ca), accelerating lane.
—— de apoyo, column strip (flat-slab construction).
—— de aterrizaje, flight strip, flightstop, landing strip, airstrip.
—— de comunicación (ra), communication band, band of emission.
—— de control (fma), control strip.
—— de deceleración (ca), decelerating lane.
—— de doblar (ca), turning lane.
—— de estacionamiento, (rd) parking lane; (ap) parking apron.
—— de frecuencias, radio channel, frequency band.
—— de frecuencias de límite (ra), frequency range.
—— de guardia (ra), guard band.
—— de ondas (ra), wave band.
—— de pasar (ca), passing lane.
—— de servicio (ra), service band.
—— de transición (ca), transition strip.
—— divisora (ca), parting strip, parkway, separation strip.
—— expropiada (fc), right of way.
—— lateral (ra), side band.
—— libre (ra), clear channel.
—— volada (fma), flight strip.
fajado m, mine timber.
fajadora f (ca), striping machine.
fajar, to band; to stripe.
fajina f, fascine, bundle of brushwood, fagot; work, task.

fajinada f, revetment of brushwood.
fajinante m (Pan)(F), common laborer.
falca f (cn), washboard, wasteboard.
falda f, slope, hillside.
—— del émbolo, piston skirt.
faldear, to make a sidehill excavation.
faldeo m, sidehill cut; slope of a hill.
—— a media ladera (A), sidehill cut and fill.
—— simple (A), cut for full width of roadbed.
faldón m, slope of a roof; (mech) skirt.
—— del vertedero (hid)(PR), spillway apron.
falencia f (A)(Ch), bankruptcy.
falsa
—— acacia (mad), locust.
—— escuadra (carp), bevel square.
—— escuadra en T, T bevel.
—— explosión (auto)(A)(U), backfire.
—— lengüeta (carp), spline.
—— quilla (cn), false keel.
falsarregla f (carp), bevel square.
falseado (maq), out-of-line, untrue.
falsear, to bevel; falsearse, (V) to buckle, sag, give way.
falseo m, beveling, bevel.
falsete m, chamfered corner.
falso, false.
—— chasis (auto)(U), subframe.
—— flete (náut), dead freight.
—— pilote, pile follower.
falla f, failure, breakdown; (geol) fault; (elec) fault, failure.
—— acostada (geol), thrust or overthrust fault.
—— corriente (geol), strike fault.
—— de estratificación (geol), bedding fault.
—— de tiro (vol), misfire.
—— diagonal (geol)(A), inclined fault.
—— distributiva o escalonada (geol), step or distributive fault.
—— escarpada (geol)(M), fault scarp.
—— estructural, structural failure.
—— girada (geol), rotary or pivotal fault.
—— giratoria (geol), rotational fault.
—— invertida (geol), reverse fault.
—— por deslizamiento (muro), sliding failure.
—— por empuje (geol)(M), thrust fault.
—— por empuje inferior, underthrust fault.
—— por volcamiento (muro), tilting failure, overturning.
—— ramificada (geol), branching fault.
—— secundaria (eléc), secondary fault.
—— simple (geol), normal fault.
—— transversal (geol), dip or cross fault.
fallado, faulted.
fallamiento m, faultage, faulting.
fallar, to fail; (ge) to miss.
falleba f, door bolt, cremone or espagnolette bolt.
—— de emergencia o de salida, exit or panic bolt.
fallido (vol)(M), missed (hole).
fallir (V), (com) to fail.
fallo m (C), flaw, defect; (met) blowhole.
fanal m, lamp, lantern, (Sp) headlight.
—— de arrumbamiento (ap), bearing projector.
—— de aterrizaje (ap), landing light.
—— de destellos, flashlight (lighthouse).
—— de tráfico, traffic light.
—— giratorio, revolving light (lighthouse).

—— **trasero o de cola**, taillight.
fanega *f*, a dry measure having many different values between 50 and 150 liters; (M) land measure of about 8.8 acres.
fanegada, fanega de tierra, land measure of various values: (Pe) 1.6 acres, (V) 1.7 acres.
fangal *m*, marsh, bog.
fanglomerado *m* (geol), fanglomerate.
fango *m*, mud, muck, silt; sludge.
—— **activo** (dac), active sludge.
—— **mineral** (min), slimes.
fangos activados (dac), activated sludge.
fangoso, silty, muddy.
fanotrón *m* (ra), phanotron.
faquía (carp)(V), batten.
faraday (eléc), faraday.
farádico (eléc), faradic.
faradímetro *m* (eléc), faradmeter.
faradio *m* (eléc), farad.
faradización *f*, faradization, faradism.
farallón *m*, cliff, bluff, headland; (min) outcrop.
farda *f* (carp), (Col) dap, notch, gain, rabbet; (Sp) mortise.
fardo *m*, bale, bundle.
farero *m* (pet), derrickman.
faro *m*, lighthouse, beacon; headlight.
—— **alternante**, alternating light.
—— **buscador** (auto), spotlight.
—— **de aeropuerto**, airport or airport-location beacon.
—— **de banquina** (auto)(A), spotlight.
—— **de destellos**, flashing light.
—— **de dirección** (ap), bearing projector.
—— **de luz continua**, fixed light.
—— **de peligro** (ap), hazard beacon.
—— **de perforación** (M), oil derrick.
—— **de ruta**, course light.
—— **de ruta aérea**, airway beacon.
—— **flotante**, lightship.
—— **giratorio** (ap), rotating beacon.
—— **localizador o de identificación o de referencia** (ap), landmark beacon.
—— **localizador de pista** (ap), runway localizing beacon.
—— **marcador** (ap), marker beacon.
—— **omnidireccional** (ap), omnidirectional beacon.
—— **para niebla** (auto), fog light.
—— **titilante**, flashing beacon.
farol *m*, lantern, lamp.
—— **de acercamiento** (ap), approach light.
—— **de aterrizaje** (ap), landing light.
—— **de cambio** (fc), switch lamp.
—— **de enfilación**, range light.
—— **de frente**, headlight.
—— **de marcha atrás**, backing light.
—— **de pista** (ap), contact or runway light.
—— **de reflector contenido** (auto), sealed-beam headlight.
—— **de señal** (fc), signal lamp.
—— **de tráfico**, traffic light.
—— **delimitador** (ap), boundary light.
—— **trasero o de zaga** (auto), taillight, tail lamp.
farola *f*, large lantern or light, headlight.

farolero *m*, lamp tender.
farolito señalero (auto), stop light.
farolito trasero (auto), taillight.
fase *f* (eléc)(quím)(met), phase.
—— **avanzada** (eléc), leading phase.
—— **continua** (quím), continuous phase.
—— **dispersa** (quím), dispersed phase.
—— **opuesta** (eléc), opposite phase, antiphase.
—— **partida** (eléc), split phase.
—— **retrasada** (eléc), lagging phase.
fases desequilibradas (eléc), unbalanced phases.
fases equilibradas, balanced phases.
fasómetro *m* (eléc), phase meter.
fastial, see hastial.
fatiga *f*, stress; fatigue.
—— **admisible**, allowable stress.
—— **con corrosión**, corrosion fatigue.
—— **cortante o al corte**, shearing stress.
—— **de apoyo**, bearing stress (beam).
—— **de compresión**, compressive stress.
—— **de contracción**, contractile stress.
—— **de empuje**, bearing stress (rivet).
—— **de flexión**, bending stress; bending fatigue.
—— **de metales**, fatigue of metals.
—— **de ruptura**, breaking stress, ultimate strength.
—— **de seguridad o de trabajo**, safe or working stress.
—— **de tensión o de tracción**, tensile or tensional stress.
—— **específica o unitaria**, unit stress.
—— **principal**, principal stress, (A) diagonal tension.
—— **superficial**, surface fatigue.
fatigámetro *m* (M), strain meter.
fatigar, to stress.
faz *f*, front, face.
—— **de laboreo** (min), working face.
fecal, fecal.
fecaloide (is), fecaloid.
feldespático (geol), feldspathic.
feldespatización *f*, feldspathization.
feldespato *m* (miner), feldspar.
—— **calizo**, lime feldspar.
—— **de barita**, baryta feldspar, hyalophane.
—— **de cal**, lime feldspar, anorthite.
—— **potásico**, potash feldspar, orthoclase.
—— **sódico**, soda feldspar, albite.
—— **vítreo**, sanidine, glassy feldspar.
felsita *f* (geol), felsite, petrosilex.
felsítico, felsitic.
fenestra *f* (Col), window.
fenestraje *m*, fenestration.
fénico, carbolic, phenic.
fenol *m* (quím), phenol.
fenolftaleína *f* (is), phenolphthalein.
fenólico, phenolic.
fenolizar, to phenolize, phenolate.
fenómeno *m*, phenomenon.
fenosafranina *f* (fma), phenosafranine.
ferberita *f*, ferberite (tungsten ore).
fermentador *m* (lab), fermenter.
fermentar, to ferment.
ferodo, Ferodo (trademark)(brake lining).
ferrato *m* (quím), ferrate.
férreo, containing iron, made of iron, ferrous.

ferrería f, ironwork; iron shop.
ferrete m, steel marking stamp.
ferretear, to bind with iron; to mark with a steel stamp.
ferretería f, hardware; hardware store; ironwork.
—— de edificación, builder's hardware.
—— de postería, pole-line hardware.
—— gruesa, heavy hardware.
—— marina, marine hardware.
—— para ebanistería, cabinet hardware.
ferretero m, hardware dealer.
ferriciánico, ferricyanic.
férrico, ferric.
ferrífero, containing iron.
ferriprusiato m (C), blueprint.
ferrita f (geol)(met), ferrite.
ferrítico, ferritic.
ferritización f, ferritization.
ferrito m (quím), ferrite.
—— dicálcico (ct), dicalcium ferrite.
ferroacero m, semisteel.
ferro-barco (fc)(A), car float.
ferroaleación f, iron alloy.
ferroaluminato tetracálcico m (ct), tetracalcium aluminoferrite.
ferroaluminio m, ferroaluminum.
ferroaluminosilicato m, ferroaluminosilicate.
ferroboro m, ferroboron.
ferrocarril m, railroad, railway.
—— aéreo, elevated railway.
—— de circunvalación, belt line.
—— de cremallera, rack railway.
—— de vía angosta, narrow-gage railway.
—— de vía normal, standard-gage railway.
—— fiscal o del estado, government railroad, state railway.
—— funicular, cable railway.
—— subterráneo, subway.
—— troncal, trunk-line railway.
—— urbano, street railway.
ferrocarrilero m, railroad man; a pertaining to railroads.
ferrocerio m, ferrocerium (alloy).
ferroconcreto, ferrohormigón m, reinforced concrete.
ferrocromo m, ferrochromium.
ferrofósforo m, ferrophosphorus.
ferroinductancia f (eléc), ferroinductance.
ferroinductivo, ferroinductive.
ferroinductor m, ferroinductor.
ferromagnesiano, ferromagnesian.
ferromagnésico (A), ferromagnesian.
ferromagnético, ferromagnetic.
ferromanganeso m, ferromanganese.
ferromolibdeno m, ferromolybdenum.
ferroníquel m, ferronickel.
ferroprusiato m (C), blueprint.
ferrorreactancia f (eléc), ferroreactance.
ferrorreactor m (eléc), ferroreactor.
ferrorresonante (eléc), ferroresonant.
ferrosilicio m, ferrosilicon (alloy).
ferroso, ferrous.
ferrotitanio m, ferrotitanium (alloy).
ferrotungsteno m, ferrotungsten.
ferrovanadio m, ferrovanadium.
ferrovía f, railroad.

ferrovial, pertaining to railroads.
ferroviario m, railroad man; a railroad.
ferrugíneo, containing iron.
ferruginoso, ferruginous.
ferrumbre f (C), rust.
ferrumbroso (Ch), rusty.
férula f, ferrule; tap (water main).
—— embridada (tub), floor plate.
fiador m, fastener, retainer, toggle, catch; bondsman, surety, guarantor.
—— acodado, elbow catch.
—— atravesado (cadena), toggle.
—— de boterola, rivet-set retainer.
—— de cadena (cn), chain stopper.
—— de freno, brake dog.
—— de tuerca, nut lock.
—— de ventana, window fastener, sash fast, window lock.
fianza f, bond (surety).
—— de almacén, warehouse bond.
—— de averías, average bond.
—— de cumplimiento, performance bond.
—— de fidelidad, fidelity bond.
—— de licitador, bid bond.
—— de pago, payment bond.
fibra f, fiber; vein (ore); grain (wood).
—— atravesada, cross grain.
—— corta, shortleaf (pine).
—— de plomo (M), lead wool.
—— extrema, extreme fiber.
—— fina, fine grain.
—— gruesa, coarse grain.
—— larga, longleaf (pine).
—— más alejada, extreme fiber.
—— recta, straight grain.
—— vulcanizada, vulcanized or hard fiber.
fibras de vidrio, fiber glass.
fibrina f (is), fibrin.
fibrocemento m, fiber cement.
fibroso, fibrous.
ficticio (eléc), fictitious.
ficha f, brass check; card; (elec) base plug; (A) (M) surveyor's pin, marking pin; (A) door butt.
—— de cuchillas paralelas (eléc), parallel-blade plug.
—— de trabajo (V), time sheet.
—— hembra (eléc)(A), jack.
—— tándem (eléc), tandem-blade plug.
fichero m, card index.
fidelidad f (eléc), fidelity.
fiducial (mat), fiducial.
fiebre (f) tifoidea, typhoid fever.
fieltro m, felt.
—— antisonoro, acoustical felt.
—— asfaltado, asphalt felt, roofing felt.
—— calorífugo, Fire-felt (trademark).
—— de aislación, insulating felt.
—— de asbesto, felted asbestos.
—— de calafatear, calking felt.
—— de crin o de pelo, hair felt.
—— de empizarrar, slating felt.
—— de hilacha o de trapo, rag felt.
—— embreado, tarred felt.
—— filtrador, filter felt.
—— impermeable, roofing or waterproofing felt.

—— para subrasantes (ca), subgrade felt.
fierro m, iron.
—— angular, angle iron.
—— canal, channel iron.
—— dulce (Pe), wrought iron.
—— forjado, wrought iron.
—— fundido, cast iron.
—— soldado (Ch), wrought iron.
—— viejo o de desecho, junk, scrap iron.
fierros, (CA) tools.
figueroa f, an Ecuadorian lumber.
figura f (dib), figure.
fija f, trowel; (Pe) blade tamper.
fijación f, fastening; (chem) fixation.
fijado m (fma), fixing.
fijador m, fastening, binder, keeper; (pmy) fixer.
—— de tuercas, nut runner or setter.
fijar, to fasten; to fix.
fijo, stationary, fixed.
fila f, row, line, range.
—— divisoria (top)(V), divide.
filamento m, filament.
filamentoso, filamentous.
filástica f, marline, calking or rope yarn.
—— alquitranada o embreada, marline.
—— de plomo, lead wool.
filetaje m (A), threading.
filete m, thread; fillet.
—— a la derecha, right-hand thread.
—— a la izquierda, left-hand thread.
—— bastardo, bastard or buttress thread.
—— de tornillo, screw thread; bolt thread.
—— de tornillo sin fin, worm thread.
—— de tubo, pipe thread.
—— insertado, screw-thread insert.
—— macho, male thread.
—— matriz, female thread.
—— Sellers, Sellers' thread.
—— tallado, cut thread.
—— trapezoidal, buttress thread.
—— triangular, V thread.
—— troquelado, pressed thread.
—— Whitworth, Whitworth thread.
fileteadora f, threading machine; chasing tool.
filetear, to thread, chase.
fileteo m, threading.
filita f (geol)(miner), phyllite.
filo m, cutting edge; (top) ridge.
—— de cincel, chisel point.
—— de corte, cutting edge.
filón m, vein, seam, lode, (min) reef.
—— atravesado, cross vein or lode.
—— ciego, blind vein or lode.
—— compuesto, compound vein.
—— de contacto, contact vein.
—— en cuña (min), gash or rake vein.
—— escalonado, step vein.
—— inclinado, rake vein.
—— paralelo (a la estratificación), bed or bedded vein.
—— principal, master or champion or mother lode.
—— sin afloramiento, blind vein.
—— transversal, cross vein or lode.
filtrabilidad f, filtrability.
filtrable, filtrable.
filtración f, filtration; seepage, creep; leak.

—— intermitente (dac), intermittent filtration.
—— por etapas, stage filtration.
filtrado m, filtrate.
filtrador m, filter.
filtraje m (A)(C), filtration.
filtrar, to filter; filtrarse, to seep, leak.
filtro m (hid)(eléc), filter.
—— a gravitación, gravity filter.
—— a presión, pressure filter.
—— al vacío, vacuum filter.
—— acústico (ra), acoustic filter.
—— con sobrecarga (ms), loaded filter.
—— de banda (ra), band or band-pass filter.
—— de bolsa (met)(aa), bag filter.
—— de borde, (eng) edge filter.
—— de canecillo (az), cantilever filter.
—— de carbón animal (az), char filter.
—— de cortina automática (aa), multipanel or automatic-curtain air filter.
—— de cuerdas (dac), cord filter.
—— de dirección (ra), directional filter.
—— del efluente (dac), effluent filter.
—— de entrada (geof), input filter.
—— de escurrimiento, trickling filter.
—— de faja (ra), band or band-pass filter.
—— de fuerza bruta (ra), brute-force filter.
—— de gravedad, gravity filter.
—— de guarapo (az), juice strainer.
—— de luz (fma), filter.
—— de malla (auto), filter screen.
—— de paso alto (ra), high-pass filter.
—— de paso bajo (ra), low-pass filter.
—— de paso de banda (ra)(A), band-pass or band filter.
—— de pulsaciones (ra)(A), ripple filter.
—— de rascadura (ra)(Es), scratch filter.
—— de regadera, sprinkling filter.
—— de resistencia-capacidad (ra), resistance-capacity filter.
—— de ruido de púa (ra), scratch filter.
—— de salida (geof), output filter.
—— de tambor, drum filter.
—— de todo paso (ra), all-pass filter.
—— de un cuarto de onda (ra), quarter-wave filter.
—— desaceitador, oil-removal filter.
—— desbastador (pa)(A), roughing filter.
—— desferrizador (pa), iron-removal filter.
—— desodorizador (pa), odor-removal filter.
—— eliminador (ra), band-elimination filter.
—— goteante (M), trickling filter.
—— intermitente de arena (dac), intermittent sand filter.
—— invertido (hid), inverted or reverse filter.
—— pasa-altos (ra)(A), high-pass filter.
—— pasa-bajos (ra)(A), low-pass filter.
—— percolador (dac), trickling or percolating filter.
—— rápido de arena (pa), rapid sand filter.
—— rociador (dac), sprinkling filter.
—— rotativo (az), rotary-leaf or rotary filter.
—— seco (aa), dry-type filter, air mat.
—— suavizador (pa), softening filter.
filtro-prensa de alimentación central, center-feed filter press.
financiar, to finance.

financista *m*, financier, financial backer.
fineza *f*, fineness.
finito, finite.
fino, fine.
finos *m*, fines.
finura *f*, fineness, grain.
—— **del molido** (ct), fineness of grinding.
firme *m*, roadbed, foundation course; *a* firm, solid, stable, compact.
fiscal, pertaining to the treasury or the government; fiscal.
fiscalización *f*, control, supervision, inspection.
fiscalizador *m*, inspector, supervisor.
fiscalizar, to control; to inspect.
fisco *m*, national treasury.
física *f*, physics.
—— **de suelos**, soil physics.
físico *m*, physicist; *a* physical.
físil, fissile.
fisilidad *f* (geol), fissility.
fisura *f*, seam, fissure.
fisurarse (A)(M), to crack.
fito, see hito.
fitoplancton *m* (is), phytoplankton.
flagelos *m* (is), flagella.
flama *f*, flame.
flamante, brand new, unused; spick and span.
flambear, to buckle; to deflect.
flambeo *m*, buckling, deflection.
flanco *m*, side; slope of a wall; (geol) limb; (t) (th)(gear) flank; sidewall (tire).
flanche *m* (pet)(V), flange.
flanquear, to flank.
flatachar (A), to trowel; to float.
flatacho *m* (A), mason's float; trowel.
flecha *f*, deflection, sag; middle ordinate; rise (arch); crown (road); pole (wagon); (M) shaft, axle; (M) spade of a concrete vibrator; (A) derrick boom.
—— **de propulsión** (auto)(M), propeller or drive shaft.
—— **motriz** (auto)(M), propeller shaft.
flechita *f* (dib), arrowhead.
fleje *m*, band, iron strap, hoop; (met) strip.
fletador *m*, freighter, charterer.
fletamento, fletamiento *m*, charter, affreightment.
fletante *m*, one who owns any means of transport for hire (boats, trucks, beasts of burden, etc.).
fletar, to charter, hire; to freight, affreight.
flete *m*, freight; freight rate; freight charges.
—— **debido o por cobrar**, freight collect.
—— **pagado**, freight prepaid.
fletero *m*, freight carrier; owner of means of transport for hire.
flexarse, to bend, deflect.
flexibilidad *f*, flexibility, pliability.
flexible, flexible.
flexímetro *m* (Es), deflectometer.
flexión *f*, bending, flexure.
—— **compuesta**, compound flexure.
—— **pura o simple**, pure bending.
flexional, flexural.
flexionarse, to deflect, bend, buckle.
flexómetro *m*, flexometer.

flexor *a*, bending.
flexura *f*, flexure, bending; (geol)(A) folding.
floculación *f*, flocculation.
floculador *m* (is), flocculator.
floculante *m*, flocculant.
flocular, to flocculate; *a* (C) flocculent.
floculento *a*, flocculent.
flóculo *m*, floc.
flocus *m* (pa)(Pe), floc.
flogopita *f*, phlogopite, brown mica.
flojedad *f*, slack; looseness.
flojo, slack, loose; unstable (ground).
flor de, a, flush with, level with.
flor de agua, a, awash.
flor de lluvia (A), shower head.
flores
—— **de antimonio** (miner), antimony bloom, white antimony, valentinite.
—— **de cinc**, zinc oxide, flowers of zinc.
—— **de cobalto**, cobalt bloom, erythrite.
—— **de níquel**, nickel bloom, annabergite.
flota (*f*) **de madera** (Pan), mason's float.
flotabilidad *f*, buoyancy.
—— **de reserva** (an), reserve buoyancy.
—— **de servicio** (an), working buoyancy.
flotable (r), navigable for rafts.
flotación *f*, (naut)(min) flotation; buoyancy.
—— **selectiva** (min), selective or differential flotation.
flotador *m*, float.
—— **de bastón** (hid), rod float.
—— **tubular** (hid), tube float.
flotaje *m*, flotation, floating.
flotante *m*, float; *a* floating.
flotar, to float.
fluctuación *f* (ra), fluctuation.
fluencia *f* (Es)(Pe), flow.
fluidal (geol)(A), fluidal.
fluidez *f*, fluidity, liquidity.
fluidificante *m*, flux.
fluidificar, to liquefy, flux, fluidize.
fluidímetro *m*, fluidimeter.
flúido *m*, fluid; *a* fluid; (geol) fluidal.
—— **de cortar**, cutting fluid.
—— **de perforación** (pet), drilling fluid.
—— **enfriador** (met), quench fluid.
fluidómetro *m*, Fluidometer (trademark); (C) flowmeter.
fluímetro *m* (Ch), flowmeter.
fluir, to flow, (pt) to sag.
—— **en frío**, to cold-flow.
flujo *m*, flow; flux; (met) creep.
—— **de arco** (sol), arc stream.
—— **de dispersión** (eléc), leakage flux.
—— **de la hélice** (ap), propeller wash.
—— **de la marea**, flood tide.
—— **electrostático o eléctrico**, electric or electrostatic flux.
—— **eritémico** (il), erythemal flux.
—— **inductor o magnético**, magnetic flux.
—— **laminar** (hid), laminar or viscous flow.
—— **luminoso**, luminous flux or power; floodlight.
—— **turbulento** (hid), turbulent or sinuous or tortuous flow.
—— **viscoso** (hid), laminar or viscous or streamline flow.

flujómetro *m*, fluxmeter.
flúor *m* (quím), fluorine.
—— espato (miner), fluor spar, fluorite.
fluoración *f*, fluorination.
fluorapatita *f* (miner), fluorapatite.
fluorescencia *f*, fluorescence, (pet) bloom, (pet) cast.
fluorescente, fluorescent.
fluórico (quím), fluoric.
fluorita, fluorina *f* (miner), fluorite, fluor spar.
fluoruro *m*,· fluoride, fluorate.
flus *m*, flue, tube.
—— de acero enterizo, seamless tubing.
—— de caldera, boiler tube.
flusería *f*, set of boiler tubes.
fluvial, pertaining to rivers, fluvial.
fluvio-eólico (geol), fluvio-aeolian.
fluvioglacial (geol), fluvioglacial.
fluviógrafo *m* (hid), recording stream gage; fluviograph.
fluviolacustre (geol), fluviolacustrine.
fluviomarino (geol), fluviomarine.
fluviómetro *m* (hid), current meter; fluviograph; flowmeter.
—— registrador, recording current meter.
fluviovolcánico (geol), fluviovolcanic.
fluxómetro *m*, (A) fluxmeter; (M) flushometer.
fluyendo, flowing.
focal, focal.
foco *m*, focus; focal point.
—— catódico (ra), cathode spot.
—— eléctrico (A)(M), incandescent lamp.
—— incandescente (M)(Col)(Pan), incandescent lamp.
—— piloto (M), pilot lamp.
—— principal (inst), principal focus.
—— real, real focus.
—— virtual, virtual focus.
fogón *m*, firebox, furnace.
fogonadura *f* (cn), mast hole.
fogonazo (*m*) de retorno (sol), backfire.
fogonera (*f*) automática, mechanical stoker.
fogonero, foguista, *m* (cal), fireman, stoker.
foguear (M), to stoke a furnace.
fogueo *m* (M), stoking.
foliación *f* (geol), foliation.
foliado, foliated.
fomentar, to promote (a project).
fomento *m*, development; promotion.
fomita *f*, foamite (fire extinguisher).
fon, phon (unit of loudness).
fondaje *m* (hid)(C), sediment.
fondeadero *m*, anchorage, berth.
fondear, to anchor, drop anchor.
fondeo *m*, anchoring, mooring.
fondo *m*, bottom, far end, base, bed; fund; depth; (tv) background.
—— de amortización, sinking fund.
—— de barril, barrelhead.
—— de la caldera, boiler head.
—— del cilindro, cylinder head, back cylinder head.
—— del émbolo, pistonhead.
—— de laboreo (tún)(min), working face.
—— de renovación, replacement fund.
—— del río, river bed.

—— de la rosca, root of thread.
—— de la soldadura, root of weld.
—— doble (cn), double bottom.
—— rotativo, revolving fund.
fondos, funds.
fónico, phonic.
fonoadaptador *m* (ra), phono adapter.
fonocaptor *m* (eléc), phonograph pickup.
fonoeléctrico, Phonoelectric (trademark).
fonóforo (tel), phonophore.
fonolita *f* (geol), phonolite, clinkstone.
fonómetro *m*, phonometer.
fontanería *f*, pipework, piping, plumbing.
fontanero *m*, pipeman, plumber.
foquito *m* (A), small incandescent lamp.
forcejear, to force.
forcita *f* (vol), forcite.
forestación *f* (M), forestation.
forestal, pertaining to forests.
forja *f*, forge; forging.
—— con martinete, drop-forging.
—— con martinete a vapor, steam-hammer forging.
—— con matriz abierta, smith or open-die forging.
—— con presión o de prensa, press-forging.
—— de banco, bench forge.
—— de herrero, blacksmith forge.
—— de recalcar, upsetting forge.
—— de soldar, welding or brazing forge.
—— de tiro hacia abajo, downdraft forge.
forjabilidad *f*, malleability, forgeability.
forjable, malleable, forgeable.
forjado, forged, wrought.
—— a martinete o a troquel, drop-forged.
—— en caliente, hot-forged.
—— en frío, cold-forged.
forjador *m*, blacksmith, forge smith.
forjar, to forge; to rough-plaster; (Col) to fill between beams on a wall.
—— a presión, to press-forge.
forma *f*, form, shape; (conc) form; (Col) roof truss.
formabilidad *f*, formability.
formación *f* (geol), formation, country; (elec) forming.
formador *m*, shaper; former.
formadora (*f*) de engranajes, gear shaper.
formaldehido *m*, formaldehyde.
formaleta *f*, small form, centering, form for concrete pipe; (C) straightedge.
formar, to form.
fórmica *f* (eléc), Formica (trademark).
formón *m*, chisel, mortising or firmer or framing chisel.
—— con chanfle, cant chisel.
—— de ángulo, corner chisel.
—— de cubillo, socket chisel.
—— de cuchara, bent; entering chisel.
—— de espiga, tang chisel.
—— de filo oblicuo, side or skew chisel.
—— de punta de lanza, spear-point chisel.
—— de punta redonda, roundnose chisel.
—— de tornero, turning chisel.
fórmula *f*, formula; (A) blank form.
—— de Chézy (hid), Chézy formula.

—— de Manning (hid), Manning's formula.
—— del prismoide, prismoidal formula.
—— de la sección media (ot), average-end-area formula.
—— dinámica (pi), dynamic formula.
—— estática (pi), static formula.
formulario m, blank form.
—— de contrato, contract form.
—— de fianza, form of surety bond.
—— de propuesta, bidding form or blank, proposal form.
fornalla f, firebox, furnace; (C) ashpit (furnace).
fornaza f, small furnace.
forrar, to line, sheath, cover, ceil, coat, face, lag.
forro m, lining, lagging, sheathing; bushing.
—— aislante, insulation.
—— centrifugado (tub), spun lining.
—— de cilindro, cylinder liner.
—— de cojinete, bearing sleeve, bushing.
—— de chimenea, flue lining.
—— de chumacera, bushing, liner.
—— de freno, brake lining.
—— húmedo (di), wet-type cylinder liner.
forros de zanja, sheeting, sheet piling.
forsterita f (miner), forsterite (magnesium silicate).
fortalecer, to strengthen.
fortaleza f, strength.
fortificación f (min), system of supports, timbering.
fortificar, to strengthen, brace, buttress, shore.
forzar, to force.
fosa f, pit; drain; (met) sow.
—— de excreta, cesspool.
—— séptica, septic tank.
fosfatar, fosfatizar, to phosphate, phosphatize.
fosfático, phosphatic.
fosfato m, phosphate.
fosfito m, phosphite.
fósfor m (ra), phosphor.
fosforado, phosphated.
fosforar, fosforizar, to phosphorate, phosphorize.
fosforescencia f, phosphorescence.
fosforescente, phosphorescent.
fosforescer, to phosphoresce.
fosfórico, phosphoric.
fosforita f (geol)(miner), phosphorite.
fósforo m, phosphorus; (ra)(Sp) phosphor.
fosforoso, phosphorous.
fosfuro m, phosphide.
foso m, trench, ditch, pit.
—— colector (pet), gathering pit.
—— de abastecimiento de combustible (ap), fueling pit.
—— de aserrar, saw pit.
—— de caldeo (met), soaking pit.
—— de cenizas, ashpit.
—— de cintura, marginal or intercepting ditch.
—— de colada (fund), casting pit.
—— del lodo (pet), mud ditch.
—— de préstamo (ot), borrow pit.
—— de recalentar (met), soaking pit.
—— de servicio (ap), service pit.
—— de succión (bm), suction pit.
—— de volante, flywheel pit.
—— séptico (Es), septic tank.

fosterita f (ais), Fosterite (trademark).
fot m (il), phot.
fotoactivo, photoactive.
fotoaéreo (M), pertaining to aerial photography.
fotoalidada f (fma), photoalidade.
fotobulbo m (A), phototube.
fotocalcar, to blueprint.
fotocalco m, sun print; photographic copy; photoprint.
—— azul, blueprint.
—— blanco, white print.
fotocarta f, photomap.
fotocartografía f, photographic mapping, photomapping.
fotocartógrafo m, photocartograph.
fotocátodo m (ra), photocathode.
fotocelda f (M)(A), photoelectric cell.
fotocélula f, photocell, photoelectric cell.
fotoclinómetro m, photoclinometer.
fotoconductividad f (eléc), photoconductivity.
fotoconductivo (ra), photoconductive.
fotocopia f, photocopy, blueprint.
—— azul, blueprint.
—— blanca, white print.
—— negra, blackprint.
—— parda, brownprint.
fotocopiar, to blueprint, make a photocopy.
fotocroquis (fma), mosaic, photosketch.
fotodesintegración f, photodisintegration.
fotoelasticidad f, photoelasticity.
fotoelástico, photoelastic.
fotoelectricidad f, photoelectricity.
fotoeléctrico, photoelectric.
fotoelectrón m, photoelectron.
fotoemisivo, fotoemisor (ra), photoemissive.
fotoestático (M), photostatic.
fotoestereógrafo m (fma), photostereograph.
fotófono m, photophone.
fotogénico, photogenic.
fotógeno m, photogen (oil).
fotogoniometría f (fma), photogoniometry.
fotogoniómetro m (fma), photogoniometer.
fotograbado m, photoengraving.
fotografía f, photography; a photograph.
—— compuesta (fma), composite photograph.
fotografiar, to photograph.
fotógrafo (fma), photographer, cameraman.
fotograma m (fma), photogram.
fotogrametría f, photogrammetry, photographic surveying.
—— aérea, aerosurveying, aerial photogrammetry.
—— cercana, close photogrammetry.
—— por imagen única, single-image photogrammetry.
—— por imágenes dobles, two-image photogrammetry.
—— terrestre, terrestrial photographic surveying.
fotogramétrico, photogrammetric.
fotogrametrista m, photographic surveyor, photogrammetrist.
fotográmetro m, photogrammeter, phototheodolite.
fotoionización f, photo-ionization.
fotolaboratorio m, photographic laboratory.
fotolámpara f (A), photoelectric cell.

fotoluminiscencia *f*, photoluminescence.
fotomapa *m*, photoplan, photomap.
fotomecánico, photomechanical.
fotometría *f*, photometry.
fotométrico, photometrical, photometric.
fotómetro *m*, photometer, (V) exposure meter.
— de dispersión, dispersion photometer.
— de globo, sphere photometer.
— integrador, integrating photometer.
— por destellos, flicker photometer.
fotomicrografía *f*, photomicrography.
fotomicrógrafo *m*, photomicrograph.
fotomicroscopio *m*, photomicroscope.
fotón *m* (óptica), photon.
fotoperspectógrafo *m* (fma), photoperspecto-
    graph.
fotoplano *m* (fma), photoplan.
fotorreproducción *f*, photoreproduction.
fotorresistencia *f*, photoelectric resistance, pho-
    toresistance.
fotorrestitución *f* (fma), photorestitution.
fotorrestituidor *m* (fma), photographic restitu-
    tion machine.
fotosensible, photosensitive.
fotosíntesis *f* (quím), photosynthesis.
fotosintético, photosynthetic.
fotostatar, to photostat.
fotostático, photostatic.
fotóstato *m*, photostat.
fototaquimetría (Es), photogrammetry.
fototaquímetro *m*, phototheodolite with stadia
    hairs.
fototelegrafía *f*, phototelegraphy.
fototeodolito *m* (fma), phototheodolite.
fototopografía *f*, photographic topography, pho-
    togrammetry.
fototopográfico, phototopographic.
fototopógrafo *m*, phototopographer.
fototriangular, to phototriangulate.
fototubo *m*, phototube, photoelectric tube.
— a gas, gas or soft phototube.
— multiplicador, multiplier or electron-multi-
    plier phototube.
fotoválvula *f* (A), phototube.
fotovoltaico, photovoltaic, photoelectric.
fotrónico (il), Photronic (trademark).
fracasar, to be unsuccessful; to fail; to be
    wrecked.
fracaso *m*, failure; breakdown.
fracción *f*, fraction.
— continua, continued fraction.
— impropia, improper fraction.
— propia, proper fraction.
— representativa (dib), representative frac-
    tion, fractional scale.
fraccionado, fractional, divided; broken.
fraccionador *m* (pet), fractionator.
fraccionamiento de viscosidad (pet), viscosity
    breaking.
fraccionar, to break down, divide into parts; to
    fractionate.
fraccionario, fractional.
fractura *f*, fracture, breaking.
— astillosa (miner), splintery fracture.
— concoidea (miner), conchoidal fracture.
— de copa (met), cup fracture.

— escalonada (geol)(A), step fault.
— mellada (miner), hackly fracture.
fracturar, to fracture.
fragata *f* (C), boxcar, car body.
frágil, brittle; frail.
fragilidad *f*, brittleness; frailty.
— cáustica, caustic embrittlement.
— en caliente, hot-shortness.
fragmentación *f*, fragmentation.
fragmentar, to break up, shatter.
fragmentario, fragmentoso (geol), fragmental.
fragua *f*, forge; blacksmith shop; (ct) setting.
— baja, bloomery.
— de recalcar, upsetting forge.
— de soldar, welding or brazing forge.
— final (ct), final set.
— inicial (ct), initial set.
fraguado *m*, forging; (ct) setting.
— térmico, thermosetting.
fraguador *m*, blacksmith, forge smith.
fraguar, to forge; (ct) to set; to cure (asphalt);
    (Col) to grout.
fragüe *m*, setting, set.
franco, open, free, clear; exempt.
— a bordo o sobre vagón (FAB)(tr), free on
    board (FOB).
— bordo (an)(A), freeboard.
— de avería simple (seg), free of particular
    average.
— de derechos, duty-free.
— de porte, prepaid (carriage).
— fuera del buque, free overside.
— sobre muelle (tr), free alongside (FAS).
franja *f*, strip, band.
— capilar (A), capillary fringe.
franklinita *f*, franklinite (ore of manganese).
franquear, to span, clear; to clear away.
franqueo *m*, postage; prepayment; clearance,
    (machy) relief, backing-off; (tun)(min)
    unkeying.
— lateral, side clearance.
— superior, headroom, vertical clearance.
franquicia *f*, franchise; tax exemption.
frasco *m*, flask, bottle, vial.
— de filtrar, filter flask.
— gotero (lab), dropping bottle.
— separador (lab), parting flask.
frasquito *m* (lab), vial.
fratacho *m* (A), mason's float.
fratás *m*, plasterer's trowel, mason's float.
fratasar, to trowel, to float.
freático, phreatic, subsurface.
freatímetro *m* (A), device for gaging ground
    water.
freatofitas *f* (hid), phreatophytes.
frecuencia *f*, frequency (all senses).
— amortiguadora (ra), quenching frequency.
— angular o de radián (ra), angular or radian
    frequency.
— audible (ra), audio frequency.
— crítica (física), threshold or critical fre-
    quency.
— de corte (ra)(A), cutoff frequency.
— de cuadro (tv), frame frequency.
— de imagen (ra), image frequency; (tv) pic-
    ture frequency.

—— de línea (tv), line frequency.
—— de visión (ra), video or visual frequency.
—— heterodina o de pulsación (ra), beat or heterodyne frequency.
—— nominal, rated frequency.
—— patrón, standard frequency.
—— portadora (eléc), carrier frequency.
—— portadora fijada o portadora asignada (ra), center or resting frequency.
—— propia (ra), natural frequency or wave length.
—— superelevada (ra), superhigh frequency.
—— ultraelevada, ultrahigh frequency.
—— vocal (ra)(A), voice frequency.
frecuencímetro m, frequency meter.
—— de lengüetas, vibrating-reed frequency meter.
—— heterodino, heterodyne wavemeter.
—— registrador, frequency recorder.
fregadero m (pb), sink.
fregador m (Pan), sink.
frenada f (A), braking.
frenaje m, braking.
—— de recuperación o de regeneración, regenerative braking.
—— reostático, resistance or rheostatic braking.
frenar, to brake.
frenero m, brakeman.
freno m, brake.
—— a corrientes parásitas, eddy-current brake.
—— al cardán (auto)(A), transmission brake.
—— al vacío, vacuum brake.
—— aerodinámico, air brake (airplane).
—— de aceite, oil brake.
—— de aire, air brake.
—— de almohadillas, block brake.
—— de automultiplicación de fuerza, self-energizing brake.
—— de banda o de cinta, band brake.
—— de círculo completo, full-wrap brake.
—— de dirección, steering brake.
—— de discos múltiples, multidisk brake.
—— de doble zapata, two-shoe brake.
—— de electroimán, electromagnetic brake.
—— del embrague (auto), clutch brake.
—— de estacionamiento (auto), parking brake.
—— de expansión interior, internal-expanding brake.
—— de fricción, friction brake; Prony brake.
—— de patín (fc), slipper brake.
—— de pedal o de servicio (auto), foot or service brake.
—— de seguridad o de urgencia, emergency brake.
—— de timón (cn), rudder brake.
—— dinamométrico, dynamometer or Prony brake.
—— manual, hand brake.
—— medidor de potencia, absorption dynamometer.
—— neumático, air brake.
—— para puerta, door check.
frente m, face, front, (min) heading.
—— corrido (min), longwall.
—— de ataque, working face, forebreast.
—— de manzana, city block (distance between streets).

—— muerto, dead front (switchboard).
—— vivo, live front (switchboard).
frentear, to face, mill, machine.
frenteo m, facing, milling.
frentero m (min), miner employed at the working face.
frentista m (A)(U), cement mason for stucco work.
freón (rfg), Freon (trademark).
fresa f, bit, milling tool, miller; (C) reamer; (A) countersinking bit.
—— cilíndrica helicoidal, slabbing cutter.
—— cola de pescado, fishtail cutter.
—— cortadora, cutter bit.
—— de corte lateral, side milling cutter.
—— de cuchillas postizas, inserted-blade cutter.
—— de dientes escalonados, staggered-tooth cutter.
—— de dientes grandes, coarse-tooth cutter.
—— de disco, side cutter.
—— de espiga, end mill.
—— de ranurar, gaining head.
—— de refrentar, face cutter.
—— de roscar, thread milling cutter, thread-cutting tool.
—— desbastadora, roughing or stocking cutter.
—— en cruz (pet), cross cutter.
—— escariadora, end mill.
—— escariadora hueca, shell end mill.
—— estriadora, fluting cutter.
—— madre, hob.
—— múltiple, gang cutter.
—— partidora, parting tool.
—— perfilada, profile or formed cutter.
—— perfilada simple, fly cutter.
—— ranuradora, cotter mill.
—— recortadora, cutting-off tool (lathe).
—— rotativa de ranurar, dado or grooving or gaining head.
—— semiesférica, rose mill or cutter.
fresas de disco acopladas, straddle mill.
fresa-taladradora, boring and turning mill.
fresabilidad f, machinability.
fresable, machinable.
fresado m, milling.
—— a gas, gas or flame machining.
—— a máquina, machine-cut.
—— angular, angular milling.
—— de frente, face milling.
—— en espiral, spiral milling.
—— y taladrado (tub), faced and drilled.
fresadora f, milling machine; hobbing machine; shaper; (C) reamer; (A) countersinking bit.
—— acepilladora, planer-type milling machine, rotary planer, planomiller, milling planer.
—— de banco, bench miller.
—— de desbastar, rougher, roughing reamer.
—— de engranajes, gear miller or hobber.
—— de puntos, spot-facer.
—— de roscar, thread miller.
—— de superficie, slab miller.
—— para levas, cam cutter.
—— ranuradora, spline milling machine.
fresar, to face, mill, machine; to hob; (C) to ream; (A) to countersink.
—— la cara de atrás, to back-face.

—— **para las tuercas,** to spot-face.
fresno *m* (mad), ash.
friabilidad *f*, friability; brittleness.
friable, brittle; friable.
fricción *f*, friction.
—— **cinética,** kinetic or sliding friction.
—— **de arranque,** starting or breakaway friction.
—— **de deslizamiento,** sliding friction.
—— **de rodamiento,** rolling friction.
—— **de zafar,** breakaway friction.
—— **estática,** static or starting friction.
—— **pelicular** (A), skin friction.
frigocentral *f* (A), refrigeration plant.
frigorífico *m*, cold-storage plant; meat-packing
   plant; *a* frigorific.
frigorígeno, producing cold.
frisado *m*, (V) same as **friso.**
friso *m*, wainscot, dado; (V) scratch coat or
   brown coat of plaster.
froga *f* (Col), rubble filling between ashlar faces.
frogar (Col), to fill joints; to grout the stones in
   a wall.
frontal *a*, front, head.
frontera *f* (Es), front wall.
frontis *m*, fascia; façade.
frontispicio *m*, façade, front wall.
frontón *m*, pediment; (min) working face, forebreast.
frota *f*, cement mason's float.
frotador *m*, rubber; (elec)(U) contact brush.
frotamiento *m*, friction, chafing, rubbing.
—— **de deslizamiento,** sliding friction.
—— **de rodadura,** rolling friction.
frotar, to rub; to chafe.
ftalato de potasio (lab), potassium phthalate.
ftálico (quím), phthalic.
fucsina *f* (is), fuchsin.
fuego *m*, fire.
fuellar, to blow with a bellows.
fuelle *m*, bellows, blower; connection between
   car vestibules; (C) automobile top; bellows of a camera.
fuente *f*, fountain; spring; source.
—— **aceleradora** (mg), accelerating well.
—— **artesiana,** artesian spring.
—— **de abastecimiento** o **de provisión,** source of
   water supply.
—— **de afloramiento,** gravity spring.
—— **de beber,** drinking fountain.
—— **de carga,** feed well.
—— **de contacto,** contact spring.
—— **de energía A (B, C)**(ra), A (B, C) power
   supply.
—— **de fisura,** fracture or fissure spring.
—— **de hondonada,** depression spring.
—— **desarenadora** (A), sand trap.
—— **luminosa** (il), luminous source.
—— **surtidora,** source of supply.
fuentes fluviales, (PR) water resources.
fuera *adv*, out, outside.
—— **de ajuste,** out-of-adjustment.
—— **de aplomo,** out-of-plumb.
—— **de bordo,** outboard.
—— **del camino,** off-the-road (hauling).
—— **de centro,** off-center, out-of-center.
—— **de escuadra,** out-of-square.

—— **de fase,** out-of-phase.
—— **de juego** (C), out-of-gear.
—— **de línea,** out-of-line.
—— **de redondo,** out-of-round.
—— **de servicio,** out-of-service.
—— **de toma,** out-of-gear, unmeshed.
fuerte, strong, powerful; sharp (curve); heavy
   (grade).
fuerza *f*, force, power.
—— **al freno,** brake horsepower.
—— **a vapor,** steam power.
—— **caballar,** horsepower.
—— **capilar,** capillary force.
—— **centrífuga,** centrifugal force.
—— **coercitiva** (eléc), coercive force.
—— **continua,** firm or primary power.
—— **contraelectromotriz,** back electromotive
   force.
—— **de agua,** water power.
—— **de arrastre,** tractive force.
—— **de brazos,** hand power; man power.
—— **de elevación,** lifting power.
—— **de filtración** (ms), seepage force.
—— **de levantamiento,** uplift (dam).
—— **de sangre,** animal power.
—— **discontinua,** dump or secondary power.
—— **electromotriz,** electromotive force.
—— **electromotriz aplicada,** impressed or applied
   electromotive force.
—— **hidráulica,** water power.
—— **hidromotriz** (A), water power.
—— **indicada de caballos,** indicated horsepower.
—— **magnética,** magnetic strength or force or
   intensity.
—— **magnetomotriz,** magnetizing or magnetomotive force.
—— **mayor,** force majeure, act of God.
—— **motriz,** power, motive power.
—— **permanente,** firm or primary power.
—— **portativa** (ra)(A), carrier power.
—— **primaria,** primary power.
—— **provisoria,** dump power.
—— **termoelectromotriz,** thermoelectromotive
   force.
—— **tractora,** tractive force.
fuetazo *m*, whipping of a cable.
fugas *f*, (hyd) leakage; (elec) fault.
fulcro *m*, fulcrum.
fulgor azul (ra)(A), blue glow.
fulguración *f*, fulguration.
fulgurita *f* (geol)(vol), fulgurite.
fulmicotón *m*, guncotton.
fulminante *m*, blasting cap, exploder, detonator.
fulminar, to cause to explode; to discharge.
fulminato *m*, fulminate.
fulmínico, fulminic.
fumífugo, smokeless.
fumívoro, smoke-consuming, smokeless.
función *f* (mat), function.
—— **de simple valuación,** single-valued function.
—— **de valuación múltiple,** multiple-valued function.
—— **escalar,** scalar function.
—— **vectorial,** vector function.
funcionamiento *m*, operation.
funcionar, to run, work, operate.

funcionario *m*, official, officer.
funda *f*, case, sheath.
—— **de cemento** (PR), cement bag.
—— **de neumático** (auto), tire cover.
—— **para herramientas,** tool roll.
fundación *f*, foundation.
—— **corrida,** continuous footing.
—— **de cajón,** pneumatic-caisson foundation.
—— **ensanchada,** spread footing.
—— **escalonada,** stepped footing.
fundamental *f*, (ra) fundamental; *a* fundamental (all senses).
fundamentar, to lay a foundation.
fundamento *m*, foundation, footing; (geol) basement.
fundar, to found.
fundente *m*, welding compound, flux.
—— **para soldadura,** soldering or welding flux.
—— **para soldadura de latón,** brazing flux.
fundería *f*, foundry; casting.
fundible, fusible.
fundición *f*, foundry; casting; a casting; smelting works.
—— **al coque,** coke iron.
—— **a presión o a troquel,** die-casting.
—— **argéntea,** silvery iron.
—— **atruchada,** mottled iron.
—— **blanca,** white cast iron, white iron.
—— **bruta** (A), pig iron.
—— **centrifugada,** centrifugal casting.
—— **de acero,** steel casting; steel foundry.
—— **de aleación,** alloy cast iron.
—— **de hierro,** iron founding; iron foundry; cast iron.
—— **de hierro gris,** gray-iron casting.
—— **de hierro maleable,** wrought-iron casting.
—— **de latón,** brass casting; brass foundry.
—— **de liga,** alloy cast iron.
—— **de segunda fusión,** gray cast iron.
—— **escoriosa,** cinder pig iron.
—— **gris,** gray-iron casting; foundry pig.
—— **maleable,** malleable casting, malleable cast iron.
—— **truchada,** mottled iron.
fundido, cast; fused, melted.
—— **centrífugamente,** centrifugally cast.
—— **en arena,** sand-cast.
—— **en bloque** (auto), cast-in-block.
—— **en foso de colada,** pit-cast.
fundidor *m*, foundryman, founder; melter.
fundir, to cast; to melt, smelt; to blow out (fuse); **fundirse,** to melt, fuse.
fungicida *m*, fungicide.
fungiforme *a*, mushroom (column head).
fungistático, fungistatic.
funicular *m*, cable railway; *a* funicular.
—— **aéreo,** aerial tramway.
furgón *m*, baggage car; truck with closed body, van; (M) boxcar; (A) baggage, express, or mail car.
—— **de carga** (A), freight car.
—— **de cola,** caboose.
—— **de equipajes,** baggage car.
furgonada *f*, carload, truckload.
furnia *f* (C), sump.
furo *m*, orifice; (top) channel.

fuselado *m*, fairing, streamlining; *a* streamlined.
fuselaje *m*, fuselage.
fusetrón (eléc), Fusetron (trademark)(time-lag fuse).
fusibilidad *f*, fusibility.
fusible *m*, fuse; (C) rail bond; *a* fusible.
—— **de acción retardada,** time-delay or time-lag fuse.
—— **de bayoneta** (C), knife fuse.
—— **de cartucho a casquillo,** ferrule-type cartridge fuse.
—— **de cartucho a cuchillo,** knife-blade-type cartridge fuse.
—— **de cinta,** link or strip fuse.
—— **de cuchilla,** knife fuse.
—— **de desprendimiento,** drop-out fuse.
—— **de recierre,** reclosing fuse.
—— **de tapón,** plug fuse.
—— **de tiempo,** time-lag fuse.
—— **renovable,** renewable fuse.
fusiforme, fusiform, spindle-shaped; streamlined.
fusión *f*, fusion.
fusionar (A), to fuse.
fuslina *f* (Es)(A), smelter.
fuste *m*, shaft of a column; shank of a rivet or bolt.

gabari, gabarit, gabarito *m* (fc), clearance gage; track gage.
gabarra *f*, scow, barge.
—— **de grúa,** derrick barge.
gabarraje *m*, lighterage.
gabarrero *m*, bargeman.
gabera *f* (Col), brick mold.
gabinete *m*, laboratory, office, study; (rr) stateroom, (rr)(M) drawing room; (ra)(M) cabinet.
gabión, *m* (r), gabion.
gablete *m*, gable.
gábrico, gabbroic.
gabro *m* (geol), gabbro.
gafa *f*, cant hook; (C) gaff.
—— **de palanca,** cant hook.
gafas de soldador, welding goggles.
gaita *f*, a Puerto Rican lumber.
gajo *m*, leaf of an orange-peel bucket; branch mountain chain.
gal (geof), gal.
galactita *f*, fuller's earth.
galápago *m*, centering (arch); saddle; pig, ingot, sow; (sb) hatch batten.
galena *f*, galena (lead ore).
galénico, galenic.
galeota *f* (cn), carling, beam carline, girder.
galera *f*, wagon, van; jack plane; (CA) shed, shanty.
galerada *f*, wagonload.
galería *f*, gallery, heading, (min) drift.
—— **captante** (hid), collecting gallery.
—— **céntrica de avance** (tún), center drift.
—— **de agotamiento** (min) draining adit.
—— **de arrastre** (min), haulageway; slushing drift.

—— de ataque (tún)(min), heading.
—— de avance, heading; pilot bore.
—— de avance superior (tún), top heading.
—— de captación (hid), infiltration or collecting gallery.
—— de carga (min), loading drift.
—— de colección, (hyd) collecting gallery; (min) gathering drift.
—— de desarrollo (min), development drift.
—— de descarga, sluiceway (dam).
—— de dirección, (tun) advance heading; (min) driftway.
—— de empino (tún), crown drift.
—— de escombrar (min), mucking drift.
—— de evacuación (hid), sluiceway, undersluice, silt sluice.
—— de extracción (min), adit.
—— de pala de arrastre (min), slushing drift.
—— de revisión, inspection gallery.
—— de servicio (min), service drift.
—— de servicios (Es), street tunnel for pipes and conduits.
—— de sondeo, exploration gallery.
—— de toma (hid), intake tunnel.
—— desarenadora (presa), silt sluice, undersluice.
—— filtrante, filtration or infiltration gallery.
—— inferior de avance (tún), bottom drift or heading.
—— lateral de avance (tún), side drift or heading.
galerna f, galerno m, gale.
galerón m (M)(AC), barracks; shed.
galgas f (M), calipers.
galibador m (cn), loftsman.
galibar, to work to a template.
gálibo m, template, jig; straightedge; clearance diagram.
—— de ajuste (cn), lofting template.
—— de caja, box jig.
—— de fijación, holding jig.
—— de inclinación, slope gage; (sb) declivity board.
—— de muñones (mh), trunnion jig.
—— de perfil normal (fc), clearance gage.
—— de silletas (fc), tie-plate gage.
—— para guardacarril (fc), guardrail gage.
galón m, gallon.
—— imperial, imperial gallon.
galpón m, storehouse, inclosed shed, shanty.
—— de cargas, freight shed.
—— de removido (A), transfer shed.
galponista m (A), erector of iron sheds.
galvánico, galvanic.
galvanismo m, galvanism.
galvanización (f) por inmersión en caliente, hot or hot-dip galvanizing.
galvanizado al fuego o en caliente, hot-galvanized.
galvanizar, to galvanize.
galvano-recocido, galvannealed.
galvanometría f, galvanometry.
galvanométrico, galvanometric.
galvanómetro m, galvanometer.
—— amortiguado, deadbeat galvanometer.
—— de aguja, needle galvanometer.
—— de bobina móvil, moving-coil galvanometer.

—— de cuerda, string galvanometer.
—— de dinamitero, blasting galvanometer.
—— de espejo o de reflexión, reflecting galvanometer.
—— de senos, sine galvanometer.
—— de tangentes, tangent galvanometer
galvanoplastia f, galvanoplastics, electrotypy, electrometallurgy.
galvanoplástico, galvanoplastic.
galvanoscopio m, galvanoscope.
gallego m (az)(C), cane leveler or kicker.
galleta f, cement pat; soil cake; target (rod).
galletera f, kind of brickmaking machine.
gallito m (M), faucet, bibb.
gallón m, sod.
gama f, range, limits.
—— de onda (rə)(A), wave band.
gambota f (cn), counter timber.
gambusino m, skilled miner; prospector.
gamella f, yoke for oxen; plasterer's hawk; trough; washtub; (Ch) chute; (min) pan.
—— de lavar (min), washtrough.
—— fija (min), sleeping table.
gamma f, gamma.
ganancia f, profit, earnings; (ra)(A) gain.
—— bruta, gross profit.
—— líquida, net profit.
ganancias
—— de explotación, operating profit.
—— no distribuídas, undivided profits.
—— y pérdidas, profit and loss.
gancho m, hook.
—— agarrador (ef), rafting dog, tail hook; grab hook.
—— centrador (pet), wall hook.
—— de abrazadera, clevis hook.
—— de amarrar, mooring hook.
—— de arrastre (co)(tc), pull hook.
—— de cable de izar, hoist hook.
—— de carga, cargo hook.
—— de cerrojo, safety hook (hoist).
—— de clavija, pintle hook.
—— de deslizamiento, slip hook.
—— de disparo, trip hook.
—— de estibador, box hook.
—— de estibar, cargo hook.
—— de estrangulación (cab), choker hook.
—— de gaza, (lg) choker hook.
—— de grillete, clevis hook.
—— de maderero, dog hook.
—— de mosquetón o de resorte, snap hook.
—— de motón, hook of the fall block, hoist hook.
—— de ojo, eye hook.
—— de pared (pet), wall hook.
—— de retención de cadena, grab hook.
—— de seguridad, safety hook.
—— de tracción, pull hook, (lg) draw hook.
—— de volteo (M), cant hook.
—— giratorio, swivel hook.
—— para trozas, swamp hook.
—— sacatapa, manhole hook.
—— soltador, release or pelican hook, (lg) dump hook.
—— y hembra o y picolete, hook and keeper, hook and eye.

ganchos
—— de correa, belt hooks or clamps.
—— de fardo, bale hooks.
—— escaladores, climbing irons.
—— gemelos, match or sister hooks.
—— para bidón, can hooks.
gandingas *f* (min), concentrates.
ganga *f*, gangue.
—— cuarzosa, vein quartz.
gánguil *m*, dump scow.
ganzúa *f*, false key, picklock; skeleton key; (Sp) hook wrench.
garabatillo *m*, small vise, clamp.
garabato *m*, grapnel, grappling iron.
garaje *m*, garage.
garandumba *f* (A), barge, lighter.
garante *m*, guarantor, bondsman.
garantía *f*, guaranty.
garantizar, to guarantee.
garbancillo *m*, (M) buckshot coal; (Sp) fine gravel, grits.
garbanzo *m* (M), pea coal.
garfio *m*, hook, (C) gaff; cant hook.
garfios de trepar, climbing irons, climbers.
garganta *f*, (mech) groove, channel; (top) gap, narrows, gorge; gullet (saw); (w)(mech) throat; (tun)(A) bench.
—— del Venturi, Venturi throat.
gárgol *m*, groove, notch, gain.
garita *f*, cab of a shovel or truck; watchman's box; (A) elevator car.
—— de mástil (cn), crow's-nest.
—— de señales (fe), signal tower.
—— de soldar, welding booth.
—— de vista completa (pl), full-vision cab.
garitea *f* (Ec), flatboat.
garlancha *f*, spade; (Col) blade tamper.
garlopa *f*, jack or jointing or fore plane.
garlopín *m*, jack or fore or trying plane.
garnierita *f*, garnierite (nickel ore).
garra *f*, clutch, catch, claw, grip.
—— de cable (eléc), cable grip.
—— de compresión, compression clutch.
—— de fricción, friction clutch.
—— de seguridad, safety clutch.
—— de zapata (or), grouser.
garras para correa, belt hooks or clamps or lacing.
garrancha *f* (Col), hook.
garrapato *m* (A), a hardwood.
garrocha *f* (M), pike pole.
garrote *m*, (Ch)(M) brake.
garrotero *m* (M), brakeman.
garrucha *f*, sheave, pulley; (M) tackle block.
—— agarradora, grip sheave.
—— cabecera (pet), crown sheave.
—— cerradora (cuch), closing sheave.
—— de bisagra (M), snatch block.
—— de cadena, chain block or hoist.
—— de la cuchara (pet), sand sheave.
—— del entubado (pet), casing sheave.
—— de garganta farpada, pocket or chain wheel.
—— de guía, guide or deflecting sheave, fair-lead block.
—— de rayos, spoke sheave.
—— deslizante, sliding or fleeting sheave.
—— desviadora, deflecting or knuckle sheave.

—— diferencial (M), differential hoist.
—— igualadora, equalizing sheave.
—— posterior (pet), heel sheave.
garrucho *m*, cringle.
gas *m*, gas.
—— acetileno, acetylene gas.
—— cloacal, sewer gas.
—— comburente, combustion gas.
—— combustible, fuel gas.
—— de aceite (C), oil gas.
—— de agua, water gas.
—— de aire, air gas.
—— de alto horno, blast-furnace gas.
—— de alumbrado, illuminating gas.
—— de boca de pozo, casing-head gas.
—— de carbón, coal gas.
—— de cieno (dac), sludge gas.
—— de desperdicio, waste gas.
—— de digestión (dac), digester gas.
—— de la formación (pet), formational gas.
—— de horno de coquización, coke-oven gas.
—— de hulla, coal gas.
—— de los lodos (dac), sludge gas.
—— de los pantanos, marsh gas.
—— de madera, wood gas.
—— de petróleo, oil gas.
—— licuado de petróleo, liquefied petroleum gas.
—— natural, natural or casing-head or oil-well gas, green gas.
—— pobre, producer or generator gas.
—— residual o seco (pet), dry or residue gas.
—— rico, illuminating gas.
—— verde (pet), green or natural gas.
gases de desecho, waste gases.
gases de escape, exhaust gases.
gasa (*f*) de alambre, wire gauze.
gaseiforme, gaseous, gasiform.
gaseoso, gaseous.
gasero, gasfiter, gasista *m*, gas fitter, pipeman.
gasfitería *f*, pipework, gas fitting.
gasífero, containing gas.
gasificar, to gasify.
gasoducto *m* (A), pipe line for gas.
gasógeno *m*, gazogene; gas producer.
—— de acetileno, acetylene generator.
—— de tiro descendente, downdraft producer.
—— escorificador, slagging producer.
gasoleno *m*, gasoline.
gasóleo *m*, gas oil.
gasolina *f*, gasoline.
—— de alto octanaje, high-octane gasoline.
—— de alta volatilidad, high-test gasoline.
—— de destilación directa, straight-run gasoline.
—— de destilación final, end-point gasoline.
—— estabilizada, stripped gasoline.
—— mezclada, blended gasoline.
—— natural, natural or casing-head gasoline.
—— reformada, cracked gasoline.
gasolinera *f*, (M) filling station; (C) gasoline launch.
gasometría *f*, gasometry.
gasométrico, gasometric.
gasómetro *m*, gasometer, gas tank; gas meter.
gastable, erosible (soil).
gastar, to wear, wear out, wear away; to use up to spend; gastarse, to wear, wear out.

gasto *m*, volume of flow, discharge; expenditure; consumption; wear.
— **crítico**, critical flow.
— **de crecida**, flood flow.
— **de derrame** (hid), runoff rate.
— **instantáneo**, momentary flow.
— **sólido** (hid), bed load, material in suspension.
— **supercrítico**, supercritical flow.
gastos, charges, costs, expenses.
— **de administración**, administration expenses.
— **de conservación**, maintenance charges.
— **de embarque**, shipping charges.
— **de establecimiento** (Es), capital or fixed charges.
— **de explotación**, operating expenses.
— **generales**, general expense, overhead.
— **imprevistos**, contingencies.
gata *f*, (naut) cat; (Ch)(Pe) jack; (Ch) crank.
gatillo *m*, cramp; pawl, dog, trip, trigger, latch.
— **con anillo**, ring dog.
— **de banco** (cn), slab dog.
— **de descarga**, trip latch.
gatillos con cadena, chain dogs.
gato *m*, jack; (M) rail bender; (Col) bridging between joists.
— **a crique**, ratchet jack.
— **acodador**, shoring jack.
— **ademador**, shoring jack; mine jack.
— **alzatubos** (pet), pipe jack.
— **autobajador**, self-lowering jack.
— **corredizo**, traversing or wheeled jack.
— **de auxilio**, wrecking jack.
— **de cadena**, chain jack.
— **de cremallera**, ratchet or rack-and-pinion jack.
— **de garaje** (auto), service jack.
— **de gusano**, screw jack.
— **de husillo** (C), screw jack.
— **de lodo**, mud jack.
— **de manivela**, windlass jack.
— **de oreja**, claw jack, ground-lifting jack.
— **de palanca**, lever jack.
— **de perforador** (pet), oil-well jack.
— **de pie alzador**, foot-lift jack.
— **de puente**, bridge jack.
— **de remolque**, towing jack.
— **de rosca** o **de tornillo**, screw jack, jackscrew.
— **de tirar**, pulling jack.
— **de tornillo corredizo**, traversing screw jack, swing jack.
— **de tornillo engranado**, geared screw jack.
— **de tornillo invertido**, inverted screw jack.
— **de velocidad regulable**, variable-speed jack.
— **de vía**, track jack.
— **empujador de tubos**, pipe pusher.
— **encarrilador** (fc), wrecking jack.
— **hidráulico**, hydraulic jack.
— **levantatubos** (pet), casing jack.
— **minero**, mine jack.
— **para carrete**, cable-reel jack.
— **para muñones**, journal jack.
— **para postes**, pole jack.
— **para zanja**, trench jack, adjustable trench brace.
— **puntal**, trench jack.
gausiano (mat), Gaussian.

gausio, gaussio *m* (eléc), gauss.
gavera *f*, (Pe) form for mud wall; (V)(Col) brick mold; (V) box for measuring concrete aggregates.
gaveta *f*, drawer, locker, (auto) glove compartment.
gaviete *m* (náut), cathead.
gavilán *m*, center screw of a carpenter's bit; tholepin.
gavión *m* (r), gabion.
gaza *f*, loop; (cab) bend; (reinf) hook; (lg) choker.
gel-cemento *m* (A), cement gel.
gelatina *f*, gelatin.
— **amoniacal** (vol), ammonia gelatin.
— **aprobada** (vol), permissible gelatin.
— **explosiva**, explosive or blasting gelatin, gelatin dynamite.
— **explosiva corriente**, straight gelatin.
— **nutritiva** (is), nutrient gelatin.
gelatinizar, to gelatinize.
gelatinoso, gelatinous.
gelí *m*, an Ecuadorian lumber.
gelignita *f*, gelignite, gelatin dynamite.
gema *f* (carp), wane.
gemelo, twin, duplex, double.
gemelo (*m*) **de ballesta** (auto), spring shackle.
gemelos de campaña, field glasses.
genemotor *m* (ra), genemotor.
generador *m*, generator.
— **al arco** (ra), arc generator.
— **a viento** (eléc), wind charger, wind-driven generator.
— **asincrónico**, induction generator.
— **compound plano**, flat-compound generator.
— **de acetileno**, acetylene generator.
— **de armónicos**, harmonic generator.
— **de colectores múltiples**, multicommutator generator.
— **de corta derivación**, short-shunt generator.
— **de espuma**, foam generator.
— **de gas**, gas producer.
— **de imanes permanentes**, permanent-magnet generator.
— **de ondas** (eléc), surge or impulse generator.
— **de señales** (ra), signal or all-wave generator, all-wave oscillator.
— **de sobrecorrientes** (eléc), surge generator.
— **de tensión constante**, constant-potential generator.
— **de tercera escobilla**, third-brush generator.
— **de toda onda** (ra), signal generator, all-wave generator.
— **de válvula** (ra), tube generator.
— **de velocidad gobernada** (fc), controlled-speed generator.
— **entrerrápido**, medium-speed generator.
— **magnetoeléctrico**, magneto, magnetoelectric generator.
— **tipo paraguas**, umbrella-type generator.
generador-volante, flywheel generator.
generar, to generate.
generatriz *f*, generatrix; (elec) generator.
género *m*, fabric, cloth; carcass (tire).
genol *m* (cn), futtock.
geodesia *f*, geodesy.
geodésico, geodético, geodetic, geodesic.

geodesta *m*, geodesist.
geoeléctrico, geo-electrical.
geofísica *f*, geophysics.
—— eléctrica, electrogeophysics.
geofísico *m*, geophysicist; *a* geophysical.
geófono *m*, geophone.
geofotogrametría *f*, terrestrial photogrammetry.
geográfico, geographical.
geohidrología *f*, geohydrology.
geología *f*, geology.
geológico, geological.
geólogo *m*, geologist.
—— consultor, consulting geologist.
—— petrolero, petroleum geologist.
geometría *f*, geometry.
—— analítica, analytical or coordinate geometry.
—— descriptiva, descriptive geometry.
—— tridimensional, solid geometry.
geométrico, geometric, geometrical.
geostático, geostatic.
gerencia *f*, manager's office; administration, management.
gerente *m*, manager.
—— de compras (M), purchasing agent.
—— suplente, acting manager.
germen *m*, germ.
germicida, germicidal.
gestor *m*, promoter; agent, representative.
gibsita *f* (miner), gibbsite.
gigante *m*, giant, monitor.
gilbertio *m* (eléc), gilbert.
girable, rotatable.
giraescariador *m*, reamer wrench.
giramachos *m*, tap wrench.
girar, to revolve, turn, slue, swivel, swing, rotate; to draw (draft).
—— loco, to spin (wheels).
giratorio, revolving, gyratory, rotary.
giro *m*, revolving, sluing; turn; (machy) revolution; overturning (dam); (sh) swinging; (com) a draft; trade, line of business.
—— a la derecha (auto), right turn.
—— a la izquierda (auto), left turn.
—— a la vista, sight draft.
—— de maderas, lumber business.
girogravilladora *f* (Es), rotary gravel screen.
girómetro *m*, gyrometer.
girón *m*, strip of wood, scantling; (Pe) length of a city block.
giroscópico, gyroscopic.
giroscopio *m*, gyroscope.
girostática *f*, gyrostatics.
girostático, gyrostatic.
giróstato *m*, gyrostat.
gis *m*, crayon.
glacial, glacial.
glaciar *m*, glacier.
glaciofluvial (geol), glaciofluvial.
glacis *m*, glacis.
glándula *f*, occasionally used meaning packing gland.
glaseado *m*, glazing; *a* glazed.
glicerina *f*, glycerin.
glicerol *m* (quím), glycerol.
glicina *f* (fma), glycine.

glicol *m* (quím), glycol.
—— de etileno, ethylene glycol.
—— etilénico dinitrato (vol), ethylene glycol dinitrate.
glicólico, glycolic.
globo *m* (il), globe.
globular, globular.
glóbulo *m*, globule.
glóbulos reflectores (ca), reflector beads.
glorieta *f*, traffic circle.
glosador *m* (M), auditor.
gneis *m* (geol), gneiss.
gnéisico, gneissic.
gneisoide, gneissoid.
gnomon *m*, gnomon; carpenter's square.
gnomónico, gnomonic.
goa *f*, pig (iron), bloom; sow.
gobernalle *m* (cn), rudder.
gobernar, to control.
gobierno *m*, government; management, direction; control.
—— a distancia, remote control.
goetita *f*, goethite (iron ore).
gola *f*, ogee; (A) spillway bucket.
golfo *m*, gulf.
golilla *f*, washer; (Ch) pipe flange; (Sp) sleeve, collar.
—— de cojinete, bearing race.
golpe *m*, blow, shock; (eng) stroke; (C) throw.
—— de ariete o de agua, water hammer.
—— de aspiración, suction stroke.
—— de compresión, compression stroke.
—— de compuerta (M), water hammer.
—— de expulsión, exhaust stroke.
—— de retardo, backlash.
—— de retroceso, return stroke; backlash.
—— eléctrico, electric shock.
golpeador *m*, striker (with a hammer).
golpear, to strike, pound; (eng) to knock.
golpeo *m*, striking, pounding; (eng) knock.
—— por encendido, spark knock.
golpetear, (eng) to knock, hammer.
golpeteo *m*, knocking, pounding, (tel) thump.
—— del émbolo, piston slap.
gollete *m*, (mech) throat, neck; journal.
goma *f*, gum; rubber tire; eraser.
—— aisladora (eléc), splicing gum.
—— de balón, balloon tire.
—— de borrar, eraser.
—— de la caña (az), cane gum.
—— de cuerdas, cord tire.
—— de empalme (eléc), splicing gum.
—— de tela, fabric tire.
—— elástica, rubber.
—— esponjosa de borrar (dib), sponge rubber.
—— floja, flat tire.
—— laca, shellac.
—— mineral, mineral rubber.
—— recuperada, reclaimed rubber.
gomaguta *f* (dib), gamboge.
gomar, to treat with rubber.
gomería *f* (A), tire-repair shop.
gomero (*m*) vulcanizador (A), tire vulcanizer.
gomoso, gummy.
góndola *f*, (rr) gondola car; (ce)(M) narrow-gage dump car; omnibus.

goniógrafo m (Es), plane table.
goniometría f, goniometry.
goniométrico, goniometric.
goniómetro m, goniometer, angle meter.
—— de aplicación, contact goniometer.
—— de reflección, reflection goniometer.
gordo, (conc) rich; hard (water); oily; bulky.
gorrón m, gudgeon; male pivot; journal, trunnion; kingpin.
—— del eje, journal.
—— de manivela motriz, crankpin.
gorupo m, hawser bend.
gota f, drop; (pt) tear.
goteadero m, drip.
gotear, to leak; to drip.
goteo m, leakage, leaking; dropping.
gotera f, leak; (Ec) gutter; (top)(Sp) channel.
gotero m, drip (sill); weep hole.
goterón m, condensation gutter (skylight); drip.
gozne m, hinge, strap hinge.
—— amortiguador de piso, checking floor hinge.
—— de paleta, strap hinge.
—— de piso, floor hinge.
—— de placa, plate hinge.
—— en T, T hinge.
grabador m, grabadora f, graver, cutting tool.
grabar, to engrave; to carve.
grada f, step; gradin; stepladder; harrow; shipway, slip; (min) stope; (dd) altar; (lg) jumbo, go-devil; (bldg)(V) wall plate.
—— al revés (min), overhand stope.
—— abierta (min), open stope.
—— de astillero, shipway, launching way.
—— de dientes, tooth harrow.
—— de discos, disk harrow.
—— de espiguilla (min), herringbone stope.
—— de halaje (cn), slipway.
—— de relleno (min), filled stope.
—— derecha (min), underhand stope.
—— ramal (min), branch stope, stope cutout.
gradación f, (pmy) gradation; (ag)(Col) gradation.
gradar, to harrow.
gradería f, series of steps; stadium, grandstand.
gradiente m f, grade, slope, gradient; (Ch) upgrade.
—— de la energía, energy gradient.
—— de potencial, potential gradient.
—— de la presión (ms), pressure gradient.
—— de tensión (eléc), voltage gradient.
—— de velocidad (hid), velocity gradient.
—— gravimétrico (geof), gravitational gradient.
—— hidráulico o piezométrico, hydraulic gradient.
gradilla f, brick mold; stepladder; (lab) tube rack.
gradino m, stonecutter's chisel, graver.
gradiómetro m, gradiometer.
grado m, grade, class, rate; (machy) stage; (math) degree.
—— antidetonante, antiknock rating (gasoline).
—— de agudeza (fc)(V), degree of curve.
—— de calor, degree of heat.
—— de curvatura (fc), degree of curve.
—— de latitud, degree of latitude.
—— de octano, octane rating (gasoline).

—— de pureza (met), fineness.
—— de velocidad, rate of speed.
——, de un (bm), single-stage.
—— eléctrico, electrical degree.
—— único, de, single-stage.
gradómetro m, gradometer.
graduable, adjustable.
graduación f, gradation, graduation, grading; (Ec) grading, leveling; (machy) staging.
—— cetánica, cetane rating.
—— de presión (turb), pressure staging.
—— de velocidad (turb), velocity staging.
—— octánica, octane rating (gasoline).
graduador m, gage; graduator; adjuster.
graduadora f (mh), graduator.
graduar, to graduate; to classify; (ag) to grade; (mech) to index; (Ec) to level, grade; to adjust; (machy) to stage.
gráfica f, graphics; diagram, graph.
—— del indicador, (eng) indicator card.
—— de las mareas, tidal graph.
—— psicrométrica, psychrometric chart.
graficismo m (Es), graphics.
gráfico m, diagram, graph, chart; a graphic, graphical.
—— fluviométrico o hidráulico, hydrograph.
grafio m, stonecutter's chisel; (M) ruling pen.
grafitar, to apply graphite; to graphitize.
grafítico, graphitic.
grafitizar (A), to apply graphite; to graphitize.
grafito m, graphite.
—— escamoso, flake graphite.
—— fabricado, artificial graphite.
grafitoso (V), graphitic.
grafométrico, graphometric.
grafómetro m, graphometer.
grafostática f, graphostatics.
grafostático, graphostatic.
Gram-negativo (lab), Gram-negative.
Gram-positivo (lab), Gram-positive.
grama f, grass.
gramil m, (carp) marking or scratch gage; router; (Sp) gage line of rivets; (str)(M) gage distance.
—— doble, mortise gage.
—— para bisagras, butt gage.
—— para mortajas, mortise gage.
—— para rebajar, rabbet gage.
gramilar, to mark out, lay out.
gramión (quím), gram ion.
gramo m, gram.
gramo-metro, gram-meter.
gramocaloría f (M), calorie, small or gram calorie.
grampa f, clamp, clip, cramp; staple.
—— a cadena, chain vise.
—— de elástico (auto), spring clip.
—— de guardacarril (fc), guardrail clamp.
—— de mariposa, thumb clamp.
—— para cable, cable clip; cable clamp.
—— para cerca, fence clamp.
—— para manguera, hose clamp.
—— para moldes, form clamp.
grampas para correa, belt clamps or hooks or lacing.
granada (f) extintora, grenade fire extinguisher.

granadillo *m* (V), a hardwood.
granalla *f*, granulated metal; shot.
—— de carbón (tel), carbon granules.
granangular, wide-angle (camera).
granate *m*, garnet.
granatífero (geol), containing garnet.
grancillas *f*, stone screenings.
granel, a, loose, in bulk.
granetazo *m*, punch mark.
granete *m*, punch, center punch.
—— a campana, bell or self-centering center punch.
—— espaciador o de resorte, locating center punch.
granetear, to mark with a center punch.
granipórfido *m* (geol)(V), granophyre.
granítico, granitic.
granitífero, granitiferous.
granitiforme, granitiform.
granitita *f* (geol), granitite.
granitización *f*, granitization.
granito *m*, granite.
—— potásico, potash granite.
granitoide *m*, granitoid.
granitoideo *a*, granitoid.
granitullo *m* (A), small granite paving block.
graniza *f* (A), grits, small gravel.
granizo *m*, hail.
grano *m*, grain; grain (weight).
—— abierto (C), coarse grain.
—— cerrado, close grain.
—— fino, fine grain.
—— gordo (C), coarse grain.
—— grueso, coarse grain.
granoblástico (geol), granoblastic.
granodiorita *f* (geol), granodiorite.
granofírico, granophyric.
granofiro *m* (geol), granophyre.
granogabro *m* (geol), granogabbro.
granolítico (pav), granolithic.
granolito *m*, granolith.
granosidad *f*, granularity.
granoso, granular.
granudo (Es)(M), granular.
granulación *f*, granulation; (ag)(A) grading.
granulado, granulated.
granulador *m*, granulator.
granuladora *f* (A), sand crusher or roll.
granular, granular.
granulita *f* (geol), granulite.
granulítico, granulitic.
granulitización *f*, granulitization.
gránulo *m*, granule.
granulometría *f* (M), grading, graduation.
granulométrico, granulometric.
granulosidad *f*, granularity.
granuloso, granular.
granza *f*, stone screenings; (C) gravel; (A) crushed stone.
granzón *m*, stone screenings; gravel, grits; (V) run-of-bank gravel.
grapa *f*, clip, clamp, cramp; staple; (sa) dog.
—— de anclaje (eléc), dead-end clamp.
—— de aserradero, mill dog.
—— de banco, bench clamp.
—— de caída (as), drop dog.

—— de cuerda (eléc), cord grip.
—— del freno (pet), brake staple.
—— de madera, hand screw, carpenter's clamp.
—— de prueba (eléc), test clip.
—— de tensión (eléc), strain clamp.
—— golpeadora (pet), drive clamp.
—— para cable, cable clip; cable clamp.
—— para pendientes (eléc), grade clamp.
grapas para banda, belt hooks.
grapón *m*, cramp iron, clamp, dogbolt.
—— de hincar (ts), sheeting cap, plank cap.
grasa *f*, grease; slag.
—— animal (lu), animal fat.
—— de cerdo, lard.
—— de copa, cup grease.
—— de jabón de aluminio, aluminum-soap grease.
—— de jabón de cal, lime-soap grease.
—— grafítica, graphite grease.
—— lubricante, cup or lubricating grease.
—— micácea, mica grease.
—— para cable, cable compound, rope grease.
—— para caja de engranajes, transmission grease.
—— para copilla de presión, cup grease.
—— para ejes, axle grease.
—— para engranajes, gear compound.
—— para inyector, gun grease.
—— vegetal, vegetable fat.
grasera (*f*) de compresión, grease cup.
grasero *m* (M), slag dump.
grasiento, greasy, oily.
graso, oily; (conc) rich; fat (mixture).
grata *f*, rasp; wire brush.
gratificación *f*, bonus to an employee.
grauvaca *f* (geol), graywacke.
grava *f*, gravel.
—— de boleos, boulder gravel.
—— de cantera o de mina, pit gravel.
—— de guijas (V), granule gravel.
—— de playa, beach gravel.
—— en bruto (M), pit-run gravel.
—— fluvial, river gravel.
—— graduada, graded gravel.
—— provechosa (min), pay gravel.
—— sin cribar o tal como sale, run-of-bank or unscreened gravel.
gravadora *f* (Es), gravel screen.
gravedad *f*, gravity.
—— específica, specific gravity.
gravera *f*, gravel pit or bank.
gravífico (M), gravitational.
gravilla *f*, fine or pea gravel; grits.
gravilladora *f* (Es), gravel screen.
gravimetría *f*, gravimetry.
gravimétrico, gravimetric.
gravímetro *m*, gravimeter, gravity meter.
gravitación *f*, gravitation, gravity.
gravitacional (M), gravitational.
gravitar, to gravitate.
gravitómetro *m*, gravitometer.
—— registrador, recording gravitometer.
gravoso (M), gravelly.
greda *f*, loam, clay, marl, fuller's earth.
—— arenosa, sandy loam.
gredal *m*, clay pit.
gredoso, clayey, loamy.
gremio *m*, labor union; craft union; trade, craft

—— del oficio, craft union.
—— industrial, industrial union.
—— obrero, trade-union; labor union.
grenoquita *f*, greenockite (cadmium ore).
gres *m*, pug, clay mixture for making sewer pipe, brick, etc.
—— vidriado, glazed tile (pipe), glazed terra cotta.
greta *f* (M), litharge.
grieta *f*, crack, seam, chink; (lbr) check; (geol) joint.
—— capilar, hair crack.
—— de contracción, shrinkage crack.
—— de desecación (mad), season check.
—— pasante (mad), through check
—— térmica (vi), fire crack.
grietarse, to crack.
grietoso, cracked, seamy.
grifa *f*, (Ec) pattern, template; (A) straightening tool.
grifería *f*, stock or assortment of cocks or bibbs.
grifo *m*, cock, faucet, bibb; (Pe) hydrant.
—— de aparejamiento (auto), priming cock.
—— de cierre automático, self-closing faucet.
—— de cilindro, cylinder cock.
—— de compresión, compression cock.
—— de corporación, corporation cock.
—— de desagüe, mud or drain cock.
—— de desahogo, blowoff cock.
—— de descarga del sedimento, mud valve.
—— de despunte (az)(C), sampling cock.
—— de detención (Es), check valve.
—— de flotador (pb)(Es), float valve.
—— de macho, plug cock.
—— de mar (cn), sea cock or valve.
—— de prueba (cal), try or gage cock.
—— de purga, drain or blowoff cock.
—— de resorte, spring faucet.
—— de tres conductos, three-way cock.
—— descompresor (auto)(Es), priming cock.
—— indicador de nivel, gage cock.
—— para incendio, fire plug.
—— para manguera, hose bibb.
—— purgador de espumas, scum cock.
grilla *f* (A), grill, grate; (elec) grid.
—— de control (ra), control grid.
—— supresora (ra), suppressor grid.
grilla-pantalla (ra), screen grid.
grillaje *m* (A)(Col), grillage.
grillero *m* (A), grate cleaner.
grillete *m*, shackle; socket; clevis.
—— abierto (cab), open socket.
—— cerrado (cab), closed socket.
—— con perno roscado, screw-pin shackle.
—— de guardia (ef), eye-guard shackle.
—— de media vuelta, half-turned shackle.
—— de motón, block shackle.
—— de perno ovalado, oval-pin shackle.
—— de puente (cab), bridge socket.
—— de resorte, snap shackle.
—— de seguridad, safety shackle.
—— en horquilla (cab), open socket.
—— escalonado (cab), stepped socket.
—— forma corazón, heart shackle.
—— giratorio, swivel shackle.
—— para ancla, bending or anchor shackle.

grisú *m* (min), firedamp.
grisúmetro *m*, testing device for firedamp.
grisunita *f*, grisounite (explosive).
grisuoso, containing firedamp.
grisutina *f*, grisoutine (explosive).
grosor *m*, thickness; (ag) coarseness.
grúa *f*, crane; derrick; hoist.
—— alimentadora (fc), water crane.
—— amontonadora, tiering or stacking crane.
—— arrumadora, stevedoring or roustabout or cargo crane.
—— atirantada, guy derrick.
—— automóvil o autocamión (U), truck crane.
—— con pie de gallo (M), stiffleg derrick.
—— corredera o corrediza, traveling crane; traveling derrick.
—— de aguilón, derrick; jib crane.
—— de armador, erector's derrick.
—— de arrastre (M), dragline excavator.
—— de auxilio (fc), wrecking crane.
—— de bote (cn), davit.
—— de brazo, jib crane.
—— de brazos rígidos, stiffleg derrick.
—— de caballete, gantry crane.
—— de cable radial, radial cableway.
—— de cable trasladable, traveling cableway.
—— de cadena (A), chain block, differential hoist.
—— de camión, truck crane.
—— de carriles, crawler or caterpillar crane.
—— de columna, pillar crane.
—— de contravientos de cable, guy derrick.
—— de edificación, builder's derrick.
—— de esteras (C), crawler crane.
—— de grada, shipbuilding crane.
—— de martillo, hammer-head crane.
—— de ménsula, bracket crane.
—— de montaje, erectors' derrick.
—— de muelle, dock or wharf crane.
—— de orugas, crawler crane.
—— de palo, gin pole.
—— de pared, wall or jib crane.
—— de pescante, jib crane.
—— de piernas rígidas (M), stiffleg derrick.
—— de pórtico o de portal, gantry or bridge or portal crane.
—— de poste, pillar crane; gin pole.
—— de puente, traveling crane; bridge crane.
—— de retenidas, guy derrick.
—— de rotación completa, crane; (ce) whirler.
—— de salvamento (fc), wrecking crane.
—— de tijeras, shear legs, shears.
—— de torre, tower derrick.
—— de tractor, tractor crane.
—— de transbordo (fc), transfer crane.
—— de trípode, tripod derrick.
—— diferencial, differential hoist.
—— fija, derrick.
—— gigante, titan crane.
—— hidráulica o hidrante (A), (rr) water crane; track standpipe.
—— locomotora o locomóvil, locomotive crane.
—— transportadora de troncos, logging arch.
—— viajera, traveling derrick.
grúa-pontón, derrick barge, floating crane.
gruesa *f*, a gross.

grueso *m*, thickness; *a* thick, dense, heavy, coarse; hard (water); harsh (concrete).
grujidor *m*, glazier's nippers.
grumo *m*, floc, clot, bunch.
grupo *m*, group; set, battery.
—— compensador (eléc), balancing set.
—— de cabeza de pozo (pet), wellhead assembly.
—— de calderas, battery of boilers.
—— de carga, battery-charging set.
—— de motor y generador, motor generator set.
—— del obturador (fma), shutter assembly.
—— del ventilador, fan assembly.
—— electrógeno o generador, generating set.
—— motobomba, pump and engine.
—— motopropulsor, electric drive; (auto)(A) power plant.
—— motor (auto), power plant.
guabiroba *f*, an Argentine lumber (semihard).
guachipelín *m* (AC), a hardwood.
guadaña (*f*) para arbustos, brush scythe.
guafe *m* (C), small wharf.
guaico, see huaico.
gualdera *f*, stair string, stringer, carriage; (machy) shroud.
—— de contén (es), curb string, closed string.
—— del motón, cheek of a tackle block.
·—— de pared (es), wall string.
gualdrín *m*, weather strip.
gualtaco *m* (Ec), a hardwood.
gualle *m* (Ch), a hardwood.
guanteletes *m*, gauntlets.
guantes (*m*) de soldador, welder's gloves.
guaracú *m* (Col), basalt.
guaral *m* (Col)(V), light rope.
guarapariba *f* (V), cedar.
guarapo *m* (az), juice.
—— alcalizado, limed juice.
—— crudo, mill or raw juice.
guaraturo *m* (V), flint; quartz.
guarda *f*, guard; ward of a lock or key.
guarda *m* (fc), conductor, brakeman, guard.
—— forestal, forest warden.
guardaaguas *m* (ed), flashing.
guardaagujas *m* (fc), switchman.
guardaalmacén *m*, storekeeper.
guardaaludes *m*, shed to protect railroad track from landslides.
guardaanimales *m* (fc), cattle guard.
guardaarenas *m*, sand trap, catch basin.
guardabanda *m*, belt guard.
guardabandera *m* (lev), flagman.
guardabarrera *m* (fc), crossing watchman, gate tender.
guardabarro *m*, mudguard, (auto) fender.
guardaborde *m*, curb bar.
guardabosque *m*, forest warden.
guardabrisa *m*, windshield; (C) windbreak.
guardacabio *m* (ed), eaves board.
guardacable *m*, cable guard.
guardacabo *m* (cab), thimble.
—— de estacha, hawser thimble.
—— de igualación, equalizing thimble.
—— de maderero, logging thimble.
—— enterizo, solid thimble.
—— terminal (eléc), dead-end thimble.
guardacadena *m*, chain guard.

guardacambio *m* (fc), switchman.
guardacamino *m*, road or highway or traffic guard.
guardacanto *m*, curb bar; corner bead, nosing; (plywood) banding, railing.
guardacarretera *m*, highway or road or traffic guard.
—— de placa, steel-plate highway guard.
—— de resorte, spring-steel highway guard.
—— de tiras múltiples, multistrip highway guard.
guardacarril *m* (fc), guardrail.
guardacárter *m*, crankcase guard.
guardacellisca *m* (eléc), sleet hood.
guardacenizas *m*, ashpan.
guardacomején *m*, termite shield.
guardacorrea *m*, belt guard.
guardacrucero *m* (fc), crossing watchman.
guardacuerpo *m*, railing.
guardachispas *m*, spark arrester.
guardachoques *m* (auto), bumper.
guardadársena *m*, custodian of a dock or basin.
guardaderrumbes *m*, structure for protection against cave-ins.
guardadique, custodian of a dam.
guardaengranaje *m*, gear guard.
guardaescalón *m* (es)(A), safety tread.
guardaestanque *m* (Ch), reservoir custodian.
guardafango *m*, mudguard.
guardafarol *m*, lamp guard.
guardafierros *m* (M), tool keeper.
guardafiltro *m*, filter attendant.
guardafreno *m* (fc), brakeman.
guardafuego *m*, (for) fireguard; (elec) fire cutoff; *a* fire-resisting.
guardagalpón *m* (U), storekeeper.
guardaganado *m* (fc), cattle guard; (loco)(M) pilot, cowcatcher.
guardagrasa *m*, grease retainer.
guardaguía (*m*) de válvula (auto), valve-guide keeper.
guardaherramientas *m*, tool keeper.
guardahielo *m* (hid), ice apron.
guardahilos *m* (eléc), lineman.
guardahormigas *m*, ant guard.
guardahumo *m*, smoke helmet; smoke stop.
guardajunta *m* (ca), joint shield.
guardalado *m*, parapet, railing.
guardalámpara *f*, lamp guard.
guardalastre *m* (fc)(Ch), curb to retain ballast.
guardalíneas *m*, lineman.
guardalodos *m*, mudguard.
guardalluvia *m*, hood over door or window.
guardamano *m* (sol), handshield.
guardamina *m*, mine guard.
guardamonte *m*, forester, forest warden.
guardamotor *m*, protective device for a motor.
guardamuela *m*, guard over a grinding wheel.
guardanieves *m*, snowshed.
guardaojal *m*, metal grommet.
guardapájaros *m* (eléc), bird guard.
guardapiés *m* (fc), foot guard.
guardapolea *m*, pulley guard.
guardapolvo *m*, dust guard; dust seal or shield; overalls; (Sp) flashing or hood over door or window.

guardaposte *m*, wheel guard; strain plate; guy shim.

guardapretil *m* (pte), curb to protect parapet.

guardapuente *m*, bridge guard.

guardapuerta *f*, storm door.

guardarradiador *m* (auto), radiator guard.

guardarrana *m* (fc), guardrail at a frog.

guardarratas *m* (náut), rat guard.

guardarraya *f* (M)(C)(PR), boundary monument; boundary line.

guardarretenida *m* (eléc), guy guard; guy-wire protector.

guardarriel *m* (fc), guardrail, guard timber, guide rail.

—— **exterior** (fc), guard timber.

guardarrienda *f* (A), guy guard.

guardarrosca *m*, thread protector.

guardarruedas *m*, wheel guard; (V) guardrail.

guardasierra *m*, saw guard.

guardasillas *f*, chair rail.

guardatestigo *m* (sx), core barrel.

guardatiempo *m* (Ec), timekeeper.

guardatierra *m* (M), wing wall.

guardatoma *m* (hid), intake custodian.

guardatrén *m* (A), brakeman, conductor.

guardavaca *f* (fc), cattle guard.

guardaventana *f*, window guard; storm window.

guardaventilador *m*, fan guard.

guardavía *m* (fc), trackwalker; (A) crossing watchman, flagman.

guardaviento *m*, windshield.

guardavivo *m*, corner bead, curb bar, edge protector.

guardavolante *m*, flywheel guard.

guardera *f* (C), shield; (machy) shroud.

—— **contra hormigas** (C), ant guard.

guardián *m* (Ec)(U), watchman, custodian, policeman.

guardín *m* (cn), rudder chain or cable.

guaribo *m* (M), a softwood.

guarismo *m*, figure, number, cipher.

guarnecer, to trim, fit out; to stucco; to line (brake); to bush (bearing).

guarnecido *m*, stucco, (A) brown coat of plaster.

—— **de bronce**, with brass trimmings.

guarnición *f*, packing; gasket; lining; (carp) trim; (M) curb; (mech) insert.

—— **de amianto**, asbestos packing.

—— **de cerradura**, lock trim.

—— **del embrague**, clutch lining.

—— **de freno**, brake lining.

—— **de motón**, strap of a tackle block.

—— **de sellar** (eléc), sealing gasket.

—— **espiraloide**, labyrinth packing.

guarniciones, fittings, trimmings.

—— **de conducto** (eléc), conduit fittings.

—— **de grapa** (eléc), clamp fittings.

—— **divididas** (eléc), split fittings.

—— **terminales de conducto** (eléc), raceway terminal fittings.

guarnir, to reeve; to rig; to trim.

guarrusca *f* (Col), machete.

guata *f*, (Ch) buckling, warping, deflection; (A) cotton waste.

guataca *f* (C), hoe.

—— **neumática** (C), clay spade, air spade.

guatambú *m*, a South American wood.

guaya *f* (V), wire rope.

guayabi, guayaibí *m*, a South American hardwood.

guayacán *m*, **guayaco** *m*, lignum vitae, guaiacum.

guayarote *m* (PR), kind of cedar.

guayo *m* (C)(Ch), a hardwood.

gubia *f*, gouge (carpenter's and ironworker's).

—— **acodada**, bent gouge.

—— **con espiga hueca**, socket gouge.

—— **con rabo**, tang gouge.

—— **de maceta**, firmer gouge.

—— **de mano**, paring or scribing gouge.

—— **de torno**, turning gouge.

gubia-punzón, firmer gouge.

guía *f*, (mech) guide, fairleader; (bl) fuse; (geol) branch vein; (min) leader; (rr) waybill; (rr) timetable; permit.

—— **colorimétrica** (lab), color chart.

—— **de campaña** (A), waybill.

—— **de carga** (tr), waybill.

—— **de cortar al hilo** (em), rip gage.

—— **de depósito o de almacén**, warehouse receipt.

—— **de embarque** (A), bill of lading.

—— **de equipaje** (fc), baggage receipt.

—— **de espigar**, doweling jig.

—— **de filón** (min), pay streak; leader

—— **de limar** (si), filing guide.

—— **de ondas** (ra), wave guide.

—— **de rotular** (dib), lettering guide.

—— **de sierra**, saw guide or gage.

—— **de trozar** (em), cutoff gage.

—— **de trozar ingletes**, miter cutoff gage.

—— **de la válvula**, valve guide.

—— **del vástago de émbolo**, piston-rod guide.

—— **en V**, V way.

—— **para biselar**, chamfer gage.

guías

—— **colgantes** (pi), swinging or hanging leads.

—— **del contrapeso** (asc), counterweight rails.

—— **del martinete**, pile-driver leads.

guíabarrena *m* (pet), whipstock.

guíacuchilla *f* (eléc), blade guide.

guiadera (*f*) **de cojinete**, bearing race.

guiaderas, guides.

guiar, to guide; (auto) to drive.

guíasondas *m* (pet), whipstock.

guija *f*, pebble.

guijarral *m*, gravel bed.

guijarreño, guijarroso, guijeño, guijoso, gravelly.

guijarrillos *m*, pebbles.

guijarro *m*, pebble, cobble, boulder.

guijo *m*, gravel; (machy) journal, gudgeon; (su) (C) roll shaft; (Ph) a construction lumber.

guillame *m*, rabbet plane, fillister.

—— **de acanalar**, fluting plane.

—— **de costado**, side fillister.

—— **de inglete**, chamfer plane.

—— **hembra**, hollow plane.

—— **macho**, grooving plane.

guillotina *f*, a shear; double-hung window.

—— **de palanca** (M), lever shear.

—— **para pernos** (M), bolt clippers.

guimbalete *m*, pump jack; cornice brake; sweep of a bit brace.

guimbarda *f*, rabbeting or router or housing plane.
guinchador *m* (A), hoist runner, hoisting engineer.
guinchar (A), to handle (cargo) with a hoisting engine.
guinche *m* (A)(U)(Col), hoisting engine, winch, windlass; crane.
— carril, locomotive crane.
— colgante, trolley hoist.
— corredizo, traveling hoist.
— del ancla (cn), anchor winch.
— de compuerta, gate hoist.
— de mano, windlass, winch.
— locomóvil, locomotive crane.
— trasladable (A), traveling hoist.
guinchero *m* (A)(Col), hoist runner.
güinchero *m* (C), hoist runner.
guinda *f* (C), slope of a roof.
guindaleta *f*, small rope, cord.
guindaleza *f*, hawser.
guindaste *m* (AC), jib crane.
guindo *m*, an Argentine lumber (semihard).
guindola *f*, boatswain's chair; life preserver.
guión *m*, (A) an upright; stake for sighting; (Ch) rafter.
güiris *m*, mining expert.
guirnalda *f* (náut), fender, rubbing strip, dolphin.
gunita *f*, gunite.
gunitista *m*, cement-gun worker.
gusanillo *m*, gimlet, twist drill.
gusano *m*, drill bit; worm; (V) spiral reinforcement.
gusto *m*, taste.
gutapercha *f*, gutta-percha.
gutaperchado (A), rubber-covered.

haber *m*, (act) credit.
habilitación *f*, outfit, equipment; fitting out.
habilitado *m* (Es)(V), official who handles money, paymaster.
habilitar, to equip, fit out, rig.
hacer, to make; to do.
— agua (náut), to leak.
— asiento, to settle.
— efectivo, to cash, collect.
— escala en, to call at, stop at.
— estación (lev), to fix a transit point; to set up the transit.
— masa (eléc), to ground.
— quiebra, to go into bankruptcy.
— saltar (vol), to fire, shoot.
hacienda *f*, treasury; landed estate; works, plant; plantation, farm; (A) cattle, livestock.
— de azúcar (PR), sugar mill.
— de beneficio o de fundición, smelter.
— de cianuración, cyanide plant.
— pública, public treasury.
hacinador *m*, stacker.
hacinar, to stack, pile.
hacha *f*, ax.
— ancha, broadax.
— de dos filos, double-bit ax.
— de mano, hatchet, hand ax.

— de marina, ship carpenter's ax.
— de media labor, half broadax.
— de monte o de tumba, falling or felling ax.
— mecánica, power ax, wood splitter.
— para descortezar, peeling ax.
hachador *m* (A), axman.
hachagubia *f* (M), ax used in mine timbering.
hachazo *m*, blow of an ax.
hachazuela *f* (M), adz.
hachear, to hew, cut with an ax.
hachero *m*, axman, woodcutter.
hacheta *f*, hatchet.
hachón *m* (fc), fusee.
hachuela *f*, hatchet; (C) adz.
— ancha, broad or shingling hatchet.
— de banco, bench hatchet.
— de entarimar, flooring hatchet.
— de listonador, lathing hatchet.
— de martillo, hatchet with hammer face.
— de media labor, half or lathing hatchet.
— de oreja o de uña, claw hatchet.
hachurar (dib)(Ch), to hatch.
hachuras *f* (dib)(Ch), hatching, hachures.
halador (*m*) de vagones, car puller.
halaje *m*, hauling, haulage.
halar, to haul, pull.
halavagones *m*, car puller.
halita *f*, halite, native or rock salt.
halo *m* (fma), halation.
hangar *m*, hangar; (A) warehouse, shed.
— de nariz (ap), nose hangar.
hardenita *f* (met), hardenite.
harina *f* (ca), flour.
— fósil, fossil flour, kieselguhr, diatomaceous earth.
— mineral (ca), mineral filler.
harinoso, floury (soil).
harmónico *m a* (eléc)(mat), harmonic.
harnear (Col)(Ch), to sift, screen.
harnerero *m*, screen tender.
— harnero *m*, screen.
— corredizo, traveling screen.
— de alas, wing screen.
— giratorio, revolving screen.
— vibratorio, shaking screen.
hastial *m*, front wall; gable, pediment; (Sp) side wall of a brick sewer.
— de piso (min)(B), footwall.
— de techo (min)(B), hanging wall.
hastiales (min), side walls of a gallery.
haya *f*, beech.
haz *m*, bundle; fagot.
— de marcha (auto), driving or country beam.
— de radio, radio beam.
— de rayos, bundle of light rays, cone of rays.
— de tráfico (auto), traffic beam (of light).
— electrónico, electron stream; radio beam.
— lumínico, bundle of light rays.
haz *f*, surface; façade.
hebra *f*, grain (wood) ; vein of ore; thread; (cab) (Ch) strand.
hectárea *f*, hectare.
hectogramo *m*, hectogram.
hectolitro *m*, hectoliter.
hectómetro *m*, hectometer.
hectovatio *m*, hectowatt.

hecho, made.
—— a mano, handmade.
—— a máquina, machine-made.
—— en sitio, built-in-place.
hechura f, workmanship, making.
hechurar (A), to make.
helada f, frost.
heladera f, refrigerating plant; icebox.
helar, helarse, to freeze.
helero m, glacier.
heliantina f (lab), helianthin, methyl orange.
hélice f, screw propeller; helix.
—— de aletas fijas (turb), fixed-blade propeller.
—— de aletas regulables (turb), movable-blade
    propeller.
hélices gemelas, twin screws.
hélico, helical.
helicoidal, helicoidal.
helicoide m, helicoid.
helicóptero m, helicopter.
helio m (quím), helium.
heliografía f, heliography; blueprint, sun print.
heliográfico, heliographic.
heliógrafo m, heliograph, heliotrope.
heliograma m, heliogram.
heliostático, heliostatic.
helióstato m, heliotrope, heliostat.
heliotropista m, operator of a heliotrope.
heliotropo m, (inst) heliotrope; (miner) helio-
    trope, bloodstone.
hematita, hematites f, hematite (iron ore).
hematites parda, brown hematite, limonite.
hematites roja, red hematite, hematite.
hematítico, hematitic.
hembra f, pipe cap; nut; a (mech) female.
—— de cerrojo (ft), keeper, staple, bolt socket,
    lock strike.
—— de cerrojo de aplicar, surface strike.
—— de cerrojo de arrimar, rim strike.
—— de cerrojo de embutir, mortise strike.
—— de fleje acodado, strap staple.
—— de gorrón (náut), gudgeon.
—— de terraja, die for male thread.
—— de tornillo, nut.
hembras del timón (cn), rudder gudgeons.
hembrilla f, eyebolt.
hemicelulosa f (is), hemicellulose.
hemiciclo m, hemicycle.
hemicristalino, hypocrystalline, hemicrystalline.
hemielipsoidal, hemiellipsoidal.
hemihidrato m (quím), hemihydrate.
hemimorfía f (miner), hemimorphism.
hemimórfico, hemimorphic.
hemimorfita f (miner), hemimorphite, calamine.
hemisférico, hemispherical.
hemisferio m, hemisphere.
henchidor m, (wr) filler wire.
henchimiento m (cn), boss.
hendedor m, splitter; (lg) froe.
hendedura f, split, crack, crevice; (lbr) check;
    (min) cleat; cleavage.
—— de desecación, season check.
hender, to split, rive; (lbr) to rip; henderse, to
    split, (lbr) to check.
hendibilidad f, fissility.
hendible, easily split, fissile, cleavable.

hendidura f, split, crack, seam, (lbr) check.
henequén m, sisal, henequen.
henrio m (eléc), henry.
heptano m (quím), heptane.
heptodo m (ra), heptode.
heptóxido m (quím), heptoxide.
herido m (Ch), a trench.
hermanar (mec), to mate.
hermeticidad f, watertightness.
hermético, watertight, airtight, hermetic.
—— al aceite, oiltight.
—— al agua, watertight.
—— a la luz, lighttight.
—— al polvo, dust-tight.
—— al vapor, vaportight, steamtight.
hermetizar (A), to make tight, waterproof.
herrador m, horseshoer, blacksmith, farrier.
herradura f, horseshoe.
herraje m, ironwork, hardware.
—— de los aseguradores (ed), underwriters'
    hardware.
herrajes, iron fittings.
—— del aguilón, (de) boom irons.
—— de grúa, derrick fittings.
—— de postería, pole-line hardware.
—— marinos, marine hardware.
—— para casquillo, socket attachments.
—— para construcciones (A), builder's hardware.
herramentaje m, outfit of tools.
herramental m, toolbox; kit of tools.
herramentero m, tool boy.
—— llevabarrenas, drill nipper.
herramentista m, operator of a machine tool.
herramienta f, tool.
—— abocinadora, flaring tool.
—— acabadora (mh), finishing or necking tool.
—— acodada (mh), bent or offset tool.
—— alisadora (mh), smoothing tool.
—— amolada (mh), ground tool.
—— calzada (mh), tipped tool.
—— centradora (mh), centering tool.
—— cortadora, cutting tool.
—— de ahuecar (mh), trepanning tool.
—— de caja (mh), box tool.
—— de cuchillas postizas (mh), inserted-cutter
    tool.
—— de filetear, chasing tool.
—— de filo ancho (mh), broad-nose or stocking
    tool.
—— de pesca (pet), fishing tool.
—— de punta simple (mh), single-point tool.
—— de puntas múltiples, multipoint cutting tool.
—— de recortar (mh), cutting-off tool.
—— de refrentar, facing tool.
—— descentrada (mh), offset tool.
—— desviadora (pet), deflecting tool.
—— esquilante (mh)(A), shearing tool.
—— manual, hand tool.
—— mecánica, machine tool; power-driven tool.
—— moleteadora, knurling tool.
—— percusora, percussion tool.
—— ranuradora (mh), slotting or splining tool.
—— rebajadora (mh), cutting-down tool.
—— tajante (mh)(A), cutting tool.
herramientas
—— de dotación (auto), tools supplied with the car.

—— de fogón (cal), fire tools.
—— de fragua, blacksmith tools.
—— de percusión (pet), cable tools.
—— de yunque, anvil tools.
—— deflectoras (pet), deflecting tools.
—— torneadoras, lathe tools.
herranza f (Col), blacksmith work.
herrar, to shoe horses, do blacksmith work.
herrería f, blacksmithing; blacksmith shop; ironwork.
—— artística (A), ornamental ironwork.
—— de ángulos (cn), anglesmithing.
—— de obra, structural ironwork.
herrero m, blacksmith.
—— armador, iron erector.
—— carrocero, blacksmith for wagons.
—— de arte, maker or erector of ornamental
  ironwork.
—— de grueso, structural ironworker; blacksmith.
—— de obra, structural-iron erector, steelworker.
herrín m, iron rust.
herrumbre f, rust.
herrumbroso, rusty.
hertziano (eléc), hertzian.
hertzio m, hertz (unit of frequency).
hervidero m, water leg of a boiler.
hervidor m, small boiler; water leg.
—— de aceite, oil boiler.
—— de inmersión (eléc), immersion heater.
hervir, to boil.
hervor m, boiling, ebullition.
hesita f (miner), hessite, telluric silver.
heterodina f (ra), heterodyne.
heterodinaje m (ra)(A), heterodyning.
heterodinar, to heterodyne.
heterodino a, heterodyne.
heterogéneo, heterogeneous.
heterostático, heterostatic.
heterotrófico, heterotrophic.
heumita f (geol), heumite.
hexaédrico, hexahedral.
hexaedro m, hexahedron.
hexafásico, six-phase.
hexagonal, hexagonal.
hexágono m, hexagon; a hexagonal.
hexahidrato m (quím), hexahydrate.
hexahídrico, hexahydric.
hexametafosfato m, hexametaphosphate.
hexametilentetramina f (is), hexamethylenetetramine.
hexángulo, hexangular.
hexano m (quím), hexane.
hexapolar (eléc), six-pole.
hexavalente (quím), hexavalent.
hexodo m a (ra)(tel), hexode.
hialino a, hyaline.
hialobasalto m (geol), hyalobasalt, basalt glass.
híbrido (eléc)(geol), hybrid.
hicoria f, hickory.
hidrácido m, hydracid.
hidrante m, hydrant.
—— anticongelante, antifreezing hydrant.
—— de incendio, fire hydrant.
hidratable, hydratable.
hidratación f, hydration.

hidratado, hydrated; hydrous.
hidratador m, hydrator.
hidratar, to hydrate.
hidrato m, hydrate.
—— de calcio, calcium hydrate or hydroxide.
—— de cloro, chlorine hydrate.
—— de sodio, sodium hydrate or hydroxide,
  caustic soda.
hidráulica f, hydraulics.
—— aplicada, applied hydraulics.
hidraulicidad f, hydraulicity.
hidráulico m, hydraulic engineer; a hydraulic.
hidraulista m (Es), hydraulic engineer.
hídrico, hydric.
hidriódico (quím), hydriodic.
hidroarenisca f (Es), an artificial sandstone.
hidroavión m, seaplane, hydroplane, flying boat.
hidrobarómetro m, hydrobarometer.
hidrobiología f, hydrobiology.
hidrobiológico, hydrobiological.
hidrobrómico, hydrobromic.
hidrocaliza f (Es), an artificial limestone.
hidrocarbonato m, hydrocarbonate.
hidrocarburo m, hydrocarbon.
hidrociánico, hydrocyanic.
hidrocianuro, hydrocyanide, hydrocyanate.
hidrocinético, hydrokinetic.
hidroclorato m, hydrochlorate.
hidroclórico, hydrochloric.
hidrocloruro m, hydrochloride.
—— de bencidina (is), benzidine hydrochloride.
—— de hidroxilamina (is), hydroxylamine hydrochloride.
hidrocodímero m (pet), hydrocodimer.
hidrodifusión f, hydrodiffusion.
hidrodinámica f, hydrodynamics.
hidrodinámico, hydrodynamic; streamlined.
hidroelectricidad f, hydroelectricity.
hidroeléctrico, hydroelectric.
hidroextractor m, centrifugal drier, hydroextractor.
hidrófilo, absorbent, hydrophilic.
hidrófono m, hydrophone.
hidroformación f (pet), hydroforming.
hidróforo m, hydrophore.
hidrófugo m, waterproofing compound; a waterproof.
hidrogenado, hydrogenous.
hidrogenar, to hydrogenize, hydrogenate.
hidrogeneración f (eléc), hydrogeneration.
hidrogenión m, hydrogen ion.
hidrógeno m, hydrogen.
—— sulfurado, sulphureted hydrogen, (min)
  stinkdamp.
hidrognosia f, hydrognosy.
hidrografía f, hydrography.
hidrografiar, to make a hydrographic survey.
hidrográfico, hydrographic.
hidrógrafo m, hydrograph; hydrographer.
—— de retroceso, recessional hydrograph.
—— unitario, unit hydrograph, unitgraph.
hidrograma m (A)(M), hydrograph.
hidrolasa f (is), hydrolase.
hidrólisis f (quím), hydrolysis.
hidrolita f, hydrolyte.
hidrolítico, hydrolytic.

hidrolizar, to hydrolyze.
hidrología *f*, hydrology.
hidrológico, hydrologic.
hidrologista *m*, hydrologist; hydraulic engineer.
hidrólogo *m*, hydrologist.
hidromático, hydromatic.
hidromecánica *f*, hydromechanics.
hidromecánico, hydromechanical.
hidromensor *m*, stream gager.
hidromensura *f*, stream gaging.
hidrometalurgia *f*, hydrometallurgy.
hidrómetra *m* (Es), stream gager.
hidrometría *f*, measurement of flow, stream gaging; (A)(C) hydrometry.
hidrométrico, hydrometric.
hidrómetro *m*, stream gage, current meter; (A)(C) hydrometer.
hidromotor, hydromotor.
hidroneumático, hydropneumatic.
hidroplano *m*, seaplane.
hidroprensa *f*, hydropress.
hidroquinoua *f*, hydroquinone.
hidroseparador *m*, hydroseparator.
hidrosilicato *m*, hydrosilicate.
hidroso, hydrous.
hidrostática *f*, hydrostatics.
hidrostático, hydrostatic.
hidrostato *m*, hydrostat.
hidrosulfato *m*, hydrosulphate.
hidrosulfito *m*, hydrosulphite.
hidrosulfuro *m*, hydrosulphide.
hidrotaquímetro *m*, hydrotachymeter.
hidrotasímetro *m*, hydrotasimeter.
hidrotecnia *f*, hydraulics, hydraulic engineering.
hidrotécnico *m*, hydraulic engineer; *a* hydrotechnical.
hidrotermal, hidrotérmico, hydrothermal.
hidrotimetría *f*, hydrotimetry.
hidrotimétrico, hydrotimetric.
hidrotímetro, hydrotimeter.
hidrotita *f*, Hydrotite (trademark)(pipe joints).
hidrotratador *m*, Hydrotreator (trademark).
hidróxido *m*, hydroxide, hydrate.
—— **cálcico**, calcium hydroxide or hydrate, slaked lime.
—— **de aluminio**, aluminum hydroxide, (miner) gibbsite.
—— **de magnesio**, magnesium hydroxide, (miner) brucite.
—— **de potasio**, potassium hydroxide, caustic potash.
—— **de sodio**, sodium hydroxide, caustic soda.
hidroxil *m*, hydroxyl.
hidroxilar, to hydroxylate.
hidroyector *m*, ejector.
hidruro *m*, hydride.
hielo *m*, ice.
—— **de anclas** (hid), anchor ice.
—— **de cloro** (pa), chlorine ice or hydrate.
—— **de chispas**, frazil ice.
—— **de fondo**, anchor ice, ground ice.
—— **flotante,** drift ice.
—— **seco**, dry ice.
hierro *m*, iron; iron of a plane; any iron implement.
—— **al carbón de leña**, charcoal iron.

—— **al coque**, coke iron.
—— **al molibdeno**, ferromolybdenum.
—— **al níquel**, ferronickel.
—— **al titanio**, ferrotitanium.
—— **acanalado**, corrugated iron.
—— **acerado**, semisteel.
—— **afinado**, refined iron.
—— **alfa**, alpha iron.
—— **angular**, angle iron, (sb) angle bar.
—— **arsenical**, arsenopyrite, mispickel.
—— **batido**, wrought iron.
—— **beta**, beta iron.
—— **casual** (ct)(az), tramp iron.
—— **cochino**, pig iron.
—— **colado**, cast iron.
—— **cromado**, (miner) chromite.
—— **crudo fundido**, chill cast pig.
—— **cuadrante** (Es), Phoenix-column segment.
—— **de canal**, channel iron.
—— **de carbón vegetal**, charcoal iron.
—— **de cepillo**, a plane iron.
—— **de desecho**, scrap iron, junk.
—— **de doble afinación**, double-refined iron.
—— **de fragua**, wrought iron.
—— **de fundición**, cast iron.
—— **de lingote**, ingot iron; pig iron.
—— **de marcar**, a branding iron.
—— **de paquete** (Es), ingot iron.
—— **de parrilla**, grate bar.
—— **de primera fusión**, pig iron.
—— **de recalcar**, calking tool.
—— **delta**, delta iron.
—— **doble T**, I beam.
—— **dulce**, wrought iron; ingot iron.
—— **dulce de fusión**, malleable cast iron.
—— **en bruto**, pig iron.
—— **ele** (A), angle iron with unequal legs; any angle iron.
—— **espático**, spathic iron, siderite.
—— **especular**, specular iron, spiegeleisen.
—— **espinela** (miner), iron spinel, hercynite.
—— **fangoso**, bog iron ore, limonite.
—— **forjable**, malleable iron.
—— **forjado o fraguado**, wrought iron.
—— **forjado legítimo**, genuine wrought iron.
—— **fundido o moldeado**, cast iron.
—— **gamma**, gamma iron.
—— **guardaborde**, curb bar.
—— **I**, I beam.
—— **laminado**, rolled iron.
—— **magnético**, magnetite, magnetic iron ore.
—— **manganésico**, ferromanganese.
—— **ondulado**, corrugated iron.
—— **pantanoso**, swamp iron ore, limonite.
—— **pardo** (miner), limonite, brown hematite.
—— **perflado**, structural shapes.
—— **semiacerado** (Pe), semisteel.
—— **soldador**, a soldering iron.
—— **T**, T iron, T bar.
—— **tableado** (Es), flat iron.
—— **U**, channel iron.
—— **U cuadrado**, square channel.
—— **vaciado**, cast iron.
—— **viejo**, scrap, junk.
—— **Z**, Z bar.
hietal, hyetal, pluvial.

hietografía *f*, hyetography, science of rain distribution.
hietógrafo *m* (mrl), hyetograph.
hietología *f* (mrl), hyetology.
hietológico, hyetological.
hietómetro *m*, hyetometer, rain gage.
hietometrógrafo *m*, hyetometrograph, self-registering rain gage.
higiene *f*, hygiene.
—— pública, public health.
higiénico, hygienic.
higienista, hygienist.
higienizar, to make sanitary, hygienize.
higrógrafo *m* (mrl), hygrograph.
higrometría *f* (mrl), hygrometry.
higrométrico, hygrometric.
higrómetro *m*, hygrometer.
—— de cabello, hair hygrometer.
—— registrador, hygrograph.
higroscopicidad *f*, hygroscopicity.
higroscópico, hygroscopic.
higroscopio *m* (mrl), hygroscope.
higrostática *f*, hygrostatics.
higróstato *m* (aa), hygrostat, humidistat.
higrotérmico, hygrothermal.
higrotermógrafo *m*, hygrothermograph.
higuerón *m*, a South American softwood.
hijuela *f*, subsidiary irrigation ditch; branch sewer; small vein of ore.
hila *f* (Es), a measure of irrigation water (about 10½ liters per sec).
hilas *f* (C), cotton waste.
hilacha (*f*) de algodón, cotton waste.
hilacha de acero, steel wool.
hilada *f*, layer, course, (conc) lift.
—— atizonada o de cabezal (mam), header course.
—— de coronación (mam), coping.
—— de faja (mam), stretcher course.
—— voladiza (mam), corbel course.
hilaza (*f*) de asbesto, asbestos yarn.
hilera (*f*), purlin; ridgepole; (mas) course; (met) wire-drawing plant; kind of brickmaking machine.
—— a diamante (met), diamond dies.
hilo *m*, wire; thread; (M) strand; (C) screw thread; small vein of ore.
—— de contacto (eléc)(Ch), contact wire.
—— de guardia (eléc), guard wire.
—— de masa (auto), ground wire.
—— de plomada, plumb line.
—— de velas, sail twine.
—— de Wollaston (inst), Wollaston wire.
—— fusible (eléc), fuse wire.
—— piloto, pilot wire.
hilos
—— aplastados (cab)(M), flattened strand.
—— del retículo o en cruz (inst), cross hairs.
—— estadimétricos (M), stadia wires.
—— taquimétricos, stadia wires.
—— taquimétricos desvanecedores, disappearing stadia hairs.
hinca, hincada *f* (pi), driving.
hincador *m*, driver.
—— de postes de cerco, fence-post driver.
—— de tubo, pipe driver.
hincadora *f*, driver.

—— de tablestacas, sheeting hammer.
hincadura (*f*) de pilotes, pile driving.
hincapilotes *m* (A), pile driver.
—— de caída, drop hammer.
hincar, (pi) to drive; (mt) to bite, cut, sink.
—— a rechazo, to drive to refusal.
hincharse, to swell; (rd) to mushroom.
hinchazón *f*, swelling, bulking.
hipérbola *f*, hyperbola.
hiperbólico, hyperbolic.
hiperboloide *m*, hyperboloid.
hipercompound (eléc), overcompounded.
hiperestático (A)(V), statically indeterminate.
hipereutectoide (met), hypereutectoid.
hiperfocal, hyperfocal.
hiperfrecuencia *f* (ra), hyperfrequency.
hipersensibilizado, hypersensitized.
hipocicloide *f*, hypocycloid.
hipoclorador *m*, hypochlorinator.
hipoclorito *m*, hypochlorite.
hipocloroso, hypochlorous.
hipocristalino, hypocrystalline.
hipoeutectoide (met), hypoeutectoid.
hipoidal *a* (maq), hypoid.
hipomóvil (A), horse-drawn.
hiposulfito (*m*) de sodio, sodium hyposulphite, hypo.
hipoteca *f*, mortgage.
—— posterior, junior mortgage.
—— refundente (C), refunding mortgage.
hipotecar, to mortgage.
hipotenusa *f*, hypotenuse.
hipótesis *f*, hypothesis.
hipsografía *f*, hypsography.
hipsográfico, hypsographic.
hipsógrafo *m*, hypsograph.
hipsometría *f*, hypsometry.
hipsométrico, hypsometric.
hipsómetro *m*, hypsometer.
histeresímetro *m* (eléc), hysteresis meter, hysteresimeter.
histéresis *f*, hysteresis.
—— dieléctrica, dielectric hysteresis or absorption.
—— elástica o mecánica, mechanical or elastic hysteresis.
—— magnética, magnetic hysteresis or friction.
—— viscosa, viscous hysteresis, magnetic creeping.
histerético, hysteretic.
histograma *m*, histogram.
hita *f*, brad, finishing nail.
hito *m*, survey monument; guidepost.
—— de límite, boundary monument.
hitón *m* (min), driftbolt, spike.
hocino *m*, gorge, narrows, canyon.
hodógrafo *m*, odograph.
hodómetro *m*, odometer.
hogar *m*, furnace, firebox.
—— abierto, de, open-hearth (steel).
—— escoriador, slag hearth.
hoja *f*, leaf; sheet; ply; blade; pane (glass), light; window sash; leaf of a door; leaf of a spring (A) land of a twist drill.
—— ancha, de (árbol), broadleaf, deciduous.
—— batiente, casement sash, hinged window.

—— calibradora, thickness gage, feeler.
—— corta, shortleaf (pine).
—— de aluminio, aluminum foil.
—— de balance (A), balance sheet.
—— de computaciones, work sheet.
—— de cuchillo, knife blade.
—— de elástico, leaf of a spring.
—— de empuje (ec), bulldozer, Bullgrader, Roadbuilder.
—— de empuje a cable, cable-controlled bulldozer.
—— de empuje angular, trailbuilder, Roadbuilder,
angledozer, Bullgrader, Gradebuilder, Dozecaster.
—— de estaño, tin foil.
—— de estaño emplomado, terneplate.
—— de lata, tin plate.
—— de latón, sheet brass.
—— de madera, veneer.
—— de oro, gold leaf or foil.
—— de pedido (V), order blank.
—— de plomo, lead foil.
—— de ruta (tr), waybill.
—— de sierra, saw blade.
—— de trébol (ca), clover-leaf (intersection).
—— larga, longleaf (pine).
—— maestra, main leaf (spring).
—— metálica, sheet metal; metal leaf, foil.
—— niveladora (ec), scraper blade.
—— para taludes (ca), sloper blade, backsloper.
—— punzante (ec), Stinger blade (trademark).
—— topadora (ec), bulldozer.
hojalata f, tin plate; sheet metal.
—— al coque, coke tin plate.
hojalatería f, tinsmithing, sheet-metal work;
sheet-metal shop.
hojalatero m, tinsmith, sheet-metal worker.
hojarasca f, dead leaves, trash, rubbish.
hojear (M), to slice a log for veneering.
holgura f (maq), play.
holoclástico (geol), holoclastic.
holófano, Holophane (trademark).
holómetro m, holometer, pantometer.
holostérico, holosteric.
holozoico (is), holozoic.
hollín m, soot, lampblack.
hollinarse, to foul (spark plug), to become sooty.
hollinero m, soot catcher, chimney cap.
holliniento, sooty.
hombre viejo m (fc)(C), old man, rail bender.
hombrillo m, bench on a sidehill; shoulder of a
road.
hombro m (carp), shoulder.
homoclinal m (geol), homocline; a homoclinal.
homogeneidad f, homogeneity.
homogéneo, homogeneous.
homogenizar, to homogenize.
homóloga f (mat)(quím), homologue.
homología f, homology.
homólogo, homologous.
homopolar (eléc), homopolar.
homosista, homoseismal, coseismal.
honda f, sling.
hondo m, depth; bottom; a deep, low.
hondonada f (top), low land; (U) saddle, depression.

hondura f, depth; (top) depression.
hongo m, (bldg) mushroom head of a column;
(str) button head of a rivet; (rr) head of a
rail; fungus.
hongos, fungi.
honorario m, fee.
hora f, hour.
horas extraordinarias, overtime.
horadador m, driller.
horadar, to drill, bore, perforate; (tun)(A) to
drive.
horado m, drilled hole, through hole.
horca f, gallows frame; fork.
horcajadas, a, straddling.
horcajo m, confluence, junction of streams; yoke;
fork.
horizontal, horizontal.
horizontalidad f, horizontality.
horizontalizar (V), to make horizontal.
horizontar (Es), to level, make horizontal.
horizonte m, stratum, horizon.
—— acuífero, water-bearing stratum.
—— artificial (inst), artificial horizon.
—— de correlación (geof), correlation horizon.
—— de imagen (fma), horizon trace.
—— de reflexión (geof), reflecting layer or horizon.
—— imaginario (geol), phantom horizon.
—— real, true horizon.
—— sensible o visible, apparent or local or visible
horizon.
horma f, mold, form; dry wall; (Col) bed of sand
under tile pavement.
hormiga (f) blanca, termite, white ant.
hormigón m, concrete.
—— acorazado, armored concrete.
—— armado, reinforced concrete.
—— bituminoso, bituminous concrete.
—— ciclópeo, cyclopean or rubble concrete.
—— clavable o clavadizo (A), nailing concrete.
—— de acero (Es), facing concrete.
—— de alquitrán, tar concrete.
—— de aserrín, sawdust concrete.
—— de carbonilla (A), cinder concrete.
—— de fábrica (A), ready-mixed concrete.
—— elaborado, ready-mixed concrete.
—— en masa, mass concrete.
—— enjuto o magro, lean concrete.
—— gordo o graso, rich concrete.
—— mosaico, road surface made by binding macadam with cement grout.
—— pobre, lean concrete.
—— reforzado, reinforced concrete.
—— simple, plain concrete.
—— tosco (A), harsh concrete.
hormigonada f, a pour, a lift.
hormigonado aparte (PR), precast.
hormigonaje m, concreting.
hormigonar, to concrete.
hormigonera f, concrete mixer.
—— ambulante (A), transit mixer.
—— automóvil o de camión, transit or truck
mixer.
—— no volcable, nontilting mixer.
—— para edificación, building mixer.
—— pavimentadora, paving mixer.

—— por cargas, batch mixer.
—— remolcable, trailer mixer.
—— volcadora, tilting mixer.
hormigueros *m* (conc), honeycomb.
hornablenda *f* (miner), hornblende, amphibole.
—— esquistosa, hornblende schist.
hornabléndico, hornblendic.
hornablendífero, containing hornblende.
hornablendita *f* (geol), hornblendite.
hornada *f*, (met) a melt; (conc)(A) a batch.
hornaguera *f*, coal.
hornalla *f* (A), brickkiln; furnace.
hornaza *f*, small furnace.
hornfelsa *f* (geol), hornfels.
hornillo *m*, small furnace, fire pot; (min)(Sp) chamber for a blast.
—— de destemplar, annealing furnace.
—— de estañador, tinner's furnace.
—— para soldar, plumber's furnace, gasoline torch.
horno *m*, furnace, kiln, oven.
—— a petróleo, oil furnace.
—— abierto (met)(C), open hearth.
—— convertidor (met), converting furnace.
—— crematorio, incinerator.
—— de arco voltaico (met), electric-arc furnace.
—— de balanceo, rocking furnace.
—— de base corrediza, car-bottom furnace.
—— de caja, box-type furnace.
—— de cal, limekiln.
—— de calcinar, calcining furnace.
—— de calentadores eléctricos, resistor furnace.
—— de calor ascendente, updraft kiln.
—— de calor descendente, downdraft kiln.
—— de cámara múltiple, chamber kiln (brick).
—— de carbón animal (az), char kiln.
—— de carga completa, batch-type furnace.
—— de carro, car-type furnace.
—— de cementar (met), cementation furnace.
—— de cemento, cement kiln.
—— de cocer, baking oven.
—— de cok, coke oven.
—— de combustión arriba, overfired furnace.
—— de combustión lateral, side-fired furnace.
—— de combustión por debajo, underfired furnace.
—— de conductor, conveyor furnace.
—— de copela, cupeling furnace.
—— de crisol, crucible or pot furnace.
—— de cuba o de cubilote, shaft furnace.
—— de ensayar, assay furnace.
—— de escorificación, slag furnace.
—— de forjar, forging furnace.
—— de foso, pit furnace.
—— de fundición, smelting furnace, (M) blast furnace.
—— de hogar abierto, open-hearth furnace.
—— de hogar de rodillos, roller-hearth furnace.
—— de hogar rotatorio, rotary-hearth furnace.
—— de inducción, induction furnace.
—— de ladrillos, brickkiln.
—— de manga, cupola furnace.
—— de mufla, muffle furnace.
—— de núcleos, core oven.
—— de pudelar (met), puddling furnace.
—— de quema (U), incinerator.

—— de recalentar (met), soaking furnace.
—— de reverbero, reverberatory or air furnace.
—— de soldar, welding furnace.
—— de zamarras (met), bloomery.
—— incinerador de basura, garbage incinertor.
—— para machos (fund), core oven.
—— para subproductos, by-product coke oven.
—— periódico, periodic kiln.
—— Siemens-Martin, open-hearth furnace.
horqueta *f*, yoke; fork of a road; fork of a stream.
—— de trole, trolley harp.
—— y tornillo exterior (vá), outside screw and yoke.
horquilla *f*, fork; yoke; clevis; wishbone (construction).
—— con guardacabo (eléc), thimble clevis.
—— de anillo, clevis ring.
—— de balasto (fc), ballast or stone fork.
—— de cambio (auto), shifter yoke or fork.
—— de correa, belt fork.
—— de desembrague (auto), clutch-release yoke.
—— de pletina (eléc), bent-strap clevis.
—— estructural, bridge clevis.
—— guardacable (eléc), thimble clevis.
—— para medidor (agua), meter yoke.
—— para riel, rail fork.
—— portaaislador, insulated fork or clevis.
—— terminal (eléc), dead-ending clevis.
—— universal (eléc), universal clevis.
horquillado, forked.
horsteno *m* (geol), chert.
hortegón *m* (PR), a hardwood.
hoya *f*, basin, drainage area, watershed.
—— de inundación, flooded area.
—— hidrográfica o hidrológica o surtidora o tributaria o de captación o de drenaje, catchment or drainage area, watershed.
hoyada *f* (top), depression.
hoyador *m* (C), posthole digger.
hoyar (C)(Ch), to dig holes.
hoyo *m*, hole, pit.
—— de colada (fund), casting pit.
—— de disparo (geof), shot hole.
—— de poste, posthole.
—— para cenizas, ashpit.
hoz *f*, (t) sickle; (top) pass, defile, gap.
huacal *m*, crate; (M) cribwork.
huaico *m* (A)(Pe), obstruction in a river made by material washed from the hills.
huaipe *m*, cotton waste.
—— mineral, mineral wool.
huairona *f* (Pe), limekiln.
huaro *m* (Pe), cable ferry.
huebnerita *f*, huebnerite (tungsten ore).
hueco *m*, void, hollow, cavity; *a* hollow.
—— del ascensor, elevator shaft.
—— de escalera, stair well.
huelga *f*, strike.
—— patronal, lockout.
huelgo *m* (maq), play, allowance.
—— negativo, negative allowance.
—— positivo, positive allowance, neutral zone.
huelguista, striker.
huella *f*, stair tread, run; trail, track, rut; width of tread of a vehicle; (miner) streak; (Sp) tread of a tire.

—— antirresbaladiza o de seguridad (es), safety tread.
huincha (f) aisladora (Ch), insulating tape.
huincha de acero (Ch)(B), steel tape.
huinchada f (Ch), tape measurement.
huinche m (Ch), hoisting engine.
—— a bencina, gasoline hoist.
—— de buque, cargo hoist.
—— de cablevía, cableway engine.
—— de extracción, mine hoist.
—— de tambor único, single-drum hoist.
huinchero m (Ch), hoist runner, hoisting engineer.
huíngaro m (M), pick.
hule m, rubber; oilcloth.
hulla f, coal.
—— aglutinante, caking coal.
—— antracitosa, anthracite.
—— blanca, water power (white coal).
—— brillante, hard coal.
—— conglutinante, caking or coking coal.
—— de caldera, steam coal.
—— de fragua, blacksmith coal.
—— grasa, soft coal.
—— magra, noncoking coal.
—— seca, dry or nonvolatile coal.
hullera f, coal mine, colliery.
—— a tajo abierto, strip mine.
hullero m, coal miner; a pertaining to coal.
hullífero, coal-bearing.
humato (m) de calcio, calcium humate.
humear, to smoke, emit smoke; to fume.
humectar, to wet, dampen, moisten.
humedad f, humidity, dampness, moisture.
—— absoluta (mrl)(aa), absolute humidity.
—— capilar, capillary moisture.
—— de cantera, quarry water.
—— de equilibrio (mad), equilibrium moisture content.
—— equivalente de campo o del terreno (ms), field moisture equivalent.
—— equivalente de centrífuga (ms), centrifuge moisture equivalent.
—— específica (aa), specific humidity, humidity ratio.
—— relativa (mrl)(aa), relative humidity.
humedecedor m, humidifier; dampener.
—— a vapor, steam humidifier.
—— de artesa, pan humidifier.
humedecer, to humidify, dampen, moisten.
húmedo, wet, damp.
humero m, flue; breeching, smokejack.
húmico, humic.
humidificador m (A), humidifier.
humidificar (A), to humidify.
humidistato m (aa), humidistat, hygrostat.
—— de acción graduada, gradual-acting humidistat.
—— positivo, positive or quick-acting humidistat.
humo m, smoke; fume; (min) damp.
—— de acetileno, acetylene black.
humotubular (M), fire-tube (boiler).
humpe m (min), chokedamp, blackdamp.
humus m, humus.
hundido m (geol)(M), dip.

hundir, to sink; hundirse, to settle; to sink, founder; to cave in.
huracán m, hurricane.
hurgón m, slice bar, poker, clinker bar, fire hook, slash bar.
hurgonear, to trim a fire.
husillo m, shank; stud, mandrel, spindle, sheave pin; small drum.
—— de la contrapunta (mh), tailstock spindle.
—— de perilla, knob spindle.
—— de torno, lathe spindle.
—— fijo (mh), dead spindle.
—— giratorio (mh), live spindle.
—— simple, de (mh), single-spindle.
huso m, drum, winch head.
—— de torno, lathe spindle.

ibtrainá m, ibiraperé m, ibirapitá m, ibiraró m, South American hardwoods.
icnografía f, ichnography, ground plan.
icnográfico, ichnographic.
iconometría f, iconometry.
iconómetro m, iconometer.
iconoscópico, iconoscopic.
iconoscopio m, iconoscope.
idear, to design; to plan.
idiostático (eléc), idiostatic.
idocrasa f (miner), idocrase, vesuvianite.
idoneidad f, competence, capcity.
igarapés m, branches of a river (especially the Amazon).
ígneo, igneous.
ígneotubular (cal), fire-tube.
ignición f, ignition.
—— a contratiempo (auto), backfire.
—— por compresión, compression ignition.
—— por chispa, spark ignition.
ignifugar (Es), to fireproof.
ignífugo, fire-resisting.
ignitor m (ra), ignitor.
ignitrón m (eléc), ignitron.
igualación (f) de impedancia (ra), impedance matching.
igualador m, equalizer.
—— de atenuación (ra), attenuation equalizer.
—— de caminos, road planer.
—— de dientes (si), jointer.
—— de gasto, flow equalizer.
—— de retraso (ra), delay equalizer.
igualar, to equalize; to level, smooth off; to joint (saw).
igualdad f, equality; uniformity; evenness; (math) equation.
ilmenita f (miner), ilmenite.
iluminación f, illumination; lighting.
—— de cátodo frío, cold-cathode lighting.
—— de caveto o por bovedilla, cove lighting.
—— difusa, diffused illumination.
—— proyectada, floodlighting; spot lighting.
—— unitaria, specific illumination.
iluminador m, illuminator, illuminant; a illuminant.
iluminar, to light, illuminate.
iluminómetro m (il), illuminometer, luminometer.

imadas *f* (cn), launching ways.
imagen *f* (tv)(fma), image.
—— falsa o fantasma (tv), ghost image.
—— latente (fma), latent image.
—— real (óptica), real image.
—— virtual (óptica), virtual image.
imán *m*, magnet.
—— amortiguador o frenante, damping magnet.
—— anular, ring magnet.
—— apagador, blowout magnet.
—— compensador, compensating magnet.
—— de herradura, horseshoe magnet.
—— inductor, field magnet.
—— laminado, compound magnet, magnetic battery.
—— levantador, lifting magnet.
imanación *f*, magnetization.
—— transversal, cross magnetization.
imanador *m*, magnetizer.
imanar, imantar, to magnetize.
imbibición *f*, imbibition.
imbornal *m*, scupper; sewer inlet.
imbornales de varenga (cn), limber holes.
imbricado, imbricated, lapped.
impacción *f*, impact.
impacto *m*, impact.
—— de aterrizaje (ap), landing impact.
impactor *m*, impactor.
impalpable, impalpable.
impar, uneven (number), odd.
impedancia *f* (eléc), impedance.
—— amortiguada, blocked or damped impedance.
—— anódica o de placa (ra), plate or anode impedance.
—— característica o de sobretensión, characteristic or surge impedance.
—— cinética (tel), motional impedance.
—— de entrada (ra), input impedance.
—— de salida (ra), output impedance.
—— de traspaso, transfer impedance.
—— electródica (ra), electrode impedance.
—— equilibrada (ra), matched impedance.
—— propia (A), self-impedance.
—— reflejada, coupled or reflected impedance.
—— terminal, terminating impedance.
impedancias conjugadas, conjugate impedances.
impederreventones *m* (pet)(V), blowout preventer.
impedómetro *m*, impedance meter, impedometer.
impeler, to drive.
impenetrable al polvo, dust-tight.
impermeabilidad *f*, impermeability, watertightness.
impermeabilización *f*, waterproofing, dampproofing.
impermeabilizador *m*, waterproofer.
impermeabilizante *m*, waterproofing material.
impermeabilizar, to waterproof.
impermeable, impermeable, impervious, watertight.
impermeables *m*, oilskins, waterproof clothing.
ímpetu *m*, impetus.
impetuoso (r), flashy.
implementos *m*, tools.
implícito (mat), implicit.
impolarizable, nonpolarizing.

imponente, investor.
importe *m*, amount; price, value.
imposta *f*, skewback; impost; (Sp) belt course.
impotable, impotable.
impregnado de aceite, oil-impregnated.
impregnar, to impregnate.
impresión *f*, print; printing.
—— a contacto, (photo) contact printing; contact print.
—— a proyección (fma), projection printing.
—— azul, blueprint.
—— fotográfica, photoprinting; photoprint.
—— sepia (fma), sepia print.
impreso (*m*) litográfico, lithoprint.
impresora *f*, printing machine.
—— a contacto, contact printer.
—— reductora (fma), reducing printer.
—— restituidora (fma), restitution printer.
—— transformadora (fma), transforming printer.
imprevistos *m*, contingencies.
imprimador *m* (pint)(ca), primer.
imprimar, to prime.
improbación *f*, disapproval, rejection.
impuesto *m*, tax.
—— a la renta, income tax.
—— sobre ventas, sales tax.
impulsar, to drive, actuate, operate.
impulsión *f*, discharge; impulse; drive; momentum.
—— a barra de acoplamiento (loco eléc), rod drive.
—— a horquilla (loco eléc), yoke drive.
—— a vanina (loco eléc), quill drive.
—— a varillaje (loco eléc), linkage drive.
—— de cadena, chain drive.
—— final (auto), final drive.
—— por agua (pet), water drive.
—— por correa, belt drive.
—— por cuatro ruedas, four-wheel drive.
—— por maroma, rope drive.
impulso *m*, impulse; momentum.
impulsor *m*, impeller, (pu) runner; tappet.
—— abierto (bm), open impeller.
—— de admisión simple (bm), single-inlet impeller.
—— de bujes, bushing driver.
—— de paletas alabeadas (bm), warped-vane impeller.
—— de la válvula (mg), tappet rod.
—— encerrado (bm), shrouded or fully enclosed impeller.
—— semiencerrado (bm), semienclosed impeller.
impulsores opuestos (bm), opposed impellers.
impurezas *f*, impurities.
impurificar, to contaminate.
inaccesible, inaccessible.
inactivación *f* (quím), inactivation.
inactivo, inactive.
inalámbrico, wireless.
inanublable, shadowproof.
inastillable (vi), nonshattering, splinterproof.
inatascable, obstructionproof, clogless (pump).
incandescencia *f*, incandescence.
incandescente, incandescent.
incapacidad (*f*) absoluta, total disability.
incendiario *m* (vol), squib.

incendio *m*, fire.
incidencia *f* (mat), incidence.
incidente *a* (mat), incident.
incienso *m*, a South American hardwood.
incinerador *m*, incinerator.
—— de basura, destructor, garbage incinerator.
—— de cieno (dac), sludge incinerator.
—— de hogar multiple, multiple-hearth incinerator.
incinerar, to incinerate.
incipiente, incipient.
inciso, incised.
inclinable, tilting, inclinable.
inclinación *f*, dip, grade, inclination, slope, pitch, rake; (pmy) tilt, tip.
—— magnética, magnetic dip or inclination.
inclinarse, to slope, rake; (geol) to dip.
inclinómetro *m*, clinometer, inclinometer; dip meter.
inclusión *f* (mec)(sol)(geol), inclusion.
—— de escoria (sol), slag inclusion.
—— gaseosa (sol), gas inclusion.
inclusivo, inclusive.
incógnita *f*, unknown quantity.
incoloro, colorless.
incombustibilización *f*, fireproofing.
incombustible, fireproof, incombustible.
incompresible, incompressible.
incondensable, incondensable.
ɪconductible, nonconducting.
ɪncorgelable, frostproof, nonfreezing.
inconsistente, unstable (ground), loose, not compacted.
incorporar, incorporarse, to incorporate.
incorrosible, rust-resisting, rustproof, nonrusting.
incremental, incremental.
incrementar, to increase.
incremento *m*, increment; (ra) gain.
—— para calibre (rs), gage increment.
—— para paso (rs), pitch increment.
incrustación *f* (cal), scale, incrustation.
incrustado, embedded; incrusted.
incrustante *m*, incrustant; *a* scale-forming.
incrustar, to embed; to form scale.
incubación *f* (is), incubation.
incubadora *f*, incubator.
incumba *f* (Col), skewback.
incurrente (hid), influent.
indemnidad *f*, indemnity.
indemnización *f*, indemnity, indemnification, compensation.
indemnizar, to indemnify.
indentación *f*, indentation, dentation.
indentar, to indent, to form teeth.
indesarreglable, foolproof.
indeterminado, indeterminate.
indicación *f* (inst), reading.
indicador *m*, indicator, gage; annunciator; (chem) indicator; sign.
—— continuo de estabilidad (pa), continuous stability indicator.
—— de aceite, oil gage.
—— de agujeros, hole spotter.
—— de alineación, alignment gage.
—— de aɾ uebradización, embrittlement detector.

—— de cambio (fc)(A), switch signal.
—— de cambio de frecuencia (ra), frequency-deviation meter.
—— del canal (ra), channel indicator.
—— de carátula, dial indicator.
—— de carga, load indicator; (auto) battery gage.
—— de caudal (hid), flow indicator.
—— de columna (tub), post indicator.
—— de consistencia, consistency meter.
—— de convergencia (auto), toe-in gage.
—— de deriva (fma), drift indicator.
—— de desviación (pet), drift indicator.
—— de dirección, direction indicator, (ap) directional marker.
—— de escapes, leak detector.
—— de esfuerzo, stress meter.
—— de estabilidad (pa), stability indicator.
—— de exceso de velocidad, overspeed tachometer.
—— de falta de oxígeno (dac), oxygen-demand meter.
—— de fases (eléc), phase indicator.
—— de flecha, deflection gage.
—— de foco del farol (auto), beam-indicator light.
—— de fuga (eléc), fault localizer.
—— de gasolina (auto), fuel gage.
—— de gasto (hid), rate-of-flow gage, flow indicator.
—— de golpeo, (eng) knock meter.
—— de humedad, moisture meter.
—— de humo, smoke detector.
—— de inclinación, inclination gage; (pmy) tilt indicator.
—— de llama, flame detector.
—— de nivel, level gage; (bo) gage glass.
—— de pérdida de carga (hid), loss-of-head gage.
—— de pérdida por histéresis (eléc), hysteresis meter.
—— de pérdidas a tierra (eléc), ground or leakage detector.
—— de peso, weight indicator.
—— de peso suspendido (pet), line scale.
—— de *p*H (is), *p*H indicator.
—— de polos (eléc), pole or current-direction indicator.
—— de presión, pressure gage.
—— de profundidad (pet), depth meter.
—— de radio de viraje (auto), turning-radius gage.
—— de rayo (auto), beam-indicator light.
—— de relación, ratio gage, ratiometer.
—— de sentido, (elev) direction indicator; (ra) sense finder.
—— de sintonización (ra), tuning indicator.
—— de suma, summator.
—— de techo (ap), ceiling-height indicator.
—— de tensión, tension indicator; (elec) voltage indicator.
—— de tierra (eléc), ground detector.
—— de tiro, draft gage.
—— de torsión, torsion meter.
—— de tubería, pipe locator.
—— de vacío, vacuum gage.
—— de velocidad, speedometer; speed indicator; velocity gage.

—— **de velocidad admisible** (fc), speed-limit indicator.
—— **de viraje** (auto), turn indicator.
—— **de viscosidad,** viscosimeter.
—— **de vuelo** (fma), flight indicator.
—— **integrador,** integrating indicator.
—— **para campaneo** (fc), ring sign.
—— **para silbato** (fc), whistle sign.
—— **registrador,** recording gage.
—— **totalizador,** integrating indicator.
índice m, (math)(mech)(inst) index; (inst) hand.
—— **antidetonante,** antiknock rating.
—— **cetánico,** cetane number.
—— **coliforme** (is), coliform index.
—— **de acidez,** acid number or value.
—— **de cobre** (quím), copper index or number or value.
—— **de compresión,** (sm) compression index; (ge) compression ratio.
—— **de concentración** (ms), concentration index.
—— **de dureza,** hardness number.
—— **de escurrimiento** (hid)(Col), runoff coefficient.
—— **de fijación** (est), restraint index.
—— **de flujo** (ms), flow index.
—— **de hinchamiento** (ms), swelling index.
—— **de intemperismo,** weathering index (coal).
—— **de rigidez** (est), stiffness index.
—— **de sedimentación** (dac), sludge index.
—— **de tarjetas,** card index.
—— **de tenacidad,** toughness index. ◂
—— **octánico** (mg), octane number or index.
—— **plástico,** plasticity index.
indicios m (quím), traces.
indirecto, indirect.
indisoluble, indissoluble.
indivisible, indivisible.
indol m (is), indole.
indos m (hid)(V), invert.
inducción f (eléc), induction.
—— **de incremento,** incremental induction.
—— **eléctrica,** electric induction, dielectric flux density.
—— **electrostática,** static or electric or electrostatic induction.
—— **férrica o intrínseca,** intrinsic or ferric induction.
—— **magnética,** magnetic induction or flux density.
—— **propia** (A), self-induction.
—— **remanente,** residual induction.
inducido m (eléc), armature.
—— **al tambor,** drum armature.
—— **de anillo,** ring armature, gramme ring.
—— **de barras,** bar-wound armature.
—— **de devanado cerrado,** closed-coil armature.
—— **de disco,** disk armature.
inducir (eléc), to induce.
inductancia f (eléc), inductance.
—— **de sintonización** (ra), tuning inductance.
inductividad f (eléc), inductivity.
inductivo, inductive.
inductófono m (tel), inductophone.
inductómetro m (eléc), inductometer.
inductor m, (elec) field, inductor; a inductive.
—— **de núcleo de aire,** air-core inductor.

—— **de tiro,** draft inducer.
—— **giratorio,** revolving field.
—— **variable,** variometer, variable inductor.
industria f, industry.
—— **azucarera,** sugar industry.
—— **extractiva,** (Ch) mining industry; (M) mining, petroleum production, lumbering.
—— **maderera,** lumber industry, lumbering.
industrial m, manufacturer; a industrial.
industrialización f, industrialization; (V) manufacture, production.
ineficiente, inefficient.
inelástico (M), inelastic.
inercia f, inertia.
inerte, inert.
inertes m (conc), aggregates.
inescarchable, nonfrosting.
inestabilidad f, instability.
inestabilizar, to destabilize.
inestable (est)(quím), unstable.
inestanco, not watertight.
inexacto, inaccurate.
inexplosible, nonexplosive, explosionproof.
infección f, infection.
infeccionar (Pe), to contaminate, pollute.
infeccioso, infectious.
inferior, lower, bottom; inferior.
infiltración f, (hyd) infiltration, percolation, (ac) leakage, infiltration, inleakage.
infinidad f, infinity.
infinito, infinite.
inflador m, tire pump.
inflamabilidad f, inflammability.
inflamable, inflammable, ignitible.
inflamación f. firing; (eng) ignition.
—— **de chispa,** spark ignition.
—— **espontánea,** spontaneous combustion or ignition.
—— **por bola caliente,** hot-bulb ignition.
—— **por tubo incandescente,** hot-tube ignition.
inflamar, to ignite; **inflamarse,** to take fire, ignite.
inflar, to inflate.
inflexión f, contraflexure.
influencia f (eléc), influence.
influente (hid), influent.
influjo m, inflow; flood tide.
información f, information; report; investigation.
informe m, report.
infracción f, infringement (patent).
infradino (ra), infradyne.
infraestructura f, substructure; (rr)(A) roadbed.
inframedida, undersize.
infranormal (A), undersize.
infrapuesto, underlying.
infrarrojo, infrared, ultrared.
infrasónico (ra), infrasonic.
infratamaño (M), undersize.
infrayacente (V), underlying.
infringir, to infringe (patent).
infundible, infusible, infusible.
infusorio, infusorial.
infusorios m, infusoria.
ingá m, an Argentine lumber (semihard).
ingeniar, to devise, design, engineer.
ingeniería f, engineering.
—— **de campo,** field engineering.

—— de iluminación, illuminating engineering.
—— económica, engineering economics.
—— marina, marine engineering.
ingenieril a (M)(C), engineering.
ingeniero m, engineer.
—— agrónomo, agricultural engineer.
—— asesor o consultor, consulting engineer.
—— automotor (A), automotive engineer.
—— auxiliar, assistant engineer.
—— civil, civil engineer.
—— consejero (Es), consulting engineer.
—— de alumbrado, illuminating engineer.
—— de minas, mining engineer.
—— de montes, forester, forestry engineer.
—— de nivel (Ec), levelman.
—— de sanidad, sanitary engineer.
—— de suelos, soils engineer.
—— del tránsito, transitman.
—— diseñador, designing engineer.
—— electricista, electrical engineer.
—— encargado, engineer in charge.
—— fiscal (Ch), government engineer.
—— forestal, forester.
—— hidráulico, hydraulic engineer.
—— jefe o mayor, chief engineer.
—— localizador, layout engineer.
—— matriculado, licensed engineer.
—— mecánico, mechanical engineer.
—— minero, mining engineer.
—— naval, marine engineer.
—— paisajista, landscape engineer.
—— petrolero, petroleum engineer.
—— principal, chief engineer.
—— proyectista, designing engineer.
—— residente, resident engineer.
—— sanitario, sanitary engineer.
—— tasador, valuation engineer.
—— trazador, locating engineer; layout engineer.
—— vendedor, sales engineer.
—— vial, highway engineer.
ingenio m, mill, plant; sugar mill; (min) smelter.
—— azucarero, sugar mill.
inglete m, miter.
ingrediente m, ingredient.
ingreso m, ingress, entrance.
ingresos, revenue, receipts, earnings.
inhabilitado, out-of-order, broken down.
inhalador m, inhalator.
inhelable, frostproof.
inherente (eléc), inherent.
inhibidor m (quím), inhibitor.
inhibitorio, inhibitive.
ininflamable, noninflammable.
ininvertible, nonreversible.
injerto m (tub), T; Y; branch.
—— a gasto completo (hid), full-flow tap, pipe tap.
—— a presión, pressure tap.
—— de brida (hid), flange tap.
—— de radio (hid), radius tap.
—— doble (tub), cross.
—— doble oblicuo, double Y branch.
—— oblicuo, Y.
—— recto, T.
inmanchable, stainless (steel).
inmersión f, immersion.

—— en caliente, hot-dipping.
—— en frío, cold-dipping.
—— regenerativa (met), regenerative quenching.
inmiscibilidad f, immiscibility.
inmiscible, immiscible.
inmovilizador m, locking device.
inmuebles m, real estate.
innavegable, not navigable.
inoculación f (is), inoculation.
inodoro m, water closet (fixture); (V) trap; a inodorous, odorless.
—— a la turca (A), hole in floor with places for feet.
—— de borde lavador, flushing-rim water closet.
—— de evacuación sifónica (A), siphon-jet water closet.
—— de sifón inyector o sifónico de chorro, siphon-jet water closet.
—— de tolva larga, long-hopper closet.
inorgánico, inorganic.
inosita f (lab), inositol, inosite.
inoxidable, rustless, rust-resisting, nonrusting.
inquilinato m, leasehold.
inscribir (mat), to inscribe.
inscripciones (dib)(C), lettering.
inseguro, unsafe.
inserción f, insertado m, insert.
insertadora (f) de válvulas, valve-inserting machine.
inserto m, insert; a inserted.
insolubilidad f, insolubility.
insoluble, insoluble.
insolvencia f, insolvency.
insolvente, insolvent, bankrupt.
insonoro, soundproof.
inspección f, inspection.
inspeccionar, to inspect.
inspector m, inspector.
—— adjunto (V), assistant inspector.
inspirador m (mec), inspirator.
instabilidad f, instability.
instable, unstable.
instalación f, installation; an installation, a plant.
—— colectora (pet), gathering plant.
—— cribadora, screening plant.
—— de aforo (r), gaging station.
—— de calefacción (ed), heating system.
—— de construcción, construction plant.
—— de fuerza, power plant.
—— de tratamiento, processing plant.
—— depuradora, purification plant.
—— dosificadora (conc), batching plant.
—— evacuadora (pet), disposal system.
—— generadora, electric power plant.
—— sanitaria (ed), plumbing.
—— siderúrgica, steelworks.
—— suavizadora, water-softening plant.
instalaciones portuarias, port works.
instalador m, erector.
—— de cañería, pipeman, plumber.
—— de líneas (eléc), lineman.
—— electricista, installing or erecting electrician.
—— sanitario, plumber.
instalar, to install, erect, place, set.
instantáneo, instantaneous; momentary.

instrumental *m*, set of instruments; *a* instrumental.

instrumentalista *m*, instrument maker.

instrumentista *m*, (surv) instrumentman; (Sp) instrument maker.

instrumento *m*, instrument.

— gráfico o registrador, recording or graphic instrument.

— indicador (eléc), indicating instrument.

— investigador (ra), tracing instrument.

instrumentos de agrimensura, surveying instruments.

instrumentos de dibujo, drafting instruments.

insulita (ais), Insulite (trademark).

insumergible, nonoverflow (dam).

integración *f* (mat), integration.

integrador *m*, integrator, totalizer.

intégrafo *m*, integraph.

integral *f* (mat), integral; *a* unit, whole, integral.

integrar, to integrate.

íntegro, entire, whole, complete.

intemperie *f*, bad weather.

— , a la, outdoors, exposed to the weather.

intemperismo *m*, weathering.

intemperización *f*, weathering.

intemperizarse, to weather.

intensidad *f*, intensity.

— aparente del haz (il), apparent beam candle power.

— de bujía, candle power.

— del campo de perturbaciones (ra), noise field intensity.

— de campo eléctrico, electric intensity or field strength or force.

— de espacio libre (ra), free-space intensity.

— de olor (pa), threshold number.

— específica de radiación (il), radiance, specific radiant intensity.

— luminosa horizontal (il), mean horizontal candle power.

— luminosa unitaria (il), specific luminous intensity.

— magnética, magnetic intensity or force or flux density.

intensificador *m*, intensifier (all senses).

interacción *f*, interaction.

intercalación *f* (geol), intercalation.

intercalado (geol), interbedded.

intercalar (eléc), to cut in.

intercambiabilidad *f*, interchangeability.

intercambiable, interchangeable.

intercambiador *m*, interchanger.

— de aniones (eléc), anion exchanger.

— de calor, heat exchanger or interchanger.

— de cationes (eléc), cation exchanger.

— de hidrogeniones (pa), hydrogen-ion exchanger.

— de iones (eléc), ion exchanger.

intercambio *m*, interchange.

— de bases (quím), base exchange.

— en hoja de trébol (ca), cloverleaf interchange.

— por dos cuadrantes (ca), two-quadrant or semicloverleaf interchange.

intercepción, interceptación *f* (hid), interception (rainfall intercepted by and evaporated from plants).

interceptado *m* (mat), intercept.

interceptador *m*, interceptadora *f*, interceptor (all senses).

interceptar, to intercept.

intercepto (*m*) estadimétrico (lev), stadimetric interval.

interceptor *m*, separator, trap.

— a vacío, vacuum trap.

— basculador, tilting trap.

— de aceite, oil trap.

— de agua, steam trap.

— de agua a balde invertido, inverted-bucket steam trap.

— de agua a flotador, float trap.

— de agua tipo impulso, impulse steam trap.

— de aire, air trap.

— de arena o de cascajo (al), sand or grit catcher.

— de escamas (condensador), scale separator.

— de espumas, scum trap.

— de grasa, grease trap.

— elevador, lifting trap.

— separador, separating trap.

intercierre *m* (M), interlock.

intercolumnio, intercolunio *m*, intercolumniation, column spacing.

intercomunicador *m* (tel), intercommunicator.

intercondensador *m*, intercondenser.

interconexión *f*, interconnection.

intercostal (cn), intercostal.

interdigitación *f* (geol), interfingering.

intereje *m*, distance between axles, wheel base (auto).

interelectródico, interelectrode.

interenfriador *m*, intercooler (compressor).

interenfriamiento *m*, intercooling.

interés *m*, interest.

— devengado, accrued interest.

— punitorio, penal interest.

interestratificado (geol), interbedded, interstratified, interleaved.

interetapa (ra), interstage.

interfacial, interfacial.

interfásico (eléc)(A), interphase.

interfaz *f*, interface.

interferencia *f* (mec)(eléc)(ra), interference.

— de la frecuencia imagen (tv), image interference.

— entre los canales (ra), interchannel interference.

interferométrico, interferometric.

interferómetro *m*, interferometer.

interférrico, interferric.

interflexión (fma), flare.

intergrado (turb), interstage.

intergranular, intergranular.

interior *m a*, interior, inside.

interlaminado, interlaminated.

interlinear, to interline; (tv) to interlace.

intermedio *a*, intermediate.

intermitencia *f* (pet), intermitting.

intermitente, intermittent; (C) reciprocating.

intermodulación *f* (eléc), intermodulation.

intermolecular, intermolecular.

intermoler, to intergrind.

interno, interior, internal.

interperiódico (ra)(A), interstage.
interpolador *m* (tel), interpolator.
interpolar, *v* to interpolate; *a* (elec) interpolar.
interpolo *m* (eléc), interpole.
interranura *f* (mec), land.
interrefrigerador *m*, intercooler.
interregional, interregional.
interrupción (*f*) **al aire** (eléc), air break.
interruptor *m* (eléc), switch; circuit breaker; release; interrupter; (ra) chopper.
— **al aire**, air-break or air switch.
— **a distancia**, remote-control switch.
— **a flotador**, float switch.
— **a motor**, motor-operated switch.
— **aislador**, isolating switch.
— **anticapacitancia** (ra), anticapacitance switch.
— **automático**, circuit breaker.
— **automático del campo**, field-discharge switch.
— **automático de cuba inerte**, dead-tank circuit breaker.
— **automático de reloj o cronométrico**, automatic time switch.
— **de aislador ladeante**, tilting-insulator switch.
— **de aplicar**, surface switch.
— **de arranque**, starting switch.
— **de artefacto**, appliance switch.
— **de botón**, push-button switch.
— **de campana**, canopy switch.
— **de campo**, field switch.
— **de carga mínima**, underload switch.
— **de circuito** (A)(M), circuit breaker.
— **de clavija**, plug switch.
— **de contacto**, contact breaker.
— **de contacto instantáneo**, quick-make switch.
— **de contacto múltiple**, multiple-contact switch.
— **de contactor**, contactor or unit switch.
— **de cordón**, pull switch.
— **de cordón pasante**, through-cord switch.
— **de corriente**, current breaker.
— **de cuchillo**, knife switch.
— **de cuernos apagaarcos**, horn-gap switch.
— **de chorro de mercurio**, jet interrupter.
— **de descarga de campo**, field-discharge switch.
— **de desenganche libre**, trip-free circuit breaker.
— **de desviación**, diverter switch.
— **de disrupción en el aire**, air-break switch.
— **de doble ruptura**, double-break switch.
— **de dos vías**, double-throw switch.
— **de enchufe o de ficha**, plug switch.
— **de excitación**, field breaker or break-up switch.
— **de leva**, cam switch.
— **de límite**, limit switch.
— **de línea**, line breaker.
— **de llave**, key switch.
— **de mando**, control switch.
— **de mínima**, no-load circuit breaker.
— **de navaja** (M), knife switch.
— **de palanca**, knife switch; lever switch.
— **de palanca rotativa**, dial switch.
— **de parada** (asc), stopping switch.
— **de pedal**, foot switch.
— **de portarreceptor** (tel), hook switch.
— **de posición múltiple**, multiposition switch.

— **de puesta a tierra**, ground switch.
— **de reloj**, time switch.
— **de resorte**, snap switch.
— **de ruptura brusca**, quick-break switch.
— **de ruptura única**, single-break switch.
— **de seguridad**, safety switch.
— **de separación**, disconnect switch.
— **de servicio**, entrance or service switch.
— **de transferencia**, transfer switch.
— **de tres cuchillas**, triple-throw switch.
— **de uso general**, general-use switch.
— **de vía múltiple**, multiposition switch.
— **de vía única**, single-throw switch.
— **de volquete**, tumbler or toggle switch.
— **desconectador**, disconnect switch.
— **desionizador**, deion circuit breaker.
— **electrolítico**, electrolytic interrupter.
— **embutido**, flush switch.
— **en aceite**, oil or oil-break switch.
— **en mercurio**, mercury switch.
— **fusible**, fuse.
— **giratorio**, turn or revolving or dial switch.
— **horario**, time switch.
— **indicador**, indicating switch.
— **instantáneo**, quick-break switch; momentary-contact switch.
— **maestro**, main or master switch.
— **momentáneo**, momentary-contact switch.
— **para baja carga**, underload switch.
— **pendiente o suspendido**, pendant switch.
— **protector**, circuit breaker.
— **seccionador**, section switch.
— **separador**, isolating switch; disconnecting switch.
— **silenciador** (ra), muting switch.
intersecar, intersecarse, to intersect.
intersección *f*, intersection.
intersectar, intersectarse, to intersect.
intersolapar, to interlap.
intersticial, interstitial.
intersticio *m* (turb), clearance.
intersticios, interstices.
interurbano, interurban.
intervalo *m*, (elec) gap; (math) interval.
— **de reposo** (tel), spacing interval.
intervalómetro *m* (fma), intervalometer, interval regulator.
intervalvular (ra), intertube, intervalve.
intervisibilidad *f* (ca), intervisibility.
interyacente, interjacent.
intomable (A), impotable (water).
intradós *m*, intrados.
intradosal, intradosal.
intransitable (ca), unfit for traffic, impassable.
intrínseco (mat)(eléc)(il), intrinsic.
intrusión *f* (geol), intrusion.
intrusionar (geol)(V), to intrude.
intrusiva *f* (geol)(V), intrusion.
intrusivo (geol), intrusive.
inundable, subject to inundation.
inundación *f*, inundation, flood.
— **de avenida**, sheetflood.
inundador *m* (M), inundator (sand).
inundar, to inundate, flood.
inutilizado, broken-down, out-of-order.
invalidez (*f*) **absoluta**, total disability.

invalidez relativa, partial disability.
invariante *f a* (mat), invariant.
invención *f,* **invento** *m,* invention, device.
inventar, to invent.
inventariar, to inventory.
inventario *m,* inventory.
inventor *m,* inventor.
invernada *f* (V), heavy rain.
invernazo *m* (PR), rainy season (July to September).
inversamente proporcional, inversely proportional.
inversión *f,* investment; reversing; inversion (all senses); (pmy) reversion.
—— **de esfuerzos,** reversal of stresses.
—— **de fase** (eléc), phase reversal or inversion.
—— **de marcha,** (eng) reversing.
inversionista, investor.
inverso, inverse, inverted.
inversor *m,* reversing mechanism; (elec) inverter, reverser.
—— **de fase** (ra), phase inverter.
invertible, reversible.
invertido *m* (al), invert.
invertimiento *m* (hid)(Pe), discharge, outfall.
invertir, to invert; to plunge (transit); to reverse (engine); (pmy) to revert; (hyd)(Pe) to discharge, empty; to invest.
investigación *f,* investigation; research; exploration.
—— **de la señal** (ra), signal tracing.
involutometría *f,* involutometry.
inyección *f,* grouting, injection.
—— **de barro,** mud-jacking; clay grouting.
—— **directa** (di), direct or solid injection.
—— **piloto** (di), pilot injection.
—— **por bomba de resorte** (di), spring-pressure injection.
—— **por etapas,** stage grouting.
inyecciones
—— **cementicias** (A), grouting.
—— **de colchón,** blanket grouting.
—— **de consolidación,** consolidation grouting.
—— **de cortina o de pantalla,** curtain grouting.
inyectador *m* (cal), injector.
inyectar, to inject; to grout.
inyector *m* (cal), injector.
—— **aspirante,** lifting injector.
—— **autoajustador,** self-adjusting injector.
—— **automático,** restarting or automatic injector.
—— **de barro o de lodo,** mud jack; mud gun.
—— **de cemento o de lechada,** grout machine.
—— **de chorro doble,** double-jet injector.
—— **de grasa,** grease gun.
—— **de tubo doble,** double-tube injector.
—— **de tubo único,** single-tube injector.
—— **sin aspiración,** nonlifting injector.
iodado, iodato, ioduro, etc., see **yodado, yodato, yoduro,** etc.
ion *m* (quím), ion.
—— **de hidrógeno,** hydrogen ion.
—— **oxídrilo,** hydroxyl ion.
iónico, ionic.
ionizador *m,* ionizer.
ionizar, to ionize.
ionómetro *m,* ionometer.

ionosfera *f* (ra), ionosphere, ionized or Heaviside layer.
ionosférico, ionospheric.
iridescencia *f,* iridescence.
iridescente, iridescent.
iridio *m* (quím), iridium.
iridosmina *f* (miner), iridosmine.
irisación *f,* irisation.
irracional (mat), irrational.
irradiación *f,* irradiation.
—— **espectral** (il), spectral irradiation.
—— **unitaria,** specific irradiation.
irradiador acústico (ra)(A), acoustic radiator.
irradiar, to irradiate.
irreversible (mec)(eléc), irreversible.
irrevocable, irrevocable (credit).
irrigable, irrigable.
irrigación *f,* irrigation.
—— **con líquido cloacal** (dac), broad irrigation.
—— **por corrugaciones,** corrugation irrigation.
—— **por cuadros rebordeados,** block or check system.
—— **por surcos,** furrow irrigation.
—— **por tubería superficial,** surface pipe method.
—— **subterránea,** subsurface irrigation.
—— **superficial,** surface irrigation.
irrigador *m,* irrigator.
irrigar, to irrigate.
isentrópico, isentropic.
isla *f,* island.
—— **de guía** (ca), directional island.
—— **de seguridad o de refugio** (ca), traffic island, refuge.
isobara *f* (mrl), isobar.
isobárico, isobaric.
isobarométrico, isobarometric.
isóbato, isobath.
isobela *f* (eléc), isobel.
isobujía *f* (il), isocandle.
isocentro *m,* isocenter.
isoclinal *m* (geol), isocline.
isoclínico, isoclinal, isoclinic.
isoclor (quím), isochlor.
isocora *f* (quím), isochor.
isocromático, isochromatic.
isócrona *f,* isochrone.
isocronismo *m,* isochronism.
isócrono *a,* isochrone, isochronal, isochronic.
isodiabático, isodiabatic.
isodinámico, isodynamic.
isodinas *f,* isodynamic lines.
isoeléctrico, isoelectric.
isoelectrónico, isoelectronic.
isoestático, isostatic.
isoestérico (quím)(mrl), isosteric.
isofase, isophase.
isógala *f* (geof), isogal.
isógama *f* (geof), isogam.
isógonas *f,* isogonic lines.
isógono, isogónico, isogonic.
isografía *f,* isography.
isográfico, isographic.
isógrafo *m* (inst), isograph.
isograma *m* (mat), isogram.
isohieta, isoieta *f* (mrl), isohyet.
isohieto, isohyetal.

isolador *m* (Ec), insulator.
isolantita (ais), Isolantite (trademark).
isolux (il), isolux.
isométrico, isometric.
isometrógrafo *m*, isometrograph.
isomórfico, isomorphic, isomorphous.
isomorfismo *m* (quím)(miner)(mat), isomorphism.
isomorfo *m*, isomorph; *a* isomorphic.
isooctano *m* (quím), isooctane.
isopacas *f* (geol), isopachous lines.
isopiécica *f*, isopiestic line.
isopluvial (mrl), isohyetal, isopluvial.
isóptico (mat), isoptic.
isorradial (fma), isoradial.
isósceles, isosceles.
isosísmico, isosista, isoseismic.
isostático, isostatic.
isoterma *f*, isotherm.
isotermo, isotérmico, isothermal, isothermic.
isotropía *f* (mat), isotropy.
isotrópico, isótropo, isotropic.
isoyeta *f* (mrl)(Ch), isohyetal line.
isoyético (M), isohyetal.
istmo *m*, isthmus.
itabirita *f* (geol), itabirite.
itabo *m* (V), bayou, inlet.
itacolumita *f* (geol), itacolumite.
iterativo (mat), iterative.
ivirapere, ivirapita, iviriraro, South American lumber.
izador *m*, hoist; elevator.
—— de barriles, barrel elevator.
—— del botalón (pl), boom hoist.
—— de compuerta (hid), gate hoist.
—— planetario, planetary hoist.
izaje *m*, izamiento *m*, hoisting.
izar, to hoist; to heave.
izquierda *f*, left hand.
izquierdo *a*, left, left-hand.

jaba *f*, crate; basket; gabion.
jabalcón *m*, strut, trench brace.
jabalconar, to shore, brace, prop.
jabí *m*, a Cuban lumber.
jabón (*m*) de Castilla, castile soap.
jabonaduras *f* (lu), suds.
jaboncillo *m*, steatite, soapstone.
jacal *m* (M), shanty, tool house.
jacarandá *m*, a South American hardwood.
jácena *f*, girder; header beam; (Sp) truss.
—— compuesta, built-up girder.
—— de alma llena, plate girder.
—— de celosía, lattice girder.
—— maestra, girder.
—— triangulada, lattice or Warren girder.
jagüel *m* (Pe)(B), cistern.
jaharrar, to plaster, rough-plaster.
jaharro *m*, plaster, plastering, rough plastering.
jalar (M), to haul, pull.
jalatocle *m* (M), eroded soil carried to a stream.
jalea (*f*) mineral, mineral jelly.
jales *m* (min), tailings.
jalón *m*, milepost, milestone; (surv) rod, pole.

—— de cadeneo (lev), chaining pin.
—— de mira, level rod.
jalonar, to run a survey line; to set mileposts.
jalonero *m*, rodman.
jamba *f*, jamb.
jambaje *m*, door or window frame.
jamesonita *f*, jamesonite, feather ore.
jangada *f*, raft.
jaquelado *m*, checkerboard pattern, checkerwork.
jarabe *m* (az), sirup.
jarcia *f*, Manila rope, sisal rope; rigging, cordage.
—— de acero (C), wire rope.
—— trozada, junk.
jarja *f* (Col), double skewback.
jaspilita *f* (geol), jaspilite.
jaula *f*, cage (shaft); cattle car; crate; (V) crib.
—— de ardilla, squirrel cage (motor).
—— de bolas, ball cage, retainer.
—— de cojinete, bearing cage.
—— de extracción, mine cage.
jefatura *f*, headquarters; division, department.
—— foránea (M), field or provincial headquarters.
jefe *m*, chief.
—— de adquisiciones (Ch), purchasing agent.
—— de brigada (lev), chief of party.
—— de carpinteros, carpenter foreman.
—— de compras, purchasing agent.
—— de construcción, construction manager, superintendent.
—— de cuadrilla, squad boss; chief of party.
—— de dibujantes, chief draftsman.
—— de equipo (lev), chief of party.
—— de estación (fc), stationmaster.
—— de estudios, chief of surveys; chief designer.
—— del lomo (fc), humpmaster.
—— de maquinaria, master mechanic, chief engineer.
—— del muelle, dockmaster.
—— de obras, works or project or construction manager.
—— de oficina, office manager.
—— de operarios, labor foreman.
—— de patio (fc), yardmaster.
—— de proyectos, chief designer.
—— de servicio (M), purchasing agent.
—— de taller, shop foreman, master mechanic.
—— de tracción (fc)(Ch), superintendent of motive power.
—— de tráfico, traffic manager.
—— de turno, shift boss.
—— desmoldador (mo), stripping foreman.
—— ingeniero, chief engineer.
—— mecánico, master mechanic.
—— montador, foreman erector.
jema *f* (carp)(Es), wane.
jeniquén *m* (C), sisal, henequen.
jeringa *f*, syringe.
—— de grasa, grease gun.
—— para aceite, oil gun.
jibaracón *m* (r)(C), outfall of flood waters, floodway.
jinetillos *m* (cv), fall-line carriers.
jirón *m* (Pe), city block; street.
jornada *f*, day's work; shift.
—— del filtro (pa), filter run.

—— doble, double shift.
—— simple, single shift.
jornal *m*, wage, day's wages, (C) hourly wage.
—— , a, by day's work, by the hour.
jornalar, to employ by the day.
jornalero *m*, workman, laborer.
joule *m* (eléc), joule.
júcaro *m*, a West Indian hardwood.
juego *m*, a set; (machy) throw; (machy) play, clearance, lash.
—— balanceador (eléc), balancing set.
—— de cambio (fc)(M), switch and frog.
—— de cerradura (ft), lock set.
—— de funcionamiento (maq), running clearance.
—— de laminadores (met), roll stand.
—— de la leva, lift of a cam.
—— de motor y dínamo, motor generator set.
—— de nuez, ball-and-socket joint.
—— de planos, set of plans.
—— en vacío, lost motion.
—— generador, generating set.
—— lateral, side play.
—— longitudinal, end play.
—— muerto o perdido, lost motion, backlash.
—— terminal (mec)(A), end play.
jugo *m*, juice.
juil *m* (M), driftpin.
julio *m* (eléc), joule.
juliómetro *m*, joulemeter.
junta *f*, joint, connection, splice; gasket; commission, council, board; meeting.
—— al aire (fc), suspended joint.
—— a inglete, miter joint.
—— a media madera (carp), halved joint.
—— a tope, butt joint.
—— apoyada (fc), supported joint.
—— atornillada, screwed coupling; threaded joint.
—— cardánica, universal or cardan joint.
—— constructiva (conc)(A), construction joint.
—— corrediza, slip or expansion joint.
—— de accionistas, stockholders' meeting.
—— de aceite, oil joint.
—— de acreedores, creditors' meeting.
—— de anillo (tub), ring joint.
—— de aseguradores, board of underwriters.
—— de asiento (mam)(V), bed joint.
—— de bisagra, hinged joint.
—— de bola, ball joint.
—— de canto (sol), edge joint.
—— de codillo, toggle joint.
—— de colado (conc), construction joint.
—— de comercio, board of trade.
—— de compensación o de dilatación, expansion joint.
—— de construcción, construction joint.
—— de contracción, contraction joint.
—— de cuatro bulones (fc), four-bolt splice.
—— de cubrejunta, butt joint.
—— de charnela, hinge or knuckle joint.
—— de directores, board of directors.
—— de doble cubrejunta, double-butt-strap joint.
—— de entrepaño, panel point (truss).
—— de hule, rubber gasket.
—— de interrupción (conc)(A), construction joint.
—— de lechada (lad), dipped joint.

—— de lengüeta postiza (carp), feather joint.
—— de montaje, field joint.
—— de pasador, pin joint.
—— de plegado saliente (ch), standing seam.
—— de puente (fc), bridge joint.
—— de reborde (lad), bead joint.
—— de sanidad, board of health.
—— de superposición, lap joint.
—— de trabajo (conc), construction joint.
—— de tramo (fc), block or insulated joint.
—— de tres traviesas (fc), three-tie joint.
—— degradada (lad), raked joint.
—— directiva, board of directors.
—— embadurnada (lad), buttered joint.
—— enchufada, (p) bell-and-spigot or male- and-female joint.
—— enrasada, flush joint.
—— escalonada (fc), step or compromise splice
—— escarbada (lad), raked joint.
—— esférica, ball joint.
—— esquinada abierta (sol), full-open corner joint.
—— esquinada medio abierta (sol), half-open corner joint.
—— flotante (fc)(Es), suspended joint.
—— giratoria, swivel joint.
—— metaloplástica, metallic gasket.
—— montada, lap joint.
—— muescada (ca), key joint.
—— plomada (tub), flush joint.
—— raspada (lad), raked joint.
—— resbaladiza, slip joint.
—— seguida, continuous joint (not staggered).
—— simulada (pav), dummy joint.
—— solapada, lap joint.
—— suspendida reforzada (fc), bridge joint.
—— tomada (mam)(A), pointed joint.
—— universal, universal joint.
Junta Nacional de Aseguradores, National Board of Fire Underwriters.
juntas
—— a rosca (tub), screwed joints.
—— alternadas, broken or staggered joints.
—— empelladas (lad), push or shove joints.
—— llenas (lad), flush joints.
—— remetidas (lad), raked joints.
juntar, to splice, join, couple.
juntear, to joint; to fill joints.
junteo *m*, jointing.
juntera *f*, jointing plane; jointer, buzz planer.
—— de duelas, stave jointer.
juntura *f*, joint, splice.
—— de pestaña, flanged coupling.
—— montante, vertical joint; field joint.
—— para manguera, hose coupling.
justipreciador *m*, appraiser.
justipreciar, to appraise, rate.

kapok *m*, kapok.
kenotrono, kenotrón *m* (ra), kenotron.
keratófiro *m* (geol), keratophyre.
kerita *f* (ais), kerite.
kern (mat), kern.
kernita *f*, kernite (borax ore).

kerógeno *m* (pet), kerogen.
kerosén *m*, kerosina *f*, kerosene.
kersantita *f* (geol), kersantite.
kianizar, to kyanize.
kieselgur *m*, kieselguhr.
kilaje *m* (A), weight in kilograms.
kiliárea *f*, kiliare.
kiloamperio *m*, kiloampere.
kilobara *f*, kilobar.
kilocaloría *f*, kilocalorie, great calorie.
kilociclo *m*, kilocycle.
kilodina *f*, kilodyne.
kiloergio *m*, kiloerg.
kilográmetro *m*, kilogram-meter.
kilogramo *m*, kilogram.
kilojulio *m*, kilojoule.
kilolibra *f*, kip, kilopound, 1000 lb.
kilolínea *f* (eléc), kiloline, kilomaxwell.
kilolitro *m*, kiloliter.
kilometraje *m*, distance in kilometers.
kilométrico, kilometric.
kilómetro *m*, kilometer.
kilovatiaje *m*, power in kilowatts.
kilovatio *m*, kilowatt.
kilovatio-hora, kilowatt-hour.
kilovoltamperio *m*, kilovolt-ampere.
—— reactivo, kilovar, reactive kilovolt-ampere.
kilovoltímetro *m*, kilovoltmeter.
kilovoltio *m*, kilovolt.
kinescopio *m* (tv), kinescope.
konímetro *m* (min), konimeter.
kovar (aleación), Kovar (trademark).

laberíntico *a*, labyrinth, labyrinthine.
laberinto *m* (mec), labyrinth.
lábil (quím) (ra), labile.
labio *m*, lip, edge.
—— cortante, cutting edge (drill).
labor *f*, work, labor; (min) a working; cultivation; (meas) 177.14 acres; (Sp) 1000 brick or tile.
—— a cielo (min), overhand working.
—— a cielo abierto, open-pit mining.
—— a través (min), crosscut.
—— con pilares en retirada (min), retreating system.
—— con pilares y cámaras (min), pillar-and-stall mining, chamber working.
—— de anchurón y pilar (min), room-and-pillar mining, chamber working.
—— de bancos (min), underhand stoping.
—— de cantera (min), open-pit work.
—— de desanche (min)(M), resuing.
—— de frente corrido, longwall mining.
—— de frente escalonado, breast stoping.
—— de realce o de testeros, overhand stoping.
—— en rebajo, underhand stoping.
—— por lajas (min), slabbing, slashing.
labores hulleras, coal workings.
laborabilidad *f* (conc)(A)(V), workability.
laborable, tillable, arable; (conc)(A)(V) workable.
laborador *m*, worker, laborer.
laborar, to work; to till.

laboratorio *m*, laboratory.
—— de campo, field laboratory.
—— de ensayo, testing laboratory.
—— de investigaciones, research laboratory.
laboratorista *m* (U)(M), laboratory worker.
laborear, to reeve; to work.
laboreo *m*, reeving; working; (min) a working.
—— a cuadrícula, bord-and-pillar mining.
—— de grada (min), stoping.
—— de subniveles, substoping, drift or sublevel stoping.
—— en avance (min), advancing system.
—— en retirada (min), retreating system.
—— hidráulico, hydraulicking, sluicing.
—— por cuadros (min), panel working.
laborero *m* (min)(Ch), heading foreman.
labra *f*, working, cutting, stonecutting.
labrabilidad *f*, machinability.
labrable, machinable.
labrado *m*, dressing, machining; (min)(M) a working; *a* dressed; wrought; manufactured.
—— a escoda (mam), hammer-dressed.
—— a mano, hand-tooled.
—— cuatro caras (mad), dressed four sides.
—— por llama, flame-machining.
—— por un canto (mad), dressed one edge.
—— por una cara (mad), dressed one side.
labrador *m*, worker.
labrar, to work; to till; to dress, face, mill; to carve, tool; to manufacture.
—— en caliente, to hot-work.
—— en frío, to cold-work.
—— toscamente, to rough-dress.
laca *f*, lacquer; shellac, lac.
—— blanqueada, bleached shellac.
—— japonesa o negra, japan.
lacar, to shellac.
lacmoide *m* (lab), lacmoid.
lactasa *f* (is), lactase.
lactosa *f* (is), lactose.
lacustre, lacustrine.
ladeado, out-of-plumb.
ladearse, to tip, get out-of-plumb; to tilt; (M) to warp.
ladeo *m*, sway, tilting, sidesway; (pmy)(Es) banking.
ladera *f*, hillside, slope of a valley.
ladero *m* (fc)(M), siding.
lado *m*, side; (M) leg of an angle.
—— recto (mat), latus rectum.
ladrillado *m*, brick pavement; brickwork.
ladrillador *m*, bricklayer.
ladrillal *m*, brickyard.
ladrillar *m*, brickyard; brickkiln; *v* to lay brick, pave with brick.
labrillejo *m*, briquet.
ladrillera *f*, brickmaking machine; (Ec) brick mold.
ladrillería *f*, brickyard.
ladrillero *m*, brickmaker.
ladrillo *m*, brick.
—— al hilo, stretcher.
—— a tizón, header.
—— aislador, insulating brick.
—— alabeado, arch-burned brick (warped in burning).

—— alivianado, hollow brick.
—— aplantillado (Es), radial brick.
—— áspero, rough-face brick.
—— atizonado, header.
—— cocido, well-burned brick.
—— común o corriente, common brick.
—— crómico, chrome brick.
—— crudo, unburned brick.
—— de alta alúmina, high-alumina brick.
—— de alta cochura (Es), well-burned brick.
—— de ángulo entrante redondo, internal-bull-nose brick.
—— de arco, arch brick, voussoir.
—— de asta, header.
—— de barro blando, soft-mud brick.
—— de barro duro, stiff-mud brick.
—— de cal y arena, sand-lime brick.
—— de campana, clinker brick.
—— de canto de bisel, featheredge brick.
—— de cara cóncava, cove stretcher.
—— de cara peinada, tapestry brick.
—— de clave, key brick.
—— de cuello, neck brick.
—— de cuña (rfr), wedge brick.
—— de esquina redonda, bullnose brick.
—— de esquisto, shale brick.
—— de extremo cóncavo, cove header.
—— de fachada o de paramento, face or front brick.
—— de fuego, firebrick.
—— de jamba, jamb brick.
—— de lechos cortados por alambre, side-cut brick.
—— de magnesita, magnesite brick.
—— de manguito, sleeve brick.
—— de máquina o de prensa, pressed brick.
—— de máquina hilera, wire-cut brick.
—— de pinta, well-burned brick.
—— de sílice, silica brick.
—— de soga, stretcher.
—— escoriado, clinker brick.
—— esmaltado, enameled brick.
—— frotador, rubbing brick.
—— glaseado, glazed brick.
—— hueco de enrasillado, furring brick.
—— mate, matt-face brick.
—— moldeado en arena, sand-struck brick.
—— oblicuo (rfr), skew brick.
—— para jaquelado, checker brick.
—— pavimentador, paving brick.
—— prensado a máquina, power-pressed brick.
—— prensado en seco, dry-pressed brick.
—— recio, common brick.
—— recocho, well-burned brick.
—— recortado, wire-cut brick.
—— refractario, firebrick.
—— refractario aislante, insulating firebrick.
—— reprensado, repressed brick.
—— requemado, clinker or overburned brick.
—— rosado, salmon or underburned or soft-burned or pale brick.
—— santo, hard-burned brick; overburned brick.
—— silicocalcáreo, sand-lime brick.
—— sin cocer, adobe brick.
—— superrefractario, superduty firebrick.
—— tablón (Col), brick 25 x 25 x 5 cm.

—— tolete (Col), brick 26 x 13 x 6 or 7 cm.
—— vidriado a sal, salt-glazed brick.
ladrillos
—— a sardinel o de canto, brick laid on edge, row-lock.
—— de testa, brick laid on end, soldier course.
—— parados (M), soldier course, brick on end.
ladrón m, (hyd) sluice; (dd) culvert; (C) over-flow pipe.
—— de admisión (ds), filling culvert.
—— de desagüe (ds), emptying culvert.
lago m, lake.
lagrimal m, weep hole.
laguna f, lake, pool, lagoon.
—— de decantación (min), tailings pond.
—— de enfriamiento, cooling pond.
lagunato m (C), pool, pond.
laine m (C), liner, shim.
laja f, flagstone, slab; layer; stratum of rock; spall.
lajeado (M)(U), laminated.
lajilla f (V), shale.
lajoso (U), laminated.
lama f, mud, silt; ore dust; (min) tailings, slime; (M) loam.
lamelar, laminated.
lámina f, sheet, plate; (geol) lamina; (min) slab; (Pan)(M) sheet metal.
—— acanalada (M), corrugated iron.
—— acuífera, water-bearing stratum, water table.
—— adherente (hid), clinging nappe.
—— asfáltica, sheet asphalt.
—— de ballesta, spring leaf.
—— de fibra (M), fiberboard.
—— de goma, sheet rubber.
—— de muelle (A), spring leaf.
—— estañada, tin plate.
—— vertiente (hid), nappe (spillway).
laminación f, lamination.
laminado m, laminate; a rolled (steel); laminated; (geol) tabular.
—— a troquel, die-rolled.
—— en caliente, hot-rolled.
—— en duro, hard-rolled.
—— en frío, cold-rolled.
laminador m, rolling mill; roll; laminator.
—— acabador, finishing roll.
—— continuo, continuous mill.
—— de grueso o de lupias, blooming mill.
—— de planchas, plate mill.
—— de reducción en frío, cold-reduction mill.
—— de roscas, thread roller.
—— de temple, temper mill.
—— de tira en caliente, hot-strip mill.
—— de tochos, billet mill.
—— desbastador, puddle train or rolls; blooming mill.
—— enderezador (cn), mangle rolls.
laminar, v to roll (steel); to laminate; a lam-inated, laminar.
laminilla f, scale (rust), flake.
—— metálica, metal foil.
laminita f, shim, small plate.
lampa f, large shovel.
lampada f, shovelful.
lámpara f, lamp.

—— a gas (eléc)(A), gas-filled lamp.
—— biposte (eléc), bipost lamp.
—— de alto (auto), stop light.
—— de arco, arc lamp.
—— de cátodo caliente, hot-cathode lamp.
—— de cátodo frío, cold-cathode lamp.
—— de contraste, comparison lamp.
—— de cuarzo, quartz lamp (mercury vapor).
—— de descarga luminosa (eléc), gas-discharge lamp.
—— de despejo, (auto) clearance lamp.
—— de plomero, blowtorch, gasoline torch.
—— de proyección (eléc), projector lamp.
—— de prueba, test lamp.
—— de seguridad, safety or miner's or Davy lamp.
—— de soldar, blowtorch.
—— de tántalo, tantalum-filament lamp.
—— de tungsteno, tungsten-filament lamp.
—— de vapor de mercurio, mercury-vapor lamp.
—— de vapor de sodio, sodium-vapor lamp.
—— electrónica (A), electron tube.
—— fotoeléctrica (A), photoelectric cell.
—— inundante, floodlight, flood lamp.
—— neón, neon lamp or tube.
—— plomada (min), plummet lamp.
—— proyectante, searchlight, floodlight, flood lamp.
—— testigo (eléc), pilot lamp or light.
lamparilla f, small lamp; incandescent lamp.
lampazo m, mop, swab.
lampear, to shovel (with lampa).
lampero m, shoveler.
lampón m (Ec), long-handled shovel.
lamprófiro m (geol), lamprophyre.
lana f, wool.
—— de asbesto, mineral wool.
—— de cristal o de vidrio, glass wool.
—— de escoria, slag or mineral wool.
—— de madera, wood wool.
—— de plomo, lead wool.
—— mineral, mineral or rock or slag wool.
—— pétrea, rock wool.
lance m (M), a melt (steel).
lanceta (f) de oxígeno (sol), oxygen lance.
lancha f, launch, lighter, scow; flagstone, slab.
—— automotriz, motorboat, motor launch.
—— barrera, mud scow.
—— carbonera, coal barge.
—— de descarga automática, dump scow.
—— encajonada, covered lighter.
—— plana, deck barge.
—— salvavidas, lifeboat.
lanchada f, bargeload.
lanchaje m, lighterage.
lanchar m, flagstone quarry.
lanchero m, boatman, lighterman.
lanchón m, lighter, barge, scow, flatboat.
—— alijador, lighter.
—— carbonero, coal barge.
—— de arrastre (ef), pullboat.
—— de cubierta, deck barge.
—— petrolero, oil barge.
lanchonero m, lighterman, boatman.
lanza f, nozzle, giant, monitor; wagon pole; (A) slice bar, (A) clinker bar; pike pole.

lanzaarena m, sandblast outfit.
lanzador m (min), nozzle, monitor.
—— de electrones (ra), electron gun.
—— de remaches (herr), rivet passer.
—— de troncos (sa), kicker.
lanzadora (f) de arena (fund), sand slinger.
lanzamortero m (M), cement gun.
laña f, clamp, cramp, dogbolt.
lañar, to clamp.
lapa f, barnacle; (min)(Pe) footwall.
lapacho m, a South American hardwood.
lapicera f (auto)(U), high-tension conductor.
lapicero m (dib), pencil holder of a compass.
lápiz m, graphite, black lead; pencil; lead for pencil or compass; (elec) carbon point, carbon pencil.
—— de maderero, lumber crayon.
—— de tiza (A), marking crayon.
—— rellenable, refillable pencil.
lapizar, to draw with a pencil.
laquear, to lacquer.
largada f, distance, length.
largo m, length; (tel)(A) dash; a long.
—— de pandeo o sin apoyo (est), unsupported length.
—— desarrollado, developed length.
—— total, over-all length.
largos corrientes, stock or standard lengths.
largor m, length.
larguero m, stringer, girt, purlin; waler, ranger, strongback; sill; skid; pile cap; stile of a door; (min)(tun) wall plate.
—— central (puerta), muntin, mullion.
—— del bastidor (auto), side rail.
—— de bisagra o de suspensión (puerta), hanging or hinge stile.
—— del casco (cn), shell stringer or longitudinal.
—— de cerradura (puerta), lock stile.
—— de encuentro (puerta), meeting stile.
—— de escalera, stair string.
largura f, length.
larval, larval.
larvas f, larvae.
larvicida m, larvicide.
lasca f, spall.
lascar, to spall; (cab) to slack off, pay out.
lastra f, slab, flagstone.
lastraje m, ballasting.
lastrar, to ballast, weigh down; to surface with gravel.
lastre m, (rr)(naut) ballast; (Ec) road metal; (Ch) gravel.
—— de agua, water ballast.
lastrear (Ch), to ballast.
lastrón m, large flagstone.
lata f, a tin, tin can; (C) tin plate; lath, batten (mas) darby.
latente, latent.
lateral m, (p) lateral, Y; a lateral, side.
—— de reducción (tub), reducing Y or lateral.
latería f, tin plate.
laterita f (geol), laterite.
laterítico, lateritic.
laterización f, laterization.
latero m, tinsmith.
látex m (ais), latex.

latigazo m, whipping of a cable.
latilla f, lath.
latita f (geol), latite.
latitud f, latitude.
—— **geodésica o geográfica o topográfica**, geodetic or geographical or topographical latitude.
latitudes y desviaciones (lev), latitudes and departures.
latitudinal, latitudinal.
latón m, brass; a large can; (PR) iron water pail; (min) plank.
—— **cobrizo**, red brass.
—— **corriente**, yellow brass.
—— **de aluminio**, aluminum brass.
—— **naval**, naval brass (62% copper, 37% zinc, 1% tin).
—— **para soldar**, brazing brass.
—— **rojo al plomo**, leaded red brass.
—— **semicobrizo**, semired brass.
—— **silícico**, silicon brass.
latonado, brass-plated.
latonería f, brasswork; brass shop.
latonero m, brassworker; (Col)(V) sheet-metal worker, tinsmith.
laurel m, a South American lumber.
laurilo m (lab), lauryl.
lava f, lava; (min) washing.
lavabo m, washbasin, lavatory.
lavadero m, washer; lavatory, washbasin; washtray, washtub; washroom; place where gravel is washed for gold.
—— **de pared**, wall-type washbasin.
—— **de pie**, pedestal washbasin.
lavado (m) **contracorriente**, countercurrent washing.
lavador m, washer.
—— **de arena** (ag), sand washer or tank.
—— **de calle**, street washer.
—— **de cascajo** (dac), grit washer.
—— **de gas**, gas scrubber.
—— **de paletas**, paddle-type sand washer.
—— **rociador** (aa), spray air washer.
lavadora f, washer.
—— **de carbón**, coal washer.
—— **de impresiones** (fma), print washer.
lavaduras f, washings.
lavaje m, washing; (di)(A) scavenging.
lavamanos m, washbasin, lavatory.
lavar, to wash.
lavatorio m, lavatory; washbasin.
—— **de arrimar**, wall-type lavatory.
lávico, lavatic, lavic.
laya f, spade.
—— **de descortezar**, bark spud.
lazo m, loop, tie; (lg) choker.
—— **de goteo** (eléc), drip loop.
—— **de histéresis** (eléc), hysteresis loop.
lazulita f (miner), lazulite, blue spar.
lectura f (inst), reading.
—— **de atrás** (lev), backsight.
—— **de mira**, rod reading.
—— **estadimétrica**, stadia reading.
—— **frontal**, foresight.
lechada f, grout; slurry; (C) whitewash; (Pe) laitance.
—— **de cal**, milk of lime; (V) whitewash.

lechadear, to grout.
lechado m, grouting.
lecho m, bed, stratum; (min) floor.
—— **amortiguador** (hid), stilling pool, tumble bay.
—— **bacteriano** (dac), septic bed.
—— **de cantera**, natural bed of a stone.
—— **de la carretera**, subgrade, roadbed.
—— **de contacto** (dac), contact bed.
—— **de la corriente**, stream bed.
—— **de creciente** (r), flood plain, bed of the stream at maximum.
—— **de fundación**, foundation material or bed.
—— **de oxidación** (dac), oxidizing bed.
—— **del río**, river bed.
—— **de roca**, bedrock, ledge rock.
—— **de la vía** (fc), roadbed, roadway.
—— **desecador o secador** (dac), drying or sludge bed.
—— **filtrante o percolador** (pa), filter bed.
lechosidad f (V), laitance.
ledita f (tub), Leadite (trademark).
légamo m, mud, silt, (min) slime.
legón m, grub ax; grub hoe; (C) spade.
legra f, reamer, broach; reeming iron.
leguario m (Ch), milestone.
leído m (inst), reading.
lejía f, lye.
lemniscata f (mat), lemniscate.
lengua f, tongue.
—— **de carpa**, kind of chisel.
—— **de pájaro**, taper file.
—— **de vaca**, pointing trowel.
lengüeta f, tongue, lug; (rr) switch point or blade; (rr) point of a frog; (carp) spline, feather; (mech) key, spline.
—— **ahusada**, taper spline.
—— **calibradora**, thickness gage.
—— **paralela**, feather key, spline.
—— **postiza**, spline, feather key, loose or slip tongue.
—— **y ranura**, tongue and groove.
lenta quemadura, de, slow-burning.
lente m f, lens (optical); lens (geol).
—— **autofiltrador**, self-filtering lens.
—— **colectora o convergente**, converging lens.
—— **condensadora**, condenser, condensing lens.
—— **de ampliación** (fma), enlarging lens.
—— **de elaboración**, process lens.
—— **divergente**, diverging or negative lens.
—— **Fresnel** (ap), Fresnel lens.
—— **objetiva** (inst), object glass.
—— **ocular** (inst), eyepiece, eyeglass.
—— **telefotográfico**, telephoto lens.
lenteja f, disk; (geol) lenticle, lentil.
lenticular, lenticular.
lento, slow.
leña f, firewood.
—— **de cuerdas**, cordwood.
leñar, to cut wood.
leño m, log, timber.
leptómetro m, leptometer (viscosity).
lesna f, awl, bradawl.
—— **de dibujante**, pricker.
—— **de marcar**, scratch or marking awl.
—— **para correas**, belt awl.
—— **para puntillas**, bradawl.

letra *f*, draft, bill, document.
—— de cambio, bill of exchange.
letras de identificación (ra)(tel), call letters.
letrero *m*, sign; (dwg) title.
letreros (dib)(M), lettering.
letrina *f*, latrine, privy; (C) cesspool.
leva *f*, pawl, dog, catch; cam; (C) lever.
—— de admisión (mg), admission cam.
—— de cara, face cam.
—— de disco, edge or disk or plate cam.
—— del encendido, ignition cam.
—— de escape, exhaust cam.
—— de tambor, drum or barrel cam.
levadizo, lift (bridge), rising, lifting.
levador *m*, cam.
levaje *m*, lifting.
levantaaguja *m* (inst), needle lifter.
levantacoches *m*, automobile lift.
levantador *m*, lifter, elevator.
—— de banderola, transom lifter.
—— de resorte de válvula (mg), valve-spring re-
    mover.
levantaescobillas *m* (eléc), brush lifter.
levantamiento *m*, survey; raising, lifting; (geol)
    upheaval.
—— altimétrico, topographical survey.
—— capilar (A), capillary rise.
—— de localización (M), location survey.
—— de planos, surveying, mapping.
—— de ruta, route surveying (reconnaissance,
    preliminary survey, and location survey).
—— estadimétrico, stadia survey.
—— fotográfico, photographic mapping.
—— geodésico, geodetic surveying.
—— gravimétrico, gravity survey.
—— ordinario o planimétrico o plano, plane sur-
    veying.
—— taquimétrico, stadia survey.
levantar, to hoist; to survey; to heave, lift.
—— una planimetría, to make a survey.
—— una topografía, to make a topographical
    survey.
—— vapor (C), to get up steam.
—— vuelo (ap), to take off.
levantarrieles *m*, levantavía *m*, track jack.
levantaválvula *m*, tappet, push rod; valve lifter.
levantaventana embutido, flush sash lift.
levante *m*, raising, hoisting; (conc)(A) a lift.
leve, light, easy (grade).
levigar, to levigate.
levógiro, turning anticlockwise, levorotary.
levorrotación *f*, levorotation.
levorrotatorio (az), levorotatory.
ley *f*, law; (met) fineness, grade.
—— de Coulomb, Coulomb's law, law of electro-
    static attraction.
—— de Faraday, Faraday's law, law of electro-
    magnetic induction.
—— de la inversa de los cuadrados (física), in-
    verse-square law.
—— senoidal, sine law.
—— tangencial, law of tangents.
leyes de Kirchhoff, Kirchhoff's laws, laws of elec-
    tric networks.
leyenda *f* (A)(dib), legend.
lezna *f*, awl, bradawl.

liar, to tie, bundle.
líber *m*, inner bark, bast.
libra *f*, pound.
—— de ensayador, assay pound.
—— esterlina, pound sterling.
librapié *m*, foot-pound.
librar, to free; (com) to draw.
libre, free.
—— al costado vapor, free alongside (FAS).
—— a bordo (LAB), free on board (FOB), loaded
    on cars.
—— de avería particular (seg), free of particular
    average.
—— de derechos, duty-free.
—— de impuesto, tax-exempt.
libremente apoyado (est), simply supported.
libreta *f*, notebook.
—— de campo, field book.
—— de jornales, time book.
—— de medición (ef), scale book.
—— de tiempo (M), time book.
—— de trazado (lev), transit notebook.
libretín (*m*) de jornales (V), time book.
libro *m*, book.
—— de caja, cash book.
—— diario, journal.
—— mayor, ledger.
licencia *f*, license, permit; leave of absence.
—— de manejar (auto), driver's license.
—— para edificación, building permit.
licenciar, to license.
licitación, bidding, taking bids.
licitador, licitante *m*, bidder.
licitar, to bid in competition; to take bids.
licor *m* (quím), liquor.
licuación *f*, liquefaction; (met) liquation.
licuar, to liquefy.
licuefacción *f*, liquefaction.
lidita *f*, (miner) lydite, touchstone; lyddite (ex-
    plosive).
lienza (*f*) metálica (lev), metallic tape.
lienzo *m*, façade, front wall; bay of a wall; panel
    of a fence; fabric, cloth.
liga *f*, alloy; binding material; bond; flux.
—— de asbesto, asbestos bonding.
—— metálica, alloy.
—— para frenos (V), brake fluid.
ligado con agua, water-bound (macadam).
ligador *m*, binder.
—— asfáltico (ca), asphalt binder.
ligadura *f*, tie, lashing; rail bond; (reinf)(V) col-
    umn hoop.
—— a bobina de reacción (fc), impedance or react-
    ance bond.
ligante *m* (ca), binder.
ligar, to bond, tie; to alloy.
ligazón *f*, tie, fastening; (mas) bond; (rr) rail
    bond; (V) stile of a door.
—— de impedancia (fc), impedance or reactance
    bond.
ligero, light, thin.
lignina *f*, lignin.
lignítico, lignitic.
lignitizar, to lignitize.
lignito *m*, lignite.
lija *f*, sandpaper.

—— de carborundo, carborundum paper.
—— esmeril, emery paper.
lijadora *f*, sandpapering machine, sander.
—— de banda o de cinta o de correa, belt sander.
—— de columna, column sander.
—— de disco, disk sander.
—— de husillo oscilante, oscillating-spindle sander.
—— de rodillos, roll sander.
—— de tambor, drum sander.
lijar, to sandpaper.
lima *f*, (t) file; (rf) hip or valley, hip or valley rafter.
—— ahusada, taper file.
—— ahusada delgadísima, double-extra-slim file.
—— ahusada extradelgada, extra-slim taper file.
—— - basta, rough file.
—— bastarda, bastard file.
—— cilíndrica, round file.
—— cuadrada puntiaguda, entering or square taper file.
—— de aguja, needle file.
—— de canto liso, safe-edge or side file.
—— de cerrajero, warding or key file.
—— de cola de rata, rattail file.
—— de cuchilla, hack or knife file.
—— de cuña con canto redondo, great American file.
—— de doble talla, double-cut or crosscut file.
—— de dos colas, double-tang file.
—— de ebanista, cabinet file.
—— de espada, featheredge file.
—— de hender, slitting file.
—— de navaja, knife file.
—— de picadura cruzada, double-cut file.
—— de picadura simple, single-cut file.
—— de segundo corte, second-cut file.
—— de talla mediana, middle-cut file.
—— de tornero, lathe file.
—— delgada, slim file.
—— dulce, fine or smooth file.
—— encorvada, riffler, bow file.
—— entrefina, second-cut file.
—— finísima, superfine file.
—— finísima puntiaguda, crochet file.
—— hoya (to), valley.
—— musa, single-cut file; smooth file.
—— ovalada, crossing or double-half-round file.
—— para entredientes (si), gulleting file.
—— para paletones, warding file.
—— paralela, blunt file.
—— paralela de un canto liso, pillar file.
—— plana para sierra, mill file.
—— puntiaguda, taper file.
—— ranuradora, cotter or slotting file.
—— sorda, dead-smooth or dead file.
—— superfina, superfine file.
—— tesa (to), hip, angle rafter.
—— triangular, cant or three-square or lightning file.
—— triangular achatada, cant or barrette file.
lima-cuchillo, slitting or knife file.
limador *m*, filer.
limadora *f*, shaper; power file, saw-filing tool.
—— de cabeza móvil, traverse or traveling-head shaper.

—— de columna, pillar shaper.
—— de corte de retroceso, drawcut shaper.
—— de manivela, crank shaper.
limaduras *f*, filings.
—— de acero, steel grit.
limalla *f*, filings.
limar, to file; to shape.
limatón *m*, rasp, coarse file; (Ch) hip or valley rafter.
limbo *m* (inst)(geol), limb.
—— azimutal, horizontal limb, lower plate (transit).
—— graduado (tránsito), graduated limb.
limbo-índice (inst)(V), graduated limb.
limera *f* (cn), rudderhole.
limitacorriente *m* (eléc), current limiter.
limitador *m*, (hyd) spillway; (elec) limiter; (auto) fuel or speed regulator; (mech) a stop.
—— de amplitud (ra), amplitude limiter.
—— del campo visual (fma), field stop.
—— de luz (fma), aperture stop.
—— de pico (ra), peak limiter.
—— de ruidos (ra), noise limiter.
—— de tensión (eléc), voltage limiter.
—— en cascada (ra), cascade limiter.
—— horario (eléc), time switch.
limitadora *f* (ra), limiter.
límite *m*, boundary, limit.
—— de aguante, endurance limit.
—— de agudeza (fc), limiting curvature.
—— de continuación (M), endurance limit.
—— de contracción o de encogimiento (ms), shrinkage limit.
—— de elasticidad, elastic limit.
—— de escurrimiento (A), yield point.
—— de estabilidad (eléc), stability limit.
—— de estabilidad momentánea, transient stability or transient power limit.
—— de expansión lineal (ms), lineal-expansion limit.
—— de floculación (is), flocculation limit.
—— de fluencia (A), yield point.
—— de fluidez (ms), liquid limit.
—— de flujo (met), creep limit.
—— de hidratación, hydration limit.
—— de hinchamiento, swell limit (soil).
—— de lubricación, lubrication limit (soil).
—— elástico aparente, yield point.
—— líquido (ms), liquid limit.
—— plástico o de plasticidad (ms), plastic limit.
limítrofe *a*, boundary, limiting.
limnígrafo *m*, water-level recorder.
limnimétrico, limnimetric.
limnímetro *m*, stream or staff gage, limnimeter.
limnita *f*, limnite (iron ore).
limnógrafo *m*, limnograph.
limnología *f*, limnology.
limo *m*, mud, silt.
limón *m*, stair string, carriage; wagon shaft.
limonita *f*, limonite, brown hematite, brown iron ore, (miner) brown ocher.
limonítico, limonitic.
limoso, silty, muddy.
limpia *f*, cleaning.
—— por chorro de arena, sandblasting.

—— **por llama** (pint), flame-priming, flame-cleaning.
—— **por vapor**, steam-cleaning.
limpiador m, cleaner; (tun) mucker; (pet) stripper.
—— **al vacío o de succión**, vacuum cleaner.
—— **de barrenos** (min), scraper.
—— **del cable** (pet), line wiper.
—— **vortiginoso** (aa), vorticose cleaner.
limpialimas m, file cleaner or card.
limpianieve m, snowplow.
limpiaparabrisas m, windshield wiper.
limpiaparrilla m (cal), slice bar.
limpiapozo m (pet), swab, bailer.
limpiar, to clean; to strip, clear.
limpiarrejas m (hid), rack cleaner or rake.
limpiatubos m, pipe-cleaning machine; (bo) tube cleaner, flue scraper; (pet) swab, bailer, pipe wiper.
limpiavía m (fc), locomotive pilot.
limpiavidrio m (auto), windshield wiper.
limpieza f, cleaning, clearing, stripping.
limpio, clean.
linaza f, linseed.
lindante, bordering, abutting.
linde m, **lindero** m, boundary, border, property line.
línea f, line, track; one twelfth of an inch.
—— **aclínica**, aclinic line, magnetic equator.
—— **básica**, base line.
—— **continua o corrida** (dib), full line.
—— **de acondicionamiento** (aa), condition line.
—— **de acortamiento** (lev), cutoff line.
—— **de aguas mínimas**, low-water mark.
—— **de arranque**, spring line (arch).
—— **de aviación**, airline; airway.
—— **de bajamar** (mr), low-water mark.
—— **de base**, base line.
—— **de cargas** (ra), load line.
—— **de las cargas** (dib), load line.
—— **de circulación** (ca)(M), traffic lane.
—— **de colado** (conc), lift line.
—— **de colimación** (lev), line of collimation.
—— **de corriente** (top), valley line, thalweg.
—— **de cota** (dib), dimension line.
—— **del chaflán** (cn), bearding line.
—— **de deriva** (fma), drift line.
—— **de dislocación** (geol), fault line.
—— **de distancia** (fma), distance line.
—— **de edificación**, building line.
—— **de eje**, axis, center line.
—— **de energía** (hid), energy line.
—— **de escuadría** (mam), pitch line.
—— **de exploración** (tv), scanning line.
—— **de fe** (lev)(Es), center line of level-rod target.
—— **de flotación con carga** (an), load water line.
—— **de fuerza** (eléc), line of force.
—— **de fuga** (dib), vanishing line.
—— **de imposta**, spring line (arch).
—— **de marcar**, chalk line.
—— **de marea alta**, high-water mark.
—— **de meandro** (lev), meander line.
—— **de mira** (lev), line of sight.
—— **de montaje**, production or assembly line.
—— **de nivelación**, a line of levels.
—— **de pago** (exc), pay line.

—— **de propiedad**, property or building line.
—— **de puntería** (inst), line of sight.
—— **de punto y raya o de puntos y trazos** (dib), dot-and-dash line.
—— **de puntos** (dib), dotted line.
—— **de rayas o de trazos** (dib), broken or dash line.
—— **de tránsito** (ca), traffic lane.
—— **de transporte de energía o de transmisión** (eléc), transmission line.
—— **decauville**, portable or industrial track.
—— **derivada**, branch line.
—— **férrea o ferroviaria**, railroad track, railroad.
—— **fundamental**, ground line (perspective).
—— **interrumpida** (dib), dotted or broken line.
—— **limítrofe**, boundary line.
—— **llena** (dib), full or solid line.
—— **media**, center line.
—— **municipal**, building line.
—— **perdida** (lev), random line.
—— **piezométrica**, hydraulic grade line.
—— **primitiva** (en), pitch line.
—— **puntada o punteada** (dib), dotted line.
—— **quebrada** (dib), dash or broken line.
—— **troncal** (fc), trunk line.
—— **visual** (lev)(A), line of sight.
líneas
—— **de equidepresión** (fma), equidepression lines.
—— **de influencia**, influence lines.
—— **de vuelo** (fma), flight lines.
—— **trigonométricas**, trigonometric functions.
lineal, linear, lineal, linear.
linealidad f, linearity.
lineámetro m, lineameter.
lingote m (met), pig, ingot; bloom, billet.
lingotera f, mold for pig iron, billet mold.
lingue m (Ch), a hardwood.
linguete m, pawl, dog.
liniero m (C), lineman.
lino m, canvas, sailcloth; linen, flax.
—— **de calcar**, tracing linen.
lintel m, lintel.
linterna f, lantern, lamp, (Ch) pocket flashlight; roof monitor; (mech) cage.
—— **avisadora**, signal light.
—— **para machos** (fund), core barrel.
—— **trasera** (auto), taillight, tail lamp.
linternilla f (AC), transom.
linternón m, clearstory; big lantern; monitor.
liñuelo m, strand of rope.
lipasa f (is), lipase.
liquidador m, liquidator; (chem) liquefier; (com) receiver.
—— **de averías** (seg), average adjuster.
liquidar, to liquidate; to liquefy; **liquidarse**, to liquefy.
liquidez f, liquidity.
líquido m, liquid; a liquid; (com) net.
líquidos cloacales crudos (A), raw sewage.
líquidos residuales (A), sewage.
liquidómetro m, liquidometer, liquid-level gage.
lisera f, berm.
lisímetro m, lysimeter.
lista f, list; strip.
—— **de embalaje o de los bultos**, packing list.
—— **de partes** (maq), part list.

—— de raya (M), pay roll.
listado (min), in thin layers.
listero m, timekeeper.
listo de maquinaria (C), machined, milled, faced.
listón m, lath, cleat, batten, slat; lattice bar.
—— cubrejunta, astragal (door).
—— de cierre, sealing strip.
—— de defensa, wearing strip.
—— de enrasar (ed), furring strip.
—— para clavado, nailing strip.
—— para tejado (to), gage or tiling lath.
—— separador (ventana), parting strip or slip, pendulum.
—— voladizo (tún), spile.
—— yesero, lath.
listones de avance (tún), poling boards, spilling, forepoling.
listón-guía, screed, ground.
listonado m, lath, lathing.
—— metálico, metal lath.
—— metálico costillado, ribbed metal lath.
listonador, listonero m, lather.
listonar, to lath; to place cleats or battens.
listoncillo m, lath.
listonería f, lathing.
litarge, litargirio m, litharge.
litera f, bunk, (rr) berth.
litio m (quím), lithium.
litoclasa f (geol), lithoclase, natural fracture.
litofisuras f (geol), lithophysae.
litografía f, lithograph; lithography.
litografiar, to lithograph.
litográfico, lithographic.
litología f, lithology.
litológico, lithological.
litomarga f (miner), lithomarge (kaolin).
litopón, litopono m, lithopone.
litoral m, coast, shore; (geol) littoral; a littoral.
litraje m (A), volume in liters.
litro m, liter.
liviano a, light (weight).
lixiviador m, lixiviator.
lixiviar, to leach, lixiviate.
loán m (F), land measure of about 3000 square feet.
lobos m (met), salamander, bear, shadrach.
lóbulo m (mec), lobe, lug; (M) flange.
local m, site; room; a local.
localización f, location, site; laying out, placing.
localizador m, localizer.
localizar, to lay out, locate, place.
loco, loose (pulley).
locomotor a, locomotive, self-moving.
locomotora f, locomotive.
—— a bencina, gasoline locomotive.
—— a vapor, steam locomotive.
—— articulada, Mallet or articulated locomotive.
—— cientopiés, centipede locomotive.
—— de acumuladores, storage-battery locomotive.
—— de empuje, pusher engine.
—— de maniobras o de patio, switching or drill or yard engine.
—— de recorrido, road engine.
—— de turbina con engranajes, geared-turbine locomotive.

—— decápoda, decapod locomotive.
—— decauville, contractor's narrow-gage locomotive, dinkey.
—— eléctrica de combinación, combination electric locomotive.
—— mastodonte, mastodon locomotive.
—— micado, mikado locomotive.
—— mogol, mogul locomotive.
—— petróleo-eléctrica, oil-electric locomotive.
locomotora-alijo, locomotora-ténder, tank locomotive.
locomóvil f, locomobile, boiler and engine on wheels; a portable, movable, locomobile.
lodazal m, marsh, bog.
lodo m, mud; sludge.
—— de cal (pa), lime sludge.
—— de perforación, drill sludge, drilling mud.
—— digerido (dac), digested sludge.
—— húmico (dac), humus sludge.
—— mineral (min), slime.
lodos activados (dac), activated sludge.
lodoso, muddy.
loes m (geol), loess.
logarítmico, logarithmic.
logaritmo m, logarithm.
—— común u ordinario, common logarithm.
—— hiperbólico o natural, hyperbolic or natural logarithm.
—— neperiano, Napierian logarithm.
—— vulgar (Pe), common logarithm.
loma f, ridge, hill; (rf)(C) hip.
lomada f (A), hill, ridge.
lomera f, ridgepole.
lomerío m (M), range of hills.
lomo m, ridge; shoulder of a road; (mech) boss; (geol) hogback; (irr) border.
—— de agua subterránea, ground-water ridge.
—— de perro (V), crown of a road; coping on a wall.
—— de sierra, rib of a backsaw.
lona f, canvas, sailcloth; (M)(A) tarpaulin.
—— engomada (A), tarpaulin.
loncha f, flagstone.
loneta f, cotton duck.
longímetro m (M), measuring tape.
longitud f, longitude; length.
—— de onda lineal (ra), straight-line wave length.
—— de pandeo, unsupported length (column).
—— geodésica o geográfica, geographical or geodesic longitude.
—— total, overall length.
longitudinal, longitudinal.
longrina f, cap; bridge stringer.
loro m (A), a hardwood.
losa f, slab, floor tile, flagstone.
—— celular (V), hollow building tile.
—— con armadura cruzada (conc), two-way slab.
—— de cubierta, deck slab (hollow dam).
—— de refuerzo (A), drop panel (flat slab).
—— hongo (ed)(A), flat slab.
—— nervada (conc), ribbed slab.
—— perimetral (M), slab supported on four sides.
—— plana (ed), flat slab.
losado m, tile floor.
losar, to tile (floor).

loseta *f*, floor tile; small slab.
losilla *f*, briquet.
lote *m*, lot; batch; (A)(Col) tract of land.
— de vagón (A), carload lot.
lotear, to bundle, bunch; to lay out in lots.
loteo *m*, laying out in lots.
lotificación *f* (M), division into lots.
loxodrómico, loxodromic.
loza *f*, porcelain; (C) flat tile.
lubricación *f*, lubrication.
— a inundación o por inmersión, flood lubrication.
— a plena presión o de presión completa, full-pressure lubrication.
— a salpicón o por salpicaduras, splash lubrication.
— de goteo, drop-feed oiling.
— forzada, force-feed oiling.
— por anillo, ring oiling.
— por mecha, wick lubrication.
lubricador *m*, lubricator.
— a lodo (pet), mud lubricator.
— de alimentación regulable, adjustable-feed lubricator.
— de alimentación visible, sight-feed lubricator.
lubricante, lubrificante *m*, lubricant.
lubricar, lubrificar, to lubricate.
lubricidad *f*, lubricity.
lubrificador *m*, lubricator.
lucarna *f* (A), louver; dormer window.
lucera *f*, skylight.
lucerna *f*, (rf) monitor, louver; (C) skylight; dormer window.
lucernario *m*, (rf) monitor, louver; clearstory; (C) skylight.
luces *f*, lights.
— de balizamiento (op)(ap), range lights.
— de estacionamiento (auto), parking lights.
— de pista (ap), contact lights.
— de rodaje (ap), taxi lights.
— de ruta, course lights (airway).
— del tablero (auto), panel lights.
— de tráfico (ap), traffic-signal lights.
luceta *f*, skylight; small window; transom.
lucros (*m*) y daños, profit and loss.
luchadero *m*, journal box; journal.
ludimiento *m* (pet), gall.
ludir, to abrade, chafe, rub.
lugar *m*, space; site; a room.
— ciego (ra), blind spot.
— de estacionamiento, parking space.
— geométrico, locus.
luir, to abrade, wear away.
lumbre *f*, light; skylight; transom.
— del agua, water surface.
lumbrera *f*, opening; shaft; skylight; engine port; (M) louver.
— de admisión, steam or intake or admission port.
— de aspiración (bm), suction port.
— de cubierta (cn), bull's-eye, deadlight.
— de escape, exhaust or relief port.
— sangradora, bleeder port.
lumbreras de toma (hid), intake openings.
lumbreras provisionales, diversion openings (dam).

lumbricoide (is), lumbricoid.
lumen *m* (il), lumen.
lumen-hora, lumen-hour.
lumenmetro *m* (il)(Es), illuminometer, luminometer.
lumilina, Lumiline (trademark).
lumímetro (A), illuminometer.
lumínico, pertaining to light.
luminífero, luminiferous.
luminiscencia *f*, luminescence, glow.
— azul (ra), blue glow.
— azulina (ra)(Es), blue glow.
— catódica (ra), cathodoluminescence.
luminiscente, luminescent.
luminosidad *f*, luminosity, brilliance.
— catódica, cathode glow.
— remanente o residual (ra), afterglow.
luminoso, luminous.
luminotecnia *f*, illuminating engineering.
luminotécnico *m*, illuminating engineer.
lunación *f*, lunation.
lunar, lunar.
luneta (*f*) fija (mh)(A), steady rest.
luneta móvil (torno), follower rest.
lunicorriente *f* (mr), lunicurrent.
lupa *f* (A)(V)(Es), magnifying glass.
lupia *f*, bloom (steel).
— para forjar, forge bloom.
lurte *m*, avalanche, landslide.
lustre *m*, gloss; glaze; (miner) luster.
lutita *f* (M)(V), shale.
lux *m* (il), lux, meter-candle.
luz *f*, light; span, opening; clearance; (bldg) bay.
— a distancia (auto)(A), country or running beam.
— alternante (ap), alternating light.
— brillante (C), kerosene (really a particular brand).
— cenital (Col), skylight.
— clara (C), clear span.
— de acceso o de aproximación (ap), approach light.
— de aterrizaje (ap), landing light.
— de aviso, warning light.
— de bóveda, vault light (sidewalk).
— de cabeza, headlight.
— de calcio, calcium light, limelight.
— de cálculo (V)(A), effective or design span.
— de contacto (ap), contact light.
— de cruce (auto)(A), traffic beam, antiglare light.
— de cuidado (A), warning light.
— de demarcación (ap), boundary light.
— de destellos, flashing light (lighthouse).
— de identificación (ap), identification light.
— de marcha, running light; (auto) driving light, country beam.
— de matrícula (auto), license-plate light.
— de parada (auto), stop light.
— de pase (auto), passing or traffic beam.
— de pie (ap), pedestal light.
— de prueba, test light.
— de reverso (fc), back light.
— de sentido de aterrizaje (ap), landing-direction light.
— de techo, ceiling light, (auto) dome light.

—— de tráfico (ca), traffic light.
—— de zaga (auto), taillight.
—— efectiva, effective span.
—— franca (C), clear span.
—— giratoria, revolving light (lighthouse).
—— indicadora, indicating light.
—— libre, clear span.
—— neta, net opening.
—— piloto, pilot light (burner).
—— relámpago (faro), flashlight.
—— trasera, taillight.

llaga *f* (mam), crack; (Col) vertical joint.
llama *f*, flame.
—— aeroacetilénica, air-acetylene flame.
—— carbonizadora (sol), carbonizing flame.
—— del arco (sol), arc flame.
—— oxidante, oxidizing flame.
—— reductora, reducing flame.
llamar a concurso o a licitación, to call for bids.
llamperas (min)(B), mass of material that has slid, talus.
llampo *m* (Ch)(B), finely broken ore.
llana *f*, plain; plasterer's trowel, mason's float.
—— acabadora, finishing trowel.
—— acodada o de ángulo, corner or angle trowel.
—— de cuneta, gutter tool.
—— de enlucir, plasterer's trowel.
—— de jaharrar, browning trowel.
—— de juntar, jointing tool.
—— de madera, mason's float.
llanada *f*, flatland, level ground.
llanadora *f* (A), grader.
llanca *f* (Ch), a copper ore.
llano *m*, flatland; *a* even, flat, smooth.
llanta *f*, iron tire, tire rim; tread; rubber tire; steel flat.
—— articulada, crawler belt.
—— de costado blanco, white-side-wall tire.
—— de refacción o de repuesto, spare tire.
—— de volante, flywheel rim.
—— desmontable, demountable rim.
—— maciza, solid tire.
—— sin pestaña (loco), blind or blank tire.
llantas de oruga, crawler tread, caterpillar mounting.
llantera *f* (M), tire iron.
llanura *f*, plain, flatland; (C) tread of a wheel.
—— costanera, coastal plain.
—— del río, valley flat or floor, bottom land.
llaucana *f* (Ch), miner's crowbar.
llave *f*, key (lock); wrench; (mech) key, wedge; valve, cock, bibb, faucet; (elec) key, small switch; (mas) header, bondstone; keystone; (min)(Sp) crib; (com)(A) good will; (min) section of ground left in place to support roof.
—— a botón o a pulsador, push-button switch.
—— a crique, ratchet wrench.
—— a palanca, lever switch.
—— acodada o angular, offset wrench; angle valve.
—— ahorquillada, fork wrench.
—— botonera (A), push-button switch.
—— cerrada, box wrench.

—— ciega, blank (key).
—— colgante, pendent switch.
—— conmutadora, change-over switch.
—— de adjustador, machine wrench.
—— de alivio, snifting valve.
—— de ángulo, angle valve; offset or obstruction wrench.
—— de arco, keystone.
—— de armador, construction wrench.
—— de artefacto, appliance switch.
—— de berbiquí, brace wrench.
—— de boca, open-end wrench.
—— de boca sencilla, end or engineer's or set-screw wrench.
—— de bola, ball valve.
—— de bridas, flanged valve; flange wrench.
—— de cadena, chain wrench or tongs.
—— de caja o de casquillo o de copa, socket or box wrench.
—— de caño, pipe wrench.
—— de cebar, priming cock.
—— de cierre, stopcock.
—— de cilindro (mv), cylinder cock.
—— de cinco vías, five-way cock.
—— de cincha, girth pipe wrench.
—— de cola, fitting-up or spud wrench.
—— de comprobación (cal), try or gage cock.
—— de compuerta, gate valve.
—— del conmutador, switch key.
—— de contador, meter cock.
—— de cordón pasante, through-cord switch.
—— de la corporación, corporation cock (water).
—— de correa, strap wrench.
—— de croche (V), ratchet wrench.
—— de cuatro pasos o de cuatro salidas, four-way cock.
—— de cuatro puntos, four-point switch.
—— de cuatro vías (eléc), four-way switch.
—— de cubo, socket wrench; box key.
—— de cuña (mec), taper key.
—— de chicharra, ratchet wrench.
—— de choque, impact or pneumatic wrench.
—— de decantación, drain cock.
—— de desagüe, drip or drain cock, petcock.
—— de doble curva, S wrench.
—— de doble entrada (M), double-ended wrench.
—— de doble juego (A), double-throw switch.
—— de dos bocas, double-ended wrench.
—— de dos golpes, double-break switch.
—— de eclisas (fc), track wrench.
—— de embutir, flush switch.
—— del encendido (auto), ignition switch.
—— de escape, exhaust valve; blowoff cock, pet-cock.
—— de espiga, pin wrench.
—— de flotador, float valve, ball cock.
—— de gancho o de horquilla, spanner or hoo wrench.
—— de gancho con espiga, pin spanner.
—— de golpe o de impacto, impact wrench.
—— de humero, damper.
—— de lengüeta (eléc), strap or tapping key.
—— de leva, cam switch.
—— de llanta metálica (auto), rim wrench.
—— de macho, plug valve or cock.

—— de manguera, spanner or hose wrench; hose bibb.
—— de maquinista, engineer's wrench.
—— del maquinista (loco), engineer's brake valve.
—— de mar (cn), sea cock.
—— de martillo, slugging or striking wrench.
—— de media vuelta, stopcock; plug valve.
—— de mordaza, alligator or bulldog wrench.
—— de nivel o de prueba (cal), gage cock.
—— de paletón (ft), bit key.
—— de paletón entallado, warded key.
—— de paso, by-pass valve; stop, cock, stopcock; shutoff or line valve; master key.
—— de pata, crowfoot wrench.
—— de pernete, pin wrench.
—— de pico de loro, Stillson wrench.
—— de punzón, needle valve.
—— de purga, blowoff valve, drain cock, petcock.
—— de retención, check valve; shutoff cock.
—— de seguridad, safety valve.
—— de servicio, service cock; faucet; house valve.
—— de supervisión (tel), monitoring key.
—— de torsión, torque wrench.
—— de trabazón (conc), bonding key.
—— de tres conductos o de tres pasos, three-way valve.
—— de tres puntos o de tres vías o de triple juego (eléc), three-way or three-point switch.
—— de trinquete, ratchet wrench.
—— de tuercas, wrench.
—— de un polo, single-pole switch.
—— dentada, alligator or bulldog wrench.
—— desahogadora, air cock.
—— desconectadora, disconnect switch.
—— en T (vá), T wrench.
—— esclusa (A), gate valve.
—— española (C), open-end or engineer's wrench.
—— espitera (A), cock wrench.
—— falsa, false key, picklock, skeleton key.
—— ferrocarrilera, track wrench.
—— forma S, S wrench.
—— goteadora, drip cock.
—— goteadora de alimentación visible, sight-feed valve.
—— indicadora, indicator cock.
—— indicadora de tensión, tension wrench.
—— inglesa, monkey wrench.
—— inversora, reversing switch.
—— maestra, (hw) master or pass key; corporation cock (water).
—— mezcladora (pb), mixing valve.
—— momentánea, momentary-contact switch.
—— municipal, corporation cock (water).
—— neumática, pneumatic percussion wrench.
—— óptica (fma), optical switch.
—— para boca de agua, hydrant wrench.
—— para bujías, spark-plug wrench.
—— para hidrante, hydrant stop; hydrant wrench.
—— para levantaválvulas, tappet wrench.
—— para mandril (mh), chuck wrench.
—— para robinete, cock wrench.
—— para salmuera, brine cock.
—— para tornillo de presión, setscrew wrench.
—— para tubos, pipe or Stillson wrench.
—— para tuercas y caños, combination wrench.
—— reguladora, pressure-regulating valve.

—— roncadora, snifting valve.
—— selectora, selector switch.
—— suspendida, pendent switch.
—— telegráfica, telegraph key.
—— tubular, socket wrench.
—— universal, monkey wrench.
llave-tenedor, fork wrench.
llavín m, key, latchkey.
llena f (M), flood.
llenaderas f (pet), loading rack.
llenador m, (str) filler plate; (pt)(V) filler.
—— de acumulador, battery filler.
llenante f, flood tide.
llenar, to fill.
llenos (m) de popa (cn), buttocks.
llevabarrenas m, nipper, drill-steel carrier.
llevar, to carry, convey.
—— a cabo, to carry out, execute, finish.
—— en suspensión (r), to carry in suspension.
—— intereses, to bear interest.
—— la contabilidad, to keep the accounts.
—— una poligonal (lev), to run a traverse.
lloradera f, leak.
lloradero m, weep or drain hole; leak; spring (water).
llover, to rain.
lluvia f, rain, rainfall; (A) shower bath, shower head.
lluvioso, rainy.

macaco m (pi), striking plate, bonnet, hood, dolly; pile follower.
macádam m, macadam.
—— al agua, water-bound macadam.
—— alquitranado, tar macadam.
—— asfaltado, asphalt macadam.
—— de penetración, penetration or oil macadam.
—— enlechado, grouted or cement-bound macadam.
—— hidráulico, water-bound macadam.
—— ligado con tierra, soil-bound macadam.
—— seco, dry-bound macadam.
macadamizar, to macadamize.
macadán m, macadam.
macana f, spade.
maceración f, maceration.
—— compuesta (az), compound maceration.
—— verdadera (az), true or bath maceration.
macerador m, macerator.
macerar, to macerate; (A) to slake (lime).
maceta f, maul, hammer, mallet.
—— de aforrar, serving mallet.
—— de calafatear, calking mallet, hawsing or reeming beetle.
—— de hojalatero, tinner's mallet.
macetear, to strike with a maul.
macetón m (M), stone sledge.
macizar, to fill in, make solid.
macizo m, bulk, mass; a massive, solid, heavy.
—— de anclaje, deadman, anchorage, anchor log
macizos desviadores (hid), deflector blocks.
macrocristalino (geol), macrocrystalline.
macroestructura f, macrostructure.
macrógrafo m, macrograph.

macrosísmico, macroseismic.

macrosismo m, macroseism, major earthquake.

machacadora f, crusher.

—— de carbón, coal breaker.

—— de discos, disk crusher.

—— de mandíbulas, jaw crusher.

—— de martillos, hammer mill.

—— giratoria, gyratory crusher.

—— reductora, reduction crusher.

machacamiento m, crushing; (M) crushing stress.

machacar, to crush; to pound.

machado m, hatchet.

machaqueo m, crushing; pounding; (Sp) crushed stone.

machar, to hammer, break with a hammer.

machete m, machete, bush knife; (in Cuban sugar mills machetes are revolving cane knives).

machetear, to cut with a machete.

machetero m (lev)(Ec), man who clears ground with a machete.

machihembra f (A), jointing plane.

machihembrado (mad), tongued and grooved, matched.

—— al tope, end-matched.

—— y rebajado, matched and plowed.

machihembrador m, machine for cutting tongue and groove.

machimbre m, a tongued and grooved board.

machina f, pile driver; shear legs; (C) wharf crane.

machinal m, putlog; (carp)(A) knee, corbel, bracket.

macho m, dowel; pintle; mandrel, shaft, journal, spindle; gudgeon; sheave pin; sledge hammer; pier, buttress; (fdy) core; (t) tap; (p) spigot end; (geol) dike; (va) plug; spud (vibrator); (min) unproductive vein; a (mech) male.

—— acabador, finishing or sizer tap.

—— ahusado o cónico, taper or entering tap.

—— cilíndrico, straight or bottoming tap.

—— corto, stub tap.

—— de aterrajar, tap.

—— de barrena (M), shank of a drill.

—— de espiga acodada, bent-shank (tapper) tap.

—— de expansión, collapsible tap.

—— de fragua, blacksmith sledge.

—— de gancho, hook tap.

—— de husillo, spindle staybolt tap.

—— de imán (eléc), plunger.

—— de llave, plug of a cock.

—— de peines insertados, inserted-chaser tap.

—— de perno, bolt tap.

—— de pesca (pet), fishing tap.

—— de roscar o de terraja, tap.

—— de timón (náut), rudder pintle.

—— de tres orificios (vá), three-port plug.

—— desbastador, roughing tap.

—— escalonado, step tap.

—— maestro de roscar, hob or master tap.

—— para tubería, pipe tap.

—— para tuercas, nut or tapper tap.

—— paralelo, straight or plug tap.

—— y campana (tub), bell and spigot.

—— y hembra, male and female, box and pin; (p) (C) bell and spigot.

machos de serie, serial taps.

machón m, buttress, pier, counterfort; shaft, gudgeon; (A) strut; (V) concrete column in a brick wall.

—— de gravedad, massive buttress (Ambursen dam).

machota f, rammer, tamper.

machote m (M), blank form.

machucar, to pound.

machuelar (M), to tap.

machuelo m, tap.

—— arrancasondas, screw grab or bell.

madera f, wood, lumber, timber.

—— al corazón (Es), quartersawed lumber.

—— al hilo (Es), tangent-sawed lumber.

—— alburente, sapwood.

—— anegadiza, wood heavier than water.

—— cepillada, dressed lumber.

—— compensada o contrachapada o contrapeada o contraplacada, plywood.

—— curada, seasoned lumber.

—— de acarreo, driftwood.

—— de barraca, yard lumber (all stock sizes less than 6 in. thick).

—— de construcción, structural timber.

—— de corazón, heartwood.

—— de demolición, secondhand lumber.

—— de deriva (M), driftwood.

—— de estío, summerwood.

—— de hierro, ironwood.

—— de hilo, lumber dressed four sides.

—— de invierno o de primavera, springwood.

—— de pulpa, pulpwood.

—— de raja, split timber.

—— de savia, sapwood.

—— de sierra, sawn lumber.

—— desecada, seasoned lumber.

—— dura, hardwood.

—— en pie, standing timber.

—— en rollo, logs.

—— enchapada (C), plywood.

—— fresca, green lumber.

—— labrada, dressed or surfaced lumber.

—— laminada, plywood.

—— laminada con alma maciza, lumber-core plywood.

—— laminada impregnada, Compreg, pregwood.

—— laminada sin alma, all-veneer plywood.

—— limpia, clear lumber.

—— multilaminar o terciada, plywood.

—— perfilada, worked lumber.

—— por elaborar, factory or shop lumber.

—— renacida, second-growth timber.

—— residual (M), scrap wood, wood waste.

—— rolliza o rústica, logs, unsawn lumber.

—— sana, sound lumber.

—— serradiza, timber fit to be sawed.

—— tierna, sapwood; green lumber.

—— tosca, rough lumber.

—— troceada (A), cordwood.

—— verde, green lumber.

—— virgen, virgin timber.

—— viva, standing timber.

maderable, fit to be sawed.

maderada f, raft, float; timber grillage.

maderaje, maderamen m, timberwork, woodwork; falsework.
maderar, to cut trees for lumber.
maderería f, lumberyard.
maderero m, lumber dealer, lumberman, lumberjack, logger.
maderil (A), pertaining to lumber.
maderista m, lumber dealer.
madero m, log; a timber.
— cachizo, log fit to be sawed.
— de empuje (fc), push pole.
— de escuadría (M), squared timber.
— rollizo, log.
maderos de estibar, dunnage.
madre f, bed of a river; main irrigation ditch.
madrejón m (A), pool formed by overflow of a river.
madrepórico a, coral.
madrina f, shore, brace; stringer.
madurar, to age; (wp) to ripen (filter).
maduro, ripe (filter).
maestra f, (p) a main; (mas) screed, ground; (bldg) girder; draft (stonecutting); (min) main timber.
— vibradora (ca)(Es), vibrating screed.
maestranza f, machine shop.
maestrear (mam), to set grounds; to screed.
maestro m, journeyman, master workman; a main, principle, master.
— aguañón (Es), hydraulic engineer.
— albañil, master mason.
— de obras, construction manager, superintendent, builder.
— de taller (Ch), master mechanic.
— de vía (fc), roadmaster.
— en plomería, master plumber.
— mayor, master workman; building superintendent; man licensed to direct construction but not to design.
— mecánico, master mechanic.
maestros constructores de carros, master car-builders.
magazín m (vol)(U), magazine.
magistral m (met), magistral.
magma m (geol), magma.
— basáltico, magma basalt.
magmático, magmatic.
magnalio m, magnalium (alloy).
magnavoz m (M), loudspeaker.
magnesia f, magnesia, magnesium oxide.
magnesiano, magnesian.
magnésico a, magnesium, magnesic.
magnesio m, magnesium.
magnesita f, magnesite, native magnesium carbonate.
magnética f, magnetics.
magnético, magnetic.
magnetismo m, magnetism.
— remanente, residual magnetism, remanence.
— subpermanente, subpermanent magnetism.
magnetita f, magnetite, magnetic iron ore, loadstone.
magnetizable, magnetizable.
magnetizar, to magnetize.
magneto f m, magneto, magneto alternator; (Ch) magnet.

— alternador, magneto alternator.
— de volante, flywheel magneto.
magnetoeléctrico, magnetoelectric.
magnetoestricción f, magnetostriction.
magnetoestrictivo, magnetostrictive.
magnetófono m, magnetophone.
magnetógrafo m, magnetograph.
magnetometría f, magnetometry.
magnetómetro m, magnetometer.
magnetomotriz, magnetomotive.
magnetoscopio m, magnetoscope.
magnetrón m (ra), magnetron.
— de ánodo hendido, split-anode magnetron.
— de cavidad resonante, resonant-cavity magnetron.
magnificación f (óptica), amplification, magnification.
magnificar, to magnify.
magnitud f, magnitude.
magnolia, magnolia (wood); magnolia metal.
magro, (conc) lean; low (water).
magujo m, ravehook, reeming iron.
mainel m, mullion.
maja f, majadero m (lab), pestle.
majar, to pound, crush, break.
majomo m (V), a softwood.
malacate m, hoisting engine, winch, hoist, crab; (A) turret (lathe).
— a correa, belt-driven hoist.
— corredizo, traveling hoist.
— de amarre (cn), mooring winch.
— de arrastrar (tc), towing winch.
— de arrastre (ef), yarding engine.
— de buque (cn), cargo hoist.
— de camión, truck winch.
— de colisa (mv), link-motion or reversible hoist.
— de cono de fricción, cone-friction hoist.
— de la cuchara (pet), sand reel.
— de dos tambores, double-drum hoisting engine.
— de escotilla (cn), hatch winch.
— de espiar (cn), warping winch.
— de extracción, mine hoist.
— de fricción de banda, band-friction hoist.
— de hincar, pile-driver engine.
— de mando (tc), power control winch.
— de molinete (ef), spool donkey, gypsy yarder.
— de pozo (min), shaft hoist.
— de tambor simple, single-drum hoist.
— de tractor, tractor hoist.
— estibador, cargo hoist.
— para ancla (cn), anchor winch.
— para cablevía, cableway engine.
— para excavadora funicular, slackline engine.
— para tuberías (pet), calf wheel, casing spool.
— situador (fc), spotting winch.
malacatero m, hoist runner.
malaquita f, malachite (copper ore).
malaria f, malaria.
malaxadora f (M), pugmill.
maleabilidad f, malleability.
maleabilizar, to malleableize.
maleable, malleable.
malecón m, sea wall, bulkhead, mole; dike; (A) jetty; (C) heavy wall.

malezas *f*, underbrush; weeds.
malquita *f* (geol), malchite.
maltasa *f* (is), maltase.
malla *f*, mesh, screen; network.
—— **ancha**, coarse mesh.
—— **angosta**, fine mesh.
—— **de alambre**, wire mesh or fabric.
—— **de barras** (ca), bar or rod mat.
—— **de cerca**, woven-wire fencing.
—— **de nervadura**, rib lath.
—— **metálica**, wire mesh.
—— **rómbica**, diamond mesh.
mallete *m*, mallet; stud of a chain link; wedge, chock; (Ec) dap, notch.
—— **de calafate**, calking mallet.
mallo *m*, wooden maul.
mampara *f*, screen, partition.
—— **de estancamiento** (hid), core wall.
mamparo *m*, bulkhead; (hyd)(A) core wall.
—— **celular** (A), cellular core wall.
—— **contraincendio**, fire wall.
—— **de abordaje** (cn), collision bulkhead.
—— **de bovedilla** (cn), poop bulkhead.
—— **de las calderas** (cn), boiler-room bulkhead.
—— **de corrimiento** (cn), wash bulkhead.
—— **de las máquinas** (cn), engine-room bulkhead.
—— **del prensaestopas** (cn), afterpeak bulkhead.
—— **divisorio** (cn), partition bulkhead.
—— **encerrador de escotilla** (cn), trunk bulkhead.
mampostear, to build with masonry.
mampostería *f*, masonry, stonework.
—— **a hueso**, dry masonry.
—— **ciclópea**, cyclopean masonry.
—— **concertada o de piedra bruta**, rubble masonry.
—— **de cascote** (Col), rubble masonry.
—— **de sillares**, ashlar masonry.
—— **de sillares sin hiladas**, broken-range work.
—— **en seco**, dry masonry.
—— **hidráulica** (C), stone masonry laid in cement mortar.
—— **hormigonada** (Es), cyclopean concrete.
mampostero *m*, stonemason.
mampuesta *f* (mam), a course.
mampuesto *m*, block of stone; (conc) plum.
manadero *m*, spring (water); surface seepage of oil.
manantial *m*, spring (water).
—— **artesiano o surtidor**, artesian spring.
—— **ascendente**, artesian spring; contact spring.
—— **de falla o de fisura o de grieta**, fracture or fissure spring.
—— **de hondonada o de valle**, depression spring.
—— **de ladera**, gravity or contact spring.
—— **descendente**, depression or gravity spring.
—— **rebosante o de estrato**, gravity spring.
—— **resurgente o de desbordamiento**, contact spring.
manar, to flow out.
mancha *f*, stain, spot.
—— **azul** (mad), blue stain.
—— **del cátodo** (ra), cathode spot.
—— **oscura** (tv), dark spot.
manchón *m*, patch; (A) shaft coupling.
—— **de acoplamiento** (A), coupling flange.
—— **de mando** (auto)(A), driving flange.

—— **de manguito** (A), compression coupling.
—— **para mechas** (A), drill sleeve or socket.
manchones de unión (A), flange union.
mandado, driven, actuated; controlled.
—— **a mano**, hand-operated.
—— **a piloto**, pilot-operated.
—— **a potencia**, power-controlled, power-operated.
—— **a vacío**, vacuum-operated, vacuum-controlled.
mandar, to send; to control, drive, actuate.
mandarria *f*, maul, sledge.
—— **de leñero**, wood chopper's maul.
—— **de marinero**, ship or top maul.
mandíbula *f*, jaw.
mandil *m*, apron.
—— **alimentador**, apron feeder.
mando *m*, drive, operation, control.
—— **a distancia**, remote control.
—— **a la izquierda** (auto), left-hand drive.
—— **a mano**, hand control.
—— **a punta de dedo**, finger-tip control.
—— **a sinfín**, worm drive.
—— **de engranaje**, gear drive.
—— **de potencia**, power control.
—— **de relación ajustable**, variable-ratio drive.
—— **digital**, finger-tip control; (auto)(A) gearshift on the steering column.
—— **doble** (auto), dual drive.
—— **exterior, de** (eléc), externally operable.
—— **final** (auto), final drive.
—— **hidráulico** (auto), fluid drive.
—— **por botón**, push-button control.
mandón *m* (min)(M), foreman.
mandril *m*, mandrel, spindle, arbor; driftpin; broach; boring tool; (mt) mandrel; (mt) chuck; (pi) core, mandrel.
—— **ahorquillado**, fork chuck.
—— **automático para macho**, automatic tapping chuck.
—— **cortador**, cutting drift.
—— **de boquillas con barra tractora** (A), draw-in collect chuck.
—— **de bordear** (cal), tube beader.
—— **de broca**, drill chuck.
—— **de copa** (mh), pot chuck.
—— **de ensanchar** (est), driftpin.
—— **de expansión**, (bo) tube expander; (mt) expanding or cone mandrel.
—— **de mano**, (A) tap wrench.
—— **de púas o de puntas** (em), prong or spur chuck.
—— **de quijadas convergentes**, draw-in or collet or push-out chuck.
—— **de tornillos**, bell or cathead chuck.
—— **de torno** (mh), mandrel; chuck.
—— **de tuerca**, nut mandrel.
—— **escalonado**, step chuck.
—— **flotante**, floating chuck.
—— **para mechas**, drill chuck.
mandriladora *f*, broaching machine.
mandrilar, to bore; to roll (boiler tubes); to drift (holes); to broach.
mandrín *m* (est), driftpin.
mandrinar, to drift (rivet holes); to roll (boiler tubes).

manea *f* (M), brake.
maneador *m* (fc)(M), brakeman.
manecilla *f*, hand of a gage; small lever, handle.
—— de admisión (auto), throttle lever.
manejabilidad *f* (conc), workability.
manejable, workable.
manejar, to handle; to manage; (auto) to drive; (eng) to run, operate.
manejo *m*, handling; management; operation; (auto) driving.
—— a distancia, remote control.
—— al tacto (A), finger-tip control.
—— de materiales, material handling.
—— doble, dual operation.
maneta *f*, contact finger.
manga *f*, hose; (mech) sleeve; (naut) beam; breadth; (conc)(A) elephant-trunk chute, (rr)(A) approach to a loading platform for cattle.
—— de arqueo (an), register beam.
—— de compresión (tub), compression sleeve (coupling).
—— de construcción (an), molded breadth.
—— de lona (conc), canvas tremie.
—— de reparación (tub), repair sleeve.
—— maestra (an), midship beam.
—— total (an), extreme breadth.
mangas de soldador, welder's sleeves.
mangaje *m* (Es), length of hose.
manganato *m*, manganate.
manganésico, manganesífero, containing manganese, manganiferous.
manganeso *m*, manganese.
—— gris, manganite, gray manganese ore.
—— negro, black manganese, pyrolusite.
mangánico, manganic.
manganina *f* (aleación), manganin.
manganita *f*, manganite, gray manganese ore.
manganito *m* (quím), manganite.
manganoso, manganous.
mangar, to put a handle on.
mangaveleta *f* (ap), wind sock.
manglar *m*, mangrove swamp.
mangle *m*, mangrove.
mango *m*, shank, handle, grip, haft.
—— cilíndrico, straight shank.
—— cónico, taper shank.
—— del cazo o del cucharón (pl), dipper stick.
—— de girar, turning handle.
—— de palanca, lever handle.
—— de pistola, pistol grip.
—— de serrucho, saw pad.
—— de T (vá), T handle.
—— para pico, pick handle.
mangos de cucharón (pl), dipper arms.
mangote *m*, chuck.
manguardia *f*, wing wall; buttress.
manguera *f*, hose; inner tube.
—— alambrada o armada, wire-wound or armored hose.
—— aspirante o de succión, suction hose.
—— de incendio, fire hose.
—— de soldador, welding hose.
—— entorchada, wire-wound hose.
—— neumática, air hose.
—— para chorro de arena, sandblast hose.

—— para freno neumático (fc), brake hose.
—— para vapor, steam hose.
mangueta *f*, door jamb; lever.
manguito *m*, sleeve, pipe coupling; bushing; socket; small handle; chuck; thimble; quill.
—— aislante, insulating sleeve or coupling.
—— de acoplamiento, sleeve coupling.
—— de algodón (eléc), cotton sleeving.
—— de asbesto (eléc), asbestos sleeving.
—— de broca, drill socket.
—— de cable, thimble.
—— de cilindro, cylinder sleeve.
—— del colector (eléc), commutator shell.
—— de compostura, repair sleeve.
—— de derivación (tub), tapping sleeve.
—— del eje, axle sleeve.
—— de empalme, splicing sleeve, (elec) connector.
—— de estrangulación (cab), choker sleeve.
—— de expansión, expansion shield.
—— de expansión para pija, lag-screw shield.
—— de madera, wood bushing.
—— de motón, coak.
—— de soldar, (elec) wiping sleeve; (pet) welding sleeve.
—— de tubería de hincar (pet), drive coupling.
—— de tuerca, sleeve nut.
—— de unión (eléc), splicing sleeve; coupling sleeve.
—— enroscado, threaded coupling.
—— excéntrico (tub), eccentric coupling.
—— para manguera, hose coupling.
—— para recalcar, calking anchor (for machine screw).
—— para soldar (tub), welding sleeve.
—— para taladrado (tub), tapping sleeve.
—— para tubería subfluvial, river sleeve.
—— portabrocas, drill chuck.
—— portaherramienta (mh), chuck.
—— reductor, reducing sleeve.
—— roscado con trinquete, steamboat ratchet.
—— sujetador (eléc), hickey.
—— tensor, sleeve nut.
—— tipo condensador (eléc), condenser bushing.
manigero *m* (Es), labor foreman.
manigua *f* (C), underbrush.
manigueta *f*, handle, sash lift.
manija *f*, handle; clamp; hand of a gage; sash lift, (A) door pull; (A) doorknob; (auto) (A)(U) starting crank.
—— con cerradura (auto), locking handle.
—— de admisión (auto), throttle lever.
—— de cambio (mh), change-gear lever.
—— de ignición (auto), spark lever.
—— de la media tuerca (mh), half-nut lever.
—— inversora del avance (mh), feed-change lever, feed-reversing handle.
—— para machos, tap wrench.
—— para robinetes, cock wrench.
manijero *m*, foreman.
manijón *m*, heavy handle.
manilla *f*, hand of a gage.
maniobra *f*, operation; control; handling; (rr) drilling.
—— a distancia, remote control.
—— a mano, hand operation.
—— múltiple, gang operation.

maniobrabilidad *f* (ec), maneuverability.
maniobrable, maneuverable.
maniobrar, to operate, handle; (rr) to drill.
manipulación *f*, handling, manipulation; (ra)(tel) keying.
—— **catódica** (ra), cathode or center-tap keying.
—— **interpuesta** (ra), break-in keying.
manipulador *m*, manipulator; telegraph key.
manipular, to handle; (ra) to key.
manipuleo *m*, handling.
manivela *f*, crank; handle.
—— **de arranque,** starting crank.
—— **del avance transversal** (mh), cross-feed knob or handle.
—— **de barra corrediza** (herr), sliding-bar handle.
—— **de bola,** ball crank.
—— **de cabilla** (herr), pin handle.
—— **de disco,** crank disk, disk crank.
—— **divisora,** index crank.
—— **motriz,** driving crank.
—— **volada,** overhung crank.
mano *f*, hand; (pt) coat.
—— **, a,** by hand.
—— **aprestadora o de aparejo o de fondo,** priming or filler coat.
—— **del almirez o del mortero** (lab), pestle.
—— **de ballesta** (auto), dumb iron.
—— **de campo,** field coat.
—— **de obra,** labor; workmanship.
—— **de taller,** shop coat.
manobre *m*, hod carrier.
manométrico, manometric.
manómetro *m*, pressure or steam gage, manometer.
—— **al vacío,** vacuum gage.
—— **compuesto,** compound manometer.
—— **de aceite,** oil-pressure gage.
—— **de agua,** water manometer.
—— **de alarma** (cal), alarm gage.
—— **de Bourdon,** Bourdon gage.
—— **de compresión,** compressometer, compression gage.
—— **de diafragma,** diaphragm gage.
—— **de mercurio,** mercury manometer.
—— **de tubo U,** U-tube manometer.
—— **marcador o registrador,** recording gage.
—— **para neumáticos,** tire gage.
manomóvil *m* (A), hand truck.
manoplas *f* (sol), gauntlets.
manóstato *m*, manostat.
mansard *m* (Col), truss of a gambrel roof.
mansarda *f*, gambrel or mansard roof.
manta *f*, tarpaulin; (min) thin bed of ore; (inl) quilt, blanket.
manteado (min), in flat beds.
mantención *f*, maintenance (equipment or personnel).
—— **de vía** (fc), maintenance of way.
mantenedor *m* (maq), road maintainer.
mantener, to maintain.
—— **la derecha** (ca), to keep to the right.
mantenimiento *m*, maintenance.
manteo *m* (geol)(U), bedding.
mantillo *m*, humus, vegetable mold.
mantilloso, containing humus.
mantisa *f*, mantissa.

manto *m*, stratum; (geol) mantle; (geol) nappe.
—— **de corrimiento** (geol), nappe.
—— **freático,** water-bearing stratum.
—— **hidráulico** (C), water-bearing stratum.
—— **sobreescurrido** (geol), overthrust.
manuabilidad *f* (conc), workability.
manuable, handy, easily handled; (conc) workable.
manual *m*, handbook; *a* manual, hand.
manubrio *m*, crank, handle.
—— **de la excéntrica** (mv), eccentric crank.
—— **saliente,** overhung crank.
manufactura *f*, manufacturing, manufacture; (V) fabrication.
manufacturar, to manufacture; (V) to fabricate; to process.
manufacturero *m*, manufacturer.
manutención *f*, maintenance.
manzana *f*, city block; (C)(PR) hub; land measure: (A) about 2.5 acres, (CA) about $1\frac{3}{4}$ acres.
manzanillo *m*, becket of a tackle block.
manzano *m*, apple wood.
mañiú *m* (Ch), a softwood.
mapa *m*, map.
—— **básico,** base map.
—— **caminero,** road map.
—— **catastral,** real-estate or cadastral map.
—— **de vuelo** (fma), flight map.
—— **estadístico,** spot map.
—— **hidrográfico,** chart.
—— **maestro,** master map.
—— **meteorológico,** weather map.
—— **planimétrico,** line map.
—— **topográfico,** contour map, topographical plan.
—— **vial,** road map.
mapoteca *f* (A), collection of maps, place where maps are kept.
maqueta *f* (Es)(M)(V), model.
máquina *f*, machine, engine.
—— **a nafta,** gasoline engine.
—— **a petróleo,** oil engine.
—— **a vapor,** steam engine.
—— **borradora** (dib), erasing machine.
—— **calculadora,** calculating machine.
—— **condensadora,** condensing engine.
—— **de acanalar,** channeling machine, channeler.
—— **de aceite,** oil engine.
—— **de aire caliente,** hot-air engine.
—— **de amantillar,** (de) luffing engine.
—— **de avance o de empuje** (pl), crowding engine.
—— **de balancín,** beam engine.
—— **de ciclo compuesto,** mixed-cycle engine.
—— **de combustión,** internal-combustion engine.
—— **de cuatro correderas** (mv), four-valve engine.
—— **de dibujar,** drafting machine.
—— **de elevación,** a hoist; (sh) hoisting engine.
—— **de enclavamiento** (fc), interlocking machine.
—— **de encorvar,** bending machine.
—— **de enroscar,** bolt-and-pipe or threading machine.
—— **de ensayo,** testing machine.
—— **de escape libre** (mv), noncondensing engine.
—— **de escribir,** typewriter.

—— de expansión triple (mv), triple-expansion engine.
—— de explotación forestal, logging engine.
—— de extracción, mine hoist.
—— de giro (gr), sluing or swinging engine.
—— de imprimir (dib), printing machine.
—— de influencia (eléc), influence machine, electrostatic generator.
—— de inyectar cemento, grout machine.
—— de maniobras (fc), drill engine, yard locomotive.
—— de prueba, testing machine.
—— de sumar, adding machine.
—— detonadora o estalladora, blasting machine.
—— Diesel, Diesel engine.
—— dobladora, power bender, bending machine.
—— equilibradora, balancing machine.
—— heliográfica, blueprint machine.
—— insertadora de válvulas, valve-inserting machine.
—— izadora, hoisting engine, hoist.
—— motora de los molinos (az), mill engine.
—— motriz, prime mover.
—— para voladuras, blasting machine.
—— perforadora (pet), drill rig.
—— reforzadora (loco), booster engine.
—— rotuladora (dib), lettering machine.
—— sopladora, blast or blowing engine.
—— térmica, heat engine; (M) internal-combustion engine.
—— timoneadora (cn), steering engine.
—— tipo de barril, barrel engine.
—— tomamuestras, sampling machine.
máquina-herramienta, machine tool.
máquina-ténder, tank locomotive.
maquinal, mechanical.
maquinar (M), to machine.
maquinaria f, machinery.
—— caminera, road machinery, road-building equipment.
—— de construcción, construction plant or equipment.
—— de extracción, mining machinery.
—— de moler (az), milling machinery.
—— de ocasión, used machinery.
—— explotadora de madera, logging machinery.
—— para labrar madera, woodworking machinery.
—— vial, road-building equipment.
maquinismo m (Es), mechanization.
maquinista m, hoist runner, operator of an engine, locomotive engineer.
—— conductor (A), locomotive engineer.
—— de arrastre (min), haulageman.
—— de extracción (min), hoistman.
—— de tractor, tractor operator, cat skinner.
—— naval, marine engineer.
—— titulado, licensed engineer.
mar m f, sea.
—— de fondo, ground swell.
—— encontrado, cross sea.
maraca f (bm)(V), foot valve and strainer.
maraña f, jungle.
marca f, brand, make; mark.
—— de comercio o de fábrica, trademark.
—— de fuego (A), branding iron.

—— índice, witness mark.
—— registrada, trademark.
marcas
—— de colimación (inst), collimating marks.
—— de embarque, shipping marks.
—— fiduciales (fma), fiducial marks.
—— guías, erection marks; matchmarks.
—— registradoras (fma), register marks.
marcación f, marking; compass bearing.
—— magnética, magnetic bearing.
—— radiogoniométrica, radio bearing.
—— real, true bearing.
marcador m, marker; (lg) spotter; (lg) fitter; (Ch) device for measuring irrigation water.
—— de astrágalos (mam), beading tool.
—— de caminos, road sign or marker.
—— de estacas (lev), stake marker.
—— de sincronización (auto), timing marker.
—— de tiempo (C), timekeeper.
—— delimitador (ap), boundary marker.
—— enterrado (ap), flush marker.
—— tipo abanico (ap), fan marker.
marcar a fuego, to brand.
marcasita f (miner), marcasite, white iron pyrites.
marco m, frame; yoke; (min) set; standard of size for timber; measure of irrigation water used in South America.
—— a cajón, doorframe with trim both sides.
—— adaptador (fma), adapting frame.
—— armado (min), truss set.
—— ceñido (A), frame formerly used to measure irrigation water. (It was a full square while the marco de tajo was open at the top.)
—— de buzón (Pe), manhole frame.
—— de compuerta (hid), gate frame.
—— de extensión, extension frame (hacksaw).
—— de la hélice (cn), stern frame.
—— de lima, file holder.
—— de medición (fma), measuring frame.
—— de pares (min), rafter set.
—— de pozo, manhole frame; shaft frame.
—— de puerta, doorframe, door buck.
—— de registro, manhole frame.
—— de segmento (min), segment set.
—— de serrucho, hacksaw frame.
—— de sierra, saw gate or frame.
—— de tajo (A), measuring weir formerly used for irrigation water.
—— de ventana, window frame.
—— en A (M), A frame.
—— fundamental (A), bedírame.
—— rígido (est), rigid frame.
—— y tapa, frame and cover.
marcha f, movement; progress; (machy) running; (auto)(M) self-starter.
—— a rueda libre (auto), freewheeling.
—— atrás, backing up; (machy) reversing.
—— de ensayo, trial run.
—— en vacío, idling, running with no load.
—— muerta, lost motion, backlash.
marchar, to go, move, function; to progress (machy), to run, operate.
marea f, tide.
—— a sotovento, lee or leeward tide.

—— **alta o llena,** high tide.
—— **alta media,** mean high water.
—— **ascendente o creciente o entrante o llenante o montante,** flood tide.
—— **baja,** low tide.
—— **de apogeo,** apogean or neap tide.
—— **de perigeo,** perigean or spring tide.
—— **decreciente o descendente o menguante o saliente o vaciante,** ebb tide.
—— **diurna,** diurnal tide.
—— **escorada,** extreme low tide.
—— **media,** mean tide.
—— **muerta,** neap tide; slack tide, stand of the tide.
—— **viva,** spring tide.
mareamotriz *a,* tide-power.
marecanita *f* (geol), marekanite.
marejada *f,* surf, swell, heavy sea.
—— **de reflexión,** standing wave.
maremoto *m,* bore (tidal), eagre, tidal flood.
mareográfico, marigraphic.
mareógrafo *m,* marigraph, recording tide gage.
mareograma *m,* marigram.
mareómetro *m,* tide gage.
marfil *m,* ivory.
marga *f,* marl; loam.
margarodita *f,* margarodite (mica).
margen *m f,* riverbank; margin.
—— **de seguridad,** margin of safety.
—— **libre** (hid)(M), freeboard.
marginal, marginal.
margoso, marly; loamy.
marimba *f* (M), corduroy road.
marina *f,* seacoast; seafaring; marine, ships; navy personnel; (pw) marina.
—— **de guerra,** navy.
—— **mercante,** merchant marine.
—— **para hidroaviones,** air harbor, seaplane base.
marinar, to man a ship.
marinería *f,* ship's crew.
marinero *m,* seaman, sailor; *a* seaworthy.
marino, marine, nautical.
mariposa *f,* butterfly (valve); (M) wing nut; (auto) throttle.
—— **de aceleración** (auto), throttle, accelerator.
—— **del cebador** (auto), choke valve.
—— **regulador de tiro,** butterfly damper.
marisma *f,* tideland, salt marsh.
marítimo, marine, maritime.
marjal *m,* marsh.
marlita *f,* marlite.
marmaja *f* (M), marcasite, iron pyrites.
marmita *f,* small furnace, tar kettle, small boiler.
—— **de gigante** (geol), pothole.
mármol *m,* marble.
marmolería *f,* marble shop; marble work.
marmolero, marmolista *m,* marble setter or contractor.
marmolete *m* (V), kind of limestone.
marmolina *f* (A), marble dust.
marna *f* (A), marl.
maroma *f,* cable, rope.
marquesina *f,* locomotive cab; marquee.
marquetería *f,* marquetry; cabinetmaking.
marra *f,* sledge, maul.

marrano *m,* timber of a mine-shaft frame; (Col) mudsill, sleeper.
marro *m* (M), maul, striking hammer.
martellina *f,* bushhammer; marteline; crandall.
martellinar, to bushhammer.
martensita *f* (met), martensite.
martensítico, martensitic.
martillar, to hammer.
martillazo *m,* blow of a hammer.
martilleo *m,* hammering; (ge) knocking.
—— **hidráulico,** water hammer.
martillo *m,* hammer.
—— **burilador,** scaling hammer (air).
—— **cincelador,** chipper, chipping hammer.
—— **con bolita,** ball-peen hammer.
—— **de adoquinador,** paver's hammer.
—— **de ajustador,** machinist's hammer.
—— **de boca cruzada,** cross-peen hammer.
—— **de boca derecha,** straight-peen hammer.
—— **de boca esférica o de bola,** ball-peen hammer.
—— **de caída libre** (pi), drop hammer.
—— **de calafatear,** calking hammer.
—— **de cantero,** stonecutter's hammer.
—— **de cara de campana,** bell-faced hammer.
—— **de carpintero,** claw or carpenter's or nail hammer.
—— **de cotillo plástico,** plastic-tipped hammer.
—— **de chapista** (auto), ding hammer, blackjack, bumping hammer.
—— **de dos bocas,** peen hammer.
—— **de dos cotillos,** double-face hammer.
—— **de enladrillador,** brick hammer.
—— **de forja o de fragua,** blacksmith or forge hammer.
—— **de fundidor,** flogging hammer.
—— **de herrador,** farrier's hammer.
—— **de hojalatero,** tinner's or raising hammer.
—— **de leñador,** wood chopper's maul.
—— **de madera,** beetle, wooden maul.
—— **de marcar** (ef), marking hammer, log stamp.
—— **de orejas,** claw hammer.
—— **de orejas rectas,** ripping hammer.
—— **de pala,** pneumatic clay spade, air spade.
—— **de peña,** peen hammer.
—— **de peña blanda,** soft-tipped hammer.
—— **de peña cruzada o de peña transversal,** cross-peen hammer.
—— **de peña dentada** (cantero), tooth ax.
—— **de peña derecha,** straight-peen hammer.
—— **de peña doble,** double-peen hammer; peen hammer (stone).
—— **de peña plástica,** plastic-tipped hammer.
—— **de picapedrero,** stonecutter's or knapping hammer.
—— **de pizarrero,** slater's hammer.
—— **de realce** (min), stoper.
—— **de recalcar** (si), swaging hammer.
—— **del ruptor** (auto)(U), breaker arm.
—— **de triscar,** saw-setting or blocking hammer.
—— **de uña,** claw or nail hammer.
—— **de uña recta,** ripping hammer.
—— **desabollador** (ch), pecking or bumping hammer.
—— **desincrustador,** scaling hammer.
—— **escarpiador** (fc), spiking hammer, spike maul.

martillo 202 mayólica

martillo 202 mayólica

— hincador de tablestacas, sheeting hammer.
— macho, sledge hammer.
— neumático, air hammer; jackhammer.
— para bordear (cal), flue-beading hammer.
— para descantillar, chipping hammer.
— para puntillas, brad hammer.
— para virotillos, stay-bolt hammer.
— perforador, jackhammer.
— picador, paving breaker; pneumatic mining tool.
— remachador o roblonador, riveting hammer.
— rompedor, concrete buster.
martillo-cincel, chipping hammer.
martillo-estampa, button set, rivet set; set hammer.
martillo-pilón, drop or trip hammer.
martillo-sufridera (re), holding-up hammer.
martinete m, pile driver, pile or drop hammer.
— a vapor, steam hammer.
— de báscula, tilt or helve hammer.
— de caída (pi), drop hammer.
— de doble efecto, double-acting steam hammer.
— de movimiento diferencial, differential-acting steam hammer.
— de simple efecto, single-acting steam hammer.
— forjador, trip or forging hammer.
más, plus; more.
masa f, mass, bulk; (elec) ground.
— plástica (A), mastic, roofing cement, asphalt putty.
masacocida f (az), massecuite.
máscara f, mask.
— contra el polvo, dust mask.
— de cabeza (sol), head shield.
másico a (A), mass.
masicote m, massicot, unfused lead monoxide.
masilla f, putty; (V) mastic.
— de asfalto, asphalt putty.
— de asiento, bedding putty.
— de borde, back putty.
— de cal, lime putty.
— de calafatear, calking compound.
— de cara, face putty.
— de limaduras de hierro, iron-rust cement.
— de vidriero, glazier's putty.
masillo m (C), plaster.
mastelero m (cn), topmast.
mástil m, mast; (U) transmission tower.
— de carga (cn), cargo mast.
mástique m, mastic; (M)(V) putty.
— asfáltico, asphalt putty; asphalt mastic.
— de asbesto, asbestos plaster.
mata f (met), matte.
matas f, brush, undergrowth.
matacán m (Col), cobblestone.
matachispas m, spark arrester.
matafuego m, fire extinguisher.
matar, (carp) to bevel; to round off; (met) to kill, deadmelt; to slake (lime); (elec) to disconnect.
— las aristas, to bevel the edges; to round off.
matatena f (M), cobble; pebble.
mate m (fma), matte.
matemáticas f, mathematics.

— superiores, higher mathematics.
matemático, mathematical.
materia f, matter; material; subject.
— mineral, mineral matter.
— prima, raw material.
material m, material; (elec) equipment; (A) masonry.
— aglomerante, binding material.
— de desecho, scrap.
— en bruto, raw material.
— filtrante, filtering medium.
— fraguante (terreno), cementing material.
— móvil (fc), equipment, rolling stock.
materiales de fabricación (C), building materials.
mato m (A), a hardwood.
matorral m, underbrush, thicket.
matraca f, ratchet.
— invertible, reversible ratchet.
matraz m (quím), matrass.
— de lavado (lab), wash bottle.
matrices escalonadas, step dies.
matrícula f, license (engineer's, auto, etc.).
matriculado, registered, licensed.
matriz f, die, mold, form; (mech)(math) matrix; (bs) sow; a main, principle; (mech) female.
— acabadora, shaving die.
— bruñidora, burnishing die.
— colocadora (mh), gage die.
— combinada, combination die.
— compuesta, compound die.
— de alcantarillado (Ch), trunk sewer.
— de bombear, bulging die.
— de cizalla, shearing die.
— de comparación, master die.
— de corte, cutoff die.
— de división, index die.
— de doblar compuesta, compound bending die.
— de doblar simple, plain bending die.
— de embutir o de formar, drawing or forming die.
— de estampa, stamping die.
— de neumático, matrix (tire mold).
— de punzonzar, blanking die.
— de reducción, reducing or redrawing die.
— de relieve, embossing die.
— de remachar, riveting die.
— de tamaño, gaging block (drill).
— encabezadora, heading die.
— maestra, master die.
— múltiple, gang dies.
— partida, split die.
— perforadora, perforating or piercing die.
— rebordeadora, curling die.
— recortadora, trimming die.
matriz-patrón, master die.
matrizar, to form with a die, die-cast.
máujo m, rasing iron; ravehook.
máximo m a, maximum.
— común divisor, greatest common divisor.
— magnético (geof), magnetic high.
maxwell m (eléc), maxvelio (A), máxwel (Pe), maxwell.
maxwell-vuelta, maxwell-turn.
mayocol m (M), foreman.
mayólica f (A), glazed tile.

mayor valía, unearned increment; good will.
mayoral m (Pe), foreman.
mayordomo m, foreman; janitor.
maza f, drop hammer; pile hammer; stamp; crushing roll; mallet, striking hammer; hub.
—— bagacera o de descarga (az), bagasse or back or discharge roll.
—— cañera o de alimentación o de entrada (az), feed or cane roll.
—— de martinete, drop hammer.
—— de molino o de trapiche (az), mill roll.
—— de rueda, hub.
—— de vapor (A), steam hammer.
—— desmenuzadora (az), crusher roll.
—— mayor o sobrepuesta o superior (az), top or upper roll.
—— para hincar postes, post maul.
—— trituradora, bucking hammer.
mazacote m (Es), concrete.
mazarí m (Col), paving tile.
mazo m, maul, sledge, beetle, mallet.
—— de calafate, hawsing mallet.
mazonería f (Es), stone masonry.
mazonero m (Es), mason.
mazote m (C), drop hammer.
meadero m (Es), urinal.
meándrico a (M), meandering (stream).
meandro m, meandering of a stream.
mecánica f, mechanics; machinery, mechanism.
—— aplicada, applied mechanics.
—— de ondas (física), wave mechanics.
—— de los suelos, soil mechanics.
mecánico m, machinist, mechanic; a mechanical.
—— electricista (A), electrical repairman, electrician.
—— jefe, master mechanic.
—— reparador, repairman.
mecanismo m, mechanism, gear.
—— de ataque (pl)(M), crowding gear.
—— de avance, feed mechanism; (sa) feed works; (sh) travel mechanism.
—— de control (eléc), switchgear.
—— de desenganche, releasing gear.
—— de dirección (auto), steering gear.
—— de distribución (mv), valve gear.
—— de empuje (pl), crowding gear.
—— de giro (gr), bull gear.
—— de inversión, reversing gear.
—— de maniobra, operating mechanism.
—— de marcha (gr), traveling gear.
—— de reposición (regulador), restoring mechanism.
—— de timoneo (cn), steering gear.
—— relojero, clockwork.
—— servomotor, servomechanism.
mecanizar, to mechanize.
mecanógrafo, mecanógrafa, typist.
mecate m (M), rope.
mecha f, fuse; wick; drill bit; (C) oxyacetylene torch.
—— aceitadora, oiling wick.
—— Bickford, Bickford fuse, safety fuse.
—— centradora, center bit or drill.
—— cilíndrica, straight-shank twist drill.
—— cónica (A), taper-shank twist drill.

—— de algodón (vol), cotton fuse.
—— de avance lento (vol), slow-burning fuse.
—— de cuchara, spoon bit.
—— de discos, disk bit.
—— de electricista, electrician's bit.
—— de expansión, extension bit.
—— de explosión (vol), detonating fuse.
—— de núcleo sólido (vol), solid-core fuse.
—— de pólvora suelta (vol), loose-powder fuse.
—— de punta chata, flat drill.
—— de seguridad (vol), safety fuse.
—— del timón (A), rudder stock.
—— detonante (vol), detonating fuse.
—— espiral, twist drill.
—— extractora, tap or screw extractor.
—— forrada de cinta (vol), tape fuse.
—— salomónica, twist drill.
mecha-macho (tub), combined tap and drill.
mechazo m (vol), misfire.
mechero m, burner; (Col) plumber's torch.
—— Bunsen, Bunsen burner.
mechinal m, weep hole; putlog hole; putlog.
médano m, sandbank, sand dune.
media f (mat), mean.
—— aritmética, arithmetical mean.
—— asta, muro de, wall ½ brick thick, tier, withe.
—— banda (co)(M), half-track.
—— bujía hemisférica, mean hemispherical candle power.
—— citara, wall ½ brick thick.
—— cuchara (M), semiskilled mason.
—— diferencial, arithmetical mean.
—— falda, a, sidehill (cut).
—— galería (ca)(A), sidehill rock cut with overhanging roof.
—— garlopa, short jack plane.
—— geométrica, geometric mean.
—— ladera, a, sidehill, half cut and half fill.
—— luna, shank (inserted-tooth saw).
—— madera, a, halved (timber joint).
—— marea, half tide.
—— marea muerta, mean neap tide.
—— marea viva, mean spring tide.
—— ordenada, middle ordinate.
—— oruga (co)(M), half-track.
—— planta (an), half-breadth plan.
—— proporcional, geometric mean.
—— suela (pet), half sole.
—— tuerca, half nut.
mediaagua f, lean-to, roof sloped in one direction.
mediacaña f, half-round.
mediana f a, median.
medianera f, party wall.
medianería f, partition; party wall.
mediar, (Ec), to measure.
mediatriz f, median line.
medición f, measurement; mensuration.
—— de comprobación (lev), tie or check distance.
—— en corte (ot), place measurement, measurement in cut.
—— en la obra, measurement in place.
mediciones de referencia (lev), ties, reference measurements.
medida f, measure, measurement; rule, measuring tape.
—— agraria, land measure.

—— con calibrador, caliper rule.
—— de longitud, long measure.
—— de superficie, square measure.
—— de tabla o para madera, board measure.
—— para troncos, log measure.
medidor m, meter; batcher, measuring device; gage; sizer; (lg) scaler; (surv) tapeman.
—— a inundación, inundator (sand).
—— de abonado, service meter.
—— de audibilidad (ra), audibility meter.
—— de brillo, glossmeter.
—— de buzamiento, dip meter.
—— de capacitancia (eléc), capacitance meter.
—— de capilaridad, capillometer.
—— de cargas (conc), batcher.
—— de combustible (auto)(M), fuel gage.
—— de consistencia, consistency meter.
—— de corriente (hid), current meter; flowmeter.
—— de deformación, strain gage or meter.
—— de detonación (geof), detonation meter.
—— de disco, disk meter (water).
—— de esfuerzo, stress meter.
—— de exposición (fma), exposure meter.
—— del factor de deformación (ra), distortion-factor meter.
—— de flujo, flowmeter.
—— de gasto (hid), flowmeter; rate recorder.
—— de golpeo, (eng) knock meter.
—— de gravedad (geof), gravity meter.
—— de hierro móvil (eléc), moving-iron meter.
—— de humo, smoke meter.
—— de iluminación, light or illumination meter.
—— de inclinación (fma), tiltmeter.
—— de intensidad luminosa (il), brightness meter.
—— de maderas, dimension gage.
—— de modulación (ra), modulation monitor or meter.
—— de nevada, snow gage; snow sampler.
—— de ondas (ra), wavemeter.
—— de película (fma), film-metering device.
—— de pH (is), pH meter, hydrogen-ion meter.
—— de pies-bujías (il), foot-candle or sight meter.
—— de presión de aceite (auto)(M), oil-pressure gage.
—— de profundidad, depth gage, sounding line.
—— de remolinos (hid), swirl meter.
—— de resalto (hid)(M), standing-wave flume.
—— de roscas, screw-pitch gage.
—— de temperatura (auto)(M), temperature indicator.
—— de tensión máxima (eléc), crest voltmeter.
—— de torsión, torque meter.
—— de troncos (ef), scaler.
—— de velocidad, speedometer.
—— de visibilidad (il), visibility meter.
—— de voltaje, voltmeter.
—— para canalón (hid), flume meter.
—— por peso (ag), weighing batcher, weigh hopper.
—— por titulación (quím), titrimeter.
—— por volumen (ag), volume batcher.
—— registrador, recording meter.
—— Venturi, Venturi meter.
—— vertidero (Pe), measuring weir.
medidora (f) de piladas (conc), batcher.

medio m, middle; mean; a half; mean; adv half.
—— abrir, a, half-open.
—— acabar, a, semifinished.
—— angular, subangular.
—— bocel, half-round convex molding.
—— cañón, a, semicylindrical.
—— corte, a, halved (timber joint).
—— de cultivo (lab), culture medium.
—— de dispersión (quím), dispersion medium.
—— de enfriamiento, cooling medium.
—— llenar, a, half-full.
—— mecánico u oficial, semiskilled workman.
—— ovalado, half-oval.
—— proporcional, mean proportional, geometric mean.
—— punto, de, semicircular (arch).
medio-tillado (C), fourpenny nail.
medir, to measure.
—— a pasos, to pace.
—— en el lugar, to measure in place.
médula f (mad), pith.
megabara f, megabar.
megaciclo m (ra), megacycle.
megadina f, megadyne.
megaergio m, megaerg.
megafaradio m, megafarad.
megáfono m, megaphone.
megalínea f (eléc), megaline, megamaxwell.
megámetro m, megameter.
megamperio m, megampere.
mégano m, sand dune, sandbank.
megasísmico, megaseismic.
megasismo m, megaseism, violent earthquake.
megavatio m, megawatt.
megavoltio m, megavolt.
megohmio m, megohm.
megohmiómetro m, megohmmeter.
megohmita f (ais), megohmit.
megóhmmetro m, megohmmeter, megger.
megotalco m (ais), megotalc.
mejor del mejor (alambre), best best (BB).
mejorador m (conc)(M), admixture.
mejorar, to improve.
meladura f (az), sirup.
meláfido, meláfiro m (geol), melaphyre.
melanterita f, melanterite, native copperas.
melaza f (az), sirup, molasses.
melinita f, melinite (explosive).
mella f, notch, nick.
—— de calibración, gaging notch.
mellar, to notch, nick; (t)(C) to dull.
membrana f, membrane.
memoria f, report; (min)(M) pay roll.
mena f, ore.
—— de los pantanos, bog iron ore, limonite.
menestral m (Es), mechanic, artesan.
menestrete m (Es), claw bar.
mengua f, low water; (lbr)(M) wane.
menguante f (mr), ebb.
menguar (mr), to ebb, fall.
menisco m, meniscus.
menos, minus.
mensajero m, messenger cable; a carrying, carrier, messenger.
—— enlazador (eléc), lacing messenger.

ménsula *f*, bracket, console, corbel; column cap; haunch (Ambursen dam).
—— de garrucha (gr), sheave bracket.
—— del mástil (gr), mast bracket.
mensular, to bracket.
mensura *f*, measurement.
mensurar, to measure.
meollar (*m*) de cáñamo (A), calking yarn, packing.
meollo *m*, pith.
meple *m*, maple.
mercaptán, mercaptano *m* (quím), mercaptan.
mercáptido (*m*) de sodio, sodium mercaptide.
merced *f*, concession, grant.
—— de aguas, concession for the use of water.
—— de tierras, grant of land.
mercurial, mercurial.
mercúrico, mercuric.
mercurio *m*, mercury, quicksilver.
—— argénteo, argental mercury.
—— córneo, horn quicksilver.
—— fulminante, mercury fulminate.
mercurioso, mercurous.
meridiana *f*, meridian line.
meridiano *m*, meridian; *a* meridional, meridian.
—— de guía (lev), guide meridian.
—— verdadero, true meridian.
meridional, southern; meridional.
merlín *m*, marline.
merma *f*, shrinkage; leakage.
mesa *f*, plateau, tableland; table; stair landing; wall plate.
—— colimadora (fma), collimating table.
—— concentradora, concentrating table.
—— corrediza (mh), traveling table.
—— de acepilladora, platen of a planer.
—— de agua (Pe)(V), water table (ground).
—— de ayustar, splicing bench.
—— de calcar (dib), tracing table.
—— de cálculo, computer table.
—— de control, operating table, control desk.
—— de dibujo, drawing or drafting table.
—— de ensayos de escurrimiento, flow table.
—— de entradas, an office in every Government department where all documents are received for subsequent distribution.
—— de escogido (miner)(V), sorting floor.
—— de flujo, flow table.
—— de operaciones (pa)(Pe), operating table.
—— de sujeción (mh), work table.
—— de trabajo, workbench.
—— de traslación, transfer table.
—— durmiente (min), sleeping table.
—— giratoria, (rr) turntable; (mt) swivel table; (pet) rotary table.
—— medidora, sizing table.
—— muestreadora, sampling table.
—— oscilatoria o sacudidora o trepidante, shaking or concentrating table.
—— rotativa (mh), revolving table.
—— rotatoria, turntable; (pet) rotary table.
mesada *f*, monthly rate of pay.
mesana *f* (cn), mizzenmast.
mesero *m*, employee paid by the month.
meseta *f*, plateau; stair landing.
mesilla *f*, window sill; stair landing.

mesita (*f*) de control (fma), control stand.
mesofílico (is), mesophilic.
mesotérmico, mesotermal, mesothermal.
metaantracita *f*, meta-anthracite.
metabasita *f* (geol), metabasite.
metabisulfito (*m*) de potasio (fma), potassium metabisulphite.
metabolismo *m* (is), metabolism.
metaborato *m* (quím), metaborate.
metacéntrico, metacentric.
metacentro *m* (an), metacenter.
metaclasa *f* (geol), metaclase, rock showing cleavage.
metadina *f* (ra), metadyne.
metafosfato *m* (quím), metaphosphate.
metafosfórico (quím), metaphosphoric.
metal *m*, metal; (C) brass, bronze; (M) ore.
—— amarillo (C), brass.
—— antifricción o blanco, Babbitt or bearing metal.
—— básico (sol), base or parent metal.
—— de aporte (sol), filler metal, adding material.
—— delta, delta metal.
—— desplegado, expanded metal.
—— duro, hard metal, hard bronze, bell metal.
—— en bruto, ore.
—— en polvo, powdered metal.
—— estirado, expanded metal; drawn metal.
—— expandido (V)(Es), expanded metal.
—— monel, monel metal.
—— Muntz, Muntz metal.
—— no ferroso, nonferrous metal.
—— patente (C), Babbitt metal.
—— pulverizado, powdered metal.
metalada *f*, metal content of ore.
metálica *f*, metallurgy.
metálico, metallic, metal.
metalífero, containing metal, ore-bearing.
metalista *m*, metalworker.
metalistería *f*, metalwork, metalworking.
metalizar, to metalize.
metalografía *f*, metallography.
metalográfico, metallographic.
metaloide *m*, metaloid.
metalurgia *f*, metallurgy.
metalúrgico *m*, metallurgist; *a* metallurgical.
metalurgista *m*, metallurgist.
metamórfico (geol), metamorphic.
metamorfismo *m* (geol), metamorphism.
—— de carga o de presión, static metamorphism.
—— de contacto, contact or local metamorphism.
—— de dislocación, dynamic metamorphism.
—— geotérmico, thermal metamorphism.
—— hidrotérmico, hydrothermal metamorphism.
—— regional, regional metamorphism.
metamorfizado, metamorfoseado, metamorphosed.
metamorfosis *f* (quím), metamorphosis.
metanitrofenol *m*, metanitrophenol.
metano *m*, methane, marsh gas.
metanol *m*, methanol.
metanómetro *m*, methanometer, gas detector.
metapolo *m* (fma), metapole.
metasilicato (*m*) de sodio, sodium metasilicate.
metasilícico, metasilicic.
metasomático, metasomatic.

metasomatismo *m* (geol), metasomatism.
metatitanato *m* (quím), metatitanate.
metatrófico (is), metatrophic, saprophytic.
meteórico, meteoric, meteorological.
meteorización *f*, operation of atmospheric phenomena; (V)(Col)(M) weathering.
meteoro *m*, storm, any atmospheric phenomenon.
meteorógrafo *m* (mrl), meteorograph.
meteorología *f*, meteorology.
meteorológico, meteorological.
meteorologista, meteorólogo *m*, meteorologist.
metilar, to methylate.
metilato (*m*) de sodio, sodium methylate.
metileno *m* (quím), methylene.
metilfenol *m* (quím), methylphenol.
metílico, methylic.
metilo *m* (quím), methyl.
—— de naranja (is)(Es), methyl orange.
método de cero (eléc), zero or null or balanced method.
metol *m*, metol.
metol-hidroquinona (fma), metol-hydroquinone.
metrado *m* (Pe), schedule of quantities.
metraje *m*, distance in meters; area in square meters; volume in cubic meters; measurement, metering.
metralla *f*, scrap iron.
metrar, to meter, measure.
métrico, metric.
metro *m*, rule, scale; (meas) meter.
—— contador (C), meter (water).
—— corrido, lineal meter.
—— cuadrado, square meter.
—— cúbico, cubic meter.
—— de boj, boxwood rule.
—— de cinta, cloth tape.
—— de tramos o plegadizo, folding rule.
metro-bujía (il), meter-candle, lux.
metrofotografía *f*, photographic surveying.
metrología *f*, metrology.
metrológico, metrological.
metropolitano *m*, city tunnel, subway.
mezanina *f* (Col), mezzanine.
mezcla *f*, mix, mixture; mortar.
—— a brazos (conc), hand mixing.
—— de prueba o de tanteo, trial mix.
—— delgada o pobre, lean mixture.
—— despolarizante (eléc), depolarizing mix.
—— en camino (pav), road mix.
—— en frío (pav), cold mix.
—— en planta (pav), plant mix.
—— grasa (conc), rich mixture.
mezclable, miscible.
mezclado (*m*) en sitio (pav), mix in place; road mix.
mezclador *m*, mixer, (su) mingler.
—— de agua, water blender or mixer.
—— de cienos (dac), sludge mixer.
—— instantáneo o relámpago, flash mixer.
mezcladora *f*, mixer.
—— ambulante, traveling mixture.
—— basculante o inclinable o volcable, tilting mixer.
—— caminera o pavimentadora, paving mixer.
—— de lechada, grout mixer or machine.

—— de macádam bituminoso, bituminous mixer.
—— en camión, truck or transit mixer.
—— enyesadora, plaster mixer.
—— no basculante, nontilting mixer.
—— para remiendos en caliente (ca), hot-patch mixer.
—— por cargas, batch mixer.
—— transportable, portable mixer.
mezcladura (*f*) a mano, hand mixing.
mezclar, to mix; (pt) to temper.
—— en el lugar o en sitio, to mix in place.
mezclilla *f* (V), paste of neat cement.
—— de cal (V), lime putty.
mezclote *m*, (Col) lime mortar containing cut straw for first coat of stucco; (V) mud plaster with or without lime.
mho *m* (eléc), mho.
miarolítico (geol), miarolitic.
miascita *f* (geol), miaskite.
mica *f*, mica.
—— blanca, white mica, muscovite.
—— dilatada (ais), expanded mica.
—— esquisto o pizarra, mica schist.
—— negra, biotite, black mica.
—— parda, brown mica, phlogopite.
micáceo, micaceous.
micacita *f*, mica schist, micacite.
micanita *f* (ais), Micanite (trademark).
micarta *f* (ais), Micarta (trademark).
micasquisto *m*, mica schist.
micra *f* (med), micron.
microamperímetro *m* (eléc), microammeter.
microamperio *m*, microampere.
microanálisis *m*, microanalysis.
microanalítico, microanalytical.
microbalanza *f*, microbalance.
microbarógrafo *m*, microbarograph.
microbatería *f* (eléc), microbattery.
microbiano, micróbico, microbic, microbian.
microbicida *m* (A), bactericide.
microbio *m*, microbe.
microbiología *f*, microbiology.
microbiológico, microbiological.
microclástico (geol), microclastic.
microclina *f* (miner), microcline (feldspar).
micrococo *m* (is), Micrococcus.
microcolorímetro *m* (is), microcolorimeter.
microcristal *m*, (geol) microcrystal, microlite.
microcristalino, microcrystalline.
microelectroscopio *m*, microelectroscope.
microesferulítico (geol), microspherulitic.
microestructura *f*, microstructure.
microfaradio *m* (eléc), microfarad.
microfelsita *f* (geol), microfelsite.
microfísica *f*, microphysics.
microflora *f* (is), microflora.
micrófono *m*, microphone.
—— a carbón, carbon microphone.
—— de cinta o de velocidad, ribbon or velocity microphone.
—— de condensador, capacitor or condenser microphone.
—— de llama, flame microphone.
—— electroestático, condenser microphone.
microfotografía *f*, microphotography.
microfotogrametría *f*, microphotogrammetry.

microfotómetro m, microphotometer.
microgalvanómetro m, microgalvanometer.
micrografía f, micrography; micrograph.
micrográfico, micrographic.
micrógrafo m (inst), micrograph.
micrógramo m, microgram.
microgranítico, microgranitic.
microgranito, microgranite.
microgranular, microgranoso, microgranular.
microhenrio m (eléc), microhenry.
microhmio m (eléc), microhm.
microindicador m, microindicator.
microlita f (miner), microlite.
microlito m (geol), microlite, microcrystal.
microlitro m (med), microliter.
microlux m (il), microlux.
micromanipulador m (lab), micromanipulator.
micromanómetro m, micromanometer.
micromedición f, micromeasurement.
micrómetro m, micrometer.
—— de chispas (eléc), spark micrometer.
—— de medida externa, outside micrometer caliper.
—— de profundidad, micrometer depth gage.
—— de roscas, screw-thread micrometer.
—— lineal, linear or scale micrometer.
—— para interiores, inside micrometer.
micromho (eléc), micromho.
micromicrofaradio m, micromicrofarad.
micromicrón m (med), micromicron.
micromicrovatio m, micromicrowatt.
micromilímetro m, micromillimeter.
micromineralogía f, micromineralogy.
micrón m (med), micron, micrometer.
microonda f (ra), microwave.
microorganismo m (is), microorganism.
micropegmatita f (geol), micropegmatite.
microporoso, microporous.
micropulgada f, microinch.
microscopia f, microscopy.
microscópico, microscopic.
microscopio m, microscope.
microsegundo m, microsecond.
microsísmico, microseismic.
microsismo m, microseism, faint earthquake shock.
microteléfono m, microtelephone.
microvatio m, microwatt.
microvoltímetro m, microvoltmeter.
microvoltio m, microvolt.
miel f, molasses; honey.
—— final o de purga (az), blackstrap, final molasses.
miembro m, member, piece.
—— del alma (tu), web member.
—— superabundante (est)(M), redundant member.
migajón m (M), loam, topsoil.
migmatita f (geol), migmatite, injection-gneiss.
migración f (pet), migration.
—— de los iones, ion migration.
mil (m) circular (A)(C), circular mil.
mil-pie, mil-foot.
milésimo m a, thousandth.
—— circular (Col)(C), circular mil.
miliamperímetro m, milliammeter.

miliamperio m, milliampere.
miliárea f (med), milliare.
miliatmósfera, milibara f, millibar.
milicrón m, millimicron, millicron.
milifaradio m, millifarad.
milifot m (il), milliphot.
miligal (geof), milligal.
miligramo m, milligram.
milihenrio m (eléc), millihenry.
mililambert (il), millilambert.
mililitro m, milliliter.
mililux m (il), millilux.
milimetrado, divided into millimeters.
milimetraje m, length in millimeters.
milímetro m, millimeter.
milimicrón m, millimicron.
miliohmímetro m, milliohmmeter.
miliohmio m, milliohm.
milipulgada f, mil, 0.001 in.
—— circular, circular mil.
—— cuadrada, square mil.
milisegundo m, millisecond.
milivatio m, milliwatt.
milivoltímetro m, millivoltmeter.
milivoltio m, millivolt.
milonita f (geol), mylonite.
milonítico, mylonitic, cataclastic.
milla f, mile.
—— cuadrada, square mile.
—— de estatuto (M), statute mile.
—— legal inglesa o terrestre, statute mile.
—— marina o marítima, nautical or sea or geographical mile.
—— náutica (M), nautical mile.
millaje m, mileage.
mimbre m, mimbrera f, willow.
mina f, mine; underground chamber or passage; (A) blast hole; (A) graphite, lead of a pencil.
—— de aluvión, placer.
—— de arena, sand pit.
—— de balasto, ballast pit.
—— de grava, gravel pit or bank.
—— de petróleo, deposit of oil.
—— en labor (V), mine being worked.
—— hullera, coal mine.
minable, minable.
minado m, mine working.
minador m, miner.
minar, to mine; to undermine.
mineraje m, mining.
mineral m, ore, mineral; mining district; mine; a mineral.
—— bajo de ley, low-grade ore.
—— de alta ley, high-grade ore.
—— de contacto, contact mineral.
—— de maquila, custom ore.
—— graso, rich ore.
—— pobre, low-grade ore.
—— verde de plomo, green lead ore, pyromorphite.
mineralizador m, mineralizer.
mineralizar, to mineralize.
mineralogía f, mineralogy.
mineralógico, mineralogical.
mineralogista, mineralogist.

minería *f*, mining.
minero *m*, miner; *a* pertaining to mines.
—— de contracielo, raiseman.
—— de cuarto (M), shift boss.
—— mayor (M), foreman.
mingitorio *m*, urinal (upright).
mínimo *m a*, minimum.
—— común múltiplo, least common multiple.
—— magnético, magnetic low.
mínimos cuadrados, least squares.
minio *m*, red lead; minium.
—— de plomo (A), red lead.
minuendo *m* (mat), minuend.
minutas *f*, (surv) notes.
—— taquimétricas, stadia notes.
minuto *m*, minute (arc and time).
miñón *m* (Es), slag; (min) iron ore.
mira *f*, level rod; target (rod); a sight; stream
gage.
—— angular, angle target.
—— atrás, backsight.
—— de cinta (lev), tape rod.
—— de corredera, target rod.
—— de delante o de frente, foresight.
—— de enchufe, telescoping level rod.
—— de espalda, backsight, plus sight (level).
—— de estadia, stadia rod.
—— de nivelar, level rod.
—— de tablilla (lev)(Es)(C), target rod.
—— extendida (lev), high rod, long rod.
—— limitadora de taludes, slope-stake rod.
—— micrométrica, micrometer target.
—— parlante, speaking rod.
—— puntual (A), transit rod.
—— táquimétrica, stadia rod.
miriagramo *m*, myriagram.
miriámetro *m*, myriameter, 10,000 m.
miriavatio *m*, myriawatt.
mirilla *f*, small opening in a boiler door; small
window; (surv) target; (inst) peep sight.
miriñaque *m* (A), locomotive pilot, cowcatcher.
miscibilidad *f*, miscibility.
miscible, miscible.
mispíquel *m*, mispickel, arsenopyrite.
mitad *f*, half; middle.
mitrar (M), to miter.
moco *m*, slag.
mocha *f* (C)(M), kind of machete.
mocheta *f*, splay of a window jamb; (Col) rabbet; (Sp) poll of an ax.
mochila *f*, tool bag.
modelador, modelista *m*, patternmaker.
modelaje *m*, shaping, forming; patternmaking.
modelar, to form, shape.
modelería *f* (Ch), pattern shop.
modelo *m*, model; pattern; standard; blank form.
—— a escala, scale model.
—— de contrato, form of contract.
—— de fianza, form of bond.
—— de guía, working model.
—— de proposición, bidding form.
moderador *m* (mec), moderator.
modulación *f*, modulation.
—— cruzada (ra), cross modulation.
—— de absorción (ra), absorption modulation.
—— de amplitud (ra), amplitude modulation.

—— de brillantez (tv), brilliance or intensity
modulation.
—— de fase (ra), phase modulation.
—— de frecuencia, frequency modulation.
—— de placa (ra), anode or plate modulation.
—— en rejilla (ra), grid modulation.
modulado en amplitud (ra), amplitude-modulated.
modulador *m* (ra), modulator.
—— a válvula, vacuum-tube modulator.
—— equilibrado, balanced modulator.
modular (ra), to modulate.
módulo *m*, modulus; (mech) module; (hyd) module; (geol)(V) mode.
—— adiabático de volumen, adiabatic bulk
modulus.
—— cálcico, lime modulus.
—— de corte, modulus of shear (vibration).
—— de elasticidad de volumen, bulk modulus of
elasticity.
——de elasticidad en corte, modulus of elasticity
in shear, coefficient of rigidity.
—— de fineza (ag)(A), fineness modulus.
—— de finura, fineness modulus.
—— de incompresibilidad (ms), modulus of incompressibility.
—— de rebote, modulus of resilience.
—— de resistencia o de la sección (est), section
modulus.
—— de rigidez, modulus of rigidity.
—— de ruptura, modulus of rupture.
—— de volumen, bulk modulus.
modulómetro *m* (ra)(A), modulation monitor or
meter.
mofeta *f* (min), afterdamp.
mofle *m* (auto)(M), muffler.
moho *m*, rust; mold, mildew.
mohosearse (Pe), to rust.
mohoso, rusty; musty, moldy.
mojón *m*, monument, landmark; milestone;
(surv)(A) hub, transit point.
—— testigo o de referencia (lev), witness corner,
reference monument.
mojona *f*, land survey, setting of monuments.
mojonamiento *m* (lev), monumentation.
mojonar, to set monuments.
molabe *m* (F), a construction lumber.
molal (quím), molal, molar.
molar *m*, (Col) rubble stone, foundation stone:
a (chem) molar.
moldado en frío, cold-molded.
moldaje *m*, forms, forming.
moldar, to form; to mold.
molde *m*, form; mold; pattern.
—— de curvar, bending form.
—— de matrizar, die mold.
—— deslizante (conc), slip form.
—— para contén y cuneta, curb-and-gutter form.
—— para recauchado (auto), recapping or retreading mold.
moldes (conc), forms.
—— corredizos, traveling forms.
—— dejados en obra, forms left in place.
—— ensamblados en obra o hechos en sitio, forms
built in place.
—— forrados de metal, metal-lined forms.

—— laminados o **contraplacados**, plywood forms.
moldeado m, forming; a formed.
—— **en caliente**, hot-forming.
—— **en frío**, cold-forming.
—— **en el lugar** (conc), cast in place.
—— **en el terreno** (pi), cast in place.
moldeador m, molder; foundryman.
moldeadora f (fund), molding or sand-packing machine.
moldear, to cast; to mold; to form.
moldeo m, forming, centering; casting.
—— **centrífugo** (tub), centrifugal casting.
—— **en arena**, sand-casting.
—— **en matriz**, die casting.
moldura f, a molding.
—— **cóncava**, cove molding.
—— **de guía**, window stop.
—— **escurridera**, drip molding.
—— **para tomacorrientes** (eléc), plug-in strip.
moldura-conducto (eléc), wood molding, surface wooden raceway.
molduradora f, machine for making wood moldings; molding plane.
—— **exterior**, outside molder.
—— **interior**, inside molder.
moldurar, to mold; to shape into moldings.
moldurera f, machine for making wood moldings; (A) press for making tiles.
moldurero m (M), molding maker.
molécula f, molecule.
molécula-gramo, gram molecule, mole, mol.
molecular, molecular.
moledor m, grinder.
—— **de arcilla**, clay mill.
—— **de basura**, garbage grinder.
—— **de cerniduras** (dac), screenings grinder.
—— **de tubos**, tube mill.
moledora f, grinder.
—— **de arena**, sand roll or crusher.
—— **de bolas**, ball grinder.
—— **de cabillas**, rod mill.
—— **de finos**, fine grinder.
molejón m (C), reef, ridge of rock.
moler, to grind; to comminute.
moleta f, (met) muller; (A) dresser (emery wheel); knurling tool.
—— **de diamante**, diamond dresser.
moleteador m (A), dressing tool; knurl.
moletear, to mill; to knurl.
molibdato m (quím), molybdate.
—— **amónico** (lab), ammonium molybdate.
molibdenita f, molybdenite (molybdenum ore).
molibdeno m, molybdenum.
molíbdico, molybdic.
molibdita f (miner), molybdite, molybdic ocher.
molibilidad f, grindability.
molido m, grinding.
molienda f, grinding, milling.
—— **en seco**, dry grinding.
molinero m, millworker.
molinete m, turnstile; (hyd) current meter; (eng) winch head, gypsyhead, niggerhead.
—— **acopado o de cubetas**, Price or cup-type current meter.
—— **acústico**, acoustic current meter.
—— **contador o hidrométrico**, current meter.

—— **de paletas**, propeller-type current meter.
—— **de pozo** (eléc), manhole capstan.
—— **magnético** (hid), electric current meter.
molino m, mill, grinder.
—— **a martillos**, hammer mill.
—— **a tambor**, tumbling barrel.
—— **balero** (M), ball mill.
—— **chileno**, Chile mill, edge mill.
—— **de amasar**, pugmill.
—— **de arcilla**, pugmill, clay mill or mixer.
—— **de arena**, sand roll.
—— **de bolas**, ball mill.
—— **de cabillas**, rod mill.
—— **de cilindros**, crushing roll or mill, roller mill.
—— **de frotamiento**, attrition mill.
—— **de mazos**, stamp mill.
—— **de piedras**, pebble mill.
—— **de rodillos**, roll crusher.
—— **de rulos** (M), roll crusher.
—— **de tres mazas** (az), three-roller mill.
—— **de tubos**, tube mill.
—— **de viento**, windmill.
—— **desleidor** (ct), wash mill.
—— **hidráulico**, water mill.
—— **múltiple** (az), multiple mill.
—— **triturador**, crushing mill or rolls.
molo m (Ch)(V), breakwater, sea wall, jetty.
—— **de abrigo** (Ch), breakwater.
molturar (Es), to grind (sugar).
mollejón m, grindstone.
momento m, moment; (C) momentum.
—— **de adrizamiento** (an), righting moment.
—— **de empotramiento** (est), fixed-end moment.
—— **de estabilidad**, resisting moment.
—— **de fijación**, restraining moment.
—— **de flexión**, bending moment.
—— **de inercia**, moment of inertia.
—— **de torsión de parada** (mot), stalling torque.
—— **de vuelco**, overturning moment.
—— **estático**, static moment.
—— **flector** (A)(Es), bending moment.
—— **flexionante** (M), bending moment.
—— **flexor**, bending moment.
—— **mínimo de torsión de aceleración** (mot), pull-up torque.
—— **resistente**, resisting moment.
—— **torsional de régimen**, rated torque.
monacita f (miner), monazite.
monitor m, (hyd) monitor, giant; (ra)(A)(Sp) monitor.
monoácido m a, monoacid.
monoamónico a, monoammonium.
monoatómico, monatomic, monoatomic.
monobásico (quím), monobasic.
monobiselado a, single-bevel.
monobloque, monobloc.
monocable a, single-cable.
monocálcico a, monocalcium, monocalcic.
monocarbonato m, monocarbonate.
monocarril m, monorail.
monocíclico (eléc), monocyclic.
monocilíndrico, single-cylinder.
monoclinal, (geol) monoclinal; (miner)(A) monoclinic.
monoclínico, monoclino (miner), monoclinic.
monocloramina f, monochloramine.

monocloroacético, monochloroacetic.
monocontrol *m* (ra)(A), single-dial control.
monocromático, monochromatic.
monocular (inst), monocular.
monodisco, single-disk.
monofase (A), single-phase.
monofásico (eléc), single-phase, monophase.
monofilar, single-wire.
monohidrato *m* (quím), monohydrate.
monohídrico, monohydric.
monolítico, monolithic.
monolitizar (A), to solidify, make monolithic.
monolito *m*, monolith.
monomagnésico *a* (quím), monomagnesium.
monometálico, monometallic.
monomineral (geol), monomineral.
monomio *m* (mat), monomial.
monomolecular (quím), monomolecular.
monomotor, single-motor.
mononitrato *m* (quím), mononitrate.
monopasto *m*, single-sheave block.
monopolar (eléc), single-pole, monopolar.
monopotasio *a*, monopotassium.
monorriel *m*, monorail.
monosacárido *m* (az), monosaccharide.
monoscopio *m* (tv), Monoscope (trademark).
monoseñal (ra), single-signal.
monosilicato *m*, monosilicate.
monosilícico (quím), monosilicic.
monosimétrico (miner), monosymmetric, mono-
    clinic.
monosódico *a*, monosodium.
monosulfuro *m*, monosulphide.
monótono (mat), monotonic.
monotubo (pi), Monotube (trademark).
monovalente (quím), monovalent, univalent.
monovalvular (ra)(A), single-tube.
monóxido (*m*) carbónico, carbon monoxide.
monóxido de estaño, tin monoxide, stannous
    oxide.
monta *f*, (mech)(C) lap.
montaautomóviles *m*, automobile lift; automo-
    bile jack.
montabarco *m*, device for raising boats in a canal.
montacarga *m*, material hoist; windlass, winch,
    hoisting engine.
—— colgante, trolley hoist.
—— de acera, sidewalk elevator.
—— de cadena, chain hoist or block.
—— de cajón, skip hoist.
—— para arrastrar (tc), towing winch.
—— para edificación, builder's hoist.
montacarros *m*, elevator for automobiles.
montacenizas *m*, ash hoist.
montado a horcajadas (mec), straddle-mounted.
montado en bronce, bronze-mounted.
montador *m*, erector, steelworker.
—— electricista, installing electrician.
—— jefe, foreman erector.
montadura *f*, mounting, setting, erection; (bo) a
    setting.
montaje *m*, erection, mounting, installation; (mt)
    fixture.
—— al aire (pte)(Ec), cantilever method of erec-
    tion.
—— de división (mh), index fixture.

—— de escariar, broaching fixture.
—— de orugas, crawler or caterpillar mounting.
—— de suspensión (fma), suspension mount.
montante *m*, post, upright, stud; jamb, guide;
    stile; vertical member of a truss; mullion,
    sash bar; transom.
—— cornijal, corner post.
—— de la cerradura, lock stile (door).
—— de contención (cal), buckstay.
—— de encuentro, meeting stile (casement).
—— de escala, ladder string.
—— de guía (mh), guide post.
—— de puerta, hanging stile; jamb.
—— extremo, (tu) end post.
—— guiacable (eléc), guide rack.
montantes del camarín (asc), car rails.
montantes de guía (asc), rails (car and counter-
    weights).
montaña *f*, mountain; (Pe)(PR) forest; (min)(M)
    country rock.
montañoso, mountainous.
montar, to erect, assemble, mount, set.
—— en caliente, to shrink on.
montaraz *m*, forest warden.
montarrón *m* (Col), forest.
montasacos *m*, bag elevator.
montatrozas *m* (as), log haul-up rig.
montavagones *m*, car elevator.
monte *m*, mountain; woodland, forest, uncleared
    land.
—— alto, forest.
—— bajo, underbrush.
—— tallar, forest fit for cutting into timber.
montea *f*, stonecutting; camber, rise of an arch;
    full-size drawing.
montear, to lay out, to make a working drawing
    of; to arch, vault.
montera *f*, skylight; (min) overburden; (min)
    (Sp) roof timber.
montículo *m*, mound, hill.
montón *m*, pile, heap; (M) windrow.
—— de acopio o de almacenamiento, stock pile.
montura *f*, saddle; mounting, setting; erection,
    assembly.
monzonita *f* (geol), monzonite.
mora *f* (A)(V), a hardwood used for construc-
    tion.
moral *m*, morera *f* (mad), mulberry.
morbilidad *f* (is), morbidity, morbility.
mordaza *f*, clamp, jaw; (rr)(C) splice bar; (C)
    pipe vise.
—— aisladora (eléc), cleat insulator.
—— angular (fc)(C), angle bar.
—— de amarre, splicing clamp.
—— de articulación, hinge jaw.
—— de ayustar, rigger's vise.
—— de cable, cable clamp.
—— de contacto (eléc), contact clip.
—— de interrupción (eléc), break jaw.
—— de placas (cab), plate clamp.
—— de vía (fc), rail brace.
—— para cabo de retenida (eléc), guy clamp.
—— para tubería subfluvial, river clamp.
—— para tubos (pet), pipe grip.
—— tirador de alambre, come-along clamp (line-
    man).

mordiente *m*, (rd) curb; (mas)(C) toothing, bonding key.
morena *f* (geol), moraine.
—— **basal** (A), ground moraine.
—— **central**, medial moraine.
—— **frontal**, terminal moraine.
—— **glacial**, till, glacial till.
—— **interna** o **del fondo**, ground moraine.
—— **lateral**, lateral moraine.
—— **terminal de retroceso**, recessional moraine.
morénico, morainic, morainal.
morfología *f* (geol), morphology.
morfológico, morphological.
morillo *m*, mudsill; deadman.
morrillo *m*, cobble, boulder, rubble stone, nigger-head.
morro *m*, headland; mass of masonry; (hw) ward of a lock.
morsa *f*, vise.
—— **de ángulo**, angle vise.
—— **de mano**, hand vise.
—— **de máquina-herramienta**, machine vise.
—— **de pie**, leg vise.
—— **giratoria**, swivel vise.
—— **paralela**, parallel vise.
mortaja *f*, mortise, socket.
—— **ciega**, stub mortise.
—— **y espiga**, mortise and tenon.
mortajadora *f*, mortising or gaining machine.
mortajar, to mortise.
mortalidad *f*, mortality.
mortero *m* (mam)(lab), mortar.
—— **aéreo** (Es), nonhydraulic mortar.
—— **bastardo**, (V) mixture of 1 cement to 6 sand for scratch coat; (M) mortar gaged with plaster of Paris.
—— **con maja** (lab), mortar and pestle.
—— **de fraguado al aire** (rfr), air-setting mortar.
—— **de fraguado al fuego** (rfr), heat-setting mortar.
—— **hidráulico** (M), cement mortar.
—— **lanzado** (M), gunite.
mosaico *m*, mosaic; (M)(A)(Pan) floor tile; *a* mosaic.
—— **fotográfico**, mosaic of aerial photographs.
—— **regulado** (fma), controlled mosaic.
mosaiquista *m*, mosaic layer.
mosaista *m* (A), floor-tile layer.
mosquetón *m*, snap hook.
mosquitero *m*, mosquito screen or net.
—— **a guillotina**, vertically sliding mosquito screen.
mosquito *m*, mosquito.
môtil (is), motile.
motilidad *f*, motility.
motobomba *f*, pump and engine.
motocabrestante *m* (Es), power winch.
motocaminera *f*, motor grader, road patrol.
motocamión *m*, motor truck.
motocompresor *m*, motor-driven compressor.
motoconformadora, **motoexplanadora** *f* (ca), motor grader.
motogasolina *f*, motor fuel.
motogenerador *m*, motor generator.
motogrúa *f*, truck crane.
motômetro *m* (auto), motometer.

motomezclador *m* (conc), truck mixer.
motón *m*, block, pulley.
—— **con gancho rígido**, stiff-hook block.
—— **con ganchos gemelos**, match-hook block.
—— **con ojal giratorio**, swivel-eye block.
—— **de amantillar**, (de) topping block.
—— **de aparejo**, tackle block.
—— **de cinco garruchas**, five-sheave block.
—— **de cola**, tail block.
—— **de cuerpo cerrado**, secret block.
—— **de dos garruchas**, double block.
—— **de dos ruedas** (A), double block.
—— **de gancho**, fall or hoisting or hook or load block.
—— **de gancho libre**, loose-hook block.
—— **de garruchas múltiples**, multisheave block.
—— **de izar**, load or fall block, (pet) traveling block.
—— **de muesca ancha**, wide-mortise block.
—— **de rabiza**, tail block.
—— **de tensión**, tension block.
—— **de tubería** (pet), tubing block.
—— **diferencial**, differential hoist.
—— **doble**, double or two-sheave block.
—— **fijo**, standing block.
—— **giratorio**, swivel block; monkey block.
—— **sencillo**, single block.
—— **viajero** (pet), traveling block.
—— **volante**, fly block.
motones de compensación (ef), heel blocks.
motonave *f*, motor ship.
motonería *f*, set of tackle blocks.
motoneta *f* (M), small motor vehicle.
motoniveladora *f* (ca), motor grader.
motopatrullera *f* (ca)(A), motor patrol.
motopavimentadora *f*, self-propelling paving mixer.
motopropulsor, grupo, electric drive.
motor *m*, motor; engine; *a* driving, motive.
—— **a bencina** (Ch), gasoline engine.
—— **a combustión interna**, internal-combustion engine.
—— **a chorro**, jet motor.
— — **a nafta**, gasoline engine.
—— **a petróleo**, oil engine.
—— **abierto**, open motor.
—— **acorazado**, enclosed motor.
—— **blindado**, totally enclosed motor.
—— **compound**, compound-wound motor.
—— **compound acumulativo** (A), cumulative compound motor.
—— **con decalaje de escobillas**, brush-shifting motor.
—— **de aceite**, oil engine.
—— **de agua**, water motor.
—— **de anillo** o **de anillos rozantes** o **de aro corredizo**, slip-ring motor.
—— **de arranque** (auto), starting motor.
—— **de arranque con capacitor**, capacitor-start motor.
—— **de arranque con reactor**, reactor-start motor.
—— **de arranque con repulsión**, repulsion-start motor.
—— **de arranque con resistencia**, resistance-start motor.
—— **de capacitor**, capacitor motor.

—— de carburación o de combustión, internal-combustion engine.
—— de cuatro tiempos, four-cycle engine.
—— de devanado cumulativo, cumulative compound motor.
—— de devanado diferencial, differential compound motor.
—— de disco o de plato, face-type motor.
—— de dos tiempos, two-cycle or two-stroke-cycle engine.
—— de esencia (Es), gasoline engine.
—— de explosión, gasoline engine.
—— de fase partida, split-phase motor.
—— de fuera de abordo, outboard motor.
—— de gas, gas engine.
—— de histéresis, hysteresis motor.
—— de inducción, induction motor.
—— de inducido de barras o de inducido de jaula o de jaula de ardilla, squirrel-cage or bar-wound motor.
—— de inducido devanado, slip-ring motor.
—— de marcha (auto)(M), starting motor.
—— de marcha lenta, slow-speed motor.
—— de partida (A), servomotor.
—— de plato rebordeado, flange-type motor.
—— de potencia fraccionada, fractional-horse-power motor.
—— de presión constante, constant-pressure-combustion engine.
—— de puesta en marcha (auto), starting motor.
—— de reacción, reaction motor.
—— de reluctancia, reluctance motor.
—— de repulsión compensada, compensated repulsion motor.
—— de rotor devanado, wound-rotor motor.
—— de tres etapas, three-cycle engine.
—— de velocidad adjustable o regulable, adjustable-speed motor.
—— de velocidad constante, constant-speed motor.
—— de velocidad variable, varying-speed or polyspeed motor.
—— de velocidades múltiples, multispeed motor.
—— de viento, wind motor; windmill.
—— de volumen constante, constant-volume-combustion engine.
—— Diesel completo, full-Diesel engine.
—— en derivación, shunt-wound motor.
—— en serie, series-wound motor.
—— en V (auto), V motor.
—— invertible, reversible motor.
—— primario, prime mover.
—— sin cigüeñales, crankless engine.
—— supersincrónico, supersynchronous motor.
—— térmico, heat engine.
—— tipo repulsión-inducción, repulsion induction motor.
motor-convertidor, motor converter.
motor-generador, motor generator.
motor-serie, series-wound motor.
motor-shunt, shunt-wound motor.
motorista m, motorman; automobilist; chauffeur; (U) operator of a crane or hoist.
—— adjustador (A), engine repairman.
motorizar, to motorize.

motorriel m (fc)(Ch), track velocipede with power.
mototrailla f (ot), self-powered scraper, tractor-scraper.
motramita f, mottramite (vanadium ore).
movedizo, movable, unstable.
mover, to move, drive, actuate.
movible, movable, mobile, portable, (lab) motile.
movido a correa, belt-driven.
movido por motor, motor-driven.
móvil, portable, movable, mobile.
movimiento m, movement, motion.
—— de tierras, dirt moving.
—— de vaivén, reciprocating or swinging movement.
—— perdido, lost motion.
muca f (M), kind of stone used for building.
mucheta f (A), jamb.
muebles (m) para baño (M), plumbing fixtures.
muela f, grindstone, whetstone, grinder; flat-topped hill; (C) pawl, dog.
—— acopada, cup wheel.
—— de esmeril, emery wheel.
—— de recortar, cutting-off wheel.
—— para engranajes, gear grinder.
—— pulidora, polishing wheel.
—— ranuradora, spline grinder.
muellaje m, wharfage, dock charges.
muelle m, spring; wharf, dock, quay, mole, pier; (rr) platform; (lg) yard, (lg) landing.
—— antagonista, recoil or reactive or antagonistic spring.
—— carbonero, coal wharf, coaling station.
—— de abrigo, breakwater, jetty.
—— de ballesta o de hojas, laminated spring.
—— de compresión, compression spring.
—— de medias pinzas o de pincetas (auto)(U), three-quarter elliptical spring.
—— de reclamo (A), recoil or return spring.
—— de retorno, retraction or return spring.
—— de transbordo, transfer platform or wharf.
—— embarcadero, loading wharf.
—— en espiral, spiral spring.
—— saliente (op), pier.
—— tensor, tension or extension spring.
muerto m, deadman, anchorage.
muesca f, notch, mortise, groove, dap, gain, (min) hitch.
—— de chaveta, keyway.
—— y espiga, mortise and tenon.
muescadora f, (min) hitch cutter; (lg) notcher, undercutter.
muescar, to notch, mortise, groove, dap.
muestra f, sample.
—— de sondaje (sx), core.
—— fortuita o sin escoger, grab sample.
muestrario m, collection of samples, set of drill cores.
muestreador m, sampler.
—— de tierra, soil sampler.
muestrear, to sample.
muestreo m, sampling.
mufla f, block and fall; (met) muffle.
—— con cadena, chain block.
mula f, mulo m, mule.

mulato *m* (min), name used locally for various silver ores.
muleta *f*, any crutch-shaped device; (va) T wrench.
—— **para poste** (herr), deadman.
muletero *m*, mule driver.
muletilla *f* (min), T-headed nail used in surveying.
multa *f*, penalty, fine.
multar, to penalize, impose a penalty.
multibanda (ra), multiband.
multicanal (ra), multichannel.
multicapa, multilayer.
multicelular, multicellular.
multicéntrico, multicentric.
multidigestión *f* (dac), multidigestion.
multidirreccional, multidirectional.
multielectródico (ra), multielectrode (tube).
multiespiral (tv), multispiral.
multiestabilizador *m* (pet), multistabilizer.
multietapa (ra), multistage.
multifaja (ra), multiband, multichannel.
multifásico (eléc), polyphase.
multifilar, multiple-wire, multiwire.
multifrecuencia (eléc), multifrequency.
multigama (ra)(Λ), multiband.
multigradual, multistage, multiple-stage.
multímetro *m* (eléc), multimeter, multiple-purpose tester.
multimotor, multiengined.
multinomio *m*, multinomial.
multiparcelar, consisting of several parcels (land).
múltiple *m*, a manifold; *a* multiple, multiplex.
—— **de admisión**, intake manifold.
—— **del agua** (di), water manifold.
—— **de escape**, exhaust manifold.
—— **efecto, de**, multiple-effect.
multiplicación *f*, multiplication.
multiplicador *m* (mat)(eléc), multiplier.
—— **de frecuencia** (eléc), frequency multiplier.
—— **de fuerza al vacío**, vacuum booster.
multiplicadora electrónica, electron multiplier.
multiplicando *m*, multiplicand.
multiplicar, to multiply.
multíplice *a*, multiple.
múltiplo *m*, multiple.
—— **común**, common multiple.
multiploar (eléc), multiple-pole, multipole.
multirradial, multiradial (drill).
multirrejilla (ra), multigrid.
multisimétrico, multisymmetrical.
multitubular, multitubular.
multiunitario, multiunit.
multiválvula (ra), multitube.
multivelocidad, multivelocity.
multivibrador *m* (ra), multivibrator.
multivoltaje, variable voltage, multivoltage.
municionera *f* (V), ball bearing.
municiones *f*, shot, small balls.
municipal, municipal.
muñeca *f*, poppet of a lathe; crankpin.
—— **corrediza** (torno), tailstock, poppethead.
—— **fija** (torno), headstock.
muñeco *m*, (V) swivel; (CA) a hardwood.
muñequilla *f*, pin, spindle.

—— **del cigüeñal**, crankpin.
muñón *m*, gudgeon, journal, pivot, trunnion.
—— **del cigüeñal o de la manivela**, crankpin.
—— **de dirección**, steering knuckle.
—— **de rueda** (auto), wheel spindle.
muñonera *f*, socket; journal box, bearing; (naut) gudgeon.
muralla *f*, wall.
—— **de mar**, sea wall.
murallón *m*, heavy wall.
—— **de defensa**, sea wall, bulkhead.
—— **de ribera**, dike; sea wall; wall for bank protection.
murar, to wall.
murete *m*, light wall.
—— **cortaaguas** (hid), baffle or cutoff wall.
—— **de guardia** (ca), guard wall.
—— **deflector** (ca), deflector barrier.
—— **interceptador** (hid), cutoff wall.
—— **separador** (ca), barrier.
muriático, muriatic.
muriato *m* (quím), muriate, chloride.
—— **de amoníaco**, ammonium chloride.
muro *m*, wall; (min) footwall.
—— **a prueba de incendio**, fire wall.
—— **alero** (pte), wing wall.
—— **colgante** (geol), hanging wall.
—— **contrafuego o cortafuego**, fire wall or stop.
—— **de acompañamiento o de ala** (pte), wing wall.
—— **de alma** (hid), core wall.
—— **de apoyo**, retaining wall; bearing wall.
—— **de asta**, wall 1 brick thick.
—— **de asta y media**, wall 1½ bricks thick.
—— **de atraque**, quay wall, bulkhead.
—— **de cabecera o de cabeza**, headwall (culvert)
—— **de carga**, bearing wall.
—— **de catorce** (M), wall ½ brick thick.
—— **de cerca**, stone fence or wall.
—— **de cimiento**, foundation wall.
—— **de contención a gravedad**, gravity retaining wall.
—— **de cortina**, (hyd) core wall; (bldg) curtain wall.
—— **de chicana o de desviación** (hid), baffle wall.
—— **de defensa**, wing wall; sea wall; parapet.
—— **de dentellón o de guarda o de guardia**, cutoff wall (dam).
—— **de encauzamiento o de encauce o de guía**, river wall, training wall.
—— **de enclavamiento** (hid)(C), core wall.
—— **de enjuta**, spandrel wall (arch).
—— **de fachada**, front wall.
—— **de flanqueo** (r)(M), training wall.
—— **de impedir** (hid)(M), baffle wall.
—— **de margen** (r), training wall.
—— **de media asta**, wall ½ brick thick.
—— **de muelle**, sea wall, bulkhead, quay wall.
—— **de obstrucción** (hid), baffle wall.
—— **de pie**, toe wall, (A) cutoff wall (dam).
—— **de piedra seca**, dry wall.
—— **de remate** (V), headwall (culvert).
—— **de retención**, retaining wall.
—— **de revestimiento**, facing or breast wall.
—— **de ribera**, bulkhead, sea wall; river wall.
—— **de salto**, deflector (spillway).
—— **de sostén**, retaining wall.

—— de sostenimiento, retaining wall; (C) bearing wall.

—— de sostenimiento empotrado (A) o de sostenimiento en ménsula (A), cantilever retaining wall.

—— de tres astas, wall 3 bricks thick.

—— de ventiocho (M), wall 1 brick thick.

—— de vuelta (A), return or wing wall.

—— desviador, deflector wall.

—— divisorio, partition wall.

—— en seco, dry wall.

—— encofrado o encribado, crib wall.

—— impermeabilizador o nuclear o pantalla (hid), core wall.

—— marítimo (M), sea wall.

—— medianero, party wall.

—— nervado, buttressed wall.

—— refractario, fire wall.

—— ribereño de contención, bulkhead.

muscovadita f (geol), muscovadite.

muscovado m (az), muscovado.

muscovita f (miner), muscovite (mica).

muselina f (ais), muslin.

nabo m, spindle.

nacer (r), to rise, originate.

nacientes f, headwaters; (C) outcroppings.

nacimiento m, (r) headwaters; (Sp) spring line (arch).

nadir m, nadir.

—— fotográfico (fma), plate nadir point, photographic nadir.

nadiral, nadiral.

nafta f, gasoline, naphtha; (Sp) petroleum.

—— de alto octanaje, high-octane gasoline.

—— de aviación, aviation gasoline.

naftalina f, naphthalene.

napa f, sheet of water, nappe.

—— acuífera (Pe), ground water.

—— freática, ground water, water table.

nariz (f) del husillo (mh), spindle nose.

narria f, sled, log boat; road drag; cart.

nata f, laitance, scum.

náutico, nautical.

nave f, ship; (bldg) bay; (C) shed.

navegable, navigable.

navegación f, navigation.

—— costanera, coastwise shipping.

—— fluvial, river navigation.

naviero m, shipowner.

navío m, ship.

neblina f, mist, fog.

necton (is), nekton.

nefelina, nefelita f (miner), nepheline, nephelite.

nefelinita f (geol), nephelinite.

negativa f (fma)(M), negative.

negativo m, (pmy) negative; a negative.

negatrón m (ra), negatron; electron.

negociado m, bureau, department, division.

—— de patentes, patent office.

negrillo m (min), black silver, stephanite.

negro m a, black.

—— bueno, el (C), (str) old man; (rr) rail bender, jim-crow.

—— de anilina, aniline black.

—— de carbón, carbon black.

—— de gas (M), gas or carbon black.

—— de humo, lampblack, carbon or gas black.

—— de lámpara (Es), lampblack.

—— de marfil, ivory black.

—— de plomo, graphite, black lead.

—— japón, japan.

negrosina f, vandyke print.

neis m (geol), gneiss.

néisico, gneissic.

neón m (quím), neon.

neopreno m, neoprene.

neovolcánico (geol), neovolcanic.

néper (mat), neper.

neperiano (mat), Napierian.

nervado, ribbed.

nervadura f, rib, counterfort; (rf) purlin; (min) leader.

nervio m, rib, counterfort; (str) web; stay; (rf) purlin.

nervura f (A), rib.

nervurado (A), ribbed.

nesslerizar (is), to nesslerize.

neto a, net.

neumática f, pneumatics.

neumático m, pneumatic tire; a pneumatic.

—— acordonado, cord tire.

—— balón, balloon tire.

—— de costado blanco, white-side-wall tire.

—— de orejas, lug tire.

—— de recambio, spare tire.

—— de talón, clincher tire.

—— de tejido, fabric tire.

—— hidromático, hydromatic tire.

—— para todo tiempo, all-weather tire.

neumáticos gemelos, dual tires.

neutral, neutro s a, neutral (all senses).

neutralizador m, neutralizer.

—— de atracción local, magnetic compensator.

neutralizar, to neutralize.

neutrodino (ra), neutrodyne.

neutrón m (quím), neutron.

nevada f, snowfall.

nicromio m, Nichrome (alloy)(trademark).

nicho m, niche, (tun) manhole; (elec) cubicle; (rd) pothole; (elec) cabinet.

—— del túnel (cn), tunnel recess.

—— popel del túnel (cn), stuffing-box recess.

—— proel del túnel (cn), thrust recess.

nido (m) de abeja, honeycomb (all senses).

niebla f, fog.

—— de advección, advection fog.

—— de radiación, radiation fog.

—— de la soldadura, welding haze.

nieve f, snow.

—— carbónica, dry ice.

niple m (tub), nipple.

—— corto, short nipple.

—— de asiento (pet), seating nipple.

—— de botella, bell nipple.

—— de largo mínimo o de rosca corrida, close nipple.

—— de tanque, tank nipple.

—— de unión, union nipple.

—— elevador (pet), lifting nipple.

—— estrangulador, choke nipple.
—— largo, long nipple.
—— para manguera, hose nipple.
—— para soldar, soldering or welding nipple.
—— reductor concéntrico, concentric reducing nipple.
níquel m, nickel.
—— arsenical, niccolite, arsenical nickel.
niquelado, nickel-plated.
niquelífero, containing nickel.
niquelina f, (miner) niccolite, copper nickel; nickeline (alloy).
niquelocre m, nickel ocher, annabergite.
nisa f (mad), tupelo, black gum, bay poplar.
nitidez f (tv)(fma), definition.
nitradora f, nitrator.
nitral m, nitrera f, nitrate bed.
nitrar, to nitrate.
nitratina f, nitratine, caliche, native sodium nitrate.
nitrato m, nitrate.
—— de soda, sodium nitrate, nitrate of soda.
nitrería f, nitrate reduction works.
nítrico, nitric.
nitrificación f, nitrification.
nitrificador m, nitrifier.
nitrito m, nitrite.
nitro m, niter, saltpeter.
—— potásico, potash niter, potassium nitrate.
—— sódico, soda niter, sodium nitrate.
nitroalgodón m, nitrocotton, guncotton.
nitroalmidón m (vol), nitrostarch.
nitrobacterias f, nitrobacteria.
nitrobenceno m, nitrobenzene.
nitrobenzol m, nitrobenzol, nitrobenzene.
nitrocelulosa f, nitrocellulose.
nitrogelatina f (vol), nitrogelatin.
nitrogenado, nitrogenous.
nitrogenar, to nitrogenize.
nitrógeno m, nitrogen.
—— albuminoideo (is), albuminoid nitrogen.
—— amoniacal (is), ammonia nitrogen.
—— de nitratos, nitrate nitrogen.
nitroglicerina f, nitroglycerine.
—— gelatinada (vol), gelatinized nitroglycerine.
nitrómetro m, nitrometer.
nitronaftalina f, nitronaphthalene.
nitrosación f, nitrification.
nitroso, nitrous.
nitrosomonas f (is), nitrosomonas.
nitrosulfúrico, nitrosulphuric.
nitrotolueno m, nitrotoluol m, nitrotoluene, nitrotoluol.
nitruración f (met), nitriding.
nitruro m, nitride.
nivel m, grade, level, elevation; (inst) level.
—— aplomador o de albañil, plumb and level, mason's level.
—— basculante (inst), tilting level.
—— caballero (Es), striding level.
—— con plomada, plumb level.
—— de Abney, Abney level.
—— de agricultor, farm level.
—— de agrimensor o de anteojo, engineer's level.
—— de agua (inst), water level.
—— del agua, water level (pond).

—— de aire o de burbuja, spirit level.
—— de anteojo corto, dumpy level.
—— de apoyos en Y, Y level.
—— de base, (r) base level; (tv) pedestal level.
—— de bolsillo, pocket level.
—— de comparación, datum.
—— de control (inst), control level.
—— de cuerda, a line level.
—— de equilibrio (pozo), standing level.
—— de hormigonado (conc), lift line.
—— de horquetas, Y level.
—— de intensidad de sonido (ra), loudness level.
—— de mano, hand or Locke level.
—— del mar, sea level.
—— de mira (lev), rod level.
—— de negro (tv), black level.
—— de nonio, vernier level.
—— de pendiente, slope gage.
—— de peralte (fc)(Ch), a track level.
—— de perpendículo, plumb and level.
—— de plomar (lev), rod level.
—— de portadora (ra), carrier level.
—— de potencia (eléc), power level.
—— de prisma, prism level.
—— de referencia, datum plane; (ra) reference level.
—— de respiración (aa), breathing line (5 feet above floor).
—— de ruido (ra), loudness level; noise level.
—— de señal (ra), signal level.
—— de torpedo, torpedo level.
—— de vía, a track level.
—— francés (M), Y level.
—— freático, ground-water level, water table.
—— geodésico (inst), geodetic level.
—— medio del mar, mean sea level.
—— montado o montante (inst), striding level.
—— para constructor, a builder's level.
—— para jalón (lev), rod level.
—— rígido, dumpy level.
—— taquimétrico de mano, stadia hand level.
nivelación f, leveling; grading.
—— barométrica, barometric leveling.
—— compuesta, compound leveling.
—— de precisión, precise leveling.
—— taquimétrica, stadia leveling.
—— trigonométrica, trigonometric leveling.
nivelada f (Es), (surv) a sight.
—— de adelante o de frente, foresight.
—— de atrás o de espalda, backsight.
nivelador m, (surv) levelman; (ce) grader.
—— de arrastre, pull grader.
—— de caña (az), cane leveler or kicker.
niveladora f, grader, road scraper.
—— automotriz, motor grader.
—— cargadora o elevadora, elevating grader.
—— de arrastre, drawn or pull grader.
—— de cuchilla o de hoja, blade grader.
—— de empuje angular, trailbuilder, bullgrader angledozer.
—— de patrulla, patrol grader.
—— de rueda recta, straight-wheel grader.
—— de ruedas inclinables, leaning-wheel grader
—— de subrasantes, subgrader.
—— empujadora, bulldozer.
—— exacta, finegrader,

—— **para ensanche de caminos,** road widener.
nivelar, to level, grade; to run levels; (rr) to surface.
niveleta *f* (Es), T-shaped rod for sighting in points on a grade.
nivelómetro *m*, Levelometer (trademark).
nivométrico (A), pertaining to measurement of snow.
nivómetro *m* (A), snow gage.
nobleza *f*, richness (ore).
noctovisión *f* (tv), noctovision.
nodal (mat), nodal.
nodo *m*, (math)(elec) node; (str)(A)(M) panel point.
—— **de corriente** (eléc), current node.
—— **de salida** (fma), emergence node.
—— **de tensión** (eléc), voltage node.
nodulación *f*, nodulation.
nodular, nodular.
nódulo *m* (geol), nodule.
nogal *m* (mad), walnut.
—— **americano,** hickory.
—— **blanco,** butternut, white walnut.
nombre (*m*) **de fábrica,** trade name.
nómina *f*, payroll, list, statement.
nomográfico, nomographic.
nomograma *m*, nomograph, nomogram, alignment chart.
nonio *m*, vernier.
—— **retrógrado,** retrograde vernier.
nonius *m* (Es), vernier.
noray *m*, mooring post or bitt, bollard.
nordeste *m a*, northeast.
noria *f*, well; chain pump; bucket elevator; anything operated by endless chain; (C) pool.
—— **elevadora o de cangilones,** bucket elevator.
norma *f*, norm, standard, pattern.
normal *f a*, standard, normal; (math) normal, perpendicular.
normalidad *f* (quím), normality.
normalizar, to standardize; to normalize (iron).
noroeste *m a*, northwest.
norte *m a*, north.
—— **de brújula,** compass north.
—— **magnético,** magnetic north.
—— **verdadero,** true north.
novaculita *f* (geol), novaculite.
nuclear, nuclear, nucleal.
núcleo *m*, core; nucleus; (elec) kernel.
—— **celular,** cellular core wall (dam).
—— **de aire** (eléc), air core.
—— **de arcilla** (hid), puddle core.
—— **de cable metálico,** independent wire-rope core.
—— **de cáñamo** (cab), hemp center.
—— **de cordón metálico o de torón de alambre,** (wr) wire-strand core.
—— **de cuerda** (cab eléc), rope core.
—— **del inducido** (eléc), armature core.
—— **de perforación,** drill core.
—— **de pólvora** (mecha de vol), powder train or core.
—— **del radiator** (auto), radiator core.
—— **del transformador,** transformer core.
—— **fibroso,** (wr) fiber core.
—— **magnético,** core of a magnet.

—— **testigo** (sx), boring or sample core.
nudillo *m*, plug; nailing block set in masonry; (rf)(V) collar beam.
nudo *m*, knot (rope); (lbr) knot; (tu) panel point, connection; (p) coupling; (naut) knot; (top) junction of mountain ranges; (su) node of cane.
—— **apretado** (mad), sound or fast knot, intergrown knot (live branch).
—— **blando** (mad), rotten knot.
—— **corredizo** (cab), running knot or bowline; slip or sliding knot.
—— **de los aseguradores** (eléc), underwriters' knot.
—— **de presilla** (cab), bowline knot.
—— **de rizos** (cab), reef or flat or square knot.
—— **derecho,** flat or reef knot; carrick bend.
—— **encajado** (mad), encased knot (dead branch).
—— **flojo** (mad), loose knot.
—— **llano** (cab), flat or reef knot.
—— **sano** (mad), sound or tight or red knot.
—— **vicioso** (mad), unsound or loose knot.
nudoso (mad), knotty.
nuez *f*, drill chuck; ball-and-socket.
numerador *m*, numerator; numbering machine.
numérico, numerical.
número *m*, number.
—— **atómico,** atomic number.
—— **cetánico,** cetane number.
—— **cuántico,** quantum number.
—— **de emulsión a vapor,** steam emulsion number (oil).
—— **de fábrica** (maq), shop or factory number.
—— **de índice Diesel,** Diesel index number.
—— **de masa** (quím), mass number.
—— **de neutralización,** neutralization number (oil).
—— **de precipitación** (quím), precipitation number.
—— **de Reynolds** (tub), Reynolds number.
—— **de saponificación** (quím), saponification number.
—— **de serie** (maq), serial or shop number.
—— **de tinte** (lab), dye number.
—— **de transferencia** (quím), transport or transference number.
—— **de viscosidad,** viscosity number.
—— **de yodo,** iodine value or number.
—— ***p*H** (is), *p*H number.
numulítico (geol), nummulitic.
nutación *f*, nutation.

ñandubay *m*, a South American hardwood.
ñiré *m*, an Argentine lumber (semihard).

obenque *m*, guy; **obenques** (cn), shrouds.
objetivo *m*, object glass, objective.
—— **gran angular** (fma), wide-angle lens.
oblicuángulo, oblique-angled.
oblicuar, to cant, skew.
oblicuidad *f*, skew, obliquity.
oblicuo, oblique, skew.

obligaciones, liabilities.
obligacionista, bondholder.
obligado (C), tight, strained, forced.
obra *f*, work; job, project; structure.
—— blanca (carp)(A)(U), trim, millwork.
—— caminera, road work.
—— de mano, labor; handwork.
—— de tierra, dirt moving, earthwork.
—— extra (C), extra work.
—— falsa, (bdg)(C)(M) falsework; (conc)(C) forms.
—— limpia (V), masonry or woodwork not plastered.
—— muerta, (sb) upper works; (hyd)(sb) freeboard; (pet) deadwood.
—— viva, (na) submerged part of a ship; (mech) (C) moving parts.
obras, works, jobs.
—— de acueducto o de agua, waterworks.
—— de aducción (hid), headworks, intake works, headrace, approach canal.
—— de arranque o de cabecera (hid), headworks.
—— de arte, structures along a railroad, canal, or highway.
—— de captación (hid), impounding works; (Pe) headworks, intake.
—— de excedencias (hid)(M), spillway structure, wasteway.
—— de toma (hid), intake works, headworks.
—— fiscales (Ch), public works.
—— ligeras (cn), upper works.
—— portuarias, port works.
—— públicas, public works.
—— viales, road work.
obrador *m*, workman; workshop; working platform; (A) construction plant.
obraje *m*, working, manufacture; workshop; (A) lumber camp.
obrajería *f* (B), lumber shed.
obrajero *m*, foreman; (B) skilled workman; (A) lumberman.
obrar, to work; to construct, make.
obrero *m*, workman; laborer.
—— de la vía (fc), trackman, track laborer.
—— diestro, skilled workman.
—— electricista, electrician's helper; any electrical worker.
observación *f*, observation.
observador *m*, observer.
obsidiana *f*, obsidian, volcanic glass.
obsidianita *f* (geol), obsidianite.
obsolescencia *f* (Ch), obsolescence.
obsoleto (C), obsolete.
obstruir, to obstruct, block.
obturado por aire, airbound.
obturador *m*, plug, stopper; (pb) trap; (auto) choke; (pet) packer; (pmy) shutter, stop; (auto) throttle.
—— central (fma), between-the-lens shutter.
—— del aire (auto), choke.
—— de cemento (pet), cementing plug.
—— de circulación (pet), circulation packer.
—— de cortinilla (fma), louver shutter.
—— de diafragma iris (fma), iris-diaphragm shutter.
—— de flujo (pet), flow packer.

—— de la gasolina (auto), throttle.
—— de hojas paralelas (fma), parallel-leaf shutter.
—— de laminillas (fma), laminated shutter.
—— de laminillas giratorias (fma), rotating-leaf shutter.
—— de laminillas radiales (fma), radial-leaf shutter.
—— de persiana (fma), louver shutter.
—— de plano focal (fma), focal-plane shutter.
—— de producción (pet), production packer.
—— de traslado (pet), crossover packer.
—— dentro del objetivo (fma), between-the-lens shutter.
obturar, to stop up, plug, seal; (auto) to throttle.
obtusángulo, obtuse-angled.
obtuso, obtuse.
ocasión, de, secondhand, used; at a bargain.
occidental, western.
océano *m*, ocean.
oclusión *f*, occlusion.
oconita *f* (ais), okonite.
ocote *m* (M), pine.
ocozol *m* (mad), gum.
ocre *m*, ocher.
—— amarillo (miner), yellow ocher or earth, limonite.
—— azul, mineral blue, azurite.
—— colorado (miner)(pigmento), red ocher.
—— de antimonio, antimony ocher, native antimony oxide.
—— de níquel, annabergite, nickel ocher.
—— negro, black ocher, wad, bog manganese.
octagonal, octagonal.
octágono *m*, octagon; *a* octagonal.
octal (ra), octal.
octanaje *m*, octane rating.
octánico, *a* octane.
octano *m*, octane.
octante *m* (mat)(inst), octant.
octava *f* (ra), octave.
octavalente (quím), octavalent.
octavo *m*, one eighth.
octodo *m* (ra), octode.
octogonal, octagonal.
octógono *m*, octagon.
octosa *f* (az), octose.
ocular *m*, eyepiece, ocular; *a* ocular.
—— reticulado, filar eyepiece.
—— simple, simple eyepiece (inverted image).
—— terrestre o de imagen recta, terrestrial or erecting eyepiece.
oculto (eléc), concealed.
ocupación *f*, occupation, job, trade.
ochava *f*, beveled corner of a building at street intersection.
ochavado, octagonal.
ochavar, to make octagonal; (A) to bevel the corner of a building.
odógrafo *m*, odograph.
odómetro *m*, odometer, hodometer.
odontógrafo *m*, odontograph.
oersted *m* (eléc), oersted.
oeste *m*, west.
oferta *f*, bid, proposal, tender.
ofertante (A), bidder.

oficial *m*, officer, official; journeyman, worker at a trade (skilled, semiskilled, or helper according to locality); *a* official.
—— carpintero, journeyman carpenter.
—— major, chief clerk.
oficina *f*, office; workshop; (Ch) nitrate works.
—— central o matriz, headquarters, main office.
—— de beneficio o de fusión, smelter.
—— de campo, field office.
—— meteorológica, weather bureau.
—— salitrera (Ch), nitrate works.
oficinista, office employee.
oficio *m*, trade, occupation; official letter.
oficios de edificación, building trades.
ofita *f* (geol), ophite (diabase).
óhmico, ohmic.
ohmímetro, ohmiómetro, óhmmetro *m*, ohm-meter.
ohmio *m* (eléc), ohm.
ohmio-milla, ohm-mile.
ojada *f* (Col), skylight; putlog hole.
ojal *m*, loop; grommet; eyelet.
—— con tuerca, eye nut.
—— de arandela, washer grommet.
—— de candado, padlock eye.
—— de púas, teeth grommet.
—— para cable, thimble; grommet.
ojalador *m* (Ec), punch.
ojete *m*, ear (elec rr); eyelet.
ojillo *m*, eyelet, eye, grommet.
—— de platillo, pad eye, eye plate.
—— giratorio, swivel eye.
ojiva *f*, ojive, rib of a groined arch.
ojo *m*, eye; opening, span, bay.
—— de agua, spring.
—— de buey, bull's-eye; porthole, air port.
—— de la cerradura o de la llave, keyhole.
—— de la escalera, stair well.
—— de puente, bridge span, bay of a bridge.
—— eléctrico (Es), electric eye, photoelectric cell.
—— mágico (ra)(M), magic eye, tuning indicator tube.
—— tipo de azuela (herr), adz eye.
—— tipo de hacha (herr), ax eye.
ola *f*, wave.
—— de fondo, ground swell; ground roller.
—— estacionaria o de interferencia, standing wave.
olaje *m*, wave action, waves, wave motion.
oleada *f*, big wave; surge; swell.
oleaginoso, oleaginous.
oleaje *m*, wave action, waves; surge, hydraulic bore.
oleato alumínico, aluminum oleate.
óleo *m*, oil.
oleoducto *m*, pipe line for oil.
oleómetro *m*, oleometer.
oleoneumático, oleopneumatic.
oleosidad *f* (lu), oiliness.
oleoso, oily.
oligisto *m*, oligist, hematite, specular iron ore.
—— micáceo, micaceous iron ore, hematite.
—— rojo, red iron ore, hematite.
oligoclasa *f* (miner), oligoclase.
oligoclasita *f* (geol), oligoclasite.
olmo *m*, elm.

olor *m*, odor.
olorímetro *m*, odorimeter, odorometer.
olla *f*, pot, dish.
—— de remolino (r), pothole.
—— para fundir, melting pot.
—— para soldadura, solder pot.
ollao *m*, grommet hole in canvas, eyelet grommet.
olleta *f* (top), pothole.
ombrógrafo *m*, recording rain gage, ombrograph.
ombrómetro *m*, rain gage, ombrometer.
ómnibus *m*, bus, omnibus.
——, barra (eléc), bus bar.
—— de trole, trolley coach.
omnígrafo *m* (tel), omnigraph.
omnímetro *m* (lev), omnimeter.
onda *f*, wave; (elec) surge, impulse.
—— acústica, sound wave.
—— amortiguada (eléc), damped wave.
—— celeste o de cielo (ra)(A), sky or indirect or ionospheric wave.
—— conductora (ra)(A), carrier wave.
—— continua interrumpida (ra), interrupted continuous wave.
—— corta, de (ra), short-wave.
—— cuadrada (ra), square wave.
—— de compresión o de empuje (vibración), push or compression or P wave.
—— de corte (vibración), shear or transverse or S wave.
—— de dilatación (geof), dilational wave.
—— de explosión (geof), blast wave.
—— de frecuencia acústica, voice-frequency electric wave.
—— de llamada (ra), calling wave.
—— de oscilación, oscillating or gregarious wave.
—— de reposo (ra), spacing or back wave.
—— de retroceso (explosivo), retonation wave.
—— de señal (ra), signal wave.
—— de tierra (ra), ground wave.
—— de trabajo (ra)(A), signal wave.
—— de translación, translatory wave.
—— diente de sierra (ra), saw-tooth wave.
—— dirigida (ra), guided wave.
—— eléctrica o hertziana, electric or hertzian wave.
—— entretenida (ra)(A), continuous wave.
—— espaciadora (tel)(A), spacing wave.
—— espacial (ra)(A), sky or indirect or ionospheric wave.
—— extraelevada (ra)(A), ultrashort wave.
—— fija, standing wave.
—— insertada (ra), insert wave.
—— limítrofe (geof), boundary wave.
—— marcadora (tel), marking wave.
—— modulada por llave (eléc), telegraph-modulated wave.
—— oscilatoria (eléc), oscillatory surge.
—— plana (ra), plane wave.
—— polarizada horizontalmente (ra), horizontally polarized wave.
—— portadora o transportadora (eléc), carrier wave.
—— refleja o reflejada (ra), reflected or indirect wave; echo.
—— senoidal o sinusoide, sine wave.
—— separadora (tel), spacing or back wave.

—— sísmica, seismic ray.
—— sonora, sound wave.
—— sostenida (ra), continuous wave.
—— terrestre (ra), ground wave.
—— transversal (vibración), shear or transverse or S wave.
ondámetro m (ra), wavemeter.
—— de absorción, absorption wavemeter.
—— heterodino, heterodyne wavemeter or frequency meter.
ondímetro m (A)(Es), wavemeter.
ondógrafo m (eléc), ondograph.
ondograma m (eléc), ondogram.
ondoscopio m (eléc), ondoscope.
ondulación f, undulation.
ondulado, corrugated; wavy.
ondulatorio, undulatory.
onza f, ounce.
—— líquida, fluid ounce.
oolita f (geol), oölite.
opacador m (auto)(U), dimmer.
opacidad f, opacity.
opaco, opaque.
opalescencia f, opalescence.
opalescente, opalescent.
operable a mano, manually operable.
operación f, operation, working.
operaciones de campaña o de campo, field work.
operaciones de escritorio o de gabinete, office work.
operaciones de taller, shopwork.
operador m, engine runner, operator; workman; (A) telegraph operator; (surv)(Sp)(A) instrumentman; (Sp) tool.
operar, to run, operate, work.
operario m, workman, laborer, operative; engine runner.
operario-herramentista, machinist, operator of a machine tool.
oposición f (eléc), opposition.
opresor m, setscrew; (M) cable clip.
—— de cubo ranurado, fluted-socket setscrew.
—— de macho corto, half-dog-point setscrew.
—— de macho largo, full-dog-point setscrew.
—— de punta ahuecada, cup-point setscrew.
—— de punta cónica, cone-point setscrew.
—— de punta chata, flat-point setscrew.
—— de punta ovalada, oval-head setscrew.
—— hueco, socket or hollow setscrew.
—— sin cabeza, headless setscrew.
óptico, optical.
óptimo, optimum.
oquedad f, cavity, hollow; (M) porosity.
orden f, order, command.
—— de compra, purchase order.
orden m, order, succession, sequence.
—— alternado (sol), wandering sequence.
—— de aterrizaje (ap), landing sequence.
—— de encendido (mg), firing order.
—— de retroceso (sol), step-back sequence.
—— equilibrado (sol), balanced sequence.
ordenada f, ordinate, offset.
—— media, middle ordinate.
ordenanzas (f) de edificación, building law or code.
orear (C), to ventilate; to aerate.

oreja f, lug, lobe, flange; fluke of an anchor; claw of a hammer; (elec rr) ear.
—— de alimentación (fc eléc), feeder ear.
—— de anclaje, (elec) outrigger; (elec rr) strain ear.
—— de empalme (fc eléc), splicing ear.
—— de tracción (or), grouser.
—— tensora (fc eléc), strain ear.
orejeta (f) de rueda (auto), wheel lug.
orejeta de soldadura, solder lug.
orgánico, organic.
organismo m, organism.
órgano m (mec), part, piece, member, device, appliance.
órganos
—— de desprendimiento (eléc), releasing gear, trip mechanism.
—— de mando de la válvula, valve gear.
—— de maquinaria, machine parts.
—— de regulación, regulating mechanism.
organoléptico (is), organoleptic.
orientación f, (surv)(chem)(miner)(math) orientation; (pmy) heading.
—— de base (fma), basal orientation.
—— relativa (fma), relative orientation.
orientador m, orientator.
oriental, eastern.
orientar, to orient.
orificio m, orifice, hole.
—— alargado (est), slotted hole.
—— de admisión, (eng) intake port.
—— de aristas vivas o de borde afilado (hid), sharp-edged orifice.
—— de drenaje, weep or drain hole.
—— de entrada redondeada (hid), rounded-approach orifice.
—— de escape, (eng) exhaust port.
—— de estrangulación, throttling orifice.
—— de purga, drain hole.
—— de revisión, inspection hole.
—— guía, pilot hole.
—— sin contracción (hid), suppressed orifice.
—— sumergido (hid), submerged orifice.
origen m (lev)(mat), origin.
orilla f, edge; (r) bank, shore; (rd) shoulder.
—— cortante, cutting edge.
—— de acera, curb.
—— del camino, roadside.
—— del mar, seacoast.
orín m, rust.
orina f, orines m, urine.
orinal, orinario m, urinal.
—— de pared, wall urinal.
—— de pie, pedestal urinal.
—— recto, stall urinal.
orinola f (F), urinal.
orinque m, buoy rope.
orla freática (A), capillary fringe.
oro m, gold.
—— corrido (Ch), alluvial gold.
orográfico, orographic.
orógrafo m (lev), orograph.
orohidrografía f, orohydrography.
orohidrográfico, orohydrographic.
orómetro m, orometer.
orticón m (tv), Orthicon (trademark).

orticonoscopio *m* (ra), orthiconoscope.
ortoaluminato (*m*) **de calcio,** calcium orthoaluminate.
ortoclasa *f* (miner), orthoclase.
ortoclasita *f* (geol), orthoclasite.
ortoclástico, orthoclastic.
ortocromático, orthochromatic.
ortofira *f* (geol), orthophyre.
ortofosfato cálcico, calcium orthophosphate, bone phosphate.
ortogneis *m* (geol), orthogneiss.
ortogonal, orthogonal, right-angled.
ortográfico (mat), orthographic.
ortosa *f* (miner), orthoclase, orthose.
ortosilicato (*m*) **de calcio,** calcium orthosilicate.
ortosilícico, orthosilicic.
ortotolidina *f* (quím), orthotolidine.
orugas *f*, crawler tread, caterpillar mounting.
oscilación *f*, oscillation.
—— **amortiguada,** damped oscillation.
—— **forzada** (eléc), forced oscillation.
—— **parásita** (ra), parasitic oscillation.
oscilador *m* (mec)(eléc)(ra), oscillator.
—— **a cristal** (ra), crystal oscillator.
—— **a válvula,** vacuum-tube oscillator.
—— **autocontrolado,** self-excited oscillator.
—— **barredero** (ra), sweep oscillator.
—— **de acoplamiento electrónico** (ra), electron-coupled oscillator.
—— **de audiofrecuencia** (ra), audio or audiofrequency oscillator.
—— **de bloqueo** (ra), blocking oscillator.
—— **de desviación vertical,** vertical-deflection oscillator.
—— **de frecuencia variable,** variable-frequency oscillator.
—— **de parrilla,** grate rocker.
—— **de prueba** (ra), test or all-wave oscillator.
—— **de pulsación** (ra), beat oscillator.
—— **de relajamiento** (ra), relaxation oscillator.
—— **de toda onda** (ra), signal or all-wave oscillator.
—— **piezoeléctrico,** piezo oscillator.
—— **tipo explosor** (eléc), spark-gap oscillator.
oscilar, to oscillate, swing.
oscilatorio, oscillating.
oscilografía *f*, oscillography.
oscilográfico, oscillographic.
oscilógrafo, oscillograph.
—— **electrónico,** cathode-ray or electronic oscillograph.
oscilograma *m*, oscillogram.
osciloscopio *m*, oscilloscope.
—— **de rayos catódicos,** cathode-ray oscilloscope.
osmio *m* (quím), osmium.
osmondita *f* (met), osmondite.
ósmosis *f*, osmosis.
osmótico, osmotic.
osteocola *f*, animal glue.
otero *m*, hill, knoll.
ovado, ovate, oval.
oval *a*, oval.
ovalado, oval, slotted (hole).
ovalizar, to make oval.
óvalo *m*, oval.
ovoide, egg-shaped, ovoid.

óvolo *m*, quarter round.
oxalato *m*, oxalate.
—— **de amonio** (is), ammonium oxalate.
—— **potásico,** potassium oxalate.
oxálico, oxalic.
oxiacetilénico *a*, oxyacetylene.
oxicloruro (*m*) **de plomo,** lead oxychloride.
oxidabilidad *f*, oxidizability.
oxidable, oxidizable.
oxidación *f*, oxidation, rusting.
—— **fraccionada,** fractional oxidation.
oxidante *m*, oxidant.
oxidar, to oxidize; **oxidarse,** to rust.
oxidasa *f* (is), oxidase.
óxido *m*, oxide.
—— **carbónico,** carbonic oxide, carbon monoxide.
—— **cúprico,** copper or cupric oxide, (miner) tenorite.
—— **cuproso,** cuprous oxide, red oxide of copper, copper suboxide.
—— **de calcio,** calcium oxide, quicklime.
—— **de cinc,** zinc oxide, (miner) zincite.
—— **de hierro,** iron oxide.
—— **de magnesio,** magnesium oxide, magnesia.
—— **férrico hidratado,** hydrous ferric oxide.
—— **ferrosoférrico o magnético,** ferrosoferric or magnetic iron oxide.
—— **hídrico,** hydrogen oxide, water.
—— **rojo de cinc,** zincite, red zinc ore, red oxide of zinc.
oxidrilión *m*, hydroxyl ion.
oxidrilo *m*, hydroxyl.
oxigenar, to oxygenate.
oxígeno *m*, oxygen.
oxihidrato *m*, oxyhydrate.
oxihídrico, oxyhydric.
oxilíquido *m*, liquid oxygen.
oxinitrato *m*, oxynitrate.
oxisal *f*, acid salt.
oxisulfato *m*, oxysulphate.
oxisulfuro *m*, oxysulphide.
oyamel *m*, a Mexican pine.
ozonador, ozonizador *m* (pa), ozonator, ozonizer.
ozonar, ozonificar, ozonizar, to ozonize, ozonate.
ozono *m*, ozona *f*, ozone.
ozonometría *f*, ozonometry.
ozonómetro *m*, ozonometer.
ozonoscópico, ozonoscopic.
ozonoscopio *m*, ozonoscope.

pabellón *m*, bellmouth; tent, canopy; (U) auto hood; (Ch) shed.
—— **dormitorio** (PR), bunkhouse.
pabilo *m*, wick; packing; (C) calking yarn.
paca *f*, bale.
pacana (mad), pecan.
pacará *m*, a South American lumber (semihard).
paco *m* (miner), paco.
pacurí *m* (A), a hardwood.
paflón *m*, soffit.
pagador *m*, paymaster.
pagaduría *f*, paymaster's office.
pagaré *m*, (com) note.
pago *m*, payment.

—— al contado, cash payment.
—— a cuenta, payment on account.
—— anticipado, advance payment.
—— aplazado, deferred payment.
paila *f*, boiler (small).
pailería *f*, (C) boiler shop, boilermaking; (M) coppersmith shop.
pailero *m* (C), boilermaker.
painel *m*, panel.
paisajista *m*, landscape engineer or contractor.
paja *f*, straw.
—— de agua, measure of water equal to 2 cu cm per sec plus. (In some places $\frac{1}{16}$ of a marco.)
—— de madera, excelsior.
pajareque *m* (V)(AC), see bahareque.
pajuela *f* (vol)(M), fuse.
pala *f*, shovel; blade; paddle; scraper.
—— a cuchara (A), power shovel.
—— a guinche (A), cable-operated scraper.
—— a vapor, steam shovel.
—— aplanadora (A), skimmer scoop.
—— carbonera, scoop or coal or fire shovel.
—— con balde de arrastre (A), dragline excavator.
—— con empuñadura de estribo o con puña de asa, D-handle shovel.
—— cuadrada, square-point shovel.
—— de arrastre, drag or slip scraper; trench hoe, pullshovel, backdigger.
—— de arrastre giratoria, rotary scraper.
—— de azadón, backdigger, pullshovel.
—— de bencina, gasoline shovel.
—— de buey o de caballo, drag or slip scraper.
—— de cable de arrastre, dragline excavator.
—— de camión, truck shovel.
—— de cubo (A), scoop shovel.
—— de cuchara, scoop shovel, coal scoop.
—— de chuzo (min), round-point shovel.
—— de empuje recto (V), bulldozer.
—— de fogonero, coal scoop.
—— de fuerza o de potencia, power shovel.
—— de mango largo, long-handled shovel.
—— de palear (A), square-point shovel; shovel of any type as opposed to a spade.
—— de punta (Es), round-point shovel.
—— de reverso abierto, hollow-back shovel.
—— de reverso liso, plain-back shovel.
—— de ruedas, wheeled scraper.
—— del timón (cn), rudder blade.
—— de tiro (ec), dragshovel, pullshovel, trench hoe.
—— de tracción, traction shovel.
—— de tractor, tractor excavator or shovel.
—— desencapadora, stripping shovel.
—— empujadora, dozer shovel.
—— excavadora (Es), power shovel.
—— flotante, dipper dredge.
—— fresno, fresno scraper.
—— hidráulica de arrastre, hydraulic scraper.
—— mecánica, power shovel.
—— neumática, pneumatic clay spade, air spade; (A) pneumatically operated scraper.
—— niveladora, skimmer scoop.
—— oval (M), round-point shovel.
—— para hoyos, posthole or telegraph shovel.

—— para puntear (A), spade.
—— punta corazón (A), round-point shovel.
—— punta cuadrada, square-point shovel.
—— rasadora, skimmer scoop.
—— redonda, round-point shovel.
—— retroexcavadora, dragshovel, pullshovel. pullscoop.
—— topadora (A), bulldozer.
—— transportadora, carrying or Carryall or hauling scraper.
—— volcadora (A), drag scraper.
—— zanjadora, ditching shovel, trench hoe.
pala-draga, pala-grúa rastrera, dragline excavator.
palada *f*, shovelful.
paladio *m* (quím), palladium.
palagonita *f* (geol), palagonite.
palanca *f*, lever, crowbar; arm of a couple; purchase; (A) steel billet.
—— acodillada o angular, bell crank.
—— de acoplamiento (A), clutch lever.
—— de adrizamiento (an), righting arm or lever.
—— de aguja (fc), switch lever.
—— de balancín, rocker lever.
—— de cambio, (rr) switch lever; (auto) gearshift lever; (mt) quick-change or change-gear lever.
—— de cambio de marcha, reversing lever; gearshift lever.
—— de contramarcha o de inversión, reversing lever.
—— de chucho (fc), switch lever.
—— de detención, braking lever, sprag.
—— de distribución (mg), timing lever.
—— del freno, brake lever.
—— de fricción, friction-clutch lever.
—— de gancho, cant hook, peavy.
—— de leva, cam lever.
—— de mando, control lever.
—— de maniobra, operating lever; (rr) switch lever; handspike.
—— de la media tuerca (mh), half-nut lever.
—— de quijada (cn), wheeze bar.
—— del regulador (loco), throttle lever.
—— de tumba (fc), ground or tumbling lever.
—— de vaivén, rocker arm.
—— de válvula (mg), valve lever, rocker arm.
—— de velocidades (auto), gearshift lever.
—— disparadora, tripping lever.
—— en T, T crank.
—— inversora del avance (mh), feed-reverse lever.
—— oscilante, rocker lever.
—— ruptora (auto), breaker arm.
palangana *f*, washbasin; water-closet bowl.
palanque *m* (M), barring, working with a bar.
palanquear, to pry.
palanquero *m*, (Ch) brakeman; (Col) timberman.
palanqueta *f*, handspike; small lever.
palanquilla *f*, (A)(Sp) steel billet.
palanquita *f*, small lever.
—— de desembrague (auto), clutch-release lever.
—— de desenganche, trip lever.
—— del encendido (auto), spark lever.
—— de estrangulación o del obturador (auto), throttle lever.

—— del interruptor (eléc), switch lever or key.
palastrear, to trowel.
palastro m, plate steel; sheet metal; steel slab.
—— de ensamble, gusset plate.
—— de hierro, sheet iron.
—— en bruto (met)(est), steel slab.
—— ondulado, corrugated sheets.
palaústre m, trowel.
palconcellos m (hid)(A), stop logs.
paleador m, shoveler.
paleadora f (Pe), power shovel.
palear, to pound; to shovel.
palendra f (Col), shovel, spade.
paleo m, shoveling.
palero m, shoveler; (min) timberman.
paleta f, small shovel; blade; trowel; blade tamper; pallet; paddle; (turb) wicket, vane; (turb) bucket; (mech) pallette.
—— acabadora, finishing trowel.
—— de amasar, gaging trowel.
—— de la hélice, propeller blade.
—— de madera (mam), float.
—— de regulación, wicket of a turbine, guide vane.
—— de yesero, plasterer's paddle.
—— directriz o guiadora (turb), guide vane, wicket gate.
—— esparcidora (ca), spreader-finisher.
—— espumadora (az), foam scraper.
paletada f, trowelful.
paletador (conc), spader.
paletazo m, stroke of a trowel.
paletón m (llave), bit, web.
palín m, spade.
—— neumático (V), clay digger, air spade.
paliza f (Ec), split-cane base for mud plaster.
palizada f, fence, palisade, stockade; trestle bent.
—— para nieve, snow fence.
palma, palmera f, palm.
palmejares (cn), cargo battens.
pálmer m (A), micrometer caliper.
palmito m, palmetto.
palo m, pole, log, timber, mast, staff.
—— amargo (A), a hardwood.
—— blanco, whitewood, poplar.
—— brasil, brazilwood.
—— de amarre, mooring post.
—— de hierro, ironwood, breakax.
—— de hierro blanco, white ironwood, Madeira wood.
—— de interruptor (eléc), switch stick.
—— de lanza, lancewood.
—— de mesana (cn), mizzenmast.
—— de rosa, rosewood.
—— de trinquete (cn), foremast.
—— macho (cn), pole mast; lower mast.
—— mármol, a hardwood.
—— mayor (cn), mainmast.
—— piedra (A), a hardwood.
—— santo, lignum vitae.
palometa f (B), wall bracket.
palomilla f, wall bracket; bearing, journal box.
—— de barandilla, handrail bracket.
—— de pared (eléc), house or wall bracket.
—— para clavar (eléc), drive bracket.
palúdico, malarial.

paludismo m, malaria.
palustre m, trowel; a swampy, marshy.
palustrear, to trowel.
palustrillo m, pointing trowel.
pallete m (náut), fender mat, cargo mat.
pampa f, flat country, prairie, pampas.
pampero m (A)(U), thunderstorm, line squall.
pan m, a cake or lump of anything, a pat.
—— de carbón, coal briquet.
—— de hierro, pig of iron.
—— de tierra, soil cake.
panales m (conc), honeycomb.
pancromático, panchromatic.
pancromatismo m, panchromatism.
pancho m (pi)(Ch), drop hammer.
panda f (C), sag; warp.
pandear, to buckle, sag, bulge.
pandeo m, buckling, sagging, bulging.
panderete m, course of brick laid on edge; wall of brick on edge; wall 1 brick thick.
panel m, panel; bay of a building.
—— del despachador (asc), starter's panel.
—— de instrumentos (auto), instrument board.
—— deprimido (ed conc), drop panel.
panela f (V), panel; flat tile; brown sugar.
panino m (min)(M), country rock.
panizo m (Ch)(B), gangue.
panne f, breakdown, engine failure.
panorámico, panoramic.
pantalla f, screen; (inst) sunshade; (hyd) core wall, cutoff wall, face slab (dam); (w) face shield.
—— acústica (ra), baffle.
—— antideslumbrante (auto), glare shield.
—— antidifusora (il), spill shield.
—— central hueca (hid), cellular core wall.
—— corrediza (hid), traveling screen.
—— de agua (cal), waterwall.
—— de aguas arriba, deck (Ambursen dam).
—— de arcilla (hid), puddle core; clay blanket.
—— de color, color screen.
—— de impermeabilización, core wall (dam).
—— de rebote (is), baffle.
—— electrostática (ra), electrostatic shield.
—— Faraday (eléc), Faraday cage, electrostatic screen.
—— magnética, magnetic screen or shield.
—— mosaica (tv), mosaic.
—— nuclear (hid), core wall.
—— plana (A), flat slab (dam).
pantano m, lake, reservoir; swamp, bog, marsh.
—— de reserva, storage reservoir.
—— regulador, regulating reservoir.
pantanoso, swampy, marshy.
pantelégrafo m, pantelegraph, facsimile telegraph.
pantográfico, pantographic.
pantógrafo m, pantograph.
pantómetra f, pantometer.
pantometría f, pantometry.
pantométrico, pantometric.
pantómetro m, pantometer; bevel square.
pantoque m (cn), bilge, turn of the bilge.
pantóscopo, pantoscopio m, pantoscope.
panza f, belly of a vessel; entasis of a column.
—— de pescado, fish belly, bulge.

pañetada *f* (Col), batch of mortar.
pañete *m* (Col), mortar, plaster, stucco.
paño *m*, panel; cloth; (A) sash of a double-hung window.
—— de filtro, filter cloth.
pañol *m*, storeroom; bin.
—— de carbón (C), coalbin.
papalote *m* (M), windmill.
papel *m*, paper.
—— aceitado (ais), oiled paper.
—— aislador, insulating paper.
—— alquitranado, tar paper.
—— asbestino, asbestos paper.
—— brillante (fma), glossy paper.
—— carbónico (A), carbon paper.
—— congo (lab), Congo paper.
—— cuadriculado, cross-section or graph or co-ordinate paper.
—— chupón, blotting paper.
—— de calcar, tracing paper.
—— de carbón, carbon paper.
—— de cartucho (dib), cartridge paper.
—— de curación (conc), curing paper.
—— de cúrcuma (lab), turmeric or curcuma paper.
—— de dibujo, drawing paper.
—— de edificación, building paper.
—— de ensayo, test paper.
—— de esmeril, emery paper.
—— de estaño, tin foil.
—— de filtrar, filter paper.
—— de granate, garnet paper.
—— de lija, sandpaper.
—— de lija de pedernal, flint paper.
—— de Manila, Manila paper.
—— de ozono (lab), ozone paper.
—— de pescado (eléc), fish paper.
—— de revestimiento, sheathing or building paper.
—— de tornasol (lab), litmus paper.
—— de vidrio, glass paper.
—— embreado, roofing or tar paper.
—— heliográfico, blueprint paper.
—— indicador o reactivo, test paper.
—— para juntas, gasket paper.
—— para perfiles, profile paper.
—— para subrasante (ca), subgrade paper.
—— parafinado (ais), paraffined paper.
—— sellado o timbrado, stamped paper (official).
—— semilogarítmico, semilogarithmic paper.
—— tela (dib)(Col), tracing paper.
—— yodatado (lab), iodate paper.
papelote *m* (auto)(M), throttle valve.
paquete *m*, package; (met) billet.
par *m*, (fin) par; (math)(mech)(elec) couple; (bldg) rafter; (elec) cell; team of horses; *a* equal; even (number).
—— de arranque, starting torque.
—— de fuerzas, couple.
—— eléctrico, electric moment; electric cell.
—— estereoscópico (fma), stereo pair.
—— magnético, magnetic couple.
—— motor o de rotación, torque.
—— térmico, thermocouple, thermopair, thermoelectric couple.
parabalancín *m* (pet), headache post.

parábola *f*, parabola.
parabólico, parabolic.
paraboloide *m*, paraboloid.
parabrisa *m*, windshield.
paracaídas *m*, safety device on an elevator; parachute.
paracarbonilla *m*, cinder trap.
paracéntrico, paracentric.
paraclasa *f* (geol), thrust, fault.
paracolon (lab), paracolon.
parachispas *m*, spark arrester.
parachoque *m*, bumper, buffer.
parada *f*, a stop; obstruction; (hyd) diversion dam; shutdown, (elec) outage; (M) shift (men), gang, crew.
paradera *f* (hid), sluice gate.
paradero *m*, railroad station; stopping place; parking space.
paradiclorobenceno *m*, paradichlorobenzene.
parado, steep.
parador *m* (mec), stop.
parafango *m*, mudguard.
parafina *f*, paraffin.
parafinado, paraffin-dipped, treated with paraffin.
parafinicidad *f*, parafinicity.
parafínico, paraffinic.
parafinoso, containing paraffin.
parafuego *m*, fire stop.
paragneis *m* (geol), paragneiss.
paragolpes *m*, bumper, buffer; bumping post; fender pile; door stop.
—— de empuje (tc), push bumper.
paraguas para agrimensor, surveyor's umbrella.
parahielos *m* (hid), ice screen.
parahusar, to drill (metal).
parahuso *m*, hand drill for metals.
paraíso *m*, a South American hardwood.
paral *m*, post, upright, pole; (sb) ground way.
paraláctico, parallactic.
paralaje *f*, parallax.
—— estereoscópica absoluta (fma), absolute stereoscopic parallax.
paralela *f* (mat), parallel.
paralelas de cruceta (mv), crosshead guides.
paralelar, to parallel.
paralelepípedo *m*, parallelepiped.
paralelismo *m*, parallelism.
paralelo *m*, (geog)(math) parallel; *a* parallel.
paralelogramo *m*, parallelogram.
paralizar, to stop, shut down.
paralurte *m*, shed for protection against landslides.
parallamas *m*, flame arrester or check; fire stop or wall.
paramagnético, paramagnetic.
paramagnetismo *m*, paramagnetism.
paramentar, to face.
paramento *m*, face, surface; (C) hanging ledge.
paramera *f*, region of paramos, bleak country
paramétrico, parametric.
parámetro *m* (mat), parameter.
páramo *m*, high plateau, paramo.
paranieve, snow fence, snow trap.
paranitrofenol (lab), paranitrophenol.

parante *m* (A), post, stud, scaffold pole; vertical member of a truss.
parapectina *f* (az), parapectin.
parapeto *m*, parapet.
parar, to stop, shut down.
pararrayos *m*, lightning arrester or rod.
— **a pilas de aluminio**, aluminum-cell arrester.
— **de antenas o de cuernos**, horn-type arrester.
— **de capa de óxido**, oxide-film arrester.
— **de entrehierro múltiple**, multigap arrester.
— **de expulsión**, expulsion-type arrester.
— **de peine**, comb-type arrester.
— **de válvula**, valve-type arrester.
parásito *m a*, parasite, (elec) stray.
— **palúdico**, malaria parasite.
parásitos atmosféricos (ra), atmospherics, static.
parasol, visera (auto), sun visor.
parata *f*, terrace.
paratrófico (is), paratrophic.
paraúso *m*, gimlet, carpenter's brace; mandrel.
paraviento *m*, windshield.
paraxial, paraxial.
parcela *f*, parcel of land.
parcelar, to divide into lots.
parcial, partial.
parchar, to patch.
parche *m*, patch.
parcho *m* (C)(PR), patch.
parecillo *m*, rafter.
pared *f*, wall.
— **acerada**, faced wall.
— **apiñonada** (Col), gable wall.
— **cargada o de apoyo**, bearing wall.
— **cortafuego o contra incendio**, fire wall.
— **de arrimo**, curtain wall; partition.
— **de gravilla o de pedregullo**, gravel wall (well).
— **de partición** (Col), partition.
— **de relleno** (ed), curtain or panel or filler or enclosure or apron wall.
— **desviadora** (hid), baffle wall.
— **divisoria o de separación**, division wall, partition.
— **divisoria parafuego**, fire partition.
— **encerradora o de cerramiento**, enclosure wall.
— **enchapada o revestida**, veneered wall.
— **maestra**, main or bearing wall.
— **medianera**, party wall.
paredón *m*, thick wall; (M) cliff.
pareja *f*, team of horses; (pt)(C) priming coat.
— **auxiliar**, snap or snatch team.
parejo, even, flush.
parénquima *m*, pith of sugar cane.
pargasita *f* (miner), pargasite, hornblende.
parhilera *f*, ridgepole; (V) framework of a peaked roof.
parihuela *f*, handbarrow; (lg) ranking bar.
parlante *m* (ra), loudspeaker.
— **de bobina móvil**, dynamic or moving-coil loudspeaker.
paro *m*, shutdown; breakdown; strike; lockout.
— **forzoso** (C), lockout.
— **obrero**, strike.
— **patronal**, lockout.
parpadear, to flicker (light).
parpadeo *m* (ra), flicker.
parqueadero *m* (auto), parking place.

parquear, to park.
parqueo *m*, parking.
parquerizar (met), to parkerize.
parrilla *f*, rack, grating, grate, grid; grizzly; (dd) gridiron; (elec) grid, network; (rd)(M) bar mat.
— **articulada**, chain grate.
— **contra basuras** (hid), trashrack.
— **corrediza o viajera**, traveling grate.
— **de báscula**, dumping grate.
— **de hogar**, grate.
— **del radiador** (auto)(A), radiator grille.
— **escalonada o de grada**, step grate.
— **oscilante**, rocking grate.
— **sacudidora**, shaking grate.
parte *m*, report, communication.
— **del accidente**, accident report.
parte *f*, part; (leg) party.
partes
— **alicuantas**, aliquant parts.
— **alícuotas**, aliquot parts.
— **contratantes**, contracting parties.
— **de repuesto**, replacement parts, spares.
parteaguas *m*, (top) divide, ridge; (irr)(M) division box; (bdg)(M) nosing (pier).
— **continental**, continental divide.
parteluz *m*, mullion; muntin, sash bar.
partícula *f*, particle.
— **alfa**, alpha particle.
particulado, particulate.
partida *f*, item; lot, shipment, consignment; (act) entry.
— **global**, lump-sum item (contract).
partido, split, divided.
partidor *m* (irr), device for proportional division of water over a diversion dam; division box; (va) spreader.
— **del fango** (min), sludge splitter.
— **de muestras**, sample splitter.
— **de núcleos** (min), core splitter.
— **de tensión** (eléc), voltage divider.
partidora (*f*) **de hormigón**, concrete or paving breaker.
— **de pavimentos**, paving breaker.
pasa *f* (nav), channel, fairway, gut.
pasabanda (ra)(A), band-pass (filter).
pasacorrea *m* (Ch), belt shifter.
pasada *f* (cal)(sol)(met), pass.
pasadera *f*, walkway, footbridge, catwalk; (rr)(A) overhead crossing.
pasadizo *m*, passage, corridor, aisle, hallway; catwalk.
— **del ascensor** (A), elevator shaft.
pasador *m*, pin, cotter; door bolt; track bolt; tie rod; driftbolt; (Sp) dowel.
— **ahusado**, taper pin, driftpin.
— **antilevadizo** (bisagra), nonrising pin.
— **de aletas** (U), cotter pin.
— **de articulación**, wrist pin.
— **de banco** (cn), slab pin.
— **de bisagra**, hinge pin.
— **de cabo**, marlinspike, fid.
— **del cigüeñal**, crankpin.
— **de la cruceta**, crosshead pin.
— **de cuero** (Ch), leather belt lacing.
— **de chaveta**, cotter pin.

—— de eje (auto), axle pin.
—— del émbolo, piston pin, (auto) gudgeon pin.
—— de embutir, mortise door bolt, flush bolt.
—— de enganche, coupling pin.
—— del excéntrico, eccentric pin.
—— de grillete, shackle bolt.
—— de horquilla, clevis pin.
—— fijo o inaflojable, fast pin (butt).
—— hendido, cotter pin.
—— suelto, loose pin (butt).
pasahombre m (A), manhole.
pasaje m, passage money, fare; narrows, strait; passage, corridor.
pasajero m, passenger.
pasamano m, handrail, banister; gangway.
pasaporte m, passport.
pasaportó m (PR), keyhole saw.
pasarela f, footbridge; (A) walkway.
—— de servicio, operating bridge.
—— puente, footbridge.
pasatiempo m (Ch), timekeeper.
pase m (fc), pass.
paseo m, (PR) shoulder of a road; (Sp) sidewalk.
pasero m (Col), ferryboat; ferryman.
pasillo m, walkway, corridor, aisle, passageway.
pasividad f (quím)(eléc), passivity.
pasivo m (cont), liabilities; a passive (all senses).
paso m, step, pace; passage; step, stair tread, run; ladder rung; (top) pass; ford; (mech) pitch, lead; (cab) tuck.
—— a nivel, grade crossing.
—— aparente (rs), apparent pitch.
—— circunferencial, circular or arc pitch.
—— de arrollamiento (eléc), winding pitch.
—— de batea (V), paved ford.
—— de buzón (Pe), manhole step.
—— de calibración (di), metering passage.
—— del colector (eléc), commutator pitch.
—— de cuerda (en), chordal pitch.
—— de filtración (hid), path of seepage.
—— de hojarasca (hid), trash chute.
—— de hombre, manhole.
—— de maderas (hid), log sluice.
—— de planeo (ap), glide path.
—— diametral (en), dimetral pitch.
—— inferior, undergrade crossing, underpass.
—— normal (en), normal pitch.
—— para poste, pole step.
—— polar (eléc), pole spacing or pitch.
—— por debajo (fc), undergrade crossing.
—— por encima (fc), overhead crossing.
—— regulable (turb), variable pitch.
—— superior, overhead crossing, overpass.
—— trasero (eléc), back pitch (armature).
pasta f, paste, pulp.
—— arcillosa (M), clay puddle.
—— cementicia (A), cement paste.
—— de cal, lime putty or paste.
—— de cemento, cement paste.
—— de cierre (eléc), sealing compund.
—— de esmeril, emery paste.
—— de soldar, soldering paste.
—— para correas, belt dressing.
—— para válvulas, valve-grinding compound.
pasteca f, snatch block, guide or lead block.
—— de una sola gualdera, cheek block.

pastilla f, soil cake; cement pat.
pastón m (conc)(A), batch.
pata f, leg of a bent; dredge spud; grouser; shank; wing rail of a frog; (mech) foot; (rr) flange of an angle bar.
—— de cabra, sheepsfoot (roller); crowbar; claw bar.
—— de draga, dredge spud.
—— de gallina (mad)(Es), starshake.
—— de gallo (mec), crowfoot; (M) stiffleg (derrick).
—— de ganso, notch; crowfoot; bridle (mooring).
—— de liebre (fc), wing rail of a frog.
—— de oveja (Ec), sheepsfoot (roller).
—— de pájaro (cal), crowfoot brace.
—— de vaca, neat's-foot (oil).
—— inclinada (cb), batter post.
—— rígida, (de) stiffleg.
patagua f (Ch), a softwood.
patarráez m, guy, backstay.
patecabra, rodillo (PR), sheepsfoot roller.
patecabras f (Ec), crowbar.
patentar, to patent.
patente f, patent; grant; license, permit; concession.
—— solicitada o en tramitación, patent applied for.
pates de registro (Es), manhole steps.
patilla f (cn), skeg.
patín m, shoe; brake shoe; (elec) contact shoe; skid, slide; base of a rail; runner; (M) flange; (M) leg of an angle.
—— del colector pantógrafo (fc eléc), pantograph pan or shoe.
—— de contacto (fc eléc), trolley shoe.
—— de la cruceta, (eng) crosshead shoe.
—— de toma (eléc), trolley or third-rail shoe.
patines de guía (asc), guide shoes.
pátina f (met), patina.
patinada f, patinazo m, skid.
patinaje m, skidding, slipping.
patinar, to skid, slip; (met) to patinize.
patio m, inner court (house); (mtl) yard; (rr) yard.
—— de almacenaje o de depósito, store yard.
—— de clasificación o de selección (fc), classification or sorting yard.
—— de entrega (fc), delivery yard.
—— de limpia (fc), car-cleaning yard.
—— de lomo (fc), hump or summit yard.
—— de llegada (fc), receiving yard.
—— de maniobra por gravedad (fc), gravity yard.
—— de reserva (fc), storage yard.
—— de retención (fc), hold yard.
—— de salida (fc), departure or forwarding yard.
patitas (f) de carnero, sheepsfoot (roller).
patógeno m (lab), pathogen; a pathogenic.
patrón m, standard; template, pattern, jig; employer; (Col)(B) foreman; (A) landlord.
—— de agujerear, drilling template.
—— de ancho (fc), track gage.
—— de frecuencia (ra), frequency standard.
—— de montaje, assembly jig.
—— de peralte (fc), gage for superelevation stepped level board.
—— de taladrar, drill jig.

patrones de color (lab), color standards.
patronita f, patronite (vanadium ore).
patrono m, employer.
patrulla f, gang, squad; patrol.
—— caminera (maq), road patrol.
patrulladora f (maq), road patrol.
—— automotriz, motor patrol.
—— de remolque, trailer patrol.
pavimentación f, paving, pavement.
pavimentadora f, paving mixer.
—— de tambor doble, dual-drum paver.
—— reacabadora, retread paver.
pavimentar, to pave.
pavimento m, pavement.
pavón, pavonado, blue (steel).
peaje m, toll.
peatón m, foot passenger, pedestrian.
pectina f (lab), pectin.
pectínico, pectinous.
pechblenda, pechurana f, pitchblende (ore of radium and uranium).
pedacería (f) de fierro (M), tramp iron.
pedal m, pedal, treadle, foot lever.
—— del acelerador (auto), accelerator pedal.
—— de arranque (auto), starter pedal.
—— de desembrague o del embrague (auto), clutch pedal.
—— de los frenos (auto), brake pedal.
pedernal m, flint; niggerhead (stone).
pedestal m, pedestal.
——colgante, shaft hanger.
—— de apoyo o de asiento (pte), bearing shoe.
—— de armadura (est), truss shoe.
—— de chucho (fc), switch stand.
—— de chumacera (maq), bearing pedestal.
—— de maniobra, (hyd) gate stand, floor stand; (rr) switch stand.
—— de oscilación (pte), rocker.
—— indicador de maniobra (hid), indicating floor stand.
pedido m, order, requisition; demand.
pedología f, pedology.
pedómetro m, pedometer.
pedraplén m, rock fill; riprap.
pedregal m, gravel bed; stony ground.
pedregón m (Ch), boulder.
pedregoso, stony.
pedregullo m, gravel, broken stone, coarse aggregate, road metal.
—— de ladera (A), talus.
pedrejón m, boulder.
pedrera f, quarry.
pedrero m, stonecutter; (Ch) stony ground.
pedricero m (min), packer, packbuilder.
pedriscal m (M), riprap.
pedriza f, stony ground; gravel bed; quarry; (Sp) dry wall.
pedrusco m, boulder, block of stone; (M) cobble.
pega f, pitch, mastic, cementing material; (min) a blast.
pegada f (M), blast, shot.
pegador m (min), blaster.
pegajoso, sticky, gummy, tacky, (min) fitchery.
pegar, to stock, glue; (min) to fire a blast;
pegarse, to cohere, cake, stick, bind, (min) to fitcher.

pehuén m, Chilean pine.
peinazo m (puerta), rail, ledge.
—— de la cerradura, lock rail.
—— inferior, bottom rail.
—— intermedio, cross rail.
—— superior, top rail.
peine m, screw chaser, die for threading; grooving tool; (elec) comb, collector; (A) pin.
—— para hembras, inside chaser.
—— para machos, outside chaser.
peirámetro m, peirameter.
peladilla f (Es), pebble, small cobble.
pelarse, to scale off.
peldaño m, step, tread, ladder rung.
—— de poste, pole step.
—— de registro, manhole step.
—— de seguridad (es), safety tread.
película f, pellicle; (pmy) film.
—— biológica (is), biological film.
—— en carrate (fma), roll film.
—— superficial (hid), surface film.
pelicular, pellicular.
pelo m, hair; fiber, filament; (inst) cross hair.
—— de agua (A), water level or surface.
—— de camello, camel's hair.
pelos de la estadia (lev), stadia hairs.
peloro m (lev), pelorus.
peltre m, spelter, zinc.
pellada f (Col), trowelful of mortar or plaster.
pellejo m (C), hard skin or film.
pellín m (Ch), a hardwood.
penacho m (eléc), brush discharge.
pendiente m (min), hanging wall; a hanging.
pendiente f, grade, slope, gradient; (A)(C)(Ch) (Sp) downgrade.
—— abajo, downgrade.
—— arriba, upgrade.
—— asistente, assisting gradient.
—— barométrica, barometric gradient.
—— crítica, critical grade or slope.
—— de la energía, energy gradient.
—— de flotación (hid), flotation gradient.
—— de frotamiento (hid), friction slope.
—— de límite, limiting grade.
—— de temperatura (mrl), temperature gradient.
—— de vaivén (fc), switchback.
—— determinante o dominante, ruling grade.
—— en descenso, downgrade.
—— en subida, upgrade, adverse grade.
—— fuerte, steep or heavy grade.
—— hidráulica o piezométrica, hydraulic slope or gradient.
—— leve o ligera o suave, light or easy grade.
—— magnética (geof), magnetic slope.
—— reguladora (M), ruling grade.
—— transversal (ca), crossfall.
—— virtual (fc), virtual grade.
péndola f, hanger; (tu) queen post; (tu) kingbolt; pendulum.
—— extrema, (tu) hip vertical.
pendolón m, hanger; (tu) king post.
—— lateral, (tu) queen post.
—— rey (Col), king post.
pendular, pendulous, pendular.
péndulo m, pendulum; a hanging, pendant.
—— de torsión, torsion pendulum.

—— hidrométrico, hydrometric pendulum.
penellanura, peneplanicie *f* (geol), peneplain.
penesísmico, peneseismic.
penetrabilidad *f*, penetrability.
penetrable, penetrable.
penetración *f*, penetration, punching (shear).
—— invertida (ca), inverted penetration.
penetrador *m* (inst), penetrator.
penetrómetro *m*, penetrometer.
península *f*, peninsula.
peniplano *m* (M), peneplain.
pentaclorofenol *m*, pentachlorophenol.
pentafásico (eléc), five-phase.
pentafilar, five-wire.
pentagonal, pentagonal.
pentágono *m*, pentagon.
pentagrilla, pentarrejilla *f* (ra), pentagrid.
pentano *m*, pentane.
pentapolar (eléc), five-pole.
pentatrón (ra), pentatron.
pentavalente (quím), pentavalent.
pentodo *m* (ra), pentode.
pentosa *f* (az), pentose.
pentosana *f* (az), pentosan.
pentóxido *m*, pentoxide.
—— de nitrógeno, nitrogen pentoxide, nitric anhydride.
pena *f*, rock, cliff; peen of a hammer; (V) cobble.
peñascal *m*, mass of rock, cliff; (V) cobble gravel.
peñasco *m*, cliff, large rock.
peñascoso, rocky.
peñón *m*, mass of rock; boulder; cliff.
peñonal *m* (V), boulder gravel.
peón *m*, laborer; (mech) journal, spindle; (min) strut, shore.
—— caminero, road workman.
—— cementista, cement mason's helper.
—— de albañil, mason's helper, hod carrier.
—— del botadero (ot), dumpman.
—— de carpintero, carpenter's helper.
—— de moldes (ca), form setter's helper.
—— de muelle, dock laborer, stevedore.
—— de pico y pala, common laborer.
—— de vía (fc), trackman, track laborer.
—— electricista, electrician's helper.
—— entibador, timberman's helper.
—— vial, road laborer.
peonada *f*, a day's common labor; (A) gang of laborers.
peonaje *m*, common labor; gang of laborers.
pepita *f*, nugget.
peptizar (is), to peptize.
peptona *f* (is), peptone.
perácido *m* (quím), peracid.
peral *m*, pear wood.
peraltaje *m* (fc)(V), superelevation.
peraltamiento *m*, superelevation, banking (curve).
peraltar, to raise; to bank (curve); (rr) to superelevate.
peralte *m*, raising; (rr) superelevation; rise of an arch; (rd) banking; depth of a girder; camber; (st) rise.
—— efectivo (est)(M), effective depth.
peralto *m*, rise (arch); rise (step); (V) height; (C) depth of a beam.
percán *m* (Ch), rust.

perceptor *m*, perceptor.
perclorato *m* (quím), perchlorate.
perclórico, perchloric.
perclorón (pa), Perchloron (trademark).
percloruro *m*, perchloride.
percolación *f* (hid), percolation, seepage, creep, filtration.
—— afluente, influent seepage.
—— efluente, effluent seepage.
—— inferior, underseepage.
percolador *m*, filter.
percolarse, to seep, percolate.
percrómico (quím), perchromic.
percusión *f*, percussion; (str) impact.
percusor *m*, jar (well drilling); (A) percussion drill.
—— de pesca (pet), fishing jar.
percutor *m*, any striking device; (A) striking plate.
percha *f*, pole, rod; (meas)(A) rod; (Col) scaffold.
—— de carga (cn), cargo boom.
pérdida *f*, loss.
—— al fuego (ct)(Es), loss on ignition.
—— de carga (hid), loss of head.
—— de carrera (maq), backlash.
—— de entrada (hid), entrance loss.
—— de salida (hid), exit loss.
—— en el cobre (eléc), copper loss.
—— en la conducción (hid), conveyance loss.
—— en las escobillas (eléc), brush loss.
—— en el núcleo (eléc), core loss.
—— por cojinetes (maq), bearing loss.
—— por chisporroteo o por salpicadura (sol), spatter loss.
—— por choque (hid), shock loss.
—— por ignición (ct), loss on ignition.
—— por remolino (hid), eddy loss.
pérdidas en vacío (eléc), no-load losses.
perditancia *f* (eléc)(A), leakance.
perfil *m*, profile, section; a rolled steel shape; (geop) log.
—— aerodinámico, streamlining.
—— alzado (A), distorted-scale profile.
—— angular, steel angle.
—— canal en C (est), C channel.
—— compensado (ot), balanced profile.
—— del avance del trabajo, progress profile.
—— de canal, channel iron.
—— de construcción, structural shape, rolled steel section.
—— de gola, ogee.
—— de gravedad, gravity section (dam).
—— del rasante (fc), grade profile.
—— de velocidad (fc), velocity profile.
—— doble T, I beam.
—— edafológico, soil profile.
—— en escuadra, steel angle, angle iron.
—— estructural, structural shape.
—— exterior (an), outboard profile.
—— gravimétrico (geof), gravity profile.
—— I, I beam.
—— interior (an), inboard profile.
—— laminado, rolled steel section.
—— magnético (geof), magnetic profile.
—— natural, natural-scale profile.
—— normal (est), standard section.

— sobrealzado (A), distorted-scale profile.
— T, T iron.
— transversal (lev), cross section.
— U, steel channel, channel iron.
— U para construcción de carros, car-building channel.
— U para construcciones navales, shipbuilding channel.
— Z, Z bar.
— Zorés, trough plate.
perfiles corrientes, regular structural shapes.
perfiles de ala ancha, wide-flanged sections.
perfil-barra, bar-size section.
perfilación (f) continua (pet), continuous profiling.
perfilado m, fairing; a outlined, shaped; streamlined.
— en frío (met), cold-forming.
perfiladora f, shaper; profiling machine.
perfilaje eléctrico (geof), electric logging.
perfilar, to shape, form; to outline, rout.
perfilero m (Ec), engineer who takes cross sections with hand level.
perfilógrafo m, profilograph.
perfilómetro m (inst), Profilometer (trademark).
perforación f, drilling, boring, perforation; drill hole; rivet hole.
— a balas, shot drilling; (pet) gun perforation.
— a mano, hand drilling.
— con corazón, core drilling.
— con lavado, wash boring.
— con salida, through hole.
— de disparo (geof), shot hole.
— de ensayo (pet), wildcat well.
— de límite (exc), line drilling.
— de prueba, test boring.
— exploradora, exploration drilling.
— normal (mec), standard drilling.
— para inyección, grout hole.
— sin salida, blind hole.
perforaciones de cuele (min)(Es), cut holes.
perforaciones de cuña (min)(tún), cut holes.
perforacorchos (lab), cork borer.
perforador m, perforator; driller; (C) borer (insect).
— de caña (C), cane borer.
perforadora f, drill.
— a bala, shot drill; (pet) gun perforator.
— a brazo, hand drill.
— a cable, well or cable or churn drill.
— de carretilla, wagon drill.
— de cateo, prospecting drill.
— de columna, column drill.
— de corona, core drill.
— de diamante, diamond drill.
— de galería (min)(M), drifter.
— de grenalla (A), shot drill.
— de hoyos para postes, post-hole digger.
— de mano, jackhammer; hand drill.
— de martillo, hammer drill.
— de munición o de perdigones, shot drill.
— de percusión, percussion or hammer-type drill.
— de piso, sinker drill.
— de pozos, well or cable drill.

— de realce (min), stoper.
— de tierra, earth auger or drill.
— de torre, tower drill.
— de trípode, tripod drill.
— giratoria o de rotación, rotary drill.
— horizontal (min) drifter.
— inicial (pet), spudding unit, spudder.
— neumática, air drill.
— para pozo angosto (pet), slim-hole rig.
— vertical (min), stoper.
perforar, to drill, bore, perforate; (tun) to drive.
perforatubos (pet), casing perforator.
perforista m, drill runner, driller.
performancia f (Es), (mech) performance.
periclasa f, periclase, periclasite, native magnesia.
periclinal (geol), periclinal.
peridotita f (geol), peridotite.
peridoto m (miner), peridot, chrysolite.
periferia f, periphery.
periférico, peripheral.
perifonear (ra), to broadcast.
periforme, pear-shaped.
perigallo m, (de) topping lift.
perigeo m, perigee.
perilla f, knob, doorknob.
— de sintonización (ra), tuning knob.
— partida (eléc), split knob.
perimétrico, perimetric, perimetrical.
perímetro m, perimeter, girth.
— mojado (hid), wetted perimeter.
periodicidad f, periodicity.
periódico, periodic.
período m (maq)(eléc), period; cycle; stage.
— de retención (pa), retention period.
— de rodaje (auto)(A), running-in period.
periscópico, periscopic.
periscopio m, periscope.
peritaje m, expert testimony, expert appraisal, work of an expert.
perito m, expert; appraiser; arbitrator; (min) skilled miner; a expert, skillful.
perla (f) aisladora (eléc), insulating bead.
perlita f (met)(geol), pearlite, perlite.
perm m (eléc), perm, maxwell per ampere-turn.
permanencia f (mat), permanence.
permanganato m (quím), permanganate.
permeabilidad f, (hyd) permeability; (elec) permeability, specific permeance.
permeable, permeable, pervious, porous.
permeámetro m (eléc), permeameter.
— de carga constante, constant-head permeameter.
— de carga descendente o de carga variable, variable-head or falling-head permeameter.
permeancia f (eléc), permeance.
permiso m, permit, license.
— de ausencia, leave of absence.
— de edificación, building permit.
— de exportación, export permit.
— de paso, (V) right of way.
permitancia f (eléc), permittance, electrostatic capacity.
permitibilidad f (eléc)(Es), permittivity.
permitividad f (eléc), permittivity, specific inductive capacity.
permitivo (eléc), permittive.

permutable, interchangeable; (math) permutable.

permutación *f* (mat), permutation.

permutador *m* (eléc), permutator; change-over switch.

—— **térmico,** heat exchanger.

pernería *f*, stock of bolts.

pernete *m*, peg, pin, bolt, gudgeon.

pernio *m*, hinge.

pernítrico (quím), pernitric.

perno *m*, bolt, spike, pin, stud; (V) door bolt.

—— **agarrador,** clamp bolt.

—— **ajustado,** turned bolt.

—— **arponado,** ragged or swedge or fang bolt.

—— **aterrajador** (fc)(A), screw spike.

—— **cabezorro,** lewis bolt; ragged bolt.

—— **ciego** (M), drift bolt.

—— **clavado** (M), driftbolt.

—— **común,** machine bolt.

—— **con cuello de aleta,** fin-neck bolt.

—— **de acción rápida,** quick-acting or fitting-up bolt.

—— **de acoplamiento,** coupling pin, drawbolt.

—— **de ajuste** (est), fitting-up bolt.

—— **de anclaje o de cimiento,** anchor or foundation bolt.

—— **de arado,** plow bolt.

—— **de argolla,** ringbolt; eyebolt.

—— **de armella o de cáncamo,** eyebolt.

—— **de articulación,** (tu) pin.

—— **de cabeza chata ranurada, flathead stove bolt.**

—— **de cabeza de hongo ranurada,** roundhead stove bolt.

—— **de cabeza de hongo y cuello cuadrado,** carriage bolt.

—— **de cabeza hembra,** internal-wrenching bolt.

—— **de cabeza perdida,** countersunk bolt; flathead stove bolt.

—— **de carruaje,** carriage bolt.

—— **de castañuela,** lewis bolt.

—— **de cerradura,** spindle of a lock.

—— **de coche** (M), carriage bolt.

—— **de collar,** collar pin.

—— **de cuña,** wedge bolt.

—— **de charnela,** swing bolt.

—— **de chaveta,** key bolt.

—— **de eclisa** (fc), track bolt.

—— **de erección o de montaje** (est), fitting-up or erection bolt.

—— **de expansión,** expansion bolt.

—— **de fiador,** toggle bolt.

—— **de fijación** (A), setscrew, stud bolt.

—— **de fuste pleno,** full-shank bolt.

—— **de fuste reducido,** reduced-shank or upset bolt.

—— **de gancho,** hook bolt.

—— **de grillete,** shackle pin or bolt.

—— **de guardacabo,** thimble-eye bolt.

—— **de horqueta o de horquilla,** fork bolt.

—— **de muesca,** stove or slotted bolt.

—— **de ojillo,** eyebolt.

—— **de ojo con resalto,** shoulder eyebolt.

—— **de ojo para dos crucetas** (eléc), double-arming eyebolt.

—— **de orejas,** wing bolt.

—— **del pistón,** piston pin.

—— **de puente,** bridge bolt.

—— **de puntal,** stay bolt.

—— **de punto,** stitch bolt.

—— **de ranura,** slotted or stove bolt.

—— **de remiendo,** boiler-patch bolt.

—— **de retención** (mh), gage pin.

—— **de rosca continua,** full-threaded bolt.

—— **de sujeción,** anchor bolt; (A) setscrew.

—— **de techo,** roof bolt.

—— **de vía** (fc), track bolt.

—— **dentado** (A), ragged bolt.

—— **fabricado en frío,** cold-made bolt.

—— **flotante del émbolo,** floating piston pin.

—— **forma U,** U bolt.

—— **hendido,** split or lewis or fox bolt.

—— **hueco,** hollow-head setscrew.

—— **maestro o pinzote,** kingbolt.

—— **maquinado** (M), turned bolt.

—— **nervado,** rib bolt.

—— **ordinario,** machine bolt.

—— **para cangilones,** elevator bolt.

—— **para cruceta** (eléc), crossarm bolt.

—— **para llantas de hierro,** tire bolt.

—— **para peldaños** (es), step bolt.

—— **pasante,** through bolt.

—— **portaescobilla** (eléc), brush-holder stud.

—— **prisionero,** stud bolt, tap bolt; (M) anchor bolt.

—— **rayado,** rib bolt.

—— **real,** kingbolt.

—— **recalcado,** upset or reduced-shank bolt.

—— **sin tornear,** unfinished bolt.

—— **torneado,** turned or machined bolt.

—— **zurdo,** bolt with left-hand thread.

perol *m* (Col), large-headed nail.

perolero *m* (V), tinsmith.

peroxidar, to peroxidize.

peróxido *m*, peroxide.

perpendicular *f* *a*, perpendicular.

—— **de popa** (an), after perpendicular.

—— **de proa** (an), forward perpendicular.

—— **media** (an), mid perpendicular.

perpendicularidad *f*, perpendicularity.

perpendículo *m*, plumb bob; pendulum; perpendicular.

perpiaño *m* (mam), header, bondstone, perpend.

perrillo *m* (PR), machete.

perro *m*, (mech) dog, pawl; (C) clamp; (C)(M) cable clip.

—— **de abrazadera o de brida** (mh), clamp dog.

—— **de seguridad,** safety lathe dog.

—— **de torno,** lathe dog.

—— **impulsor** (mh), driver.

persiana *f*, window blind, shutter; louver; (auto) radiator shutter.

persistencia *f* (ra), persistence.

personal *m*, personnel, crew.

—— **de campaña,** field forces.

personero *m*, official representative, attorney in fact; a city official who frequently directs most of the city's business.

perspectiva *f*, perspective.

—— **a vista de pájaro,** bird's-eye perspective.

—— **cónica o lineal,** conic or linear perspective.

—— **de dos puntos,** angular or two-point perspective.

—— de tres puntos, oblique or three-point perspective.

—— paralela o de punto único, parallel or onepoint perspective.

perspectividad *f*, perspectivity.

perspectivo *a*, perspective.

perspectógrafo *m* (dib), perspectograph.

perspectograma *m*, perspectogram.

persulfuro *m* (quím), persulphide.

pertenencia *f* (min), a claim.

pértica *f*, perch (9.7 feet).

pértiga *f*, pole, rod; (meas) rod.

—— del trole, trolley pole.

pertrechar, to supply, equip.

pertrechos *m*, tools; supplies.

pervibración *f* (conc)(A), internal vibration.

peryódico (quím), periodic.

pesa *f*, a weight; counterweight.

—— corrediza, jockey weight.

pesas de balanza (lab), balance weights.

pesas de contrapeso, counterbalance weights.

pesaácido *m* (A), acidimeter.

pesada *f*, pesaje *m*, weighing.

pesado, heavy.

pesador *m*, pesadora *f*, weigher.

pesadora de piladas (conc), weighing batcher.

pesantez *f*, weight, heaviness; gravity.

pesar, to weigh.

pesasales *m*, salinometer, salimeter.

pesca *f* (pet), fishing.

pescabarrena *m* (pet), bit hook.

pescacable *m* (pet), rope spear, fishing tool for cable.

pescacuchara *m* (pet), bailer grab, boot socket, bootjack.

pescadespojos *m* (pet), mousetrap.

pescador (*m*) a pestillo (pet), bootjack, latch jack, boot socket.

pescadora *f*, any fishing tool.

pescaespigas *m* (pet), pin socket.

pescaherramientas *m* (M), socket, fishing tool.

—— abocinado (M), horn socket.

pescante *m*, jib, boom, mast arm, cathead, outlooker; cab of a truck; (C)(U) driver's seat.

—— hidráulico (fc), water crane.

—— locomóvil, locomotive crane.

pescanúcleo *m* (pet), core catcher.

pescar, to fish for, grapple for; (elec) to fish.

pescarripio *m* (pet), fishing tool, junk catcher.

pescasondas *m* (pet)(M), socket, fishing tool.

—— de media vuelta, half-turn socket.

pescaválvulas *m* (pet), valve spear.

pescavástago *m* (pet), overshot.

pesebre *m*, stable, stall.

pesebrera *f*, stable.

peso *m*, weight; a scale.

—— atómico, atomic weight.

—— bruto, gross weight.

—— de embarque, shipping weight.

—— de joyería, troy weight.

—— de resorte, spring balance.

—— de trabajo (ec), operating weight.

—— dinámico, live or moving load.

—— específico, specific gravity; unit weight.

—— específico aparente, apparent specific gravity.

—— específico en masa (ms), bulk or mass specific gravity.

—— específico real (M), absolute specific gravity.

—— estático o muerto o propio, dead weight, dead load.

—— sin acojinar, unsprung weight.

—— unitario, unit weight.

pestaña *f*, flange, rib, shoulder; fluke of an anchor; (auto) tire rim.

—— falsa (fc), false flange.

pestañador *m*, flanger; (rr) flangeway scraper; (sml) beading machine.

pestañadora *f*, flanging machine; cornice brake.

pestillo *m*, latch, catch; bolt of a lock.

—— acodado, elbow catch.

—— de fricción, friction catch.

—— de resorte, spring latch, latch bolt, night latch.

pesuña *f*, sheepsfoot (roller).

petanque, petlanque *m* (min)(M), silver ore.

petardear (auto), to backfire.

petardeo *m*, (auto) backfiring; (ra) sputtering.

petardo *m*, (bl) exploder, detonator, blasting cap; (rr) torpedo.

peteberí *m*, a South American lumber (semihard).

peterreo *m* (ra), sputtering.

peto *m* (herr)(Es), peen.

—— de popa (cn), poop, stern overhang; transom frame, stern frame.

pétreo *a*, stone, stony.

petrografía *f*, petrography.

petrográfico, petrographic.

petrógrafo *m*, petrographer.

petrolar (ca), to oil.

petrolato *m*, petrolatum.

petróleo *m*, oil, petroleum.

—— a granel, oil in bulk.

—— bruto, crude oil; oil in bulk.

—— combustible, fuel oil.

—— craso, crude oil; fuel oil.

—— crudo, crude oil.

—— de alta gravedad, high-gravity oil.

—— de alumbrado, kerosene.

—— de asfalto, asphalt-base oil.

—— de carga, charge stock (refinery).

—— de esquisto, shale or schist oil.

—— de hogar o de horno, fuel or furnace oil.

—— de parafina, paraffin-base oil.

—— diáfano (M), light oil.

—— Diesel, Diesel oil.

—— dulce, sweet oil.

—— insuflado o soplado, blown oil.

—— lampante, kerosene.

—— parafinoso, paraffin-base petroleum.

petrolero *m*, tanker, tank steamer; oil-field worker; *a* pertaining to oil.

petrolífero, oil-bearing, petroliferous.

petrolífico, petrolific.

petrolítico, petrolithic.

petrolizador *m*, oil sprayer, road oiler.

petrolizar, to oil (road), coat with oil; to petrolize.

petrología *f*, petrology.

petrológico, petrologic, petrological.

petrólogo *m*, petrologist.

petrosílex *m* (geol), petrosilex, felsite.

petrosilíceo, petrosiliceous.
pez *f*, pitch, tar.
— de alquitrán, coal-tar pitch.
— griega o rubia, rosin.
— mineral, asphalt.
pezón *m*, journal, pivot; pin of a key.
pezonera *f*, linchpin.
pezoso, containing pitch.
pezuña *f*, sheepsfoot (roller).
pica *f*, pike, pick; trail; line cleared through
  woods.
— de espuela, pickaroon.
— de gancho, cant dog, peavy, hookaroon.
— de gancho de espiga hueca, socket peavy.
— de gancho de grapa, clip peavy.
picacho *m*, poll pick; (A) mountain peak.
picada *f*, survey line, line of stakes; staking out;
  path; (A) ford; (A) a boring.
picadera *f* (A), pitching tool.
picaderos *m* (cn), keel blocks.
— laterales, bilge blocks.
picado *m*, (C)(PR) path, trail; (auto)(A) knocking; *a* pitted (steel); worm-eaten (lumber).
picador *m*, worker with a pick; operator of a
  pneumatic tool; miner; file cutter.
picadora *f* (herr), chipper.
— de arcilla (ca), clay shredder.
— de costeros (mad), slab chipper.
picadoras de caña (az), cane knives.
picadura *f*, puncture; pitting; cut of a file; rough-
  ening of concrete surface.
— bastarda, bastard cut (file).
— cruzada, double cut (file).
— de gusano, wormhole.
— dulce, smooth cut (file).
— gruesa, rough cut (file).
— simple, single cut (file).
— sorda, dead-smooth cut (file).
picaduras, pitting; (gl) sand holes.
picafuego *m*, poker, fire hook, clinker bar.
picapedrero *m*, stonecutter.
picaporte *m*, latch, thumb latch.
— de arrimar, rim latch.
— de embutir, mortise latch.
— de resorte, spring latch.
picar, to pick; to break, knap, crush; to chop; to
  open up (lode); (conc) to roughen; to pit
  (rust); to puncture (tire); picarse, to become pitted (rust).
picaza *f*, grub ax.
picea *f*, spruce.
— albar, white spruce.
— del Pacífico, Sitka spruce, tideland or yellow
  spruce.
— roja, red spruce.
picnómetro *m* (lab), pycnometer.
pico *m*, pick, pickax; peak; spout, nozzle; nib,
  tip; beak of an anvil; (min)(M) sledge.
— , a, steep.
— bate, tamping pick.
— carrilano (Ch), tamping or railroad pick.
— con martillo, poll or miner's pick.
— con pala y hacha, mattock.
— con punta y corte, contractor's pick.
— cortador, cutting tip.
— de acuñar, tamping or railroad pick.

— de cantera, quarry pick.
— de la carga (eléc), peak load.
— de cateador, prospector's pick.
— de la crecida, peak of a flood.
— de cuervo, ravehook, ripping iron.
— de dos cortes, mill pick.
— de flauta (carp)(A), scarf.
— de minero, drifting or miner's pick.
— de montaña, mountain peak.
— de pata, duck-bill (point).
— de punta y cotillo, poll pick.
— de punta y pala, contractor's pick, pick-
  mattock.
— de punta y pisón, railroad or tamping pick.
— de rotular (dib), lettering nib.
— ferrocarrilero o pisón, railroad or tamping
  pick.
— minero, miner's pick.
— momentáneo (eléc), instantaneous peak.
— regador, spray nozzle.
— soldador, welding tip.
picofaradio *m* (eléc)(A), micromicrofarad.
picolete *m*, staple; keeper of a lock.
picoloro *m* (C), Stillson wrench.
picón (*m*) de cantera, quarry pick.
picota *f*, peak; pick; pike.
picrato *m* (quím), picrate.
pícrico, picric.
picrita *f* (geol), picrite (peridotite).
picuta *f* (Ch), pointed spade.
pichancha *f* (M), strainer.
pichipén *m* (mad)(V), yellow or pitch pine.
pie *m*, leg of a bent; (min) strut; (meas) foot (in
  some countries pie is $\frac{1}{3}$ of a vara).
— corrido, running foot.
— cuadrado, square foot.
— cuadrado de tabla, board foot.
— cúbico, cubic foot.
— de agua (V), hydrant.
— de alzar (gato), lifting foot.
— de amigo, shore, prop.
— de la biela, (eng) small end; (auto) bottom
  end.
— de cabra, pinch bar, crowbar; claw bar;
  sheepsfoot (roller); (Ch) tripod of poles
  filled with stone used as a buttress in
  stream diversion.
— de gallo, (lbr) heart shake; (min) diagonal
  brace; (de)(M) stiffleg; (hyd) see pie de
  cabra (Ch).
— de lámpara (eléc), lamp base.
— de lámpara de dos clavijas, bipost lamp base.
— de lámpara de dos espigas, bipin lamp base.
— de molino (A), hand pump.
— de rey, foot rule; gage.
— de roda (cn), forefoot, gripe.
— de tabla, board foot.
— de talud, toe or foot of slope.
— derecho, stud, upright, leg of a bent, post,
  column, stanchion.
— frontal, front foot (real estate).
— por segundo, foot-second.
pie-acre *m* (hid), acre-foot.
pie-bujía *m* (il), foot-candle.
pie-lambert *m* (il), foot-lambert.
pie-libra *m*, foot-pound.

pie-milipulgada (*m*) **circular** (eléc), circular milfoot.

piedra *f*, stone, rock.
— **afiladera o aguzadera,** whetstone, oilstone.
— **alumbre,** alum stone, alunite.
— **amoladera,** grindstone.
— **angular,** cornerstone; quoin.
— **aparejada,** hand-placed rock fill.
— **arcillosa,** clay stone.
— **arenisca o arenosa,** sandstone.
— **asentadora,** oilstone, whetstone.
— **azul,** bluestone; (M) limestone.
— **berroqueña,** granite.
— **braza** (M), one-man stone.
— **bruta,** rubble; (min)(M), country rock.
— **cachumba** (C), native calcium sulphate.
— **calcárea o caliza,** limestone.
— **conglomerada,** conglomerate.
— **córnea,** hornstone.
— **de aceite,** an oilstone.
— **de afilar,** grindstone, whetstone, sharpening stone, hone.
— **de albardilla,** copestone, coping stone.
— **de arena** (Col), sandstone.
— **de asiento,** bearing stone, bridge seat.
— **de baldosa** (M), flagstone.
— **de campana,** clinkstone, phonolite.
— **de cantería** (Es)(M), granite.
— **de cordón,** curbstone.
— **de cuña para afilar,** slip stone.
— **de chuz,** cross-stone, staurolite.
— **de esmeril,** emery stone.
— **de grano** (M), granite.
— **de guarnición** (M), curbstone.
— **de igualar** (si), jointer stone.
— **de jabón,** talc, soapstone.
— **de molino,** millstone, buhrstone.
— **de remate,** coping stone.
— **de repasar,** oilstone.
— **de sapo** (A), mica.
— **de sillería,** ashlar stone.
— **de talla** (M)(U), ashlar or cut stone.
— **de toque** (miner), touchstone.
— **en bruto,** rubble stone.
— **filtradora,** filter stone.
— **franca,** stone easily worked, freestone.
— **fundamental,** cornerstone; starting point of a survey.
— **imán,** lodestone, loadstone, magnetite.
— **India,** India oilstone.
— **labrada,** cut stone, ashlar.
— **miliaria,** milestone.
— **ollar,** serpentine.
— **para,** brownstone.
— **partida,** broken stone.
— **pasante** (mam), header, bondstone.
— **pez,** retinite.
— **picada,** crushed or broken stone.
— **pómez,** pumice, pumice stone, pumicite.
— **pulidora,** polishing stone, stone for grinding commutators.
— **rodada,** boulder, cobble, pebble.
— **sonora,** phonolite, clinkstone.
— **vaciada,** artificial stone.
— **viva,** ledge rock.
piedras de acarreo (geol)(M), erratic blocks.

piedra-bola (M), boulder.
piedrecillas, piedrecitas, piedrezuelas *f*, pebbles.
piel *f*, skin, hide; leather.
pierna *f*, post, upright, leg; leg of an angle.
pieza *f*, piece, part, member; room.
— **comprimida** (est), compression member.
— **de acordamiento,** transition piece.
— **de acuerdo** (tub), fitting; transition piece.
— **de armadura** (est), web member.
— **de enrejado,** web member; lattice bar.
— **de máquinas,** engine room.
— **de prueba,** test piece.
— **de puente** (M), floor beam (truss bridge).
— **de repuesto,** spare or replacement part.
— **de trabajo** (A), workpiece.
— **fija de contacto** (eléc), stationary contact member.
— **móvil de contacto,** moving contact member.
— **polar** (eléc), pole piece.
— **sanitaria** (V), plumbing fixture.
piezas de reserva, spare parts.
piezodieléctrico, piezodielectric.
piezoelectricidad *f*, piezoelectricity.
piezoeléctrico, piezoelectric.
piezógrafo *m*, piezograph.
piezograma *m* (A), piezograph.
piezométrico, piezometric.
piezómetro *m*, piezometer.
piezooscilador *m*, piezo oscillator.
piezorresonador *m*, piezo resonator.
pigmento *m* (pint), pigment.
— **básico,** basic or body pigment.
— **de la bilis** (lab), bile pigment.
— **de color,** color pigment.
— **de extensión,** extending pigment, extender.
pigote *m* (met), pig.
pija *f*, lag or coach screw.
— **de cabeza roscada,** hanger lag screw.
— **de ojillo,** screw eyebolt.
— **de ojo,** lag-screw eye.
— **para clavar,** drive-type or fetter-drive lag screw.
— **punta cónica,** cone-point or fetter-drive lag screw.
— **punta de gusanillo,** gimlet-point lag screw.
pila *f*, fountain, trough, basin; water tap; pile, heap; trestle bent; (bdg) pier; (elec) battery, cell; (geol) pothole.
— **Clark** (eléc), Clark cell.
— **de acopio,** storage pile.
— **de bicromato** (eléc), bichromate cell.
— **de carga,** counterfort.
— **de cilindro de carbón** (eléc), carbon-cylinder cell.
— **de circuito cerrado** (eléc), closed-circuit battery.
— **de dos líquidos** (eléc), two-fluid cell.
— **de estribación** (pte), abutment pier.
— **de existencia,** stock pile.
— **de gas** (eléc), gas cell.
— **de gravedad** (eléc), gravity or crowfoot cell.
— **de Grove** (eléc), Grove cell.
— **de Leclanché** (eléc), Leclanché cell.
— **de pilotes,** pile bent.
— **de puente,** bridge pier.
— **de selenio** (eléc), selenium cell.

—— **de vaso poroso** (eléc), porous-cup cell.
—— **detonadora,** blasting battery.
—— **electrolítica,** electrolytic cell.
—— **fotoeléctrica,** photoelectric cell, electric eye.
—— **húmeda** (eléc), wet cell.
—— **Lalande** (eléc), Lalande or caustic-soda cell.
—— **local** (tel), local battery.
—— **patrón** (eléc), standard cell.
—— **reversible** (eléc), reversible cell.
—— **seca,** dry battery or cell.
—— **termoeléctrica,** thermopile, thermocouple.
—— **voltaica,** voltaic pile, electric column.
pila-estribo (pte), abutment pier.
pilada f, batch.
pilar m, pier, buttress; column, pillar, standard; (min) pillar, stoop.
pilastra f, pilaster; counterfort; (CA) bridge pier.
pileta f, sink, basin, trough; pool; (A) washbasin.
—— **de cocina,** kitchen sink.
—— **de lavar,** washbasin, washtub.
—— **de patio** (A), floor drain with trap, cesspool.
—— **de sedimentación,** settling basin.
pilón m, basin, watering trough; (A) dredge spud; tower, trestle bent; (C)(M) drop hammer; pylon; (V) a hardwood.
—— **de gravedad** (M), drop hammer.
—— **de vapor** (M), steam hammer.
pilotaje m, (cons) piling; (naut) pilotage, harbor dues.
—— **de retención,** sheet piling.
pilotáxico (geol), pilotaxitic.
pilotaxítico (geol)(A), pilotaxitic.
pilote m, pile.
—— **amortiguador,** fender pile.
—— **compuesto,** composite pile.
—— **con resistencia de punta,** point-bearing pile.
—— **de alas,** wing pile.
—— **de amarrar,** dolphin.
—— **de anclaje,** anchor pile.
—— **de arena,** sand pile.
—— **de botón,** button-bottom pile.
—— **de bulbo,** bulb pile; button-bottom pile.
—— **de carga,** bearing pile.
—— **de cimiento,** bearing or foundation pile.
—— **de columna,** end-bearing pile.
—— **de defensa,** fender pile.
—— **de desplazamiento,** displacement pile.
—— **de disco,** disk pile.
—— **de enfilación,** range pile.
—— **de ensayo o de prueba,** test pile.
—— **de fricción,** friction pile.
—— **de guía,** guide pile.
—— **de pedestal,** pedestal pile; bulb pile.
—— **de rosca,** screw pile.
—— **en H,** H pile (steel).
—— **encerrado,** cased (concrete) pile.
—— **enlistonado,** lagged pile.
—— **inclinado,** batter or spur or brace pile.
—— **para subpresión,** tension or uplift pile.
—— **paragolpes,** fender pile.
—— **prevaciado,** precast concrete pile.
—— **sustentador,** bearing pile.
—— **tipo proyectil,** projectile-type composite pile.
—— **vaciado en sitio,** concrete pile cast in place.
pilotes de palastro, steel sheet piling.
pilotear (M), to drive piles.

piloto m, pilot.
pina f, felly, felloe.
pinabete m, fir, yellow pine; hemlock.
pinar m, pine forest.
pincel m, brush.
—— **de pelo de camello** (dib), camel's-hair brush.
—— **para pintura,** paintbrush.
pincelada f, brush stroke; brush coat.
pinchadura f (auto), puncture.
pinchar, to puncture; to tap; (A) to pry with a bar, to pinch.
pinchazo m (auto), puncture.
pinche m (Es), tool boy, nipper.
pingo m (Ec), strip of wood, lath, batten.
pino m, pine; a steep.
—— **abete o abeto,** spruce; spruce pine.
—— **albar,** white pine.
—— **alerce,** tamarack or lodgepole pine.
—— **amarillo,** yellow pine.
—— **araucano,** Chilean pine.
—— **austral** (M), southern or longleaf pine.
—— **bastardo,** bastard pine.
—— **colorado** (Pan), yellow pine.
—— **de California,** redwood.
—— **de hoja corta,** shortleaf pine.
—— **de hoja larga,** longleaf or Georgia or heart pine.
—— **de noruega,** Norway or red pine.
—— **del Pacífico,** Douglas fir, yellow fir.
—— **de tea,** yellow or pitch pine.
—— **gigantesco,** redwood.
—— **marítimo o rodeno,** cluster or red pine.
—— **oregón** (A)(Pe), Douglas fir.
—— **plateado,** white pine.
—— **resinoso,** pitch pine.
—— **rojo,** redwood; red or Norway pine; red fir; red spruce.
—— **spruce** (A), a European spruce lumber.
pinotea m, yellow or pitch pine.
pinta f, pint.
pintar, to paint.
pintor m, painter.
pintura f, paint, painting.
—— **al agua,** cold-water paint, kalsomine.
—— **a la aguada** (Es), cold-water paint.
—— **al alquitrán,** bituminous or coal-tar paint.
—— **al barniz,** varnish paint.
—— **a la cola,** cold-water paint, kalsomine.
—— **a grafito,** graphite paint.
—— **al óleo,** oil paint.
—— **a prueba de la broma,** teredoproof paint.
—— **a prueba de vapor,** steamproof paint.
—— **al temple** (V), cold-water paint.
—— **alumínica,** aluminum paint.
—— **antihumedad,** dampproof paint.
—— **antincrustante,** antifouling paint.
—— **contrafuego,** fire-resisting paint.
—— **de aceite,** oil paint.
—— **de agua fría** (M), cold-water paint.
—— **de baño o de inmersión,** dipping paint.
—— **de cal,** whitewash.
—— **de rociar,** spraying paint.
—— **en obra,** field painting.
—— **grafitada,** graphite paint.
—— **hecha o preparada,** prepared or ready-mixed paint.

—— **impermeabilizadora,** dampproofing paint.
—— **marina,** marine or deck paint.
—— **mate,** flat paint.
—— **para intemperie,** outdoor paint.
—— **primaria,** priming coat.
—— **vidriada,** enamel paint.
pinturería *f* (A), painting; paints; paint shop.
pínula *f,* sight of an instrument; (C) blacksmith tongs.
—— **de deriva** (fma), drift sight.
pínulas para nivel, level sights.
pinza *f,* clamp, clip.
—— **ajustable** (A), slip-joint pliers.
—— **de contacto** (eléc), clip.
pinzas, nippers, pliers, tongs, (lab) forceps.
—— **cargadoras** (pet), carrying tongs.
—— **con corte adelante,** end-cutting pliers.
—— **cortantes o de filo,** cutting pliers.
—— **cortantes al costado,** side-cutting pliers.
—— **de combinación,** combination pliers.
—— **de gasista,** gas pliers.
—— **de lagarto,** alligator grab.
—— **punzadoras,** punch pliers.
piña *f,* knob; plug; hub; wall knot.
piñón *m,* pinion; (Sp) sprocket; (Col) gable wall; (Ch)(Col) pine.
—— **con gualderas,** shrouded pinion.
—— **cónico o de ángulo,** bevel pinion.
—— **de accionamiento o de mando,** driving pinion.
—— **de arranque** (auto), starter pinion.
—— **de ataque** (C), driving pinion.
—— **de comando** (U), driving pinion.
—— **de cuero verde,** rawhide pinion.
—— **de linterna,** lantern pinion.
—— **deslizable o desplazable,** sliding pinion.
—— **diferencial,** (auto) pinion gear.
—— **doble helicoidal,** herringbone pinion.
—— **loco,** idler pinion.
—— **motor,** driving pinion.
—— **recto,** spur pinion.
piocha *f,* miner's pick.
piocho *m* (C), mattock.
piogénico, piógeno (lab), pyogenic.
piola *f,* houseline; twine, string; (A) light rope.
pipa *f,* cask, hogshead.
—— **de riego,** watering cart.
pipeta *f* (lab), pipet.
—— **de absorción,** absorption pipet.
—— **medidora,** measuring pipet.
—— **para muestreo,** sampling pipet.
pique *m,* (Ch) tunnel shaft, mine shaft; well; (A) path, trail; (auto)(A) pickup, acceleration.
—— **, a,** very steep; vertical.
—— **de popa** (an), run.
—— **de proa** (an), entrance.
—— **, echar a** (náut), to sink.
—— **, irse a** (náut), to founder, sink.
piqueador *m* (min), striker (with a hammer).
piquear (min), to strike a drill with a hammer.
piquera *f,* burner; tap hole; iron runner, outlet of a blast furnace.
piqueta *f,* pick; mattock; mason's hammer; stake.
piquetaje *m,* staking out.
piquete *m,* stake; survey pole; picket.
piqueteo *m,* staking; piling; pile driving.

piquetero *m,* tool boy in a mine.
piquetilla *f,* gad, wedge.
piramidado (Es), pyramidal.
piramidal, pyramidal.
pirámide *f,* pyramid.
—— **fotográfica** (fma), photograph pyramid.
piranol *m,* pyranol.
piranómetro *m,* pyranometer.
pirargirita *f,* pyrargyrite, ruby silver ore.
pirca *f,* dry wall; stone wall.
pircada *f,* dry masonry.
pircar, to build a dry wall.
pirheliómetro *m,* pyrheliometer.
pirita *f,* pyrite, iron pyrites.
—— **arsenical,** arsenical pyrites, arsenopyrite, mispickel.
—— **blanca,** marcasite, white iron pyrites.
—— **capilar,** capillary pyrites, millerite.
—— **cobriza o de cobre,** copper pyrites, chalcopyrite.
—— **común,** iron pyrites, pyrite.
—— **de cobalto,** cobalt pyrites, linnaeite.
—— **de estaño,** tin pyrites, stannite.
—— **de fierro** (M)(Pe), iron pyrites.
—— **de hierro,** pyrite, iron pyrites.
—— **magnética,** pyrrhotite, magnetic pyrites.
—— **marcial,** iron pyrites.
piritas, pyrites.
pirítico, pyritic.
piritizar, to pyritize.
piritoso, containing pyrites, pyritic.
pirlán *m* (Col), doorsill, saddle, threshold.
pirobitumen *m,* pyrobitumen.
pirobituminoso, pyrobituminous.
piroclástico (geol)(M), pyroclastic.
piroconductividad *f,* pyroconductivity.
piroelectricidad *f,* pyroelectricity.
piroeléctrico, pyroelectric.
pirofosfato (*m*) **tetrasódico,** tetrasodium pyrophosphate.
pirofosfórico, pyrophosphoric.
pirogálico, pyrogallic.
pirogena *f,* **pirogeno** *m,* **pirógeno** *m,* pyroxene.
pirogénico (geol), pyrogenic.
pirolusita *f,* pyrolusite (manganese ore).
piromagnético, pyromagnetic, thermomagnetic.
pirometalurgia *f,* pyrometallurgy.
pirométrico, pyrometric.
pirómetro *m,* pyrometer.
piromorfita *f,* pyromorphite, green lead ore.
piroquímico, pyrochemical.
pirosulfúrico, pyrosulphuric.
piroxena *f,* **piroxeno** *m,* **piróxeno** *m,* pyroxene.
piroxenita *f* (geol), pyroxenite.
piroxilina *f,* pyroxylin (explosive).
pirquín *m* (B), piecework, contract work.
pirquinear (Ch), to work a leased mine.
pirquinero *m* (Ch)(B), contractor for mine work; tributer.
pirrotita, pirrotina *f* (miner), pyrrhotite, magnetic pyrites.
piso *m,* floor, story; (tun) bench; roadbed; bottom.
—— **alto,** upper floor or story.
—— **bajo,** ground or first floor.
—— **de gálibos** (cn), scrive board.

—— de parrilla (pte), grid floor.
—— del valle, valley flat or floor.
—— metálico celular (ed), cellular metal floor.
—— monolítico, concrete floor having finish cast integrally with slab.
—— pegado (ed), stuck-down floor.
pisolita *f*, pisolite (limestone).
pisón *m*, rammer, tamper; ram, stamp.
—— de martillo, hammer tamper.
—— para moldes (ca), form tamper.
—— saltarín, a heavy tamper operated by power.
pisonador *m*, pisonadora *f*, tamper.
—— de impacto, impact tamper.
—— de relleno, backfill tamper.
pisonadura *f*, tamping, ramming.
pisonar, pisonear, to tamp, compact, ram.
pisoneo *m*, tamping, ramming.
pista *f* (ap), runway, landing strip; taxiway.
—— cerrada de rodaje, stub-end taxiway.
—— de aterrizaje, runway, landing strip; flight strip, airstrip.
—— de decolaje, runway.
—— de despegue, runway, landing strip.
—— de maniobras o de rodaje, taxiway.
—— para aterrizaje ciego, instrument runway.
—— periférica de rodaje, peripheral taxiway.
pistas gemelas o paralelas (ap), dual runways.
pistola *f*, pistol; paint sprayer; (M) jackhammer; (min) small drill hole.
—— de arena, sandblast nozzle.
—— de barrenación (M), jackhammer.
—— de cemento (M), cement gun.
—— de grasa, grease gun.
—— de lavar (auto), flushing gun.
—— de perforación (pet), gun perforator.
—— de rociar (Ch), spray gun.
—— lubricadora, grease or oil gun.
—— neumática (M), jackhammer.
—— pulverizadora, spray gun, airbrush.
—— remachadora (M), riveting hammer.
—— rompedora (M), paving breaker.
pistolero *m* (M), operator of a jackhammer.
pistoleta *f* (dib)(A), French or irregular curve.
pistolete *m*, nozzle; (min) small drill hole.
pistolín *m*, pistol grip.
pistón *m*, piston; (Ch) giant, monitor.
—— de achique (pet), swab, cleanout bailer.
—— economizador (auto), economizer piston.
pistonada *f*, piston stroke.
pistoneo *m*, piston slap.
pita *f*, pita, maguey; (C) sisal.
pitada *f*, blast of a whistle.
pitar, to whistle.
pitarrasa *f* (cn), horse iron.
pitazo *m*, whistle signal, blast of a whistle.
pito *m*, whistle.
pitómetro *m*, pitometer.
pitón *m*, nozzle, spout; screw eye.
—— atomizador, spray nozzle.
pivotaje *m*, pivoting.
pivotar, to pivot.
pivote *m*, pivot.
—— de dirección (auto), kingpin, knuckle pin.
pizarra *f*, slate, shale; bulletin board.
—— anfibólica (Es), hornblende schist.
—— de distribución (C), switchboard.

—— de tejar, roofing slate.
—— gredosa, clay slate.
pizarral *m*, slate quarry.
pizarreño, pizarroso, slaty, shaly.
pizarrero *m*, slater.
placa *f*, plate, slab, sheet.
—— abovedada (est), buckle plate.
—— atiesadora (est), batten or stay plate.
—— calentadora (lab), hot plate.
—— de agua (cal), water leg.
—— de apoyo (est), bearing plate.
—— de arrastre (ef), skidding pan.
—— de asbesto, asbestos board.
—— de asiento, bearing or wall or base plate, bedplate; (rr) tie plate.
—— de base, bedplate, base plate.
—— de borne (eléc), terminal plate.
—— de burbujeo (pet), bubble tray.
—— de cabeza (cal), crown sheet.
—— de cara (est), skin plate, faceplate.
—— de centrar (inst), shifting plate.
—— de contacto, (pmy) focal-plane plate, contact glass; (elec) contact plate.
—— de contracción (ca), contraction plate.
—— de contravientos (gr), guy cap or spider.
—— de cuarzo (ra), quartz plate.
—— de cubierta (est)(turb), cover plate.
—— de cuña, liner; shim.
—— de choque, buffer plate; (hyd) baffle plate.
—— de choque desviadora, deflecting baffle.
—— de choque separadora, separating baffle.
—— de chucho (fc), headchair, headshoe.
—— de defensa, wearing plate; (rr) tie plate.
—— de desconexión (pet), breakout plate.
—— de división (mh), index base or plate.
—— de empalme (est), gusset or connection plate.
—— de ensamblaje, (str) hinge plate; gusset plate; (carp) flitch plate.
—— del fabricante (maq), name or shop plate.
—— de fijación, clamp plate.
—— de frotamiento, wearing plate.
—— de fundación, base plate, bedplate.
—— de ganchos (tub), hook plate.
—— de giro (Es), turntable.
—— de guía (hid), deflector, baffle.
—— de huellas (lab), streak plate.
—— de inspección (auto), inspection plate.
—— de interruptor (eléc), switch plate.
—— de junta (est), splice or gusset plate.
—— de matriz colocadora (mh), gage plate.
—— de nudo (est), gusset or connection plate.
—— de número, (auto) license plate.
—— de orificio (hid), orifice plate.
—— de paramento, face slab (dam).
—— de pasador (est), pin plate; hinge plate.
—— de piedra, flagstone.
—— del plano focal (fma), focal-plane or contact plate.
—— de presión (fma), pressure plate.
—— de recubrimiento (est), faceplate.
—— de relleno (est), filler plate.
—— de retenida (eléc), guy plate.
—— de rozamiento, rubbing or wearing or chafing plate.
—— de señal (fc), switch target.
—— de sujeción (mh), faceplate.

— **de tope,** buffer plate.
— **de tubos** (cal), tube sheet, flue plate.
— **de unión,** splice plate, fishplate, scab; gusset plate.
— **de vacío** (fma), vacuum plate.
— **de vía** (fc), tie plate.
— **deflectora** (hid), baffle plate.
— **delantal,** skirt plate.
— **difusora** (dac), diffuser plate.
— **distribuidora** (aa), distributor plate.
— **elevadora** (fc), riser plate.
— **embutida** (Es), buckle plate.
— **empastada** (eléc), pasted plate.
— **escurridiza** (to), flashing.
— **esparcidora,** diffuser or spreader plate.
— **fotomecánica,** process plate.
— **giratoria,** (rr) turntable; (mt) swivel plate.
— **guardaposte,** strain plate (pole line).
— **lavadora** (aa), scrubber plate.
— **lisa** (conc)(V), flat slab.
— **muerta** (cal), dead plate.
— **nervada,** ribbed plate.
— **nodal** (est), gusset plate.
— **ondulante u oscilante** (maq), wobbler, swash plate.
— **portatubos** (cal), tube sheet.
— **presionante** (auto)(A), pressure plate.
— **quitagotas** (aa), eliminator plate.
— **revestidora** (tún), liner plate.
— **sensible** (fma), sensitive plate.
— **sufridera** (her), swage block.
— **tubular** (cal)(M), tube sheet.
— **volada,** cantilever slab.
placas
— **costillas o de avance** (tún), poling plates.
— **eliminadoras** (as), eliminator plates.
placa-marca (maq), name plate.
placel m (r), sand bar.
placer m, placer; sandbank.
— **con montera,** buried placer.
— **de bajío,** river-bar placer.
— **de banco,** bench placer.
— **de playa,** beach placer.
placeta f (Ch), flat place on a hillside.
plafón m, soffit.
plagioclasa f (geol)(miner), plagioclase.
plagioclasita f (geol), plagioclasite.
plagiófido m (geol), plagiophyre.
plan m, plan, scheme, design; (Ch) flatland; bottom level in a mine.
— **, de** (V), on the flat.
— **de trabajo,** construction program.
plana f, (bs) flatter; (M) trowel; (C) mason's float; (A) cooper's plane.
planada f (Ec), flat country.
plancton m (is), plankton.
plancha f, plate, sheet, slab; gangplank; (C) flatcar.
— **abovedada** (est), buckle plate.
— **atiesadora** (est), tie plate.
— **cizallada,** sheared plate, plate with sheared edges.
— **de ala,** (gi) cover plate.
— **de alma** (est), web plate.
— **de asfalto,** asphalt smoother.
— **de base,** base plate.

— **de canto laminado** (met), mill-edge plate.
— **de canto recortado,** sheared-edge plate.
— **de cubierta** (est), cover or flange plate.
— **de desgaste,** wearing plate.
— **de doblar** (tub), bending slab.
— **de escurrimiento** (to), flashing.
— **de escurrimiento superior,** counterflashing, cap flashing.
— **de fondo,** bedplate.
— **de fundación,** floor slab (dam); foundation slab; base plate.
— **de guía del bagazo** (az), turnplate, trash turner, dumb turner.
— **de inglete,** miter rod (plasterer).
— **de orificio** (hid), orifice plate.
— **de rigidez** (est), batten or stay plate.
— **de traviesa** (fc), tie plate.
— **de trituración** (min), bucking board.
— **de unión** (est), splice plate; gusset plate.
— **estriada,** checkered plate.
— **giracarro** (min), turnsheet, turnplate.
— **muerta** (cal), dead plate.
— **nervada,** ribbed plate.
— **trancanil** (cn), stringer plate.
— **universal** (met), universal-mill plate.
— **Zorés** (est), trough plate.
planchada f, slab; gangplank; (Ch) staging, platform.
— **de carga,** loading platform.
plancheado m (cn), plating.
— **a tingladillo,** clinker system.
— **del casco,** shell plating.
— **de los mamparos,** bulkhead plating.
— **endentado,** in-and-out system.
— **enrasado,** flush plating.
planchear (cn), to plate.
plancheta f (lev), plane or traverse table.
— **de pínulas,** traverse plane table.
planchista m (Es), sheet-metal worker.
planchita f, shim, small plate.
— **de retenida,** guy shim (pole line).
planchón m, slab, sheet; (Col) barge.
planchuela f, steel flat, fishplate; plasterer's trowel.
— **de pasador,** (tu) pin plate.
— **de perno,** washer.
planear, to plan; to glide (airplane).
planeo m, planning; gliding (airplane).
planeómetro m, planeometer.
planetario, planetary (gear).
planialtimetría f, contour map; topographical survey.
planicie f (top), plain.
planificar (Ec)(M), to plan.
planígrafo m (dib), planigraph.
planilla f, tabulation, list, schedule.
— **del avance del trabajo,** progress schedule.
— **de envasamiento,** packing list.
— **de flujo,** flow sheet.
— **de materiales,** bill of material.
— **de pago,** payroll; estimate for payment.
planimetrar, to measure with a planimeter.
planimetría f, planimetry; plane surveying, mapping; ground plan, map.
— **, en,** in plan.
planimétrico, planimetric, plane (surveying).

planímetro *m*, planimeter.
—— **compensador,** compensating planimeter.
—— **de disco,** disk planimeter.
—— **de regla,** rule planimeter.
—— **polar,** polar planimeter.
—— **rodante o de rodillos,** rolling planimeter.
plano *m*, plan, drawing; plane; (M) floor of a mine working; *a* flat, level, plane.
—— **acotado,** topographical plan; dimensioned drawing.
—— **altimétrico,** topographical plan, contour map.
—— **anterior** (fma), front plane.
—— **azul,** blueprint.
—— **básico o de base** (fma), ground plane.
—— **catastral,** real-estate map.
—— **, de,** on the flat.
—— **de clivaje** (geol), cleavage plane.
—— **de colado** (conc), fill plane, lift line.
—— **de comparación** (lev), datum plane.
—— **de deslizamiento** (ms), slip plane.
—— **de ejecución,** working drawing.
—— **de estratificación** (geol), bedding plane.
—— **de falla** (geol), fault plane or surface.
—— **de formación** (fc), subgrade, roadbed.
—— **de hendidura,** plane of cleavage.
—— **del horizonte** (fma), horizon plane.
—— **de imagen** (fma), image or picture plane.
—— **del meridiano,** meridian plane.
—— **de la perspectiva** (dib), perspective plane.
—— **de referencia** (lev), datum plane.
—— **de resbalamiento** (geol), fault plane.
—— **de situación o de ubicación,** location plan.
—— **de taller,** shop drawing.
—— **de visación** (lev), plane of sight.
—— **focal** (fma), focal plane.
—— **fundamental** (fma), ground plane.
—— **hidrográfico,** chart.
—— **maestro,** master plan.
—— **nodal** (fma), nodal plane.
—— **principal** (ms)(fma), principal plane.
—— **rasante** (Es)(A), subgrade.
—— **tipo,** standard plan.
—— **topográfico,** contour map, topographical plan.
plano-cóncavo, plano-concave.
plano-convexo, plano-convex.
plano-paralelo, plano-parallel.
planoteca *f* (V), plan file.
planta *f*, plant, equipment; ground plan; (bldg) floor, (C)(A) story; (min) bottom.
—— **alta,** upper floor or story.
—— **baja,** ground floor.
—— **clasificadora** (ag), screening plant.
—— **de agua potable,** waterworks.
—— **de fuerza,** powerhouse, power plant.
—— **del piso** (ed), floor plan.
—— **de repuesto,** spare equipment.
—— **de reserva,** reserve equipment.
—— **depuradora,** purification plant.
—— **depuradora de aguas cloacales,** sewage-disposal plant.
—— **desintegradora** (pet), cracking plant.
—— **estabilizadora** (pet), stabilizing plant.
—— **filtradora,** filter plant.
—— **generadora,** electric power plant, generating station.
—— **hormigonera** (conc), mixing plant.

—— **medidora de tantos** (conc), batching plant.
—— **mezcladora de cemento,** cement-blending plant.
—— **motriz** (auto), power plant.
—— **picadora** (ag)(C), crushing plant.
—— **piloto,** pilot plant.
—— **quebradora,** crushing plant.
—— **revolvedora** (conc)(M), mixing plant.
—— **seleccionadora** (ag), screening plant.
—— **suavizadora de agua,** water-softening plant.
—— **vista,** top view, plan.
plantar, to place, set; to set up, erect.
plantel *m* (A), equipment, plant.
planteles de construcción (A), construction plant.
planteo *m*, layout, arrangement.
plantilla *f*, pattern, jig, template; screed, (mas) ground; subgrade; (M) invert; (dwg) French curve.
—— **curva** (dib)(A), irregular curve.
—— **del canal,** bottom, floor.
—— **de clavar** (ed), flooring sleeper.
—— **de corredera,** slotted template.
—— **de curvar,** bending jig.
—— **de curvas** (Es)(C), French curve, irregular curve.
—— **de devanado** (eléc), winding former.
—— **de espesor,** thickness gage, feeler.
—— **de filetear,** screw chaser.
—— **de guía,** jig.
—— **de mano** (fma), hand template.
—— **de montaje,** assembly jig.
—— **de muescar,** gaining template.
—— **de prueba** (cn), check template.
—— **de radio,** radius gage.
—— **de rotular** (dib), lettering guide.
—— **de soldador,** welding jig.
—— **de taladrar,** drilling template.
—— **de talud,** slope gage.
—— **de yeso,** floating screed.
—— **mecánica** (fma), mechanical template.
—— **mecánica desarmable** (fma), spider template.
—— **múltiple** (mh), combination jig.
—— **para brocas,** drill-grinding gage.
—— **para filete o para roscas,** thread or screw-pitch gage.
—— **para puntas** (mh), center gage.
—— **rayadora** (ca), scratch template.
—— **sujetadora para soldar,** welding fixture or jig.
plantillero *m*, patternmaker.
plaquear (M), to veneer.
plaqueta *f* (fc)(M), tie plate.
plaquita *f*, shim, small plate.
plasma *f* (miner)(eléc), plasma.
plasmólisis *f* (is), plasmolysis.
plaste *m*, (C) mastic, putty; (pt) sizing.
plastecer, to coat with mortar; (bw) to butter (pt) to size.
plástica *f*, plastics.
plasticador *m*, plasticator.
plasticidad *f*, plasticity.
plasticímetro *m*, plasticimeter.
plástico *m a*, plastic.
plastificante *m* (pint), plasticizer.
plastificar, to plasticize.
plastocemento *m* (M), plastic cement.

plastómetro *m*, plastometer.
plastrón *m* (A), bed of mortar; footing.
plata *f*, silver.
—— agria (miner), argentite, silver glance.
—— alemana, nickel or German silver.
—— córnea (miner), cerargyrite, horn silver.
—— fulminante, fulminating silver.
—— gris (miner), argentite, silver glance.
—— negra (miner), black silver, stephanite.
—— níquel, nickel silver.
—— roja clara, light red silver ore, proustite.
—— roja oscura, dark red silver ore, pyrargyrite.
—— vítrea, argentite, vitreous silver, silver
    glance.
platabanda *f*, splice plate, fishplate, scab; (str)
    (A) cover plate; (V) slab; (M) lintel; flat
    arch, platband.
platachar (Ch), to trowel; to float.
platacho *m* (Ch), mason's float.
plataforma *f*, platform; roadbed, subgrade; (Sp)
    (M)(Ec)(CA) flatcar; (top)(A) plain.
—— continental, continental plateau.
—— de carga, loading or charging platform.
—— de descarga (op), relieving platform (bulk-
    head).
—— de pista (ap)(A), apron.
—— de transbordo, transfer platform.
—— de la vía (fc), roadbed, subgrade.
—— giratoria, turntable.
platea *f* (hid), hearth, apron, floor, mat.
plateado, silver-plated.
platillo *m*, small plate; disk; washer; pipe
    flange.
—— ciego, blind flange; blank flange.
—— de balanza (lab), scalepan, balance pan.
—— de piso (tub), floor flange.
—— de presión (auto), pressure plate.
—— de rosca, screwed flange.
—— de techo (tub), ceiling plate.
—— de transmisión (auto), driving flange.
—— postizo (C), loose flange.
—— soldado, welded flange.
—— suelto, loose flange.
platillos compañeros o gemelos, flange union.
platina *f*, steel flat; (rr) tie plate; (p) flange;
    platen.
—— de corredera (fc), riser plate.
platinar, to platinize.
platínico, platinic.
platinífero, containing platinum.
platinita *f*, platinite (alloy); (miner) platynite,
    platinite.
platino *m*, platinum.
platinos (auto), contact points.
—— del distribuidor, distributor points.
—— del ruptor, breaker points.
platinoide *m*, platinoid (alloy).
platinoso, platinous.
plato *m*, plate, disk; web of a wheel; faceplate of
    a lathe, chuck.
—— campana (A), bell chuck (lathe).
—— combinado, combination chuck.
—— con ajuste espiral, scroll chuck.
—— de agujero simple, bar chuck.
—— de ángulo, monitor chuck.
—— del guarapo (az), juice pan.

—— de mordazas independientes, independent
    chuck.
—— de Petri (is), Petri dish.
—— de torno, faceplate (lathe), chuck.
—— divisor (mh), index or dividing plate.
—— giratorio (pet), rotary table.
—— motor (auto)(M), driving flange.
—— para óvalos (mh), oval or elliptic chuck.
—— universal, universal chuck.
platos difusores (dac), splash plates.
plato-manivela, disk crank.
playa *f*, beach; (rr) yard; (geol) playa.
—— de carga, loading yard; freight yard.
—— de clasificación, classification yard.
—— de descarga, delivery yard.
—— de distribución (eléc), switchyard.
—— de estacionamiento (auto), parking space.
—— de llegada (fc), receiving yard.
—— de maniobras, drill or switching or classifica-
    tion yard.
—— de río, sand bar.
—— secadora (dac)(A), sludge-drying bed.
playo (A)(Ec), flat.
plaza *f*, small park; yard; market.
—— de acopio, store yard.
—— de doblado (ref), bending yard.
—— de estacionamiento (auto), parking space.
—— de moldaje (conc), form yard.
plazo *m*, time, period, term.
pleamar *f*, high tide (sometimes used meaning
    flood tide).
—— más alta, highest high tide.
—— media, mean high water.
—— media más alta, mean higher high tide.
plegable, folding; pliable.
plegadizo, folding.
plegador *m*, folder, bender.
—— de cápsulas (vol), cap crimper.
—— de tubos, pipe crimper.
plegadora (*f*) de palastro (ch), cornice brake;
    folder.
plegamiento *m* (geol), fold.
plegar, to fold, bend; to snub (belt).
plena admisión (turb), full admission.
plena carga, full load.
plena flotación, de, full-floating.
plena velocidad, full speed.
plenamar *f*, high tide.
pleno *m*, plenum; *a* full, complete.
pletina *f*, bar, flat, small plate; flange; shim.
—— de relleno (est), filler plate.
pliego *m*, folder; file of papers; document.
—— de condiciones, specifications, bidding condi-
    tions.
—— de licitación, information for bidders; bid-
    ding form.
—— de proposiciones, bidding form.
pliegue *m*, ply, sheet; fold, bend; (geol) fold, pli-
    cation, drag.
—— anticlinal, upwarp, anticlinal fold.
—— cerrado, closed or isoclinal fold.
—— compuesto, compound fold.
—— de arrastre, drag fold.
—— echado, overfold.
—— en abanico, fan fold.
—— inclinado, inclined fold.

—— invertido, overturned fold.
—— isoclínico, isoclinal or closed fold.
—— recostado, recumbent fold.
—— recumbente (V), recumbent fold.
—— tumbado, overturned anticline, overfold.
—— sinclinal, downwarp, synclinal fold.
—— yacente (A), recumbent fold.
plinto m, baseboard; plinth.
pliodinatrón m (ra), pliodynatron.
pliotrón m (ra), pliotron.
plisamiento m (geol), fold.
plomada f, plumb bob, plummet.
plomar, to plumb.
plombagina f, graphite, plumbago.
plomear (M), to plumb.
plomería f, plumbing; leadwork.
plomero m, plumber.
—— contratista, plumbing contractor.
—— licenciado, licensed plumber.
plomífero, containing lead.
plomo m, lead; plumb bob.
——, a, plumb, vertical.
—— amarillo, wulfenite, yellow lead ore.
—— antimonioso, antimonial or hard lead.
—— blanco (M), white lead.
—— de galápago o en lingotes, pig lead.
—— de hilacha, lead wool.
—— en hojas, sheet lead.
—— esponjoso (eléc), lead sponge.
—— pardo, pyromorphite.
—— rojo, crocoite; (M) red lead.
—— tetraetilo, tetraethyl lead, ethyl fluid.
—— verde, green lead ore, pyromorphite.
plomoso, containing lead.
plotear (V), to plot, plat.
pluma f, pen; boom; gin pole; (Col)(V) water service connection; (PR) faucet.
—— de agua, (Col)(V)(C) water tap or service; (PR) bibb, faucet.
—— de cartógrafo, mapping pen.
—— de cuervo (dib)(M), crow-quill.
—— de dibujo, lettering pen.
—— de grúa, derrick or crane boom.
—— de pala, shovel boom.
—— para cable de arrastre, dragline boom.
plumbato m (quím), plumbate.
plúmbico (quím), plumbic.
plumbífero, containing lead.
plumbito (m) sódico, sodium plumbite.
plumilla f, crow-quill, fine pen; (C) cotter pin.
plus valía f (cont), good will; unearned increment.
plutónico (geol), plutonic, abyssal.
pluvial, pertaining to rain, pluvial, hyetal.
pluvímetro, see pluviómetro.
pluvioconducto m (Pe), storm-water sewer.
pluvioducto m (A), storm-water sewer.
pluviografía f (mrl), pluviography.
pluviográfico, pluviographic.
pluviógrafo m, recording rain gage, pluviograph.
pluviograma m, pluviogram.
pluviometría f, pluviometry.
pluviométrico, pluviometric.
pluviómetro m, rain gage, pluviometer, hyetometer.

—— registrador, udomograph, hyetograph, self-registering rain gage.
pluviosidad f (Col), rainfall.
pluvioso, rainy.
población f, population; town, small city.
poblado m, village; (tun)(min)(M) layout of holes for a blast.
poblador m (tún)(min)(M), shift boss; blaster, man who lays out the blast holes.
pobre, poor; lean (concrete); low-grade (ore); (auto) lean (mixture).
pocería f, well drilling or digging.
pocero m, well driller or digger.
poceta f, sump, pool.
pocillo m, sump, catch basin, catch pit.
poder m, power, strength; authority; power of attorney.
—— dieléctrico, dielectric strength.
—— resolutivo (inst), resolving power.
poderoso, powerful.
podómetro m, podometer, pedometer.
podón m, pruning hook; grub hoe; mattock.
podrición f, rot, decay, (lbr) dote.
—— azul (mad), blue rot, bluing.
—— blanca (mad), white rot.
—— fungosa (mad), butt rot.
—— húmeda, wet rot.
—— parda (mad), brown rot.
—— seca, dry rot.
podrido, rotten, putrid.
podrimiento m, rot, rotting.
podrirse, to rot, decay.
podsol m, podsol (soil).
podsólico, podsolic.
polainas (f) de soldador, welder's leggings.
polar, polar.
polaridad f, polarity.
—— directa, straight polarity.
—— invertida, reversed polarity.
polarimetría f, polarimetry.
polarimétrico, polarimetric.
polarímetro m, polarimeter.
polariscópico, polariscopic.
polariscopio m, polariscope.
—— de cuña simple, single-wedge polariscope.
—— de doble compensación, double-compensating polariscope.
—— de penumbra, half-shadow polariscope.
—— de triple campo, triple-field polariscope.
polarita f (dac), polarite.
polarización f, polarization.
—— negativa de rejilla (ra), grid bias.
—— plana, de, plane-polarized.
polarizador m, polarizer.
polarografía f, polarography.
polarográfico, polarographic.
polarógrafo m, polarograph.
polea f, pulley, sheave.
—— acanalada, sheave.
—— ajustable para velocidad, variable-speed pulley.
—— conducida (A), driven pulley.
—— conductora (A), driving pulley.
—— de aparejo, tackle block.
—— de cabeza (pet), crown sheave.
—— de cadena, pocket wheel, sprocket, chain pulley

—— de cara bombeada, crown-face pulley.
—— de cola, tail pulley.
—— de cono, cone pulley.
—— de contacto, trolley wheel.
—— de desviación, guide pulley.
—— de fricción, friction gear or pulley or wheel.
—— de fundición, cast-iron pulley.
—— de garganta, sheave.
—— de gravedad, tension or idler pulley.
—— de guía, idler or guide pulley; knuckle sheave.
—— de pestaña, flanged pulley.
—— de tensión, tension or jockey pulley.
—— de transmisión, driving pulley.
—— de transportador, conveyor pulley.
—— de trole, trolley, trolley wheel.
—— diferencial, differential hoist, chain block.
—— enteriza, solid pulley.
—— equilibrada, balanced pulley.
—— escalonada, speed cone, cone or stepped pulley.
—— falsa, dumb sheave.
—— fija, fixed or tight or fast pulley.
—— híbrida (M), mule pulley.
—— impulsada, driven or tail pulley.
—— loca, loose pulley; idler pulley.
—— motriz o impulsora, head or driving pulley.
—— muerta, idler pulley.
—— múltiple, stepped pulley.
—— para ventana, sash pulley.
—— partida, split pulley.
—— portasierra, band-saw pulley.
—— quitahielo (fc eléc), sleet wheel.
—— ranurada, sheave.
—— tensora, idler or tension pulley.
—— viajera (pet), traveling block.
poliatómico, polyatomic.
polibásico (quím), polybasic.
polibasita f, polybasite (silver ore).
policéntrico, polycentric.
policíclico (eléc)(quím), polycyclic.
policilíndrico, multicylinder.
policónico, polyconic.
poliédrico, polyhedral.
poliedro m, polyhedron; a polyhedral.
poliestireno m, polystyrene.
polietileno m, polyethylene.
polifaseado (A), polyphase.
polifásico (eléc), polyphase, multiphase.
polifilar, multiple-wire, multiwire.
polifoto (eléc), polyphotal.
poligonación f (lev), survey by a series of polygons.
poligonal f, (surv) traverse; a polygonal.
polígono m, polygon; a polygonal.
—— de fuerzas, force polygon.
—— funicular, funicular polygon.
poligonometría f (lev)(Es), determination of areas.
polilla f, (M) termite.
—— de mar (M), marine borer.
polímetro m (mrl), polymeter.
polimotor, multiengined.
polín m, roller; (ce) skid; (rr)(C) crosstie; groundsill; nailing strip on I beam.
polines de desvío (fc)(C), switch timber.
polinomio (mat), polynomial.

polipasto, polispasto m, tackle, block and fall, rigging.
—— diferencial, differential hoist.
polipolar (A), multipole.
polisintético, polysynthetic.
polisulfuro m (quím), polysulphide.
politécnico, polytechnic.
politrópico (mat), polytropic.
polivalente (quím), multivalent, polyvalent.
polivinilo m (quím), polyvinyl.
póliza f (seg), policy.
—— de averías, average policy.
—— flotante, floater policy.
polo m (eléc)(mat), pole.
—— auxiliar (eléc), commutating pole, interpole.
—— consecuente (eléc), consequent pole.
—— del campo (eléc), field pole.
—— de compensación o de conmutación, interpole, commutating pole.
—— saliente (eléc), salient pole.
polonio m (quím), polonium.
polución f, pollution.
polucionar (Pe), to pollute.
poluto, polluted.
polvo m, powder, dust.
—— blanqueador (A), bleaching powder.
—— broncíneo, bronze powder.
—— de azúcar, sugar dust.
—— de barreno, drilling dust, bore meal.
—— de carbón o de hulla, coal dust.
—— de cinc, zinc dust.
—— de diamante, diamond powder.
—— de elaboración, process dust.
—— de esmeril o de lijar, flour of emery, emery powder.
—— de madera (vol), wood flour or meal.
—— de piedra o de trituración, crusher or stone dust.
—— de roca (geol), rock flour, glacial meal.
—— fundente, welding powder.
—— metálico, metal powder.
pólvora f, powder, gunpowder.
—— de grano gordo, pellet powder.
—— de mina (A), blasting powder.
—— destroncadora (vol), stumping powder.
—— detonante, blasting or detonating powder.
—— fulminante, fulminating powder.
—— gigante, giant powder (dynamite).
—— negra, blasting or black powder.
—— para voladura, blasting powder.
—— para zanjeo, ditching powder.
polvorazo m (Ch), a blast.
polvorero, polvorista m, blaster, powderman.
polvoriento, pulverulent, dusty, floury (soil).
polvorín m, magazine; fine blasting powder.
polvorizar, see pulverizar.
polvoscopio m, dust-counter.
pomela f (A)(U)(Ch), kind of hinge.
pómez f, pumice.
pomo m (A), doorknob.
poncelet (eléc), poncelet.
poncelet-hora, poncelet-hour (360,000 kilogram-meters per hour).
ponchadura f (auto)(M), puncture.
ponchar (auto)(M), to puncture.
pondaje m (hid)(A), pondage.

ponderal, ponderal, gravimetric.
poner, to put; (inst) to set; (surv) to set up.
—— **a andar** (maq), to start.
—— **a tierra** (eléc), to ground.
—— **el freno,** to set the brake.
—— **en circuito** (eléc), to switch on.
—— **en marcha** (maq), to start.
—— **en obra,** to erect, install.
—— **en punto,** to adjust, set.
pongo m (Ec), gorge of a river with rapids.
poniente m, west.
pontear, to bridge.
pontezuelo m, small bridge.
pontón m, pontoon, ponton (military); scow, lighter; (Col)(V) box culvert; (Sp) large culvert.
—— **de fango,** mud scow.
—— **de grúa,** derrick boat.
—— **de transbordo,** ferryboat.
popa f (cn), stern.
—— **, a,** aft.
—— **de, a,** aft of, abaft.
popel a (cn), after.
populosidad f, (Col) population.
por ciento, per cent.
porcelana f, porcelain.
—— **circónica** (ais), zircon porcelain.
—— **de mullita** (ais), mullite porcelain.
—— **para alta tensión,** high-voltage porcelain.
porcelanita f (geol), porcelanite.
porcentaje m, percentage.
porfídico, porphyritic.
porfidita f (geol), porphyrite.
pórfido m (geol), porphyry.
—— **augítico,** augitophyre, augite-porphyry.
—— **cuarzoso,** quartz porphyry.
—— **de diorita,** diorite-porphyry.
porfírico (A), porphyritic.
porfirita f (geol), porphyrite.
porfirítico (M), porphyritic.
pormillonaje m (Es), parts per million.
pororoca m (mr), pororoca.
porosidad f, porosity.
porosímetro m, porometer.
poros m, pores.
poroso, porous.
porqueta f (mad), wood louse.
porra f, maul, sledge.
porrilla f, hand or drilling hammer.
porta f (cn), port; porthole.
—— **de carbón,** coaling port.
—— **de carga,** cargo port.
—— **espía** (A), porthole.
portaaislador m (eléc), insulator bracket.
portaalambre m (eléc), wireholder.
portaalegrador m, reamer chuck.
portaartefacto m (eléc), fixture stud or strap.
portabandera m (lev), rodman, flagman.
portabarrenas f, drill chuck or holder.
portabarrera m (ca), guardrail support.
—— **de resorte,** spring support for guardrail.
portabolas m, ball or bearing race.
—— **de empuje,** thrust ball race.
portabombillo m (eléc)(C), lamp socket.
portabroca m, drill chuck or holder, pad.
portabulbos m (ra)(M), chassis.

portabureta f, buret clamp.
portacable m, cable hanger.
portacadena m (lev), chainman.
portacámara m (fma), camera frame or support.
portacanalón m (to), gutter hanger.
portacandado m, hasp.
—— **de charnela,** hinge hasp.
portacaño m, pipe hanger.
—— **de resorte,** spring hanger.
portacarbón m (eléc), carbon holder.
portacarrete m (fma), reel holder.
portacátodo m (ra), cathode holder.
portacinta f (lev), tape holder.
portacojinete m, diestock, die head; bearing block.
portaconductor m (eléc), conductor holder.
portacorrea f, belt support.
portacristal m (ra), crystal holder.
portacruceta f (eléc), pole gain.
portacuchilla m (mh), cutter bar, adz block, cutterhead, cutter block.
—— **de caja,** box tool.
—— **de casquillo,** bushing box tool.
portacuchillas de machihembrar, matcher head.
portacumulador m, battery carrier or hanger.
portachapa (m) **de patente** (auto), license bracket.
portachuelo m (top), gap, pass, saddle.
portada f, gate; (min) timber frame in a heading.
portadado m (M), diestock.
portadiferencial m (auto), differential carrier.
portador m (com), bearer.
portadora f (eléc), carrier.
—— **de imagen** (tv), image carrier.
—— **flotante** (ra), floating carrier (system).
portaelectrodo m, electrode holder.
portaempaquetadura m, packing gland.
portaemulsión f (fma), emulsion carrier.
portaengranajes m (cn), planet carrier.
portaequipajes m, baggage rack.
portaescariador m, chuck for reamer.
portaescobillas m (eléc), brush holder or socket.
—— **regulable,** brush rocker.
portaestacas m (lev)(Ec), axman, stake carrier.
portaestampa f, die holder.
portafarol m, lamp bracket.
portafreno m (auto), brake support.
portafresa m (mh), mill holder.
portafusible m (eléc), cutout base, fuse block or holder.
—— **de derivación,** branch cutout.
portaguantes m (auto)(A), glove compartment.
portahélice m (cn), propeller shaft.
portahembra f, screw plate.
portaherramienta m, toolholder, chuck.
—— **de charnela** (mh), clapper box.
—— **múltiple** (mh), gang tool.
portahilo m (eléc), wireholder.
portahusillo m (mh), spindlehead.
portaimagen m (fma), image carrier.
portainstrumento m (lev), instrument carrier.
portal m, portal; gate.
portalámpara m, lamp socket; lamp holder.
—— **colgante** (eléc), pendent lamp holder.
—— **con abrazadera de cordón,** cord-grip socket

—— **de aplicar** o **de superficie,** surface-mounting lamp holder.
—— **de bayoneta,** bayonet lamp socket.
—— **de cadena,** chain-pull lamp holder, pull socket.
—— **de intemperie,** outdoor lamp socket.
—— **de llave giratoria,** key socket.
—— **de media pulgada,** candelabra lamp holder.
—— **de rosca,** screw lamp socket.
—— **en miniatura,** miniature lamp holder ($1\frac{1}{32}$ in.).
—— **mediano,** medium lamp holder (1 in.).
—— **mogol,** mogul lamp holder ($1\frac{1}{2}$ in.).
—— **sin llave,** keyless socket.
—— **tipo Edison,** Edison base or screw shell.
portalápiz m, pencil point (compass); pencil chuck.
portalente m (fma), lens cone or holder.
portalima f, file carrier or holder.
portalinterna f, lamp holder.
portalón m, gangway; door in the side of a ship; door in a boiler setting.
portallanta f, tire holder or rack.
portamacho, portamachuelo m, tap holder.
portamadera m, sawmill carriage.
portamandril m (torno), chuck plate.
portamapas m, map case.
portamástil m (gr), mast step.
portamatrícula m (auto), license-plate bracket.
portamatriz f, die holder or set.
portamechas m, drill chuck.
portamensajero m (eléc), messenger hanger.
portamezcla f, plasterer's hawk.
portamina m (dib)(A), pencil point for compass.
portamira m (lev), rodman.
—— **de nivel,** level rodman.
portamoleta f, handle for dresser or muller.
portaneumático m, tire rack, spare-tire holder.
portanonius m (Es), vernier support.
portañola f, porthole.
portaobjetivo m (fma), lens holder.
portaocular m (fma), eyepiece holder.
portapantalla m (eléc), shade carrier.
portapatente f (auto), bracket for license plate.
portapeine m (herr), chaser holder.
portapelícula f (fma), film holder.
portapieza m, work holder.
portapipeta f (lab), pipet stand.
portaplaca f (fma), plateholder, plate carrier.
—— **de número** (auto), license-plate bracket.
portaplantilla m, template holder.
portaplato m (torno), chuck plate.
portapoleas m (pet), traveling block.
portaposte m, post bracket (railing).
portaprobeta f (lab), test-tube support.
portapúa f (as), dog socket.
portapunzón m, punch holder.
portaquicionera, portarrangua f (gr), foot block.
portar, to carry.
portarreceptor m (tel), receiver support or hook.
portarreflector m (eléc), shade carrier, reflector holder.
portarretorta f, retort stand.
portarrodillos m, cage of a roller bearing.
portarrueda m (auto), spare-wheel rack.
portataladro m, drill stand.

portatestigo m, core barrel (drill).
portátil, portable.
portatobera f, nozzle holder.
portatrabajo m, work holder.
portatraviesa m (fc), tie carrier.
portatroncos m, sawmill carriage.
portatrozas m (M), cant hook, peavy; timber carrier.
portatubo m, pipe hanger; (ra) socket.
—— **de ganchos,** hook plate.
portaútil m, toolholder.
portaválvula m (ra), socket.
—— **de discos,** wafer socket.
portavástago m (pet), stem holder.
portaventanero m (Es), maker of doors and windows.
portavidrio m (sol), lens holder.
portavista m (fma), view holder.
portavoz m, megaphone.
portazgo m (ca), toll.
porte m, freight, carriage; (naut) burden; carriage charges.
—— **a pagar,** freight collect.
—— **bruto** (an), dead-weight tonnage.
—— **debido** (A), freight collect.
—— **efectivo** (an), cargo dead-weight tonnage.
—— **pagado,** freight prepaid.
porteador m (tr), carrier.
porteaje m (r)(M), portage.
porteo m (M), cartage, transportation.
portezuela f, small door, gate; (top) pass.
portezuelo m, handhole; (top) pass, gap, saddle; gorge.
pórtico m, gantry; portal; trestle bent; (str) mill bent; rigid frame.
—— **de claro múltiple** (est), multiple-span bent.
—— **de dos aguas** (est), peaked bent.
—— **dentado,** saw-tooth bent.
portillo m, opening in a wall, weep hole; gate; small sliding gate in a lock gate.
—— **de evacuación** (hid), sluice gate.
—— **de flotación de maderas,** log sluice.
—— **de limpieza** (presa), sluiceway, undersluice.
portón m, opening; large door; gate; (rr) crossing gate.
portuario, pertaining to ports.
posarse, to settle (sediment).
posición f, position; placing.
posicionador m, welding positioner.
positivo m (fma), positive; a positive.
positrón m, positron, positive electron.
posos m, sediment.
posrecocer m, to postanneal.
postación f (Ch)(B), pole line.
postamoniación f (pa), postammoniation.
postcalentamiento m, postheating.
postcloración f (is), postchlorination.
postcondensador m, aftercondenser.
poste m, post, pole, stud, column, stanchion.
—— **aguantador,** drilling post.
—— **cartabón** (fc), clearance post.
—— **de agua potable,** drinking fountain.
—— **de alambrado,** fence post (wire fence).
—— **de alumbrado,** lighting standard, lamppost.
—— **de amarre,** mooring post, dolphin, snubbing post.

—— de anclaje (eléc), anchor pole.
—— de busco, miter post (nav lock).
—— de cabria (ec), gin pole.
—— de cambiavía (fc), switch stand.
—— de celosía, latticed pole.
—— de cerca, fence post.
—— de conexión (eléc), binding post.
—— de división (fc), division post.
—— de farol, lamppost.
—— de gato (ec), jack leg.
—— de guía, guidepost.
—— de incendio, fire hydrant, fireplug.
—— de lámpara, lamppost.
—— de milla, milepost.
—— de muelle, bollard, mooring post.
—— de quicio, quoin post (nav lock), heelpost.
—— de retɜnción (eléc), strain pole.
—— de tope (fc), bumper, bumping post.
—— de tramo (fc), section post.
—— en A (U), A frame.
—— enrejado o de rejilla, latticed pole or column.
—— extremo, (tu) end post.
—— grúa, gin pole; pedestal crane.
—— indicador (tub), indicator post.
—— kilométrico, post marking distance in kilometers.
—— maestro (pet), samson post.
—— miliar, milepost.
—— para guardacamino (ca), guardrail post.
—— parabalancín (pet), headache post.
—— portaherramienta abierto (mh), open-side toolpost.
—— portaherramienta revólver (mh), turret toolpost.
—— surtidor (U), public water tap.
—— telegráfico, telegraph pole.
posteo m (min), setting stemples, posting.
postería f, posting; pole line, line of posts.
postformación f, postforming.
postigo m, hinged panel in a door; small hinged window; shutter; (turb) wicket.
postizo, detachable, demountable, removable.
postmineral (geol), postmineral (fault).
postor m, bidder.
postpaís m (A), backlands.
postrefrigeración f, aftercooling.
postrefrigerador m, aftercooler.
postulado m, postulate.
postura f, bidding; a bid.
potabilidad f, potability.
potabilizar (A)(C), to make potable.
potable, potable.
potamología f, potamology.
potasa f, potash.
—— cáustica, caustic potash, potassium hydroxide.
potásico a, potassium, potassic.
potasio m, potassium.
pote (m) para cola, gluepot.
potea f (Es), lute, molding clay; putty.
—— de estaño, putty powder, tin putty.
potencia f, power; (math) power; (min) thickness of a vein.
—— a plena carga (mot), full-load horsepower.
—— al freno, brake horsepower.
—— activa (eléc), true or active or actual power.

—— aparente, apparent power.
—— calentadora, heating power.
—— calorífica, heating power; calorific value.
—— constante (eléc), firm or primary power.
—— consumida, input.
—— de anexión (eléc), connected load.
—— de cinco medios (mat), five-halves power.
—— de despegue (ap), take-off rating.
—— de entrada, input power.
—— de fricción, friction horsepower.
—— desvatada (eléc), reactive or wattless power.
—— dos-tercios (mat), two-thirds power.
—— efectiva (eléc), active or true power.
—— ficticia (eléc), fictitious power.
—— firme (eléc)(M), firm power.
—— frigorífica, cooling power.
—— hidráulica, water power.
—— indicada, indicated horsepower; rating.
—— instalada, installed capacity.
—— instantánea o momentánea (eléc), instantaneous power.
—— lumínica (il), luminous power or flux.
—— menos diez (mat), minus ten power.
—— motora o motriz (eléc), motive power.
—— nociva (A), friction horsepower.
—— permanente (eléc), firm or primary power.
—— provisional o temporaria (eléc), dump power.
—— pulsativa (eléc), pulse power.
—— reactiva (eléc), reactive power.
—— real (eléc), true or active power.
—— receptora (ra)(A), receptive power.
—— secundaria (eléc), surplus or secondary power.
—— tractora, tractive force.
—— tres-medios (mat), three-halves power.
—— útil, useful power.
potencial m f, potential; a potential.
—— capilar, capillary potential.
—— cero (eléc), zero potential.
—— de descomposición (eléc), decomposition potential.
—— de gravitación, gravitational potential.
—— de placa (ra), plate potential.
potenciométrico, potentiometric.
potenciómetro m, potentiometer.
—— de conductor corredizo, slide-wire potentiometer.
—— registrador, recording potentiometer.
—— sangrador (ra), bleeder potentiometer.
potente, powerful; (geol) deep (vein).
poundal, poundal (unit of force).
poyo (m) de ventana, curtain wall under a window; window sill.
pozal m, catch basin, sump; curb around a well or shaft.
pozo m, well; pit; shaft; (sb) trunk.
—— a bomba (pet), pumping well.
—— abisinio, Abyssinian or driven well.
—— absorbente, absorbing well; seepage pit; (C) cesspool.
—— ahogado (pet), drowned well.
—— amortiguador (hid), stilling well.
—— artesiano, artesian well.
—— ascendente (A), semiartesian well.
—— brotante (pet), flowing well; spouter.
—— ciego, blind drain; blind shaft, winze.

—— **clavado,** driven well.
—— **con filtro de gravilla** o **con forro de grava** o **con pared de pedregullo,** gravel-wall well.
—— **chino** (M), dug well.
—— **de acceso,** manhole, manway.
—— **de aguas claras** (pa)(C), clear well.
—— **de aire,** air shaft.
—— **de alivio** (presa), pressure-relief well.
—— **de alquitrán,** tar well (gasworks).
—— **de arena** (ot), sand well.
—— **de arrastre,** inclined shaft, adit.
—— **de ascensor,** elevator pit.
—— **de aspiración,** suction pit, wet well.
—— **de auxilio** (pet), relief well.
—— **de avance** (tún), pilot shaft.
—— **de avanzada** (pet), outpost.
—— **de bajada** (tún), downtake shaft.
—— **de brocal** (Pan), dug or draw well.
—— **de caída** (al), drop manhole, wellhole.
—— **de cala,** test pit.
—— **de calma** (hid), stilling well.
—— **de cateo,** test pit; test well, (pet) wildcat well.
—— **de cienos** (dac), sludge well.
—— **de cigüeña,** (eng) crank pit.
—— **de colección,** seepage or collecting well.
—— **de confluencia** (al), junction manhole.
—— **de decantación,** settling basin.
—— **de desarrollo** (pet), development well.
—— **de empalme** (eléc), splicing chamber.
—— **de ensayo,** test pit.
—— **de entrada,** entrance well, manhole; inlet well, receiving basin.
—— **de escalera,** stair well, wellhole.
—— **de escaleras** (min), ladderway.
—— **de escotilla** (cn), hatchway trunk.
—— **de evacuación** (pet), disposal well.
—— **de excreta,** cesspool.
—— **de expansión** (cn), expansion trunk.
—— **de exploración,** test pit; test well.
—— **de explosión** (geof), shot hole.
—— **de extracción,** mine shaft for hoisting.
—— **de inyección,** (pet) input well; (M) grout hole.
—— **de izar,** hoistway.
—— **de lámpara** (al), lamphole.
—— **de lastre** (Ch), ballast pit.
—— **de limnímetro,** gage well.
—— **de limpieza** (al), flushing manhole, automatic flush tank.
—— **de línea** o **de paso** (al), line manhole.
—— **de locomotora** (fc), engine pit.
—— **de luz,** light shaft.
—— **de mina,** mine shaft.
—— **de observación,** observation well.
—— **de percolación,** leaching cesspool; (ea) filter well.
—— **de petróleo,** oil well.
—— **de prueba** o **de reconocimiento,** test pit; test well.
—— **de recogida,** sump.
—— **de registro,** manhole.
—— **de remolino** (r), pothole.
—— **de restablecimiento,** recharge well (ground water).
—— **de revisión,** inspection well or pit.

—— **de salida de aire** (min), upcast.
—— **de sondeo,** test pit.
—— **de subida** (tún), uptake shaft.
—— **de tornamesa,** turntable pit.
—— **de tubo,** driven well; drilled well.
—— **de visita,** manhole; inspection well.
—— **descubridor** (pet), discovery well.
—— **desviador** (al), diversion manhole or chamber.
—— **exploratorio** (pet), wildcat well.
—— **filtrante,** gravel-wall well; (ea) filter well.
—— **hincado,** driven well.
—— **horadado,** drilled well.
—— **inclinado** (tún), adit.
—— **indio** (M), well driven by hand.
—— **lavador** (al), flush tank.
—— **maestro** (min), main shaft.
—— **negro,** cesspool.
—— **para tubería** (ed), pipe shaft.
—— **petrolífero,** oil well.
—— **piloto** (tún), pilot shaft.
—— **seco** (pet), dry hole or well.
—— **semisurgente,** semiartesian well.
—— **séptico,** septic tank.
—— **silenciador,** muffle pit.
—— **sumidero,** wet well; (A) cesspool.
—— **surgente,** artesian or flowing well; spouter.
—— **tolva** (min), main shaft.
—— **tubular,** driven well; drilled well.
—— **vertedero** (hid), shaft spillway.
pozuelo m, sump.
practicaje m, pilotage.
practicar, to make, do, perform, execute.
práctico m, pilot; (min) expert; (bldg) mechanic, practical man.
pradera f, prairie, meadow.
prado m (ca), parkway.
preaeración f, preaeration.
preaereador m, preaerator.
preaislado, preinsulated.
preamplificador (ra), preamplifier.
prearmado, preassembled.
prebarrenado (mad), prebored.
prebombeo m (sol), prespringing, initial distortion.
precalafateado, precalked.
precalentador m, preheater.
—— **de dos pasadas,** two-pass preheater.
—— **de placa,** plate-type preheater.
—— **recuperador,** recuperative preheater.
—— **regenerador,** regenerative preheater.
precalentar, to preheat.
precargado, preloaded.
precaución f, caution (sign).
precesión f, precession.
preciador m, appraiser.
preciar, to appraise.
precinta f, **precinto** m, strap, band; seal.
precintas (cab), parceling.
precintar, to strap; to seal; (cab) to parcel.
precio m, price.
—— **alzado,** lump sum.
—— **competidor** o **de competencia,** competitive price.
—— **corriente** o **de plaza,** market or current price.
—— **de compra,** purchase price.

—— de factura, invoice price.
—— mínimo fijado, upset price.
—— unitario ɔ por unidad, unit price.
precipicio m, cliff, precipice.
precipitable, precipitable.
precipitación f, precipitation; rainfall.
—— pluvial, rainfall.
—— presumida (hid), assumed rainfall, design storm.
—— química, chemical precipitation.
precipitado m, precipitate.
precipitador m (mec), precipitator.
—— de polvo, dust precipitator.
precipitante m (quím), precipitator, precipitant.
precipitar, to precipitate, deposit.
precipitrón (aa), Precipitron (trademark).
precisión f, precision, accuracy.
precloración, preclorinación f, prechlorination.
precolar (conc), to precast.
precombadura f (sol), precamber.
precombustión f, precombustion.
precompresión f, precompression.
precompreso, precompressed.
precondensador m, precondenser.
preconsolidación f (ms), preconsolidation.
precordillera f, hills at the base of a mountain range, foothills.
precurvar, to precurve (rail).
predepurador m, precleaner.
predesinfección f (pa), predisinfection.
predesmenuzadora f, precrusher.
predio m, real estate, landed property.
preencendido m, preignition.
preenfriador m (aa), precooler.
preenfriar, to precool.
preensamblado m, preassembly.
preestirado, prestretched.
preevaporador m, pre-evaporator.
prefabricado, prefabricated, (lbr) preframed.
prefatiga f, initial stress, prestress.
prefatigado, prestressed.
prefijo m (ra), prefix.
prefiltración f, prefiltration.
prefiltro m, prefilter.
prefloculación f (is), preflocculation.
prefocar, to prefocus.
preformado (cab), preformed.
prehidratado, prehydrated.
preignición f, preignition.
prelubricación f, prelubrication.
premezclado (conc), premixed (ready-mixed, central-mixed, transit-mixed, or shrink-mixed).
premineral (geol), premineral (fault).
premio m, bonus.
—— de seguro, insurance premium.
premoldeado, precast, premolded.
prendas (f) de protección (sol), protective clothing.
prensa f, press, vise, clamp; (Sp) jack.
—— a bisagra, hinged vise.
—— a cadena, chain vise.
—— combadora (est), gag press.
—— conformadora, forming press.
—— de ayustar, rigging screw.
—— de balancín, eccentric-shaft press.

—— de banco, bench vise.
—— de canecillo (az), cantilever press.
—— de columna, column press.
—— de cremallera, rack-and-pinion press.
—— de curvar o de doblar, bending press.
—— de chapa caliente, hot press.
—— de estampar, stamping press.
—— de estirar, stretching press.
—— de excéntrica o de leva, cam press.
—— de filtrar, filter press.
—— de forjar, forging press.
—— de formar, forming press.
—— de hojas fijas (az), stationary-leaf press.
—— de husillo, arbor press.
—— de madera (carp), hand screw.
—— de palancas acodilladas, toggle press.
—— de pedal, foot press.
—— de placas y cuadros (az), plate-and-frame press.
—— de rótula, toggle press.
—— de soldar, press welder, brazing clamp.
—— de taladro, drill press.
—— de tornillo, vise; screw press; clamp screw.
—— de troquelar, stamping press.
—— de volante, fly press.
—— dobladora, crimping or bending press.
—— enderezadora, straightening or gag press.
—— enfardadora, baling press.
—— escariadora, broaching press.
—— estrujadora, extrusion press.
—— forzadora, forcing press.
—— hidráulica, hydraulic or hydrostatic press; (Sp)(Ec) hydraulic jack.
—— ladrillera, brick press.
—— moldeadora, molding press.
—— para briquetas, briqueting press.
—— para caños, pipe vise.
—— para sierra, saw vise or clamp.
—— perforadora, piercer press.
—— punzonadora, blanking or punch or draw press.
—— rebordeadora, flanging press.
—— recalcadora, upsetting press.
—— sacaperno, bolt press.
—— sujetadora (mh), vise chuck.
—— taladradora, drill press.
prensado en caliente, hot-pressed.
prensado en frío, cold-pressed.
prensador m, press operator, pressman.
prensaestopas m (mv)(vá), stuffing box.
—— de laberinto, labyrinth stuffing box.
prensahilo m (eléc), cleat insulator.
prensar, to press.
prensista m (M), operator of a press.
prerrefrigeración f, precooling.
prerrotación f, prerotation.
presa f, dam; (M) reservoir; (Sp) flume; (Sp) irrigation ditch.
—— a parrilla (A), diversion dam with bar screens on the crest.
—— aligerada (A), cellular gravity dam; hollow dam.
—— aliviadero, spillway dam.
—— Ambursen, Ambursen or flat-slab buttress dam.
—— auxiliar, saddle dam; cofferdam.

—— **captadora de acarreos,** debris barrier or dam.
—— **cilíndrica,** rolling or roller dam.
—— **de abatamiento,** shutter dam.
—— **de agujas,** dam of needle beams.
—— **de almacenamiento,** storage dam; (M) storage reservoir.
—— **de alzas,** bear-trap dam; roof weir.
—— **de aprovechamiento múltiple,** multiple-purpose dam.
—— **de arco,** arch or single-arch dam.
—— **de arcos múltiples,** multiple-arch dam.
—— **de aterramiento,** desilting weir.
—— **de bóveda simple,** single-arch dam.
—— **de cajón,** crib dam.
—— **de cilindro,** roller dam.
—— **de contención,** nonoverflow or bulkhead dam.
—— **de cúpula,** dome dam.
—— **de derivación o de desviación,** diversion dam.
—— **de detención,** check or barrier dam.
—— **de doble aprovechamiento,** dual-purpose dam.
—— **de durmientes** (Es), stop-log dam.
—— **de embalse,** impounding or storage dam.
—— **de enchuflado** (M), crib dam.
—— **de enrocamiento o de escollera,** rock-fill dam.
—— **de gravedad,** gravity dam.
—— **de machones,** buttress dam.
—— **de machones de cabeza redonda,** roundhead-buttress dam.
—— **de machones de cabeza rómbica,** diamond-head-buttress dam.
—— **de pantalla plana,** Ambursen or flat-slab buttress dam.
—— **de rebose,** overflow or spillway dam, weir.
—— **de regularización,** regulating dam.
—— **de retención,** bulkhead or nonoverflow dam; impounding dam.
—— **de roca suelta** (Pe), rock-fill dam.
—— **de sedimentación,** hydraulic-fill dam.
—— **de terraplén,** earth or earth-fill dam.
—— **de tramos abovedados,** multiple-arch dam.
—— **derivadora,** diversion dam.
—— **en arco,** single-arch dam.
—— **insumergible,** bulkhead or nonoverflow dam.
—— **maciza,** gravity or solid dam.
—— **móvil,** movable dam.
—— **niveladora,** diversion dam; (Ig) splash dam.
—— **para escombros,** debris dam.
—— **sumergible o vertedora,** spillway or overflow dam, weir.
presa-bóveda, single-arch dam.
presada f (Es), reservoir.
presaturado, presaturated.
prescripciones (f) **generales** (V)(U), general specifications.
presedimentación f (is), presedimentation.
presedimentado, presettled.
preselector m (eléc), preselector.
presero m, custodian of dam or reservoir.
preservativo m a, preservative.
presilla f, clip, clamp; loop, bight.
—— **aislante,** cleat insulator.
—— **de prueba** (eléc), test clip.
—— **para vidrio,** glazing clip.
presión f, pressure.
—— **a reventar,** bursting pressure.

—— **asignada,** rated pressure.
—— **de aplastamiento** (tub), collapsing pressure.
—— **de apoyo,** bearing pressure.
—— **de asentamiento** (hid), seating or face pressure.
—— **de contraste** (A), test pressure.
—— **del criadero** (pet), reservoir pressure.
—— **de ejercicio** (hid)(U), service pressure.
—— **de ensayo o de prueba,** test pressure.
—— **de estallido,** bursting pressure.
—— **de impacto,** impact or dynamic pressure.
—— **de levantamiento** (hid), uplift pressure.
—— **de rechazo,** refusal pressure (grout).
—— **de régimen,** working or rated pressure.
—— **de trabajo,** working pressure.
—— **de velocidad,** velocity pressure.
—— **electrostática,** electrostatic stress or pressure.
—— **manométrica,** gage pressure.
—— **media efectiva,** mean effective pressure.
—— **no equilibrada,** unbalanced pressure.
presionar (A), to press.
préstamo m, borrowed fill; borrow pit; a loan.
presuponer, to estimate.
presupuestar (A)(C)(M), to estimate; to budget.
presupuesto m, estimate; budget.
pretil m, parapet; (Ch) dike; (V) cliff.
pretilero m (M), mason.
pretratamiento m, pretreatment.
pretratar, to pretreat.
prevaciado (conc), precast.
prima f, premium; bonus; a (math) prime (x').
—— **de seguro,** insurance premium.
—— **y multa,** bonus and penalty.
primario, primary (all senses).
primer auxilio, first aid.
primer detector (ra), first detector, mixer stage.
primera curación, first aid.
primera destilación, planta de (pet), topping plant.
primera mano, (pt) priming coat.
prisionero m, setscrew, stud bolt, tap bolt, cap screw.
—— **de cabeza hueca,** socket-head cap screw.
—— **de collar,** collar stud.
—— **de macho,** tap-end stud bolt.
—— **de punta ahuecada,** cup-point setscrew.
—— **de punta cónica,** cone-point setscrew.
—— **de punta ovalada,** round-point setscrew.
—— **de resalto,** shoulder stud.
—— **de rosca continua,** continuous-thread stud bolt.
—— **de rosca doble,** double-end stud bolt.
—— **encajado,** hollow setscrew.
—— **espigado,** pivot-point setscrew.
prisma m, prism.
—— **de reconocimiento** (fma), reconnoitering prism.
—— **Porro,** Porro prism (optics).
—— **recto,** right prism.
prismático, prismatic.
prismoidal, prismoidal.
prismoide m, prismoid.
privada f, privy, water closet.
privilegiado, patented.
privilegio m, franchise, concession; patent, copyright.

—— de invención, patent.
proa *f* (cn), bow, stem, prow.
——, de, fore, forward.
—— de, a, forward of.
probador *m*, tester; testing machine.
—— de acumuladores, battery tester.
—— de centro (mh), center indicator.
—— de la compresión, compression tester.
—— de contadores, meter prover.
—— del estrato (pet), formation tester.
—— de inflamación (pet), flash tester.
—— de manómetros, gage tester.
—— de nevada (hid), snow sampler.
—— de tensión (eléc), voltage tester.
—— de válvulas (ra), tube tester.
probadora (*f*) de cemento, cement-testing machine.
probar, to test.
probeta *f*, test piece; test tube; buret.
—— graduada (lab), graduate.
problema *m*, problem.
—— de dos puntos (lev), two-point problem.
procedimiento *m*, process, method, system, procedure.
proceso *m* (M)(V)(B), process, processing.
procurrente *m*, peninsula.
producción *f*, production; product, throughput.
—— afluente o brotante (pet), flush production.
—— de fuerza, power development.
—— de zona múltiple (pet), multizone production.
—— en masa o en serie, mass production.
producir, to yield, produce.
productivo, productive.
producto *m*, product, yield, production, throughput; profit; revenue, income; (math) product.
—— bruto, gross proceeds.
—— de desecho, waste product.
—— escalar (mat), scalar product.
—— líquido, net proceeds.
—— neto fuera de la operación (fc), nonoperating income.
—— secundario, by-product.
—— vectorial (mat), vector product.
productor *m*, producer.
—— de esporas (lab), sporeforming.
proel *a* (cn), fore, forward.
profesión *f* (Ch), occupation, trade.
profesionista (M), professional man.
profundidad *f*, depth.
—— efectiva, working depth (gear).
—— media, mean depth.
—— neutra o normal (hid), normal or neutral depth.
profundizar, to deepen.
profundo, deep.
progresión *f* (mat), progression.
—— aritmética, arithmetical progression.
—— geométrica, geometrical progression.
progresiva *f*, station on a survey line.
—— completa, full station (100 feet).
—— fraccionada, plus station.
proís *m*, mooring, head fast; mooring bitt.
prolongador *m*, extension piece.
prolongar, to prolong; (dwg) to produce.

promediar, to average.
promedio *m*, average, mean.
—— aritmético, arithmetical mean.
—— compensado o pesado, weighted average.
—— geométrico, geometric mean, mean proportional.
prominencia *f* (top), ridge, hill, elevation.
promontorio *m*, promontory.
promotor, promovedor *m*, promotor.
promover, to promote (a project).
propagación *f*, propagation.
propano *m* (pet), propane.
propiedad *f*, property.
—— aditiva (quím), additive property.
—— inmueble o raíz, real estate.
—— limítrofe, abutting property.
—— mueble, personal property.
propietario *m*, owner.
propilita *f* (geol), propylite.
propilítico, propylitic.
propilitización *f* (geol), propylitization.
proponente, bidder.
proporción *f*, proportion.
proporcionador *m*, proportioner.
proporcional, proportional.
proporcionalidad *f*, proportionality, proportionability.
proporcionar, to proportion.
proposición *f*, proposal, bid; proposition.
propuesta *f*, bid, proposal, tender.
—— a precios unitarios, unit-price bid.
—— a suma alzada, lump-sum bid.
—— desequilibrada, unbalanced bid.
propulsión *f*, propulsion, drive.
—— a cadena, chain drive.
—— de engranajes, gear drive.
—— delantera (auto), front drive.
—— por correa, belt drive.
propulsionar (A), to drive, propel, actuate.
propulsivo, propulsive.
propulsor *m*, propeller; impeller; (V) blower; *a* propulsive, driving.
prorratear, to prorate.
prorrateo *m*, prorating.
prórroga (*f*) de plazo, extension of time (contract).
prorrogar, to extend, prolong.
prospección *f* (Es)(V)(Col), prospecting.
prospectar (min), to prospect.
protección *f*, protection.
protector *m* (mec)(eléc), protector; *a* protective.
—— de lámpara, lamp guard.
—— de la red (eléc), network protector.
proteger, to protect.
proteico (is), proteic, proteinaceous.
proteína *f* (is), protein.
protocloruro *m* (quím), protochloride.
protógeno (geol), protogenic.
protomena *f* (geol), protore.
protón *m* (ra), proton.
protoplasma *m* (is), protoplasm.
protosulfuro *m* (quím), protosulphide.
prototipo *m*, prototype.
protóxido (*m*) de hierro, ferrous oxide.
protozoarios, protozoos *m* (is), protozoa.
protuberancia *f*, (mech) boss.

—— **de aguas subterráneas,** ground-water mound.
—— **para conexión roscada** (tub), tapping boss.
proustita *f,* proustite (silver ore).
proveedor *m,* supplier; (Ec) storekeeper, commissary man.
proveeduría *f* (Ec), commissary.
proveimiento (*m*) **de agua,** water supply.
provento *m,* receipts, income.
provisión (*f*) **de agua,** water supply.
provisorio, provisional, temporary.
proximidad *f* (ra), proximity.
proyección *f,* projection; designing.
—— **central,** central or gnomonic projection.
—— **de Mercator,** Mercator's projection.
—— **en perspectiva,** perspective projection.
—— **normal** (A), orthographic projection.
—— **ortogonal,** orthographic or orthogonal projection.
—— **planimétrica** (A), horizontal projection.
proyectación *f* (A), design, designing.
proyectar, to design, plan; to project.
proyectista, designer.
proyecto *m,* design, plan; a project, development.
—— **de ejecución,** detail design.
—— **de fuerza hidráulica,** water-power project.
—— **de ley,** bill, proposed law.
proyector *m,* searchlight, spotlight; projector.
—— **amplificador** (fma), enlarging projector.
—— **corrector** (fma), correcting projector.
—— **de compensación** (fma), equalizing projector.
—— **de control de tráfico** (ap), traffic-control projector.
—— **de dirección** (ap), directional floodlight.
—— **de exploración** (tv), scanning head.
—— **de mano** (ap), pistol light.
—— **de orientación** (ap), bearing projector.
—— **trazador** (fma), tracing projector.
proyectoscopio *m,* projectoscope.
prueba *f,* test; test piece.
—— **al choque,** impact test.
—— **a la ebullición,** boiling test.
—— **al freno,** brake test.
—— **a tizón** (ed), brand test.
—— **de agrietamiento** (met), cracking test.
—— **de campo,** field test.
—— **de desuso** (eléc), shelf test.
—— **de doblado,** bending test (bar).
—— **de emulsificación a vapor** (pet), steam emulsion test.
—— **de flexión con plantilla,** guided-bend test.
—— **de flexión libre,** free-bend test.
—— **de fluidez,** pour test.
—— **de intemperismo,** exposure or weathering test.
—— **de lazo** (eléc), loop test.
—— **de mancha** (ca), stain or pat stain test.
—— **de mella,** nick-break test.
—— **de pliegue en frío,** cold-bending test.
—— **de sondaje,** test-boring core.
—— **de tráfico acelerada** (ap), accelerated traffic test.
—— **de tres aristas,** three-edge bearing test.
—— **en fábrica,** mill test.
—— **por plegado,** bending test.
prueba de, a, proof against.
—— **ácidos,** acidproof.

—— **agua,** waterproof.
—— **aire,** airtight.
—— **álcalis,** alkaliproof.
—— **atollamiento,** nonsticking.
—— **bala,** bulletproof.
—— **calor,** heatproof.
—— **cellisca,** sleetproof.
—— **congelación,** frostproof.
—— **chispa,** sparkproof, nonsparking.
—— **elementos,** (C) weatherproof.
—— **entremetido,** tamperproof (cable).
—— **error,** foolproof.
—— **explosiones,** explosion-proof.
—— **fuego,** fireproof.
—— **gas,** gasproof.
—— **golpes,** (elec) shockproof.
—— **goteo,** dripproof, leakproof.
—— **grasa,** greaseproof.
—— **humedad,** dampproof, moistureproof, moisture-repellent.
—— **impericia,** foolproof.
—— **incendio,** fireproof.
—— **intemperie,** weatherproof.
—— **interferencia atmosférica,** (ra) staticproof.
—— **ladrones,** burglarproof.
—— **lima,** file-hard.
—— **luz,** lightproof.
—— **llamas,** flameproof.
—— **lluvia,** raintight.
—— **moho,** rustproof.
—— **oleaje,** (elec) surgeproof.
—— **pinchazo,** punctureproof.
—— **polvo,** dustproof.
—— **rayos,** lightningproof.
—— **resbalamiento,** slipproof.
—— **ruidos,** noiseproof, soundproof.
—— **salpicaduras,** splashproof.
—— **tormenta,** stormproof.
—— **terremotos,** earthquake-proof.
—— **vapor,** steamproof.
pruebatubos *m* (pet), casing tester.
prusiato *m* (quím), prussiate.
—— **de potasio,** prussiate of potash, potassium cyanide.
prúsico (quím), prussic, hydrocyanic.
psamita *f* (geol), psammite, sandstone.
psefita *f* (geol), psephite.
psefítico, psephitic.
psicrógrafo *m* (aa), psychrograph.
psicrométrico, psychrometric.
psicrómetro *m,* psychrometer.
—— **de aspiración** (aa), aspirated psychrometer.
—— **de honda** (Es), sling psychrometer.
—— **giratorio** (aa)(mrl), sling psychrometer.
psilomelano *m* (miner), psilomelane.
psofométrico, psophometric.
psofómetro *m* (tel), psophometer.
púa *f,* barb, (lg) gaff.
pucelana *f,* pozzolan.
puchada *f* (Col), grout.
pudelador *m,* puddler.
pudelaje *m,* puddling.
pudelar, to puddle (iron).
pudinga *f* (geol), conglomerate.
pudrirse, etc., variants of **podrirse,** etc.
pueble *m* (M), working force, gang, shift.

pueblo *m*, village, town; people.
puente *m*, bridge; (naut) deck; (carp) cap, header, putlog.
— **acueducto**, aqueduct bridge.
— **arqueado**, arch bridge.
— **basculante**, lift or bascule bridge.
— **cantilever**, cantilever bridge.
— **carretero**, highway bridge.
— **colgante**, suspension bridge.
— **corredizo**, transfer table; ferry bridge.
— **chalán** (M), ferry bridge.
— **de alcantarilla**, culvert bridge.
— **de arco**, arch bridge.
— **de armadura**, truss bridge.
— **de arqueo** (cn), tonnage deck.
— **de ascensión vertical**, vertical-lift bridge.
— **de atracar o de espiar** (cn), warping bridge.
— **de barcas**, pontoon bridge.
— **de bóvedas**, arch bridge.
— **de caballetes**, trestle bridge.
— **de calzada** (V), highway bridge.
— **de capacitancia** (eléc), capacitance bridge.
— **de celosía** (Ec), truss bridge.
— **de comando o de mando** (cn), bridge.
— **de hilo y cursor** (eléc), slide-wire bridge.
— **del hogar** (cal), bridge wall, fire or flame bridge.
— **de impedancia** (eléc), impedance bridge.
— **de inductancia** (eléc), inductance bridge.
— **de maniobra o de servicio**, operating bridge.
— **de medida** (eléc)(A), Wheatstone bridge.
— **de paso a través**, through bridge.
— **de paso superior**, deck bridge; overhead crossing.
— **de peaje**, toll bridge.
— **de peatones**, footbridge.
— **de pilotaje**, pile bridge.
— **de pontones**, pontoon bridge.
— **de pórtico** (A), rigid-frame bridge.
— **de suspensión**, suspension bridge.
— **de tablero inferior o de vía inferior**, through bridge.
— **de tablero superior o de vía superior**, deck bridge.
— **de tramo múltiple**, multiple-span bridge.
— **de trasbordo**, transfer table; bridge crane.
— **de vigas compuestas**, girder bridge.
— **de Wheatstone** (eléc), Wheatstone bridge.
— **delantero** (auto), front axle.
— **en esviaje**, skew bridge.
— **ferroviario**, railroad bridge.
— **giratorio**, swing bridge, drawbridge; turntable.
— **giratorio de apoyo central**, center-bearing draw.
— **giratorio de apoyo circunferencial**, rim-bearing draw.
— **levadizo**, lift bridge, drawbridge.
— **levadizo rodante**, rolling lift bridge.
— **magnético**, magnetic bridge.
— **oblicuo o sesgado**, skew bridge.
— **para señales** (fc), signal bridge.
— **portaescobilla** (eléc), brush yoke.
— **posterior o trasero** (auto), rear axle.
— **rectificador** (eléc), bridge rectifier.

— **rodante**, transfer table; (A)(Pan) traveling crane, bridge crane.
— **superior o volante** (cn), flying bridge.
— **suspendido**, suspension bridge.
— **transbordador**, transfer bridge; ferry bridge, aerial ferry, transporter bridge.
— **volado**, cantilever bridge.
puente-báscula, weighbridge.
puente-canal, flume; aqueduct.
puente-grúa corredizo (A), traveling crane.
puentecillo *m*, culvert, small bridge.
— **del hogar** (cal), fire bridge.
puerta *f*, door; gate.
— **a bisagra**, hinged door.
— **a cajón** (A), hollow door.
— **arrolladiza**, rolling door.
— **barrera levadiza** (fc), crossing gate.
— **caediza**, drop or trap door.
— **colgante**, hanging or sliding door.
— **contrafuego o a prueba de incendio** (ed), fire door.
— **corrediza**, sliding door.
— **de busco**, mitering gate (lock).
— **de cerco**, gate.
— **de cortina articulada**, rolling steel door.
— **de charnela**, hinged door.
— **de entrepaños**, framed or panel door.
— **de esclusa**, lock gate.
— **de existencia**, stock door.
— **de fuego o del hogar o de horno** (cal), fire door.
— **de golpe**, gate that closes by gravity.
— **de guillotina**, vertically sliding door.
— **de hombre** (M), manhole.
— **de mano derecha**, right-hand door (hinges at right when door is pushed open).
— **de mano izquierda**, left-hand door.
— **de peinazos y riostra**, ledged and braced door.
— **de rejilla**, slat door.
— **de tesoro**, vault or safe door.
— **de tolva**, bin gate.
— **de vaivén**, double-swing door.
— **ensamblada**, framed or panel door.
— **entablerada** (M), panel door.
— **estanca** (cn), watertight door.
— **forrada de hojalata**, tinclad door.
— **gemela**, double door.
— **giratoria**, revolving door.
— **incombustible**, (bldg) fire door.
— **levadiza**, lift or rising door.
— **lisa o llana**, flush or sanitary door.
— **metálica a cajón**, hollow metal door.
— **mosquitera**, screen door.
— **oscilatoria**, double-swing door.
— **pabellón**, canopy door.
— **persiana**, slat door.
— **plegadiza**, folding door; accordion door.
— **plegadiza horizontal**, jackknife door.
— **romanilla** (V), slat door.
— **ventiladora** (min), gage door.
— **zaguera** (co)(Es), tail gate.
puerta-reja, door or gate of open ironwork.
puerta-ventana, French window or door.
puerta-vidriera, glass door.
puertaventana *f* (Es), window shutter.

puerto *m*, port, harbor; (top) gap, pass, saddle.
—— aéreo (M), airport.
—— de aviación, airport.
—— de escala, port of call.
—— de matrícula, port of registry.
—— fluvial, river port.
—— franco, free port.
—— marítimo, seaport.
puesta *f*, setting, placing.
—— a punto, adjusting.
—— a tierra (eléc), ground connection.
—— en marcha (maq), starting.
—— en obra, placing, erection, installation; (C) delivered on the job.
—— en servicio, putting into service.
puesto a bordo, free on board (FOB).
puesto sobre vagón, loaded on cars.
pujamante *m* (Ec), chisel.
pulgada *f*, inch (or $\frac{1}{36}$ of a vara).
—— circular, circular inch.
—— cuadrada, square inch.
—— de agua, water-inch; (ac) inch of water.
—— de minero, miner's inch.
pulgada-libra, inch-pound.
pulgada-yarda (ca), inch-yard.
pulicán *m* (Es), turning chisel.
pulidor (*m*) de madera (A), spokeshave.
pulidora *f*, polisher; buffer.
pulimentadora *f*, lapping or buffing machine.
pulimentar, to polish; to buff; (va) to grind.
pulir, to polish; to finish; to surface.
pulmotor *m*, pulmotor.
pulpa *f*, pulp.
pulpería *f* (Ch), commissary.
pulpero *m* (V), commissary man.
pulsación *f*, pulsation, (elec) pulse; (elec) surging; (ra) beat.
—— borradora (tv), blanking pulse.
pulsador *m*, pulsator; push button.
pulsar, to pulsate.
pulsativo, pulsating.
pulseta *f* (M), churn drill; sounding rod.
pulso, a, by hand; (dwg) freehand.
pulsómetro *m* (bm), pulsometer.
pulverizador *m*, pulverizer; atomizer, sprayer.
—— de pintura, paint sprayer.
pulverizar, to atomize; to comminute; to pulverize; to grind (ore).
pulverulento, pulverulent.
pulla *f* (Col), kind of machete.
puna *f*, high plateau.
punceta (*f*) de calafatear, calking chisel.
punción *f* (V), punching.
punta *f*, point, nib; nail; bullpoint; cape, headland.
—— acopada (torno), cup center.
—— coladora, well point.
—— , de, on end.
—— de aguja, (rr) switch point; needle point (compass).
—— de alambre (Ch), wire nail.
—— de barreta, moil point (pneumatic tool).
—— de cabeza perdida, brad, finishing nail.
—— de cajonero, box nail.
—— del corazón (fc), point of frog (actual); point of tongue.

—— de los dedos, a, finger-tip (control).
—— de espuela (herr), spur point; spur center (lathe).
—— de flecha (dib), arrowhead.
—— de París, common wire nail.
—— de París de 8 pulg, wire spike, 80 d wire nail.
—— de torno, lathe center.
—— de trazar, marking awl.
—— de vidriar, glazier's point.
—— enclavadora (fc), detector point.
—— fija (torno), dead center.
—— giratoria (torno), live center.
—— norte (inst), north point.
—— para hormigón, concrete nail.
—— para machimbre, flooring nail.
—— rómbica (herr), diamond point.
—— rompedora, bullpoint.
—— seca (dib), needle point for compass.
—— sur (inst), south point.
—— viva (mh)(A), live center.
puntas de chispa (eléc), sparking points.
puntal *m*, shore, strut, prop, spur, compression member; (elec rr) push-off; dredge spud; (sb) depth of hold; (sb) stanchion.
—— de alero, eaves strut.
—— de arqueo (cn), register depth.
—— de colisión (pte), collision strut.
—— de construcción (an), molded depth.
—— de draga, dredge spud.
—— de invertido (tún), invert strut.
—— inclinado, raking brace.
punteado (M), pitted (rust).
puntería *f* (lev), sighting.
puntero *m*, point chisel; bullpoint; hand (gage).
punterola *f*, miner's pick; bullpoint.
puntiagudo, sharp, pointed.
puntilla *f*, finishing nail, brad; (C) common wire nail; (min) poling board.
—— de máquina, machine brad.
—— de París, wire brad.
—— francesa, finishing nail.
—— para contramarcos, casing nail.
—— para entarimado, flooring brad.
puntillado (dib), stippled.
puntista *m*, (min) laborer who works with a bar; (su) panman.
punto *m*, point.
—— a punto, point-to-point.
—— accidental (dib), accidental point.
—— caliente (di)(met), hot spot.
—— característico (bm), design point.
—— cedente, yield point.
—— de acercamiento (fc), fouling point.
—— de alimentación (eléc), feeding point.
—— de anilina (pet), aniline point.
—— de arranque, starting point.
—— de burbujeo, bubble point.
—— de cambio, (rr) point of switch (theoretical) (surv) turning point.
—— de cartabón (fc), clearance point.
—— de centello (M), flash point.
—— de combustión, fire point (oil), burning point.
—— de comienzo (fc)(M), point of curve.
—— de comprobación (lev), control point.
—— de condensación, dew point.

—— de congelación, freezing or ice point; pour point (oil).
—— de corazón (fc), point of frog (theoretical).
—— de cota fija (lev), bench mark.
—— de la curva (fc)(ca), point of curve.
—— de curva compuesta, point of compound curve.
—— de chucho (fc), point of switch.
—— de deformación, yield point, elastic limit.
—— de derretimiento, melting point.
—— de destilación, distillation point (oil).
—— de disparo o de explosión (geof), shot point.
—— de ebullición, boiling point.
—— de encendido, ignition point.
—— de encuentro, (tu) panel point.
—— de escantillón (fc), gaging point.
—— de espiral (fc), point of spiral.
—— de espiral-curva (fc), point of spiral-curve.
—— de estación (lev)(Es), transit point.
—— de exploración (tv), scanning spot.
—— de exposición (fma), exposure station.
—— de fluidez, pour point.
—— de fuga (dib), vanishing point.
—— de fusión, melting point.
—— de gálibo (fc), clearance point.
—— de goteo, dropping point.
—— de hielo, freezing point.
—— de ignición, ignition point.
—— de imagen (geof), image point.
—— de inflamación, flash or ignition point.
—— de inflexión, (str) point of contraflexure, inflection point; (rr)(rd) break in grade.
—— de interruptor (eléc), switch point.
—— de llama, fire point (oil), burning point.
—— de marca (lev), station.
—— de nivelación (V), bench mark.
—— de obscuridad (pet), cloud point.
—— de partida (lev), starting point.
—— de rasante (lev), grade point.
—— de reblandecimiento, softening point.
—— de recocido, annealing point.
—— de referencia (lev), reference point; datum point.
—— de rocío, dew point.
—— de solidificación (quím), setting point.
—— de tangencia (fc)(ca), point of tangency, tangent point.
—— de término (fc)(M), point of tangency.
—— de trabajo (ra), operating or quiescent point.
—— de tramo, (tu) panel point.
—— de tránsito (lev), transit point.
—— de trocha (fc), gaging point.
—— de la vista (dib), vanishing point.
—— dominante (lev), control point.
—— fiducial (fma), fiducial point.
—— fijo altimétrico, bench mark.
—— fijo de nivel, bench mark.
—— focal primario (fma), primary focal point.
—— inflamador, flash point.
—— muerto, dead end; (eng) dead center; (se) mid gear; (auto) neutral position; (ra) dead spot.
—— muerto del sector (mv), mid gear.
—— muerto inferior, bottom dead center.
—— muerto superior, top dead center.
—— nadiral (fma). nadir point, V point.

—— nodal anterior o de incidencia (fma), incident or front nodal point.
—— nodal imagen, rear nodal point.
—— nodal objeto, front nodal point.
—— nulo (geof), null point.
—— obligado (lev), control or governing point.
—— posterior o de salida (fma), rear nodal point, nodal point of emergence.
—— principal (fma), principal point, optical center.
—— terrestre de referencia (fma), ground control point.
—— topográfico de referencia, bench mark.
—— trigonométrico (V), triangulation station.
—— V (fma), nadir or V point.
—— y raya o y trazo (dib), dot and dash (line).
puntos cardinales, cardinal points.
puntos del distribuidor (auto), distributor points.
punzado en caliente, hot-punched.
punzador *m*, puncher (man).
punzadora *f*, punching machine.
—— de palanca, lever punch.
punzadura *f*, puncture.
punzar, to punch.
punzón *m*, punch, bullpoint; gadding pin; (va) needle; pile spud.
—— aflojador, starting punch.
—— ahusado, taper punch.
—— autocentrador, self-centering center punch.
—— botador, pin punch.
—— centrador o de centrar, center punch.
—— cortador, cutting punch.
—— de agujeros ciegos (eléc), knockout punch.
—— de broca, bit punch (drill).
—— de marcar o de puntear, center or prick punch.
—— de plegar, bending punch.
—— de resorte, spring punch.
—— de rieles, track punch.
—— de tierra, soil punch.
—— de tornillo, screw punch.
—— de trazar, scriber.
—— de velero, sailmaker's awl.
—— formador o troquelador, forming punch.
—— múltiple, gang punch.
—— para clavitos, brad punch.
—— para clavos, nail set.
—— para correas, belt punch.
—— para empaquetadura, gasket punch.
—— para espigas, shank punch (drill).
—— sacaclavos, box chisel.
punzón-estampa, steel marking stamp.
punzón-mandril, drift punch.
punzonador *m*, punch.
—— a palanca, lever punch.
punzonadora (*f*) múltiple, block or gang punch.
punzonar, to punch.
puño *m*, grip; doorknob; handle.
pupila *f* (óptica), pupil.
—— de entrada, entrance pupil.
—— de salida, exit pupil.
pupitre *m*, desk (switchboard).
—— de distribución, control desk, benchboard.
—— de instrumentos, instrument desk.
puquio *m* (Ch)(Pe), spring (water).
pureza *f*, purity.

purga *f*, draining; venting; blowoff.
—— **de arena** (hid), sand sluice.
purgador *m*, blowoff, drain cock, mud valve, petcock; purger.
purgar, to drain; to cleanse; to vent; (cal)(M) to blow off; (ac) to purge.
purificador *m*, purifier.
purificadora (*f*) **de aceite**, oil reclaimer.
purificar, to purify.
purina *f* (lab), purine.
púrpura (*f*) **de bromocresol** (lab), bromocresol purple.
púrpura de metacresol (lab), metacresol purple.
putrefacción *f*, putrefaction, decay.
—— **húmeda** (mad), wet rot.
putrefactivo, putrefactive.
putrescibilidad *f*, putrescibility.
putrescible, putrescible.
pútrido, putrid.
puzolana *f*, pozzolan.
puzolánico, pozzolanic.

quebracho *m*, quebracho (hardwood).
quebrada *f*, brook; small valley, ravine, gully, draw; gorge.
quebradizo, brittle, friable, (lbr) brash, (met) short.
—— **al frío**, cold-short.
—— **en caliente**, hot-short.
quebrado *m*, (math) fraction; (C) channel between reefs; *a* broken; bankrupt; (top) hilly, broken.
—— **propio**, proper fraction.
quebrador *m*, crusher.
quebradora *f*, crusher.
—— **de carbón**, coal breaker.
—— **de cono**, cone crusher.
—— **de impacto**, impact breaker or mill.
—— **de mandíbula o de quijadas**, jaw crusher.
—— **de martillos**, hammer mill or crusher.
—— **de roles** (M), roll crusher.
—— **giratoria**, gyratory crusher.
—— **reductora**, reduction crusher.
quebraja *f*, break, crack.
quebrajar, quebrajarse, to crack, split.
quebrantable, brittle.
quebrantadora *f*, crusher; paving breaker.
—— **de mandíbulas**, jaw crusher.
—— **giratoria**, gyratory crusher.
quebrantaolas *m*, breakwater.
quebrantapavimentos *m* (Es), paving breaker.
quebrantar, to crush, break.
quebranto *m* (an), negative or hog sheer; hogging.
quebrar, to crush, break, rupture; to fail, become bankrupt.
quebraza (*f*) **de hierro** (A), steel wool.
quemador *m*, burner.
—— **a chorro de vapor**, steam-atomizing burner.
—— **a ventilador**, fan-blast or low-pressure burner.
—— **antideslumbrante** (ap), nonglare burner.
—— **de alta presión**, high-pressure burner.
—— **de arcilla** (pet), clay burner.

—— **de malezas**, weed burner.
—— **de llama hueca**, hollow-flame burner.
—— **de llama plana**, flat-flame burner.
—— **de mezcla interna**, inside-mix burner.
—— **de petróleo**, oil burner.
—— **de premezcla**, external-mixing burner.
—— **de surtidores múltiples**, multitube burner.
—— **de tubo transversal**, cross-tube burner.
—— **de turbulencia**, turbulent burner.
—— **mecánico**, mechanical-atomizing burner.
—— **para combustibles múltiples**, multifuel burner.
—— **rotatorio a motor**, motor-driven rotary burner.
quemadura *f*, burning; burn.
quemar, to burn; **quemarse**, to burn up, burn out (bearing).
querargirita *f* (miner), cerargyrite, horn silver.
queratófiro *m* (geol), keratophyre.
querosene *m* (A), kerosene.
quiastolita *f* (miner), chiastolite, macle.
quicial *m*, doorjamb; hanging stile; quoin post.
quicialera *f*, doorjamb.
quicio *m*, pivot; hinge; (C) doorsill.
—— **dentado** (hid)(C), dentated sill.
quicionera *f*, socket; step bearing; (de) foot-block casting.
quiebra *f*, crack; bankruptcy, failure.
quiebrahacha *m*, breakax, ironwood.
quiebramar *m*, breakwater.
quiebravirutas *m* (mh), chip breaker.
quijada *f*, jaw, cheek.
—— **de arranque del cigüeñal** (auto), crankshaft starting jaw.
quijera *f* (carp)(Col), shoulder; cheek, side face.
quijero *m* (Es), slide slope of an irrigation ditch.
quijo *m* (min), quartz containing gold or silver.
—— **de hierro**, gossan, iron hat.
quilatador *m*, assayer.
quilatar, to assay.
quilate *m*, carat.
quilogramo, quilómetro, etc. (Es), same as **kilogramo, kilómetro**, etc.
quilla *f*, keel.
—— **de balance**, bilge keel, rolling chock.
—— **de rolido** (A), bilge keel.
—— **interna** (A), keelson.
—— **lateral**, bilge keel.
quimbo *m* (PR), machete.
química *f*, chemistry.
—— **geológica**, geochemistry.
—— **magnética**, magnetochemistry.
químicamente puro, chemically pure.
químico *m*, chemist; *a* chemical.
—— **azucarero**, sugar chemist.
—— **geológico**, geochemist.
quimihidrometría *f*, chemihydrometry.
quimiluminiscencia *f*, chemiluminescence.
quimógrafo *m*, kymograph.
quimosintético (is), chemosynthetic.
quimotaxia *f* (is), chemotaxis.
quincha *f*, lathing of cane or small branches used as foundation for mud or cement plastering; (A) window sill.
quinta rueda (co), fifth wheel.
quintal *m*, quintal (100 lb).

— **métrico**, metric quintal (100 kilos).
quintalaje m (Ch), weight in quintals.
quintante m (inst), quintant.
quintillón m, quintillion.
quinto m a, fifth.
quiselgur m (geol), kieselguhr (porous diatomite).
quiste m (is), cyst.
quisticida, cysticidal.
quita y pon, de, detachable.
quitabarniz m, varnish remover.
quitabujes m, bushing puller.
quitacostra m, scale remover.
quitador m, remover, puller, extractor.
— **de cienos**, sludge remover.
— **de neumáticos**, tire tool.
quitaespumas m, scum remover.
quitanieve m, snowplow.
— **de alas**, wing snowplow.
— **de camión**, snowplow wings, truck snowplow.
— **de cuchillas laterales**, wing snowplow.
— **de vertedera**, moldboard snowplow.
— **rotatorio**, rotary snowplow.
quitapiedras m (loco), pilot, cowcatcher.
quitapintura f, paint remover.
quitapón, de, detachable, removable.
quitar, to remove, take away, extract, take off, strip.
quitarrebabas m, burr chisel; burring reamer.
quitatenazas m (ef), grab skipper.

rabera f, (t) tang; breech (tackle block).
rabión m, rapids; riffle.
rabiza f, end of rope; tail of a block.
rabo m, shank, handle, tang, fang; breech (tackle block).
— **de rata** (cab), pointing.
racel m (an), run, entrance.
— **de popa**, run.
— **de proa**, entrance.
racional (mat), rational.
racha f, slab of wood; splinter; crack, split.
rada f, roads, anchorage, roadstead.
radar, radar.
radiación f, radiation (all senses).
— **de extensión** (cf), extended radiation.
— **espuria** (ra), spurious radiation.
— **primaria** (cf), prime radiation.
— **X**, X radiation.
radiador m, (auto)(ht)(ra) radiator; (ra) transmitter.
— **de aletas y tubos** (auto), fin-and-tube radiator.
— **de colmena** o **de panal**, honeycomb radiator.
— **de tubos achatados** (auto), flat-tube radiator.
radial, radial.
radián m (mat), radian.
radiancia f, radiance, specific radiant intensity.
radiante m, radian; a radiant.
radiar, to radiate; (ra) to broadcast.
radical m a (mat)(quím), radical.
radier m (hid)(Ch), floor, mat, apron, hearth.
radio m, radius; radium.
— **atómico** (quím), atomic radius.

— **de giro**, radius of gyration; turning radius.
— **de inercia**, radius of inertia.
— **de viraje**, turning radius.
— **hidráulico medio**, mean hydraulic radius, hydraulic mean depth.
— **hidráulico principal**, major hydraulic radius.
— **vector**, radius vector.
radio f, radio.
— **brújula**, radio compass, direction finder.
radio-compás m (A), radiogoniometer, direction finder.
radioactividad, radiactividad f, radioactivity.
radioactivo, radiactivo, radioactive.
radioacústica f, radioacoustics.
radioamplificador m (A), amplifier.
radioanalizador m (A), analyzer.
radioantena f (A), antenna.
radioarmador m (A), radio mechanic.
radioaxial, radial-thrust (bearing).
radiobaliza f, radio range beacon.
— **a señales iguales**, equisignal radio range beacon.
radioblindado (eléc), radio-shielded.
radioblindaje m, radio-shielding.
radiobulbo m (A), electron tube.
radiocanal m, radio channel.
radiocomunicación f, radio communication.
radioconductor m, radioconductor.
radiocontrol m, radio control.
radiodetector m, radiodetector.
radiodifundir, to broadcast.
radiodifusión f, broadcasting.
radiodifusora f, broadcasting station.
radiodinámico, radiodynamic.
radioeléctrico, radioelectric.
radioelemento m, radioelement.
radioemisión f, broadcasting.
radioemisora f, broadcasting station.
radioescucha m (ra), monitor; radio listener.
radioespectro m, radio spectrum.
radioestación f, radio station.
radiofacsímile m, facsimile broadcasting.
radiofaro m, radio beacon; radiophare.
— **de alineación**, radio range beacon.
— **de aterrizaje** (ap), landing beacon.
— **de equiseñal**, equisignal beacon.
— **marcador** o **de orientación**, radio marker beacon.
radiofónico, radiophonic.
radiófono m, radiophone.
radiofotografía f, radiophotography.
radiofrecuencia f, radiofrequency.
radiogénico, radiogenic.
radiogoniometría f, radiogoniometry, direction finding.
radiogoniómetro m, radiogoniometer, direction finder.
radiografía f, radiograph, X-ray photograph, skiagraph, shadowgraph; radiography; radiotelegraphy.
radiografiar, to radiograph; to radiotelegraph.
radiográfico, radiographic.
radiógrafo m, radiographer.
radiograma m, radiogram.
radioingeniero m, radio engineer.

radioinstalador *m* (A), installer of radio equipment.
radiolarios *m* (is), Radiolaria.
radiología *f*, radiology.
radiólogo *m*, radiologist.
radioluminiscencia *f*, radioluminescence.
radiomecánico *m*, radio serviceman.
radiomensaje *m*, radio message.
radiometalografía *f*, radiometallography.
radiometría *f*, radiometry.
radiómetro *m*, radiometer.
radiomicrómetro *m*, radiomicrometer.
radioonda *f* (A), radio wave.
radiooperador *m* (A), radiotelegraph operator.
radiopaco, radiopaque.
radiopropalar (A), to broadcast.
radioquímica *f*, radiochemistry.
radiorientador *m*, radio direction finder.
radiorreceptor *m*, receiving set, radio receiver.
radiorreparador *m* (A), radio repairman.
radioscopia *f*, radioscopy.
radioscopio *m*, radioscope.
radiosónico, radiosonic.
radiotécnica *f*, radiotechnology, radio engineering.
radiotécnico *m*, radio engineer.
radiotelefonema *m* (A), radiotelephone message.
radiotelefonía *f*, radiotelephony.
radiotelefonista, radiotelephone operator.
radioteléfono *m*, radiotelephone.
radiotelegrafía *f*, radiotelegraphy.
radiotelegráfico, radiotelegraphic.
radiotelegrafista, radiotelegraph operator.
radiotelegrama *m*, radio telegram.
radiotrasmisión *f*, radio transmission.
radiotrasmisor *m*, radio transmitter.
— a chispa, spark transmitter.
radiotriangulador *m* (A), radial triangulator.
radiotricista *m* (A), radio mechanic.
radiotrón *m*, radiotron.
radiotubo *m* (A), electron tube.
radioválvula *f* (A), electron tube.
radiovisión *f*, radiovision.
radiovisor *m*, radiovisor.
raedera *f*, scraper; (hyd) trashrack rake; straightedge, screed.
— de cienos, sludge scraper.
— con vuelo (ca), bullnose screed.
raedor *m* (herr), scraper.
— de tinta, ink eraser.
raer, to abrade, scrape; to screed.
rafa *f*, (Sp) cut for intake of subsidiary irrigation ditch; (min) skewback cut in rock; (V) (Col) reinforcement of a mud wall.
rail *m* (fc), rail.
raíz *f*, root; (math) root; (reinf)(V) dowel, bond bar.
— cuadrada, square root.
— cuadrada de la media de los cuadrados, root-mean-square.
— cúbica, cube root.
— de la rosca (A), root of thread.
— de la soldadura, root of weld.
— quinta, fifth root.
raja *f*, crack, fissure, split; splinter, chip; (lbr) check.

rajas (min)(M), lagging, spilling.
rajable, rajadizo, easily split, fissile.
rajadura *f*, crack, fissure, split.
rajar, to split, rive; (pi) to broom; rajarse, to split, crack; (pi) to broom.
rajatocones *m* (ec), stump splitter.
rajatubo *m* (pet), casing splitter.
rajo *m* (Ch)(B), excavation, cut.
rajón *m*, rubble stone, (conc) plum; (C) brickbat.
ralo, light, thin (liquid).
rama *f*, branch, arm; leg of an angle; (rr) flange of a splice bar.
ramas desiguales, unequal legs (angle).
ramas iguales, equal legs.
ramal *m*, branch, arm; strand of rope.
— a 45° (tub), Y.
— a 90° (tub), T.
— cerrado (fc), loop line.
— cloacal (A), branch or lateral sewer.
— de falla (geol), branch fault.
— de servicio (tub), service connection.
— de 180° invertido (tub), vent branch.
— T (tub), T branch.
— Y (tub), Y or wye branch.
ramalla *f*, brushwood.
rambla *f*, ravine; brook; avenue.
rameadora *f* (Ch), tie-tamping machine.
rameo *m* (Ch), tamping (ties).
ramificarse, to branch off.
ramita (*f*) de filón (min), small branch of a lode, leader.
ramo *m*, branch, section, division.
ramojo *m*, brushwood.
rampa *f*, ramp, slope, grade, incline, (A)(Sp) upgrade.
— autoactuadora o de gravedad (min), self-acting or gravity or go-devil plane.
— de acceso (ca), accommodation ramp.
— salmonera (hid), fish ladder, fishway.
rana *f* (fc), frog.
— con carril de muelle, spring-rail frog.
— de punta movible, movable-point frog.
— encarriladora, wrecking frog.
rancho *m*, ranch; shanty; camp; mess, board, ration.
ranchón *m* (PR), mess hall, boardinghouse.
ranfla *f*, ramp; (C) chute.
rango (*m*) de ondas (ra)(A), wave band.
rangua *f*, socket; step bearing, pivot bearing; (de) foot-block casting.
ranura *f*, groove, slot, keyway, channel, rabbet, dado.
— colectora (lu), collecting groove.
— de aceite, oil groove.
— de ataguiamiento (hid), stop-log groove.
— de chaveta (maq), keyway.
— de engrase o de lubricación, oil groove.
— de pestaña (fc), flangeway.
— en T, T slot.
— motriz (mh), driving slot.
— para aro (mg), piston-ring groove.
— y lengüeta (mad), tongue and groove.
ranuradora *f*, grooving machine or tool; slotting machine.
— de manivelas, crank slotter.
— para tornillos, screw-slotting cutter.

ranurar, to groove, slot, channel, rabbet.
rápida *f* (M), chute, flume.
—— **para troncos,** log chute.
rapidez *f*, speed.
rápido *m* (hid), chute, drop.
—— **en cascada** (al)(Es), stepped chute.
—— **en pendiente,** sloping chute.
rápidos, rapids.
rarefacción *f*, rarefaction.
rarefacer, rarificar, to rarefy.
ras *m*, level, surface, plane.
—— **, al,** level full, struck off.
—— **de, al,** flush with.
rasador *m*, straightedge, screed board.
rasadora *f* (ec)(U)(V), skimmer scoop.
rasante *f*, grade line, subgrade.
—— **con,** flush with.
—— **dominante,** ruling grade.
—— **undulada,** rolling grade.
rasar, to level, smooth off, strike off.
rascaceite, aro, scraper ring (piston).
rascacenizas *m*, fire rake.
rascacielos *m*, high building, skyscraper.
rascadera *f*, scraper.
rascador *m*, scraper.
—— **de pared** (pet), wall scraper.
—— **de parrilla** (cal), clinker bar.
rascar, to scrape, roughen.
rascatubos *m* (cal), tube scraper.
rasero *m*, straightedge, screed board.
rasgador *m* (ec), rooter, ripper.
—— **de cable,** cable ripper.
—— **hidráulico,** hydraulic ripper.
—— **rotativo,** rotary ripper.
rasgadora *f*, rooter, ripper.
rasgar, to rip, tear.
rasgueo *m* (dib), shading.
rasilla *f* (Es), thin brick used for furring or for
    paving.
raspa *f*, rasp, coarse file.
raspacojinetes *m*, bearing scraper.
raspadera *f*, spokeshave.
raspador *m*, rasp, scraper, buffer (tire); steel
    eraser; (pet) stripper.
—— **de banco,** bench scraper.
—— **de cilindro,** roll scraper.
—— **de neumáticos,** tire buffer.
—— **de tinta,** ink eraser.
—— **para correas,** belt scraper.
raspadora (*f*) **de barros,** sludge scraper.
raspadura *f*, scraping; abrasion.
raspante *m a*, abrasive.
—— **de acero,** crushed steel.
raspaparedes *m* (pet), wall scraper.
raspapintura *m*, paint scraper.
raspar, to scrape, rasp, buff (tire).
—— **las juntas** (mam), to rake joints.
raspatubos *m*, tube cleaner; (pet) go-devil, casing
    scraper.
rasqueta *f* (herr), scraper; shave hook.
—— **de ebanista,** cabinet scraper.
—— **para cubiertas,** deck or ship scraper.
—— **para tubos de caldera,** tube scraper.
—— **triangular,** painter's triangle.
rasquetear, to scrape; to roughen.
rasqueteo *m*, scraping.

rastra *f*, dragging; road drag or hone or planer,
    stoneboat; harrow; (lg) jumbo, go-devil,
    log boat, travois; sled; (M) groundsill.
—— **de arpillera** (ca), burlap drag.
—— **de cuchillas,** blade drag.
—— **de dientes o de clavos,** peg-tooth or spike-
    tooth harrow.
—— **de dientes de resorte,** spring-tooth harrow.
—— **de discos,** disk harrow.
—— **de escobas,** broom drag.
rastrear, to rake; to harrow; (rd) to drag.
rastrel *m*, straightedge, screed board; screed
    ground.
—— **acabador** (ca), finishing screed.
—— **vibratorio,** vibratory screed.
rastreo *m*, dragging.
rastrillador *m*, raker (man).
rastrillera *f*, slip scraper.
—— **de ruedas,** wheeled scraper.
rastrillo *m*, rake; harrow; road drag; ward of a
    lock; grizzly; check dam; (hyd) trashrack
    rake; (loco) pilot; (hyd)(A) cutoff wall
    (V) slip scraper; (C) drag conveyor.
—— **de asfaltador,** asphalt rake.
—— **de estancamiento** (hid)(A), cutoff wall.
—— **de malezas,** brush rake.
—— **de ruedas** (V), wheeled scraper.
—— **de tracción** (V), drag or slip scraper.
—— **limpiador** (hid), rack cleaner or rake.
—— **para matas** (ec), brush rake.
—— **portacables** (eléc), cable rack.
rastro *m*, rake, harrow; cutoff wall (dam); (C
    junk yard.
rastrón *m* (A), drag scraper.
rata *f* (Col)(V), rate.
ratear, to prorate.
rateo *m*, prorating; (auto)(A) missing, misfire.
ratonera *f* (pet), rathole.
raudal *m*, stream, torrent, race.
raudales, rapids.
raudaloso (A), in flood, running full.
raulí *m*, a South American softwood.
raya *f*, line, dash; boundary; (M)(B) day's
    wages; (M)(B) payroll; (miner)(A)(B)
    streak.
rayas de tráfico (ca), traffic stripes.
rayado *m*, ruling; rifling; (dwg) hatching; (M)
    laborer; *a* fluted, scored, ribbed.
—— **de guía** (ca), traffic striping.
—— **en espiral,** rifled.
rayador *m*, grooving tool; (M) timekeeper; pay-
    master; (dwg) section-liner.
rayadora *f* (ca), striping machine.
rayar, to groove, scratch, score; (M) to pay off
    (dwg) to hatch; to rule.
rayente *a*, abrasive.
rayo *m*, ray; spoke; stroke of lightning; radius.
—— **alfa,** alpha ray.
—— **canal** (ra), positive or canal ray.
—— **catódico,** cathode ray.
—— **de aterrizaje** (ap), landing beam.
—— **de imagen** (fma), image ray.
—— **de planeo** (ap), glide beam.
—— **del radio,** radio beam.
—— **electrónico,** electron beam.
—— **gamma,** gamma ray.

—— localizador (ap), localizer beam.
—— medular (mad), medullary or pith ray.
—— positivo (ra), positive or canal ray.
—— tangencial, tangent spoke.
—— visual (lev), line of sight.
rayos principales (fma), principal visual rays.
rayos ultravioleta, ultraviolet rays.
rayos X, X rays.
rayón m, rayon.
razón f, ratio, rate.
—— agua-cemento, water-cement ratio.
—— de absorción (il), absorption ratio.
—— de contracción (ms), shrinkage ratio.
—— de delgadez (est), slenderness ration.
—→ de engranajes, gear ratio.
—— de salario, rate of pay.
—— de transformación (eléc), transformer ratio.
—— inversa, inverse ratio.
—— social, partnership, firm; firm name.
—— trigonométrica, trigonometric function.
reacción f, reaction (all senses).
—— del apoyo (est), end reaction.
—— química, chemical reaction or change.
reaccionar, to react.
reacerar, to retemper (iron).
reacondicionador m (pet), hole conditioner.
reacondicionar, to recondition; to dress (grinder).
reactancia f (eléc), reactance.
—— capacitiva o de capacidad, capacity or capacitive reactance.
—— de dispersión, leakage reactance.
—— momentánea, transient reactance.
reactivación f, reactivation.
reactivador m, reactivator.
reactividad f, reactivity.
reactivar (quím)(ra), to reactivate.
reactivo m, reagent; a reactive.
—— depresivo (min), depressant.
reactor m, (elec) reactor, impedance coil; (pet) reactor.
—— de alimentador, feeder reactor.
—— de arranque, starting reactor.
—— de barras colectoras, bus reactor.
—— de filtro (ra), filter choke.
—— de saturación, saturating reactor.
—— en derivación, shunt reactor.
—— en paralelo, paralleling reactor.
—— limitador de corriente, current-limiting reactor.
—— sincronizador, synchronizing reactor.
readoquinado m, repaving.
reaeración f, reaeration.
reafilar, to resharpen, regrind.
reafirmado m (ca), resurfacing, repaving.
real (m) de agua (min), an old measure of water based on a pipe the size of a real (about 3 cu in. per sec).
realce m, raising; raised work (hyd) flashboard; (min) rising drift, overhand stope; (C) superelevation of a curve.
realera f (AC), kind of machete.
realimentación f (eléc), feedback.
—— acústica (ra), acoustic feedback or regeneration.
—— estabilizada (ra), stabilized feedback.
—— negativa (ra), negative feedback.

rearborización f, reforestation.
reaseguro m, reinsurance.
reaserradero (m) sin fin (em), band resaw.
reata f (M)(B), small rope.
rebaba f, burr (steel); fin, rough seam; (w) flash, fin.
rebabadora f, chipping hammer.
rebabar, to trim a casting; (th) to burr.
rebabeadora f (M), chipping hammer.
rebajada f, recess, offset, (str) cope.
rebajado m, (pmy) weakening; a recessed, offset; cut back (asphalt); segmental (arch); (lbr) plowed.
rebajador m, rabbeting plane; gummer (saw); (pmy) weakener.
rebajadora f, router.
—— de mica (eléc), mica undercutter.
rebajar, to cut down, relieve, rabbet, scarf, shave off, back off; to offset; to neck down; to cut back, dilute; (str) to cope; (pmy) to weaken.
rebaje m, a cut.
—— de cabeza (min)(M), overhand stope.
—— descendente (min)(M), underhand stope.
rebajo m, offset, rabbet, scarf; groove, recess.
—— del cielo (min)(M), overhand stope.
rebalsa f, pool, pond.
rebalsar, to dam, impound, pond; (A)(Ch)(Pe) to overflow; rebalsarse, to back up, form a pool.
rebalse m, impounding; (Ch)(Pe) overflow.
rebanado m (min), slicing.
rebanador m, slicer.
rebarba (C), see rebaba.
rebasar, to overflow; to pass, go beyond.
reblandecer, to soften; to cut back (asphalt) reblandecerse, to soften.
reblandecimiento de agua, water softening.
reborde m, edge; dike; flange; (hyd) sill; (w) overlap, roll.
—— de acera, curb.
—— de la campana (tub), hub bead.
—— del macho (tub), spigot bead.
—— deflector (hid), deflector sill.
—— dentado (hid), dentated sill.
rebordeador m (cn), flange turner (man).
—— de tubos (cal), flue beader.
rebordeadora f, flanging tool.
rebordear, to flange.
rebosadero m, spillway; overflow pipe; (Ch) irregular deposit of ore.
rebosar, to overflow.
rebose m, spillway; overflow.
reboso m (V), overflow, flood.
rebotar, to rebound.
rebote m, rebound, resilience.
—— elástico, elastic resilience.
—— final, ultimate resilience.
rebufo m, recoil.
recalcado (m) en frío, cold-upsetting.
recalcador m, calker (man); swage (saw).
recalcadora f, upsetting machine.
—— de traviesas (fc), tie tamper.
recalcar, to calk; (str)·to upset; (rr) to tamp (mas) to point; to swage (saw).
recalce m, underpinning, wedging.

recalefacción *f* (C), superheating.
recalentador *m*, superheater; reheating pan (asphalt).
— compensador, compensating-type superheater.
— de conveçción, convection superheater.
— de paso único, single-pass superheater.
— de vuelta múltiple, multiple-loop superheater.
— encima de los tubos, overdeck superheater.
— entre tubos, interdeck superheater.
recalentar, to superheat; to overheat; to reheat; recalentarse (maq), to run hot, heat up.
recalentón *m*, overheating.
recalescencia *f* (met), recalescence.
recalescente, recalescent.
recalibrador *m*, recalibrator.
recalibrar, to recalibrate.
recalzar, to underpin.
recalzo *m*, underpinning; outer felloe of a wheel.
recámara *f* (M)(C), boiler breeching.
recambiable, replaceable, renewable.
recambio *m*, re-exchange (all senses).
recambios (maq), spare parts, replacements.
recapar (auto)(C), to recap.
recape (auto)(C), recapping.
recarbonación *f* (Pe), recarbonation.
recarbonatación *f*, recarbonation.
recarbonatador *m*, recarbonator.
recarburador *m*, recarburizer.
recarburar (met), to recarburize.
recarga *f*, recharging.
recargar, (mech)(elec) to recharge; to apply a surcharge (money).
recargo *m* (com), surcharge.
recargue *m*, recharge; surcharge; superimposed load.
recata *f* (A), recess.
recatón *m* (Col), wheel guard.
recauchaje *m* (auto), recapping, retreading.
recauchar, recauchotar, to recap, retread.
recauchutaje *m* (auto)(A), retreading, recapping.
recebar, (rd) to spread binder; to surface with gravel.
recebo *m*, road gravel, screenings, hoggin, binder.
recepción *f*, acceptance (of the job); (ra) reception.
— definitiva, final acceptance (job).
— heterodina o de batido (ra), beat or heterodyne reception.
— homodina (ra), homodyne or zero-beat reception.
receptáculo *m* (eléc), receptacle; jack; (A) lamp socket.
— atornillado o de caja roscada, screw-shell receptacle.
— de aguja, pin jack.
— de clavija, plug receptacle.
— embutido, flush receptacle.
receptor *m*, receiver (all senses); (pb)(tel)(ra) receptor.
— de aire, air receiver (compressor).
— de alta fidelidad (ra), high-fidelity receiver.
— de bandas múltiples (ra), multiband receiver.
— de cabeza (tel)(ra), headphone.

— del condensado, condensation receiver.
— de cristal (ra), crystal receiver.
— de ondas cortas (ra), short-wave receiver.
— de prueba (ra), monitoring receiver.
— de toda onda (ra), all-wave receiver.
— miniatura (ra), midget receiver.
— monitorio (ra)(Es), monitoring receiver.
— telefónico, telephone receiver.
recerrador *m* (eléc), recloser.
receso *m* (Col), recess, setback, rabbet.
recial *m* (r), rapids.
recibidor (*m*) de aire, air receiver.
recibo *m* (com), receipt.
recierre *m*, reclosing.
recio, strong; coarse.
recipiente *m*, container, vessel; air receiver, pressure tank; battery jar.
— de acetileno, acetylene cylinder or bottle.
— de aire, air receiver (compressor).
recíproca *f* (mat), reciprocal.
reciprocidad *f* (quím)(eléc), reciprocity.
recíproco *a*, reciprocal.
recirculación *f*, recirculation.
reclamación *f*, claim.
recloración *f* (pa), rechlorination.
reclutamiento *m*, recruiting (labor).
recoba *f* (A), arcade over a sidewalk (sometimes recova).
recocción *f*, annealing.
recocer, to anneal.
recocido *m*, annealing.
— azul, blue-annealed.
— brillante, bright annealing.
— completo, full annealing.
— en cofre, box annealing.
— negro, black annealing.
— por tratamiento, process annealing.
recocho (ladrillo), well-burned, hard-burned.
recodo *m*, bend.
recogedero *m*, collecting basin; drainage area.
recogedor *m*, collector.
— de aceite, drip pan.
— de cieno, sludge collector.
— de espumas (dac), scum collector.
— de·piedras (draga), rock trap.
— de virutas, chip pan.
recogegotas *m*, drip pan, safe.
recogemuestras *m*, thief tube, sampler.
recogida *f* (Es), watercourse, channel.
— de basuras, garbage collection.
recolector (*m*) de lodos (draga), sludge collector.
recolocable (fc), fit for track.
recombinación *f*, recombination.
recompresión *f*, recompression.
reconcentrado *m* (M), a concentrate.
reconcentrar, to concentrate.
reconocer, to inspect; to make a reconnaissance
reconocimiento *m*, reconnaissance, exploration.
reconstrucción *f*, reconstruction.
reconstruir, to reconstruct, rebuild.
recorredor (*m*) de la línea (eléc), lineman.
recorredor de vía (fc), trackwalker.
recorrido *m*, route, path, travel, run; (eng stroke.
— de aterrizaje (ap), landing run.
— de despegue (ap), take-off run.

—— **del émbolo,** piston stroke or travel.
—— **de filtración** (hid), path of seepage, line of creep; (sm) flow line.
—— **de planeo** (ap), glide path.
—— **muerto** (mh), overtravel.
recortado a la orden, cut to length.
recortador (m) **de pernos,** boltcutter, bolt clipper.
recortadora f, cutter, shear; shaper; (sa) trimmer.
recortar, to cut, cut off, cut away; (str) to cope.
recorte m, cutting, a cut; (str) cope; (min) crosscut.
—— **en bisel,** bevel cutoff.
recortes, cuttings, chips.
recostado (geol), recumbent.
recostar (min), to dip.
recristalización f, recrystallization.
recta f, straight line; (rr) tangent.
rectangular, rectangular.
rectángulo m, rectangle; a right-angled.
rectificable (inst), adjustable.
rectificación f, rectification.
—— **por aplastamiento,** crush-dressing.
—— **por curva anódica** (ra), anode-bend rectification.
rectificador m, rectifier (all senses); grinder, honing machine.
—— **de alto vacío** (ra), high-vacuum rectifier.
—— **de ánodos múltiples** (ra), multianode rectifier.
—— **de cilindro,** (eng) cylinder hone.
—— **de cobre** (eléc), copper-oxide rectifier.
—— **de disco seco** (eléc), dry-disk rectifier.
—— **de engranajes,** gear grinder.
—— **de gas** (ra), gaseous rectifier.
—— **de herramientas,** tool grinder.
—— **de media onda** (eléc), half-wave rectifier.
—— **de mercurio** (ra), mercury-arc rectifier.
—— **de onda completa,** full-wave rectifier.
—— **de óxido de cobre,** copper-oxide rectifier.
—— **de puente** (eléc), bridge rectifier.
—— **de ruedas abrasivas,** wheel dresser.
—— **de selenio** (eléc), selenium rectifier.
—— **de válvulas,** valve grinder.
—— **de vapor de mercurio** (ra), mercury-vapor rectifier.
—— **termiónico** (ra), thermionic or vacuum-tube rectifier.
—— **Tungar** (ra), Tungar rectifier.
rectificadora f, rectifier; grinder, dresser.
—— **de barrenas,** drill grinder.
—— **de dientes postizos,** inserted-tooth grinder.
—— **de émbolos,** piston grinder.
—— **de fresas,** cutter grinder.
—— **de machos,** tap grinder.
—— **de mesa,** bench grinder or dresser.
—— **de puntas,** center-type grinder.
—— **de roscas,** thread grinder.
—— **sin puntas,** centerless grinder.
rectificar, to rectify; to rebore (cylinder); to true up.
rectilíneo, rectilinear.
recto, straight; right (angle).
recuadro m, (ar) panel; (tu)(M) panel.

recubrimiento m, lap, overlap; facing, covering; road surfacing; coating; (reinf) embedment.
—— **ancho** (auto), full capping.
—— **angosto** (auto), top capping.
—— **de admisión** (mv), steam lap.
—— **de escape** (mv), exhaust lap.
—— **interior** (mv), inside lap.
—— **longitudinal** (fma), end lap.
—— **transversal** (fma), side lap.
recubrir, to cover; to sheath; to lap; (auto) to recap.
recuesto m, slope; (min) dip; (geol) hade.
reculada f, recoil, kickback.
recular, to recoil, kick back.
recule m, recoil.
recuñar, to wedge; to excavate rock by wedging.
recuperable, recoverable.
recuperación f, recovery; (ac) regain; (ra) pickup.
—— **de núcleos** (sx), core recovery.
recuperador m, recuperator; (lu) reclaimer.
recuperar, to recover; to reclaim.
recursos m, resources.
—— **acuíferos** (Pe), water resources.
—— **hidráulicos o hídricos,** water resources.
—— **petroleros,** oil resources.
rechancar, to recrush.
rechazador m (mec)(ra), rejector.
rechazar, to reject.
rechazo m, rejection; recoil; (Col) dislocation of a lode.
—— **horizontal** (geol)(A), shift.
—— **vertical** (geol)(A), throw.
rechazos, rejects (screen).
rechina motón, a, chockablock, two-blocks, block and block.
rechinado m (maq), squeaking.
rechinar, to squeak; (machy)(C) to chatter.
red f, net, netting; network, system.
—— **caminera,** system of roads.
—— **cloacal,** sewer system.
—— **de aguas corrientes,** water system.
—— **de alambre,** wire netting or mesh.
—— **de antenas,** curtain antennas.
—— **de base** (lev), base net.
—— **de carga o de estibar** (náut), cargo net.
—— **de celosía** (eléc), lattice network.
—— **de distribución** (eléc)(agua), distribution system.
—— **de energía,** power system.
—— **de escurrimiento o de flujo o de percolación** (hid), flow net.
—— **de nivelación** (lev), level net.
—— **de saneamiento,** sewerage or drainage system.
—— **doble de alcantarillado,** separate sewerage system.
—— **en pi** (eléc), pi network.
—— **equilibradora** (eléc), balancing network.
—— **ferroviaria,** railroad system.
—— **neutra secundaria** (eléc), secondary neutral grid.
—— **tubular,** layout of piping.
—— **única de alcantarillado,** combined sewerage system.
—— **vial,** system of roads.

rederretido *m* (az), remelt.
redevanar, to rewind.
rediente *m* (conc), bonding key.
rédito *m*, proceeds, revenue.
redituar, to produce, yield.
redoblar, to clinch.
redoblón *m*, clinch nail; (rf)(Col) flashing.
redoma *f* (lab), flask, balloon.
redondear, to round off.
redondela *f* (A), washer.
redondeo *m*, rounding off.
redondez *f*, roundness.
redondo, round.
reducción *f*, reduction (all senses); reducer.
—— **en frío** (met), cold reduction.
reducido *m* (tub), reducer.
reducir, (chem) to reduce, resolve; (math) to reduce, to solve (equation).
reductasa *f* (is), reductase.
reductivo, reductive.
reductor *m*, reducer; (chem) reductor; reducing valve.
—— **ahusado o cónico** (tub), taper reducer.
—— **de basuras**, garbage grinder.
—— **de luz** (auto), dimmer.
—— **de ruidos** (ra), noise-reducing.
—— **de tensión** (eléc), negative booster.
—— **de velocidad a engranaje cónicohelicoidal**, spiral-bevel-gear speed reducer.
—— **de velocidad a engranaje helicoidal de tornillo sin fin**, helical worm-gear speed reducer.
—— **de velocidad a engranaje recto**, spur-gear speed reducer.
—— **de velocidad a motor**, motorized speed reducer.
—— **soldable** (tub), welding reducer.
reductora *f* (fma), reducer.
redundante (est), redundant.
reedificar, to rebuild.
reembolsar, to reimburse.
reembolso *m*, reimbursement.
reempaquetar, to repack.
reempedrar, to repave.
reemplazable, renewable.
reemplazar, to replace, renew, substitute.
reencauchadora *f* (auto), recapping mold.
reencauchar (auto), to retread, recap.
reencauchutaje *m* (auto)(Ec), retreading, recapping.
reensayar, to retest.
reentrante, re-entrant.
reenviar, to forward.
reesmerilable, regrinding (valve).
reestampar (re), to recup.
refacción *f*, (Ch)(Ec)(CA) repairs; (M) spare part, replacement; (PR) financing.
refaccionar, (Ch)(Ec)(CA) to repair; (PR)(C) to finance.
refaccionaría *f* (M), shop where spare parts are sold.
refaccionista (C), financial backer.
refeccionar, to repair.
refecciones *f*, repair parts, repairs.
refiletear, to rethread.
refilón, de, obliquely, on the skew.

refiltración *f* (az), refiltration.
refinación *f*, refining.
refinado a fuego, fire-refined.
refinador *m*, refiner.
refinar, to refine.
refinería *f*, refinery.
—— **azucarera**, sugar refinery.
—— **de petróleo**, oil refinery.
refinero *m*, refiner.
refino, refined.
reflectancia *f* (il), reflectance.
reflectómetro *m*, reflectometer.
reflector *m*, searchlight, headlight; reflector; *a* reflecting.
—— **angular** (il), angle reflector.
—— **buscacampo** (ap), bearing projector.
—— **buscahuella** (auto), spotlight.
—— **de campana** (il), dome reflector.
—— **de resorte** (il), snap-on reflector.
—— **de ojo de buey** (ca), bull's-eye reflector.
reflectoscopio *m*, reflectoscope.
reflejador *m* (A), reflector.
reflejar, to reflect.
reflejo *m*, reflection; *a* reflex, reflected.
reflexión *f*, reflection.
—— **anormal o esporádica** (ra), abnormal or sporadic reflection.
—— **difusa o irregular** (il), diffuse or irregular reflection.
—— **especular o regular** (il), regular or specular or mirror reflection.
—— **mixta** (il), spread or mixed reflection.
reflexividad *f*, reflectivity.
refluir, to flow back; to ebb, fall.
reflujo *m*, ebb tide; reflux.
reforestación *f*, reforestation.
reformación *f* (pet), reforming, cracking.
—— **catalítica**, catalytic reforming or cracking.
—— **térmica**, thermal reforming.
reforrador (*m*) **de frenos**, brake reliner.
reforrar, to reline.
reforzado, reinforced.
reforzador *m*, booster (all senses).
—— **de freno**, brake booster.
—— **de presión**, pressure booster.
—— **de salto** (hid), fall increaser.
reforzar, to reinforce; to strengthen; (elec) to boost.
refosforización *f* (met), rephosphorization.
refracción *f*, refraction.
—— **difusa** (il), diffuse refraction.
—— **irregular** (il), irregular or spread refraction.
refraccionar (pet), to refractionate.
refractar, to refract.
refractario, fire-resisting, refractory.
refractividad *f*, refractivity.
refractometría *f*, refractometry.
refractométrico, refractometric.
refractómetro *m*, refractometer.
—— **azucarero**, sugar refractometer.
—— **de inmersión**, immersion refractometer.
refractor *m*, refractor; refracting telescope.
refrangibilidad *f*, refrangibility.
refrangible, refrangible.
refrenar (cab), to snub.
refrentado *m*, facing; *a* faced.

refrentador (m) de válvulas, valve grinder.
refrentar, to face, grind, mill.
refrigeración f, refrigeration; (ac)(eng) cooling.
—— por absorción, absorption refrigeration.
—— por aire, air cooling.
refrigerado por aceite, oil-cooled.
refrigerador m, cooler, refrigerator.
refrigerante m, refrigerant; (auto) radiator; a refrigerant.
refrigerar, to cool; to refrigerate.
refringencia f, refringency.
refringente, refringent.
refringir, to refract.
refuerzo m, reinforcement.
—— de malla soldada, welded wire reinforcement.
—— negativo, reinforcement for negative bending moment.
—— positivo, reinforcement for positive bending moment.
refugio m, (rd) traffic island; (tun) niche.
refulado m (A), hydraulic filling.
refular, refoular (A), to pump dredged material.
regable, irrigable.
regadera f, subsidiary irrigation ditch; (pb) shower head; (sk) sprinkler head; coal miner's pick.
—— automática, automatic sprinkler, sprinkler head.
regadío m, irrigation.
regadíos, irrigated lands.
regadizo, irrigable.
regador m, one who irrigates; (Ch) measure of irrigation water about 15 liters per sec.
regadora f, sprinkler.
regadura f, sprinkling; (min) undercutting.
regala f (cn), plank-sheer, plate-sheer, gunwale.
regalía f, bonus; (M)(A) royalty.
regantes, irrigation subscribers.
regar, to sprinkle, spray, water; to irrigate; (Col) to wreck, demolish; (min) to undercut.
regata f, (irr) small subsidiary ditch; (bldg)(Col) raglet.
regatón m, ferrule; nozzle; (Col) pile shoe.
regeneración f (eléc), regeneration, feedback.
—— acústica (ra), acoustic feedback or regeneration.
—— negativa (ra), degeneration, negative feedback.
regenerador m, regenerator; a regenerative.
—— para onda portadora (eléc), carrier repeater.
regenerar, to regenerate (all senses).
regenerativo, regenerative.
regente m (min)(B), general foreman.
régimen (m) hidráulico, hydraulic regimen.
registrador m (mec), recorder.
—— de carga (eléc), load recorder.
—— de demanda (eléc), demand register.
—— de esfuerzos, stress recorder.
—— de flujo (hid), flow recorder.
—— de gasto máximo (al), maximum-flow gage.
—— de marcha sin fuerza (eléc), coasting recorder.
—— de nivel de líquido (dac), recording liquid-level meter.
—— de peso, weightometer.

—— de soldadura, weld recorder.
—— de temperatura, temperature recorder, recording temperature gage.
—— de tiro, draft recorder.
—— gráfico, autographic recorder.
registrar, to record, register, enter; to examine; to check (baggage).
registro m, record, log; opening, handhole, manhole, inspection box.
—— de chimenea, damper.
—— de empalme o de encuentro (al), junction manhole.
—— de hombre (M), manhole.
—— de inspección, manhole.
—— de lámpara (al), lamphole.
—— de limpieza, handhole, cleanout hole.
—— de mano, handhole.
—— de nieves (al), snow manhole.
—— de tiro, damper.
—— de válvula, valve box.
—— de visita (al)(Es), manhole.
—— electrográfico (pet), electric logging.
—— gráfico, a graph.
—— hidrométrico, stream-flow records.
—— manual (Pe), handhole.
registros
—— de gasto, stream-flow records.
—— de perforación, log of borings.
—— pluviométricos, rainfall records.
regla f, rule, scale; straightedge, level board, screed board; rule, precept.
—— de cajera, key-seat rule.
—— de cálculo, slide rule.
—— de cálculo taquimétrico, stadia slide rule.
—— de calibrar, slide caliper rule.
—— de contracción (fund), shrink or contraction rule.
—— de curvas (dib), irregular or French curve.
—— de enrasar, straightedge, screed board.
—— de Fleming (eléc), Fleming's rule.
—— de gancho, hook rule.
—— de la mano derecha (eléc), right-hand rule.
—— de la mano izquierda (eléc), left-hand rule.
—— de Maxwell (eléc), Maxwell's law.
—— de senos, sine bar.
—— de tres, rule of three.
—— de tres dedos (eléc), Fleming's rule.
—— flexible (dib), spline, curve rule.
—— para apreciar troncos, log or scale rule.
—— para madera, board rule.
—— plegadiza, folding rule.
—— plomada, plumb rule.
—— recta, straightedge.
—— T, T square.
reglas paralelas, parallel ruler.
regla-cinta, tape rule.
reglable, adjustable.
reglaje m, regulation, adjustment.
reglamentar, to regulate.
reglamento (m) de edificación, building code.
reglar, to regulate; to rule.
reglilla f, slide of a slide rule.
reglón m, straightedge measuring rod.
regolita f (geol), regolith, mantle.
regomar (auto), to retread.
regresión f (mat), regression.

regreso m, return.
reguera f, irrigation ditch; sprinkler; drip.
reguío m (Ec), irrigation.
regulable, adjustable; controllable.
regulación f, regulation, governing; (eng) timing.
—— **a tercera escobilla** (eléc), third-brush regulation.
—— **de las crecidas** (r), flood control; flood routing.
—— **de las válvulas** (auto), valve timing.
regulador m, governor, regulator, adjuster, controller; throttle valve.
—— **a presión de aceite**, oil-pressure governor.
—— **a toma o deja**, hit-and-miss governor.
—— **a vacío**, vacuum governor.
—— **axial**, shaft governor.
—— **centrífugo**, centrifugal or flyball governor.
—— **del agua de alimentación**, boiler-feed regulator.
—— **de agujas** (fc), switch-point adjuster.
—— **de aire** (auto), choke.
—— **de árbol**, shaft governor.
—— **de banderola**, transom operator.
—— **de bobina móvil** (eléc), moving-coil regulator.
—— **de bolas**, ball governor.
—— **del campo** (eléc), field regulator.
—— **de carga** (eléc), load regulator.
—— **de la contrapresión**, back-pressure regulator.
—— **de correa**, belt take-up.
—— **de corriente** (eléc), current regulator.
—— **de disparo**, disengagement governor.
—— **de estrangulación o de gollete**, throttling governor.
—— **de frecuencia**, frequency regulator.
—— **de gasto**, rate-of-flow controller.
—— **de gasto cloacal**, sewer regulator.
—— **de humedad**, humidity controller.
—— **de inducción**, induction regulator.
—— **de inercia**, inertia governor.
—— **de juego**, slack adjuster.
—— **del lodo** (pet), mud conditioner.
—— **de mariposa**, throttle valve.
—— **de nivel** (pa), level control.
—— **de nivel de líquido** (dac), liquid-level controller.
—— **de péndulo cónico**, Watt or conical-pendulum governor.
—— **de presión**, pressure regulator.
—— **de resbalamiento** (eléc), slip regulator.
—— **de resorte**, spring governor.
—— **de temperatura**, temperature regulator.
—— **de tensión** (eléc), voltage or potential regulator.
—— **de tiro**, damper, draft controller; damper regulator.
—— **de traslapo** (fma), overlap regulator.
—— **de vacío**, vacuum regulator.
—— **de vapor**, (se) governor.
—— **de varillas cruzadas**, crossed-arm governor.
—— **de volante**, flywheel governor.
—— **de voltaje**, voltage or potential regulator.
—— **del volumen del flujo**, rate-of-flow controller.
—— **diferencial o dinamométrico**, differential or dynamometric governor.

—— **dispersor** (hid), diffusing regulator.
—— **recargado**, loaded or Porter governor.
—— **reductor de la presión**, pressure-reducing regulator.
—— **registrador**, recording regulator or controller.
regular, v to regulate, govern; a regular.
regularizar (r), to regulate.
régulo m (met), regulus.
rehabilitar, to recondition, overhaul.
rehervidor m, reboiler.
rehervir, to reboil.
rehinchar, to fill, backfill.
rehinchido m (Col), rubble filling in a wall with ashlar faces.
rehincho m, filling, backfilling.
rehundir, to deepen, cut down.
reina f (Col), (tu) queen post.
reja f, rack, grating, grill, grille; plowshare; colter.
—— **de barras**, bar screen.
—— **sacudidora**, shaking screen.
rejado m, grating.
rejal m, checkerboard pile of brick to dry.
rejalgar m (miner), realgar.
rejera f (náut), mooring line, painter.
—— **de popa**, stern fast.
—— **de proa**, bow fast, head fast, painter.
—— **de través**, breast fast.
rejilla f, rack, grating, grid, grille, bar screen.
—— **aceleradora** (ra), accelerating grid.
—— **amortiguadora** (hid), stilling rack.
—— **atrapadora** (cal), trap grate.
—— **coladera o contra basuras** (hid), trashrack.
—— **de carga espacial** (ra), space-charge grid.
—— **de control** (ra), control grid.
—— **de difracción**, diffraction grating.
—— **de espumas** (dac), scum grid.
—— **de flujo múltiple** (eléc), multiflow grid.
—— **de inyección** (ra), injection grid.
—— **de paletas** (is)(Es), wing screen.
—— **del radiador** (auto), radiator grille.
—— **de seguridad**, safety grating (floor).
—— **de sumidero** (al), catch-basin grating.
—— **de supresión** (ra), suppressor grid.
—— **de ventilación**, louver; ventilation grill.
—— **libre** (ra), floating or free grid.
—— **para maletas**, baggage rack.
—— **para peces** (hid), fish screen.
rejilla-pantalla (ra), screen grid.
rejón m (M), rubble stone; spall.
rejonear (M), to chink (dry wall).
rejuntador m, pointing trowel.
rejuntar (mam), to point, fill joints.
rejuvenecimiento m (geol), rejuvenation.
rel (eléc), rel, unit of reluctance.
relación f, relation, ratio; report.
—— **agua-cemento** (conc), water-cement ratio.
—— **crítica de huecos** (ms), critical void ratio.
—— **de absorción** (il), absorption ratio.
—— **de aguante**, endurance ratio.
—— **de amortiguación** (eléc)(mec), damping ratio.
—— **de amplitud** (eléc), amplitude ratio.
—— **de atenuación** (ra), attenuation ratio.
—— **de calor sensible** (aa), sensible-heat factor.

—— de carbón animal (az), char capacity, bone-black ratio.
—— de compresión, compression ratio.
—— de consistencia (ms), consistency index.
—— de contracción (ms), shrinkage ratio.
—— de convexidad (sol), convexity ratio.
—— de depósito (sol), deposition efficiency.
—— de desviación (eléc), deviation ratio or factor.
—— de engranajes, gear ratio.
—— de esbeltez (est), slenderness ratio.
—— de escala (fma), scale fraction.
—— de fase (eléc), phase relation.
—— de floculación (pa), flocculation factor or ratio.
—— de fusión (sol), melting ratio.
—— de huecos (ms), pore or voids ratio.
—— de humedad, (ac) humidity ratio, specific humidity; (sm) moisture index.
—— de impedancia (eléc), impedance ratio.
—— de oxígeno (geol), oxygen ratio, acidity coefficient.
—— de recuperación (ms), recovery ratio.
—— de resalto, projection ratio (culvert).
—— de retroceso aparente (an), apparent slip ratio.
—— de retroceso real (an), true slip ratio.
—— del talud, rate of slope, slope ratio.
—— de torbellino (hid), swirl ratio.
—— de transformación (eléc), transformer ratio.
—— de vueltas (eléc), turn ratio.
—— gas-petróleo, gas-oil ratio.
—— hemisférica (il), hemispherical ratio.
—— modular, modular ratio.
—— señal a ruido (ra), signal-noise ratio.
—— señal-imagen (tv), image ratio.
—— sílice-sesquióxido (ms), silica-sesquioxide ratio.
relai, relais m (eléc), relay.
—— a presión, pressure relay.
—— avisador, alarm relay.
—— ayudante, auxiliary relay.
—— de acción retardada, timing relay.
—— de aleta, vane-type relay.
—— de baja tensión, undervoltage relay.
—— de cierre, closing relay.
—— de corriente baja, undercurrent relay.
—— de corriente inversa, reverse-current or current-directional relay.
—— de dirección, directional relay.
—— de distancia, distance relay.
—— de equilibrio de fase, phase-balance relay.
—— de fase abierta, open-phase relay.
—— de gasto, flow relay.
—— de inversión de fase, reverse-phase or phase-rotation relay.
—— de línea, line relay.
—— de maniobra, control relay.
—— de potencia, power relay.
—— de potencia baja, underpower relay.
—— de retardo, time-delay relay.
—— de sincronización, synchronizing relay.
—— de sobrecarga, overload relay.
—— de sobrecorriente, overcurrent relay.
—— de sobretensión, overvoltage relay.
—— de tensión, voltage relay.

—— de tiempo fijo, definite-time relay.
—— de tierra, ground relay.
—— de transferencia, power-transfer relay.
—— de vía (fc), track relay.
—— diferencial, differential or balanced relay.
—— disparador, trip relay.
—— enclavador o fijador, locking relay.
—— para cambio de fase, phase-rotation relay.
—— para puesta a tierra, ground relay.
—— para sentido de corriente, reverse-current or current-directional relay.
—— para sentido de fuerza, power-directional relay.
—— para sentido de sobrecorriente, directional overcurrent relay.
—— polarizado, polarized or polarity-directional relay.
—— protector, protective relay.
—— térmico, temperature or thermal relay.
relajamiento m (met)(ra), relaxation.
—— del esfuerzo, stress relaxation.
—— de tensión (A), stress relaxation.
relaje (m) del embrague (auto)(A), clutch release.
relaminado, rerolled (steel).
relámpago m, lightning.
relampaguear, to flash.
relampagueo m, flashing.
relato m, report; statement.
relator m, reporter, relator, spokesman (usually attached to a board or commission and frequently is a technical consultant).
relavador m, rewasher.
relaves m (min), tailings.
relé m (eléc), relay (see relai).
relejar, to taper, slope; to step back (wall); to batter.
releje m, taper, batter, step-back; (Pe)(B) timbering or masonry support in a mine.
relentido m (Es), slowing down.
relevador m, release, tripping device; (elec) relay (see relai).
relevamiento m, topographical survey; (A)(U) survey.
—— nivométrico, snow survey.
—— planimétrico (A), plane survey.
—— taquimétrico (A), stadia survey.
relevar, to take topography; to release.
relevo m, relief, shift (men); (mech) relief.
—— de terreno, topography.
relieve m, relief (map); relief (cutter).
relinga f, boltrope, rope reinforcing edge of canvas.
reliz m (M), plane bounding vein of ore or fault; landslide.
—— del alto (M), hanging wall.
—— del bajo (M), footwall.
relocalización f, relocation.
reloj m, watch, clock.
—— de agua (C), water meter.
—— de arena, sandglass.
—— de gas (C), gas meter.
—— de segundos muertos, stop watch.
—— fechador, time stamp.
—— marcador de tiempo, time clock.
—— para sereno, watchman's clock.

relojero, mecanismo, clockwork.
reluctancia *f* (eléc), reluctance, magnetic resistance.
— específica, reluctivity, specific reluctance, magnetic resistivity.
reluctividad *f* (eléc), reluctivity, specific reluctance.
rellano *m*, stair landing.
rellenador *m*, (rd) filler; (str) filler plate.
rellenadora *f* (ec), backfiller.
rellenar, to backfill, fill, refill; (cab) to worm.
relleno *m*, backfilling, filling, fill, earth fill; filler; (cab) worming; (elec cab) bedding.
— de tope (Ec), backfill.
— para hendeduras (ca), crack filler.
remachacar, to recrush.
remachado *m*, riveting.
— a mano, hand riveting.
— a solapa, lap-riveted.
— a tope, butt-riveted.
— de montaje, field riveting.
— de taller, shop riveting.
remachador *m*, riveting hammer; riveter.
— de apretura (Ch), pneumatic holder-on.
— de presión, rivet squeezer.
remachadura *f*, riveting.
— a presión, squeeze or press riveting.
— de puntos, stitch riveting.
— en caliente, hot riveting.
— en frío, cold riveting.
— en obra, field riveting.
remachar, to rivet; to clinch.
remache *m*, rivet.
— abocardado, countersunk rivet.
— ciego, blind rivet.
— de argolla, rivet ringbolt.
— de cabeza achatada, flathead rivet.
— de cabeza cilíndrica, machine-head rivet.
— de cabeza chanfleada (A), panhead rivet.
— de cabeza de botón o de hongo, buttonhead rivet.
— de cabeza de cono, steeple-head rivet.
— de cabeza de cono truncado, conehead rivet.
— de cabeza embutida, countersunk rivet.
— de cabeza rasa, flush rivet.
— de cabeza segmental, truss-head rivet.
— de campo o de montaje, field rivet.
— de cierre, closing rivet.
— de hilván (M), stitch rivet.
— de hojalatería, tinner's rivet.
— de ojo, rivet eye bolt.
— de punto, stitch rivet.
— de redoblar, clinch rivet.
— de taller, shop rivet.
— de tuerca, Rivnut (trademark).
— flojo, loose rivet.
remandrilar, to rebore (cylinder); to reroll (boiler tubes).
remanejar, remanipular, to rehandle.
remanejo, remanipuleo *m*, rehandling.
remanencia *f*, remanence, residual magnetism.
remanente, residual, remanent.
remansar (Es), to dam, impound; remansarse, to back up (water).
remanso *m*, backwater, stagnant water, pool.
rematante (Es), successful bidder.

rematar, to finish, top out; to auction; to take bids; to foreclose.
remate *m*, competitive bidding, auction; top, crest, finishing piece; (M) pile cap.
— de torre (pet), masthead.
rematista (Pe), bidder.
remedir, to remeasure.
remendador (*m*) de mangueras, hose mender.
remendar, to patch; to repair.
remesa *f*, shipment; remittance.
remezclar, to remix.
remezón *m* (Col)(Ec), light earthquake.
remiendo *m*, patch; repair.
— en frío (ca), cold patch.
remoción *f*, (M) discharge (men).
— de tierra, dirt moving.
remodelar, (A)(C) to remodel.
remojar, to wet, moisten, drench, soak.
remolcador *m*, a tug.
remolcar, to tow.
remoldabilidad *f* (conc), remoldability.
remoldeo *m*, (conc) remolding; (sm) smear, remolding.
remoledor (*m*) tubular, tube mill.
remoler, to regrind; to grind.
remolinar (r), to eddy, swirl.
remolino *m*, eddy, whirlpool; whirlwind; (di) air swirl; (min) pocket of ore.
— de fondo (hid), bottom roller.
— de viento, whirlwind.
remolque *m*, towing; trailer; tow.
— de plataforma, platform trailer.
— de volteo, dump trailer.
— para camión, truck trailer.
— para carrete (eléc), cable-reel trailer.
— para postes, pole trailer.
— tanque, tank trailer.
— tipo cuello de cisne, gooseneck trailer.
— volcador, dump trailer.
removedor (*m*) de pintura, paint remover.
removible, removable.
rendija *f*, crack, crevice.
rendimiento *m*, efficiency, output, yield, duty; (hyd) runoff; revenue, earnings.
— anódico o de placa (ra), plate efficiency.
— aparente (maq), apparent efficiency.
— cuántico (ra), quantum efficiency.
— de humedecimiento (aa), humidifying efficiency.
— de la red (eléc), system efficiency.
— de reflexión, reflective efficiency.
— de régimen, rated efficiency.
— de vatihoras (eléc), energy or watt-hour efficiency.
— de voltios, volt efficiency (battery).
— diario (maq), all-day efficiency.
— económico (eléc), commercial efficiency.
— específico, specific yield (ground water); specific capacity (pump).
— luminoso o lumínico, luminous efficiency.
— seguro, safe yield (ground water).
— total (maq), over-all efficiency.
rendir, to produce, yield.
reniforme, reniform.
renovable, renewable.
renovación *f*, renewal, replacement.

renta *f*, income, revenue; rental.
—— bruta, gross income.
rentas de explotación, operating revenue.
renvalsar (Es), to rabbet.
renvalso *m* (carp)(Es), rabbet.
reóforo *m* (eléc), rheophore.
reómetro *m*, (elec) rheometer; (hyd) current meter.
reostático, rheostatic.
reóstato *m* (eléc), rheostat.
—— de agua, water rheostat.
—— de arranque, starting rheostat.
—— de rejilla, grid rheostat.
—— regulador del campo, field rheostat.
reostricción *f* (eléc), pinch effect.
reotano *m*, rheotan (alloy).
reótomo *m* (eléc), rheotome, interrupter.
reotrón *m* (ra), rheotron, betatron, induction accelerator.
reótropo *m* (eléc), rheotrope.
reoxigenación *f*, reoxygenation.
reparaciones *f*, repairs.
reparador *m*, repairman, serviceman.
—— de líneas (eléc), lineman.
reparar, to repair.
reparo *m*, repair, repairing; protection, defense; obstruction.
repartición *f*, distribution; division, section, department.
—— de las cargas, load distribution.
—— de costos, cost distribution.
—— de los esfuerzos, stress distribution.
—— de las presiones, distribution of pressures.
—— lineal, straight-line distribution.
repartidor *m*, (t) fuller, spreader; any distributing device; (A) official charged with distribution of irrigation water.
—— de carga (eléc), load dispatcher.
repartidora *f* (hid), distributor.
repartir, to distribute.
reparto *m*, distribution; real-estate development, suburb.
—— de las aguas (top)(Col), ridge, divide.
repasadera *f* (carp), finishing plane.
repasar, to review; to revise; (th) to chase; (mas) (C) to point; (pet) to recycle.
repaso *m*, review, revision; (pet) recycling.
repavimentar, to repave.
repecho *m*, ramp, incline.
repelente *m a*, repellent.
—— al agua, water-repellent.
—— al fuego, fire-resistant.
repeler (eléc), to repel.
repelo *m* (mad), crooked grain; cross grain.
repeloso, cross-grained; crooked-grained.
repellador *m*, plasterer.
repellar, to plaster, stucco.
repello *m*, stucco, plaster.
—— acústico, acoustic plaster.
—— de asfalto, asphalt putty.
repetidor *m* (tel)(mat)(met), repeater.
—— de regeneración, regenerative repeater.
repicar (conc), to roughen with a pick or hammer and chisel.
repiquetear (maq), to clatter, chatter.
repiqueteo *m* (maq), chattering.

repisa (*f*) de ventana, window stool or sill.
replanteador *m*, layer-out.
replantear, to lay out.
replanteo *m*, laying out.
replegable, folding, retractable.
replegador *m* (cn), flange turner (man).
replegadora *f* (cn), joggling machine.
repoblación (*f*) forestal, reforestation.
reporte *m* (M), report.
reposadero *m*, reposadera *f*, settling basin, sump.
reposarse, to settle (sediment).
reposición *f*, replacement; (elec) reset.
—— manual (eléc), hand reset.
reposiciones (maq), replacement parts.
reposo *m*, settling, depositing sediment.
repotenciar (A), to recondition an engine.
represa *f*, dam; reservoir; damming, impounding; (M)(V) lock; check in a canal.
—— de almacenamiento, storage reservoir.
—— derivadora, diversion dam.
—— insumergible, nonoverflow dam.
—— sumergible, spillway dam, weir.
represar, to dam, impound.
reproducción *f*, reproduction.
reproductor *m* (ra)(fma), reproducer.
—— de imágenes (tv), image reconstructor.
repuestos *m*, spare parts.
repulsión *f* (eléc), repulsion.
repulsor *m* (ra), rejector.
repuntar, (r) to begin to rise; (ti) to turn, begin to ebb or flow.
repunte (*m*) de la marea, slack tide, turn of the tide.
requemado, overburned.
requiebro *m*, recrushing.
requintar, (CA) to tighten; (rr)(M) to tamp ties (M) to wedge.
rerradiación *f*, reradiation.
rerroscar, to rethread.
resaca *f*, surf, ground roller, undertow, outgoing wave, backwash; (A) deposit of silt; (M) dry bed of a stream.
resaltar, to project.
resalte *m*, projection.
resalto *m*, projection, salient, step, offset; (surv) offset; (hyd) deflector sill; hydraulic jump.
—— dentado (hid), dentated sill.
—— hidráulico, hydraulic jump.
resanar, (rd) to mend; (conc) to patch and point.
resbaladera *f*, slide.
—— del ancla (cn), billboard.
resbaladeras (mh), ways.
resbaladero *m* (min), ore chute.
resbaladizo, slippery, (rd) slick.
resbalamiento *m*, sliding, slipping; skidding landslide; (A) shearing stress.
—— y giro, sliding and overturning (dam).
resbalar, to slide, slip, skid.
resbalo *m*, steep slope.
resbalón *m*, landslide; (min) fault; (auto) skid.
resbaloso, slippery.
rescatar, to salvage, recover.
resecar, to dry; to drain.
resección *f* (lev), resection.
—— en espacio, space resection.
—— plana, plane resection.

reseccionar (lev), to recross-section.
resecuente, resequent.
reseguro *m*, reinsurance.
reserva *f*, reserve.
—— **conectada a la barra colectora** (eléc), spinning reserve.
—— **de flotabilidad** (an), reserve buoyancy.
—— **de la red** (eléc), system reserve.
—— **fuera de funcionamiento** (eléc), cold reserve.
—— **fuera de servicio** (eléc), hot reserve.
reservas (min), reserves.
—— **petrolíferas**, oil reserves.
—— **probadas** (pet), proven reserves.
reservorio, reservatorio *m*, reservoir.
—— **de almacenamiento**, storage reservoir.
—— **de distribución**, distributing reservoir.
—— **regulador**, regulating reservoir.
resfriar, to cool; (met) to chill.
resguardo *m*, guard; shelter; (com) collateral; clearance; (hyd) freeboard; (M) voucher.
—— **para caminos**, highway guard (cable).
—— **para encintado**, curb nosing.
residencia *f* (M), resident engineer's office.
residual *m a*, residual.
residuo *m*, residue; sludge; (math) remainder.
—— **de cloro** (pa), chlorine residual.
—— **de cloro combinado disponible**, combined available chlorine residual.
—— **de cloro libre disponible**, free available chlorine residual.
—— **eléctrico**, electric residue, residual charge.
residuos, rubbish, garbage; (min) tailings; (geol) residual soil.
—— **arcillosos**, residual clay.
—— **cloacales**, sewage.
—— **de cantera**, quarry spalls.
—— **de chancado**, stone screenings.
—— **de hierro**, scrap iron, junk.
resiliencia *f* (C), resilience.
resina *f*, resin, pitch.
resinificar, to resinify.
resinoide *m*, resinoid.
resinoso, resinous.
resíntesis *f*, resynthesis.
resistencia *f*, resistance, strength; (elec) resistance, resistor.
—— **al aplastamiento**, crushing strength.
—— **al cizallamiento o a la cortadura**, shearing strength or resistance.
—— **a la compresión**, compressive strength.
—— **al desgarramiento** (est), crippling strength.
—— **a la extensión**, tensile strength.
—— **al fallar**, breaking or ultimate strength.
—— **a la fatiga**, fatigue resistance.
—— **al flambeo** (M), column strength.
—— **a la flexión**, bending strength.
—— **a la fractura o a la rotura**, breaking strength.
—— **a punto cedente**, yield strength.
—— **a reventar**, bursting strength.
—— **al rodamiento**, rolling resistance.
—— **a la torsión**, torsional strength.
—— **a la tracción**, tensile strength.
—— **aisladora**, electric or dielectric or insulating strength.
—— **amortiguada** (ra), blocked resistance.
—— **autorreguladora** (ra), ballast resistor.

—— **conmutadora** (eléc), load-shifting resistor.
—— **de agua** (eléc), water rheostat.
—— **de alta frecuencia** (ra), high-frequency or radiofrequency resistance.
—— **de arranque**, starting resistance.
—— **de carga**, (ra) load resistor; (M) compressive strength.
—— **de carga de placa** (ra), plate load resistance.
—— **de columna**, (str) column strength; (pi) point resistance.
—— **de compensación** (ra), ballast resistor or tube; (A) bleeder resistance.
—— **de contacto de escobilla** (eléc), brush-contact resistance.
—— **de dispersión** (eléc), leakage resistance.
—— **de drenaje** (ra), bleeder resistor.
—·— **de frotamiento o de rozamiento**, frictional resistance.
—— **de materiales**, strength of materials.
—— **de placa** (ra), plate or anode resistance.
—— **de polarización negativa** (ra), bias resistor.
—— **de puesta en marcha**, starting resistance.
—— **de punta** (pi), point resistance.
—— **de radiofrecuencia**, radiofrequency or high-frequency or effective resistance.
—— **de rejilla** (ra), grid resistor, grid leak.
—— **del suelo**, bearing power of the soil.
—— **de velocidad** (fc), velocity resistance.
—— **del viento**, wind resistance.
—— **década** (ra), decade resistance.
—— **derivadora** (ra), shunting resistor; (A) bleeder resistor.
—— **dieléctrica**, electric or dielectric or disruptive strength, dielectric rigidity.
—— **dinámica de placa** (ra), dynamic or alternating-current plate resistance.
—— **direccional** (forja), directionality.
—— **efectiva** (ra), effective or radiofrequency resistance.
—— **específica**, unit strength; (elec) resistivity, specific resistance.
—— **final**, ultimate strength.
—— **friccional** (an), skin or frictional resistance.
—— **frontante** (M), frictional resistance.
—— **hidráulica** (eléc), water rheostat.
—— **indicadora** (eléc), load-indicating resistor.
—— **limitadora de corriente** (eléc), current-limiting resistor.
—— **magnética**, reluctance, magnetic resistance.
—— **magnética específica**, reluctivity.
—— **mecánica final** (ais), ultimate mechanical strength.
—— **óhmica o real** (eléc), ohmic or true resistance.
—— **reductora de luz** (eléc), dimming resistor.
—— **sangradora** (ra), bleeder resistor.
—— **superficial** (eléc)(cf), surface resistance.
—— **tensora** (M), tensile strength.
—— **térmica total** (cf), over-all thermal resistance.
resistencias de inercia (fc), inertia resistances.
resistencia-filtro (ra), filter resistor.
resistente, strong, resistant.
—— **al agua**, water-resistant.
—— **al calor**, heat-resisting.
—— **a la fatiga** (met), fatigue-resisting.
—— **a la fricción**, antifriction.

—— **al fuego,** fire-resisting.
—— **a la intemperie,** weather-resisting.
—— **a la podrición,** rot-resistant.
resistividad *f* (eléc)(cf), resistivity, specific resistance.
—— **de volumen,** volume resistivity.
—— **magnética,** magnetic resistivity, specific reluctance.
resistivo (eléc), resistive.
resistor *m* (eléc), resistor.
—— **amortiguador,** damping resistor.
resnatrón *m* (ra), resnatron.
resolver (mat), to solve.
resolladero *m,* vent; (C) point where underground stream emerges.
resonador *m,* resonator; (tel) sounder, receiver.
—— **agrupador,** buncher, buncher resonator.
—— **colector,** catcher, catcher resonator.
—— **piezoeléctrico,** piezo resonator.
resonancia *f,* resonance.
—— **de fase** o **de velocidad** (eléc), phase or velocity resonance.
—— **natural** (eléc), natural or period resonance.
resonante, resonant.
resonar, to resonate.
resorte *m,* spring (steel).
—— **antagonista,** resisting or antagonistic or release spring.
—— **de anillo,** hoop spring.
—— **de ballesta** o **de hojas,** laminated spring.
—— **de espira cónica,** volute spring.
—— **de retroacción,** antagonistic spring.
—— **de tirabuzón,** spiral spring.
—— **de torsión,** torsion spring.
—— **espiral,** coil or spiral spring.
—— **recuperador,** recoil spring.
—— **retenedor,** retainer spring.
—— **retractor** o **de retorno** o **de retroceso,** retracting or return spring.
—— **tensor,** tension or extension spring.
resorteo *m* (M), resilience.
respaldar, to back up, support.
respaldo *m,* back; (min) wall of a vein; (w) backing strip; shoulder of a road.
—— **alto** (min), hanging wall.
—— **bajo** (min), footwall.
respiración *f* (transformador), breathing.
respiradero *m,* air inlet, air valve, vent, breather; ventilation shaft.
—— **del sifón** (pb), crown vent.
respirador *m,* respirator.
resplandor *m* (il), glare.
responsabilidad *f,* responsibility; (leg) liability.
—— **civil,** civil liability, (ins) public liability.
—— **contingente,** contingent liability.
responsabilidades ante terceros, public liability.
responsabilidades de patrones, employers' liability.
respuesta *f* (ra), response.
—— **de faja,** flat or band-pass response.
—— **de frecuencia,** frequency response.
—— **indebida,** spurious response.
resquebrajar, resquebrajarse, to crack, split.
resquebrajo *m,* crack, split, fissure.
resquebrar, resquebrarse, to crack, split.

resquicio *m,* crack, crevice, split, chink; (top)(M) gorge.
resta *f,* subtraction.
restante *m,* remainder; *a* remaining, residual.
restar, to subtract.
restaurador *m* (ra), restorer.
restinga *f,* ledge of rock, reef; sand bar.
restirador *m* (M), drafting board.
restitución *f* (geof)(fma), restitution.
restituidor *m* (fma), restitution machine.
restituir (fma), to restitute.
resto *m* (mat), remainder.
resudamiento *m,* sweating, condensation; seepage, slight leakage.
resulfitación *f* (az), resulphitation.
resultante *f a,* resultant.
resumidero *m,* catch basin, sump.
retacador *m,* calker.
—— **de relleno,** backfill tamper.
retacar, to calk; to tamp; (min) to pack behind the lagging.
retallar, to offset, step.
retallo *m,* offset, setback, setoff.
—— **de derrame** (ed), water table.
retama *f* (A), a hardwood.
retaque *m,* calking; packing; tamping.
retardación *f,* deceleration; retardation; lag.
retardador *m,* retarder (all senses).
—— **de incendios,** fire-retardant.
—— **de troncos** (ef), deadener.
—— **de vagones,** car retarder.
retardamiento *m,* lag.
retardar, to retard; to decelerate.
retardo *m,* deceleration; delay; (eng) lag.
—— **de la explosión** (vol), firing delay.
—— **de la inflamación,** ignition lag.
—— **de la inyección** (di), injection lag.
—— **de tiempo,** time lag.
—— **viscoso** (pa), viscous drag.
retazos *m,* scrap.
—— **de fundición,** casting scrap.
retemplar, to retemper.
retén *m,* pawl, catch, dog, fastener.
—— **de aceite,** oil retainer.
—— **de la barrena,** steel retainer (drill).
—— **de bolas,** ball retainer (bearing).
—— **de cadena** (cn), chain stopper.
—— **de engrase** (M), grease seal.
—— **de lubricación** (M), oil seal.
—— **de resorte,** spring catch.
—— **de seguridad,** safety catch.
—— **de tuerca,** nut retainer.
—— **de válvula,** valve retainer.
—— **de vidrio,** glazing molding.
retención (*f*) **específica** (irr), specific retention.
retenedor *m* (mec), retainer.
—— **de cemento** (pet), cement retainer.
—— **del empaque,** packing retainer.
—— **de grasa,** grease retainer.
—— **de puerta,** door holder.
retenida *f,* guy, tieback, (elec rr) bridle, (sb) vang.
—— **a tierra** (eléc), down guy, anchor guy.
—— **aérea** (eléc), span guy.
—— **final** (eléc), head guy.
retenidas de línea (eléc), line guys.

retentividad *f* (eléc), retentivity.
retícula *f*, retículo *m* (inst), cross hairs, reticle.
reticulación *f* (fma), reticulation.
reticulado *m*, framework; (A) truss; *a* framed.
—— de alambre, wire mesh.
reticular, reticular, framed (structure).
retículo estadimétrico, diaphragm with stadia wires.
retintín *m*, (eng) knocking.
retirado *m* (Col), setback, offset, recess.
retirador *m* (as), receder.
retirar (pl), to retract.
retitulación *f*, back-titration.
retorcer, retorcerse, to twist.
retorcido *m* (cab), lay.
—— a la derecha, right lay.
—— a la izquierda, left lay.
—— corriente o regular, regular lay.
—— en caliente, hot-twisted.
—— en frío, cold-twisted.
—— paralelo, lang lay.
retorno *m*, return.
—— a masa (eléc), ground return.
retorta *f*, retort.
retracción *f*, retraction.
—— de fraguado (conc)(Es), shrinkage in setting.
retráctil, retraíble, retractible.
retranca *f*, brake.
retrancar, to brake.
retranque *m* (Col), skew, bevel.
retranqueo *m* (Es), braking.
retranquero *m*, brakeman.
retransmisión *f* (ra), retransmission.
retransmisora *f*, retransmitting station.
retrasador *m* (fma), restrainer.
retrasar, to retard.
retraso *m*, retardation, delay; (elec)(hyd)(ti) lag.
—— de la escobilla (eléc), brush lag.
—— de fase (eléc), phase lag.
retrazado *m* (fc)(ca), relocation.
retrazar (lev), to retrace.
retrete *m*, water closet, toilet room, latrine, privy.
—— a la turca, hole in floor with places for feet.
retribución (*f*) fija (Ec), fixed fee.
retriturar, to recrush.
retroacción *f* (ra), retroaction.
retroactivo (ra), retroactive.
retroalimentación *f* (eléc), feedback.
retroarco *m* (ra), arc-back.
retroceder, to recede; (auto) to back up.
retrocesión *f* (hid), recession, retrogression.
retroceso *m*, backward motion; (elec)(hyd) retrogression.
—— de la llama, (auto) backfiring; (w) flashback.
retroexcavadora *f*, dragshovel, backdigger, trench hoe.
retrógrado, retrograde.
retrolectura *f*, backsight (leveling).
retromarcha *f* (maq), reversing, backing.
retrovisor (auto), rear-vision (mirror).
retrovisual *f* (lev), backsight.
retundir (mam)(Col), to point.
reubicación *f*, relocation.
reunión *f*, meeting.
revancha *f* (hid), freeboard.
revelado *m* (fma), developing.

revelador *m*, (pmy) developer; (elec) detector.
—— de grano fino, fine-grain developer.
revelar (fma), to develop.
revención *f* (A), saturation, waterlogging.
revenido (A), waterlogged.
revenimiento *m*, cave-in; (A) waterlogging; (conc)(M) slump; (min) draw.
revenir, (Sp) to anneal; revenirse, to cave, slump.
reventadero *m*, rough ground; (min) outcrop.
reventar, to burst, explode, blow out; reventarse, to burst; (bl) to go off.
reventazón *f*, blowout; (top)(A) spur; breaker (wave).
reventón *m*, blowout, explosion; (min) outcrop; (M) chalk line.
reverberador *m*, reverberator.
reverberar, to reverberate.
reverberatorio, reverberatory.
reverbero *m*, reverberation; reverberator.
reversibilidad *f*, reversibility.
reversible, reversible.
reversión *f* (tránsito)(Es), plunging.
reverso *m*, back, rear side.
revés *m*, back, reverse side.
revesa *f*, countercurrent, eddy.
revesar, to eddy.
revestido de cemento, cement-lined.
revestidor *m* (pet), liner.
revestimiento *m*, lining, facing, sheathing, surfacing; investment, coating; revetment.
—— aerocelular, air-cell pipe covering.
—— calorífugo, heat insulation.
—— de embrague, clutch facing or lining.
—— de taludes, slope paving, riprap.
—— de zanjas, trench sheeting.
—— por rotación (tub), spun lining.
—— sordo, soundproof sheathing.
revestir, to line, face, surface, ceil, coat.
revirado, twisted.
reviro *m* (an), flare.
revisador *m*, inspector; auditor.
revisar, to inspect; to audit, check.
revisión *f*, inspection, review, examination.
—— aduanera, customs inspection.
—— de cuentas, audit.
revisor (*m*) de cuentas, auditor.
revivificación *f* (quím), revivification.
revivificar, to plaster.
revocador *m*, plasterer.
revocar, to plaster, stucco.
revoco *m*, stucco, plastering.
revoltura *f*, mixture; (conc) batch; (M) mortar.
—— de comprobación o de contraensayo (conc), check batch.
—— de tanteo, trial batch.
revolución *f* (maq), revolution.
revolvedora *f* (conc)(M), mixer.
—— de camión, truck or transit mixer.
—— de lechada, grout mixer.
—— intermitente, batch mixer.
—— pavimentadora, paving mixer.
revolver, to revolve, turn; to turn over, mix; to agitate, stir.
revoque *m*, stucco, plaster.
—— a presión (A), gunite.
—— antisonoro, acoustic plaster.

—— rústico, rough plaster.
revuelta *f*, winding; a turn.
rey *m*, (tu)(Col) king post.
reyectador *m* (ra)(M), rejector.
rezaga *f* (tún)(M), muck.
rezagador, rezaguero *m* (tún)(M), mucker.
rezagadora *f* (tún)(M), mucking machine, tunnel shovel.
rezago *m*, salvage material; (A) scrap; (min) ore left in a mine.
rezón *m*, grappling iron.
rezumadero *m*, cesspool; sump; seep.
rezumarse, to percolate, seep, ooze.
ría *f*, estuary, creek.
riacho *m*, small stream.
riachuelo, small river, creek.
riada *f*, flood.
ribazo *m*, steep riverbank.
ribera *f*, riverbank; shore, beach, foreshore.
riberano, ribereño, riparian.
riberanos, ribereños *m*, riparian owners.
ribero *m*, dike, levee.
ribete *m*, curb bar, corner bead, any protecting strip.
ribeteadora *f* (ch), beading machine.
riego *m*, irrigation; sprinkling.
—— con rebordes, border irrigation.
—— de aguas negras (dac), broad irrigation.
—— de liga (ca)(A), tack coat.
—— intermitente (dac)(Es), intermittent filtration.
—— por surcos, furrow irrigation.
—— subterráneo (dac), subsurface irrigation.
riel *m*, rail; (hw) track; (met) ingot.
—— acanalado, streetcar rail, girder rail.
—— conductor, third rail.
—— contraaguja, stock rail.
—— de ala, wing rail (frog).
—— de boca (fc), toe rail (frog).
—— de cambio, switch rail or point.
—— de canal o de garganta o de ranura, grooved or streetcar rail.
—— de contacto inferior (eléc), underrunning third rail.
—— de contacto superior, overrunning third rail.
—— de desecho, scrap rail.
—— de doble hongo, double-headed rail (European).
—— de guía, (rr) guardrail; (elev) guide rail.
—— de hongo o de patín, T rail, standard railroad rail.
—— de punta, switch point.
—— de télfer, tram rail.
—— de toma (eléc), third or conductor rail.
—— de tranvía, streetcar rail.
—— dentado, rack rail.
—— doble T, girder rail.
—— Vignoles, T rail, standard railroad rail.
rieles
—— de arranque (fc), lead rails.
—— del camarín (asc), car rails.
—— del contrapeso (asc), counterweight rails.
rielera *f* (met), ingot mold.
rielero *m* (fc), track laborer, trackman.
rienda *f*, (A) guy.
riesgo *m*, risk, hazard.

—— de guerra (seg), war risk.
—— de incendio, fire hazard or risk.
—— marítimo, marine risk.
rifle *m*, riffle.
rigidez *f*, stiffness, rigidity.
—— a la flexión, flexural rigidity.
rígido, rigid, stiff.
rigola *f* (Es), small trench, drain.
rima *f* (C)(M), reamer.
rimar (C)(M), to ream.
rimero *m*, pile, stack.
rincón *m*, corner, angle (interior); groin.
—— vivo, square root (angle).
rinconera *f*, corner, angle; corner bracket; corner piece.
riñón *m*, haunch (arch).
río *m*, river, stream.
—— abajo, downstream.
—— arriba *m*, headwater; *adv* upstream.
—— consecuente, consequent stream.
—— de marea, tidal river.
—— flotable, river navigable for rafts only.
—— subsecuente, subsequent stream.
riolita *f* (geol), rhyolite.
riostra *f*, brace, shore; stay bolt; tie beam.
—— angular, angle or knee brace.
riostras
—— contracimbreo o contraladeo, sway bracing.
—— cruzadas, X bracing; bridging (wood floor).
—— de contratensión (pte), counterbracing.
—— del portal (pte), portal bracing.
—— laterales, lateral bracing.
riostrar, to brace; to stay.
ripia *f*, shingle; (Col) shavings.
ripiador *m*, shingler.
ripiar, to shingle; to surface with gravel.
ripio *m*, gravel; brickbats; spalls, chips; (pet) junk.
ripioso, gravelly.
risco *m*, cliff, crag.
risímetro *m* (hid), rhysimeter.
ristrel *m*, scantling, batten, lath, any strip of wood.
rivera *f*, brook, small stream.
robadera *f* (Es), drag scraper.
robar (Col), (mas) to rake joints; (carp) to bevel.
robín *m*, rust.
robinete *m*, valve, cock; bibb, faucet.
—— con tope y desagüe, cock with check and drain.
—— de cabeza en T, T-head stopcock.
—— de cabeza plana, flathead stopcock.
—— de cilindro, cylinder cock.
—— de compresión, compression cock.
—— de comprobación (cal), try cock.
—— de copa, (eng) priming cup.
—— de cordón, curb cock (water service).
—— de cuatro salidas, four-way cock.
—— de derivación, service stop.
—— de descarga, blowoff cock.
—— de dos vías, two-way cock.
—— de empaque acanalado, channel-packed or U-packed cock.
—— de prueba (cal), try or gage cock.
—— de purga, blowoff or drain or drip cock.
—— de resorte, spring-loaded cock.

—— de triple paso, three-way cock.
—— empaquetado de asbesto, asbestos-packed cock.
—— libre (U), unmetered water-service connection.
—— municipal, corporation cock (water service).
—— para hidrante, hydrant stop.
—— para salmuera, brine cock.
—— purgador de espumas, scum cock.
robinetería f, stock of valves; valve making.
robinia f (mad), locust.
roblar, to clinch, rivet.
roble m, oak (and other hardwoods).
—— albar, white oak.
—— amarillo, yellow or chinquapin oak.
—— blanco de pantano, swamp white oak.
—— carrasqueño, pin oak.
—— castaño o montañés, chestnut oak.
—— colorado, red or turkey or Spanish oak.
—— negral, black oak.
—— pellín (A), a hardwood.
—— vivo o siempre verde, live oak.
roblón m, rivet; (Col) ridge roof tile.
—— de cabeza chata, flathead rivet.
—— de cabeza redonda, buttonhead rivet.
—— de cierre, closing rivet.
—— de montaje o de obra, field rivet.
—— de taller, shop rivet.
—— embutido, countersunk rivet.
roblonado m, riveting.
—— a mano, hand riveting.
—— con recubrimiento, lap-riveted.
—— de simple unión, stitch riveting.
—— en obra, field riveting.
roblonador m, riveter; riveting hammer.
roblonadora (f) neumática, air riveting hammer.
roblonadura f, riveting.
—— de campo, field riveting.
—— de puntos, stitch riveting.
—— sencilla, single riveting.
roblonar, to rivet.
robrar, to rivet, clinch.
roca f, rock.
—— asbestina, asbestos rock.
—— calcárea, limestone.
—— conglomerada, conglomerate.
—— de caja (min), country rock.
—— de respaldo (geol)(min), wall rock.
—— decompuesta, disintegrated rock.
—— desecha, rotten rock.
—— determinante (pet), key rock.
—— en banco, ledge rock.
—— en pedraplén, rock fill.
—— encajonante (min)(B), country rock.
—— fija, ledge or solid rock.
—— filoniana, dike rock.
—— firme, ledge rock; sound rock.
—— floja, loose rock.
—— maciza, solid rock.
—— madre (min), country rock.
—— muerta, rotten rock.
—— petrolífera, oil rock.
—— picada, crushed stone.
—— resca (Col), ledge rock.
—— rodada, boulder.
—— sana, sound rock.

—— suelta, loose rock.
—— trapeana, traprock, trap.
—— verde (geol), greenstone.
—— virgen (Es), ledge rock.
—— viva, ledge rock.
rocas de cubierta (pet), cap rock.
rocalla f, pebbles; stone chips, spalls; talus.
rocalloso, rocky.
roce m, friction; (Ch) clearing (land).
—— resbaladizo, sliding friction.
—— rodadero, rolling friction.
rocería f, clearing (land).
rociador m, spraying nozzle.
—— automático, automatic sprinkler.
—— de brea, tar spray.
—— de pintura, airbrush, paint sprayer.
rociar, to sprinkle, spray.
rocío m, dew; light shower; spray; sprinkling.
—— de enfriamiento, cooling spray.
—— metálico, metal spraying, metalizing.
rocoso, rocky.
roda f (cn), stem.
—— de popa, sternpost.
—— lanzada, clipper bow.
rodada f, rut, wheel track; treadway.
rodado m, cobble, boulder; (min) nugget; running gear; tread of a wheel; a rounded.
—— tipo oruga, crawler tread.
rodadura f, rolling; rut; tread of a wheel; (lbr) shake.
—— de tracción, traction tread (tire).
—— pasante (mad), through shake.
rodaja f, sheave; small wheel, caster.
rodaje m, tread of a wheel; small wheel; set of wheels; (ap) taxiing; (Pe) tax on vehicles.
rodamen m, wheels and axle; (Sp) roller bearing.
rodamiento m, a bearing; revolving, rolling.
—— de bolas, ball bearing.
—— de rodillos, roller bearing.
rodapié m (Col)(V), baseboard.
rodaplancha f, ward of a key.
rodar, to revolve, roll.
rodeo m, detour; traverse of a closed survey.
rodera f, rut.
rodete m, rotor, impeller, (pu)(turb) runner; ring; (surv)(Sp) cloth tape that winds into a case.
—— acuñado (Es), ring of segmental tunnel lining.
—— de giro (gr), bull wheel.
—— fiador, ward of a lock.
—— impulsor, pump runner.
rodillaje m (Ec), rolling, compacting.
rodillar, to roll, compact.
rodillo m, roller.
—— a vapor, steam roller.
—— activo (as), live roll.
—— albardillado, troughing idler, concave roller.
—— alimentador o de avance, feed roll or roller
—— apisonador o compresor, tamping roller.
—— aplastador (mh), crusher roll.
—— de bachear (ca), patch roller.
—— de discos, disk roller.
—— de empatar, (sml) seaming roll.
—— de imbibición (az), imbibition roller.
—— de leva, cam follower; cam roller.

—— de neumáticos, rubber-tired roller.
—— de pie de cabra o pata de cabra, sheepsfoot or tamping roller.
—— de retorno (correa), return idler.
—— guía, guide roller or pulley.
—— inerte (as), dead roll.
—— loco, idler roller or pulley.
—— moleteador, knurl roller.
—— para maderos, timber dolly.
—— para remiendos (ca), patch roller.
—— pata de oveja (Ec), sheepsfoot or tamping roller.
—— patecabra (PR), sheepsfoot roller.
—— tensor, tension roller, idler pulley.
—— transferente (as), transfer roll.
—— triturador, crushing roll.
rodillos
—— de carril (tc), track rollers.
—— de dilatación (pte), expansion rollers.
—— de encorvar, bending rolls.
—— de enderezar, straightening rolls.
—— de formación (met), sizing or forming rolls.
—— desbastadores (met), roughing rolls.
rodio m (quím), rhodium.
rodocrosita f (miner), rhodochrosite, manganese spar.
roentgen, roentgen (unit).
roentgenización f, roentgenization.
roentgenografía f, roentgenography.
roentgenograma m, roentgenogram, radiograph.
roer, to erode, corrode.
rojo m a, red.
—— apagado, dull red.
—— cereza, cherry red.
—— de alizarina (is), alizarin red.
—— de clorofenol (is), chlorphenol red.
—— de cresol (is), cresol red.
—— de fenol (is), phenol red.
—— de metilo (lab), methyl red.
—— de pulir, rouge.
—— de tolil (is), tolyl red.
rol m (M), roller.
—— de pago (Ec), payroll.
rola f (V), log for the sawmill.
roladora f (M), roll, roller.
rolar (M), to roll.
roldana f, pulley, sheave; washer; spool insulator; (C) tackle block.
—— aisladora, spool insulator.
—— de polea (M), sheave.
—— para ventana de guillotina, sash pulley.
—— plana, cut or flat washer.
rolear (V), to cut into logs.
rolido m (náut)(A), rolling.
rolo m (Pan), roller.
rollete m, small roller; small wheel, caster.
—— de guía, stay or guide roller.
rollizo m, log.
rollo m, log; roller; roll, coil.
—— de alimentación, feed roller.
romana f, scale, steelyard.
—— de plataforma, platform scale.
—— de vía, track scale.
romaneaje m, weighing.
romanear, to weigh.

romanilla f (V), slat construction (door or window).
rombal, rómbico, rhombic, diamond-shaped.
rombo m, rhombus, rhomb, diamond (shape).
romboidal, rhomboidal.
romboide m (mat), rhomboid.
romo, blunt, obtuse.
rompealud m, structure to check slides of earth or snow.
rompeastillas m (em), chip breaker.
rompecollares m (herr), collar buster.
rompedera f, blacksmith's punch.
rompedor m, breaker, crusher.
—— circular (A), gyratory crusher.
—— de caminos, road ripper, rooter.
—— de concreto, concrete or paving breaker.
—— de espuma (dac), scum breaker.
—— de machos (fund), core buster.
—— de vacío, vacuum breaker.
—— neumático (M), paving breaker.
rompedora f, breaker, buster, paving breaker.
—— a cilindros, crushing roll, roll crusher.
—— de escorias (herr), clinker breaker.
—— de mano, bullpoint.
rompehielos m, icebreaker, nosing of a pier.
rompehuelga m (PR)(C), strikebreaker.
rompemachos m (fund), core buster.
rompeolas m, breakwater, jetty.
rompepavimentos m, paving breaker.
rompepiedras m, stone crusher.
romper, to break, crush, rupture.
—— juntas, to break joints.
romperremaches m, rivet buster.
romperrocas m (Es), rock crusher.
rompevientos m, windbreak.
rompevirutas m, nick in edge of drill to break up cuttings.
rompiente m, reef, shoal; nosing on a pier; surf, breaker.
rompimiento m (min), breaking through.
ronda f, round of a watchman, beat, patrol.
rondana f, washer, burr.
—— de presión, lock washer.
rondela f, washer.
roñada f, grommet.
roqueño, rocky.
rosa (f) de los vientos, rosa náutica, compass card or rose.
rosario m, chain pump; bucket elevator; bucket chain.
—— de cangilones (M), bucket elevator.
rosca f, thread; (p) nipple; (M) nut; (Sp)(Col) arch ring.
—— a la derecha, right-hand thread.
—— a la izquierda, left-hand thread.
—— aplanada, flat-top thread.
—— autotrabadora, self-locking thread.
—— cónica, taper thread.
—— corrida (tub)(C), nipple.
—— cortada, cut thread.
—— cruzada, crossed thread.
—— cuadrada doble, double square thread.
—— de gas o de tubo, gas or pipe thread.
—— de gusano, worm thread.
—— de paso ancho, coarse thread.
—— de perno, bolt thread.

—— de tornillo, screw thread.
—— de 29°, acme thread.
—— doble (tub)(A), short nipple.
—— esmerilada corriente, commercial-ground thread.
—— esmerilada de precisión, precision-ground thread.
—— gruesa, coarse thread.
—— hembra o matriz, female or internal thread.
—— inserta, screw-thread insert.
—— interior (vá), inside screw.
—— internacional, international thread.
—— labrada, cut thread.
—— laminada, rolled thread.
—— macho, male thread.
—— métrica, metric or international thread.
—— pareja, double thread.
—— prensada, pressed or rolled thread.
—— sencilla (tub)(A), close nipple.
—— tipo estribo (A), buttress thread.
—— trapezoidal, buttress or bastard thread.
—— truncada, truncated thread.
—— Whitworth, Whitworth thread.
—— zurda, left-hand thread.
roscador m, threading machine.
roscadora (f) de tuercas, nut-tapping machine.
roscar, to thread, tap.
—— a macho, to tap.
roseta f, (elec) rosette; (hw) escutcheon plate.
—— fusible, fusible rosette.
rostrar (M), to face (stone).
rota f, roten m, rattan.
rotación f, rotation, revolution.
—— dextrorsa, clockwise rotation.
—— magnética específica, specific magnetic rotation.
—— sinistrorsum, anticlockwise rotation.
rotacional, rotational.
rotámetro m, rotameter.
rotar, to roll; to rotate.
rotativo, rotatorio, rotary, revolving, rotative.
rotíferos m (is), Rotifera.
roto m, (Ch) unskilled laborer; a broken.
rotómetro m, rotometer.
rotonda f, (rr)(A) roundhouse.
rotor m, (elec) rotor; (turb) runner.
—— bobinado o devanado o de arrollamiento (mot), wound rotor.
—— de barras (mot), bar-wound rotor.
—— en jaula de ardilla (mot), squirrel-cage rotor.
rótula f, hinge joint; knuckle.
rotulación f, lettering on a plan; hinge joint.
rotular (dib), to letter.
rótulo, tag, label; sign.
rotura f, fracture, breaking, rupture.
roturador m (min)(B), breaker.
roza f, clearing (land); (min) undercutting; (mas)(Col) bonding recess; (C) a land measure about 1.2 acres.
rozadera f, rubbing plate.
rozador m (eléc), wiper.
rozadora f (Es), pneumatic mining tool.
rozadura f, friction, rubbing, chafing.
rozamiento m, friction, rubbing.
—— cinético, kinetic or sliding friction.

—— de deslizamiento, sliding friction.
—— de rodadura o por rotación, rolling friction.
—— estático, static or starting friction.
—— superficial, skin friction.
rozar, to rub; to clear (land); (min) to undercut, cut away; rozarse, to drag (brake).
rubidio m (quím), rubidium.
rueda f, wheel; (turb) runner.
—— acanalada, double-flanged wheel
—— achatada, flat wheel.
—— aislante (vá), nonheating wheel.
—— articulada (auto)(A), independent wheel.
—— catalina (Es), sprocket.
—— conductora (loco), leading wheel.
—— cónica, bevel wheel.
—— de agua, water wheel.
—— de amolar, grinding wheel.
—— de avance a mano (mh), carriage or apron handwheel.
—— de banda, band wheel, pulley.
—— de bruñir, polishing wheel.
—— de cadena, sprocket, chain pulley.
—— de cadena enteriza, solid sprocket.
—— de cadena partida, split sprocket.
—— de cangilones, bucket wheel.
—— de dirección, steering wheel.
—— de engranaje, gear wheel.
—— de estrella, star wheel.
—— de garganta, sheave.
—— de giro (gr), bull wheel.
—— de índice (tel), finger wheel.
—— de linterna, lantern wheel.
—— de mano, handwheel.
—— de mano del tablero (mh), apron or carriage handwheel.
—— de manubrio, crank wheel; handwheel.
—— de pecho (hid), breast wheel.
—— de plato (auto), disk wheel.
—— de rayos de alambre (auto), wire wheel.
—— de reborde, flanged wheel.
—— de recambio (auto), spare wheel.
—— de recortar (mh), cutoff wheel.
—— de tornillo sin fin, worm wheel.
—— de tracción, traction wheel.
—— del trinquete, ratchet or dog wheel.
—— dentada, gear; sprocket; chain pulley; cogwheel.
—— directriz, (turb) speed ring; (loco) leading wheel.
—— eólica (Es), windmill.
—— esmeril, emery wheel.
—— excéntrica, cam or eccentric wheel.
—— guía, guide wheel, idler.
—— hidráulica, hydraulic turbine, water wheel.
—— independiente (auto), independent wheel (suspension).
—— libre (auto), freewheel.
—— loca, idler wheel.
—— llena, disk wheel.
—— pulimentadora, buffing wheel.
—— rectificadora, grinding wheel.
—— voladora (C), flywheel.
ruedas
—— acopladas (loco), coupled wheels.
—— directoras (auto), front or leading or steering wheels.

—— gemelas auto), dual wheels.
—— motrices o propulsoras, driving wheels.
rueda-cedazo, screen wheel.
rueda-cuchilla, cutter wheel (pipe).
ruedatubos *m*, pipe roller.
rufa *f* (Pe), drag scraper.
ruido *m*, noise.
ruidos de fondo (ra), background noise.
rulemán *m* (A), roller bearing.
—— de municiones (A), ball bearing.
ruleta *f*, (A) measuring tape that winds into a leather case.
—— de tela, cloth tape.
rulo *m*, (Sp)(M) roller; (A) transition curve.
rumbatrón *m* (ra), rhumbatron.
rumbo *m*, direction, route, course; compass bearing; (geol) strike; rhumb.
—— computado, calculated bearing.
—— de atrás, back bearing.
—— de brújula, compass course.
—— del filón (geol), bearing.
—— de frente, forward bearing.
—— inverso (lev), reverse bearing.
—— magnético, magnetic bearing or course.
—— radiogoniométrico, radio bearing.
—— verdadero, true bearing.
ruptor *m* (auto), breaker.
ruptura *f*, rupture, breaking, failure.
rústico (A), rough, unfinished.
ruta *f*, route.
—— aérea, airway.

sabaleta *f* (to)(C), flashing.
sabana *f*, flat country, plain.
sabanalamar *f* (C), low land frequently flooded by the sea.
sabanazo *m* (C), small stretch of flat land.
sabicú *m*, a hardwood (like mahogany).
sabin *m* (unidad de absorción acústica), sabin, sabine.
sablón *m*, coarse sand, grits.
sabor *m*, taste.
sabulita *f*, sabulite (explosive).
sábulo *m*, grits, fine gravel.
sabuloso, gravelly, sandy.
sacaalma *m* (sx), core extractor.
sacaarena *m*, sand pump.
sacaarmellas *m*, staple puller.
sacabarrena *m*, drill ejector; drill extractor.
sacabarro *m* (min), scraper.
sacabocado *m*, hollow or socket punch, dinking die.
—— a golpe, socket punch, any hollow punch for striking with a hammer.
—— a tenaza, revolving punch.
sacabroca *m*, drill extractor.
sacabujes *m*, bushing extractor.
sacaclavos *m*, nail puller; box chisel.
—— de horquilla, claw bar.
sacacubo *m* (auto), hub puller.
sacaculata *m* (auto), cylinder-head puller.
sacachinche *m* (dib), tack lifter.
sacador (*m*) de muestras, sampler.
sacaengranaje *m*, gear puller.

sacaescariador *m*, broach puller.
sacaescarpias *m* (fc), claw bar.
sacaespigas *m* (pet), pin socket.
sacaespoleta, sacafusible *m* (eléc), fuse puller.
sacaestopas *m*, tool for pulling out packing.
sacafilástica *m*, ravehook.
sacagomas, palanca (auto), tire iron.
sacalodo *m*, sludger, sand pump.
sacamacho *m*, tap extractor; (pet) pin socket.
sacamanguito *m*, sleeve puller.
sacamechas *m*, drill-bit extractor; drift key, center key.
sacamuestra *m*, sampler; (pet) core barrel.
sacanúcleo *m* (sx)(pet), core lifter or extractor or barrel.
—— de pared (pet), wall sampler.
sacapasador *m*, tool for pulling cotters.
sacaperno *m*, bolt press.
sacapilotes *m*, pile puller or extractor.
sacapintura *m*, paint remover.
sacapiñón *m*, pinion puller.
sacaprisionero *m*, stud puller.
sacapuntas *m* (M), pencil sharpener.
sacar, to pull out, draw, extract, take away.
—— a flote, to float (stranded vessel).
—— a licitación pública (A), to call for bids.
—— beneficio o ganancia, to derive a profit.
—— patente, to take out a patent.
—— un boleto (fc), to buy a ticket.
—— una muestra, to take a sample.
sacarímetro *m* (az), saccharimeter.
sacarocarbonato *m* (az), sucrocarbonate.
sacarosa *f*, saccharose, sucrose.
sacarripias *m*, shingle chisel.
sacarrueda *m* (auto), wheel puller.
sacasondas *m*, drill extractor.
sacatapón *m* (eléc), plug puller.
sacatestigo *m*, core barrel (drill).
sacatornillos *m*, screw extractor.
sacatrapos *m*, tool for extracting waste from car boxes.
sacatubos *m*, tube puller or extractor.
sacatuerca *m*, nut extractor.
sacavolante *m* (auto), steering-wheel puller.
saccarato *m*, saccharate.
saccaretina *f* (az), saccharetin.
saco *m*, sack, bag.
sacudida *f*, shaking.
—— eléctrica, electric shock.
—— sísmica, earthquake.
sacudidor *m*, shaker.
—— para cedazos, sieve shaker.
—— para sacos, sack shaker.
—— transportador, shaking conveyor.
sacudidora *f*, shaker.
—— del cargador (mz), skip shaker.
sacudir, to shake.
saetín *m*, chute, flume, headrace; finishing nail, brad.
safranina *f* (is), safranin.
sagita *f*, middle ordinate; rise of an arch.
sajarrear (Col), to rough-plaster.
sal *f*, a salt; (C) scale, incrustation.
—— ácida, acid salt.
—— amoníaco, sal ammoniac.
—— amortiguadora, buffer salt.

—— común, common salt, sodium chloride.
—— de mina o de piedra o de roca, rock salt, halite.
—— gema, rock salt.
sala *f*, room.
—— de calderas, boiler room.
—— de dibujo, drafting or drawing room.
—— de espera (fc), waiting room.
—— de gálibos (cm), mold loft.
—— de mando o de maniobra, control room.
—— de máquinas, engine room.
—— de proyectos (V), drafting room.
salado, salt, brackish.
salamandra *f* (ec), salamander.
salar, saladar *m* (A)(Ch), salt desert.
salario *m*, wages, salary.
salazón *f*, (A) salinity.
salbanda *f* (geol), gouge, fault clay, selvage, salband.
salchicha *f* (vol), fuse.
salchichón *m*, fascine, bundle of branches.
saldo (com), balance.
—— acreedor, credit balance.
—— deudor, debit balance.
saledizo *m*, projection, ledge; (surv) offset; *a* projecting, overhanging, salient.
salicílico, salicylic.
salicina *f* (lab), salicin.
salida *f*, outlet, mouth, outfall; (elec) outlet; (min) outcrop; (bldg) exit.
—— de albañal (M), house connection to sewer.
—— de desagüe, blowoff; sluiceway.
—— del guarapo (az), juice outlet.
—— de incendio (M), fire escape.
salideros *m*, leakage.
saliente *m*, projection, lug, salient; *a* projecting, salient.
salífero, containing salt.
salina *f*, salt mine; (A) salt desert; (M) salt marsh.
salinidad *f*, salinity.
salinización *f*, salinization.
salino, saline.
salinómetro *m*, salimeter.
salirse, to leak.
—— de madre (r), to overflow.
—— fuera de línea, to get out of line.
salitral *m*, nitrate bed; *a* nitrous.
salitre *m*, natural sodium nitrate; saltpeter.
salitrera *f*, deposit of nitrates; salt desert.
salitroso, nitrous.
salmer *m*, skewback, springer.
salmiac *m*, sal ammoniac.
salmuera *f*, brine.
salobre, brackish.
salobridad *f*, salt content, brackishness.
salomónico, spiral.
salón *m*, room; (min) chamber, stall, room.
—— de espera (fc), waiting room.
salpicadero *m*, splashguard, (auto) mudguard; (sd) splash plate.
salpicadura *f*, (lu) splash; (w) spatter, splatter.
salpicar, to splash; (w) to spatter.
salpicón *m*, splash, spatter.
salpique *m* (lu), splash.
saltacarril *m* (fc)(Es), jump frog.

saltación *f* (r), saltation.
saltadura *f* (Es), spall, chip.
saltamonte *m* (az)(C), grasshopper conveyor.
saltar, to come loose; to explode; to blow (fuse).
——, hacer (vol), to blast.
saltarregla *f*, bevel square.
saltear, to break (joints), stagger.
saltillo *m* (cal)(C), bridge wall.
salto *m*, (hyd) head, fall; (hyd) drop structure; (min) slide, displacement; (geol) throw.
—— aprovechable o disponible (hid), available head.
—— bruto, gross head.
—— de agua, a water power, waterfall.
—— de arco (eléc), arc-over.
—— hidráulico, hydraulic jump.
—— horizontal (M), offset.
—— neto, net or effective head.
—— útil, useful head.
salubridad *f*, health.
salvabarros *m*, mudguard.
salvador *m* (náut), wrecker.
salvamento, salvataje *m*, salvage, wrecking.
salvar, to span; to salvage; (C) to pave.
salvarruedas *m*, wheel guard.
salvavidas *m*, life preserver.
salvavidrio *m*, window guard.
salleríos (min)(B), material that has slid down, talus.
sámago *m*, sapwood.
sandalias (*f*) de asfaltador, asphalt sandals.
saneamiento *m*, drainage, sewerage; sanitation.
sanear, to drain; to sewer.
sangradera *f*, drain.
sangrado *m* (conc)(M), bleeding.
sangrador *m* (ra), bleeder.
sangradura *f*, drainage, draining; bleeding.
sangrar, to drain; to bleed; to tap (furnace).
sangre, a, by animal power.
sangría *f*, drain, trench; drainage; bleeding.
sanidad *f*, sanitation; soundness.
sanidina *f*, sanidine, glassy feldspar.
sanidinita *f* (geol), sanidinite.
sanitación *f* (C), sanitation.
sanitario *m*, sanitarian; (V) plumbing fixture (V) toilet; *a* sanitary.
sano *a*, sound.
santiago *m* (A), rail bender.
santorina *f*, Santorin (pozzolan).
sapo *m* (fc), frog.
—— con riel de muelle (M), spring-rail frog.
—— de punta movible, movable-point frog.
—— ensamblado, built-up frog.
—— medio, crotch frog.
saponificable, saponifiable.
saponificador *m*, saponifier.
saponificar, to saponify.
saponita *f*, soapstone.
saprofítico (is), saprophytic.
saprófito *m*, saprophyte; *a* saprophytic.
saprogénico (is), saprogenic.
saprolita *f* (geol), saprolite.
saprozoico (is), saprozoic.
saquisaqui *m* (V), kind of cedar.
sardinel *m*, (bw) rowlock; (C) walkway; (Col) sidewalk curb; (Pe) crown of an arch.

sargento *m*, clamp, vise.
—— de cadena, chain vise.
—— de madera, hand screw, carpenter's clamp.
sarro *m*, incrustation, boiler scale.
sarta *f*, string, series, line, set.
—— de entubado (pet), casing string.
—— de pesca (pet), fishing string.
—— de producción (pet), flow string.
—— vástago (pet), drill string.
sasasa *f* (V), kind of sandstone.
satélite *m*, satellite (gear).
satinado *m* (ft), satin finish.
satinador *m*, polishing tool.
saturable, saturable.
saturación *f*, saturation.
—— de tensión, voltage saturation.
saturador *m*, saturator.
saturante *m*, saturant.
saturar, to saturate.
sauce *m*, willow.
savia *f*, sap.
sazonar (mad), to season.
scheelita *f*, scheelite (tungsten ore).
sebe *f* (hid), wattle, hurdle.
sebo *m*, tallow.
seca *f*, drought.
secadal *m*, barren land, desert.
secadero *m*, dry kiln; (sd)(A) sludge-drying bed.
secado al aire, air-dried, air-seasoned.
secado al horno, kiln-dried.
secador *m*, drier.
—— al vacío, vacuum drier.
—— del carbón de hueso (az), char drier.
secadora *f*, drier.
—— de impresiones (fma), print-drying machine.
—— de película en rollos (fma), roll-film drier.
secaje *m* (mad)(M), seasoning.
secamiento *m*, drying; siccation.
secano *m*, (r) sand bar; unirrigated farm land.
secante *f*, (math) secant; (pt) drier; siccative.
—— externo, external secant.
secar, to dry; to season; secarse, to dry out, become dry.
sección *f*, section.
—— compuesta (ot), compound cross section.
—— de tres niveles (ot), three-level section.
—— libre, (rr) clearance.
—— maestra (an), midship section.
—— normal o tipo, standard section.
—— transversal, cross or transverse section.
secciones conjugadas, conjugate sections.
seccionado, sectional, in sections.
seccionador *m* (eléc), section or isolating switch.
seccional, sectional.
seccionar, to section; to cross-section; to sectionalize.
seco, dry.
—— al horno, ovendry.
—— y suelto (ag), dry loose.
secoya *f*, redwood.
secretaría *f*, secretary's office; government department.
secretario *m*, secretaria *f*, secretary.
—— interino, -na, acting secretary.
sectil (miner), sectile.
sectilidad *f*, sectility.

sector *m*, sector.
—— de acercamiento (ap), approach sector.
—— de cambio de marcha (mv), Stephenson link.
—— dentado, sector gear.
secular, secular.
secundario *m a*, secondary.
sede (*j*) central (A), headquarters.
sedimentable, settling, settleable (solids).
sedimentación *f*, sedimentation, settling, silting up.
sedimentador *m* (pa), settler.
sedimentar, to deposit silt; to cause to settle; to puddle (earth).
sedimentario, sedimentary.
sedimento *m*, sediment, silt.
segmental, segmental.
segmento *m*, segment.
—— colector (eléc), commutator segment.
—— de contacto (eléc), contact segment.
—— de émbolo, piston ring.
segregación *f* (conc)(met), segregation.
segregador (*m*) de gas (pet), gas anchor.
segueta *f*, compass or keyhole or fret saw; (V) hacksaw.
—— mecánica (M), power saw.
—— para arco (M), hacksaw blade.
—— para fierro (M), hacksaw.
seguidor *m* (mec), follower.
—— de la leva (mg), cam follower.
segunda mano, de, secondhand.
segunda marcha (auto)(Ec), second speed.
segundo *m a*, second.
—— administrador (C), assistant manager.
—— capataz (U), subforeman.
—— carpintero (Es), carpenter's helper.
—— ingeniero en jefe, assistant chief engineer.
—— superintendente, assistant superintendent.
—— travesaño (auto), second cross member.
segundos de viscosidad Saybolt, Saybolt seconds.
segur *f*, ax; sickle.
segureta *f*, hatchet.
seguro *m*, (mech) pawl, dog, latch, stop; insurance.
—— contra accidentes, accident insurance.
—— contra incendio, fire insurance.
—— contra responsabilidad civil, liability insurance.
—— contra responsabilidades del contratista, contractor's liability insurance.
—— contra responsabilidades de patrones, employer's liability insurance.
—— de compensación, compensation insurance.
—— de responsabilidad pública, public liability insurance.
—— marítimo, marine insurance.
—— obrero, workmen's insurance.
—— para compensación de obreros, workmen's compensation insurance.
seis, six.
seisavado, hexagonal.
selección de engranajes, gear selection.
seleccionar (U), to select.
selectancia, selectividad *f* (ra), selectance, selectivity.
selectivo, selective (gear).

selecto (mad), select.
selector m (eléc)(mec), selector.
—— de corriente (eléc), current selector.
—— de faja (ra), band selector or switch.
—— de octano (auto), octane selector.
—— de ondas (ra), wave trap.
—— de paradas (asc), stop selector.
—— de pulsación (ra), pulse selector.
—— de puntos (fma), point selector.
—— de rapidez (fma), speed selector.
—— tipo de cuadrante, dial selector.
selenio m (quím), selenium.
selenita f (miner), selenite (gypsum).
selenito m (quím), selenite.
seleniuro m (quím), selenide.
selva f, forest.
selvático, pertaining to forests; wooded.
selvicultor m, forester, forestry engineer.
selvicultura f, forestry.
sellado m, seal, sealing.
—— de arrastre (ca), drag seal.
—— de penetración (ca), penetration seal.
selladora f (ca)(A), seal coat.
sellaporos m (pint), filler.
sellar, to seal, close.
sello m, seal.
—— a presión, pressure seal.
—— de grasa, grease seal.
—— de lubricación o de aceite, oil seal.
—— hidráulico del eje, shaft seal.
semáforo m, semaphore.
sembrar, to seed, sow.
semejante (mat), similar.
semejante (m) hidráulico, semejanza hidráulica,
    hydraulic similarity.
semiacabado, semifinished.
semiacero m, semisteel, ferrosteel, high-strength
    gray iron.
semiacoplado m (A), semitrailer.
semiajustable, semiadjustable.
semiángulo m, semiangle.
semiantracita f, semianthracite.
semiarco m, semiarch.
semiárido, semiarid.
semiasfáltico, semiasphalt.
semiaustenítico (met), semiaustenitic.
semiautomático, semiautomatic.
semiballesta f (A), semielliptical spring.
semibastardo, semibastard (file).
semibituminoso, semibituminous.
semibóveda f, semiarch, semivault; niche.
semicantilever, semicantilever.
semicañón m, half of barrel arch.
semicarril m (co), half-track.
semiciclo m (eléc), hemicycle.
semicilíndrico, semicylindrical.
semicircular, semicircular.
semicírculo m, semicircle.
semicircunferencia f, semicircumference.
semiconductor (eléc), semiconducting.
semicoque m, semicoke.
semicristalino, semicrystalline.
semicúbico, semicubical.
semicuerda f, semichord.
semidiámetro m, semidiameter.
semi-Diesel, semi-Diesel.

semieje m, semiaxis; (auto) axle shaft.
semielaborado, semifinished.
semielástico m (A), semielliptical spring.
semielíptico, semielliptical.
semiempotrado (viga), semifixed, restrained.
semiencerrado, semienclosed.
semiesfera f, hemisphere.
semiesférico, hemispherical.
semiexploratorio (pet), semiwildcat.
semifijo, semiportable; semifixed (beam).
semiflotante (maq), semifloating.
semiflúido, semifluid.
semigelatina f, semigelatine.
semigraso (carbón), semibituminous.
semihachuela f, half hatchet.
semihidráulico, semihydraulic.
semiincombustible (ed), semifireproof.
semiindirecto (il), semi-indirect.
semiinfinito, semi-infinite.
semilogarítmico, semilogarithmic.
semiluz f, semispan.
semillero m (az), seeder, seed tank.
semimagnético, semimagnetic.
semimate (il), semimat.
semimetálico, semimetallic.
semionda f (ra), half wave.
semiperíodo m (A), hemicycle.
semiportátil, semiportable.
semiprotegido, semiprotected.
semirrasante, semiflush.
semirredondo, half-round.
semirrefinado, semirefined.
semirrefractario, semirefractory.
semirremolque m, semitrailer.
semirrevestido, semicoated (electrode).
semirrígido, semirigid.
semisección f, half section.
semisurgente, semiartesian.
semitractor m (co), half-track.
semovientes, stock (horses, mules, etc.).
senario (mat), senary.
senarmontita f, senarmontite (antimony ore).
sencillo, single, simple.
senda f, path.
senderar, to cut a path.
sendero m, path, footpath, trail.
seno m, sine; slack of rope, sag, bight.
—— de onda, trough of a wave.
—— hiperbólico, hyperbolic sine.
—— logarítmico, logarithmic sine.
—— natural, natural sine.
—— verso, versed sine.
senoidal a, sine.
sensibilidad f, sensitivity, (inst) sensibility, re-
    sponsiveness, smallest reading.
—— de desviación (ra), deflection sensitivity.
—— luminosa (ra), luminous sensitivity.
sensibilizado (fma), sensitized.
sensible a la luz, photosensitive, light-sensitive
sensible a la presión, pressure-sensitive.
sensitividad f, sensitivity.
sensitometría f, sensitometry.
sensitómetro m (fma), sensitometer.
sentamiento m, settlement.
sentarse, to settle, sink.
sentazón m (Ch), slide in a mine working.

sentido *m*, direction, (ti) set.
sentina *f*, drain, sink; (sb) bilge.
señal *f*, signal, sign.
—— avanzada o de avance (fc), distant or advance signal.
—— avanzada de curva (ca), advance turn marker.
—— de advertencia, warning sign.
—— de brazo roto (fc), smashboard signal.
—— de cambio o de chucho (fc), switch signal.
—— de cautela, caution sign.
—— de control (ca), control sign.
—— de destellos (ca), flasher.
—— de destino (ca), destination sign.
—— de dirección (ca), direction sign.
—— de disco (fc), disk or banjo signal.
—— de disco oscilatorio (fc), wigwag signal.
—— de distancia (fc), distant signal.
—— de doblar (ca), turn marker.
—— de enfrenamiento (auto), brake signal.
—— de entrada, (rr) home signal; (ra) input signal.
—— de guitarra (fc), banjo or disk signal.
—— de la imagen (tv), picture or video signal.
—— de lomo (fc), hump signal.
—— de nieblas, fog signal.
—— de parada, stop signal.
—— de precaución, caution signal.
—— de prueba (ra), test signal.
—— de ruta (ca), route marker.
—— de salida (ra), output signal.
—— de sentido (co), directional signal.
—— de tramo (fc), block signal.
—— de video (ra), video or picture signal.
—— enana (fc), dwarf signal.
—— local (fc), home signal.
—— para cruce (fc), crossing signal.
—— parásita (ra), interfering signal.
—— probadora (ra), test signal.
señales
—— de bloque (fc), block signals.
—— de carretera o de tráfico, traffic or highway signs.
—— enclavadas o entrelazadas (fc), interlocking signals.
—— Q (ra), Q signals.
señalación *f* (ca), marking, signs.
—— señalador, señalero *m*, signalman.
señalar, to signal; to place signs.
señalización *f*, system of signs; (rr)(Ch) operation of signals.
señorita *f* (V), chain block, differential hoist.
separable, detachable, separable.
separación *f*, separation, spacing, pitch; (geol) separation; (miner) parting.
—— de empleo, discharge.
—— de niveles, grade separation.
—— estratigráfica (geol), stratigraphic separation or throw.
—— neta (ag), clean separation.
—— transversal (mad), cross break.
separador *m*, separator; spreader, spacer, packing block; (mt) stripper; ball cage (bearing); trap.
—— a contracorriente, reverse-current steam separator.

—— atravesable (ca), crossable or surmountable separator.
—— basculante, tilting steam trap.
—— centrífugo, centrifugal separator.
—— ciclónico, cyclone separator.
—— con flotador de bola, ball-float steam trap.
—— de absorción, absorption steam separator.
—— de aceite, oil separator.
—— de agua, steam trap.
—— de agua con retorno, return trap.
—— de agua sin retorno, nonreturn trap.
—— de aire, air valve or separator.
—— de amplitud (tv), amplitude or synchronizing separator, clipper.
—— de arena, sand separator or collector.
—— de barras (ref), bar spacer.
—— de cubeta abierta, bucket or open-float trap.
—— de cubeta invertida, inverted-bucket steam trap.
—— de espumas (dac), scumboard, scum remover or trap.
—— de esquistos (pet), shale separator or shaker.
—— de frecuencias (tv), frequency separator.
—— de gasolina, gasoline trap; gasoline strainer.
—— de grasa, grease trap.
—— de impacto (vapor), baffle-plate or impact separator.
—— de impulso, impulse steam trap.
—— de malla, mesh-type steam separator.
—— de la parafina (pet), wax stripper.
—— de polvo, dust collector or separator.
—— de rejilla, gridiron steam separator.
—— de sedimentos, sediment trap or separator.
—— de sincronización (tv), impulse separator; amplitude separator.
—— de vapor agotado, exhaust-steam separator.
—— eyector, ejection trap.
—— sobrepasable (ca), crossable or surmountable separator.
separadora *f*, separator, classifier.
—— de lutita (pet)(V), shale shaker, mud screen.
sepia *f* (dib), sepia.
septentrional, northern.
septicidad *f*, septicity.
séptico, septic.
septización *f*, septicization.
sequedad *f*, dryness, drought.
sequero *m*, barren land, desert.
sequía *f*, drought.
sereno *m*, watchman; dew.
serie *f* (eléc)(mat)(quím)(geol), series.
—— acetilénica, acetylene series.
—— electroquímica o electropotencial, electromotive or electrochemical or electropotential series.
—— parafínica, paraffin series.
serpear, serpentear (r), to meander.
serpenteo *m*, (auto) shimmy.
serpentín *m* (tub), coil, worm.
—— atemperador (aa), tempering coil.
—— calentador, heating coil.
—— enfriador o de refrigeración, cooling coil.
serpentina *f*, (p) coil; (geol) serpentine; worm (still).
—— de atemperación (aa), tempering coil.
serradizo (mad), fit to be sawed.

serrador *m*, sawyer.
serraduras *f*, sawdust.
serranía *f*, ridge, watershed line, mountain range.
serrar, to saw.
serrería *f*, sawmill.
serrezuela *f*, small saw.
serrín *m*, sawdust.
serrón *m*, large-toothed saw.
serrote *m*, two-man saw.
serruchada *f*, stroke of a handsaw.
serruchar, to saw; to hacksaw.
serrucho *m*, handsaw; crosscut saw.
—— braguero, pit saw.
—— calador de metales, keyhole hacksaw.
—— de calar, coping or jig or compass or pad saw.
—— de cortar a inglete, miter saw.
—— de cortar metales, hacksaw.
—— de corte doble, double-cut saw.
—— de costilla, backsaw.
—— de estuquista, plasterer's saw.
—— de hacer espigas, dovetail saw.
—— de hilar, hand ripsaw.
—— de lomo cóncavo, hollow-back saw.
—— de lomo recto, straight-back saw.
—— de lomo reforzado, backsaw.
—— de machihembrar, dovetail saw.
—— de punta o de puñal, compass or keyhole or pad saw.
—— de triple oficio, triple-duty saw.
—— de trozar, hand crosscut saw.
—— para astilleros, docking saw.
—— para modelador, patternmaker's saw.
—— para pisos, flooring saw.
—— puntiagudo, keyhole or compass saw.
serventía *f* (C), easement, right of way.
servicio *m*, service; duty; (A) water closet.
—— de corta duración, short-time duty.
—— doméstico o domiciliario (tub), house connection or service.
—— pesado, heavy duty.
—— simple, de, single-duty.
servidumbre *f*, right of way, easement.
—— de aguas, concession for use of water.
—— de paso, right of way.
—— de vía (fc), right of way.
serviola *f*, hoisting beam, cathead
servocilindro *m*, servo cylinder.
servofreno *m*, servo brake.
servomecanismo *m*, servomechanism.
servomotor *m*, servomotor.
—— para el arranque (mv), barring engine.
servorregulador *m*, servoregulator.
sesenticuatroavo *m*, one sixty-fourth.
sesgadura *f*, skew.
sesgar, to skew; to chamfer, bevel.
sesgo *m*, skew.
—— abierto (cn), open bevel.
—— cerrado (cn), closed bevel.
sesil (is), sessile.
sesquióxido, sesquioxide.
—— de hierro, ferric oxide.
sesquisilicato *m*, sesquisilicate.
seta (*f*), cabeza de (re), buttonhead.
seto *m*, fence, wall.
seudocoloidal (is), pseudocolloidal.
seudomórfico (miner), pseudomorphic.

seudópodos *m* (is), pseudopodia.
sexagesimal, sexagesimal.
sexagonal, hexagonal.
sextante *m*, sextant.
—— de bolsillo o de caja, pocket sextant.
—— hidrográfico, surveying sextant.
sicomoro *m* (mad), sycamore.
sideral, sidéreo, sidereal.
siderita, siderosa *f* (mineral de hierro), siderite, chalybite, sparry iron.
siderotecnia *f* (Es), siderurgy.
siderurgia *f*, siderurgy.
siderúrgico, siderurgical.
siembra *f*, seeding.
Siemens-Martin *a* (met), open-hearth.
siena *f* (dib), sienna.
—— natural, raw sienna.
—— tostada, burnt sienna.
sienita *f* (geol), syenite.
sienodiorita *f* (geol), syenodiorite.
sierra *f*, saw; mountain range.
—— al aire, pit saw; bucksaw.
—— a máquina (A), power saw.
—— alternativa, two-man saw; reciprocating saw.
—— bracera, handsaw; two-man crosscut saw.
—— cabrilla, whipsaw.
—— caladora, keyhole or jig or fret or coping or scroll saw.
—— cilíndrica, barrel or crown or tube saw, saw drill.
—— circular, circular or buzz saw.
—— circular oscilante, drunken or wobble saw.
—— circular para hender, circular ripsaw.
—— colgante, swing saw.
—— comba, bilge saw.
—— con armazón, bucksaw, mill saw.
—— con guía, gage saw.
—— con sobrelomo, backsaw.
—— continua, band saw.
—— cortametal, hacksaw.
—— de alambre, wire saw (for stone).
—— de arco, hacksaw; bow saw.
—— de cadena, chain saw.
—— de cantear, edging saw.
—— de cantero, stone saw.
—— de cinta o de cordón, band saw.
—— de columpio, swing saw.
—— de cortar a lo largo, ripsaw.
—— de cortar en frío (met), cold saw.
—— de costilla, backsaw.
—— de chiquichaque, two-man crosscut saw.
—— de dientes postizos, inserted-tooth saw.
—— de dimensión, dimension saw.
—— de disco (M), circular saw.
—— de hender o de hilar, ripsaw.
—— de hender en bisel, bevel ripsaw.
—— de lomo, backsaw.
—— de lomo cóncavo, hollow-back saw.
—— de mano, handsaw.
—— de montaraz (A), bucksaw.
—— de municiones, shot saw (stone).
—— de péndulo, swing saw.
—— de punta, compass or keyhole saw.
—— de reaserrar, resaw.
—— de recortar, cutoff saw.
—— de talar o de tumba, felling or falling saw.

—— **de tapón**, plug saw.
—— **de tiro**, dragsaw.
—— **de trasdós**, backsaw.
—— **de través**, crosscut saw.
—— **de trozar en bisel**, bevel cutoff saw.
—— **de vaivén**, shuttle saw.
—— **elíptica o excéntrica**, wobble or drunken saw.
—— **en caliente** (met), hot saw.
—— **enteriza**, solid-tooth saw.
—— **huincha**, band saw.
—— **levadiza de recortar** (as), jump saw.
—— **mecánica de guías**, muley saw.
—— **múltiple**, gang saw.
—— **neumática**, air-driven saw.
—— **para contornear**, turning saw; compass or jig saw.
—— **para ingletes**, miter-box saw.
—— **para listones**, lath mill.
—— **para lupias** (met), bloom saw.
—— **para metales**, hacksaw.
—— **para rajar**, ripsaw.
—— **perforadora**, hole saw.
—— **ranuradora**, grooving saw.
—— **sin fin**, band saw.
—— **topadora**, butting saw.
—— **tronzadora**, two-man crosscut saw; dragsaw.
—— **trozadora**, bucking saw; crosscut saw.
sifón m, siphon; trap.
—— **aliviadero**, siphon spillway (dam).
—— **alternante**, alternating siphon.
—— **con orificio de limpieza** (pb), handhole trap.
—— **de artefacto** (pb), fixture trap.
—— **de campana**, bell trap.
—— **de limpieza automática** (al), automatic flush tank.
—— **de servicio** (pb), house trap.
—— **desconectador** (pb)(U), house trap.
—— **dosificador** (is), dosing siphon.
—— **en D** (tub), D trap.
—— **en P**, P trap.
—— **en S**, S trap.
—— **en S a 45°**, ¾-S trap.
—— **en S a 90°**, half-S trap.
—— **en U**, running trap.
—— **vertedero** (hid), siphon spillway.
sifonaje m, siphoning, siphonage.
sifonar, to siphon.
sifónico, siphonic.
signo m, sign, mark, signal, symbol.
—— **de curva** (ca), turn marker.
—— **de diferencial**, differential sign.
—— **de la integral**, sign of integration.
—— **menos**, minus sign.
—— **radical** (mat), radical sign.
signos convencionales (dib), conventional signs.
signos para montaje, erection marks.
silanga f (F), gut, strait, channel.
silbato m, whistle.
silbido m, whistle signal; (elec) hissing (arc), whistling.
—— **heterodino** (ra), heterodyne whistle.
silenciador m, silencer, muffler.
—— **de admisión** (auto), intake or suction silencer, intake muffler.
—— **de escape**, exhaust silencer, muffler.
—— **de ruidos** (ra), noise silencer.

silencioso m (A)(U), muffler; a silent.
silero m, silo.
silicación f, silication.
silicatado, silicated.
silicato m, silicate.
—— **básico de calcio**, basic calcium silicate.
—— **de soda**, silicate of soda, sodium silicate, water glass.
—— **dicálcico** (ct), dicalcium silicate.
—— **tricálcico** (ct), tricalcium silicate.
sílice f, silica, silex, silicon dioxide.
—— **gelatinosa**, silica gel.
silíceo, siliceous.
silíceobituminoso, siliceobituminous.
silícico, silicic.
silicio m, silicon.
siliciuro m, silicide.
silicón m (ais), silicone.
silicosis f, silicosis.
silicoso (M)(Pe), siliceous.
silo m, silo, bin.
silvanita f (mineral de oro y plata), sylvanite, graphic tellurium.
silvicultor m, forester, silviculturist.
silvicultura f, forestry, silviculture.
silla f, saddle; chair; (rr) tie plate; (mt) saddle.
—— **colgante**, shaft hanger.
—— **de asiento** (fc), tie plate.
—— **de ballesta**, spring seat.
—— **de campana** (pb), saddle hub.
—— **de derivación** (agua), service or tapping saddle.
—— **de detención** (fc), anticreeper.
—— **de montar**, saddle (riding).
—— **de respaldón** (fc), rail brace.
—— **para soldar** (tub), welding saddle.
sillar m, an ashlar stone.
—— **de arranque**, skewback.
sillarejo m, small ashlar masonry.
—— **de concreto**, concrete block.
sillería f, ashlar masonry.
silleta f, a bearing; (rr) tie plate.
—— **de apoyo** (fc), tie plate.
—— **de empuje** (fc)(A), rail brace.
sillín m (mec), support, saddle, chair.
sima f, chasm, cavern.
simbiosis f (lab), symbiosis.
simbiótico, symbiotic.
símbolo m, symbol.
—— **químico**, chemical symbol.
símbolos convencionales, conventional signs.
simetría f, symmetry.
simétrico, symmetrical.
similitud f (mat), similitude.
simonizar, to simonize.
simpática, sympathetic (vibration).
simpiezómetro m (hid), sympiesometer.
simple, single; simple.
—— **efecto, de**, single-acting.
—— **vertiente, de**, single-pitch (roof).
simultáneo (mat), simultaneous.
sin cocer, unburned (brick).
sin condensación, (eng) noncondensing.
sin costura, (p) seamless.
sin chispas, sparkless.
sin dimensión (mat), nondimensional.

sin **empaquetadura**, packless.
sin **escala**, sin **parada**, nonstop.
sin **fin**, endless.
sin **hilos**, wireless.
sin **humo**, smokeless.
sin **retorno**, nonreturn (trap).
sin **rieles**, trackless (trolley).
sin **soldar**, weldless, solderless.
sinclástico (mat), synclastic.
sinclinal m (geol), syncline; a synclinal.
sinclinorio m (geol), synclinorium.
sincrónico (eléc), synchronous.
sincronismo m, synchronism.
sincronizador m, synchronizer.
—— **separador** (tv), amplitude or synchronizing separator, clipper.
sincronizar, to synchronize.
síncrono, synchronous.
sincroscopio m, synchroscope.
sindicalismo m, unionism.
sindicar, to syndicate; to unionize.
sindicato m, syndicate.
—— **gremial**, trade-union, labor union.
—— **industrial**, industrial union.
—— **obrero**, labor union.
sindicatura f, receivership.
síndico m, (fin) receiver.
sinergismo m (is), synergism.
sinfín (m) y rodillo, worm and roller.
singenético (min), syngenetic.
siniestra f, left hand.
siniestro m, damage, loss; shipwreck; a left-hand.
siniestrógiro, **siniestrórsum**, counterclockwise.
sinterización f (V), sintering.
síntesis f, synthesis.
sintético, synthetic.
sintetizar, to synthesize.
sintol m, synthol (fuel).
sintonía f (ra), syntony, resonance; tuning.
sintonizable (ra), tunable.
sintonización f (ra), syntonization, tuning.
—— **aguda**, sharp tuning.
—— **aplastada** o plana, flat or broad tuning.
—— **selectiva**, selective tuning.
sintonizador m, tuner.
—— **de cuarto de onda**, quarter-wave tuner.
sinusoidal, sinusoidal.
sinusoide f (mat), sinusoid.
sirca f (Ch), vein of ore.
sircar (Ch), to strip the overburden from a vein.
sirena f, siren.
sirga f, hawser; towing.
sirgar, to tow.
sisal m, sisal.
siseo m (sol), hissing.
sismicidad f, seismicity.
sísmico, seismic.
sismo m, seismism; earthquake.
—— **final**, aftershock.
—— **preliminar** o precursor, foreshock.
—— **tectónico** o de dislocación, tectonic earthquake.
sismocronógrafo m, seismochronograph.
sismografía f, seismography.
sismográfico, seismographic.
sismógrafo m, seismograph; seismographer.

—— **de dos componentes**, two-point seismograph.
—— **de reflexión**, reflection seismograph.
—— **de refracción**, refraction seismograph.
sismograma, **sismogramo** m, seismogram.
sismología f, seismology.
sismológico, seismological.
sismólogo m, seismologist; seismographer.
sismométrico, seismometric.
sismómetro m, seismometer.
sismometrógrafo m, seismometrograph.
sismoscopio m, seismoscope.
sismotectónico (geol), seismotectonic.
sistema m, system.
—— **a vacío** (cf), vacuum system.
—— **audiofrecuente** (ra), audio system.
—— **caminero** o vial, system of roads.
—— **cegesimal**, centimeter-gram-second (cgs) system.
—— **cloacal**, sewer system, sewerage.
—— **de acueducto** o de agua potable o de aguas corrientes, water system, waterworks.
—— **de alumbrado** o de iluminación, lighting system.
—— **de antenas** (ra), antenna array.
—— **de aterrizaje a ciegas** (ap), blind-landing system.
—— **de bloque** (fc), block system.
—— **de corriente ascendente** (ve), upward system.
—— **de energía** o de fuerza motriz, power system.
—— **de laboreo** (min), method of working.
—— **de piso** (ed)(M), floor system.
—— **de tubería única** (cf), one-pipe system.
—— **de vapor descendente** (cf), downfeed system.
—— **ferroviario**, railway system.
—— **métrico**, metric system.
—— **polifásico equilibrado** (eléc), balanced polyphase system.
—— **separativo** (al), separate system.
—— **unitario** (al), combined system.
sitio m, site; (M) area of 4338 acres.
situación f, site, location; condition.
situador m, spotter.
—— **de barrena**, hole spotter (drill).
—— **de vagones**, car spotter.
situar, to locate, place; (auto)(ap) to park.
smithsonita f (M), smithsonite (zinc ore).
sobradillo m, hood over door or window, penthouse.
sobreacarreos m (ot), overhaul.
sobreacoplado (eléc), overcoupled.
sobreagrupación f (ra), overbunching.
sobrealimentación f (mg)(di), supercharging.
sobrealimentador m, supercharger.
sobreamortiguado, overdamped (vibration).
sobreancho m, extra width; (rr) widening of gage on curves.
sobrearco m, relieving arch.
sobrecalentador m, superheater.
sobrecalentar, to overheat; to superheat.
sobrecapa f (exc), overburden.
sobrecapataz m, general foreman.
sobrecarbonizado (az), overburned (char).
sobrecarga f, surcharge; overload; live load, (elec) overcharge; (exc) overburden.
—— **admisible**, permissible overload.

—— **de corta duración,** short-time overload.
—— **móvil,** moving load.
—— **recurrente,** recurrent overload.
sobrecargar, to overload; to surcharge; (elec) to overcharge.
sobrecarrera f (maq), overtravel.
sobrecejo m (Col), lintel.
sobrecorrección f, overcorrection.
sobrecorriente f (eléc), overcurrent.
sobrecortador m (tún), overcutter.
sobrecosto m (M), fee on cost-plus contract.
sobredimensionado (A), oversize.
sobredoblar, to overflex.
sobredosificación f (pa), overdosing.
sobreedificar, to build on top of.
sobreelevación f, superelevation; increase in height.
sobreenfriar, to supercool; to overcool.
sobreescurrimiento m (geol)(A), overthrust.
sobreesforzar (U)(M), to overstress.
sobreesfuerzo m, overstress.
sobreespesor m, excess thickness.
sobreexcavación f, overexcavation.
sobreexcitación f, overexcitation.
sobreexpansión f, overexpansion.
sobreexposición f (fma), overexposure.
sobreexpuesto, overexposed.
sobrefatiga f, overstress.
sobrefatigar, to overstress.
sobrefrecuencia f (eléc), overfrequency.
sobrefusión f, superfusion; supercooling.
sobreguía f (min), intermediate level.
sobreinclinación f (fma), overtilt.
sobreinflar (auto), to overinflate.
sobreintensidad f (eléc), overvoltage.
sobrejunta f, splice plate, fishplate, scab, butt strap.
sobrejuntar, to splice with butt straps, to scab.
sobrelecho m, lower bed of ashlar stone; (Col) upper bed.
sobremando m, **sobremarcha** f (auto), overdrive.
sobremedida f, oversize.
sobremodulación f (ra), overmodulation.
sobremonta f (sol), overlap.
sobrenadante, supernatant.
sobrenadar, to float.
sobreneutralización f (ra), overneutralization.
sobrepaga f, extra pay.
sobrepasable (ca), surmountable (curb).
sobrepasar, to overtop.
sobrepeso m, overweight.
sobrepiso (V), top course of floor.
sobreplán f (cn), rider.
sobreplegamiento m (geol), overfold.
sobreponer, to cap, lap, superimpose.
sobrepotencia f (eléc), overpower.
sobreprecio m, surcharge, additional price.
sobrepresión f, excess pressure; (V) pressure.
sobrepuerta f, hood over door; transom bar.
sobrequilla f (cn), keelson.
—— **central,** middle-line keelson, vertical keel.
—— **de pantoque,** bilge keelson.
—— **lateral,** side keelson.
—— **transversal,** cross keelson.
sobrerrajado m (min)(B), overbreak.
sobresaliente, projecting, overhanging.

sobresalir, to overhang, jut out, project.
sobresaturado, supersaturated.
sobrestadía f (fc), demurrage.
sobrestante m, foreman; (A)(U) engineers' representative on the work, inspector.
—— **de taller,** shop foreman.
—— **de tramo** (fc), section foreman.
—— **de turno,** shift boss.
—— **de vía** (fc), track foreman.
—— **general,** walking boss, general foreman.
—— **montador,** erection foreman.
sobresueldo m, extra pay.
sobresuspendido (auto), overslung.
sobretamaño m, oversize.
sobretecho m, monitor, clearstory.
sobretemperatura f, (elec) overtemperature; (A) superheat.
sobretensión f (eléc), overvoltage.
sobretiempo m, overtime.
sobretono m (ra), overtone.
sobretratamiento m (pa), overtreatment, excess treatment.
sobreumbral m (Col), lintel.
sobrevega f (PR), highest part of tract of low land.
sobrevelocidad f, overspeed.
sobreverterse, to overflow.
sobrevidriera f, window screen; window grill; shutter.
sobrevoltaje m, overvoltage.
sobrextra fuerte, double-extra-strong.
socalzar, to underpin.
socarrén m, eaves.
socarrena f, space between roof beams.
socava f, undermining.
socavación f, undermining; piping (earth dam); washout; (w) undercut.
socavadora f (herr min), undercutter.
socavar, to undermine; (hyd) to scour, undercut; to excavate; (mt)(A) to back off.
socavón m, adit, drift, gallery; cavern; (C) pit.
—— **de cateo,** prospecting tunnel.
—— **de desagüe,** drain gallery, draining adit.
socaz m, tailrace.
sociedad f, society; company, corporation; partnership.
—— **anónima,** stock company, corporation.
—— **aseguradora,** underwriters, insurance company.
—— **colectiva o comanditaria,** partnership.
—— **de responsabilidad limitada,** limited-liability company.
—— **obrera,** labor union.
—— **por acciones,** stock company.
soclo m (M), footing.
soco m (Col), journal, gudgeon, pivot; stump.
soda (f) **cáustica,** caustic soda.
sódico a, sodium, sodic.
sodio m, sodium.
sofito m, soffit.
soga f, rope; (mas) stretcher.
—— **acalabrotada,** cable-laid rope.
—— **de cableado corriente,** plain-laid rope.
—— **de canto** (lad), bull stretcher.
—— **de cuatro torones con alma,** shroud-laid rope
—— **de cuero crudo,** hide rope.

—— de torcido apretado, hard-laid rope.
—— de torcido flojo, soft-laid rope.
—— y tizón (mam), stretcher and header; thickness of 1½ bricks.
soguería f, outfit of ropes, rigging; ropewalk.
soguero m, ropemaker.
solado m, pavement, floor.
solador m, paver, tile layer.
soladura f, paving.
solapa f, lap.
solapadura f, lap.
—— lateral (fma), side lap.
—— longitudinal (fma), end lap.
solapar, to lap, overlap.
solaque m (B), mortar made of brick dust.
solar m, plot, lot; v to pave, floor; a solar.
—— yermo (C), vacant lot.
solarización f (fma), solarization.
soldabilidad f, weldability.
soldable, weldable.
soldado, welded, soldered.
—— a solapa, lap-welded.
—— a tope, butt-welded.
—— por recubrimiento o por superposición, lap-welded.
soldador m, welder; soldering iron.
—— de cobre, soldering copper.
soldadora f, welding outfit.
—— de banco, bench welder.
—— de costuras, seam welder.
—— de puntos múltiples, multipoint or multiple-spot welder.
—— por presión, press welder.
—— por puntos, spot welder.
soldadura f, welding, soldering; solder; welding compound; a weld.
—— al arco, arc welding.
—— a cadena, chain welding.
—— a contracción, shrink welding.
—— a doble bisel, double-bevel weld.
—— a gas, gas welding.
—— a horno (tub), furnace weld.
—— a la inversa, backhand welding.
—— a martillo, hammer weld.
—— a nudo (pb)(A), wiped joint.
—— a pulsación, pulsation welding.
—— a resistencia con salientes, projection welding.
—— a resistencia por inducción, induction resistance welding.
—— a rodillo, roll welding.
—— al sesgo, scarf weld.
—— a soplete, torch welding.
—— a termita, thermit weld.
—— a tope con arco, flash butt welding.
—— a tope con recalcado, upset butt welding.
—— aeroacetilénica, air-acetylene welding.
—— alternada, staggered intermittent weld.
—— aluminotérmica, thermit or aluminothermic welding.
—— amarilla, hard solder.
—— angular, corner weld.
—— autógena, autogenous welding.
—— automática por puntos, progressive spot welding.
—— blanca, soft solder.

—— compuesta, composite weld.
—— con arco de hidrógeno atómico, atomic hydrogen welding.
—— con cubrejunta, strap weld.
—— con electrodos de carbón, carbon-arc welding.
—— con energía acumulada, stored-energy welding.
—— con filete, fillet weld.
—— con fundente protector, flux-shielded welding.
—— con núcleo ácido, acid-core solder.
—— con núcleo de resina, rosin-core solder.
—— con protección gaseosa, gas-shielded welding.
—— con reborde, bead weld.
—— con recalcadura, upset butt welding.
—— de aluminio, aluminum soldering.
—— de arco con latón, arc brazing.
—— de arco de carbón, carbon-arc welding.
—— de arco metálico, metal-arc welding.
—— de arco protegido, shielded-arc welding.
—— de arista o de cantos, edge weld.
—— de arriba, overhead weld.
—— de bisel o de chaflán, bevel or groove welding.
—— de bronce (A), brazing.
—— de capas múltiples, multilayer welding.
—— de contacto, contact or touch welding.
—— de cordón, bead weld.
—— de costura, seam welding.
—— de cuña, plug weld.
—— de chaflán sencillo en V, single V-groove weld.
—— de electrodo cubierto, covered-electrode welding.
—— de enchufe (tub), cup weld.
—— de espárragos, stud welding.
—— de espiga, pin welding.
—— de estampado, mash welding.
—— de estaño, soft solder.
—— de fondo abierto, open-root weld.
—— de fondo cerrado, closed-root weld.
—— de forja, forge or hammer or blacksmith or roll welding.
—— de forja a mano o del herrero, blacksmith welding.
—— de forja con laminador, roll welding.
—— de hojalatero, tinner's solder.
—— de impacto, percussive welding.
—— de inducción, induction welding.
—— de latón, brazing; brazing solder; hard solder
—— de llama múltiple, multiple-flame welding.
—— de montaje, field weld.
—— de muesca, cleft or slot welding.
—— de núcleo, cored solder.
—— de obturación o de sello, seal welding.
—— de paso múltiple, multipass weld.
—— de paso simple, single-pass weld.
—— de plata, silver solder; silver brazing.
—— de plomero, plumber's solder.
—— de prueba, test weld.
—— de ranura, slot or groove weld.
—— de ranura biselada, bevel-groove weld.
—— de ranura en J, J-groove weld.
—— de ranura en X, double V-groove weld.

—— de ranura recta, square groove weld.
—— de ranura simple, single groove weld.
—— de resalto, projection welding.
—— de resistencia a tope, resistance butt welding.
—— de retroceso, back-step welding.
—— de revés, backhand welding.
—— de solapa, lap weld, lap-welding.
—— de tapón, plug weld.
—— de tejido o de vaivén, weaving.
—— de tope, butt welding, butt or jam weld.
—— directa, forehand welding.
—— en ángulo exterior, corner weld.
—— en ángulo interior, fillet weld.
—— en posición plana, downhand welding.
—— en serie, series welding.
—— en T, T-joint weld.
—— en tres posiciones, three-position weld.
—— en V simple, single-V butt weld.
—— esquinera, corner weld.
—— estancadora, seal weld.
—— fuerte, brazing or hard solder; brazing.
—— fuerte al arco, arc brazing.
—— fuerte al horno, furnace brazing.
—— fuerte a soplete, torch brazing.
—— fuerte con inmersión, dip brazing.
—— fuerte de resistencia, resistance brazing.
—— fuerte por inducción, induction brazing.
—— fundente, welding compound.
—— hidromática, hydromatic welding.
—— intermitente, intermittent weld.
—— múltiple a resistencia, multiple resistance welding.
—— múltiple de puntos, multiple spot welding.
—— oblonga, slot weld.
—— ondulada, ripple weld.
—— oxhídrica al arco, atomic hydrogen welding.
—— oxiacetilénica, oxyacetylene welding.
—— oxihidrógeno, oxygen-hydrogen welding.
—— para resistencia, strength welding.
—— plana, flat weld; downhand welding.
—— por arco metálico, metallic-arc welding.
—— por fusión, fusion welding.
—— por inmersión, dip brazing.
—— por laminador, roll welding.
—— por pasos longitudinales, pass welding.
—— por pasos transversales, build-up welding.
—— por percusión, percussive welding.
—— punteada o por puntos, spot or tack or intermittent welding.
—— repetida, repetitive welding.
—— salteada, skip weld, staggered intermittent welding.
—— sin presión, nonpressure welding.
—— sobrecabeza, overhead weld.
—— tierna, soft solder.
—— ultrarrápida, ultraspeed welding.
soldaje m, welding.
soldar, to weld, solder, braze, sweat.
—— con latón o con soldadura fuerte, to braze.
—— en fuerte, to braze.
solenoidal, solenoidal.
solenoide m, solenoid.

solera f, sill, solepiece; (min) soleplate; (carp) wall plate; (dd) floor; (hyd) invert; a steel flat; (M) floor tile; (rr)(A) guard timber; (rd) curb, (Ch) sidewalk curb.
—— de calzado (ca)(A), subgrade.
—— de fondo, sill, ground plate, groundsill.
—— de puerta, saddle, threshold, doorsill.
—— de ventana, window sill.
—— del vertedero (hid), spillway crest.
—— dentada (hid), dentated sill.
—— inferior (carp), sill, soleplate.
—— superior, cap, wall plate.
solería f, pavement; paving material.
solevamiento m (geol), upheaval, upthrust.
solicitación f, stress.
solicitar, to stress.
solicitud f, application; requisition.
solidez f, solidity.
solidificar, to solidify.
sólido m a, solid.
sólidos sedimentables (dac), settleable solids.
soliflucción f (ot), sloughing, solifluction.
solivio m (hid), uplift, upward pressure.
solsticio (m) hiemal, winter solstice.
solsticio vernal, summer solstice.
soltadizo, removable, collapsible.
soltador (m) de barrena (pet), bit breaker.
soltar, to loosen, release, let go.
solubilidad f, solubility.
solubilizar, to solubilize.
soluble, soluble.
solución f, solution.
—— acondicionadora (bm), priming solution.
—— amortiguadora o retardadora, buffer solution.
—— doctor (pet), doctor solution.
—— estabilizadora (C), buffer solution.
—— indicadora, indicator solution.
—— madre, stock solution.
—— normal o patrón, normal or standard solution.
solucionar, to solve (problem).
solvente m, solvent.
sollado m (cn), lowest deck, orlop.
sombra f, shadow, shade.
sombreado m (dib), shading.
sombrerete m, hood; cap; coping; cowl; (pi) driving cap; (va) bonnet.
—— del eje (auto), hubcap.
—— del mástil (gr), mast top.
sombrero m, (M) hubcap.
—— de hierro (min), iron hat, gossan.
sombrógrafo m (Es), shadowgraph.
sonador m (tel), sounder.
sonda f, drill, earth auger; sounding rod or line; (geog) sound; (naut) fathometer; (su) proof stick; (A) thickness gage.
—— de cable, cable drill.
—— de consistencia, consistency gage.
—— de corona o de núcleo, core drill.
—— de corona dentada, calyx drill.
—— de cuchara o de tierra, earth auger.
—— de diamantes, diamond drill.
—— de granalla o de municiones o de perdigones, shot drill.
—— de percusión, percussion drill.
—— de prospección, prospecting drill.

—— de rotación, rotary drill.
—— locomóvil, traveling or wagon drill.
—— neumática, air drill.
sondador m, sounder.
—— de cieno (dac), sludge sounder.
sondaje m, boring, drilling, sounding.
—— a chorro (Pe), wash boring.
—— a diamante, diamond drilling.
—— con corazón o de testigo, core drilling.
—— de exploración, test boring.
sondaleza f, sounding line.
sondar, sondear, to make borings, to drill; to take soundings.
sondeador m, drill runner; man who takes soundings.
sondeadora f, drill; sounding line.
sondeo m, boring; sounding; drilling.
—— hidráulico (M), wash boring.
sondista m (Es), drill runner.
sónico, sonic.
sonido m, sound.
sonógrafo m, sonograph.
sonómetro m, sonometer.
sopalancar, to raise with a lever.
sopanda f, knee-brace strut; (C) truss rod.
sopapa f, pump valve.
sopladero m, vent, air hole.
soplado m (min), cavity in a vein.
soplador m, blower, ventilator.
—— de aserrín, sawdust blower.
—— de forja, forge blower.
—— de nieve, snow blower.
—— de vapor, steam blower.
sopladura f, blowhole (casting).
soplar, to blow.
soplete m, blowtorch, blowpipe, welding torch; (bo)(A) oil burner.
—— atomizador, paint strayer.
—— cortador, cutting torch.
—— de arena, sandblast.
—— de gasolina, plumber's or gasoline torch.
—— de hidrógeno atómico, atomic hydrogen torch.
—— de perdigones, shot blast.
—— lanzallamas (V), plumber's torch.
—— oxiacetilénico, oxyacetylene torch.
—— oxhídrico, oxyhydrogen blowpipe.
—— perforador (sol), oxygen lance.
—— soldador, welding torch.
sopletear (A), to use a blowpipe or blowtorch; to weld with a torch; to solder.
sopleteo m, blowing, blasting.
sopletero m, operator of paint spray or oxyacetylene torch or sandblast; (A) man who tends oil burners.
soplo m, blast.
—— de arena, sandblast.
—— de ventilador, fan blast.
—— magnético, magnetic blowout.
—— magnético del arco (sol), arc blow.
soportar, to support, carry.
soporte m, support, bearing, standard.
—— colgante, hanger, shaft hanger, door hanger.
—— combinado o compuesto (mh), compound rest.
—— de cuña, knife-edge bearing

—— de rodillos, expansion bearing, roller support.
—— exterior, outboard bearing.
—— para inducidos, armature stand.
soquete m (Ch), socket.
sorbita f (met), sorbite.
sorbítico, sorbitic.
sordina f, muffler, silencer, any soundproofing device.
sordo, soundproof.
sorra f (náut), gravel ballast.
sortija f, hoop, ring.
sosa f, soda.
sosquín m (ed)(C), corner which is not square.
sostén m, small pier, support.
—— de cable (cv), fall-rope carrier.
—— de crisol (lab), crucible holder.
sostenedor (m) de tubería (pet), casing suspender.
sostener, to support.
sostenimiento m, support; (C)(M) maintenance.
sota m (Ch), foreman.
sotabanco m, skewback; (Col) penthouse (roof).
sótano m, cellar, basement; (M) cave in limestone formation; (pet) cellar.
sotavento m, lee, leeward.
sotechado m, shed; penthouse, bulkhead.
soterramiento m, (p) bury; (min) cave-in.
soterrar, to bury, put under ground.
sotominero m (min), subforeman.
sotomuración f, underpinning.
—— preensayada, pretest underpinning (patented).
sotrozo m, linchpin.
speiss (met), speiss.
standardizar (Ch), to standardize.
suaje m (M), a swage.
suave, smooth; soft (water); mild (steel); easy (curve); light (grade).
suavizador m, water softener.
—— a presión, pressure softener.
—— a vía caliente, hot-process softener.
—— de cal-bario, lime-barium softener.
—— de cal-sosa, lime-soda softener.
—— de ceolita, zeolite softener.
—— de combustible, fuel dope.
—— por precipitación, precipitation softener.
suavizar, to soften (water); to flatten (slope).
subácido m, subacid.
subácueo, underwater, subaqueous.
subadministrador m, assistant manager.
subalimentador m (eléc), subfeeder.
subalmacén, substoreroom.
subalterno m a, subordinate, assistant.
subálveo, subsurface, below river bed.
subangular, subangular.
subángulo (m) de desviación (lev), subdeflection angle.
subárea f, subarea.
subarmónica f (eléc), subharmonic.
subarrendar, to sublease, sublet.
subarrendatario m, subtenant.
subarriendo m, sublease.
subartesiano, subartesian.
subasta f, competitive bidding; auction.
subastar, to take bids; to auction.
subatmosférico, subatmospheric.

subatómico, subatomic.
subbalasto *m* (fc), subballast.
subbanco *m* (tún), subbench.
subbase *f*, subbase.
subbastidor *m* (auto), subframe.
subbituminoso, subbituminous.
subcapa *f*, sublayer.
subcapataz *m*, subforeman, straw boss.
subcarbonato *m* (quím), subcarbonate.
subcarburo *m*, subcarbide.
subcarrera *f* (to), subpurlin.
subcentral *f* (eléc), substation.
subcentro (*m*) de distribución (eléc), subcenter of distribution.
subcero, subzero.
subconjunto *m*, subassembly.
subcontratar, to subcontract.
subcontratista *m*, subcontractor.
subcontrato *m*, subcontract.
subcorriente *f*, subcurrent.
subcristalino, subcrystalline.
subcrítico, subcritical.
subcuadro *m* (eléc), subpanel.
subcuerda *f*, subchord, short chord.
subcultivo *m* (lab), subculture.
subdesagüe domiciliario (pb), subhouse drain.
subdiagonal *f*, (tu) subdiagonal.
subdirector *m*, assistant manager.
subdividir, to subdivide.
subdivisión *f*, subdivision.
subdrén *m*, subdrain.
subdrenaje *m*, subdrainage.
subempresario *m* (Ch), subcontractor.
subenfriamiento *m* (aa), subcooling.
subestación *f* (eléc), substation.
—— al aire libre o tipo intemperie, outdoor substation.
—— completa o enteriza o unitaria, unit substation.
subestrato *m*, substratum.
subestructura *f*, substructure.
subexcitación *f*, underexcitation.
subexposición *f* (fma), underexposure.
subfiador *m* (C), secondary bondsman.
subfirme *m* (V), subgrade.
subfluvial, subfluvial, underriver.
subfrecuencia *f* (eléc), underfrequency.
subgalería *f* (min), subdrift.
subgerente *m*, assistant manager.
subgrupo *m*, subassembly.
subhorizonte *m*, substratum.
subhúmedo, subhumid.
subida *f*, ascent, upgrade, rise.
—— y bajada (fc), rise and fall.
subilla *f*, awl.
subíndice *m* (mat), subindex, subscript.
subingeniero *m*, assistant engineer.
subinspector *m*, assistant inspector.
subirrigación *f*, subirrigation.
subjefe *m*, subforeman, assistant chief.
sublarguero *m* (pet), substringer.
sublavado *m* (r)(A), undercutting.
sublecho *m* (fc), subbed.
sublevación *f* (hid), uplift.
sublimación *f*, sublimation.

sublimado (*m*) corrosivo, corrosive sublimate, mercuric chloride.
sublimar (quím), to sublime, sublimate; sublimarse, to sublime.
submarino, submarine.
submedida (A), undersize.
submetálico, submetallic.
submicrón *m*, submicron.
submicroscópico, submicroscopic.
subminiatura (ra), subminiature.
submomentáneo (eléc), subtransient.
submuestreo *m*, subsampling.
submúltiplo *m*, submultiple.
submurar (A), to underpin.
subneutralización *f* (ra), subneutralization.
subnitrato *m* (quím), subnitrate.
subnivel *m* (min), sublevel.
subóxido *m* (quím), suboxide.
subpanel *m* (eléc)(A), subpanel.
subpermanente, subpermanent.
subpieza *f*, (tu) submember.
subpillar *m*, subpier.
subportadora *f* (ra), subcarrier.
subpresión *f* (hid), uplift.
subproducto *m*, by-product.
subpuntal *m*, substrut.
subpunzonado *m* (est), subpunching.
subramal *m* (irr), sublateral.
subrampa *f* (min), subincline.
subrasante *f*, subgrade.
subregadío *m*, subirrigation.
subsanar, to repair; to correct; (conc) to patch and point.
subsecretario *m*, assistant secretary.
subsidencia *f* (hid)(Pe), sedimentation, settlement.
subsidiario, subsidiary.
subsidio *m*, subsidy.
subsíncrono, subsynchronous.
subsolera *f*, subsill.
subsónico, subsonic.
subsótano *m*, subbasement, subcellar.
substancia *f*, substance.
substituir, sustituir, to substitute (all senses).
substitutivo, sustitutivo *a*, substitute.
substituto, sustituto *m*, substitute.
substracción *f*, subtraction.
substractivo, subtractive.
substraendo *m* (mat), subtrahend.
substraer (mat), to subtract.
substrato *m* (A), substratum.
subsuelo *m*, subsoil; (A) basement.
subsuperficial (M), subsurface.
subtablero *m* (eléc), subpanel.
subtaladrar, to subdrill.
subtamaño *m*, undersize.
subtangente *f*, subtangent.
subtender, to subtend.
subtensa *f* (mat)(Es), chord.
subtenso *a* (lev), subtense.
subterráneo *m*, subway; *a* subterranean, underground.
subtirante *m* (est), subtie, subtension member.
subtotal *m*, subtotal.
subtransmisión *f* (eléc), subtransmission.
subtropical, subtropical.

subusina *f* (eléc)(A)(U), substation.
subvención *f*, subvention.
subvertical *f* (est), subvertical.
subyacente, underlying.
succión *f*, suction.
— al extremo (bm), end suction.
— lateral (bm), side suction.
succionador *m*, sucker; (pet) swab.
succionar, to suck.
sucrato *m* (az), sucrate, saccharate.
sucrocarbonato *m* (az), sucrocarbonate.
sucrosa *f*, sucrose, saccharose.
sucursal *f*, branch of a business house.
sud *m*, south.
sudamiento *m*, sweating, condensation.
sudeste *m a*, southeast.
sudoeste *m a*, southwest.
suela *f*, leather; base, sill; (str)(Ch) cover
   plate.
— del freno, brake shoe.
sueldo *m*, salary, wages.
suelo *m*, floor; ground, soil; bottom; (ra)(Sp)
   ground.
— falso, filled ground.
— fungiforme (ed)(A), flat-slab construction.
— residual o sedentario, sedentary or residual
   soil.
sufridera *f* (est), dolly, die, bucker.
— acodada, straight gooseneck dolly.
— de palanca, heel dolly, dolly bar.
— de pipa, gooseneck dolly.
— de resorte, spring dolly.
— maciza, club dolly.
sufridor *m*, holder-on man in a riveting gang.
sufrir, to carry, support; (re) to buck up.
suiche *m*, (elec) switch; (rr)(Col) switch.
sujeción *f*, fastening; (A) constraint (beam).
sujetaalambre *m*, wire holder or clip.
sujetacable *m*, cable clip;(pet) wire-line anchor.
sujetador *m*, fastener, clip, clamp, anchor.
— de barrena, steel holder (drill).
— de clavo, nail anchor.
— de conducto (eléc), conduit clip.
— de tubería (pet), tubing catcher.
— para rectificar, honing fixture.
sujetadora *f*, clip, clamp, fastener.
sujetaexcéntrica *m* (mh), eccentric chuck.
sujetafreno *m*, brake hanger.
sujetafusible *m* (eléc), fuse clip.
sujetagrapa *m*, clamp holder.
sujetahilo *m* (eléc), binding post; cleat insulator;
   wiring clip.
sujetamacho *m*, tap chuck.
sujetaposte *m*, post holder (railing).
sujetarriel *m*, rail fastening.
sujetatubos *m*, pipe clamp.
sulfanílico, sulphanilic.
sulfatar, to sulphate.
sulfato *m*, sulphate.
— alumínico o de aluminio, aluminum sulphate, filter alum.
— alumínico potásico, potash alum, potassium
   aluminum sulphate.
— amónico, ammonium sulphate.
— bárico, barium sulphate, (miner) barite.
— de calcio, calcium sulphate, gypsum.

— de hierro, iron sulphate; ferrous sulphate,
   ferric sulphate.
— de plomo, lead sulphate, (miner) anglesite.
— manganoso o de manganeso (is), manganese or manganous sulphate.
sulfhidrato *m*, hydrosulphide, hydrosulphate,
   sulphhydrate.
sulfhídrico, hydrosulphuric.
sulfitación *f* (az), sulphitation.
sulfitador *m* (az), sulphitor.
sulfito *m*, sulphite.
sulfocarbónico, sulphocarbonic.
sulfocianuro (*m*) de potasio (is), potassium sulphocyanide or thiocyanide.
sulfonación *f*, sulphonation.
sulfonaftaleína *f* (lab), sulphonphthalein.
sulfonato *m*, sulphonate.
sulfónico, sulphonic.
sulfosal *f*, sulpho salt.
sulfurar, to sulphurize.
sulfúreo, sulphurous, sulphureous.
sulfúrico, sulphuric.
sulfuro *m*, sulphide.
— de cadmio, cadmium sulphide, (miner) greenockite.
— de plomo, lead sulphide, (miner) galena.
sulfuroso, sulphurous, (pet) sour.
suma *f*, sum, summation; addition.
— algebraica, algebraic sum.
— alzada o global, lump sum.
— geométrica, geometrical or vector addition.
— vectorial, vector sum.
sumadora *f*, adding machine; summator.
sumar, to add; to recapitulate.
sumergencia *f* (M)(Pe), submergence.
sumergible, overflow (dam); submergible, (elec)
   immersible.
sumergir, to submerge; sumergirse, to be over-
   topped; to sink.
sumersión *f*, submersion, submergence; (pt) dipping; (met) quenching.
sumidero *m*, sump, catch basin; cesspool; sink.
— ciego, blind drain, soakaway.
— de piso, floor drain, cesspool.
suministrador *m*, supplier.
suministrar, to furnish, supply.
suministro (*m*) de agua, water supply.
suministros, supplies.
suncho *m* (V)(U), hoop.
superacabado *m*, superfinish.
superacabadora *f*, superfinisher.
superalcalino, superalkaline.
superavenida *f* (M), flood of unusual volume.
superávit *m* (cont), surplus.
supercalentador *m*, superheater.
supercalentar, to superheat.
supercalor *m*, superheat.
supercapilar, supercapillary.
supercargador *m* (M), supercharger.
supercarretera *f*, superhighway.
supercentrífuga *f*, supercentrifuge.
supercloración, supercloración *f*, superchlorina-
   tion.
supercompresibilidad *f*, supercompressibility.
supercompresión *f*, supercompression.
superconductividad *f*, superconductivity.

superconsolidación *f* (ot), supercompaction.
superconstrucción *f*, superstructure.
supercontrol *m* (ra), supercontrol.
superelevación *f*, superelevation.
superentender, to superintend, supervise.
superestructura *f*, superstructure; (sb) upper works.
superficial, superficial, surface.
superficie *f*, surface, area.
—— aerodinámica, airfoil.
—— alabeada, warped surface.
—— bañada (cn), wetted surface.
—— calórica o de caldeo, heating surface.
—— de apoyo, bearing area.
—— de desagüe, drainage area, watershed.
—— de deslizamiento (geol)(A), slickenside.
—— de dislocación o de falla o de fracturación (geol), fault plane.
—— de dispersión (il), scattering surface.
—— de evaporación, surface of evaporation.
—— de redirección (il), redirecting surface.
—— de revolución, surface of revolution.
—— de rodamiento, wearing surface (tire).
—— de solapa (cn), faying surface.
—— específica (ct), specific surface.
—— mojada (cn), wetted surface.
—— pelicular (hid), surface film.
—— por labrar (mh), work surface.
—— primitiva (en), pitch surface.
superfino, superfine.
superfraccionador *m* (pet), superfractionator.
supergénico (geol), supergene.
superheterodino (ra), superheterodyne.
superíndice *m* (mat), exponent.
superintendencia *f*, superintendence.
superintendente *m*, superintendent.
—— auxiliar, assistant superintendent.
—— del patio (fc), yardmaster.
—— interino, acting superintendent.
superior, upper, top.
supermedida *f*, oversize.
superoxidación *f*, superoxidation.
superponer, to superpose.
superposición *f*, superposition; (pmy) lap, overlap.
—— lateral (fma), side lap.
—— longitudinal (fma), forward lap.
superpotencia *f* (eléc), superpower.
superprensado, superpressed (plywood).
superpresión *f*, (bo) superpressure.
superpuesto *m*, overlap; *a* superposed.
superregeneración *f* (ra), superregeneration.
superregenerativo (ra), superregenerative.
supersaturar, to supersaturate.
supersensible (fma), supersensitive.
supersincrónico, supersynchronous.
supersónico (ra), supersonic, ultrasonic.
supervigilador *m*, supervisor, director, inspector.
supervigilancia *f*, supervision.
supervisar (M)(Ec), to supervise.
supervisión *f*, supervision.
superyacente, overlying, superincumbent.
suplementario (mat), supplementary.
suplemento *m* (mat), supplement.
suposición *f*, assumption.
supratamaño *m* (M), oversize.

supresión (*f*) de la frecuencia portadora (ra), carrier suppression.
supresor *m*, suppressor.
—— de chispas (eléc), spark killer or condenser.
—— de ecos (tel), echo suppressor.
—— de oleaje o de ondas (hid), surge suppressor.
—— de ruidos (tel), noise killer.
sur *m*, south.
surcado (*m*) en contorno, contour plowing.
surcador *m*, lister.
surcar, to plow, furrow.
surco *m*, furrow, rut; groove.
surgente, surging; (hyd) artesian.
surgidero *m* (náut), anchoring ground.
surgir, (hyd) to surge, spout; (naut) to anchor.
surqueo *m* (M), furrowing.
surtidero *m*, supply line, conduit.
surtidor *m*, jet; supply pipe; spout, nozzle; filling station.
—— auxiliar (auto), supplementary jet.
—— compensador (auto), compensating jet.
—— de aceleración (auto), accelerating jet.
—— de baja (auto), low-speed jet.
—— de gasolina, metering pump for gasoline; filling station.
—— de poder (auto)(A), power jet.
—— principal o de potencia (auto), main or power jet.
—— suplementario (auto), supplementary jet.
surtir, to furnish, supply; to spout, spurt.
susceptancia *f* (eléc), susceptance.
susceptibilidad *f* (eléc), susceptibility.
suspender, to hang, suspend.
suspensión *f*, suspension.
—— cardánica, Cardanic suspension.
—— catenaria compuesta, compound catenary suspension.
—— catenaria doble, double catenary suspension.
—— con ruedas independientes (auto), independent wheel-suspension.
—— en cuatro puntos (auto), four-point mounting or suspension.
suspenso, suspended, hanging.
——, en (hid)(A), in suspension.
suspensoide *m* (quím), suspensoid.
suspensor *m*, hanger.
—— del balacín de freno (fc), brake hanger.
—— de cable (cv), fall-line carrier.
—— de carrito, trolley hanger (door).
—— de conducto (eléc), conduit hanger.
—— de muelle, spring hanger.
—— de puerta, door hanger.
—— para cable mensajero, messenger hanger.
sustentación *f* (ap), wing lift, buoyancy.
—— hidráulica, buoyancy.
sustentar, to support.
sustracción *f*, subtraction.
sustractivo, subtractive.
sustraendo *m* (mat), subtrahend.
sutileza *f* (ct), fineness.

T *f*, (p) T; T (steel); (dwg) T square.
—— abordonada o con bordón o con nervio (est), bulb T, deck beam.

—— angular (tub), miter T.
—— con cruce en arco o con curva de paso (tub), crossover T.
—— con salida lateral (tub), side-outlet T.
—— con toma auxiliar lateral (tub), side-inlet T.
—— con unión (tub), union T.
—— de aterrizaje (ap), landing T.
—— de campanas (tub), all-bell T.
—— de conexión redondeada (tub), sanitary T.
—— de cuatro pasos (tub), four-way T.
—— de cuerpo corto (tub), short-body T.
—— de curva simple (tub), single-sweep T.
—— de dibujante, T square.
—— de orejas (tub), drop T.
—— de ramal reductor (tub), reducing-outlet T.
—— de reducción (tub), reducing T.
—— de rincón vivo (tub), miter T.
—— de servicio (tub), service T.
—— de silla, saddle T (water main).
—— de vientos (ap), wind T.
—— desviadora (cf), flow-directing T.
—— macho y hembra (tub), service T.
—— múltiple (tub), branch T.
—— para escalera (tub), stair-railing T.
—— para inodoro (tub), closet T.
—— para insertar (tub), cutting-in T.
—— para lavabo (tub), basin T.
—— pendiente (tub), drop T.
T-Y (tub), T-Y branch.
tabica f, fascia board, bargeboard, vergeboard; stair riser.
tabicar, to wall up; to partition.
tabicón m, thick partition.
tabique m, partition; (Ch) mud partition reinforced with wood frame; (Col) thin brick wall with wood reinforcing; (C) stair riser; (M) flat brick; (Ec) eaves; (CA) lintel; fascia board.
—— aislador (eléc), barrier.
—— de canto (A), partition of brick on edge.
—— de desviación horizontal (pa), round-the-end baffle.
—— de desviación vertical (pa), over-and-under baffle.
—— de grasa (A), grease retainer.
—— desviador o interceptor (hid), baffle wall.
—— impermeabilizador (hid), core wall.
—— sordo, wall with air space.
tabiquería f, layout of partitions.
tabiquero m, partition builder.
tabla f, board; width of a board; (str) cover plate; flat stretch of a river; table, tabulation.
—— aisladora, insulating board.
—— de aforrar (náut), serving board.
—— de agua (C), water table (ground).
—— de alto (min)(M), hanging wall.
—— de bajo (min)(M), footwall.
—— de banquillo o de chaflán (to), cant strip, cantboard, saddle board.
—— de chilla, clapboard.
—— de dibujo, drafting board.
—— de materiales, bill of material.
—— de pie (andamio), toeboard.
—— de piezas de repuesto, list of parts.
—— de quitapón (hid), flashboard.
—— de zócalo, baseboard.

—— delantal, skirt board.
—— multilaminar, plywood.
—— portamezcla, plasterer's hawk.
—— taquimétrica, stadia table.
—— tinglada (Ch), clapboard.
tablas
—— basculantes automáticas (hid), automatic flashboards.
—— de cordón doble, double-beaded ceiling or siding.
—— de fibra (C), fiberboard.
—— pluviales, louver boards.
—— rebordeadas, beaded lumber.
—— solapadas, weatherboarding, clapboarding.
tablacho m (hid), small gate.
tabladillo, tablado m, boarding, board platform.
tablaje m, boarding.
tablazo m, mesa, flat-top hill; flat stretch of a river.
tablazón f, planking; stock of planks.
—— del frente (min), breast boards.
tablear, to saw into boards; to screed.
tableo m, sawing into boards; screeding.
tablero m, switchboard; (carp) panel; (bdg) floor; (hyd) leaf of a gate; (M) panel of a truss; (Sp) slab.
—— de anuncios, bulletin board.
—— del ascensorista (asc), operator's panel.
—— de bornes (eléc), terminal board or block.
—— de carretera (M), highway sign.
—— de conmutadores, switchboard.
—— de consumo propio, station-power switchboard.
—— de cortacircuitos, panel board.
—— de control, switchboard, panel board.
—— de dibujo, drawing or drafting board.
—— de distribución, switchboard, distribution switchboard.
—— de fluidez, flow table.
—— de fusibles, fuseboard.
—— de gobierno o de mando, control panel.
—— de instrumentos, instrument board; (auto) dash.
—— de torno, apron of a lathe.
—— rebajado (ed)(M), drop panel.
—— terminal (eléc), terminal board.
tableros de cierre (hid), stop logs.
tablestaca f, sheet pile; (min) poling board.
—— de alas, steel sheet pile with center flange.
—— de tablones ensamblados, Wakefield pile.
—— en Y, Y pile.
—— en Z, Z-type steel sheet piling.
—— maestra, master pile.
tablestacas
—— de alma combada, arched-web sheet piling.
—— de alma profunda, deep-web sheet piling.
—— de alma recta, straight-web sheet piling.
—— entrelazadas o de enlace, interlocking sheet piling.
tablestacado m, sheet piling.
—— de traba, interlocking sheet piling.
tablestacar, to sheet-pile.
tableteo m (ra)(A), motorboating.
tablilla f, batten, slat, lath, thin board, cleat; (V) flat roof tile; (Sp)(C) level rod target.
—— aislante, insulating board.

tablón m, plank; (V) 1 hectare.
tablón-llana (M), straightedge, strickle, screed board.
tablonaje m, planking.
tabocha (Col), (t) plane.
tabulación f (M)(PR), tabulation.
tabular, v (PR)(M) to tabulate; a (geol) tabular.
tacana f, (A) a silver ore; (B) berm, bench, cultivated terrace.
tacanear (A), to tamp; to crush.
taco m, plug, bung; chock; heel (dam); (fo) spreader; (bl) stemming, tamping; lug on auto tire.
—— de remachar, holder-on, dolly.
—— de rienda (A), deadman for guy.
tacos del ruptor (auto)(U), breaker points.
tacógrafo m, tachograph, recording speedometer.
tacograma m, tachogram.
tacómetro m, tachometer, speed gage.
tacón m, rail brace; chock; heel (dam).
taconear, to tamp (powder); (Ch) to fill.
tacóscopo m, tachoscope.
tacha f, small nail; pan, vat.
tachero m, tinsmith; (su) panman, sugar boiler.
tacho m, pan, bucket.
—— al vacío, vacuum pan.
—— de calandria o de serpentín o de tubos (az), calandria pan, coil pan.
—— de presión (az), pressure pan.
—— de punto (az), strike pan.
—— de rederretido (az), remelt pan.
tachuela f, tack, small nail.
—— centradora (dib), center tack.
—— de punto o para estaca (lev), stake tack.
—— fechadora, dating nail.
tajada f, cut, slice; (M) section.
tajadera f, cutter, chisel, cold set; rivet buster; hardy; slitter; (M) hacksaw; (M) howel.
—— de yunque (her), hardy.
—— en caliente, hot cutter or chisel.
tajado m (min), slicing.
tajadora f, cutter.
tajalápiz m, pencil sharpener.
tajamar m, cutwater, breakwater, jetty, starling; nosing of a pier, ice apron; (Ch) sea wall; (A) basin.
tajar, to cut, notch.
tajatubo m (pet), casing splitter.
tajea f, culvert, drain.
tajear (min)(Pe), to stope.
tajeo m (min)(Pe), stoping.
tajo m, cut, excavation, trench; wooden block.
—— a media ladera o en balcón, sidehill cut.
—— abierto o descubierto, open cut.
—— pasante, through cut.
tala f, cutting of trees, felling; (V) ax; (A) a hardwood.
talacha f, talacho m (M), pick, mattock.
taladora f, tree-felling machine.
taladra f, ship auger.
taladrable, drillable.
taladracorchos m (lab), cork borer.
taladrado m, bore.
taladrador m, driller, drill runner; boring machine.
taladradora f, drill press, boring machine or tool.

—— de columna, post drill.
—— de plantillas, jig borer.
—— múltiple, gang drill, multiple-spindle boring machine.
—— radial, radial drill.
taladradora-torneadora, boring and turning machine.
taladrar, to drill, bore.
taladro m, drill, auger, carpenter's brace; drill hole, bolthole; (min)(CA) adit.
—— a mandril, chucking drill.
—— a municiones o de granalla, shot drill.
—— alternativo o de empuje, push or reciprocating drill.
—— angular, corner brace.
—— anular o de alma, core drill.
—— de ajuste lateral, traverse drill.
—— de banco, bench drill.
—— de cadena, chain drill.
—— de carreta, wagon drill.
—— de diamantes, diamond drill.
—— de mano, hand drill.
—— de pecho, breast or fiddle drill.
—— de pedestal, column drill.
—— de percusión, hammer drill.
—— de piso, floor-type drill.
—— de poste, post drill.
—— de rotación, rotary drill.
—— de tierra, earth auger.
—— de torrecilla, turret drill.
—— de trinquete, ratchet drill.
—— de tubo, calyx drill.
—— explorador, prospecting drill.
—— múltiple, gang drill.
—— neumático, air drill.
—— ovalado, slotted hole.
—— para carpinteros, carpenter's brace.
—— para macho, tap drill.
—— para rieles, track drill.
—— para roblón, rivet hole.
—— piloto, pilot drill.
—— ranurador, cotter drill; traverse drill.
—— sacanúcleo, core drill.
—— salomónico, twist drill.
—— sensible, sensitive drill.
—— sobre ruedas, wagon drill.
—— testigo (PR), core drill.
—— tubular, core or calyx drill.
taladro-sierra, saw drill, tube saw.
talanquera f, picket fence; (C) gate.
talar, to fell (trees).
talasómetro m, tide gage, thalassometer.
talco m, talc.
talcoso, talcose.
talio m (quím), thallium.
taliza f (C), spacing strip in a pile of lumber.
talocha f (Es)(M), mason's float.
talófido m (ra), thalofide.
talón m, heel (dam); flange or lug on a tire; bead, molding; ogee; stub, coupon, ticket.
—— de la aguja (fc), heel of switch.
—— de cable (eléc), cable lug.
—— de la escala (dib), subdivided end unit of a scale.
—— de expreso, express receipt.
—— de tierra (eléc), ground lug.

—— **terminal** (eléc), terminal lug.
talpetate *m*, (geol) talpatate; (CA) limestone used for road surfacing; (CA) hardpan.
talque *m* (rfr), tasco.
talquita *f* (geol), talc schist.
talud *m*, slope, batter; talus.
—— **de aguas**, upstream slope (dam).
—— **de reposo** (ot), natural slope.
—— **de seguridad o de trabajo** (ot), safe slope.
—— **detrítico**, talus.
—— **exterior** (ca), backslope.
—— **interior de la cuneta** (ca), foreslope, side slope.
—— **natural**, slope of repose, natural slope.
taludar, to slope.
talweg (Pe), thalweg.
talla *f*, cut.
—— **basta o gruesa**, rough cut (file).
—— **bastarda**, bastard cut (file).
—— **cruzada**, double cut (file).
—— **dulce**, smooth cut (file).
—— **entrefina**, second cut (file).
—— **simple**, single cut (file).
—— **sorda**, dead-smooth cut (file).
—— **superfina**, superfine cut (file).
tallador *m*, cutter.
—— **de engranajes**, gear cutter.
—— **de ranuras**, slot cutter.
—— **de roscas**, threading machine.
—— **de vidrio**, glass cutter.
talladora *f* (cantería), milling machine.
tallar, *v* to cut, carve, dress; (mech) to generate; *a* fit for cutting into lumber.
taller *m*, shop, mill, factory; (Sp) mine working.
—— **agremiado o exclusivo**, union or closed shop.
—— **de doblado**, bending shop.
—— **de forja**, blacksmith or forge shop.
—— **de fundición**, foundry, casting shop.
—— **de laminación**, rolling mill.
—— **de mecánica**, machine shop.
—— **de modelaje**, pattern shop.
—— **de servicio**, service station.
—— **franco**, open shop.
—— **mecánico**, machine shop.
—— **siderúrgico**, steel mill.
tallerista *m*, shopworker.
tallista *m*, wood carver; cutter, engraver.
—— **de piedra**, stonecutter.
tallo *m*, (t)(M) shank.
tamaño *m*, size.
—— **corriente**, stock size.
—— **efectivo**, effective size.
—— **entero o natural o real** (dib), full size.
—— **normal o modelo**, standard size.
tambor *m*, drum, reel; (su) shell of a mill roll.
—— **clasificador**, revolving screen.
—— **cribador** (hid), wheel screen.
—— **de compensación** (bm), balance drum.
—— **de doble cono** (mz), double-cone drum.
—— **de enfriamiento**, cooling drum.
—— **de enrollar**, winding drum.
—— **de exploración** (tv), drum scanner.
—— **de frenaje**, snubber.
—— **del freno**, brake drum.
—— **de fricción**, friction drum.
—— **de izar**, hoisting drum.

—— **de la maza** (az), roll shell.
—— **de retención**, (de) holding or dumping drum.
—— **de tracción o de traslación** (cv), hauling or endless or fleeting drum.
—— **de vapor** (cal), steam drum.
—— **elevador** (ec), hoisting drum.
—— **giratorio descortezador**, barking drum.
tambores de giro (pl), sluing drums.
tambre *m* (Col), dike, diversion dam.
tambuche *m* (cn), booby hatch, companion hatchway.
tamidina *f* (eléc), tamidine.
tamiz *m*, screen, sieve.
—— **vibrador**, shaking screen.
tamización por vía húmeda, wet screening.
tamizador *m*, screen, strainer, sifter.
tamizar, to screen, sift.
tampón *m* (quím)(A)(C), buffer.
tanato *m*, tannate.
tanda *f*, gang, shift; (irr) turn; (pet) run.
tándem *m*, (su) tandem, mill train; *a* tandem.
—— **moledor** (az), mills.
tandeo *m* (irr), distribution of water by turns.
tangencia *f*, tangency.
tangencial, tangential.
tangente *f a*, tangent.
—— **de atrás** (lev), back tangent.
—— **de frente** (lev), forward tangent.
tánico, tannic.
tanino *m*, tannin.
tanque *m*, tank.
—— **al vacío**, vacuum tank.
—— **abastecedor** (az), charge tank.
—— **aforador** (hid), gaging tank.
—— **aforador de orificios múltiples**, multiple-orifice gaging tank.
—— **aforador de vertedero**, weir gaging tank.
—— **alcalizador** (az), liming tank.
—— **alimentador** (az), feed well, charge tank.
—— **almacenador**, storage tank.
—— **amortiguador** (hid), stilling pool.
—— **asentador o de decantación**, settling tank.
—— **automático de inundación** (al), automatic flush tank.
—— **automotor** (Col), tank truck.
—— **carbonatador** (az), carbonation tank.
—— **colador**, straining tank.
—— **de acero empernado**, bolted steel tank.
—— **de bañar**, dipping tank.
—— **de compensación** (hid), surge tank.
—— **de compresión**, air receiver, pressure tank.
—— **de corriente radial** (dac), radial-flow tank.
—— **de corriente transversal** (dac), cross-flow tank.
—— **de dosificación** (dac), dosing tank.
—— **de equilibrio** (cn), trimming tank.
—— **de expansión** (eléc), expansion tank, conservator.
—— **de flotación de grasas** (dac), grease-flotation tank.
—— **de flujo espiral** (dac), spiral-flow tank.
—— **de inmersión**, dipping tank.
—— **de lastre** (cn), ballast tank.
—— **de lavado automático** (al), automatic flush tank.
—— **de medición** (pet), gage tank.

— de oleaje o de oscilación (hid), surge tank.
— de recolección (pet), gathering tank.
— de remolque, tank trailer.
— de reposo o de sedimentación, settling basin.
— de reserva (al), stand-by tank.
— de revelar (fma), developing tank.
— de rocío, spray pond.
— de ruptura de carga (hid)(V), surge tank.
— defecador (az), defecator.
— depurador (pet), scrubber tank.
— detritor (dac), detritus tank.
— Emscher (dac), Emscher tank.
— forrado de caucho, rubber-lined tank.
— forrado de vidrio, glass-lined tank.
— hidrogenador (pet), hydrogenator.
— igualador (hid), surge tank.
— inyector de ácido, acid egg, blow case.
— medidor, measuring tank.
— receptor de aire, air receiver.
— remolcado, tank trailer.
— séptico (dac), septic tank.
— sulfitador (az), sulphitation tank.
— térmico, thermotank.
— tipo Imhoff (dac), Imhoff tank.
tanquería f (C), group of tanks.
tanquero m (A), tanker.
tantalio, tántalo m (quím), tantalum.
tantear, to try out; to look over the ground; (Ch) to make an approximate estimate.
tanteos (m), por, by trial and error.
tanto m, so much; quantum; (conc) batch.
tapa f, cover, lid, cap; cylinder head; (p) cap.
— ciega (eléc), blank cover.
— de barril, barrelhead.
— de buzón (Pe), manhole cover.
— del cilindro, cylinder head, front cylinder head.
— de cojinete, bearing cap.
— del distribuidor (auto), distributor cap.
— de la escotilla, hatch cover.
— de municiones (lab), shot cap.
— de radiador (auto), radiator cap.
— de registro, manhole or handhole cover.
— del respiradero (pb), vent cap.
— del tambuche (cn), companion, companion head.
— de tubo, pipe cap.
— de unión (vá), union bonnet.
— hembra (A), pipe cap.
— para soldar (tub), welding cap.
tapabarro m (Ch), mudguard.
tapacubo m (auto), hubcap.
tapadera f, cap, cover, lid.
tapadero m, plug, stopper.
tapador m, plug, stopper; packer; cover; sealant.
— de vidrio (lab), glass stopper.
tapagoteras m (A), waterproofing material, roofing cement.
tapajunta m, splice plate, butt strap, scab; astragal; (M) water stop (in a joint).
tapalodo m (PR), mudguard, fender.
tapaobjetivo m (fma), object-glass cap.
tapaporos m (pint), primer, filler.
tapar, to cover; to plug.
taparrueda m (auto)(Col), fender, mudguard.

tapia f, mud wall; unit area of mud wall about 50 square feet; (C) brick wall.
— acerada (Col), mud wall with cement stucco.
— real, wall of mud and lime mixture.
tapiador, builder of mud walls.
tapial m, form for mud wall; mud wall.
tapialera f, (Ec) mud wall; (Sp) wall form (mud or concrete).
tapialero m (Ec), mud-wall builder.
tapiar, to wall up; to build mud walls.
tapiería f, mud-wall construction.
tapiero m (Col), builder of mud walls.
tapita (f) de válvula, valve cap (tire).
tapo m, (A) plug; (irr)(M) small diversion dam.
— de limpieza (A), washout plug.
tapón m, plug, stopper, bung; bulkhead.
— adaptador (herr), adapter plug.
— atacador (vol), tamping plug.
— ciego (pet), bull plug.
— de avellanar o de cabeza hueca (tub), countersunk plug.
— de cabeza cuadrada (tub), square-head plug.
— de cementación (pet), cementing plug.
— de contacto (eléc), attachment plug.
— de cristal o de vidrio (lab), glass stopper.
— de cubo (auto), hubcap.
— de evacuación o de limpieza o de purga, drain plug, washout or cleanout plug.
— de grasa, grease plug.
— de prueba, test plug.
— de receptáculo (eléc), receptacle plug.
— de tope, stop plug.
— desconectador (eléc), disconnect plug.
— encendedor o incandescente (di), glow plug.
— fusible fusible plug; (elec) plug fuse.
— giratorio, swivel plug.
— hembra (A)(Col), pipe cap.
— macho, (A) pipe plug; (pet) bull plug.
— obturador (tub), blanking plug.
— para traviesa (fc), tie plug.
— roscado, screw plug.
taponar, to plug.
taponear (M), to plug.
taqueador m, tamping bar for powder; (Col) blaster.
taqueómetro m (lev), tachymeter, tacheometer.
taquete (m) de plomo, lead shield (for screw).
taquetes (Col), bridging between wood joists.
taquígrafo, taquígrafa, stenographer.
taquilita f (geol), tachylite.
taquilla f, rack of pigeonholes; plug switchboard; (rr) ticket office.
taquillera f, any cellular construction.
taquillero m (fc), ticket agent.
taquimecanógrafo, stenographer-typist.
taquimetría f, stadia survey; tachymetry.
taquimétrico, tachymetric.
taquímetro m, tachymeter; stadia transit.
tara f, tare.
tarabilla f, latch, catch; (C) turnbuckle.
tarabita f, rope ferry.
taraje m, weighing light; tare weight.
tarar, to weigh before loading; to tare, weigh light; (A) to gage, measure for capacity (A) to rate.
tarco m (A), a wood (semihard).

tarea *f*, taskwork, piecework; job, task; shift (men); (machy)(C) duty; (DR) 6.28 ares; (C) 69 sq m.
—— de leña (C), cord of wood.
tarifa *f*, tariff, rate; fare.
—— aduanera, schedule of customs duties.
—— de carga, freight rate.
—— de demanda, demand charge.
tarificación *f*, rate making.
tarima *f*, platform, bench, stand, rack; (tk) bunk.
tarjero (lev)(M), note keeper.
tarjeta *f*, card; (hw)(A) surface latch.
—— índice, index card.
tarquín *m*, mud.
tarraja *f*, bolt-and-pipe machine, stock, threading machine.
tarrajadora *f*, threading machine; tapper.
tarrajar, to thread.
—— con macho, to tap.
tarrajear (Pe), to thread.
tarugo *m*, wooden pin, plug, bung; wood paving block.
—— de barrera (ef), boom pin.
—— de cubierta (cn), deck plug.
—— de traviesa (fc), tie plug, wooden spike.
—— ensanchador (pb), turnpin, tampion.
—— para clavado, nailing plug.
—— para escarpia (fc), spike dowel.
tarvia *f* (ca), tarvia.
tas *m*, small anvil.
—— de estampar, swage block.
tasa *f*, rate; valuation; rating.
—— de agua, water rate.
—— de interés, rate of interest.
—— de mortalidad, death rate.
tasación *f*, appraisal, valuation; rating.
tasador *m*, appraiser.
—— de avería (seg), average adjuster.
—— de pozos, well rater.
tasar, to appraise; to tax; to rate.
tasca *f* (Pe), wave, breaker.
taseómetro *m*, taseometer.
tasimetría *f*, tasimetry.
tasimétrico, tasimetric.
tasímetro *m*, tasimeter.
tasmanita *f* (geol)(miner), tasmanite.
tataré *m*, a South American lumber (semihard).
tautócrono (mat), tautochronous.
taxear (ap), to taxi.
taxímetro *m*, taximeter.
taza *f*, basin, bowl, bucket; (turb)(pu)(Pe) bucket.
—— a la turca (Es), see inodoro a la turca.
—— del carburador, carburetor bowl.
—— de cojinete, bearing cup.
—— de encastre, basket of a wire-rope socket.
—— de grasa, grease cup.
—— de inodoro, water-closet bowl.
—— de rueda (auto)(U), hubcap.
—— de vertedero (hid), spillway bucket.
—— engrasadora o lubricadora (M), oil cup.
—— Petri (is), Petri dish.
tazón *m*, large basin, stilling pool; (ea) bowl of a scraper; (V) bowl of deep well.
te *f*, (p) T; (str) T bar.
—— de bridas (tub), flanged T.

—— de rosca, screwed T.
teca *f*, teakwood.
tecla *f*, key of adding machine, typewriter, etc.
teclado *m*, keyboard.
tecle *m*, single-whip tackle; (Ec) chain block.
—— de cadena (Ch), chain block.
técnica *f*, technique; engineering.
—— del automóvil, automotive engineering.
—— electrónica, electronics.
—— frigorífica, refrigerating engineering.
—— hidráulica, hydraulics, hydraulic engineering.
tecnicismo *m* (M), technology.
técnico *m*, expert, technician; *a* technical.
—— agrícola, agronomist, agricultural engineer.
—— de azúcar, sugar technologist.
—— electricista, electrical engineer.
—— en hormigón, concrete technician
—— forestal, forestry engineer.
—— vial, highway engineer.
tecnología *f*, technology.
—— de los suelos, soil technology.
tecnológico, technological.
tecnólogo (*m*) de concreto, concrete technologist.
tecorral *m* (M), dry wall, stone fence.
tectónica *f* (geol), tectonics.
tectónico, tectonic.
techado *m*, roofing, roof covering; a roof.
—— armado, built-up roofing.
—— felpa (C), roofing felt.
—— prearmado o preparado, ready or prepared or composition roofing.
techador *m*, roofer.
techar, to roof.
techo *m*, ceiling; roof; shed; (ap) ceiling.
—— a cuatro aguas, hip roof.
—— a dos aguas o a dos pendientes, peak roof.
—— a simple vertiente o de agua simple, lean-to or single-pitch roof.
—— absoluto (ap), absolute ceiling.
—— dentado o de dientes de sierra, saw-tooth roof.
—— en cañón, barrel roof.
—— flotante o de pontón, floating roof (tank).
—— mediaagua, lean-to roof.
—— raso, flat ceiling.
techumbre *f*, roof, ceiling.
—— rampante, lean-to roof.
tefígrama *m* (mrl), tephigram.
tefrita *f* (geol), tephrite.
teipe (*m*) eléctrico (C), insulating tape.
teja *f*, roofing tile.
—— canalón, gutter tile; pantile.
—— cornijal, corner tile.
—— de barro, clay tile.
—— de cimacio, pantile.
—— de madera, shingle.
—— estructural (C), structural title.
—— lomada, ridge tile.
—— vierteaguas, flashing tile.
teja-canal, teja-cobija, roof tile laid with concave surface upward.
tejadillo *m*, shed; penthouse; (M) monitor (roof)
tejado *m*, roof, tile roof.
—— a cuatro aguas, hip roof.
—— a dos aguas, peaked roof.
—— a un agua, lean-to roof.

tejador *m*, tiler, tile layer.
—— de ripias, shingler.
tejamaní, tejamanil *m*, shingle.
tejar, *n* brickyard; tileworks; *v* to roof with tiles.
tejaroz *m*, eaves.
tejaván *m* (M), shed.
tejavana *f*, building roofed with tiles without ceiling.
tejería *f*, tileworks.
tejero *m*, tilemaker; tile setter, tiler.
tejido *m*, fabric; mesh; (V) web of a truss; (w) weaving.
—— de acero, wire cloth.
—— de alambre, wire mesh or fabric; wire cloth.
—— de alambre soldado, welded steel fabric.
—— de bronce, brass wire cloth.
—— de cernir, bolting cloth.
—— de cesto (eléc), basket-weave (armor).
—— de filtrar, filter fabric.
—— de refuerzo, mesh reinforcement.
—— de saco, bagging, burlap.
—— de vidrio, glass cloth.
tejo *m*, bearing, pillow block; (lbr) yew.
tejoleta *f*, broken tile, brickbat.
tejuela *f*, small tile; piece of tile; brickbat.
tejuelo *m*, small tile; socket; pillow block, step bearing; gear blank.
tela *f*, cloth; (C) a tracing; a South American hardwood.
—— alambrada o metálica, wire cloth or fabric.
—— de acero o de malla, wire mesh or cloth.
—— de asbesto, asbestos cloth.
—— de calcar, tracing cloth.
—— de dibujar, drawing cloth.
—— de filtro, filter cloth or fabric.
—— de pedernal, flint cloth.
—— esmeril o lija, emery cloth.
—— mosquitera, mosquito screening.
—— para gallinero, chicken wire.
—— para perfiles, profile cloth.
telaraña *f* (ra)(A), spider-web antenna.
telautógrafo *m*, telautograph.
teleaparato *m* (A), television equipment.
telearmador *m* (A), television mechanic.
telebulbo *m* (A), television tube.
teleciencia *f* (A), science of television; science of telecommunication.
telecomunicación *f*, telecommunication.
telecontrol *m*, remote control.
telectroscopio *m*, telectroscope.
teledifundir, to telecast, broadcast by television.
teledifusión *f*, television broadcasting.
teledinámico, teledynamic.
teleemisora *f* (A), television transmitter.
teleequipo *m* (A), television equipment.
teleferaje *m*, transportation by aerial tramway.
teleférico, sistema, telpher system; aerial tramway.
telefonema *m* (Es)(A), telephone message.
telefonía *f*, telephony.
—— a onda acústica, voice-frequency telephony.
—— alámbrica, wire telephony.
—— de alta frecuencia, high-frequency telephony.
—— por corrientes portadoras o por onda portadora, carrier-current telephony; line radio.
—— sin hilos, wireless telephony.

telefónico, telephonic.
telefonista, telephone operator.
teléfono *m*, telephone.
—— de cabeza, headphone.
—— de disco selector, dial telephone.
telefonógrafo *m*, telephonograph.
telefonograma *m* (A), telegram received by telephone.
telefoto, telephoto.
telefotografía, telephotography.
telefotográfico, telephoto, telephotographic.
telefotómetro *m*, telephotometer.
telegrafía *f*, telegraphy.
—— alámbrica, wire telegraphy.
—— de frecuencia acústica, voice-frequency carrier telegraphy.
—— múltiplex, multiplex telegraphy.
—— sin hilos, wireless telegraphy.
telegrafiar, to telegraph.
telegráfico, telegraphic.
telegrafista, telegraph operator.
telégrafo *m*, telegraph.
—— autográfico, facsimile telegraph, telautograph.
telegráfono *m*, telegraphone.
teleimpresor *m*, teleprinter.
teleindicador *m*, telegage, remote gage.
teleingeniero *m* (A), television engineer.
teleinterruptor *m* (eléc), remote-control switch.
teleléctrico, telelectric.
telemanómetro *m*, telemanometer.
telemecánica *f*, telemechanics.
telemecánico *m* (A), television mechanic.
telemecanismo *m*, telemechanism.
telemedición *f*, telemetering.
telemetría *f*, telemetry.
telemétrico, telemetric.
telémetro *m*, telemeter.
—— de corriente, current-type telemeter.
—— de impulso, impulse-type telemeter.
—— de relación directa, direct-relation telemeter.
—— de relación inversa, inverse-relation telemeter.
—— de tensión, voltage-type telemeter.
teleobjetivo (fma), teleobjective.
teleoperador *m* (A), operator of television equipment.
telera *f*, jaw of a vise; (str) hinge plate; (Col) cramp, clamp.
telerán, teleran (television-radar air navigation).
telero *m*, stake of flat truck or flatcar.
telerreceptor *m*, television receiver.
telerregulación *f*, remote control.
telerreparador *m* (A), television mechanic.
telescopiar, to telescope.
telescópico, telescopic; telescoping, nesting.
telescopio *m*, telescope.
teleseñal *f*, television signal.
telesísmico, teleseismic.
telestereoscopio *m*, telestereoscope.
teletécnico, television engineer.
teletermómetro *m*, telethermometer.
—— registrador, telethermograph.
teletipo, teletype.
teletransmisor *m*, television transmitter.

teletransmisorista (A), operator of a television station.
teletricista *m* (A), television mechanic.
teletubo *m* (A), television tube.
televisar, to televise.
televisión *f*, television.
televisor *m*, televisor; *a* television.
telavisora *f*, televisor.
télfer *m*, telpher.
telferaje *m*, telpherage.
telferar, to move by telpher.
telférico *a*, telpher.
telúrico, telluric.
telurio *m* (quím), tellurium.
telururo *m*, telluride.
tembladero *m*, bog, marsh.
temblador *m* (mg), trembler, vibrator, make-and-break.
temblor *m*, earthquake, earth tremor.
témpano (*m*) **de hielo**, ice floe, iceberg.
temperador (*m*) **de aire** (A), air conditioner.
temperatura *f*, temperature.
—— **absoluta de ebullición**, absolute boiling point.
—— **de acercamiento** (aa), approach temperature.
—— **de ampolleta húmeda** (aa), wet-bulb temperature.
—— **de ampolleta seca**, dry-bulb temperature.
—— **de rocío**, dew point.
—— **de saturación** (mrl)(aa), saturation temperature, dew point.
—— **efectiva de comodidad** (aa), comfort line.
—— **límite** (inyector), breaking or limiting temperature.
tempestad *f*, storm; whole gale.
templa *f*, (conc) batch; (su) strike.
templabilidad *f* (met), hardenability.
templadera *f* (irr)(Es), division gate, head gate.
templado *m*, tempering, quenching.
—— **al aceite**, oil-tempered; oil-quenched.
—— **a llama**, flame-hardened.
—— **a salmuera**, brine-quenching.
—— **en fragua**, flame-hardened.
—— **superficialmente**, chilled (iron); casehardened.
templador *m*, turnbuckle.
—— **para banda**, belt tightener.
templar, to temper, quench; to stress; to haul taut.
temple *m*, temper, tempering.
—— **blando**, soft or dead-soft temper.
—— **con rotación**, spin-hardening.
—— **dulce**, mild temper.
—— **extraduro**, very high temper.
—— **mediano**, medium temper.
—— **por laminación en frío**, temper rolling.
—— **suave**, low or mild temper.
—— **superficial**, casehardening; chilling.
—— **vivo**, high temper.
temporada *f*, season.
—— **de aguas**, rainy season.
—— **de secas**, dry season.
tenacidad *f*, toughness, tenacity.
tenacillas *f*, pliers, pincers, tweezers.
—— **de corte al lado**, side-cutting pliers.

—— **para crisol** (lab), crucible tongs.
tenalla *f* (M), vise.
tenaz, tough.
tenaza *f*, claw, clamp; (carp)(A) matched joint.
—— **de cadena**, chain wrench or tongs.
—— **de fulminantes** (vol), cap crimper.
tenazas, cutters, pliers, tongs, nippers, pincers.
—— **atornilladoras**, pipe tongs, (pet) buckup tongs.
—— **de banco** (vol), bench crimper.
—— **de cápsula** (vol), cap crimper.
—— **de contrafuerza** (pet), backup tongs.
—— **de corte**, cutting pliers or nippers.
—— **de disparo**, pile-driver nippers.
—— **de forja o de herrero**, blacksmith tongs.
—— **de soldar**, welding or brazing tongs.
—— **de triscar**, saw set.
—— **desconectadoras** (pet), breakout tongs.
—— **para carriles** (fc), rail tongs.
—— **para detonador** (vol), cap crimper.
—— **para maderos**, timber carrier.
—— **para roca**, rock grab.
—— **para tirar remaches**, passing tongs.
—— **para traviesas** (fc), tie tongs.
—— **para trozas** (ef), skidding tongs.
—— **para tubería** (pet), casing or carrying tongs.
tendal *m*, tent, awning; (Col) rafter, upper chord of roof truss.
tendedor *m*, placer, layer, extender.
—— **de balasto** (fc), ballast spreader.
—— **de moldes** (ca), form setter.
—— **de tubería**, pipe layer.
tendedora (*f*) **de rieles** (fc), rail-laying machine.
tendel *m*, chalk line; bed of mortar, mortar joint.
ténder *m* (fc), tender, tank.
tender, to spread, stretch; to lay (rails); to set (forms); to pull (wires); to spread plaster.
tendido *m*, line; stretch, run; slope of a roof; coat of plaster; (A) brown coat; *a* sloping gently.
—— **de carriles**, rail laying.
—— **de tubería**, pipe lines.
—— **eléctrico**, electric wiring.
tenedero *m* (náut), holding ground, anchorage.
tenedor *m*, holder; fork.
—— **de acciones**, stockholder.
—— **de balasto o para piedra** (fc), ballast fork.
—— **de bonos**, bondholder.
—— **de libros**, bookkeeper.
—— **de póliza**, policyholder.
teneduría (*f*) **de libros**, bookkeeping.
tenería *f*, tannery.
tensiómetro *m*, tensiometer.
tensión *f*, (str)(elec) tension; (A) stress.
—— **acelerante** (ra), acceleration or beam voltage.
—— **anódica directa** (ra), forward anode voltage.
—— **anódica inversa** (ra), inverse anode voltage.
—— **aplicada** (eléc), impressed voltage.
—— **capilar**, capillary potential.
—— **circunferencial**, ring tension.
—— **crítica de rejilla** (ra), critical grid voltage.
—— **de adherencia** (ref)(A), bond stress.
—— **de asentamiento o de cierre** (eléc), sealing voltage.
—— **de audiofrecuencia** (ra), audio voltage.

—— de circuito abierto, open-circuit voltage.
—— de compresión (A), compressive stress.
—— de contacto (eléc), contact potential.
—— de corte, cutoff voltage; (A) shearing stress.
—— de desenganche, drop-out voltage.
—— de entrada, input voltage.
—— de equilibrio del electrodo, equilibrium electrode potential.
—— de funcionamiento (eléc), pickup voltage.
—— de placa (ra), anode or plate voltage.
—— de reactancia, reactance or choking voltage.
—— de régimen, rated voltage.
—— de rejilla (ra), grid voltage.
—— de resbalamiento (A), shearing stress.
—— de rotura, ultimate tensile strength.
—— de salto, flashover voltage.
—— de servicio, working or operating voltage.
—— de torsión (A), torsional stress.
—— de tracción (A) tensile stress.
—— diagonal, diagonal tension.
—— diente de sierra (ra), saw-tooth voltage.
—— disruptiva, disruptive or puncture or breakdown voltage.
—— específica, unit tensional stress.
—— final, cutoff or final voltage.
—— inversa máxima (ra), peak inverse potential.
—— magnética, magnetic strain.
—— momentánea, instantaneous voltage.
—— nula (eléc), zero potential.
—— principal (A), principal stress.
—— superficial, surface tension.
—— tangencial (A), shearing stress.
—— virtual, virtual or effective volts.
tensionar (A), to stretch, pull taut.
tenso, taut.
tensor m, turnbuckle, sleeve nut; tension member; guy.
—— de armadura, truss rod.
—— de cadena, chain-tightening device.
—— de cinta (lev), tape stretcher.
—— de correa, belt tightener; idler pulley.
—— de doble grillete, shackle-and-shackle turnbuckle.
—— de dos ganchos, hook-and-hook turnbuckle.
—— de horquilla y ojo, jaw-and-eye turnbuckle.
—— de manguito, sleeve nut.
—— de ojillo doble, eye-and-eye turnbuckle.
—— de resorte (lev), tension handle, spring balance.
—— de tornillo, turnbuckle.
tentemozo m, shore, prop, strut.
teñidura f, stain (wood).
teodolito m, theodolite, transit.
—— altacimutal, altazimuth instrument.
—— de tránsito (Es), engineer's transit.
—— repetidor, repeating transit.
—— taquímetro, stadia transit.
teorema m, theorem.
teoría f, theory.
—— cuántica o de los tantos, quantum theory.
—— electrónica, electron theory.
tepe m, sod, turf.
tepetate m, (M) hardpan, conglomerate; (min) country rock, attle; caliche; volcanic tuff.
tequezquite m (M), native sodium carbonate.

tequio m (min)(M), quantity of work to be done in 1 day.
terceadora f (V), concrete mixer.
tercear (V), to mix concrete.
terceo m (V), mixing, mixture, proportions; batch.
tercer riel, third rail, contact or conductor rail.
tercería f, arbitration.
tercero m, arbitrator, third party.
terciado (mad), laminated, ply.
terciar, to arbitrate; (M)(C) to dilute.
tercio m, one third; a third.
—— central o medio, middle third (dam).
teredo m (C), teredo, shipworm.
termal, thermal.
térmico, thermic, thermal.
terminado m, finish.
—— al frío, cold-finished.
terminador m, finisher; terminator; a finishing.
—— de cable (eléc), cable terminator; pothead.
—— de tres ramas (eléc), three-conductor pothead.
terminadora f, finishing machine.
terminal m, (elec)(rr) terminal; a terminal.
—— aéreo (eléc), air terminal.
—— de derivación (eléc), service head.
—— de oreja (eléc), lug terminal.
terminar, to finish (job); to finish (surface); to terminate, dead-end.
término m, terminus, terminal; finish, completion; (math) term; boundary monument.
—— de extremo cerrado (fc), dead-end terminal.
—— de paso continuo (fc), through terminal.
—— medio, average.
termión m (física), thermion.
termiónica f, thermionics.
termiónico, thermionic.
termita f (sol), thermit.
—— de forja, forging thermit.
—— para fundición, cast-iron thermit.
—— simple, plain thermit.
termoamperímetro m, thermoammeter.
termobarógrafo m, thermobarograph.
termobarómetro m, thermobarometer.
termocatalítico, thermocatalytic.
termocinemática f, thermokinematics.
termoclinal m, thermocline, temperature gradient.
termocompresor m, thermocompressor.
termoconductor m, thermoconductor.
termocortacircuito m, thermo-cutout.
termocupla f, thermocouple.
termodetector m (ra), thermodetector.
termodinámica f, thermodynamics.
termodinamicista, thermodynamicist.
termodinámico, thermodynamic.
termoelástico, thermoelastic.
termoelectricidad f, thermoelectricity.
termoeléctrico, thermoelectric.
termoelectromotriz, thermoelectromotive.
termoelemento m (eléc), thermoelement.
termofílico (is), thermophilic.
termófono m, thermophone.
termogalvanómetro m, thermogalvanometer.
termógeno, termogénico, thermogenic.

termógrafo *m*, thermograph, recording thermometer.

termograma *m*, thermogram.

termoguarda *m*, thermoguard.

termoide, Thermoid (trademark).

termointegrador *m* (aa), thermointegrator.

termointerruptor *m* (eléc), thermostat-controlled switch.

termoiónico, thermionic.

termoluminiscencia *f*, thermoluminescence.

termomagnético, thermomagnetic, pyromagnetic.

termométrico, thermometric.

termómetro *m*, thermometer.

—— de ampolleta húmeda, wet-bulb thermometer.

—— de ampolleta seca, dry-bulb thermometer.

—— de cuadrante, dial thermometer.

—— de fronda (V), sling thermometer.

—— de resistencia, resistance thermometer.

—— para punto de condensación (aa), dew-point thermometer.

—— registrador, recording thermometer.

—— seco, dry-bulb thermometer.

termometrógrafo *m*, thermometrograph.

termomotor *m*, heat engine; *a* thermomotive.

termomultiplicador *m*, termopila *f* (eléc), thermopile, thermobattery, thermomultiplier.

termopar *m*, thermocouple.

termopermutador *m*, heat exchanger.

termoplástico, thermoplastic.

termorreactivo, heat-reactive.

termorreducción *f* (quím)(met), thermoreduction.

termorregulador *m* (cf), thermoregulator.

termorruptor *m*, Thermo-ruptor (trademark).

termosifón, thermosiphon.

termostático, thermostatic.

termóstato *m*, thermostat.

—— combinado, compound or combination thermostat.

—— de acción múltiple, multiple-point or multiple-insertion thermostat.

—— de acción simple, unit or single-point thermostat.

—— de conducto, insertion or duct thermostat.

—— de dos temperaturas, dual or high-low thermostat.

—— de inmersión, immersion-type thermostat.

—— de servicio simple, single-duty thermostat.

—— de superficie, surface-type thermostat.

—— intermedio o de acción graduada, intermediate or graduated-acting thermostat.

—— maestro o piloto, master or pilot thermostat.

—— positivo, positive or quick-acting thermostat.

—— reajustable a distancia, submaster or remote adjustable thermostat.

termotector *m*, Thermo-tector (trademark).

termotensión *f* (met), thermotension.

termounión *f* (eléc), thermojunction.

ternario (mat)(quím)(met), ternary.

terracear (M), to terrace.

terracerías *f* (M)(V), earth fill, earthwork.

terracota *f*, terra cotta.

terrado *m*, flat roof; terrace.

terraja *f*, stock (for dies); threading machine; (met) strickle.

—— de cojinete o para dados, diestock.

—— y dados, stock and dies.

terrajadora *f*, threading machine.

—— para tuercas, nut-tapping machine.

terrajar, to thread, cut threads, tap; (C) to screed.

—— con macho, to tap.

terraplén *m*, earth fill, earthwork, embankment.

—— de desperdicio (M), spoil bank.

—— prestado, borrowed fill.

terraplenaje *m*, earth filling.

terraplenar, to fill with earth.

terrateniente, landowner.

terraza *f*, terrace.

—— mangum, mangum terrace (check soil erosion).

terrazadora *f*, terracer.

terrazar, to terrace.

terrazo *m*, terrazzo.

terremoto *m*, earthquake.

terreno *m*, land, ground, soil; terrain; (geol) terrane.

—— accidentado, rough ground, hilly country.

—— aportado (Es), alluvial soil.

—— de acarreo, alluvial soil.

—— de cimentación, foundation material.

—— de recubrimiento, overburden.

—— de relleno, filled ground, made land.

—— de tránsito (Es), hardpan, shale.

—— de transporte (Pe), alluvial soil.

—— echadizo, refuse dump.

—— ejidal, public or community land.

—— escabroso, rough ground.

—— falso, filled ground; unstable ground.

—— flojo, unstable soil, loose ground.

—— ganado, reclaimed land.

—— hullero, coal field.

—— marginal, marginal land.

—— movedizo o corredizo, running ground.

—— primitivo, original ground.

—— quebrado, rolling country; broken ground.

—— sano, solid ground.

—— sedentario, sedentary soil.

—— suelto, loose ground (not requiring blasting).

térreo, earthy.

terrero *m*, dump, spoil bank.

terrestre, terrestrial.

terrón *m*, clod, lump.

—— de lodos (dac), sludge cake.

terroso (miner), earthy.

tertel *m* (Ch), hardpan.

tesar, to tighten, haul taut.

teselado, tessellated (floor).

teso, taut.

tesoro (*m*) de seguridad (A), vault, safe.

testa *f*, face, front, head.

——, de, on end.

testera *f*, front, front wall; header.

—— de caldera, boiler front.

—— del cilindro, cylinder head.

testero *m*, front, end piece, end wall; (min) overhand or back stope.

—— abovedado (min), domed or pyramid stope.

—— de techo plano (min), flat-back stope.

—— escalonado (min), rill stope.

testigo *m*, sample, specimen; (surv) reference point.
—— **de perforación**, drill core.
—— **perito**, expert witness.
testimonio (*m*) **pericial**, expert testimony.
tesura *f*, stiffness, tautness.
tetón *m*, lug, boss.
tetraborato *m* (quím), tetraborate.
tetrabromuro *m*, tetrabromide.
tetracilíndrico, (eng) four-cylinder.
tetracloruro *m*, tetrachloride.
tetraédrico, tetrahedral.
tetraedrita *f*, tetrahedrite (ore of silver and copper).
tetraedro *m* (mat), tetrahedron.
—— **indicador de viento** (ap), wind tetrahedron.
tetraetilo (quím), tetraethyl.
tetrafásico (eléc), four-phase.
tetrafilar (eléc), four-wire.
tetragonal, tetragonal.
tegrágono *m*, tetragon; *a* tetragonal.
tetranitrodiglicerina *f* (vol), tetranitrodiglycerin.
tetrapolar, four-pole.
tetrationato *m* (lab), tetrathionate.
tetravalente (quím), quadrivalent, tetravalent.
tetril *m*, tetryl (explosive).
tetrilo *m* (quím), tetryl.
tétrodo *m* (ra), tetrode.
tetrosa *f* (az), tetrose.
textolita *f* (plástico), Textolite (trademark).
textura *f*, texture.
—— **flúida** (geol), fluidal or flow texture.
textural, textural.
teyolote *m* (M), small stone for filling joints in rubble work.
tezontle *m* (M), volcanic stone used for building.
ticholo *m* (U), small tile for floor or flat roof.
tiempo *m*, time; weather; (eng) cycle, stroke.
—— **aparente**, apparent or solar time.
—— **astronómico**, astronomical or mean solar time.
—— **civil**, civil time.
—— **de admisión** o **de aspiración** (mg), admission or intake or suction stroke.
—— **de compresión**, compression stroke.
—— **de escape**, exhaust stroke.
—— **de intercepción** (geof), intercept time.
—— **doble**, double time; (M) double shift.
—— **extra**, overtime.
—— **medio solar**, mean solar time.
—— **motor** o **de trabajo** (mg), working or power stroke.
—— **normal**, standard time.
—— **sencillo** (M), single shift.
—— **sideral**, sidereal time.
—— **solar**, solar or apparent time.
—— **verdadero**, true or solar or apparent time.
—— **y medio**, time and a half.
tiempos de propagación (geof), travel times.
tienda *f*, tent; store; awning.
—— **de costados verticales**, wall tent.
tiendetubos *m* (ec), pipe layer.
tienta *f*, earth auger, sounding rod; feeler gage.
tientaaguja *f*, sounding or boring rod.
tientaclaro *f*, feeler gage.

tierra *f*, earth, soil, land, ground, dirt; (elec) ground.
—— **alcalina** (quím), alkaline earth.
—— **aluvial**, alluvium.
—— **cocida**, terra cotta.
—— **de batán**, fuller's earth.
—— **de labor**, cultivated land.
—— **de ladrillos**, brick clay.
—— **diatomácea**, diatomaceous earth.
—— **eléctrica**, ground connection.
—— **endurecida**, hardpan.
—— **franca** (M), topsoil.
—— **húmica** (U), topsoil.
—— **infusoria**, infusorial earth.
—— **mantillosa** o **negra**, topsoil, loam.
—— **pesada**, heavy spar, barite.
—— **reformada** (M), reclaimed land.
—— **refractaria** (A), fire clay.
—— **rescatada** (M), reclaimed land.
—— **suelta**, loose or unstable ground.
—— **transportada**, filled ground.
—— **vegetal**, topsoil.
tierras raras, rare earths.
tieso, stiff, taut, tight; (conc) stiff.
tifón *m*, typhoon.
tija *f* (Es), shank of a key.
tijera *f*, shear; sawbuck; small ditch.
—— **a pedal**, foot-power shear.
—— **guillotina**, power shear.
—— **mecánica**, shear.
—— **para pernos**, bolt clipper.
—— **universal**, universal shear.
tijeras, shears, snips; sawbuck; shear legs.
—— **de banco**, bench shears.
—— **de golpe**, anvil cutter.
—— **de hojalatero**, snips, tinsmith's shears.
—— **para poste**, pole buck.
tijeral *m* (Ch), roof truss.
tijerales, X bracing.
—— **verticales**, sway bracing.
tilita *f* (geol), tillite.
tilo *m*, linden, basswood.
tillado *m*, board floor; (C) eightpenny nail.
timba *f* (C), a timber.
timbradora *f* (Es), brick press.
timolftaleina *f* (is), thymolphthalein.
timón *m*, rudder; wagon pole; plow beam; (auto) (C) steering wheel.
—— **compensado**, balanced rudder.
—— **mecánico** (cn), gyropilot, mechanical steering device.
—— **suspendido** (cn), underhung rudder.
timonear (náut), to steer.
timoneo *m* (náut), steering.
timonera *f* (cn), pilothouse, wheelhouse.
timpa *f*, hearth, grate; (met) tymp.
tímpano *m*, spandrel wall; gable.
tina *f*, bathtub; vat, tub.
—— **de lavar**, laundry tub, washtray.
tinaco *m*, vat, tub.
tinaja *f* (M), natural reservoir.
tincal *m*, tincal, tinkal, native borax.
tingladillo (*m*) **ahusado**, bevel siding.
tingladillo, de, clapboarded; (naut) clinker-built.
tinglado *m*, shed, shanty, lean-to, open shed.
—— **del pozo** (min), head house.

tinglar, to clapboard; to do clinker work (boat).
tinguaita *f* (geol), tinguaite.
tinta *f*, ink.
—— a prueba de agua, waterproof ink.
—— china, India ink.
tinte *m*, stain; dye.
—— al agua (pint), water stain.
—— al alcohol, spirit stain.
—— al óleo, oil stain.
—— indicador (lab), indicator dye.
—— inhibitorio (lab), inhibitive dye.
tinte-velocidad (hid), dye-velocity (gaging).
tintinear (maq), to rattle, chatter, clatter.
tintineo *m*, clattering; knocking.
tintitaco *m* (A), a hardwood.
tintofotómetro *m*, tint photometer.
tintometría *f*, tintometry.
tintómetro *m*, tintometer.
tintura *f*, stain; tincture.
tiñuela *f*, teredo, shipworm.
tiocianato (*m*) de potasio, potassium thiocyanate.
tiocianuro *m*, thiocyanide, sulphocyanide.
tiosulfato *m*, thiosulphate.
tiotrix (is), thiothrix.
tipa *f*, a South American hardwood.
tipo *m*, standard; rate; type, kind.
—— de cambio, rate of exchange.
—— de flete, freight rate.
—— del mercado, market rate.
—— de sueldo, rate of pay.
tíquet *m* (PR), ticket.
tiquete *m* (AC), ticket.
tira *f*, a length (pipe); strip, stripe; (rr)(C) lead.
—— aislante (eléc), insulating strip.
—— bordeadora (ca), curb strip.
—— calibradora, feeler gage.
—— central (ca), center strip.
—— de banquillo (to), cant strip, arris fillet.
—— de cuero para correa, leather belt lacing.
—— de distancia o de separación, distance strip.
—— de película (fma), film strip.
—— de relleno (ca), filler or expansion strip.
—— de respaldo (sol), backing strip.
—— mosaica (fma), strip mosaic.
—— protectora, guard strip.
—— y empuje (ra)(A), push-pull.
tirada *f*, lift of concrete, course of masonry; a stretch, length; (Ec) haul.
tiraderas *f*, traces (wagon).
tiradero *m*, spoil bank, dump; (C) snatch team.
—— de troncos (ef), log dump.
tirador *m*, handle, door pull, doorknob; puller.
—— de alambre, wire puller, come-along clamp.
—— de cable (eléc), cable puller.
—— de cinta pescadora (eléc), fish-wire puller.
—— de puerta, door pull.
—— de uniones, coupling puller.
tirafondo *m*, wood screw, screw spike, wood screw with square head; (C)(A) lag screw.
—— para vía (fc), screw spike.
tiraje *m* (mec), draft.
—— descendente, downdraft.
—— forzado, forced draft.
—— inducido, induced draft.
tiralíneas *m*, drawing pen.

—— de articulación de resorte, spring-hinge ruling pen.
—— del compás, pen point.
—— de fuente, fountain ruling pen.
—— doble, railroad pen.
—— loco, contour pen.
—— para detalles, detail pen.
—— para puntear, dotting pen.
—— para rayado, hatching pen.
tiramollar, to fleet (tackle).
tiranta *f* (Col), tie rod, tie beam.
tirante *m*, tie rod, guy, tension member; stay bolt; beam; depth of water; *a* taut.
—— crítico (hid), critical depth.
—— de agujas (fc), switch rod, tie bar, bridle rod.
—— de armadura, truss rod, hog rod.
—— de caldera, stay bolt.
—— de radio (auto), radius rod.
—— de suspensión, hanger.
—— I o doble T, I beam.
—— ojalado o de ojo, loop rod.
tirantes, traces (wagon).
—— de giro (gr), sluing rods.
—— de moldes, form ties.
tirantería *f*, framework, floor framing.
tirantez *f*, tightness, (cab) strain.
tirantillo *m*, scantling, small beam.
tirar, to pull, drag, draw; to throw, throw away; to blast; to dump; (exc) to waste; to draw (stack).
tiratrón *m* (ra), thyratron.
tiraválvula *m*, valve rod.
tiravira *f*, parbuckle, (lg) crosshaul, (lg) crotch chain.
tireta (*f*) de correa, belt lacing.
tirita *f* (eléc), Thyrite (trademark).
tiro *m*, (mech) draft; (bl) a shot; (tun) shaft; a length; flight of stairs; (surv)(A) course; (Col) hoisting line.
—— aspirado, induced draft.
—— ciego (min), winze, mill.
—— de alcancía (min), chute raise.
—— de arrastre (min)(M), adit, inclined shaft.
—— de destrozo (min)(Es), enlarging shot.
—— de ensanche (tún), enlarging shot.
—— de escalera, flight of stairs.
—— de escombros (min), waste raise.
—— de franqueo (tún), unkeying or cut or bearing-in shot.
—— de mina, mine shaft.
—— de recueste (min)(M), adit, inclined shaft.
—— descendente, downdraft.
—— forzado, forced draft.
—— inclinado (min)(tún), adit, inclined shaft.
—— inducido o por aspiración, induced draft.
—— normal, natural draft.
—— ventilador, air or ventilation shaft.
tirón *m* (cab), strain.
tironear, to drag, labor, hold back, work with an effort.
titánico (quím), titanic.
titanífero, containing titanium, titaniferous.
titanio *m*, titanium.
titración *f*, titration.
titulable, titrable.
titulación a punto final, end-point titration.

titulador *m*, titrator.
titular, to titrate.
título *m*, (dwg) title; (leg) title; (fin) bond; license.
—— **de acciones**, stock certificate.
tiza *f*, chalk.
tizar (Ch), to design, draw.
tizate *m* (M), chalk.
tizón *m*, (mas) header, bondstone; brand.
—— **a sardinel** (lad), bull header.
—— **falso**, blind or false header.
toa *f*, hawser, rope.
toar, to tow.
toba *f*, tufa.
—— **calcárea**, calc-tufa.
—— **de cenizas**, volvanic tuff.
—— **silícea**, siliceous sinter.
tobáceo, tuffaceous.
tobagán *m* (M), chute.
tobar (Col), to tow.
tobera *f*, nozzle, tuyere.
—— **atomizadora**, spray nozzle.
—— **de aguja**, pintle nozzle.
—— **de aspiración**, suction nozzle.
—— **de choque**, impingement nozzle.
—— **de doble válvula**, double-valve nozzle.
—— **de estrangulación**, throttling nozzle.
—— **de labios**, lip nozzle.
—— **de orificio único**, single-orifice nozzle.
—— **de orificios múltiples**, multiple-orifice nozzle.
—— **engrasadera**, grease-gun nozzle.
—— **lanzaarena**, sandblast nozzle.
—— **lanzamortero**, cement-gun nozzle.
—— **pulverizadora**, spray nozzle.
—— **plana**, nozzle plate.
tobo *m* (V), bucket; (sh) dipper.
toboso, tuffaceous.
tocón *m*, stump.
tochimbo *m* (Pe), smelting furnace.
tocho *m* (met), billet.
toda velocidad, full speed.
todo vapor, full steam.
todouno *m*, run-of-mine coal.
tofo *m* (Ch), fire clay.
tojín *m* (V), tapered insert to leave hole in concrete or mud wall.
tojino *m*, bitt, cleat; chock.
toldilla *f* (cn), poop deck.
toldo *m*, tent, awning; (U) auto top.
tolerancia *f*, tolerance.
—— **de frecuencia** (ra), frequency tolerance.
—— **de laminación** (met), rolling tolerance.
—— **en más**, plus tolerance.
—— **en menos**, minus tolerance.
—— **equivalente en el ángulo** (rs), equivalent angle tolerance.
—— **equivalente para paso** (rs), equivalent lead tolerance.
—— **extrema para diámetro primitivo** (en), extreme pitch-diameter tolerance.
tolete *m*, tholepin; (Col) common brick.
tolva *f*, hopper, bin; (Pe) tremie; (min) glory hole.
—— **cribadora**, screening hopper.
—— **de carga**, charging or loading hopper.
—— **de extracción** (min), glory hole, mill hole.

—— **de piso** (conc), floor or ground hopper.
—— **de revoltura** (conc), batch hopper.
—— **de torre** (conc), tower hopper.
—— **dosificadora o medidora** (conc), batcher.
—— **ensacadora** (az), bagging bin.
—— **igualadora** (ag), surge hopper.
—— **pesadora** (conc), weighing batcher.
—— **receptora**, receiving hopper.
—— **y tubería** (conc)(A), tremie.
tolvas cargadoras (conc), mixer bins.
toma *f*, intake; water tap; (elec) outlet; (elec) tap.
—— **de aire** (carburador), air inlet.
—— **de corriente** (eléc), current tap, outlet, tap, plug cluster; current collector.
—— **de embutir** (eléc), flush outlet.
—— **de enchufe** (eléc), plug receptacle.
—— **de escape** (aa), exhaust inlet.
—— **de juntas** (mam)(A), pointing joints.
—— **de manguera**, hose connection, hose bibb.
—— **de potencia**, power take-off.
—— **de receptáculo** (eléc), receptacle outlet.
—— **de tierra** (ra)(A), ground connection.
—— **directa** (auto), direct drive, high gear.
—— **particular**, service connection (water).
tomacorriente *m* (eléc), outlet, tap.
—— **a tierra**, ground outlet.
—— **con interruptor**, switched outlet.
—— **de clavija**, plug receptacle.
—— **de pared**, wall outlet.
—— **de techo**, ceiling outlet.
—— **de utilidad o para uso general**, convenience outlet.
—— **embutido**, flush outlet.
—— **mural**, wall outlet.
—— **para artefacto particular**, special-purpose outlet.
—— **tapado**, capped outlet.
tomadero *m*, inlet, intake.
tomador (*m*) **de tiempo**, timekeeper.
tomafuerza *f*, power take-off.
tomamuestras *m*, sampler, sampling machine.
tomar, to take; (mas)(A)(Pe) to point; (p)(A)(Pe) to fill joints.
tómbolo *m* (náut), tombolo.
tomero *m* (A), man who looks after intakes of irrigation subscribers; also called **tomero repartidor**.
tonel *m*, cask, hogshead, barrel.
—— **de extracción**, ore bucket.
—— **de riego**, sprinkling cart.
tonelada *f*, ton.
—— **bruta**, long or gross ton.
—— **corta**, net or short ton.
—— **de arqueo o de registro** (an), register ton (100 cubic feet).
—— **de carga** (an), dead-weight ton (2240 lb).
—— **de desplazamiento** (an), displacement ton (2240 lb).
—— **de ensayador**, assay ton.
—— **larga**, long or gross ton.
—— **métrica**, metric ton.
—— **neta**, net or short ton.
toneladas de porte, tons capacity.
tonelada-milla, ton-mile.
tonelaje *m*, tonnage.
—— **de carga** (an), cargo dead-weight tonnage.

—— neto de registro (an), net registered tonnage.
—— oficial (an), registered tonnage.
—— total de registro (an), gross registered tonnage.
tonelámetro *m*, metric ton; (Ch) meter-ton.
tonelería *f*, cooperage.
tonelero *m*, cooper.
tonga, tongada *f*, layer, stratum, tier.
tónico (ra), tonic.
topadora *f*, butter, butting saw; (ce) bulldozer.
—— angular, angling-type bulldozer, angledozer, gradebuilder, Roadbuilder, trailbuilder, Bullgrader, Dozecaster.
—— de cable, cable-controlled bulldozer.
—— empujadora, bulldozer.
—— hidráulica, hydraulically operated bulldozer.
—— recta, bulldozer.
topar, to strike against, butt into, collide with; to make a butt joint.
tope *m*, butt; lug; bumper, buffer; stop, check; butt end; (min) face of a heading; (sb) masthead.
——, a, butt to butt.
—— amortiguador, shock-absorbing bumper.
—— de banco, bench stop or hook.
—— de carro (mh), carriage stop.
—— de dirección (auto), steering stop.
—— de filetear o de rosca (mh), thread-cutting stop.
—— de puerta, doorstop.
—— de retención o de vía (fc), bumping post.
—— retén de bolas, thrust ball bearing.
topes del timón (cn), rudder stops.
topera *f* (M), subdrain.
topo *m*, (M) drainage ditch; (Pe) about ⅔ acre.
topografía *f*, topography; surveying.
topográfico, topographical.
topógrafo *m*, topographer; (M) transitman; (A) (Col) surveyor.
topología *f* (mat), topology.
topológico (top), topological.
torbellino *m*, whirlpool, eddy.
torca *f* (top), depression, basin, sunken area.
torcedor (*m*) de alambre, wire twister.
torcedor de manguitos de unión (eléc), sleeve wrench or twister.
torcedura *f*, twist; kink.
torcer, to twist.
torcido *m*, (cab) strand; (cab) lay; *a* twisted.
—— a la derecha, right lay.
—— a la izquierda, left lay.
—— achatado, flattened strand.
—— apretado, de (cab), hard-laid.
—— corriente, regular lay.
—— en caliente, hot-twisted.
—— en frío, cold-twisted.
—— encontrado (M), regular lay.
—— flojo, de (cab), soft-laid.
—— lang, lang lay.
—— paralelo (M), lang lay.
—— regular, regular lay.
torciógrafo *m*, torsion meter.
torcretador *m*, cement-gun worker.
torcretar, to place gunite, do cement-gun work.
torcretizar (Col), to do cement-gun work.
torcreto *m*, gunite; shotcrete.

toria *f* (quím), thoria, thorium dioxide.
toriado (eléc), thoriated.
torillo *m*, driftbolt, dowel, (sb) setbolt.
—— en angulo recto, dogbolt.
torio *m* (quím), thorium.
torita *f* (miner)(explosivo), thorite.
tormenta *f*, storm.
tornado *m*, tornado.
tornallamas *m*, fire bridge, bridge wall.
tornamesa *f*, turntable.
tornapunta *f*, spreader, brace, strut, spur.
tornasol *m*, litmus.
tornavía *f* (fc), turntable.
torneado *m*, turning (lathe).
—— cónico, taper turning.
torneador (*m*) de rodillos (mh), roller turner.
torneador desbastador, rough turner.
torneadora *f*, turning machine or tool, cutter bit.
torneaduras *f*, lathe cuttings, chips.
tornear, to turn on a lathe; to machine.
torneo *m*, turning.
tornería *f*, lathe work; lathe shop, turnery.
tornero *m*, lathe operator, turner; hoist runner.
—— mecánico (A), lathe operator.
tornillar (C), to bolt.
tornillería *f*, stock of bolts or screws.
tornillo *m*, screw, bolt; vise.
—— a charnela, hinged vise.
—— ajustado, turned bolt.
—— albardillado sin fin, hourglass worm, Hindley's screw.
—— alimentador, feed screw; (pet) temper screw.
—— aterrajador (A), tap bolt, tap screw.
—— compuesto, compound or differential screw.
—— con aletas de resorte, spring-wing toggle bolt.
—— con cono de expansión, conehead toggle bolt.
—— corrector (inst), adjusting screw.
—— de ajuste, setscrew; adjusting screw.
—— de apriete, setscrew.
—— de aproximación (inst), slow-motion or tangent screw.
—— de armar, erection bolt.
—— de avance, lead screw; feed screw.
—— de avance transversal (mh), cross-feed screw.
—— de ayustar, rigger's vise, rigging screw.
—— de banco, bench screw; bench vise.
—— de brida (fc), track bolt.
—— de cabeza, cap screw.
—— de cabeza de arandela, washer-head screw.
—— de cabeza de hongo, roundhead bolt; mushroom-head screw.
—— de cabeza en cruz, recessed-head screw.
—— de cabeza perdida, flathead screw; flathead stove bolt.
—— de cadena, chain vise.
—— de caja, box vise.
—— de carruaje (M)(C), carriage bolt.
—— de casquete, cap screw.
—— de coche, coach screw; (M) carriage bolt.
—— de coincidencia (inst), tangent screw.
—— de collar, collar screw.
—— de compresión, compression screw.
—— de corrección (inst), adjusting screw.
—— de descanso, setscrew.

—— de eclisa (fc), track bolt.
—— de empuje, thrust screw.
—— de enfoque (inst), focusing screw.
—— de estufa (M), stove bolt.
—— de expansión, expansion bolt.
—— de fiador excéntrico, tumbling toggle bolt.
—— de fijación, setscrew; clamp screw; lock-screw.
—— de gancho, hook bolt.
—— de herrero, blacksmith vise.
—— de hincadura (A), drive screw.
—— de mano, hand vise or screw.
—— de máquina (M)(C), machine bolt.
—— de mariposa o de orejas, thumbscrew, wing screw.
—— de mecánico, machinist's vise.
—— de mordazas, jaw vise.
—— de movimiento lento (inst), slow-motion screw.
—— de ojo, eyebolt.
—— de paso diferencial, differential screw.
—— de pedal, foot vise.
—— de pie, leg vise.
—— de presión, setscrew; (inst) clamp screw.
—— de ranuras cruzadas, cross-slotted screw.
—— de reborde, collar screw.
—— de rosca doble, double-thread screw.
—— de seguridad o de traba, lockscrew.
—— de sujeción, anchor bolt; setscrew; clamp screw; (elec) terminal screw, binding post, binding or clamping screw.
—— de tope, shoulder or stop screw.
—— de vía (fc), track bolt.
—— embutido, countersunk bolt or screw; safety setscrew.
—— espárrago, stud bolt.
—— exterior y caballete (vá), outside screw and yoke.
—— fiador, setscrew; stud bolt.
—— fijo (V), setscrew.
—— forzador, forcing screw.
—— garfiado (Pe), rag or swedge bolt.
—— graduador, adjusting or temper screw.
—— levantaaguja (inst), needle lifter screw.
—— limitador, stop screw.
—— maestro (az), kingbolt.
—— maquinado (M), turned bolt.
—— micrométrico, micrometer screw.
—— opresor, setscrew; tap bolt, stud bolt.
—— para madera, wood screw.
—— para metales, machine screw.
—— para serruchos, saw clamp or vise.
—— para tubos, pipe vise.
—— paralelo, parallel vise.
—— pasante, through bolt.
—— patrón (mh), lead screw.
—— platinado (auto), platinum-tipped screw.
—— prisionero, setscrew; grub screw.
—— prisionero de punta ahuecada, cup-point setscrew.
—— prisionero encajado, hollow or safety set-screw.
—— ranurado sin cabeza, grub screw.
—— seguro, lockscrew.
—— sin fin, worm.
—— sujetador, setscrew, binding screw.

—— tangencial (inst), tangent screw.
—— tangentímetro (inst)(V), tangent screw.
—— tapón o trabante, setscrew.
—— tensor, turnbuckle; take-up screw.
—— tipo pulgar (A), thumbscrew.
—— tirafondo (A), lag screw.
—— torneado, turned bolt.
—— transportador, screw conveyor.
—— y yugo exteriores (vá), outside screw and yoke.
—— zurdo, left-hand screw.
tornillos calzadores o niveladores (inst), leveling screws.
tornique m (C), turnbuckle.
torniquete m, turnbuckle; turnstile; fence ratchet; tourniquet.
—— de alambrado, fence ratchet.
—— de aparejador, rigging turnbuckle.
—— de doble grillete, shackle-and-shackle turn-buckle.
—— de dos ganchos, hook-and-hook turnbuckle.
—— de dos horquillas, jaw-and-jaw turnbuckle.
—— de gancho y ojo, turnbuckle with hook and eye.
—— de manguito, pipe turnbuckle, sleeve nut or turnbuckle.
—— de ojillo doble, eye-and-eye turnbuckle.
—— tubular, pipe turnbuckle.
torno m, lathe; hoist, hoisting engine, (pet) cat-head; drum, reel; (A) vise.
—— al aire, face lathe.
—— a malacate (A), turret lathe.
—— arrastrador de carros, car puller.
—— combinado (mh), combination lathe.
—— con cabezal de engranajes, geared-head lathe.
—— con cambio rápido de engranajes, quick-change gear lathe.
—— corredizo, traveling hoist.
—— de aire, pneumatic or air hoist.
—— de árboles múltiples, multiple-spindle lathe.
—— de bancada, bed lathe.
—— de bancada escotada o de bancada partida, gap lathe.
—— de banco, bench lathe.
—— del cable sacanúcleos (pet), coring reel.
—— de columna, column lathe.
—— de conformar o de chapista, spinning lathe.
—— de cono escalonado, cone lathe.
—— de despojar, backing-off lathe.
—— de engranaje o de engranajes reductores, back-geared lathe.
—— de escote, gap lathe.
—— de espiar, warping drum.
—— de extensión, extension lathe.
—— de extracción, mine hoist.
—— de filetear, chasing or screw-cutting lathe.
—— de herramentista, toolroom lathe.
—— de herrero (A), blacksmith vise.
—— de latonero, fox or brassworker's lathe.
—— de mandril, chucking lathe.
—— de mano, hand or speed lathe.
—— de modelista, patternmaker's lathe.
—— de pedal, foot lathe.
—— de pie (A), leg vise.
—— de precisión, precision lathe.

—— de pulir, buffing or polishing lathe.
—— de relojería, watchmaker's lathe.
—— de remolcar, towing winch.
—— de roscar, chasing or threading or screw-cutting lathe.
—— de torrecilla, turret lathe.
—— de tubería (pet), casing spool.
—— desbastador, roughing lathe.
—— elevador o izador, hoisting drum, hoist.
—— mecánico, lathe.
—— para barras, bar-stock lathe.
—— para ejes, axle or shafting lathe.
—— para lingotes, ingot lathe.
—— para madera, woodworking lathe.
—— para tallador de herramientas, toolmaker's lathe.
—— revólver, turret or capstan lathe.
—— sin contrapunta, face lathe.
—— único, de, single-drum (hoist).
—— universal, universal lathe.
toro m (mat), torus.
toroidal, toroidal.
toroide m (mat), toroid.
torón m, (cab) strand.
—— achatado, flattened strand.
—— aplanado (M), flattened strand.
—— de barbetar, seizing strand.
—— guardacamino (ca), guardrail strand.
—— mensajero, messenger strand.
—— para tranvías, tramway strand.
torpedear (pet)(M), to torpedo, dynamite.
torpedo m, (rr) torpedo; (auto) cowl.
torquetador m (U), cement gun.
torre f, tower; (mt) turret; (C) stack, chimney.
—— de absorción (pet), absorption column or tower.
—— de anclaje, anchor tower.
—— de ángulo (eléc), corner or angle tower.
—— de baliza (ap), beacon tower.
—— de borbotaje o de burbujeo (pet), bubble tower.
—— de cabeza (cv), head tower.
—— de cola (cv), tail tower.
—— de control o de gobierno o de mando (ap), control tower.
—— de destilación, distillation tower.
—— de elaboración (pet), processing tower.
—— de enfriamiento atmosférico, atmospheric cooling tower.
—— de enfriamiento de tiro mecánico, mechanical-draft or forced-draft or induced-draft cooling tower.
—— de equilibrio (hid)(Col), surge tank.
—— de expansión (pet), flash tower.
—— de extensión (pet), telescoping derrick.
—— de fraccionamiento (pet), fractionating tower.
—— de máquina (cv), head tower.
—— de observación (lev), observing tower.
—— de perforación o de taladrar (pet), derrick.
—— de primera destilación (pet), stripping tower.
—— de retención (eléc), strain tower.
—— de señales (fc), signal tower.
—— de sulfitación (az), sulphur tower.
—— de toma (hid), intake tower.
—— de transmisión (eléc), transmission tower.

—— desasfaltadora (pet), deasphalting tower.
—— despentanizadora (pet), depentanizing tower
—— enfriadora o refrigeradora, cooling tower.
—— inalámbrica o radiodifusora, radio tower.
—— montacarga (ed), hoisting tower.
—— petrolera, oil derrick.
—— rociadora, spray tower.
—— terminal, terminal tower; (cy) tail tower.
torres gemelas, twin towers.
torre-tanque (A), standpipe, surge tank.
torrecilla f (mh), turret.
torrefacción f, torrefaction.
torrencial (r), torrential, flashy.
torrente m, torrent, flood, turbulent stream.
torrentera f, gully eroded by storm water.
torrentoso (r)(Pe)(V), torrential, flashy.
tórrero m (pet)(M), derrickman.
—— guardacambio (fc), towerman.
torrontero m (Es), dump, spoil bank; deposit left by a flood.
torsímetro, torsiómetro m, torsion meter, torsimeter, torsiometer.
torsión f, torsion; twist.
—— de frenaje, braking torque.
—— de marcha (auto), driving torque.
—— de reposición, restoring torque.
—— derecha (cab), right-hand lay.
—— izquierda (cab), left-hand lay.
torsional, torsional.
torta f, pat, cake, briquet; (M) coat of plaster.
—— de cachaza o del filtro-prensa (az), press or filter-press cake.
—— de cieno (dac)(B), sludge cake.
—— de filtro (dac), filter cake.
tortada f, (Col) bed of mortar; (M) plaster coat.
tortol, tortor m, stick or bar for twisting wire ties; Spanish windlass.
tortuga f (M), handhole plate; handhole frame.
tortugo m (PR), a construction lumber.
torzal m, twist; (M) strand.
—— empaquetador, twist packing.
tosca f, hardpan; in local usage, many different kinds of earth or rock; in Uruguay, material resulting from disintegration of bedrock of that country.
—— estimación (M), rough estimate.
tesco, coarse, rough; (conc) harsh.
tosquilla (A), a fine-grained compact subsoil.
tostar (met), to roast.
totalizador m, totalizer.
totalizar, to totalize.
toxicidad f, toxicity.
tóxico, toxic.
toza f, stump; log.
traba f, tie; chock; (mas) bond; obstruction.
—— flamenca (lad), Flemish bond.
—— por gas (pet), gas lock.
trabado m, lock, interlock.
—— por aire (tub), airbound.
trabador m, locking device; (A) saw set.
—— del diferencial (auto), differential lock.
trabadura f, bonding, bond.
trabajabilidad f (conc), workability.
trabajable, workable.
trabajador m, workman, laborer.
trabajar, to work.

—— en vacío (maq), to idle.
trabajo *m*, work, job; labor; duty; stress.
—— a destajo o a tarea, piecework.
—— a jornal, day labor.
—— a medida, piecework, taskwork.
—— a trato (Ch), taskwork.
—— continuo (eléc), continuous duty.
—— de campaña o de campo, field work.
—— de corta duración (eléc), short-time duty.
—— de desmontes, dirt moving, excavation.
—— de gabinete, office work.
—— de operación (eléc), operating duty.
—— de taller, shopwork.
—— de vía (fc), trackwork.
—— extraordinario, extra work.
—— intermitente (eléc), intermittent duty.
—— liviano de arranque, light starting duty.
—— manual, manual labor, hand work.
—— mínimo, least work.
—— periódico (eléc), periodic duty.
—— pesado de arranque, heavy starting duty.
—— virtual, virtual work.
trabalinguetes *m* (pet), pawl catcher.
trabanca *f* (min)(Es), timber frame to support roof.
trabante *m*, tie rod, stay bolt.
trabar, to fasten; to lock; to join; to jam; (mas) to bond; to set (saw); **trabarse**, to jam; (cab) to foul; (min) to fitcher.
trabazón *f*, (mas) bond; (str) web of a truss.
—— cruzada, cross bond.
—— de tizones en espiguilla, herringbone bond.
—— flamenca u holandesa, Flemish bond.
—— inglesa, English bond.
—— ordinaria, American or common bond.
trabe *f*, beam, girder.
—— armada (M), plate girder.
—— compuesta, built-up girder.
—— de alma llena, plate girder.
—— de celosía, lattice girder.
—— de rigidez, stiffening truss.
—— doble T, I beam.
—— remachada, riveted girder.
trabilla *f* (est), anchor.
—— de fleje, strap anchor.
traca *f* (cn), strake, wale.
—— de aparadura, garboard strake.
—— de cinta, sheer strake.
—— de costado, side strake.
—— de fondo, bottom strake.
—— de pantoque, bilge strake.
—— de trancanil, stringer strake.
—— perdida, fractional strake.
—— subcinta, topside strake.
tracción *f*, tension; traction, pull; hauling.
—— a sangre, animal traction.
—— diagonal, diagonal tension.
—— específica, unit tension.
—— magnética, magnetic traction.
tractivo, tractive.
tractolina *f*, tractoline.
tractomotriz (Ch), tractive (power).
tractor *m*, tractor.
—— agrícola, farm tractor.
—— caminero, highway tractor.
—— de camión, truck tractor.

—— de carriles o de orugas o de esteras o de lagarto, crawler or caterpillar or track-type tractor.
—— de neumáticos, rubber-tired tractor.
—— de ruedas, wheeled tractor.
—— empujador, push tractor.
—— grúa, tractor crane, boom tractor.
—— para fábricas, industrial tractor.
—— suplementario de tiro, snap tractor.
tractorista *m*, tractor operator, cat skinner.
traficable (ca)(V), passable, usable, transitable.
tráfico *m*, traffic.
—— atravesado, cross traffic.
—— automotor, motor traffic.
—— caminante o de peatones, pedestrian traffic.
—— unidireccional, one-way traffic.
tragaluz *m*, skylight; transom; small window.
—— lateral, clearstory.
traganieves *m* (al)(Es), snow manhole.
tragante *m*, flue, breeching; smokejack; air shaft; throat, charging opening; (C) sump; (C) catch basin.
—— de cloaca, sewer inlet.
—— de piso, floor drain.
traílla *f* (ec), scraper.
—— acarreadora, carrying or Carryall scraper.
—— automotriz, self-powered scraper, tractor-scraper.
—— cargadora, scraper-loader.
—— de arrastre, drag or slip scraper; power or cable scraper; semitrailer or drawn-type carrying scraper.
—— de cable, cable scraper, scraper bucket; cable-operated carrying scraper.
—— de cable de arrastre, power scraper; cable excavator; slackline scraper.
—— de ruedas, wheeled scraper.
—— de volteo, rotary scraper.
—— fresno, fresno scraper.
—— giratoria, rotary scraper.
—— hidráulica, hydraulically operated scraper.
—— mecánica, power drag scraper.
—— rodante, wheeled scraper; carrying scraper.
—— semirremolque, semitrailer or self-powered scraper.
—— sin fondo, bottomless scraper bucket.
—— transportadora, hauling or carrying scraper.
traillar, to grade with a scraper.
traje (*m*) de buzo, diving suit.
traje de fajina (A), overalls.
trajín *m*, carriage, transportation.
tralla *f*, whipcord.
trama *f* (cab), lay; construction.
—— a la derecha, right lay.
—— a la izquierda, left lay.
—— corriente o en cruz, regular lay.
—— inversa, reverse lay.
—— lang, lang lay.
—— Seale, Seale construction.
tramo *m*, bay, span, panel; (st) flight; strand (belt); (rr) block; length, run, stretch, (r) reach.
—— de anclaje (pte), anchor arm.
—— de armadura, panel of a truss.
—— de instalación (tub), laying length.
—— de retorno (correa), return strand.

—— de servicio, service bay (powerhouse).
—— giratorio (pte), swing span, drawspan.
—— levadizo (pte), drawspan.
—— suspendido (pte), suspended span.
—— volado (pte), cantilever span.
trampa *f*, trap; trap door; (rr)(A) derailing device.
—— basculadora, tilting steam trap.
—— compuesta, compound steam trap.
—— con flotador de bola, ball-float steam trap.
—— de aire, air trap.
—— de alivio (cf), vent trap.
—— de arena, sand trap.
—— de botella (tub), bottle trap.
—— de campana (tub), bell trap.
—— de carbonilla, cinder trap.
—— de cargar (ec), loading trap.
—— de cubo invertido, inverted-bucket steam trap.
—— de flotador abierto, bucket steam trap, open-float trap.
—— de flujo a nivel (tub), running trap.
—— de gas, gas trap.
—— de goteo, drip trap.
—— de hojas (hid), leaf catcher.
—— de impulso, impulse steam trap.
—— de llamas, flame trap.
—— de onda (ra), wave trap.
—— de orificio, orifice steam trap.
—— de pote (tub), pot trap.
—— de retorno directo, direct-return steam trap.
—— de sedimentos, dirt trap.
—— de tambor (tub), drum trap.
—— elevadora, lifting trap.
—— estratigráfica (pet), stratigraphic trap.
—— paranieve (ca), snow trap.
—— sin retorno, nonreturn steam trap.
trampilla *f*, trap door; bin gate.
—— guardaolor (dac), stench trap.
trampolín *m*, (lg) springboard; (hyd) energy disperser.
trancanil *m* (cn), stringer; waterway.
trancar, to dam; to obstruct, block; (CA) to lock.
trancha *f*, tinsmith's stake; (A) cutter, blacksmith's chisel.
tranque *m*, (Ch)(B) dam; (C) brace.
—— a gravedad, gravity dam.
—— auxiliar, saddle dam; cofferdam.
—— de arco múltiple, multiple-arch dam.
—— de embalse, impounding dam.
—— de escollera, rock-fill dam.
—— de tierra, earth or earth-fill dam.
—— derivador, diversion dam.
—— en arco, single-arch dam.
—— insumergible, nonoverflow or bulkhead dam.
—— provisional, cofferdam.
—— sumergible, spillway dam.
—— tipo Ambursen, Ambursen or slab-and-buttress dam.
—— vertedero, spillway dam.
tranquera *f*, gate (fence); paling fence.
—— de cruce (fc), crossing gate.
tranquero *m* (ed), cut stone for jamb or lintel.
tranquil *m*, plumb line.
transadmitancia *f* (ra), transadmittance.

transbordador *m*, transfer or traverse table; ferryboat; ferry bridge; float bridge; crane ior transferring loads.
—— aéreo, cableway.
transbordar, to transship, transfer.
transbordo *m*, transshipment, transfer.
transceptor *m* (ra), transceiver.
transconductancia *f* (ra), transconductance, mutual conductance.
—— rejilla-placa, grid-plate transconductance.
transcristalino (met), transcrystalline.
transductor *m* (eléc), transducer.
transfinito (mat), transfinite.
transformación *f*, transformation; (pmy) rectification.
transformador *m* (eléc)(fma), transformer.
—— a prueba de intemperie, outdoor transformer.
—— acoplador (ra), coupling transformer.
—— acorazado, shell-type transformer.
—— aumentador, booster transformer.
—— autoprotector, self-protecting transformer.
—— de baja tensión, low-voltage transformer.
—— de corriente, current transformer.
—— de corriente constante, constant-current transformer.
—— de corriente oscilante, oscillation transformer.
—— de desenganche, tripping transformer.
—— de doble devanado, two-winding transformer.
—— de energía o de fuerza o de potencia, power transformer.
—— de enfriamiento propio por aire, self-air-cooled transformer.
—— de ensayo, testing transformer.
—— de entrada (ra), input transformer.
—— de fase, phasing transformer.
—— de impulso, impulse transformer.
—— de intensidad, current transformer.
—— de medida, instrument transformer.
—— de núcleo, iron-core transformer.
—— de núcleo de aire, air-core transformer.
—— de núcleo y bobina, core-and-coil transformer.
—— de paso alto (A), step-up transformer.
—— de paso bajo (A), step-down transformer.
—— de placa (ra), plate transformer.
—— de poder (A), power transformer.
—— de potencial o de tensión, potential or voltage transformer.
—— de salida (ra), output transformer.
—— de sintonización doble (ra), double-tuned transformer.
—— de sintonización sencilla (ra), simple-tuned transformer.
—— de tensión constante, constant-potential or constant-voltage transformer.
—— de triple devanado, three-winding transformer.
—— disminuidor (A), step-down transformer.
—— distribuidor, distribution transformer.
—— elevador, step-up or booster transformer.
—— en aceite, oil-immersed transformer.
—— enfriado por aceite a presión, forced-oil-cooled transformer.
—— enfriado por aire, air-cooled transformer.

—— **entre etapas** (ra), interstage transformer.
—— **entreválvula o intervalvular** (ra), intervalve transformer.
—— **erizo**, hedgehog transformer.
—— **estático**, static transformer.
—— **igualador**, balancing transformer.
—— **multiplicador** (A), step-up transformer.
—— **para bóveda**, vault transformer.
—— **para parrilla**, network transformer.
—— **para puesta a tierra**, grounding transformer.
—— **rectificador**, rectifier transformer.
—— **reductor**, step-down transformer; choke transformer.
—— **regulador**, regulating transformer.
—— **rotatorio o sincrónico**, rotary transformer, synchronous converter.
—— **seco**, dry or air-cooled transformer.
—— **sintonizado**, tuned transformer.
transformar, to transform; (pmy) to rectify.
transgresión *f* (geol), transgression.
transgresivo (geol), transgressive.
transición *f*, transition.
—— **de puente** (eléc), bridge transition.
transitable (ca), fit for traffic, transitable.
transitar, to travel over, to transit.
tránsito *m* transit; traffic; transition; (inst) transit.
—— **común**, plain transit.
—— **de agrimensor**, engineer's or surveyor's transit.
—— **de anteojo lateral**, side-telescope transit.
—— **de bolsillo**, pocket transit.
—— **para edificación**, builder's transit.
—— **para minas**, mine transit.
—— **para montañas**, mountain transit.
—— **para reconocimiento**, reconnaissance transit.
—— **repetidor**, repeating transit.
—— **taquimétrico**, stadia transit.
—— **vial**, road traffic.
translador *m* (eléc), translator.
translúcido, translucent.
transmisibilidad *f*, transmissibility.
transmisible, transmissible.
transmisión *f*, (mech)(elec)(auto)(ra)(ac) transmission.
—— **a cardán**, shaft drive.
—— **a facsímile** (ra), facsimile transmission.
—— **a portadora suprimida** (ra), suppressed-carrier transmission.
—— **a rayo** (ra), beam transmission.
—— **acopada**, cup drive.
—— **compuesta**, compounding transmission.
—— **de banda lateral única** (ra), single-side-band transmission.
—— **de cadena**, chain drive.
—— **de cambios** (fc)(A), switch-operating system.
—— **de contramarcha**, (eng) reverse drive.
—— **de engrane constante**, constant-mesh transmission.
—— **de velocidad regulable**, variable-speed transmission.
—— **difusa** (il), diffuse transmission.
—— **en grupo**, group drive.
—— **final** (auto), final drive.
—— **hidráulica** (auto), fluid drive.

—— **monocromática** (tv), monochrome transmission.
—— **múltiplex** (ra), multiplex transmission.
—— **planetaria**, planetary transmission.
—— **por correa**, belt drive.
—— **por engranajes**, geared transmission.
—— **por onda portadora** (eléc), carrier transmission.
—— **regular** (il), regular transmission.
—— **selectiva** (auto), selective transmission.
transmisómetro *m* (ap), transmissometer.
transmisor *m* (tel)(ra)(mec), transmitter; *a* transmitting.
—— **a tubo de vacío** (ra), vacuum-tube transmitter.
—— **de corriente portadora** (eléc), carrier transmitter.
—— **de chispas** (ra), spark transmitter.
—— **de media onda** (ra), half-wave radiator.
—— **de onda corta** (ra), short-wave transmitter.
—— **de varias etapas**, multistage transmitter.
—— **por arco** (ra), arc transmitter.
transmisorista *m* (A), radio operator.
transmitencia *f* (il), transmittance; transmittancy.
transmitir, to transmit.
transmutación *f*, conversion, transmutation.
—— **química**, chemical change.
transparencia (*f*) **magnética**, magnetic transparency.
transparente, transparent.
transpiración *f*, transpiration.
transponer, to transpose.
transportabilidad *f*, portability.
transportable, portable.
transportación *f*, transportation.
transportador *m*, conveyor, carrier; traverser; protractor.
—— **a gravedad**, gravity conveyor.
—— **acanalado**, troughing conveyor.
—— **alimentador** (ec), feed conveyor.
—— **de aguilón**, boom conveyor.
—— **de arrastre**, drag conveyor.
—— **de artesas o de bateas**, pan conveyor.
—— **de banda o de cinta o de correa**, belt conveyor.
—— **de cable**, cable conveyor.
—— **de cable aéreo**, cableway.
—— **de cadena**, chain conveyor.
—— **de cangilones o de cubos**, bucket conveyor.
—— **de cangilones pivotados**, pivoted-bucket conveyor.
—— **de correa articulada o de mandil**, apron conveyor.
—— **de entrega** (ec), delivery conveyor.
—— **de escala** (dib), scale protractor.
—— **de limbo**, limb protractor.
—— **de listones**, slat conveyor.
—— **de paletas o de rastras**, flight conveyor.
—— **de regreso** (ec), return conveyor.
—— **de rodillos**, roller conveyor.
—— **de tornillo**, screw conveyor.
—— **de transbordo**, transfer conveyor.
—— **de tres brazos**, three-armed protractor.
—— **delantal** (B), apron conveyor.
—— **hacinador**, stacker conveyor.

—— **helicoidal,** spiral or screw conveyor.

—— **movible,** portable conveyor.

—— **sacudidor,** shaking conveyor.

—— **telférico,** trolley conveyor, telpher.

transportador-saltarregla, bevel protractor.

transportar, to transport, carry, convey, haul; (surv) to plat.

transporte *m,* transportation, hauling, haul; (elec) transmission.

—— **adicional** (ot), overhaul.

—— **automotor,** motor transport.

—— **de fuerza,** power transmission.

—— **ferroviario,** railroad transportation.

—— **fluvial,** river transportation.

—— **hidráulico,** sluicing, hydraulicking.

—— **marítimo,** ocean transportation.

—— **motorizado,** motor transport.

—— **vial,** highway transportation.

transportista *m,* shipping agent, forwarder; hauling contractor.

transposición *f* (quím)(eléc), transposition.

transrectificación *f* (eléc), transrectification.

transrectificador *m* (eléc), transrectifier.

transversal *m f,* (Sp)(Ec) cross section; *a* transverse.

transverso, transverse.

transvertidor *m* (eléc), transverter.

tranvía *m,* street railway; streetcar; tramway.

—— **aéreo,** aerial tramway.

tranviario, pertaining to street railways.

trapa *f,* traprock.

trápano *m,* drill.

trapeano, trap (rock), trappean.

trapecial, trapezoidal.

trapecio *m,* trapezoid.

trapezoidal, trapezial.

trapezoide *m,* trapezium.

trapiche *m,* machinery for grinding sugar cane; (Ch)(Pe) ore crusher.

trapichear (A)(M)(C), to grind (sugar).

trapichero *m,* operator of sugar-mill machinery.

traquetear (maq), to chatter.

traqueteo *m,* vibration, trembling, chattering.

traquiandesita *f* (geol), trachyandesite.

traquibasalto *m* (geol), trachybasalt.

traquita *f* (geol), trachyte.

traquítico, trachytic.

tras *m,* trass.

trasbordar, to transship, transfer.

trascantón *m,* **trascantonada** *f,* wheel guard.

trascendental (mat), transcendental.

trascolar to seep, percolate.

trasdós *m,* extrados.

trasdosear, to back up, support in the rear.

trasegar, to transfer liquid to another container.

trasera *f,* back, rear.

trasero *a,* back, rear, hind.

traslación, trasladación *f* (mec), translation.

trasladable, movable, traveling.

trasladadora (*f*) **de vía** (fc), track shifter.

trasladar, to transfer, shift, traverse.

traslado (*m*) **de tierra,** earth moving.

traslapar, to lap, overlap.

traslape (*m*) **lateral** (M), side lap.

traslape por cabeza (M), end lap.

traslapo *m,* lap, overlap.

traslapos (mad), shiplap.

trasluciente, translucent.

trasminación *f,* seepage.

trasmisividad *f,* transmissivity.

trasmitencia *f,* transmittancy.

trasmutación *f,* conversion, transmutation.

traspalable, spadable (sludge).

traspalar, traspalear, to shovel.

traspaleo *m,* shoveling.

traspasar, to assign; to transfer.

traspaso *m,* (mech) transfer; (leg) assignment.

—— **de calor,** heat transfer.

—— **doble** (fc), double crossover, diamond switch

traspontín *m* (auto), folding seat.

trasportar, see **transportar.**

trasquilar (mh)(A), to shear.

trasroscado (M), crossed (thread).

trassolera *f* (hid), downstream apron.

trastejador *m,* tile layer.

trastejar, to lay roof tiles; to repair a tile roof.

tratado *m,* treatise.

—— **al caldeo,** heat-treated.

—— **a presión,** pressure-treated.

—— **en frío,** cold-treated.

tratador *m* (dac)(pet), treater.

—— **de aceite,** oil treater.

tratamiento *m,* treatment.

—— **antisonoro** (ed), acoustic treatment.

—— **por llama,** flame-treating.

—— **térmico,** heat treatment.

tratar, to treat (water, timber, etc.); to negotiate; to process; to discuss, treat, deal with, write about.

tratero *m* (Ch), taskworker.

trato *m,* arrangement, agreement.

——, **a,** by contract.

—— **colectivo,** collective bargaining.

traversa *f,* bolster; backstay.

travertino *m* (geol), travertine.

través, a, *adv,* across.

través, de, *adv,* across.

través de, a, *pr,* across, through.

través de la fibra, a, across the grain.

través del hilo, a, across the grain.

través de la línea, a (eléc), across-the-line.

travesaño *m,* cap, header, spreader, batten, crosspiece; (fc)(C) crosstie; (mt) crossrail; (bdg) floor beam; (auto) cross member; rail of a door or window.

—— **de acuñamiento** (arco), striking plate.

—— **de encuentro** (ventana), meeting or check rail.

—— **de tope,** buffer beam.

—— **partido** (cb), split cap.

travesaños corredizos (hid), stop logs.

travesero *m,* cap, batten, cleat, crosspiece.

—— **portapoleas** (pet), crown block.

travesía *f* (tv), traversing.

traviesa *f,* (rr) crosstie; batten, cap, header, sill (elec) crossarm.

—— **aserrada por cuartos,** quarter tie.

—— **de las agujas,** head tie.

—— **de albura,** sap tie.

—— **de busco,** gate sill (lock).

—— de cambio o de chucho, head block, switch tie.
—— de freno, brake beam.
—— de media luna, pole tie, half-moon tie.
—— de palo, pole or slabbed or rifle tie.
—— de parrilla, bearing bar (grate).
—— de puente, bridge tie.
—— desbastada o dolada, split or hewn tie.
traviesas de desvío, switch timber.
travieso a, transverse, lateral.
trayecto m, stretch, section.
trayectoria f, trajectory, path.
traza f, line, location; design.
—— y nivel, line and grade.
trazas (quím)(M), traces.
trazado m, line, route, location; traverse.
—— cerrado, closed survey, loop traverse.
—— definitivo (fc), final location, location survey.
—— estereoscópico, stereoscopic platting.
—— taquimétrico, stadia traverse.
trazador m, one who lays out work; (surv) traverserman; marking awl.
—— de curvas de nivel (fma), contour finder.
—— de facsímile (ra), facsimile recorder.
trazadora f, plotting machine; tracer.
—— estereoscópica, stereoscopic plotter.
trazar, to locate, lay out; to traverse; to plan, design, draw; to plat; to scribe.
—— alineación (lev), to run a line.
trazo m, line, location; (dwg) dash; (dwg) trace.
—— de fuga (dib), vanishing trace.
—— del imagen (fma), picture trace.
—— de sierra, saw cut.
—— lleno (dib)(Es), full or solid line.
—— y punto, dot and dash (line).
trazumo m (M), seepage.
trébol m (ca), clover-leaf (intersection).
trecho m, stretch, section, distance.
trefilado, stranded (wire).
trefilería f (Es), wire drawing.
treintaidosavo m, one thirty-second.
trementina f, turpentine.
tremolita f (miner), tremolite (amphibole).
tren m, train; equipment; outfit.
—— de aterrizaje triciclo (ap), tricycle landing gear.
—— de auxilio, wrecking train.
—— de carga, freight train.
—— de conservación, work train.
—— de construcción (M), construction plant or equipment.
—— de dragado, dredging equipment.
—— de engranajes, gear train, gearset, cluster gear.
—— de ensamblaje, assembly line.
—— de escalas, local or way or accommodation train.
—— de fuerza (auto)(M), power plant.
—— de machaqueo, crushing plant.
—— de molinos (az), mill train.
—— de ondas (eléc), wave train.
—— de perforación (pet), drill rig.
—— de rodaje, running gear; cableway carriage.
—— de rodillos, roller train.
—— de ruedas (fc), truck.
—— de socorro, wrecking train.

—— de sondeo, boring outfit, drill rig.
—— de timoneo (cn), steering gear.
—— de tracción draft gear.
—— de viajeros, passenger train.
—— desplazable (auto), sliding gear.
—— directo o expreso, express or through train.
—— generador (eléc), generating set.
—— laminador, rolling mill, roller train.
—— local u ómnibus, local or way train.
—— postal, mail train.
—— rodante, running gear; (A) rolling stock.
—— trasero, rear assembly.
trencilla (f) de asbesto, asbestos braid.
trencha f, ripping chisel
trenero m (Ch), trainman.
trenista m (M), trainman.
trenque m (Es), jetty, spur dike.
trenza f, braid; strand; braided wire.
—— de algodón, cotton braid.
—— simple, single braid (wire covering).
trenzado m, (cab)(M) lay; braid; a braided, stranded.
—— de asbesto (ais), asbestos braid.
—— lang (cab)(M), lang lay.
—— normal (cab)(M), regular lay.
trepaderas f, trepadores m, climbers.
trépano m, drill; push brace; (A)(Sp) drill bit; (min) trepan.
—— de percusión, percussion drill.
—— de sondar, earth auger.
trepar, to bore, drill; to climb.
trepidación f, vibration.
tresbolillo, al, staggered.
trespatas m (C), tripod.
triamidotrifenilo m (lab), triamidotriphenyl.
triangulación f, triangulation.
—— a plantilla (fma), template triangulation.
—— estérea, aerial triangulation.
—— gráfica, graphical triangulation.
—— nadiral (fma), nadir-point triangulation.
—— radial analítica (fma), analytic radial triangulation.
—— radial por fajas (fma), strip radial triangulation.
triangulado, triangular.
triangulador m, triangulator.
triangular, v to triangulate; a triangular.
triángulo m, triangle; a triangular.
—— de impedancias (eléc), impedance triangle.
—— oblicuángulo, oblique-angled triangle.
—— rectángulo, right triangle.
triaxial, triaxil, triaxial.
tribásico, tribasic.
tribómetro m, tribometer.
tributario m a, tributary.
tricálcico, tricalcium, tricalcic.
tricéntrico, three-centered.
tricíclico, tricyclic.
triclínico, triclino, triclinal (miner), triclinic.
tricloramina f (quím), trichloramine.
tricloroacético, trichloroacetic.
tricloroetileno m (aa), trichloroethylene.
tricloruro m, trichloride.
tridimensional, tridimensional.
triédrico, trihedral.
triedro m (mat), trihedron.

trifase (A), three-phase.
trifásico (eléc), three-phase.
trifenilmetano m (lab), triphenylmethane.
trifilar (eléc), three-wire.
trifluoruro m (quím), trifluoride.
trifurcación f, trifurcation.
trigonal, trigonal.
trigonometría f, trigonometry.
trigonométrico, trigonometric.
trigonómetro m, trigonometer.
trihidrato m, trihydrate.
trihídrico, trihydric.
trillar (PR), to pave a road.
trillo m, trail, path.
trimetálico, trimetallic.
trimetileno m, trimethylene.
trimétrico, trimetric.
trinca f, lashing, seizing, mousing.
trincar, to lash; (cab) to seize.
trincha f, chisel.
trinche m (ec)(Ec), ripper.
trinchera f, trench, ditch, deep cut.
— de préstamos (PR), borrow pit.
trincheradora f, trench machine; trench hoe.
trincherar, to ditch, dig trenches.
trincho m (Col), parapet.
trineo m, sled; (lg) bob, dray, scoot.
— de aparejo (ef), rigging sled, dogboat.
— de arrastre (ef), yarding sled, dray.
— doble (ef), logging sled, two-sled, wagon sled.
trinitrato m, trinitrate.
trinitrobenceno m, trinitrobenzene.
trinitrotolueno m, trinitrotoluene.
trinomio, trinomial.
trinquete m, pawl, dog; ratchet.
triodo m (ra), triode.
— gaseoso, gas triode, thyratron.
triodos gemelos (ra), twin triode.
triosa f (az), triose.
trióxido m, trioxide.
— de arsénico, arsenic trioxide, white arsenic.
tripa f, gut (lacing); (auto)(V) inner tube.
tripié m, tripod.
triple efecto (az), triple effect.
triple efecto, de, triple-acting.
triple oficio, de, triple-duty.
triplero m (az)(C), operator of a triple-effect pan.
tríplice, triple, triplex.
triplificador (m) de frecuencia (ra), frequency
    tripler.
trípode m, tripod.
— de alzar, shear legs.
trípol m, rottenstone, tripoli, tripolite.
tripolar, three-pole, tripolar.
tripotásico a (quím), tripotassium.
triptófano m (lab), tryptophan.
triptona f (is), tryptone.
tripulación f, crew.
tripulante m, member of the crew.
tripular, to man.
trirrectángulo, trirectangular.
trirrotulado, three-hinged.
triscado m, set (saw).
triscador m (herr), saw set.
triscadora (f) mecánica, saw-setting machine.
triscar, to set a saw.

trisecar, to trisect.
trisección f, (math) trisection; (pmy) three-point
    resection.
trisector m, trisector.
trisilicato m (quím), trisilicate.
trisilícico, trisilicic.
trisulfuro m, trisulphide.
triturable, crushable.
triturador m, crusher.
trituradora f, crusher, triturator, shredder, com-
    minutor, disintegrator.
— de anillos, ring crusher.
— de basuras, garbage grinder.
— de carbón, coal breaker.
— de cerniduras (dac), screenings grinder.
— de cilindros o de rodillos, crushing roll,
    roller mill.
— de cono, cone crusher.
— de finos, sand roll or crusher.
— de impacto, impact breaker or mill.
— de madera, hog.
— de mandíbulas o de quijadas, jaw crusher.
— de martillos, hammer crusher, hammer or
    impact mill.
— de reducción, reduction crusher.
— giratoria, gyratory crusher.
triturar, to crush, stamp; to triturate, commi-
    nute.
trivalente (quím), trivalent.
triviario (ca), three-lane.
trizarse (A), to crack up, disintegrate.
troca f (M), truck.
troceo m, crosscutting.
trocoide m (an), trochoid.
trocha f, trail; (rr) gage; (rd) traffic lane; (tc)
    (auto) tread, gage.
— ancha, wide gage.
— angosta, narrow gage.
— de aceleración (ca), accelerating or speed-
    change lane.
— de deceleración (ca), deceleration or speed-
    change lane.
— normal, standard gage.
— para pasar (ca), passing lane.
trole m, trolley; (PR) street railway; (PR) street-
    car.
— cargador, (mech) trolley; (cy)(Ch) cableway
    carriage.
trólebus m, trolley coach or bus.
trómel m (min), trommel.
trompa f, nozzle; (loco) pilot; (conc) elephant-
    trunk chute; (ea)(Ec) bulldozer; (met)
    trompe.
trompeta f, bellmouth.
trompo m, shaper, machine for making wood
    moldings; (surv)(M) hub, peg, stake; (pb)
    (A)(Ch) turnpin.
tronada f (vol)(M), a shot.
tronador (M) de minero, miner's squib.
tronador eléctrico (vol), electric squib.
tronar, (bl)(M) to shoot, fire; (auto)(M) to blow
    out.
troncado, truncated.
troncal, main, trunk.
tronco m, log, tree trunk, bole; team of horses
    frustum; (Sp) stem of a key.

—— **aserradizo o por aserrar**, saw log.
—— **cabecero** (ef), head block.
—— **de ancla**, log anchor, deadman.
—— **de barrera** (ef), boom stick.
—— **de cono**, truncated cone.
—— **de pirámide**, truncated pyramid.
troncocónico, troncónico (A), in form of truncated cone.
tronchador *m*, cutter.
tronchar, to cut, chop.
tronera *f*, opening in a wall; (M) flue, chimney; (Col) shaft, manhole.
tronquista *m*, teamster.
tronzador *m*, large crosscut saw.
tronzar, to cut off; to crosscut.
troostita *f* (met), troostite.
tropero *m* (A), hauling contractor.
troposfera *f*, troposphere.
troque *m*, (M) truck; (CA) logging wheels.
troquel *m*, die.
—— **cortador**, cutting die.
—— **de acabar**, finishing die.
—— **de forjar**, forging die.
—— **progresivo**, progressive die.
troqueladora *f*, stamping press.
troquelar, to stamp, form in a die; (M) to wedge.
troquero, troquista *m* (M), truck driver.
trotil *m*, trotyl (explosive).
troza *f*, log.
trozador *m*, two-man crosscut saw; (lg) bucker, crosscutter.
trozar, to cut into logs; to cut off; to crosscut.
trozo *m*, chunk, piece.
trucha *f*, winch, crab; jib crane.
trulla *f*, trowel.
trumao *m* (Ch), disintegrated volcanic rock.
truncar, to truncate.
tuberculación, tuberculización *f*, tuberculation, pitting.
tubérculo *m*, tubercle.
tubería *f*, piping, pipe, pipe line; tubing; pipework.
—— **alimentadora**, feeder pipe.
—— **colectora** (pet), gathering lines.
—— **conductora** (pet), line pipe.
—— **corriente de rosca**, standard screwed pipe.
—— **de ademe** (M), well casing.
—— **de arcilla vitrificada**, sewer pipe.
—— **de barra de cierre** (A), lock-bar pipe.
—— **de barra de seguridad** (Col), lock-bar pipe.
—— **de barra enclavada**, lock-bar pipe.
—— **de bridas**, flanged piping.
—— **de carga** (hid), penstock.
—— **de conducción**, line pipe; supply main.
—— **de costura engargolada**, lock-seam pipe.
—— **de duelas de madera**, wood-stave pipe.
—— **de enchufe y cordón**, bell-and-spigot pipe.
—— **de entronque** (C), water service.
—— **de frenaje** (fc), train or brake pipe.
—— **de fundición**, cast-iron pipe.
—— **de hierro centrifugado**, centrifugal cast-iron pipe.
—— **de hierro negro** (V), soil pipe.
—— **de hormigón centrifugado**, centrifugal concrete pipe.
—— **de junta flexible**, flexible-joint pipe.

—— **de pared delgada**, thin-wall or electrical metallic tubing.
—— **de pared gruesa**, thick-walled pipe.
—— **de perforación**, drill pipe.
—— **de platinas**, flanged pipe.
—— **de presión**, pressure pipe, (hyd) penstock.
—— **de producción** (pet), flow line.
—— **de retorno** (cf), return piping.
—— **de revestimiento**, casing pipe.
—— **de toma**, intake pipe; service connection.
—— **de tornillo**, screwed or threaded pipe.
—— **de unión de enchufe**, bell-and-spigot pipe.
—— **eléctrica metálica**, electrical metallic or thin-wall tubing.
—— **enteriza**, seamless tubing.
—— **escariada y mandrilada**, reamed and drifted pipe.
—— **estirada**, drawn tubing.
—— **extraliviana**, lightweight or extra-light pipe.
—— **forrada de caucho**, rubber-lined pipe.
—— **forrada de vidrio**, glass-lined pipe.
—— **forzada**, pressure conduit, penstock.
—— **madre o maestra**, a main.
—— **mercante** (U), merchant pipe.
—— **múltiple de toma**, intake manifold.
—— **remachada en espiral**, spiral-riveted pipe.
—— **universal**, Universal cast-iron pipe.
—— **vástago** (pet), drill pipe.
tubería-filtro, strainer, well point.
tubero *m*, pipeman, pipe or steam fitter.
tubificación *f* (M), piping (earth dam).
tubo *m*, pipe, tube; (ra) tube, valve.
—— **al vacío**, vacuum tube.
—— **abastecedor**, supply pipe.
—— **acodado**, a bend.
—— **ahorquillado**, Y branch.
—— **aislador**, tube insulator.
—— **amortiguador** (tv), damping tube.
—— **amplificador** (ra), amplifier tube.
—— **arenero** (loco), sand pipe.
—— **ascendente**, riser.
—— **aspirante**, suction pipe; (turb) draft tube
—— **calador** (ag)(A), tube sampler.
—— **capilar**, capillary tube.
—— **colador**, screen pipe.
—— **con aletas**, finned tube.
—— **convertidor** (ra), converter tube.
—— **Crookes** (eléc), Crookes tube.
—— **cuentagotas** (lab), dropping tube.
—— **de absorción** (lab), absorption tube.
—— **de acuerdo o de ajuste**, transition piece, reducer.
—— **de aducción**, supply pipe.
—— **de agua** (cal), water tube.
—— **de albañal**, sewer pipe.
—— **de alivio**, vent pipe.
—— **de alto vacío** (ra), high-vacuum tube.
—— **de arcilla glaseada**, glazed tile pipe.
—— **de avenamiento**, drainpipe, draintile.
—— **de bajada o de descenso**, downspout, leader, down pipe; (pb) stack.
—— **de baldeo** (pb), flush pipe.
—— **de barro esmaltado o vidriado**, glazed tile pipe.
—— **de Bourdon**, Bourdon tube.
—— **de burbuja** (inst), bubble tube.

—— de caldera, boiler tube or flue.
—— de captación (is)(Pe), intake pipe.
—— de cloaca, sewer pipe.
—— de cola (pozo), tail pipe.
—— de desagüe, waste pipe, drainpipe.
—— de desagüe sanitario, soil pipe; waste pipe.
—— de descarga luminiscente (ra), glow-discharge tube.
—— de desviación (ra), deflection tube.
—— de dos electrodos (ra), two-electrode tube.
—— de dos elementos (ra), two-element tube.
—— del eje de hélice (cn), stern tube.
—— de enlechado, grout pipe.
—— de ensayo, test tube.
—— de entrada, inlet pipe; penstock.
—— de equilibrio, surge tank, standpipe.
—— de escape, exhaust pipe, outlet.
—— de estrangulación (auto), choke tube.
—— de evacuación, soil or waste or sewer pipe.
—— de expulsión, exhaust pipe; discharge pipe; (elec) expulsion tube.
—— de fuerza (eléc), tube of force.
—— de gas de tres elementos (ra), three-element gas tube.
—— de Geissler, Geissler tube.
—— de grilla-pantalla (ra)(A), screen-grid tube.
—— de haz electrónico (ra), beam tube.
—— de hincar, drive pipe.
—— de humo o de llama (cal), fire tube.
—— de imagen (tv), picture tube.
—— de impulsión, discharge or pressure pipe.
—— de inversión (lab), inversion tube.
—— de llegada, inlet pipe.
—— de muestreo, tube sampler.
—— de neumático (auto), tire tube.
—— de nivel (inst), level vial or tube.
—— de nivel de agua (cal), gage glass.
—— de oscilógrafo (ra), oscillograph tube.
—— de paso, by-pass.
—— de Pitot, Pitot tube.
—— de plomo, lead pipe.
—— de potencia (ra), power or output tube.
—— de purga, bleeder or blowoff pipe.
—— de rayos catódicos, cathode-ray tube.
—— de rayos X, X-ray tube.
—— de rebose, overflow pipe.
—— de rejilla luminiscente (ra), grid-glow tube.
—— de salida, outlet pipe.
—— de seguridad (lab), safety tube.
—— de sondaje (cn), sounding pipe.
—— de subida, riser.
—— de succión, suction pipe; draft tube.
—— de toma (C), suction pipe.
—— de Torricelli, Torricellian tube.
—— de torsión, torsion tube.
—— de tres electrodos (ra), three-electrode tube.
—— de viento (met), blast pipe.
—— despumador, scum pipe.
—— desviador, by-pass.
—— detector (ra), detector valve or tube.
—— difusor, diffuser tube.
—— disector (tv), dissector tube.
—— dulce (ra)(Es), soft tube.
—— eductor, (pet) eductor tube; (pu) eduction pipe.

—— electrónico, electron or radio or high-vacuum tube.
—— electrónico en cascada, cascade tube.
—— embudado (lab), funnel tube.
—— embudado de seguridad, safety funnel tube.
—— entrante (hid), re-entrant tube.
—— estirado, drawn tubing.
—— estuche para núcleos (M), core barrel (drill).
—— evacuador de inodoros (pb), soil pipe.
—— expelente (bm), discharge or delivery pipe.
—— flotador (hid), tube float.
—— fotoeléctrico, photoelectric tube, phototube.
—— gaseoso (ra), gas-filled tube.
—— gotero, drip pipe, drainpipe.
—— hervidor (cal), water tube.
—— igualador (cf), balance pipe.
—— Lenard (eléc), Lenard tube.
—— limitador de tensión (ra), voltage-limiting tube.
—— mezclador (ra), mixer tube.
—— montante, riser.
—— múltiple (ra), multiple-unit tube.
—— múltiple de admisión, intake manifold.
—— múltiple de escape, exhaust manifold.
—— multiplicador (ra), multiplier tube.
—— neón, neon tube or lamp.
—— Nessler (lab), Nessler tube.
—— para cultivos (lab), culture tube.
—— portafusible, fuse tube.
—— portalente (fma), lens cone.
—— portatestigo, core barrel (drill).
—— receptor (ra), receiving tube.
—— reforzado por recalcadura, upset pipe.
—— revestidor (pozo), casing.
—— sin costura, seamless tube.
—— soldado a solapa, lap-welded pipe.
—— soldado en espiral, spiral-welded pipe.
—— soplador, blast pipe.
—— termiónico, thermionic or electron tube.
—— tirante, tubular stay.
—— U, U tube, manometer.
—— Venturi, Venturi tube.
—— vertical de evacuación (pb), waste stack; soil stack.
—— vibrador, vibrator tube.
tubo-conducto, conduit; raceway, electric conduit.
—— flexible (eléc), flexible metal conduit.
—— rígido (eléc), rigid steel conduit.
tubo-embudo (conc)(M), tremie.
tubo-trompa (Pe), tremie pipe.
tubuladura f, tubing, piping; (lab) tubulure, tubulature, tubulation.
tubular, tubular.
tubulura f (lab), tubulure, tubulature.
tueca f, tueco m (mad), hole made by wood borer
tuerca f, nut; (p) lock nut.
—— a capuchón (A), sleeve nut.
—— acabada, full-finished nut.
—— agarradera, clamping nut.
—— ahuecada, recessed nut.
—— ajustadora, adjusting nut.
—— almenada, castellated nut.
—— autotrabadora, self-locking nut.
—— ciega, blind or cap or box nut.
—— con base, flange nut.

—— con guardacabo, thimble-eye nut.
—— cónica, cone nut.
—— corrediza, traveling nut.
—— de aletas o de mariposa, wing or thumb nut.
—— de apriete (U), lock nut.
—— de argüe, capstan nut.
—— de barra, bar nut.
—— de clavar o de golpeo (est), driving nut.
—— de cubo, hub nut.
—— de maniobra, operating nut.
—— de ojo, eye nut.
—— de ojo para retenida, guy-eye or thimble-eye nut.
—— de orejas, wing or thumb or fly or finger nut.
—— de prensaestopas, stuffing or packing nut.
—— de presión, jam nut.
—— de puños, lever nut.
—— de rebajo, recessed nut.
—— de reborde, flange nut.
—— de retención, retaining nut.
—— de seguridad o de sujeción, lock or jam or check nut.
—— de tope, stop nut.
—— de traba, lock nut.
—— de unión, coupling nut; union nut.
—— encastillada o entallada, castellated or slotted nut.
—— estriada o rayada, milled nut.
—— fiadora, lock or jam or set nut.
—— forzadora, forcing nut.
—— guía (est), pilot nut.
—— limitadora, stop nut.
—— manual, thumb nut.
—— partida, half nut.
—— prensada en caliente, hot-pressed nut.
—— punzada en frío, cold-punched nut.
—— semiacabada, semifinished nut.
—— T, T nut.
—— tapa, cap nut.
tufa f, tufo m, tufa, tuff.
tufáceo, tufaceous.
tulipa f, bell end of a pipe; bellmouthed opening.
tulipero m (mad), whitewood, tulip.
tumba f, felling (trees).
tumbaárboles m, tree-felling machine.
tumbador m, tumbler (lock); dumper, tripper; tipping device; (lg) faller.
—— de árboles (ec), treedozer.
—— de clavija, pin tumbler (lock).
—— de palanca, lever tumbler.
tumbadora f (herr), faller.
tumbar, to throw down, fell (trees); (A)(Ch) to get out of plumb.
tumbe m (min)(M), throwing down the ore.
túnel m, tunnel.
—— a presión (hid), pressure tunnel.
—— auxiliar, pioneer tunnel.
—— conducto, water or flow tunnel.
—— de derivación (hid), diversion tunnel.
—— de desviación (M), diversion tunnel.
—— del eje (cn), shaft alley or tunnel.
—— de extracción (min), adit.
—— de herradura, horseshoe-shaped tunnel.
—— de voladura (min), powder drift, coyote hole.
—— forzado (hid), pressure tunnel.
—— piloto, pilot tunnel, advance heading.

—— provisorio, (hyd) diversion tunnel; (rr) pioneer tunnel.
—— vertedor (hid), tunnel spillway.
tungstato m (quím), tungstate.
tungstenífero, containing tungsten.
tungstenio m (M)(V), tungsten.
tungsteno m, tungsten.
—— toriado (ra), thoriated tungsten.
túngstico (quím), tungstic.
tupí m, vertical-shaft machine for making wood moldings.
tupia f (Col), dam, dike; obstruction.
tupiar (Col), to dam; to obstruct.
tupición f, clogging, choking.
tupido, dense, thick, close-grained.
tupir, to pack, calk.
tupista m, operator of a tupí, molding maker.
turba f, peat, turf.
turbal m, turbera f, peat bed.
turbias f (hid), silt, suspended matter.
turbidez, turbiedad, turbieza f, turbidity.
turbidimétrico, turbidimetric.
turbidímetro m, turbidimeter.
túrbido, turbid.
turbina f, turbine.
—— a vapor, steam turbine.
—— a vapor de mercurio, mercury-vapor turbine.
—— axial, axial-flow or parallel-flow turbine.
—— centrífuga, outward-flow turbine.
—— centrípeta, inward-flow turbine.
—— compound cruzada, cross-compound turbine.
—— con división de corriente, divided-flow turbine.
—— de acción (hid), impulse or Pelton-type turbine.
—— de agua, hydraulic or water turbine.
—— de cámara abierta (hid), open-flume turbine.
—— de ciclo abierto (gas), open-cycle turbine.
—— de contrapresión, back-pressure turbine.
—— de chorro libre, impulse turbine.
—— de doble efecto, double-flow turbine.
—— de efecto simple, single-flow turbine.
—— de envoltura doble, double-case turbine.
—— de expansión múltiple, multistage turbine.
—— de expansión simple, single-stage turbine.
—— de extracción, extraction or bleeder turbine.
—— de gas de ciclo completo, complete-cycle gas turbine.
—— de gas de ciclo regenerador, regenerative-cycle gas turbine.
—— de gas de ciclo simple, simple-cycle gas turbine.
—— de grado único, single-stage turbine.
—— de hélice, propeller turbine.
—— de impulsión, impulse or (hyd) Pelton-type turbine.
—— de presión doble, mixed-pressure turbine.
—— de presión variable, variable-pressure turbine.
—— de reacción, reaction or (hyd) Francis-type turbine.
—— de reentrada, re-entry turbine.
—— de servicio, house turbine.
—— helicoidal, helical-flow turbine.
—— Kaplan, Kaplan turbine.
—— mixta, mixed-flow turbine.

— **paralela,** axial-flow or parallel-flow turbine.
— **radial,** radial-flow turbine.
— **superpuesta,** topping or top or superposed turbine.
— **tangencial,** tangential-flow turbine (steam); (hyd) impulse or Pelton-type turbine.
turbinar (C), to centrifugalize, centrifuge.
turbio, turbid.
turbión m, squall, heavy shower.
turboaereador m, turboaerator.
turboalternador m (eléc), turboalternator.
turboaspirador, turboeductor m (ve), turboexhauster.
turbobomba f, turbopump.
turbocompresor m, turbine-driven compressor, turbocompressor.
turboexcitador m (eléc), turboexciter.
turbogenerador m (eléc), turbogenerator.
turbogrupo m (Es), turbogenerator.
turbomezclador m, turbomixer.
turbomotor m, turbomotor.
turbonada f, squall, heavy shower.
turboso, peaty.
turbosoplador m, turboblower.
turbosupercargador m, turbosupercharger.
turboventilador m, turbofan.
turbulencia f, turbulence.
turbulento, turbulent.
turgita f, turgite, hydrohematite (iron ore).
turno m, shift (period of work).
— **de colada** (conc), batch.
— **de día,** day shift.
— **de fundición** (met), a heat.
— **de noche,** night shift.
— **de trabajo,** shift.
— **único,** single shift.
turril m (B), barrel.
turrión m, gudgeon; peg; crankpin; driftpin.
tuya f (M), cedar.

uai f (tub)(C), Y branch.
ubicación f, location, site.
ubicador (m) **de escapes,** leak detector.
ubicador de tubería, pipe finder.
ubicar, to locate.
udómetro m, rain gage, udometer.
ultimar, to finish.
ultraacústico (ra)(A), supersonic, ultrasonic.
ultraalta, ultraelevada, ultrahigh (frequency).
ultraaudión (ra), ultraudion.
ultrabásico (geol), ultrabasic.
ultracorta, ultrashort (wave).
ultradino (ra), ultradyne.
ultrafiltración f, ultrafiltration.
ultrafiltro m, ultrafilter.
ultramicrómetro m, ultramicrometer.
ultramicroscopio m, ultramicroscope.
ultrarrápido, ultrahigh-speed, ultrafast.
ultrarrojo, infrared, ultrared.
ultrasónico (ra)(A), supersonic.
ultravioleta, ultraviolet.
ulla f (B), soft coal.
ullita f (B), hard coal.
umbral m, sill, threshold, door saddle; (M) lintel.

— **almenado o dentado** (hid), dentated sill.
— **de audibilidad** (ra), threshold of audibility or of hearing.
— **de compuerta** (hid), gate sill.
— **de puerta,** saddle, threshold, doorsill.
— **de sensación** (ra), threshold of feeling.
— **de ventana,** window sill.
— **deflector** (hid), deflector sill, baffle wall.
— **derramador** (hid), spillway lip or crest.
— **desviador** (hid), deflector sill.
— **difusor** (hid)(M), deflector sill.
— **limitador o vertedor** (hid), spillway or weir crest.
umbralado m (Col), lintel.
umbralar, to place a lintel or sill.
undulado, corrugated; wavy; undulating.
undulatorio, undulatory.
uniaxial, uniáxico, uniaxial.
unicelular, unicellular.
unidad f, unit; (math) unity.
— **absoluta** (med), absolute unit.
— **angstrom** (il), angstrom unit.
— **británica de calor,** British thermal unit.
— **controladora o de control mecánico** (tc), power control unit.
— **de calefacción,** unit heater.
— **de cristal** (ra), crystal unit.
— **de fuerza o de potencia,** power unit.
— **de gobierno a cable** (tc), cable control unit.
— **de gobierno por potencia o por fuerza** (tc), power control unit.
— **derivada** (física), derived unit.
— **fundamental** (física), fundamental unit.
— **gravimétrica** (geof), gravity unit.
— **múltiple, de,** multiple unit.
— **térmica inglesa,** British thermal unit.
unidades electroestáticas, electrostatic units.
unidimensional, one-dimensional.
unidireccional, in one direction, unidirectional.
unifilar, one-wire, unifilar.
uniformar, to standardize.
uniforme a, uniform.
uniformidad f, uniformity.
unilateral (maq)(mat), unilateral.
unimotor, single-engine.
unión f, joint, coupling, connection; (p) union.
— **a medio corte** (carp), halved joint.
— **a tope,** butt joint.
— **cardán,** universal joint.
— **circular o de circunferencia,** girth or circumferential joint.
— **corrediza,** slip or expansion joint.
— **de anillo y ranura** (tub), ring-and-groove joint.
— **de arista** (sol), edge joint.
— **de bisel,** miter joint.
— **de bridas,** flange union, flanged connection.
— **de cubrejunta,** butt splice.
— **de charnela,** hinge or knuckle joint.
— **de deslizamiento,** telescope or sliding joint.
— **de dilatación,** expansion joint.
— **de empaque** (tub), lip union.
— **de enchufe** (tub), bell-and-spigot joint.
— **de gozne,** hinge joint.
— **de manchones** (A), flange coupling.
— **de medio inglete,** half-miter joint.

— **de montaje** (est), field joint or splice.
— **de pestaña o de platinas** (tub), flange union.
— **de reborde** (tub), lip union.
— **de reducción** (tub), reducing coupling.
— **de solapa,** lap joint.
— **de taza** (tub), cup joint.
— **en L** (tub), union elbow.
— **en T** (tub), union T.
— **gemela** (tub), Siamese connection.
— **giratoria,** swivel joint.
— **macho y hembra** (tub), male-and-female union.
— **para banda,** steel belt lacing.
— **para soldar** (tub), welding union.
— **preparada,** (ci p) prepared joint.
— **resbaladiza,** slip joint.
— **roscada** (tub), threaded coupling, screw joint; screw union.
— **sobre tres durmientes** (fc), three-tie joint.
— **soportada** (fc), supported joint.
— **suspendida** (fc), suspended joint.
— **telescópica,** telescope joint.
— **universal,** universal joint.
unionismo m, unionism.
uniparcelar, consisting of 1 parcel (land).
uniperiódico, uniperiodic.
unipolar (eléc), single-pole, unipolar.
unipotencial (eléc), unipotential.
unir, to couple, connect.
unisimétrico, unisymmetrical.
unitario, unit, unitary.
univaciado, (ci p) Monocast (trademark).
univalente (quím), univalent.
universal, universal.
untadora f, greasing tool.
uña f, claw, pawl, lug, grouser; fluke (anchor).
uñeta f, stonecutter's chisel.
uranina f (is), uranin.
uraninita f (miner), uraninite (radium and uranium).
uranio m, uranium.
uranita f (miner), uranite.
urbanismo m, (Ch) city planning; urbanization; (V) real-estate development.
urbanista m (A), city planner.
urbanización f, urbanization; city planning; (V) (Pan) real-estate development.
urbano, urban.
urbanología f, city planning.
urbe f, large city.
ureasa f (is), urease.
urinario m, urinal.
urquinaza f (V), pulverized brick used as coloring matter in mortar.
urundel, urunday, urundey m, South American hardwoods.
usado, used, secondhand.
usina f (A)(U)(B), powerhouse; plant; factory.
— **a vapor,** steam power plant.
— **de bombeo,** pumping station.
— **de gas,** gasworks, gas plant.
— **de punta** (A), peak-load powerhouse.
— **de purificación** (pa)(U), purification plant.
— **elevadora,** pumping plant.
— **hidráulica,** water-power plant.
— **mareamotriz** (A), tidal powerhouse.

— **neumática,** compressor plant.
— **siderúrgica,** steelworks.
— **térmica auxiliar,** steam stand-by plant.
— **transformadora,** substation, transformer station.
uso m, use.
— **, de,** used, secondhand.
— **consuntivo** (irr), consumptive use.
— **y desgaste,** wear and tear.
ustible, combustible.
usuario m, user, consumer.
utensilio m, utensil; appliance; tool.
útil m, tool.
— **perforador** (Es), drill bit.
útiles, tools, equipment.
— **de dibujo,** drafting instruments; drawing materiales.
— **de escritorio,** office equipment; office supplies.
— **de extracción** (pet), fishing tools.
— **de laboratorio,** laboratory equipment.
— **de sondeo,** drilling tools.
utilaje m (A), outfit, equipment, tools.
utilero m, tool keeper.
utilidad f, utility; profit.
— **gruesa,** gross profit.
— **libre,** balance of income.
utilidades, earnings, profit.
— **incorporadas,** corporate surplus.
— **líquidas,** net earnings.
utilización f, utilization.
utillaje m, outfit of tools.
utillar, to tool, equip with tools.

vacia f (geol), wacke.
— **gris,** graywacke.
vaciada f, dumping; (met) a melt; (conc) a pour.
vaciadero m, (hyd) sluiceway, escape; (Sp) weir; (ea) spoil bank, dump; (pb) slop sink; (fdy) gate.
vaciado m, casting, pouring, dumping; (M) excavation; a cast, poured, dumped.
— **a cera perdida,** lost-wax casting.
— **de precisión,** precision or lost-wax casting.
— **en caliente** (ca), hot-poured.
— **en foso de colada** (tub), pit-cast.
— **en sitio** (conc), poured in place.
— **lateral,** side dump (car).
— **por atrás,** rear dump.
— **por debajo o por el fondo,** bottom dump.
vaciador (m) **de carros,** car dumper.
vaciamar, vaciante f, ebb tide.
vaciar, to empty, evacuate; to pour, cast; to dump; to hollow out; (M) to excavate.
vacío m, vacuum, void; a empty.
— **de escalera** (M), stair well.
— **, en** (maq), idle, light, with no load.
vacuo m, vacuum.
vacuola f (is), vacuole.
vacuómetro m, vacuum gage.
vadeable (r), fordable.
vadear, to ford.
vadera f, ford.
vado m, ford; shoal.

vadoso *a*, shallow, shoal; (geol)(A) vadose.

vagara *f* (cn), ribband; ceiling plank.

vagón *m*, car, freight car.

—— **automotor** (fc)(V), motorcar.

—— **barrenador** (tún), drill carriage, jumbo.

—— **batea** (Es), gondola car.

—— **cama** (Es), sleeping car.

—— **carbonero**, coal car.

—— **cerrado o cubierto o de cajón**, boxcar.

—— **cisterna** (Es), tank car.

—— **correo**, mail car.

—— **cuadra**, cattle car, stockcar.

—— **cuba**, tank car.

—— **de báscula**, dump car.

—— **de carga**, freight car.

—— **de cola**, caboose.

—— **de equipajes**, baggage car.

—— **de hacienda** (A), cattle car, stockcar.

—— **de medio cajón o de medio costado**, gondola car.

—— **de mercancías**, boxcar.

—— **de mineral**, ore car.

—— **de pasajeros** (Ch), passenger car.

—— **de plataforma**, flatcar.

—— **de reja** (Ch), stockcar, cattle car.

—— **de remolque**, trailer.

—— **de trampilla**, drop-bottom car.

—— **de viajeros**, passenger car.

—— **de volteo**, dump car.

—— **descubierto** (Es), flatcar.

—— **encajonado**, boxcar.

—— **frigorífico** (M)(Es), refrigerator car.

—— **grúa**, derrick or wrecking car.

—— **jaula**, stockcar.

—— **motor** (fc), motorcar.

—— **para recipientes**, container car.

—— **plano o raso**, flatcar.

—— **postal**, mail car.

—— **restaurante**, dining car.

—— **tanque**, tank car.

—— **tolva**, hopper-bottom car.

—— **volquete o volteable**, dump car.

vagonada *f*, carload.

vagonero *m*, trainman.

vagoneta *f*, industrial car; scalepan; tramway bucket.

—— **basculante**, dump car.

—— **de segmento**, rocker dump car.

—— **de plataforma**, flatcar.

—— **decauville**, narrow-gage car.

—— **volcadora o de volteo**, dump car.

vagra *f* (cn)(A), longitudinal stiffening member.

—— **del pantoque**, bilge keelson.

vaguada *f*, channel, watercourse.

vahos *m*, fumes.

vaivén *m*, swinging or reciprocating movement.

valencia *f* (eléc)(quím), valence, valency.

—— **polar**, electrovalence, polar valence.

—— **residual**, residual or auxiliary valence.

valiza (C), see **baliza**.

valor *m*, value.

—— **a la par**, par value.

—— **absoluto** (mat), modulus, absolute value.

—— **antidetonante**, knock rating (gasoline).

—— **calórico**, fuel value.

—— **calorífico**, heat value.

—— **de cresta**, peak value.

—— **de desecho**, scrap value.

—— **del escurrimiento** (ms), flow value.

—— **de recuperación**, salvage value.

—— **en plaza**, market value.

—— **extrínseco** (cont), good will.

—— **rezago**, salvage value; (A) scrap value.

valoración, velorización, valuación *f*, appraisal valuation.

valorar, to appraise, value.

valores, securities; bonds.

—— **críticos de la cohesión** (ms), critical cohesion values.

—— **realizables**, liquid assets.

valuador *m*, appraiser.

valuar, to appraise, rate.

valva *f* (Es), leaf of a clamshell bucket.

—— **de almeja** (M), (bu) clamshell.

válvula *f* (hid)(eléc), valve.

—— **a la cabeza**, valve-in-head.

—— **a gas** (ra), gas tube.

—— **a llave**, wrench-operated valve.

—— **a mercurio** (ra), mercury-vapor tube.

—— **a prueba de amoníaco**, ammonia valve.

—— **al vacío** (ra), vacuum tube.

—— **acodillada**, angle valve.

—— **aisladora** (ra), isolator valve.

—— **aliviadora de explosiones**, explosion-relief valve.

—— **amortiguada de retención**, cushioned check valve.

—— **amortiguadora**, (eng) cushion valve; (tv) damping tube.

—— **amplificadora** (ra), amplifier tube.

—— **amplificadora por haces** (ra), beam-power tube.

—— **angular**, angle valve.

—— **angular de contrapresión**, angle back-pressure valve.

—— **angular de retención**, angle check valve.

—— **antimicrofónica** (ra), antimicrophonic valve.

—— **atemperadora** (cf), tempering valve.

—— **atmosférica**, internal safety valve.

—— **balanceada o compensada**, balanced valve.

—— **baldeadora** (pb), flush valve.

—— **bigrilla** (ra)(A), double-grid tube.

—— **blanda** (ra)(A), soft tube.

—— **cámara** (tv), camera tube.

—— **catódica** (tv), cathode-ray or picture tube.

—— **cilíndrica**, cylinder valve or gate.

—— **con asiento de recambio**, renewable-seat valve.

—— **cónica**, cone valve.

—— **conversora** (ra)(A), converter tube.

—— **corrediza**, (se) slide valve; (pet) traveling valve.

—— **checadora** (M), check valve.

—— **de acción rápida**, quick-acting valve.

—— **de aguja**, needle or pin valve.

—— **de ala**, wing valve.

—— **de alarma** (roc), alarm valve.

— **de aleta**, butterfly valve.

—— **de alivio**, safety valve; relief or vacuum-breaking valve.

—— **de alivio para expansión**, expansion-relief valve.

— de **alta impedancia** (ra), high-impedance tube.

— de **alto vacío** (ra), high-vacuum or electron tube.

— de **ampolla metálica** (ra), metal-envelope tube.

— de **ángulo**, angle valve.

— de **ángulo horizontal**, corner valve.

— de **asiento cónico**, cone valve.

— de **aspersión** (pb)(Es), flush valve.

— de **aspiración**, admission valve; (pu) foot valve.

— de **barra**, bar-stock valve.

— del **barrido** (di), scavenging valve.

— de **batería** (ra), battery tube.

— de **bola**, ball valve.

— de **bola y asiento**, ball-and-seat valve.

— de **bridas**, flanged valve.

— de **buje móvil** (A), needle valve.

— de **cabeza de hongo** (C), poppet valve.

— de **caja de hierro**, iron-body valve.

— de **camisa**, sleeve valve.

— de **campana**, cup valve.

— de **carrete**, spool valve.

— de **cátodo caliente** (ra), hot-cathode tube.

— de **cátodo de charco** (ra), pool tube or tank.

— de **cebado**, primer valve.

— de **cierre**, shutoff valve, stopcock.

— de **cierre rápido**, quick-acting valve.

— de **cierre vertical**, poppet or lift valve.

— de **codo**, angle valve.

— de **columpio**, swing check valve.

— de **compoundaje** (bm), compounding valve.

— de **compuerta**, gate valve.

— de **compuerta acuñada**, wedge-gate valve.

— de **compuerta con abrazadera**, clamp gate valve.

— de **compuerta con llave auxiliar**, gate valve with by-pass.

— de **compuerta plana**, parallel-slide gate valve.

— de **compuerta tipo cremallera**, rack-type gate valve.

— de **contraflujo**, reverse-flow valve.

— de **contrapresión**, back-pressure valve; backwater valve.

— de **copa**, cup valve.

— de **corredera**, (se) slide valve; (hyd)(Sp) gate valve.

— de **corte remoto** (ra), remote-cutoff tube, supercontrol tube.

— de **cortina** (Col), gate valve.

— de **cortina en cuña**, wedge-gate valve.

— de **cruz**, cross valve.

— de **cuatro pasos**, four-way valve.

— de **cuatro patas** (ra), four-prong tube.

— de **cuello** (C), throttle valve.

— de **cuerpo de fundición**, iron-body valve.

— de **cuña**, wedge-gate valve.

— de **chapaleta**, flap valve.

— de **charnela**, flap or clack or swing check valve.

— de **charnela de disco exterior**, open flap valve.

— de **charnela de disco interior**, enclosed flap valve.

— de **cheque** (C), check valve.

— de **dardo** (pet), dart valve.

— de **derivación**, by-pass valve.

— de **desahogo**, relief or safety valve.

— de **desahogo a la atmósfera**, atmospheric relief valve.

— de **desaire** (A), vent valve.

— de **descarga**, blowoff or exhaust or unloading valve; (ra) discharge tube.

— de **desvío**, offset valve.

— de **diafragma**, diaphragm valve.

— de **disco**, disk valve.

— de **disco tapón**, globe valve with plug-type disk.

— de **disparo**, pop or pop safety valve.

— de **distribución** (pet), manifold valve.

— de **doble disco**, double-disk gate valve.

— de **doble golpe**, double-beat valve.

— de **doble rejilla** (ra), double-grid tube.

— de **dos campanas**, hub-end valve.

— de **émbolo**, piston valve.

— de **enchufe y cordón**, valve with bell-and-spigot ends.

— de **erogación** (bm)(A), discharge valve.

— de **espiga** (M), needle valve.

— de **estrangulación**, throttle valve.

— de **expulsión**, discharge valve; blowoff valve.

— de **flotador**, float valve.

— de **frenaje** (fc), brake valve.

— de **fuerza** (ra), power tube.

— de **garganta**, throat valve.

— de **globo**, globe valve.

— de **globo tipo aguja**, needle-point valve.

— de **gozne**, flap or check valve.

— de **guardia**, guard valve.

— de **guillotina**, guillotine valve.

— de **insertar**, inserting valve.

— de **interrupción** (Pe), shutoff valve.

— de **inyección**, injection valve.

— de **lengüeta**, feather valve.

— de **limpieza automática**, flush valve, flushometer.

— de **mando**, pilot valve; control valve.

— de **manguito**, sleeve valve.

— de **maniobra**, control valve.

— de **mariposa**, butterfly valve.

— de **mu variable** (ra), variable-mu tube.

— de **ocho patas** (ra), eight-prong tube.

— de **orejas**, wing valve.

— de **pantalla** (Col), gate valve.

— de **paso**, by-pass valve; shutoff or line valve.

— de **paso recto**, straightway valve.

— de **pasos múltiples**, multiple-way valve.

— de **pedal** (pb), foot valve.

— de **pie** (bm), foot valve.

— de **pistón**, piston valve.

— de **placa**, plate valve.

— de **platillo**, tappet valve.

— de **poder** (ra)(A), power tube.

— de **potencia** (ra), power tube.

— de **presión**, pressure valve.

— de **pulverización**, spray valve.

— de **purga**, blowoff valve.

— de **purga de agua**, water-relief valve.

— de **rayos X**, X-ray tube.

— de **reducción de presión**, pressure-reducing valve.

—— de rejilla blindada (ra)(Es), screen-grid tube.
—— de rejilla-pantalla (ra), screen-grid tube.
—— de resuello (A), air valve.
—— de retención, check or backwater valve.
—— de retención a bisagra, swing check valve.
—— de retención a bola, ball check valve.
—— de retención de vapor (cal), nonreturn or stop-and-check valve.
—— de rosca, threaded valve.
—— de seguridad de carga directa, dead-weight safety valve.
—— de seguridad de disparo, pop safety valve.
—— de seguridad de palanca, lever safety valve.
—— de seguridad de Ramsbottom, Ramsbottom safety valve.
—— de seguridad de resorte, spring safety valve.
—— de sifón para aire, siphon air valve.
—— de solenoide, solenoid valve.
—— de succión, suction or admission valve.
—— de tapón, plug valve.
—— de traspaso, crossover valve.
—— de tres pasos, three-way valve.
—— de tubo movible, tube valve.
—— de vástago corredizo, sliding-stem valve.
—— de vía franca, full-way valve.
—— desviadora, by-pass valve.
—— detectora (ra), detector valve or tube.
—— dura (ra)(A), hard tube.
—— electrónica o eléctrica, vacuum or electron tube.
—— electroquímica, electrochemical valve.
—— emisora (ra), transmitting tube.
—— en la culata, valve-in-head.
—— en escuadra, angle valve; corner valve.
—— en S, offset valve.
—— equilibrada de aguja, balanced needle valve.
—— equilibradora, balancing valve.
—— escalonada, offset valve.
—— esclusa, sluice valve; (A)(U) gate valve.
—— esférica, globe valve.
—— estranguladora, choke or throttle valve.
—— fija (pet), standing valve.
—— flotadora (Pe), float valve.
—— forrada de caucho, rubber-lined valve.
—— gaseosa (ra), gas or gassy or gaseous tube.
—— globular, globe valve.
—— horizontal de retención, lift or horizontal check valve.
—— impulsora (ra), driver tube.
—— intermitente (pet), intermitter valve.
—— labrada de barra, bar-stock valve.
—— maestra, master valve.
—— mezcladora, (pb) mixing valve; (ra) mixer tube.
—— moduladora, (ht) modulating valve; (ra) modulator tube.
—— motriz (ra)(Es), driver tube.
—— multielectrodo (ra), multielectrode tube.
—— multiplicadora (ra), multiplier tube.
—— multirrejilla (ra), multigrid tube.
—— nodón (ra), Nodon valve.
—— oscilante, rocker valve.
—— para árbol de navidad (pet), Christmas-tree valve.
—— para cieno, mud valve.

—— para manguera, hose valve.
—— pentarreja (ra), pentagrid converter.
—— piloto, pilot valve.
—— pivotada, pivot or butterfly valve.
—— plana (Ch), gate valve.
—— preamplificadora (ra), driver valve.
—— protectora (ra), protector tube.
—— purgadora de sedimentos, mud valve.
—— receptora (ra), receiving tube, valve receiver.
—— rectangular (A), angle valve.
—— rectificadora (ra), rectifying tube.
—— reductora, reducing valve.
—— reesmerilable o refrentable, regrinding valve.
—— reguladora, pressure-regulating valve; governing valve.
—— reguladora de gasto, flow-control valve.
—— reguladora de nivel, altitude valve.
—— respiradera, vent valve.
—— sanitaria, sanitary valve.
—— selectora, selector valve.
—— sin asiento, seatless valve.
—— termiónica (ra), thermionic valve, vacuum or electron tube.
—— tipo bellota (ra), acorn tube.
—— tipo hongo, mushroom valve.
—— transmisora (ra), transmitting tube.
—— vertical de retención, vertical check valve.
—— viajera (bm), traveling valve.
válvulas gemelas, twin valves.
válvulas laterales (mg), side valves.
valla f, fence, barrier, barricade; hurdle.
—— de cable (ca), cable guardrail.
—— paraarena (fc), sand fence.
—— paranieves, snow fence.
vallado m, fencing; (PR) brushwood, drift carried by a flood.
vallar, to fence.
valle m, valley.
—— colgante, hanging valley.
—— subsecuente, subsequent valley.
vanadato m (quím), vanadate.
vanádico, vanadic.
vanadinita f (miner), vanadinite.
vanadio m, vanadium.
vano m, opening in a wall; (bldg) bay.
—— de elevador (M), elevator hatch.
—— de la hélice (cn), aperture, propeller opening.
—— de puerta, doorway.
—— de ventana, window opening.
vanos de derivación (presa), diversion or closure openings.
vanos de toma (hid), intake openings.
vapor m, steam; vapor; a steamer.
—— acuoso, water vapor.
—— agotado o perdido o de escape, exhaust steam.
—— de carga, cargo boat, freighter.
—— de elaboración, process steam.
—— recalentado, superheated steam.
—— tanque, tanker, tank steamer.
—— vivo, live steam.
vapora f, steam launch; (PR) steam engine.
vaporar, to vaporize.
vaporímetro m, vaporimeter.

vaporización (f) instantánea, flash vaporization.
vaporización intermitente, batch vaporization.
vaporizador m, vaporizer, carburetor.
vaporizar, to vaporize.
vaporoso, vaporous.
vapuleo m, whipping (belt or cable).
vaqueta f, sole leather.
vara f, measure of length varying slightly in different countries but usually about 0.84 m; rod, pole, staff.
— de agrimensor, sight rod, range pole, transit rod.
— de sondeo, sounding rod.
— de trocha (fc), track gage, gage bar.
— portabrújula (lev), Jacob's staff.
varada f (náut), running aground.
varaderas f (cn), skids; ground ways.
varadero m, shipyard; shipway, launching way.
varado, aground, stranded.
varal m, stake of flatcar or flat truck.
varar, to ground (vessel); vararse, to strand, run aground.
vareamiento m (conc)(M), rodding.
varejón m (min)(M), pole lagging.
varenga f (cn), floor timber; floor board; floor (frame).
— a marco, open floor (beam).
— llena, solid floor (beam).
varengaje m (cn), floor boarding.
varhorímetro m (eléc), var-hour meter, reactive volt-ampere-hour meter.
variable f a, variable.
— dependiente, dependent variable.
— independiente, independent variable.
variación f (mat)(eléc)(mec), variation.
— angular (eléc), angular variation.
— de la aguja, compass variation.
— diurna, diurnal variation.
— en menos, undersize variation.
— secular, secular variation.
variador m, variator.
— de velocidad, speed variator.
variante f, (math)(lab) variant; (rr) change of line; alternate (specification).
varilla f, rod, bar, stem.
— a tierra (eléc), ground rod.
— agitadora (lab), stirring rod.
— atacadera (vol), tamping pole; tamping stick.
— calibradora, rod gage.
— compactadora, tamping rod.
— corrugada (ref), corrugated bar.
— de avance (mh), feed rod.
— de la corredera o del distribuidor (mv), valve stem or rod.
— de bombeo (bm), sucker rod; pump rod.
— del émbolo, piston rod.
— de empuje, push rod, (ge) tappet rod.
— de la excéntrica (mv), eccentric rod.
— de radio (auto), radius rod.
— de refuerzo, reinforcing bar.
— de sondear, sounding rod.
— de succión (bm), sucker rod.
— de tensión, tie rod; tension bar.
— de válvula, valve stem.
— de tracción, drawbar; (pet) rod line.

— deformada (ref), deformed bar.
— flotadora, rod float.
— fundente o soldadora, welding rod.
— levantaválvula (mg), tappet rod.
— luminosa (Es), light ray.
— polar, pole arm (planimeter).
— - sedimentadora (lab), puddling roc.
— tirante, tie rod.
varillas tiracable (eléc), conduit rods.
varillado m, rodding.
— seco (ag), dry-rodded.
varilladora f (conc), rodding machine.
varillaje m, system of rods; linkage.
varillar, to rod.
varioacoplador m (ra), variocoupler.
variocúpler (ra)(M), variocoupler.
variómetro m (eléc), variometer, variable inductor.
varistor m (eléc), varistor.
vaselina f, Vaseline.
vasija f (min)(Es), skip.
— de extracción, ore bucket.
vaso m, basin, reservoir; vessel, receptacle, battery jar; (lbr) vessel.
— captador de arrastres (hid), debris basin.
— de almacenamiento, storage reservoir.
— de detención, detention basin.
— de presión (az), pressure pan.
— de seguridad (az), save-all, catchall.
— de vapor (az), vapor cell.
— poroso (eléc), porous cup.
— regulador, regulating reservoir.
vástago m, stem, shank, rod, spindle.
— corredizo o ascendente (vá), traveling spindle, rising stem.
— de corredera (mv), valve stem or rod.
— del émbolo, piston rod.
— de la excéntrica, eccentric rod.
— de succión (pet), sucker rod.
— del timón, rudder stock.
— de la válvula, valve stem.
— fijo o no ascendente o sin levantamiento (vá), stationary spindle, nonrising stem
— guía, guide stem; (eng) tail rod.
— pulido (pet), polished rod.
— saliente (vá), rising stem.
vatiaje m (eléc), wattage.
vatihora f, watt-hour.
vatihorámetro m, watt-hour meter.
vatímetro m, wattmeter.
— dinamométrico, dynamometer wattmeter.
— registrador, recording wattmeter.
vatio m, watt.
— aparente, apparent watt.
— efectivo o eficaz, true watt.
— internacional, international watt.
vatio-hora m, watt-hour.
vatiosegundo m, watt-second.
vectógrafo m (eléc), vectograph.
vector m (mat), vector.
vectorial, vectorial.
vega f, flat lowland; (C) cultivated land.
vehicular, vehicular.
vehículo m (tr)(pint), vehicle.
— automotor, motor vehicle.
— motorizado (M), motor vehicle.

vejiga *f*, blister.
vela *f*, watchman; candle.
velador *m*, watchman.
velero *m*, sailmaker.
veleta *f* (ap), wind vane.
velo *m* (fma), veil.
velocidad *f*, velocity, speed.
— admisible (hid), permissible velocity,
— característica, specific speed.
— con plena carga, full-load speed.
— crítica, critical velocity; (ap) stalling speed.
— de acceso (hid), velocity of approach.
— de aflujo (hid)(Es), velocity of approach.
— de alejamiento o de salida (hid), velocity of recession or of retreat.
— de aproximación (hid)(M), velocity of approach.
— de ascenso, (eng) hoisting speed.
— de ataque (pl), crowding speed.
— de crucero (auto)(A), cruising speed.
— de descenso, lowering speed.
— de despegue (ap), take-off speed.
— de embalamiento, (eng) runaway speed.
— de equilibrio (fc), free-running or balancing speed.
— de funcionamiento o de trabajo, working speed.
— de llegada (hid), velocity of approach.
— de marcha o de recorrido o de traslación (ec), traveling speed.
— de pasaje o de travesía (is), flowing-through velocity.
— de régimen, working or rated speed, (rd) design speed.
— de sal, procedimiento de (hid), salt-velocity method.
— de sedimentación (pa), settling velocity.
— de sincronismo (mot), synchronous speed.
— de sobremando (auto), overdrive speed.
— de viaje (auto), cruising speed.
— específica, specific speed.
— excavadora (pl), digging speed.
— laminar (hid), laminar velocity.
— sin carga (mot), no-load speed.
— unitaria, rate of speed.
— virtual, virtual velocity.
velocímetro *m*, speedometer; velocimeter; (A)(V) current meter.
velocípedo (*m*) de vía, track velocipede.
velómetro *m*, velometer; (Sp) wind gage.
vena *f*, vein, lode, seam.
— contraída (hid)(A), vena contracta.
vencido, overstrained; broken down; (com) due, accrued.
vendaval *m*, strong wind.
venero *m*, a pipe (earth dam); spring (water); sand boil; (min) vein, lode, lead.
venida *f*, flood, freshet.
venora *f*, stone set in bottom of irrigation ditch to fix grade.
ventana *f*, window, window sash.
— a balancín o de fulcro, pivoted window.
— a banderola (A), window hinged at bottom.
— a bisagra, casement or hinged window.
— abatible, drop or descending window.
— batiente, casement window.

— corrediza, sliding sash.
— de contrapeso o de guillotina, double-hung window.
— giratoria, pivoted window.
— metálica hueca, hollow metal window.
— romanilla (V), window shutter of slats.
— saliente (acero), projected window (ventilator slides vertically while swinging in or out).
ventanaje *m*, fenestration, window arrangement.
ventanal, large window; window opening.
ventanería *f*, fenestration; set of windows.
ventanero *m*, man who makes or sets windows.
ventarrón *m*, gale.
venteada, venteadura *f* (mad), shake.
ventear (V), to guy.
venteo *m*, vent.
ventilación *f*, ventilation.
— por aspiración, exhaust ventilation, draw-through system.
— por presión, forced ventilation, blow-through system.
ventilador *m*, ventilator, fan, blower.
— a jaula de ardilla, squirrel-cage or multiblade fan.
— aspirador, exhaust fan; aspirating ventilator.
— axial, axial-flow fan.
— centrífugo, centrifugal fan.
— continuo de caballete, continuous ridge ventilator.
— de aletas aerodinámicas, airfoil fan.
— de aletas planas, straight-blade fan.
— de campana, mushroom ventilator.
— de capucha oscilante, swing-cowl ventilator.
— de cono, conical-plate fan.
— de cumbrera, ridge ventilator.
— de desplazamiento, displacement or volumetric ventilator.
— de doble cono, double-cone ventilator.
— de enfriamiento, cooling fan.
— de estrella, spider-type fan.
— de hélice, propeller-type fan.
— de tiro forzado, forced-draft fan.
— eductor, exhaust fan, exhauster.
— multipaleta (M), multiblade fan.
— para caballete, ridge ventilator.
— reforzador (aa), booster fan.
— secador, drying fan.
— separador de polvo, dust-separating fan.
— soplador, blower.
— tipo hongo, mushroom ventilator.
— tubo-axil, tubeaxial fan.
— volumétrico, volumetric or displacement ventilator.
ventilar, to ventilate.
ventilas *f* (C), dunnage.
ventisca *f*, snowdrift.
ventisquero *m*, ice field; glacier; snowdrift.
ventosa *f*, air valve, vent.
— al vacío, vacuum valve.
Venturi *m* (auto), Venturi throat, choke tube.
venturímetro *m* (hid), Venturi meter.
vera *f*, edge, border; (Col)(V) a hard and heavy wood.
— vial, shoulder of a road.
veráscopo *m*, verascope (camera).

verde, green.
— brillante (lab), brilliant green.
— de bromocresol (lab), bromocresol green.
verdín *m*, mold, mildew; verdigris.
verdugada *f*, verdugo *m*, course of brick in a wall of stone or mud.
verdunización *f* (pa), verdunization.
vereda *f*, path, footpath, trail; sidewalk; (rr) platform.
veredón *m*, broad sidewalk.
verga *f* (cn), yard; gaff.
verificación *f*, verification; (inst) adjustment.
verificar, to check; (inst) to adjust.
veril *m*, shoal, reef.
verja *f*, grating, grille; railing, (A) fence.
vernier *m*, vernier.
verruga *f* (met), blister.
vertedera *f*, moldboard; blade of a bulldozer or road scraper.
vertedero *m*, (hyd) spillway, weir, wasteway; (ea) dump; (pb) slop sink.
— aforador, measuring weir.
— ahogado o anegado, submerged weir.
— Cipolletti, Cipolletti weir.
— completo, free weir.
— con cresta redondeada, round-crested weir.
— de aforo en V, V-notch weir.
— de basuras (C), garbage dump.
— de bocina, morning-glory spillway, bell-mouthed weir.
— de cresta afilada (Pe), sharp-crested weir.
— de cresta curva, round-crested weir.
— de cresta plana o de cresta ancha, flat-crested or broad-crested weir.
— de derivación, diversion weir.
— de la efluente (dac), effluent weir.
— de lámina adherente, full-apron spillway.
— de pared delgada, sharp-crested weir.
— de pared espesa, broad-crested weir.
— de pozo o de pozo acampanado, shaft or glory-hole spillway.
— de rebalse (Ch), wasteway, spillway.
— de saetín, trough or chute spillway.
— de umbral agudo, sharp-crested weir.
— fijo, open spillway (no gates).
— incompleto, submerged weir.
— lateral, side-channel spillway.
— libre, free weir; open spillway.
— medidor, measuring weir.
— móvil, spillway with gates.
— rozador, skimming weir (water supply).
— sin contracción, suppressed weir.
— sumergido, submerged weir.
— triangular, triangular or V-notch weir.
vertedor *m*, pouring device; (hyd) spillway, weir, wasteway.
— con contracción, contracted weir.
— de asfalto, asphalt pouring pot.
— de cresta delgada, sharp-crested weir.
— de cresta libre, open spillway (no gates).
— de demasías, spillway, wasteway.
— de entalladura triangular, triangular-notch weir.
— de espumas, scum weir.
— de sobrantes (M), wasteway, spillway.
— trapezoidal, Cipolletti weir.

vertedor-sifón, siphon spillway.
verter, to pour; to dump; verterse, to spill over.
vertical *f*, vertical line; *a* vertical.
verticalidad *f*, verticality.
vértice *m*, crest, peak, vertex; (surv) corner.
— de cierre (lev), closing corner.
— testigo o de referencia (lev), witness corner.
vertido *m* (conc), a pour.
vertiente *f*, slope of a roof; slope of a valley; watershed; a drip; (Ch) spring; (Sp) brook.
vesícula *f* (geol), vesicle.
vesicular (geol), vesicular.
vespasiana *f* (A)(Ch), upright urinal.
vestíbulo *m* (ed)(fc), vestibule.
vestidura *f*, lining; (carp)(C) trim; (auto)(C) upholstery.
vestigios *m* (quím), traces.
veta *f*, vein, seam; grain of wood; (met) seam.
— atravesada (min), cross vein.
— crucera, (min) cross vein; (lbr) cross grain.
— de contacto (min), contact lode.
— derecha o recta, straight grain.
— madre (min), main lode.
— transversal (min), counterlode, cross lode.
vetarrón *m* (min), large vein.
veteado, veined, banded, streaked.
— de arena (conc)(A), sand streak.
vetear (pint), to grain.
vía *f*, route, way; road; (rr) track.
— acuática, waterway.
— aérea, aerial cableway or tramway.
— ancha, wide-gage track.
— angosta, narrow-gage track.
— apartadera, siding, side track.
— armada (Es), portable track.
— carretera, highway.
— corriente (fc)(V), standard-gage track.
— de acarreo, wagon road.
— de acomodación, sorting track.
— de agua, waterway.
— de ancho normal, standard-gage track.
— de arrastre (ef), skidding or snaking trail, drag or gutter road.
— de aterrizaje (ap), landing strip.
— de báscula, scale track.
— de cable, cableway.
— de carena, marine railway.
— de carga, loading track.
— de circunvalación, belt line, loop.
— de enlace, crossover; ladder track.
— de escala, ladder track.
— de escape, turnout for derailing.
— de extremo cerrado, dead-end track.
— de galpón, house track.
— de garganta, gantlet track.
— de grúa, crane runway.
— de intercambio, interchange track.
— de levantamiento (ed), hoistway.
— de llegada, receiving track.
— de maniobras, drilling track.
— de navegación interior, inland waterway.
— de paso (fc), crossover; passing siding.
— de patio o de playa, yard track.
— de pestaña, flangeway.
— de planeo (ap), glide path.
— de recorrido, running or main track.

—— de reserva, storage track.
—— de tráfico (ca), traffic lane, trafficway.
—— de transbordo, transfer track.
—— de traspaso (fc), crossover.
—— , de una sola, single-track.
—— decauville, narrow-gage or industrial or portable track.
—— en zigzag, switchback.
—— estrecha, narrow-gage track.
—— férrea troncal, trunk-line railroad.
—— ferroviaria, railroad.
—— fluvial, waterway, navigable stream.
—— franca, clear track; open road.
—— funicular, cable railway.
—— húmeda (quím), wet process.
—— industrial, industrial track.
—— lateral, siding.
—— libre, clear track.
—— maestra, ladder track.
—— muerta o perdida, dead-end track.
—— permanente (fc), permanent way.
—— seca (quím), dry process.
—— sencilla o simple, single track.
—— tranviaria, streetcar track.
—— traslapada, gantlet track.
—— única, single track.
—— y obras, way and structures.
vías de parrilla, gridiron tracks.
viaducto m, viaduct.
—— de caballetes, trestle.
viágrafo m (ca), viagraph, roughometer.
viajable (ca), transitable.
viaje m, trip, voyage; (C) bevel, chamfer, skew.
—— libre (maq), play, lost motion.
vial a, pertaining to roads.
vialidad f, road engineering, road construction, system of roads.
viáticos m, fixed sum per day allowed for traveling expenses.
vibración f, vibration.
—— amortiguada, damped vibration.
—— armónica forzada, forced harmonic vibration.
—— libre, free vibration.
—— simpática, sympathetic vibration.
vibrador m, vibrator, (A) buzzer.
—— de arranque (eléc), starting vibrator.
—— de cucharón (mz), skip shaker.
—— de eje flexible (conc), flexible-shaft vibrator.
—— de pala (conc), spade vibrator.
—— de plataforma (conc), platform vibrator.
—— de tamices, sieve shaker.
—— de vástago flexible (A), flexible-shaft vibrator.
—— superficial (conc), surface vibrator.
vibradora f, vibrator.
vibrar, to vibrate.
vibratorio, vibratory.
vibrión (is), vibrio.
vibrógrafo, vibrómetro m, vibrograph, vibrometer.
vibroscopio m, vibroscope.
viciado (ve), vitiated.
vicio m, defect, flaw.
video a (tv), video.
videofrecuencia f (tv), video or visual frequency.

vidriado m, glazing.
vidriar, to glaze (window); to glaze (tile).
vidriera f, window, window sash.
vidriería f, glazing; glass shop.
vidriero m, glazier.
vidrio m, glass; pane, light of glass.
—— a prueba de bala, bulletproof glass.
—— acanalado, ribbed or fluted glass.
—— ahumado, smoked glass.
—— alambrado o armado, wire glass.
—— antideslumbrante, glare-reducing glass.
—— armado pulido, polished wire glass.
—— cilindrado, plate glass.
—— común doble, double-thick window glass.
—— común sencillo, single-thick window glass.
—— de cilindro, cylinder or rolled glass.
—— de nivel (cal), gage glass.
—— de piso (A), vault light.
—— de reloj (lab), watch glass.
—— de seguridad, safety or nonshattering glass.
—— de soldador, welding lens.
—— deslustrado o despulido o esmerilado, ground or frosted glass.
—— estriado, ribbed glass.
—— fibroso, fiber glass.
—— inastillable, nonshattering glass.
—— laminado, rolled glass; multilayer glass.
—— líquido, water glass.
—— mate, mat-surface glass.
—— prismático, prism glass.
—— rayado, ribbed glass.
—— reforzado, wire glass.
—— simple, single-thick glass.
—— soluble, water glass.
—— soplado, blown glass.
—— translúcido, obscured glass.
—— tratado, processed glass.
—— volcánico, pitchstone, volcanic glass.
vidriosidad f (met), cold shut.
vidrioso, vitreous.
viejo, el, old man, drilling post; rail bender.
viento m, wind; guy.
—— de alambre, guy wire.
vientos reinantes, prevailing winds.
vierteaguas m, (bldg) flashing; (elec) rain shed.
—— inferior, base flashing.
—— superior, cap flashing.
viga f, beam, girder, joist.
—— acartelada o consola, cantilever beam.
—— armada, trussed beam; built-up girder; (A) lattice girder.
—— armada en celosía (V), lattice girder.
—— atiesadora, stiffening beam.
—— atirantada, trussed beam.
—— canal, channel iron.
—— cepo, spreader for hoisting.
—— compuesta o de alma llena, built-up or plate girder.
—— continua, continuous beam.
—— de alma abierta o de celosía o de enrejado, lattice girder.
—— de alma doble o de caja, box girder.
—— de asiento, (ce) skid.
—— de enrejado de barras, bar or trussed joist.
—— de entrepiso (V), floor beam.
—— de freno (fc), brake beam.

—— de hongo, deck beam, bulb T.
—— de losa o de placa (conc), T beam.
—— de palastro (V)(M), plate girder.
—— de rigidez, stiffening beam.
—— de tablero (pte), floor beam.
—— de tablero inferior, through girder.
—— doble T, I beam.
—— embragada, trussed beam.
—— embutida o empotrada o encastrada, fixed beam.
—— ensamblada, built-up girder.
—— flotante, log boom.
—— H, H beam.
—— I de ala ahusada, sloping-flange I beam.
—— I de ala sin ahusar, parallel-flange I beam.
—— igualadora, equalizing beam.
—— L (conc), L beam.
—— laminada, rolled beam, I beam.
—— maestra, girder.
—— para junta (ca), expansion-joint beam.
—— portagrúa, crane girder.
—— restringida o semiempotrada, restrained or semifixed beam.
—— reticulada, lattice girder.
—— sostenida, simply supported beam.
—— T (conc), T beam.
—— tensora, tie beam.
—— tubular, box girder.
—— U, channel.
—— voladiza, cantilever beam; overhanging beam.
vigas horizontales de cierre (hid), stop logs.
vigía f, reef of rocks; lookout, watch (usually m).
vigilador m (M), watchman.
vigilante m, watchman; policeman.
—— técnico (Pe), inspector.
vigota f (cn), deadeye.
viguería, viguetería f, set of beams, floor framing.
vigueta f, beam, joist, purlin; (C) rafter; (V) pole, round timber.
—— cabecero, header beam.
—— de alma abierta o de celosía, lattice or open-web joist.
—— de canal, channel iron.
—— del eje (auto), axle I beam.
—— I, I beam.
—— prensada, I beam of "metal lumber."
vigueta-escuadra, angle iron.
vilorta f, hoop, ring, collar; washer.
vinal m (A), a hardwood.
vinatera f (náut), becket, strap.
vincular (conc)(A), to bond.
vinilita f, Vinylite (trademark)(plastic).
viñeteado (fma), vignetted.
violación (f) de patente, patent infringement.
violado o violeta cristal (lab), crystal violet.
violado genciana (lab), gentian violet.
viraje m, turning, swinging, sluing.
virapitá m, viraró m, South American hardwoods.
virgen f (maq), support, standard, headstock, housing.
vírgenes (az), mill cheeks or housing.
virola f, collar, hoop, ring, ferrule.
virotillo m, strut, brace, stud; stay bolt.
—— de tubo, pipe separator.
virtual, virtual.

virus m, virus.
viruta (f) de acero, steel wool.
virutas, shavings, cuttings, turnings.
—— de sierra, sawdust.
—— de taladro, drill cuttings, swarf.
visar (lev), to sight.
viscosidad f, viscosity.
—— Saybolt, Saybolt viscosity.
viscosímetro m, viscosimeter.
viscosina f (aa), Viscosine (trademark).
viscoso, viscous, thick.
visera f (auto), sun visor.
visibilidad f, visibility.
visiofrecuencia f (tv), video frequency.
visitable (al), accessible.
visitrón (il), Visitron (trademark).
visor m (fma), finder, view finder.
vista f, view.
—— anterior o delantera o frontal, front view.
—— de extremidad, end view.
—— desde arriba o por encima, top view.
—— en corte, sectional view.
—— fantasmagórica o translúcida, phantom view.
—— lateral o de lado, side view.
—— posterior, rear view.
—— recortada, cutaway view.
—— transparente (A), phantom view.
visto bueno, n approval, OK; a approved, OK.
visual f, (surv) a sight; a visual.
—— a la espalda, backsight.
—— adelante o al frente, foresight.
—— aditiva (nivel), backsight, plus sight.
—— desviada, side shot (stadia).
—— inversa, backsight; plus sight (level).
—— por restar (nivel), foresight, minus sight.
—— rasante, grazing sight.
visualidad f (ca)(V), visibility.
viter m (A), molding plane; molding.
vitola f, ring gage.
vítreo, vitreous.
vitrificar, to vitrify.
vitriofido, vitrófiro m (geol), vitrophyre.
vitriolo m, vitriol.
—— azul, blue or copper vitriol.
—— blanco o de cinc, white or zinc vitriol.
vitrita f (ais), vitrite.
viviendas f, housing.
vivo, sharp (edge).
voladizo m, outlooker, outrigger, corbel, cantilever; a overhanging, projecting.
volado, overhanging, projecting, corbeled.
volador m, cantilever beam, outlooker; column cap; (tun) needle beam.
voladora f, flywheel.
voladura f, blasting, a blast.
—— con adobe, mudcapping.
—— de cámara, chamber blast.
—— de prueba, test shot.
—— difundida o propagada, propagation blasting
—— por túneles, coyote-hole blasting.
—— sin barreno, mudcap blast.
volandera f (mec), washer.
volante m, flywheel, handwheel, steering wheel (C) written order.
—— de dirección, steering wheel.
—— de inercia, inertia wheel.

—— de maniobra, handwheel, steering wheel.
—— portasierra, band-saw pulley.
volante-manubrio, handwheel.
volar, to blast; to overhang, project.
—— sin barrenar (vol), to mudcap, bulldoze, plaster, doby.
volátil, volatile.
volatilidad *f*, volatility.
volatilizar, to volatilize, vaporize; volatilizarse, to vaporize.
volatizar, to volatilize.
volcadero *m*, tipple.
volcador *m*, dump truck or car; car dumper; (min) tippleman; tumbler of a lock.
—— de vagones, car dumper.
—— hidráulico, car or truck with hydraulic dumping device.
volcamiento *m*, overturning.
volcán *m*, volcano; (Col) flood.
—— de lodo (pet), mud volcano.
volcanicidad *f*, volcanicity.
volcánico, volcanic, igneous.
volcanismo *m*, volcanism.
volcanización *f*, volcanization.
volcar, to overturn, dump.
volea *f*, whiffletree.
volframífero, containing tungsten.
volframio *m*, tungsten, wolfram.
volframita *f*, wolfram, wolframite (tungsten ore).
volquear, volquearse, to tip, overturn, dump.
volquete *m*, dump car or truck or cart; dumping; any dumping device.
—— al extremo, end dump.
—— lateral, side dump.
—— para carros, car dumper.
voltaico, voltaic.
voltaismo *m*, voltaism.
voltaje *m*, voltage.
—— crítico, critical potential or voltage.
—— de alimentación de retroceso (ra), feedback voltage.
—— de arco, arc voltage.
—— de audio (ra), audio voltage.
—— de carga, impressed voltage.
—— de circuito cerrado o de servicio, closed-circuit or working voltage.
—— de disparo, drop-out voltage.
—— de grilla (ra), grid voltage.
—— de luminiscencia (ra), glow potential.
—— de neutralización (ra), neutralizing voltage.
—— de oposición, bucking voltage.
—— de pantalla (ra), screen voltage.
—— de placa (ra), plate voltage.
—— de salto, flashover voltage.
—— dentado, saw-tooth voltage.
—— disruptivo, breakdown voltage.
—— efectivo, effective volts, root-mean-square voltage.
—— efectivo de arco, true arc voltage.
—— final, cutoff or final voltage.
—— impreso, impressed voltage.
—— silenciador (ra), squelch voltage.
voltamétrico, voltametric.
voltámetro *m*, voltameter.
—— de peso, weight voltameter.
—— de plata, silver voltameter.

voltamperímetro *m*, wattmeter, volt-ampere meter.
voltamperio *m*, volt-ampere.
voltamperios reactivos, reactive volt-amperes, wattless power.
volteador *m*, dumper.
—— de carros, car tipple.
—— de trozos (as), canting machine, log turner.
voltear, to dump; to overturn.
volteo *m*, dumping; overturning.
—— al frente, front dump.
—— por debajo, bottom dump.
—— por detrás, rear dump.
voltiamperímetro *m*, voltammeter.
voltímetro *m*, voltmeter.
—— de bobina móvil, moving-coil voltmeter.
—— de cresta (A), crest voltmeter.
—— de hilo caliente, hot-wire voltmeter.
—— de picos, peak voltmeter.
—— de tubo electrónico, vacuum-tube voltmeter.
voltio *m*, volt.
—— electrónico o equivalente, electron or equivalent volt.
—— internacional, international volt.
voltio-amperio, volt-ampere.
voltio-miliamperímetro, volt-milliammeter.
voltio-ohmmetro *m*, volt-ohmmeter.
volumen *m*, volume.
volumétrico, volumetric.
volúmetro *m*, volumeter.
voluta *f*, volute.
volvedor *m*, tap wrench; screwdriver.
volver, to turn, turn over, invert.
vorágine *f*, whirlpool.
vórtice *m*, whirlpool, vortex.
vortiginoso, vortical, vorticose.
vuelco *m*, overturning, dumping.
vuelo *m*, projection, overhang, corbeling; (st) nosing; (pmy) flight.
—— de prueba (fma), trial flight, dry run.
—— extremo (fc), end overhang (car on curve).
—— medio (fc), middle overhang.
vuelta *f*, turn, bend; (machy) revolution; (cab) hitch, wrap, bend; (r) oxbow; (sb) camber, roundup.
—— a la derecha (ca), right turn.
—— a la izquierda (ca), left turn.
—— cerrada, sharp turn.
—— completa, de (pl), full-revolving.
—— corrediza o estranguladora (cab), choker or anchor hitch.
—— de braza, timber hitch.
—— de cabo, hitch.
—— de escota (cab), sheet bend.
—— de orientación (ap), procedure turn.
—— U (ca), U turn.
vulcanismo *m* (geol), volcanism; plutonism.
vulcanita *f*, vulcanite, hard rubber.
vulcanizador *m*, vulcanizer (man and machine).
vulcanizar, to vulcanize.

waca *f* (geol), wacke.
waipe *m*, cotton waste.
warrenita *f* (C), Warrenite (pavement).

wat *m* (Es), watt.
wattaje *m* (A), wattage.
watthorímetro *m* (M), watt-hour meter.
weber, weber (unit of magnetic flux).
willemita *f*, willemite (zinc ore).
winche *m* (M)(V)(C), hoisting engine.
winchero *m*, hoist runner.
wolframífero, containing tungsten.
wolframita *f*, wolframite (tungsten ore).
wulfenita *f*, wulfenite, yellow lead ore.

xairo (Col), skew, oblique.
xantato *m* (quím), xanthate.
xántico, xanthic.
xenomórfico, xenomorfo (geol), xenomorphic.
xilana *f* (az), xylan.
xileno *m* (is), xylene.
xilófago *m*, wood borer (insect).
xilómetro *m* (ef), xylometer.
xilonita *f*, Xylonite (trademark)(celluloid).

Y *f* (tub), Y, lateral.
—— con toma auxiliar lateral, side-inlet Y.
—— de bridas, flanged Y.
—— de ramal invertido, inverted Y.
—— de ramal paralelo, upright Y branch.
—— de reducción, reducing lateral or Y.
—— doble, double Y branch.
—— enroscada o de tornillo, screwed Y.
—— ramal, Y branch.
—— soldable, welding Y.
yacal *m*, a Philippine lumber.
yacayante *m* (A), a hardwood.
yacente *m* (min), floor of a vein; footwall of a fault.
yacimiento *m*, bed, deposit.
—— de contacto (min), contact deposit.
—— hullero, coal field.
—— petrolífero, oil field.
yaguaratay *m* (A), a hardwood.
yarda *f* (med), yard.
—— cuadrada, square yard.
—— cúbica, cubic yard.
yarda-estación (ot), yard-station.
yardaje *m*, yardage.
yelmo *m*, helmet.
yerba *f*, grass.
yesar, yesal *m*, gypsum quarry.
yesca *f*, punk, tinder.
yesería *f*, plastering; gypsum kiln.
yesero *m*, plasterer; dealer in plaster or gypsum.
yesífero, containing gypsum.
yeso *m*, gypsum; plaster, plaster of Paris.
—— anhidro, anhydrous or dead-burned or hard-burned plaster.
—— arenoso, gypsum sand.
—— blanco, finishing plaster.
—— de enlucir o de estucar, gypsum plaster.
—— de París, plaster of Paris.
—— de vaciar, casting plaster.
—— duro, cement plaster, patent or hard wall plaster.

—— especular (miner), selenite.
—— mate, plaster of Paris.
—— negro, patent or hard wall plaster, rough plaster for first coat.
yesón *m*, chunk of plaster.
yodado, containing iodine.
yodato *m* (quím), iodate.
yódico, iodic.
yodo *m*, iodine.
yodometría *f* (is), iodometry.
yodométrico, iodometric.
yodurar, to iodize.
yoduro *m*, iodide.
—— de hidrógeno, hydrogen iodide, hydriodic acid.
—— de plata, silver iodide, (miner) iodyrite.
—— mercúrico, mercury or mercuric iodide.
—— potásico (is), potassium iodide.
yohídrico (quím), hydriodic.
yolombo *m* (Col), a local lumber.
yugo *m*, yoke.
—— de freno (fc)(C), brake beam.
—— escocés (maq), Scotch yoke.
yugumentado (Col), coupled, spliced.
yungas *f* (Ch)(Pe)(B), humid valleys of the Andes.
yunque *m*, anvil; striking plate.
—— de banco, bench anvil.
—— de tornillo, anvil vise.
—— inferior del martinete, anvil block of a steam hammer.
yunta *f*, team of bullocks, yoke of oxen.
yuntero *m*, driver of a bullock team.
yute *m*, jute, (M) burlap; (Col) calking yarn.
—— sanitario (tub)(C), calking yarn.
yuyos *m*, weeds.

Z, barra o perfil o hierro, Z bar.
zabordar (náut), to run aground, strand.
zaboyar (mam)(Col), to point.
zafar, to loosen, free, clear; to lighten (vessel); to cast off (cable); zafarse, to come loose, to slip off (belt).
zafra *f*, (su) grinding season; (su) crop; (min) gangue; refuse, rubbish.
zafrero *m*, common laborer in a mine.
zaga *f* (auto), rumble.
zaguán *m* (ed), vestibule; hallway.
zaguero *a*, rear, hind, tail.
zahones *m*, overalls.
zahorra *f* (náut), ballast.
zamarra *f*, bloom (steel), slab; (met) salamander, bear, shadrach.
zampa *f* (Es), bearing pile.
zampeado *m* (hid), floor, hearth, mat, apron; foundation course.
zampear (hid), to pave.
zampeo *m* (hid)(M), apron, hearth, floor.
zanca *f*, stair string, carriage; shore; scaffold pole.
zanco (*m*) de andamio, scaffold pole.
zancudo *m*, mosquito.
zanja *f*, trench, ditch; (Ec) wall, fence; (PR) gully.

—— cenicera, ashpit.
—— de circunvalación, marginal ditch.
—— de descarga (fc), outfall ditch.
—— de exploración, test trench.
—— de préstamo (ot), borrow pit.
—— de talón, heel trench (dam).
—— interceptadora (hid), cutoff trench.
—— maestra, main ditch.
zanjadora f, ditcher, trenching machine; trench digger (pneumatic); trench hoe, backdigger.
—— de aguilón, boom ditcher.
—— de cuchilla, blade ditcher.
—— de rosario, ladder-type trencher.
—— tipo de rueda, wheel-type ditcher.
zanjar, zanjear, to trench, ditch.
zanjeador m, ditch digger.
zanjeadora f (ec), ditcher.
zanjeo m, ditching, ditch digging; (min) underhand stoping.
—— propagado (vol), propagated ditching.
zanjón m, large ditch; gorge.
zapa f, trenching; digging; undermining; miner's pick; (min) intermediate gallery.
zapador m (Pan), spud of a concrete vibrator.
zapadora f (ec), excavator.
—— para arcilla, pneumatic clay spade.
zapapico m, mattock.
zapar, to undermine; to excavate.
zapata f, shoe; brake shoe; brake block; tread plate; (min) head timber; (carp) foot block; (ce) skid; (V)(A)(C) footing; (Ch) rail flange; set shoe (well); (sb) skeg.
—— de asiento (pte), bearing shoe.
—— de cementación (pet), cementing shoe.
—— de clavar o de hincar (pet), drive shoe.
—— de contacto (eléc), contact shoe.
—— de la cruceta (mv), crosshead shoe.
—— de curvar (tub), bending shoe.
—— de freno (fc), brake shoe.
—— de oruga, crawler shoe, track pad.
—— de pilote (M), pile shoe.
—— del polo (eléc), pole shoe.
—— de toma (fc eléc), contact plow.
—— detectora (fc)(A), detector bar.
—— encajadora (pet), drive shoe.
—— flotadora (pet), float shoe.
—— fresadora (pet), milling shoe.
—— guía (pet), guide shoe.
zapatas de guía (asc), guide shoes.
zapatilla f, leather washer, gasket; (carp) foot block.
zapato m (mec), shoe.
zaranda f, screen, sieve, riddle.
—— lavadora, wet-process screen.
—— vibratoria, vibrating or shaking screen.
zarandar, zarandear, to screen, sift.
zarandeo m, screening, sifting.
—— grosero (A), rough-screening.
zarandero m, screen tender.
zarda f (A), kind of bit for well drilling.
zarpa f, footing; berm; projection of wall footing.
zarpar, to weigh anchor.
zarzo m, (hyd) hurdle, wattle; (bldg) batter board; (min) roof timber.
zata, zatara f (Es), raft.

zenit m, zenith.
zenital, zenithal.
zeolita f (miner), zeolite.
—— férrica, iron zeolite.
—— manganésica, manganese zeolite.
—— sódica, sodium zeolite.
zeolítico, zeolitic.
zeón (il), Zeon (trademark).
zeta (est)(A), Z bar.
zigzag, en, staggered.
zigzaguear (auto), to shimmy.
zigzagueo m (auto), shimmy.
zilonita f (óptica), Zylonite.
zimasa f (is), zymase.
zimotécnico (dac)(U), bacteriological.
zimotérmico, zymothermic.
zinc m, zinc.
zincaje m, zinc work; galvanizing.
zincífero, containing zinc.
zincoso, zincous.
zingueado (A), galvanized.
zinguería f (A), galvanized sheet-metal work, zinc work.
zíper m, zipper.
zirconato m (quím), zirconate.
zirconio m, zirconium.
ziszás, en, staggered.
zócalo m, base of a wall; footing, foundation; base of a machine; baseboard; sill; (auto) apron; (surv)(Col)(V) monument; (A) cutoff wall (dam); (ra) socket.
—— continental (A), continental shelf.
—— de compuerta (hid), gate sill.
—— de discos (ra), wafer socket.
—— sanitario (ed), sanitary base.
zocollar (Ec), to clear land.
zona f, zone.
—— de acercamiento (ap), approach zone.
—— de aproximación a ciegas (ap), instrument-approach zone.
—— de cizallamiento (geol)(V), shear zone.
—— de comodidad (aa), comfort zone.
—— de contacto (geol), contact zone.
—— de dislocación (geol)(B), fault zone.
—— de.espera (ap), turning zone, waiting area.
—— de inundación, flooded area; flood plain.
—— de sombra (geof), shadow zone.
—— de transición (geol), transition zone.
—— de trituración (geol), crush zone.
—— de vía (fc), right of way.
—— fallada (geol), fault zone.
—— libre (ap), clear zone.
—— nivométrica, snow course.
—— petrolífera, oil zone.
zonga f (Col), a rubble stone.
zonificación f, zoning (city).
zonización f (A), zoning.
zooglea (is), zoogloea.
zooplancton m (is), zooplankton.
zoquete m, chock, foot block, shim, sprag, scotch; (Sp) wood paving block; (min) sprag; (V) nailing block set in masonry.
zoquitero m (M), mason's helper, hod carrier.
Zorés, plancha (est), trough plate.
zorra f, hand truck; small car; (A) timber dolly.

—— **a bomba** (fc)(A), handcar worked by hand power.
—— **de levante** (V), portable elevator.
—— **de vía**, handcar.
—— **para depósitos**, warehouse truck.
—— **playa** (A), small flatcar.
—— **volcadora**, small dump car.
zubia *f*, channel; pool; swamp.
zueco *m*, pile shoe; (A) "snowshoe" for walking on fresh concrete.
zuela *f* (AC), adz.
zuelear (AC), to adz.
zulacar, zulaquear, to pack joints with mastic.
zulaque *m*, mortar or mastic for filling pipe joints.

zumbador *m* (eléc), buzzer.
zumbido *m*, humming; (tel) singing.
zumo de caña, juice of sugar cane.
zunchamiento *m* (ra), strapping.
zunchar, to band, hoop.
—— **en caliente**, to shrink on.
zuncho *m*, band, hoop; (C) rim of a wheel; (C) iron tire.
—— **de aguilón** (gr), boom band.
—— **del inducido**, armature band.
—— **de pilote**, pile band.
—— **neumático** (C), pneumatic tire.
—— **para embutidor** (pi), follower band.
—— **para poste** (eléc), pole band.
zurdo (rs), left-hand.

ENGLISH-SPANISH

A.B.C. process (sd), precipitación por adición de alumbre o carbón con arcilla a las aguas negras.

A battery (ra), batería A o de filamentos.

A frame, cabria, cabrestante, caballete, castillete, armazón A, (U) poste en A.

A power supply (ra), fuente de energía A (para calentar el cátodo).

abaft (sb), *adv* a popa; *pr* a popa de.

abampere (elec), abamperio.

abate (met), reducir el temple.

abcoulomb (elec), abculombio.

abelite (explosive), abelita.

aberration (optics), aberración.

abfarad (elec), abfaradio.

abhenry (elec), abhenrio.

abmho (elec), abmho.

Abney level, nivel de mano con clinómetro, nivel de Abney.

abnormal reflection (ra), reflexión anormal o esporádica.

abohm (elec), abohmio.

about-sledge (bs), macho, mandarria, porra, combo.

abrade, raer, desgastar, ludir, luir.

abrasion, abrasión, desgaste, raspadura.

—— **test,** ensayo de desgaste por rozamiento.

abrasion-resisting, resistente a la abrasión.

abrasive, *s* abrasivo; *a* abrasivo, rayente, raspante, desgastante.

abreuvoir (mas), junta entre sillares.

abrupt (top), barrancoso, escarpado, quebrado, escabroso.

abscissa (math), abscisa.

absolute, absoluto.

—— **blocking** (rr), bloqueo absoluto o definitivo.

—— **boiling point,** temperatura absoluta de ebullición.

—— **electrometer,** electrómetro de balanza.

—— **galvanometer,** galvanómetro de unidad absoluta.

—— **humidity** (ac)(mrl), humedad absoluta.

—— **scale** (temperature), escala absoluta o de Kelvin.

—— **specific gravity,** peso específico absoluto, (M) peso específico real.

—— **value** (math), módulo, valor absoluto.

—— **viscosity,** coeficiente de viscosidad.

absorb, absorber; amortiguar (choque).

absorbable, absorbible.

absorbency, absorbencia.

absorbent, *s* absorbente; *a* absorbente, hidrófilo.

absorber, absorbedor, (A) absorsor; amortiguador (choques).

absorbing well (sd), pozo absorbente.

absorptance (il), coeficiente de absorción.

absorptiometer, absorciómetro.

absorption, (quím) absorción, absorbencia; (mec) amortiguamiento; (eléc) absorción.

—— **circuit** (ra), circuito de absorción.

—— **coefficient,** coeficiente o factor de absorción.

—— **column** (pet), torre de absorción.

—— **control** (ra), control por absorción.

—— **current** (elec), corriente de absorción.

—— **dynamometer,** dinamómetro friccional.

—— **factor,** coeficiente o factor de absorción.

—— **ratio** (il), relación o razón de absorción.

—— **separator** (steam), separador de absorción.

—— **tower** (pet), torre de absorción.

—— **tube** (lab), tubo de absorción.

—— **wavemeter** (ra), ondámetro de absorción.

absorptive, absorbente.

absorptivity, absorbencia.

Abt rack (rr), cremallera doble de dientes alternados.

aburton (naut), atravesado.

abut against, empotrar en, apoyarse en, estribar en, adosar a.

abutment, empotramiento (terreno); estribo (estructura), (M) contrafuerte; (mec) tope.

—— **pier,** pila-estribo, pila de estribación.

abutting property, propiedad limítrofe, terreno lindante.

abvolt (elec), abvoltio.

abysmal (geol), abismal, abisal.

abyss (geol), abismo.

abyssal (geol), plutónico, abisal, abismal.

Abyssinian well, pozo abisinio o clavado.

acajou (lbr), caoba; anacardo.

acanthite, acantita (mineral de plata).

Accelator (wp) (trademark), accelador.

accelerant (chem), catalizador, acelerante.

accelerate, acelerar.

accelerated traffic test (ap), prueba de tráfico acelerada.

accelerating

—— **electrode** (ra)(tv), electrodo acelerador.

—— **grid** (ra), rejilla aceleradora.

—— **jet** (auto), surtidor de aceleración.

—— **lane** (rd), faja o trocha de aceleración.

—— **well** (ge), fuente aceleradora.

acceleration, aceleración.

—— **of gravity,** aceleración de la gravedad.

—— **voltage** (ra), tensión acelerante.

accelerator, (auto) acelerador, mariposa de aceleración; (mam) acelerador del fraguado; (quím) acelerador, catalizador; (roc) acelerador; (fma) acelerador.

—— **pedal** (auto), pedal o botón del acelerador.

—— **pump** (auto), bomba de aceleración, (A) bomba de pique.

accelerogram, acelerograma.

accelerograph (earthquake), acelerógrafo.

accelerometer, acelerómetro.

Accelofilter (sd) (trademark), accelofiltro.

accentuation (ra), acentuación.

accentuator (ra), circuito acentuador.

acceptance (com), aceptación.

—— **tests,** pruebas de recepción.

acceptor, (com) aceptador, aceptante; (ra)(quím) aceptor.

—— **circuit** (ra), circuito aceptor, (A) circuito de admisión.

access fitting (elec), accesorio de acceso.

access road, camino de acceso, (Es) camino de entrada.

accessibility, accesibilidad.

accessible, accesible, (al) visitable.

accessories (machy), accesorios, aditamentos.

accident, accidente, desgracia, (náut) siniestro.

—— **insurance,** seguro contra accidentes.

— **prevention,** prevención de accidentes, precauciones contra accidentes, evitación de accidentes.

— **report,** informe sobre accidente, memoria de accidente, (Ch) denuncia de accidente, parte del accidente, (M) reporte de accidente.

accidental (math)(physics), accidental.

— **point** (dwg), punto accidental.

accidented (top), accidentado.

acclimatize, aclimatar.

acclivity, pendiente en subida, contrapendiente.

accommodation

— **ladder** (sb), escalera de portalón, escala real.

— **ramp** (rd), rampa de acceso.

— **train** (rr), tren de escalas.

accordion door, puerta plegadiza.

accountant, contador, contabilista, contable.

accounting, contabilidad.

— **office,** contaduría.

accouplement (carp), acoplamiento.

accretion (geol)(for), acrecimiento, acrecencia.

— **borer** (for), calador para árboles.

accrued depreciation, depreciación acumulada.

accrued interest, interés acumulado o devengado o vencido.

accumulative error, error cumulativo.

accumulator, (eléc) acumulador; (mec) acumulador, amortiguador.

accuracy, precisión, exactitud.

acentric (mech), acéntrico.

acetaldehyde (lab), acetaldehido.

acetate, acetato.

— **green,** pigmento de acetato de plomo.

acetic, acético.

acetin, acetina.

acetol, acetol.

acetone, acetona.

acetylene, acetileno.

— **black,** humo de acetileno.

— **bottle,** véase **acetylene cylinder.**

— **burner,** mechero o quemador de acetileno.

— **cutting,** cortadura oxiacetilénica.

— **cylinder,** cilindro para acetileno, recipiente de acetileno.

— **generator,** generador o gasógeno de acetileno.

— **light,** farol o lámpara de acetileno.

— **series,** serie acetilénica.

— **torch,** soplete oxiacetilénico.

— **welding,** soldadura oxiacetilénica.

acetylenic, acetilénico.

acetylide (chem), acetiluro.

achromatic, acromático.

acid, s ácido; a (quím) ácido; (geol) persilícico.

— **brittleness** (met), fragilidad ácida.

— **bronze,** bronce antiácido.

— **cell** (elec), acumulador ácido de plomo.

— **feeder,** alimentador de ácido.

— **ground glass,** vidrio despulido por ácido.

— **metal,** aleación antiácida.

— **number** or **value,** índice de acidez.

— **process** (met), procedimiento ácido.

— **proportioner,** dosificador de ácido.

— **reaction,** reacción ácida.

— **salt,** sal ácida, oxisal.

— **sodium carbonate,** carbonato ácido de sodio, bicarbonato de soda.

— **steel,** acero ácido.

acid-core solder, soldadura con núcleo ácido.

acid-resistant, antiácido, resistente al ácido.

acidic, acidificador; persilíceo.

acidify, acidificar.

acidimeter, acidímetro.

acidity coefficient (geol), coeficiente de acidez, relación de oxígeno.

acidize, tratar con ácido, acidificar, acidular, (pet) cargar con ácido.

acidproof, a prueba de ácidos.

acidulate, acidular.

acierage (met), aceración.

acierate, acerar.

acknowledging circuit (rr), circuito para prevención de frenaje automático.

aclastic (optics), aclasto, aclástico.

aclinic line, línea aclínica, ecuador magnético.

acme thread, rosca de 29°.

acmite (miner), acmita (piroxena).

acorn head (re), cabeza de botón alto.

acorn tube (ra), válvula tipo bellota.

acoustic, acústico.

— **compliance** (ra), capacitancia acústica.

— **current meter** (hyd), molinete acústico.

— **feedback** (ra), realimentación o regeneración acústica.

— **filter** (ra), filtro acústico.

— **plaster,** repello acústico, revoque antisonoro.

— **radiator** (ra), transmisor, (A) irradiador acústico.

— **regeneration** (ra), regeneración o realimentación acústica.

— **treatment** (bldg), tratamiento antisonoro, medidas acústicas.

acoustical

— **ceiling,** cielo raso acústico.

— **felt,** fieltro antisonoro.

— **tile,** azulejo antisonoro.

acoustics, acústica.

acre, acre.

acre-foot, acrepié, pie-acre.

acre-inch, acrepulgada.

acreage, área en acres.

acrometer, oleómetro, acrómetro.

across, adv transversalmente, de través, a través; pr a través de.

— **the grain,** a través de las fibras, a través de la hebra.

across-the-line starter (elec), arrancador a través de la línea.

across-the-line valve, válvula de cierre.

act of God, fuerza mayor.

acting manager, administrador interino, gerente suplente.

acting secretary, secretario interino.

actinic, actínico.

actinism, actinismo.

actinium (chem), actinio.

actinodielectric, actinodieléctrico.

actinoelectricity, actinoelectricidad.

actinogram, actinograma.

actinograph (pmy), actinógrafo.

actinography, actinografía.

actinolite (miner), actinolita, actinota (anfíbol).

actinology, actinología.

actinometer (pmy), actinómetro.

actinometric, actinométrico.

actinometry, actinometría.

Actinomycetales (sen), Actinomicetales.

actinophonic, actinofónico.

action, movimiento, funcionamiento; acción; impulsión.

activable (sen), activable.

activate, activar.

activated sludge (sd), cieno activado, lodos o barros o fangos activados.

activator (chem), activador.

active, activo.

— component (elec), componente vatada.

— current (elec), corriente activa o vatada.

— materials (elec), materiales activos.

— power (elec), potencia activa o efectiva.

— sludge (sd), fangos biológicamente activos.

actual, real, verdadero.

— capacity, capacidad real.

— cost, costo efectivo.

— power, potencia real o activa.

actuate, mover, impulsar, actuar, accionar.

actuator, actuador, (Es) actuante.

acute angle, ángulo agudo.

acute-angled, acutángulo.

acyclic (elec), unipolar, acíclico.

ad valorem, ad valórem.

adamantine a (miner), adamantino.

— drill, sonda de municiones, (M) barrena adamantina.

— spar, corindón.

adamellite (geol), adamelita.

adapter, (med) adaptador; (lab) alargadera; (ra) adaptador.

— plug (t), tapón adaptador.

adapter-type ball bearing, cojinete de bolas con adaptador.

adapting frame (pmy), marco adaptador.

Adcock antenna, antena Adcock.

add, sumar; agregar.

addendum (gear), cabeza.

— circle, circunferencia o círculo de cabeza.

adding machine, máquina de sumar, sumadora.

adding material (w), metal de aporte.

addition, adición, suma.

— agent (elec), aditivo.

additive, s (pet) aditivo; a aditivo.

adhere, adherirse.

adhesion, adhesión, adherencia.

adhesive a, adhesivo, adherente.

adiabatic, s adiabática, curva o línea adiabática; a adiabático.

— bulk modulus, módulo adiabático de volumen.

— curve or line, curva adiabática, adiabática.

— gradient, gradiente adiabático.

adiactinic, adiactínico.

adiathermic, adiatérmico.

adit, socavón, tiro inclinado, pozo de arrastre, (min) galería de extracción, (min) contramina.

adjacent angles, ángulos adyacentes.

adjacent-channel selectivity (ra), selectividad contra canales adyacentes.

adjoiner (surv), propietario colindante.

adjust, (inst) corregir, verificar; (lev) ajustar; (maq) arreglar, poner en punto, ajustar; (maq) regular; (leg) ajustar, asesorar.

adjustable, regulable, graduable, ajustable, (inst) corregible.

— capacitor (elec), véase variable capacitor.

— resistor (ra), resistencia graduable, resistor ajustable.

adjustable-blade turbine, turbina de álabes regulables.

adjustable-feed lubricator, lubricador de alimentación regulable.

adjustable-speed motor, motor de velocidad regulable o ajustable.

adjustable-voltage control, control por tensión regulable.

adjuster, (mec) ajustador, regulador, compensador; (seg) asesor, ajustador.

adjusting, ajustaje, regulación, arreglo; corrección.

— nut, tuerca ajustadora.

— pin (inst), clavija de corrección.

— screw, tornillo de ajuste; (inst) tornillo de corrección.

— tool, ajustador.

adjustment, (mec) ajuste, reglaje, regulación; (inst) corrección, verificación.

adjutage, tubo de salida, regulador de descarga, pitón, surtidor.

admedium lamp base, pie de lámpara poco más grande que el mediano.

administration building (ap), edificio de administración, edificio central.

administration, by, por administración.

administration expense, gastos de administración.

admiralty brass, véase admiralty metal.

Admiralty constants (na), coeficientes para la potencia requerida en máquinas marinas, coeficientes del Almirantazgo.

admiralty metal, aleación de 88% cobre, 10% estaño, 2% cinc.

admission (eng), admisión, aspiración.

— cam, leva de admisión.

— lead, avance de la admisión.

— port, lumbrera de admisión, orificio de aspiración.

— stroke, carrera de admisión, tiempo de aspiración.

— valve, válvula de admisión o de aspiración o de toma.

admittance (elec), admitancia.

admixture, (conc) agregado en polvo, aditivo, (M) adicionante, (A) adicional, (A) mejorador; (conc) compuesto impermeabilizador; (ca) material estabilizador, aglomerante; (pet) agregado coloidal.

adobe, adobe, barro.

— brick, adobe, ladrillo sin cocer.

— brickyard, adobera, adobería.

— mold, adobera.

— structure (soil), estructura barrosa que se agrieta al secarse.

— wall (mud placed in forms), tapia, tapial.

adsorbent, adsorbente.

adsorber (ac), adsorbedor.
adsorption, adsorción.
advance, *s* (mec) avance; *v* (mec) avanzar, adelantar.
—— **heading** (tun), galería de avance o de dirección.
—— **payment,** adelanto, pago anticipado.
—— **resistance wire,** alambre de aleación cobre-níquel para calentador eléctrico.
—— **signal** (rr), señal avanzada o de avance.
—— **the spark** (ge), adelantar o avanzar la chispa.
—— **turn marker** (rd), señal avanzada de curva.
—— **warning sign** (rr)(rd), señal avanzada de advertencia.
—— **yard** (rr), patio de salida.
advancing system (min), laboreo en avance, explotación sin galería preparatoria.
advection (mrl), advección.
advective, advectivo.
adverse grade, pendiente en subida.
advertise for bids, anunciar o avisar la licitación, llamar a concurso.
advertisement, anuncio, aviso.
adz, *s* azuela, (C) azada; *v* ázolar, aparar.
—— **block** (ww), cabezal portacuchillas.
—— **eye** (t), ojo tipo de azuela.
—— **handle,** mango o cabo de azuela.
adzing machine (rr), azoladora.
aeolian (geol), eólico.
aerate, airear, aerar, aerear.
aeration, aeración, aereación.
aerator, aereador.
aerial, *s* (ra) antena; *a* aéreo.
—— **cableway,** cablecarril, cablevía, vía de cable, andarivel.
—— **ferry,** puente transbordador.
—— **frog** (elec rr), aguja aérea; cruzamiento aéreo.
—— **mapping,** aerofotogrametría.
—— **photogram,** aerofotograma.
—— **photographic survey,** fotogrametría aérea, aerofotogrametría.
—— **photography,** aerofotografía.
—— **skidder** (lg), cablevía de arrastre.
—— **topography,** aerofototopografía.
—— **tramway,** tranvía aéreo, andarivel, cable teleférico, aerovía de cable, funicular aéreo, (A) alambrecarril.
—— **triangulation,** aerotriangulación.
aeriform, aeriforme.
aerify, aerificar.
aerobacter (sen), aerobacter.
aerobe (sen), aerobio.
aerobic, aeróbico.
aerobiosis, aerobiosis.
aerocamera, cámara aerofotogramétrica.
aerocartograph (pmy), carta geográfica aérea; aerocartógrafo.
aerocartography, cartografía aérea.
Aerocrete (trademark), aerocreto, (Col) aeroconcreto.
aerodrome, aeródromo, aeropuerto.
aerodynamic, aerodinámico.
aerodynamicist, aerodinamicista.
aerodynamics, aerodinámica.
aerofilter, aerofiltro.
aerofiltration, aerofiltración.

aerogenes (sen), aerógenos.
aerogenic, aerógeno.
aerogram, aerograma.
aerograph (ra), aerógrafo.
aerographic, aerográfico.
aerography, aerografía.
aerohydrodynamic, aerohidrodinámico.
aerolite, (geol) aerolito; (alloy) aerolita.
aeromagnetic survey, levantamiento magnético aéreo o aeromagnético.
aeromechanical, aeromecánico.
aeromechanics, aeromecánica.
aerometer, aerómetro.
aerometry, aerometría.
aeromotor, aeromotor.
aerophone, aerófono.
aerophore (min), aerófora.
aerophotocartography, aerofotogrametría.
aerophotogrammetric, aerofotogramétrico.
aerophotogrammetry, aerofotogrametría.
aerophotographic, aerofotográfico.
aerophotography, aerofotografía.
aeroplane mapping, aerofotogrametría.
aeroprojection (pmy), aeroproyección.
aeroprojector (pmy), aeroproyector.
aerosimplex (pmy), aerosimplex.
aerosol (ac), aerosol.
aerostatic, aerostático.
aerostatics, aerostática.
aerosurveying, aerofotogrametría, fotogrametría aérea.
aerotechnical, aerotécnico.
aerotopograph (pmy), aerotopógrafo.
aerotriangulation, aerotriangulación.
affination, afinación.
affinity (chem), afinidad.
affluent *n*, afluente, tributario.
afflux (hyd), aflujo.
afforestation, plantación o plantío de bosques, arborización.
affreightment, fletamento, fletamiento.
aft (sb), a popa.
—— **of,** a popa de.
after, *a* (cn) popel, de popa; *adv* después; *pr* después de.
—— **deck** (sb), cubierta de popa.
—— **perpendicular** (na), perpendicular de popa.
afterbay (hyd), cámara de salida.
afterbody (na), cuerpo de popa.
afterburning (ge), combustión retardada.
aftercondenser, postcondensador.
aftercooler, postrefrigerador.
aftercooling, postrefrigeración.
afterdamp (min), mofeta, (M) bochorno.
aftergases (min), gases de explosión o de incendio.
afterglow (ra), luminosidad remanente o residual.
afterpeak (sb), parte más a popa de la bodega.
—— **bulkhead** (sb), mamparo más a popa, mamparo del prensaestopas.
aftershock, temblor secundario, sismo final.
against the current, a contracorriente.
against the grain, contra la fibra, a contrafibra, a contrahilo.
agar (sen), agar.
agar-agar, agar-agar.

age-harden (met), endurecerse por envejecimiento.

agency contract, contrato de agencia.

agent, agente, representante; apoderado; (quím) agente.

agglomerate, *s* (geol) aglomerado; *v* aglomerar.

agglutinate, aglutinar.

aggradation (geol), agradación.

aggregate, (conc) agregado, árido, (A) inerte; (ca) árido, agregado; (geol) agregado.

—— **bins,** depósitos para agregados.

—— **processing,** tratamiento del agregado por lavado, clasificación, chancado, combinación, etc., elaboración de los agregados.

—— **production,** producción de agregados.

—— **proportioning,** dosificación o proporcionamiento de agregados.

aggregate-handling plant, instalación para el manejo de agregados.

Aggremeter (trademark), medidor de agregados.

aging, (met) curación, envejecimiento; (eléc) envejecimiento.

—— **test,** ensayo de envejecimiento.

agitate (mech), agitar.

agitator (mech), agitador, batidora.

agreement, convenio, acuerdo, trato.

agricultural drain, desagüe inferior o del subsuelo.

agricultural engineer, agrónomo, ingeniero agrónomo.

agronomist, agrónomo, técnico agrícola.

aground (naut), varado, encallado.

ahead, adelante.

ailsyte (geol), ailsita.

air, aire.

—— **base,** base de aviación, aerobase; (fma) distancia entre puntos de exposición.

—— **beacon,** baliza de aeronavegación.

—— **blast,** chorro o soplo de aire.

—— **brake,** (fc) freno neumático o de aire; freno aerodinámico (avión).

—— **break** (elec), interrupción al aire.

—— **breaker** (elec), disyuntor en aire.

—— **chamber,** cámara o campana de aire.

—— **check** (ht), ventosa, respiradero.

—— **chuck,** mandril neumático.

—— **circuit breaker,** disyuntor al aire.

—— **circulator,** circulador de aire.

—— **cleaner,** depurador o limpiador de aire.

—— **clutch,** embrague neumático.

—— **cock,** llave de alivio de aire, válvula purgadora de aire.

—— **compressor,** compresora de aire, (M) compresora neumática.

—— **condenser,** (eléc) condensador de aire; (mec) condensador de enfriamiento por aire.

—— **conditioner,** acondicionador de aire, (A) temperador de aire.

—— **conditioning,** acondicionamiento de aire, (A) aeroacondicionamiento.

—— **cooling,** enfriamiento por aire; enfriamiento del aire.

—— **core** (elec), núcleo de aire.

—— **course** (min), conducto de ventilación.

—— **crossing** (min), cruzamiento de aire.

—— **drain,** conducto de aire o de ventilación.

—— **drill,** barrena neumática, perforadora de aire, sonda neumática.

—— **duct,** conducto de ventilación o de aire.

—— **engine,** motor neumático.

—— **express** (tr), aeroexpreso, expreso aéreo.

—— **filter,** depurador o filtro de aire.

—— **furnace** (met), horno de tiro natural.

—— **gage,** manómetro de aire.

—— **gap** (elec), entrehierro, intervalo de aire, (A) boquete.

—— **gas,** gas de aire.

—— **grinder,** amoladora neumática.

—— **hammer,** martillo neumático.

—— **harbor,** base o apostadero de hidroaviones, marina para hidroplanos.

—— **hoist,** malacate neumático, torno de aire.

—— **hole,** respiradero; (fund) escarabajo, sopladura.

—— **hose,** manguera para aire comprimido, manguera neumática, (A) caño de goma para aire.

—— **injection** (di), inyección por aire comprimido.

—— **intake,** toma de aire, respiradero, boca de aspiración.

—— **leak** (elec), pérdida por el aire.

—— **lift,** elevador de agua por aire.

—— **line,** línea recta; tubería de aire.

—— **lock,** (tún) esclusa de aire, esclusa neumática, antecámara de compresión; (maq) bolsa de aire.

—— **mat** (ac), filtro seco para aire.

—— **motor,** motor neumático.

—— **photography,** aerofotografía.

—— **pocket,** bolsa de aire.

—— **port,** orificio de ventilación, respiradero, sopladero; (cn) ojo de buey, porta.

—— **pressure,** presión del aire, presión neumática.

—— **pump,** bomba de vacío; bomba compresora de aire; elevador de agua por aire; (auto) bomba para neumáticos; bomba neumática, bomba a aire comprimido.

—— **receiver,** tanque receptor de aire, tanque de compresión, depósito de aire, (Ch) campana para aire.

—— **scrubber,** depurador del aire.

—— **separator,** separadora de aire; separadora por aire.

—— **shaft,** pozo de ventilación o de aire, caja de ventilación, tiro ventilador, tragante, chimenea de aire.

—— **space,** hueco, espacio vacío.

—— **spade,** pala neumática, martillo de pala, zapadora neumática, (V) palín, (C) guataca.

—— **station** (pmy), punto aéreo de exposición.

—— **survey,** levantamiento aéreo de planos.

—— **swirl** (di), remolino.

—— **switch** (elec), interruptor al aire.

—— **tempering,** atemperación del aire.

—— **terminal** (elec), terminal aéreo.

—— **tools,** herramientas neumáticas.

—— **transportation,** transporte aéreo, (M) aerotransporte.

—— **trap,** trampa o colector o interceptor de aire.

—— **valve,** válvula de aire, ventosa, respiradero.

—— **vent**, respiradero, aspirador de aire, ventosa, venteo, sopladero.

—— **washer**, depurador del aire, lavadora de aire.

—— **well**, pozo de ventilación o de aire.

—— **winch**, malacate neumático.

air-acetylene welding, soldadura aeroacetilénica.

air-actuated, impulsado por aire comprimido.

air-blast heater, calentador a soplo de aire.

air-blast transformer, transformador enfriado por soplo de aire.

air-blown asphalt, asfalto refinado al aire.

air-borne (ac), llevado por el aire.

air-break switch, interruptor al aire.

air-cell pipe covering, revestimiento aerocelular.

air-condition *v*, acondicionar el aire.

air-cooled, enfriado por aire.

air-core transformer, transformador de núcleo de aire.

air-dried, secado al aire.

air-driven, impulsado por aire comprimido.

air-entraining (conc), arrastrando aire.

air-hardened, endurecido al aire.

air-line oiler (drill), aceitera de línea.

air-locked, obturado por aire.

air-operated, neumático, impulsado por aire comprimido.

air-release valve, válvula de alivio, ventosa.

air-seasoned, secado al aire.

air-setting mortar (rfr), mortero de fraguado al aire o a temperatura baja.

air-slaked, apagada al aire (cal); descompuesto en el aire (roca).

airbound, obturado o trabado por aire.

airbrush, pulverizador, pistola pulverizadora, rociador de pintura.

airdrome, véase airport.

airfield, campo de aviación, cancha de aterrizaje.

—— **mat**, estera de acero para pistas de aterrizaje.

airfoil, superficie aerodinámica.

—— **fan**, ventilador de aletas aerodinámicas.

airline, línea o empresa de aviación.

airometer, contador de aire.

airpark, campo de aviación, cancha de aterrizaje, aeropuerto menor.

airplane, avión, aeroplano.

—— **mapping**, cartografía aérea.

airport, aeropuerto, aeródromo, campo o puerto de aviación, campo de aterrizaje.

—— **beacon**, faro de aeropuerto.

—— **of entry**, aeropuerto aduanero.

—— **traffic control**, control de las llegadas y salidas de los aviones.

airproof, hermético.

airstrip, pista o faja de aterrizaje.

airtight, a prueba de aire, hermético, estanco al aire.

airway, ruta aérea, aerovía; (ra) faja de frecuencias; (min) conducto de ventilación.

—— **beacon**, faro de ruta aérea.

aisle, pasillo, pasadizo.

Ajax metal, metal antifricción de cobre, estaño, plomo y arsénico.

Ajax powder, explosivo usado en minas.

akerite (geol), aquerita.

alabandite (miner), alabandina, alabandita.

alarm

—— **gage** (bo), manómetro de alarma; avisador de bajo nivel.

—— **relay** (elec), relai avisador o de alarma.

—— **valve** (sk) válvula de alarma.

alaskite (geol), alasquita (granito).

albedo (pmy), albedo.

albite (miner), albita (feldespato).

albolite (mas), albolita.

albumin glue, cola de albúmina.

albuminoid, *s* albuminoide; *a* albuminoideo.

—— **ammonia** (sen), amoníaco albuminoideo.

—— **nitrogen** (sen), nitrógeno albuminoideo.

albumose (sen), albumosa.

alburnum (lbr), alburno, albura.

Alclad (trademark), duraluminio revestido de aluminio puro.

alcohol, alcohol.

Alcumite (alloy)(trademark), alcumita (87.5% cobre, 7.5% aluminio, 3.5% hierro).

aldohexose (su), aldohexosa.

alemite fittings, accesorios para engrase "Alemite."

alemite gun, pistola para engrase "Alemite."

aleotropic, anisotrópico, anisótropo.

alga (sen), alga.

algae, algas.

algaecide, algecida.

algal, algáceo.

algebra, álgebra.

algebraic, algebraico.

alidade (surv), alidada.

align, alinear, enderezar, enfilar.

aligner, alineador.

aligning tool, alineador.

alignment, alineación, alineamiento, enderezamiento; (ra) sincronización, alineación.

—— **bearing**, cojinete de alineamiento.

—— **chart**, nomograma.

—— **gage**, calibrador o indicador de alineación.

—— **tester** (mt), probador de alineación.

aline, **alinement**, véase align. alignment.

alite (ct), alita.

alive (elec), cargado.

alizarin red (sen), rojo de alizarina.

alkalescence, alcalescencia.

alkalescent, alcalescente.

alkali, álcali.

—— **soil**, suelo que contiene sales solubles.

alkali-resisting paint, pintura antialcalina.

alkalimeter, alcalímetro.

alkalimetry, alcalimetría.

alkaline, alcalino.

—— **cell** (elec), acumulador alcalino.

—— **earth** (chem), tierra alcalina.

alkalinity, alcalinidad.

alkaliproof, a prueba de álcalis.

alkalize, alcalizar.

alkylize, alquilar, alquilizar.

all-bell cross (p), cruz de campanas.

all-bell T (p), T de campanas.

all-day efficiency, rendimiento diario.

all-heart tie (rr), traviesa sin albura o de corazón.

all-over landing field, campo para aterrizaje en todas partes.

all-pass filter (ra), filtro de todo paso.
all-ups (min), todouno, carbón como sale de mina (sin cribar).
all-veneer plywood, madera laminada sin alma.
all-wave antenna (ra), antena de toda onda.
all-wave oscillator (ra), oscilador o generador de toda onda.
all-way airport, aeropuerto para aterrizaje y despegue en todos sentidos.
all-weather airport, aeropuerto de todo tiempo.
all-weather road, camino siempre transitable.
all-wheel drive (auto), impulsión sobre cuatro ruedas.
allanite (miner), alanita.
Allan's metal, aleación de 55% cobre y 45% plomo
allemontite (miner), alemontita, antimonio arsenical.
alleviator (hyd), aleviador.
alley arm (elec), cruceta excéntrica.
alligator (lg), rastra; bote que puede moverse sobre el terreno.
—— clip, pinza.
—— grab, pinzas de lagarto, atrapador de mandíbulas.
—— shear, cizalla de palanca.
—— squeezer (met), cinglador de quijadas o de palanca.
—— wrench, llave dentada o de mordaza.
allogenic (geol), alógeno.
allowable load, carga límite o admisible o de seguridad.
allowable working stress, esfuerzo límite de trabajo, fatiga de trabajo admisible.
allowance (mech), concesión; tolerancia; sobreespesor.
alloy, s aleación, liga, aligación, (U) aleaje; v alear, ligar.
—— cast iron, fundición de aleación o de liga.
—— steel, acero de aleación o de liga.
alluvial, aluvial, aluvional.
—— cone, cono aluvial.
—— deposit, aluvión, depósito aluvial, terreno de aluvión, terreno de acarreo, acarreo fluvial, (Pe) terreno de transporte.
—— fan, cono o abanico aluvial.
—— tin, estaño de acarreo (casiterita).
alluviation, acumulación aluvial.
alluvion, avenida, inundación, aluvión.
alluvium, aluvión, tierra aluvial, acarreo fluvial.
Alnico (trademark), aleación de acero 50%, aluminio 20%, níquel 20%, y cobalto 10%.
alongside (naut), al costado; abarloado.
aloxite (abrasive), aloxito.
alpax (alloy), alpax.
alpha, alfa.
—— brass, aleación de 64% cobre con 36% cinc.
—— iron, hierro alfa.
—— methyl naphthalene, alfametilnaftalina, alfametilnaftaleno.
—— particle, partícula alfa.
—— ray, rayo alfa.
alpha-naphthol, alfa-naftol.
alpha-naphthylamine acetate, acetato de alfanaftilamina.
Alphaduct conduit (trademark)(elec), tubería flexible no metálica.

altar (dd), escalón, grada.
altazimuth instrument, teodolito altacimutal.
alteration, (ed) reedificación, refección; (geol) alteración.
alternance, alternancia.
alternate, s (especificación) variante, alternativa; v alternar.
—— angles, ángulos alternos.
alternate-line scanning (tv), exploración entrelazada, (Es) exploración alterna de líneas.
alternating
—— current (a.c.), corriente alterna o alternada o alternante (c.a.).
—— device (sd), dispositivo de alternación.
—— light (pw)(ap), luz o faro alternante.
—— siphon (sen), sifón alternante.
—— stress, esfuerzo alternante.
alternation, alternación, (eléc)(A) alternancia.
alternator (elec), alternador.
—— transmitter (ra), alternador-transmisor.
altigraph, altígrafo, altímetro registrador.
altimeter, altímetro.
altimetrical, altimétrico.
altimetry, altimetría.
altitude, altitud, altura, elevación.
—— angle (surv), ángulo vertical.
—— barometer, barómetro o aneroide altimétrico.
—— gage (ht), indicador de nivel del agua.
—— valve, válvula controladora de nivel.
altogether coal, todouno, carbón como sale de la mina (sin cribar).
Aludur, aleación de aluminio con magnesio y silicio.
alum, alumbre; sulfato de aluminio.
—— pot (wp), tanque alimentador de alumbre.
—— rock, alunita, piedra de alumbre.
—— shale or schist, esquisto aluminoso.
—— stone, alunita, piedra de alumbre.
alumel, aleación de níquel (3 partes) y aluminio (1 parte).
alumina, alúmina.
—— brick, ladrillo refractario de alúmina.
—— cream (lab), crema de alúmina.
aluminate n (chem), aluminato.
aluminic, alumínico.
aluminiferous, aluminífero.
aluminite (miner), aluminita.
aluminium, aluminio.
aluminize, aluminizar.
aluminoferric, aluminoférrico.
aluminosilicate, aluminosilicato.
aluminothermic, aluminotérmico.
—— welding, soldadura aluminotérmica o de termita.
aluminothermics, aluminothermy, aluminotermia.
aluminous, aluminoso.
aluminum, aluminio.
—— brass, latón de aluminio.
—— bronze, bronce de aluminio.
—— foil, hoja de aluminio.
—— hydroxide, hidróxido de aluminio, (miner) gibbsita.
—— oleate, oleato alumínico o de aluminio.
—— oxide, óxido de aluminio, alúmina.
—— paint, pintura alumínica.

—— **powder**, polvo de aluminio.
—— **shapes**, perfiles de aluminio.
—— **steel**, acero al aluminio.
—— **sulphate**, sulfato de aluminio (alumbre de filtro).
aluminum-base alloy, aleación a base de aluminio.
aluminum-cell arrester (elec), pararrayos a pilas de aluminio.
aluminum-soap grease, grasa de jabón de aluminio.
alundum (rfr), alundo.
alunite (miner), alunita.
amacratic lens, lente amacrático.
amalgam (met)(miner), amalgama.
amalgamate, amalgamar.
amalgamation process, beneficio por amalgamación.
amalgamator, amalgamador.
amatol (explosive), amatol.
amberite (explosive), amberita.
ambit, contorno, ámbito.
American bond (bw), trabazón ordinaria (1 hilada de tizones con 5 hiladas de sogas).
American deal (European term), pino blanco americano.
American gage (wire), calibre americano, calibre de Brown y Sharpe.
amianthus (miner), amianto.
amicron (chem), amicrón.
amide (chem), amida; amido.
amidships *adv* (st), al centro del buque.
amino acid (sen), aminoácido.
p-**aminodimethylaniline** (wp), *p*-aminodimetilanilina.
ammeter (elec), amperímetro, amperómetro.
ammonal, explosivo de nitrato de amonio con aluminio pulverizado.
ammonia, amoníaco.
—— **alum**, alumbre de amonio.
—— **condenser**, condensador de amoníaco.
—— **dynamite**, dinamita amoniacal.
—— **feeder** (sen), alimentador de amoníaco.
—— **fittings** (p), accesorios a prueba de amoníaco.
—— **gage**, manómetro de presión de amoníaco.
—— **gelatin** (bl), gelatina amoniacal.
—— **nitrogen** (sen), nitrógeno amoniacal.
—— **permissibles** (bl), explosivos amoniacales aprobados.
—— **valve**, válvula a prueba de amoníaco.
ammoniacal, amoniacal.
ammoniation, amoniación.
ammoniator (wp), amoniador.
ammonification ammonization, amonización.
ammonium, amonio.
—— **acetate**, acetato amónico o de amonio.
—— **chloride**, cloruro amónico o de amonio, clorhidrato de amoníaco.
—— **molybdate** (lab), molibdato amónico.
—— **nitrate**, nitrato amónico o de amonio.
—— **sulphate**, sulfato amónico o de amonio, (miner) mascagnita.
amoeba (sen), amiba, ameba.
amoebic, amíbico, ambiano.
—— **dysentery**, disentería amibiana.
amoebicide *n a*, amibicida.

amorphous, amorfo.
amortisseur winding (elec), devanado amortiguador.
amortization, amortización.
amortize, amortizar.
ampelite, ampelita, esquisto carbonoso.
amperage (elec), amperaje.
ampere (elec), amperio.
ampere-foot, amperio-pie.
ampere-hour, amperio-hora.
—— **efficiency**, rendimiento en amperios-horas.
—— **meter**, contador de amperios-horas o de corriente.
ampere-turn, amperio-vuelta, amperivuelta.
amperemeter, amperímetro.
amphibian *n a* (ap), anfibio.
amphibole (miner), anfíbol.
amphibolic, anfibólico.
amphibolite (geol), anfibolita.
amphoteric (chem), anfótero.
amplidyne (ra), amplidina.
amplification (optics)(elec), amplificación.
—— **constant**, coeficiente o constante de amplificación.
—— **factor** (ra), coeficiente de amplificación.
amplifier (elec), amplificador.
—— **stage** (ra), etapa amplificadora.
—— **tube** (ra), tubo amplificador, válvula amplificadora.
amplify (elec), amplificar.
amplitude (math)(elec)(ra), amplitud.
—— **compass**, brújula de azimut.
—— **distortion** (ra), distorsión de amplitud.
—— **factor**, factor de amplitud.
—— **limiter** (ra), limitador de amplitud.
—— **meter**, vibrómetro.
—— **separator** (tv), separador de amplitud.
amplitude-frequency distortion (ra), deformación de atenuación-frecuencia, distorsión de amplitud-frecuencia.
amplitude-modulated (ra), modulado en amplitud.
ampoule, ampolleta, ampolla.
amygdaloid *n*, roca amigdaloide.
amyl alcohol, alcohol amílico.
amyl xanthate, xantato de amilo.
amylase (sen), amilasa.
anabolic (sen), anabólico.
anaclinal (geol), anaclinal.
anaerobe (sen), anaerobio.
anaerobic, aneróbico, anaeróbico.
anaerobiosis, anaerobiosis, anerobiosis.
anaerogenic (lab), anaerogénico.
anaglyph (pmy), anáglifo.
anaglyphic (pmy), anaglífico.
anaglyphoscope (pmy), anaglifoscopio.
analcime, analcite (miner), analcima, analcita.
analcite basalt, basalto analcítico.
analcitite (geol), analcitita.
anallatic lens, lente analático.
anallatism (surv), analatismo.
analogue, análogo.
analogy (math), analogía.
analysis, análisis.
analyst, analizador, analista.

analytic radial triangulation (pmy), triangulación radial analítica.

analytical, analítico.

—— balance (lab), balanza analítica o de análisis o de precisión.

analytics (math), geometría analítica.

analyze, analizar.

analyzer (ra)(mech), analizador.

anchor, s (náut) ancla, áncora, anclote; (cons) trabilla, sujetador, ancla; v (náut) anclar, ancorar; (náut) fondear; (cons) sujetar, trabar, asegurar, anclar.

—— arm (bdg), tramo de anclaje.

—— bolt, perno de anclaje o de fundación o de sujeción, tornillo de anclaje, (M) perno prisionero.

—— buoy, boya de anclaje.

—— guy, retenida con ancla de tierra.

—— hitch, enganche de vuelta; (cab) vuelta estranguladora o corrediza, eslinga estranguladora.

—— ice, hielo de fondo o de anclas.

—— log, macizo de anclaje, muerto, morillo.

—— maker, ancorero.

—— pile, pilote de anclaje.

—— plate, placa de sujeción, contraplaca.

—— pole, poste de anclaje.

—— ring, arganeo.

—— rod (pole line), barra de ancla.

—— shackle, grillete para ancla.

—— shop, ancorería.

—— tower, columna o torre o mástil de anclaje.

—— winch (sb), malacate para ancla.

anchorage, (náut) fondeadero, ancladero, tenedero; (náut) anclaje, ancoraje; (cons) amarre, sujeción, anclaje; (pte) macizo de anclaje, muerto.

—— dues, derechos de anclaje.

anchored bulkhead, entablonado de contención con tirantes.

anchoring ground, fondeadero, ancladero, tenedero, agarradero; aportadero.

andalusite (miner), andalucita (silicato de aluminio).

anelectric, aneléctrico.

anemogram, anemograma.

anemograph, anemógrafo.

anemographic, anemográfico.

anemometer, anemómetro.

anemometric, anemométrico.

anemometrograph, anemometrógrafo.

anemometry, anemometría.

anemoscope, anemoscopio.

aneroid barometer, barómetro aneroide.

aneroidograph, aneroidógrafo.

angle, ángulo; (est) ángulo, escuadra, viguetaescuadra, perfil angular, (M) viga angular, (C) angular ele.

——— back-pressure valve, válvula angular de contrapresión.

——— bar, (fc) eclisa de ángulo, barra angular, brida angular, eclisa cantonera, (C) mordaza, (C) barrote; (cn) ángulo de hierro.

—— bead (bldg), cantonera, guardavivo.

—— brace, (cons) cuadral, riostra angular, esquinal, riostra diagonal; (carp) berbiquí de engranaje, berbiquí para rincones.

—— butt weld, soldadura a tope en ángulo.

—— check valve, válvula angular de retención.

—— compressor, compresor de ángulo.

—— coupling, acoplamiento angular.

—— cutter, máquina cortadora de hierros angulares.

—— iron, hierro angular, ángulo de hierro, fierro angular, angular, (Es) cantonera, (C) angular ele.

—— meter, clinómetro; goniómetro.

—— mirror (surv), escuadra de espejos.

—— of advance (se), ángulo de avance.

—— of arrival (ra), ángulo de llegada.

—— of attack, ángulo de ataque.

—— of beam (ra), ángulo de rayo.

—— of coverage (pmy), ángulo de vista.

—— of crab (pmy), ángulo de deriva.

—— of deflection, ángulo de desviación o de desvío.

—— of departure (ra), ángulo de salida.

—— of depression (surv), ángulo de depresión, ángulo descendente.

—— of elevation (surv), ángulo vertical o ascendente o de elevación.

—— of emergence (geop), ángulo de salida.

—— of friction, ángulo de fricción o de rozamiento o de reposo.

—— of glide (ap), ángulo de planeo.

—— of internal friction, ángulo de fricción interior o de frotamiento interno.

—— of intersection (rr), ángulo de intersección o de contingencia.

—— of keenness (mt), ángulo de filo o de la herramienta.

—— of lag (elec), ángulo de retraso o de atraso.

—— of lead (se), ángulo de avance.

—— of radiation (ra), ángulo de radiación.

—— of relief (mt), ángulo de rebajo.

—— of repose or of rest, ángulo de fricción o de reposo, talud natural.

—— of shearing resistance (sm), ángulo de resistencia al corte.

—— of skew, ángulo de sesgo o de esviaje.

—— of strike (geop), ángulo de rumbo.

—— of view (pmy), ángulo de vista.

—— of wall friction (sm), ángulo de fricción del relleno con el muro.

—— of wrap, ángulo de contacto entre polea y correa.

—— pillow block, caja de chumacera angular.

—— plate (rr), véase angle bar.

—— prism (surv), escuadra prisma.

—— rafter, lima tesa.

—— reflector (il), reflector angular.

—— rib (groin), aristón.

—— strike (lock), cerradero angular.

—— target (surv), mira o corredera angular.

—— tower (elec), torre de ángulo.

—— trowel, llana acodada.

—— valve, válvula angular o acodillado o de codo, llave de ángulo.

—— vise, tornillo ajustable, cárcel o morsa de ángulo.

—— weld, soldadura en ángulo.
—— wrench, llave acodada.
angles back to back (str), ángulos espalda con espalda.
angledozer (ce), hoja de empuje angular, (A) topadora angular, (M) escrepa de empuje en ángulo.
anglesite, anglesita (mineral de plomo).
anglesmithing (sb), herrería de ángulos.
angling bulldozer (ce), hoja de empuje angular, topadora angular.
angstrom unit (il), unidad angstrom.
angular, angular, anguloso.
—— acceleration, aceleración angular.
—— advance (se), ángulo de avance.
—— bitstock, berbiquí acodado.
—— displacement, calaje, desviación angular.
—— frequency (ra), frecuencia angular o de radián.
—— gear, engranaje cónico o angular; engranaje helicoidal.
—— lead, ángulo de avance.
—— length (ra), largo en radianes.
—— magnification (pmy), ampliación angular.
—— parallax, paralaje angular, ángulo paraláctico.
—— perspective, perspectiva angular o de dos puntos.
—— pitch (elec), avance angular.
—— slide (mt), cursor en ángulo.
angular-contact bearing, cojinete de contacto angular.
angularity, angulosidad.
anhydride (chem), anhídrido.
anhydrite (miner), anhidrita (sulfato anhidro de calcio).
anhydrous, anhidro, anhídrico.
aniline, anilina.
—— black, negro de anilina.
—— point (pet), punto de anilina.
animal n a, animal.
—— charcoal, carbón animal o de huesos.
—— fat (lu), grasa animal.
—— glue, cola animal, osteocola, cola de huesos.
—— traction, tracción a sangre.
anion (chem), anión.
anisometric, anisométrico.
anisotropic, anisotrópico, anisótropo.
ankaramite (geol), ancaramita.
ankaratrite (geol), ancaratrita.
annabergite (miner), anabergita (arseniato hidratado de níquel).
anneal, recocer, destemplar, (Es) revenir.
annealing, destemple, recocido, recocción.
—— furnace, horno de recocer, hornillo de destemplar.
—— point, punto de recocido.
annual ring (lbr), anillo anual.
annular, anular.
annunciation (elec), indicación.
annunciator, indicador, anunciador, cuadro indicador.
—— wire, alambre de anunciador (alambre forrado de algodón parafinado).
anodal, anódico.
anode (elec), ánodo.

—— battery, batería anódica o de placa.
—— bend (ra), curvatura de la característica anódica.
—— circuit, circuito anódico o de placa.
—— converter, convertidor para voltaje anódico.
—— detector (ra), detector de ánodo.
—— dissipation, disipación de placa.
—— drop, caída de tensión al ánodo.
—— impedance (ra), impedancia anódica o de placa.
—— voltage, tensión anódica o de placa.
anode-bend rectification (ra), rectificación por curva anódica.
anode-ray current (ra), corriente de rayos anódicos.
anodic, anódico.
anodize, anodizar.
anolyte (elec), anolito.
anomalous dispersion (tv), dispersión anómala, (Es) dispersión anormal.
anomaly (all senses), anomalía.
anopheles (mosquito), anofeles.
anopheline, anofelino.
anorthite (miner), anortita (feldespato).
anorthosite (geol), anortosita.
anotron (ra), anotrón.
ant guard, guardahormigas, (C) guardera contra hormigas.
antagonistic spring, resorte de retroacción, muelle antagonista.
antalkaline, antialcalino.
antechamber (di), antecámara, cámara de precombustión.
antenna (ra), antena.
—— adapter, adaptador o eliminador de antena.
—— array, antena direccional.
—— coil, bobina del circuito de antena.
—— coupler, acoplador o acoplamiento de antena.
—— eliminator, eliminador o adaptador de antena.
—— gain, rendimiento de antenna direccional.
—— reflector, antena de reflexión o de inversión.
anthracene (chem), antraceno.
—— oil, aceite antracénico.
anthraciferous (geol), antracífero.
anthracite coal, antracita.
anthracitic, antracítico.
anthracitous, antracitoso.
antianopheline, antianofelino.
antibiosis (sen), antibiosis.
anticapacitance switch (ra), interruptor anticapacitancia.
anticatalyst (chem), anticatalizador.
anticathode (ra), anticátodo.
antichlor (chem), anticloro.
anticlastic (math), anticlástico.
anticlinal, anticlinal.
anticline (geol), anticlinal.
anticlinorium, anticlinal múltiple o compuesto, (A) anticlinorio.
anticlockwise rotation, véase counterclockwise rotation.
anticoagulant, anticoagulante.
anticoherer (ra), anticohesor.
anticondensation, anticondensación.
anticorrosive, anticorrosivo.

anticreeper (rr), abrazadera antideslizante, ancla de vía, silla de detención.
antidazzle, antideslumbrante.
antidetonant (ge), antidetonante.
antifading (ra), antidesvanecedor.
antifoam (bo), antiespuma.
antifouling (pt), antincrustante, antiséptico.
antifreeze, anticongelante.
antifriction, antifricción, contrafricción.
antigen (lab), antígeno.
antigenic (lab), antigénico.
antiglare (gl), antideslumbrante, (A) antivaho.
antihalation (pmy), antihalo.
antihum (elec), antizumbido.
antihunt (elec), antifluctuación.
anti-icer, anticongelador.
anti-incrustator, antincrustante.
anti-induction (elec), antiinductivo.
antiknock (ge), antidetonante, antigolpeteo.
—— rating, grado antidetonante.
antilogarithm, antilogaritmo.
antimalaria, antipalúdico.
antimicrophonic valve (ra), válvula antimicrofónica.
antimonate (chem), antimoniato.
antimonial, antimonial.
—— lead, plomo antimonial o antimonioso.
antimonic, antimónico.
antimonide, antimoniuro.
antimonious, antimonioso.
antimonite, (quím) antimonito; (miner) antimonita, estibnita.
antimoniureted, antimoniado.
antimony, antimonio.
—— blende, quermesita, antimonio rojo.
—— bloom, antimonio blanco, flores de antimonio.
—— crude, sulfuro de antimonio.
—— glance, estibnita.
—— glass, vidrio de antimonio.
—— ocher, ocre de antimonio, cervantita.
—— white, trióxido de antimonio.
antinode (ra), antinodo, (Es) comba.
antinormal, antinormal.
antioxidant, antioxidante.
antiparallel (math), s antiparalela: a antiparalelo.
antiparasitic (elec), antiparásito.
antiphase (elec), antifase, fase opuesta.
antipriming (bo), antiebullicivo.
antiresonance (ra), antirresonancia.
antirust, antioxidante, anticorrosivo.
antiscale compound (bo), antincrustante, desincrustante.
antiseismic, antisísmico.
antiseize, antiaferrador, (A) antiengrane.
antiseptic, antiséptico.
antiserum (lab), antisuero.
antishort (elec), anticorto-circuito.
antisiphon, antisifonaje.
antiskid, antideslizante, antipatinador.
antislip, antirresbaladizo.
antisplitting device, dispositivo antirrajadura.
antisqueak, antirrechinante, antichirrido.
antistatic (ra), antiestático.

antistripping compound (rd), compuesto adhesivo.
antisymmetrical, antisimétrico.
antlerite, antlerita, sulfato de cobre nativo.
anvil, (her) yunque, bigornia, (M) ayunque; (inst) tope, quijada fija.
—— bars (su), barras de yunque.
—— beak, pico o cuerno del yunque.
—— block (steam hammer), yunque inferior del martinete.
—— chisel, tajadera de yunque.
—— cutter, tijeras de golpe.
—— dross, escoria de fragua.
—— stock, cepo del yunque.
—— tools, herramientas de yunque.
—— vise, yunque de tornillo.
anvil-faced frog (rr), corazón con inserciones de acero endurecido.
apatite (miner), apatita.
aperiodic (elec), aperiódico.
aperiodicity, aperiodicidad.
aperture, orificio; abertura; (cn) vano para hélice.
—— stop (pmy), limitador de luz.
aphanite (geol), afanita.
aphanitic, afanítico.
aphthitalite (miner), aftitalita, glaserita, arcanita.
aphtit (alloy), aftita.
aplite (geol), aplita.
aplobasalt (geol), aplobasalto.
aplogranite (geol), aplogranito.
apochromatic lens, lente apocromática.
apogean tides, mareas muertas o de apogeo.
apomecometer (surv), apomecómetro.
aporhyolite (geol), aporiolita.
apothem (math), apotema.
apparatus, aparato.
—— dew point (ac), punto de intersección (diagrama) de la línea de acondicionamiento con la curva de saturación.
apparent, aparente.
—— beam candle power, intensidad aparente del haz.
—— cohesion (sm), cohesión aparente.
—— elastic limit, límite aparente de elasticidad.
—— horizon, horizonte sensible o visible.
—— inductance (elec), inductancia aparente.
—— pitch (th), paso aparente.
—— power, potencia o vatiaje aparente.
—— slip ratio (na), relación de retroceso aparente.
—— specific gravity, peso específico aparente.
—— time, tiempo aparente, tiempo solar.
—— watts, vatiaje o potencia aparente.
apple wood, manzano.
Appleton layer (ra), capa Appleton, capa F.
appliance, dispositivo, artefacto, aparato, artificio, órgano.
—— load (ac), demanda por aparatos, carga de utensilios.
—— switch (elec), interruptor o llave de artefacto.
—— wire (elec), alambre para artefactos.
applicator (rd)(lab), aplicador.
applied, aplicado.

—— **electromotive force,** fuerza electromotriz aplicada.
—— **finish** (conc), revoque, estuco.
—— **hydraulics,** hidráulica aplicada.
—— **mechanics,** mecánica aplicada.
appraisal, valuación, tasación, apreciación, avalúo, valorización, aforo.
appraise, apreciar, tasar, valuar, justipreciar, aforar, valorar, avaluar.
appraiser, tasador, apreciador, avaluador, justipreciador, aforador.
apprentice, aprendiz, (A) cadete.
apprenticeship, aprendizaje.
approach n, acceso, (M) aproches, (Col) aproche; aproximación.
—— **beacon** (ap), baliza de acercamiento.
—— **channel** (hyd), canal de llegada o de acceso.
—— **circuit** (rr), circuito de aproximación.
—— **light** (ap), farol de acercamiento, luz de aproximación, luz de acceso.
—— **locking** (rr), enclavamiento de aproximación.
—— **temperature** (ac), temperatura de acercamiento.
—— **zone** (ap), zona de acercamiento.
appropriation, suma consultada o presupuesta, asignación, consignación, (C) apropiación.
approval, aprobación, visto bueno.
approved, aprobado, visto bueno.
approximate a, aproximado.
approximation, aproximación.
appurtenances, accesorios, aditamentos.
apron, (hid) zampeado, platea, acolchado, derramadero, escarpe, (C) vertedero; (presa hueca) losa delantera, paramento exterior, (U) carpeta posterior; (ds) batiente; (auto) zócalo, delantal; (mec) mandil, placa delantal; (cn) albitana, contrabranque, contrarroda; (geol) cono aluvial; (ventana) guarnición debajo de la repisa; (espigón) piso fuera del galpón; (torno) placa frontal del carro corredizo, tablero; (ap) faja de estacionamiento (frente a los hangares), explanada, (A) plataforma de pista.
—— **conveyor,** transportador de mandil o de banda articulada, (C) conductor de estera.
—— **feeder,** alimentadora, mandil alimentador.
—— **handwheel** (lathe), rueda de mano del tablero, rueda de avance a mano.
—— **loader,** cargador de mandil.
—— **track** (pier), vía a lo largo del espigón fuera del galpón.
—— **wall,** antepecho, pared entre piso y repisa de la ventana.
apyrous, incombustible.
aqua fortis, agua fuerte, ácido nítrico.
aqua regia, agua regia.
aquagel (pet), acuagel.
Aquastat (trademark), (M) aquastato.
aquatic, acuático.
aqueduct, acueducto, conducto, (Col) conducción.
—— **bridge,** puente acueducto.
—— **canal,** canal de conducción.
aqueoglacial (geol), ácueoglacial.
aqueoigneous (geol), ácueoígneo.

aqueous, acuoso, ácueo.
aquiclude (geohydrology), acuicierre, acuiclusa.
aquifer, capa acuífera o freática.
aquifuge (geohydrology), acuifuga.
araban (su), arabana.
arabinose (su), arabinosa.
Aragon spar, aragonita.
arbitrary (math), arbitrario.
arbitrate, arbitrar, terciar.
arbitration, arbitraje, arbitración, arbitramiento, tercería.
arbitrator, árbitro, arbitrador, tercero.
arbor (machy), árbol, eje; portaherramienta.
—— **press,** prensa de husillo.
arc, s (mat)(eléc) arco; v (eléc) formar arco.
—— **blow** (w), soplo magnético del arco, desviación del arco.
—— **brazing,** soldadura fuerte al arco, soldadura de arco con latón.
—— **converter,** convertidor de arco.
—— **cutting,** cortadura por arco eléctrico.
—— **flame** (w), llama del arco.
—— **furnace,** horno de arco.
—— **gate** (min), compuerta radial o de arco.
—— **generator** (ra), generador al arco.
—— **lamp,** lámpara de arco.
—— **lighting,** alumbrado por lámparas de arco.
—— **of meridian,** arco de meridiano.
—— **pacifier** (w), apaciguador de arco.
—— **pitch,** (en) paso circunferencial.
—— **quencher,** apagador de arco.
—— **resistance** (elec), resistencia al arco.
—— **stabilizer** (w), estabilizador de arco.
—— **stream** (w), flujo de arco.
—— **surfacing** (w), revestimiento con arco eléctrico.
—— **torch** (w), antorcha de arco eléctrico.
—— **transmitter** (ra), transmisor por arco.
—— **welder,** soldador de arco; (maq) soldadora de arco.
—— **welding,** soldadura por arco o de arco.
arc-back (ra), arco inverso, retroarco.
arc-over n, salto de arco.
arcade, arcada, arquería, (A) recoba.
arch, s arco, bóveda; v arquear, abovedar, abombar.
—— **bar,** barra arqueada o de arco.
—— **barrel,** cañón, esquife.
—— **brick,** ladrillo de arco, dovela de ladrillo.
—— **bridge,** puente arqueado o de arco o de bóvedas.
—— **centering,** cimbra, cerchón, formaleta, galápago.
—— **culvert,** alcantarilla arqueada.
—— **dam,** presa en arco o de arco simple, presa-bóveda, (M) cortina en arco.
—— **rib** (bdg), nervadura de arco.
—— **ring,** cuerpo de arco, (Es)(Col) rosca.
—— **sheeting,** dovelas interiores o de atrás.
—— **stone,** dovela.
—— **thrust,** empuje del arco.
—— **truss,** armadura en arco.
arch-burned brick, ladrillo alabeado.
arched web (sp), alma combada.
arching effect (ea), arqueamiento, efecto de arco.
architect, arquitecto.

architect's scale (dwg), escala de arquitecto (en pies y pulgadas).
architectural, arquitectónico.
architecture, arquitectura.
archway, vano arqueado.
arcing contact (elec), contacto del arco.
arcing horn (elec), cuerno de arco.
are, área.
area, área, superficie; (ed) véase areaway.
—— meter, contador de carga constante y área variable.
areal, de área.
areaway, pozo fuera del sótano para dar acceso, luz, o ventilación.
arenaceous, arenoso, arenisco, arenáceo.
areometer, areómetro.
areometric, areométrico.
areometry, areometría.
argental, argénteo, argentino.
—— mercury, mercurio argénteo, (M) mercurio argental.
argentic (chem), argéntico.
argentiferous, argentífero.
argentite (miner), argentita, plata gris.
argentous (chem), argentoso.
argillaceous, argilliferous, arcilloso.
argilloarenaceous (geol), arcilloarenoso.
argillocalcareous (geol), arcillocalcáreo.
argon (chem), argón, argo.
argyrite, argyrose (miner), argirita, argirosa, argentita.
argyrythrose (miner), argiritrosa, pirargirita.
arid, árido.
aridity, aridez.
ariegite (geol), ariegita.
arithmetic, aritmética.
arithmetical, aritmético.
—— mean, media aritmética o diferencial.
arkose (geol), arcosa, arenisca arcósica.
arm, (mec) brazo; (mat) palanca; (r) ramal, brazo.
armature, (mot) inducido, (C) armadura; armadura (imán).
—— band, bandaje o zuncho del inducido.
—— bar, barra del inducido.
—— bore, diámetro del hueco para el inducido.
—— coil, bobina del inducido, carrete inducido.
—— core, núcleo del inducido.
—— hub, cubo del inducido.
—— leakage, dispersión en el inducido.
—— spider, estrella del inducido.
—— stand, soporte para inducidos.
—— tester (inst), probador de inducidos.
—— varnish, barniz para inducidos.
—— winding, devanado o arrollamiento del inducido.
Armco iron (trademark), hierro de alta pureza (contiene menos de 0.1% de impurezas).
armor (mech), coraza, blindaje.
—— clamp (elec), abrazadera de la coraza.
—— coat (rd), revestimiento, carpeta, blindado.
armored, blindado, acorazado.
—— cable, conductor con coraza metálica, cable blindado, cable acorazado.
—— concrete, concreto acorazado (revestido de fundición gris).

—— hose, mangera alambrada.
array (ra), antena direccional.
arrested anticline (geol), anticlinal interrumpido.
arrester, (eléc) pararrayos; (eléc) chispero, parachispas; (mec) detenedor.
arris, arista, canto vivo.
—— fillet (rf), véase cant strip.
—— gutter (rf), canalón en V.
arrival platform (rr), andén de llegada.
arrow (surv), aguja de cadeneo.
arrowhead (dwg), punta de flecha, flechita.
arsenate, arseniate (chem), s arseniato; v arseniar.
arsenic n a, arsénico.
—— glass, vidrio arsénico.
—— trioxide, trióxide de arsénico, arsénico blanco.
arsenical, arsenical, arsénico.
—— antimony, alemontita, antimonio arsenical.
—— copper, aleación de cobre con pequeña cantidad de arsénico.
—— nickel, níquel arsenical, niquelina.
—— pyrites, arsénico piritoso, arsenopirita, pirita arsenical.
arsenide, arseniuro.
arsenious, arsenioso.
—— oxide, trióxido de arsénico, arsénico blanco, óxido arsenioso.
arsenite, arsenito.
arsenopyrite (miner), arsenopirita, pirita arsenical.
arterial highway, camino troncal; carretera de acceso limitado.
artery (rd), camino troncal.
artesian, artesiano, surgente.
—— head, carga artesiana.
—— spring, fuente artesiana, manantial artesiano, manantial surtidor, (A) manantial ascendente.
—— water, agua artesiana o surgente.
—— well, pozo artesiano o surgente.
articulated joint, articulación, unión articulada, unión de rótula, (C) cardán.
articulated locomotive, locomotora mallet o articulada.
articulation (mech), articulación.
artificial, artificial, fabricado; artificial, falso.
—— antenna (ra), antena falsa o artificial.
—— asphalt, asfalto artificial.
—— graphite, grafito fabricado.
—— horizon (inst), horizonte artificial.
—— stone, piedra artificial o vaciada, sillares artificiales.
artisan, artesano, oficial.
asbestiform (miner), asbestiforme.
Asbestine (pt)(trademark), asbestina.
asbestine a, asbestino.
asbestos, s asbesto, amianto; a asbestino.
—— blanket (inl), tejido de asbesto acolchonado.
—— board, cartón de asbesto o de amianto asbesto en cartón.
—— bonding, liga de asbesto.
—— braid, trencilla o trenzado de asbesto.
—— cement, cemento de asbesto.
—— cloth, tela de asbesto.
—— felt, fieltro de asbesto.

—— **fiber,** fibra de amianto.
—— **lumber,** planchas de asbesto prensado para forrado de paredes.
—— **packing,** empaquetadura de asbesto, guarnición de amianto.
—— **paper,** papel asbestino.
—— **plaster,** mástique de asbesto.
—— **rock,** roca asbestina.
—— **roofing,** techado de fieltro asbestino.
—— **shingle,** ripia de asbesto.
—— **sleeving** (elec), manguito de asbesto.
—— **synthetic** (inl), sintético asbestino.
—— **wool,** lana de asbesto.
—— **worker,** amiantista.
—— **yarn,** hilaza de asbesto.
asbestos-cement pipe, tubería de asbesto-cemento.
asbestos-covered, forrado de asbesto.
asbestos-insulated wire, alambre aislado de asbesto o forrado de asbesto.
asbestos-packed cock, robinete empaquetado de asbesto.
asbestos-protected metal, metal revestido de asbesto.
asbestos-varnished cambric (inl), asbesto-cambray barnizado.
ascending grade, pendiente en subida.
aschistic (geol), asquístico.
aseismatic, resistente a terremotos.
aseismic, asísmico.
aseismicity, asismicidad.
ash, ceniza; (mad) fresno.
—— **content,** contenido de ceniza.
—— **ejector** (sb), eyector de cenizas.
—— **hoist,** montacenizas, elevador de cenizas.
ashes, cenizas.
ash-handling machinery, maquinaria para manejo de cenizas.
ashlar line, línea exterior del muro arriba del zócalo.
ashlar masonry, sillería, fábrica de sillería, cantería, mampostería de sillares, sillarejo (pequeño).
ashlar stone, sillar, piedra labrada, canto, piedra de sillería, (U) piedra de talla.
ashlaring (carp), montantes cortos en el ángulo inferior del techo.
ashpan, cenicero, guardacenizas.
ashpit, cenicero, foso de cenizas, cenizal, zanja cenicera.
Asiatic cholera, cólera asiático.
aspect ratio, (tv) relación del ancho al alto del cuadro, (aa) relación entre dimensiones de conducto, compuerta o rejilla.
asphalt, s asfalto, betún judaico, brea mineral; v asfaltar.
—— **binder** (rd), ligador asfáltico.
—— **blocks,** adoquines de asfalto.
—— **cement,** cemento bituminoso o asfáltico o de asfalto.
—— **cutback,** asfalto diluído, asfalto cortado, (M) asfalto rebajado, (M) asfalto adelgazado.
—— **cutter,** cortador de pavimento asfáltico.
—— **dipper,** cazo para asfalto.
—— **distributor,** esparcidor de asfalto.
—— **enamel,** asfalto rellenado, esmalte de asfalto.

—— **felt,** fieltro asfaltado.
—— **filler,** rellenador asfáltico.
—— **grouting,** inyecciones de asfalto.
—— **macadam,** macádam asfáltico o asfaltado.
—— **mastic,** mástique asfáltico.
—— **mattock,** alcotana de asfaltador o de dos hachas.
—— **mixer,** mezclador de asfalto.
—— **paint,** pintura asfáltica.
—— **paper,** papel asfáltico.
—— **paver,** asfaltador.
—— **paving,** pavimento asfáltico; pavimentación asfáltica.
—— **pouring pot,** vertedor de asfalto.
—— **primer** (rd), imprimador asfáltico.
—— **putty,** asfalto plástico, repello o masilla de asfalto, (A) masa plástica.
—— **rake,** rastrillo de asfaltador.
—— **rock,** roca impregnada de asfalto.
—— **sandals,** sandalias de asfaltador.
—— **smoother,** plancha de asfalto.
—— **spreader,** esparcidor de asfalto.
—— **stripping** (pet), separación del asfalto.
—— **worker,** asfaltador.
asphalt-base oil, petróleo de asfalto o a base de asfalto.
asphalt-coated, revestido o bañado de asfalto.
asphalt-dipped, bañado de asfalto.
asphaltene, asfaltina, (M) asfalteno.
asphaltic, asfáltico.
—— **emulsion,** véase **emulsified asphalt.**
asphaltite, s (pet) asfaltita; a asfáltico.
asphaltum, asfalto.
aspirated psychrometer (ac), psicrómetro de aspiración.
aspirating nozzle, boquilla aspiradora.
aspirating ventilator, ventilador aspirador.
aspirator, aspirador.
assay, s ensayo, ensaye, contraste; v ensayar, aquilatar, contrastar, quilatar, acrisolar.
assayer, ensayador, quilatador.
assemble, armar, montar, ensamblar.
assembled automobile, coche armado con piezas de varios fabricantes.
assembly, montaje, montura, armadura, ensamble, ensamblaje, (V) acomodo; conjunto, grupo, ensamblado.
—— **jig,** patrón o plantilla de montaje.
—— **line,** cadena de producción, línea de montaje, tren de ensamblaje.
—— **marks,** marcas guías, signos para armadura.
—— **shop,** armaduría.
assessed valuation, tasación oficial.
assets, activo; bienes.
assign, traspasar; ceder.
assignee, cesionario.
assigner, cedente.
assignment, cesión, dejación, traspaso (acreedores); traspaso, transferencia (contrato).
assistant n, asistente, ayudante, auxiliar.
—— **chief,** subjefe.
—— **engineer,** ingeniero auxiliar o ayudante, subingeniero.
—— **foreman,** subcapataz, sobrestante ayudante, cabo de cuadrilla.
—— **inspector,** subinspector.

—— **manager,** subgerente, subadministrador, subdirector, administrador auxiliar, (C) segundo administrador.

—— **secretary,** subsecretario.

—— **superintendent,** ayudante de superintendente, superintendente auxiliar.

assisting gradient, pendiente asistente.

associated channel (ra), canal asociado o común.

assumed azimuth, azimut asumido.

assumed loading, carga presumida o prevista.

assumption, suposición, (A) hipótesis.

assured *n,* asegurado.

assurer, asegurador.

astatic, astático.

astaticism, astaticidad.

astatize, astatizar.

astragal, (carp) listón cubrejunta, tapajunta, contrapilastra; (arq) astrágalo.

astronomic, astronómico.

—— **azimuth,** azimut astronómico.

astronomical, astronómico.

—— **telescope,** anteojo astronómico o de ocular simple o de imagen invertida.

—— **time,** tiempo medio solar, tiempo astronómico.

asymmetric anticline (geol), anticlinal asimétrico.

asymmetrical, asimétrico, no simétrico.

asymmetry, asimetría.

asymptote (math), asíntota.

asymptotic, asintótico.

asynchronism, asincronismo.

asynchronous (elec), asincrónico, asíncrono.

AT-cut crystal (ra), cristal de corte AT.

atacamite (copper ore), atacamita.

athermic, atérmico.

athwart (sb), atravesado.

atmidometer, véase **atmometer.**

atmometer, atmómetro, evaporómetro.

atmosphere, atmósfera.

atmospheric, atmosférico.

—— **absorption** (ra), absorción atmosférica.

—— **condenser** (ac)(rfg), condensador atmosférico.

—— **cooling tower,** torre de enfriamiento atmosférico.

—— **feed-water heater,** calentador atmosférico.

—— **relief valve,** válvula de desahogo a la atmósfera.

—— **tides,** mareas atmosféricas o de la atmósfera.

atmospherics (ra), interferencia atmosférica, (M) atmosférica, (M) estática.

atom, átomo.

atomic, atómico.

—— **hydrogen torch,** soplete de hidrógeno atómico.

—— **hydrogen welding,** soldadura oxhídrica al arco o con soplete de hidrógeno atómico o con arco de hidrógeno atómico.

—— **number,** número atómico.

—— **radius,** radio atómico.

—— **weight,** peso atómico.

atomize, pulverizar, atomizar.

atomizer, pulverizador, atomizador.

atomizing nozzle, boquilla pulverizadora.

attach (mech), fijar, enganchar, juntar.

attached ground water, agua subterránea adherida, (A) agua subterránea fijada.

attachment (mech), fijación, unión; aditamento, accesorio.

—— **plug** (elec), tapón de contacto, clavija de conexión.

attemperator (ac), atemperador.

attenuation (elec), atenuación.

—— **constant,** constante de atenuación.

—— **distortion,** distorsión de atenuación-frecuencia, deformación de amplitud-frecuencia.

—— **equalizer,** igualador de atenuación.

—— **ratio,** relación o razón de atenuación.

attenuator (elec), atenuador.

attle (min), desechos, (M) tepetate.

attraction, atracción.

attrition, desgaste, frotamiento.

—— **mill,** molino de frotamiento.

—— **test,** ensayo de desgaste por frotamiento.

audibility factor (ra), factor de audibilidad.

audibility meter, medidor de audibilidad.

audible, audible.

audio *a* (ra), audio.

—— **amplifier,** audioamplificador, amplificador de audiofrecuencia.

—— **oscillator,** audiooscilador, oscilador de audiofrecuencia.

—— **peak limiter,** limitador de máximo de audiofrecuencia.

—— **signal,** audioseñal.

—— **system,** sistema audiofrecuente, sistema de audio.

—— **voltage,** voltaje de audio, tensión de audiofrecuencia.

audiofrequency, audiofrecuencia, frecuencia audible.

—— **amplifier,** amplificador de audio-frecuencia, audioamplificador.

—— **transformer,** transformador para audiofrecuencias.

audiometer (acoustics), audiómetro.

audion (ra), audión.

audit, *s* revisión, intervención de cuentas; *v* revisar, intervenir, repasar, comprobar.

auditor, interventor, contralor, revisador, revisor de cuentas, (M) glosador, (M) auditor.

auger, barrena, taladro, barrenador.

—— **bit,** mecha de barrena, barrena espiral o de caracol.

augite (miner), augita, piroxena.

augite-porphyrite (geol), augita-porfirita.

augitophyre, augite-porphyry (geol), augita-pórfido, pórfido augítico.

augmenter (condenser), aumentador.

aural, auricular.

aureole (geol), aureola.

austempering (met), austemplado.

austenite (met), austenita.

austenitic, austenítico.

authigenic (geol), autigénico.

autoboat, bote automóvil, autobote.

autocartograph (pmy), autocartógrafo.

autocatalytic (chem)(pet), autocatalítico.

autochthonous (geol), autóctono.

autoclastic (geol), autoclástico.

autoclave, autoclave, marmita hermética.
—— **expansion test** (conc), ensayo de expansión en autoclave.
autocoherer (ra), autocohesor.
autocollimation (pmy), autocolimación.
autoconduction (elec), autoconducción.
autoconverter (elec), autoconvertidor.
autodynamic, autodinámico.
autodyne (ra), *s* autodina; *v* autodinar; *a* autodino.
—— **reception,** recepción autodina.
autoexcitation (elec), autoexcitatión.
autofocusing, de foco automático, autofocador.
autogenetic (geol), autogenético, autogenésico.
autogenizer (w), autogenizador.
autogenous welding, soldadura autógena.
autogiro, autogyro (ap), autogiro.
autograph *n* (inst), autógrafo.
autographic recorder, registrador gráfico.
autoheterodyne (ra), autoheterodino.
autoignition, autoencendido.
autoinduction (elec), autoinducción.
automatic, automático.
—— **flashboard** (hyd), alza automática, tabla basculante automática.
—— **flush tank** (sw), sifón de limpieza automática, tanque de lavado automático, sifón de descarga automática.
—— **frequency control** (ra), control automático de frecuencia.
—— **gain control** (ra), control automático de volumen.
—— **sprinkler,** rociador automático, regadera automática.
—— **tapping chuck,** mandril automático para macho.
—— **time switch** (elec), interruptor cronométrico, interruptor automático de reloj.
—— **volume control** (AVC)(ra), control automático de volumen (CAV).
automatic-curtain filter (ac), filtro de cortina automática.
automobile *n a*, automóvil.
—— **jack,** maatautomóviles, levantacoches.
—— **lift,** elevador de automóviles, levantacoches.
automotive, automotor, automotriz, automóvil; automoviliario.
—— **engineer,** ingeniero diseñador de automóviles, autotécnico.
—— **engineering,** autotécnica, ingeniería de automóviles.
—— **hardware,** herrajes para automóviles.
—— **oil,** aceite para automóviles.
automotor, automóvil.
Autopositive (trademark)(pmy), autopositivo.
autostarter, arrancador automático.
autotransformer, autotransformador.
autotrophic bacteria (sen), bacterias autotróficas.
autotruck, autocamión, camión.
autoxidation (chem), autooxidación.
autumnal equinox, equinoccio otoñal.
auxiliary *n a*, auxiliar.
—— **relay** (elec), relai auxiliar o ayudante.
—— **switch** (elec), interruptor secundario o auxiliar.
—— **valence** (chem), valencia residual.

availability factor (elec), factor de disponibilidad.
available head (hyd), salto aprovechable o disponible.
available sugar, azúcar aprovechable.
avalanche, alud, avalancha, lurte.
avenue, avenida, (Col) carrera.
average, *s* promedio, término medio; (seg) avería; *v* promediar; *a* medio, de término medio.
—— **adjuster** (ins), tasador de avería, asesor o arreglador de averías.
—— **agreement** (rr), convenio sobre cargos por estadía.
—— **bond,** fianza de averías.
—— **loss** (ins), pérdida parcial.
—— **policy,** póliza de averías.
—— **pressure,** presión media.
—— **surveyor,** comisario o arreglador de averías.
average-end-area formula (ea), fórmula de la sección media.
aviation channel (ra), faja para aviación.
aviation gasoline, aerogasolina, aeronafta, gasolina de aviación.
award (contract), *s* adjudicación; *v* adjudicar.
awash, a flor de agua.
awl, lesna, alesna, subilla.
awning, toldo, tienda.
—— **deck** (sb), cubierta sin aberturas sobre una superestructura liviana.
ax, hacha, segur; (cantero) martillo de peña doble.
—— **eye** (t), ojo tipo de hacha.
—— **handle,** mango o cabo de hacha.
—— **stone,** piedra afiladora de hachas.
axhammer, martillo para desbastar piedra.
axhead, cabeza de hacha.
axial, axil, axial, (Es) áxico.
—— **compression,** compresión axial.
—— **thrust,** empuje axial.
axial-flow fan, ventilador axial.
axial-flow turbine, turbina axil o axial o paralela.
axinite (miner), axinita.
axis, eje, línea central.
—— **of collimation** (surv), línea de colimación.
—— **of coordinates,** eje de coordenadas.
—— **of oscillation,** eje de oscilación.
—— **of tilt** (pmy), eje de inclinación.
axle, eje, árbol.
—— **box,** caja de engrase o de chumacera o del eje.
—— **casing** (auto), envoltura de eje.
—— **generator** (rr), generador impulsado por el eje.
—— **grease,** grasa para ejes.
—— **guide** (rr), guía de la caja del eje.
—— **housing** (auto), envoltura del eje, caja del puente trasero.
—— **I beam** (auto), vigueta del eje.
—— **lathe,** torno para ejes.
—— **load,** carga sobre un eje.
—— **pin** (auto), pasador de eje.
—— **press,** prensa de eje.
—— **shaft** (auto), semieje.
—— **sleeve,** manguito del eje.
—— **tube** (auto), envolvente del puente trasero.
axle-hung motor, motor de tranvía apoyado en el eje.

axletree, eje de carretón.
axman (surv), hachero, leñador, estaquero, (Ec) portaestacas.
axonometric projection, proyección axonométrica.
azimuth, azimut, acimut.
— **circle**, círculo azimutal.
— **compass**, brújula azimutal o de azimut.
— **dial**, cuadrante azimutal.
— **grid** (pmy), cuadrícula de azimut.
azimuthal, acimutal, azimutal.
azoic (chem)(geol), azoico.
azurite (miner), azurita, cobre azul.

B battery (ra), batería de placa, batería B.
B power supply (ra), fuente de energía B (circuito de placa).
BB, véase **best best wire**.
Btu, véase **British thermal unit**.
babbitt, s metal babbit o blanco o antifricción; v forrar o revestir de metal babbit, babitar.
— **hammer**, martillo con cotillo de metal babbit.
Babbitt metal, metal babbit o antifricción, (C) metal patente.
babble (tel), interferencia múltiple.
bacillary, bacilar.
bacillus, bacilo.
Bacillus coli (sen), colibacilo, bacilo coli.
back, s trasera, parte de atrás, reverso, revés; (herr) lomo, dorso; (asiento) espaldar, respaldo; (min) techo de la labor; v marchar atrás, retroceder, dar contramarcha; apoyar, favorecer; a posterior, trasero, de atrás; adv de vuelta, de regreso.
— **ampere-turns**, contra-amperios-vueltas.
— **azimuth**, azimut de atrás.
— **brace** (elec), codal de atrás.
— **center** (lathe), contrapunta de la muñeca.
— **contact** (elec), contacto trasero.
— **draft**, contratiro.
— **dump** (tk), descarga por detrás.
— **eccentric**, excéntrica de marcha atrás.
— **edge** (t), contrafilo; dorso.
— **electromotive force**, fuerza contraelectromotriz, (A) contravoltaje.
— **flagman** (surv), abanderado trasero.
— **focal distance** (pmy), distancia focal posterior.
— **gearing** (lathe), engranajes traseros o reductores.
— **head**, (mh) muñeca corrediza, contrapunta; (barreno) cabeza trasera.
— **kick**, contragolpe.
— **light** (rr), luz de reverso; luz de atrás.
— **lining** (window), cara posterior de la caja de contrapeso.
— **marker** (sb), marcador de la cara posterior.
— **off** (mech)(carp), rebajar, despojar.
— **out**, (re) botar; (mh) hacer retroceso, retirar.
— **pitch** (elec), paso trasero (del inducido).
— **pressure**, contrapresión.

— **rake** (mt), ángulo trasero de caída, inclinación trasera.
— **rest** (mt), soporte posterior.
— **roll** (su), maza bagacera o de descarga.
— **spade** (ce), retroexcavador.
— **stope** (min), grada al revés, testero.
— **stroke**, carrera de retroceso.
— **tangent** (surv), tangente de atrás.
— **taper** (t), ahusado al revés.
— **to back**, espalda con espalda.
— **up**, (re) aguantar, sufrir, resistir; (r) remansarse, rebalsarse, estancarse, (Col) (PR) apozarse; (mam) colocar la mampostería bruta detrás de la sillería; (auto) dar contramarcha, marchar atrás.
— **vent**, tubo de antisifonaje.
— **view**, vista por detrás.
— **wave** (ra), onda separadora, onda de reposo, (A) contraonda.
— **wheels**, ruedas traseras.
back-break (min)(tun), fractura fuera de la línea de barrenos.
back-connected switch (elec), interruptor de conexiones por detrás.
back-face, fresar la cara de atrás.
back-geared lathe, torno de engranaje o de engranajes reductores.
back-out tap, macho sacaprisionero.
back-outlet bend (p), curva en U con salida trasera.
back-outlet crossover (p), curva de paso con salida trasera.
back-packing (tun), relleno, acuñamiento, calzamiento.
back-paint v, pintar la superficie encerrada.
back-plaster v, enlucir al revés del listonado metálico.
back-pressure, contrapresión.
— **regulator**, regulador de la contrapresión.
— **steam**, contravapor.
— **turbine**, turbina de contrapresión.
— **valve**, válvula de contrapresión.
back-putty, enmasillar entre el canto del vidrio y el rebajo.
back-rake angle (mt), ángulo superior de inclinación.
back-shunt circuit (elec), circuito de contraderivación.
back-siphoning (pb), sifonaje de aguas residuarias al agua de abastecimiento.
back-spiker (rr), escarpiador.
back-step welding, soldadura de retroceso.
back-titration, retitulación.
back-turn splice (elec), empalme doblado.
backbone (rr), vía de escala.
backdigger (ce), retroexcavador, pala de arrastre, azadón, zanjadora.
backed off (machy), despojado, con franqueo lateral.
backer tile (bldg), bloques huecos de respaldo.
backfill, s relleno, rehincho; v rellenar, rehinchar.
— **tamper** (ce), pisonador de relleno, apisonador, (Ec) pisón.
backfiller (ce), rellenadora.
backfilling, relleno, rellenamiento, (C) rehincho.

backfire, *s* (auto) petardeo, contraexplosión, (A) explosión de retroceso; (auto) encendido anticipado, ignición a contratiempo, (U) falsa explosión; (sol) retroceso momentáneo de la llama; (ra) arco inverso; *v* (auto) petardear.

backflash, véase backfire.

backflow, contraflujo.

background (tv), fondo.

—— noise (ra), ruidos de fondo.

backhand welding, soldadura a la inversa o de revés.

backhaul rope (sh), cable de retroceso.

backhoe (ce), retroexcavador.

backing, (fin) apoyo; (auto) marcha atrás, retroceso, contramarcha; (mam) mampostería bruta detrás de la sillería o encima del cuerpo de arco.

—— light, farol de marcha atrás.

—— log (pier), carrera trasera.

—— ring (w), anillo de respaldo.

—— strip (w), pletina de respaldo, contraplancha, tira de respaldo.

backing-off (mech), franqueo, despojo.

—— lathe, torno de despojar.

backing-out punch, botador, pasador para sacar remaches.

backlash, (maq) contragolpe, golpe de retardo, pérdida de carrera, marcha muerta, culateo; (ra) falta de rectificación.

backplate, placa de atrás.

backsaw, sierra de lomo o de trasdós o con sobrelomo, serrucho de costilla.

backset (lock), distancia del frente a la bocallave o perilla.

backsight, visual inversa, mira de espalda, retrovisual; visual aditiva, retrolectura, (Es) nivelada de atrás o de espalda.

backslope, *s* (ca) talud exterior o del corte; *v* (ca) cortar los taludes del corte.

backsloper, hoja para taludes, ataludadora.

backstay, brandal, burda, traversa.

backup

—— brick, ladrillos detrás de la cara.

—— post (pet), poste de retención.

—— tongs (pet), tenazas de contrafuerza.

backwall, muro de retención encima del asiento del puente, (M) diafragma.

backward-bladed centrifugal compressor, compresora centrífuga de aletas inclinadas hacia atrás.

backward-curved-blade fan, ventilador de aletas inclinadas hacia atrás.

backwash, *s* contracorriente, resaca; *v* (filtro) lavar por corriente de agua limpia, (M) enjuagar.

backwater, remanso, cilanco.

—— curve, curva de remanso.

—— gate, compuerta de retención.

—— suppressor, aliminador de remanso.

—— valve, válvula de retención o de contrapresión.

bacteria, bacterias.

bacterial, bacteriano.

bactericide, bactericida, (A) microbicida.

bacteriologist, bacteriólogo.

bacteriology, bacteriología.

bacteriophage (sen), bacteriófago.

bacteriostatic, bacteriostático.

bad order, desarreglo, descompostura, desajuste.

bad-order track (rr), vía para carros por reparar.

badigeon, compuesto para subsanar defectos de madera o piedra.

baffle *n*, (hid) deflector, chicana, desviador; (ra) pantalla acústica.

—— blocks (hyd), dados deflectores o de amortiguamiento.

—— piers, dientes de choque, dados deflectores.

—— plate, placa deflectora o de desviación, plancha de choque, chicana.

—— tank, tanque con desviadores.

—— wall, pared desviadora, muro de obstrucción, tabique interceptor, atajadizo, tabique desviador, muro de chicana, (C) pantalla, (M) muro de impedir.

baffle-plate exhaust head, amortiguador de escape tipo impacto.

baffle-plate separator (steam), separador de impacto.

bag, *s* saco, bolsa, talega, (M) costal; *v* embolsar, ensacar.

—— baler, máquina empacadora de sacos, enfardadora de sacos.

—— boom (lg), barrera colectora.

—— cleaner, limpiador de sacos.

—— elevator, montasacos.

—— filter (su)(met)(ac), filtro de bolsa o de saco.

—— piler, hacinador de sacos, apiladora de bolsas, (C) entongador de sacos.

bagasse (su), bagazo.

—— carrier, conductor de bagazo.

—— roll, maza bagacera o de descarga.

baggage (rr), equipaje.

—— agent (rr), agente de equipajes, (Es) factor.

—— car, furgón o vagón de equipajes.

—— rack, portaequipajes, rejilla para maletas.

—— room, sala o despacho de equipajes.

—— truck, carretilla de equipaje.

baggagemaster (rr), encargado de los equipajes, manipulador de equipajes.

bagging, arpillera, malacuenda, tejido de saco.

—— bin (su), tolva ensacadora, embudo ensacador.

bail, *s* (cuch) asa, cogedero, marco; (aparejo) estribo; *v* achicar, baldear.

bailer, achicador; (pet) cuchara, achicador.

—— grab (pet), gancho pescacuchara.

bailing, baldeo, achique.

—— line (pet), cable de la cuchara.

bake, cocer al horno.

bakelite, bakelita, baquelita.

bakelized, baquelizado.

baking, cocción.

—— oven, horno de cocer.

—— varnish, barniz para cocer o para secado al horno.

balance, *s* (mec) balanza, balance; equilibrio; (com) saldo, alcance; (cont) balance; *v* (mec) equilibrar, balancear, compensar, abalanzar; (mec) equilibrarse; (lev) ajustar; (eléc) balancear; (cont) balancear, saldar; balancearse.

—— **arbor,** árbol del balancín.
—— **beam,** balancín, astil de balanza.
—— **bob,** contrabalancín.
—— **disk** (pu), disco compensador.
—— **drum** (pu), tambor de compensación.
—— **electrometer,** electrómetro de balanza.
—— **gear,** compensador.
—— **pan** (lab), platillo de balanza.
—— **pipe** (ht), tubo igualador.
—— **piston,** émbolo compensador.
—— **point** (ea), punto de igualación de desmonte y terraplén.
—— **sheet,** balance, (A) hoja de balance.
—— **weight,** contrapeso.
—— **weights** (lab), pesas de balanza.
—— **wheel,** volante.
balanced
—— **circuit** (elec), circuito equilibrado.
—— **crankshaft,** cigüeñal equilibrado o de compensación.
—— **load** (elec), carga equilibrada o dividida.
—— **method** (elec), método de cero.
—— **modulator** (ra), modulador equilibrado.
—— **needle valve,** válvula equilibrada de aguja.
—— **phases** (elec), fases equilibradas.
—— **polyphase system** (elec), sistema polifásico equilibrado.
—— **profile** (ea), perfil compensado.
—— **pulley,** polea equilibrada.
—— **relay** (elec), relai diferencial.
—— **rudder,** timón compensado.
—— **sequence** (w), orden equilibrado.
—— **valve,** válvula equilibrada o compensada o balanceada.
balancer, (eléc) grupo compensador; (mec) equilibrador.
balancer-booster (elec), compensador-elevador, igualador de tensión.
balancing, balanceo; compensación.
—— **aerial** (ra), antena compensadora.
—— **backsights and foresights** (level), igualación de las visuales.
—— **capacity** (ra), contrapeso.
—— **coil** (elec), autotransformador.
—— **condenser** (ra), condensador compensador o regulable.
—— **machine,** máquina equilibradora.
—— **network** (elec), red equilibradora.
—— **piston** (pu), émbolo equilibrador.
—— **set** (elec), juego balanceador, grupo compensador.
—— **speed,** velocidad de equilibrio.
—— **the survey,** ajuste del trazado.
—— **transformer,** transformador igualador.
—— **valve,** válvula equilibradora.
—— **ways,** probadora de equilibrio estático.
balata, balata.
—— **duck,** lona para correas de balata.
balcony, balcón.
bale, *s* fardo, bala, paca; *v* empacar, enfardar, enfardelar.
—— **hooks,** ganchos de fardo.
balk, (carp) madero, viga; (lev)(irr) lomo, camellón.
ball, bola, bala, balín.
—— **and socket,** bola y cuenca.

—— **bearing,** chumacera de bolas, cojinete de bolas, cojinete de municiones, rodamiento de bolitas, descanso de bolitas, (V) municionera, (A) rulemán de municiones, (M) balero de bolas.
—— **breaker,** bola rompeadora.
—— **cage,** jaula o caja de bolas, separador.
—— **check valve,** válvula de retención a bola.
—— **clay,** arcilla plástica; cantos arcillosos.
—— **cock,** llave de bola o de flotador.
—— **crank,** manivela de bola.
—— **float,** flotador de bola.
—— **governor** (se), regulador de bolas.
—— **grinder,** moledora de bolas.
—— **joint,** junta esférica o de bola, articulación de rótula.
—— **mill,** molino de bolas.
—— **nut,** tuerca esférica.
—— **race,** anillo o collar de bolas, balinero.
—— **reamer,** escariador esférico.
—— **retainer** (bearing), retén de bolas.
—— **socket,** cojinete esférico.
—— **valve,** llave o válvula de bola.
ball-and-seat valve, válvula de bola y asiento.
ball-and-socket joint, articulación esférica o de rótula, (C) cardán, (Es) juego de nuez.
ball-bearing hinge, bisagra a munición.
ball-float steam trap, separador con flotador de bola, trampa tipo flotador de bola.
ball-impact test (conc), ensayo por impacto de bola.
ball-pattern handrail fittings, accesorios de perilla o tipo de bola.
ball-peen hammer, martillo de bola o con bolita o con boca esférica.
ball-point dividers, compás con punta de bola.
ball-tip door butt, bisagra de bolitas.
ballast, *s* (fc) balasto, cascajo, lastre; (náut) lastre, (Es) zahorra; (eléc) resistencia; *v* (fc) balastar, embalastar; (náut) alastrar, lastrar.
—— **border** (rr), espaldón, banqueta.
—— **car,** carro para balasto, (Ch) carro lastrero.
—— **cleaner,** limpiador de balasto.
—— **fork** (rr), horquilla para balasto, (C) tenedor de balasto.
—— **pit,** balastera, cantera de lastre, mina o banco de balasto.
—— **plow** (rr), arado para descargar balasto.
—— **resistor** (ra), resistencia autorreguladora o de compensación.
—— **spreader,** extendedor o tendedor de balasto.
—— **tamper,** acuñador o bateador de balasto.
—— **tank** (sb), tanque de lastre.
—— **tube** (ra), resistencia de compensación.
—— **unloader,** máquina descargadora de balasto.
ballast-deck trestle, viaducto de caballetes con piso para balasto.
ballaster (rr), máquina bateadora de balasto.
ballasting, balastaje, lastraje, embalastado.
ballistic galvanometer, galvanómetro balístico.
balloon (lab), balón, redoma.
—— **framing** (bldg), armadura sin rigidez.
—— **tire,** goma de balón, neumático balón o de baja presión.
balsa (wood), balsa.

balsam fir, abeto balsámico.
Baltimore truss, armadura Baltimore.
baluster, balaústre.
balustered, balaustrado.
balustrade, barandado, barandaje, balaustrada.
bamboo, bambú, caña brava.
banana jack (elec), receptáculo para clavija tipo banana.
banana plug (elec), clavija tipo banana.
band, s zuncho, fleje, (M) cincho; banda, franja; (min) estrato, capa; (ra) faja, banda; v zunchar, enzunchar, cinchar, fajar.
—— brake, freno de banda o de cinta.
—— chain (surv), cinta gruesa de acero con graduaciones muy espaciadas.
—— clutch, embrague de banda o de cinta.
—— conveyor, transportadora de correa o de cinta.
—— filter (ra), filtro de faja o de banda, (A) filtro de paso de banda, (A) filtro pasabanda.
—— iron, cinta de hierro, fleje.
—— mill, aserradora de banda, aserradero de sierra sin fin.
—— pulley, polea ancha.
—— resaw, reaserradero sin fin, aserradora de banda para repasar.
—— saw, sierra sin fin, sierra de cinta, aserradora de banda, sierra de cordón, sierra huincha.
—— screen, cedazo de banda, criba de correa.
—— selector (ra), selector de faja o de banda.
—— spectrum, espectro de faja.
—— spread (ra), ensanche de faja, (A) esparcimiento de banda.
—— switch (ra), selector de faja, (M) conmutador de bandas, (A) cambio de banda.
—— wheel, rueda de banda, polea.
—— width (ra), ancho de faja, anchura de banda.
band-edge flat, barra plana con cantos de fleje.
band-elimination filter (ra), filtro eliminador.
band-friction hoist, malacate de fricción de banda.
band-pass
—— amplifier (ra), amplificador de banda o de faja.
—— filter (ra), véase band filter.
—— response (ra), respuesta uniforme o de faja.
band-saw pulley, polea o volante portasierra.
banded fittings (p), accesorios de reborde.
bander, s máquina para zunchar inducidos.
banding (plywood), guardacanto, cercado.
banister, baranda, pasamano.
banjo
—— housing (auto), cajo de banjo, envoltura de guitarra.
—— signal (rr), señal de disco o de guitarra.
—— torch, antorcha de pared o de guitarra.
bank, s cantera de grava o arena; (fin) banco; peralte (curva); (r) orilla, margen, ribera; (ot) terraplén, bancal; talud, escarpa; (náut) bajo, bajío, encalladero, banco; (min) boca del pozo; (min) frente de ataque; (ef) muelle, embarcadero; (fma) inclinación, banqueo; v (fin) depositar; peraltar (curva); (cal) cubrir, amontonar, cubrir con carbón; agrupar (palancas); (fma) inclinar, banquear, (Es) ladear.

—— gravel, grava de cantera o de mina.
—— head (min), boca del socavón.
—— of boilers, batería de calderas.
—— of issue, banco de emisión.
—— of lamps (elec), grupo de lámparas (resistencia).
—— of levers, grupo de palancas.
—— of transformers, grupo de transformadores.
—— protection (r), defensa fluvial o de márgenes o de las riberas, protección de las orillas.
—— storage (hyd), acopio o almacenamiento en las riberas.
bank-run gravel, grava como sale o sin cribar o de banco en bruto.
banked winding (elec), devanado de espiras múltiples, (A) enrollamiento apilado, (A) enrollamiento superpuesto.
banket, conglomerado aurífero.
bankrupt n a, quebrado, insolvente.
bankruptcy, bancarrota, quiebra.
banquette, banqueta.
bantam mixer, mezclador portátil pequeño.
bantam tube (ra), válvula de ampolla pequeña.
bar, s (herr) alzaprima, palanca, pata de cabra, pie de cabra; (ref) barra, varilla, (C) cabilla; (hogar) barrote; (rejilla) barra, pletina, solera; (náut) banco, bajío, arenal, restinga, alfaque, mégano; (cerco) barrera; (plata) lingote, barra; bara (unidad de presión); v (roca) aflojar con alzaprima, barretear.
—— bender, doblador de barras, curvabarras, doblador de varillas.
—— chair (reinf), silleta.
—— channel, perfil canal de altura menor de 3 pulg.
—— chuck (mt), plato de agujero simple.
—— cutter, cortador de barras o de varillas, cortabarras.
—— iron, hierro en barras.
—— joist, viga de enrejado de barras, vigueta de celosía.
—— magnet, barra imanada.
—— mat (rd), malla de barras, (M) parrilla.
—— mill, laminador de barras.
—— nut, tuerca de barra.
—— screen, rejilla, enrejado, criba de barrotes, reja de barras.
—— shear, cizalla para barras.
—— solder, soldadura en barras.
—— spacer (reinf), espaciador o separador de barras.
—— stock, acero en barras.
—— support, silleta para barras de refuerzo.
—— T, perfil T de alma menor de 3 pulg.
—— tie, atadura de alambre para barras de refuerzo.
—— winding (elec), devanado de barras.
—— Z, perfil Z de $1\frac{3}{4}$ pulg de altura.
bar-mill channel (met), canal de barra.
bar-size sections, perfiles-barras (T's, Z's, ángulos y canales de tamaños menores de 3 pulg).
bar-stock lathe, torno para barras.
bar-stock valve, válvula de barra o labrada de una barra de acero.

bar-wound rotor (elec), rotor de barras.

barb, púa.

barbed

—— bolt, perno arponado.

—— roofing nail, clavo arponado de techar.

—— wire, alambre de púas o de espinas, (AC) alambre espigado, (Es) alambre espinoso.

barbless cable, alambre torcido sin púas.

bare, s (to) la parte descubierta de una teja, tejamaní o pizarra; a descubierto; desnudo; sin revestir.

—— electrode (w), electrodo desnudo o bañado.

—— wire (elec), alambre desnudo o nudo, hilo desnudo.

bare-electrode welding, soldadura de arco sin protección.

barefoot joint (carp), junta clavada sin embarbillar.

barge, barcaza, lanchón, pontón, chalana, barca, gabarra, (Col) planchón, (A) chata.

—— boom (lg), barrera de troncos anclada a un pontón.

—— canal, canal para lanchones.

—— course, (lad) coronamiento de ladrillos a sardinel; (to) las tejas que sobresalen encima de la tabica.

—— spike, clavo para lanchón.

bargeload, barcada, lanchada.

bargeman, lanchero, barquero, gabarrero.

barite (miner), baritina, espato pesado.

barium (quím), bario.

—— carbonate, carbonato de bario, (miner) witerita.

—— chromate, barium chrome, cromato de bario.

—— hydroxide (sen), hidróxido de bario.

—— oxide, óxido o monóxido de bario.

—— sulphate, sulfato de bario, (miner) barita.

bark, s corteza, cáscara; v descortezar.

—— beetle, escarabajo de corteza.

—— mill, descortezadora.

—— pocket (lbr), bolsa de corteza.

—— spud, escoplo o laya para descortezar.

barker (lg), descortezador.

barking drum, tambor giratorio descortezador.

barking iron, laya para descortezar.

barley coal, antracita de tamaño $\frac{1}{16}$ pulg a $\frac{3}{16}$ pulg.

barn sewage, aguas residuales de establos.

barnacle, lapa, escaramujo.

barodynamic, barodinámico.

barodynamics, barodinámica.

barogram, barograma.

barograph, barógrafo.

barometer, barómetro.

barometric, barométrico.

—— condenser, condensador barométrico.

—— gradient (mrl), pendiente o gradiente barométrica.

—— pressure, presión barométrica.

—— tide, fluctuación regular de la presión barométrica.

barometrograph, barógrafo, barometrógrafo.

baroscope, baroscopio.

barothermograph, barotermógrafo, barotermómetro.

barracks, barraca, barracón, cuartel, albergue.

barrage (hyd), azud, presa de derivación, barraje.

barrage-type spillway, aliviadero de compuertas.

barrel, s barril, barrica, (B) turril; (cal) cuerpo; (arco) cañón; (torno) tambor, cilindro; (bisagra) fuste, caño; (herr) cilindro, cañón; (tub) cuerpo, cañón; (hidrante) cañón, cuerpo; (bm) cuerpo; (inst) cañón; v embarrilar.

—— arch, bóveda corrida o en cañón, esquife.

—— bolt, cerrojo de caja tubular, cerrojo cilíndrico de aplicar.

—— cam, leva de tambor.

—— engine, máquina tipo de barril.

—— flange (p), brida tapón o para barril.

—— hooks, ganchos para izar barriles.

—— hoop, aro de barril.

—— nut, manguito de tuerca.

—— pin (sb), conformador, mandrín.

—— roller (bearing), rodillo forma de barril.

—— saw, sierra cilíndrica.

—— stave, duela.

—— vault, bóveda corrida o de cañón.

barreled, embarrilado.

barrelful, barrilada.

barrelhead, fondo o tapa de barril.

barren, estéril, árido; (min) estéril.

—— rock (min), borrasca, borra, roca estéril.

barrette file, lima triangular achatada.

barretter (ra), detector; resistencia de compensación.

barricade, barrera, barricada, valla.

barrier, barrera, valla; (ca) murete separador; (eléc) tabique aislador.

—— beach, banco barrera.

—— curb (bdg), cordón guardapretil.

—— dam, presa de detención.

—— layer (ra), capa barrera.

—— reef (geol), arrecife barrera o de barra.

barrier-layer cell (elec), pila fotoeléctrica tipo óxido de cobre.

barring engine, servomotor para el arranque.

barring gear (se), aparato de palanca para el arranque.

barrow, carretilla (de ruedas), angarillas (de mano).

barycenter, baricentro.

barycentric, baricéntrico.

barye (physics), barya.

baryta, baryta (quím) barita.

—— feldspar, feldespato de barita.

barytes (miner), baritina.

barytine (miner), baritina.

basal, básico, (V) basal.

—— cleavage (miner), crucero básico.

—— complex (geol), complejo fundamental.

—— conglomerate (geol), conglomerado fundamental.

—— coplane (pmy), coplano básico.

—— orientation (pmy), orientación de base.

basalt, basalto.

—— glass, basalto vítreo, hialobasalto.

basaltic, basáltico.

basaltiform, basaltiforme.

basaltoid, basaltoide.

bascule, balancín, columpio.

—— bridge, puente basculante o levadizo.

—— leaf (bdg), tramo basculante.

base, s (quím)(geol) base; (cons) zócalo, basa, fundamento; (maq) plancha de fondo o de base, bancaza; (mat) base; (ampolla incandescente) casquillo; a (met) inestable; bajo de ley (mineral).

—— bearing, cojinete principal o de bancada.

—— circle (gear), circunferencia de base.

—— correction (geop), corrección de base.

—— course, (mam) hilada de base, embasamiento; (ca) capa de base o de asiento.

—— elbow (p), codo de soporte o con base, curva de pie.

—— fittings (p), accesorios de pie.

—— flashing (rf), vierteaguas inferior.

—— level (r), nivel de base.

—— line, línea básica o de base.

—— load (elec), carga fundamental.

—— map, mapa de referencia, mapa básico.

—— metal, (aleación) el ingrediente principal; (galvanización) metal de base; (sol) metal de las piezas por soldar.

—— net (surv), red de base.

—— of rail (rr), base de carril, base de riel.

—— plate, placa de base o de asiento, plancha de fondo o de la base.

—— plug (elec), ficha, clavija, enchufe.

—— price, precio básico.

—— tilt (pmy), inclinación de la base.

base-line measurement, medición de la línea de base.

baseboard, tabla de zócalo, zócalo, plinto, (Col) (V) rodapié.

—— raceway (elec), conducto para zócalo.

basement, sótano, (A) subsuelo.

—— complex (geol), fundamento, basamento.

basic (geol)(chem)(met), básico.

—— open-hearth steel, acero básico Siemens-Martin.

—— pig, fundición básica.

—— process, procedimiento básico.

basicity (chem), basicidad.

basin, estanque, pileta, depósito, alberca, alcubilla, pilón; (top) hoya, cuenca, vaso, (Col) artesa; (geol) hondonada, cuenca; (op) dársena.

—— cross (p), cruz para lavabo.

—— irrigation, irrigación por charcos.

—— T, T para lavabo.

basket (wire-rope socket), taza, casquillo.

—— bit (pet), barrena de cesto.

—— coil (ra), bobina de cesto.

—— screen, criba de cesta.

—— winding (elec), devanado reticulado.

basket-handle arch, arco de tres centros.

basket-type strainer, colador de cesta.

basket-weave armor (elec), coraza reticulada.

bass control (ra), control de las bajas.

bass-boosting circuit (ra), circuito atenuador de las altas.

basset (geol)(min), crestón, brotazón.

basswood, tilo.

bast, líber.

bastard a, falso, bastardo.

—— cut, picadura o talla bastarda.

—— file, lima bastarda, (C) escofina.

—— granite, gneis.

—— mahogany, caoba falsa.

—— pine, pino bastardo.

—— quartz, cuarzo bastardo.

—— spruce, pino del Pacífico.

—— thread, rosca trapezoidal.

bastard-sawing (lbr), aserrado simple.

bat, bloque, pedazo; medio ladrillo, pedazo de ladrillo, tejuela, tejoleta; (ed) bloque de material aislante; (cantería) corrugación.

—— bolt, perno arponado.

batch, s (conc) carga, colada, revoltura, (A) hornada, (M) tanto, (V) terceo, (Pe) templa, (A) pastón; (mortero) pilada, (A) pastón, (Col) pañetada, (M) amasada, (C) templa; (ef) balsa múltiple; (pet) lote; v dosificar, proporcionar, (V) tercear.

—— box, caja de colada, batea o caja de pilada.

—— car, carro medidor de cargas.

—— distillation, destilación intermitente o por etapas.

—— filtration, filtración intermitente.

—— hopper, tolva de carga completa o de revoltura.

—— meter, contador de revolturas, (M) contador de tantos.

—— mixer, hormigonera por cargas, mezclador por lotes, (M) revolvedora intermitente.

—— recorder, registrador de cargas.

—— still (pet), alambique discontinuo.

—— timer, contador de la duración de mezclar.

—— truck, camión de revoltura o de pilada.

—— vaporization, vaporización intermitente.

batcher, medidor de cargas, tolva medidora, (A) dosificador.

—— plant, equipo proporcionador, instalación medidora, planta de dosificación, (M) planta medidora de tantos.

batching, dosificación, medición.

batea (min), batea.

bath (all senses), baño.

bathometer, batómetro.

bathroom, cuarto de baño, baño.

bathtub, bañadera, baño, tina, bañera.

batt (inl), bloque de material fibroso.

batten, s (carp) listón, travesaño, tablilla, travesero, traviesa, crucero alfajía; (náut) barrotín, barrote; (dib) tira de madera flexible para trazar curvas; (ef) tronco de diámetro menor de 11 pulg; v (carp) entablillar, enlistonar; (náut) abarrotar.

—— door, puerta de tablas enlistonada.

—— plate, plancha atiesadora o de refuerzo.

battened column, columna de planchas atiesadoras.

batter, s desplome, inclinación, releje, talud, (Col) escarpa, (M) escarpe; v (muro) ataludar, desplomar, relejar, ataluzar, (A) abatir; (pi) estropear, batir, astillar.

—— board, tabla provisoria para establecer la línea de excavación.

—— brace, puntal inclinado.

—— gage, plantilla de inclinación.

—— pile, pilote inclinado.

—— post, puntal inclinado, (cb) pata inclinada.

battery, (eléc) pila, batería; acumulador; (cal) grupo, batería; (min) batería.
—— acid, ácido de acumulador.
—— carrier, portacumulador.
—— cell, pila.
—— charger, cargador de acumuladores o de baterías.
—— connector, conector de batería.
—— discharger, descargador de acumulador.
—— eliminator (ra), eliminador de baterías.
—— filler, llenador de acumulador.
—— gage, verificador de pila; voltímetro de acumulador, indicador de carga.
—— ignition, encendido por acumulador.
—— jar, recipiente, vaso.
—— mud, cieno de acumulador.
—— of fixtures (pb), grupo de artefactos sanitarios.
—— room, sala de acumuladores.
—— steamer, generador de vapor para servicio de acumuladores.
—— tester, probador de acumuladores.
—— tube (ra), válvula de batería.
battery-charge indicator (auto), indicador de carga del acumulador.
battle-deck floor, superficie de planchas de acero soldadas sobre las alas superiores de vigas doble T.
battleship (exc), cajón grande de descarga por debajo.
baud (tel), baud.
Baumé, Baumé.
bauxite, bauxita (mineral de aluminio).
bay, (geog) bahía, ancón; (ed) claro, tramo, ojo, luz, vano, lienzo, nave, (M) crujía, (A) panel.
baybolt, perno arponado.
bayonet
—— base (lamp), casquillo de bayoneta.
—— coupling, acoplamiento tipo bayoneta.
—— gage (auto), bayoneta.
—— socket, cubo de bayoneta; portalámpara de bayoneta.
bayou, canalizo, brazo de río, riacho.
baywood, especie de caoba.
beach, s playa, ribera; (presa de tierra) orilla; v (náut) varar, vararse.
—— gravel, grava de playa o de ribera.
—— placer, placer de playa.
—— sand, arena de playa o de mar.
beacon, s faro, fanal, baliza fija; v abalizar.
beaconage, balizaje, derechos de faros o de baliza.
bead, s (arq) moldura, listón; (carp) cordón, reborde; (tub) reborde, anillo de centrar; (mam) guardavivo; (llanta) talón, (M) ceja; (quím) botón, glóbulo; (sol) cordón, reborde; (eléc) perla aisladora; v formar reborde.
—— and butt (carp), ensambladura de entrepaños a ras con juntas rebordeadas.
——, butt, and square (carp), ensambladura de entrepaños rebordeados y a ras por una cara y rebajados sin reborde por la otra.
—— weld, soldadura con reborde o de cordón.
beaded fittings (p), accesorios de reborde.

beaded lumber, tablas rebordeadas o con cordón.
beader (bo), mandril de bordear, bordeadora.
beadflush (carp), ensamblado con cordón a ras con marco y entrepaño.
beading
—— machine (sml), pestañadora, ribeteadora.
—— plane, bocel, cepillo de molduras o de astrágalos, (A) viter.
—— tool, (mam) marcador de astrágalos; (cal) bordeador.
beak (anvil), pico.
beaker (lab), vaso picudo, cubilete.
—— tongs, tenacillas para cubilete.
beakhorn stake, bigorneta de pico.
beakiron, pico de bigornia; bigorneta.
beam, s (est) viga, vigueta, tirante, trabe, (C) arquitrabe; (cn) bao; (náut) manga; (maq) balancín; (balanza) brazo, astil; (arado) pértigo, timón; (luz) rayo; (ra) rayo; v (ra) emitir.
—— anchor (str), trabilla o ancla de viga.
—— angle (ra), ángulo de rayo.
—— antenna (ra), antena direccional, (Es) antena de haz.
—— breaker (lab), máquina ensayadora de vigas.
—— carline (sb), galeota.
—— clamp, abrazadera para viga doble T.
—— compass, compás deslizante o de vara, (B) compás de regla.
—— current (ra), corriente del haz.
—— engine, máquina de balancín.
—— hanger, estribo, colgador de viga.
—— knee (sb), escuadra.
—— load, carga transversal o de flexión.
—— pocket, caja para viga.
—— pump, bomba de balancín.
—— scale, báscula de balancín.
—— shear (stress), tensión diagonal.
—— spacer (pet), espaciador del balancín.
—— transmission (ra), transmisión a rayo.
—— voltage (ra), tensión acelerante.
beam-indicator light (auto), indicadora de rayo, indicador de foco del farol.
beam-power tube (ra), válvula amplificadora por haces.
beamhead (pet), cabezal de balancín.
bean (pet), niple reductor.
bear, s (met) lobos, zamarras; v sostener; llevar; resistir.
bear-trap dam, presa movible de dos hojas maniobradas por presión de agua.
bear-trap gate, compuerta de abatimiento o de alzas (dos hojas engoznadas maniobradas por presión de agua).
bearding (sb), chaflán, bisel.
—— line (sb), línea del chaflán, intersección de las planchas con roda, quilla y codaste.
bearer, (mec) soporte, sostén; (min) madero de soporte; (com) portador.
bearing, (est) apoyo, asiento, soporte; (maq) cojinete, chumacera, descanso, muñonera, rodamiento; (brújula) rumbo, marcación, arrumbamiento; (geol) rumbo del filón.

—— area, área de soporte o de sustentación, superficie de apoyo, (V) superficie de asiento.

—— bar (grate), traviesa de parrilla.

—— block, portacojinete.

—— brass, cojinete o casquillo de bronce.

—— cage, jaula de cojinete.

—— cap, tapa de cojinete.

—— capacity factor (sm), factor de resistencia.

—— cup, taza de cojinete.

—— loss (machy), pérdida por cojinetes.

—— metal, metal antifricción.

—— neck, gorrón, muñón.

—— partition, pared divisoria con carga.

—— pedestal (machy), pedestal de chumacera, soporte de cojinete.

—— pile, pilote de carga o de apoyo o de cimiento o sustentador, (Es) zampa.

—— plate, placa de asiento o de apoyo.

—— power of soil, resistencia del terreno, capacidad resistente del subsuelo, (A) capacidad de asiento.

—— pressure, (cons) presión de apoyo; (maq) presión sobre la chumacera.

—— projector (ap), proyector de orientación, reflector buscacampo, fanal de arrumbamiento.

—— puller, extractor de cojinetes.

—— race, golilla o guiadera de cojinete.

—— scraper, escariador de chumacera, raspacojinetes.

—— seal, cierre del cojinete.

—— set (min), marco de soporte.

—— shell, casco de cojinete.

—— shoe (bdg), pedestal de apoyo, zapata de asiento.

—— sleeve, casquillo, forro de cojinete.

—— steel, acero para cojinetes.

—— stress, (re) esfuerzo de empuje; esfuerzo de apoyo (viga).

—— timber (min), madero de soporte, traviesa.

—— wall, muro de carga o de soporte o de apoyo, pared cargada, (C) muro de sostenimiento.

bearing-in shot (tun), tiro de franqueo.

beat n (ra), pulsación, batido.

—— frequency (ra), frecuencia heterodina o de pulsación o del batido.

—— oscillator (ra), oscilador de pulsación.

—— reception (ra), recepción heterodina o de batido.

beater, mandarria, combo, batidor.

beating (ra), combinación de frecuencias; pulsación.

beaverboard, cartón de fibra para paredes.

becket (tackle block), manzanillo, estrobo, vinatera.

beckiron, pico de bigornia.

bed, s (r) lecho, fondo; (mortero) capa, cama, tendel, (Col) tortada; (arena) banco, lecho, yacimiento, bajo, capa; (maq) bancada; (piedra) lecho de cantera, lecho; (geol) capa; v (mam) asentar.

—— joint (mas), junta horizontal, (V) junta de asiento.

—— lathe, torno de bancada.

—— load (r), arrastre de fondo, acarreos, (M) gasto sólido.

—— timber, solera de fondo.

—— vein, bedded vein (min), filón paralelo a la estratificación.

bedded (geol), estratificado.

bedding, (geol) estratificación; (cab eléc) relleno, empaque, colchón.

—— fault (geol), falla de estratificación.

—— plane, plano de estratificación.

—— putty, masilla de asiento.

bedframe, bastidor, bancada, (A) marco fundamental.

bedplate, plancha de fondo o de asiento, placa de base, cama, bancaza.

bedrock, lecho o cama de roca.

beech, haya.

beetle, martillo de madera, mazo, machota.

Beggiotoa (sen), Beggiotoa.

begohm (elec), begohmio, kilomegohmio.

bel (elec), bel, (A) belio.

belaying pin, cabilla de amarrar.

Belgian block (pav), adoquín casi cúbico.

Belgian method (tun), método belga (construcción por galería de avance superior).

bell, s (tub) campana, enchufe, bocina; (mec) campana; (eléc) timbre, campana; v acampanar, abocinar.

—— buoy, boya sonora o de campana.

—— center punch, granete a campana, punzón autocentrador.

—— chuck, mandril de tornillos, (A) plato campana.

—— crank, palanca angular o acodillada, codo de palanca.

—— end (p), extremo acampanado.

—— glass, bell jar (lab), campana de vidrio.

—— insulator, aislador de campana.

—— metal, bronce de campana.

—— nipple (p), niple de botella.

—— socket (pet), enchufe de campana.

—— transformer, transformador para timbres.

—— trap, (pb) trampa o sifón de campana.

—— wire, alambre para timbres, alambre fino forrado de algodón.

bell-and-bell quarter bend (p), codo de campanas.

bell-and-spigot (joint), enchufe y cordón, enchufe y espiga, macho y espiga, (C) macho y hembra, (M) caja y espiga.

bell-faced hammer, martillo de cotillo convexo o de cara de campana.

bell-joint clamp (p), collar de presión para junta de enchufe.

bell-shaped, acampanado.

belling, abocinamiento, ensanche.

bellmouth, boca acampanada, pabellón, trompeta, tulipa, bocina.

bellmouthed, acampanado, abocinado, abocardado, aboquillado.

—— weir, vertedero de bocina o de pozo acampanado.

bellows, fuelle, barquín.

—— expansion joint (p), junta de expansión tipo fuelle.

belly, s barriga; v pandear, combarse.

—— brace (loco), riostra bajo la caldera.

below, *adv* debajo, bajo, abajo; *pr* debajo de, bajo.

belt, *s* faja; (geog) zona; (maq) correa, cinta, banda; *v* accionar por correa; (ca) acabar con correa de goma o lona.
—— **awl**, lesna para correa.
—— **brush**, limpiador de correa, escobilla de goma para correa.
—— **cement**, cemento para correas.
—— **clamps**, amarras o garras o ganchos para correa, grapas para banda, corchetes, (A) broches para correa.
—— **conveyor**, correa transportadora o conductora, transportadora de banda, transportador de cinta sin fin.
—— **course** (bldg), cordón, cordel, (M) banda.
—— **cutter**, cortacorrea.
—— **dressing**, adobo, engrudo, aderezo de correa, compuesto para banda, pasta o apresto para correas.
—— **drive**, transmisión o propulsión por correa, impulsión por banda.
—— **elevator**, elevador de correa.
—— **feeder**, alimentador de correa.
—— **fork**, cambiacorreas, desviador o horquilla de correa.
—— **guard**, guardacorrea, guardabanda.
—— **hoist**, malacate impulsado por correa.
—— **hooks**, ganchos de correa, empalmadores para correa, grapas para banda, (A) broches para correa.
—— **horsepower**, potencia en la polea.
—— **idler**, tensor de la correa.
—— **lacer**, enlazadora de correas, empalmadora de correa.
—— **lacing**, enlace o tireta o cordón o grampas para correa; costura de correa.
—— **line**, ferrocarril de circunvalación.
—— **plane**, cepillo para correa.
—— **plow**, deflector de descarga.
—— **punch**, punzón para correa.
—— **rivet**, remache para correa.
—— **sander** (ww), lijadora de banda o de cinta o de correa.
—— **scraper**, raspador para correa.
—— **shifter**, cambiacorrea, desviador de correa.
—— **stud**, enganchador de correa.
—— **take-up**, tensor o regulador de correa.
—— **tightener**, atesador o tensor de correa, templador para banda.
—— **tripper**, descargador de transportador de correa.
—— **wax**, cera para correas.
belt-driven, accionado por correa.
belt-type coupling, acoplamiento flexible a correa.
belting, correaje.
bench, *s* (carp) banco, banqueta; (tún) banco, piso; (tierra) banqueta, escalón, berma; (min) antepecho; *v* escalonar, banquear, abancalar, excavar a media ladera.
—— **anvil**, yunque de banco.
—— **clamp**, tornillo o grapa de banco.
—— **comparator**, comparador de banco.
—— **crimper** (bl), tenazas de banco.

—— **drill**, taladro o taladradora o agujereadora de banco.
—— **flume**, conducto de banqueta, canalón a media ladera, (M) canal en balcón.
—— **grinder**, amoladora o esmeriladora de banco.
—— **hammer**, martillo de ajuste.
—— **hardening**, endurecimiento por estirado de alambre recocido.
—— **hook**, tope de banco.
—— **jointer**, cepillo mecánico de banco.
—— **knife** (carp), tope de banco con cuchillo.
—— **lathe**, torno de banco.
—— **mark**, banco de nivel o de cota fija, punto de cota conocida, punto topográfico de referencia.
—— **placer**, placer de banco.
—— **plane**, cepillo de banco, garlopa.
—— **planer**, acepilladora de banco.
—— **screw**, tornillo de banco.
—— **stand**, soporte de banco (para vástago de compuerta).
—— **stop**, tope de banco.
—— **vise**, tornillo o prensa de banco.
—— **wall** (rr), muro de estribo de una alcantarilla.
benchboard (elec), pupitre de distribución.
benched road, camino en balcón o en ladera.
benching (ea), banqueo, escalonado.
benchman, artesano de banco.
benchwork, trabajo de banco.
bend, *s* (tub) codo, acodamiento, curva; (ref) doblez, dobladura; (cab) vuelta, gaza; *v* doblar, acodillar, plegar, acodar, encorvar; doblarse, encorvarse; (est) combarse, abombarse, pandearse; (náut) entalingar.
bends, the, enfermedad de que padecen los trabajadores en aire comprimido (más propiamente caisson disease), (A) aeroembolismo.
bender, dobladora, curvadora.
bending, (ref) dobladura, doblado; (est) flexión.
—— **block** (reinf), bloque de doblar.
—— **brake** (sml), plegadora.
—— **die**, matriz de doblar.
—— **factor**, factor de flexión.
—— **fatigue**, fatiga de flexión.
—— **form**, molde de curvar.
—— **jig**, plantilla de curvar.
—— **machine**, máquina dobladora o curvadora.
—— **moment**, momento flexor o de flexión.
—— **press**, prensa dobladora o de curvar.
—— **punch**, punzón de plegar.
—— **rolls**, cilindros de curvar, rodillos de encorvar.
—— **shackle**, grillete de ancla.
—— **shoe** (p), zapata de curvar.
—— **shop**, taller de doblado.
—— **slab** (p), plancha de doblar, banco de curvar.
—— **strength**, resistencia a la flexión.
—— **stress**, (est) esfuerzo flexor o de flexión, fatiga de flexionamiento; (cab) esfuerzo de dobladura.
—— **table**, banco de doblar.
—— **test**, ensayo de doblado, prueba de dobladura o de plegado; ensayo de flexión.
—— **yard** (reinf), patio de doblado.
Bendix drive, arrancador Bendix.
beneficiate, beneficiar.
beneficiation (min), beneficio.

bent, *s* caballete, castillete, pilón, armadura, (M) palizada, (A)(V) pila, (M) banco; (ed) pórtico; (herr) formón de cuchara; *a* doblado, encorvado, acodado, acodillado.
— **cold,** doblado en frío.
— **gouge,** gubia acodada.
— **tool** (mt), herramienta acodada.
bent-shank (tapper) tap, macho de espiga acodada.
bent-strap clevis (elec), horquilla de pletina.
bent-tube boiler, caldera de tubos acodados.
benthos (sen), bentos.
bentonite (geol), bentonita.
bentonitic clay, arcilla bentonítica.
benzene, benceno.
benzidine hydrochloride (sen), hidrocloruro de bencidina.
benzine, bencina.
benzo yellow (sen), amarillo benzo.
benzol, benzol.
berm, berma, banqueta, bancal, lisera, (Ch) zarpa, (A) banquina; (ca) espaldón.
— **ditch** (rr)(rd), cuneta de guardia, contracuneta.
Bernoulli's equation (hyd), ecuación de Bernoulli.
berth, *s* (náut) amarradero, arrimadero, atracadero, borneadero; (fc) litera, cama; *v* (náut) atracar, abordar, abarloar, arrimar, (A) estacionar.
beryllium (chem), berilio.
— **copper,** aleación de cobre con 2.25% de berilio.
Bessemer
— **converter,** convertidor Bessemer.
— **iron,** fundición o hierro Bessemer.
— **steel,** acero Bessemer.
best best (BB) wire, alambre mejor de lo mejor.
beta
— **brass,** aleación de aproximadamente 54% cobre, 46% cinc.
— **iron,** hierro beta (alotrópico y no magnético).
— **particle,** partícula beta.
beta-naphthol, betanaftol.
betatron (ra), betatrón, reotrón.
betterment survey (rr), estudio de mejoras; levantamiento para variante, retrazado.
between decks (sb), entrepuentes.
between-the-lens shutter (pmy), obturador central o dentro del objetivo.
bevel, *s* bisel, chaflán, falseo, chanfle, despezo; (herr) falsa escuadra, escuadra plegable; *v* biselar, chaflanar, falsear, achaflanar, abiselar, matar.
— **angle** (w), ángulo de bisel o de la ranura.
— **chisel,** escoplo biselado.
— **cut,** corte en bisel.
— **cutoff,** recorte en bisel, bisel de trozar.
— **cutoff saw,** sierra de trozar en bisel.
— **edger** (mas), canteador en bisel.
— **gage,** falsa escuadra.
— **gear,** engranaje cónico o angular o en bisel.
— **joint,** ensambladura en bisel, junta a inglete.
— **miter,** bisel a inglete.
— **pinion,** piñón cónico o de ángulo.
— **plane,** cepillo de achaflanar.

— **protractor,** transportador-saltarregla, (A) escuadra-transportador, (Es) cartabón dilatable.
— **rip** (lbr), corte al hilo en bisel, bisel al hilo.
— **ripsaw,** sierra de hender en bisel.
— **siding** (lbr), tingladillo ahusado.
— **square** (t), falsa escuadra, escuadra plegable, saltarregla, cartabón de inglete, falsarregla.
— **tool** (mt), herramienta para biselar.
— **washer,** arandela ahusada o achaflanada.
— **welding,** soldadura de bisel o de chaflán o de ranura.
— **wheel,** rueda cónica.
bevel-edge chisel, formón con chanfle.
bevel-edge flat (steel), barra plana con cantos biselados.
bevel-gear planer, acepilladora de engranajes cónicos.
bevel-groove weld, soldadura de ranura biselada.
beveled halving (carp), ensamblaje a media madera en bisel.
Beverage antenna (ra), antena Beverage o de onda.
bezel, *s* bisel; *v* biselar.
bias (ra), *s* bias, polarización negativa de grilla; *v* biasar.
— **cell,** batería de polarización negativa.
— **resistor,** resistencia de polarización negativa o para bias de rejilla.
biased detector, detector en polarización negativa.
biaxial, biaxil.
bibb, llave, grifo, espita, canilla, (PR) pluma.
— **washer,** arandela de grifo.
bibcock, grifo.
bicable tramway, tranvía de dos cables.
bicarbonate, bicarbonato.
bichloride, bicloruro.
— **of mercury,** bicloruro de mercurio, sublimado corrosivo.
bichromate, bicromato.
— **cell** (elec), pila de bicromato.
Bickford fuse (bl), mecha Bickford o de seguridad.
biconcave, bicóncavo.
biconical, bicónico.
biconvex, biconvexo.
bicron (meas), bicrón.
bicycle (lg), trole, motón corredizo.
bid, *s* propuesta, oferta, proposición, (C)(Col) postura; *v* licitar, hacer una propuesta, ofrecer.
— **bond,** fianza de licitador.
— **security,** caución de licitador.
bidder, postor, licitador, proponente, licitante, (A) oferente, (Pe) rematista.
bidding, licitación, propuestas; competencia.
— **conditions,** bases de licitación, (A) bases del concurso.
— **form,** formulario de propuesta, pliego de proposiciones, modelo de propuestas, pliego de licitación.
— **schedule,** cuadro de propuesta.
bidet (pb), bidet, bidé.

bidirectional current (elec), corriente bidireccional.
bifilar, bifilar.
bifluoride, bifluoruro.
bifurcated, bifurcado.
bifurcation (p), bifurcación, calzón.
—— gate (hyd), compuerta partidora o de bifurcación.
bifurcator (ac), bifurcador.
big end (eng), cabeza de la biela.
big inch pipe, oleoducto de 16 pulg o mayor.
bight, (cab) seno, vuelta; (top) caleta.
bilateral
—— antenna (ra), antena bilateral.
—— system (machy), sistema bilateral.
—— tolerance, tolerancia bilateral.
bile (lab), bilis.
—— agar, agar de bilis.
—— pigment (lab), pigmento de la bilis.
bilge, (cn) pantoque (curva), sentina (fondo); barriga (barril).
—— blocks, picaderos laterales.
—— ejector, eyector del agua de sentina.
—— keel, carenote, quilla lateral, (A) quilla de rolido.
—— keelson, sobrequilla de pantoque, (A) vagra del pantoque.
—— pump, bomba de carena o de sentina.
—— saw, sierra comba.
—— strake (sb), traca de pantoque.
—— ways (sb), anguilas.
bill, s (com) factura; uña (ancla); v facturar.
—— of entry, pliegue de aduana, declaración de entrada.
—— of exchange, letra de cambio, (C) libranza.
—— of lading, conocimiento de embarque, carta de porte, conocimiento, (A) guía de embarque.
—— of material, lista o tabla de materiales.
—— of sale, escritura o carta o comprobante de venta.
bills payable, letras o documentos o obligaciones o efectos a pagar.
bills receivable, letras o documentos o obligaciones o efectos a cobrar.
billboard (sb), resbaladera del ancla.
billet, (met) lingote, tocho, changote, paquete, (A) palanca; (ef) tronco corto; (est) palastro, zamarra.
—— mold, lingotera.
—— plate (str), palastro, plancha.
—— steel, acero de lingotes o de tocho.
bimetal n, bimetal, pieza bimetálica.
bimetallic, bimetálico.
bimorph (ra), bimórfico.
bimotor, bimotor.
bin, depósito, arcón, tolva, buzón, cajón, cofre, celda, (C) embudo
—— gate, compuerta de tolva, trampilla, (M) puerta de tolva, (B) compuerta de buzón.
bin-run (ag), como sale de los depósitos.
binary (math)(chem), binario.
binaural, binaural.
bind, atar, amarrar; (ca) ligar, consolidar; aglutinar; (maq) trabarse, pegarse, apretar.

binder, (ca) aglomerante, ligador, ligante, recebo, (A) pedregullo fino, aglutinador, (M) cementante; (mam) tizón; (seg) documento provisional de protección; (ef) palo atesador de cadena; (ft) calzo; (eléc) aglutinante.
—— course (pav), capa de ligazón, (Ch) capa de conglomerante, (C) capa de amarre.
—— soil, conglomerante térreo.
binding
—— material, aglomerante, conglomerante, aglutinante, liga.
—— post (elec), borne, poste de conexión, sujetahilo, (U) cabecilla.
—— rafter, carrera portacabio.
—— screw, tornillo de sujeción.
—— tape (elec), cinta aisladora o de fricción.
binnacle (sb), bitácora.
binocular a, binocular.
binode (math)(ra), binodo.
binomial, binomio.
—— array (ra), antena binomia.
bio-activation (sd), bioactivación.
bio-aeration (sd), bioaeración.
biochemical, bioquímico.
—— oxygen demand (b.o.d.)(sen), demanda de oxígeno bioquímico (d.o.b.).
biochemistry, bioquímica.
biofilter (sen), biofiltro.
biofiltration, biofiltración.
bioflocculation (sen), biofloculación.
biogenetic (sen), biogenético.
biological, biológico.
—— film (sen), cubierta o película biológica.
—— treatment (sen), tratamiento biológico.
biolysis, biólisis.
biolytic tank (sd), tanque biolítico.
bioprecipitation, bioprecipitación.
bioreduction (sd), biorreducción.
biose (su), biosa, disacárido.
biotite (miner), biotita, mica negra.
biotron (ra), biotrón.
bipin lamp base (elec), pie de lámpara de dos espigas.
bipod, bípode, bipié.
bipolar (elec), bipolar.
bipost base (lamp), base biposte o de dos contactos.
birch, abedul.
bird guard (elec), guardapájaros.
birdie (ra), chirrido, silbido.
birdpeck (lbr), picaduras.
bird's-eye, cierto defecto de madera.
—— gravel, gravilla de ½ pulg.
—— perspective, perspectiva a vista de pájaro.
bird's-mouth (carp), muesca, ranura, rebajo, (M) barbilla.
birectangular, birrectángulo.
birefringence, birrefringencia.
birefringent (optics), birrefringente.
Birmingham wire gage, calibre de Birmingham para alambres, (A) aforo Birmingham
bisect, bisecar.
bisecting dividers, compás de bisección.
bisection, bisección.
bisector, bisectriz.

bisilicate, bisilicato.
bismuth, bismuto.
— blende, bismuto blenda.
— glance, bismutina.
— spiral (ra), espiral de alambre bismútico.
bismuthinite, bismutinita, sulfuro de bismuto nativo.
bisulphate, bisulfato.
bisulphide, bisulfuro.
bisulphite, bisulfito.
bit, (taladro) broca, mecha, barrena, (A) trépano, (Ch) fresa; (torno) fresa; (si) diente postizo; (hacha) filo; (llave) paletón; (arnés) bocado; (cautín) cabeza de cobre.
— breaker (pet), soltador de barrena.
— dresser, moleta para brocas, amoladora de brocas, (M) broquero; aguzador de barrenas.
— gage (drill), matriz de tamaño, calibrador de barrena.
— grinder, afiladora de brocas, esmeriladora para brocas.
— hook (pet), gancho pescabarrena.
— key, llave de paletón.
— punch (drill), punzón de broca.
— ram (pet), aguzador de barrenas.
— tool (mt), herramienta de cuchilla postiza.
bitbrace, berbiquí.
bitch chain (lg), cadena fijadora (del poste grúa); cadena de acoplamiento.
bitholder, portamecha, portabarrena.
bitstock, berbiquí.
— shank, espiga cuadrada ahusada.
bitt, s bita de amarre, bita, bitón, cornamusa, tojino; v abitar.
bitulithic, bitulítico.
Bitumastic enamel (trademark), esmalte bitumástico.
bitumen, betún, (M)(U) betumen.
bituminize, embetunar.
bituminous, bituminoso.
— batcher, proporcionador de materiales para camino bituminoso.
— binder (rd), capa bituminosa de ligazón.
— booster (rd), recalentador de materiales bituminosos.
— coal, carbón bituminoso, hulla grasa, carbón blando.
— concrete, hormigón o concreto bituminoso.
— distributor (rd), esparcidor de asfalto, (Es) betuminadora.
— filler (rd), relleno bituminoso para juntas.
— finisher (rd), afinadora del afirmado bituminoso.
— macadam, macádam bituminoso.
— mixer (rd), pavimentadora para afirmado bituminoso.
— paint, pintura bituminosa o al alquitrán.
— paver, mezcladora para pavimento bituminoso.
— sprayer (rd), rociador de alquitrán.
— stabilizing (rd), estabilización con material bituminoso.
Bituvia (trademark)(rd), bituvia.
bivalence, bivalencia.
bivalent (chem), bivalente.

black, s negro; (az) carbón; a negro.
— annealing, recocido negro.
— base (rd), base negra o de piedra picada ligada con asfalto.
— check (lbr), bolsa de corteza con resina.
— diamond, diamante negro o borde, carbonado.
— flux (met), castina negra.
— gum (lbr), nisa.
— iron, hierro negro (sin galvanizar).
— lead, grafito, negro de plomo.
— level (tv), nivel de negro.
— manganese, manganeso negro, pirolusita.
— mica, biotita, mica negra.
— oak, roble negro o negral.
— oxide of copper, óxido cúprico.
— oxide of iron, óxido ferrosoférrico, óxido negro de hierro.
— pipe, tubería de hierro negro (sin galvanizar).
— powder (bl), pólvora negra, pólvora.
— silver (miner), plata negra, negrillo.
— streak (lbr), bolsa de corteza con resina.
— tin, mineral de estaño generalmente casiterita.
— walnut, nogal negro.
blackband, mineral de hierro parecido a clay ironstone.
blackdamp (min), humpe, (M) bochorno.
blackjack, (miner) esfalerita; (mad) especie de roble rojo; (ch) martillo de chapista.
blackprint, fotocopia negra.
blacksmith, herrero, herrador, forjador.
— chisel, cortafrío para herrero, cortadera, (C) cincel, (A) trancha.
— coal, carbón para herrero o de forja o para fragua, hulla de fragua.
— hammer, martillo de forja, destajador, mazo.
— punch, rompedera.
— shop, herrería, taller de forja.
— sledge, mandarria, combo, porra, macho de fragua.
— tongs, tenazas de forja o de herrero.
— tools, herramientas de forja o fragua.
— welding, soldadura de forja a mano, caldeo de herrero.
blacksmithing, herrería.
blackstrap (su), mieles.
blacktop (rd), superficie bituminosa.
— paver (rd), mezcladora de la superficie bituminosa.
blade, s (herr) cuchillo, hoja; (fc cambio) aguja; (conmutador) cuchilla de contacto; (mz) paleta, aleta, álabe, (M) aspa; (turb) aleta, álabe; (si) hoja; (pala) hoja; (niveladora) cuchilla, hoja; (cizalla) cuchillo; (hélice) aleta, ala, (U) pala; (remo) pala; (topadora) hoja, cuchilla, vertedera; (cuch) gajo; v allanar con la cuchilla del explanador.
— base (road machine), base de cuchilla.
— ditcher, zanjadora de cuchilla.
— drag, rastra de cuchillas.
— grader, explanadora o niveladora de cuchilla.
— guide (elec), guíacuchilla.
— spreader (rd), extendedor de cuchilla.

—— **tamper** (conc), paleta, (Col) garlancha, (Pe) fija, (A) espadilla.

blank, *s* (papelería) formulario, modelo; (en) disco antes de cortar, blanco; llave ciega; alambre para tornillo; *v* punzonar, tapar, cerrar.

—— **bolt**, perno sin roscar.

—— **cover** (elec), tapa ciega.

—— **determination** (lab), determinación teórica o en blanco.

—— **flange** (p), brida ciega o sin taladrar, platillo ciego, (M) brida lisa.

—— **form**, formulario, modelo, blanco, (Col)(Pan) esqueleto, (A) fórmula.

—— **liner** (pet), revestidor sin perforaciones.

—— **tire** (loco), llanta sin pestaña.

—— **wall**, pared sin vanos.

blanket, (hid) colchón de barro; (ais) colcha, manta.

—— **grouting**, inyecciones de colchón.

blanketing (ra), interferencia.

blanking

—— **die**, matriz de punzonar.

—— **plug** (p), tapón obturador.

—— **press**, prensa punzonadora.

—— **pulse** (tv), pulsación borradora.

—— **punch**, punzonador.

blast, *s* (exc) voladura, tiro, explosión, disparo, (M) dinamitación, (M) pegada, (Ch) polvorazo, (M) tronada; (aire) soplo; (viento) ráfaga; (arena) chorro, soplo; *v* volar, tirar, estallar, hacer saltar, barrenar, disparar, dinamitar, (M) tronar, (M) explotar.

—— **engine**, máquina sopladora.

—— **furnace**, alto horno, (M) horno de fundición.

—— **heater** (ac), serpentín calentador de chorro de aire.

—— **meter**, indicador de tiro.

—— **pipe** (met), tubo soplador o de viento.

—— **trap**, trampa para calentador de chorro de aire.

—— **wave** (geop), onda de explosión.

blast-furnace

—— **coke**, cok para altos hornos, coque de alto horno.

—— **gas**, gas de alto horno.

—— **slag**, escorias de alto horno.

blaster, (vol) dinamitero, polvorero, disparador, (min) pegador, (M) poblador; (fund) máquina de chorro de arena.

blasthole, véase **blasting hole.**

blasting, voladura, estallado, (M) dinamitación; (ra) distorsión de sobrecarga.

—— **accessories**, accesorios de voladura.

—— **barrel**, tubo pequeño para colocación de explosivos.

—— **battery**, pila detonadora, (Es) batería de pega.

—— **cap**, cápsula explosiva o detonante, fulminante detonador, (M) espoleta fulminante.

—— **charge**, carga explosiva o de barreno.

—— **fuse**, mecha, espoleta, cañuela.

—— **gelatin**, gelatina explosiva o para voladura.

—— **hole**, barreno, perforación, barreno de voladura, (min) cohete.

—— **machine**, máquina detonadora o estalladora o para voladuras, (pet) disparadora, (A) (M)(Es) explosor, (Es) deflagrador.

—— **mat**, estera para voladuras.

—— **needle**, aguja de polvorero, espigueta.

—— **oil**, nitroglicerina.

—— **paper**, papel para cartuchos de dinamita.

—— **plug**, tapón para barreno de voladura.

—— **powder**, pólvora negra o para voladura o para barrenos.

—— **spoon**, cuchara de polvorero.

—— **wire**, alambre de detonadora.

blastogranitic (geol), blastogranítico.

blastoporphyritic (geol), blastoporfirítico.

blaze (lg), *s* marca de guía; *v* marcar con hacha.

bleach, *s* hipoclorito de calcio; *v* blanquear, descolorar.

bleached oil, aceite de linaza blanqueado.

bleached shellac, laca blanqueada.

bleaching, blanqueo.

—— **clay**, arcilla descoloradora.

—— **powder**, cloruro de cal, (A) polvo blanqueador.

bleed *v* (mech), sangrar.

bleeder, dispositivo de sangrar, orificio o tubo de purga, purgador; (ra) sangrador.

—— **current** (ra), corriente sangradora.

—— **drain** (rd), sangradora.

—— **port**, lumbrera sangradora.

—— **potentiometer** (ra), potenciómetro sangrador.

—— **resistance** (ra), resistencia derivadora o de compensación.

—— **resistor** (ra), resistencia sangradora o de drenaje.

—— **trench**, zanja de desagüe.

—— **turbine**, turbina de extracción.

bleeding, (conc)(A) afloramiento, (A) exudación, (M) sangrado, (M) desangramiento; (ca) exudación; (mec) sangría, sangradura.

—— **test** (conc), ensayo para pérdida de agua.

blend *v* (sand), mezclar, combinar.

blende (miner), blenda.

blended gasoline, gasolina mezclada.

blender, máquina mezcladora.

blending gasoline, gasolina para mezcla.

blending plant, planta mezcladora.

blind, *s* persiana (ventana); *v* (ca) engravillar.

—— **coal**, antracita.

—— **drain**, pozo o sumidero ciego.

—— **drivers** (loco), ruedas motrices sin pestañas.

—— **flange** (p), brida ciega o tapadora o de obturación, platina ciega, platillo ciego.

—— **header** (mas), tizón falso.

—— **hole**, agujero ciego.

—— **intersection** (rd), intersección invisible, empalme sin visibilidad.

—— **landing** (ap), aterrizaje ciego o a ciegas o con instrumentos o sin visibilidad.

—— **lode**, **blind vein** (min), filón ciego o sin afloramiento.

—— **nailing**, clavadura invisible.

—— **nut**, tuerca ciega.

—— **pulley** (sb), vigota.

—— **rivet**, remache ciego.

—— **shaft,** pozo ciego.

—— **spot** (ra), lugar ciego.

—— **tire** (loco), llanta sin pestaña.

—— **washer,** arandela no perforada.

—— **window,** ventana ciega (vano de ventana cegado con albañilería).

blinker light, farol intermitente de más de 60 destellos por minuto.

blister, *s* burbuja, ampolla, vejiga, verruga; *v* avejigar, ampollar; avejigarse, ampollarse.

—— **copper,** cobre ampolloso o ampollado.

—— **steel,** acero cementado.

block, bloque; (pav) adoquín (piedra), tarugo (mad), bloque; (aparejo) motón, garrucha, cuadernal, rodaja; (ed) bloque celular; (freno) almohadilla; (ciudad) manzana, cuadra; frente de manzana, (C) cuadra; (fc) tramo; (fusible) placa, bloque; (ds) picadero; (as) cabecero.

—— **and block,** a besar, a rechina motón.

—— **and fall,** aparejo, polispasto, (M) cuadernal.

—— **and whip** (lg), aparejo.

—— **brake,** freno de almohadillas.

—— **chain,** cadena articulada.

—— **coefficient** (na), coeficiente de escuadreo.

—— **comparator** (lab), comparador de bloque, bloque comparador.

—— **diagram,** (ra) diagrama de conjuntos o de etapas, croquis del ensamblaje; (geol) estereograma, diagrama estereográfico.

—— **faulting** (geol), falla en forma de bloques.

—— **hole** (bl), barreno poco profundo en un cabezón; (min) barreno preliminar o de alivio.

—— **joint** (rr), junta aislada o de tramo.

—— **out** (min), cubicar, (B) bloquear.

—— **paving,** adoquinado.

—— **plane,** cepillo de contrafibra.

—— **punch,** punzonadora múltiple.

—— **rubble** (rr), mampostería de piedra bruta maciza.

—— **shackle,** grillete para motón.

—— **signals** (rr), señales de bloque o de tramo.

—— **system,** (irr) irrigación por cuadros rebordeados; (fc) sistema de señales por tramos de vía, sistema de bloque.

—— **tin,** estaño en lingotes o en ladrillos, estaño de comercio.

block-and-cross bond (mas), aparejo inglés y cruzado.

block-caving method, minería por socavación y derrumbe.

block-in-course masonry, mampostería de piedras escuadradas a escoda.

block-saw *v* (sa), quitar los costeros de los cuatro lados.

blocked impedance (elec), impedancia amortiguada.

blocked resistance (ra), resistencia amortiguada.

blocked-rotor current (mot), corriente con rotor fijo.

blockholing (bl), perforación de agujeros poco profundos para volar cantos rodados.

blocking, (mad) entramado, encribado, entibado; (ra)(fc) bloqueo; (lad) endentado, adaraja.

—— **capacitor** (elec), capacitador o condensador de bloqueo.

—— **hammer,** martillo de triscar.

—— **layer** (ra), capa barrera.

—— **oscillator** (ra), oscilador de bloqueo.

blocking-layer cell (elec), pila fotoeléctrica tipo óxido de cobre.

blocky (min), de fractura en bloques.

bloom *n*, (met) lupia, changote, goa, zamarra, lingote; (pet) fluorescencia.

—— **saw,** sierra para lupias.

—— **shears,** tijera hidráulica para lupias.

bloomery (met), horno de zamarras.

blooming mill, laminador preliminar o desbastador o de grueso o de lupias.

blooper (ra), receptor que radia señales.

blotter surface treatment (rd), tratamiento secativo.

blow, *s* (martillo) golpe; (viento) ventarrón; (met) hornada; (aa) alcance; (cajón) véase **blowout;** *v* (tiro) soplar; (vi) soplar; (fusible) fundirse, quemarse, dispararse, saltar.

—— **case,** tanque inyector de ácido.

—— **down** (bo), purgar, evacuar el agua.

—— **in** (blast furnace), poner a funcionar, dar fuego.

—— **off** (steam), escaparse, desvaporar.

—— **out,** (auto) reventarse, estallar, (M) tronar; (alto horno) apagar, paralizar, parar; (fusible) quemarse, fundirse; (vol) dar bocazo, (Pe) desbocarse.

—— **sand,** arena acarreadiza o de duna.

—— **up,** (vol) volar, hacer saltar, (auto) inflar.

blow-by (ge), escape de gases del cilindro.

blow-through heating, calefacción por aire soplado.

blowdown, (cal) purgación; (ef) árbol tumbado por el viento.

blower, soplador, ventilador, fuelle, aventador.

blowhole (met), sopladura, (C) fallo, (M) ampolla.

blowing engine, máquina sopladora.

blowlamp, lámpara de soldar o de plomero.

blown

—— **asphalt,** asfalto insuflado.

—— **glass,** vidrio soplado.

—— **oil,** petróleo soplado.

blowoff, tubo de expulsión, salida de desagüe, (Col) purga.

—— **assembly,** conjunto de purga de la caldera.

—— **cock,** llave de purga, robinete o espita de descarga, grifo de desahogo.

—— **cross** (p), cruz de limpieza.

—— **valve,** llave de purga, válvula de limpieza o de descarga.

blowout, (auto) reventón, reventazón, reventadura, estalladura; (vol) bocazo; (cajón) escape repentino del aire; (pet) reventazón, estallido.

—— **coil** (elec), bobina apagachispas, carrete extintor de chispas, bobina de extinción.

—— **magnet,** imán apagador.

—— **preventer** (pet), cierre de emergencia, (V) impederreventones.

blowpipe, (sol) soplete, antorcha; (lab) soplete.

blowtorch, soplete de aire, lámpara de soldar o de plomero, antorcha a soplete.

blowup (su), cachacera.

blue, v (met) empavonar, pavonar; a azul.

—— asbestos, crocidolita.

—— copper ore, cobre añilado, azurita, cobre azul.

—— copperas, caparrosa azul, sulfato de cobre.

—— glow (ra), luminiscencia azul, (A) fulgor azul, (Es) luminiscencia azulina.

—— iron earth, vivianita.

—— john (miner), fluorita.

—— lead, (pigmento) plomo azul (galena sublimada); (miner) galena.

—— malachite, azurita, cobre azul.

—— oil, aceite azul.

—— rot (lbr), podrición azul.

—— spar (miner), espato azul, lazulita.

—— stain (lbr), mancha azul.

—— vitriol, vitriolo azul, sulfato de cobre.

blue-annealed, recocido azul, azulado por recocción.

blueprint, s copia azul, copia heliográfica, fotocalco azul, impresión azul, (C) ferroprusiato, (A) calco heliográfico; v fotocopiar, fotocalcar, hacer copia heliográfica.

—— cloth, tela para impresiones azules.

—— frame, marco para impresión azul.

—— machine, máquina heliográfica.

—— paper, papel heliográfico.

bluestone, (mam) piedra azul; (quím) sulfato de cobre.

bluff, barranca, barranco, farallón.

bluing (lbr), podrición azul.

blunger, mezcladora, agitadora.

blunt, v embotar, arromar; a romo, embotado, boto.

—— file, lima paralela.

blunt-point nail, clavo de punta roma.

board, s (mad) tabla, tablón; (fibra) cartón; (inst) tablero, cuadro; (directiva) junta, consejo; v entablar, enmaderar, encofrar, entarimar.

—— foot, pie de tabla, pie cuadrado de tabla.

—— measure, medida para madera o de tabla.

—— of directors, junta directiva, directorio, consejo de administración, directiva.

—— of health, junta o consejo de sanidad.

—— of underwriters, junta o consejo de aseguradores.

—— rule, regla para madera, (A) cartabón para madera.

boarding, entablado, tablazón, entarimado, tablaje, tablado.

boast v (stone cutting), desbastar.

boaster, boasting chisel, cincel desbastador.

boat, bote, buque, barca, barco, embarcación; (quím) gamella, artesa.

—— deck, cubierta de las lanchas.

—— harbor, boat haven, dársena para embarcaciones menores.

—— hook, bichero, botavara.

—— spike, clavo para embarcaciones o de barquilla.

boatbuilder, constructor de botes.

boatload, barcada.

boatman, barquero, botero, lanchero, chalupero.

boatswain's chair, asiento colgante, guindola.

bob (lg), s trineo; v conducir por trineo.

bobbin (elec), bobina.

—— bit, tipo de broca para agujeros profundos en madera.

body, cuerpo, masa; (vá) caja, cuerpo; (carro) caja, cajón, (C) fragata; (co) caja, (C) cama; (auto) carrocería, carroza; (broca) fuste; (líquidos) consistencia, espesor.

—— capacitance (ra), capacidad corporal.

—— pigment (pt), pigmento básico.

—— plan (na), conjunto de secciones transversales del casco.

—— post (sb), codaste proel.

—— rocker (tk), basculador de caja.

—— tracks (rr), vías paralelas de patio.

body-cutting edge (reamer), arista cortante del fuste.

bog, pantano, ciénaga, fangal, aguazal, marjal, atascadero.

—— down, atascarse, atollarse.

—— iron ore, limnita, limonita, mena de los pantanos, hierro fangoso o pantanoso.

—— manganese, ocre negro.

Boghead coal, especie de carbón mate, (Es) bogue.

bogie (rr)(tk), bogie, carretilla.

boil, s (ca) ampolla; (arena) hervidero, borbotón, borbollón, borboteo; v hervir, bullir.

—— up, borbollar, borbotar.

boiled oil, aceite cocido o secante.

boiler, caldera, caldero, paila (pequeña), hervidor (pequeño).

—— compound, antincrustante, desincrustante, descostrador.

—— efficiency, rendimiento de la caldera.

—— fittings, accesorios de caldera.

—— flange (p), brida curva o para caldera.

—— flue, humero, conducto de humo; tubo de caldera.

—— front, testera o fachada de caldera.

—— hanger, suspensor de caldera.

—— hatch (sb), escotilla de calderas.

—— head, fondo de caldera.

—— insurance, seguro de calderas.

—— lagging, envoltura o chaqueta de caldera, camisa aisladora de caldera.

—— meter, contador (de vapor) de la caldera.

—— plant, instalación de calderas.

—— plate, planchas de acero para calderas, chapa de caldera.

—— room, sala o cuarto de calderas.

—— setting, albañilería o mampostería de caldera, montadura.

—— shell, casco o cuerpo de caldera.

—— shop, calderería, (C) pailería.

—— tube, tubo o cañón o flus de caldera.

boiler-feed

—— pump, bomba alimentadora o de alimentación o de inyección.

—— regulator, regulador de agua de alimentación.

—— water, agua de alimentación.

boiler-patch bolt, perno prisionero de remendar.

boiler-room bulkhead (sb), mamparo de las calderas.

boiler-tube cleaner, desincrustador.

boiler-tube cutter, cortatubo de caldera.

boilerhouse, casa de calderas.

boilermaker, calderero, calderista, (C) pailero.

boilermaking, calderería, (C) pailería.

boiling, hervor, ebullición.

—— house (su), casa de los tachos.

—— point, punto o temperatura de ebullición.

—— test, prueba a la ebullición.

bole (lg), tronco, (C) bolo.

bollard, bolardo, noray, poste de muelle.

Bollman truss, armadura Bollman.

bolometer (elec), bolómetro.

bolson (geol), bolsón.

bolster, travesaño, solera, cepo, traversa; can, volador, cartela.

bolt, (est) perno, tornillo, bulón; (puerta) cerrojo, falleba, pasador, colanilla, (V) perno; (cerradura) pestillo; (as) bloque por aserrar; v (est) apernar, bulonar, empernar, (C) atornillar; (puerta) acerrojar.

—— circle, círculo de pernos.

—— clippers, recortador o cortador de pernos, tijera para pernos, cortaperno, (C) cuchilla.

—— dies, dados para filete de perno.

—— driver (t), clavador de pernos.

—— eye (for guy), ojillo para perno.

—— pointer, aguzadora de pernos.

—— press, prensa sacaperno.

—— socket, hembra de cerrojo.

—— stud, véase stud bolt.

—— tap, macho de tornillo o de perno.

—— thread, rosca de perno, filete de tornillo.

bolt-and-pipe machine, terraja, máquina de enroscar, roscadora.

bolt-heading machine, encabezadora de pernos.

boltcutter, cortapernos, cortabulones, cortacabillas, cortador de pernos; tarrajadora.

bolted connection, junta bulonada, conexión empernada.

bolted steel tank, tanque de acero empernado.

bolter, cedazo, tamiz; sierra para hender trozos cortos.

bolthead, cabeza de perno o de bulón.

boltholes, agujeros de perno, perforaciones para bulones, taladros.

bolting, apernado, bulonado; material para pernos.

—— cloth, tejido para cernir.

—— saw, sierra circular para hender trozos cortos.

—— up, empernadura, bulonado, (C) atornillado.

boltrope, relinga; cable de cáñamo de alta calidad.

bomb, (mec) bomba; (pet) registrador de presión subterránea.

—— calorimeter, bomba calorimétrica.

bombardment (elec), bombardeo electrónico.

bombshell torch, antorcha de camino.

bond, s (mam) trabazón, ligazón, traba, aparejo, (Pe) amarre; (ref) adhesión, adherencia; adhesión (mortero); (conc ag) adhesión; (ca) cohesión; (quím) grado de afinidad; (fc) ligazón, (C) fusible; (sol) ligazón, liga, cohesión; (madera laminada) adhesión, pega; (fin) bono, título, (A) cédula; (contrato) fianza; (empleado) fianza; v (mam) ligar, trabar, aparejar, (Col) pegar; (eléc) conectar; (empleado) afianzar, caucionar; (bienes) hipotecar.

—— bar (reinf), barra de trabazón o de unión, (V) raíz.

—— clay (sm), arcilla de liga o de cohesión.

—— course (mas), hilada de tizones o de cabeza.

—— form (fin), modelo de fianza.

—— plaster, yeso para capa primera sobre concreto.

—— stress (reinf), esfuerzo de adhesión, (A) tensión de adherencia.

—— wire (rr), ligadura, alambre de ligazón.

bonded

—— cement floor, piso de acabado no monolítico.

—— finish (conc), capa de acabado ligado al piso ya fraguado, acabado ligado.

—— warehouse, almacén afianzado.

bonder (mas), tizón.

Bonderite (trademark), bonderita.

bonderize (rust-proof), bonderizar.

bondholder, tenedor de bonos, obligacionista, (C) bonista.

bonding

—— company, empresa o compañía fiadora.

—— drill, broca para conexión eléctrica de rieles.

—— key (conc), clave, llave, diente, dentado, clave de trabazón, adajara, (C) mordiente.

bondsman, fiador.

bondstone, adaraja, tizón, cabecero, (M) llave.

bone (min), capa de esquisto o pizarra en el carbón.

—— black, carbón animal o de hueso.

bone-black ratio (su), relación de carbón animal, capacidad de carbón.

bonnet, (auto) cubierta del motor, capó; (vá) casquete, sombrerete, bonete; (horno) sombrerete; (pl) macaco, sombrerete.

—— nut, tuerca tapa o ciega.

bonus, (contrato) premio, prima; (empleado) gratificación, regalía, bonificación, (C) aguinaldo.

—— and penalty, prima y multa, (C) regalía y penalidad, (A) multa y bonificación.

bony coal, carbón esquistoso.

booby hatch (sb), tambuche, escotilla de camarote.

book capacitor, (ra), condensador variable tipo de libro.

book tile, bloque hueco de tierra cocida en forma de libro.

bookkeeper, tenedor de libros.

bookkeeping, teneduría de libros.

boom, (gr) aguilón, pluma, pescante, botalón; (pl) aguilón, botalón; (r) cadena de troncos; (puerto) barrera.

—— bail (de), estribo del aguilón.

—— band (de), zuncho o aro del aguilón.

—— bucket (paver), cubo de aguilón, cucharón de botalón.

—— conveyor, transportador de aguilón.

—— crutch (sb), caballete de los aguilones.

—— ditcher, zanjadora de aguilón.

—— dragline, pala de cable de arrastre, draga.

—— fall (de), amantillo, perigallo.

—— **hoist** (sh), elevador del aguilón, izador del botalón.
—— **irons** (de), herrajes del aguilón.
—— **mounting** (sb), herrajes del aguilón.
—— **pin** (lg), tarugo de barrera.
—— **point** (de), herraje del extremo del aguilón.
—— **stick** (lg), tronco de barrera.
—— **swinger** (de), mecanismo de giro.
—— **table** (sb), asiento de los aguilones.
—— **tractor**, tractor grúa.
boom-seat casting (de), asiento del aguilón.
boomage, (náut) derechos de puerto; (ef) derechos de barrera.
booming, (ec) manejo del aguilón; (min) erosión por inundación de la sobrecapa de una ladera.
boost, (eléc) reforzar, elevar; (mec) reforzar, aumentar.
—— **charge** (elec), carga de refuerzo.
booster, (eléc) elevador de potencial o de tensión; (mec) reforzador, aumentador de presión; (vol) detonador auxiliar; calentador (material bituminoso).
—— **battery**, batería elevadora.
—— **compressor**, compresora elevadora.
—— **converter**, convertidor de refuerzo.
—— **ejector**, eyector de vapor.
—— **engine** (loco), máquina reforzadora.
—— **fan** (ac), ventilador reforzador (de circulación).
—— **pump**, bomba reforzadora.
—— **tractor**, tractor auxiliar o empujador.
—— **transformer**, transformador elevador, (A) transformador aumentador.
boot, (tub) manguito; accesorio de transición; (ed) botaguas; (elevador) caja de carga; (auto) parche grande; (pet) separador de gas.
—— **socket**, bootjack (pet), pescacuchara, pescador a pestillo.
boots (rubber), botas.
borate (chem), borato.
borax, bórax, atíncar.
bord (min), galería normal al clivaje del carbón.
bord-and-pillar mining, minería de cámara y pilar, labor de salón y pilar, laboreo a cuadrícula.
Borda's mouthpiece (hyd), boquilla entrante o de Borda.
border, borde, margen; (irr) camellón.
—— **check** (irr), borde de desviación.
—— **irrigation**, riego con rebordes.
—— **line** (dwg), línea de borde.
—— **pen** (dwg), tiralíneas grueso.
bore, s (mec) calibre, alesaje, ánima, diámetro interior, taladrado; (mr) maremoto; v taladrar, horadar, perforar, trepar, agujerear; (tún) perforar, (M) colar.
—— **meal**, polvo de barreno.
borehole, barreno, taladro.
borer, (herr) taladro; (insecto) broma, tiñuela, barrenillo, (C) perforador.
boric, bórico.
boride, boruro.
boring, perforación, taladro, sondaje; caladura.

—— **and turning machine**, máquina de taladrar y tornear, taladradora-torneadora.
—— **attachment** (ww), accesorio de barrenar, aditamento de taladrar.
—— **bar**, barrena de tierra; barra taladradora; rectificadora (cilindro).
—— **block**, bloque de barrenar.
—— **core**, testigo de perforación, cala de prueba.
—— **head**, (mh) cabezal de taladrar; (pet) corona cortante.
—— **insect**, barrenillo.
—— **log**, registro de los sondeos, registros de perforación.
—— **machine**, máquina taladradora, agujereadora, taladradora.
—— **mill**, véase **boring machine**.
—— **rod**, barrena.
—— **tool** (mt), taladradora, taladro.
borings, virutas de taladro; sondeos, perforaciones de reconocimiento, agujeros de ensayo, (C) calas de prueba, (Ch) sondajes.
bornite (miner), bornita.
Borolon (trademark), borolón (abrasivo).
boron, boro.
—— **carbide**, carburo de boro.
borrow n (ea), material prestado.
—— **pit**, cantera o zanja o foso de préstamo, (V) banqueo de préstamo, (PR) corte de préstamo.
borrowed fill, material de préstamo, terraplén prestado.
bort, bortz, diamante negro o borde.
bosom bar (sb), cubrejunta de ángulo interior.
boss, capataz. sobrestante; (rueda) cubo; (mec) protuberancia, copa, tetón, henchimiento, lomo, (C) botón; (geol) masa de roca intrusiva, protuberancia de roca ígnea.
bossed elbow (p), codo de copa o con lomo.
bottle, botella, (lab) frasco.
—— **trap** (p), trampa de botella.
bottom, s (muro) pie; (depósito) fondo; (r) lecho; (cn) carena, fondo; (náut) nave de carga; (min) planta, piso, suelo; v alcanzar el fondo; a inferior.
—— **bolt** (door), cerrojo de piso.
—— **chord** (tu), cordón inferior.
—— **contraction** (hyd), contracción en el fondo.
—— **dead center** (eng), punto muerto inferior.
—— **drift** (tun), galería inferior de avance.
—— **dump** (car), descarga inferior o por debajo, vaciado por el fondo.
—— **end** (connecting rod), pie de la biela.
—— **flange**, ala or cordón inferior.
—— **fuller** (bs), copador or degüello inferior, contradegüello.
—— **ice**, hielo de anclas o de fondo.
—— **land**, piso del valle, llanura del río.
—— **rail** (door), peinazo inferior.
—— **roller** (hyd), remolino de fondo.
—— **stope** (min), escalón de banco.
—— **strake** (sb), traca de fondo.
—— **swage** (bs), estampa inferior.
—— **water** (pet), agua subyacente o de fondo.
bottoms, (pet) residuos; (top) véase **bottom land**.
bottom-hole pressure (pet), presión al fondo (del pozo).

bottomer (min), enganchador, cajonero.

bottoming (rd), capa de fundación.

—— **tap,** macho cilíndrico.

bottomless bucket (ea), cucharón sin fondo.

boucherize (lbr), impregnar con sulfato de cobre.

boulder, canto rodado, canto, morrillo, boleo, cabezón, bolón, (PR) chino, pedrejón, (Col) guijarro, (M) piedra-bola, (V) peñón, (C) pedruzco.

—— **clay,** morena, material de acarreo por glaciares.

—— **conglomerate,** conglomerado de boleos, (V) conglomerado de peñones.

—— **gravel,** grava de boleos, (V) peñonal.

bouncing pin, aguja indicadora.

bound *n* (surv), mojón, hito.

—— **charge** (elec), carga latente.

boundary, límite, lindero, linde.

—— **conditions** (str), condiciones de borde.

—— **deformation** (sm), deformación lindera o de límite.

—— **light** (ap), farol delimitador, luz de demarcación.

—— **line,** línea limítrofe, lindero.

—— **mark,** acotación, mojón.

—— **marker** (ap), baliza delimitadora, marcador delimitador.

—— **stone,** mojón, coto, (Es) cipo, hito de límite.

—— **stress** (sm), esfuerzo lindero o de límite.

—— **wave** (geop), onda limítrofe.

Bourdon gage, manómetro de Bourdon.

bournonite (miner), bournonita.

bow *n* (naut), proa; amura.

—— **fast** (naut), amarra o rejera de proa, proís.

—— **lines** (na), curvas de secciones longitudinales por la proa.

bow, arco, lazo; (mad) comba de plano, desviación de llano.

—— **compass,** compás de precisión, bigotera.

—— **dividers,** compás de división de resorte, compás de precisión, bigotera.

—— **file,** lima encorvada.

—— **pen,** compás de muelle con tiralíneas.

—— **pencil,** compás de muelle con lápiz.

—— **saw,** sierra de arco.

—— **trolley** (elec rr), colector de arco.

Bowden wire (auto), alambre tipo Bowden.

bowl (scraper), taza, cucharón, caja, cubo.

—— **classifier,** clasificador de taza, (M) clasificador de vasija.

bowl-type tilting mixer, mezcladora basculante del tipo de tazón.

bowline knot, as de guía, nudo de presilla.

bowstring truss, armadura de arco y cuerda.

box, *s* caja, cajón; (fund) bastidor, caja; (maq) chumacera, muñonera; (correo) casilla, apartado; (eléc) accesorio de conducto; (mec) enchufe, hembra; *v* encajonar; (ef) muescar.

—— **and pin** (mech), macho y hembra.

—— **annealing,** recocido en cofre.

—— **beam,** viga tubular o de caja.

—— **canyon,** barranca, zanjón, cañadón.

—— **chisel,** punzón sacaclavos, cincel arrancador.

—— **chuck** (mt), tipo de mandril de latonero.

—— **cofferdam,** ataguía encajonada o de cajón.

—— **column,** columna cerrada o de caja.

—— **connector** (elec), conector de caja.

—— **coupling,** acoplamiento de ejes con collar y chaveta.

—— **culvert,** alcantarilla rectangular o de cajón, (V) pontón, (V) alcantarilla de platabanda, (M) tajea.

—— **drain,** desaguadero cuadrado de madera.

—— **flume,** conducto de caja.

—— **girder,** viga tubular o de alma doble o de caja.

—— **gutter** (rf), canalón ensamblado o armado.

—— **header** (bo), cabezal de cajón.

—— **jig,** gálibo de caja.

—— **key,** llave de cubo.

—— **lacing** (str), enrejado por cuatro caras.

—— **nail,** clavo de encajonar o de cajonero.

—— **nut,** tuerca ciega.

—— **sheeting** (exc), revestimiento de tablas horizontales.

—— **strike** (lock), hembra de cerrojo embutida.

—— **tool** (mt), portacuchilla de caja, herramienta de caja, caja portacuchilla.

—— **vise,** tornillo de caja.

—— **wrench,** llave de cubo o de casquillo estriado.

box-type crosshead, cruceta cerrada.

box-type furnace, horno de caja.

boxboard, cartón; tablas para cajones.

boxcar, carro cerrado o de cajón, vagón cubierto o encajonado o de mercancías, furgón, (C) fragata, (Ch) bodega, (M) carro caja.

boxed pith (lbr), médula interior.

boxhole (min), contracielo, tiro.

boxwood, boj.

boycott, boicot, boicoteo.

brace, *s* (cons) riostra, tornapunta, puntal, codal, virotillo, entibación, adema, zanca; (náut) braza; (carp) berbiquí, berbique, taladro; *v* arriostrar; entibar; acodalar, acodar, apuntalar, jabalconar.

—— **and bit,** berbiquí y barrena.

—— **bit,** barrena para berbiquí.

—— **pile,** pilote inclinado.

—— **wrench,** llave de berbiquí.

bracing, arriostramiento, riostras; ademado, entibación, apuntalamiento, acodalamiento, (A) encadenado.

bracket, *s* ménsula, consola, cartela, can, canecillo, palomilla; (cn) escuadra; *v* mensular.

—— **crane,** grúa de ménsula.

—— **scaffold,** andamio acartelado.

bracketed, acartelado.

brackish water, agua salobre o gorda.

brad, puntilla, aguijuela, hita, aguja, alfilerillo, clavito.

—— **hammer,** martillo para puntillas.

—— **punch,** punzón para clavitos, embutidor.

bradawl, punzón para clavos, lesna para puntillas.

bradenhead (pet), cabezal con prensaestopa.

braided wire, alambre trenzado.

braiding (rd), separación y cruzamiento de trochas de tráfico.

brake, *s* (rueda) freno, retranca, (M) manea; (herr) plegadora de palastro, dobladora de

chapas, pestañadora; *v* frenar, enfrenar, retrancar.
—— **adjuster,** compensador o ajustadora de freno.
—— **band,** cinta o banda de freno.
—— **beam,** traviesa o viga de freno, balancín del freno, (C) yugo de freno.
—— **blocks,** almohadillas de freno, zapatas, (C) calzas.
—— **booster,** reforzador de freno, amplificador de enfrenamiento.
—— **cylinder,** cilindro de frenaje.
—— **dog,** trinquete o fiador de freno.
—— **drum,** tambor del freno, (A) campana de freno.
—— **fluid,** fluído para frenos hidráulicos.
—— **hanger,** suspensor del balancín de freno, sujetafreno.
—— **horsepower,** potencia al freno, caballo de fuerza al freno.
—— **hose** (rr), manguera de freno, manga para freno.
—— **lever,** palanca de freno.
—— **lining,** forro de freno, cinta para freno, guarnición de freno; (M) balata.
—— **meter,** medidor de la potencia del freno.
—— **motor,** motor con freno.
—— **off,** freno aflojado.
—— **on,** freno apretado.
—— **pedal** (auto), pedal de los frenos.
—— **pipe** (rr), tubería de frenaje.
—— **release,** desfrenamiento, desenfrenamiento.
—— **ring,** aro de freno.
—— **shoe,** zapata o patín de freno.
—— **signal** (auto), señal de enfrenamiento.
—— **staple** (pet), grapa del freno.
—— **support** (auto), portafreno, soporte de freno.
—— **test,** prueba o ensayo al freno.
—— **valve** (rr), llave del maquinista, válvula de frenaje.
—— **wheel,** tambor del freno.
brake-valve actuator, actuador automático de la válvula de frenaje.
brakeman, guardafrenos, frenero, retranquero, (Col) brequero, (Ch) palanquero, (M) maneador, (M) garrotero.
braking, frenaje.
—— **effect,** efecto frenador o de frenaje.
—— **stress,** esfuerzo debido al frenaje.
—— **torque,** torsión de frenaje.
branch, *s* (tub) derivación, bifurcación, injerto, (C) ramal, (Col) ramificación; (árbol) rama; (min) ramal; (eléc) derivación; (r) afluente, tributario, brazo, ramal; (of) sucursal, dependencia; *v* ramificarse, bifurcarse, derivarse, acometer.
—— **canal,** canal derivado, contracanal.
—— **circuit** (elec), circuito derivado, ramal.
—— **cutout** (elec), portafusible de derivación.
—— **fault** (geol), ramal de falla.
—— **joint** (elec), derivación, conexión en T.
—— **line,** (eléc) línea derivada; (fc) ramal.
—— **raise** (min), contracielo ramal.
—— **sewer,** cloaca derivada, albañal, (A) ramal cloacal.
—— **T** (p), T múltiple, cabezal de tubos o de conexión múltiple.

brand, *s* marca; hierro de marcar; tizón; *v* marcar con hierro candente, herrar, marcar a fuego.
—— **test** (bldg), prueba a tizón.
brandering (bldg), costillaje, enrasillado.
branding iron, hierro de marcar, (A) marca de fuego.
brash (lbr), quebradizo.
brass, latón, bronce, bronce amarillo, (C) metal amarillo, (C) metal.
—— **check,** ficha, chapita, (C) chapa.
—— **filings,** limaduras de bronce.
—— **foundry,** fundición de latón.
—— **shop,** latonería.
—— **solder,** soldadura fuerte o de latón.
brass-bound, guarnecido de zunchos de latón.
brass-mounted, guarnecido de bronce.
brass-plated, bronceado, latonado.
brass-trimmed (va), guarnecido de latón, con accesorios de bronce.
brasses (car), bronces, casquillos o cojinetes de bronce, (Pe) descansos.
brasswork, latonería, broncería.
brassworker, latonero, broncero, broncista.
brattice (min), tabique de ventilación.
—— **cloth,** cañamazo o lona para tabiques.
braunite, braunita (mineral de manganeso).
braze, *s* soldadura; *v* soldar con soldadura fuerte o con latón o en fuerte.
—— **welding,** véase **brazing.**
brazer, soldador (hombre); (maq) soldadora.
brazier, latonero (hombre); brasero (para fuego)
brazilwood, palo Brasil.
brazing, soldadura fuerte o con latón.
—— **brass,** latón para soldar.
—— **clamp,** prensa para soldar.
—— **compound,** compuesto para soldadura de latón.
—— **fittings** (p), accesorios de latón con extremos para soldar.
—— **flux,** fundente para soldadura de latón.
—— **forge,** fragua de soldar.
—— **solder,** soldadura fuerte o de latón.
—— **spelter,** véase **brazing solder.**
—— **tongs,** tenazas para soldadura.
—— **valve,** válvula de latón con extremos para soldar.
—— **wire,** alambre fundente de latón.
brea (pet), brea.
breadth, anchura, ancho, (an) manga.
—— **, extreme** (na), manga total.
break, *s* rotura, fractura, quebraja; (eléc) interrupción, distancia de interrupción; (dique) brecha; (geol) falla, hendedura; (pendiente) cambio; *v* romper, fracturar; romperse; (eléc) interrumpir, desconectar, abrir; (piedra) picar, quebrar, majar, quebrantar; (fin) quebrar.
—— **bulk,** transbordar.
—— **distance** (elec), distancia de interrupción.
—— **down,** fallar, fracasar.
—— **ground,** empezar la excavación.
—— **in grade,** cambio de rasante, punto de inflexión.
—— **jaw** (elec), mordaza de interrupción.
—— **joints,** alternar las junturas, romper juntas (C) saltear juntas, (M) cuatropear.

—— **lathe,** torno de bancada partida.

—— **out,** brotar (agua freática); (pet) desenroscar.

—— **tape** (surv), avanzar por mediciones cortas escalonadas.

—— **up,** desmenuzar, desmenuzarse.

break-in device (ra), dispositivo de interposición.

break-in keying (ra), manipulación interpuesta.

break-point chlorination (sen), cloración hasta el punto de aumento rápido del cloro residual, (C) cloración hasta el punto de cambio o de quiebra.

breakage, rotura, fractura.

breakaway friction, fricción de zafar o de arranque.

breakax, quiebrahacha, palo de hierro.

breakdown, falla, fracaso, avería, (auto) panne; (eléc) descarga disruptiva.

—— **torque,** momento máximo de torsión.

—— **voltage** (elec), tensión disruptiva.

breaker, (conc) rompedor; (auto) ruptor; (eléc) interruptor automático, disyuntor; (carbón) quebrantador, quebradora, rompedor; (op) rompiente.

—— **arm** (auto), brazo de ruptura, palanca ruptora, (U) martillo del ruptor, brazo ruptor.

—— **points** (auto), contactos o platinos del ruptor.

breakers, breaking-down holes (tun)(min), barrenos de destrozo.

breaking, rotura, ruptura, fractura.

—— **link** (turb), eslabón de seguridad.

—— **load,** carga de rotura o de ruptura o de fractura.

—— **strength,** resistencia a la rotura o al fallar o a la fractura.

—— **stress,** esfuerzo de ruptura, fatiga de rotura.

—— **temperature** (injector), temperatura límite.

breakout plate (pet), placa de desconexión.

breakout tongs (pet), tenazas desconectadoras.

breakup (tun), minado hacia arriba.

breakwater, rompeolas, escollera, quebrantaolas, (Col) tajamar, (A) quiebramar, (V)(Ch) molo.

breast (min), cara, frente.

—— **auger,** barrena de pecho.

—— **boards** (min), tablazón del frente.

—— **derrick,** cabria, cabrestante.

—— **drill,** taladro o berbiquí de pecho, berbiquí de herrero.

—— **fast** (naut), amarra de través, codera, rejera de través.

—— **holes** (min), barrenos horizontales o de cara.

—— **stoping** (min), labor de frente escalonado.

—— **wall,** muro de revestimiento; estribo; antepecho.

—— **wheel** (hyd), rueda de pecho.

breasthook (sb), buzarda.

breasting (tun)(min), labor de frente escalonado; tablazón del frente.

breastrail (sb), cairel.

breastsummer (bldg), dintel.

breather, respiradero.

breathing (transformer), respiración.

—— **line** (ac), nivel de respiración (5 pies sobre el piso).

breccia, brecha, breccia.

brecciated, de estructura de brecha, (A) brechoso, (B) brechoide, (M) brechiforme.

brecciation, brechación.

breech (tackle block), rabera, rabo.

—— **plug** (mec), obturador.

breeches pipe, tubo ahorquillado o bifurcado.

breeching, tragante, humero, caja de humo, (M) (C) recámara.

breeze, cisco; brisa.

brewery wastes (sen), desechos de cervecería, alcantarillaje de la cervecería.

brick, ladrillo.

—— **and brick,** ladrillo tocando ladrillo con mortero solamente para llenar las irregularidades.

—— **barrow,** carretilla para ladrillos.

—— **chisel,** cortador de ladrillos, cortaladrillos.

—— **clamp,** corchete para ladrillos.

—— **clay,** arcilla para ladrillos o de ladrillero, tierra de ladrillos.

—— **dust,** polvo de ladrillos.

—— **hammer,** martillo de enladrillador.

—— **hod,** cuezo.

—— **masonry** mampostería o fábrica de ladrillos, (V) alfarería.

—— **mold,** molde para ladrillos, (Ec) ladrillera; adobera; (carp) moldura entre marco y albañilería.

—— **on edge,** ladrillos de sardinel o de canto.

—— **on end,** ladrillos de testa.

—— **pavement,** enladrillado, ladrillado.

—— **paver,** enladrillador.

—— **press,** prensa ladrillera, (Es) timbradora.

—— **trowel,** paleta, (A) cuchara.

—— **up,** enladrillar.

—— **veneer,** revestimiento de ladrillos.

—— **wall,** muro o pared de ladrillos.

—— **wall ½ brick thick,** media citara, muro de media asta, (M) muro de catorce.

—— **wall 1 brick thick,** citara, muro de asta, (M) muro de veintiocho.

—— **wall 1½ bricks thick,** muro de asta y media.

—— **wall 2 bricks thick,** doble citara, muro de doble asta.

—— **wall 3 bricks thick,** muro de tres astas.

brickbat, tejoleta, tejuela, pedazo de ladrillo, medio ladrillo, (C) rajón, (A) cascote.

brickkiln, horno de ladrillos, ladrillar, (A) hornalla.

bricklayer, albañil, enladrillador, ladrillador.

bricklaying, enladrillado, tendido de ladrillos.

brickmaker, ladrillero.

brickmaking machine, ladrillera.

brickmason, ladrillador, albañil.

brickwork, enladrillado, obra o mampostería de ladrillos, ladrillado, (V) alfarería.

brickyard, ladrillal, ladrillar, ladrillería.

bridge, *s* puente; (hogar) altar; (cn) puente de comando; (eléc) puente; (mv) puente; *v* salvar con puente, pontear; (eléc) conectar.

—— **bar,** alzaprima con punta piramidal.

—— **bolt,** perno de puente.

—— **circuit** (elec), circuito en puente.

—— **clevis,** horquilla estructural.

bridge   **363**   **broken**

—— **crane,** grúa de pórtico o de puente, (Pan) puente rodante.
—— **deck** (sb), cubierta del puente.
—— **guard,** guardapuente.
—— **house** (sb), casa del comando.
—— **jack,** gato de puente.
—— **joint** (rr), junta suspendida reforzada o de puente.
—— **piece** (sb), arco del marco de la hélice.
—— **pier,** pilar, pila de puente, (Col) macho, (Ch) machón, (AC) pilastra.
—— **reamer,** escariador estructural.
—— **rectifier** (elec), puente rectificador, rectificador de puente.
—— **rope,** cable de alambre para puentes colgantes.
—— **seat,** asiento de puente, piedra de asiento.
—— **socket** (wr), encastre o enchufe o grillete de puente.
—— **stay** (bo), virotillo del cielo del hogar.
—— **stone** (pav), losa de piedra para salvar la cuneta.
—— **tie** (rr), traviesa de puente.
—— **transition** (elec), transición de puente.
—— **truss,** armadura de puente.
—— **wall** (bo), altar, tornallamas.
—— **warning** (rr), véase tickler.
—— **wire** (bl), alambre de puente (dentro de la cápsula detonante).
—— **wrench,** llave cerrada o de cubo.
bridgeboard, larguero de escalera, limón, gualdera.
bridgebuilder, constructor de puentes.
bridgebuilding, construcción de puentes.
bridged-T network (ra), red forma T con puente.
bridgeman, armador de puentes.
bridging, (carp) arriostrado, atiesadores, crucetas; (fma) extensión del levantamiento entre fajas de control; (sol) puente (sobre una ranura).
bridle, (cab) brida; (fc eléc) retenida.
—— **guy** (elec), retenida diagonal o de cruceta.
—— **iron** (bldg), estribo.
—— **joint** (carp), ensambladura a horquilla.
—— **mooring,** amarre a pata de ganso.
—— **rod** (rr), tirante de agujas, barra de chucho.
—— **sling,** eslinga de brida.
Briggsian logarithm, logaritmo común.
bright, claro; brillante; luminoso.
—— **annealing,** recocido brillante.
—— **blue** (temper), azul brillante.
—— **level** (tv), nivel del blanco.
—— **nail,** clavo claro o brillante o agrio.
—— **stock** (lu), tipo de lubricante de petróleo residual.
—— **tin plate,** chapa estañada sin plomo.
—— **wire,** alambre claro o brillante o agrio.
brightness (il), intensidad luminosa, brillo, (Es) claridad.
—— **control** (tv), control de brillo.
—— **meter,** medidor de intensidad luminosa.
brilliance (il), brillantez, luminosidad, brillo subjetivo.
—— **modulation** (tv), modulación de brillantez o de intensidad.
brilliancy control (tv), control de brillo.

brilliant green (lab), verde brillante.
brine, salmuera.
—— **cock,** llave para salmuera.
brine-quenching, templado a salmuera.
Brinell
—— **hardness,** dureza de Brinell.
—— **machine,** ensayador de dureza.
—— **test,** ensayo por máquina Brinell.
briquet *s*, briqueta, ladrillejo, losilla, aglomerado (carbón), pan; *v* briquetar, briquetear.
—— **mold,** molde de briqueta, briqueteadora.
briquet-testing machine, máquina probadora de briquetas.
briqueting machine, briqueteadora.
briqueting press, prensa briqueteadora.
Bristol board, cartulina, brístol.
Britannia joint (elec), empalme britania.
British standard candle, bujía internacional.
British thermal unit, unidad de calor británica, unidad térmica inglesa.
brittle, quebradizo, frágil, agrio, quebrantable; deleznable (suelo).
—— **micas,** grupo de clintonita.
—— **silver ore,** plata negra, estefanita.
brittleness, fragilidad.
Brix scale (su), escala Brix.
broach, *s* (mec) mandril, alegrador, legra, escariador, ensanchador; (llave) espetón; *v* (mec) escariar, mandrilar; (exc) quebrar la roca entre barrenos; (mam) desbastar.
—— **puller,** sacaescariador.
broaching, escariado.
—— **fixture,** montaje de escariar.
—— **machine,** mandriladora, escariadora.
—— **press,** prensa escariadora.
broad, ancho.
—— **gage** (rr), trocha ancha.
—— **hatchet,** hachuela ancha.
—— **irrigation** (sd), irrigación con líquido cloacal, riego de aguas albañales o de aguas negras.
—— **tuning** (ra), sintonización plana.
broad-crested weir, vertedero de pared espesa o de cresta ancha.
broad-nose tool (mt), herramienta de filo ancho.
broadax, doladera, hacha ancha.
broadcast (ra), radiodifundir, radiar, perifonear.
—— **channel,** canal de radiodifusión.
—— **receiver,** radiorreceptor.
—— **transmitter,** radioemisor.
broadcasting (ra), radiodifusión, radioemisión.
—— **station** (ra), radiodifusora, radioemisora, estación difusora.
broadleaf (tree), de hoja ancha, caedizo.
broadside array (ra), antena de radiación transversal.
brochantite (miner), brocantita (sulfato básico de cobre).
broken, roto, quebrado, fracturado; (top) accidentado, barrancoso.
—— **ashlar,** sillería de juntas horizontales discontinuas.
—— **coal,** antracita de tamaño de $3\frac{7}{16}$ pulg a $4\frac{1}{2}$ pulg, (M) carbón entrozado.
—— **ground,** terreno quebrado.
—— **line** (dwg), línea quebrada o de trazos o de rayas.

—— **slag**, escoria partida.

—— **stone**, piedra quebrada o partida o picada, roca triturada.

broken-back curve (rr)(rd), dos curvas al mismo sentido con tangente corta entre las dos.

broken-down (machy), descompuesto, estropeado, inhabilitado.

broken-range masonry, sillería de piedras de diversas alturas.

broker, corredor.

brokerage, corretaje.

bromate (chem), bromato.

bromic, brómico.

bromide, bromuro.

bromine, bromo.

bromite (chem), bromito.

bromochlorophenol blue, azul de bromoclorofenol.

bromocresol green, verde de bromocresol.

bromocresol purple, púrpura de bromocresol.

bromophenol blue, azul de bromofenol.

bromothymol blue, azul de bromotimol.

bronze, bronce, (C) metal.

—— **powder**, polvo broncíneo.

—— **shop**, broncería.

—— **welding**, véase **brazing**.

—— **work**, broncería.

—— **worker**, broncero, broncista.

bronze-mounted, montado en bronce.

bronze-plated, bronceado.

bronze-trimmed, guarnecido de bronce.

bronzed, bronceado.

bronzesmith, broncero, broncista.

brook, arroyo, quebrada, riachuelo, riacho, arroyada, (Pe) acequia.

brookite, brookita (mineral de titanio).

broom, *s* escoba; *v* (pi) astillar, aplastar; astillarse, aplastarse, rajarse; (cab) separar los alambres.

—— **drag**, rastra de escobas.

broom-drag *v* (rd), barrer con escoba de arrastre.

Broome gate (hyd), compuerta Broome o de orugas.

broth (lab), medio flúido, caldo.

brown, pardo, bruno.

—— **coal**, lignito.

—— **coat** (mas), segunda capa o mano, (V) friso, (V) frisado, (A) guarnecido, (A) tendido, (M) capa café.

—— **hematite**, limonita, hematites parda.

—— **iron ore**, limonita.

—— **mica**, mica parda, flogopita.

—— **ocher**, limonita.

—— **rot** (lbr), podrición parda.

—— **spar**, espato bruno.

—— **sugar**, azúcar amarilla o terciado o morena o mascabado.

browning trowel, paleta para segunda mano, llana de jaharrar.

brownprint, fotocopia parda.

brownstone, arenisca o piedra parda.

brucite, brucita, hidróxido de magnesio nativo.

brush, *s* cepillo, escobilla; (pint) brocha, pincel; (eléc) escobilla; monte bajo, malezas, matorral; ramalla; *v* cepillar, acepillar; (pint) brochar.

—— **aerator**, aereador de escobilla.

—— **coat**, brochada, pincelada.

—— **cutter**, cortador de malezas.

—— **discharge** (elec), descarga radiante.

—— **displacement** (mot), desviación o decalaje de las escobillas.

—— **holder** (elec), portaescobilla.

—— **hook**, cortador de malezas, cortamatas.

—— **lag** (elec), retraso de la escobilla.

—— **lead**, avance de la escobilla.

—— **lifter**, levantaescobilla.

—— **loss** (elec), pérdida en las escobillas.

—— **rake** (ce), rastrillo de malezas o para matas.

—— **resistance** (elec), resistencia de las escobillas.

—— **ring** (elec), collar portaescobillas.

—— **rocker**, portaescobillas regulable.

—— **scythe**, guadaña para arbustos.

—— **shifting** (elec), decalaje de escobillas.

—— **stroke**, brochada, pincelada.

—— **switch** (elec), conmutador de escobillas.

—— **yoke** (elec), puente portaescobilla.

brush-contact resistance (elec), resistencia de contacto de escobilla.

brush-holder stud, perno portaescobilla.

brushwood, broza, ramalla, ramojo.

brute-force filter (ra), filtro de capacitancia e inductancia o de fuerza bruta.

bubble, burbuja.

—— **cap** (pet), casquete de burbujeo.

—— **column** (pet), columna de burbujeo.

—— **point**, punto de burbujeo.

—— **tower** (pet), torre de burbujeo, (M) torre de barbotaje.

—— **tray** (pet), placa o bandeja de burbujeo.

—— **tube** (inst), tubo de burbuja.

Buchner funnel, embudo de Buchner.

buck, *s* caballete, estante; (puerta) marco; *v* (as) trozar; (min) triturar; (eléc) oponer.

—— **arm** (elec), cruceta atravesada.

—— **scraper**, traílla o pala fresno.

—— **up** *v* (re), aguantar, contrarremachar, (M) entibar.

bucker, (herr) contraestampa, sufridera, contramartillo; (ef) trozador; (ef) leñador.

bucker-up (man), aguantador.

bucket, (mano) cubo, balde; (exc) cucharón, (M) bote, (A) balde; (conc) capacho, cucharón, (V) tobo; (elevador) cangilón, cubo, cubeta, capacho, arcaduz, (A) balde; (tranvía aéreo) vagoneta, carretilla; (turb) paleta, cazoleta, cuchara, álabe; (presa) terminal del vertedero, (C) taza del vertedero, (A) cubeta, (M) deflector, (M) cimacio.

—— **conveyor**, transportador de cubos o de cangilones, conductor de cubetas.

—— **dredge**, draga de escalera o de rosario o de cangilones o de arcaduces.

—— **elevator**, elevador de capachos o de cubos o de cangilones, noria de cangilones, noria elevadora, (M) rosario de cangilones; (V) (B) elevador de baldes.

—— **excavator**, excavadora de cangilones o de rosario o de capachos.

—— **loader**, cargador de vagones portátil o de cubos o de cangilones.

—— **pump,** bomba vertical con válvula en el émbolo.

—— **trap** (steam), separador de cubeta abierta, trampa de flotador abierto, interceptor de agua a balde.

—— **wheel,** rueda de cangilones.

bucket-ladder dredge, véase **bucket dredge.**

bucketful, cucharada, baldada, carga de cucharón.

bucking (elec), oposición de circuitos.

—— **bar,** sufridera, contraestampa.

—— **board,** plancha de trituración.

—— **coil** (elec), bobina de oposición.

—— **hammer,** maza trituradora.

—— **iron,** (min) maza trituradora; (est) contraestampa.

—— **saw,** sierra trozadora.

—— **wedge,** cuña de trozador.

buckle, s (as) argolla, abrazadera; v (est) pandear, abombarse, encorvarse, cimbrarse, flambearse, abarquillarse, acombar.

—— **plate,** plancha o placa abovedada, chapa combada.

buckling, pandeo, flambeo.

—— **coefficient,** coeficiente de pandeo.

bucksaw, sierra de bastidor o al aire o con armazón, (A) sierra de montaraz.

buckshot, especie de suelo que parece perdigones grandes.

—— **sand,** arena rodada.

buckstay, montante de contención, viga de atirantar.

buckup tongs (pet), tenazas atornilladoras.

buckwheat coal, antracita menuda (tamaño máximo ½ pulg).

buddle (min), s lavadero, ábaco, gamella, (B) budle, (Col) cernidor; v lavar mineral, (Col) cernir.

buddling trough, artesa de lavado.

budget, presupuesto.

buff, s rueda pulimentadora; v pulimentar; (auto) raspar.

buffer, s (herr) pulidora; (auto) raspador; (fc) tope, paragolpes; (quím) amortiguador; v (quím) amortiguar.

—— **amplifier** (ra), amplificador separador.

—— **bar,** barra de parachoques.

—— **battery** (elec), batería compensadora.

—— **beam,** travesaño de tope.

—— **block,** almohadilla de tope.

—— **capacitor** (ra), capacitador compensador.

—— **plate,** placa de choque o de tope.

—— **salt** (chem), sal amortiguadora.

—— **solution** (chem), solución retardadora o amortiguadora, (C) solución estabilizadora.

buffing, pulimentación; raspadura.

—— **lathe,** torno de pulir.

—— **oil,** aceite para pulir.

—— **wheel,** rueda pulimentadora.

bug (ra), manipulador semiautomático.

buggy, (conc) carrito, faetón, calesín, (M) carretón; (ot) remolque acarreador; (ef) trole.

—— **block,** motón corredizo.

buhl saw, sierra de calar, serrezuela.

buhrstone, piedra de molino.

build, s (mam) junta vertical; v construir; edificar; fabricar.

—— **up,** edificar, construir; enmurar; ensamblar; aumentar, aumentarse.

build-up welding, soldadura por pasos transversales.

builder, constructor, edificador, alarife, maestro de obras; fabricante.

builder's

—— **derrick,** grúa de edificación.

—— **hardware,** cerrajería, ferretería de edificación, (A) herraje para construcciones.

—— **hoist,** montacarga para edificación.

—— **jack,** consola de andamiaje; gato de tornillo.

—— **level,** nivel para constructor.

—— **tower,** torre de montacarga para edificación.

—— **transit,** tránsito para edificación.

builder's-risk insurance, seguro del contratista contra terremoto, avenida, tormenta, etc.

building, edificación, construcción; edificio.

—— **block,** bloque hueco de concreto o de arcilla cocida.

—— **board,** cartón de fibra para construcción.

—— **cable** (elec), cable para edificios.

—— **code,** codigo o ley o reglamento de edificación, ordenanzas de construcción.

—— **contractor,** contratista de edificación.

—— **department,** departamento de edificios, dirección de edificación.

—— **line,** línea municipal o de edificación, (Pan) línea de construcción.

—— **lot,** solar.

—— **mixer,** hormigonera para edificación.

—— **paper,** papel de edificación o de revestimiento.

—— **permit,** permiso de edificación, licencia para edificación.

—— **tile,** bloques huecos de arcilla cocida.

—— **trades,** oficios de edificación.

—— **wire** (elec), alambre para edificios.

built channel (str), canal de plancha con dos ángulos.

built-in (mas), empotrado.

—— **antenna** (ra), antena encerrada.

built-in-place, construído en el lugar, hecho en sitio.

built-up, ensamblado, armado, compuesto; enmurado; aumentado.

—— **column,** columna compuesta.

—— **frog,** corazón de rieles ensamblados.

—— **girder,** viga compuesta o ensamblada o armada, jácena compuesta.

—— **roofing,** techado armado.

—— **wooden beam,** viga de tablones empernados o enclavados.

bulb, (est) bordón, nervio; (eléc) bombilla, ampolleta, (C) bombillo, (A) bulbo.

—— **angle,** ángulo o escuadra con nervio, ángulo con bordón, escuadra abordonada, (A) escuadra rebordeada.

—— **bow** (sb), amura bulbosa.

—— **of pressure** (sm), bulbo de presión.

—— **pile,** pilote de bulbo o de pedestal.

—— **T,** T abordonada o con nervio o con bordón.

bulge, s pandeo, comba, barriga; v combarse bombearse, pandear, abombarse.

bulge-point bar (bl), barreta de punta recalcada.
bulging, combadura, bombeo, pandeo.
—— **die,** matriz de bombear.
bulk, s volumen, masa, macizo; v abultar, hincharse.
—— **cargo,** carga a granel.
—— **cement,** cemento suelto o a granel.
—— **density** (sm), densidad en masa.
——, **in, a granel,** en masa, bruto.
—— **modulus of elasticity,** módulo de elasticidad de volumen.
—— **specific gravity** (sm), peso específico de la masa.
bulkhead, (op) malecón, muro ribereño de contención, muro de ribera, murallón de defensa; muro de muelle; entablonado de contención; (cn) mamparo; (mo) tapón, tabique divisorio, pieza de obturación, (V) compuerta; (ed) sotechado, altillo.
—— **coaming** (sb), traca más alta o más baja del mamparo.
—— **dam,** presa insumergible o de retención, dique sin derrame o de cierre, (M) cortina.
—— **deck** (sb), cubierta de los mamparos, cubierta encima de los mamparos estancos.
—— **line,** límite del relleno a lo largo de un puerto (véase **pierhead line**).
—— **plating** (sb), plancheado de los mamparos.
—— **stiffener** (sb), atiesador de mamparo.
bulking, abultamiento, hinchazón.
—— **factor** (sm), factor de abultamiento.
bull (tun), s atacadera de barro; v llenar de barro el barreno.
—— **block,** (ef) pasteca grande; (met) bloque de estirar.
—— **chain,** cadena para troncos.
—— **clam shovel,** empujadora de almeja.
—— **ditcher,** arado pesado de vertedera doble.
—— **donkey** (lg), malacate de tres tambores montado sobre trineo.
—— **float** (rd), aplanadora mecánica; aplanadora para dos hombres o de mango largo.
—— **gear,** (gr) engranaje de giro; (gr) mecanismo de giro; (mh) engranaje principal.
—— **header** (bw), asta de canto, tizón a sardinel.
—— **line** (tun)(naut), cable de ladeo.
—— **plug,** (tub) tapón macho; (pet) tapón ciego.
—— **pump** (min), bomba a vapor de acción simple.
—— **quartz,** cuarzo bastardo.
—— **ring,** (eléc) anillo de conexión; anillo de presión (válvula compensada).
—— **riveter,** máquina fija de remachar.
—— **rope** (pet), cable de herramientas.
—— **set,** martillo picador.
—— **stretcher** (bw), soga de canto.
—— **wheel,** (gr) rueda de giro, rodete de giro; (pet) malacate para herramientas; (maq) rueda impulsora.
bulldog wrench, llave dentada o de mordaza.
bulldoze, (ot) nivelar con hoja empujadora; (min) requebrar; (vol) volar sin barrenar.
bulldozer (ea), hoja de empuje, topadora, empujadora niveladora, cuchilla empujadora, hoja topadora, (M) escrepa de empuje, (A)

pala topadora, (Ec) trompa, (V) pala de empuje recto.
bulldozer (steel fabrication), dobladora de ángulos.
Bullgrader (ea), niveladora de empuje angular, topadora angular.
bulling bar, atacadera.
bullnose
—— **brick,** ladrillo de esquina redonda.
—— **plane,** cepillo corto con cuchilla al frente.
—— **screed** (rd), raedera con vuelo.
—— **tool** (mt), herramienta desbastadora.
bullpoint, punta rompedora, rompedora de mano, puntero, punzón, barreta de punta, (min) punterola.
bull's liver, mezcla de arena fina y arcilla con agua. (Es tembladora y corrediza.)
bull's-eye (sb), lumbrera de cubierta.
—— **reflector** (rd), reflector lenticular, reflector ojo de buey.
bullying (min), ensanchamiento del fondo del barreno.
bulwark (sb), borda.
—— **stay,** barraganete.
bummer (lg), carretilla, carrito.
bump v, (lab) vaporizar súbitamente; (pa) lavar el filtro momentáneamente.
—— **joint,** tipo de unión circunferencial para tubería de acero con extremos ligeramente doblados, solapados y remachados.
bumper, tope, paragolpes, cabezal de choque, parachoques, amortiguador de choque; (cantero) cincel dentado.
—— **jar** (pet), destrabador.
bumping hammer (auto), martillo desabollador o de chapista.
bumping post (rr), poste de guarda, tope de vía o de retención, cabezal de choque, paragolpes.
bumpometer (pav), probador de superficie.
buncher (ra), resonador agrupador.
bunching (ra), agrupación.
bundle, s atado, haz, manojo; v atar, liar, lotear.
—— **of light rays,** haz de rayos.
bunghole oil, aceite de linaza crudo con adición de secantes.
bunk, (cn)(campamento) litera; (co) travesaño, solera, tarima.
—— **chain** (lg), cadena de ajuste.
—— **hook** (lg), gancho de solera.
bunker, arcón, buzón; carbonera.
—— **coal** (naut), carbón para las calderas.
—— **oil,** aceite combustible para buques.
bunkhouse, barraca, albergue, (PR) pabellón dormitorio.
bunkload (lg), carga de una sola hilera de troncos.
Bunsen burner, mechero Bunsen.
bunton (min), puntal divisorio.
buoy, s boya, baliza; v boyar, balizar, abalizar, aboyar.
—— **rope,** orinque.
—— **tender,** balizador.
buoyage, sistema de boyas.
buoyancy, flotabilidad, flotación, presión hacia arriba, sustentación hidráulica; (hid) subpresión; (ap) sustentación.

buoyant, boyante.

buoying, balizaje.

burden, (náut) porte, arqueo, tonelaje; (eléc) carga; (alto horno) carga de mineral y fundente; (min)(tún) volumen de roca por cada tiro.

buret (lab), bureta, probeta.

—— clamp, portabureta.

burglarproof, a prueba de ladrones.

buried cable, cable soterrado.

buried placer, placer con montera.

burlap, arpillera, cañamazo, coleta, (M) yute, (M) tejido de saco, (Ec) cáñamo.

burn, s quemadura; v quemar, calcinar, cocer; cortar con llama oxiacetilénica.

—— out (bearing)(fuse), quemarse.

burner, quemador, mechero; quemador (hombre); (cn) soldador.

burnettize (lbr), impregnar con cloruro de zinc, (M) burnetizar.

burning brand, hierro de marcar.

burning point, punto de combustión o de llama.

burnish, bruñir, pulir.

burnisher, bruñidor.

burnishing die, matriz bruñidora.

burnt

—— clay, arcilla cocida, barro cocido.

—— cut (tun)(min), corte cilíndrico al centro del frente.

—— sienna (dwg), siena tostada.

burnt-out, quemado.

burr, s (re) arandela, rondana, contrarroblón; (acero) rebaba, barba de taladrar; v (rs) rebabar.

—— chisel, cortafrío quitarrebabas.

Burr truss, armadura Burr.

burring reamer, escariador quitarrebabas o desbarbador.

burrstone, piedra de molino.

burst, reventar, estallar.

bursting pressure, presión de estallado o de reventar.

bursting strength, resistencia a reventar.

burton, polispasto, aparejo.

bury, s (tub) soterramiento; v soterrar.

bus, (tr) ómnibus; (eléc) barra colectora.

—— bar, barra colectora o ómnibus, (C) barra de distribución.

—— conductor, barra ómnibus.

—— line (elec rr), circuito auxiliar a lo largo del tren.

—— reactor, reactor de barras colectoras.

—— support, aisladora para barra colectora.

bush v, forrar, revestir, encasquillar, (C) embujar.

—— chisel, escoplo con cara de bucharda.

—— hook, cortador de malezas, cortamatas.

—— knife, machete.

—— scythe, guadaña para arbustos.

busher (lg), desbrozador, cortador de ramas.

bushhammer, s martellina, bucharda; v buchardear, martellinar.

bushing, (maq) forro, manguito, casquillo, cojinete, camisa, boquilla, buje, bocina; (tub) casquillo reductor, buje, boquilla; (eléc) manguito aislador, boquilla.

—— box tool (mt), portacuchilla de casquillo.

—— driver, impulsor de bujes; sacabujes.

—— extractor, sacabujes, quitabujes, extractor de bujes.

buster, romperremaches, tajadera; rompedor de concreto.

—— cut (tun), cuña de alivio para los barrenos de franqueo.

—— holes (tun), barrenos de cuña poco profundos.

busway (elec), conducto para barras colectoras, canal de barras colectoras.

butane, butano.

butt, (pilote) tope, culata, cabeza; (puerta) bisagra.

—— chain (lg), cadena de acoplamiento.

—— chisel, escoplo para asentar bisagras.

—— cleat (min), plano secundario de clivaje.

—— contact (elec), contacto de tope.

—— cut (lg), tronco cortado al pie del árdol.

—— entry (min), galería normal al clivaje secundario.

—— gage (carp), gramil para bisagras.

—— hinge, bisagra, bisagra de tope.

—— hook (lg), gancho tirador.

—— iron (sb), calafateador agudo.

—— joint, junta de cubrejunta, empalme o junta de tope, unión a tope, empate de tope.

—— rot (lbr), podrición fungosa.

—— saw, sierra de trozar o de recortar.

—— strap, cubrejunta, tapajunta, sobrejunta, placa de unión.

—— to butt, a tope.

—— weld, soldadura a tope.

butt-riveted, remachado a tope, roblonado por cubrejunta.

butt-weld v, soldar a tope.

butt-welding fittings (p), accesorios para soldar a tope.

butte, dique, paredón, otero.

butter, s (as) topadora; v (lad) embadurnar, plastecer.

butterfly damper, mariposa reguladora de tiro.

butterfly valve, válvula de mariposa, válvula pivotada.

butternut (lbr), nogal blanco.

butting saw, sierra topadora.

buttock lines (na), curvas de secciones longitudinales por la popa.

buttocks (sb), llenos de popa.

button, botón.

—— balance (lab), balanza de ensayo.

—— line (cy), cable de nudos o de botones, (A) cable rosario.

—— set (re), embutidor, estampa, boterola, martillo-estampa.

—— stop (cy), botón de tope, nudo.

—— switch (elec), interruptor de botón.

button-bottom pile, pilote de botón, pilote de bulbo.

buttonhead (rivet), cabeza redonda o de botón o de hongo.

buttress, machón, nervadura, pilar, contrafuerte (M) botarel.

—— dam, presa de machones, dique a contrafuertes, (M) cortina de machones.

—— thread, rosca trapezoidal.

buttressed wall, muro nervado.

butyl acetate, acetato de butilo.

buzz

—— **planer,** juntera, cepilladora rotatoria de eje vertical.

—— **saw,** sierra circular.

—— **stick** (elec), varilla probadora de aisladores de cadena.

buzzer (elec), zumbador, (A) vibrador, (A) chicharra.

by-pass, comunicación lateral, paso, desvío, derivación, tubo de paso.

—— **condenser** (elec), condensador de paso o de derivación, (A) condensador de pasaje.

—— **traffic** (rd), tráfico de larga distancia.

—— **valve,** válvula desviadora o de paso o de derivación o de comunicación.

by-product, subproducto, producto accesorio o secundario.

—— **coke,** coque producido con subproductos.

C battery (ra), batería C o de rejilla.

C bias (ra), bias C o de rejilla.

C channel (str), perfil canal en C.

C power supply (ra), fuente de energía C (circuito de rejilla).

C washer, arandela abierta.

cgs system of units, sistema cgs.

cab, (loco) casilla, caseta, marquesina, cabina de conducción; (pl) garita, caseta, casilla, cabina; (co) pescante, garita, cabina, caseta.

cabin, (náut) camarote; cabina (avión).

cabinet (elec), caja, cajón, casilla, nicho, armario.

—— **chisel,** escoplo de abanista.

—— **file,** lima de ebanista.

—— **hardware,** ferretería para ebanistería.

—— **scraper,** rasqueta de ebanista.

cabinetmaker, ebanista.

cabinetmaking, ebanistería, marquetería.

cable, *s* cable, cabo, maroma; cablegrama; (eléc) cable; *v* cablegrafiar.

—— **accessories** or **attachments,** accesorios de cable o para cable de alambre.

—— **bender** (elec), doblador de cable.

—— **bond,** conexión eléctrica.

—— **bulldozer,** hoja de empuje a cable.

—— **car,** carro arrastrado por cable.

—— **chain,** cadena de cable o de eslabones afianzados.

—— **clamp,** barrilete, grampa para cable, grapa o mordaza de cable, (M)(C) perro.

—— **clip,** abrazadera para cable, sujetacable, agarradero o grapa de cable, (C) perro, (M) opresor, (A) aprietacable, (Ch)(M) amarra para cable.

—— **compound,** compuesto para cable, adobo.

—— **control,** gobierno por cable, control a cable.

—— **conveyor,** transportador de cable.

—— **crowd** (sh), empuje a cable.

—— **cutter,** cortador de cable.

—— **dressing,** compuesto o adobo para cable.

—— **drill,** sonda o barrena de cable.

—— **duct,** canal de cables, conducto portacable, (Es) alcantarilla.

—— **excavator,** traílla de cable de arrastre.

—— **ferry,** andarivel.

—— **filler** (elec), compuesto de relleno.

—— **fittings,** accesorios de cable.

—— **grip,** grapa tiradora de cable.

—— **guard,** guardacable.

—— **guardrail,** barrera de cable, cerca defensa de cable.

—— **hanger** (elec), colgador de cable, portacable.

—— **joint** (elec), empalme.

—— **lug,** talón de cable.

—— **manhole,** caja o cámara de empalme.

—— **plow,** arado para soterramiento de cable eléctrico.

—— **puller** (elec), tirador de cable.

—— **rack** (elec), rastrillo portacables, escalerilla o ganchos para cables.

—— **railroad,** ferrocarril funicular, funicular, andarivel.

—— **ripper** (ce), desgarradora o rasgador de cable.

—— **scraper** (ce), traílla mandada por cable; pala de cable de arrastre.

—— **shield** (elec), manguito protector.

—— **socket,** enchufe, encastre, casquillo.

—— **splice,** ayuste de cable; (eléc) empalme de cables.

—— **stripper** (elec), desforrador de cable.

—— **take-up reel** (bu), tambor del cable eléctrico.

—— **tape** (elec), cinta para cable.

—— **terminator** (elec), terminador de cable.

—— **tools** (pet), herramientas de percusión o de cable.

—— **vault,** caja de empalme de cables.

cable-duct shield, guardavivo, cantonera.

cable-laid (rope), acalabrotado.

cable-operated, mandado por cable.

cable-reel jack, gato para carrete.

cable-reel trailer, remolque para carrete de cable.

cable-splicing rig, ayustadora.

cablehead (elec), caja cabecera de cable.

cableway, cablecarril, cablevía, cable transportador o transbordador, vía de cable, andarivel, (Es) blondín.

—— **carriage,** carrito de suspensión, carretón corredizo, corredera.

—— **carriers,** colgadores del cable izador, sostenes de cable, jinetillos.

—— **engine,** malacate para cablevía, (Ch) huinche de cablevía, (A) guinche de cablevía.

—— **excavator,** excavadora de cable.

—— **operator,** maquinista de cablevía.

—— **skidder** (lg), cablevía de arrastre.

—— **tower,** torre, castillete, caballete de cablevía.

caboose (rr), vagón o furgón de cola.

cadastral engineer, ingeniero catastral.

cadastral survey, levantamiento catastral.

cadastration, levantamiento catastral.

cadastre, catastro.

cadmium, cadmio.

—— **blende** (miner), grenoquita, blenda cadmífera.

—— **cell** (elec), elemento de cadmio.

—— **copper,** aleación para conductores eléctricos.

—— **lamp,** lámpara de vapor de cadmio.
—— **sulphide,** sulfuro de cadmio, (miner) greno-quita.
cadmium-plated, cadmiado.
cage, (min) jaula, camarín, caja de extracción; (maq) jaula o caja de bolas, separador; (eléc) jaula, red.
—— **antenna** (ra), antena de jaula.
—— **screen,** criba de jaula.
cager (min), cargador de la jaula.
caisson, (aire) cajón de aire comprimido, arcón, (M) campana neumática; (ds) barco-puerta, compuerta flotante.
—— **bucket,** cucharón para cajón.
—— **chamber** (dd), cámara de la compuerta.
—— **disease,** enfermedad de trabajadores en aire comprimido, (A) aeroembolismo.
—— **gate,** barco-puerta, compuerta flotante.
—— **pile,** pilote de tubo llenado de concreto.
cake, s pan, torta, galleta; v aglutinarse, conglutinarse, aterronarse, cuajarse.
caking coal, carbón aglomerante o aglutinante, hulla conglutinante.
calamine, (miner) calamina; (aleación) calamina.
—— **door,** puerta de madera forrada de metal calaminado.
calandria, calandria.
—— **pan** (su), tacho de calandria.
calaverite, calaverita (mineral de oro).
calc-sinter, travertino.
calc-spar, calcita, espato calizo o calcáreo.
calc-tufa, toba calcárea.
calcareous, calcáreo, calizo.
—— **sinter,** travertino.
—— **spar,** calcita, espato calcáreo.
calcic (chem), cálcico.
calcimine, lechada, pintura al agua o a la cola.
calcine, calcinar.
calciner, calcinador.
calcining furnace, horno de calcinar.
calcite (miner), calcita, espato calizo o calcáreo.
calcium, calcio.
—— **carbide,** carburo de calcio.
—— **carbonate,** carbonato de calcio o de cal, (miner) calcita.
—— **chloride,** cloruro cálcico o de calcio.
—— **fluoride,** fluoruro de calcio, (miner) fluorita.
—— **hydrate,** hidrato de calcio, hidróxido de cal.
—— **ion,** ión cálcico o de calcio.
—— **light,** luz de calcio.
—— **lime,** cal grasa (contiene poco magnesio).
—— **oxide,** óxido de calcio o de cal, cal viva.
—— **phosphate,** fosfato cálcico, (miner) apatita.
—— **sulphate,** sulfato de calcio o de cal, yeso.
calcium-base grease, grasa a base de calcio.
calcrete, talpetate, caliche.
calculate, calcular.
calculated bearing (surv), rumbo computado.
calculating board (elec), cuadro calculador.
calculating machine, máquina calculadora o de calcular, aritmómetro.
calculation, cálculo, cómputo.
calculator, calculador, calculista.
calculus, cálculo.
calender, s calandria; v satinar.

calf wheel (pet), malacate para tuberías, torno para herramientas.
Calgon (wp)(trademark), hexametafosfato de sodio.
caliber, calibre.
calibrate, calibrar.
calibration, calibración, calibraje.
—— **constants** (pmy), constantes de calibración.
caliche, caliche, suelo blanco arcilloso.
California bearing ratio (rd)(ap), relación de estabilidad del suelo.
California switch (tun), cambiavía provisional en Y encima de la vía de recorrido.
caliper, s calibrador, calibre, compás de espesor o de gruesos; v calibrar.
—— **compass,** calibrador.
—— **gage,** calibrador fijo de espesor.
—— **rule,** calibre corredizo de espesor, medida con calibrador.
—— **square,** escuadra ajustable, calibrador.
calite (alloy), calita.
calk, (barco) calafatear, recalcar, acollar; (cal) afolar, retacar, recalcar; (tub fund) calafatear, recalcar; (re) retacar, recalcar.
—— **weld,** soldadura para cerrar una junta.
calker, calafateador, recalcador, acollador; afolador, retacador.
calking, calafateo, retaque, recalcadura.
—— **anchor,** manguito para recalcar.
—— **chisel,** afolador; calafate, estopero, cincel de calafatear, escoplo de calafatear, acollador.
—— **compound,** masilla de calafatear, compuesto de retacar.
—— **cotton,** algodón de calafateo o para calafatear.
—— **edge,** borde de retacadura.
—— **felt,** fieltro de calafatear.
—— **ferrule** (p), casquillo de calafateo.
—— **hammer,** martillo de calafatear.
—— **iron,** calafate, estopero, calador, afolador.
—— **mallet,** maceta de calafatear, mallete de calafate.
—— **putty,** masilla de calafatear.
—— **yarn,** yute, estopa, (Ch) filástica, (M) empaque para calafatear, (C) pabilo, (A) meollar de cáñamo, (C) yute sanitario.
call for bids, s citación a licitadores; v llamar a licitación, convocar licitadores, (A) sacar a licitación pública.
call letters (ra)(tel), letras de identificación.
calling wave (ra), onda de llamada.
calomel electrode, electrodo de calomelanos.
caloric, calórico, térmico.
calorie, caloría; caloría pequeña, caloría-gramo; caloría grande, caloría-kilogramo.
calorific, calorífico.
—— **capacity,** calor específico.
—— **value,** potencia calorífica.
calorimeter, calorímetro.
calorimetric, calorimétrico.
calorimetry, calorimetría.
calorite (alloy), calorita.
calorize (met), calorizar.
calyx, corona dentada.
—— **drill,** taladro de tubo, barrena tubular, sonda de corona dentada.

cam, leva, levador, cama, (C) excéntrica.
—— **clamp**, barrilete a leva.
—— **contactor**, contactor de leva.
—— **cutter** (mt), fresadora para levas.
—— **follower** (ge), rodilla de leva, seguidor de la leva.
—— **gear**, mecanismo de levas, mando por levas.
—— **lever**, palanca de leva; palanca excéntrica.
—— **press**, prensa de leva o de excéntrica.
—— **ring**, disco o anillo de levas.
—— **roller**, rodillo de leva o de la excéntrica.
—— **squeezer** (met), cinglador rotativo o de leva.
—— **switch** (elec), interruptor o llave de leva.
—— **wheel**, rueda excéntrica.
cam-and-lever steering gear (auto), mecanismo de dirección a leva y palanca.
cam-and-roller hoist (tk), elevador de leva y rodillo.
cam-operated, actuado por leva.
cam-sealed, cerrado por leva.
camber, *s* (est) contraflecha, comba, bombeo, combadura; (auto) inclinación (ruedas delanteras); (ballesta) flecha, altura de flexión; (cn) boleo, vuelta, brusca; (ca) bombeo, peralte; *v* (est) combar, bombear, abombar.
cambium (lbr), cámbium.
cambric, batista, cambray.
—— **insulation**, aislación de cambray barnizado.
camel (naut), flotador de salvamento; flotador de defensa.
camel-back truss armadura de cordón superior arqueado.
camelback (auto), tira de recauchar.
camelia metal, metal camelia.
camel's-hair brush (dwg), pincel de pelo de camello.
camera, cámara fotográfica; (cons) cámara.
—— **frame** (pmy), marco portacámara.
—— **station** (pmy), estación de toma.
—— **tube** (tv), válvula cámara.
Cameron tank (sd), tanque séptico Cameron.
camp, *s* campamento, (min) campo; *v* acampar.
camshaft, eje o árbol de levas, árbol de distribución, (C) árbol de excéntricas.
can, lata.
—— **buoy**, boya cilíndrica o de tambor, boya-tonel.
—— **hooks**, ganchos para bidón.
canal, canal, acequia, caz, cacera.
—— **lining**, revestimiento del canal, encachado.
—— **lock**, esclusa.
—— **rays** (ra), rayos positivos.
—— **tender** (irr), acequiero.
canalboat, barca de canal.
canalization, canalización, encauzamiento.
canalize, canalizar, encauzar, acanalar.
cancellation (str), retículo, reticulado.
candelabra lamp holder (elec), portalámpara de ½ pulg con 10 roscas por pulg.
candle (il), bujía.
—— **power**, bujía.
candle-foot, pie-bujía.
candle-hour, bujía hora.
candy test (su), ensayo de candi.
cane (su), caña.

—— **borer**, barrenillo de caña, (C) perforador de caña.
—— **carrier**, conductor de caña.
—— **feeder**, alimentador de caña.
—— **gum**, goma de la caña.
—— **house**, véase sugarhouse.
—— **juice**, guarapo, jugo, zumo.
—— **kicker** (su), nivelador de caña, (C) gallego.
—— **knife** (t), machete para caña.
—— **knives**, (maq) cuchillas giratorias, picadoras de caña.
—— **leveler**, nivelador de caña, (C) gallego.
—— **mill**, molino, trapiche, ingenio.
—— **press**, prensa para caña de azúcar.
—— **roll**, maza cañera.
—— **shredder**, desfibrador, deshilachador.
—— **sugar**, azúcar de caña, sucrosa.
cannel coal, carbón mate o de bujía, (Es) canel, (M) carbón de ampelita.
cannery wastes (sen), desperdicios o aguas cloacales de conservadoras, (M) desechos de empacadoras.
canopy (elec fixture), escudete, escudo.
—— **door**, puerta pabellón.
—— **insulator**, aislador de campana.
—— **switch** (elec), interruptor de campana.
—— **top** (tc), techo, cubierta.
canopy-top body (tk), caja con techo enterizo, carrocería tipo expreso.
cant, *s* chaflán, inclinación; (to) banquillo, chaflán; (as) troza después de quitarla los costeros; *v* inclinar; inclinarse.
—— **beam** (sb), bao sesgado.
—— **chisel**, escoplo en bisel, formón con chanfle.
—— **dog**, pica o palanca de gancho.
—— **file**, lima triangular achatada.
—— **frames** (sb), cuadernas sesgadas.
—— **hook**, gafa, arpeo, gafa de palanca o para trozas, palanca de gancho, garfio, (M) portatrozas, (M) gancho de volteo.
—— **molding**, moldura biselada.
—— **strip** (rf), listón chaflanado, tira de banquillo.
cantalite (geol), cantalita.
cantboard (rf), tabla de banquillo o de chaflán.
canter (sa), volteador de trozas.
cantilever, *s* cantilever, voladizo; *a* voladizo, volado, acartelado, cantilever.
—— **arm**, tramo o brazo volado.
—— **beam**, viga voladiza o acartelada.
—— **bridge**, puente cantilever o volado o voladizo.
—— **filter** (su), filtro de canecillo.
—— **retaining wall**, muro cantilever de contención, (A) muro de sostenimiento en ménsula.
—— **slab**, placa volada.
—— **span**, tramo volado.
—— **truss**, armadura volada.
canting machine, volteador de trozas.
canvas, lona, cañamazo, lino.
—— **tremie**, manga de lona.
canyon, garganta, desfiladero, congosto, cañón, barrancón, cajón.
cap, *s* (cb) cabezal, travesaño, cabecero, travesero, cepo, solera superior, atravesaño, (A) longrina, (V) dintel; (pi) larguero, travesero; (tub) tapa, casquete, hembra,

sombrerete, caperuza; (vol) cápsula, detonador; (neumático) recubrimiento angosto; *v* (cb) encepar, adintelar; (pi) unir con largueros, encepar; (tub) tapar; coronar; recauchar, recubrir.
—— **crimper** (bl), plegador de cápsulas, tenazas para detonador, tenaza de fulminante.
—— **flashing** (rf), vierteaguas superior.
—— **nut**, tuerca tapa o ciega, (A) cabo ciego.
—— **ring** (str), anillo de remate.
—— **rock** (min), rocas de cubierta.
—— **screw**, tornillo de cabeza o de presión o de casquete, prisionero.
capacitance, capacitancia, capacidad.
—— **bridge** (elec), puente medidor de capacitancia.
—— **meter**, medidor de capacitancia, (A) capacímetro, (A) capacitómetro.
—— **relay**, relai de capacitancia.
capacitive (elec), capacitivo.
—— **coupling** (elec), acoplamiento capacitivo, conexión por capacitancia mutua.
—— **reactance** (elec), reactancia capacitiva o de capacidad.
capacitor (elec), capacitador, capacitor, condensador.
—— **antenna**, antena de capacitancia.
—— **bank**, grupo de capacitadores.
—— **constant**, constante del capacitador.
—— **microphone**, micrófono de condensador.
capacitor-start motor, motor de arranque con capacitor.
capacity, capacidad, cabida.
—— **curve**, curva de cabidas.
—— **factor**, factor de capacidad.
—— **reactance** (elec), reactancia de capacidad.
cape (geog), cabo, punta, angla.
—— **chisel**, cortahierro de ranurar, escoplo o cortafrío ranurador.
capillarity, capilaridad.
capillary, *s* tubo capilar; *a* capilar.
—— **attraction**, atracción capilar.
—— **electrometer**, electrómetro capilar.
—— **entrainment**, arrastre capilar.
—— **force**, fuerza capilar.
—— **fringe**, capa de terreno humedecido por el agua capilar sobre la capa acuífera, (A) franja capilar.
—— **moisture**, humedad capilar.
—— **potential**, potencial o tensión capilar.
—— **pyrites**, pirita capilar, milerita.
—— **rise**, ascenso capilar, (A) levantamiento capilar.
—— **tube**, tubo capilar.
—— **water**, agua capilar.
capillometer, medidor de capilaridad.
capital, *m* (fin) capital; *f* capital (ciudad); (arq) capitel.
—— **assets**, activo fijo, (Ch) capital activo.
—— **liabilities**, pasivo fijo, (Ch) capital pasivo.
—— **stock**, capital social, acciones.
—— **surplus**, excedente de capital.
capitalist, capitalista.
capitalize, capitalizar.
capped outlet (elec), tomacorriente tapado.
capped steel, acero tapado.

capper (lab), máquina coronadora.
capping (min), cubierta, sobrecapa.
capstan, cabrestante, cabria, cigüeña, argüe, molinete.
—— **bar**, barra del argüe.
—— **lathe**, torno revólver.
—— **nut**, tuerca de argüe.
—— **pulley blocks** (lineman), aparejo de molinete.
—— **screw**, tornillo con cabeza de argüe.
capstan-headed, de cabeza de argüe.
capstone, albardilla, coronamiento.
capsule, *s* cápsula; *v* (lab) encapsular.
capture (r), captura, (A) captación.
car, (fc) carro, vagón, furgón (equipajes), coche (pasajeros); (ec) vagoneta, carrito, carro, vagón; (asc) camarín, (A) cabina; (auto) coche, automóvil.
—— **body**, caja de carro o de vagón, cajón.
—— **dumper**, vaciador o basculador de carros, báscula-vagones, volquete para carros.
—— **elevator**, montavagones.
—— **float**, barco transbordador de vagones, (A) ferro-barco.
—— **mover**, empujador de carros, alzaprima para carros.
—— **puller**, torno arrastrador de carros, halador de vagones.
—— **pusher** (t), empujador de carros.
—— **rails** (elev), montantes o rieles del camarín.
—— **replacer**, encarrilador.
—— **retarder**, retardador de vagones.
—— **shed**, cobertizo para carros.
—— **spotter**, colocador de vagones.
—— **tipple**, volteador de carros.
—— **track**, tranvía, vía tranviaria.
—— **unloader**, descargadora de vagones, descargador de carros.
car-bottom furnace, horno de base corrediza.
car-building channel, perfil U para construcción de carros.
car-cleaning yard (rr), patio de limpieza.
car-switch operation (elev), manejo por conmutador del camarín.
caramelize (su), caramelizar.
carbarn, cochera, cobertizo para carros.
carbide, carburo.
carbide-tipped cutter, fresa con punta de carburo.
carbodynamite (bl), carbodinamita.
carbohydrate (sen), carbohidrato.
carbohydrogen, carbohydrógeno.
carbolic acid, ácido fénico o carbólico.
carbolic oil, carboleína.
carbolineum, carbolíneo.
Carbolite (trademark), carbolita (abrasivo).
Carbolon (trademark), carbolón (abrasivo).
carboloy, aleación de tungsteno, carbono y cobalto.
carbon, carbón; (quím) carbono.
—— **arc**, arco entre electrodos de carbón, (A) arco carbónico.
—— **black**, negro de humo o de carbón.
—— **brush**, escobilla de carbón.
—— **button** (tel), cápsula de carbón.
—— **capsule** (tel), cápsula de carbón.
—— **contact** (elec), contacto de carbón.

—— copy, copia en papel carbón, copia al carbón.
—— diamond, diamante negro, carbonado.
—— dioxide, dióxido o ácido o anhídrido carbónico.
—— feeder (wp), alimentador de carbón.
—— granules (tel), granalla de carbón.
—— holder (elec), portacarbón.
—— knock (auto), retintín, golpeteo.
—— light, lámpara de arco con electrodos de carbón.
—— microphone, micrófono a contacto de carbón, micrófono a carbón.
—— monoxide, monóxido carbónico o de carbono.
—— paper, papel carbón, (A) carbónico.
—— pencil (elec), véase carbon point.
—— pile (elec), resistencia de carbón.
—— point (elec), lápiz, electrodo de carbón.
—— resistance (elec), resistencia de carbón.
—— scraper (auto), rascador de carbón.
—— silicide, carburo de silicio, carborundo.
—— steel, acero al carbono.
—— transmitter, micrófono a contacto de carbón.
—— tube (lab), vaso para ensayo de carbono.
carbon-arc cutting, cortadura con arco entre electrodos de carbón, corte con arco de carbón.
carbon-arc welding, soldadura con electrodos de carbón.
carbon-cylinder cell (elec), pila de cilindro de carbón.
carbon-free (met), libre de carbono.
carbon-pile regulator (elec), resistencia de placas de carbón.
carbonaceous, carbonoso.
carbonate, s carbonato; v carbonatar, (Pe) carbonar.
—— hardness (wp), dureza carbonatada o de carbonatos, (V) dureza carbonática.
—— of lime, carbonato de calcio o de cal.
—— of potash, carbonato de potasio o de potasa.
—— of soda, carbonato de soda o de sodio.
carbonation, carbonatación.
—— tank (su), tanque carbonatador.
carbonator, carbonatador.
carbonic, carbónico.
—— acid, ácido carbónico.
—— anhydride, anhídrido o dióxido carbónico.
—— oxide, óxido carbónico, monóxido de carbono.
carbonic-acid gas, dióxido carbónico.
carboniferous, carbonífero.
carbonite, (vol)(miner) carbonita.
carbonize, carbonizar.
carbonizer, carbonizador.
carbonizing flame (w), llama carbonizadora.
carbonometer, carbonómetro.
carborundum, carborundo.
—— detector (ra), detector de cristales de carborundo.
—— paper, lija de carborundo.
carbuilder, constructor de carros.
carburant, carburante.
carburet, s carburo; v carburar.
carburetant, carburante.
carburetion, carburación.
carburetor, carburador.

—— adjustment, regulación del carburador.
—— assembly, conjunto del carburador.
—— bowl, taza o cubeta del carburador.
—— mixture, dosificación del carburador.
carburize, carburar, carburizar, cementar.
carburizer, carburizador.
carburometer, carburómetro.
carcass (tire), género, (M) carcax.
carcel (il), carcel.
card, tarjeta; (indicador) gráfica; (herr) escobilla, carda.
—— index, fichero, índice de tarjetas.
Cardan joint, junta cardánica, articulación cardán.
Cardan shaft, eje cardán o cardánico, árbol cardán.
cardinal line (surv), línea fundamental.
cardinal points, puntos cardinales.
Cardanic suspension, suspensión cardánica.
careen (naut), carenar.
careenage, carenaje.
careening, carena.
Carew cutters, pinzas de corte frontal.
cargo, carga, cargamento, cargo.
—— battens (sb), palmejares.
—— boat, buque carguero, barco de carga.
—— boom, aguilón de buque.
—— crane, grúa arrumadora.
—— dead-weight tonnage (na), porte efectivo, tonelaje de carga, carga neta.
—— hatch (sb), escotilla de bodega.
—— hoist, malacate de buque, (Ch) huinche de buque.
—— hook, gancho de estibar.
—— mast, mástil de carga.
—— mat (naut), estera, pallete.
—— net (naut), red de carga o de estibar.
—— port (sb), porta de carga.
carline (car), barrotín, traviesa.
carling (sb), barrotín, galeota.
carload, carga de carro, vagonada, furgonada.
—— lot, carro completo o entero, (A) lote de vagón.
—— rate, flete por vagonada, tarifa por carros completos.
carnallite, carnalita (mineral de magnesio y potasio).
carob wood, algarrobo; jacarandá.
carpenter, carpintero.
—— foreman, jefe carpintero, capataz de carpinteros.
—— helper, ayudante o peón de carpintero, (Es) segundo carpintero.
—— shop, carpintería, taller de carpintería.
carpenter's
—— brace, berbiquí, taladro de carpintero.
—— clamp, prensa de madera, (A) sargento de madera.
—— horse, caballete, burro, camellón, asnillo, borriquete.
—— square, escuadra.
carpentry, carpintería.
carpet coat (rd), capa final o de sellado, carpeta.
carrene (rfg), cloruro de metileno.
carriage, (ev) carretón corredizo, carrito, carretilla, (Ch) trole cargador; (mec) carrito;

(torno) carro corredizo; (as) carro porta-troncos; (tr) porte, acarreo, transporte; (es) zanca, limón, gualdera.
— **bolt,** bulón de cabeza de hongo y cuello cuadrado, (M)(C) tornillo de carruaje, (M) perno de coche.
— **handwheel** (lathe), rueda de avance a mano o de mano del tablero.
— **stop** (mt), tope de carro.
carrier, (cv) sostén de cable, jinetillo, suspensor; (mec) conductor, portador; (puerta corrediza) carrito; (excavadora de cable) corredor, carrito; (tr) portador, empresa transportadora o porteadora, acarreador; (eléc) portadora.
— **amplification** (ra), amplificación portadora.
— **band** (elec), banda portadora.
— **bar** (pmy), barra portadora.
— **bars** (pet), barras portavástago.
— **channel** (elec), canal de corriente portadora.
— **current** (elec), corriente portadora.
— **frequency** (elec), frecuencia portadora.
— **horn** (cy), asta de suspensores, cuerno.
— **level** (ra), nivel de portadora.
— **power** (ra), potencia de la portadora, (A) fuerza portativa.
— **repeater** (tel), repetidor para transmisión por onda portadora.
— **shift,** cambio de frecuencia portadora.
— **spectrum** (elec), espectro de frecuencias portadoras.
— **suppression** (ra), supresión de la frecuencia portadora.
— **telephony,** telefonía por onda portadora.
— **transmission** (elec), transmisión por onda portadora.
— **transmitter** (elec), transmisor de corriente portadora.
— **wave** (elec), onda portadora.
carrier-frequency broadcasting, véase **line radio.**
carry, (tr) llevar, acarrear, transportar; (est) sostener, soportar; (tub) pasar, conducir; (eléc) conducir; (r) arrastrar, acarrear.
— **in suspension** (hyd), llevar en suspensión, arrastrar, acarrear.
— **out,** llevar a cabo.
— **over** (mech), llevar a la etapa siguiente.
carry-over factor (str), factor de continuidad.
carry-over storage (hyd), agua almacenada del año anterior.
carryall (conc), carrito volcador, faetón, calesín.
Carryall scraper (trademark)(ea), traílla carryall, pala transportadora, excavadora acarreadora.
carrying
— **cable,** cable portante o sustentador, (Ch) cable mensajero.
— **capacity** (elec), capacidad de corriente o de conducción.
— **idler** (conveyor), rodillo de apoyo de la correa cargada.
— **scraper,** excavadora o traílla acarreadora.
— **strand** (conveyor), tramo portador.
— **tongs** (pet), tenazas para tubería, pinzas cargadoras.
carshop, taller de reparación de carros.

cart, *s* carro, carretón, carreta, narria; *v* acarrear, carretear.
— **driver,** carretonero, carretero.
cartage, acarreo, carretaje, carretonaje, acarreamiento.
Cartesian coordinates, coordenadas cartesianas.
cartload, carretada, carretonada, carrada.
cartograph, carta geográfica, mapa hidrográfico.
cartographer, cartógrafo.
cartographic, cartográfico.
cartography, cartografía.
cartridge, cartucho.
— **fuse,** fusible de cartucho, cartucho de fusión.
— **paper** (dwg), papel de cartucho.
cartwright, carretero.
cascade, cascada.
— **aerator,** aereador de escalones o de cascada.
— **amplification** (elec), amplificación multigradual o en cascada.
— **connection** (elec), acoplamiento o conexión en cascada.
— **control** (elec), control a cascada.
— **converter** (elec), convertidor en cascada, motor-convertidor.
— **limiter** (ra), limitador en cascada.
— **tube,** tubo electrónico en cascada.
case, caja; (inst) estuche; (carp) marco, contramarcos; (min) cuadro; (met) superficie endurecida.
— **bay** (bldg), conjunto de vigas y viguetas de un tramo del edificio.
— **bolt,** cerrojo de caja.
— **hook,** gancho de estibador.
— **lock,** cerradura de caja.
— **ring** (turb), anillo portante o de soporte.
cased glass, vidrio laminado.
cased pile, pilote (de concreto) encerrado.
caseharden (steel), cementar, carburizar.
casehardening (lbr), endurecimiento superficial.
casein, caseína.
— **glue,** cola de caseína o de agua fría.
casement, vidriera embisagrada verticalmente.
— **adjuster,** ajustador de ventana de bisagra.
— **sash,** hoja batiente o de ventana embisagrada.
— **window,** ventana batiente o a bisagra.
cash payment, pago al contado.
cashbook, libro de caja.
cashier, cajero.
cashier's check, cheque propio o de administración.
casing, caja, envoltura, envolvente, cáscara, concha, chaqueta, carcasa; (pozo) tubería de revestimiento, entubado, (M) tubo de ademe, cañería de entubación; (ventana) contramarcos, chambranas; marco de ventana; (llanta) cubierta.
— **adapter** (pet), adaptador para tubería.
— **cutter** (pet), cortatubo de pozo.
— **disk** (pet), disco para tubería.
— **dolly** (pet), rodillo para tubería.
— **elevator** (pet), elevador para tubería.
— **fittings** (pet), accesorios para tubería de revestimiento.

—— head (pet), cabezal, cabeza de pozo, cabezal de tubería de revestimiento, cabezal de entubamiento.

—— hook (pet), ganchos para tubería, gancho del motón viajero.

—— jack (pet), gato levantatubos.

—— nail, puntilla para contramarcos.

—— perforator (pet), perforatubos, perforador de tubos.

—— pipe (pet), tubería de revestimiento, cañería de entubación.

—— pump (pet), bomba insertada.

—— ripper (pet), tajatubo de pozo.

—— scraper (pet), raspatubo.

—— sheave (pet), garrucha del entubado.

—— shoe (pet), zapata de tubería de revestimiento.

—— spear (pet), arpón o cangrejo pescatubos.

—— spider (pet), araña para tubería de revestimiento.

—— splitter (pet), tajatubo, rajatubo.

—— spool (pet), malacate para tuberías, torno de tubería.

—— string (pet), sarta de entubado.

—— suspender (pet), sostenedor de tubería.

—— tester (pet), pruebatubos, probador de tubería.

—— tongs (pet), tenazas para tubería.

—— wagon (pet), carretilla portatubos.

casing-head gas, gas natural, gas de boca de pozo.

casing-head gasoline, gasolina condensada de gas natural.

cask, tonel, pipa, barrica, cuba.

casserole (lab), cacerola.

cassiterite (tin ore), casiterita, estaño vidrioso.

cast, s pieza fundida; (exc) tirada; (pet) fluorescencia; v (fund) fundir, vaciar, moldear; (conc) moldear, colar; (exc) tirar, echar, arrojar; (min) variar de dirección el filón.

—— bronze, bronce fundido.

—— iron, fundición, hierro fundido o colado o vaciado o moldeado, fierro fundido, hierro de fundición.

—— steel, acero fundido o moldeado o colado.

—— stone, sillares de concreto.

cast-in-block (auto), fundido en bloque.

cast-in-place (conc), moldeado en el lugar o in situ.

cast-iron

—— pipe, tubo de hierro fundido, tubería de fundición.

—— thermit, termita para fundición.

—— washer, arandela de hierro fundido o de cimacio.

castable n (rfr), compuesto para moldear, concreto refractario.

castellated nut, tuerca encastillada o entallada o almenada.

castellation, encastillado, entalladura.

caster, s rollete, rodaja; (auto) inclinación del eje delantero, (A) ángulo de comba; v (ap) girar (tren de aterrizaje).

castile soap (sen), jabón de Castilla.

casting, fundición; pieza fundida.

—— ladle, cuchara de fundición, cazo de fundidor.

—— pit, foso o hoyo de colada.

—— plaster, yeso de vaciar.

—— scrap, retazos de fundición.

—— shop, fundición, taller de fundición, fundería.

castle nut, tuerca almenada o entallada.

castor oil (lu), aceite de ricino o de castor.

cat skinner (cons), tractorista.

cat whisker (ra), hilo fino del detector de cristales, (A) bigote de gato, (A) buscador.

cataclastic (geol), cataclástico.

catadioptric (il), catadióptrico.

catalogue, catálogo.

catalpa (lbr), catalpa.

catalysis, catálisis.

catalyst, catalizador.

catalytic, catalítico.

—— cracking, desintegración catalítica.

—— reforming, reformación catalítica.

catalyze, catalizar.

catalyzer, catalizador.

catamaran (lg), balsa con cabria.

cataract (water)(mech), catarata.

catch, fiador, pestillo, aldaba, corchete, tarabilla, retén.

—— basin, sumidero, resumidero, pozal, pocillo, desarenador, colector, boca de tormenta (cloaca).

—— boom (lg), barrera interceptadora.

—— pit, sumidero, pocillo.

—— platform (bldg), plataforma protectora.

—— siding (rr), desvío de atajo.

catch-basin grating, rejilla de sumidero.

catch-basin inlet, boca de admisión, imbornal, tragante, (C) caño.

catchall (su), vaso de seguridad, artesa de rebose.

catcher, (mec) agarrador; trinquete; (ra) resonador colector.

catchment (hyd), captación.

—— area, cuenca de captación, hoya tributaria, cuenca colectora, hoya de captación, superficie de desagüe, (Col) cuenca pluviométrica.

catenary suspension, suspensión catenaria.

caterpillar (lg), locomotora de orugas.

—— crane, grúa sobre orugas, (C) grúa de esteras.

—— gate (hyd), compuerta de orugas.

—— mounting (ce), montaje de orugas, llantas de oruga.

—— tractor, tractor de orugas o de carriles, (C) tractor de esteras.

—— tread, rodado tipo oruga.

—— wagon, carretón de orugas o de carriles.

cathead, (pet) torno, carretel; (min) cabrestante pequeño; (náut) serviola, gaviete; (mh) manguito de refuerzo.

—— chuck (lathe), mandril de tornillos.

—— man (pet), cabrestantero.

cathetometer (lab), catetómetro.

cathetron (ra), catetrón.

cathode, cátodo.

—— copper (met), cobre electrolítico o del cátodo.

—— current (ra), corriente catódica.

—— dark space, espacio oscuro catódico o de Crookes.

—— drop (w), caída de tensión al cátodo.

—— follower (ra), circuito cátodo-tierra.

—— glow, luminosidad catódica.

—— **header,** portacátodo.
—— **keying,** manipulación catódica.
—— **ray,** rayo catódico.
—— **return** (ra), retorno de cátodo.
—— **spot,** mancha del cátodo, foco catódico.
cathode-ray
—— **current,** corriente de rayos catódicos.
—— **oscillograph,** oscilógrafo electrónico o de rayos catódicos.
—— **oscilloscope,** osciloscopio de rayos catódicos.
—— **tube,** tubo de rayos catódicos, válvula catódica.
cathodic, catódico.
cathodograph, catodógrafo, radiografía.
cathodoluminescence (ra), luminiscencia catódica.
catholyte (elec), catolito.
cation (elec), catión.
—— **exchanger,** intercambiador de cationes.
cationic, catiónico.
catline (pet), cable del torno.
catoptric (il), catóptrico.
cattle
—— **car,** carro ganadero, vagón jaula, (A) carro de hacienda, (Ch) vagón de reja.
—— **guard,** guardaanimales, guardaganado, guardavaca.
—— **pass** (rr), alcantarilla o paso para ganado, (A) brete, (Col) pasagonados.
—— **ramp** (rr), rampa para ganado, (A) brete.
catwalk, pasadera, pasillo, pasadizo, (A) pasarela.
caulk, véase **calk.**
causeway, calzada, estrada, arrecife; terraplén.
caustic (all senses), cáustico.
—— **embrittlement** (pet), fragilidad cáustica.
—— **lime,** cal cáustica o viva.
—— **potash,** potasa cáustica, hidróxido de potasio.
—— **soda,** soda cáustica, hidróxido de sodio.
caustic-soda cell (elec), pila de soda cáustica, pila Lalande.
causticize, causticar.
causticizer, causticador.
caution sign (rd), señal de precaución o de cautela.
cave, cueva, caverna, covacha (pequeña); (min) derrumbe.
—— **in** v, hundirse, revenirse.
cave-in n, derrumbe, hundimiento, revenimiento, (min) soterramiento.
cavern, caverna, cueva.
—— **limestone,** caliza cavernosa.
cavernous, cavernoso.
cavil, (mam) martillo de punta; (cn) véase **kevel.**
caving system (min), método de socavación y derrumbe.
cavitation, cavitación.
cavity, cavidad, hueco, oquedad, bolsada, ahuecamiento.
—— **wall** (bw), pared hueca ligada con tiras de metal.
cay, cayo.
cedar, cedro.
ceiba (tree), ceiba.
ceil, forrar, revestir.

ceiling, (ed) cielo raso, techo, techumbre, cielo; revestimiento, forro, tablas machihembradas y rebordeadas para forros, (M) duelas para cielo; (ap) techo.
—— **flange** (p), brida de techo.
—— **joist,** carrera de techo.
—— **light** (ap), luz proyectada al techo.
—— **outlet** (elec), tomacorriente de techo.
—— **plank** (sb), vágara.
—— **plate** (p), platillo de techo.
—— **projector** (ap), proyector para medición del techo.
ceiling-height indicator (ap), indicator de techo.
celite (diatomaceous silica)(cement clinker), celita.
cell, (cons) célula, (A) celda; (eléc) pila, par, elemento.
—— **connector** (elec), conectador de elementos.
—— **constant** (su), constante del elemento.
—— **tester,** probador de acumuladores.
cellar, sótano, bodega, (A) subsuelo; (pet) sótano.
—— **drainer,** achicador o desaguadora de sótanos.
celloidin (pmy), celoidina.
cellular, celular, celuloso.
—— **cofferdam,** ataguía celular.
—— **core wall** (hyd), muro de cortina celular, núcleo celular, pantalla hueca, (A) mamparo celular.
—— **metal floor** (bldg), piso metálico celular.
celluloid, celuloide.
cellulose, celulosa.
—— **acetate,** acetato celulósico o de celulosa, aceticelulosa.
—— **xanthate,** xantato celulósico o de celulosa.
cellulosic, celulósico.
celotex, cartón de bagazo.
cement, s cemento; v cementar; (geol) aglutinar.
—— **bag,** saco o bolsa para cemento, (M) costal de cemento, (PR) funda de cemento.
—— **batcher,** dosificador de cemento.
—— **chuck** (ww), plato para pegar.
—— **clinker,** escoria o clinquer de cemento, (M) clinker de cemento.
—— **content,** contenido de cemento.
—— **copper,** cobre de cementación.
—— **factor,** factor de cemento.
—— **finisher,** cementista, albañil de cemento, (ed)(A) frentista.
—— **gel,** cemento en vía de hidratación, (A) gel-cemento.
—— **gun,** cañón de cemento, cañón lanzacemento, (M) lanzamortero, (U) torquetador, (Es) cementadora.
—— **kiln,** horno de cemento.
—— **macadam,** macádam ligado con lechada.
—— **mason,** albañil de cemento, cementista, estuquista, (A)(U) frentista.
—— **mill,** fábrica de cemento; molino de cemento.
—— **mortar,** mortero de cemento, (Pan) mezcla de cemento.
—— **paint,** pintura de cemento; pintura para cemento.
—— **paste,** pasta de cemento, (A) pasta cementicia.

—— **plaster,** repello de cemento; estuco de cemento; yeso duro.
—— **pump,** bomba para cemento a granel.
—— **retainer** (pet), retenedor de cemento.
—— **rock,** roca calcárea propia para fabricación de cemento.
—— **shed,** depósito o almacén de cemento, bodega para cemento.
—— **unloader,** máquina descargadora de cemento a granel.
—— **worker,** cementista.
cement-blending plant, planta mezcladora de cemento.
cement-bound macadam, macádam enlechado o ligado con cemento.
cement-coated, revestido o cubierto de cemento.
cement-gun worker, gunitista, torcretador.
cement-handling plant, instalación para manejo de cemento a granel.
cement-lined, forrado o revestido de cementò.
cement-testing machine, máquina probadora de cemento.
cementation (mas)(met), cementación.
—— **furnace** (met), horno de cementar.
cemented carbide, carburo cementado.
cementing
—— **collar** (pet), collar de cementar.
—— **head** (pet), cabeza de cementación.
—— **material,** aglutinante, aglutinador; (geol) cimento.
—— **plug** (pet), obturador de cemento, tapón de cementación.
—— **shoe** (pet), zapata de cementación.
cementite (met), cementita.
cementitious, cementoso.
center, *s* (mat) centro; (arco) cimbra; (torno) punta; (cab) núcleo, alma, ánima; *v* centrar, cimbrar (arco); *a* central, de centro.
—— **bit,** barrena de guía, mecha centradora.
—— **distance** (gear), distancia entre ejes.
—— **drift** (tun), galería céntrica de avance.
—— **drill,** broca de centrar, mecha centradora.
—— **dump** (bu), descarga central.
—— **frequency** (ra), frecuencia portadora fijada o asignada.
—— **gage,** calibre de centro; plantilla o escantillón para puntas.
—— **indicator** (mt), indicador o probador de centro.
—— **key** (mt), cuña sacamecha.
—— **line,** línea central o media o de eje.
—— **of buoyancy** (sb), centro de flotabilidad.
—— **of distortion** (pmy), centro de deformación.
—— **of distribution** (elec), centro de carga o de distribución.
—— **of figure,** centro de figura.
—— **of flotation** (na), centro de flotación.
—— **of gravity,** centro de gravedad.
—— **of gyration,** centro de giro o de rotación.
—— **of inertia** or **of mass,** centro de masa o de inercia.
—— **of moments,** centro o eje de momentos.
—— **of population,** centro demográfico o de población.
—— **of pressure,** centro de presión.
—— **of symmetry,** centro de simetría.

—— **of vision** (pmy), centro de la vista.
—— **plow** (rr), arado de descarga doble.
—— **punch,** granete, punzón de marcar, aguja para marcar, punzón de centrar, (C) centropunzón.
—— **reamer,** escariador centrador.
—— **rest** (lathe), soporte fijo o intermedio.
—— **square,** escuadra de diámetros.
—— **strand** (cab), corazón, alma, núcleo.
—— **strip** (rd), tira central.
—— **tack** (dwg), tachuela centradora o de centro.
—— **tap** (ra), derivación central.
—— **to center,** de centro a centro, de eje a eje, (C) entre centros.
center-bearing draw, puente giratorio de apoyo central.
center-bound track (rr), vía soportada al centro.
center-drill, taladrar el centro.
center-feed filter press, filtro-prensa de alimentación central.
center-flange section steel sheet pile, tablestaca de alas.
center-line equipment (rd), equipo marcador de líneas de tráfico.
center-matched (lbr), machihembrado al centro del canto.
center-packed plunger (pu), émbolo buzo de empaque central.
center-tap keying (ra), manipulación catódica.
center-type grinder, amoladora de puntas.
centering, centraje; (arco) cimbra, cerchón, galápago (pequeño), (Col) formaleta.
—— **control** (tv), control del centrado.
—— **machine,** máquina de centrar.
—— **tool,** herramienta centradora.
centerless grinder, amoladora sin puntas.
centesimal, centesimal.
centiare, centiárea.
centibar (meas), centibara.
centigrade, centígrado.
centigram, centigramo.
centiliter, centilitro.
centimeter, centímetro.
centimeter-gram-second system (cgs), sistema cegesimal o centímetro-gramo-segundo.
centinormal, centinormal.
centipede locomotive, locomotora cientopiés.
centipoise, centipoise.
centner (meas), centner.
central, *s* (tel) central telefónica; *a* central céntrico.
—— **projection** (math), proyección central o gnómica.
—— - **station** (elec), central generadora de energía, planta generadora, fábrica generatriz, (A) usina generadora, estación central.
central-mixed concrete, hormigón mezclado en planta fija.
centralizer (mech), centrador.
centric, céntrico.
centrifugal, *s* centrífuga, centrifugadora; *a* centrífugo.
—— **basket** (su), cesto de la centrífuga.
—— **cast-iron pipe,** tubería de hierro centrifugado.
—— **collector** (ac), colector centrífugo.

—— **concrete pipe,** tubería de hormigón centrifugado, tubería de concreto de fabricación centrífuga.
—— **force,** fuerza centrífuga.
—— **governor,** regulador centrífugo.
—— **machine,** centrifugadora, centrífuga.
—— **pump,** bomba centrífuga.
—— **separator,** separador centrífugo, centrifugadora.
—— **sugar,** azúcar de centrífuga, (C) azúcar turbinado.
centrifugalize, véase **centrifuge.**
centrifugally cast, fundido centrífugamente.
centrifuge, *s* centrífuga, centrifugadora; *v* centrifugar, (C) turbinar.
—— **moisture equivalent** (sm), equivalente centrífugo de humedad, humedad centrífuga equivalente, humedad equivalente de centrífuga, equivalente de humedad a la centrífuga.
centripetal, centrípeto.
centroid, centroide.
centroidal, centroidal.
—— **axis** (str), (A) eje baricéntrico.
ceramic, cerámico.
—— **bead** (inl), anillo cerámico.
—— **capacitor,** capacitador o condensador cerámico.
cerargyrite (silver ore), plata córnea, cerargirita, querargirita.
ceresin, ceresina.
Ceresit (trademark), ceresita.
certificate, certificado.
—— **of origin** (com), certificado de origen.
certified
—— **check,** cheque intervenido o certificado o aprobado.
—— **copy,** copia certificada.
—— **public accountant,** contador público o público titulado.
ceruse, (pigmento) cerusa, albayalde; (miner) cerusita.
cerussite, cerusita (mineral de plomo).
cesium, (chem), cesio.
cesspool, (dac) pozo negro, sumidero, rezumadero, fosa de excreta, (C) pozo absorbente; (tub) sumidero de piso, pileta de patio, cespol.
cetane number, número de cetano, índice cetánico.
cetane rating, graduación cetánica.
chafe, frotar, ludir.
chafing, frotamiento, rozadura.
—— **plate,** placa de rozadura.
chain, *s* cadena; (lev) cadena de agrimensor; *v* encadenar; (lev) medir con cadena, cadenear.
—— **adjuster,** ajustador de cadena.
—— **attachments,** aditamentos o accesorios de cadena.
—— **belt,** correa de cadena, cadena de transmisión, correa articulada, (M) banda de cadena.
—— **block,** garrucha diferencial de cadena, aparejo de cadena, polea diferencial, monta-

carga de cadena, (Ch)(Ec) tecle de cadena (V) señorita, (M) diferencial.
—— **cable,** cable de cadena.
—— **case,** guardacadena.
—— **conveyor,** transportador a cadena, cadena transportadora.
—— **crowd** (sh), empuje a cadena.
—— **cutter,** cortacadena.
—— **dogs,** gatillos con cadena.
—— **drill,** taladro de cadena.
—— **drive,** accionamiento por cadena, transmisión de cadena.
—— **fillet weld,** soldadura de filetes en cadena.
—— **gage,** aforador de cadena.
—— **gear,** rueda dentada para cadena, rueda de cadena.
—— **grapple** (lg), cadena de acoplamiento.
—— **grate,** parrilla articulada.
—— **grease,** grasa para cadenas de transmisión.
—— **guard,** guardacadena, cubrecadena.
—— **hoist,** montacarga de cadena.
—— **hook,** gancho tirador de cadena.
—— **insulator,** aislador suspendido, cadena de aisladores.
—— **jack,** gato de cadena.
—— **locker** (sb), caja de cadenas.
—— **of mountains,** sierra, cordillera.
—— **oiling,** lubricación por cadena.
—— **pipe** (sb), tubo para cadena del ancla.
—— **pulley,** polea o rueda de cadena, rueda dentada.
—— **pump,** bomba de rosario o de cadena.
—— **riveting,** remachado sin tresbolillo.
—— **saw,** sierra de cadena.
—— **scale** (dwg), escala de subdivisión completa.
—— **shackle,** grillete para cadena.
—— **sheave,** véase **chain pulley.**
—— **sling,** eslinga de cadena.
—— **stopper** (sb), fiador o retén de cadena.
—— **survey,** levantamiento de planos con cadena.
—— **swivel,** eslabón giratorio para cadena.
—— **tape,** cinta de medir con graduaciones muy espaciadas.
—— **tightener,** atiesacadena, aprietacadena.
—— **tongs,** llave o tenaza de cadena.
—— **vise,** grampa o prensa a cadena, tornillo de cadena, (A) sargento de cadena.
—— **welding,** soldadura a cadena.
—— **wheel,** rueda dentada para cadena; polea de cadena, garrucha de garganta farpada.
—— **winding** (elec), devanado de cadena.
—— **wrench,** llave de cadena, (M) caimán.
chain-grate stoker, cargador a parrilla articulada.
chain-link fencing, cercado eslabonado.
chain-pull lamp holder, portalámpara de cadena.
chain-testing machine, máquina probadora de cadenas.
chaining (surv), cadeneo.
—— **pin,** jalón o aguja de cadeneo.
chainman, cadenero, portacadena.
chair (mech), silleta, silla.
—— **car,** coche o carro salón.
—— **rail,** guardasilla.
chairman of the board, presidente del consejo (de administración).

chalcanthite, calcantita, sulfato de cobre nativo.
chalcocite (copper ore), calcosina, calcocita, chalcocita.
chalcopyrite (copper ore), calcopirita.
chalk, tiza, creta, (C) yeso; greda.
— line, línea de marcar, cuerda de alinear, tendel, bramil, cordel de marcar, (M) reventón.
chalky, cretáceo.
chalybite (iron ore), siderita, espato ferrífero, calibita.
chamber, (mec) cámara, caja, cuerpo; (esclusa) cuenco; (min) anchurón, salón.
— blast (min), voladura de cámara.
— kiln (brick), horno de cámara múltiple.
— working (min), labor de anchurón y pilar, minería de pilares y salones.
chambering (bl), ensanchamiento del fondo (del barreno).
chamfer, s bisel, chaflán, chanfle; v biselar, chaflanar, achaflanar, sesgar, abiselar.
— gage, guía para biselar.
— plane, cepillo biselador, guillame de inglete.
chamfering tool, herramienta biseladora.
champion lode (min), filón principal.
champion tooth (saw), diente tipo campeón.
change gear, engranaje de cambio o de cambio de velocidad.
change of line (rr), variante, (C) modificación, (U) desplazamiento, cambio de trazo.
change-over switch (elec), conmutador, permutador, llave conmutadora.
change-speed gear, véase change gear.
changing box (pmy), caja de placas.
channel, s (r) cauce, álveo, canal, cacera, cana-'lizo; (mec) ranura, garganta, cajera, acanaladura; (puerto) caño, canalizo; (est) viga canal, viga U, perfil U, (C) angular canal; (ra) faja, canal; v (r) encauzar, canalizar; (mec) acanalar, ranurar.
— flat (met), barra plana acanalada.
— indicator (ra), indicador del canal.
— iron, hierro de canal, hierro en U, vigueta de canal, (C) angular canal, (M) canal U.
— of approach, canal de llegada.
channel-packed cock, robinete de empaque acanalado.
channeler, máquina de acanalar, acanaladora.
channeling (ra), canalización.
— machine, máquina de acanalar, acanaladora.
channelize, canalizar.
char, s carbón animal o de hueso; coque inferior; v carbonizar.
— capacity (su), capacidad o relación de carbón.
— distributor (su), distribuidor del carbón de hueso.
— drier (su), secador del carbón animal.
— elevator (su), elevador de carbón de hueso.
— filtration, filtración por carbón animal.
— kiln (su), horno de carbón animal.
characteristic, s (mec)(eléc)(mat) característica; a característico.
— curve (il), curva de características.
— impedance (elec), impedancia característica o de sobretensión.

charcoal, carbón de leña, carbón vegetal o de madera, carbón.
— iron, hierro de carbón vegetal o al carbón de leña.
— powder, carbón vegetal pulverizado.
charge, s (eléc)(conc)(vol)(horno) carga; v (eléc) cargar, recargar; (vol) cargar; (horno) alimentar, cargar; (cont) cargar en cuenta.
— stock (pet), petróleo de carga, materia prima.
— tank (su), tanque abastecedor o alimentador.
— valve (su), válvula de alimentación.
charger, (mec) cargador; (eléc) cargador de acumuladores.
charging, carga, alimentación.
— carriage, carro cargador.
— current (elec), corriente de carga.
— hopper, tolva cargadora o de carga.
— machine, máquina cargadora.
— platform, plataforma de carga.
— rate (elec), corriente o amperaje de carga.
— skip, cucharón cargador.
— voltage, tensión de carga.
chart, carta hidrográfica, (A) carta marina; gráfico, (A) ábaco.
— house (sb), casa de cartas o de navegación.
charter, s (buque) contrato de fletamiento; (sociedad) escritura de constitución, carta constitucional; v (buque) fletar, contratar; (sociedad) constituir.
— party, carta o contrato de fletamiento.
chartographer, cartógrafo.
chartographic, cartográfico.
chartography, cartografía.
chartometer, cartómetro.
chase, s ranura, muesca; v (rs) repasar, filetear.
chaser, (herr) peine para machos o para tornillos; (ef) obrero que anda con los troncos al embarcadero.
— holder, portapeine.
chasing lathe, torno para roscar o de filetear.
chasing tool, herramienta de filetear, fileteadora.
chassis (auto)(ra)(pmy), chasis, armazón, bastidor, (ra)(M) portabulbos.
— cover (ra), cubrechasis.
chats (min), desechos, colas.
chatter (machy), traquetear, tintinear.
chattering (machy), traqueteo, (C) repiqueteo, (A) castañeteo.
chauffeur, chófer, motorista, conductor.
check, s (mec) tope; (hid) dique de retención; (irr) área de retención; (puerta) amortiguador, cierrapuerta; (mad)(conc) hendidura, grieta, raja; (cómputo) comprobación; (com) cheque; v (puerta) amortiguar; (mad)(conc) henderse, agrietarse, cuartearse; (cómputo) comprobar, verificar, revisar, (M) checar, (Col) chequear; (equipajes) registrar, facturar; (maq) controlar.
— analysis, análisis de comprobación, contraensayo.
— base (surv), base de comprobación.
— batch (conc), revoltura de comprobación, carga de contraensayo.
— dam, rastrillo, presa de detención, (A) albardón.

—— **gage,** calibre de comprobación.

—— **irrigation,** riego por áreas de retención o por cuadros rebordeados.

—— **measurement,** medición de comprobación.

—— **nut,** tuerca de seguridad o de sujeción.

—— **rail** (window), travesaño de encuentro.

—— **template,** plantilla de prueba.

—— **test,** contraprueba.

—— **valve,** válvula de retención, (M) válvula checadora, (C) cheque.

—— **washer,** arandela fijadora.

checker, (lad) jaquelado, cuadriculado; (cómputo) comprobador.

—— **brick,** ladrillo para jaquelado.

checkered plate, plancha o chapa estriada, (U) chapa escamada.

checking floor hinge, gozne amortiguador de piso.

cheddite (explosive), chedita.

cheek, cara; jamba; (motón) gualdera, quijada; (fund) parte central de la caja de moldeo.

—— **block,** pasteca de una sola gualdera.

—— **plate** (crusher), cachete.

—— **weights,** pesos de motón.

cheese block (lg), calzo, cuña, tacón.

cheese head (screw), cabeza chata ranurada.

cheesy soil, suelo caseoso o elástico.

chemical, s producto químico; a químico.

—— **affinity,** afinidad química.

—— **agent,** agente químico.

—— **change,** cambio químico, reacción química.

—— **compound,** compuesto químico.

—— **equation,** ecuación de combinación química.

—— **feeder** (wp), alimentador de productos químicos.

—— **gaging** (hyd), aforo químico o por disolución de sal o por titulación.

—— **lead,** plomo químico o resistente a los ácidos.

—— **mixer** (wp), mezclador de productos químicos.

—— **oxygen demand** (sen), demanda química de oxígeno.

—— **precipitation,** precipitación química.

—— **proportioner** (wp), dosificador de productos químicos.

—— **reaction,** reacción química.

—— **symbol,** símbolo químico.

—— **weathering** (geol), descomposición química.

chemically combined, combinado químicamente.

chemically pure, químicamente puro.

chemihydrometry, quimihidrometría, aforo químico.

chemiluminescence, quimiluminiscencia, fosforescencia química.

chemist, químico.

chemistry, química.

chemosynthetic (sen), quimosintético.

chemotaxis (sen), quimotaxia.

cherry, (mad) cerezo; (mh) especie de fresa.

—— **picker** (min), grúa alzacarros.

—— **red,** rojo cereza.

chert (geol), horsteno.

chestnut (lbr), castaño.

—— **coal,** antracita de $1\frac{1}{16}$ pulg a $1\frac{9}{16}$ pulg.

—— **oak,** roble castaño o montañés.

Chézy formula (hyd), fórmula de Chézy.

chiastolite (miner), quiastolita (andalusita).

chicken ladder, tablón con listones, (A) escalera rampante.

chief, s jefe; a principal, en jefe.

—— **clerk,** oficial mayor, empleado principal.

—— **designer,** jefe de proyectos o de estudios, ingeniero diseñador principal.

—— **draftsman,** jefe de dibujantes.

—— **engineer,** ingeniero jefe o principal.

—— **of party,** jefe de cuadrilla o de brigada o de equipo.

Chile mill (min), molino chileno o de muelas verticales.

Chile saltpeter, nitrato de sodio, salitre.

chill v (met), acerar, templar superficialmente.

—— **cast pig,** hierro crudo fundido.

chilled (iron), ·resfriado, acerado, templado superficialmente.

chiller (pet), enfriador.

chimney, chimenea, humero; (min) clavo, columna rica, chimenea.

—— **effect** (ac), efecto de chimenea.

—— **flue,** cañón de chimenea, humero.

—— **hood,** caperuza de chimenea.

—— **rock,** roca saliente.

China clay, caolín.

China wood oil, aceite de palo.

chine (sb), lomo, pestaña.

Chinese white, blanco de cinc o de China.

chink, s grieta, resquicio, boquilla; v (mam) emboquillar, (M) rejonear.

chinsing (sb), calafateo provisional.

chip v, (re) emparejar, cincelar; (fund) desbarbar.

—— **ax,** hachuela; azuela.

—— **breaker** (ww), rompeastillas, quiebravirutas.

—— **off,** descascarar, descantillar; desconcharse.

—— **pan,** recogedor de virutas.

—— **spreader** (rd), esparcidor de cascajo.

chips, (mad) astillas, briznas; (piedra) cascajo, ripio, astillas; (metal) virutas, briznas, descantilladuras.

chipper, martillo cincelador, descantilladora, picadora; cincelador (hombre).

chipping chisel, cincelador; desbarbador.

chipping hammer, cincelador, martillo-cincel, martillo burilador; rebabadora, (M) rebabeadora.

chisel, s (carp) escoplo, formón, bedano, trincha; (piedra) cincel, puntero, uñeta, acodadera; (her) cortadera, cortadora, cortafrío, asentador, trancha, tajadera; (lad) cortador de ladrillos; (esculpir) buril, gradino; (cn) calafate, estopero; (cal) afolador; v escoplear, cincelar, burilar.

—— **bar,** barrote con punta de cuña.

—— **bit,** barrena de cincel, escoplo perforador.

—— **cut,** escopladura, burilada.

—— **point,** filo de cincel.

chloramide (chem), cloramida.

chloramination, cloraminación.

chloramine (wp), cloramina, amoníaco-cloro.

chlorate (chem), clorato.

chloric (chem), clórico.

chloride of lime, cloruro de cal.

chloridize, clorurar.

chlorimeter, clorómetro, clorímetro.

chlorinate, clorinar, clorar, clorizar, clorificar.
chlorinated copperas, caparrosa clorada.
chlorinating plant, instalación clorizadora, planta clorificadora.
chlorination, cloración, clorinación, clorización.
chlorinator, clorador, clorinador, aparato de clorar.
chlorine, cloro.
— comparator, comparador para cloro.
— demand (sen), demanda de cloro.
— dioxide, dióxido de cloro.
— feeder, alimentador de cloro.
— hydrate, hidrato o hidróxido de cloro.
— ice (wp), hidrato o hielo de cloro.
— meter (sen), indicador del gasto de cloro.
— residual (sen), cloro residual o remanente.
chlorine-ammonia process (wp), proceso cloro-amoníaco o cloro amoniacal.
chlorine-contact chamber (sd), cámara de contacto del cloro.
chlorine-resistant, resistente al cloro.
chlorite, (quím) clorito; (miner) clorita.
— schist, esquisto clorítico.
chloritization, cloritización.
chlorocresol (wp), clorocresol.
Chlorofeeder (wp)(trademark), cloroalimentador.
chloroform-soluble, soluble en cloroformo.
chlorometer, clorómetro, clorinómetro.
chlorometric, clorométrico.
chlorometry, clorometría.
chlorophenol (sen), clorofenol.
— red (sen), rojo de clorofenol.
Chlorophyceae (sen), clorofíceas.
chlorophyll, clorofila.
chloroplatinate, cloroplatinato.
chlorous, cloroso.
chock, s (carp) calzo, cuña, zoquete, tacón, traba, cabrión, taco; (náut) cornamusa de guía, tojino, escotera; v calzar, acuñar, apear, engalgar, (M) bloquear.
chockablock, a rechina motón, a besar.
choke, s (auto) regulador o estrangulador de aire, cebador del carburador, obturador, (M) ahogador; (pet) estrangulador; (eléc) reactor; v (auto) estrangular; (ef) agarrotar.
— button (auto), botón de estrangulación o del cebador, estrangulador de mano.
— coupling (ra), acoplamiento de reacción.
— nipple (p), niple estrangulador.
— transformer (elec), transformador reductor.
— tube (auto), tubo de estrangulación.
— valve (auto), válvula estranguladora, mariposa del cebador.
choke-up n, atascamiento.
chokedamp (min), humpe, (M) bochorno.
choker
— hitch (cab), eslinga de estrangulación, vuelta estranguladora o corrediza.
— hook (cab), gancho de estrangulación.
— sleeve, manguito de estrangulación.
— sling (cab), eslinga estranguladora.
— stone (rd), agregado de relleno.
choking coil (elec), bobina de reacción, (A) bobina de choque.
chopper (ra), interruptor rotatorio.

chopping (ra), supresión.
— bit (tb), barrena picadora.
chord, (mat) cuerda; (est) cordón.
— member (str), pieza del cordón.
— winding (elec), devanado o arrollamiento de cuerdas.
chordal
— addendum (gear), cabeza fuera de la cuerda.
— pitch (gear), paso de cuerda.
— thickness (gear), espesor de cuerda.
chorograph, corógrafo.
chorography, corografía.
Christmas tree (pet), árbol de Navidad o de conexiones, (V) armadura de surgencia.
Christmas-tree fittings (p), accesorios para servicio de alta presión de petróleo, accesorios de cabeza de pozo, accesorios del árbol de Navidad.
chromate, s cromato; v cromatar.
chromatic aberration, aberración cromática o de refrangibilidad.
chromatics, cromática.
chrome, cromo.
— alum, alumbre crómico.
— brick, ladrillo crómico o de cromita.
— green, verde de cromo.
— iron ore, cromita.
— leather, cuero curtido al cromo.
— spinel, picotita.
chrome-nickel steel, acero cromoníquel.
chrome-tanned, curtido al cromo.
chrome-vanadium steel, acero cromovanadio.
chromel (alloy), cromel.
chromic, crómico.
— iron, cromita.
chromite, (quím) cromito; cromita (mineral de cromo).
chromium, cromo.
— bronze, bronce cromado.
— steel, acero cromado o al cromo, acerocromo.
chromium-plated, cromado.
chromogenic bacteria, bacterias cromogénicas o cromógenas.
chromometer, cromómetro.
chromophore (elec)(chem), cromóforo.
chronograph, cronógrafo.
chronographic, cronográfico.
chronography, cronografía.
chronometer, cronómetro.
chronometric, cronométrico.
chronometry, cronometría.
chronopher (elec), cronófero.
chronoscope (elec), cronoscopio.
chrysene (pet), criseno.
chrysocolla (miner), crisócola (silicato hidratado de cobre).
chrysotile (miner), crisotilo (serpentina fibrosa).
chuck, s portabroca, portamecha, boquilla, nuez; (mh) plato; (mh) boquilla, portaherramienta, mandril; v sujetar (la herramienta o la pieza por tornear).
— plate (lathe), portaplato, brida para plato, portamandril.
— wrench, llave para mandril.
chuckhole, chughole (rd), bache.

chucking
— **grinder,** esmeriladora para mandril de torno.
— **lathe,** torno de mandril.
— **machine,** máquina herramienta de mandril.
— **reamer,** escariador para mandril de torno, escariador de mandril.
churn drill, barrena batidora o de cable, (M) pulseta, (V) chompa.
churn drilling (tb), perforación con lavado y tubo muestreador.
chute, canal, canaleta, conducto, saetín, (M) tobagán, (Ch) gamella, (C) ranfla, (M) canalón, (A) rápido, (M) rápida, (min) alcancía; (r) rabión, raudal.
— **raise** (min), tiro de alcancía.
— **spillway,** canal vertedor, vertedero de saetín.
ciliate *a* (sen), ciliado.
cinder, escoria; carbonilla; ceniza.
— **block** (bldg), bloque de concreto de cenizas.
— **concrete,** concreto de cenizas, (A) hormigón de carbonilla, (C) concreto de escorias.
— **notch, cinder tap** (met), esclusa para escoria.
— **pig,** fundición escoriosa.
— **trap,** paracarbonilla, trampa de ceniza.
cinders, cenizas, (V) cisco, (C) escoria.
cinnabar, cinabrio (mineral de mercurio).
Cipolletti weir, vertedero aforador de Cipolletti, vertedor trapezoidal.
circle, círculo.
— **bend** (p), curva de círculo completo.
— **brick** (rfr), ladrillo radial o para círculo.
— **marker** (ap), círculo de aterrizaje.
— **of rupture,** círculo o circunferencia de rotura.
— **of stress,** círculo de esfuerzos, (A) circunferencia de tensión.
circuit (all senses), circuito.
— **breaker,** interruptor automático, disyuntor, interruptor protector, cortacircuito.
— **tester,** probador de circuito.
circuitation (elec), circulación.
circular *a,* circular.
— **inch,** pulgada circular.
— **loom** (elec), tubo flexible aislador.
— **measure,** medida en radianes.
— **mil,** milipulgada circular, (Col) milésimo circular, (A)(C) mil circular.
— **mil-foot,** pie-milipulgada circular.
— **pitch,** paso circunferencial.
— **plane,** cepillo curvo.
— **polarization,** polarización circular.
— **saw,** sierra circular.
— **slide rule,** calculador circular.
— **thickness** (gear), espesor de arco.
circulate, circular.
circulating
— **boiler fittings** (p), accesorios de circulación.
— **capital,** capital en circulación.
— **head** (pet), cabeza de circulación.
circulation (all senses), circulación.
— **packer** (pet), obturador de circulación.
circulator, circulador.
circumference, circunferencia.
— **gage,** calibre de circunferencia.
— **tape,** cinta de selvicultor.
circumferential, circunferencial.
circumferentor, brújula de agrimensor.

circumpolar, circumpolar.
circumscribe (math), circunscribir.
cistern, cisterna, aljibe, arca de agua.
citizenship papers, carta de ciudadanía o de naturalización.
citrine quartz, cuarzo citrino.
citrus wastes (sen), aguas cloacales cítricas, (M) desechos cítricos.
city, *s* ciudad, urbe; *a* municipal, urbano.
— **engineer,** ingeniero jefe municipal.
— **planner,** urbanista.
— **planning,** planificación de una ciudad, urbanismo, urbanización, urbanología.
civil, civil.
— **day,** día civil, día medio solar.
— **engineer,** ingeniero civil.
— **engineering,** ingeniería civil.
— **time,** tiempo civil.
clack box, caja de la chapaleta.
clack valve, válvula de charnela, chapaleta.
cladding (met), revestimiento de acero inoxidable.
claim *n,* demanda, reclamación; (min) pertenencia.
clamp, *s* grampa, grapa, mordaza, abrazadera, barrilete, laña, agarradera, cárcel, (A) sargento; (cn) durmiente, contradurmiente; *v* amordazar, lañar, encarcelar, encorchetar, engatillar, abrazar, aferrar, engrapar.
— **ammeter,** amperímetro de abrazadera.
— **bolt,** bulón fijador, perno agarrador.
— **coupling,** acoplamiento abrazadera o de compresión.
— **dog** (mt), perro de abrazadera o de brida, barrilete, brida de arrastre.
— **fittings** (elec), accesorios o guarniciones de grapa.
— **gate valve,** válvula de compuerta con abrazadera, válvula esclusa de abrazadera.
— **holder,** sujetagrapa.
— **jig,** plantilla con abrazadera.
— **plate,** placa de fijación.
— **ring** (mt), anillo abrazadera.
— **screw,** prensa de tornillo; (inst) tornillo sujetador o de fijación o de presión.
— **wrench** (fo), llave para abrazadera de moldes.
clamping nut, tuerca agarradera.
clamping screw (elec), borne, sujetahilo, tornillo de sujeción.
clamshell
— **bucket,** cucharón de almeja o de quijadas o de mordazas, cubeta autoprensora, (M) cucharón bivalvo, (A) balde grampa, (M) cucharón de conchas de almeja, (M) draga de valvas de almeja.
— **crane,** grúa para cucharón de almeja, (Es) excavadora de mordazas.
— **dredge,** draga de cucharón de quijadas, (A) draga a balde.
clapboard, *s* tabla de chilla, tingladillo, (Ch) tabla tinglada · *v* tinglar.
clapboarding, tablas solapadas, chillado.
clapper (va), chapaleta, disco basculante.
— **box** (mt), portaherramienta de charnela.
clarificant *n,* clarificador.
clarifier, clarificador, aclarador.

Clariflocculator (trademark)(wp), clarifloculador.

clarify, clarificar, aclarar.

Clarigester (trademark)(sd), clarigestor.

Clark cell (elec), pila Clark.

clasp nail, abismal.

class A (AB, B, BC, C) amplifier (ra), amplificador clase A (AB, B, BC, C).

class rates (rr), tarifa por clases.

classification, clasificación, (flete) aforo.

—— **length** (na), eslora de clasificación.

—— **yard** (rr), patio de clasificación o de selección, playa de clasificación.

classifier, clasificador.

—— **tank,** tanque, clasificador.

classify, clasificar.

clastic (geol), clástico.

clatter (machy), repiquetear, chasquear, tintinear.

clattering, tintineo, repiqueteo.

claw (mech), garra, uña, garabato.

—— **bar,** barra sacaclavos, sacaclavos de horquilla, arrancaclavos, barra de uña, desclavador, pata de cabra; (fc) arrancaalcayatas, barra sacaescarpias.

—— **clutch,** embrague de garra.

—— **coupling,** acoplamiento dentado o de garras.

—— **hammer,** martillo de uña o de orejas o de carpintero.

—— **hatchet,** hachuela de uña o de oreja.

—— **jack,** gato de oreja.

—— **plates,** tipo de conector metálico para ensamblaje de maderas.

clay, arcilla, greda, barro, suelo de grano menor de 0.005 milímetro.

—— **band,** mineral de hierro arcilloso.

—— **blanket,** colchón de greda o de barro, pantalla de arcilla.

—— **burner** (pet), quemador de arcilla.

—— **digger,** pala neumática, excavador de arcilla.

—— **gouge,** salbanda arcillosa.

—— **grouting,** inyección de barro.

—— **iron** (min), atacadera de barro.

—— **ironstone,** mineral de hierro arcilloso, arcilla ferruginosa.

—— **marl,** marga arcillosa.

—— **mill,** barrero, molino de arcilla, amasadero.

—— **mixer,** barrero, mezclador de arcilla.

—— **pan,** capa de arcilla compacta.

—— **pick,** pico con punta y corte.

—— **pipe,** tubería de arcilla o de barro, (Col) tubería de gres.

—— **pit,** gredal, mina de arcilla, barrera, barreal, barrial.

—— **puddle,** barro amasado, arcilla batida, (M) pasta arcillosa, (M) arcilla de pudelaje.

—— **shale,** arcilla laminada.

—— **slate,** esquisto arcilloso, pizarra gredosa.

—— **spade,** martillo de pala, pala neumática, barrenadora de arcilla, zapadora para arcilla, cavadora de arcilla, (V) palín de aire, (C) guataca.

—— **stone,** piedra arcillosa, arcilla endurecida, (V) arcillita.

—— **tile,** teja de barro (techo); baldosa de arcilla (piso).

clayey, arcilloso, gredoso, barroso.

claying bar (min), atacadera de barro.

clean, limpio.

—— **acceptance** (com), aceptación libre.

—— **bill of lading,** conocimiento limpio.

—— **letter of credit,** carta de crédito simple.

—— **separation** (ag), separación neta.

cleaner n, limpiador; (aa) depurador.

cleaning, limpieza, limpiadura, limpiamiento.

—— **pit,** foso de limpieza.

—— **tape** (sw), cinta de limpieza.

cleanout n, registro o boca de limpieza.

—— **auger** (tb), barrena de limpieza.

—— **bailer** (pet), pistón de achique, cuchara limpiapozos.

—— **plug** (pb), tapón de limpieza.

clear v (land), desmontar, despejar, desbrozar, limpiar, desboscar, (AC) socolar, (Ec) zocollar, (Ch) desmalezar, (C)(PR) desmaniguar.

—— **channel** (ra), faja libre.

—— **glass,** vidrio claro.

—— **height,** altura libre o de despejo, franqueo vertical.

—— **lumber,** madera limpia.

—— **span,** luz, luz libre, claro, abertura libre, (C) luz franca.

—— **track** (rr), vía libre o franca.

—— **well** (wp), depósito de agua clarificada, (C) pozo de aguas claras.

—— **zone** (ap), zona libre (entre pista de aterrizaje y zona de acercamiento).

clear-water basin, depósito de agua clarificada.

clearance, espacio libre; (fc) paso libre, sección libre; (superior) franqueo vertical; (mv) espacio muerto; (maq) juego; (turb) intersticio; (esclusa) resguardo; (auto) despejo, luz.

—— **angle** (mt), ángulo de despejo.

—— **car,** carro de despejo.

—— **gage** (rr), gálibo, gabarit, cercha, calibrador, (A) cerchámetro.

—— **height,** altura de despejo o de franqueo.

—— **lamp** (auto), lámpara de despejo.

—— **point** (rr), punto de gálibo o de cartabón.

—— **post** (rr), poste cartabón.

—— **ring** (pu), anillo de desgaste.

—— **width,** anchura de paso.

clearing, desmonte, desbroce, desbosque, despejo, limpieza de malezas, tala.

—— **circuit** (rr), circuito de vía libre.

clearstory (ar), sobretecho, lucernario, linternón; claraboya, tragaluz lateral.

cleat, s (carp) listón, travesero, tablilla, abrazadera; (cab) cornamusa, tojino, bita; (eléc) abrazadera; (min) hendedura, clivaje; v enlatar, enlistonar, entablillar.

—— **insulator,** presilla aislante, sujetahilos, mordaza aisladora, abrazadera-aislador.

—— **ladder,** escala de listones.

cleavable (lbr)(miner), hendible.

cleavage, hendedura; (min)(geol) clivaje; (miner) crucero, (B) clivaje; (quím) división, partición.

—— **plane** (geol), plano de clivaje.

cleft welding, soldadura de muesca.

clevis, horquilla, abrazadera, grillete.
—— eye (elec), horquilla con ojillo.
—— hook, gancho de abrazadera o de grillete.
—— insulator, aislador para horquilla.
—— pin, pasador de horquilla.
—— ring, anillo de horquilla, horquilla de anillo.
clevis-and-tap insulator (elec), aislador de horquilla y macho.
click filter (ra), filtro del sonido de manipulación.
cliff, risco, farallón; barranco, barranca, despeñadero, acantilado, cantil, (M) paredón.
climate, clima.
climatological, climatológico.
climb v, trepar.
climbers, escaladores, trepaderas, (C) espuelas.
climbing irons, escaladores, garfios de trepar, arpeos de pie, ganchos escaladores.
clinch, s (cab) entalingadura; v remachar, roblar, redoblar, contrarremachar; (cab) entalingar.
—— nail, clavo para remachar, redoblón.
—— rivet, remache de redoblar.
clincher tire, neumático de talón.
clincher-built, véase clinker-built.
clinging nappe (hyd), lámina adherente.
clinker, s escoria de hulla; escoria de cemento; v escorificar, escoriar; escoriarse.
—— bar, hurgón, atizador, rascador de parrilla, (A) lanza.
—— breaker (t), rompedora de escorias.
—— brick, ladrillo escoriado o requemado o de campana.
clinker-built (naut), de tingladillo.
clinkstone (geol), fonolita, piedra de campana.
clinograph, clinógrafo.
clinometer, clinómetro, eclímetro, clitómetro.
clinometric, clinométrico.
clinometry, clinometría.
clip, s (cab) abrazadera, grapa, sujetador, (C) perro; (riel) presilla, planchuela, (A) banquito; (est) abrazadera, sujetador; (eléc) pinza de contacto; (inst) abrazadera; v recortar; abrazar, agarrar.
—— angle (str), ángulo sujetador.
—— peavy, pica de gancho de grapa.
clipped bond (bw), aparejo de sogas biseladas para astas diagonales.
clipped header (bw), tizón biselado.
clipper, cortador, cizalla; (tv) separador de amplitud.
—— bow (na), roda lanzada.
clipping (ra), mutilación de señales.
clock meter (elec), contador de reloj.
clockwise rotation, movimiento destrógiro, rotación dextrorsa o dextrógira.
clockwork, mecanismo relojero o de relojería.
clod, terrón.
cloddy structure (soil), estructura de terroncillos.
clog, atorar, atascar, obstruir; atorarse, atascarse, obstruirse.
clogless pump, bomba inatascable.
close v, cerrar.
close a, ajustado, apretado; estrecho, angosto.
—— coupling (elec), acoplamiento estrecho o cerrado.
—— fit, ajuste apretado.

—— nipple (p), niple de largo mínimo o de rosca corrida, (A) rosca sencilla.
—— photogrammetry, fotogrametría cercana.
—— return bend (p), curva en U estrecha.
close-coupled, (fc) de base de ruedas corta; (bm) acoplada en forma compacta.
close-grained, de grano fino o cerrado, tupido.
close-link chain, cadena de eslabón corto.
close-quarters drill, perforadora para lugar estrecho.
closed, cerrado.
—— basin (top), cuenca cerrada, hoya sin emisario.
—— bevel (sb), chaflán cerrado (menos de 90°).
—— bridge socket (wr), encastre cerrado para puente.
—— chock (sb), escotera cerrada.
—— circuit (elec), circuito cerrado.
—— cycle (eng), ciclo completo o cerrado.
—— fold (geol), pliegue cerrado o isoclínico.
—— impression dies (forging), matrices cerradas.
—— mix (rd), mezcla sin vacíos.
—— planer, acepilladora cerrada.
—— shop (labor), taller exclusivo o agremiado.
—— socket (wr), grillete o encastre o casquillo cerrado.
—— string (st), gualdera de contén.
—— survey or traverse, trazado cerrado, (A) rodeo.
closed-circuit battery (elec), pila de circuito cerrado.
closed-coil armature (elec), inducido de devanado cerrado.
closed-impeller pump, bomba de impulsor cerrado.
closed-root weld, soldadura de fondo cerrado.
closer (mas), pieza especial para completar una hilada; un cuarto de ladrillo.
closet bend (p), codo para inodoro.
closet T (p), T para inodoro.
closing
—— corner (surv), vértice de cierre.
—— line (bu), cable de cierre.
—— relay, relevador de cierre, relai auxiliar.
—— rivet, remache de cierre, roblón de estancamiento.
—— sheave (bu), garrucha cerradora.
—— the horizon (surv), medición de todos los ángulos de una estación de triangulación.
closure, (presa) cierre definitivo, taponamiento; (lev) cierre del trazado.
—— openings (dam), aberturas provisionales, vanos de derivación.
clot, s coágulo; v coagularse, cuajarse.
clot-dissolving, descoagulante.
cloth, tela, tejido, paño, género, lienzo.
—— filter, filtro de paño.
—— tape, cinta de género, (A) ruleta de tela.
cloth-insertion packing, empaquetadura de goma con inserción de tela.
cloud chamber, cámara anublada.
cloud point (pet), punto de obscuridad.
cloudburst, chaparrón, aguacero.
clough, quebrada, angostura, garganta, cañada.
clout nail, clavo de cabeza ancha o de tinglar, (Es) estoperol.

clover-leaf intersection (rd), intercambio de tráfico en hoja de trébol o en trébol.
club dolly (str), sufridera maciza.
clubfoot (sb), amura bulbosa.
clump v, flocular, coagular; coagularse.
cluster, grupo.
— gear, tren de engranajes.
— weld, soldadura de piezas agrupadas.
clutch, embrague, garra.
— assembly, conjunto del embrague.
— band, cinta del embrague, banda de embrague.
— bolt (rr), perno de gancho.
— brake, freno del embrague.
— case (auto), caja del embrague.
— coupling, acoplamiento dentado o de garras.
— facing, revestimiento del embrague.
— housing (auto), caja del embrague, (U) envolvente del embrague.
— lining, guarnición o forro del embrague.
— pedal, pedal del embrague o de desembrague.
— pilot (auto), centrador de embrague.
— release, desembrague.
— shaft, árbol de embrague.
clutch-driving disk (auto), disco de mando del embrague.
clutch-release
— bearing, cojinete de desembrague.
— fork (auto), horquilla de desembrague.
— lever (auto), palanquita de desembrague.
clutch-shifter shaft, árbol de desembrague.
coach (rr), coche, carro de viajeros.
— screw, tirafondo, pija, tornillo de coche.
coach-cleaning yard (rr), patio de limpieza.
coagulant n a, coagulante.
coagulate, coagular; coagularse, cuajarse.
coagulating basin, tanque de coagulación.
coagulator, coagulador.
coagulum, coágulo.
coak (tackle block), manguito, casquillo.
coal, s carbón de piedra, hulla, carbón mineral, carbón; v cargar de carbón, carbonear.
— barge, barca carbonera, lanchón carbonero.
— basin (geol), cuenca hullera o carbonífera.
— bed, yacimiento de carbón.
— brass, coal blende, bronce de carbón.
— breaker, quebradora o trituradora de carbón.
— bridge, grúa de puente para manejo de carbón.
— briquette, aglomerado, briqueta.
— bucket, balde volcable para carbón.
— bunker, carbonera, arcón carbonero, buzón para carbón.
— car, vagón carbonero, carro para carbón.
— chute, canaleta para carbón, conducto de carbón.
— cutter, cortador de carbón.
— dust, polvo de carbón, cisco, polvo de hulla.
— field, terreno carbonífero, distrito o yacimiento hullero.
— gas, gas de hulla o de carbón.
— handler, carbonero.
— measures (geol), formación carbonífera, rocas carboníferas.
— meter, contador de carbón.
— mine, mina de carbón, hullera.

— miner, minero de carbón, hullero, carbonero.
— mining, minería o extracción de carbón, explotación de minas de carbón.
— oil, kerosina, aceite de carbón.
— pocket, instalación almacenadora de carbón.
— scoop, pala carbonera.
— tar, alquitrán o brea de hulla, brea o alquitrán de carbón, alquitrán vegetal.
— tipple, vertedor de carbón.
— trestle (rr), viaducto de caballetes para descarga de carbón.
— trimmer (machy), amontonador de carbón.
— wedge, cuña de minero.
— wharf, muelle carbonero.
coal-bearing, carbonífero, hullífero.
coal-burning a, que quema carbón.
coal-carrying railroad, ferrocarril carbonífero.
coal-fired, que quema carbón.
coal-handling equipment, instalación para manejo de carbón.
coal-tar
— cutback, alquitrán de hulla diluído.
— paint, pintura al alquitrán.
— pitch, pez de alquitrán, alquitrán de hulla, brea de hulla residual, (M) brea de alquitrán.
coalbin, carbonera, arcón carbonero, buzón para carbón, depósito de carbón.
coaldealer, carbonero.
coalesce, unirse, fundirse, conglutinarse.
coalescence, coagulación, conglutinación, fusión.
coalescer, conglutinador.
coaling
— hatch (sb), boca de carbón.
— port (sb), porta de carbón.
— station, estación carbonera.
— track (rr), vía para cargar ténderes.
coaltitude, coaltitud, distancia cenital.
coalyard, carbonería.
coaming, brazola, brocal, defensa de la escotilla.
coarse, basto; tosco, recio; grueso; ancho; áspero.
— aggregate, agregado o árido grueso, (Ch) esqueleto, (A) pedregullo.
— brush, brochón, bruza.
— file, lima gruesa, limatón.
— gravel, grava gruesa.
— mesh, malla ancha.
— rack, rejilla de separación ancha.
— sand, arena gruesa o gorda o recia (granos 0.5 a 1 milímetro).
— screen, criba o reja gruesa; tamiz de malla ancha.
— texture (brick), textura áspera.
— thread, rosca de paso ancho, rosca gruesa.
coarse-grained, de grano grueso, de fibra gruesa, (C) de grano gordo, (C) de grano abierto.
coarse-laid (wr), de colocación tosca.
coarse-tooth cutter, fresa de dientes grandes.
coarseness (ag), grosor.
coast, s costa, litoral; v (auto) marchar por inercia, rodar por gravedad.
coastal plain, llanura costanera.
coaster gate (hyd), compuerta de rodillos, compuerta-vagón, (A) compuerta deslizable.
coasting
— grade (rd), pendiente para marcha sin motor.

—— **recorder** (elec), registrador de marcha sin fuerza.

—— **vessel,** barco de cabotaje, caletero, buque costanero, barco costero.

coastwise shipping, cabotaje, navegación costanera.

coat, *s* (pint) mano, (M) capa; (enlucido) capa, tendido; *v* revestir, forrar; bañar.

coated electrode (w), electrodo revestido.

coating, revestimiento, recubrimiento; baño.

coaxial, coaxil, coaxial.

cob (min), quebrar mineral a mano.

cobalt, cobalto.

—— **bloom,** flores de cobalto, eritrina.

—— **blue** (pigment), azul de cobalto.

—— **crust,** arsenato de cobalto nativo.

—— **glance,** cobaltina.

—— **pyrites,** pirita de cobalto, lineíta.

—— **steel,** acero al cobalto.

cobalt-chrome steel, acero cobaltocromo.

cobaltic, cobáltico.

cobaltite, cobaltine (miner), cobaltita, cobaltina.

cobaltous, cobaltoso.

cobble

—— **conglomerate,** conglomerado de chinos, (V) conglomerado de peñas.

—— **gravel,** grava de chinos, (V) peñascal.

—— **paving,** enchinado.

cobbles, guijarros, cantos rodados, bolones, chinas, chinos, morrillos, chinarros, (M) matatenas, (M) pedruscos, (V) peñas, (ag) (A) cascajo.

coccus (sen), coco.

cock, llave, espita, grifo, canilla; robinete, llave de paso o de cierre.

—— **wrench,** manija para robinetes, palanca para llave de paso, llave para robinete, (A) llave espitera.

cockhead (mt), punta del husillo.

cocobolo (hardwood), cocobolo.

coction, cocción.

code, (leg) código; (tel) clave, cifra; código.

—— **beacon,** véase code light.

—— **compound** (elec), compuesto aislante según especificaciones del Código Eléctrico Nacional (EU).

—— **light,** faro de destellos característicos.

—— **system** (rr), sistema de control del tren por corrientes eléctricas en los rieles.

—— **word,** palabra de clave.

code-grade rubber (inl), compuesto de goma aprobado.

codeclination, codeclinación, distancia polar.

coder (rr), dispositivo de control por medio de interrupción o modificación del circuito de vía.

codimer (pet), codímero.

coefficient, coeficiente.

—— **of absolute viscosity** (sm), coeficiente de viscosidad absoluta.

—— **of active earth pressure** (sm), coeficiente de empuje activo.

—— **of amplification** (ra), coeficiente o factor de amplificación.

—— **of consolidation** (sm), coeficiente de compactación o de consolidación.

—— **of contraction** (hyd), coeficiente de contracción.

—— **of coupling** (ra), coeficiente de acoplamiento.

—— **of damping,** coeficiente de amortiguación, factor de amortiguamiento.

—— **of discharge** (hyd), coeficiente de caudal o de gasto o de descarga.

—— **of earth pressure at rest** (sm), coeficiente de empuje en reposo.

—— **of efficiency,** rendimiento.

—— **of elastic recovery** (sm), coeficiente de recuperación elástica.

—— **of elasticity,** coeficiente o módulo de elasticidad.

—— **of entry** (ve), coeficiente de entrada.

—— **of expansion,** coeficiente de dilatación o de expansión.

—— **of fineness,** coeficiente de finura.

—— **of fineness of displacement** (na), coeficiente de escuadreo.

—— **of flow** (sm), coeficiente de permeabilidad.

—— **of friction,** coeficiente de fricción o de frotamiento o de rozamiento.

—— **of leakage** (elec), coeficiente de dispersión.

—— **of mutual induction** (ra), coeficiente de inducción mutua.

—— **of percolation** (sm), coeficiente de filtración.

—— **of performance** (ac), coeficiente de rendimiento.

—— **of permeability** (sm), coeficiente de permeabilidad.

—— **of restitution,** (fma) coeficiente de restitución; (pi) coeficiente de rechazo o de recuperación.

—— **of retardation** (hyd), coeficiente de retardo o de retraso.

—— **of roughness** (hyd), coeficiente de aspereza o de rugosidad.

—— **of scale hardness** (wp), coeficiente de escamas.

—— **of self-induction** (elec), coeficiente de autoinducción, autoinductancia.

—— **of shrinkage** (ea), coeficiente de consolidación.

—— **of sliding friction** (sm), coeficiente de fricción de deslizamiento.

—— **of strength,** coeficiente de resistencia.

—— **of subgrade reaction** (sm), coeficiente de reacción del cimiento, (A) coeficiente de reacción del subsuelo.

—— **of swelling** (sm), coeficiente de hinchamiento, (A) coeficiente de inflación.

—— **of utilization** (il), coeficiente de utilización.

—— **of viscous damping** (sm), coeficiente de amortiguación viscosa.

—— **of volume decrease** (sm), coeficiente de reducción de volumen.

coercive force (elec), fuerza coercitiva.

coercivity (elec), coercitividad.

cofactor (math), cofactor.

cofferdam, *s* (cons) ataguía, dique provisorio, (A) atajo, (Ch) tranque provisional, (M) bordo provisional; caja-dique, encajonado; (cn) compartimiento estanco; *v* ataguiar, encajonar.

coffering (min), estancamiento (del pozo).

cog, (mec) diente, cama; (carp) lengüeta; (carp) espiga; (min) madero de ademado; (min) intrusión de roca.
—— belt, correa dentada o corrugada.
cogging (carp), junta de espiga y muesca.
—— mill, véase blooming mill.
cograil, cremallera.
cogwheel, rueda dentada, (C) rueda catalina.
—— ore, bournonita.
cohere, adherirse, pegarse.
coherence, (mat) coherencia; (geol) cohesión.
coherent, coherente.
coherer (ra), cohesor.
cohesion, cohesión.
cohesionless, sin cohesión.
cohesive, cohesivo, coherente.
—— water (sm), agua cohesiva o de cohesión.
coil, s (cab) aduja, adujada, rollo; (tub) serpentín; (eléc) bobina, carrete; v enrollar, adujar, enroscar.
—— antenna (ra), antena de lazo.
—— box (auto), caja de bobinas.
—— chain, cadena corriente o ordinaria o de adujadas.
—— clutch, embrague espiral.
—— defecator, defecador de serpentín.
—— loading (elec), carga de bobinas de inductancia.
—— pan (su), tacho de serpentín o de calandria.
—— spring, resorte espiral.
coil-type feed-water heater, calentador de serpentín.
coiler, enrollador.
coiling machine, máquina curvadora de serpentines.
coincide, coincidir.
coincidence, coincidencia.
coincident, coincidente.
coinsurer, coasegurador.
coke, s coque, cok; v coquizar, coquificar.
—— breeze, cisco de coque, coque desmenuzado.
—— iron, fundición al cok, hierro al coque.
—— oven, horno de cok o de coquización.
—— scrubber, depurador de coque.
—— still, alambique de coque.
—— strainer, colador de coque.
—— tin plate, hojalata al coque.
coke-oven gas, gas de horno de coquización.
coke-oven tar, alquitrán de horno de coque o de hulla.
coke-tray aerator, aereador de batea de coque.
coking coal, carbón aglutinante o aglomerante.
colatitude, colatitud.
colcothar (chem), colcótar.
cold, frío.
—— chisel, cortafrío, cortafierro, cortahierro, (C) cincel.
—— cutter, cortafrío de herrero, trancha, cortador en frío.
—— deformation, deformación en frío.
—— elevator (rd), elevador del material frío.
—— joint (conc), junta debida a falta de continuidad en la colocación.
—— mix (rd), mezcla en frío.
—— patch (rd), remiendo o bacheado en frío.

—— reserve (elec), capacidad de reserva fuera de funcionamiento.
—— riveting, remachado en frío.
—— saw, sierra de cortar en frío, sierra en frío; aserradora en frío.
—— set (t), tajadera.
—— shut, eslabón dividido para remendar cadenas; (sol) defecto por falta de calor; (met) defecto de fundición.
—— starting (eng), arranque en frío.
cold-bending test, prueba de doblado en frío.
cold-cathode lamp, lámpara de cátodo frío.
cold-drawn, estirado en frío.
cold-finished, acabado en frío, terminado al frío.
cold-flow v, fluir en frío.
cold-forged, forjado o fraguado en frío.
cold-forming, moldeado o conformación en frío.
cold-hammered, batido o forjado en frío.
cold-heading (bolt), encabezamiento en frío.
cold-lay mix (rd), mezcla para colocar en frío.
cold-made bolt, perno fabricado en frío.
cold-pressed, prensado en frío.
cold-rolled, laminado en frío.
cold-short (met), agrio o quebradizo al frío.
cold-storage warehouse, frigorífico.
cold-swage, estampar en frío.
cold-twisted (reinf), torcido o retorcido en frío.
cold-upsetting, recalcado en frío.
cold-water glue, cola de caseína o de agua fría.
cold-water paint, pintura al agua o a la cola.
cold-work v, labrar en frío.
coli-aerogenes (sd), coli-aerógenes.
coliform bacteria, bacterias coliformes.
coliform index (sen), índice coliforme.
collapse, s derrumbamiento; aplastamiento; fracaso; v derrumbarse, aplomarse, aplastarse, aportillarse.
—— ring (bo), anillo de refuerzo.
collapsible, desarmable, desmontable, soltadizo, abatible, (M) colapsible.
—— tap, macho de expansión.
collapsing pressure, presión de aplastamiento.
collar, collar, cuello, collarín, virola, anillo, aro, vilorta; (min) brocal; (min) boca del barreno.
—— beam, tirante a media altura de la armadura, (Col) cuello, (V) nudillo, (Es) entrecinta.
—— bearing, cojinete de collares.
—— bracing (tun), riostras longitudinales.
—— buster, rompecollares.
—— flange (p), brida de collar.
—— pin, perno de collar.
—— plate (sb), placa de cierre (del mamparo contra el larguero).
—— screw, tornillo de collar o de reborde.
—— stud, prisionero de collar.
—— swage, estampa de collar.
collateral (com), resguardo, seguridad colateral.
collateral-trust bond, bono colateral.
collecting gallery (hyd), galería captante o de colección.
collecting groove (lu), ranura colectora, cajera de colección.
collecting system (sw), red colectora.
collective bargaining, trato colectivo.

collector, (eléc) toma de corriente, colector; (mec) colector; (min) colector.
—— conductor (elec), conductor de toma.
—— ring (mot), anillo colector o del colector.
collet, collar; boquilla.
—— chuck (mt), boquilla de quijadas convergentes.
colliery, mina de carbón, hullera.
collimating marks, marcas de colimación.
collimating table (pmy), mesa colimadora.
collimation, colimación.
collimator, colimador.
collinear, colineal.
collineation (math), colineación.
collision, colisión, choque, (náut) abordaje.
—— bulkhead (sb), mamparo de abordaje o de colisión.
—— mat, empalletado de choque.
—— strut (bdg), puntal de colisión.
collodion, colodión.
—— cotton, algodón colodión.
colloid, coloide.
colloidal, coloidal.
colluvial (geol), coluvial.
cologarithm, cologaritmo.
colon bacillus (sen), bacilo coli, colibacilo.
colonnade, columnata.
colony (lab), colonia.
color, color.
—— chart (lab), carta de colores, guía colorimétrica.
—— comparator, comparador de color.
—— pigment (pt), pigmento de color.
—— removal (wp), descoloración.
—— standards (lab), patrones de color.
—— temperature, temperatura a color.
color-velocity method (hyd), aforo por método color-velocidad.
colorimeter, colorímetro.
colorimetric, colorimétrico.
colorimetry, colorimetría.
coloring matter, colorante.
colter, cuchilla de arado, reja.
column, (est) columna, pilar, poste, pie derecho; (perforadora) montante, columna; (destilación) tubo vertical de purificación.
—— cap (mill construction), volador, ménsula, can.
—— clamp, grampa para moldes de columna.
—— drill, perforadora o barrena de columna; taladro de pedestal.
—— head, capitel, cabeza.
—— lathe, torno de columna.
—— loading, carga de punta.
—— press, prensa de columna.
—— sander (ww), lijadora de columna.
—— strength, resistencia como columna, (M) resistencia al flambeo.
—— strip (flat slab), faja de apoyo.
columnar (geol)(miner), columnar.
—— basalt, basalto columnar o prismático.
colza oil, aceite de colza.
coma (pmy), cabellera, aberración de coma.
comb (elec), peine.
comb-type lightning arrester, pararrayos de peine.

combination (math)(chem), combinación.
—— chuck (mt), plato combinado.
—— column, columna combinada.
—— crossing (rr), véase slip switch.
—— die, matriz combinada.
—— drill (mt), broca de taladrar y abocardar.
—— electric locomotive, locomotora eléctrica de combinación.
—— jig, plantilla múltiple.
—— lathe, torno combinado.
—— lock, cerradura de combinación.
—— plane, cepillo universal.
—— pliers, pinzas ajustables o de combinación.
—— raceway (elec), canal de combinación.
—— square, escuadra de combinación.
—— thermostat, termóstato combinado.
—— wrench, llave de combinación o para tuercas y caños.
combine (chem), combinarse.
combined, combinado; mezclado.
—— available chlorine residual (wp), residuo de cloro combinado aprovechable, cloro combinado disponible.
—— residual chlorination (wp), cloración con residuo combinado aprovechable.
—— sewage, aguas cloacales combinadas.
—— sewer, cloaca para aguas negras y aguas llovidas, cloaca unitaria.
—— system (sw), sistema combinado o unido o unitario, red única de alcantarillado.
combustibility, combustibilidad.
combustible n a, combustible, comburente.
—— shale, tasmanita.
combustion, combustión.
—— chamber, cámara de combustión.
—— gas, gas de combustión, gas comburente.
combustor, cámara de combustión.
come-along clamp, mordaza tiradora de alambre.
comfort
—— chart (ac), gráfico de temperaturas efectivas de comodidad.
—— line (ac), temperatura efectiva de comodidad.
—— zone (ac), zona de comodidad.
commercial efficiency (elec), rendimiento económico.
commercial invoice, factura comercial.
commercial-ground thread, rosca esmerilada corriente.
commercially dry sludge (sd), cieno con menos de 10% de humedad.
comminute, triturar, moler.
comminution, trituración, pulverización, molido.
comminutor (sd), triturador.
commissary, comisaría, (Ch) pulpería, (U) cantina, (Ec) comisariato.
—— contractor, contratista de la comisaría, (V) pulpero.
commission, junta, consejo, comisión; (com) comisión.
commodity rates (rr), tarifa para materiales específicos.
common, común, ordinario, corriente.
—— average (ins), avería particular o simple.
—— bond (bw), trabazón americana o ordinaria.

—— brick, ladrillo corriente o recio o común o ordinario.

—— carrier, empresa de transporte.

—— labor, peones, peones comunes o de pico y pala, (Ch) rotos, faeneros, (Pan) fajinantes.

—— logarithm, logaritmo ordinario o común, (Pe) logaritmo vulgar.

—— return (elec), retorno combinado.

—— sewer, cloaca.

—— stock, acciones ordinarias.

—— structural grade (lbr), calidad estructural común.

—— wire brad, puntilla de París.

—— wire nail, punta de París.

common-rail system (di), sistema de conducto común.

commstone, piedra pulidora.

communication, comunicación.

—— band (ra), faja de comunicación.

commutate, conmutar.

commutating pole (elec), polo auxiliar o de conmutación.

commutation ticket, billete de abono.

commutator (elec), conmutador, colector.

—— bar, segmento colector, cuña del colector, delga.

—— cement, compuesto aislador para colectores.

—— grinder, esmerilador para colectores.

—— grindstone, piedra pulidora.

—— pitch, paso del colector.

—— segment, segmento colector.

—— shell, manguito del colector.

compact, v consolidar, comprimir, apisonar, afirmar, (Ch) compactar; a compacto, apretado.

compaction, consolidación, (Ch) compactación, (PR) compacidad.

compactness, densidad, (PR) compacidad, (Pe) compacticidad.

compactor, apisonador.

companion (sb), carroza, tapa del tambuche.

—— flange (p), brida loca o de acoplamiento, platillo compañero.

—— hatchway, tambuche, escotilla de camarote.

—— head (sb), véase companion.

—— ladder, escalera al camarote.

comparagraph (pmy), comparágrafo.

comparator, comparador.

—— base (surv), base de comparación.

comparer (mech), comparador.

comparison lamp, lámpara de contraste o de comparación.

compartment, compartimiento.

compartmentation (sb), división en compartimientos.

compass, (lev) brújula; (náut) brújula; (dib) compás.

—— bearing, rumbo, marcación.

—— box (inst), caja de la aguja.

—— brick, ladrillo curvo.

—— card, rosa náutica o de los vientos.

—— compensation, compensación o regulación de la brújula.

—— course, rumbo de brújula.

—— leads (dwg), lápices para compás.

—— needle, aguja de brújula.

—— north, norte de brújula o de la aguja.

—— plane, cepillo redondo.

—— rose, rosa náutica o de los vientos.

—— saw, serrucho de calar o de punta, sierra de contornear, segueta.

—— survey, levantamiento con brújula.

—— variation, variación de la aguja.

compensate (all senses), compensar.

compensated repulsion motor, motor de repulsión compensada.

compensating, compensador.

—— axle, árbol o eje compensador.

—— coil (elec), bobina de compensación.

—— jet (auto), surtidor de compensación, compensador.

—— magnet, imán compensador.

—— planimeter, planímetro compensador.

—— pole (elec), polo de compensación.

—— winding (elec), devanado de compensación, arrollamiento compensador.

compensating-type superheater, recalentador compensador.

compensation, compensación.

—— insurance, seguro de compensación o contra compensación legal por accidentes.

compensator (all senses), compensador.

compensatory leads (elec), conductores de compensación.

competence, idoneidad; (r) competencia.

competent (geol), competente.

competitive bidding, licitación, concurso, subasta, competencia.

competitive price, precio competidor o de competencia.

complement (math), complemento.

complementary (math), complementario.

complete-cycle gas turbine, turbina de gas de ciclo completo.

complex (geol)(math)(chem), s complejo; a complejo, complexo.

—— sinusoidal current (elec), corriente vectorial.

compliance (mech), deformación.

compole (elec), interpolo.

component, componente.

composite, compuesto, mixto.

—— balance (elec), balanza ajustable.

—— column, columna compuesta.

—— conductor (elec), conductor compuesto.

—— dike (geol), dique mixto o compuesto.

—— electrode (w), electrodo compuesto.

—— photograph (pmy), fotografía compuesta.

—— pile, pilote compuesto.

—— traffic (rd), tráfico mixto o combinado.

—— weld, soldadura compuesta.

composited circuit (tel), circuito compuesto.

composition, (quím)(mat) composición; compuesto (material).

—— disk (va), disco de compuesto.

—— roofing, techado prearmado o preparado.

compound, s a (quím) compuesto; v mezclar, combinar; a (mv)(eléc) compound.

—— beam, viga compuesta o ensamblada.

—— bending die, matriz de doblar compuesta.

—— carburetor, carburador de pico compuesto.

—— catenary suspension, suspensión catenaria compuesta.

—— circuit (elec), circuito combinado.
—— cross section (ea), sección compuesta.
—— curve (rr), curva compuesta.
—— die, matriz compuesta.
—— engine, máquina compound.
—— excitation (elec), excitación compuesta o compound.
—— flexure, flexión compuesta.
—— fold (geol), pliegue compuesto.
—— gearing, engranaje compound.
—— leveling (surv), nivelación compuesta.
—— maceration (su), maceración compuesta.
—— magnet, imán laminado.
—— manometer, manómetro compuesto.
—— meter (water), contador compuesto.
—— rest (mt), soporte combinado o compuesto, base compound.
—— screw, tornillo compuesto o doble.
—— stress, esfuerzo compuesto.
—— vein (min), filón múltiple o compuesto.
—— winding (elec), devanado compound.
compounding (elec), compoundaje.
—— transmission, transmisión compuesta.
—— valve (pu), válvula de compoundaje.
Compreg (trademark), madera laminada impregnada.
compregnated (plywood), comprimido e impregnado; compregnado.
compress v, comprimir, amacizar, apelmazar.
compressed air, aire comprimido, (M) aire a presión, (Es) aire compreso.
compressibility, compresibilidad.
compressible, compresible, comprimible.
compression, compresión.
—— bibb (pb), grifo de compresión.
—— chamber, cámara de compresión.
—— clutch, embrague o garra de compresión.
—— cock, robinete o grifo de compresión, llave de cierre por compresión.
—— coupling, acoplamiento abrazadera o de compresión, (A) manchón de manguito.
—— fittings (p), accesorios de compresión.
—— flange (gi), cordón comprimido.
—— gage, manómetro de compresión, compresómetro, (A) compresímetro.
—— grease cup, engrasador de compresión.
—— hydrant, hidrante de válvula de compresión.
—— ignition, encendido por compresión.
—— index (sm), índice de compresión.
—— member (tu), pieza comprimida o de compresión, puntal.
—— ratio (eng), relación o índice de compresión.
—— ring (ge), aro de compresión.
—— screw, tornillo de compresión.
—— splice (elec), empalme de compresión.
—— spring, muelle de compresión.
—— stroke (eng), carrera o golpe o tiempo de compresión.
—— tester, probador de la compresión.
—— testing machine, máquina de ensayo a la compresión.
—— wave (vibration), onda de empuje o de compresión.
compression-sleeve coupling (p), manga de compresión.

compressional, compresivo, comprimente, compresor.
compressive, compresivo.
—— strength, resistencia a la compresión.
—— stress, esfuerzo o fatiga de compresión, (A) tensión de compresión.
compressometer, manómetro de compresión, compresómetro.
compressor, compresor, compresora.
—— plant, instalación de compresoras, (A) usina neumática.
compromise splice (rr), junta escalonada.
comptometer, máquina de calcular.
computation, cálculo, cómputo, computación.
compute, calcular, computar.
computer (man or inst), calculador, (M) computador.
concatenation (elec), acoplamiento en cascada.
concave, cóncavo.
concavity, concavidad.
concavo-concave, bicóncavo.
concavo-convex, cóncavo-convexo.
concealed
—— radiator (ht), calorífero tapado.
—— wiring, alambrado encerrado.
—— work (elec), canalización oculta, instalación encerrada.
concentrate, s concentrado, (M) reconcentrado; v concentrar, reconcentrar.
concentrated load (str), carga concentrada.
concentrated solution, solución concentrada.
concentrating table (min), mesa concentradora.
concentration, (quím)(est) concentración.
—— factor (sm), factor de concentración.
—— index (sm), índice de concentración.
concentrator, concentrador.
concentric, concéntrico.
concentric-lay cable (elec), cable concéntrico.
concentricity, concentricidad.
concession (privilege), concesión.
concessionary, concesionario.
conchoidal (miner), concoideo.
concluded angle (triangulation), ángulo calculado.
concrete, s concreto, hormigón; v concretar, hormigonar.
—— barrow, carretilla concretera o para hormigón.
—— block, sillarejo de concreto, bloque celular de hormigón.
—— breaker, rompedor de concreto, rompepavimentos.
—— bucket, capacho para concreto, cucharón para hormigón, (M) bote de concreto, (A) balde de hormigón.
—— buggy, carrito volcador, calesín de hormigón.
—— buster, rompedor de concreto, martillo rompedor.
—— chute, canaleta para concreto, conducto distribuidor de hormigón.
—— control, dominio de la calidad del concreto.
—— hardener, endurecedor de concreto.
—— manufacture, elaboración de hormigón.
—— mixer, mezcladora, hormigonera, (Ch) betonera, (M) revolvedora, (V) terceadora, (C) concretera.

—— nail, clavo para concreto, punta para hormigón.

—— paver, pavimentadora para concreto.

—— primer, aprestador de concreto, imprimador para hormigón.

—— pump, bomba para concreto.

—— spreader, esparcidor de hormigón, distribuidor de concreto.

—— steel, hormigón armado.

—— sugar, concreto, azúcar concreto.

—— technologist, tecnólogo de concreto, técnico en hormigón.

—— vibrator, vibrador de concreto, vibradora de hormigón.

—— worker, obrero de hormigón, trabajador de concreto.

concrete-block machine, máquina fabricadora de bloques de hormigón, prensa para sillarejos de concreto, (Es) bloquera.

concrete-finishing machine (rd), terminadora, acabadora.

concrete-pipe machine, fabricadora de tubos de hormigón.

concrete-surfacing machine, alisadora, acabadora.

concreting, hormigonado, concretadura, hormigonaje, colado.

concretion (geol), concreción.

concretionary, concrecional.

concretor (su), condensador.

concurrent, concurrente.

—— heating (w), calentamiento suplementario, calor concomitante

concussion, concusión.

condemn (land), expropiar.

condemnation, expropiación.

condensable, condensable.

condensance (elec), reactancia capacitiva.

condensate n, condensado.

—— trap, colector de condensado.

condensation, condensación; resudamiento.

—— gutter, goterón.

—— receiver, depósito para condensado, receptor del condensado.

condense, condensar; condensarse.

condenser, (maq)(eléc) condensador; (fma) lente condensador.

—— antenna (ra), antena de capacitancia.

—— bushing (elec), manguito tipo condensador.

—— loudspeaker, altoparlante electroestático o a condensador.

—— meter (ra), medidor de condensadores, (M) capacitómetro.

—— microphone, micrófono electroestático o de condensador.

condensing engine, máquina condensadora o sin escape libre.

condensing lens, lente condensador.

Condensite (elec)(trademark), condensita.

condensive (elec), capacitivo.

condition, s estado, condición; v acondicionar.

—— line (ac), línea de acondicionamiento.

conditioner (sd)(ac)(pet), acondicionador.

conduct v, conducir.

conductance, conductancia.

conduction, conducción.

—— current (elec), corriente conductiva o de conducción.

conductive (elec), conductor, conductivo.

—— coupling (ra), acoplamiento conductivo.

conductivity, conductividad.

conductometer, conductómetro.

conductometric (chem), conductométrico.

conductor, (eléc) conductor; (hid) canalón, conducto; (fc) conductor, guarda, cobrador; (ed) bajante pluvial, caño de bajada.

—— head (bldg), cubeta, embudo de techo.

—— holder (elec), portaconductor.

—— pipe, tubo para bajante pluvial.

—— rail, riel de toma, carril conductor.

conductors in multiple (elec), conductores en múltiple.

conduit, (hid) tubería, cañería, acueducto, conducto; (eléc interior) conducto, tubo-conducto, tubería; (eléc calle) conducto portacables o celular, canal de cables.

—— bender (elec), doblador de tubos-conductos.

—— box (elec), caja de salida, toma de corriente.

—— bushing (elec), buje de tubo-conducto, casquillo para tubo-conducto.

—— clip (elec), sujetador de conducto.

—— fittings (elec), accesorios o guarniciones de conducto.

—— hanger (elec), suspensor de conducto.

—— rods (elec), varillas tiracables.

—— run (elec), tramo de conducto.

—— system (elec rr), sistema de contacto subterráneo.

Condulet (trademark), caja accesoria para conductos eléctricos, caja de empalme, (V) condulete.

cone, cono.

—— bearing, cojinete cónico.

—— brake, freno de cono.

—— center (mt), contrapunta con cono.

—— chuck (mt), plato con agujeros cónicos.

—— classifier, clasificador cónico.

—— clutch, embrague cónico.

—— coupling, acoplamiento cónico.

—— crusher, trituradora o chancadora o quebradora de cono.

—— delta, cono aluvial.

—— key (machy), chaveta cónica.

—— lathe, torno de cono escalonado.

—— mandrel (mt), mandril de expansión.

—— nut (fo), tuerca cónica, (A) cono roscado.

—— of pressure relief (ground water), embudo de abatimiento de presión.

—— of pumping depression, cono de depresión de bombeo.

—— of silence (ap), cono de silencio.

—— of water table depression, embudo de depresión del nivel freático.

—— plate (mt), véase cone chuck.

—— pulley, polea escalonada o de cono.

—— speaker (ra), altoparlante cónico.

—— valve, válvula cónica o de cono o de asiento cónico.

—— wheel, véase cone pulley.

cone-friction hoist, malacate de cono de fricción.

cone-in-cone (geol), cono entre cono.

cone-point lag screw, pija punta cónica.

cone-point setscrew, prisionero de punta cónica.
cone-shaped, coniforme.
conehead rivet, remache de cabeza de cono truncado.
conehead toggle bolt, tornillo con cono de expansión.
configuration (math)(top)(chem), configuración.
confined (sm), encerrado.
confined ground water, agua artesiana.
confirmed credit, crédito confirmado.
confluence, confluencia, horcajo.
confluent, confluente.
confocal, confocal.
conformal (math), conformante.
conglomerate (geol), conglomerado, pudinga.
conglomeratic, conglomerado, conglomerático.
Congo paper (lab), papel Congo.
congruent (math), congruente.
conic, conical, cónico.
—— perspective, perspectiva cónica o lineal.
—— projection (surv), proyección cónica.
conic-flame burner, quemador de llama cónica.
conical-pendulum governor, regulador de péndulo cónico.
conical-plate fan, ventilador de cono.
conicity, conicidad.
conico-helicoidal, cónicohelicoidal.
conifer, conífera.
coniferous, conífero.
conjugate, conjugado.
—— axis, eje conjugado o menor.
—— diameter, diámetro conjugado.
—— impedances (elec), impedancias conjugadas.
conk (lbr), podrición fungosa.
connate water (geol), agua connata, (A) agua de formación, (A) agua singenética.
connect, (mec)(eléc) conectar, acoplar, unir; (est) conectar, ensamblar, juntar; (fc) empalmar, enlazar, entroncar.
connected load (elec), carga conectada, potencia de conexión.
connecting
—— curve (rr), curva de conexión (del corazón con la vía paralela).
—— link, (eléc) conector de conductos; (cadena) eslabón reparador, empate para cadena.
—— rod, (mv) biela, biela motriz; (fc) barra de conexión.
connecting-rod dipper (auto), cuchara de biela.
connection, (est) ensambladura, junta, nudo, conexión; (fc) empalme, entronque; (mec) acoplamiento, conexión, unión; (eléc) conexión, acoplamiento.
—— angles (str), ángulos de conexión, escuadras de ensamblaje.
—— bar (elec), barra de conexión.
—— box (elec), caja de empalme.
—— plate (str), placa de unión o de ensamble o de empalme.
connector (elec)(carp)(hose)(wr), conector, empalmador.
conoid, conoide.
conoidal, conoidal.
consequent pole (elec), polo consecuente.
consequent stream (geol), arroyo consecuente.
conservancy, conservación.

conservation, conservación.
—— storage (hyd), almacenamiento para uso.
conservator (elec), conservador, tanque de expansión.
consign, consignar.
consigned to, a la consignación de.
consignee, consignatario, destinatario.
consignment, consignación.
——, on, en consignación.
consignor, consignador, remitente.
consistency, consistencia.
—— gage, sonda de consistencia.
—— index (sm), relación de consistencia.
—— meter (conc), indicador de consistencia, medidor de asentamiento, consistómetro.
consistent (material), consistente.
consistometer, consistómetro.
console, ménsula, consola, cartela.
consolidate, (ot) consolidar, compactar; consolidarse; (empresas) combinar, unir.
consolidation (ea), consolidación, (Ch) compactación.
—— grouting, inyección para consolidación (de roca diaclasada).
consolidometer, consolidómetro.
consonance (elec), consonancia, resonancia.
consonant (elec), consonante, resonante.
constancy, constancia.
—— of volume (ct), estabilidad de volumen.
constant $n\ a$, constante.
—— current (elec), corriente permanente o invariable.
—— error (math), error constante o sistemático.
—— field (elec), campo fijo.
constant-angle arch (dam), arco de ángulo constante.
constant-current transformer, transformador de corriente constante.
constant-head permeameter (sm), permeámetro de carga constante.
constant-level carburetor, carburador de nivel constante o de flotador.
constant-mesh transmission, transmisión de engrane constante.
constant-potential generator, generador de tensión constante.
constant-pressure-combustion engine, motor de presión constante.
constant-radius arch (dam), arco de radio constante.
constant-rate feed (wp), alimentación con gasto constante o de volumen constante.
constant-torque resistor (elec), resistencia para momento torsional constante.
constant-volume-combustion engine, motor de volumen constante.
constantan (alloy), constantano, constantana, constantán.
constituent (chem), componente, constituyente.
constitution (chem)(geol), constitución.
constitutive, constitutivo.
constriction, constricción.
—— coefficient (hyd), coeficiente de constricción.
—— meter (hyd), contador de constricción.
construct, construir, edificar.
construction, construcción; estructura.

—— **company,** compañía o empresa o casa constructora.

—— **drawings,** dibujos de trabajo, planos de ejecución.

—— **joint,** juntura de construcción, junta de trabajo o de colado, (A) junta de interrupción.

—— **manager,** jefe de construcción, maestro de obras, (Ch) conductor de obras.

—— **plant,** maquinaria de construcción, equipo de trabajo, planta, (A) planteles, (M) tren de construcción.

—— **program,** plan de trabajo, programa de construcción.

—— **time,** plazo de la construcción.

—— **wrench,** llave de armador.

constructor, constructor.

consulting engineer, ingeniero consultor o asesor, (Es) ingeniero consejero.

consulting geologist, geólogo consultor.

consumer, consumidor, cliente, abonado.

consumption, consumo.

consumptive use (irr), agua usada por las plantas, uso consuntivo.

contact (all senses), contacto.

—— **aerator,** aereador de contacto.

—— **arc welding,** soldadura de contacto.

—— **aureole** (geol), aureola, zona de contacto.

—— **bed** (sd), lecho de contacto.

—— **breaker** (elec), interruptor de contacto.

—— **brush** (elec), escobilla, (U) frotador.

—— **button,** botón o tope de contacto.

—— **chamber** (sen), cámara o tanque de contacto.

—— **clip** (elec), pinza o mordaza de contacto.

—— **copy** (pmy), copia por contacto.

—— **deposit** (min), yacimiento de contacto.

—— **drier** (ac), desecador de contacto o por contacto.

—— **electricity,** electricidad de contacto.

—— **filter,** filtro de contacto.

—— **finger** (elec), maneta, dedo de contacto.

—— **goniometer,** goniómetro de aplicación.

—— **jaw** (w), abrazadera o mordaza de contacto.

—— **light** (ap), farol o luz de pista.

—— **moisture** (sm), humedad o agua de contacto.

—— **operation** (ap), funcionamiento con visibilidad.

—— **plate,** (eléc) placa de contacto; (fma) placa del plano focal o de contacto.

—— **plow** (elec rr), carrillo de contacto, zapata de toma.

—— **points** (auto), platinos, puntas de contacto.

—— **potential** (elec), tensión de contacto.

—— **rail** (elec rr), carril conductor, tercer riel.

—— **resistance** (elec), resistencia de contacto.

—— **shoe** (elec rr), zapata de contacto, patín.

—— **spring,** fuente de contacto, manantial resurgente o de ladera o de desbordamiento.

—— **terminal** (elec), borne de contacto.

—— **vein** (min), filón de contacto.

—— **wire,** alambre o hilo de contacto.

—— **zone** (geol), zona de contacto, aureola.

contactor, contactor, contactador.

—— **switch,** interruptor de contactor.

container, recipiente, bote; envase.

—— **car,** vagón para recipientes.

contaminant, contaminador.

contaminate, contaminar.

contamination, contaminación.

content, contenido.

contiguous (math), adyacente, contiguo.

continental, continental.

—— **divide,** divisoria o parteaguas o división continental.

—— **plateau,** plataforma continental.

—— **slope,** declive continental.

contingencies, imprevistos, eventualidades, contingencias.

contingent liability, responsabilidad contingente; pasivo eventual.

continuant (math), continuante, determinante continuante.

continued fraction, fracción continua.

continuity, continuidad.

continuous, continuo, corrido.

—— **beam,** viga continua.

—— **current** (elec), corriente continua o directa sin pulsaciones.

—— **duty,** trabajo o servicio continuo.

—— **frame,** armadura continua, pórtico continuo, (A) entramado continuo.

—— **mill** (met), laminador continuo.

—— **phase** (chem), fase continua.

—— **profiling** (pet), perfilación continua.

—— **rating** (elec), rendimiento continuo.

—— **ridge ventilator** (rf), ventilador continuo de caballete.

—— **stability indicator** (wp), indicador continuo de estabilidad.

—— **wave** (ra), onda continua o sostenida, (A) onda entretenida.

continuous-flow irrigation, irrigación continua.

continuous-pressure operation (elev), manejo por presión continua del botón.

continuous-rail frog (rr), crucero de carril continuo.

continuous-stave pipe, tubería continua de duelas de madera.

continuous-strip camera (pmy), cámara de película continua.

continuous-thread stud bolt, prisionero de rosca continua.

continuum (math), continuo.

contour, contorno; (top) curva de nivel.

—— **checks,** bordes en las curvas de nivel.

—— **finder** (pmy), trazador de curvas de nivel.

—— **interval,** distancia vertical entre los planos de nivel.

—— **line,** curva de nivel, (A) curva hipsométrica.

—— **machine,** conformador, máquina para cortar contornos.

—— **map,** plano topográfico o acotado, planialtimetría.

—— **mapping,** planialtimetría.

—— **pen,** tiralíneas para curvas de nivel, (Es)(A) tiralíneas loco.

—— **plowing,** surcado en contorno.

—— **survey,** levantamiento topográfico.

contract v, (conc) contraerse, acortarse.

contract, s contrato, convenio, ajuste, contrata v (obras) contratar.

——, **by,** por contrato o empresa, a trato.

—— **carrier,** empresa de transporte por ajuste.
—— **documents,** documentos del contrato.
—— **form,** modelo de contrato, formulario para contrato.
—— **labor,** braceros contratados (del exterior).
—— **plans,** dibujos del contrato.
—— **time,** plazo del contrato.
contracted weir, vertedero con contracción.
contractile stress, fatiga de contracción.
contracting parties, partes contratantes.
contraction, contracción, acortamiento.
—— **crack,** grieta de contracción.
—— **joint,** juntura de o para contracción.
—— **plate** (rd), placa de contracción.
contractor, contratista, empresario.
contractor's
—— **bucket,** balde volcable, cangilón volquete, cubeta volcadora, balde basculante.
—— **liability insurance,** seguro contra responsabilidades del contratista.
—— **pick,** pico de punta y pala o con punta y corte.
contractor's-risk insurance, seguro contra daños de tormenta, avenida, terremoto, etc.
contractual, contractual.
contraflexure, inflexión.
contrast control (tv), control de contraste.
contrasty (pmy), mostrando contraste fuerte entre sombras y tonos vivos debido a falta de exposición.
control, *s* (mec) gobierno, mando; (hid) control; (lev) control; *v* gobernar, controlar.
—— **airport,** aeropuerto de control.
—— **arm** (auto), brazo de gobierno.
—— **board,** cuadro de gobierno, tablero de mando.
—— **bus** (elec), barra colectora de control.
—— **characteristic** (ra), característica de control.
—— **desk,** (eléc) pupitre de distribución; (ap) mesa de control.
—— **electrode,** electrodo de control.
—— **flume,** canalizo de control, canalón medidor.
—— **grid** (ra), rejilla o grilla de control.
—— **head** (pet), cabezal de control.
—— **house,** casa de comando, caseta de mando o de maniobra.
—— **level** (inst), nivel de control.
—— **lever,** palanca de mando.
—— **meter** (hyd), contador o medidor de control.
—— **panel,** tablero de control o de gobierno.
—— **point** (surv), punto dominante u obligado; punto de comprobación.
—— **rack** (di), cremallera reguladora.
—— **relay** (elec), relai de maniobra, relevador de control.
—— **room,** sala o cámara o cuarto de mando.
—— **sign** (rd), señal de control.
—— **stand** (pmy), mesita de control.
—— **strip** (pmy), faja de control.
—— **switch** (elec), interruptor de mando.
—— **tower** (ap), torre de control o de mando o de gobierno.
—— **tube** (di), tubo regulador o de control.
—— **unit** (tc), dispositivo de control, unidad de gobierno.
—— **valve,** (hid) válvula de maniobra; (ra) válvula de control.

—— **zone** (ap), zona controlada.
controllable dump (bu), descarga regulable.
controlled
—— **concrete,** concreto regulable por el ingeniero, concreto controlado.
—— **crest** (hyd), cresta ajustable o movible.
—— **directional drilling** (pet), perforación con dirección controlada.
—— **mosaic** (pmy), mosaico regulado o con control.
controlled-accesss highway, camino de acceso controlado.
controlled-speed generator (rr), generador de velocidad gobernada.
controller, (eléc) controler, combinador, (A) contralor; (mec) regulador, controlador.
—— **case** (elec), caja del combinador.
controlling potentiometer (elec), potenciómetro de control.
controlling temperature gage, regulador de temperatura.
convection, convección.
—— **current** (elec), corriente de convección.
—— **superheater,** recalentador de convección.
convective, convectivo.
convector (elec)(ht), convector.
convenience outlet (elec), tomacorriente de utilidad, caja de salida para uso general.
conventional signs, signos o símbolos convencionales.
convergence (math)(surv)(optics), convergencia.
convergency, convergencia.
converging, convergente.
—— **lens,** lente convergente o positivo o colectora.
conversion, (mat) conversión; (hid) transición; (eléc) conversión.
—— **burner** (ht), quemador de petróleo o de gas en una caldera proyectada para carbón.
convert, (eléc)(quím)(met) convertir.
converter, (eléc) convertidor, conmutatriz; (ra) convertidor; (mec)(met) convertidor.
—— **tube** (ra), tubo convertidor, (A) válvula conversora.
convertible, transformable, convertible.
—— **body** (auto), carrocería transformable.
convex, convexo.
convexity ratio (w), relación de convexidad.
convey, transportar, conducir, acarrear.
conveyance, transporte, conducción, acarreo.
—— **loss** (hyd), pérdida en la conducción.
conveying line (cy), cable de tracción o de traslación.
conveyor, transportador, conductor.
—— **belt,** correa transportadora o conductora, banda transportadora; correaje para transportadores.
—— **chain,** cadena para transportador.
—— **furnace,** horno de conductor.
—— **pulley,** polea de transportador.
cooker (su), aparato de cocer.
cool *v*, enfriar, refrescar; enfriarse.
coolant, enfriador.
cooler, enfriador, refrigerador.
cooling (ac)(eng), enfriamiento, refrigeración.
—— **coil,** serpentín enfriador o de enfriamiento.
—— **compound,** compuesto de enfriamiento.

— **fan,** ventilador de enfriamiento.
— **fins,** aletas refrigeradoras o de enfriamiento.
— **load** (ac), carga de enfriamiento.
— **pipes,** tubería de refrigeración, cañería de enfriamiento.
— **pond,** laguna o estanque de enfriamiento.
— **spray,** rocío de enfriamiento.
— **tower,** torre enfriadora.
cooper, tonelero.
Cooper-Hewitt lamp, lámpara de vapor de mercurio.
cooper's hatchet, hachuela de tonelero.
coordinate, v coordinar; a coordinado.
— **axes,** ejes de las coordenadas.
— **geometry,** geometría analítica.
— **paper,** papel cuadriculado.
coordinates, coordenadas.
coordinatograph, coordinatógrafo.
coordinatometer (pmy), coordinatómetro.
copal, copal.
cope, s (est) recorte, rebajada; v (est) recortar, rebajar.
— **chisel,** escoplo ranurador.
copestone, piedra de albardilla.
cophasal, cofásico.
copilot (pmy), copiloto.
coping (mas), coronamiento, albardilla, hilada de coronación.
— **saw,** serrucho de calar (hierro), sierra caladora.
— **stone,** piedra de albardilla o de remate.
coplanar (math), coplano.
coplane (pmy), coplano.
copper, cobre.
— **acetate,** acetato cúprico o de cobre.
— **bit,** cautín, soldador.
— **flashing,** vierteaguas de cobre; tapajunta de cobre.
— **glance,** calcocita.
— **green,** verde mineral o de cobre.
— **hydroxide,** hidróxido cúprico o de cobre.
— **index** or **number** (chem), índice o número de cobre.
— **loss** (elec), pérdida en el cobre.
— **nickel** (miner), niquelina.
— **ore,** mineral cuprífero o de cobre.
— **pyrites,** pirita de cobre, calcopirita, (M) abronzado.
— **shop,** cobrería.
— **suboxide,** subóxido de cobre, óxido cuproso.
— **value** (chem), índice de cobre.
— **vitriol,** vitriolo azul, sulfato de cobre.
— **work,** cobrería.
copper-base alloy, aleación a base de cobre.
copper-bearing, cuprífero, cobrizo.
— **steel,** acero encobrado o al cobre.
copper-clad, cobrizado por soldadura.
copper-colored, cobrizo.
copper-covered door, puerta revestida de cobre.
copper-oxide rectifier (ra), rectificador tipo óxido de cobre.
copper-plated, encobrado, cobrizado, cobreado.
copperas, caparrosa.
coppersmith, cobrero.
Copperweld (trademark), cobrizado por soldadura.

copying camera, cámara de copiar.
coquimbite (miner), coquimbita, caparrosa blanca.
coral, s coral; a coralino, madrepórico, coralígeno, coralífero, (V) corálico.
— **limestone,** caliza coralina.
— **reef,** banco de coral, arrecife coralígeno.
— **rock,** roca coralina.
— **sand,** arena de coral.
corbel, voladizo, ménsula, cartela, can, canecillo, acartelamiento.
— **course** (bw), hilada voladiza.
corbeled, voladizo, volado, acartelado.
corbeling, vuelo, acartelamiento.
cord, cuerda, cordón, cordel; (eléc) cordón conductor, conductor flexible; (vi) imperfección en forma de cuerda; (leña) cuerda, (C) tarea.
— **connector** (elec), conector de cordón.
— **filter** (sd), filtro de cuerdas.
— **tire,** goma de cuerdas, neumático acordonado.
cord-grip socket (elec), portalámpara con abrazadera de cordón.
cordage, cordelería, cordaje, jarcia.
— **oil,** aceite para cordaje.
cordeau (bl), mecha de tubería de plomo llena de pólvora detonante.
corded tape (surv), cinta de cordones.
cordite, cordita (explosivo).
corduroy road, camino de troncos, (M) marimba.
cordwood, leña; leña de cuerdas.
core, s (presa) alma de impermeabilización o de pantalla, corazón, núcleo, cortina; (sx) testigo de perforación, muestra de sondaje, cuesco, corazón, cala, alma; (cab) eje, núcleo, alma, ánima; (fund) macho; (eléc) núcleo, núcleo magnético; (mad) madera de corazón; (cal hidratada) pedazo de caliza no calcinado; (madera laminada) capa interior de veta paralela, alma; (pi) cuesco; (pi) mandril; (tún) corazón, cuesco; v (fund) formar con macho; (sx) corazonar, sacar núcleos; (pi) perforar, punzar.
— **area** (column), área dentro de los zunchos.
— **barrel,** (sx) casquillo del alma, portatestigo, tubo para testigo, sacatestigo, sacanúcleo; (pet) sacamuestras, sacanúcleos; (fund) linterna para machos, alma tubular de macho.
— **bit,** barrena tubular, sacanúcleo, barrena cortanúcleo.
— **box,** (sx) caja de muestras; (fund) caja de macho.
— **catcher** (pet), atrapanúcleos, pescanúcleos.
— **cutter** (pet), cortanúcleos.
— **diameter** (th), diámetro mínimo.
— **drill,** (ec) barrena o taladro tubular, taladro de alma, barrena sacanúcleos, perforadora de corona, sonda de núcleo, (PR) taladro testigo; (mh) mecha hueca, broca para sacar núcleos.
— **drilling,** perforación o sondaje con corazón, sondaje de testigo.
— **extractor** (tb), sacaalma, extractor de núcleos.

—— **fuse** (bl), mecha hueca llena de pólvora.
—— **lifter** (tb), sacanúcleo.
—— **loss** (elec), pérdida en el núcleo.
—— **pool** (earth dam), charco para el alma impermeable.
—— **pusher** (pet), expulsanúcleos.
—— **recovery** (tb), recuperación de núcleos.
—— **sand** (fdy), arena para machos.
—— **splitter** (min), partidor de núcleos.
—— **wall** (hyd), muro nuclear o impermeabilizador o de alma o de cortina, pantalla interior, cortina, (A) mamparo.
—— **waves** (geop), ondas centrales.
core-and-coil transformer, transformador de núcleo y bobina.
core-type transformer, transformador de núcleo.
cored hole (fdy), agujero moldeado (no taladrado).
cored solder, soldadura de núcleo.
coreless coil (elec), bobina sin núcleo.
corindon (miner), corindón.
coring reel (pet), torno para cable sacanúcleos.
cork, corcho.
—— **borer** (lab), perforador o barrena de corchos, perforacorchos, (C) taladracorchos.
—— **brick,** ladrillo de corcho.
—— **float** (mas), frota de corcho, llana de madera con cara de corcho, (A) flatacho de corcho.
—— **insulation,** aislamiento de corcho.
—— **tile,** baldosa de corcho.
corkboard, planchas prensadas de corcho granulado.
corkwood, balsa.
corn oil, aceite de maíz.
corner, s esquina, rincón (interior); (lev) vértice; v acaparar, monopolizar.
—— **bead,** guardavivo, arista metálica de defensa, guardacanto, cantonera.
—— **brace** (t), taladro angular, berbiquí para rincones.
—— **chisel,** formón de ángulo, escoplo angular.
—— **joint** (w), junta esquinada.
—— **piece,** esquinera; rinconera.
—— **post,** poste esquinero, esquinal, cornijal, montante cornijal, (C) horcón.
—— **stone** (surv), mojón.
—— **tile,** teja cornijal.
—— **tower** (elec), torre o columna de ángulo.
—— **trowel,** llana acodada o de ángulo.
—— **valve,** válvula de ángulo horizontal.
—— **washbasin,** lavabo de rincón.
—— **weld,** soldadura angular o esquinera.
cornerstone (mas), piedra angular o fundamental.
cornice, cornisa, cornija.
—— **brake,** plegadora de palastro, dobladora de chapas, pestañadora.
—— **hook,** gancho de cornisa (para andamio colgante).
Cornish boiler, caldera de flus único central.
corollary, corolario.
corona (elec), corona.
corona-resisting, resistente a la corona.
corporate surplus, utilidades incorporadas.
corporation, sociedad anónima, corporación.

—— **cock,** llave maestra o de la compañía, llave o robinete municipal, (V) llave de corporación o de toma.
—— **stop,** véase **corporation cock.**
—— **tapping machine,** máquina para taladrar y roscar el tubo maestro para derivación.
corps, cuerpo.
corral, corral.
corrasion (geol), corrasión.
correcting projector (pmy), proyector corrector.
correction, corrección.
correlation (geol)(math), correlación.
correspondence (pmy), correspondencia.
corridor, corredor, pasillo, pasadizo, pasaje.
corrode, corroer; corroerse.
corrodible, corrosible.
cotroding lead, plomo por corroer.
corrosion, corrosión.
—— **fatigue,** fatiga con corrosión.
corrosion-resistant, resistente a la corrosión.
Corrosiron (trademark), acero al silicio resistente a los ácidos.
corrosive, corrosivo, corroyente.
—— **sublimate,** sublimado corrosivo, cloruro de mercurio.
corrosivity, corrosividad.
corrugate, acanalar, corrugar.
corrugated, corrugado, acanalado, ondulado, arrugado.
—— **bar** (reinf), barra o varilla corrugada, barra arrugada.
—— **culvert,** alcantarilla corrugada.
—— **iron,** hierro acanalado o corrugado o ondulado.
—— **joint fastener** (carp), conector corrugado.
—— **sheets,** chapa ondulada, palastro ondulado, láminas acanaladas, planchas corrugadas.
corrugation, canaladura, acanaladura, corrugación, arruga, ondulación.
—— **irrigation,** riego por surcos, irrigación por corrugaciones.
Corundite (trademark)(rfr), corundita.
corundum, corindón, óxido de aluminio nativo.
cosecant (math), cosecante.
coseismal, homosista.
cosine (math), coseno.
—— **curve,** curva de coseno, (Es) cosinusoide.
cost, costo.
—— **accountant,** contador de costos.
—— **accounting,** contaduría de costos.
—— **distribution,** repartición de costos.
——**, insurance, and freight (CIF),** costo, seguro y flete (CSF).
—— **less depreciation,** costo menos depreciación.
—— **plus fixed fee,** costo más honorario fijo.
—— **plus percentage,** costo más porcentaje.
cost-plus contract, contrato al costo más honorarios o por administración delegada.
costeaning (min), cateo, calas de prueba, calicatas, reconocimiento.
cotangent (math), cotangente.
cotidal, de mareas coincidentes.
cotter, pasador, clavija, chaveta; clavija hendida.
—— **drill,** taladro ranurador.
—— **file,** lima ranuradora.
—— **mill,** fresa ranuradora.

—— **pin**, clavija hendida, chaveta de dos patas.
cottered joint, unión con pasador.
cotton, algodón.
—— **braid** (elec), trenza de algodón, algodón trenzado.
—— **powder**, algodón pólvora.
—— **rock**, horsteno desintegrado.
—— **rope**, soga o cable o cuerda de algodón.
—— **sleeving** (elec), manguito de algodón.
—— **waste**, hilacha o desperdicios de algodón, (A) estopa de algodón, (Ch) huaipe, (C) hilas, (C) estopa, (A) guata.
cotton-covered cord (elec), cordón forrado de algodón.
cottonwood, algodonero.
cotunnite, cotunita, cloruro de plomo nativo.
coulee (top), barrancón, cañón.
coulisse, corredera, guía.
coulomb (elec), culombio.
—— **meter**, culombímetro.
Coulomb's law (elec), ley de Coulomb, ley de atracción electroestática.
coulometer, culombímetro.
counter, (inst) contador, cuentavueltas; (est) diagonal auxiliar, barra de contratensión; (cn) bovedilla.
—— **electromotive force**, fuerza contraelectromotriz, (A) contratensión, (A) contravoltaje.
—— **timber** (sb), gambota.
counteract, contrarrestar.
counterbalance, *s* contrabalanza; *v* equilibrar, contrabalancear.
—— **weights**, pesas de contrapeso.
counterbore, *s* ensanchamiento, contrataladro; (herr) abocardo de fondo plano, contramecha, contrataladro; *v* abocardar con fondo plano, contrataladrar.
—— **pilot**, contramecha piloto.
counterbrace, barra de contratensión.
counterbracing, contradiagonales, barras de contratensión, arriostramiento secundario.
counterchute (min), contraalcancía, contraconducto.
counterclockwise rotation, movimiento siniestrógiro, rotación sinistrórsum o levógira.
countercurrent, contracorriente, contraflujo, revesa; contramarea.
—— **condenser**, condensador de corrientes (vapor y agua) opuestas.
counterdiagonal (tu), barra de contratensión.
counterdike, contradique.
counterdistortion (w), contratorcimiento.
counterditch, contracuneta.
counterdrain, contrafoso, contracuneta, cuneta de guardia.
counterflange, contrabrida.
counterflashing (rf), plancha de escurrimiento superior, contraplancha de escurrimiento.
counterflow, contraflujo.
counterfort, contrafuerte, nervadura, machón, estribación, nervio, botarel, pilastra, pila de carga.
countergangway (min), contragalería.
counterguide, contraguía.
counterlathing, contralistonado.

counterlode (min), contrafilón, veta transversal, contravena.
counterpoise, contrapeso; (ra) contraantena, (A) contrapeso, (Es) compensación de tierra.
counterpressure, contrapresión.
counterpunch, contrapunzón.
counterrotation, contrarrotación.
counterscarp, contraescarpa.
countershaft, contraeje, eje de transmisión intermedia, árbol auxiliar o de contramarcha, contraárbol.
countersink, *s* abocardo, avellanador, broca de avellanar, (A) fresadora; *v* abocardar, avellanar, embutir.
countersinking bit, avellanador, abocardo.
counterslope, contratalud.
counterstroke, carrera de retroceso.
countersunk, avellanado, abocardado.
—— **and chipped**, embutido y emparejado, avellanado y cincelado.
—— **head**, cabeza embutida o perdida o avellanada.
—— **nail**, clavo de cabeza embutida o perdida.
—— **plug** (p), tapón de avellanar.
counterthrust, contraempuje.
countertorque, momento de torsión antagónico, (A) cupla antagónica.
countervein (min), contravena, contrafilón.
counterweight, *s* contrapeso; *v* contrapesar.
—— **rails** (elev), guías o rieles del contrapeso.
country (geol), formación.
—— **beam** (auto), luz o haz de marcha, (A) luz a distancia.
—— **rock** (min), roca madre, roca de caja, (M) piedra bruta, (B) roca encajonante, (M) tepetate.
couple, *s* (mat)(mec)(eléc) par; *v* acoplar, juntar, enganchar.
coupled impedance (elec), impedancia reflejada.
coupled wheels (loco), ruedas acopladas.
coupler, (fc) enganche, enganchador; (ef) cadena de acoplamiento; (ra) acoplador.
coupling, (tub) manguito, acoplamiento, (C) nudo; (mec) acoplamiento, empalme, acopladura, unión, (Ch) copla, (C) acoplo, (A) acople; (eléc) acoplamiento.
—— **box**, collar de acoplamiento.
—— **capacitor** (elec), capacitador o condensador de acoplamiento.
—— **clutch**, embrague de manguito.
—— **coefficient** (elec), coeficiente o relación de acoplamiento.
—— **coil** (ra), bobina de acoplamiento.
—— **condenser** (ra), condensador o capacitor de acoplamiento.
—— **factor** (ra), coeficiente o factor de acoplamiento.
—— **flange**, brida de acoplamiento, (A) manchón de acoplamiento.
—— **grab** (lg), cadena de acoplamiento.
—— **lead** (ra), conductor de conexión.
—— **nut**, tuerca de unión.
—— **pin**, pasador de enganche.
—— **puller**, tirador de uniones.
—— **rod** (loco), biela paralela o de acoplamiento.

—— **sleeve,** manguito de unión, (M) camisa de nudo.

—— **tap** (p), macho para manguitos.

—— **transformer** (ra), transformador acoplador.

coupon (str), muestra de acero para ensayo.

course, (mam) hilada, cordón, carrera, hilera, (Ch) corrida, (Col) fila, (U) faja, (M) capa; (ca) capa; (r) recorrido, curso; (nav) rumbo, derrota, derrotero; (lev) línea, curso, (A) tiro.

—— **light** (airway), faro o luz de ruta.

coursed (mas), de juntas horizontales continuas.

—— **rubble,** mampostería de piedra bruta en hiladas.

court (ar), patio.

cove, ensenada, caleta, ancón, abertura, abra, cala.

—— **header** (bw), ladrillo de extremo cóncavo.

—— **lighting,** iluminación de caveto o por bovedilla.

—— **molding,** moldura cóncava.

—— **stretcher** (bw), ladrillo de cara cóncava.

covellite (miner), covelita, covelina.

cover, *s* tapa, cubierta, tapadera, tapador; (tub) profundidad bajo tierra; *v* cubrir, tapar, recubrir; forrar.

—— **coat** (rd), capa de cubierta.

—— **plate,** (est) cubreplaca, plancha de cubierta o de ala, tabla de cordón, (A) platabanda, (Ch) suela; (turb) placa de cubierta.

—— **stone** (rd), capa de cubierta.

coverage (ra), alcance.

coveralls, traje de trabajo de una sola pieza.

covered electrode (w), electrodo cubierto o revestido.

covered wire (elec), alambre forrado.

covering capacity (pt), capacidad cubridora.

coversed sine, coseno verso.

cowcatcher, limpiavía, trompa o barredor de locomotora, quitapiedras, (A) meriñaque, (PR) botavaca, botaganado, (M) guardaganado.

cowhide, cuero de vaca.

cowl, capucha, sombrerete; (auto) bóveda, cubretablero, torpedo.

coyote-hole blasting, voladura por túneles.

coyoting (min), labores menores irregulares.

crab, cabrestante, cabria, malacate, trucha; (fma) deriva; (eléc) conector múltiple.

crabbed photograph (pmy), fotografía tomada sin orientar la cámara a la línea de base.

crack, *s* grieta, hendedura, rajadura, resquebrajo, raja, agrietamiento, quebraja, resquicio, rendija, cuarteadura; *v* agrietar, rajar, quebrajar, resquebrar; grietarse, rajarse, resquebrajarse, cuartearse, (A) fisurarse; (pet) fraccionar por calor, desintegrar.

—— **filler** (rd), relleno para hendeduras.

cracked gasoline, gasolina reformada.

cracker (pet), alambique desintegrador.

cracking (pet), descomposición térmica, desintegración por calor, reformación, (Es) rotura.

—— **distillation,** destilación pirogénica.

—— **still,** alambique desintegrador.

—— **test** (met), prueba de agrietamiento.

crackling (w), crepitación.

cradle, (mec)(cons) apoyo, cama, cuna, soporte; (min) artesa oscilante; (cn) cuna de botadura, basada; (ef) armazón de balsa; (ca) caja distribuidora.

—— **car** (ce), vagoneta basculante, carro decauville.

—— **invert pipe,** tubería de invertido o de media luna.

cradling (bdg), estrechamiento de los cables principales al centro del tramo.

craft union, gremio, gremio del oficio.

cramp, *s* grapa, laña, cárcel, grapón, corchete, engatillado, gatillo, (Col) telera; *v* engrapar, engatillar, lañar, encarcelar.

crampon, dispositivo de ganchos y cadena para izar sillares o cajas.

cranage, derechos de grúa.

crandall, martellina, bucharda.

crane, grúa, grúa corrediza; grúa giratoria, (A) guinche.

—— **boom,** aguilón o pluma de grúa.

—— **chain,** cadena para grúas (de hierro forjado).

—— **derrick,** grúa giratoria con aguilón horizontal y trole corredizo.

—— **girder,** viga portagrúa.

—— **operator,** maquinista, maquinista o operador de grúa.

—— **runway,** vía o carrilera de grúa.

—— **thimble** (cab), guardacabo para grúa.

—— **truck,** camión de grúa; carro-grúa.

craneman, maquinista de grúa.

craneway, carrilera de grúa.

crank, *s* manivela, manubrio, cigüeña, codo de palanca; *v* (mec) acodar; (auto) dar manivela, arrancar.

—— **arm,** manivela, brazo del cigüeñal.

—— **axle,** eje acodado, cigüeñal.

—— **disk,** manivela de disco.

—— **pit,** pozo de cigüeña.

—— **shaper,** limadora de manivela.

—— **slotter,** ranuradora de manivelas.

—— **wheel,** rueda de manubrio.

—— **windlass,** cabria de manivela.

crank-action pump, bomba de cigüeña.

crank-and-flywheel pump, bomba de cigüeña y volante.

crankcase, caja del cigüeñal, cárter.

—— **guard,** guardacárter.

—— **oil,** aceite de cárter, (C) aceite quemado.

crankless engine, motor sin cigüeñales.

crankpin, gorrón de manivela, muñón o muñequilla del cigüeñal, botón de manubrio, clavija de la cigüeña.

crankshaft, cigüeñal, árbol cigüeñal o motor, eje cigüeñal o acodado, (C) eje de manivelas.

—— **gear,** engranaje del cigüeñal.

—— **starting jaw** (auto), garra de arranque del eje cigüeñal, quijada de arranque del cigüeñal.

crate, *s* huacal, cajón esqueleto, jaula, jaba; *v* enhuacalar.

crater (elec)(geol)(bl)(w)(pet), cráter.

crawler

—— **belt,** llanta articulada o de oruga, banda de esteras o de oruga.

—— **crane,** grúa de orugas o de esteras o de carriles.

—— **frame** (tc), armazón de orugas, bastidor de carril.

—— **pad,** zapata de oruga.

—— **shoe,** zapata de oruga o de carril.

—— **tractor,** tractor de orugas o de carriles.

—— **tread,** montaje de orugas, llantas continuas articuladas, carriles de oruga.

—— **wagon,** carretón de orugas.

crawler-mounted, montado sobre orugas.

crawling board, tablón con listones, (A) escalera rampante.

crayon, lápiz, creyón, gis, clarión, (C) yeso.

craze, *s* grieta menuda; *v* cuartearse, producir grietas menudas superficiales.

—— **cracking,** agrietamiento irregular (grietas menudas en todos sentidos).

creamery wastes (sen), aguas cloacales de lecherías, desperdicios de lechería.

crease (t), acanaladora.

—— **bending** (p), curvatura por pliegues o por arrugas.

creaser (bs), copador.

creasing stake, bigorneta de acanalar.

credit, *s* crédito; haber; *v* bonificar, abonar, acreditar.

—— **balance,** saldo acreedor o al haber.

creditor, acreedor.

creek, arroyo, riachuelo; ría.

creep, *s* (rieles) deslizamiento, movimiento longitudinal; (conc) escurrimiento plástico; (met) flujo; (correa) resbalamiento; (min) levantamiento; (geol) movimiento paulatino del terreno; (hid) percolación, filtración; *v* deslizarse, correrse.

—— **limit** (met), límite de flujo.

—— **path** (hyd), recorrido de filtración.

—— **ratio** (hyd), factor de filtración o de percolación.

creepage, (eléc) escurrimiento, corrimiento; ascenso capilar.

creeping plates (rr), eclisa de deslizamiento.

cremone bolt, falleba.

crenelated, almenado.

crenothrix (sen), crenótrix.

creosote, *s* creosota; *v* creosotar.

—— **oil,** aceite de creosota.

crepitation, crepitación.

crescent truss, armadura de lúnula.

cresol (chem), cresol.

—— **red** (sen), rojo de cresol.

cresolphthalein (lab), cresolftaleína.

crest, (presa) cresta, coronamiento, coronación, copete, (Ch) solera, (Col) cúspide; (vertedero) umbral vertedor, umbral del vertedero; (top) cima, cumbre, crestón; (crecida) altura máxima; (arco) cumbrera; (rs) cresta; (onda) cresta.

—— **clearance** (th), espacio libre entre vértice y fondo.

—— **factor** (elec), factor de amplitud.

—— **gates** (dam), compuertas del umbral o de derrame o de la cresta.

—— **value** (elec), valor máximo.

—— **voltage** (ra), tensión momentánea máxima.

—— **voltmeter,** medidor de tensión máxima, (A) voltímetro de cresta.

—— **weir,** compuerta de vertedero (de dos hojas levantables por subpresión).

crest-stage meter (hyd), registrador de altura máxima.

cretaceous, cretáceo.

Cretaceous (geol), cretácico, cretáceo.

crevasse (dam), brecha.

crevice, hendidura, resquicio, rendija.

crew, tripulación, personal, dotación, equipo, (náut) marinería.

crib, cochitril, encofrado, cofre, (Col)(C) chiquero, (M) huacal, (M) enchuflado, (V) jaula, (min)(Es) llave; (ef) balsa de troncos.

—— **brace** (pole), madero de anclaje.

—— **cofferdam,** ataguía de cofre.

—— **dam,** presa de cajón, azud de encofrado, (M) presa de enchuflado.

—— **wall,** muro encofrado o encribado o de cofre.

cribbing (min), encubado.

cribble, criba, harnero.

cribwork, armazón de sustentación, entramado, encofrado de piedras, entibado, encribado, (M) enhuacalado, ademado de cajón, (B) enjaulado.

crick, cric, gato pequeño de tornillo.

cricket (rf), banquillo, chaflán.

crimp, *s* estaje, pliegue; *v* (est) doblar, acodillar, estajar, plegar, (A) embayonetar; (vol) apretar.

crimper, (vol) plegador de cápsulas, tenazas para detonador; (ch) herramienta de plegar.

crimping press, prensa dobladora.

cringle, garrucho.

crippling (str), desgarramiento, despachurramiento, abarquillamiento, inestabilidad local.

—— **strength,** resistencia al desgarramiento, estabilidad local.

criterion, criterio.

critical, crítico

—— **angle** (optics), ángulo mínimo de reflexión total.

—— **coefficient** (chem), coeficiente crítico, relación crítica.

—— **cohesion values** (sm), valores críticos de la cohesión.

—— **coupling** (ra), acoplamiento crítico u óptimo.

—— **damping** (elec), amortiguación crítica.

—— **depth** (hyd), profundidad crítica, tirante crítico.

—— **flow,** caudal crítico; escurrimiento crítico.

—— **frequency** (all senses), frecuencia crítica.

—— **grade,** pendiente crítica.

—— **grid voltage** (ra), tensión crítica de rejilla.

—— **point** (chem)(math)(met), punto crítico.

—— **potential** (elec), potencial o voltaje crítico.

—— **pressure,** presión crítica.

—— **speed,** velocidad crítica de revolución.

—— **void ratio** (sm), relación crítica de huecos.

crochet file, lima finísima puntiaguda.

crocidolite (miner), crocidolita.

crocodile shear, cortador de palanca.

crocodile squeezer (met), cinglador de quijadas.

crocoite, crocosite (miner), crocoíta, cromato rojo de plomo.
crocus (abrasive), polvo de óxido de hierro.
—— **cloth,** arpillera, cañamazo.
crook (lbr), comba de canto, desviación de filo.
crop, s (met) desmochos; v desmochar, recortar.
—— **out,** aflorar, brotar.
cropper, máquina recortadora.
cropping shear, cizalla recortadora.
cross, s (p) crucero, cruz, cruceta, injerto doble, cruce, doble T; (eléc) contacto accidental de dos conductores; a cruzado, transversal; v atravesar, cruzar.
—— **ampere-turns** (elec), amperios-vueltas transversales.
—— **bearer** (grate), barrote transversal.
—— **bedding** (geol), estratificaciones cruzadas.
—— **bit,** barrena de filo en cruz.
—— **bond,** (lad) aparejo cruzado; (eléc) conexión entre riel y alimentador.
—— **bracing,** arriostramiento transversal.
—— **break** (lbr), separación transversal.
—— **bridging,** riostras cruzadas (entre vigas de madera).
—— **carriage** (mt), carro transversal.
—— **chisel** (stonecutting), cincel de filo en cruz.
—— **collector** (sd), colector atravesado.
—— **connection,** (eléc) conexión transversal; (pb) conexión entre la tubería de agua y la tubería de desagüe.
—— **connector,** conector en cruz.
—— **cutter** (pet), fresa en cruz.
—— **drain** (rd), tajea superficial, (A) batea.
—— **drainage** (rd)(rr), desagüe transversal.
—— **entry** (min), galería atravesada.
—— **fault** (geol), falla transversal, (A) dislocación transversal.
—— **field** (elec), campo transversal.
—— **furring,** enrasillado transversal.
—— **grain,** hilos cruzados, fibra atravesada, contrahilo, contrafibra.
—— **hairs** (inst), retículo, hilos del retículo, (C) cruz filar, (Es) cruz reticular.
—— **heading** (min), galería transversal, crucero.
—— **joint** (elec), empalme de cruz.
—— **keelson** (sb), sobrequilla transversal.
—— **lock** (rr), barra de enclavamiento transversal.
—— **lode** (min), filón atravesado o transversal.
—— **magnetization,** imanación transversal.
—— **member** (auto), travesaño.
—— **modulation** (elec), intermodulación, modulación cruzada.
—— **product** (math), producto vectorial.
—— **rail** (door), peinazo intermedio.
—— **sea,** mar encontrado.
—— **section,** sección o corte o perfil transversal.
—— **slide** (mt), cursor transversal.
—— **spread** (geop), despliegue en cruz.
—— **talk** (tel), interferencia, diafonía.
—— **traffic** (rd), tráfico atravesado.
—— **valve,** válvula de cruz.
—— **vault,** bóveda de aristas.
—— **vein** (min), veta atravesada o crucera.
—— **wires** (inst), retícula del anteojo.

cross-and-English bond (bw), aparejo inglés y cruzado.
cross-banded (plywood), de fibra atravesada.
cross-bedded (geol), de láminas cruzadas.
cross-compound (eng), compound cruzado.
cross-drum boiler, caldera de colector atravesado.
cross-feed (mech), s avance transversal; v avanzar transversalmente.
—— **knob** (lathe), botón o manivela del avance transversal.
cross-fiber a (geol), de fibra atravesada.
cross-flow condenser, condensador de flujo transversal.
cross-flow tank, tanque de corriente transversal.
cross-grain plane, cepillo de refrentar.
cross-grained (lbr), de contrafibra, de contrahilo.
cross-hair ring (inst), anillo de retículo.
cross-laminated, de láminas cruzadas.
cross-lot bracing (exc), apuntalamiento a través de la excavación completa.
cross-peen hammer, martillo de peña transversal o de boca cruzada.
cross-section v, seccionar.
—— **paper,** papel cuadriculado o para secciones.
cross-sectional area, área de la sección transversal.
cross-slotted screw, tornillo de ranuras cruzadas.
cross-spall (sb), bao provisional.
cross-stone, piedra de cruz, estaurolita.
cross-talk factor (ra), factor de diafonía.
cross-tube burner, quemador de tubo transversal.
cross-wind landing (ap), aterrizaje con viento atravesado.
crossable separator (rd), separador atravesable o sobrepasable.
crossarm (elec), cruceta, traviesa, crucero.
—— **bolt,** perno para cruceta.
—— **brace,** riostra angular, esquinera.
crossband (plywood), capa interior de veta atravesada.
crosscurrent, corriente cruzada.
crosscut, s (min) galería transversal, crucero, recorte, (B) cruzada; v aserrar transversalmente, aserrar a través de las fibras, trozar, tronzar.
—— **chisel,** bedano.
—— **file,** lima de doble talla.
—— **saw,** sierra de trozar, serrucho de través; (dos mangos) sierra tronzadora o de tumba, trozadora.
—— **slip** (pet), cuña de talla transversal.
crosscutter (lg), trozador.
crosscutting, (mad) troceo.
crossed belt, correa cruzada o en aspa.
crossed thread, rosca cruzada, (M) tuerca trasroscada.
crossed-arm governor, regulador de varillas cruzadas.
crossfall (rd), bombeo; pendiente transversal.
crosshatch v (dwg), sombrear, rayar.
crosshaul (lg), s tiravira; v cargar troncos con tiravira.
crosshead (eng), cruceta de cabeza, cruceta.

—— **guides,** guías o correderas de la cruceta, (A) paralelas de cruceta.

—— **pin,** pasador de la cruceta.

—— **shoe,** patín o zapata de la cruceta.

—— **slipper,** zapata de la cruceta.

crossing, crucero, cruce; (ca)(fc) paso a nivel; (ca) encrucijada.

—— **file,** lima ovalada.

—— **frog** (rr), cruzamiento, cruce, crucero, (M) sapo.

—— **gate** (rr), puerta barrera levadiza, barrera de cruce, tranquera de cruce.

—— **signal** (rr), señal para cruce.

—— **watchman,** guardabarrera, guardacrucero.

crossover, (fc), vía de traspaso o de paso o de enlace; (tub) curva de paso, cruce en arco; (eléc) cruce de conductores.

—— **clamp** (elec), abrazadera en cruz para cables mensajeros.

—— **packer** (pet), obturador de traslado.

—— **T** (p), T con curva de paso, T con cruce en arco.

—— **valve,** válvula de traspaso.

crosspiece, pieza transversal, cruceta, atravesaño, travesaño, travesero, crucero.

crossrail (mt), travesaño.

crosstie (rr), traviesa, durmiente, (C) polín, (C) atravesaño.

crossunder fitting (elec), accesorio de cruce inferior.

crosswise, atravesado.

crotch, s (tub) bifurcación; (ef) rastra, grada; v (ef) muescar.

—— **center** (lathe), disco centrador con ranura.

—— **chain** (lg), tiravira.

—— **frog** (rr), corazón medio.

crow (mech), gancho.

crow's nest, (cn) cofa, plataforma del vigía; (eléc) plataforma del castillete de reparaciones; (pet) plataforma superior de la torre.

crow-quill (dwg), pluma muy fina de acero, plumilla, (M) pluma de cuervo.

crowbar, pie de cabra, alzaprima, barreta, barrena, pata de cabra, palanca, (Ch) chuzo.

crowd (sh), s empuje, avance; v empujar, clavar, apretar.

—— **line** (sh), cable de avance o de empuje.

crowding, (pl) empuje, avance; (mh) deformación.

—— **chain** (sh), cadena de empuje.

—— **engine** (sh), máquina de empuje o de avance.

—— **gear** (sh), mecanismo de empuje, (M) mecanismo de ataque.

—— **speed** (sh), velocidad de ataque.

crowfoot, (mec) pata de gallo o de ganso, araña, (M) estrella; (lev)(dib) marca de distancia o de alineación.

—— **brace** (bo), pata de pájaro.

—— **cell** (elec), pila de gravedad.

—— **wrench,** llave de pata.

crown, s (ca) bombeado, abovedado, comba; (arco) empino; (taladro) corona; (al) cima interior del albañal de ladrillos; v (ca) abovedar, bombear, abombar.

—— **bar,** (cal) soporte de la placa de cabeza; (tún) larguero del techo.

—— **block** (pet), travesero o caballete portapoleas, (V) cornisa, (V) corona.

—— **drift** (tun), galería de empino.

—— **gear,** corona dentada.

—— **posts** (tun), postes de la galería de empino.

—— **saw,** sierra cilíndrica.

—— **sheave** (pet), garrucha cabecera, polea de cabeza.

—— **sheet** (bo), placa de cabeza, cielo del hogar.

—— **thrust,** empuje al empino del arco.

—— **vent** (pb), respiradero del sifón.

—— **weir** (pb), derramadero del sifón.

—— **wheel,** corona dentada, engranaje de corona.

crown-face pulley, polea de cara bombeada.

croze, ranura; (herr) jabladera, argallera.

crucible, crisol.

—— **cast steel,** acero de crisol, acero colado de crisol.

—— **furnace,** horno de crisol o para crisoles.

—— **holder** (lab), sostén de crisol.

—— **steel,** acero de crisol o al crisol.

—— **tongs** (lab), alicates o tenacillas para crisol.

cruciform, cruciforme.

crude, crudo, bruto.

—— **oil,** petróleo bruto o crudo, aceite bruto.

—— **sewage,** aguas crudas de albañal.

—— **still,** alambique para petróleo crudo.

cruise v, (for) estimar madera en pie; levantar aproximadamente con instrumentos de mano.

cruiser (for), apreciador de madera en pie.

cruising speed (auto), velocidad de viaje, (A) velocidad de crucero.

crumb structure (soil), estructura de migas.

crumble, desmenuzarse, desmoronarse.

crumbly, desmoronadizo.

crush, aplastar, romper por compresión; aplastarse; (piedra) chancar, triturar, machacar, quebrantar, quebrar, majar, picar; bocartear.

—— **breccia,** brecha de trituración o de falla, (A) brecha de dislocación, (A) brecha de fricción.

—— **conglomerate,** conglomerado de trituración.

—— **zone** (geol), zona de trituración.

crush-dressing, rectificación por aplastamiento.

crushed steel, abrasivo o raspante de acero.

crushed stone, piedra quebrada o chancada o picada, roca triturada, chancado.

crusher, (ec) trituradora, chancadora, quebrantadora, machacadora, quebradora; (az) desmenuzadora.

—— **dust,** polvo de trituración o de piedra.

—— **roll,** (az) maza de desmenuzadora; (mh) rodillo aplastador.

—— **run,** chancado sin cribar.

—— **sand,** producto fino del chancado, arena chancada.

—— **waste,** desechos de chancado.

crushing, trituración, machaqueo, chanca, bocarteo, quebradura; aplastamiento, (M) machacamiento; compresión.

—— **mill,** molino triturador o de cilindros.

—— **plant,** planta quebradora o de trituración, instalación de chancado, equipo de machaqueo, (C) planta picadora.

—— **roll,** cilindro o rodillo triturador, trituradora de cilindros, molino de mazas.

—— **strength,** resistencia al aplastamiento; resistencia a la compresión.

—— **stress,** esfuerzo de aplastamiento; fatiga de compresión.

crust, costra, corteza; incrustación.

crusted structure (soil), estructura costrosa.

crutch (sb), caballete (de los aguilones).

—— **system** (tun), método de ademado en V invertida.

cryogenic, criógeno.

cryolite, criolita (mineral de aluminio).

cryophilic (sen), criofílico.

cryptocrystalline (geol), criptocristalino.

crystal, s (miner)(quím)(ra) cristal; a de cristal, cristalino.

—— **control** (ra), control a cristal.

—— **detector** (ra), detector de cristales o a cristal.

—— **filter** (ra), filtro de cristal.

—— **glass,** cristal.

—— **holder** (ra), portacristal.

—— **oscillator** (ra), oscilador a cristal.

—— **receiver** (ra), receptor de cristal.

—— **rectifier** (ra), detector de cristales.

—— **violet** (lab), violado o violeta cristal.

—— **water,** agua de cristalización.

crystalline, cristalino.

crystallinity cristalinidad.

crystallize, cristalizar.

crystallizer, cristalizador.

crystalloblastic (geol)(miner), cristaloblástico.

crystolon (abrasive), cristolón.

cubage (bldg), cubicación, cubicaje.

cube, s (todos sentidos) cubo; v cubicar; elevar al cubo.

—— **root,** raíz cúbica.

—— **spar,** anhidrita.

cubic, cúbico.

—— **feet per second** (hyd), pies cúbicos por segundo.

—— **measure,** medida de capacidad.

—— **meter,** metro cúbico.

—— **yard,** yarda cúbica.

cubical, cúbico.

—— **contents,** cubaje, cubicación, cubo.

cubicle (elec), casilla, nicho, célula, cubículo.

cull, s (mad)(fc) traviesa o madero de clase inferior; pieza desechada; v desechar.

culm, cisco, polvo de carbón.

cultivator (ce), cultivadora.

culture, cultura; (lab) cultivo; (lev) estructuras.

—— **features** (surv), elementos artificiales como pueblos, caminos, puentes, casas, etc.

—— **medium** (lab), medio de cultivo, medio.

—— **tube** (lab), tubo para cultivos.

culvert, alcantarilla, puentecillo, atarjea, (C) (Es) tajea, (V)(Es) pontón; (ds) conducto, ladrón.

—— **bridge,** puente de alcantarilla.

—— **cleaner,** desescombrador de alcantarilla.

—— **pipe,** tubo de alcantarilla; especie de tubería de acero corrugado para alcantarillas.

cumar (inl)(pt), cumarona.

cumulant (math), cumulante, determinante cumulante.

cumulative, acumulado, acumulativo, cumulativo.

—— **compound motor,** motor de devanado cumulativo.

—— **distance,** distancia progresiva.

cumulator (ac), acumulador.

cunette, cuneta.

cup, taza, copa; (mad) comba o desviación do canto.

—— **center** (lathe), punta acopada.

—— **drive,** transmisión acopada.

—— **fracture** (met), fractura de copa.

—— **grease,** grasa lubricante o de copa o para copilla de presión.

—— **joint** (pb), unión de taza (enchufe con soldadura).

—— **leather,** empaquetadura de cuero forma U.

—— **shake** (lbr), separación entre los anillos anuales.

—— **valve,** válvula de copa o de campana.

—— **washer,** arandela acopada.

—— **weld** (p), soldadura de enchufe.

—— **wheel,** muela acopada.

cup-point setscrew, tornillo prisionero de punta ahuecada.

cup-shaped, acopado.

cup-type current meter (hyd), molinete acopado o de cubetas.

cup-type piston, émbolo de cubetas.

cupel, (met) copela; (lab) copela, copelita.

cupellation, copelación.

cupelling furnace, horno de copela.

cupola, horno de ladrillos; (arq) cúpula, domo, alcuba; (met) cubilote; (geol) bóveda.

—— **block** (rfr), bloque para cubilote.

—— **furnace,** horno de manga.

cupped-head nail, clavo de cabeza acopada.

cupping (lbr), acopación.

—— **test** (met), ensayo de acopamiento.

cupric, cúprico.

cupriferous, cuprífero.

cuprite (miner), cuprita, cobre rojo.

cupromanganese (alloy), cupromanganeso.

cupronickel (alloy), cuproníquel.

cuprosilicon (alloy), cuprosilicio.

cuprous, cuproso.

curb n, (acera) cordón, encintado, contén, (Pe) sardinel, (Ch) solera, bordillo; (ca) solera, (M) guarnición; (pozo) brocal; (mec) envolvente, camisa.

—— **bar,** guardacanto, hierro guardaborde, cantonera, guardavivo, arista metálica de defensa, barra de guarnición.

—— **box** (water), caja de válvula.

—— **cock** (water), llave de cierre, robinete de cordón.

—— **string** (st), gualdera de contén.

—— **strip** (rd), tira bordeadora.

—— **tool** (mas), canteador de acera.

curb-and-gutter form, molde para contén y cuneta.

curbstone, piedra de cordón, (M) piedra de guarnición.

curcuma paper (lab), papel de cúrcuma.
cure v (conc), curar; curarse.
curing, cura, curación, curado, (A) estacionamiento; (goma) vulcanización.
—— compound, compuesto de curación.
—— paper, papel de curación.
curl (math), rotación.
curling die, matriz rebordeadora.
current, s (hid)(eléc) corriente; a corriente.
—— amplification (elec), amplificación de corriente.
—— antinode (ra), antinodo de la corriente, máximo de corriente.
—— assets, activo corriente.
—— balance (elec), balanza electrodinámica.
—— bedding (geol), estratificaciones cruzadas.
—— breaker (elec), interruptor de corriente, cortacorriente.
—— collector (elec rr), colector, toma de corriente.
—— density (elec), corriente específica, densidad de corriente.
——- drain (elec), consumo.
—— limiter (elec), limitador de corriente, limitacorriente.
—— loop (ra), antinodo de la corriente, cresta de corriente.
—— meter (hyd), contador de corriente, correntímetro, molinete hidrométrico, fluviómetro, medidor de corriente, (V) velocímetro, (M) reómetro.
—— node (elec), nodo de corriente.
—— regulator (elec), regulador de corriente.
—— relay (elec), relai limitacorriente o de corriente.
—— retard (hyd), dique de retardo.
—— selector (elec), selector de corriente.
—— tap (elec), toma de corriente.
—— transformer, transformador de corriente o de intensidad.
current-direction indicator (elec), indicador de polos o de sentido de corriente.
current-directional relay (elec), relevador de corriente inversa, relai para sentido de corriente.
current-limiting reactor, reactor limitador de corriente.
current-limiting resistor, resistencia limitadora de corriente.
current-sensitive (elec), sensible a corriente.
current-type telemeter, telémetro de corriente.
cursor, corredera.
curtain
—— antennas, red de antenas.
—— grouting, inyecciones de cortina o de pantalla.
—— wall, muro de cortina, acitara, arrimo; antepecho, pared de relleno.
curvature, curvatura, corvadura, curvación.
curve, s curva; v curvar, encorvar.
—— pen, véase contour pen.
—— ruler, regla flexible o para curvas.
curved, curvo, encorvado.
curvilinear, curvilíneo.
curvometer, curvímetro.
cusec, pie cúbico por segundo.

cushion, s colchón, cojín; v amortiguar; acolchonar, acojinar, almohadillar, acolchar.
—— block, bloque amortiguador.
—— clutch, embrague amortiguador o de cojín.
—— gasket (elec), empaque de cojín.
—— pool (hyd), cuenco o estanque amortiguador.
—— valve (eng), válvula amortiguadora.
—— washer, arandela de cojín.
cushioned check valve, válvula amortiguada de retención.
cushioned-plate coupling, acoplamiento de planchitas empaquetadas.
cushioning, amortiguamiento; acojinamiento, almohadillado.
custom ore, mineral de maquila.
custom-built, fabricado al diseño del comprador, de diseño particular, de proyecto individual, fabricado a la orden.
customhouse, aduana.
—— broker, corredor de aduana, (A) despachante, (C) agente de aduana.
customs, derechos de aduana.
—— bond, fianza de aduana.
—— duties, derechos aduaneros o de aduana o de importación.
—— inspection, revisión aduanera.
cut, s corte, cortadura; rebaje; (exc) corte, tajo, desmonte, excavación, cortada, (Ch) rajo; (tún)(min) franqueo, cuele, cuña; v cortar, tronchar, tajar; (exc) desmontar, cortar; (piedra) tallar, labrar, cantear, escodar.
—— and fill, desmonte y terraplén, corte y relleno.
—— back v (asphalt), diluir, rebajar, mezclar con destilado ralo, adelgazar, reblandecer.
—— down, rebajar; tumbar (árboles).
—— finishing nail, alfilerillo cortado.
—— gear, engranaje fresado o tallado.
—— holes (tun), perforaciones de cuña, barrenos de corte o de cuele o de franqueo.
—— in (elec), intercalar, conectar.
—— nail, clavo cortado, (C) clavo español, (C) clavo inglés, (C) clavo cuadrado, (C) clavo agrio.
—— off v, recortar, cortar; trozar, tronzar; cerrar; interrumpir; interceptar; (re) descabezar.
—— out (elec), desconectar, cortar.
—— out rivets, desroblar, desroblonar.
—— spike (rr), escarpia cortada.
—— stone, piedra labrada o tallada, cantería.
—— teeth (gear), dientes cortados o fresados.
—— thread, rosca labrada o tallada.
—— to length, cortado a la medida, recortado a la orden.
—— washer, roldana plana, roldana o arandela cortada.
cut-and-cover subway work, excavación y construcción bajo calzada provisional de madera.
cut-and-try method, tanteo.
cut-over pipe (su), tubo de paso.
cut-section (rr), punto de interrupción del circuito de vía dentro de un tramo.
cut-tooth gear, engranaje tallado.
cutaway view (dwg), vista recortada.

cutback n, asfalto mezclado con un destilado ralo de petróleo; asfalto cortado o rebajado; se usa mucho el inglés **cutback**.

—— **road tar**, alquitrán diluído o cortado o rebajado.

cutoff, (pi) nivel del corte; (fc) vía de acortamiento; (r) cauce recto que reemplaza una vuelta; (mv) cortavapor; (mg) cierre de la admisión; (di) fin de inyección; (hid) muro interceptador; (eléc) cortacircuito; (ra) frecuencia de corte; (ra) bias mínima de rejilla.

—— **beam** (batcher), brazo de cierre.

—— **die**, matriz de corte.

—— **frequency** (ra), frecuencia crítica, (A) frecuencia de corte.

—— **gage** (sa), guía de trozar.

—— **gate**, compuerta radial para tolva.

—— **line** (surv), línea de acortamiento o de cierre provisional o de comprobación.

—— **plate** (hyd), plancha para sello de agua.

—— **saw**, sierra de recortar o de trozar.

—— **trench** (hyd), zanja interceptadora.

—— **valve** (se), corredera auxiliar o reguladora del cortavapor.

—— **voltage**, tensión final, (A) tensión de corte.

—— **wall** (dam), muro de guardia, diente de aguas arriba, murete interceptador, (A) rastrillo, (M) dentellón, (Ch) pantalla, (M) atajo, (A) muro de pie.

—— **wheel** (mt), rueda de recortar.

cutout, (eléc) cortacircuito, disyuntor, interruptor; (auto) válvula de escape libre.

—— **base** (elec), portafusible.

—— **box** (elec), caja de cortacircuito.

—— **raise** (min), contracielo ramal.

cuttability (met), cortabilidad.

cutter, (herr) cortador, tronchador, tajadora, (A) trancha; (herr) tenazas, pinzas; (draga) cabezal cortador.

—— **bit** (mt), fresa cortadora, torneadora.

—— **block** (ww), cabezal portacuchillas.

—— **cylinder**, cabezal portacuchillas.

—— **dredge**, draga de succión con cabezal cortador.

—— **grinder**, rectificadora de fresas.

—— **ladder** (dredge), brazo del cabezal cortador.

—— **wheel** (p), rueda-cuchilla.

cutterhead, (mh) portacuchilla; (draga) cabezal cortante, desgregador.

cutting, cortadura, corta; tajadura; tala; cantería; desmonte.

—— **and welding outfit**, equipo de cortadura y soldadura.

—— **angle** (mt), ángulo de corte.

—— **compound** (mt), compuesto enfriador o de cortar.

—— **die**, troquel cortador.

—— **drift**, mandril cortador.

—— **edge**, filo, arista o orilla cortante, cuchillo perimetral (cajón); labio cortante (broca).

—— **fluid**, fluído de cortar.

—— **guide**, guía de cortar.

—— **nippers**, tenazas de corte.

—— **oil**, aceite soluble o para cortar metales.

—— **pliers**, alicates de corte, pinzas cortantes o de filo.

—— **punch**, punzón cortador.

—— **tip**, pico cortador.

—— **tool**, herramienta cortante o cortadora.

—— **tooth** (saw), diente cortante.

—— **torch**, soplete cortador, antorcha de cortar.

cuttings, cortaduras, recortes; virutas, acepilladuras.

cutting-down tool (mt), herramienta rebajadora.

cutting-in cross (p), cruz intercaladora.

cutting-in T (p), T para insertar.

cutting-off tool (mt), herramienta de recortar, fresa recortadora.

cutwater, tajamar, espolón.

cuvette, cubeta.

cyanamide, cianamida.

cyanide, s cianuro; v cianurar.

—— **plant**, hacienda de cianuración.

cyanite (miner), cianita, distena.

cyanize, cianizar.

cyanogen, cianógeno.

Cyanophyceae (sen), cianofíceas.

cyanuric, cianúrico.

cycle, (mg) ciclo, tiempo; (eléc) ciclo, período; (quím) ciclo.

—— **recorder**, registrador de ciclos.

cyclic (mech)(elec)(chem), cíclico.

cycloid, cicloide.

cycloidal, cicloidal.

cycloinverter (elec), cicloinversor.

cyclometer, ciclómetro.

cyclone, (mrl) ciclón; (mec) centrífuga.

—— **dust collector**, colector centrífugo de polvo, separador centrífugo.

—— **separator**, separador ciclónico o centrífugo.

cyclonic, ciclónico.

cyclopean, ciclópeo.

—— **aggregate**, agregado ciclópeo, cantos rodados.

—— **concrete**, concreto o hormigón ciclópeo.

—— **masonry**, mampostería ciclópea, hormigón ciclópeo.

cyclotomic (math), ciclótomo.

cylinder, cilindro.

—— **barrel**, cuerpo de cilindro.

—— **block** (eng), bloque de cilindros.

—— **bore**, diámetro interior del cilindro.

—— **capacity**, cilindrada.

—— **cock** (se), llave o robinete de cilindro, llave de purga o de desagüe.

—— **gate** (hyd), compuerta cilíndrica o de cilindro.

—— **glass**, vidrio de cilindro.

—— **grease**, grasa para cilindros.

—— **head** (eng), tapa o fondo del cilindro (a veces "tapa" significa el extremo delantero y "fondo" el trasero): (mg) culata del cilindro.

—— **hone**, rectificador de cilindro.

—— **jacket**, camisa o chaqueta del cilindro.

—— **lagging**, forro o revestimiento o chaqueta de cilindro.

—— **liner**, forro del cilindro, camisa interior del cilindro.

—— **lock** (hw), cerradura de cilindro, (A) cerradura a tambor.
—— **mill**, moledora de rodillos.
—— **oil**, aceite para cilindros.
—— **sleeve**, manguito de cilindro.
—— **valve**, válvula cilíndrica.
cylinder-head puller (auto), sacaculata.
cylindrical, cilíndrico.
cylindroid, cilindroide.
cymometer (ra), cimómetro.
cymoscope (elec), cimoscopio.
cypress, ciprés; cedro amarillo; especie de pino.
cyst (sen), quiste.
cysticidal, quisticida.

D cable (elec), cable de conductores en D.
D trap (p), sifón en D.
D-handle shovel, pala de mango D, pala con puño de asa.
dacite (geol), dacita.
dacitic, dacítico.
dado, friso, arrimadillo; (carp) ranura.
—— **head** (saw), fresa rotativa de ranurar.
—— **plane**, cepillo de ranurar.
dagger (sb), puntal provisional antes de botar.
dago (lg), sierra mecánica de trozar.
dam, s (hid) presa, represa, dique, (B)(Ch) tranque, (M) cortina; (conc) tira de estancamiento; (met) dama; (min) cerramiento; v represar, trancar, embalsar, atrancar, rebalsar, (Es) remansar.
—— **site**, sitio o emplazamiento de presa, ubicación de dique.
damage, s desperfecto, daño, (náut) avería, siniestro; v averiar, dañar.
damages (leg), daños y perjuicios.
dammar, damar.
damp, s (min) humo; v (mec)(eléc)(sonido) amortiguar, (eléc) templar; a húmedo.
—— **course** (mas), impermeabilización.
—— **down** v (furnace), cubrir el fuego.
damped
—— **impedance** (elec), impedancia amortiguada.
—— **oscillation** (elec), oscilación amortiguada.
—— **wave** (elec), onda amortiguada.
dampen (elec), amortiguar.
dampener, humedecedor; amortiguador.
damper, (mec) regulador de tiro, registro, compuerta de tiro, llave de humero; (eléc) amortiguador; (vibración) amortiguador.
—— **regulator**, regulador de tiro.
—— **winding** (elec), devanado amortiguador.
damping (mech)(elec)(sound), amortiguación, amortiguamiento.
—— **bucket** (min), cubo amortiguador de plomada.
—— **circuit** (elec), circuito amortiguador.
—— **constant** (elec), constante de amortiguación.
—— **factor** (sm)(elec), factor de amortiguación.
—— **magnet**, imán amortiguador o frenante.
—— **piston**, émbolo amortiguador.
—— **ratio**, relación de amortiguación.
—— **tube** (tv), válvula amortiguadora, tubo amortiguador.

—— **valve**, válvula amortiguadora.
dampness, humedad.
dampproof, a prueba de humedad.
dampproofing, impermeabilización, aislación de humedad.
—— **varnish**, barniz impermeabilizador.
dandy, cubo distribuidor de asfalto.
dap, s entalladura, muesca, farda, espera; v entallar, escoplear, muescar.
daraf (elec), daraf.
darby (mas), fratás, aplanadera, lata.
dark, obscuro, oscuro.
—— **discharge** (elec), descarga oscura.
—— **red silver ore**, plata roja oscura, pirargirita.
—— **ruby silver**, pirargirita.
—— **spot** (tv), mancha oscura.
darkroom, cuarto oscuro.
dart valve (pet), válvula de dardo.
dash, (dib) raya; (tel) raya; (auto) tablero de instrumentos.
—— **coat** (stucco), capa lanzada contra el concreto por brochón.
—— **line** (dwg), línea de rayas o de trazos.
dashboard (auto)(tc), tablero de instrumentos.
dashpot, amortiguador.
—— **valve**, válvula de amortiguación.
data, antecedentes, datos.
dating nail, clavo de fecha, tachuela fechadora, clavo fechado.
datolite (miner), datolita.
datum, dato, nivel de comparación.
—— **line**, línea de referencia.
—— **point**, punto de referencia.
—— **plane**, plano de referencia o de comparación.
dauber, brocha gorda.
davit, pescante, grúa de bote.
Davy lamp (min), lámpara de seguridad o de Davy.
day, día; (min) superficie.
—— **drift** (min), galería que termina en la superficie.
—— **fall**, hundimiento de la superficie.
—— **labor**, trabajo a jornal.
—— **laborer**, jornalero, peón.
—— **letter** (tel), carta diurna.
—— **shift**, turno de día; equipo de día.
—— **water** (min), agua superficial.
day-labor work, trabajo a costo más honorario.
days of grace (tr), días de gracia.
day's wages, jornal.
day's work, jornada, peonada.
——, **by**, a jornal.
deaccentuator (ra), circuito desacentuador.
deactivate, desactivar.
dead, muerto, inactivo; (eléc) sin corriente.
—— **axle**, eje muerto.
—— **bolt**, cerrojo dormido.
—— **center**, (mv) punto muerto; (torno) punta fija; centro muerto (broca salomónica).
—— **earth** (elec), conexión perfecta a tierra.
—— **end**, extremo cerrado o muerto; (ra) extremo sin corriente.
—— **file**, lima sorda.
—— **flat** (sb), sección media de manga constante.
—— **freight** (naut), falso flete.

—— **ground,** (min) roca o terreno estéril; (eléc) conexión perfecta a tierra.

—— **hinge,** bisagra inerte.

—— **line** (pet), cable muerto.

—— **load,** carga fija o muerta o permanente, peso propio.

—— **lock,** cerradura dormida.

—— **oil,** aceite de creosota; aceite muerto o pesado.

—— **plate** (bo), placa fija, plancha muerta.

—— **point,** véase **dead center.**

—— **rails** (rr), rieles para pasar la báscula de vía sin cargarla.

—— **rise** (na), ascenso muerto, astilla muerta.

—— **rock** (min), roca estéril.

—— **roll** (sa), rodillo inerte.

—— **shaft,** árbol o eje muerto.

—— **short circuit,** corto circuito directo o cabal.

—— **spindle** (lathe), husillo fijo.

—— **spot** (ra), punto muerto.

—— **storage,** almacenaje o acopio muerto, almacenamiento inactivo.

—— **wall,** pared sin vanos.

—— **water,** agua estancada; marea muerta.

—— **weight,** peso muerto.

—— **work,** trabajo preparatorio.

dead-air insulation, aislación de aire sin circulación.

dead-burn v, calcinar completamente.

dead-burned plaster, yeso anhidro.

dead-end v, terminar.

—— **clamp** (elec), abrazadera terminal, grapa de anclaje.

—— **insulator,** aislador terminal.

—— **siding** (rr), apartadero muerto.

—— **spool** (inl), carrete terminal.

—— **terminal** (rr), término de extremo cerrado.

—— **thimble** (elec), guardacabo terminal.

—— **tower** (elec), torre terminal o de anclaje.

—— **track** (rr), vía muerta o de extremo cerrado.

dead-ending clevis (elec), horquilla terminal.

dead-front (switchboard), con los dispositivos en el lado de atrás, de frente muerto.

dead-level roof, techo sin inclinación.

dead-man's handle, manubrio de interrupción automática.

dead-roast v, calcinar completamente.

dead-smooth file, lima sorda.

dead-soft steel, acero muy blando.

dead-soft temper, temple blando.

dead-tank circuit breaker, interruptor automático de cuba inerte.

dead-weight

—— **safety valve,** válvula de seguridad de peso directo.

—— **ton** (na), tonelada (2240 lib) de carga.

—— **tonnage,** tonelaje de carga, porte bruto, carga bruta.

deadbeat antenna (ra), antena aperiódica.

deadbeat galvanometer, galvanómetro amortiguado o sin oscilación.

deaden, amortiguar.

deadening (bldg), aislamiento o amortiguamiento de sonido.

deadeye (sb), vigota.

deadlatch (hw), aldaba dormida.

deadlight (sb), lumbrera de cubierta.

deadman, macizo de anclaje, muerto, anclaje, cuerpo muerto, morillo, (A) taco de rienda; (herr) muleta para poste.

deadmelt v (met), calmar, matar.

deads (min), desechos, ataques, escombros, (M) tepetate.

deadwood, (cn) dormido; (pet) obra muerta (todo objeto dentro de un tanque que altera su capacidad).

deaerate, desaerear.

deaerating feed-water heater, calentador desaereador.

deaerator, desaereador.

deafening (bldg), véase **deadening.**

deairing, extracción de aire, desaereación.

deal, madera de pino o abeto; una medida de madera de varios valores.

—— **frame,** sierra múltiple para hacer tablas.

deasphalt, desasfaltar.

death rate, coeficiente o tasa de mortalidad.

debenture bond, obligación no hipotecaria.

debit, s debe; v cargar, adeudar.

—— **balance,** saldo deudor.

debris, escombros, derribos, desechos, cascote; (geol) despojos, deyección; (hid) acarreos, arrastres.

—— **barrier,** véase **debris dam.**

—— **basin** (hyd), vaso captador de arrastres.

—— **cone** (geol), cono o abanico de deyección.

—— **dam,** presa para captación de acarreos, dique de retención de arrastres.

—— **trap** (hyd), depósito de sedimentación, presa captadora de arrastres.

debunching (ra), desagrupación.

deburr, quitar las rebabas.

debutanizer (pet), desbutanizador.

deca-ampere (elec), decaamperio.

decade, década.

—— **box** (elec), caja de décadas.

—— **condenser** (ra), condensador o capacitor de décadas.

—— **resistance** (ra), resistencia década.

decagon, decágono.

decagonal, decagonal.

decagram, decagramo.

decahedron, decaedro.

decalage, decalaje.

decalescence, decalescencia.

decalescent, decalescente.

decalin, decalina.

decaliter, decalitro.

decameter, decámetro.

decane, decano.

decant, decantar.

decapod locomotive, locomotora decápoda.

decarbonate, descarbonatar, (M) decarbonatar.

decarbonize, descarburar, descarbonizar, decarbonizar.

decarbonizer (su), descarbonizador.

decarburize, descarburar.

decare, decárea.

decastere, decaestéreo.

decay, s podrición, carcomido; v podrirse; carcomerse, descomponerse.

—— **factor** (elec), coeficiente de amortiguación.
decelerate, retardar, (M) desacelerar.
decelerating lane (rd), faja de deceleración.
deceleration, retardación, retardo, deceleración, (M) desaceleración.
dechlorinate, desclorinar, desclorar, (Pe) declorinar.
dechlorinator, desclorinador.
deciampere (elec), deciamperio.
deciare, deciárea.
decibel (elec), decíbelo, decibel.
—— **meter**, decibelímetro.
decigram, decigramo.
deciliter, decilitro.
decimal *n a*, decimal.
—— **candle** (il), bujía decimal.
decimeter, decímetro.
decimetric, decimétrico.
decinormal, decinormal.
decistere, deciestéreo.
deck, *s* (náut) cubierta; (co) plataforma; (presa hueca) losa de aguas arriba, planchas de cubierta, cubierta, (U) carpeta; (ef) plataforma; *v* (ef) apilar (troncos).
—— **barge**, lanchón de cubierta, pontón, lancha plana.
—— **beam**, (est) viga T con nervio, T con bordón; (náut) bao de cubierta.
—— **bolt**, perno para tablón de cubierta (cabeza chata y cuello cuadrado).
—— **bridge**, puente de tablero superior o de paso superior o de vía superior.
—— **hook** (sb), buzarda.
—— **iron** (sb), calafateador de cubierta.
—— **light** (sb), lumbrera de cubierta.
—— **paint**, pintura marina o para cubiertas.
—— **plug** (sb), tarugo de cubierta.
—— **roof**, azotea sin parapetos; techo de cuatro aguas con azotea encima.
—— **scraper**, rasqueta para cubiertas.
—— **truss**, armadura de tablero superior.
decker (lg), apilador.
deckhouse (sb), compartimiento de la superestructura.
decking (bdg), piso, tablero.
—— **block** (lg), motón para apilar troncos.
—— **chain** (lg), cadena para apilar troncos.
—— **hook** (lg), especie de pica de gancho.
declination, declinación.
—— **compass**, declinatorio, brújula de declinación.
declinograph, declinógrafo.
declinometer, declinómetro.
declivity board (sb), gálibo de inclinación.
declutch, desembragar.
decoder (rr), dispositivo de control automático del tren.
decoherence (elec), descohesión.
decoherer (ra), descohesor.
decolorize, descolorar.
decolorizer, descolorante.
decomposable, descomponible.
decompose, descomponer; descomponerse, corromperse.
decomposition, descomposición.
—— **potential** (elec), potencial de descomposición.

decompression chamber (tun), camara de descompresión.
decompressor, descompresor.
deconcentrator, desconcentrador.
decontamination, descontaminación.
decopperize, descobrar.
decoupling (ra), desacoplamiento, desacoplo.
decreaser (p), reductor.
decrement, decremento.
decremeter, decrémetro.
decrepitation, decrepitación.
dedendum (gear), raíz, pie; hueco.
—— **circle**, circunferencia de raíz, círculo de ahuecamiento.
de-energize, desexcitar, desenergizar, desmagnetizar.
deep, profundo, hondo.
—— **drawing** (met), estampado profundo.
deep-draft vessel, buque de gran calado.
deep-web steel sheet pile, tablestaca de alma profunda.
deep-well pump, bomba para pozos profundos.
deepen, ahondar, profundizar, rehundir.
defecant *n*, defecante.
defecate, defecar, clarificar.
defecation, defecación.
defecator, defecador.
defect, defecto, vicio.
defective, defectuoso.
deferred assets, activo diferido.
deferred payment, pago aplazado.
deferrize, desferrificar, desferrizar.
deficit, déficit.
defile (top), desfiladero.
definite gage, calibre específico o determinado.
definite-time relay, relai de tiempo fijo.
definition (tv)(pmy), definición, nitidez.
deflagrate, deflagrar.
deflagrating explosive, explosivo deflagrante.
deflate, desinflar.
deflation (geol), desnudación (por viento), (A) deflación.
deflect, (est) flexarse, flambear, flexionarse, (A) defleccionar; (r) desviar.
deflecting
—— **baffle**, deflector, placa de choque desviadora.
—— **bar** (rr), barra desviadora.
—— **coil** (ra), bobina desviadora o deflectora.
—— **damper** (ac), compuerta deflectora.
—— **sheave**, garrucha desviadora o de guía.
—— **tool** (pet), herramienta desviadora o deflectora.
—— **torque** (inst), momento de torsión desviador.
—— **yoke** (tv), bobina desviadora.
deflection, (est) flecha, flambeo, (C) desviación, (M)(AC)(Ec) deflexión, (A) deflección; (cab) flecha; (lev) desviación, (M)(AC) (Ec) deflexión; (eléc) desviación.
—— **amplifier** (tv), amplificador de desviación.
—— **angle** (rr), ángulo tangencial o de desviación, (V) ángulo periférico, (M)(AC)(Ec) ángulo de deflexión.
—— **circuit** (tv), circuito desviador.
—— **coefficient** (str), coeficiente de flecha.
—— **factor** (ra), coeficiente de desviación.
—— **gage**, indicador de flecha.

—— sensitivity (ra), sensibilidad de desviación.
—— tube (ra), tubo de desviación.
deflectometer, deflectómetro, (Es) flexímetro.
deflector, desviador, deflector, placa de guía; (hid) muro de salto.
—— barrier (rd), murete deflector.
—— blocks (hyd), bloques deflectores, macizos desviadores.
—— sill (hyd), umbral desviador, reborde deflector, resalto.
—— wall, muro desviador.
deflocculate (wp), desflocular, (C)(M) deflocular.
deflocculator, desfloculador.
deforest, desboscar, deforestar.
deforestation, desarborización, deforestación, desforestación.
deform, deformar; deformarse.
deformation, deformación.
—— coefficient (sm), coeficiente de deformación.
—— curve, curva de deformaciones.
deformed bar (reinf), barra o varilla deformada, (V) cabilla estriada.
deformeter, deformetro.
defroster, descongelador, desescarchador.
defrosting (ac), descongelación.
degas, desgasificar.
degasifier, desgasificador.
degasify, desgasificar.
degaussing (sb), degausaje, desimantación, neutralización del campo magnético.
degeneration (ra), degeneración.
degenerative amplifier (ra), amplificador de realimentación inversa.
degradation (geol)(chem), degradación.
degrade, (geol)(quím) degradar; (exc) cortar, nivelar; (mad) dar clasificación más baja.
degrease, desengrasar, desgrasar.
degreaser, desengrasador.
degree (heat)(angle)(elec), grado.
—— of curve (rr), grado de la curva o de curvatura, (V) grado de agudeza.
—— of saturation, grado de saturación.
dehumidifiar, deshumedecedor, (V) deshumectador.
dehumidify (ac), deshumedecer, (A) deshumidificar, (V) deshumectar.
dehydrant, deshidratador.
dehydrate, deshidratar.
dehydrator, deshidratador.
dehydrogenation, deshidrogenación.
dehydrogenize, deshidrogenar.
deice, deshelar.
deicer, deshelador.
deion circuit breaker, interruptor desionizador.
deionize, desionizar.
dejecta (sen), excrementos.
dejection (sen), deyecciones, excrementos.
delay (contract), demora, retraso, mora.
—— blasting cap, detonador retardado o de explosión demorada, cápsula detonante de tiempo.
—— distortion (ra), distorsión de retardo.
—— electric blasting cap, detonador eléctrico de tiempo.
—— equilizer (ra), igualador de retraso.
—— igniter (bl), encendedor de tiempo.

—— relay (elec), relai de retardo.
delayed AVC system (ra), sistema de CAV de acción demorada.
delegate (union), delegado.
deleterious, deletéreo.
delineation, delineación.
deliquescence, delicuescencia.
deliquescent, delicuescente.
delivery (pu), caudal, rendimiento.
—— box (irr), caja derivadora o de servicio o de entrega.
—— conveyor (ce), transportador de entrega.
—— gate (irr), compuerta derivadora o de servicio.
—— lift (pu), altura de descarga.
—— pipe (pu), tubo expelente o de descarga.
—— stroke (pu), carrera de descarga, (A) carrera de erogación.
—— yard (rr), patio de entrega, playa de descarga.
delta, m (r) delta; f (eléc) delta.
—— connection (elec), conexión en triángulo o en delta.
—— current (elec), corriente en triángulo.
—— iron, hierro delta.
—— metal, metal o aleación delta.
delta-delta connection (elec), conexión triángulo-triángulo.
delta-star connection (elec), conexión triángulo-estrella o delta-Y.
deltaic, deltaico.
demagnetize, desimanar, desimantar, desmagnetizar.
demagnetizer, desimanador, desmagnetizador.
demagnetizing switch, interruptor desmagnetizador.
demand, demanda.
—— charge, tarifa de demanda.
—— factor (eléc), factor de demanda o de simultaneidad.
—— limiter (elec), limitador de corriente.
—— meter, contador de demanda máxima.
—— register, registrador de demanda.
demineralize, desmineralizar.
demineralizer (wp), desmineralizador.
demodulation (ra), desmodulación, demodulación, detección.
demodulator (ra), desmodulador, (A) demodulador.
—— stage (ra), etapa desmoduladora.
demolish, demoler, derribar, abatir, arrasar, aterrar, destruir.
demolition, demolición, abatimiento, derribo.
—— tool, martillo neumático de demolición, demoledora.
demount, desmontar.
demountable, desmontable, postizo; desarmable.
demounter, desmontador.
demulsibility, demulsibilidad.
demulsify, demulsionar, demulsificar, desemulsionar.
demurrage, demora, sobrestadía, estadía.
denary a, decimal.
—— logarithm, logaritmo común.
dendriticism (w), dendriticismo.
dendrometer, dendrómetro.
denitrify, desnitrificar.

denominator, denominador.
denounce (min), denunciar.
denouncement (min), denuncia.
dense, (ot) compacto, denso; (líquido) denso, viscoso, espeso; (monte) tupido; (mad) que muestra por lo menos seis anillos anuales por pulgada; (tráfico) denso.
dense-graded aggregate, agregado de relación baja de vacíos.
densification (soil), densificación.
densimeter, densímetro.
densimetric, densimétrico.
densimetry, densimetría.
densitometer, densitómetro.
density, densidad, espesura; (eléc) densidad; (tráfico) densidad, intensidad.
— flow (hyd), gasto inferior del agua más densa.
dent, s abolladura; v abollar.
dental (hyd), dentado, diente, dado deflector.
— clutch, embrague dentado.
dentated sill (hyd), reborde o resalto dentado, solera dentada, umbral almenado.
dentation, indentación, dentado.
denudation (geol)(for), denudación.
deodorant, desodorante.
deodorize, desodorar, desodorizar.
deoxidize, desoxidar.
deoxygenation, desoxigenación.
deozonize, desozonizar.
departure (mech)(surv), desviación.
— platform (rr), andén de salida.
— yard (rr), patio de salida.
dependent variable (math), variable dependiente.
dephlegmate, deflegmar.
dephlegmator, deflegmador.
depletion, agotamiento, (A) depleción.
depolarize (elec), despolarizar.
depolarizer, despolarizador, despolarizante.
depolarizing mix (elec), mezcla despolarizante.
deposit, s (miner) yacimiento, criadero, filón; (quím) precipitado, depósito; (ag) arenal, cascajal, mina de grava o arena; (fin) depósito, (Es) imposición; v (quím) precipitar; (agua) decantar, sedimentar; (fin) depositar.
deposition, (geol) depósito; (sol) deposición, depósito; (met) deposición.
— efficiency (w), relación de depósito.
depot, (fc) estación; (ef) dirección, oficina central, administración.
depreciate, depreciar; depreciarse.
depreciation, depreciación.
depressant (min), reactivo depresivo.
depressed sewer, sifón invertido, cloaca de presión.
depression, (lev) depresión; (top) depresión, hondura, hondonada; (mrl) depresión.
— angle (pmy), ángulo de depresión.
— spring, fuente de hondonada, manantial descendente o de valle.
depressor (all senses), depresor.
depropanizer (pet), despropanizador.
depth, profundidad, fondo; (viga) altura; (losa) espesor; (canal) tirante, calado; (valle) hondura; (buque) puntal; (agua) brazaje, calado.

— contour, curva isóbata.
— factor (sm), factor de profundidad.
— gage, (mec) calibre de profundidad; (hid) limnímetro, escala hidrométrica; regulador de profundidad (arado).
— meter (pet), indicador de profundidad.
depthometer, medidor de profundidad.
derail, descarrilar, desrielar.
— switch, descarrilador, aguja de descarrilamiento, chucho de descarrilar.
derailment, descarrilamiento, (A) descarrilo.
derate, reducir la capacidad normal.
derivation, derivación.
derivative, s (quím) derivado; (mat) derivada; a (quím)(mat) derivativo; (geol) alógeno.
derive, (eléc)(quím) derivar; (mat) deducir.
derived circuit (elec), circuito derivado.
derived unit (physics), unidad derivada.
derrick, (ec) grúa, grúa fija; grúa de brazos rígidos; grúa de retenidas; (pet) torre de taladrar, faro de perforación, castillete, cabria.
— boat, barca o pontón de grúa.
— boom, aguilón, pluma, botalón.
— car, carro de grúa o de aparejo, vagón-grúa.
— fittings, herraje o accesorios de grúa.
— operator, maquinista, malacatero de grúa.
— stone, piedra manejable sólo por grúa.
derricking, manejo como aguilón de grúa.
derrickman (pet), torrero, farero, encuellador, (M) chango.
desand, desarenar.
desander, desarenador, eliminador de arena.
desaturate, desempapar.
descale, desescamar.
descaling compound (bo), antiincrustante, desincrustante.
descending gate (hyd), compuerta abatible.
descending grade, bajada, pendiente descendente, pendiente.
descent, bajada, descenso.
describe a circle, trazar círculo.
descriptive geometry, geometría descriptiva.
deseam v (met), quitar las costuras.
desensitize (pmy), desensibilizar.
desensitizer (pmy), desensibilizador.
desiccant n a, desecante.
desiccate, desecar.
desiccator, desecadora, secador.
design, s proyecto, diseño, traza, (Ch)(M) estudio; v proyectar, diseñar, trazar, delinear, estudiar, (C) calcular; en México "proyectar" se refiere al estudio general y "diseñar" a los detalles.
— head (hyd), carga presumida o para proyectar.
— load, carga presumida o prevista.
— point (pu), punto característico.
— pressure, presión presumida.
— span, luz de cálculo.
— speed (rd), velocidad de régimen.
— storm (hyd), aguacero presumido, precipitación presumida.
— temperature (ac), temperatura externa presumida.
designer, proyectista, diseñador, delineador.

designing, diseño, proyección.

—— engineer, ingeniero proyectista o diseñador.

desilt, desembancar, desenlodar, deslamar, desenfangar, desentarquinar, retirar los embanques, (M) desazolvar.

desilting, desembanque, desenlodamiento, (M) desenlame.

—— weir, presa de aterramiento, dique de contención de arrastres.

desk, escritorio; pupitre (tablero).

deslime (min), deslamar.

desludging valve, válvula purgadora de cienos.

desorption, desabsorción.

despumation, despumación.

destabilize, inestabilizar.

destination sign (rd), señal de destino.

destroy, destruir, destrozar.

destruction, destrucción.

destructive distillation, destilación seca o destructiva.

destructor, incinerador de basura, destructor.

desulphurate, véase desulphurize.

desulphurize, desulfurar, desazufrar, desulfatar.

desuperheater, desrecalentador.

detach, desprender, despegar, separar.

detachable, de quita y pon, de quitapón, desmontable, desprendible, removible, postizo, separable.

—— bit, broca postiza o recambiable o desmontable.

—— meter (elec), contador removible o de enchufe.

detachable-bit grinder, afilador de brocas postizas.

detail, s detalle; v detallar.

—— drawing, dibujo detallado.

—— paper, papel anteado para dibujo.

—— pen, tiralíneas para detalles.

detailed plans, planos detallados, dibujos en detalle.

detailed specifications, especificaciones detalladas, (U) prescripciones particulares.

detear (pt), quitar las gotas.

detection (ra), rectificación; desmodulación, (M) detección.

detector, (mec) indicador; (eléc)(ra) detector, revelador.

—— bar (rr), barra indicadora o de enclavamiento, (A) zapata detectora.

—— car (rr), carro indicador de defectos de rieles.

—— point (rr), punta enclavadora.

—— stage (ra), etapa detectora.

—— valve (ra), tubo detector, válvula detectora.

detent, retén, fiador.

detention basin (hyd), depósito o vaso o embalse de detención, (Pe) depósito de retención.

detention period (sen), período de retención.

determinant n (math), determinante.

determinate, determinado.

detin, recuperar estaño, desestañar.

detonate, detonar.

detonating, detonante.

—— fuse, mecha detonante o de explosión.

—— powder, pólvora detonante.

detonation, detonación; (mg) detonancia, golpeteo.

—— indicator, indicador de detonancia.

—— meter (geop), medidor de detonación.

detonator, (vol) detonador, fulminante; (fc) señal detonante.

detour, desvío, desviación, vuelta, desecho, rodeo.

detrital (geol), detrítico.

detrition, desgaste.

Detritor (trademark)(sd), detritor.

detritus, detrito, detritus.

—— tank (sd), tanque detritor.

detune (ra), desintonizar, asintonizar.

devaporize, desvaporizar.

develop, (fuerza) producir, desarrollar; (diseño) desarrollar; (foto) revelar; (proyecto) aprovechar; (calor) producir; (mat) desarrollar.

developed

—— elevation, elevación desarrollada.

—— length, largo desarrollado.

—— pressure (sm), presión desarrollada.

developer (pmy), revelador.

developing (pmy), revelado.

—— tank (pmy), tanque de revelar.

development, desarrollo, fomento, desenvolvimiento; producción; aprovechamiento; revelamiento; proyecto.

—— drift (min), galería preparatoria o de desarrollo.

—— well (pet), pozo de desarrollo.

deviate, desviar; desviarse.

deviation (elec)(compass), desviación.

—— factor (elec), factor de desviación.

device, dispositivo, aparato, artificio, artefacto.

devitrification, desvitrificación.

devulcanize, desvulcanizar.

devulcanizer, desvulcanizador.

dew point, punto de condensación o de rocío, temperatura de saturación.

dew-point thermostat, termóstato de control por la temperature de saturación.

dewater, desecar, deshidratar; desaguar, achicar, agotar.

dewaterer, desaguador, deshidratador.

dewax (pet), desparafinar.

dewaxing (pet), desparafinaje.

dextrogyratory, dextrógiro, dextrogiratorio.

dextrorotatory (su), dextrorrotatorio.

dezincification, descincado.

diabase (geol), diabasa.

diabasic, diabásico.

diaclase (geol), diaclasa.

diaclastic, diaclasado; diaclástico.

diagometer (elec), diagómetro.

diagonal n a, diagonal.

—— bracing, diagonales de arriostramiento, aspas.

—— pliers, alicates de ángulo, (A) alicates diagonales.

—— tension, tracción o tensión diagonal, (A) esfuerzo principal.

diagram, diagrama, gráfica, esquema.

—— factor (eng), coeficiente de diagrama.

diagrammatic, esquemático.

diagrammeter, diagrámetro.

diagraph, diágrafo.

diagraphic, diagráfico.

dial, cuadrante (manómetro), esfera (reloj), (M) carátula (báscula).

—— feed (mt), disco alimentador.

—— indicator, indicador de cuadrante o de carátula.

—— selector, selector tipo de cuadrante.

—— switch (elec), interruptor de palanca rotativa, conmutador giratorio.

—— telephone, teléfono automático o de disco selector.

—— thermometer, termómetro de cuadrante.

diallage (miner), diálaga (piroxeno).

diallagite (geol), dialagita.

diamagnetic, diamagnético.

diamagnetism, diamagnetismo.

diamantine (abrasive), diamantina.

diameter, diámetro.

—— increment (th), incremento para diámetro.

—— tape (for), cinta de diámetros.

diametral, diametrical, diametral.

diamond, diamante; rombo.

—— antenna (ra), antena rómbica.

—— bit, corona o broca de diamantes.

—— cutter (mt), cortador de diamantes.

—— dies (met), hilera a diamante.

—— dresser, moleta o enderezador de diamante.

—— drill, sonda o barrena o taladro de diamantes.

—— drilling, sondeos a diamante, perforaciones con sonda de diamante.

—— mesh, malla rómbica.

—— point, punta rómbica o diamante.

—— powder, polvo de diamante.

—— switch (rr), traspaso doble.

—— tooth (saw), diente de diamante.

—— wheel, asperón de diamante.

diamond-head-buttress dam, presa de machones de cabeza rómbica, dique de contrafuertes de cabeza de diamante.

diamond-nose chisel, cortafrío con punta rómbica.

diamond-shaped, rómbico, romboidal.

dianegative (pmy), s dianegativa; a dianegativo.

diaphone, diáfono.

diaphragm, diafragma.

—— gage, manómetro de diafragma.

—— pump, bomba de diafragma.

—— valve, válvula de diafragma.

diapositive, s diapositiva; a diapositivo.

diaschistic (geol), diaesquistoso.

diastase (sen), diastasa.

diatom, diatomea, diatoma.

diatomaceous earth, tierra diatomácea o de diatomeas.

diatomaceous silica, sílice diatomácea.

diatomic, diatómico.

diatomite, diatomita, tierra diatomácea o infusoria.

dibromoquinone (sen), dibromoquinona.

dicalcium

—— aluminate (ct), aluminato dicálcico.

—— ferrite (ct), ferrito dicálcico.

—— silicate (ct), silicato dicálcico.

Dicalite (trademark), sílice diatomácea, tierra infusoria, dicalita.

dichloramine (chem), dicloramina.

dichlorodifluoromethane (rfg), diclorodifluorometano.

die, (rs) hembra de terraja, dado, cojinete de roscar; (punzonar) troquel, matriz, sufridera; (aguzador) matriz, troquel.

—— casting, pieza moldeada en matriz; fundición a troquel.

—— chaser, cojinete de roscar, peine.

—— chuck (mt), sujetahembra, portadado, portacojinete.

—— grinder, rectificadora de matrices, amoladora de troqueles.

—— head, portacojinete, portahembra, sujetadado.

—— holder, portamatriz, portaestampa; portahembra, portacojinete.

—— mold, matriz, molde de matrizar.

—— plate, terraja, hilera, placa perforada de estirar.

—— set, juego de matrices; portamatriz.

die-cast v, fundir a troquel, matrizar, moldear a matriz, fundir a presión.

die-cut, cortado a troquel.

die-rolled (met), laminado a troquel.

dielectric n a, dieléctrico.

—— absorption, histéresis o absorción dieléctrica.

—— coefficient (ra), coeficiente o constante dieléctrica.

—— constant, constante dieléctrica, capacidad inductiva específica.

—— current, corriente de desplazamiento.

—— fatigue, fatiga dieléctrica.

—— flux density, inducción eléctrica, densidad de flujo dieléctrico.

—— heating, caldeo dieléctrico.

—— hysteresis, histéresis o absorción dieléctrica.

—— loss, pérdida dieléctrica.

—— rigidity, resistencia dieléctrica.

—— strength, resistencia dieléctrica o de aislación, poder dieléctrico.

—— stress, esfuerzo eléctrico o dieléctrico.

dieline (rfg), dicloroetileno.

Diesel

—— cycle, ciclo Diesel.

—— engine, máquina o motor Diesel.

—— index, índice Diesel.

—— oil, aceite o combustóleo Diesel, petróleo combustible para Diesel.

dieselize, equipar con máquinas Diesel, dieselizar.

diesinker (machy), fabricadora de matrices.

diestock, terraja, portacojinete, terraja de cojinete o para dados.

difference (math), diferencia.

differentiable (math), diferenciable.

differential n a, diferencial.

—— bearing (auto), cojinete del diferencial.

—— block, polea o aparejo diferencial.

—— calculus, cálculo diferencial.

—— carrier (auto), portadiferencial.

—— case (auto), caja o cárter del diferencial.

—— coefficient (math), coeficiente o cociente diferencial.

—— compound motor, motor de devanado diferencial.

—— equation, ecuación diferencial.
—— flotation (min), flotación selectiva.
—— galvanometer, galvanómetro diferencial.
—— gear, engranaje diferencial.
—— governor, regulador diferencial o dinamométrico.
—— hoist, aparejo o polea o polispasto diferencial, (V) señorita.
—— housing (auto), caja del diferencial, (U) cubierta del diferencial.
—— indexing, división diferencial.
—— lock (auto), trabador del diferencial.
—— permeability (elec), permeabilidad diferencial.
—— pulley, aparejo o polea diferencial.
—— relay (elec), relai diferencial.
—— screw, tornillo compuesto o de paso diferencial.
—— sign (math), signo de diferencial.
—— winding (elec), devanado diferencial.
—— windlass, cabria chinesca.
differential-acting, de movimiento diferencial.
differentiation (math)(geol), diferenciación.
differentiator (ra), diferenciador.
diffract, difractar.
diffraction, difracción.
—— grating, rejilla de difracción.
diffuse, v difundir; a difuso.
—— reflection (il), reflexión difusa o irregular.
—— reflection factor (il), coeficiente de reflexión difusa.
—— refraction (il), refracción difusa.
—— transmission (il), transmisión difusa.
diffuse-porous (lbr), de porosidad uniforme a través de los anillos anuales.
diffused air, aire difuso.
diffused illumination, iluminación difusa.
diffuser, (il) difusor; (dac) difusor, dispersor.
—— plate (sd), placa esparcidora o difusora.
—— tube, tubo difusor.
diffuser-type centrifugal pump, bomba centrífuga difusora.
diffusing regulator (hyd), regulador dispersor.
diffusion, difusión.
—— aerator, aereador a difusión.
diffusive, difusivo.
diffusivity (physics)(conc), difusibilidad.
dig, excavar, cavar, desmontar.
digested sludge (sd), cieno o barro cloacal digerido.
digester (sd), digestor.
—— gas (sd), gas del tanque digestor o de digestión.
digesting tank (sd), tanque digestor.
digestion, digestión.
digger, excavador.
digging, excavación, desmonte, cavadura.
—— bucket, cucharón excavador, (A) balde excavador.
—— line (bu), cable de cierre.
—— loader, cavadora-cargadora.
—— reach (sh), alcance de cavadura.
—— speed (ce), velocidad de excavación.
dihedral n a, diedro.

dike, s (hid) dique, caballón, atajo, ribero, bordo, reborde, (Ch) pretil, (M) barraje, (A)(C) malecón; (geol) dique; v endicar, atajar.
—— rock, roca filoniana o filónica.
dilatancy, dilatancia.
dilatant, dilatador, dilatante.
dilate, dilatar; dilatarse.
dilational wave (geop), onda de dilatación.
dilatometer, dilatómetro.
diluent, diluente.
dilute, v diluir, desleír, aguar; a diluído.
diluter, dilutor.
dilution, dilución, desleimiento.
diluvial (geol), diluvial.
diluvium, diluvión.
dim v (auto), obscurecer.
dimension, s dimensión (todos sentidos), (dib) acotación; v dimensionar, (dib) acotar.
—— gage, medidor de maderas.
—— line (dwg), línea de cota.
—— lumber, madera aserrada en tamaños corrientes (grueso 2 pulg a 5 pulg).
—— saw, sierra de dimensión.
—— shingles, ripias de ancho especificado.
—— stone, piedra de todas dimensiones especificadas.
dimensional, dimensional.
—— analysis, análisis dimensional.
dimensioned drawing, dibujo acotado.
dimensionless term (math), término no dimensional o independiente de dimensiones.
dimetallic, dimetálico.
dimethyl ketol (su), dimetilketol.
dimmer (auto), amortiguador o reductor de luz.
—— switch, conmutador reductor.
dimming resistor, resistencia reductora de luz.
ding hammer (auto), martillo desabollador o de chapista.
dining car, coche comedor, carro restaurante.
dinkey, locomotora liviana de trocha angosta, locomotora decauville.
—— runner, maquinista.
dinking die, sacabocado, punzón.
diode (elec), diodo.
—— detector, detector a diodo.
diopside (miner), diópsido (piroxeno).
diopter (optics), dioptria.
dioptric, dióptrico.
diorite (geol), diorita.
diorite-porphyry, pórfido de diorita.
dioritic, diorítico.
dioxide, dióxido, bióxido.
dip, s (aguja) inclinación; (geol) buzamiento, caída, inclinación, (M) echado; (min) recuesto; v (pint) bañar; (geol) inclinarse, buzar.
—— brazing, soldadura fuerte con inmersión.
—— fault (geol), falla transversal.
—— finishing, pintura por inmersión.
—— meter, medidor de buzamiento, inclinómetro.
—— needle, brújula de inclinación.
—— rod (auto), varilla probadora de aceite.
—— slip (geol), desplazamiento vertical.
diphase (elec), bifásico.
diplex (ra), diplex.

diplococcus (sen), diplococo.
dipolar, dipolar.
dipole (elec), dipolo.
—— antenna (ra), antena dipolo o de media onda.
dipotassium phosphate, fosfato dipotásico.
dipped joint (bw), junta de lechada.
dipper, (pl) cucharón, capacho, cazo, (V) tobo, (M) bote; (beber) cazo, cucharón.
—— arms (sh), brazos de cucharón, (A) mangos de cucharón.
—— dredge, draga de cucharón o a cuchara.
—— stick, (pl) brazo o mango del cucharón, (M) brazo de ataque.
dipperful, carga de cucharón, cucharada.
dipping (pt), inmersión, bañado.
—— compass, brújula de inclinación.
—— needle, aguja de inclinación.
—— tank, tanque de bañar o de inmersión.
—— varnish, barniz de bañar o de inmersión.
direct a, directo, derecho.
—— capacitance (ra), capacitancia directa.
—— coupling (elec), acoplamiento directo.
—— current (d.c.), corriente directa (c.d.).
—— drive, toma directa; accionamiento directo.
—— feed (wp), alimentación directa o en seco.
—— heating (bldg), calefacción directa.
—— indexing, división simple.
—— injection (di), inyección directa.
direct-acting, de acción directa.
direct-connected (mech)(elec), conectado o acoplado directamente.
direct-contact feed-water heater, calentador de agua de alimentación tipo abierto.
direct-current neutral grid, red de los conductores neutros en un sistema trifilar de corriente directa.
direct-feed chlorinator (wp), clorador de alimentación directa.
direct-fired furnace, horno de inyección directa.
direct-geared, engranado directamente.
direct-indirect radiator, calorífero directo-indirecto.
direct-lift hoist (tk), elevador de efecto directo.
direct-projection comparator, comparador de proyección directa.
direct-relation telemeter, telémetro de relación directa.
direct-vision view finder (pmy), buscador de visión directa.
direction (traffic), sentido.
—— finder (ap), radio brújula, antena indicadora de dirección.
—— finding (ra), radiogoniometría.
—— indicator, indicador de dirección.
—— sign (rd), señal de dirección.
—— switch (mot), conmutador de vuelta.
—— transit (inst), tránsito no repetidor.
directional (math)(elec), direccional.
—— antenna (ra), antena direccional.
—— bit (pet), barrena de perforación desviada.
—— drilling (pet), perforación con dirección controlada.
—— filter (ra), filtro de dirección.
—— floodlight (ap), proyector de dirección.
—— gyro (pmy), brújula giroscópica.
—— island (rd), isla de guía.

—— marker (ap), indicador de dirección.
—— overcurrent relay, relai para sentido de sobrecorriente.
—— relay (elec), relai de dirección, relevador direccional.
—— sign (rd), indicador o señal de dirección.
—— signal (tk), señal de sentido.
—— survey (pet), estudio de las desviaciones de la verticalidad.
directionality (forging), resistencia direccional.
directive antenna (ra), antena direccional transmisora.
directivity (ra), directividad.
directly heated cathode (ra), cátodo a calefacción directa.
director, director, administrador; vocal; (ra) director.
directrix, directriz.
dirt, tierra; escombros, basura; mugre, suciedad; polvo.
—— moving, trabajo de desmonte, movimiento o remoción de tierra, (V) escombramiento.
—— road, camino de tierra o sin afirmar.
—— trap, trampa de sedimentos.
disability, incapacidad, invalidez.
disaccharide (lab), disacárido, biosa.
disalignment, desalineamiento.
disappearing stadia hairs, hilos taquimétricos desvanecedores.
disapproval, improbación.
disassemble, desarmar, desmontar, abatir, desensamblar.
disassembly, desmontaje, abatimiento.
disbursement, desembolso.
discard, desechar, descartar.
discharge, s (hid) gasto, caudal; (eléc) descarga; (mz) vaciada, descarga; (bm) impulsión, descarga; (empleado) despedida, baja, destitución, (Ch) desahucio, (M) remoción, (com) descargo; v (carga) descargar; (eléc) descargar; (r) desembocar; (empleado) despedir, destituir, dar de baja, cesantear, (Ch) desahuciar, (Par) suspender; (deuda) cancelar; (hid) descargar, (Pe) invertir; (vol) fulminar, volar, disparar.
—— chute, conducto descargador.
—— circuit (tv), circuito de descarga.
—— curve (hyd), curva de gastos o de caudal.
—— head (hyd), altura de impulsión o de descarga, presión estática de descarga, carga estática de descarga.
—— pipe, tubo de expulsión o de impulsión, caño expelente.
—— ring (turb), anillo de salida.
—— roll (su), maza bagacera o de descarga.
—— stroke (eng), carrera de descarga.
—— tube (ra), válvula o tubo de descarga.
—— valve (hyd), válvula de descarga.
discharger (elec)(steam), descargador.
discharging arch (bw), arco de descarga.
disconformity (geol), disconformidad.
disconnect, s desconectador; v (eléc) desconectar; (mec) desconectar, desacoplar, desenganchar.

—— switch, interruptor de separación, desconectador.

disconnecting

—— fuse, desconectador fusible.

—— fuse cutout (elec), cortacircuito de fusible de desconexión.

—— link (elec), eslabón interruptor.

—— plug (elec), clavija de desconexión, tapón desconectador.

disconnector, desconectador.

discontinuity, descontinuidad.

discontinuous, discontinuo, descontinuo.

discordance (geol), discordancia.

discordant (geol), discordante.

discount, s descuento; v descontar.

discovery well (pet), pozo descubridor.

discrete a (math), discreto.

discriminant n a (math), discriminante.

discrimination (ra), discriminación.

discriminator (ra), discriminador.

disengage, desengranar; desembragar; desenganchar.

disengagement governor, regulador de disparo.

dished, combado, bombeado, cóncavo.

—— wheel, rueda combada o con copero.

disilicate, disilicato.

disilicic, disilícico.

disincrustant, desincrustante.

disinfect, desinfectar.

disinfectant n a, desinfectante.

disinfection, desinfección.

disintegrate, desagregar, disgregar, desintegrar; desmoronarse, deshacerse.

disintegrated, desagregado, descompuesto, disgregado, cariado.

disintegration, desagregación, disgregación, desintegración.

disintegrator, pulverizador, triturador, disgregador, desintegrador, desfibrador.

disjoint, desunir, desarticular.

disjunctor (elec), disyuntor.

disk, s disco, lenteja; v (ca) escarificar.

—— armature, inducido de disco; inducido de devanado plano.

—— bit, mecha o broca de discos.

—— brake, freno de discos o de plato.

—— cam, leva de disco.

—— clutch, embrague de platos o de discos.

—— crank, manivela de disco, plato-manivela.

—— crusher, chancadora de discos, trituradora tipo de discos.

—— discharger (elec), descargador a disco.

—— feeder, alimentador tipo de discos.

—— filter, filtro de discos.

—— grinder, esmeriladora de disco, disco esmerilador.

—— harrow, grada o rastra o escarificador de discos.

—— insulator, aislador de disco.

—— meter, contador tipo de disco.

—— pile, pilote de disco.

—— piston, émbolo de disco.

—— planimeter, planímetro de disco.

—— plow, arado de discos.

—— ridger (irr), bordeadora de discos.

—— roller, rodillo de discos.

—— sander (ww), lijadora de disco, disco lijador.

—— signal (rr), señal de disco.

—— wheel, rueda de plato o de disco, rueda llena.

dislocation (geol), dislocación.

dismantle, desarmar, desmontar, desmantelar; desaparejar, desguarnecer, desencapillar.

dismantling, desmontaje, desarmadura, abatimiento.

disodium phosphate, fosfato disódico.

dispatcher (rr)(pet), despachador.

dispenser pump (auto), surtidor de gasolina, bomba medidora.

disperser (sd), dispersador, difusor.

dispersion, dispersión.

—— photometer (il), fotómetro de dispersión.

—— tank (sd), tanque de dispersión.

displace, desplazar.

displacement, (náut) desplazamiento; (cilindro) cilindrada; (geol) falla, quiebra, (M) desalogamiento; (eléc) desplazamiento; (fma) desplazamiento; (crank) calaje, desviación.

—— current (elec), corriente de desplazamiento.

—— curves (na), curvas de desplazamiento.

—— pile, pilote de desplazamiento.

—— pump, bomba de desplazamiento.

—— ton (na), tonelada (2240 lib) de desplazamiento.

—— ventilator, ventilador volumétrico o de desplazamiento.

displacement-type meter (water), contador de desplazamiento.

displacer (mech), desplazador.

disposal, disposición.

—— system (pet), instalación evacuadora.

—— well (pet), pozo de evacuación.

disrupt, romper; (eléc) interrumpir.

disruption (elec), disrupción.

disruptive

—— discharge (elec), descarga disruptiva.

—— explosive, explosivo instantáneo o destructor,

—— strength, resistencia dieléctrica.

—— voltage, tensión disruptiva.

dissect (geol)(top), dividir.

dissector tube (tv), tubo disector.

dissimilation (sen), disimilación.

dissipate (heat), disipar.

dissipation (elec), dispersión.

dissipative (elec), disipador.

dissociation (chem), disociación.

dissoluble, disoluble.

dissolution (chem)(geol), disolución.

dissolve, disolver; disolverse.

dissolved solids (sd), sólidos disueltos.

dissolvent n a, disolvente.

dissonance (elec), disonancia.

dissymmetrical, disimétrico.

dissymmetry, disimetría.

distance, distancia.

—— line (pmy), línea de distancia.

—— relay, relevador de distancia.

—— signs (rd), señales avanzadas.

—— strip, tira de distancia o de separación.

distant signal (rr), señal avanzada o de distancia.

distemper n (pet), destemple.

distill, destilar, alambicar.

distillate, destilado.

distillation tower, torre de destilación.
distillery, destilería, (C) alambiquero.
—— wastes (sen), aguas cloacales de destilería, (M) desechos de destilería.
distilling plant, planta destiladora, destilería.
distort, deformar, (M) distorsionar.
distorted wave (ra), onda deformada.
distortion, deformación, distorsión.
—— analyzer (ra), analizador de distorsión.
—— factor (elec), factor de deformación (onda).
distortion-factor meter (ra), medidor del factor de deformación.
distributaries (irr), regueras, hijuelas, tijeras.
distribute, distribuir, repartir; esparcir.
distributed
—— capacitance (elec), capacitancia o capacidad distribuída.
—— constants (ra), constantes distribuídas.
—— inductance (elec), inductancia distribuída.
—— winding (elec), devanado distribuído, arrollamiento distributivo.
distributing
—— bar (reinf), barra repartidora o de repartición, (M) cabilla de repartición.
—— reservoir, depósito alimentador o de distribución, estanque de distribución, (Pe) reservorio de distribución.
—— switchboard, tablero de distribución.
distribution, repartición, distribución.
—— board (elec), cuadro de distribución.
—— box (elec), caja de distribución.
—— center (elec), centro de distribución.
—— feeder (elec), alimentador de distribución.
—— of costs, repartición de costos.
—— of pressures, repartición de las presiones, distribución de presiones.
—— system (elec)(water), red de distribución.
—— transformer, transformador distribuidor.
distributive, distributivo.
—— fault (geol), falla distributiva.
distributor, (ca) esparcidor, distribuidor; (dac) esparcidor, repartidora; (mg) distribuidor; (tel) distribuidor; (turb) distribuidor; (com) comerciante, distribuidor.
—— brush, escobilla distribuidora.
—— cap (auto), tapa del distribuidor.
—— gear (ge), engranaje de distribución.
—— plates (ac), placas distribuidoras.
—— points (auto), platinos o contactos o puntos del distribuidor.
—— shaft, árbol de distribución.
disulphate (chem), bisulfato.
disulphide, bisulfuro.
ditch, s (exc) zanja, foso, trinchera; (fc)(ca) cuneta; (irr) acequia, reguera, regadera, almatriche, hijuela (pequeña); (irr) azarbe, almenara; (desagüe) agüera, tijera; (top) cárcava, (Ch)(PR) zanja; v zanjar, zanjear, trincherar; (irr) acequiar.
—— check, dique de zanja.
—— digger, zanjeador, (irr) acequiador.
—— spade, azada para zanjas.
—— tender (irr), acequiador.
ditcher (ce), cavador de zanjas, zanjadora, cuchilla zanjeadora, (A) cuneteadora.
ditching, zanjeo, zanjamiento, acequiadura.

—— powder (bl), pólvora para zanjeo.
—— shovel, pala zanjadora.
dive v, bucear.
diver, buzo, escafandrista.
diverge, divergir.
divergence (all senses), divergencia.
divergent, divergente.
diverging lens, lente divergente.
diversion (hyd), derivación, desviación, desvío, desviaje.
—— chamber, cámara desviadora.
—— channel, canal desviador o de derivación.
—— dam, presa de derivación, azud, barraje, presa derivadora, dique de toma, (A) dique nivelador, (A) dique distribuidor, (Col) dique de desvío, (Ch) barrera.
—— duty of water (irr), volumen de agua derivada.
—— gate, compuerta desviadora.
—— manhole (sw), pozo desviador, cámara desviadora.
—— openings (dam), vanos de derivación, lumbreras provisionales.
—— sluice, esclusa de desviación.
—— tunnel (hyd), túnel de derivación, (M) túnel de desviación.
diversity, diversidad.
—— factor (elec), factor de diversidad.
—— reception (ra), recepción múltiple.
divert, desviar, derivar.
diverter (mech)(elec), desviador.
—— switch (elec), interruptor de desviación.
diverting box (sd), caja de derivación.
divide n (top), divisoria de las aguas, divorcio de las aguas, (Col) reparto de las aguas, (U) cuchilla separadora, (M) parteaguas, (V) fila divisoria, cordillera divisoria, (V) arista hidrográfica.
divided circuit (elec), circuito dividido.
divided-flow turbine, turbina con división de corriente.
divided-lane highway, carretera de vías separadas.
dividend (math)(fin), dividendo.
divider, partidor, separador; (mat) divisor; (mh) cabezal divisor.
—— flange (eng), seccionador.
dividers (dwg), compás de división o de punta seca o de puntas.
dividing head (mt), cabezal divisor.
dividing plate (mt), plato divisor.
diving, buceo.
—— bell, campana de buzo o de bucear.
—— helmet, casco de buzo, (C) escafandra.
—— hood, casco de buzo para trabajo poco profundo.
—— suit, escafandro, traje de buzo.
divisible, divisible.
division, departamento, negociado; (fc) división; (mat) división.
—— box (irr), cámara de repartición, partidor, (A) comparto, (M) parteaguas.
—— engineer (rr), ingeniero de división.
—— gate (irr), atajadero, compuerta derivadora o partidora, (Es) templadera.
—— post (rr), poste de división.

—— **wall**, pared divisoria.

divisor (math), divisor.

doby (bl), véase **mudcap blast.**

dock, *s* muelle, espigón; dársena; dique; (ds) dique de carena, dique seco; (ap) cobertizo; *v* atracar, arrimar, abarloar; poner en dique seco, carenar.

—— **builder**, constructor de muelles.

—— **charges**, derechos de muelle, muellaje.

—— **crane**, grúa de muelle.

—— **laborer**, estibador, peón de muelle.

—— **spike**, clavo de muelle.

dockage, muellaje.

docking keel (sb), quilla de refuerzo contra presión de los picaderos.

docking saw, serrucho para astilleros.

dockmaster, jefe del muelle.

dockyard, arsenal, astillero, carenero, despalmador.

doctor solution (pet), solución doctor.

doctor test (pet), ensayo doctor.

dog, *s* (maq) trinquete, gatillo, can, retén, seguro; (carp) laña, grapón; (mh) perro de torno, brida; (as) grapa; (ef) gancho agarrador; *v* retener con trinquete, sujetar con gatillo, agarrar.

—— **bit** (sa), púa de la grapa.

—— **clutch**, embrague de garras.

—— **hook**, gancho de maderero.

—— **nail**, clavo de cabeza excéntrica.

—— **sheet** (rr), diagrama del enclavamiento.

—— **socket** (sa), portapúa.

—— **wheel**, rueda de trinquete.

—— **wrench**, llave para perro de torno.

dogbolt, laña, grapón; (cn) dispositivo sujetador del ojo de buey.

doghouse, (pet) caseta de los trabajadores o de herramientas; (ra) caseta de sintonización.

dogshore (sb), puntal provisional antes de botar.

dolerite (geol), dolerita.

dolly, (est) sufridera, estampa, cazoleta, doile, (C) boterola; aguantadora, contraestampa, contraboterola, contrarremachador; (mad) carretilla de rodillo; (martinete) macaco; (fc) locomotora pequeña para maniobras; (auto) gato rodante; (min) batidor; (ap) (co)(ef) carretilla; plataforma rodante.

—— **bar**, sufridera de palanca, barra de entibar.

—— **block** (sml), bloque desabollador o de batir, sufridera.

—— **tub** (min), cubeta para lavar mineral.

dolomite (miner)(geol), dolomía, (M) dolomita.

dolomitic, dolomítico.

dolomitize, dolomitizar.

dolphin, duque de Alba, dolfín; guirnalda.

dome, (arq) cúpula, alcuba, domo; (geol) techo, bóveda, domo, (B)(V) cúpula; (miner) domo; (met) cúpula, bóveda.

—— **dam**, presa de cúpula.

—— **light** (auto), luz de techo.

—— **reflector** (il), reflector de campana.

—— **head** (ge), culata abovedada.

domed stope (min), testero abovedado.

domestic sewage, aguas negras, aguas cloacales sanitarias, (Es)(Pe) aguas caseras, (C) albañal.

dominant (math)(elec), dominante.

donkey (lg), malacate portátil.

—— **boiler** (sb), caldera auxiliar.

dook (min), chiflón.

door, puerta.

—— **bolt**, cerrojo, falleba, pasador.

—— **buck**, marco o bastidor de puerta.

—— **butt**, bisagra.

—— **check**, amortiguador de puerta, cierrapuerta, freno para puerta.

—— **hanger**, suspensor o carrito corredizo de puerta, corredera.

—— **hardware**, herrajes de puerta.

—— **holder**, retenedor de puerta.

—— **leaf** (hinge), contrabisagra de puerta.

—— **pull**, agarradera, tirador, (A) manija.

—— **switch** (elec), interruptor automático de puerta.

doorcase, contramarco, chambrana, contracerco.

doorframe, marco de puerta, alfajía, cerco, bastidor o cuadro de puerta.

doorhead, dintel, cabecero.

doorjamb, jamba de puerta; quicial.

doorknob, perilla, botón de pestillo, agarradero de puerta, (A) manija.

doorpost, jamba de puerta.

doorsill, umbral o solera de puerta.

doorstop, tope de puerta.

doorway, vano o claro de puerta.

dope, *s* (cab) compuesto; (vol) material absorbente; (mg) suavizador; aditivo combustible; *v* suavizar (combustible).

dormant scale, báscula enclavable.

Dortmund tank (sd), tanque Dortmund.

dosage, dosificación, proporcionamiento.

dosing, dosificación.

—— **chamber** (sd), véase **dosing tank.**

—— **flume**, canal dosificador.

—— **siphon**, sifón dosificador.

—— **tank** (sd), tanque de dosificación.

dot (tel), punto.

—— **cycle** (tel), ciclo de un punto y un intervalo.

dot-and-dash line (dwg), línea punto-raya o de puntos y trazos.

dote (lbr), podrición.

dotted line (dwg), línea punteada o interrumpida o puntada o de puntos.

dotting pen (dwg), tiralíneas para puntear.

double, doble.

—— **block**, motón doble o de dos garruchas.

—— **boiler** (lab), baño María.

—— **bottom** (sb), doble fondo.

—— **bullnose brick**, ladrillo de dos esquinas redondas.

—— **catenary suspension**, suspensión catenaria doble.

—— **centner**, centner métrico.

—— **cross** (p), cruz doble o de seis pasos.

—— **crossover** (rr), traspaso doble.

—— **diode** (ra), duodiodo.

—— **door**, puerta gemela o doble.

—— **grid wiring** (elec), canalización de red doble.

—— **groove weld**, soldadura de ranura doble.

—— **modulation** (ra), doble modulación.

—— **prime** (math), biprima (x'').

—— **purchase**, aparejo doble; engranaje doble.
—— **riveting**, remachado o roblonado doble.
—— **roller chock** (sb), escotera doble con rodillo.
—— **run-around wiring** (elec), canalización de circunvalación doble.
—— **shear**, esfuerzo cortante doble, cortadura doble.
—— **shift**, jornada doble, doble turno, dos tandas.
—— **square thread**, rosca cuadrada doble.
—— **T branch** (p), doble ramal T.
—— **thread**, rosca pareja.
—— **time**, doble tiempo.
—— **track**, vía doble.
—— **triangular truss**, armadura Warren de doble intersección.
—— **triode** (ra), duotriodo.
—— **whip**, aparejo de dos motones.
—— **worm-gear speed reducer**, reductor de velocidad a doble engranaje de tornillo sin fin.
—— **Y branch** (p), bifurcación doble.
double-acting, de doble efecto.
double-action die, matriz para prensa de doble acción.
double-angle point (drill), punta de bisel doble.
double-arming bolt (elec), perno para dos crucetas (de rosca doble sin cabeza).
double-arming eyebolt (elec), perno de ojo para dos crucetas.
double-bead lap joint (w), soldadura solapada de dos rebordes.
double-beaded siding (carp), tablas de cordón doble.
double-beat valve, válvula de doble golpe.
double-bevel weld, soldadura a doble bisel.
double-bit ax, hacha de dos filos.
double-braid insulation, forro de doble trenza.
double-branch elbow (p), codo doble o de doble ramal.
double-break switch (elec), interruptor de doble ruptura.
double-butt-strap joint, junta de doble cubrejunta.
double-case turbine, turbina de envoltura doble.
double-center theodolite, teodolito de dos centros.
double-compensating polariscope, polariscopio de doble compensación.
double-concave, bicóncavo.
double-cone
—— **compression coupling**, acoplamiento de doble cono.
—— **drum** (mx), tambor de doble cono.
—— **ventilator**, ventilador de doble cono.
double-convex, biconvexo.
double-current generator (elec), generador de corriente doble.
double-cut file, lima de doble talla o de picadura cruzada.
double-cut saw, serrucho de corte doble.
double-cylinder engine, máquina bicilíndrica o de dos cilindros.
double-deck, de dos pisos, de doble cubierta.
double-disk gate valve, válvula de doble disco.
double-drum engine, máquina de dos tambores, malacate de torno doble.

double-duct raceway (elec), canal de vía doble o de combinación.
double-end stud bolt, prisionero de rosca doble.
double-end tenoner, espigadora doble.
double-ended drill, broca de dos puntas.
double-ended wrench, llave de dos bocas.
double-extra-slim taper file, lima ahusada delgadísima.
double-extra-strong pipe, tubería sobreextra fuerte, cañería doble extrafuerte.
double-face hammer, martillo de dos cotillos.
double-flanged wheel, rueda acanalada o de dos pestañas.
double-flow turbine, turbina de doble efecto.
double-flute drill, broca de acanalado doble.
double-grid tube (ra), tubo de dos rejillas, (A) válvula bigrilla.
double-half-round file, lima ovalada.
double-head v (rr), poner dos locomotoras.
—— **chock** (sb), bitón.
double-headed nail, clavo de doble cabeza.
double-headed rail, riel de doble hongo.
double-helical gear, engranaje de dientes helicoidales angulares.
double-hub (p), de doble campana.
double-hung window, ventana de guillotina o de contrapeso.
double-intersection Pratt truss, armadura Whipple, armadura Pratt de doble intersección.
double-iron plane, cepillo de hierro doble.
double-jet injector, inyector de chorro doble.
double-lens camera (pmy), cámara doble.
double-loop bridle sling (cab), eslinga de brida doble.
double-loop weldless chain, cadena de eslabones de vuelta doble.
double-offset expansion U bend (p), curva compensadora con doble desplazamiento.
double-offset U bend (p), curva en U con doble desplazamiento.
double-petticoat insulator, aislador de doble campana.
double-pipe condenser, condensador de tubería doble.
double-pole (elec), bipolar.
double-reduction gearing, engranaje de doble reducción.
double-refined iron, hierro de doble afinación.
double-row ball bearing, cojinete de bolas doble.
double-runner pump, bomba de rueda doble o de rodete doble.
double-seat valve, válvula doble.
double-shielded ball bearing, cojinete de bolas de protección doble, chumacera de bolas encerrada.
double-slider coupling, acoplamiento flexible de ajuste doble.
double-strength steel, acero de doble resistencia.
double-suction pump, bomba de aspiración doble.
double-swing door, puerta oscilatoria o de vaivén.
double-swing pipe joint, junta de doble codo.
double-tang file, lima de dos colas.
double-thick window glass, vidrio común doble.
double-thread screw, tornillo de rosca doble.
double-throw lock (hw), cerradura de dos vueltas.

double-throw switch (elec), interruptor de dos vías, conmutador.

double-tube injector, inyector de tubo doble.

double-tuned transformer (ra), transformador de sintonización doble.

double-V butt weld, soldadura en V doble.

double-valve nozzle, tobera de doble válvula.

double-wall cofferdam, ataguía de tablestacado doble.

double-welded, de soldadura doble.

doubler (ra), doblador.

—— **plate** (sb), placa de refuerzo.

doublet (elec)(pmy), doblete.

—— **antenna** (ra), antena de doblete, (Es) antena dipolo.

doubletrees, balancín doble.

Douglas fir, abeto Douglas o rojo, pino del Pacífico, (A)(Pe) pino oregón.

dovetail v, ensamblar a cola de milano.

—— **plane,** cepillo de ensamblar.

—— **saw,** serrucho de hacer espigas o para machi- hembrar.

dovetailed, a cola de milano, a cola de pato, amilanado.

Dow metal (trademark), aleación de magnesio y aluminio.

dowel, s espiga, clavija, cabilla, torillo, macho; (conc) barra de trabazón, (V) raíz; v en- clavijar, espigar, empernar, encabillar.

—— **bit,** barrena para cabillas.

—— **pin,** cabilla, espiga.

—— **screw,** espiga roscada.

—— **setter** (pav), máquina espigadora.

—— **socket** (rd), casquillo para cabilla.

—— **spacer,** separador de cabillas.

dowel-bar cap (rd), casquete de espiga.

dowel-bar support (rd), silleta para clavijas.

doweling jig, guía de espigar.

down, a descendente; adv abajo.

—— **conductor,** conductor pararrayos.

—— **guy** (elec), retenida a tierra.

—— **holes** (bl), barrenos hacia abajo.

—— **pipe,** tubo de bajada.

—— **stroke** (eng), carrera descendente.

—— **timber** (lg), troncos derribados por el viento.

—— **time,** período de paralización de trabajo (por panne de una máquina).

down-folding gate (tk), compuerta abatible.

down-lead (elec), conductor o alambre de ba- jada, (ra) bajada de antena.

down-wind landing (ap), aterrizaje a favor del viento o con viento de cola.

downcast (min), pozo de ventilación.

downcomer, conducto de tubo descendente.

downcut (geol), erosión descendente.

downdraft, tiro descendente o hacia abajo.

—— **boiler,** caldera de tiro descendente.

—— **carburetor,** carburador de tiro invertido o de corriente descendente.

—— **forge,** forja de tiro hacia abajo.

—— **kiln,** horno de calor descendente.

—— **producer,** gasógeno de tiro descendente.

downfeed riser (pb), tubo vertical de flujo hacia abajo.

downfeed system (ht), sistema de vapor descen- dente.

downflow, flujo descendente.

downgrade, s bajada, pendiente descendente, abajadero, (A)(C)(Ch)(Es) pendiente; adv pendiente abajo, cuesta abajo, (A) ba- rranca abajo.

downhand welding, soldadura plana.

downhaul ball (de), pesa del motón de gancho.

downlight (il), lámpara proyectada hacia abajo.

downpour, aguacero, chaparrón.

downspout, tubo de bajada, bajada pluvial, ba- jante, caño de bajada, tubo de descenso.

downstream, aguas abajo, río abajo, corriente abajo.

—— **cofferdam,** (Es) contrapresa.

—— **nosing,** contratajamar.

—— **toe** (dam), pie del talud aguas abajo.

downstructure (pet), estructura abajo.

downtake chamber, cámara de bajada.

downtake shaft (tun), pozo de bajada.

downthrow (geol), desplazamiento descendente.

downward system (ve), sistema de corriente descendente.

downwarp (geol), pliegue sinclinal.

Dozecaster (ea), hoja de empuje angular, con- structora de caminos.

dozer (ea), topadora, hoja de empuje.

—— **shovel,** pala de tractor.

dozy (lbr), podrido.

draft, s (mec) tiro, aspiración, tiraje; (náut) calado, cala; (mam) guía, maestra; (aire) corriente; (com) giro, libranza, letra de cambio; (documento) borrador, proyecto; (fund) despezo, ahusado; v (dib) dibujar; (documento) redactar.

—— **controller,** regulador de tiro.

—— **damper,** registro o regulador de tiro.

—— **edge** (stone cutting), arista viva.

—— **fan,** ventilador o aspirador de tiro.

—— **gage,** (mec) indicador de tiro; (náut) escala de calado.

—— **gear,** aparato o tren de tracción.

—— **head,** altura de tiro.

—— **horse,** caballo de tiro.

—— **inducer,** inductor de tiro.

—— **recorder,** registrador de tiro.

—— **regulator,** regulador de tiro.

—— **tube** (turb), tubo aspirante o de aspiración, aspirador.

draft-tube liner, forro del tubo de aspiración.

drafting

—— **board,** tablero o tabla de dibujar, (M) restirador.

—— **instruments,** instrumentos de dibujo; útiles de dibujo.

—— **machine,** máquina de dibujar, aparato dibu- jador o de dibujo.

—— **room,** sala de dibujo, (V) sala de proyectos.

—— **table,** mesa de dibujo.

draftsman, dibujante, delineante, delineador.

drag, s (ca) rastra, narria; (as) carretilla; (cn) aumento de calado hacia la popa; (náut) rastra, draga; (fund) marco inferior de la caja; (geol) pliegue; v (ca) rastrear; (tr) arrastrar, tirar; (ancla) arrastrar; (freno) rozarse, agarrarse, tocar; (náut) dragar, rastrear.

—— **bit** (pet), barrena de arrastre o de fricción.
—— **broom,** escoba de arrastre.
—— **chain,** cadena para transportador de arrastre; (fc) cadena de acoplamiento.
—— **classifier** (min), clasificador de correa sin fin o de arrastre.
—— **coefficient** (wp), coeficiente de retardo.
—— **conveyor,** transportador de cadena sin fin con paletas o de arrastre, (C) rastrillo.
—— **fold** (geol), pliegue secundario o de arrastre.
—— **link,** contramanivela; (auto) contrabrazo, (M) eslabón de arrastre.
—— **mill** (min), arrastre, bocarte.
—— **scraper,** traílla, pala de arrastre, (A) balde arrastrador, (Ch) pala buey, (Ec) barredera, (M) escrepa de arrastre, (V) rastrillo, (Es) robadera; traílla de cable de arrastre.
—— **screen,** cedazo de arrastre.
—— **seal** (rd), sellado de arrastre.
—— **tooth** (saw), diente limpiador.
—— **twist** (min), hierro de limpiar barrenos.
drag-scraper bucket, cucharón de arrastre.
drag-scraper tank, lavadora de arena tipo de rastrillo.
dragline, cable de arrastre.
—— **boom,** aguilón para pala de cable de arrastre.
—— **bucket,** cubo o balde o cangilón de arrastre, cucharón de arrastre o de draga, cubetadraga, (Ch) canguilón, (M) bote de draga.
—— **excavator,** pala de cable de arrastre, draga cavadora, draga, excavadora de cable de tracción, (Es) dragalina, (M) dragalínea, (M) grúa de arrastre.
dragsaw, sierra de tiro; sierra de trozar.
dragshovel, retroexcavador, pala de tiro.
drain, *s* desagüe, desaguadero, atarjea, albedén, dren, alcantarilla, albañal, albollón; (eléc) consumo; *v* desaguar, agotar, achicar, sanear, desagotar, avenar, drenar; purgar, sangrar; escurrirse.
—— **cock,** llave o robinete de purga, grifo de desagüe; llave de decantación, espita de purga.
—— **gallery** (min), socavón de desagüe.
—— **hole,** agujero de drenaje, lloradero, orificio de purga, escurridero.
—— **plug,** tapón de evacuación o de purga.
—— **spade,** azada para cunetas.
—— **tap** (p), agujero de purga.
—— **valve,** válvula purgadora de sedimentos, válvula de drenaje.
—— **well** (ea), pozo aliviador, pozo de arena.
drainability, drenabilidad.
drainable, drenable, desaguable.
drainage, drenaje, desagüe, avenamiento, saneamiento, agotamiento, (M) desecación; alcantarillado.
—— **area,** (r) área colectora o de drenaje, hoya hidrológica, cuenca de captación, (A)(U) cuenca imbrífera, (Col) área de escurrimiento; (al) área tributaria.
—— **basin** véase **drainage area.**
—— **canal,** canal de desagüe o de agotamiento; canal de alcantarillado.
—— **ditcher,** cuneteadora, cavadora de desagües.
—— **fittings** (p), accesorios drenables.

drainer, desaguador, purgador.
draining adit (min), socavón de desagüe, galería de agotamiento.
drainpipe, tubo de desagüe, caño drenante, desaguadero, atarjea.
draintile, tubo de avenamiento, caño de drenaje, atanor.
draught, véanse **draft** y **draw.**
draw, *s* (top) arroyo, quebrada; (min) acarreo; (min) hundimiento, revenimiento; *v* (tr) halar, arrastrar; (plano) dibujar, trazar; (chimenea) tirar; (alambre) estirar; (clavo) arrancar, sacar; (bm) chupar, aspirar; (agua) sacar; (buque) calar; (hogar) sacar, apagar; (imán) atraer; (contrato) redactar; (interés) devengar; (efectivo) retirar, sacar, cobrar; (sueldo) cobrar; (giro) girar, librar; (cheque) extender, girar; (min) extraer, izar; (met) templar.
—— **cut** (tun)(min), corte de cuña al pie del frente.
—— **feed-water heater,** calentador inducido.
—— **hook** (lg), gancho de tracción.
—— **off,** decantar.
—— **press,** prensa punzonadora.
—— **to scale,** dibujar en escala.
—— **well,** véase **dug well.**
—— **works** (pet), malacate; aparejo de maniobras.
draw-in chuck (mt), boquilla de quijadas convergentes.
draw-in collet, boquilla ahusada, collar ahusado.
draw-out-type switchboard, cuadro corredizo.
draw-through heating, calefacción por aire aspirado.
drawable (met), estirable.
drawband, abrazadera, zuncho de tensión.
drawbar, (fc) barra de tracción o de tiro o de enganche o de atalaje; (mh) barra tractora (mandril).
—— **horsepower,** potencia en la barra de tracción.
—— **pull,** fuerza de tracción.
drawbench, banco de estirar.
drawbolt, perno de acoplamiento.
drawbridge, puente levadizo; puente giratorio.
drawcut shaper, limador de corte de retroceso.
drawdown, (embalse) extracción, descenso del nivel; (pozo) aspiración adicional, (Pe)(V) depresión, (M) abatimiento.
—— **curve** (sw), curva superficial cerca del emisario.
drawfile *v,* limar con lima atravesada.
drawhole (min), chimenea de extracción.
drawing, dibujo, plano; delineación; (alambre) estirado; (met) regulación del temple por recalentamiento.
—— **board,** tablero de dibujo.
—— **cloth,** tela de dibujar.
—— **die,** matriz de embutir.
—— **ink,** tinta para dibujo.
—— **materials,** útiles o materiales de dibujo.
—— **paper,** papel de dibujo.
—— **pen,** tiralíneas.
—— **press,** prensa estiradora.
—— **room,** sala de dibujo.

—— **table**, mesa de dibujo.
drawknife, cuchilla de dos mangos.
drawlink (rr), barra de tracción.
drawn, arrastrado, remolcado; estirado.
—— **grader**, niveladora de arrastre.
—— **metal**, metal estirado.
—— **road broom**, escoba de arrastre, barredora remolcada.
—— **tubing**, tubería estirada.
—— **vehicle**, vehículo arrastrado.
drawplate, calibre de estirar; placa perforada de estirar.
drawshave, véase **drawknife**.
drawspan (bdg), tramo levadizo; tramo giratorio.
dray (lg), trineo de arrastre.
drayage, carretaje.
dredge, s draga; v dragar.
—— **chain**, cadena de dragado.
—— **pipe**, tubería para draga hidráulica.
—— **spud**, pata o puntal de draga.
dredging, dragado, dragaje.
—— **equipment**, equipo dragador, tren de dragado.
—— **pump**, bomba barrera o de dragado o de lodo.
dress, (mad) cepillar, labrar, acepillar; (piedra) tallar, labrar; (miner) preparar para el beneficio; (herr) aguzar, afilar; (mh) rectificar, reacondicionar; (talud) acabar, alisar.
—— **roughly**, desbastar.
dressed four sides (lbr), cepillado por las cuatro caras, labrado cuatro caras.
dressed one edge, cepillado o labrado por un canto.
dressed one side, labrado por una cara.
dresser, aplanadora; alisadora; desbastador; moleta, enderezador, aderezadora.
dressing, (piedra) acabado, labrado; (miner) preparación mecánica; (correa) adobo, aderezo, aprestado.
drier n, (mec) desecador, secadora; (pint) secante, desecador, (M) desecativo.
drift, s (r) basuras, escombros; (min)(tún) galería, socavón; (geol) terreno de acarreo, morena; (mec) ensanchador, mandril cuadrado; (met) flujo; (fma) deriva; (pet) desviación; (agujero de remache) falta de coincidencia, desalineado; (aparejo) alcance; (náut)(geof) deriva; (nieve) ventisquero; (ra) desviación, desplazamiento; v (est) mandrinar, mandrilar; (min) perforar una galería horizontal; (náut) derivar; (arena) amontonarse, apilarse; (fc) marchar por gravedad o inercia.
—— **barrier**, barrera para basuras, (A) barrera de detrito.
—— **copper** (geol), cobre de acarreo.
—— **frame** (tun)(min), cuadro de entibación.
—— **ice**, hielo flotante.
—— **indicator**, (pet) indicador de desviación; (fma) indicador de deriva.
—— **key** (mt), cuña sacamecha.
—— **line** (pmy), línea de deriva.
—— **meter** (pet), desviómetro; (fma) derivómetro.
—— **mining**, explotación por galerías.

—— **punch**, punzón-mandril.
—— **set** (min), marco de galería.
—— **sight** (pmy), pínula de deriva.
—— **space** (ra), distancia de agrupación.
—— **stoping** (min), laboreo de subniveles.
driftbolt, s torillo, clavija, cabilla, (M) perno ciego, (C) pasador, (M) perno clavado; v unir con cabillas, fijar con torillos.
—— **driver** (t), clavador de cabillas.
drifter, perforadora para agujeros horizontales, (M) perforadora de galería, (Ec) perforadora horizontal.
drifting pick, pico liviano para obras de túnel, pico de minero.
driftpin, broca pasadora, mandril de ensanchar, mandrín, cola de rata, conformador, pasador ahusado, turrión, (M) juil.
driftway, galería de dirección, galería horizontal de avance.
driftwood, madera flotante o de acarreo, (M) madera de deriva.
drill, s (roca) perforadora, barrena, sonda, barreno, taladro, barrenadora; (mh) taladro, taladro mecánico, alesadora, agujereadora, taladradora; (fc) maniobra; v perforar, barrenar, taladrar, sondar; agujerear, horadar; (fc) maniobrar.
—— **bit**, broca de barrena, barrena, fresa, mecha, (A) trépano.
—— **carriage**, carro de perforadoras o de taladros, vagón barrenador.
—— **chuck**, portabroca, portamecha, portabarrena, boquilla, nuez, mandril de broca.
—— **collar** (pet), collar de perforación.
—— **core**, núcleo o testigo de perforación, alma de taladro, corazón.
—— **cuttings**, virutas de taladro.
—— **ejector**, sacabarrena.
—— **engine** (rr), locomotora de maniobras o de patio.
—— **extractor**, sacabarrena, arrancasondas.
—— **gage**, calibrador de mechas.
—— **gate** (pet), compuerta.
—— **holder**, portabroca, portabarrena, sujetador de barrena.
—— **hole**, barreno, perforación, agujero, taladro.
—— **jig**, patrón de taladrado.
—— **jumbo**, carro de perforadoras, vagón barrenador.
—— **pad** (lathe), disco de taladrar.
—— **pipe** (pet), cañería de perforación, tubería vástago.
—— **press**, taladradora, prensa taladradora.
—— **rod**, barra para la fabricación de barrenas; vástago para broca postiza.
—— **round** (tun), sistema de barrenos para cada voladura, (B) serie de taladros.
—— **runner** (rock), perforista, barrenador, barrenero, barrenista, taladrador, (M) pistolero (martillo perforador).
—— **sharpener**, afilador de barrenas, aguzador, afiladora.
—— **sleeve**, manguito para broca, (A) manchón para mecha.
—— **sludge**, barro de barreno, lodos de perforación.

—— **socket**, manguito de broca, casquillo para mecha.

—— **speeder**, acelerador de taladrado.

—— **stand**, portataladro.

—— **steel**, acero para perforadora, barras de barreno, barrenas.

—— **tender** (min), carro de servicio para perforadoras.

—— **track** (rr), vía de maniobras.

—— **truck** (geop), camión de taladro.

—— **vise**, cárcel para taladradora.

—— **yard** (rr), playa de maniobras.

drill-bit extractor, sacamechas.

drill-grinding gage, plantilla para brocas.

drillable (mech), taladrable.

drilled well, pozo perforado o horadado, (Col) barreno.

driller, (roca) perforista, perforador, barrenador; (taller) taladrador, horadador, (A) alesador.

drilling, barrenamiento, perforación, sondaje, barrenado; taladrado, horadación, (U) sondeo; (fc) maniobras.

—— **barge**, barcaza perforadora.

—— **cable**, cable para barrena de pozos.

—— **crew**, cuadrilla de perforación.

—— **crow**, abrazadera de taladrar.

—— **engine** (well), máquina barrenadora.

—— **fluid**, flúido de perforación.

—— **hammer**, porrilla.

—— **head**, (pet) cabeza de perforación o de sonda; (mh) cabezal de taladrar.

—— **line** (pet), cable de perforación.

—— **mud** (pet), lodo de perforación, pasta aguada de arcilla.

—— **oil**, aceite de taladrar.

—— **post**, el viejo, poste aguantador.

—— **rig** (pet), equipo o aparejo o malacate de perforación, tren de sondeo, máquina perforadora.

—— **template**, plantilla de taladrar, patrón de agujerear.

—— **valve** (pet), válvula maestra por la cual pasan las herramientas de perforación.

drilling-and-tapping machine, máquina para taladrar y roscar el tubo maestro para macho de derivación.

drinking water, agua potable o de beber o de bebida.

drip, s gotero, escurridero, vertiente, (Es) guardapolvo (sobre puerta o ventana); (cf) tubo para condensado; v gotear, chorrear; (cf) desaguar, sangrar.

—— **accumulator**, colector de condensado.

—— **cock**, purgador de agua, llave de desagüe, robinete de purga.

—— **lift** (p), dispositivo elevador del condensado.

—— **line** (ht), tubería para condensado.

—— **loop** (elec), lazo de goteo.

—— **molding**, gotero, moldura escurridera.

—— **pan**, colector de aceite, recogegotas, cogegotas.

—— **petticoat** (elec), campana de goteo.

—— **pipe**, tubo gotero.

—— **ring**, anillo de goteo.

—— **T** (p), T con orificio de drenaje.

—— **trap**, trampa de goteo.

—— **valve**, llave goteadora, válvula de drenaje.

drippage, goteo.

dripproof, a prueba de goteo.

driptight, estanco al goteo.

drivable stream (lg), río flotable.

drive, s (maq) transmisión, propulsión, accionamiento; (ef) conducción, flotación; v (maq) impulsar, actuar, mover, accionar, impeler; (pi) hincar, clavar; (caballo) manejar, arrear; (re) remachar, roblonar; (clavo) clavar; (tún) perforar, avanzar, (A) horadar, (M) colar; (pozo) perforar, enclavar; (auto) manejar, guiar, conducir; (ef) conducir.

—— **bracket** (elec), palomilla para clavar.

—— **clamp** (pet), grapa golpeadora, abrazadera de hincar.

—— **coupling**, manguito de tubería de hincar.

—— **fit**, ajuste forzado.

—— **gear**, engranaje impulsor o transmisor.

—— **pipe**, (sx)(pet) tubos de hincar, caño de perforación.

—— **roll** (road roller), rodillo impulsor, cilindro motor.

—— **sampling** (tb), muestreo por tubo hincado.

—— **screw**, tornillo para clavar, clavo-tornillo, clavo de rosca, (A) tornillo de hincadura.

—— **shaft**, árbol o eje motor, (M) flecha motriz.

—— **sleeve** (pi), collar de hincar.

—— **sprocket**, rueda dentada motriz.

—— **to refusal** (pi), hincar a rechazo, clavar hasta el rebote, (C) clavar a firme, (C) clavar a resistencia.

drive-type lag screw, pija punta cónica, pija para clavar.

drivehead (pet), cabeza de hincado, (M) cabeza encajadora.

driven

—— **gear**, engranaje mandado o impulsado.

—— **head** (re), cabeza remachada o martillada.

—— **pulley**, polea impulsada.

—— **shaft**, eje impulsado, árbol accionado.

—— **well**, pozo hincado o clavado.

driver, carretonero, carretero; arriero, acemilero; yuntero, boyero; (auto) conductor, operario, chófer, camionero; (loco) maquinista; tractorista; (loco) rueda motriz (maq) engranaje motor; (mh) perro impulsor, tope; (mh) guía.

—— **plate** (ra), placa de la impulsora.

—— **stage** (ra), etapa excitadora o preamplificadora, (A) etapa impulsora.

—— **transformer** (ra), transformador de la válvula preamplificadora.

—— **valve** (ra), válvula amplificadora o preamplificadora, (Es) válvula motriz.

driver's license, licencia de manejar, (C) título.

driving, (pi) hinca, hincadura, hincamiento; (re) remachadura, roblonado; (auto) manejo, conducción; (tún) perforación, cuele.

—— **axle**, eje o árbol motor, eje de mando.

—— **beam** (auto), luz o haz de marcha.

—— **belt**, correa o banda de transmisión.

—— **block**, bloque de golpeo.

—— **box** (loco), chumacera del eje motor.

—— **cap** (pi), macaco, capuchón, sombrerete; casquete de hincar; (pet) cabeza para hincar.

—— **chain**, cadena motriz o de mando.

—— **compartment** (tk), compartimiento de mando.

—— **crank**, manivela motriz.

—— **die** (re), estampa, embutidor.

—— **disk** (auto), disco motor.

—— **fit**, ajuste clavado o a martillo.

—— **flange** (auto), platillo de transmisión, (M) plato motor, (A) manchón de mando.

—— **gear**, engranaje motor o de mando.

—— **head**, (pi) macaco, capuchón, sombrerete; (pet) cabeza para hincar o de golpear.

—— **nut** (str), tuerca de golpeo o de clavar.

—— **pinion**, piñón motor o de mando, (A) piñón de accionamiento, (U) piñón de comando.

—— **pulley**, polea motriz o impulsora o de transmisión.

—— **shaft**, eje motor, árbol propulsor o de transmisión o de impulsión, (M) flecha de propulsión.

—— **shoe**, (pi) azuche, zueco; (pet) zapata de clavar o para hincar.

—— **slot** (drill), ranura motriz.

—— **stresses** (pi), esfuerzos del hincado.

—— **torque** (auto), torsión de marcha.

—— **wheels** (loco), ruedas motrices o propulsoras.

drop, s (martinete) caída; (r) desnivel, caída; (presión) baja, caída; (potencial) baja, caída; (hid) salto; (hid) rápido; (líquido) gota; v (martinete) caer; dejar caer; (presión)(potencial) caer, bajar; (líquido) gotear.

—— **anchor**, anclar, fondear, dar fondo.

—— **caisson**, cajón abierto.

—— **cord** (elec), cordón de suspensión, (C) bajante.

—— **dog** (sa), grapa de caída.

—— **door**, puerta caediza.

—— **elbow** (p), codo pendiente o de orejas.

—— **factor** (elec), coeficiente de caída de tensión.

—— **fill** (rock), escollera arrojada o a piedra perdida, enrocamiento a granel.

—— **forging**, pieza forjada a martinete.

—— **hammer**, martinete, maza, martillo de caída libre, (C) mazote, (Ch) pancho, (M) pilón de gravedad; martinete forjador.

—— **hanger** (shafting), soporte o consola colgante.

—— **inlet** (sw), boca de caída.

—— **ladder** (fire escape), escala bajable.

—— **manhole**, pozo de caída.

—— **panel** (conc floor), panel deprimido, (A) losa de refuerzo, (M) ábaco, (M) tablero rebajado.

—— **pit** (rr), pozo para sacar bogies.

—— **press**, prensa punzonadora; martinete forjador.

—— **shaft** (min), forro de concreto que se hunde con la profundización del pozo.

—— **siding**, tablas rebajadas para forro exterior de una casa.

—— **spring compass** (dwg), compás giratorio.

—— **structure** (canal), salto.

—— **T** (p), T de orejas, T pendiente.

—— **test**, ensayo de maza caediza.

—— **window**, ventana abatible; ventana embisagrada al pie.

drop-bottom bucket (conc), cucharón de descarga por debajo.

drop-bottom car, carro de trampas, vagón de trampilla.

drop-center axle (auto), eje de centro bajo.

drop-deck trailer, remolque de plataforma baja.

drop-down curve (hyd), curva descendiente.

drop-feed oiling, lubricación de goteo.

drop-forged, forjado a martinete o a troquel.

drop-inlet culvert, alcantarilla de pozo.

drop-out fuse (elec), fusible de desprendimiento.

drop-out-fuse cutout, cortacircuito de fusible de caída.

drop-out voltage, voltaje de disparo, tensión de desenganche.

drop-side car, carro de costado bajable.

dropped curb (pav), cordón deprimido.

dropper (pav), colocador de ladrillos.

dropping

—— **bottle** (lab), botella cuentagotas, frasco gotero.

—— **point**, punto de goteo.

—— **resistor** (elec), resistor para caída de voltaje.

—— **tube** (lab), tubo cuentagotas.

drought, sequía, seca.

drove (stonecutting), s cincel desbastador; v desbastar.

—— **chisel**, cincel desbastador.

drown (pu), anegar, ahogar.

drowned weir, vertedero incompleto o sumergido.

drowned well (pet), pozo inundado o ahogado.

drum, s (malacate) tambor, torno, huso, (C) bidón; (cal) colector de vapor, tambor; (mz) cuerpo, tambor; (envase) bidón; v (ef) arrastrar por cable y tambor.

—— **armature**, inducido de tambor.

—— **cam**, leva de tambor.

—— **controller** (elec), combinador de tambor.

—— **filter**, filtro cilíndrico o de tambor.

—— **gate** (hyd), compuerta flotante o de tambor o de sector o de abatimiento.

—— **sander** (ww), lijadora de tambor.

—— **scanner** (tv), analizador de tambor, tambor de exploración.

—— **screen**, criba cilíndrica o de tambor.

—— **switch** (elec), conmutador de cilindro.

—— **trap** (p), trampa de tambor.

—— **winding** (elec), devanado o arrollamiento de tambor.

drum-type elevator, ascensor de tambor.

drum-type milling machine, fresadora tipo de tambor.

drum-wound armature, inducido de tambor.

drummy rock, roca laminada de resonancia hueca, (M) roca segregada.

drunken saw, sierra elíptica o excéntrica o circular oscilante.

dry, v secar, resecar, desecar, enjutar; secarse; a seco, árido, enjuto.

—— **battery**, pila o batería seca.

—— **casting**, fundición en arena seca.

—— cell (elec), pila seca.
—— coal, carbón seco o poco volátil.
—— concentration, concentración por venteo o en seco.
—— distillation, destilación seca o destructiva.
—— dock, dique seco o de carena o de buque.
— electrolytic capacitor, condensador de electrólito pastoso.
—— feed (wp), alimentación (de cloro) directa, alimentación en seco.
—— flashover voltage, voltaje para salto de arco con aislador seco.
—— grinding, molienda en seco.
—— hole (pet), pozo seco.
—— kiln, desflemadora, secadero.
—— loose (ag), seco y suelto.
—— masonry, mampostería en seco o a hueso, pircada.
—— measure, medida para áridos.
—— pipe (bo), tubo antiespumante.
—— placer (min), placer seco.
—— process (chem), vía seca.
—— processing (sand), clasificación seca.
—— return (ht), tubería de retorno sobre el nivel del agua en la caldera.
—— rodded (ag), varillado o compactado seco.
—— rot, caries o podrición seca.
—— pack (tun), relleno seco.
—— run (pmy), vuelo de prueba.
—— screening, cribado en seco.
—— season, estación seca, temporada de secas, estación de sequía.
—— storage (battery), bodegaje en seco.
—— transformer, transformador seco.
—— wall, muro en seco, albarrada, horma, pirca.
—— wash, arroyo seco.
—— well, (pet) pozo seco; (is) cámara seca.
dry-arcing distance (inl), distancia de salto en seco.
dry-bound macadam, macádam seco.
dry-bone ore, esmitsonita.
dry-bulb thermometer, termómetro seco o de ampolleta seca.
dry-disk clutch, embrague de disco seco.
dry-disk rectifier (elec), rectificador de disco seco.
dry-dock v, poner en dique seco.
dry-feed machine (wp), máquina alimentadora de materiales secos.
dry-pipe system (sk), sistema de tubería seca.
dry-pipe valve, válvula de tubo seco.
dry-placed, colocado en seco.
dry-plate clutch, embrague de placa seca.
dry-pressed brick, ladrillo prensado en seco.
dry-process insulator, aislador prensado en seco.
dry-weather flow, (al) gasto sin agua pluvial.
drying
—— bed (sd), lecho secador, (A) playa de secado, (Ch) cancha de secamiento.
—— fan, ventilador secador.
—— oil (pt), aceite secante o cocido.
—— shrinkage (conc), contracción por desecación.
dual, doble.
—— bar (reinf), barra que se compone de dos barras redondas torcidas en frío.
—— drive (auto), mando doble.

—— masonry wall (bw), pared hueca con trabas metálicas.
—— roadways, calzadas gemelas, camino doble o con faja central.
—— runways (ap), pistas gemelas o paralelas.
—— tires, neumático doble, neumáticos gemelos.
—— wheels (auto), ruedas gemelas.
dual-cut drill, broca de doble corte.
dual-drive, de doble transmisión.
dual-drum paver, pavimentadora de tambor doble.
dual-fuel engine, motor para dos combustibles.
dual-grid tube (ra), válvula de dos rejillas.
dual-purpose dam, presa de doble aprovechamiento.
dual-voltage motor, motor para dos voltajes.
dualin (bl), dualina.
dub (carp), azolar, aparar.
—— out (mas), enrasar.
duck, loneta.
duck-bill point, punta chata, pico de pata.
duck-inserted rubber packing, empaquetadura de goma con inserciones de loneta.
duct, (eléc) conducto portacable, (M) ducto de cable; (aa) conducto, canal, caño.
—— bank (elec), grupo de conductos, conducto celular.
ductile, dúctil.
ductilimeter, ductilímetro.
ductility, ductilidad, (A)(M) ductibilidad.
dug well, pozo excavado, (Pan) pozo de brocal, (M) pozo chino.
dulcite, dulcitol (lab), dulcita.
dull, v embotar, enromar, arromar; desafilar; a (herr) desafilado, embotado, (PR) boto.
—— emitter (ra), válvula de emisión débil.
—— finish (hw), acabado mate, deslustrado.
—— luster (miner), brillo mate.
—— red, rojo apagado.
dull-glazed tile, baldosa de vidriado mate.
dumb
—— aerial (ra), antena artificial.
—— iron, (auto) mano de ballesta; (cn) calafateador de cubierta.
—— sheave, polea falsa.
—— snatch, guía de cable sin garrucha.
—— turner (su), plancha de guía del bagazo.
dummy (bl), cartucho sin explosivo.
—— antenna (ra), antena artificial o no radiante, (A) antena ficticia.
—— joint (pav), junta simulada.
—— load, carga simulada.
—— piston (turb), émbolo compensador.
—— tube (ra), válvula inactiva.
dump, s terrero, botadero, vaciadero, tiradero, escombrera, vertedero; v verter, vaciar, voltear; botar, tirar, arrojar.
—— bailer (pet), cuchara vertedora.
—— body (tk), caja basculante o volcable o de volteo.
—— bucket, cubo de volteo, balde de vuelco, cubeta volcadora, cucharón volcador, balde basculante.
—— car, carro volcador, carro basculador o de volteo o de vuelco, vagón vaciador; vagoneta basculante o de volteo.

—— **hook** (lg), gancho soltador.
—— **power,** potencia provisional, fuerza provisoria, energía secundaria.
—— **scow,** gánguil, lancha de descarga automática, chalana de compuerta.
—— **trailer,** remolque volcador.
—— **truck,** camión de volteo, volquete, (M) camión de maroma.
—— **wagon,** carretón de volteo, carro de voltear.
dumpcart, carretón de volteo, carreta volquete.
dumped rock fill, escollera a granel o a volteo, enrocamiento vertido.
dumper, volteador, tumbador.
dumping, vaciadura, vaciada, vuelco, volteo; arrojada, botada.
—— **block,** motón de vaciar.
—— **chute** (mx), artesa de volteo, canaleta de descarga.
—— **drum** (hoist), tambor retenedor.
—— **grate,** parrilla de báscula.
—— **height** (sh), altura de descarga.
—— **line,** cable vaciador o de descarga o de volteo.
—— **ram** (mx), émbolo descargador.
—— **reach** (sh), alcance de descarga.
dumpman (ea), peón del botadero.
dumpy level, nivel rígido o de anteojo corto.
Dunbar bed (sen), lecho Dunbar.
dune, médano, duna.
dunite (geol), dunita.
dunnage, listones; abarrotes, maderos de estibar, (C) ventilas; durmientes; madera inferior; desperdicios de aserradero.
dunnite, dunita (explosivo).
duodecimal, duodecimal.
duodiode (ra), duodiodo.
duolateral coil (ra), bobina duolateral.
duotriode (ra), duotriodo.
duplex, doble, dúplice, duplex.
—— **compressor,** compresor gemelo.
—— **cross joint** (elec), empalme en cruz de enrollamiento paralelo.
—— **lathe,** torno doble.
—— **lock,** cerradura de dos cilindros.
—— **operation** (ra), funcionamiento de ida y vuelta.
—— **pump,** bomba doble, bombas gemelas.
—— **winding** (elec), devanado doble.
—— **wire** (elec), alambre duplex.
duplicator (mt), duplicadora.
durability, durabilidad.
durable, durable, duradero.
Duralite (trademark), duralita.
duralumin (alloy), duraluminio.
duramen, duramen, madera de corazón.
duration curve (hyd), curva de duración, (A) curva de persistencia.
durax pavement, adoquinado de pequeños bloques cúbicos de granito.
Duriron (trademark), especie de acero al silicio resistente a los ácidos.
durometer, durómetro.
Duronze (trademark), aleación de cobre y aluminio.
dust, polvo.
—— **arrester** (ac), atrapador o detenedor de polvo.

—— **cap,** tapa guardapolvo.
—— **collector,** atrapador o captador de polvo.
—— **core** (elec), núcleo de hierro pulverizado.
—— **eliminator,** eliminador de polvo.
—— **filter,** filtro de polvo.
—— **flinger,** eliminador de polvo.
—— **guard,** guardapolvo.
—— **jacket,** camisa de polvo, chaqueta para polvo.
—— **mask,** máscara contra el polvo.
—— **precipitator** (ac), precipitador de polvo.
—— **rejector,** rechazador del polvo.
—— **respirator,** respirador para polvo.
—— **ring,** anillo guardapolvo.
—— **seal,** protector contra el polvo, guardapolvo.
—— **separator,** captador o separador de polvo.
—— **shield** (inst), guardapolvo.
—— **trap,** separador de polvo.
dust-counter, polvoscopio.
dust-exhaust system, sistema de aspiración de polvo; instalación para aspiración de polvo.
dust-laying oil, aceite para matar polvo.
dust-sealed, estanco al polvo.
dust-separating fan, ventilador separador de polvo.
dust-tight, estanco o hermético al polvo.
duster (pt), cepillo de quitar polvo.
dusting (bldg), levantamiento de polvo en piso de concreto.
dustless, sin polvo, antipolvo.
dustproof, a prueba de polvo; hermético al polvo.
dustproofing (concrete floor), tratamiento para evitar levantamiento de polvo.
Dutch bond (bw), aparejo cruzado.
Dutch door, puerta dividida horizontalmente.
dutchman, (mam) pedazo delgado de relleno; (ef) palo de guía; (mec) cuña de ajuste; (mec) cabilla; (mec) parche.
duty, derechos de aduana; (agua) dotación, alema, coeficiente de riego; (maq) servicio, trabajo; rendimiento.
duty-free, libre o franco de derechos.
dwarf signal (rr), señal enana.
dwell (mech), detención, intervalo.
dye, tinte.
—— **number,** número de tinte.
—— **test,** ensayo a tinte.
—— **wastes** (sen), aguas cloacales de tintorería, (M) desechos de tintorerías.
dye-velocity method (hyd), método tinte-velocidad.
dynagraph, dinágrafo.
dynam, dinamía.
dynameter, dinámetro.
dynamic, dinámico.
—— **balance,** equilibrio dinámico o en marcha.
—— **braking,** frenaje dinámico, frenado eléctrico.
—— **characteristic** (ra), característica dinámica.
—— **formula** (pi), fórmula dinámica.
—— **head** (hyd), carga dinámica o de velocidad, altura cinética.
—— **loudspeaker** (ra), altoparlante dinámico, altavoz de bobina móvil, parlante electrodinámico.
—— **magnification** (geop), amplificación dinámica.
—— **metamorphism** (geol), metamorfismo de dislocación, dinamometamorfismo.

—— **plate resistance** (ra), resistencia dinámica de placa.

dynamical electricity, electricidad dinámica o voltaica.

dynamics, dinámica.

dynamite, dinamita.

—— **cartridge,** cartucho de dinamita.

—— **thawer,** deshelador o calentador de dinamita.

dynamo, dínamo.

dynamoelectric, dinamoeléctrico.

dynamometer, dinamómetro.

—— **ammeter,** amperímetro dinamométrico.

—— **brake,** freno dinamométrico.

—— **card,** carta dinamométrica.

—— **wattmeter,** vatímetro dinamométrico.

dynamometric governor, regulador dinamométrico o diferencial.

dynamotor, dinamotor.

dynatron (ra), dinatrón.

—— **oscillator** (ra), oscilador dinatrón.

dyne, dina.

dynode (ra), dinodo.

dysentery, disentería.

eagre (ti), maremoto.

ear, (mec) oreja, aleta; (tr eléc) oreja, casquillo o ojete de sujeción.

earned surplus, excedente de explotación.

earning power, capacidad de ganancia.

earnings, ingresos, entrada; ganancias, utilidades.

earphone, véase **headphone.**

earpiece (tel), auricular.

earth, s tierra; (eléc) tierra, masa; v (eléc) conectar a tierra.

—— **anchor,** ancla de tierra o para retenida.

—— **auger,** barrena o taladro o perforadora de tierra, sonda.

—— **borer,** trépano de sondar, barrena de cateo, tienta.

—— **dam,** presa o dique de tierra, presa de terraplén, (Ch) tranque de tierra, (M) cortina de tierra.

—— **drill,** perforadora de tierra, barrena para tierra.

—— **fill,** terraplén, relleno, (U) terraplenado, (M) terracerías.

—— **moving,** movimiento o traslado de tierra, trabajo de desmonte.

—— **pitch,** brea mineral o de tierra.

—— **pressure,** presión de tierra, empuje de la tierra.

—— **tremor,** temblor.

earth-fill dam, presa de terraplén, dique de tierra.

earth-inductor compass, brújula de inducción.

earthenware, barro, gres, terracota.

earthquake, terremoto, temblor, sismo, sacudida sísmica.

—— **stress,** esfuerzo debido a terremoto.

earthquake-proof, a prueba de terremotos, antisísmico.

earthquake-resistant, resistente a terremotos.

earthwork, movimiento o obra de tierra; terraplén.

earthy (miner), terroso, sin brillo, térreo.

ease off (cab), amollar.

easement, servidumbre; (es) curva de transición o de acuerdo.

—— **curve** (rr), curva de transición.

easer joint bar (rr), eclisa de alivio o de resalte.

easer rail (rr), carril de alivio, contracarril de resalte.

easing (st), curva de acuerdo o de transición.

east, s este; a del este, oriental; adv al este.

eastern, del este, oriental.

easting (surv), desviación hacia el este.

easy

—— **curve,** curva suave o abierta.

—— **fit,** ajuste libre.

—— **grade,** pendiente tendida o suave.

eaves, alero, socarrén, (Ch) antetecho.

—— **board,** ristrel, contrapar, guardacabio.

—— **strut,** puntal de alero.

—— **trough,** canaleta, canalón.

ebb v (ti), menguar, refluir, descrecer, decrecer.

—— **and flow,** flujo y reflujo.

—— **tide,** marea menguante o vaciante o decreciente, vaciamar, reflujo.

ebonite, ebonita.

ebonize, ebonizar.

ebony, ébano.

ebullition, ebullición.

eccentric, s excéntrica, excéntrico; a excéntrico.

—— **bushing** (p), buje o casquillo excéntrico.

—— **chuck** (mt), sujetaexcéntrica.

—— **coupling** (p), manguito o acoplamiento excéntrico.

—— **crank** (se), manubrio de la excéntrica.

—— **load,** carga excéntrica o descentrada.

—— **pin** (se), espiga de la excéntrica, pasador del excéntrico.

—— **reducing coupling** (p), acoplamiento excéntrico de reducción.

—— **reducing nipple** (p), niple reductor excéntrico.

—— **rod** (se), vástago o varilla de la excéntrica.

—— **shaft** (se), eje excéntrico; eje de la excéntrica.

—— **station** (surv), estación excéntrica.

—— **strap** (se), abrazadera de la excéntrica, collar del excéntrico.

eccentric-piston rotary pump, bomba rotativa de pistón excéntrico.

eccentric-shaft press, balancín, prensa de eje excéntrico.

eccentricity, excentricidad.

echo (ra), onda secundaria o reflejada.

—— **suppressor** (tel), supresor de ecos.

econometer, económetro.

economizer, economizador.

—— **piston** (auto), émbolo o pistón economizador.

edaphological, edafológico.

eddy s (hyd), remolino, arremolinado, torbellino; contracorriente, contraflujo, revesa; v arremolinarse, remolinar; revesar.

—— **current** (elec), corriente parásita, (A) corriente de remolino.

—— **flow,** flujo turbulento.

—— **loss,** (hid) pérdida por remolino; (eléc) pérdida por corrientes parásitas.

eddy-current brake, freno a corrientes parásitas, dínamo-freno.
edge, *s* canto, borde, reborde, bordo, arista; (herr) filo; *v* (mad) cantear.
—— **cam,** leva de disco.
—— **distance** (str), distancia del borde al centro del remache.
—— **filter** (eng), filtro de borde.
—— **joint** (w), unión de arista, junta de canto.
—— **mill,** (min) molino chileno; (mh) fresa angosta.
—— **, on,** de canto.
—— **plane,** cepillo de cantear.
—— **protector,** guardavivo, arista metálica de defensa.
—— **strip** (sb), cubrejunta longitudinal.
—— **water** (pet), agua subyacente o marginal o de fondo.
—— **weld,** soldadura de cantos.
edge-beaded (lbr), con cordón al canto.
edge-grain *a* (lbr), aserrado por cuartos.
edge-skew brick (rfr), ladrillo oblicuo.
edge-wound (elec), devanado de canto.
edger, canteador, canteadora.
edging grinder, trituradora de madera.
edging saw, sierra de cantear.
edgings (sa), desechos de la canteadora.
Edison
—— **base,** pie de lámpara tipo Edison o de casquillo prensado.
—— **effect** (ra), efecto Edison, desprendimiento termiónico.
—— **storage battery,** acumulador Edison o de hierro-níquel.
eduction, educción.
—— **pipe** (pu), tubo eductor.
eductor, eyector, eductor.
effect, (mec)(eléc) efecto; (az) tacho al vacío; (az) tren de tachos.
effective (mech)(elec), efectivo.
—— **area** (conc), área efectiva.
—— **depth** (str), altura efectiva o útil, (M) peralte efectivo.
—— **diameter** (th), diámetro primitivo.
—— **head** (hyd), carga o caída efectiva, desnivel efectivo, salto neto.
—— **horsepower,** energía neta en caballos.
—— **pressure,** presión efectiva.
—— **resistance** (elec), resistencia efectiva.
—— **size,** tamaño efectivo, diámetro eficaz.
—— **span,** luz efectiva, (A) luz de cálculo.
—— **temperature** (ac), temperatura efectiva.
—— **value** (elec), valor efectivo.
—— **volts,** voltaje efectivo, tensión virtual.
effectiveness factor, factor de efectividad.
efficiency, eficiencia; (maq) rendimiento.
—— **curve,** curva de rendimiento.
efficient, eficiente.
effloresce, eflorescerse.
efflorescence, eflorescencia.
effluent, *s* efluente, derrame; *a* efluente, escurrente.
—— **controller,** regulador del efluente.
—— **ground water,** agua freática efluente.
—— **seepage,** percolación efluente.
—— **weir** (sd), vertedero del efluente.

effluent-discharge conduit (dac), conducto d salida.
effluvium (elec), efluvio.
efflux, efusión, emisión.
effort (mech), esfuerzo.
effusive (rock), efusivo.
egg coal, antracita de tamaño $2\frac{1}{2}$ a $3\frac{7}{16}$ pulg carbón bituminoso de tamaño $1\frac{1}{2}$ a 4 pulg
egg insulator (elec), aislador forma huevo.
egg-shaped, ovoide.
egress, salida, egreso.
eidograph (dwg), eidógrafo.
eight-circuit switch, interruptor de ocho circuitos.
eight-cut finish (stone), acabado con martellina de ocho hojas.
eight-cylinder, de ocho cilindros.
eight-hour day, jornada de ocho horas.
eight-inch pipe, tubo de 8 pulg.
eight-pitch thread, rosca de ocho vueltas por pulgada.
eight-ply, de ocho capas.
eight-point socket, casquillo de ocho estrías.
eight-prong tube (ra), válvula de ocho patas.
eight-stage pump, bomba de ocho grados.
eighth *n,* un octavo.
—— **bend** (p), codo en octavo, curva de 45° curva de $\frac{1}{8}$, acodado abierto.
eighth-bend offset (p), pieza de inflexión con transición a 45°.
eightpenny nail, clavo de $2\frac{1}{2}$ pulg.
eightypenny spike, clavo de 8 pulg.
eject, expeler, echar.
ejection, expulsión.
—— **trap,** separador eyector.
ejector, eyector, bomba de chorro; hidroyector.
—— **condenser,** eyector condensador, condensa dor eyector.
elastance (elec), elastancia.
elastic, elástico.
—— **deformation,** deformación elástica.
—— **fatigue,** fatiga elástica o de deformación elástica.
—— **hysteresis,** histéresis mecánica o elástica.
—— **limit,** límite de elasticidad.
—— **rebound theory** (geop), teoría del rebote elástico.
—— **recovery,** recuperación elástica.
—— **resilience,** elasticidad, (A) rebote elástico.
—— **strength,** resistencia elástica.
elastica, curva elástica; (hid) catenaria hidrostática.
elasticity, elasticidad.
Elastite (trademark)(expansion joint), elastita.
elastivity, elasticidad eléctrica, elastancia específica.
elbow (p), codo, ele, codillo, tubo acodado.
—— **catch,** fiador o pestillo acodado.
—— **connector,** conector angular o ele.
electragist, contratista electricista.
Electraloy (trademark), aleación útil para efectos de radio.
electric, eléctrico.
—— **balance,** balanza eléctrica.
—— **braking,** frenaje eléctrico o reostático; fre naje de regeneración.

—— brazing, soldadura fuerte eléctrica.

—— calamine, calamina, silicato de cinc.

—— candle, bujía eléctrica o de Jablochkoff.

—— column, pila voltaica.

—— current meter, molinete magnético.

—— density, densidad eléctrica.

—— displacement, desplazamiento eléctrico.

—— drive, accionamiento eléctrico, electropropulsión.

—— elasticity, elasticidad eléctrica, elastancia específica.

—— eye, pila fotoeléctrica, (Es) ojo eléctrico.

—— field strength, intensidad de campo eléctrico.

—— fixtures, artefactos eléctricos o de alumbrado eléctrico.

—— flux, flujo eléctrico o electrostático.

—— force, fuerza eléctrica; intensidad de campo eléctrico.

—— horsepower, caballo de fuerza eléctrica (746 vatios).

—— induction, inducción eléctrica o electrostática, densidad de flujo dieléctrico.

—— intensity, intensidad de campo eléctrico.

—— lock (rr), enclavamiento eléctrico.

—— logging (pet), registros electrográficos, perfilaje eléctrico.

-—— meter, contador o medidor eléctrico.

—— moment, par eléctrico.

—— motor, motor eléctrico, electromotor.

—— potential difference, diferencia de tensión o de potencial.

—— power, fuerza o energía o potencia eléctrica.

—— power plant, central generadora, planta eléctrica o de energía, (A)(U)(B) usina eléctrica.

—— pressure, presión eléctrica.

—— residue, residuo eléctrico, carga remanente.

—— shock, choque o golpe eléctrico, sacudida eléctrica.

—— squib (bl), tronador o incendiario eléctrico, carretilla eléctrica.

—— steam generator, caldera eléctrica.

—— steel, acero de horno eléctrico, (M) electroacero.

—— street railway, tranvía eléctrico.

—— strength, resistencia dieléctrica o aisladora.

—— stress, esfuerzo eléctrico o dieléctrico.

—— tape, cinta aislante.

—— varnish, barniz aislador.

—— wave, onda eléctrica o hertziana.

—— welding, soldadura eléctrica o a electricidad, electrosoldadura.

—— wiring, alambrado o tendido eléctrico, canalización eléctrica.

electric-arc furnace, horno de arco voltaico.

electric-cradle dynamometer, dinamómetro eléctrico de cuna, dínamo dinamométrico.

electric-furnace steel, acero de horno eléctrico.

electric-powered, accionado eléctricamente.

electrical, eléctrico.

—— code, código eléctrico.

—— contractor, contratista electricista.

—— coring, exploración geológica mediante la determinación de resistividades en un barreno.

—— degree, grado eléctrico.

—— engineer, ingeniero eléctrico o electricista, electrotécnico, técnico electricista.

—— engineering, ingeniería eléctrica, electrotecnia.

—— fittings, accesorios eléctricos.

—— interlock, enclavamiento o trabado eléctrico.

—— metallic tubing, tubería eléctrica metálica, tubería de pared delgada.

—— prospecting (geop), exploración eléctrica o geoeléctrica.

—— supplies, materiales o efectos eléctricos.

electrically driven, accionado o impulsado eléctricamente.

electrician, electricista.

electrician's

—— bit, mecha o barrena de electricista.

—— helper, obrero o peón de electricista.

—— pliers, alicates de electricista.

electricity, electricidad.

electrify, electrificar; electrizar.

electroacoustic, electroacústico.

electroaffinity, electroafinidad.

electroanalysis, electroanálisis.

electroanalyzer, electroanalizador.

electrocapillary, electrocapilar.

electrochemical, electroquímico.

electrochemistry, electroquímica.

electrochlorination, electrocloración.

electrocommunication, electrocomunicación.

electrode, electrodo.

—— carrier (w), estuche o aljaba de electrodos.

—— characteristic, característica electródica.

—— conductance (ra), conductancia electródica.

—— drop (w), caída de tensión al electrodo.

—— feeder (w), avanzador del electrodo.

—— holder, portaelectrodo.

—— impedance (ra), impedancia electródica.

—— potential, tensión del electrodo.

—— tip (w), boquilla del electrodo.

electrodeposit v, depositar electrolíticamente.

electrodeposition, deposición electrolítica, electrodeposición.

electrodynamic, electrodinámico.

electrodynamics, electrodinámica.

electrodynamometer, electrodinamómetro.

Electroforged (trademark), electroforjado.

electrofused (ct), fundido en horno eléctrico.

electrogalvanic, electrogalvánico.

electrogalvanize, electrogalvanizar.

electrogeophysics, geofísica eléctrica.

electrographic, electrográfico.

electrographite, electrografito.

electrohydraulic, electrohidráulico.

electrokinetic, electrocinético.

electrolier, artefacto de iluminación, electrolero.

Electrolon (trademark)(abrasive), electrolón.

electrolysis, electrólisis.

electrolyte, electrólito.

electrolytic, electrolítico.

—— cell, pila o celda electrolítica.

—— condenser, condensador electrolítico.

—— copper, cobre electrolítico o de refinación electrolítica.

—— dissociation, disociación electrolítica.

—— rectifier, rectificador electrolítico.

electrolyze, electrolizar.

electromagnet, electroimán.
electromagnetic, electromagnético.
—— brake, freno electromagnético o de electroimán.
—— deflection (ra), desviación electromagnética.
—— stress, esfuerzo magnético o electromagnético.
—— wave, onda electromagnética o eléctrica o hertziana.
electromagnetism, electromagnetismo.
electromechanical, electromecánico.
electromechanics, electromecánica.
electrometallurgy, electrometalurgia, galvanoplastia.
electrometer, electrómetro.
electrometric, electrométrico.
electrometry, electrometría.
electromotive, electromotor, electromotriz.
—— force, fuerza electromotriz.
—— series, serie electroquímica o electropotencial.
electromotor, motor eléctrico, electromotor.
electron, electrón.
—— affinity, afinidad electrónica.
—— alloys, grupo de aleaciones de magnesio.
—— beam, rayo o haz electrónico.
—— coupling (ra), acoplamiento electrónico.
—— current, corriente electrónica.
—— drift, flujo de electrones.
—— emission, desprendimiento electrónico, emisión electrónica.
—— gun (ra), lanzador o disparador de electrones, (Es) cañón electrónico.
—— microscope, microscopio electrónico.
—— multiplier, multiplicadora electrónica o fotoeléctrica.
—— stream, haz electrónico, corriente de electrones.
—— tube, tubo electrónico o al vacío, válvula eléctrica.
—— volt, voltio electrónico o equivalente.
electron-coupled oscillator (ra), oscilador de acoplamiento electrónico.
electron-multiplier phototube, fototubo multiplicador.
electronegative, electronegativo.
electronic, electrónico.
—— surveying, levantamiento electrónico.
electronics, electrónica, técnica electrónica.
electroosmosis, electroósmosis.
electroosmotic, electroosmótico.
electrophone, electrófono.
electrophoresis, electroforésis.
electroplating, electrodeposición, electrochapeado, electroplastia.
electropneumatic, electroneumático.
electropolar, electropolar.
electropositive, electropositivo.
electroreceptive, electrorreceptivo.
electroreduction, electrorreducción.
electrorefining, refinación electrolítica, electrorrefinación.
electroscope, electroscopio.
electroscopic, electroscópico.
electrosherardizing, electroesherardización.
electrostatic, electroestático, electrostático.

—— capacity, capacidad electrostática, permitancia.
—— coupling, acoplamiento electrostático o capacitivo.
—— induction, inducción electroestática o eléctrica.
—— pressure, esfuerzo electrostático, presión electrostática.
—— shield (ra), pantalla electrostática.
—— stress, esfuerzo electrostático, presión electrostática.
—— units, unidades electroestáticas.
electrostatics, electrostática, electroestática.
electrosteel, véase electric steel.
electrotechnical, electrotécnico.
electrotechnics, electrotécnica.
electrotechnology, electrotecnia, electrotecnología.
electrothermal, electrothermic, electrotérmico.
electrothermics, electrotérmica.
electrothermostat, electrotermóstato.
electrotitration, electrotitulación.
element (chem)(elec)(math), elemento.
elements (str), características, propiedades, (M) elementos.
elemental strip (math), faja elemental.
elephant-trunk chute (conc), trompa de elefante, (A) manga.
elevated railway, ferrocarril elevado.
elevating
—— charger, elevador cargador.
—— grader, niveladora o cavadora cargadora, conformadora o explanadora elevadora.
—— truck, camión elevador.
elevation, alzamiento; altura, altitud; alto; (lev) elevación, cota, cotación, (C) acotación; (dib) elevación, alzado, alzada.
—— head (hyd), carga de altura, desnivel.
—— rod (elec), pararrayos aéreo.
elevator, (ed) ascensor, (M)(C) elevador; (materiales) montacargas; (ec) elevador, (B) ascensor; (granos) depósito; (pet) elevador.
—— belting, correaje para elevadores de cubos.
—— bolt, perno para cangilones.
—— boot, caja de carga, (B) bota de ascensor.
—— bucket, cubeta o cangilón de elevador, (B) balde de ascensor.
—— car, camarín, cabina, (A) garita.
—— constructor, constructor de ascensores.
—— dredge, draga de cangilones o de rosario.
—— furnace, horno de elevador.
—— operator, ascensorista.
—— pit, pozo del ascensor.
—— shaft, caja de ascensor, (A) hueco del ascensor.
eliminator (all senses), eliminador.
—— plates (ac), placas quitagotas o eliminadoras.
elinvar (alloy), elinvar.
ell (p), véase elbow.
ellipse, elipse.
ellipsograph, elipsógrafo.
ellipsoid, elipsoide.
ellipsoidal, elipsoidal.
elliptic, elliptical, elíptico.
—— arch, arco apainelado o carpanel o elíptico.
—— chuck (mt), plato para óvalos.

—— **spring,** ballesta elíptica o doble.
elm, olmo.
elongated, alargado.
elongation, alargamiento, elongación, (A) extensión, (V) estiramiento.
—— **test,** prueba de alargamiento.
elutriate, elutriar.
elutriated sludge (sd), cieno elutriado.
elutriation test, ensayo de arrastre.
elutriator, elutriador.
eluvial (geol), eluvial.
eluvium (geol), eluvión.
emanation (chem), emanación.
embankment, terraplén, (Ec) embanque.
embay (r), ensenarse.
embayment (r), ensenada.
embed, embutir, empotrar, incrustar, encastrar, (M) ahogar.
embedment, (ref) recubrimiento; (carp) entrada; (pi) largo en tierra.
embrittle, hacer quebradizo, aquebradizar.
embrittlement detector, indicador de aquebradización.
embrittlement inhibitor (wp), inhibidor de aquebradización.
emerge, emerger; (agua freática) alumbrar, brotar, aflorar.
emergence, emergencia, salida.
—— **angle** (geop), ángulo de salida o de emergencia.
—— **node** (pmy), nodo de salida.
emergency, emergencia.
—— **brake,** freno de emergencia o de urgencia o de seguridad.
—— **cells** (elec), elementos de urgencia.
—— **gate** (hyd), compuerta de emergencia, cierre de urgencia.
—— **lock,** esclusa de emergencia.
—— **spillway,** aliviadero de seguridad, descargadora.
emergency-stop switch (elev), interruptor de seguridad o de urgencia.
emergent nodal point (pmy), punto nodal posterior.
emery, esmeril.
—— **cloth,** tela esmeril o lija.
—— **grinder,** esmeriladora, muela o amoladora de esmeril.
—— **paper,** lija o papel esmeril.
—— **paste,** pasta esmeril.
—— **powder,** polvo esmeril o de lijar.
—— **stone,** piedra esmeril.
—— **wheel,** rueda esmeril, esmeriladora, muela de esmeril.
emery-wheel dresser, rectificador de esmeriladoras.
eminent domain, dominio eminente.
emission, emisión, desprendimiento.
—— **characteristic** (ra), característica de desprendimiento o de emisión.
—— **spectrum,** espectro de emisión.
emissivity, emisividad.
emitter (ra), emisor.
empire cloth (inl), cambray aislador o impregnado.
empirical curve, curva empírica.

empirical formula, fórmula empírica.
employ v, emplear, ajornalar.
employee, empleado.
employer, patrón, patrono, empresario, amo.
employers' association, asociación patronal o de patrones.
employers' liability insurance, seguro contra responsabilidades de patronos.
employment, empleo, enganche de trabajadores.
—— **agency,** agencia de colocaciones o de empleos.
—— **contract,** contrato de empleo o de trabajo, (Es) pacto de trabajo; contrato de enganche.
empty, v vaciar; a vacío.
empty-cell process (lbr), procedimiento de célula vacía.
emptying culvert (dd), conducto de vaciamiento, ladrón de desagüe.
Emscher tank (sd), tanque Emscher.
emulsified asphalt, asfalto emulsificado o emulsionado.
emulsifier, emulsificadora, emulsor, (M) emulsificante.
emulsify, emulsificar, emulsionar.
emulsion, emulsión.
—— **carrier** (pmy), portaemulsión.
—— **sprayer** (rd), rociador de emulsión.
emulsive, emulsivo.
emulsoid, emulsoide.
enamel, s esmalte; v esmaltar.
—— **paint,** pintura vidriada.
enameled brick, ladrillo esmaltado.
enameled wire (elec), alambre esmaltado.
encased knot (lbr), nudo encajado (rama muerta).
encastré, empotrado.
enclosed, encerrado.
—— **flap valve,** válvula de charnela de disco interior.
—— **motor,** motor acorazado.
—— **switch** (elec), interruptor encerrado.
enclosure wall, pared encerradora o de cerramiento.
enclosure-railing fittings (p), accesorios para barandilla de cercamiento.
encroachment (bldg), construcción que rebasa la línea de edificación.
encrustant, véase **incrustant.**
end, cabo, extremidad, extremo; fin.
—— **areas** (ea), áreas extremas.
—— **bell** (elec), terminador de cable.
—— **cells** (elec), elementos de regulación.
—— **cleat** (min), plano secundario de clivaje.
—— **construction** (hollow tile), construcción a tope (células normales a las juntas).
—— **contraction** (hyd), contracción lateral.
—— **device** (elec meas), dispositivo final.
—— **dump** (tk), vaciado por el extremo, descarga por la extremidad, volquete al extremo.
—— **elevation,** elevación del extremo, alzada extrema.
—— **grain** (lbr), contrahilo.
—— **hauling** (ea), transporte longitudinal.
—— **lap** (pmy), solapadura o recubrimiento longitudinal.

—— link, eslabón terminal.
—— manhole, pozo de entrada terminal.
—— measuring rod, calibre cilíndrico para interior.
—— mill, fresa escariadora o de espiga.
—— , on, de cabeza, de testa.
—— overhang (rr), vuelo extremo (carro sobre vía curva).
—— platform (rr), andén de cabeza.
—— play, juego longitudinal, (A) juego terminal.
—— point (chem), punto final.
—— post (tu), montante o poste extremo.
—— product (chem), producto final.
—— reaction (tu), reacción al extremo o del apoyo.
—— span, tramo extremo.
—— stiffeners (gi), atiesadores extremos.
—— suction (pu), succión al extremo.
—— use, utilización final.
—— view (dwg), vista de la extremidad o del extremo.
end-bearing pile, pilote de columna.
end-cut brick, ladrillo de extremos cortados por alambre.
end-cutting pliers, pinzas con corte delantero.
end-feed grinding, amolado de avance longitudinal.
end-fire array (ra), antena de radiación longitudinal.
end-lap chain, cadena de eslabones de soldadura al extremo.
end-matched (lbr), machihembrado al tope, (M) cabeceado.
end-on entry (min), galería paralela al clivaje principal.
end-point gasoline, gasolina destilada a temperatura final.
end-point titration, titulación a punto final.
end-skew brick (rfr), ladrillo de extremo oblicuo.
endless, sin fin.
—— belt, correa sin fin, (M) banda eslabonada.
—— drum (cy), tambor de traslación o de tracción.
—— line (cy), cable tractor o de traslación o sin fin.
—— splice (cab), ayuste largo.
endless-rope sling, eslinga sin fin.
endoclinal, endoclinal.
endocline (geol), endoclinal.
endodyne (ra), autoheterodino, (Es) endodino.
endoenzyme (sen), endoenzima.
endoparasite (sen), endoparásito.
Endulator (elec)(trademark), terminador de cable.
endurance (mech), aguante.
—— limit, límite de aguante, (M) límite de continuación.
—— ratio, relación de aguante (límite de aguante a la resistencia final).
—— strength, resistencia bajo cargas repetidas o alternadas.
energize, (eléc) excitar; (met) energizar, acelerar.
energizer, (eléc) excitador; (met) acelerador.
energy (mech)(elec), energía.
—— absorber, amortiguador de energía.
—— cell (eng), celda de energía.

—— disperser, dispersor o disipador de energía.
—— dissipation, dispersión de energía.
—— dissipator, véase energy disperser.
—— efficiency (elec), rendimiento de vatihoras.
—— gradient, pendiente o gradiente de la energía.
—— head (hyd), altura debida a la energía, carga de energía.
—— line (hyd), línea de energía.
—— meter, medidor de energía.
engage (mech), engranar, embragar, enganchar; engranarse, engancharse.
engagement (mech), engrane, encaje, acoplamiento.
engine, máquina, motor.
—— block, bloque del motor.
—— driver, maquinista, conductor de locomotora.
—+ failure, falla de la máquina.
—— hatch (sb), escotilla de máquinas.
—— lathe, torno corriente o de engranaje para roscar.
—— oil, aceite para máquinas, (auto) aceite de motor.
—- pit (rr), pozo de locomotora.
—— room, sala o cámara o cuarto de máquinas.
—— runner, maquinista, operador.
engine-driven, impulsado por máquina.
engine-room bulkhead (sb), mamparo de las máquinas.
engineer, s (de profesión) ingeniero, técnico; (artesano) maquinista, operador, mecánico; (náut) oficial maquinista; v proyectar, diseñar, ingeniar.
—— corps, cuerpo o equipo de ingenieros.
—— in charge, ingeniero encargado.
—— in chief, jefe ingeniero.
—— of maintenance, ingeniero de mantenimiento.
engineer's
—— chain (surv), cadena para ingenieros (100 pies).
—— level, nivel de agrimensor o de anteojo.
—— scale (dwg), escala decimal o de ingeniero.
—— transit, tránsito de ingeniero o de agrimensor.
—— valve (loco), llave del maquinista (control del freno).
—— wrench, llave de maquinista, (C) llave española.
engineering, ingeniería, técnica.
—— alidade, alidada de topógrafo.
—— economics, ingeniería económica.
enginehouse, casa de máquinas, galpón de locomotoras, cocherón.
engineman, maquinista.
English
—— bond (bw), trabazón o aparejo inglés.
—— system (tun), sistema con galería de avance por debajo.
—— white, pigmento de blanco de España.
enlarge, ampliar, aumentar, ensanchar, amplificar.
enlarger (pet), ensanchador.
enlarging
—— camera, cámara ampliadora.
—— lens (pmy), lente de ampliación.
—— projector (pmy), proyector amplificador.

—— **shot** (tun), tiro de ensanche, (min)(Es) tiro de destrozo.

enrockment, enrocamiento.

Ensign valve, válvula equilibrada tipo Ensign.

enstatite (miner), enstatita (piroxeno).

enteric (sen), entérico.

entering

—— **angle** (mt), ángulo de entrada.

—— **chisel,** formón de cuchara.

—— **edge,** borde de ataque.

—— **file,** lima cuadrada puntiaguda.

—— **tap,** macho ahusado.

—— **taper** (reamer), ahusado de entrada.

enteritis (sen), enteritis.

enthalpy, contenido de calor, entalpía.

entrain (hyd)(chem), arrastrar.

entrained air (conc), aire arrastrado, (V) aire retenido.

entrainment (hyd), arrastre.

entrance, entrada; (an) racel o pique de proa.

—— **acceleration** (hyd), aceleración de entrada.

—— **cap** (elec), véase **service head.**

—— **head** (hyd), carga de entrada.

—— **loss** (hyd), pérdida de entrada o de carga en la entrada.

—— **pupil** (inst), pupila de entrada.

—— **switch** (elec), interruptor de servicio.

—— **well** (sw), pozo de entrada.

entropy, entropía.

entry, entrada; (min) galería principal de extracción y ventilación; (cont) asiento, partida.

entryway, entrada.

envelope, (mat) envolvente; (mec) envoltura, cubierta; (ra) ampolla de válvula.

—— **delay** (ra), demora del envolvente.

—— **distortion** (ra), deformación del envolvente.

enzyme (chem), enzima, encima.

enzymic, enzymatic, enzímico.

eosate, eosinate, eosinato.

eosin (sen), eosina.

epicenter, epicentro.

epicentral distance (geop), distancia epicentral.

epidiorite (geol), epidiorita.

epidote (miner), epidota, epidoto.

epipolar (pmy), epipolar.

epipole (pmy), epipolo.

epsomite, epsomita, sulfato de magnesio nativo.

equal legs (angle), alas o ramas o brazos iguales, (M) lados iguales.

equaling file, lima paralela ligeramente combada.

equalize, igualar, compensar.

equilizer, (mec) compensador, igualador, balancín; (eléc) compensador; (fc) alcantarilla igualadora.

—— **bus** (elec), barra colectora de compensación.

equalizing

—— **beam,** viga igualadora.

—— **charge** (battery), carga igualadora.

—— **lever** (loco), barra igualadora.

—— **projector** (pmy), proyector de compensación.

—— **reservoir,** embalse de compensación.

—— **sheave,** garrucha igualadora.

—— **sling,** eslinga de igualación.

—— **thimble,** guardacabo de igualación.

equation, ecuación, igualdad.

—— **of state** (ac), ecuación de estado.

equator (geog)(math), ecuador.

equiangular, equiángulo.

equiaxed (met), equidimensional.

equiaxial, equiaxil.

equicohesive temperature (met), temperatura equicohesiva.

equidepression lines (pmy), líneas de equidepresión.

equidimensional, equidimensional.

equidistance, equidistancia.

equidistant, equidistante.

equigranular, equigranular.

equilateral, equilátero.

equilibrant, equilibrante.

equilibrate, equilibrar.

equilibrator, equilibrador.

equilibristat (rr), equilibristato.

equilibrium, equilibrio.

—— **electrode potential,** tensión de equilibrio del electrodo.

—— **moisture content** (lbr), humedad de equilibrio.

equimolecular, equimolecular.

equimomental, de momentos de inercia iguales.

equip, equipar, habilitar; pertrechar, aviar.

equipment, equipo, aperos, apresto, habilitación; tren; (ec) planta, equipo, (A) plantel, (A) obrador; (fc) material móvil, equipo rodante; (auto) accesorios, aditamentos; (eléc) material, útiles, dispositivos.

—— **dealer** (cons), comerciante de equipo, corredor de maquinaria.

—— **grounding conductor,** conductor a tierra para el material.

—— **yard,** playa de equipo, cancha de maquinaria.

equipotential, equipotencial.

—— **cathode** (ra), cátodo equipotencial o de calentamiento indirecto.

equisignal beacon (ra), radiofaro de equiseñal.

equivalence, equivalencia.

equivalent, *s* equivalente; *a* (mat)(quím)(geol) equivalente.

—— **angle tolerance** (th), tolerancia equivalente en el ángulo.

—— **conductivity** (elec), conductividad equivalente.

—— **lead tolerance** (th), tolerancia equivalente para paso.

—— **volt,** voltio equivalente o electrónico.

—— **volumetric change** (sm), cambio equivalente de volumen.

erase, borrar.

eraser, goma de borrar; raspador.

erasing machine (dwg), máquina borradora.

erasing shield (dwg), escudete de borrar.

erasure, borradura.

erect, (cons) edificar, construir, erigir; (est) armar, montar; (maq) instalar, montar.

erecting eyepiece (inst), ocular de imagen recta.

erecting telescope, anteojo de imagen recta o de erección.

erection, montaje, armadura, montura; construcción, erección; instalación.

—— **bolts,** pernos de montaje o de armar, bulones de montaje.
—— **foreman,** jefe montador.
—— **marks,** marcas guías, signos para montaje.
—— **plan,** dibujo de montaje.
—— **seat** (str), asiento de montaje, ángulo de asiento.
—— **stress** (bdg), esfuerzo de montaje.
erector, (cons) montador, armador, erector, instalador; (inst) erector.
—— **arm** (tun), brazo montador.
erector's derrick, grúa de montaje o de armador.
erg, ergio, erg.
erode, erosionar, desgastar, (hid) deslavar, derrubiar.
erodible, véase **erosible.**
erosible (soil), gastable, degradable, deslavable.
erosion, erosión, desgaste, derrubio, deslave, degradación.
erosional, erosional.
erosive, erosivo.
erratic (geol), errático.
error (math), error.
—— **of closure** (surv), error de cierre.
eruption, erupción.
eruptive (geol), eruptivo, volcánico.
erythemal factor (il), factor de eficiencia eritémica.
erythemal flux (il), flujo eritémico.
erythrite (miner), eritrina, flores de cobalto.
erythrosin (lab), eritrosina.
escalator, escalera mecánica o sin fin, (A) escalador, (A) escalera rodante.
escape (hyd), descargador, vaciadero, evacuador.
—— **lock** (tun), esclusa de escape.
escapement, escape.
escarp, s escarpa; v escarpar.
escarpment, escarpa, escarpe.
escutcheon (sb), espejo de popa.
—— **plate,** escudete de cerradura, escudo, roseta.
espagnolette bolt, falleba.
essential mineral, mineral básico o esencial.
essential oil, aceite volátil o esencial.
establishment of a port, establecimiento del puerto.
estimate, s presupuesto, estimado, estimación; apreciación; v presuponer, estimar, (A)(C) presupuestar; apreciar.
—— **for payment,** estado o planilla de pago.
estimator, estimador, calculista, calculador.
estuarine (geol), estuarino.
estuary, estuario, estero, ría.
Eternit (trademark), eternita (techado).
ether (chem)(physics), éter.
ethyl, etilo.
—— **alcohol,** alcohol etílico.
—— **fluid,** plomo tetraetilo.
eucalyptus, eucalipto.
eudiometer (lab), eudiómetro.
eupatheoscope (ac), eupateoscopio.
eutectic, s eutéctica; a eutéctico.
eutectoid steel, acero eutectoide.
evacuate (mech), vaciar, agotar, evacuar.
evacuator, evacuador.
evaluation (math), evaluación.

evaporate, evaporar, evaporizar; evaporarse, evaporizarse.
evaporating dish (lab), cápsula de evaporación, evaporadora.
evaporation, evaporación.
—— **tank,** evaporímetro.
evaporative, evaporatorio, evaporativo.
—— **condenser,** condensador de evaporación.
—— **cooling** (ac), enfriamiento evaporativo.
evaporativity, rapidez potencial de evaporación.
evaporator, evaporador.
evaporimeter, evaporímetro, atmómetro.
evaporize, vaporizar.
evapotranspiration (irr), evapo-transpiración.
even, parejo; par (numero).
Everdur (trademark), aleación de cobre y silicio.
excavate, excavar, cavar, desmontar, zapar, (M) desplantar, (M) vaciar.
excavation, excavación, desmonte, cavadura; tajo, corte, (M) vaciado.
excavator, excavador; excavadora, cavadora, zapadora.
excelsior, pajilla o paja de madera.
excess, exceso, sobrante.
—— **meter** (elec), contador de exceso.
—— **pressure,** sobrepresión.
—— **thickness,** sobreespesor.
—— **treatment** (wp), sobretratamiento.
exchange, (fin) cambio exterior; (tel) central telefónica; (quím) intercambio; bolsa (valores); lonja (víveres).
exchanger (chem)(mech), intercambiador.
excitation, excitación.
excite, excitar.
exciter, excitor, excitador, excitatriz; (ra) encendedor.
—— **field** (elec), campo excitador.
—— **lamp,** lámpara excitadora.
exciting coil (elec), carrete excitador, bobina excitadora.
exciting current, corriente de excitación.
excrement, excremento, heces, deyecciones humanas.
excrementitious, excremental, excrementicio.
excreta, excretos.
excretal, excretorio.
excretion, excreción.
exfiltration, exfiltración.
exfoliated vermiculite cement (inl), cemento de vermiculita exfoliada.
exfoliation, exfoliación, desconchamiento.
exhaust, s (maq) escape, descarga, expulsión, educción; v (maq) descargar, escaparse; (aire)(agua) agotar.
—— **cam** (ge), leva de escape.
—— **collector** (eng), múltiple de escape.
—— **duct** (ac), conducto eductor, canal de escape.
—— **fan,** ventilador aspirador o eductor, abanico eductor.
—— **gases,** gases de escape.
—— **head,** amortiguador de escape.
—— **heater** (bo), calentador por gases de escape.
—— **inlet** (ac), toma de escape.
—— **lap** (se), recubrimiento de escape o interior de la corredera.
—— **lead,** avance del escape.

—— **manifold** (ge), múltiple de escape.

—— **pipe,** tubo de escape o de expulsión, caño expelente.

—— **port,** lumbrera de escape, orificio de descarga.

—— **silencer,** silenciador o amortiguador de escape.

—— **steam,** vapor agotado o perdido o de escape.

—— **stroke,** carrera o tiempo de escape, golpe de expulsión.

—— **valve,** válvula de descarga.

—— **ventilation,** ventilación por aspiración.

exhaust-steam heating, calefacción por vapor de escape.

exhauster, aspirador; ventilador eductor; agotador.

exhaustion, agotamiento.

exit (bldg), salida.

—— **bolt** (door), falleba de emergencia o de salida.

—— **loss** (hyd), pérdida de salida.

—— **pupil** (pmy), pupila de salida.

exoenzymes (sen), exoenzimas.

exogenic (geol), exógeno.

exogenous, exógeno.

Exolon (trademark), exolón (abrasivo).

expand, extender, dilatar; dilatarse, alargarse.

expanded metal, metal estirado o desplegado, chapa desplegada, (Es)(V) metal expandido.

expanded mica (inl), mica dilatada.

expanded-steel pole, poste de acero desplegado.

expander, mandril de expansión, expandidor, ensanchador.

expanding

—— **brake,** freno de expansión.

—— **mandrel,** mandril de expansión.

—— **pulley,** polea de diámetro regulable.

—— **reamer,** escariador expansivo.

expansible, expansible.

expansion, expansión, dilatación, alargamiento.

—— **ammeter,** amperímetro de expansión o de hilo caliente.

—— **anchor,** véase **expansion shield.**

—— **bearing** (str), apoyo de expansión o para dilatación, soporte de rodillos, asiento de expansión.

—— **bend** (p), curva de dilatación, codo compensador.

—— **bolt,** perno o tornillo de expansión, (M) clavija de expansión.

—— **curve,** curva de expansión.

—— **fit,** ajuste de expansión.

—— **gap** (rr), entrecarril compensador o de dilatación.

—— **hatch,** véase **expansion trunk.**

—— **joint,** junta de expansión o de dilatación; unión o acoplamiento de expansión.

—— **loop** (p), curva de expansión.

—— **nail,** clavo de expansión.

—— **opening** (rr), véase **expansion gap.**

—— **reamer,** escariador ajustable, alegrador de extensión.

—— **relief,** alivio de expansión, compensación para expansión.

—— **rollers,** rodillos de dilatación, cilindros de expansión.

—— **shield,** escudo ensanchador, manguito o escudete de expansión.

—— **stroke** (ge), carrera o golpe de expansión.

—— **tank** (ht)(sb)(elec), tanque de expansión.

—— **trunk** (sb), pozo o cañón de expansión.

—— **U bend** (p), curva compensadora en U.

—— **valve,** válvula de alivio de expansión; (mv) corredera reguladora del cortavapor.

expansion-joint beam (rd), viga para junta.

expansion-relief valve (pet), válvula de alivio de expansión.

expansive, expansivo.

—— **bit,** barrena ajustable o de extensión.

—— **stress,** esfuerzo resultante de la expansión.

expeller, expulsor.

expenditure, erogación, desembolso.

expense account, cuenta de gastos.

experiment, s experimento, ensayo, experiencia; v experimentar.

experimental, experimental.

experimenter, experimentador.

expert, s perito, experto, técnico; a experto, experimentado.

—— **testimony,** testimonio pericial, (V) expertícia.

—— **witness,** testigo perito.

explode, estallar, reventar, volar, (C) explotar; reventarse.

exploder (bl), detonador, fulminante, cebo eléctrico, cápsula detonante, estopín eléctrico, (M) espoleta eléctrica.

exploit v, explotar.

exploitation (min), extracción.

exploration, exploración; reconocimiento; cateo.

—— **alidade,** alidada de explorador.

—— **drilling,** perforación exploradora.

—— **gallery,** galería de sondeo o de reconocimiento.

exploratory, exploratorio.

explore, explorar.

exploring coil (elec), bobina exploradora o de prueba o de ensayo.

explosibility, estallabilidad.

explosible, estallable.

Explosimeter (sw)(trademark), explosímetro.

explosion, explosión, reventón.

—— **engine,** motor o máquina de explosión.

explosion-proof, a prueba de explosiones, (M) inexplosible.

explosion-relief valve, aliviadora para explosiones, válvula de alivio contra explosión.

explosive n a, explosivo.

—— **gelatin,** gelatina explosiva o para voladura.

exponent (math), exponente.

exponential, exponencial.

—— **curve** (math), curva exponencial.

—— **horn,** bocina exponencial.

exposed, descubierto; a la intemperie; (fma) expuesto.

—— **wiring** (elec), alambrado descubierto.

exposed-tube boiler, caldera de tubos al aire.

exposure (pmy), exposición.

—— **counter** (pmy), contador de exposiciones.

—— **factor** (ac), factor de encaramiento.

—— **meter** (pmy), medidor de exposición, (V) fotómetro, (V) exposímetro.

—— **station** (pmy), punto de exposición, estación de toma.

—— **test**, prueba de intemperismo.

express, *s* (tr) expreso; *v* exprimir; mandar por expreso.

—— **boiler**, caldera acuotubular rápida.

—— **highway**, camino troncal, carretera expresa; carretera de acceso limitado.

—— **traffic** (rd), tráfico directo.

—— **train**, tren expreso o directo.

—— **truck**, camión ligero o de expreso o de reparto.

expressway (rd), camino de acceso limitado.

expropriate, expropiar, enajenar.

expropriation, expropiación, enajenación forzosa.

expulsion cutout (elec), cortacircuito de fusible de expulsión.

expulsion tube (elec), tubo de expulsión.

exsiccation, exsicación.

extend, extender, alargar, amplificar; prolongar; diferir, prorrogar.

—— **the contract time**, ampliar el plazo.

—— **a mortgage**, aplazar el vencimiento de la hipoteca.

—— **a note**, prorrogar un pagaré.

extended radiation (ht), radiación de extensión.

extender (pt), pigmento de extensión.

extensibility, extensibilidad.

extensible, extensible.

extension, extensión.

—— **bar** (compass), alargadera.

—— **bit**, barrena de extensión o de expansión, mecha de expansión.

—— **frame** (hacksaw), marco ajustable o de extensión.

—— **ladder**, escalera extensible, escala de largueros corredizos.

—— **lathe**, torno de extensión.

—— **of time** (contract), prórroga, aumento o extensión o ampliación del plazo.

—— **reamer**, escariador ajustable o de extensión.

—— **ring** (elec), anillo de extensión.

—— **spring**, muelle o resorte tensor.

—— **tripod** (surv), trípode de patas extensibles.

extension-leg dividers (dwg), compás de división con pata de extensión.

extensometer, extensómetro, (Es) elongámetro.

exterior, exterior, externo.

—— **angle**, ángulo externo.

—— **orientation** (pmy), orientación exterior.

external, externo, exterior.

—— **distance** (rr), distancia exterior.

—— **secant**, secante externo.

external-firebox boiler, caldera de hogar exterior.

external-focusing transit, tránsito de foco exterior.

external-mixing burner, quemador de premezcla.

externally guided expansion joint, junta de expansión de guía exterior.

externally operable (elec), manejable sin descubrir, de mando exterior.

extinction coefficient (chem), coeficiente de extinción.

extinguish, extinguir, apagar.

extinguisher, extintor, apagador, extinguidor.

extinguishing *n*, extinción, apagamiento.

extra, extra, extraordinario.

—— **best best** (EBB) **wire**, alambre extra mejor del mejor.

—— **current** (elec), extracorriente.

—— **dynamite**, dinamita de base explosiva.

—— **pay**, sobrepaga, sobresueldo.

—— **select** (lbr), extra selecta.

—— **width**, sobreancho.

—— **work**, trabajo extra o extraordinario, (C) obra extra.

extra-fine thread, rosca extrafina.

extra-flexible (cab), extraflexible.

extra-heavy, extrapesado, extragrueso.

extra-light, extraliviano.

extra-pliable, extraflexible.

extra-slim taper file, lima ahusada extradelgada.

extra-strong (p), extrafuerte, extrarresistente.

extra-thick, extragrueso.

extracellular (sen), extracelular.

extract (chem), *s* extracto; *v* extraer.

—— **a root** (math), extraer una raíz.

—— **stripping** (pet), separación del extracto; extracción del solvente.

extraction, (min) extracción; (min) producto, beneficio, rendimiento; (az) extracción.

—— **engineer** (min), maquinista de extracción.

—— **turbine**, turbina de extracción.

extractive industries, (M) industrias extractivas.

extractor, extractor.

extrados, trasdós, extradós.

extrapolation, extrapolación.

extreme, *s* extremo, extremidad; *a* extremo, final.

—— **breadth** (na), manga total.

—— **draft** (na), calado máximo.

—— **fiber**, fibra extrema o más distante o más alejada.

—— **low water**, marea más baja.

—— **pitch-diameter tolerance**, tolerancia extrema para diámetro primitivo.

extreme-pressure lubricant, lubricante para alta presión.

extrude, estirar por presión, estrujar, exprimir; (met) troquelar.

extrusion, estiramiento por presión.

—— **press**, prensa estrujadora.

extrusive, efusivo, (M) extrusivo.

exude, exudar.

eye (mech), ojo, ojillo, ojal.

—— **hook**, gancho de ojo.

—— **nut**, tuerca de ojo, ojal con tuerca.

—— **plate**, ojillo con platillo.

—— **splice**, ayuste de ojal.

eye-and-clevis insulator (elec), aislador de ojillo y horquilla.

eye-and-eye turnbuckle, torniquete de dos ojillos.

eye-guard shackle (lg), grillete de guardia.

eyebar, barra de ojo o de argolla.

eyebolt, tornillo o bulón de ojo, perno de argolla, armella, cáncamo, cáncamo de ojo, hembrilla.

eyeglass, (inst) ocular; (az) vidrio de observación.

eyelet, ojal, ojillo, ojete.

—— **grommet**, ollao.

eyepiece (inst), ocular, lente ocular.
—— **holder** (pmy), portaocular.

F head (ge), culata en F.
F layer (ra), capa F o Appleton.
fabric, tejido, tela, género.
—— **tire**, neumático de tejido, goma de tela.
fabricate, fabricar, (V) manufacturar, (Ch) elaborar.
fabricating table (reinf), banco de doblar, mesa de fabricar.
fabrication, fabricación, (V) manufactura.
fabricator, fabricante.
façade, fachada, frontis, frontispicio, lienzo.
face, s (exc) frente; (presa) paramento, cara; (mec) cara, superficie; (min) frente; (martillo) cotillo; (polea) ancho, cara; (engranaje) cara fuera del círculo primitivo; (inst) muestra; v (mam) revestir, forrar, acerar; (mec) labrar, cepillar, fresar, refrentar, alisar, carear, tornear, enfrentar, acepillar.
—— **brick**, ladrillo de fachada.
—— **bushing** (p), boquilla sin reborde o totalmente roscada interior y exteriormente.
—— **cam**, leva de cara.
—— **cleat** (min), plano principal de clivaje.
—— **cutter**, fresa de refrentar.
—— **gear**, engranaje de dientes laterales o de corona.
—— **hammer**, combo de cotillo plano.
—— **lathe**, torno sin contrapunta o al aire.
—— **milling**, fresado de frente.
—— **pressure** (gate), presión frontal o de asentamiento.
—— **shield** (w), careta de soldador, pantalla.
—— **slab** (dam), losa, pantalla, cubierta, placa de paramento, pantalla de impermeabilización, (U) carpeta, (M) delantal.
—— **spanner**, llave de horquilla con espigas al frente.
—— **value**, valor nominal.
—— **width** (lbr), ancho sin lengüeta o sin ranura.
face-bedded (mas), asentado de canto.
face-putty, enmasillar contra la cara del vidrio.
face-type motor, motor de plato o de disco.
faced and drilled (flange), enfrentado y perforado, fresado y taladrado.
faced wall (bldg), pared acerada.
faceplate, (est) placa de recubrimiento; (torno) plato, disco, placa de sujeción, (A) plato plano; (eléc) chapa de pared, escudete.
facing, (mam\ (carp) revestimiento; (mec) refrentado; (fund) polvo de revestir.
—— **tool** (mt), herramienta de refrentar, fresa.
—— **wall**, muro de revestimiento.
facing-point switch (rr), cambio enfrentado, agujas de contrapunta o de encuentro, chucho de contrapunta.
facsimile, facsímile, facsímil.
—— **broadcast station**, estación de radiofacsímile.
—— **recorder**, trazador de facsímile.
—— **telegraph**, telégrafo autográfico, teleautógrafo.

—— **transmission**, transmisión facsimilar o a facsímile.
factor, factor.
—— **of assurance** (elec), factor de ensayo.
—— **of evaporation** (bo), factor de evaporación.
—— **of safety**, factor o coeficiente de seguridad, coeficiente de trabajo.
factorial (math), factorial.
factorize (math), factorizar.
factory, fábrica, taller, (A) usina.
—— **lumber**, madera por elaborar.
—— **number** (machy), número de fábrica o de serie.
—— **test**, prueba en fábrica.
—— **white**, véase mill white.
factory-run, como sale de la fábrica.
facultative (sen), facultativo.
Fadeometer (trademark), fadómetro.
fader (ra), atenuador, desvanecedor.
fading (ra), desvanecimiento, debilitación.
fagot, haz, fajina; (hierro) paquete de barras.
fail, (presa) fallar, ceder, derrumbarse, caerse; (maq) fallar; (proyecto) fracasar; (com) quebrar.
failure, (cons) falla, ruptura, derrumbe, rotura, caída; (maq) falla, panne; (eléc) interrupción; (proyecto) fracaso; (com) quiebra, bancarrota.
fair (na), suave, fuselado, perfilado.
fair-lead block, garrucha de guía.
fair-leader (sb), escotera, guía.
fairing, perfilado, fuselado.
fairwater (na), perfilado.
fairway, canalizo, pasa.
fall, s (r) desnivel, caída, salto; (crecida) bajada, descenso; (martinete) caída; (aparejo) cable de izar; (presión) baja; (mr) reflujo, menguante; (cons) derrumbe; v (agua) caer; (martinete) caer; (cons) derrumbarse; (presión) bajar, decrecer; (mr) menguar, refluir; (crecida) bajar, decrecer; (ef) tumbar.
—— **block**, motón de gancho, cuadernal, motón.
—— **increaser** (hyd), reforzador o aumentadora de salto.
—— **line** (de)(cy), cable de izar o de elevación.
falls, (agua) catarata, cascada, salto de agua; (ec) aparejo de izar.
fall-rope carrier (cy), sostén o colgador de cable, jinetillo.
faller (lg), tumbador (hombre); (herr) tumbadora.
falling
—— **ax**, hacha de tumbar o de monte.
—— **crew** equipo de tumbadores.
—— **line** (pb), tubo bajante.
—— **saw**, sierra de tumbar o de talar.
—— **wedge**, cuña de tumbar.
falling-head permeameter (sm), permeámetro de carga descendente o de carga variable.
false, falso.
—— **bottom**, fondo doble.
—— **flange** (rr), pestaña falsa.
—— **galena**, esfalerita, blenda.
—— **grain** (su), grano falso.
—— **header** (bw), medio tizón, tizón falso.

—— **keel** (sb), falsa quilla, contraquilla.
—— **key**, llave falsa, ganzúa.
—— **knee** (sa), codo falso.
—— **mahogany**, caoba falsa.
—— **ring** (lbr), anillo fraccionado.
—— **riser** (st), contraescalón atiesador, contra-peldaño de rigidez.
—— **set** (min)(tun), entibación provisional.
—— **water** (bo), nivel falso indicado.
false-bedded (geol), de láminas cruzadas.
falsework (bdg), apuntalamiento, maderaje, armaduras provisorias, (M) maderamen, (C) obra falsa, (Ec) andamio.
fan, ventilador, soplador, abanico, aventador.
—— **antenna** (ra), antena de abanico.
—— **assembly** (eng), conjunto del ventilador.
—— **blast**, soplo de ventilador.
—— **blower**, ventilador.
—— **fold** (geol), pliegue en abanico.
—— **guard**, guardaventilador.
—— **marker** (ap), marcador tipo abanico.
—— **pulley** (auto), polea de ventilador, (U) motón de mando del ventilador.
—— **spread** (geop), despliegue en abanico.
—— **truss**, armadura en abanico.
fan-blast burner, quemador a ventilador.
fan-brake dynamometer, dinamómetro de aletas.
fan-cooled, enfriado por ventilador.
fang, (herr) espiga, cola, rabo; (min) conducto de aire.
—— **bolt**, perno arponado.
fanglomerate (geol), fanglomerado.
fantail (sb), bovedilla.
far side (dwg), cara posterior.
farad (elec), faradio, farad.
faraday (elec), faraday.
Faraday cage (elec), pantalla Faraday.
Faraday dark space (ra), espacio oscuro de Faraday.
Faraday's law (elec), ley de Faraday o de inducción electromagnética.
faradic (elec), farádico.
faradism, faradización.
faradization, faradización.
faradmeter (elec), contador de faradios, faradímetro.
farm
—— **drain**, tubo de avenimiento, desagüe inferior.
—— **level**, nivel de agricultor.
—— **tractor**, tractor agrícola.
farrier's hammer, martillo de herrador.
fascia board, tabla de frontis, tabica.
fascine, fajina, salchichón.
—— **revetment**, enfajinado, revestimiento de fajinas.
fast *a*, rápido; fijo, firme.
—— **knot** (lbr), nudo apretado o sano.
—— **pulley**, polea fija.
fast-gear coupling, acoplamiento de engranajes fijos.
fast-pin butt, bisagra de pasador fijo.
fasten, fijar, asegurar.
fastener, fiador, sujetador, asegurador, afianzador.
fastening, fijación, atadura, sujeción, ligazón; retén, fiador, fijador.

fat, *s* (quím) grasa; *a* (mezcla) graso; (ca) con exceso de betún.
fathom, (náut) braza; (min) superficie de 6 pies en cuadro.
fathometer, sonda.
fathometry, sondaje sónico.
fatigue (all senses), *s* fatiga; *v* fatigar.
—— **failure**, ruptura debida a fatiga del metal.
—— **limit** (met), véase **endurance limit**.
—— **of metals**, fatiga o agotamiento de metales.
—— **resistance**, resistencia a la fatiga.
fatty (chem), graso.
fatwood, pino resinoso.
faucet, grifo, llave, espita, canilla, (PR) pluma.
fault, (geol) falla, (M) fallamiento, (A) dislocación; (eléc) fuga de corriente, falla eléctrica.
—— **block** (geol), masa de roca rodeada de fallas, bloque de fallas.
—— **breccia** (geol), brecha de fallas.
—— **bus** (elec), barra colectora para fallas.
—— **clay**, salbanda.
—— **conglomerate** (geol), conglomerado de fallas.
—— **current** (elec), corriente de fuga o de falla.
—— **line** (geol), línea de dislocación.
—— **localizer** (elec), buscafallas, indicador de fuga.
—— **plane** (geol), plano de la falla, (A) superficie de dislocación.
—— **scarp** (geol), barranca de falla, (M) falla escarpada, (A) escalón de fractura.
—— **surface** (geol), plano o superficie de falla.
—— **zone** (geol), zona fallada, (B) zona de dislocación.
fault-line scarp, barranca de falla con erosión.
faultage (geol), fallas, fallamiento.
faulted (geol), fallado.
faultfinder (elec), buscafallas, indicador de fuga.
faulting, fallamiento, (M) afallamiento.
fay (sb), ajustar, conformar, empatar.
faying surface, (cn) cara de contacto, superficie de solapa o de empalme; (sol) superficie de contacto.
feather, *s* (mec) cuña; (carp) lengüeta; *v* (lad) embadurnar (juntas).
—— **joint** (carp), junta de lengüeta postiza.
—— **key**, lengüeta paralela o postiza.
—— **valve**, válvula de lengüeta.
feathers (stonecutter), agujas.
featheredge, canto vivo, bisel.
—— **brick**, ladrillo de canto de bisel.
—— **file**, lima de espada.
fecal matter, materia fecal.
fecaloid (sen), fecaloide.
feces, heces, excrementos.
fee, (ingeniero) honorarios; (consular) derechos.
—— **simple**, pleno dominio, dominio absoluto.
feed, *s* (eléc) alimentación; (cal) alimento, alimentación; (herr) avance; (as) avance; (semovientes) forraje; *v* (cal) alimentar; (horno) cargar; (mec) avanzar.
—— **conveyor** (ce), transportador alimentador.
—— **gear**, engranaje de avance.
—— **mechanism**, mecanismo de avance.
—— **pipe**, tubo alimentador, caño de alimentación, tubo abastecedor.
—— **pump**, bomba alimentadora.

— **regulator** (drill), regulador de avance.

— **rod,** barra alimentadora, varilla de avance.

— **roll** (su), maza cañera o de entrada o de alimentación.

— **roller,** rodillo de avance; rodillo alimentador.

— **screw,** tornillo de avance.

— **water** (bo), agua de alimentación.

— **well,** fuente de carga; (az) caja de alimentación, tanque alimentador.

— **wire,** alambre alimentador, conductor de alimentación.

— **works** (sa), mecanismo de avance.

feed-reverse lever (mt), palanca de inversión del avance, manija inversora del avance.

feed-water

— **filter,** filtro de agua de alimentación.

— **heater,** calentador de agua de alimentación.

— **meter,** contador de agua de alimentación.

— **regulator,** regulador del agua de alimentación.

feedback (elec), realimentación, regeneración.

— **amplifier,** amplificador realimentado.

— **coil,** bobina de regeneración.

— **voltage** (ra), voltaje de realimentación.

feedbox (mt), caja de avance.

feeder, (r) afluente; (fc) ramal tributario; (eléc) conductor de alimentación, alimentador; (min) filón ramal; (mec) alimentador, avanzador.

— **airport,** aeropuerto de enlace.

— **cable,** cable alimentador.

— **canal,** canal alimentador.

— **ear** (elec), oreja de alimentación.

— **main,** tubería alimentadora.

— **reactor** (elec), reactor de alimentador.

— **road,** camino secundario.

feeding point (elec), punto de alimentación.

feeler (thickness gage), tientaclaro, tira calibradora, plantilla de espesor, calibrador de cinta, (A) sonda.

— **pin,** varilla de comprobación.

feet, pies; patas.

feldspar (miner), feldespato.

feldspathic (geol) (feldespático.

feldspathization, feldespatización.

fell, tumbar, talar, derribar, apear.

felling, tumba, corta, derribo, apeo.

— **ax,** hacha de tumba o de monte, derribador.

— **crew,** cuadrilla de tumba.

— **saw,** sierra de tumba o de talar.

felly, felloe, pina, camón.

felsite (geol), felsita, petrosílex.

felsitic, felsítico.

felstone, petrosílex.

felt, fieltro.

— **roofing,** techado de fieltro.

felted asbestos, fieltro de asbesto.

female *a* (mech), hembra, matriz.

— **thread,** filete matriz, rosca hembra o matriz.

fence, *s* cerco, cerca, cercado, barrera, valla, seto, alambrado, tranquera; (cerradura) guarda; (as) guía; (cepillo) guía, reborde; *v* cercar, vallar, alambrar.

— **fittings,** accesorios de alambrado.

— **nail,** clavo para cerco.

— **post,** poste de cerco o de alambrado, estaca de cerca.

— **ratchet,** carraca estiradora de alambre, torniquete de alambrado.

— **staple,** grampa para cerco.

— **stretcher,** estirador.

— **wire,** alambre para cercas.

fence-post driver, hincador de postes de cerco, hincapostes.

fence-post puller, arrancador de postes de cerco, arrancapostes.

fencing, cercado, vallado; alambrado.

fender, (muelle) defensa; (náut) pallete, andullo; (auto) guardafango, guardabarro; (pte) espolón; (cn) botazo.

— **beam,** espolón.

— **boom** (lg), barrera de guía.

— **cap** (pi), larguero de pilotes de defensa.

— **chock** (dock), bloque apoyador de la carrera de defensa.

— **mat,** empalletado de choque.

— **pile,** pilote paragolpes o amortiguador o de defensa.

— **skid** (lg), corredera de guía.

fenestration, ventanaje, fenestraje.

ferberite, ferberita (mineral de tungsteno).

ferment, fermentar.

fermenter (lab), fermentador.

Ferodo (trademark), ferodo (forro de freno).

ferrate (chem), ferrato.

ferriage, barcaje; peaje.

ferric, férrico.

— **ammonium citrate** (lab), citrato férrico amónico.

— **hydroxide,** hidrato o hidróxido férrico.

— **induction** (eléc), inducción férrica o intrínseca.

— **oxide,** óxido férrico, (miner) hematita.

— **sulphate,** sulfato férrico, (miner) coquimbita.

ferricyanic, ferriciánico.

ferriferous, ferrífero.

Ferrisul (trademark), sulfato férrico.

ferrite, (geol) (met) ferrita; (quím) ferrito.

ferritic, ferrítico.

ferritization, ferritización.

ferroalloy, ferroaleación.

ferroaluminosilicate, ferroaluminosilicato.

ferroaluminum (alloy), ferroaluminio.

ferroboron (alloy), ferroboro.

ferrocerium (alloy), ferrocerio.

ferrochromium (alloy), ferrocromo.

ferrocyanic (chem), ferrociánico.

ferrocyanide (chem), ferrocianuro.

Ferroinclave (trademark), especie de listonado metálico.

ferroinductance (elec), ferroinductancia.

ferroinductive (elec), ferroinductivo.

ferroinductor (elec), ferroinductor.

ferromagnesian (miner), ferromagnesiano, (A) ferromagnésico.

ferromagnetic, magnético, ferromagnético.

ferromanganese (alloy), ferromanganeso, hierro manganésico.

ferromolybdenum (alloy), ferromolibdeno, hierro al molibdeno.

ferronickel (alloy), hierro al níquel, ferroníquel.
ferrophosphorus (alloy), ferrofósforo.
ferroreactance (elec), ferrorreactancia.
ferroreactor (elec), ferrorreactor.
ferroresonant (elec), ferrorresonante.
ferrosilicon (alloy), ferrosilicio.
ferrosoferric oxide, óxido magnético o ferroso-férrico.
ferrosteel, semiacero.
ferrotitanium (alloy), hierro al titanio, ferrotitanio.
ferrotungsten (alloy), ferrotungsteno.
ferrous, ferroso, férreo.
—— **ammonium sulphate,** sulfato amónico ferroso.
—— **carbonate,** carbonato ferroso; (miner) siderita.
—— **oxide,** protóxido de hierro.
—— **sulphate,** sulfato ferroso, caparrosa.
ferrovanadium (alloy), ferrovanadio.
ferruginous, ferruginoso.
ferrule, *s* (herr) virola, dedal, contera; (cal) férula, casquillo; (pb) casquillo; (eléc) tapa de contacto; *v* encasquillar.
ferrule-type cartridge fuse (elec), fusible de cartucho a casquillo.
ferry, *s* embarcadero, balsadera; *v* balsear, barquear.
—— **bridge,** puente transbordador o corredizo; puente de acceso al barco transbordador.
—— **metal,** aleación de cobre y níquel.
—— **rack,** estructura de guía al atracadero.
—— **slip,** embarcadero, atracadero del barco de transbordo, arrimadero.
ferryboat, bote de paso, barco de transbordo, barca de pasaje, pontón de transbordo, (V) chalana de paso, (A) balsa.
ferryman, balsero, barquero.
festoon lighting, alumbrado de festón.
fetch (hyd), longitud expuesta a la acción del viento.
fetter-drive lag screw, pija para clavar, clavo-pija.
fiber, fibra.
—— **bushing** (elec), boquilla fibrosa.
—— **cement,** fibrocemento.
—— **conduit,** conducto de fibra.
—— **gasket,** empaque de fibra.
—— **glass,** vidrio fibroso, fibras de vidrio.
—— **grease,** grasa fibrosa.
—— **insulation,** aislante fibroso.
—— **stress,** esfuerzo en la fibra.
—— **washer,** arandela de fibra.
fiber-center wire strand, cordón de alambre con eje fibroso.
fiber-core wire rope, cable de alambre con núcleo fibroso, cable metálico de alma fibrosa.
fiber-duct raceway (elec), conducto de fibra.
fiberboard, cartón de fibra, (C) tablas de fibra, (M) lámina de fibra.
fibrin (sen), fibrina.
fibrous metallic packing, empaquetadura metálica fibrosa.
fictitious power (elec), potencia ficticia.
fid, pasador de cabo, burel.

fiddle block, motón de dos ejes con poleas diferenciales.
fiddle drill, taladro de pecho, berbiquí de herrero.
fiddley (sb), escotilla de calderas.
fidelity (elec), fidelidad.
—— **bond,** fianza de fidelidad.
fiducial marks (pmy), marcas fiduciales.
fiducial point, punto fiducial.
field, (eléc) campo, inductor; (fma) campo de la lente, campo visual; (mat) campo; (lev) campo, campaña; (tv) campo.
—— **book** (surv), libreta de campo, cuaderno, (Col) cartera, (AC) carneta.
—— **break-up switch** (elec), interruptor de excitación, conmutador del campo.
—— **breaker** (elec), interruptor de excitación.
—— **coil** (elec), bobina del campo.
—— **control** (elec), regulación de velocidad por cambios en la corriente de campo.
—— **density test** (sm), ensayo de densidad del material sin descomponer.
—— **distortion** (elec), distorsión del campo.
—— **engineering,** ingeniería de campo.
—— **forces,** personal de campaña.
—— **glasses,** gemelos de campaña, anteojos de larga distancia.
—— **ice,** bancos de hielo flotante.
—— **intensity** (elec), intensidad de campo.
—— **joint,** junta o unión de montaje, conexión de campo.
—— **laboratory,** laboratorio de campo, (A) laboratorio de campaña.
—— **magnet,** imán del campo, imán inductor.
—— **moisture equivalent** (sm), humedad equivalente de campo o del terreno.
—— **of force** (elec), campo de fuerzas.
—— **painting,** pintura de campo o de la obra armada.
—— **party** (surv), brigada o cuerpo de campo, (A) brigada topográfica.
—— **pole** (elec), polo del campo.
—— **regulator** (elec), regulador del campo, reóstato de la excitación.
—— **rheostat,** reóstato regulador del campo.
—— **rivet,** remache de montaje o de campo, roblón de obra.
—— **separation** (ag), separación práctica.
—— **stone,** piedras sueltas.
—— **stop** (pmy), limitador del campo visual.
—— **strength** (elec), intensidad de campo.
—— **switch** (elec), interruptor de campo.
—— **test,** ensayo en obra o en campaña, prueba de campo.
—— **weld,** soldadura de montaje.
—— **winding** (elec), arrollamiento inductor.
—— **work,** trabajo de campo o sobre el terreno, trabajos u operaciones de campaña.
field-discharge switch (elec), interruptor de descarga de campo, interruptor automático del campo.
fifth *n a,* quinto.
—— **bend** (p), codo de 72°.
—— **root** (math), raíz quinta.
—— **wheel** (wagon), quinta rueda.
fiftypenny nail, clavo de $5\frac{1}{2}$ pulg.
figure, (dib) figura; (mat) cifra, guarismo.

figure 438 filter

—— **adjustment** (surv), corrección del polígono.
figure-eight conductor (elec), conductor de sección en figura ocho.
figured dimension, dimensión acotada.
filament, filamento.
—— **battery** (ra), batería A o de filamentos.
—— **current** (ra), corriente de filamento.
—— **lamp,** lámpara incandescente.
—— **leads** (ra), conexiones de filamento.
—— **return** (ra), retorno de filamento.
—— **transformer** (ra), transformador para corriente de filamento.
filamentous, filamentoso.
filar eyepiece (inst), ocular reticulado.
file, *s* (herr) lima, escofina, limatón, carleta; (mh) limadora; (of) archivo; (papeles) legajo, expediente; *v* limar; (of) archivar.
—— **brush,** carda limpialimas, cepillo para limas.
—— **card,** carda para limas, limpialimas.
—— **carrier,** portalima.
—— **cutter,** picador de limas.
—— **holder,** portalima, marco de lima.
files (of), archivos.
file-hard, a prueba de lima.
filer, limador.
filing
—— **cabinet,** archivador, gabinete de archivo.
—— **guide** (saw), guía de limar.
—— **vise,** tornillo de sierra.
filings, limaduras, limalla.
fill, *s* terraplén, relleno, rehincho; *v* llenar; (ot) terraplenar, rellenar, rehinchar; (min) atibar; (pint) aparejar.
—— **box,** caja de toma para tanque de petróleo soterrado.
—— **cap,** tapa de la caja de toma.
—— **insulation,** aislación de relleno.
—— **plane** (conc), nivel de hormigonado, plano de colado.
filled
—— **asphalt,** asfalto mezclado con agregado en polvo, asfalto rellenado.
—— **ground,** terreno rellenado, rellenamiento, suelo falso, tierra transportada.
—— **stope** (min), grada de relleno.
filler, (cab) compuesto lubricante; (pint) aparejo, tapaporos, sellaporos, (V) llenador; (ca) harina, rellenador, arena, agregado de $\frac{1}{4}$ pulg y menor; (fc) espaciador de corazón.
—— **block** (bldg), bloque de relleno.
—— **coat** (pt), mano de aparejo.
—— **gate** (hyd), compuerta piloto.
—— **metal** (w), metal de aporte.
—— **plate** (str), empaque, relleno, llenador, placa o chapa de relleno.
—— **strip** (rd), tira de relleno o de expansión.
—— **wall** (bldg), pared de relleno, antepecho.
—— **wire,** (cab) henchidor, alambre de relleno; (sol) alambre de aporte.
fillet, filete; chaflán; (ap) rincón redondeado.
—— **arch,** arco de espesor variable o de filete.
—— **gage,** plantilla de radio o de filete.
—— **weld,** soldadura con filete.
filling relleno, terraplén, terraplenado, rehincho.
—— **culvert** (dd), conducto de entrada, ladrón de admisión.

—— **ring** (str), anillo llenador o de empaque.
—— **station,** puesto o estación o surtidor de gasolina.
fillister, guillame.
—— **head** (screw), cabeza cilíndrica ranurada, (A) cabeza fijadora.
film, (fma) película; (lu) capa, película.
—— **coefficient of heat transfer** (ac), coeficiente de traspaso superficial de calor.
—— **drier** (pmy), secador de película.
—— **holder** (pmy), portapelícula.
—— **magazine** (pmy), cámara de películas.
—— **scanning** (tv), analización de película.
—— **spool** (pmy), carrete de película.
—— **strip** (pmy), tira de película.
—— **water,** agua higroscópica.
film-drying machine (pmy), máquina secadora de películas.
film-metering device (pmy), dispositivo de avance de la película, alimentador o medidor de película.
filter, *s* (hid) filtro, filtrador; (eléc) filtro; (fma) filtro, filtro de luz; *v* filtrar.
—— **alum,** sulfato de aluminio, (V) alumbre para filtros.
—— **attendant,** guardafiltro.
—— **attenuation band** (ra), faja de frecuencias con atenuación.
—— **bed,** lecho filtrante o percolador o de filtración.
—— **blanket,** colchón filtrador.
—— **block,** bloque multicelular para drenaje de filtros.
—— **cake,** (pet) costra de lodo, aglomerado endurecido; (dac) torta de filtro.
—— **capacitor** (ra), condensador de filtro.
—— **cartridge,** cartucho filtrante.
—— **choke** (ra), reactor de filtro.
—— **circuit** (ra), circuito de filtro.
—— **clay,** arcilla de filtro.
—— **cloth,** tela de filtrar, paño de filtro.
—— **cycle,** ciclo de filtración o del filtro.
—— **drain,** desagüe filtrante.
—— **fabric,** tejido o tela de filtrar.
—— **factor** (pmy), coeficiente del filtro.
—— **felt,** fieltro filtrador.
—— **flask,** frasco de filtrar, botella para filtrar.
—— **lens,** lente filtrador.
—— **medium,** material filtrante.
—— **paper,** papel de filtrar o de filtro.
—— **pass band** (ra), véase **filter transmission band.**
—— **plant,** planta filtradora o de filtros, estación de filtración.
—— **press,** filtro-prensa, prensa de filtrar.
—— **run,** jornada de filtro, (U) carrera de filtro.
—— **sand,** arena para filtros.
—— **screen** (auto), filtro de malla.
—— **stone,** piedra filtradora.
—— **stop band** (ra), véase **filter attenuation band.**
—— **tile,** véase **filter block.**
—— **transmission band** (ra), faja de frecuencias de transmisión libre (sin atenuación).
—— **well** (ea), pozo filtrante o de percolación o de alivio.
filter-press *v*, filtrar por prensa.

—— **cake** (su), torta de cachaza o del filtro-prensa.
filterability, filtrabilidad.
filterable, filtrable, filtrable.
filterhead (su), cabeza del filtro.
filtrate, filtrado.
filtration, (hid) filtración, percolación, (A) filtraje; (eléc) filtración.
—— **factor,** factor de percolación o de filtración.
—— **gallery,** galería filtrante o de filtración.
—— **loss,** pérdida por filtración.
fin, (acero) rebaba; (eléc)(mec) aleta; (sol) rebaba.
fin-and-tube radiator (auto), radiador de aletas y tubos.
fin-neck bolt, perno con cuello de aleta.
final, final; terminal.
—— **acceptance,** recepción definitiva (contrato).
—— **drive** (auto), mando o transmisión o impulsión final, (M) conducción final.
—— **location** (rr), trazado definitivo, (M) estudio definitivo.
—— **molasses** (su), mieles, miel de purga.
—— **set** (ct), fragua final.
—— **voltage,** tensión final.
final-drive assembly conjunto de la impulsión final.
finance v, financiar, costear, aviar, refaccionar.
financial statement, estado financiero.
finder, buscador, (fma) visor.
fine, fino, menudo; puro.
—— **aggregate,** agregado o árido fino.
—— **coal,** carbón menudo.
—— **file,** lima dulce.
—— **finish** (stone), acabado fino (tolerancia ¼ pulg).
—— **fit,** ajuste preciso.
—— **grain,** grano fino, fibra fina (madera).
—— **gravel,** grava fina (granos 1 a 2 milímetros).
—— **grinder,** moledora de finos.
—— **mesh,** malla fina o angosta.
—— **metal,** metal puro o refinado.
—— **nail,** clavo fino o delgado.
—— **rack,** rejilla de separación angosta.
—— **sand,** arena fina (granos 0.10 a 0.25 milímetro).
—— **screen,** criba fina, tamiz de malla angosta.
—— **texture,** textura fina.
—— **thread,** rosca fina.
fines, finos.
fine-grain developer (pmy), revelador de grano fino.
fine-pitch gear, engranaje de paso corto.
fine-tooth cutter, fresa de dientes finos.
finegrader (ce), niveladora exacta.
fineness, (ag) finura; (ce) sutileza, finura; (met) ley.
—— **modulus,** módulo de finura, (A) módulo de fineza.
—— **of grinding** (ct), finura del molido.
finger (mech), manecilla, lengüeta, aguja, trinquete, retén.
—— **board** (pet), astillero de torre.
—— **nut,** tuerca de orejetas.
—— **pier** (pw), espigón.
—— **plate** (door), chapa de guarda.
—— **wheel** (tel), disco horadado, rueda de índice.

finger-tip control, control digital, (A) manejo al tacto, mando digital.
fining (met), afino.
finish, s (superficie) acabado, afinado, (A) terminación; v terminar, acabar, ultimar; (superficie) acabar, (Ch)(M) afinar, (A) terminar.
—— **off** v, rematar.
finisher, (mam) cementista, albañil de cemento; (ca) máquina acabadora, afinadora.
finishing
—— **belt** (rd), correa alisadora o acabadora.
—— **box tool** (mt), caja portacuchilla acabadora.
—— **chisel,** escoplo de acabar.
—— **coat,** (pint) última mano; (yesería) capa de acabado, (V) encalado.
—— **cut** (mt), corte de acabado.
—— **die,** troquel de acabar.
—— **hydrate,** cal hidratada para la última mano del enlucido.
—— **machine,** máquina acabadora o terminadora.
—— **nail,** alfilerillo, aguijuela, aguja, puntilla francesa.
—— **plane,** repasadera.
—— **plaster,** yeso blanco.
—— **rate** (elec), corriente terminadora, amperaje de terminar.
—— **reamer,** escariador acabador.
—— **roll** (met), laminador acabador, cilindro de terminar.
—— **tap,** macho acabador.
—— **tool,** acabadora; alisadora; terminadora; pulidora.
—— **trowel,** paleta acabadora; llana acabadora.
finite, finito.
Fink truss, armadura Fink.
finned tube, tubo con aletas.
fir, abeto, pinabete; pino del Pacífico.
fire, s fuego; incendio; v (cal) alimentar, cargar; (vol) volar, disparar, tirar.
—— **alarm,** alarma de incendio; avisador de incendio.
—— **arch,** bóveda del fogón o del hogar.
—— **ax,** hacha para incendios.
—— **bridge** (bo), tornallamas, puente de hogar, altar.
—— **bucket,** cubo de incendios.
—— **clay,** arcilla refractaria, (A) tierra refractaria, (C) barro refractario.
—— **crack** (gl), grieta térmica.
—— **cut** (carp), corte en bisel al extremo de una viga empotrada en muro de ladrillos.
—— **cutoff** (elec), cortafuego, guardafuego.
—— **division wall,** muro o pared cortafuego.
—— **door,** (ed) puerta incombustible o contrafuego o a prueba de incendio; (cal) puerta de fuego o del hogar, boca de carga, (M) puerta de horno.
—— **engine,** bomba de incendios, autobomba.
—— **escape,** escalera de salvamento o de escape o de emergencia, (M) salida de incendio.
—— **exposure** (bldg), riesgo de incendio exterior.
—— **extinguisher,** extinguidor de incendio, matafuego, extintor, apagaincendios, apagallamas.
—— **foam,** espuma apagadora.

—— **hazard,** riesgo de incendio.
—— **hook,** atizador, hurgón, (Es) allegador.
—— **hose,** manguera para incendios.
—— **hydrant,** boca o hidrante de incendio.
—— **insurance,** seguro contra incendio.
—— **lane** (for), faja desbocada para parar fuego, guardafuego.
—— **limits** (US), límites del área para construcción incombustible.
—— **mains,** tubería de agua para incendios.
—— **partition,** pared divisoria parafuego.
—— **point** (oil), punto de llama o de combustión.
—— **pot,** hornillo; crisol; lámpara de plomero.
—— **rake,** rascacenizas.
—— **risk,** riesgo de incendio.
—— **sand,** arena refractaria.
—— **shovel,** pala carbonera.
—— **shrinkage** (brick), contracción durante la cocción.
—— **shutters,** contraventanas a prueba de incendio.
—— **stop,** cortafuego, parafuegos; muro contrafuego o parallamas.
—— **tools,** herramientas de fogón.
—— **tower** (bldg), caja de escalera de escape.
—— **underwriters,** aseguradores contra incendios.
—— **wall,** muro contrafuego o refractario o a prueba de incendio, parallamas, pared cortafuego.
—— **welding,** soldadura de forja.
—— **window,** ventana incombustible o a prueba de incendio.
fire-exit bolt (bldg), falleba de emergencia.
Fire-felt (trademark), fieltro calorífugo.
fire-flash brick, ladrillo marcado por las llamas del horno.
fire-protected (bldg), resistente al fuego.
fire-refined, refinado a fuego.
fire-resisting, refractario, ignífugo, resistente al fuego, contrafuego, contraincendios, guardafuego.
fire-retardant, retardador de incendios.
fire-tube boiler, caldera ígneotubular o de tubos de humo o de tubos de llama, (M) caldera humotubular.
fireboat, barco de bombas o para incendios.
firebox, fogón, hogar, caja de fuego, fornalla.
—— **steel,** planchas de acero para hogares.
firebreak, barrera cortafuego, parafuego.
firebrick, ladrillo refractario o de fuego.
firedamp (min), grisú, aire detonante.
fireguard (for), véase **fire lane.**
fireman, (cal) fogonero, (U) foguista; (municipal) bombero.
fireplug, boca de incendio, hidrante, poste de incendios.
fireproof, a a prueba de fuego, incombustible, a prueba de incendio, contrafuego, contraincendios; v incombustibilizar; revestir con material incombustible.
fireproofing, (est) envoltura del acero con material refractario; (mad) impregnación ignífuga, incombustibilización.
fireroom, cuarto de calderas.
firesafe, a prueba de incendio.
firewood, leña.

firing
—— **delay** (bl), retardo de la explosión.
—— **order** (ge), orden del encendido.
—— **potential** (ra), voltaje de conducción.
firm n, razón social, casa.
—— **name,** razón social.
—— **power,** fuerza continua o primaria, potencia permanente; energía permanente o primaria, (U) energía de base, (M) energía firme.
—— **price,** precio definitivo o fijo.
firm-joint calipers, calibre de articulación fija.
firmer chisel, escoplo-punzón, formón.
firmer gouge, gubia-punzón, gubia de maceta.
first, primero.
—— **aid,** primera cura o curación, primer auxilio.
—— **coat,** (pint) primera mano; (yeso) primera capa.
—— **cost,** costo inicial u original.
—— **detector** (ra), primer detector, etapa mezcladora.
—— **floor,** piso bajo, primer piso, planta baja.
—— **speed** (auto), primera velocidad.
first-aid kit, botiquín de urgencia o de emergencia.
first-aid station, botiquín de urgencia.
first-mortgage bond, bono de primera hipoteca.
fiscal year, año económico, ejercicio.
fish, s (pet) pieza perdida; v (pet) pescar; (eléc) tirar los alambres por los conductos, pescar.
—— **glue,** colapez, cola de pescado.
—— **joint,** junta a tope con cubrejuntas.
—— **ladder** (hyd), escala o escalera de peces, rampa salmonera, escala de pocillos.
—— **oil,** aceite de pescado.
—— **paper** (elec), papel de pescado.
—— **screen** (hyd), cedazo o rejilla para peces.
—— **tape** (elec), cinta pescadora.
—— **weir,** azud para peces.
—— **wire, fish tape** (elec), cinta pescadora.
fish-bellied, en forma de panza de pescado.
fish-wire puller, tirador de cinta pescadora.
fishbone antenna (ra), antena espina de pescado.
fishing (pet), pesca, recobro, salvamento.
—— **jar** (pet), percusor de pesca.
—— **tap** (pet), macho de pesca.
—— **tool,** herramienta de pesca o de salvamento; (eléc) pescacable; (pet) pescaherramientas.
fishmouth splice, empalme en V, boca de pez.
fishplate, (carp) cubrejunta, platabanda, costanera, cachete; (fc) eclisa, brida.
fishtail bit, barrena cola de pescado.
fishtail cutter, fresa cola de pescado.
fishway (hyd), rampa para peces, escala salmonera o de peces.
fissile, hendible, rajadizo, fisil.
fissility, hendibilidad, fisilidad.
fissure, hendedura, rajadura, fisura, raja, grieta, cuarteo, (geol)(min) abra.
—— **spring,** fuente o manantial de fisura.
—— **vein** (geol), mineral depositado por el agua en una grieta.
fissured rock, roca resquebrajada o rajada o hendida.
fit, s ajuste; v ajustar, adaptar; ajustarse a; (ef) limar (sierra), acondicionar.

—— **for track** (rail), recolocable.
—— **into**, encajar; ajustarse a.
—— **out**, equipar, habilitar, aviar.
—— **over**, ajustar sobre; ajustarse sobre.
—— **to be sawed** (lbr), maderable, serradiza.
—— **up**, (est) bulonar, empernar; (sol) ensamblar.
fitch, brocha pequeña o para ventanas.
fitcher v (min), pegarse, trabarse.
fitchery (min), pegajoso.
fitter, (mec) ajustador; (ef) marcador, aparejador.
fitting, ajuste, ajustaje, encaje.
—— **equivalent** (p), largo de tubo igual en resistencia al accesorio.
fittings, (gr) herrajes; (tub) accesorios, ajustes, auxiliares, (Col) aditamentos; (cal) accesorios; (compuerta) guarniciones; (auto) accesorios, aditamentos; (eléc) accesorios.
fitting out, habilitación, aparejado.
fitting up (steel), empernadura, bulonado.
fitting-up bolts, pernos o bulones de ajuste, pernos de montaje.
fitting-up wrench, llave de cola.
five sixths, cinco sextos.
five-eighths bar, barra de cinco octavos (de pulgada).
five-electrode tube (ra), pentodo.
five-halves power, potencia de cinco medios.
five-lens camera, cámara quíntuple.
five-part line, aparejo quíntuplo.
five-phase (elec), pentafásico.
five-ply, de cinco capas.
five-pole (elec), pentapolar.
five-prong tube (ra), válvula de cinco patas.
five-sheave block, motón de cinco garruchas.
five-speed transmission, transmisión de cinco velocidades.
five-stage compressor, compresora de cinco grados.
five-way cock, llave de cinco vías.
fire-wire, pentafilar.
fivepenny nail, clavo de 1¾ pulg.
fix, s (ra)(nav) posición definida, punto de intersección; v (est)(quím)(fma) fijar.
fixation (chem), fijación.
fixed, fijo; estacionario; determinado.
—— **beam**, viga empotrada o fija o encastrada.
—— **bridge**, puente fijo o estacionario.
—— **capacitor** (elec), capacitor fijo, condensador no regulable.
—— **capital**, capital fijo o permanente.
—— **carbon**, carbono fijo; carbono combinado.
—— **charges**, gastos o cargos fijos.
—— **fee**, honorario fijo o definido, (Ec) retribución fija.
—— **ground water**, agua subterránea de imbibición.
—— **light**, faro fijo o de luz continua.
—— **one end** (str), empotrado por un extremo.
—— **price**, precio fijo o determinado.
—— **residue**, residuo fijo.
—— **resistor** (elec), resistor fijo o no regulable.
fixed-bed catalyst (pet), catalizador de lecho fijo.
fixed-blade propeller (turb), hélice de aletas fijas.

fixed-end column, columna de extremo fijo.
fixed-end moment, momento de empotramiento.
fixed-focus camera, cámara de distancia focal constante o de foco fijo.
fixed-rail frog, corazón de riel fijo.
fixed-roller gate, véase **fixed-wheel gate**.
fixed-tube alidade, alidada de anteojo fijo (al eje transversal)
fixed-wheel gate, compuerta de rodillos o de ruedas fijas o de vagón.
fixer (pmy), fijador.
fixing (pmy), fijado.
—— **bath**, baño fijador
fixity factor (str), factor de empotramiento o de fijación.
fixture, accesorio, dispositivo, aparato; (eléc) artefacto; (mh) montaje, sujetadora; (sol) plantilla sujetadora.
—— **flange** (pb), brida para artefacto.
—— **hanger** (elec), portaartefacto, colgador de artefacto.
—— **splice** (elec), empalme para artefacto.
—— **strap** (elec), barra portaartefacto.
—— **stud** (elec), portaartefacto.
—— **trap** (pb), sifón de artefacto.
—— **wire** (elec), alambre para artefactos.
flag, s (lev) bandera, banderola; v (pav) enlajar, enlosar.
flagella (sen), flagelos.
flagging, enlosado, embaldosado, enlajado.
flagman, portabandera, guardabandera, abanderado, (M) banderero.
flagstone, (pav) losa de piedra, baldosa, laja; (geol) lancha, laja, lastra, asperón.
flake, s escama, laminilla; v descascararse, desconcharse.
—— **graphite**, grafito escamoso.
flame, llama, flama.
—— **arrester**, parallamas, detenedor de llamas.
—— **bridge** (bo), altar, puente de hogar, (C) saltillo.
—— **check**, parallamas.
—— **detector**, indicador de llama.
—— **microphone**, micrófono de llama.
—— **trap**, trampa de llamas.
flame-blasting, véase **flame-cleaning**.
flame-cleaning (pt), limpia por llama.
flame-cutting, cortadura por llama de gas.
flame-gouging, escopleadura con llama de gas.
flame-hardened (met), templado en fragua o a llama.
flame-machining, labrado por llama.
flame-priming (pt), limpia de la superficie por llama, apresto a soplete.
flame-resisting, resistente a las llamas.
flame-retardant, retardante a las llamas.
flame-scaling (met), desconchamiento a soplete.
flame-shrinking (met), contracción por llama de gas y templado.
flame-softening (met), recocido por llama de gas.
flame-tight, estanco a llamas.
flame-treating, tratamiento por llama.
flameproof, v incombustibilizar; a a prueba de llamas.
flaming arc (elec), arco de llama.
flammability, inflamabilidad.

flammable, inflamable.

flange, *s* (viga compuesta) cabeza, cuerda, cordón, ala, (M) patín; (viga I) ala; (tub) brida, pletina, platillo, (Ch) golilla, (Pe) platina; (riel) base, patín, (Ch) zapata; (eclisa) pata, rama; (rueda) pestaña, ceja, bordón; (maq) oreja, pestaña, reborde, resalte; (fund) rebordeadora; *v* rebordear, embridar, bordear, bridar.

—— **angles** (gi), ángulos o escuadras del cordón, cantoneras.

—— **coupling,** acoplamiento de bridas, (A) manchón de disco.

—— **nut,** tuerca de reborde.

—— **plate** (gi), plancha de ala o de cubierta.

—— **rail,** riel vignola, riel en T.

—— **steel** (sb), acero dulce.

—— **tap** (hyd), injerto de brida.

—— **turner** (sb), rebordeador, replegador.

—— **union** (p), unión de bridas, bridas de unión, (C) unión de platillos, bridas gemelas, (A) manchones de unión.

—— **wrench,** llave para bridas roscadas.

flanged

—— **fittings** (p), accesorios embridados o de brida.

—— **pipe,** tubo o caño de bridas; tubería embridada, cañería bridada.

—— **pulley,** polea rebordeada o de pestañas.

—— **valve,** válvula embridada o de bridas, llave de bridas.

flanger, (herr)(fc) pestañador.

flangeway (rr), canal o vía de pestaña, carrilada, garganta, ranura de pestaña.

flanging machine, pestañadora, máquina rebordeadora.

flanging press, prensa de rebordear.

flank, *s* (rs)(herr)(en) flanco; *v* flanquear.

flap

—— **gate** (hyd), compuerta de chapaleta o de charnela.

—— **hinge,** bisagra de superficie.

—— **valve,** válvula de charnela de disco exterior, chapaleta, válvula de gozne.

flapper (va), chapaleta.

flare, *s* acampanado, abocinado; (an) reviro; destello, hoguera, cohete; (ca) antorcha; (fma) interreflexión; *v* abocinar, acampanar; acampanarse, ensancharse.

—— **fittings** (p), accesorios abocinados.

flareboards (tk), adrales sobresalientes.

flarer (t), abocinador.

flaring inlet, toma abocinada.

flaring tool, abocinadora.

flash, *s* destello; (sol)(mh) rebaba; *v* (ed) proteger con planchas de escurrimiento.

—— **back** (flame), retroceder.

—— **boiler,** caldera rápida o instantánea.

—— **butt welding,** soldadura a tope con arco.

—— **compound** (bl), compuesto inflamable.

—— **drier,** desecador instantáneo.

—— **evaporator,** evaporador instantáneo.

—— **flood,** avenida repentina.

—— **magnetization,** imanación superficial.

—— **mixer,** mezclador instantáneo.

—— **point,** punto inflamador o de inflamación, (M) punto de centelleo.

—— **test,** (aceite) ensayo para punto de inflamación; (eléc) ensayo momentáneo del aislamiento.

—— **tester,** probador de inflamación.

—— **tower** (pet), torre de expansión.

—— **vaporization,** vaporización instantánea.

—— **welding,** soldadura por arco con presión.

flashback (w), retroceso de la llama.

flashboard (hyd), alza removible, tabla de quitapón, dispositivo de realce del umbral del vertedero.

—— **pin,** espiga de la tablazón de alza.

flashed glass, vidrio laminado.

flasher, (eléc) destellador; (ca) señal de destellos.

flashing, (to) plancha de escurrimiento, placas escurridizas, botaguas, vierteaguas, (C) sabaleta, (A) babeta; (junta) sello, tapajunta; (eléc) chisporroteo.

—— **light,** faro intermitente de destello corto.

—— **tile** (rf), teja vierteaguas.

flashlight, luz eléctrica de bolsillo, foco de mano; (faro) luz intermitente o de destellos, fanal de destellos, luz relámpago.

flashover voltage, tensión de salto.

flashy (r), torrencial, impetuoso, (V) torrentoso.

flask, (quím) frasco, redoma, matraz; (fund) caja de moldear o de moldeo.

flat, *s* (acero) planchuela, pletina, barra chata, solera, llanta; (top) llanura; (min) filón horizontal; (an) cubierta plana; (herr) filo normal al eje; *a* plano, chato, achatado, llano; acamado; (pint) mate.

—— **arch,** arco plano o adintelado o rectilíneo o a regla, bóveda rebajada.

—— **ceiling,** cielo raso.

—— **chisel,** escoplo plano; cortafrío plano; puntero plano.

—— **curve,** curva abierta o a radio largo.

—— **drill,** mecha de punta chata.

—— **file,** lima plana o chata.

—— **finish** (pt), acabado mate.

—— **glass,** vidrio estirado o plano.

—— **grain** (carp), grano paralelo a la cara del madero.

—— **holes** (min), barrenos horizontales.

—— **knot,** nudo derecho o llano o de rizos.

—— **reamer,** escariador chato.

—— **response** (ra), respuesta plana de frecuencia, respuesta uniforme o fija.

—— **roof,** azotea, terrado, aljarafe.

—— **slab** (bldg), losa plana o sin vigas, (A) losa hongo, (A) suelo fungiforme, (V) placa lisa.

—— **tire,** neumático desinflado, goma floja.

—— **truck,** carretón o camión plano, chata, camión de estacas o de plataforma, (A) camión playo.

—— **tuning** (ra), sintonización plana o aplastada.

—— **washer,** arandela plana.

—— **weld,** soldadura plana.

—— **wheel,** rueda achatada.

—— **wire,** alambre plano, alambre cinta.

—— **wire rope,** cable cinta.

flat-back stope (min), testero de techo plano.

flat-bed trailer, remolque plano o de plataforma.

flat-bottomed, de fondo plano.

flat-compounded generator (elec), generador compound plano, generador de voltaje constante.

flat-crested weir, vertedero de cresta plana o de cresta ancha.

flat-flame burner, quemador de llama plana.

flat-link chain, cadena de eslabones planos.

flat-nose pliers, alicates de punta plana.

flat-point setscrew, opresor de punta chata.

flat-sawing, aserramiento simple.

flat-top antenna, antena de techo plano.

flat-top thread, rosca aplanada.

flat-tube radiator (auto), radiador de tubos achatados.

flatboat, barca chata, chata, barcaza, bongo, lanchón, (V) balsa.

flatcar, carro plano o de plataforma, vagón raso, (C) carro de plancha, (M) plataforma; vagoneta plataforma, (A) zorra playa.

flathead

—— **countersink,** abocardo de cabeza chata.

—— **rivet,** remache de cabeza achatada, roblón de cabeza chata.

—— **screw,** tornillo de cabeza perdida.

—— **stopcock,** llave de cierre con cabeza plana.

—— **stove bolt,** perno de cabeza chata ranurada, bulón o tornillo de cabeza perdida.

flatland, llanura, llano, terreno llano, (Ec) planada.

flatness, aplanado, allanado, achatado.

flatten, achatar, allanar; aplastar.

flattened strand (wr), torones achatados o aplanados, cordones planos, (M) hilos aplastados.

flattening test (p), ensayo de aplastamiento.

flatter *n* (bs), aplanador, allanador, achatador.

flatting oil, aceite mate.

flatting varnish, barniz mate.

flaw, defecto, vicio, imperfección.

flax packing, empaquetadura de lino.

fleam (saw), bisel del filo del diente.

fleet *v*, (cab) despasar; (aparejo) enmendar, tiramollar.

—— **angle** (cab), ángulo de esviaje o de desviación.

—— **of trucks,** brigada de camiones, (M) batería de camiones.

fleeting drum (cy), tambor de traslación o de tracción.

fleeting sheave, garrucha deslizante.

Fleming valve (ra), diodo.

Fleming's rule (elec), regla de Fleming o de tres dedos.

Flemish bond (bw), trabazón holandesa o flamenca, aparejo flamenco.

flesh side (leather), cara interior o brillante.

flex, doblar, encorvar.

flexibility, flexibilidad.

flexible, flexible, doblegable.

—— **cord** (elec), cordón flexible.

—— **coupling,** acoplamiento flexible o de ajuste.

—— **metal conduit** (elec), tubo-conducto flexible.

—— **tubing** (elec), conducto fibroso flexible.

flexible-band coupling, acoplamiento flexible a correa.

flexible-disk coupling, acoplamiento de disco flexible.

flexible-joint pipe, tubería de junta flexible.

flexible-shaft vibrator (conc), vibrador de eje flexible.

flexometer, flexómetro.

flexural, flexional.

—— **rigidity,** rigidez a la flexión.

flexure, flexión.

flicker, *s* (ra) parpadeo, centelleo; *v* parpadear.

—— **photometer,** fotómetro por destellos.

flier (st), escalón recto paralelo.

flight, (mec) paleta, aspa, tablilla; (fma) vuelo.

—— **conveyor,** transportador de paletas, conductor de tablillas, (Es) transportador de rastras, (C) estera.

—— **indicator** (pmy), indicador de vuelo.

—— **lines** (pmy), líneas de vuelo.

—— **map** (pmy), mapa de vuelo.

—— **of locks,** escala de esclusas.

—— **of stairs,** tramo o tiro de escalera.

—— **sewer,** cloaca escalonada.

—— **strip,** (ap) pista o faja de aterrizaje; (fma) faja volada.

flightstop, faja de aterrizaje, estación de servicio para aviones.

flint, pedernal.

—— **clay,** arcilla refractaria apedernalada, arcilla de pedernal.

—— **cloth,** tela de pedernal.

—— **glass,** cristal, cristal de roca.

—— **mill,** molino tubular con bolas de pedernal; molino cilíndrico para cemento con bolas de pedernal.

—— **paper,** papel de lija de pedernal.

flinty, apedernalado.

flip bucket (hyd), deflector, dispersor de energía.

flip coil (elec), bobina exploradora.

flip-out device (elec), dispositivo de disparo.

flitch, (mad) costero, costanera; (carp) tablón de viga ensamblada.

—— **plate,** placa de ensamblaje.

flitched beam, viga compuesta con placas de ensamblaje.

float, *s* flotador, flotante; (mam) llana de madera, fratás, aplanadora, frota, espátula, (A) fratacho, (Pan) flota, (Es)(M) talocha, (V) cepillo de albañil; (maq) leve desplazamiento del eje; (fc) barco trasbordador de carros; (herr) escofina de talla simple; *v* flotar; poner a flote; desencallar, desvarar; (mam) fratasar, aplanar; (min) hacer flotar; (eléc) conectar como compensador.

—— **bridge,** (op) puente de acceso al barco trasbordador de carros; (ca) puente del aplanador.

—— **chamber,** cubeta del carburador, cuba del flotador; cámara del flotador.

—— **copper,** mineral de cobre flotante, acarreos.

—— **finish** (mas), acabado con llana de madera, (V) acabado a boca de cepillo.

—— **finisher** (rd), acabadora de frota.

—— **gage,** escala de flotador.

—— **gaging,** aforo por flotadores.

—— **ore,** mineral flotante o en suspensión, acarreos.

—— shoe (pet), zapata flotadora.
—— switch (elec), interruptor de flotador.
—— trap, interceptor de agua a flotador.
—— valve, válvula de flotador.
float-actuated, mandado por flotador.
float-cut file, escofina de picadura simple.
float-feed carburetor, carburador de flotador.
floatable stream (lg), río flotable.
floater course (rd), capa de acabado.
floater policy (ins), póliza flotante.
floating n, flotación, flotaje.
—— axle, eje flotante.
—— battery (elec), acumulador compensador o flotante.
—— bearing, cojinete flotante.
—— carrier (ra), portadora flotante.
—— charge (elec), carga continua y lenta.
—— chuck, mandril flotante.
—— crane, grúa-pontón, barco-grúa.
—— debt, deuda flotante.
—— driver (mt), guía flotante.
—— dry dock, dique flotante, dique de carena flotante.
—— equipment, equipo flotante, (A) plantel flotante.
—— floor, piso antisonoro con capa de aire.
—— grid (ra), rejilla libre.
—— mark (inst), índice móvil.
—— piston pin, perno flotante del émbolo.
—— roof (tank), techo flotante o a pontón.
—— screed, plantilla de yeso.
floating-disk clutch, embrague de disco flotante.
floc (wp), precipitado de hidrato de aluminio, flóculos, coágulos, grumo, (Pe) flocus.
—— former, floculador, agrumador.
flocculant n, floculante.
flocculate, flocular.
flocculating tank (sd), tanque de floculación.
flocculation, floculación.
—— factor, factor o relación de floculación.
—— limit, límite de floculación.
—— ratio, relación de floculación.
flocculator, floculador, agrumador.
flocculent, s coagulante, floculante; a floculento.
floe, témpano.
flogging chisel, cincel de fundidor.
flogging hammer, martillo de fundidor.
flood, s creciente, crecida, crece, avenida, riada, aluvión, (M) llena; inundación; v inundar, anegar, enlagunar, apantanar, alagar; (carburador) ahogar, anegar.
—— control, control de las crecidas o de avenidas, amortiguación de las crecientes.
—— flow, caudal de avenida, gasto de crecida.
—— lamp, lámpara proyectante o inundante.
—— lubrication, lubricación a inundación o por inmersión.
—— plain, zona o área de inundación, lecho de creciente.
—— routing, regulación de las crecidas.
—— season, estación de avenidas, (A) época de crecidas.
—— tide, marea creciente o entrante o llenante, flujo de la marea, influjo.
—— wall (r), muro guía o de encauzamiento.

flood-control reservoir, embalse para control de las crecidas, embalse de retención.
flooded area, hoya de inundación, zona inundada, área de inundación.
flooded condenser, condensador de inundación.
floodgate, compuerta de esclusa; compuerta de marea.
flooding, inundación, aniego.
—— nozzle (ac), boquilla de inundación.
floodlight, lámpara proyectante o inundante; flujo luminoso.
floodlighting, iluminación proyectada.
floodway, aliviadero de crecidas, cauce de alivio.
floor, s (ed) piso, planta, suelo; alto; (pte) tablero; (presa) zampeado, platea, losa de fundación, (U) carpeta de fundación, (Ch) radier; (canal) plantilla, (A) solera; (dique seco) solera; (geol) baja, bajo, reliz del bajo; (min) piso; lecho; (cn) varenga; v entarimar, solar.
—— arch, bovedilla.
—— beam, (ed) viga, vigueta, tirante; (pte) travesaño, viga transversal o de tablero, (M) pieza de puente.
—— board, (auto) tabla de piso; (cn) varenga.
—— boarding (sb), varengaje.
—— bolt, cerrojo de piso o de pie.
—— box (elec), caja de salida para piso.
—— chisel, escoplo de calafatear; cincel arrancador.
—— drain, desagüe de piso; desagüe de suelo, (C) caño.
—— flange (p), brida o platillo de piso.
—— framing, viguería, viguetería, tirantería, (Pan) envigado.
—— hardener (conc), endurecedor.
—— hinge, gozne o charnela de piso.
—— hopper (conc), tolva de piso.
—— load (bldg), carga de piso.
—— outlet (elec), tomacorriente de piso.
—— pan, ahuecador metálico.
—— plan, plano de piso, planta del piso.
—— plate, (est) plancha para piso; (tub) férula embridada.
—— plug (elec), clavija de piso.
—— slab, losa de piso.
—— stand, (hid) pedestal de maniobra o de piso; (maq) soporte de piso para eje.
—— strike (hw), hembra de cerrojo para piso.
—— system (bdg), tablero.
—— tile, baldosa, loseta, baldosín, (C) loza, (A) (M) mosaico; bloques refractarios para construcción de pisos.
—— topping (conc), capa de desgaste.
floor-stand grinder, amoladora de pie.
floorhead (sb), palmejar.
flooring, material para pisos, entarimado, (M) duelas para piso.
—— brad, puntilla para entarimado, clavito de cabeza cónica.
—— hatchet, hachuela de entarimado.
—— nail, clavo para pisos, punta para machimbre.
—— plaster, yeso para piso (yeso completamente deshidratado).
flotation, flotación, flotaje; (mena) flotación.
—— gradient (hyd), pendiente de flotación.

flour, polvo fino de piedra, (ca) harina.
— copper, mineral de cobre flotante, acarreos.
— of emery, polvo de esmeril.
floury (soil), harinoso, polvoriento.
flow, s (r) caudal, gasto, derrame, flujo, corriente, (Es)(Pe) fluencia; (mr) creciente, flujo; (ms) flujo, escurrimiento; (ms) derrumbe, desprendimiento; v (r) correr, fluir; (mr) subir, crecer.
— back, refluir.
— bean, flow nipple (pet), niple reductor de gasto.
— capacity, capacidad de conducción.
— channel (sm), canal de escurrimiento.
— chart, cuadro de gastos por tuberías.
— cleavage (geol), clivaje de flujo.
— controller, regulador de gasto.
— curve, curva de gastos.
— equalizer, igualador de gasto.
— gage, indicador de gasto.
— in, afluir.
— index (sm), índice de flujo.
— indicator, indicador de caudal o de gasto.
— line, línea superior de la corriente; pendiente hidráulica; (embalse) contorno de inundación, curva de ribera; (pet) tubería de descarga; (ms) recorrido de filtración.
— net, red de percolación o de flujo o de escurrimiento.
— nozzle, boquilla medidora de gasto, boquilla de flujo.
— packer (pet), obturador de flujo.
— recorder, contador o registrador de gasto.
— regulator, regulador de gasto.
— relay (elec), relevador de gasto.
— sheet, (hid) planilla de flujo; (taller) diagrama del avance, planilla de operaciones sucesivas.
— string (pet), tubería o sarta de producción.
— table (lab), mesa de flujo o de ensayos de escurrimiento, tablero de fluidez.
— test, ensayo de flujo.
— tester, ensayador o probador de flujo.
— texture (geol), textura flúida.
— tunnel, túnel conducto.
— value (sm), valor del escurrimiento.
flow-control valve, válvula reguladora de gasto.
flow-directing T (ht), T desviadora.
flow-line pipe, conducto de gravitación, tubería que sigue la pendiente hidráulica.
flow-line valve (pet), válvula de descarga.
flowage line (reservoir), curva de inundación, (M) contorno de inundación.
flowers of zinc, flores de cinc, óxido de cinc.
flowing pressure (pet), presión de flujo.
flowing well, pozo surgente, (M) pozo brotante.
flowing-through chamber (sd), cámara superior (del tanque de sedimentación).
flowing-through velocity, velocidad de travesía o de pasaje.
flowmeter, fluviómetro, contador de gasto, medidor de flujo; fluidímetro, (C) fluidómetro, (Ch) fluímetro.
flucan (geol), salbanda.
fluctuating current (elec), corriente fluctuante.
fluctuation (ra), fluctuación.

flue, cañón, tragante, humero, conducto de humo; (cal) tubo, flus.
— beader (bo), rebordeador de tubos.
— bridge, altar de humero.
— brush, cepillo para tubos de caldera, escobilla desincrustadora.
— cleaner (bo), limpiador de tubos, limpiatubos.
— expander (bo), ensanchador o abocinador de tubos, mandril de expansión.
— gases, gases de la combustión.
— lining, forro de chimenea.
— plate (bo), placa de tubos.
— roller, mandril para tubos de caldera, bordeadora.
— scraper, raspador de tubos.
— sheet (bo), placa de tubos, plancha tubular.
flue-beading hammer, martillo para bordear.
fluffy structure (soil), estructura harinosa.
fluid n a, flúido.
— drive, transmisión hidráulica o flúida, mando o acoplamiento hidráulico, (A) embrague a flúido.
— mechanics, mecánica de los flúidos.
— ounce, onza líquida o flúida.
fluid-drive assembly, conjunto de la transmisión flúida.
fluid-friction dynamometer, dinamómetro de fricción flúida.
fluidal (geol), flúido, (A) fluidal.
fluidimeter, fluidímetro.
fluidity, fluidez.
fluidize, fluidificar.
Fluidometer (trademark), fluidómetro.
fluke (anchor), uña, pestaña, oreja.
flume, s (hid) canalón, canalizo, saetín, caz, puente canal, canal de madera, acueducto; (pet) separador de gas; v conducir por canalizo.
— meter, medidor para canalón.
fluor (miner), fluorita, espato flúor.
— spar (miner), espato flúor, fluorita.
fluorapatite (miner), fluorapatita, apatita flúor.
fluorescence, fluorescencia.
fluorescent, fluorescente.
fluoric, fluórico.
fluoride, fluoruro, (M) fluato.
fluorination, fluoración.
fluorine, flúor.
fluorite (miner), fluorita, flúor espato.
flush, v baldear, limpiar por inundación; mover por chorro de agua; a a ras, parejo, nivelado.
— bolt (hw), cerrojo embutido, pasador de embutir.
— bushing (p), buje al ras.
— coat (pav), capa superficial de betún.
— corner joint (w), junta pareja esquinada.
— curb (rd), cordón al ras con el pavimento.
— deck (sb), cubierta rasa o corrida o sin estructuras.
— door, puerta llana o lisa.
— joint, junta lisa o llana, ensambladura enrasada; (lad) junta llena.
— marker (ap), marcador enterrado, señal a ras de tierra.

—— **outlet** (elec), toma de embutir, tomacorriente embutido.

—— **pipe** (pb), tubo de baldeo.

—— **production** (pet), producción afluente o brotante.

—— **receptacle** (elec), receptáculo al ras de pared.

—— **rivet,** remache de cabeza rasa.

—— **sash lift** (hw), levantaventana embutido.

—— **seal** (rd), capa de baldeo, capa final de inundación.

—— **switch** (elec), interruptor embutido, llave de embutir.

—— **tank,** (al) sifón de lavado automático, depósito de baldeo, tanque de inundación, pozo lavador, (Es) depósito de limpia; (pb) tanque de inundación.

—— **valve,** válvula de limpieza automática; (pb) válvula baldeadora, (Es) válvula de aspersión.

—— **with,** al ras con, a flor de, al ras de, rasante con.

flusher, baldeadora.

flushing, baldeo.

—— **chamber,** véase **flushing manhole.**

—— **gun** (auto), pistola de lavar.

—— **manhole** (sw), pozo de limpieza.

flushing-rim water closet, inodoro de borde lavador.

flushometer, válvula de limpieza automática, (M) fluxómetro.

flute, s (arq) estría; (fund) cuchara estriadora; v acanalar, estriar.

fluted, estriado, arrugado, acanalado, rayado.

fluted-socket setscrew, opresor de cubo ranurado.

fluting, acanaladura, estría.

—— **cutter,** fresa estriadora.

—— **plane,** cepillo acanalador, guillame de acanalar.

flutter (eng)(tel), vibración, trepidación.

fluvial, fluvial.

fluvio-aeolian (geol), fluvio-eólico.

fluvioglacial drift (geol), acarreo fluvioglacial.

fluviograph (hyd), fluviógrafo.

fluviolacustrine (geol), fluviolacustre.

fluviomarine (geol), fluviomarino.

fluviometer (hyd), fluviómetro, fluviógrafo.

fluviovolcanic (geol), fluviovolcánico.

flux, s (met) fundente, flujo, castina, fluidificante; (ca) fluidificante; (eléc) flujo; v (ca) fluidificar.

—— **asphalt** (rd), asfalto rebajado, (M) asfalto fluxado.

—— **cutting,** tipo de cortadura por llama de gas.

—— **density** (elec), densidad de flujo.

—— **oil,** aceite fluidificante.

flux-coated electrode (w), electrodo revestido con fundente.

flux-shielded welding, soldadura con fundente protector.

fluxional (geol), flúido.

fluxmeter, flujómetro, fluxómetro.

fly

—— **ash,** ceniza muy fina.

—— **block,** motón volante.

—— **cutter,** fresa perfilada simple.

—— **larvae** (sen), larvas de mosca.

—— **nut,** tuerca de orejas.

—— **press,** prensa de volante.

—— **rail** (stub switch), riel de cambio.

fly-ash precipitator, precipitador de cenizas finas.

flyback (ra), tiempo de retorno.

flyball governor, regulador centrífugo.

flying

—— **boat,** bote volador, hidroavión.

—— **bridge** (sb), puente superior o volante.

—— **buttress** (ar), botarel con arbotante.

—— **level,** (lev) nivelación rápida y aproximada; (inst) tipo de nivel de mano.

—— **scaffold,** andamio voladizo.

—— **spot** (tv), punto explorador.

—— **switch** (rr), desvío o cambio volante, lanzamiento, cambio corrido.

flying-arch system (tun), método belga.

flywheel, volante, (C) rueda voladora.

—— **effect** (ra), efecto volante.

—— **generator** (elec), generador-volante.

—— **governor,** regulador de volante.

—— **guard,** guardavolante.

—— **housing** (auto), envolvente del volante del motor, caja del volante.

—— **magneto,** magneto de volante.

—— **pit,** foso de volante.

—— **rim,** llanta de volante.

foam, s espuma; (az) cachaza; v espumar.

—— **canal** (su), conducto de espuma.

—— **collector,** despumador.

—— **fire extinguisher,** extinguidor o apagador a espuma.

—— **generator,** generador de espuma, espumadora.

—— **scraper** (su), desnatador, paleta espumadora.

foaming coefficient (water), coeficiente espúmante.

Foamite (trademark), fomita.

focal, focal.

—— **length,** distancia focal.

—— **plane,** plano focal.

—— **point,** foco, punto focal.

focal-plane plate (pmy), placa del plano focal o de contacto.

focal-plane shutter (pmy), obturador de plano focal.

focus, s foco; v enfocar.

focusing, enfoque.

—— **coil** (ra), bobina de enfoque.

—— **cup** (ra), copa enfocadora.

—— **electrode** (tv), electrodo de enfoque.

—— **screw** (inst), tornillo de enfoque.

fog, s niebla; v velar; velarse.

—— **bell,** campana de nieblas.

—— **chamber** (lab), cámara anublada.

—— **curing** (lab), curación húmeda, curado con saturación.

—— **dispersal** (ap), dispersión de la niebla.

—— **light** (auto), lámpara o faro para niebla.

—— **room** (lab), cámara anublada o húmeda, cuarto húmedo.

—— **seal** (rd), capa final de asfalto muy flúido.

—— **signal,** señal de nieblas.

fog-type insulator, aislador tipo de niebla.

foghorn, bocina de bruma, corneta de niebla.

foil *n* (met), hoja, lámina.
fold, *s* (geol) pliegue, plegamiento, plisamiento, arrugamiento (minuto); *v* plegar.
folded-wire antenna (ra), antena en V.
folder (sml), máquina de plegar.
folding, *s* (geol) plegamiento; *a* plegadizo, replegable.
— brake, máquina plegadora de palastro.
— door, puerta plegadiza.
— rule, regla plegadiza, metro plegadizo o de tramos.
— seat (auto), traspontín, asiento plegadizo.
folia (geol), láminas.
foliated (geol), foliado.
foliation, foliación.
follow, seguir.
— current (elec), corriente subsiguiente.
— dies, herramienta compuesta de punzones y matrices.
— rest (mt), soporte móvil.
follower, (pi) embutidor, falso pilote, macaco; (prensaestopas) casquillo; (tub) contrabrida; engranaje impulsado; polea mandada; seguidor.
— cap (pi), macaco de embutidor.
— band (pi), zuncho para embutidor.
— rest (lathe), soporte o luneta móvil.
— ring (gate), anillo seguidor.
foolproof, a prueba de impericia, a prueba de mal trato, indesarreglable.
foot, (mec) pata, pie; (med) pie; (pi) extremo inferior.
— accelerator (auto), acelerador de pie o de pedal.
— block, (carp) calzo, zoquete, zapata, zapatilla; (gr) durmiente, durmiente con rangua, portaquicionera, portarrangua.
— bolt (hw), cerrojo de pie.
— brake (auto), freno de pedal.
— guard (rr), guardapiés.
— lathe, torno de pedal.
— lever, pedal.
— passenger, peatón, caminante.
— plate (inst), placa de soporte de los tornillos niveladores.
— press, prensa de pedal.
— rule, regla.
— switch, interruptor de piso o de pie o de pedal.
— valve, (bm) válvula de aspiración o de pie, sopapa, (C) chupón; (pb) válvula de pedal.
— valve and strainer, alcachofa, (V) maraca.
— vise, tornillo de pedal.
foots (oil), sedimentos.
foot-block casting (de), rangua, quicionera.
foot-candle (il), pie-bujía, bujía-pie.
— meter, medidor de pies-bujías.
foot-lambert (il), pie-lambert.
foot-lift jack, gato de pie alzador.
foot-pound, librapié, pie-libra.
foot-second, pie por segundo.
footage, longitud en pies.
footboard, estribo; tabla de piso.
footbridge, pasarela puente, puente de peatones, pasadera.
foothills, colinas, precordillera.

footing, cimentación, fundamento, embasamento, zócalo, zarpa, (M) soclo, (A)(C)(V) zapata.
footprint (rd)(ap), área de presión del neumático.
footrest (auto), apoyapié, descansadillo, descansapié.
footstock (mt), véase tailstock.
footwalk, acera, andador.
footwall (min), respaldo bajo, (M) reliz del bajo, (M) tabla de bajo, (B) hastial de piso.
force, *s* fuerza; (mh) punzón maestro; *v* forzar.
— account, costo más porcentaje.
— diagram, diagrama de fuerzas.
— factor (ra), factor de fuerza.
— feed, alimentación forzada.
— fit, ajuste forzado.
— main, tubería o conducto de impulsión.
— majeure, fuerza mayor.
— polygon, polígono de fuerzas.
— pump, bomba impelente o impulsora.
force-feed loader, cargador autoalimentador.
force-feed oiling, lubricación a presión, aceitado forzado.
force-lubricated, lubricado a presión.
forced, forzado.
— convection, convección forzada.
— draft, tiro forzado, aspiración mecánica.
— harmonic vibration, vibración armónica forzada.
— lubrication, lubricación forzada o por presión.
— oscillation (elec), oscilación forzada.
— ventilation, ventilación por presión.
forced-air cooling, enfriamiento por aire a presión.
forced-circulation boiler, caldera de circulación forzada.
forced-cooled transformer, transformador enfriado por aceite bajo presión.
forced-draft
— aerator, aereador de aspiración mecánica.
— cooling tower, torre de enfriamiento de tiro forzado.
— fan, ventilador de tiro forzado.
forced-oil-cooled transformer, transformador enfriado por aceite a presión.
forceps (lab), pinzas.
forcing
— nut, tuerca forzadora.
— press, prensa forzadora.
— screw, tornillo forzador.
Forcite (trademark)(bl), forcita.
ford, *s* vado, paso, vadera; *v* vadear, esguazar.
fordable (r), esguazable, vadeable.
fore *a* (sb), proel, de proa.
— plane, garlopín, garlopa.
fore-and-aft *a* (sb), longitudinal.
fore-set beds (geol), depósitos al frente de un delta.
forebay (hyd), cámara de presión o de carga, antecámara, (Es) depósito de carga.
forebody (na), cuerpo de proa.
forebreast (min), frente de ataque, frente, frontón.
forecarriage, avantrén, antetrén.
forecastle (sb), castillo, castillo de proa.
— deck, cubierta de castillo.

forefoot (sb), pie de roda, estrave.
forehand welding, soldadura directa.
forehearth, antehogar, antecrisol.
foreign exchange, cambio extranjero.
foreland, antepaís.
forelock (mech), clavija hendida.
foreman, capataz, sobrestante, cabo de cua-
     drilla, aperador, (V) caporal, (Ch) mayor-
     domo, (Col) capitán, (F) cabecilla.
—— carpenter, jefe o capataz de carpinteros.
—— erector, jefe montador.
foremast (sb), palo de trinquete.
forepeak (sb), parte más a proa de la bodega.
forepoling (min), listones de avance, estacas de
     frente.
forerunners (geop), ímpetus previos.
foreshock, temblor preliminar, sismo preliminar
     o precursor.
foreshore, playa, ribera.
foresight (surv), visual adelante, mira de frente;
     lectura frontal, visual por restar, (Es)
     nivelada de adelante.
foreslope (rd), talud interior de la cuneta, con-
     tratalud.
forest, bosque, selva, monte alto, (PR)(Pe) mon-
     taña, (Col) montarrón.
—— warden, guarda forestal, guardabosque,
     montaraz.
forestaller (rr), dispositivo para prevención de
     frenaje automático.
forestation, arborización, (M) forestación.
forester, silvicultor, selvicultor; guardamonte,
     montaraz.
forester's compass, brújula de silvicultor.
forester's tape, cinta de selvicultor.
forestry, silvicultura, selvicultura.
—— engineer, ingeniero o técnico forestal, silvi-
     cultor, selvicultor.
forge, s fragua, forja; v fraguar, forjar.
—— bloom (met), lupia para forjar.
—— blower, soplador de forja.
—— crane, grúa de forja.
—— hammer, martillo de fragua, martinete for-
     jador.
—— scale, costra de forjadura, batiduras.
—— shop, forja, taller de forja.
—— smith, forjador, fraguador.
—— welding, soldadura de forja.
forgeability, forjabilidad.
forgeable, forjable.
forged-steel flange (p), brida de acero forjado.
forging, forjadura, fraguado, forja; pieza forjada.
—— and upsetting machine, máquina de forjar y
     recalcar.
—— die, troquel de forjar, matriz para forjar.
—— furnace, horno de forjar.
—— press, prensa de forjar.
—— rolls, cilindros de forjar.
—— thermit, termita de forja.
fork, s (ca) bifurcación; (r) confluencia; (balasto)
     horquilla, horqueta; (mec) horca, horcajo;
     v (ca) bifurcarse.
—— beam (sb), bao de horquilla.
—— bolt, perno de horqueta o de horquilla.
—— chuck, mandril ahorquillado.
—— wrench, llave ahorquillada, llave-tenedor.

fork-bolt insulator, aislador para horquilla.
forked, ahorquillado, (M) horquillado.
form, s (conc) molde, forma, encofrado; (plegar)
     horma, matriz; (papelería) formulario,
     modelo; v formar, modelar; (conc) formar,
     encofrar, moldear, moldar; (eléc) formar.
—— carpenter, encofrador, carpintero de moldaje.
—— clamp, grampa para moldes.
—— factor (elec), factor de forma.
—— lines (pmy), curvas de nivel esbozadas sin
     cotas determinadas.
—— oil, aceite para moldes.
—— setter (rd), tendedor de moldes.
—— tamper (rd), pisón para moldes.
—— ties, tirantes de moldes.
—— yard, plaza de moldaje, cancha de carpin-
     tería.
forms (conc), moldaje, encofrado, moldes, (Ch)
     estructura, (Col) cajón, (C) obra falsa.
Form-set (cab)(trademark), preformado.
form-wound (elec), de devanado conformado.
formability, formabilidad.
formaldehyde, formaldehido.
formate (chem), formiato.
—— ricinoleate broth (sen), caldo de formiato
     ricinolado.
formation (elec)(geol), formación.
—— tester (pet), probador del estrato.
formational gas (pet), gas de la formación.
formed cutter, fresa perfilada.
former, formador, matriz, (eléc) plantilla de
     devanado.
Formica (elec)(trademark), fórmica.
forming, (conc) encofrado, moldaje; (eléc)
     formación.
—— die, matriz de embutir o de formar.
—— machine, máquina conformadora.
—— press, prensa de formar.
—— punch, punzón troquelador o formador.
—— rolls (met), rodillos de formación, cilindros
     de conformar.
formula, fórmula.
formwork (conc), moldaje, encofrado.
fortypenny nail, clavo de 5 pulg.
forward, a delantero; (cn) proel; adv adelante; v
     remitir, transmitir; reenviar.
—— anode voltage (ra), tensión anódica directa.
—— azimuth, acimut de frente.
—— lap (pmy), solapadura longitudinal, super-
     posición de avance.
—— of (naut), a proa de.
—— perpendicular (na), perpendicular de proa.
—— quarter (sb), cuadra de proa.
—— tangent (surv), tangente de frente.
forward-curved-blade fan, ventilador de aletas
     inclinadas hacia adelante.
forwarder (tr), embarcador, transportista.
forwarding yard (rr), patio de salida.
fossil, fósil.
—— flour, diatomita, harina fósil, quiselgur.
—— water (geol), agua connata.
Fosterite (trademark)(inl), fosterita.
Foucault current (elec), corriente parásita.
foul, v (bujía) hollinarse; (cordelería) trabarse,
     enredarse; (buque) ensuciarse; (maq) en-

suciarse; (náut) chocar, abordar; *a* (cab) enredado, atascado.

— **bill of lading**, conocimiento tachado.

fouling point (rr), punto de acercamiento (del apartadero a la vía principal).

found, (cons) cimentar, fundar; (empresa) fundar, establecer.

foundation, cimiento, fundación, cimentación, basamento, fundamento.

— **bed**, terreno de cimentación, lecho de fundación.

— **bolt**, perno de cimiento o de anclaje.

— **material**, terreno de cimentación, cimiento, fundación.

— **slab** (bldg), losa de cimiento, carpeta de fundación.

— **wall**, muro de cimiento o de fundación.

founder, *s* fundidor; *v* hundirse.

founding (met), fundición.

foundry, fundición, fundería, taller de fundición.

— **coke**, coque de fundición.

— **crane**, grúa para fundición.

— **nail**, clavo de fundición.

— **pig**, fundición gris.

— **scrap**, desechos de fundición.

foundryman, fundidor, moldeador.

fountain ruling pen, tiralíneas de fuente.

four, cuatro.

four-bolt splice (rr), junta de cuatro bulones.

four-centered arch, arco de cuatro centros.

four-circuit switch, interruptor de cuatro circuitos.

four-couple camera (pmy), cámara cuádruple.

four-cycle engine, motor de cuatro tiempos.

four-cylinder, de cuatro cilindros, tetracilíndrico.

four-electrode valve (ra), válvula de cuatro electrodos, tetrodo.

four-gang faceplate (elec), chapa de cuatro salidas.

four-groove drill, broca salomónica de cuatro ranuras.

four-inch pipe, tubo de 4 pulg.

four-lane (rd), cuadriviaria, de cuatro trochas.

four-leg bridle sling (cab), eslinga de brida de cuatro partes.

four-lip drill, broca de cuatro filos.

four-part tackle, aparejo cuádruple.

four-pass boiler, caldera de cuatro pasos.

four-phase (elec), tetrafásico.

four-pin crossarm (elec), cruceta de cuatro espigas.

four-pinion differential (auto), diferencial de cuatro satélites.

four-ply, de cuatro capas.

four-point mounting (auto), suspensión en cuatro puntos.

four-point switch (elec), llave de cuatro puntos.

four-pole, tetrapolar.

four-prong tube (ra), válvula de cuatro patas.

four-sided, cuadrilátero.

four-speed transmission (auto), transmisión de cuatro velocidades.

four-stage, de cuatro grados o etapas.

four-stand mill (met), laminador de cuatro rodillos de altura.

four-step cone pulley, polea de cuatro escalones.

four-story, de cuatro pisos.

four-stroke cycle (ge), ciclo de cuatro tiempos.

four-throw crankshaft, cigüeñal de cuatro codos.

four-tuck splice (cab), ayuste de cuatro inserciones.

four-way

— **cable duct** (elec), conducto de cuatro pasos.

— **pole band** (elec), zuncho cuarteado para poste.

— **switch** (elec), conmutador de cuatro terminales, llave de cuatro vías.

— **system** (reinf), armadura en cuatro direcciones.

— **T** (p), T de cuatro pasos, T con salida lateral.

— **valve**, válvula de cuatro pasos.

four-wheel

— **brakes**, frenos en las cuatro ruedas.

— **drive** (auto), impulsión por cuatro ruedas.

— **scraper**, traílla de cuatro ruedas.

four-wing bit (pet), barrena de cuatro alas.

four-wire, tetrafilar, cuatrifilar, (A) cuadrifilar.

fourble (pet), cuatro tiros de la tubería vástago acoplados, cuádruple.

fourpenny nail, clavo de 1½ pulg.

fourth power, cuarta potencia.

fourth root (math), raíz cuarta.

fox

— **bolt**, perno hendido.

— **lathe**, torno de latonero.

— **wedge**, contraclavija.

fraction, fracción, quebrado.

fractional, fraccionario, fraccionado.

— **analysis**, análisis fraccionario.

— **combustion**, combustión fraccionada.

— **crystallization**, cristalización fraccionada.

— **distillation**, destilación fraccionaria o fraccionada.

fractional-horsepower motor, motor de potencia fraccionada.

fractional-pitch winding (elec), devanado o arrollamiento de cuerdas.

fractionate, separar por destilación fraccionada, fraccionar.

fractionating

— **column** (pet), véase **fractionating tower**.

— **condenser**, condensador fraccionador.

— **tower** (pet), torre fraccionadora, torre o columna de fraccionamiento.

fractionator (pet), fraccionador.

fracture, *s* fractura, rotura, (geol) disyunción; *v* fracturar.

— **cleavage** (geol), clivaje de disyunción.

— **spring**, fuente o manantial de fisura.

fragmental (geol), fragmentario, fragmentoso.

fragmentation, fragmentación.

fraise, escariador para piedra.

frame, *s* (ed) armazón, estructura, tirantería, esqueleto, entramado; (puerta, ventana) cerco, marco, alfajía, (Col) bastidor; (compuerta) cerco-guía, marco; (cn) cuaderna; (si) arco, marco, bastidor; (min) cuadro de maderos; (maq) bastidor; (mot) armazón, bastidor; (tv) cuadro; *v* (est) armar, ensamblar; (carp) embarbillar, (Col) engalabernar; (contrato) redactar.

— **and cover**, marco y tapa.

—— **building,** edificio con paredes exteriores de madera, edificio de madera.
—— **dam,** presa armada de maderos.
—— **frequency** (tv), frecuencia de cuadro.
—— **station** (na), sección transversal provisional.
framed
—— **arch,** arco reticulado.
—— **bent,** caballete ensamblado o armado o en marco.
—— **connection** (str), conexión sin asiento, conexión del alma de la viga.
—— **door,** puerta ensamblada o de entrepaños.
—— **structure,** estructura armada, construcción reticulada.
framer, (carp) armador, ensamblador; (tv) encuadrador.
framework, armazón, tirantería, armadura, entramado, esqueleto, reticulado.
framing, armadura, tirantería, esqueleto; ensamblaje; (tv) encuadrado.
—— **chisel,** formón, escoplo.
—— **square,** escuadra de ajustar.
franchise, franquicia, privilegio; concesión social.
Francis turbine, turbina de reacción, turbina tipo Francis.
franklinite, franclinita (mineral de manganeso).
frazil ice, chispas de hielo.
free, libre.
—— **air per minute** (compressor), aire libre por minuto.
—— **alongside (FAS),** libre al costado del vapor.
—— **astray** (rr), flete libre de extravío.
—— **available chlorine residual** (wp), residuo de cloro libre aprovechable, cloro libre disponible.
—— **discharge** (hyd), descarga libre.
—— **fall,** caída libre.
—— **fit,** ajuste holgado.
—— **flow** (hyd), gasto sin sumersión, derrame libre.
—— **grid** (ra), rejilla libre.
—— **haul** (exc), acarreo libre.
—— **lime,** cal libre.
—— **of duty,** libre o franco de derechos.
—— **of particular average** (ins), libre de avería particular, franco de avería simple.
—— **on board (FOB)** (tr), libre a bordo (LAB), franco a bordo (FAB), puesto a bordo o sobre vagón, cargado sobre vagón.
—— **oscillation** (elec), oscilación libre.
—— **overside,** franco fuera del buque.
—— **port,** puerto franco.
—— **residual chlorination** (wp), cloración con residuo libre aprovechable.
—— **storage** (rr), almacenamiento gratuito.
—— **stuff** (carp), madera sin nudos.
—— **vibration,** vibración libre.
—— **water** (sm)(irr), agua libre o de gravedad.
—— **weir,** vertedero completo o libre.
free-bend test, prueba de flexión libre.
free-burning coal, carbón no aglutinante.
free-cutting steel, acero de fácil tallado.
free-machining, de fácil fresado.
free-moving capacity (rd), capacidad de marcha libre, capacidad de movimiento sin restricción.

free-rotor current (mot), corriente con rotor libre.
free-running speed, velocidad de equilibrio.
free-space intensity (ra), intensidad de espacio libre.
free-spooling (eng), de enrollado libre.
freeboard, revancha, bordo libre, obra muerta, (A) resguardo, (M) margen libre, (an)(A) franco bordo.
—— **deck** (sb), cubierta que limita la medición de bordo libre, cubierta de bordo libre.
freehand drawing, dibujo a pulso o a mano libre, (C) dibujo a mano alzada.
freestanding (bldg), autoestable.
freestone, piedra franca.
freeway (rd), camino de acceso limitado.
freewheel (auto), rueda libre.
freewheeling (auto), marcha a rueda libre.
—— **clutch,** embrague de rueda libre.
freeze, helar, congelar; helarse, congelarse; (maq) aferrarse, agarrarse.
freezing (w), adhesión, pegadura.
—— **bath,** baño congelador.
—— **mixture,** refrigerante, mezcla frigorífica.
—— **point,** punto de congelación o de hielo; punto de fluidez (aceite).
freight, s flete, porte; carga, cargo; v fletar.
—— **agent** (rr), agente de carga, (Es) factor.
—— **bill,** factura de flete, carta de porte.
—— **car,** carro de carga, vagón, (M) furgón.
—— **charges,** flete.
—— **collect,** porte a pagar, flete por cobrar, porte debido.
—— **elevator,** ascensor o elevador de carga, montacargas.
—— **prepaid,** porte pagado.
—— **rate,** tipo o cuota de flete, flete, (A) tarifa.
—— **shed,** cobertizo de fletes, galpón de cargas.
—— **station,** estación de carga, cargadero.
—— **track,** vía para trenes de carga.
—— **train,** tren de carga.
—— **yard,** patio o playa de carga.
freighter, fletador; cargador; buque de carga, (A) carguero.
French
—— **curve** (dwg), curva irregular, (A) pistoleta, (C) curvígrafo, (C) plantilla o regla de curvas.
—— **door,** puerta-ventana.
—— **drain,** desagüe de piedra en una zanja.
—— **truss,** armadura Fink con bombeo del cordón inferior.
—— **window,** puerta-ventana.
Freon (rfg)(trademark), freón.
frequency (all senses), frecuencia.
—— **band** (ra), faja o banda de frecuencias.
—— **changer** (elec), convertidor o cambiador de frecuencia.
—— **converter** (elec), convertidor de frecuencia.
—— **distortion** (ra), distorsión o deformación de frecuencia.
—— **divider** (elec), divisor de frecuencia.
—— **drift** (ra), desplazamiento o desvío de frecuencia.
—— **indicator** (ra), contador o indicador de frecuencia.

—— **meter**, frecuencímetro.
—— **modulation** (ra), modulación de frecuencia.
—— **multiplier**, multiplicador de frecuencia.
—— **range** (ra), faja de frecuencias de límite, límites de frecuencia.
—— **recorder**, frecuencímetro registrador.
—— **relay**, relai o relevador de frecuencia.
—— **separator** (tv), separador de frecuencias.
—— **spectrum** (elec), espectro de frecuencias.
—— **standard** (ra), patrón de frecuencia.
—— **swing** (ra), variación de la frecuencia portadora.
—— **tripler** (ra), triplificador de frecuencia.
frequency-deviation meter (ra), indicador de cambio de frecuencia.
frequency-modulated (ra), modulado en frecuencia.
frequency-type telemeter, telémetro de frecuencia.
fresh, fresco; reciente.
—— **air**, aire puro.
—— **sewage**, aguas negras nuevas.
—— **water**, agua dulce.
fresh-air inlet (pb), toma de aire del exterior.
freshet, avenida, crecida.
Fresnel lens (ap), lente Fresnel.
fresno scraper (ea), pala o traílla fresno, (M) escrepa fresno.
fret saw, sierra caladora, segueta.
friability, friabilidad.
friable, desmenuzable, friable.
friction, fricción, rozamiento, frotamiento, roce, rozadura.
—— **band**, cinta de fricción.
—— **blocks** (hoist), almohadillas, calzos de fricción.
—— **brake**, freno de fricción; freno dinamométrico.
—— **breccia**, véase **crush breccia**.
—— **catch** (door), pestillo de fricción.
—— **circle** (sm), círculo de fricción.
—— **clutch**, embrague o garra de fricción, embrague de frotación, (A) acoplamiento de fricción.
—— **cone** (hoist), cono de fricción.
—— **coupling**, acoplamiento de fricción.
—— **drive**, impulsión o accionamiento por fricción.
—— **drop** (hyd), caída de fricción.
—— **drum** (hoist), tambor de fricción.
—— **factor**, coeficiente de fricción.
—— **feed**, alimentación o avance por fricción.
—— **gear**, transmisión friccional, polea de fricción.
—— **head** (hyd), carga de fricción o de rozamiento.
—— **hinge**, bisagra de fricción.
—— **horsepower**, potencia perdida por fricción.
—— **index** (sm), índice de fricción.
—— **lever** (machy), palanca de la fricción.
—— **loss**, pérdida por fricción.
—— **pile**, pilote de fricción.
—— **plate**, rozadera.
—— **pulley**, polea de fricción.
—— **slope** (hyd), pendiente de frotamiento.
—— **socket** (pet), campana de pesca por fricción.

—— **tape** (elec), cinta aisladora o de fricción o de empalme.
—— **test**, prueba por fricción.
—— **wheel**, polea de fricción.
frictional, friccional.
—— **heat**, calor de rozamiento.
—— **resistance**, resistencia de rozamiento, (M) resistencia frotante, (A) resistencia de frotamiento.
frigorific, frigorífico.
fringe
—— **effect** (ra), efecto de borde.
—— **howl** (ra), aullido de borde.
—— **water** (irr), agua encima de la capa freática.
fringing reef (geol), arrecife costero.
froe (lg), cuña; hendedor.
frog, (fc) corazón, rana, sapo; (fc) cruzamiento, crucero; (cepillo) cuña, contrahierro; (fc eléc) desvío, cruzamiento aéreo; (pl) lomo, costilla; (ef) bifurcación de canalizo; (ef) tronco de guía; rebajo de trabazón (ladrillo).
—— **angle**, ángulo del corazón.
—— **channel** (rr), canal de cruzamiento.
—— **distance** (rr), avance, arranque.
—— **number** (rr), número del corazón.
front, *s* frente, (ed) fachada, (cal) testera; *a* delantero.
—— **assembly**, tren delantero.
—— **brick**, ladrillo de fachada.
—— **bumper** (auto), paragolpe delantero.
—— **chisel**, cortaladrillos.
—— **clearance** (mt), ángulo de separación, espacio libre al frente. (A) despeje frontal.
—— **contact** (elec), contacto frontal.
—— **drive** (auto), propulsión delantera, (M) conducción delantera.
—— **dump** (tk), vaciado por delante, descarga por el frente.
—— **elevation**, alzado delantero, elevación frontal, elevación del frente.
—— **end**, extremo delantero, delantera; (ec) aguilón con accesorios para pala, cable de arrastre, retroexcavadora, cucharón de quijadas o guías de martinete.
—— **foot**, pie frontal, pie de frente.
—— **hook**, gancho paralelo a las garruchas del motón.
—— **nodal point** (pmy), punto nodal anterior o de incidencia.
—— **plane** (pmy), plano anterior.
—— **view**, vista frontal o del frente.
—— **wall**, (ed) muro del frente o de fachada, lienzo; (cal) testera.
front-axle assembly, conjunto del eje delantero.
front-connected, conectado por delante.
front-end
—— **cinders** (rr), cenizas de la caja de humos.
—— **loader**, cargador de tractor, cucharón cargador frontal.
—— **shovel**, pala de tractor.
frontage, frente, extensión lineal de frente.
frost, helada; escarcha.
—— **boil** (rd), ampolla de congelación.
—— **heave** (rd), levantamiento por congelación.

— **jacket** (hydrant), envoltura contra la congelación.
— **line**, nivel de penetración de la helada.
— **wedge**, cuña para tierra helada.
frosted glass, vidrio mate o deslustrado.
frostproof, a prueba de congelación o de heladas, inhelable, incongelable.
froth, espuma.
frother (min), espumante.
frozen, helado, congelado.
frustum, tronco.
fuchsin (sen), fucsina.
fuel, *s* combustible; *v* aprovisionar de combustible.
— **consumption**, consumo de combustible.
— **dope**, suavizador, aditivo de combustible, antidetonante.
— **economizer**, economizador de combustible.
— **economy**, economía de combustible.
— **filter**, filtro para combustible.
— **gage** (auto), indicador de gasolina, (M) medidor de combustible.
— **gas**, gas combustible.
— **injector**, inyector de combustible.
— **oil**, petróleo o aceite combustible (el término inglés **fuel oil** se usa generalmente en Sud-América).
— **value**, valor calórico.
fuel-injection pump, bomba inyectora de combustible.
fuel-transfer pump, bomba de alimentación de combustible.
fueling pit (ap), foso de abastecimiento de combustible.
fulcrum, fulcro.
fulguration, fulguración.
fulgurite (geol)(bl), fulgurita.
full, lleno; pleno, completo.
— **admission** (turb), admisión total, plena admisión.
— **annealing**, recocido completo.
— **capping** (auto), recubrimiento ancho.
— **contraction** (hyd), contracción completa.
— **diameter** (nut), diámetro máximo.
— **gate** (turb), paletas totalmente abiertas, plena abertura.
— **line** (dwg), línea continua o llena, (Es) línea corrida.
— **load**, plena carga.
— **moon**, luna llena.
— **pressure**, presión máxima.
— **size** (dwg), tamaño real o natural o entero.
— **speed**, toda o plena velocidad.
— **station** (surv), progresiva completa (100 pies).
— **steam**, todo vapor.
full-apron spillway (Ambursen), vertedero cerrado o de lámina adherente.
full-bench section (rd), sección totalmente en corte.
full-bottom-opening bucket (conc), capacho de abertura completa inferior.
full-bottoming reamer, escariador paralelo o acabador.
full-cell process (lbr), procedimiento de célula llena.

full-centered (arch), de media caña, semicircular, de medio punto, de centro pleno.
full-Diesel engine, motor Diesel completo.
full-divided scale (dwg), escala de subdivisión completa.
full-dog-point setscrew, opresor de macho largo.
full-face gasket (p), empaque de cara completa.
full-face tunneling, avance con frente entero.
full-finished nut, tuerca acabada.
full-floating (mech), de plena flotación, enteramente o completamente flotante.
full-flow fittings (p), accesorios de sección completa o sin restricción.
full-flow tap (hyd), injerto a gasto completo.
full-head adz, azuela de cotillo completo.
full-load horsepower (mot), potencia a plena carga.
full-load rating, capacidad nominal a carga completa.
full-magnetic controller, combinador magnético.
full-open corner joint (w), junta esquinada abierta.
full-pitch winding (elec), devanado o arrollamiento diametral.
full-pressure lubrication, lubricación de presión completa o a plena presión.
full-revolving (sh), de vuelta o de rotación completa.
full-shank bolt, perno de fuste pleno (sin rosca continua y sin recalcar).
full-surface hinges, bisagras sin embutir o de superficie.
full-throttle (eng), a plena admisión, a todo motor; a todo vapor.
full-vision cab (sh), garita de vista completa.
full-wave
— **antenna**, antena de plena onda o de onda completa.
— **circuit**, circuito de plena onda.
— **rectifier** (elec), rectificador de onda completa.
full-way valve, válvula sin restricción, válvula de paso de sección completa.
full-wrap brake, freno de círculo completo.
fuller *n* (bs), copador, degüello, (A) repartidor.
Fuller board, cartón de Fuller, cartón comprimido.
fuller's earth, greda, galactita, tierra o arcilla de batán.
fulminate of mercury, fulminato de mercurio.
fulminating
— **oil**, nitroglicerina.
— **powder**, pólvora fulminante.
— **silver**, plata fulminante.
fulminic acid, ácido fulmínico.
fume *v*, humear.
— **hood** (lab), campana de ventilación, sombrerete para gases.
fumes, vapores, gases, vahos.
fume-resistant, resistente a vapores.
function (math), función.
fundamental *n a*, fundamental.
— **frequency** (elec), frecuencia fundamental.
— **unit** (physics), unidad fundamental.
funded debt, deuda consolidada.

fungi, hongos.
fungicide, fungicida.
fungistatic, fungistático.
funicular, funicular.
—— **polygon,** polígono funicular.
—— **railway,** ferrocarril funicular.
funnel, embudo; (buque) chimenea.
—— **tube** (lab), tubo embudado o de embudo.
fur v, enrasar, enrasillar.
furnace, horno, fogón, fornalla; (cal) hogar.
—— **bar,** atizador.
—— **brazing,** soldadura fuerte al horno.
—— **lining,** revestimiento refractario del horno.
—— **oil,** petróleo de horno o de hogar, aceite combustible o de calefacción.
—— **weld** (p), soldadura a horno.
furnaced plate (sb), plancha calentada antes de doblar.
furring, enrasillado, costillaje.
—— **block,** bloque de enrasillar.
—— **brick,** ladrillo hueco de enrasillar.
—— **channel,** canal de enrasillado.
—— **strip,** listón de enrasar, costilla.
—— **tile,** bloques de enrasillar.
furrow, s surco; v asurcar, surcar.
—— **irrigation,** riego por surcos.
fuse, s (eléc) fusible, interruptor fusible; (vol) espoleta, mecha, salchicha, (M) pajuela, (M) cañuela, (Ch) guía, (min) cohete; v fundir, derretir; fundirse, derretirse.
—— **block** (elec), placa para fusibles, bloque de fusibles, portafusible.
—— **cap** (bl), cápsula detonante.
—— **carrier** (elec), portafusible.
—— **cartridge** (elec), cartucho de fusible.
—— **clip** (elec), sujetafusible.
—— **cutout** (elec), cortacircuito de fusible; bloque de fusibles.
—— **cutter** (bl), cortamecha, cortaespoleta.
—— **ejector** (elec), eyector de fusible.
—— **holder** (elec), portafusible.
—— **igniter** (bl), encendedor de mecha.
—— **link,** cinta fusible, fusible de cinta.
—— **plug,** tapón o enchufe fusible.
—— **puller,** sacafusible, sacaespoleta.
—— **support,** soporte de portafusible.
—— **tester,** probador de fusible.
—— **tube,** tubo portafusible.
—— **unit,** conjunto de fusible.
—— **wire,** alambre o hilo fusible.
fuseboard, cuadro o tablero de fusibles.
fusee, (fc) candileja, hachón; (ca) candileja, antorcha de camino.
fuselage, fuselaje.
Fusetron (elec)(trademark), fusetrón (fusible de tiempo).
fusibility, fusibilidad.
fusible, fusible, fundible.
—— **link** (fire door), eslabón fusible o fundible.
—— **plug,** tapón fusible.
—— **rosette** (elec), roseta fusible.
fusiform, fusiforme.
fusion, fusión.
—— **point,** punto de fusión.
—— **welding,** soldadura por fusión.

Fustat (elec)(trademark), tipo de fusible a prueba de reemplazo con tamaño mayor.
futtock (sb), genol, estemenara.

gab, gancho; mella, muesca.
gabbro (geol), gabro.
gabbroic, gábrico.
gabion (r), gavión, cestón, jaba.
gable, gablete, tímpano.
—— **roof,** techo a dos aguas.
gable-bottom car, carro de dos vertientes, vagón a doble descarga lateral.
gad (quarry), s cuña, punzón, piquetilla; v aflojar roca con barreta de punta.
—— **tongs** (bs), tenazas de forja.
gadder (quarry), carro de perforadoras.
gadding pin (min), punzón.
gaff, (cn) botavara, verga; (ef) punta, púa.
gag v, enderezar (rieles); combar (viga I).
—— **press,** prensa enderezadora o combadora.
gage, s (r) escala, limnímetro, aforador, (Col) mira; (fc) trocha, ancho de vía, entrevía, (M) calibre, (M) escantillón, (V) entrecarril, (C) cartabón, (ch) calibre, espesor; (alambre) calibre, calibrador; (est) distancia a la línea de remaches; (herr) calibrador, cartabón, calibre; (inst) manómetro, marcador, indicador de presión; (auto)(tc) huella, trocha; v (r) aforar; (mam) mezclar con yeso mate; (fc) ajustar la trocha; (mec) calibrar, escantillar; (náut) arquear.
—— **bar** (rr), escantillón, gálibo, gabarito, vara de trocha.
—— **block,** bloque calibrador.
—— **cock** (bo), llave de prueba o de nivel o de comprobación, robinete de prueba.
—— **die** (mt), matriz colocadora.
—— **distance** (re), distancia al dorso del ángulo.
—— **door** (min), puerta reguladora de ventilación.
—— **glass** (bo), tubo indicador, vidrio de nivel, columna indicadora.
—— **hatch,** boca para manómetro.
—— **height** (hyd), altura en la escala.
—— **increment** (th), incremento para calibre.
—— **lath** (rf), listón para tejado.
—— **lathe,** especie de torno para madera.
—— **line** (str), eje de remaches, (Es) gramil.
—— **notch** (hyd), escotadura de aforo.
—— **of rail** (rr), borde interior de la cabeza del riel.
—— **pin** (mt), perno de retención.
—— **plate** (mt), placa de matriz colocadora.
—— **pressure,** presión manométrica.
—— **saw,** sierra con guía.
—— **stuff,** mortero de cemento con yeso mate.
—— **tank** (pet), tanque de medición o de aforo.
—— **tester,** probador de manómetros.
—— **tolerance** (th), véase **gage increment.**
—— **weir,** vertedero de aforo.
—— **well,** pozo de limnímetro.
gaged arch, arco de ladrillos de cuña.
gager (r), aforador.

gaging, calibraje; aforo; arqueo.
—— **block** (drill), matriz de tamaño.
—— **notch**, mella de calibración.
—— **plaster**, yeso para mezcla con cal.
—— **point** (rr), punto de trocha o de escantillón.
—— **pole**, varilla graduada.
—— **station** (r), estación hidrométrica o fluvio-métrica o de aforos.
—— **tank** (hyd), tanque aforador.
—— **trowel**, paleta de amasar.
gain, *s* (carp) muesca, gárgol, caja, espera, (Col) farda; (eléc) amplificación, incremento; (aa) aumento, ampliación; *v* muescar.
gaining
—— **head**, fresa de ranurar.
—— **machine**, escopleadora, mortajadora.
—— **template**, plantilla de muescar.
gal (geop), gal.
gale, ventarrón.
galena (lead ore), galena, alquifol.
galenic, galénico.
galenite, galena.
gall, *s* ludimiento; *v* ludir, raspar.
gallery, galería.
gallon, galón.
Galloway boiler, caldera Galloway.
gallows frame, horca, castillete, cabria.
Gall's chain, cadena de Gall.
galvanic, galvánico.
galvanism, galvanismo.
galvanize, galvanizar.
galvanized sheets, chapas galvanizadas, (Ch) calaminas.
Galvannealed (trademark), galvano-recocido.
galvanometer, galvanómetro.
galvanometric, galvanométrico.
galvanometry, galvanometría.
galvanoplastic, galvanoplástico.
galvanoplastics, galvanoplastia.
galvanoscope, galvanoscopio.
gamboge (dwg), gomaguta.
gamma
—— **iron**, hierro gamma.
—— **particle**, partícula gamma.
—— **ray**, rayo gamma.
gammagraph, radiografía por radiación gamma.
gang, cuadrilla, equipo, brigada, tanda, (Ch) escuadra, (M) parada; (mec) grupo.
—— **capacitor** (ra), condensador múltiple.
—— **control**, control combinado.
—— **cutter**, cortador múltiple; (mh) fresa múlti-ple.
—— **dies**, matriz múltiple.
—— **drill**, taladro múltiple.
—— **edger** (sa), canteador múltiple.
—— **mill**, aserradero múltiple; fresadora múltiple.
—— **punch**, punzón múltiple.
—— **saw**, sierra múltiple.
—— **shear**, cizalla múltiple.
—— **switch** (elec), interruptores acoplados.
—— **tool** (mt), portaherramienta múltiple.
gang-operated, de maniobra múltiple.
ganging (ra), agrupación.
gangplank, planchada, pasarela, plancha de acceso.
gangue (min), ganga.

gangway, pasillo, pasadera, pasaje; (náut) tilla-pasamano, portalón; (as) rampa de en, trada; (min) galería, socavón.
ganister, (geol) especie de arenisca; (met) arcilla refractaria para forro de hornos.
gantlet track, vía traslapada o de garganta.
gantry, pórtico, caballete.
—— **crane**, grúa de pórtico o de caballete.
gap, (top) garganta, desfiladero, abra, boca, boquerón, collado, angostura, estrechura, boquilla, bocal, portezuelo, (A) estrangu-lamiento; (eléc) intervalo, entrehierro.
—— **arrester** (elec), pararrayos de entrehierro múltiple.
—— **lathe**, torno de bancada partida o de escote.
garage, garaje, cochera.
garbage, basura, residuos.
—— **car**, carro basurero.
—— **digester**, digestor de basuras.
—— **disposal**, disposición de las basuras, destruc-ción de basuras, (C)(M) eliminación de basuras.
—— **dump**, basurero, (Ch) basural, (C) vertedero de basuras.
—— **incinerator**, horno crematorio para basuras, incinerador de basuras.
—— **reducer**, reductor de basuras.
—— **truck**, camión basurero.
garbel (sb), aparadura.
garboard (sb), aparadura.
—— **strake** (sb), traca de aparadura.
garbutt rod (pet), dispositivo para sacar la vál-vula fija de la bomba de tubería.
garnet (miner), granate.
—— **paper**, papel de granate.
garnetiferous (geol), granatífero.
garnierite, garnierita (mineral de níquel).
gas, gas.
—— **anchor** (pet), segregador o separador de gas.
—— **black**, negro de humo, (M) negro de gas.
—— **brazing**, soldadura fuerte por llama de gas.
—— **buoy**, baliza o boya luminosa, boya-farol.
—— **burner**, mechero, quemador de gas.
—— **cap** (pet), cresta de gas, capa gasífera.
—— **carbon**, carbón de retorta, (V) carbón de gas.
—— **carburizing** (met), carburación por gas.
—— **cell** (elec), pila de gas.
—— **coal**, carbón graso o para gas.
—— **coke**, coque de gas, cok de retorta.
—— **compressor**, compresor de gas.
—— **condenser**, condensador de gas.
—— **current** (ra), corriente de ionización.
—— **cutting**, cortadura por soplete de oxígeno.
—— **detector**, (min) metanómetro; (pet) detector de gas.
—— **dome** (sd), cámara de gas.
—— **drive** (pet), empuje por gas.
—— **engine**, motor de gas; motor de combustión.
—— **field**, campo gasífero o de gas.
—— **fitter**, gasista, gasero, gasfiter.
—— **fixture**, artefacto de gas.
—— **focusing** (ra), enfoque iónico, enfoque a gas.
—— **fuel**, gas combustible.
—— **generator**, generador de gas, gasógeno.
—— **inclusion** (w), inclusión gaseosa.
—— **indicator**, indicador de gas.

—— lift (pet), elevador del petróleo por presión de gas; producción por presión de gas.

—— lock (pet), traba por gas.

—— machining, fresado a gas.

—— main, cañería principal de gas, tubería maestra de gas.

—— mask, careta antigás, máscara protectora.

—— meter, contador de gas, gasómetro, (A) medidor de gas, (C) reloj de gas.

—— oil, gasóleo.

—— phototube, fototubo a gas.

—— pipe, tubo de conducción de gas, (A) gasoducto.

—— plant, fábrica de gas, (A) usina de gas.

—— pliers, alicates o pinzas de gasista.

—— producer, gasógeno, generador de gas.

—— sand, arena gasífera.

—— scrubber, lavador de gas.

—— separator, separador de gas.

—— service, derivación particular para gas.

—— tank, gasómetro.

—— tar, alquitrán de gas o de hulla.

—— thread, rosca de tubería.

—— trap, (al) sifón de cloaca; (pet) trampa o colector de gas.

—— triode (ra), triodo gaseoso, tiratrón.

—— tube (ra), válvula a gas, válvula gaseosa.

—— turbine, turbina de gas.

—— vent, ventosa de gas.

—— welding, soldadura a gas.

—— well, pozo de gas natural.

gas-discharge lamp (elec), lámpara de descarga luminosa.

gas-electric drive, propulsión gasolina-eléctrica.

gas-filled cable (elec), cable de gas, cable llenado de gas.

gas-filled lamp (elec), lámpara rellena de gas, (A) lámpara a gas.

gas-fired, alimentado por gas, de gas combustible.

gas-input well (pet), pozo de inyección de gas.

gas-lift well (pet), pozo de elevación por presión de gas.

gas-meter stop, robinete para contador de gas.

gas-oil ratio (pet), relación gas-petróleo.

gas-service stop, robinete para servicio de gas.

gas-shielded welding, soldadura con protección gaseosa.

gas-tube lighting, alumbrado a tubo de gas.

gaseous, gaseoso, gaseiforme.

—— rectifier (ra), rectificador de gas.

—— tube (ra), válvula gaseosa.

gash vein (min), filón poco profundo; filón en cuña.

gasholder, gasómetro.

gashouse, fábrica de gas, (A) usina de gas.

—— coal tar, alquitrán de gas o de hulla.

gasiform, gaseoso, gaseiforme.

gasify, gasificar.

gasket, empaquetadura, empaque, junta, arandela, zapatilla; (tub fund) burlete, anillo de asbesto, cubrejunta, (V) collar de vaciado.

—— cement, cemento para empaquetadura.

—— paper, papel para juntas.

—— punch, punzón para empaquetadura.

gasketing tape, empaquetadura de cinta.

gasogene, gasógeno.

gasoline, gasolina, gasoleno, (Ch) bencina, (Ch) (A) nafta.

—— blow torch, lámpara a nafta para soldar.

—— engine, motor de explosión o a nafta, máquina de gasolina, (Ch) motor a bencina, (Es) motor de esencia.

—— gage, indicador de gasolina o de nafta.

—— locomotive, locomotora de gasolina o a bencina.

—— meter, contador o medidor de gasolina.

—— pump, bomba para gasolina, surtidor de gasolina; bomba accionada por motor de gasolina, bomba a nafta.

—— shovel, pala mecánica con motor de gasolina.

—— torch, soplete de gasolina, lámpara de plomero.

—— trap, separador de gasolina.

gasoline-dispensing pump, bomba para gasolina, surtidora de gasolina.

gasoline-powered, con motor de gasolina.

gasometer, gasómetro.

gasometric, gasométrico.

gasometry, gasometría.

gasproof, a prueba de gas.

gassing (elec), desprendimiento de gas del electrodo.

gassy tube (ra), válvula gaseosa.

gastight, estanco al gas.

gasworks, fábrica de gas, (A) usina de gas.

gate, (cerco) tranquera, portón, puerta, portada, (C) talanquera; (irr) compuerta; (presa) compuerta, portillo (pequeño) (esclusa) puerta, compuerta; (fc) barrera, tranquera de cruce; (si) marco; (turb) álabe giratorio o director, paleta directriz o de regulación; (fund) vaciadero.

—— frame (hyd), marco, cerco, cerco-guía.

—— guides (hyd), guías, deslizaderas, montantes, batientes, cárceles, correderas.

—— hoist (hyd), torno de compuerta, malacate, cabria izadora de compuerta, (A) guinche, (M) elevador de compuerta.

—— indicator (turb), indicador de posición de los álabes.

—— lift (hyd), elevador o alzador de compuerta.

—— opening (hyd), vano de compuerta, (A) barbacana.

—— recess (hyd), cárcel de compuerta, ranura para compuerta.

—— ring (turb), anillo regulador.

—— shears, cizalla de guillotina.

—— sill (hyd), umbral de compuerta, busco, durmiente, traviesa de busco, (U) zócalo.

—— stand (hyd), pedestal de maniobra, (M) malacate.

—— stem (hyd), vástago o varilla de compuerta.

—— valve, válvula de compuerta, (Ch) válvula plana, (C) válvula de cuña, (Col) válvula de cortina, (A) válvula esclusa, (Es) compuerta tubular, (Col) válvula de pantalla.

—— valve with by-pass, válvula de compuerta con llave auxiliar.

gate-limit device (turb), limitador de abertura.

gate-shifting ring (turb), anillo regulador de los álabes.

gatehouse (hyd), casilla de maniobra de compuertas, caseta de mando de compuertas.

gateman (rr), guardabarrera.

gathering

—— **drift** (min), galería de colección.

—— **lines** (pet), tubería colectora.

—— **- locomotive** (min), locomotora de maniobras, máquina de distribución.

—— **pit** (pet), foso colector.

—— **plant** (pet), instalación colectora.

—— **pump** (min), bomba secundaria.

—— **station** (pet), estación recolectora.

—— **tank** (pet), tanque de recolección.

gating (tv), sensibilización instantánea.

gauge, véase **gage**.

gault, terreno arcilloso duro.

gauntlets, guanteletes, manoplas.

gauss (elec), gaussio, gauss, gausio.

Gaussian (math), gausiano.

gauze, gasa.

gazogene, gasógeno.

gear, *s* engranaje, engrane, rueda dentada; mecanismo, dispositivo; *v* engranar, encajar.

—— **blank**, tejuelo, blanco, disco para engranaje.

—— **case**, caja de engranajes; (auto) caja de velocidades o de transmisión o de cambios.

—— **compound**, compuesto para engranajes.

—— **cutter**, tallador o cortadora de engranajes.

—— **down** *v*, reducir la velocidad con engranajes.

—— **generator**, engendrador o tallador de engranajes.

—— **grease**, grasa para engranajes.

—— **grinder**, rectificador de engranajes, muela para engranajes.

—— **guard**, guardaengranaje.

—— **hobber**, fresadora de engranajes.

—— **level** *v*, engranar sin modificar la velocidad.

—— **miller**, fresador de dientes, fresadora de tallar engranajes.

—— **motor**, motor con engranaje reductor.

—— **oil**, aceite para engranajes.

—— **pitch**, paso de engranaje.

—— **puller**, sacaengranaje, extractor de engranaje.

—— **pump**, bomba rotativa de engranajes.

—— **ratio**, relación o razón de engranajes.

—— **roller**, máquina formadora de dientes.

—— **selection**, selección de engranajes.

—— **shaper**, máquina para cortar engranajes, formadora de engranajes.

—— **train**, tren de engranajes.

—— **up** *v*, aumentar la velocidad con engranajes.

—— **wheel**, rueda dentada o de engranaje.

gear-driven, accionado por engranaje.

gear-shaving machine, máquina de cortar engranajes.

gear-tooth

—— **caliper**, calibrador para dientes o de engranajes.

—— **lapping machine**, pulimentadora de engranajes.

—— **shaver**, máquina cortadora de engranajes.

gearbox, caja de engranajes o de cambio, cárter de engranajes.

geared screw jack, gato de tornillo engranado.

geared-head lathe, torno con cabezal de engranajes.

geared-turbine locomotive, locomotora de turbina con engranajes.

gearing, engranaje.

gearless motor, motor sin engranaje (inducido montado en el eje impulsor).

gearmotor, motor con engranajes reductores.

gearset, tren de engranajes.

gearshift, desplazador de engranajes; cambio de velocidades.

—— **fork**, horquilla de la palanca de cambios.

—— **lever**, palanca de cambio de velocidades o de cambio de marcha.

gee-throw (lg), palanca de pico curvo.

Geissler tube, tubo de Geissler.

gel, material gelatinoso formado por coagulación.

gelatin, gelatina.

—— **dynamite**, dinamita gelatina o explosiva.

—— **permissibles** (bl), gelatinas explosivas aprobadas.

—— **primer** (bl), cebo de gelatina.

gelatinize, gelatinizar.

gelatinous, gelatinoso.

gelignite (bl), gelignita.

Genelite (trademark), tipo de metal antifricción.

genemotor (ra), genemotor.

general, general, común.

—— **acceptance** (com), aceptación libre.

—— **average** (ins), avería gruesa.

—— **contractor**, contratista general.

—— **expense**, gastos generales.

—— **foreman**, capataz o sobrestante general, sobrecapataz.

—— **plan**, plano general.

—— **specifications**, especificaciones generales, pliego general de condiciones, (U) prescripciones generales.

—— **superintendent**, superintendente general.

general-purpose motor, motor para usos generales.

general-use switch (elec), interruptor de uso general.

generate, (eléc) generar; (mec) tallar; (mat) engendrar.

generating set, juego generador, grupo electrógeno, (M) tren generador.

generating station, central o planta generadora.

generator, (eléc) generador; (mat) generatriz, engendrador.

—— **gas**, gas pobre.

—— **unit**, generador con máquina impulsora.

generator-field control (elev), control por variaciones en el campo del generador.

generatrix, generatriz.

Geneva motion, engranaje de Ginebra.

gentian violet (lab), violado genciana.

genuine wrought iron, hierro forjado legítimo.

geodesic, geodésico.

geodesist, geodesta.

geodesy, geodesia.

geodetic, geodésico, geodético.

—— **azimuth**, azimut geodésico.

—— **coordinates,** coordenadas geodésicas.
—— **latitude,** latitud geodésica o geográfica.
—— **level** (inst), nivel geodésico.
geo-electrical survey, estudio geoeléctrico.
geographic, geográfico.
—— **coordinates,** coordenadas geográficas, latitud y longitud.
—— **meridian,** meridiano geográfico.
geographical, geográfico.
—— **latitude,** latitud geográfica o geodésica o topográfica.
—— **longitude,** longitud geográfica o geodésica.
—— **mile,** milla marítima o geográfica.
geohydrology, geohidrología.
geological, geológico.
—— **alidade,** alidada de geólogo.
—— **survey,** estudio geológico.
geologist, geólogo.
geologist's compass, brújula de geólogo.
geology, geología.
geometric, geométrico.
—— **mean,** media geométrica o proporcional.
—— **progression** (math), progresión geométrica.
geometrical, geométrico.
—— **radius,** radio del círculo primitivo.
geometry, geometría.
geophone, geófono.
geophysical prospecting, exploración geofísica.
geophysicist, geofísico.
geophysics, geofísica.
Georgia pine, pino de hoja larga o de Georgia.
geostatic, geostático.
germ, germen.
German silver, plata alemana, plata níquel.
germicidal, germicida.
germicide, bactericida.
getter (elec)(ra), compuesto para interior de bombillas y tubos electrónicos.
getting (min), arranque.
ghost image (tv), imagen secundaria o falsa o fantasma.
giant (hyd), lanza, monitor, gigante, (Ch) pistón.
—— **granite,** pegmatita.
—— **powder,** pólvora gigante, dinamita.
gib, chaveta, cuña, contraclavija.
—— **and cotter,** chaveta y contrachaveta, (M) cuñas gemelas.
—— **plate,** chaveta.
gib-head key, chaveta de cabeza.
gibbet, véase **jib.**
gibbsite (miner), gibsita.
gilbert (elec), gilbertio.
gill (mech), aleta.
gill (meas), octavo de litro.
Gillmore needle (lab), aguja de Gillmore.
gimbal joint, junta universal, cardán.
gimbals, soporte cardánico, suspensión universal, (cn) balancines de la brújula.
gimlet, barrena, barrenita, gusanillo.
—— **bit,** mecha puntiaguda con espiga ahusada.
gimlet-point lag screw, pija punta de gusanillo.
gin, poste grúa; molinete, torno de izar.
—— **block,** motón liviano de acero, motón sin cuerpo.
—— **pole,** poste grúa, pluma, grúa de palo.
giraffe (min), carro para vía inclinada.

girder, viga, viga maestra, cuartón, trabe, jácena, (Col) carrera; (cn) larguero, galeota.
—— **beam,** viga doble T de ala ancha.
—— **bridge,** puente de vigas compuestas.
—— **dogs** (str), ganchos para izar vigas.
—— **rail,** riel acanalado o de tranvía, riel doble T.
—— **stay** (bo), virotillo del cielo del hogar.
girdle v (lg), cortar círculo alrededor del tronco.
girt, carrera, correa, cinta, larguero.
girth, perímetro, circunferencia; cincha.
—— **gear,** engranaje de circunferencia.
—— **joint,** unión de circunferencia, junta circular, (M) unión de banda.
—— **pipe wrench,** llave de cincha.
glacial, glacial.
—— **acetic acid,** ácido acético glacial.
—— **drift,** acarreos de glaciar, (A) derrubio glacial, (A) escombro glacial.
—— **meal,** polvo de roca.
—— **till,** morena glacial.
glaciated gravel, grava producida por acción de los glaciares.
glacier, glaciar, ventisquero, helero.
glaciofluvial (geol), glaciofluvial.
glacis, glacis.
glance, mineral lustroso.
—— **coal,** antracita, carbón brillante.
—— **cobalt,** cobaltina.
—— **copper,** calcocita.
—— **pitch,** asfalto puro.
glancer (lg), corredera de guía.
glancing boom (lg), barrera de guía.
gland (machy), casquillo o collarín del prensaestopas, cuello; caja estancadora.
—— **packing,** empaquetadura del casquillo.
glare, deslumbramiento, resplandor, (M) encandilamiento.
—— **shield** (auto), pantalla antideslumbrante.
glass, vidrio, cristal; (geol) vidrio.
—— **brick,** ladrillo de vidrio.
—— **cement,** cemento para vidrio.
—— **cloth,** tejido de vidrio.
—— **cutter,** cortavidrio, tallador de cristal.
—— **door,** puerta-vidriera.
—— **fiber,** lana de vidrio.
—— **insulator,** aislador de vidrio.
—— **paper,** papel de vidrio.
—— **slide** (lab), placa de vidrio.
—— **stopper** (lab), tapón de cristal, tapador de vidrio.
—— **tape** (elec), cinta vitrificada o de vidrio.
—— **tile,** azulejo de vidrio.
—— **wool,** lana de cristal o de vidrio.
glass-covered wire, alambre forrado de vidrio.
glass-hard, duro como vidrio.
glass-lined, revestido de vidrio.
glassy feldspar, feldespato vítreo, sanidina.
glaze, s vidriado, satinado; v vidriar; glasear, enlozar.
glazed
—— **brick,** ladrillo vidriado o glaseado.
—— **terra cotta,** terracota vidriada, barro esmaltado.
—— **tile,** azulejo; baldosa vidriada.
—— **tile pipe,** tubo de barro vidriado o de barro esmaltado o de arcilla glaseada.

glazier, vidriero.
glazier's
—— chisel, escoplo de vidriero.
—— diamond, diamante cortavidrio o de vidriero.
—— hammer, martillo de vidriero.
—— nippers, grujidor.
—— points, puntas de vidriar.
—— putty, masilla de vidriero.
g'azing, vidriería, encristalado; vidriado, esmaltado.
—— clip, presilla para vidrio, abrazadera.
—— molding, contravidrio, retén de vidrio.
glide (ap), planear.
—— beam (ap), rayo de planeo.
—— landing (ap), aterrizaje planeado.
—— path (ap), paso o recorrido o vía de planeo.
gliding (ap), planeo.
—— angle, ángulo de planeo.
—— distance, véase gliding range.
—— range, alcance de planeo.
glimmer (min), mica.
glimmerite, roca micácea.
globe (il), globo.
—— valve, válvula esférica o globular o de globo.
globular, globular.
globule, glóbulo.
glory hole, (hid) pozo vertedero, (A) embudo sumidero; (min) tolva, embudo, conducto de extracción.
glossy finish, acabado brillante.
glove compartment (auto), gaveta para guantes, (A) portaguantes.
glow (elec), luminiscencia, fulgor, (A) brillo.
—— discharge (elec), descarga luminiscente.
—— lamp, lámpara incandescente; lámpara de descarga luminosa.
—— plug (di), tapón encendedor.
—— potential (ra), voltaje de luminiscencia.
—— tube (ra), rectificador gaseoso.
glowing n (elec), calentamiento al rojo.
glue, s cola; goma; v encolar, pegar.
—— water, agua de cola.
gluepot, cazo de cola, colero, pote para cola.
gluing machine, encoladora.
glut n, (ef) cuña de madera; (min) pieza de retaque; (pi)(carp) bloque de relleno.
glycerin, glicerina.
glycerol (chem), glicerol.
glycine (pmy), glicina.
glycol, glicol.
glycolic, glicólico.
gneiss, gneis, neis.
gneissic, gnéisico, néisico.
gneissoid, gneissoide.
gneissoid-granite, ortogneis.
gnomon, gnomon.
gnomonic, gnomónico.
—— projection (math), proyección gnomónica o central.
go gage, calibre de juego mínimo, calibre que debe entrar o dejar entrar.
go-devil, (bm conc) tarugo, diablo; (fc) carrito automotor; (pet) raspatubos; (ef) rastra, grada.
—— plane (min), rampa autoactuadora o de gravedad.

goaf (min), relleno de desechos; cámara llena de desechos.
gob, s (min) material de desecho abandonado en la labor, relleno de desechos; v rellenar con desechos.
gobo, (ra) pantalla antisonora; (tv) pantalla a prueba de luz.
godown, almacén.
goethite, goetita (mineral de hierro).
goggles, gafas protectoras, anteojos de camino, espejuelos, antiparras.
gold, oro.
—— bullion, oro en barras.
—— chloride, cloruro áurico.
—— ore, mineral de oro.
—— washer, lavadero de oro.
gold-bearing, aurífero.
gondola car, carro abierto, góndola, (A) vagón de medio cajón, (C) carro de cajón.
gong buoy, boya de gongo.
goniometer, goniómetro, (Es) escuadra de agrimensor.
goniometric, goniométrico.
goniometry, goniometría.
good will, buen nombre, clientela, activo invisible, mayor valía, plus valía, (A) llave.
gooseneck, (herr) cuello de cisne o de ganso; (gr) herraje del brazo rígido; (pb) tubo en S; (ef) barra de acoplamiento.
—— bar, barra sacaclavos o de cuello de cisne, barra cuello-de-ganso.
—— boom, aguilón acodado.
—— dolly, sufridera de pipa, sufridera cuello de ganso; sufridera acodada.
—— trailer, remolque tipo cuello de cisne.
gopher hole, túnel para voladura.
gophering (min), labor por galerías menores irregulares.
gorge, cañón, barranca, zanjón, barrancón, apretura, angostura, cajón, (M) resquicio.
gossan (min), quijo de hierro.
gouge, s (herr) gubia; (geol) salbanda; v escoplear con la gubia.
gouge-nose tool (mt), herramienta de gubia.
govern (machy), regular.
governing point (surv), punto obligado.
governing valve, válvula de regulación.
government anchor (str), ancla de pared (barra de ¾ pulg doblado en forma de V ancha).
governor (mech), regulador; regulador de vapor.
—— arms, varillas del regulador.
—— assembly, conjunto del regulador.
—— balls (se), bolas del regulador.
grab, gancho, garfio, arrancador, agarradera, garras, cocodrilo, enchufe o campana de pesca, mordaza, grampa.
—— bucket, cucharón de quijadas, (A) balde grampa.
—— hook, gancho agarrador o de retención de cadena; tenazas para izar piedras.
—— link, eslabón de retención.
—— sample, muestra fortuita o sin escoger.
—— skipper (lg), quitatenazas.
grabs (lg), tenazas.
gradation, (ag) graduación, (Col) gradación (fma) gradación.

—— **screen,** criba graduadora.

grade, *s* grado, clase, calidad; pendiente, gradiente, declive, cuesta, rampa; rasante, nivel, explanación, plataforma; *v* clasificar, tasar, graduar; (ag) graduar; (ot) nivelar, explanar, emparejar, allanar, aplanar, enrasar.

—— **break,** cambio en la pendiente.

—— **clamp** (elec), abrazadera antideslizante, grapa para pendientes.

—— **compensation** (rr), compensación de la pendiente.

—— **crossing,** paso o cruce a nivel, cruce de vía, (AC) cruzadilla.

—— **line,** rasante.

—— **point,** (lev) punto de rasante; (ot) intersección de la rasante con terreno primitivo.

—— **profile** (rr), perfil del rasante.

—— **rod** (surv), lectura para rasante.

—— **separation,** separación de niveles.

—— **stake,** estaca de rasante, estaquilla de nivel.

Gradebuilder (ce), hoja de empuje angular, constructor de rasantes, cortador de brechas, abrebrechas.

graded aggregate, agregado escalonado, árido graduado.

grader (ce), nivelador, conformador, explanadora, aplanador, (A) llanadora.

gradient, (fc)(ca) pendiente, gradiente; (mat) (eléc) gradiente.

gradienter (transit), accesorio para nivelación.

gradin, grada, escalón.

grading, clasificación; (ag) graduación, (M) granulometría; (ot) explanación, nivelación, (Ec) graduación.

—— **rules,** reglamento de clasificación.

gradiometer, gradiómetro.

gradometer, gradómetro.

gradual-acting humidistat (ac), humidístato de acción graduada.

graduate (lab), *s* vasija o probeta graduada; *v* graduar; *a* graduado.

—— **cylinder,** cilindro graduado.

graduated-acting thermostat, termóstato intermedio o de acción graduada.

graduated limb (transit), limbo graduado.

graduator, graduador, (mh) graduadora.

grain, *s* (mad) veta, grano, fibra, hebra; (pólvora) grano; (met) textura; (raspante) finura; (pesa) grano; (geol) clivaje normal al crucero principal; *v* (pint) vetear; (az) cristalizar.

—— **alcohol,** alcohol etílico.

—— **elevator,** elevador o depósito de granos.

—— **side** (belt), cara de la flor o de pelo.

—— **structure,** estructura granular.

—— **tin,** casiterita.

grain-oriented steel, acero de textura orientada.

gram, gramo.

gram-atom (chem), átomo-gramo.

gram-calorie, caloría-gramo, caloría pequeña, (M) gramocaloría.

gram-meter, gramo-metro.

Gram-negative (lab), Gram-negativo.

Gram-positive (lab), Gram-positivo.

Gramme winding (elec), devanado Gramme o anular.

granite, granito.

—— **block,** adoquín de granito.

granite-block paving, adoquinado granítico.

granitic, granítico.

granitiferous, granitífero.

granitiform, granitiforme.

granitite (geol), granitita.

granitization, granitización.

granitoid, *s* granitoide; *a* granitoideo.

granoblastic (geol), granoblástico.

granodiorite (geol), granodiorita.

granogabbro (geol), granogabro.

granolith, granolito.

granolithic (pav), granolítico.

gránophyre (geol), granofiro.

granophyric, granofírico.

grant, *s* concesión; subvención; *v* conceder.

grantee, concesionario.

granular, granular, granuloso, granoso.

granularity, granosidad, granulosidad.

granulated, granulado.

granulator, granulador.

granule, gránulo.

—— **gravel,** grava de guijas.

granulite (geol), granulita.

granulitic, granulítico.

granulitization, granulitización.

granulometric, granulométrico.

graph, gráfica, gráfico, (A) ábaco.

—— **paper,** papel cuadriculado.

graphalloy, grafito impregnado de metal.

graphic, gráfico.

—— **formula,** fórmula gráfica.

—— **instrument** (elec), instrumento registrador o gráfico.

—— **radial triangulation** (pmy), triangulación radial gráfica.

—— **scale,** escala gráfica.

graphics, gráfica, (Es) graficismo.

graphical, gráfico.

—— **statics,** estática gráfica.

graphite, *s* grafito, plombagina; *v* grafitar.

—— **brush** (elec), escobilla grafítica.

—— **grease,** grasa grafítica o con grafito.

—— **paint,** pintura grafitada o a grafito.

graphitic, grafítico.

graphitize, grafitar, (A) grafitizar.

graphometer, grafómetro.

graphometric, grafométrico.

graphostatic, grafostático.

graphostatics, grafostática.

grapnel, rezón, arpeo, cloque, garabato.

grapple, *s* arpeo, garabato, cloque; *v* agarrar, aferrar.

grappling iron, arpeo, cloque, rezón.

grass, *s* yerba, hierba, pasto, grama, césped; *v* enyerbar, engramar, encespedar, (M) empastar.

—— **line** (lg), cable de traslación.

grasshopper, tipo de grúa locomotora; (az) tipo de colador vibratorio, saltamonte.

grassland, tierra de pasto.

grate, parrilla, parrilla de hogar, emparrillado, (M) grilla.

—— **bars,** barras de parrilla, barrotes, (A) grillas.

—— **rocker,** oscilador de parrilla.

graticulate, cuadricular.

graticule, retículo.

grating, emparrillado, rejilla, parrilla, reja, rejado, verja; (óptica) rejilla de difracción.

—— **constant** (optics), constante de rejilla.

grave *v* (naut), despalmar.

gravel, *s* grava, ripio, cascajo, guijo, pedregullo, (V) granzón, (C) granza; *v* enripiar, engravar, ripiar, enguijarrar, (A) engranzar, (V) engranzonar.

—— **bank,** cantera o mina de grava, gravera, (Pan) banco de grava.

—— **bar,** casquijo, cascajal, bajío de grava, gravera, cascajero.

—— **bin,** depósito para grava, buzón de grava.

—— **pit,** mina o cantera de grava, gravera, cascajal, cascajar.

—— **processing,** tratamiento de la grava.

—— **procuring,** extracción de grava.

—— **riddle,** cedazo para grava.

—— **road,** camino enripiado o de grava.

—— **surfacing,** enguijarrado, enripiado.

gravel-sand ratio, relación grava-arena.

gravel-wall well, pozo con filtro de gravilla, pozo filtrante, pozo con pared de pedregullo, pozo con forro de grava.

gravelly, cascajoso, ripioso, guijoso, guijarroso, sabuloso, (M) gravoso.

graver, buril, cincel, gradino, grabador.

graveyard shift (min), tercer y último turno.

gravimeter, gravímetro.

gravimetric, gravimétrico.

—— **analysis,** análisis gravimétrico o ponderal.

—— **survey,** estudio gravimétrico.

gravimetry, gravimetría.

graving dock, dique seco o de carena, carenero.

graving tool, buril.

gravitate, gravitar.

gravitation, gravitación.

gravitational, de gravitación, (M) gravitacional.

—— **constant,** constante de gravitación.

—— **gradient** (geop), gradiente gravimétrico.

—— **potencial,** potencial de gravitación.

—— **water** (irr)(sm), agua de gravedad o de gravitación.

gravitometer, gravitómetro.

gravity, gravedad.

—— **anomaly** (geop), anomalía gravimétrica.

—— **axis** (str), eje baricéntrico.

—— **cell** (elec), pila de gravedad.

—— **circulation** (ht), circulación a gravedad.

—— **conduit,** conducto por gravitación, (PR) conducción rasante.

—— **conveyor,** transportador a gravedad.

—— **dam,** presa maciza o de gravedad, dique a gravedad.

—— **dump,** descarga por gravedad.

—— **feed,** alimentación por gravedad; avance por gravedad.

—— **filter,** filtro de gravedad o a gravitación.

—— **ground water** (irr), agua freática a gravedad.

—— **hammer** (pi), martinete, maza.

—— **lubrication** (auto), lubricación por gravedad.

—— **meter** (geop), gravímetro, medidor de gravedad.

—— **mixer,** mezclador tipo de gravedad.

—— **plane** (min), rampa autoactuadora o de gravedad.

—— **profile** (geop), perfil gravimétrico.

—— **retaining wall,** muro de contención a gravedad.

—— **section** (dam), sección a gravedad, perfil de gravedad.

—— **spring,** fuente de afloramiento, manantial descendente o rebosante o de talweg.

—— **station** (geop), estación gravimétrica.

—— **survey** (geop), estudio gravimétrico.

—— **system** (sw), red de gravedad.

—— **unit** (geop), unidad gravimétrica.

—— **wall,** muro de contención a gravedad.

—— **water,** agua de gravedad o de gravitación.

—— **yard** (rr), patio de maniobra por gravedad.

gray, gris.

—— **antimony,** antimonio gris, estibnita.

—— **cobalt,** esmaltina, cobalto gris.

—— **copper,** tetraedrita, cobre gris.

—— **manganese ore,** manganeso gris, manganita.

gray-iron casting, fundición gris o de segunda fusión.

graywacke (geol), grauvaca, vacia gris.

grazing sight (surv), visual rasante.

grease, *s* grasa; *v* engrasar.

—— **bar** (auto), palanquita para engrase de elásticos.

—— **case,** caja de grasa.

—— **cup,** grasera de compresión, copilla de grasa, engrasador.

—— **ejector,** eyector de grasa.

—— **extractor,** extractor de grasa.

—— **gun,** jeringa de grasa, engrasador de pistón, pistola o inyector de grasa, engrasadera.

—— **plug,** tapón de grasa.

—— **remover,** desengrasador.

—— **reservoir** (lu), cámara para grasa.

—— **retainer,** guardagrasa, retenedor de grasa.

—— **ring,** anillo de grasa.

—— **seal,** sello de grasa, (M) retén de engrase.

—— **trap** (pb), colector o separador o interceptor de grasa.

grease-flotation tank (sd), tanque para flotación de grasas.

grease-removal tank (sd), tanque eliminador de grasas.

greaseproof, a prueba de grasa.

greasing, engrasaje, engrase.

greasy luster (miner), brillo grasiento, lustre craso, (B) brillo grasoso, (A) brillo mantecoso.

great American file, lima de cuña con canto redondo.

great American tooth (saw), diente americano.

great calorie, caloría grande, caloría-kilogramo.

great circle (geog), círculo máximo.

greatest common divisor, máximo común divisor

green, verde.

—— **brick,** ladrillo antes de secar.

—— **concrete,** concreto fresco.

—— **copper ore,** malaquita.

—— **gas** (pet), gas natural o verde.

—— iron ore, dufrenita.
—— lead ore, piromorfita, plomo verde.
—— lumber, madera verde o fresca o tierna.
—— malachite, malaquita, cobre verde.
—— mineral, malaquita.
—— oil, aceite antracénico.
—— sand (fdy), arena verde.
greenheart, bibirú; laurel.
Greenland spar, criolita.
greenockite, grenoquita (mineral de cadmio).
greensand (geol), arenisca verde.
greenstone (geol), roca verde.
grenade fire extinguisher, extintor de granada.
grid, (mec) rejilla, parrilla, emparrillado; (fma)
    cuadrícula; (acumulador) rejilla; (ra) re-
    jilla, (A) reja, (A) grilla; (pi) plantilla.
—— azimuth (pmy), azimut de cuadrícula.
—— battery (ra), batería C o de rejilla.
—— bias (ra), bias C o de rejilla.
—— condenser (ra), condensador o capacitor de
    rejilla.
—— control (ra), control por rejilla.
—— current (ra), corriente de rejilla, (A) co-
    rriente de grilla.
—— detection (ra), desmodulación por rejilla.
—— distance (pmy), distancia según coorde-
    nadas de la cuadrícula.
—— emission (ra), desprendimiento de rejilla.
—— flat-slab construction (conc), losa plana con
    nervaduras cruzadas.
—— flooring (bdg), piso de parrilla.
—— leak (ra), resistencia de rejilla, (A) escape de
    rejilla.
—— modulation (ra), modulación en rejilla.
—— suppressor (ra), rejilla supresora.
—— swing (ra), variación del voltaje rejilla-
    cátodo.
—— system (elec power), parrilla.
—— valve (se), corredera de parrilla.
—— voltage (ra), tensión de rejilla o de electrodo,
    voltaje de grilla.
grid-cathode capacitance, capacitancia grilla-
    cátodo.
grid-coil evaporator, evaporador de rejilla.
grid-glow tube (ra), tubo de rejilla luminiscente.
grid-leak detector (ra), detector de resistencia
    de rejilla.
grid-plate capacitance (ra), capacitancia rejilla-
    placa.
grid-plate transconductance (ra), conductancia
    mutua, transconductancia rejilla-placa.
gridiron (dd), andamiada de carenaje, parrilla.
—— separator (steam), separador de rejilla.
—— system (drainage), sistema de parrilla.
—— tracks (rr), vías de parrilla.
—— valve, corredera de parrilla.
grief stem (pet), vástago de transmisión, barra
    cuadrada giratoria.
grill, enrejado, reja.
grillage (str), cuadrícula, emparrillado, cuadra-
    dillo, (Col) entramado.
grille, reja, rejilla, verja.
grind, moler, aciberar, molturar, trapichear
    (azúcar); (miner) pulverizar; (vá) pulimen-
    tar, refrentar; (herr) afilar, amolar, esmeri-
    lar.

grindability, molibilidad.
grinder, moledora; amoladora, muela, afiladora;
    esmeriladora.
grinding, molido, molienda; amoladura, afilado;
    esmerilaje, esmeriladura.
—— allowance, margen para la rectificación.
—— attachment (lathe), aditamento de muela,
    accesorio de moler.
—— mill, molino, amoladura, trapiche.
—— oil, aceite para amolar.
—— roll (su), maza.
—— train (su), tren de molinos.
—— wheel, muela, rueda de amolar, rueda recti-
    ficadora.
grindstone, muela, afiladora, piedra de amolar,
    mollejón, asperón.
grip, s (herr) agarre, agarradero, mango, coge-
    dero, puño; (mec) mordaza, garra; (re)
    agarre; v agarrar.
—— sheave, garrucha agarradora.
—— socket (mt), enchufe de aprieto.
grips (lg), tenazas.
gripe (sb), pie de roda.
gripper (rr), agarrador de riel.
grisounite, grisunita (explosivo).
grisoutine, grisutina (explosivo).
grit, arenilla; (dac) cascajo; (geol) especie de
    arenisca.
—— catcher (sw), interceptor de cascajo.
—— chamber, tanque desarenador, cámara des-
    ripiadora, arenero.
—— collector, colector de cascajo.
—— washer (sd), lavador de cascajo.
grits, gravilla, sábulo, sablón, (Ch) espejuelo.
Gritcrete (trademark), tipo de concreto liviano.
gritstone, especie de arenisca.
gritty, de granos angulosos, arenoso.
grizzly, cribón, parrilla, rastrillo, enrejado, criba.
grizzlyman (min), operario del cribón.
grog, material ya calcinado para fabricación de
    refractarios.
groin, arista de encuentro, aristón, ojiva; rincón;
    bóveda, rincón de encuentro.
—— vault, bóveda de arista o de crucería.
groined arches, bóvedas de arista, arcos de en-
    cuentro.
grommet, arandela de cabo; ojal de metal, guar-
    daojal, aro de refuerzo; (náut) estrobo,
    roñada; (cab) ojal para cable; (ra) arandela
    aislante.
—— hook, gancho para ojal.
—— link, eslabón con anillo de cable.
groove, s (conc)(carp) ranura, gárgol, muesca,
    rebajo; (garrucha) canaleta, acanaladura,
    garganta; (riel) ranura, garganta, canaleta;
    (mec) cajera, ranura; (arq) estría; v ra-
    nurar, acanalar, estriar, muescar.
—— angle (w), ángulo de bisel o de la ranura.
—— cleaner, limpiador de muescas.
—— gage, calibre de ranuras, calibrador de
    muescas.
—— rail, riel de ranura, carril de canal.
—— weld, soldadura en ranura.
groover, ranurador, acanalador, engargoladora.
grooving
—— chisel, cortafrío ranurador.

—— **head** (saw), fresa rotativa de ranurar.
—— **machine,** ranuradora.
—— **plane,** cepillo de ranurar, guillame macho.
—— **saw,** sierra ranuradora.
—— **stake** (sml), bigorneta de costura o de ranuras.
gross, *s* (med) gruesa; *a* bruto.
—— **area** (str), área total (incluyendo agujeros).
—— **average** (ins), avería gruesa.
—— **cost,** costo total.
—— **duty of water** (irr), volumen de agua derivada.
—— **earnings,** ganancia bruta.
—→ **head** (hyd), salto bruto o total, desnivel bruto, caída bruta.
—— **ton,** tonelada bruta o larga.
—— **tonnage,** tonelaje bruto; arqueo bruto.
—— **weight,** peso bruto.
ground, *s* suelo, terreno; (eléc) tierra eléctrica, puesta a tierra, (ra)(Es) suelo, (auto) masa; (mam) rastrel, plantilla, maestra, listón-guía; *v* (eléc) poner o conectar a tierra, (auto) hacer masa; (náut) varar, encallar, zabordar, embarrancarse, abarrancarse; *a* molido; afilado.
—— **absorption** (ra), absorción del suelo.
—— **azimuth** (pmy), azimut terrestre.
—— **cable** (elec), cable de puesta a tierra, conductor a tierra, cable de tierra, (auto) cable de masa.
—— **circuit** (elec), circuito que incluye la tierra.
—— **clamp** (elec), abrazadera de masa, grapa para puesta a tierra.
—— **clearance,** luz sobre el suelo.
—— **connector** (elec), conector para varilla a tierra.
—— **control point** (pmy), punto terrestre de referencia.
—— **coordinates** (pmy), coordenadas terrestres.
—— **detector** (elec), indicador de pérdidas a tierra.
—— **flat** (met), barra plana bruñida.
—— **floor,** piso bajo, planta baja.
—— **gear,** engranaje rectificado con muela.
—— **glass,** vidrio despulido o esmerilado, cristal deslustrado.
—— **ice,** hielo de fondo.
—— **indicator** (elec), véase **ground detector.**
—— **lead** (elec), conductor a tierra.
—— **level,** nivel del terreno.
—— **lever** (rr), palanca de tumba.
—— **line,** línea del terreno; (fma) línea fundamental o de base.
—— **lug** (elec), talón de tierra.
—— **moraine** (geol), morena interna o de fondo.
—— **nadir point** (pmy), punto V o nadiral.
—— **outlet** (elec), tomacorriente a tierra.
—— **pipe** (elec), tubo a tierra.
—— **plan,** planta, icnografía, planimetría.
—— **plane** (pmy), plano fundamental o básico o de base.
—— **plate,** (eléc) placa de conexión a tierra; (carp) durmiente, solera de fondo.
—— **relay** (elec), relevador para puesta a tierra, relai de tierra.
—— **return** (elec), retorno por tierra o a masa.
—— **rod** (elec), varilla a tierra.

—— **roll** (geop), onda superficial.
—— **roller** (hyd), ola de fondo, resaca.
—— **skidder** (lg), arrastrador de troncos.
—— **sluice** (min), canal.
—— **speed** (pmy), velocidad con respecto a tierra.
—— **swell,** mar de fondo.
—— **switch** (elec), interruptor de puesta a tierra.
—— **tackle** (naut), amarrazones.
—— **thread,** rosca esmerilada.
—— **throw** (rr), cambiavía tumbadora.
—— **tool** (mt), herramienta amolada.
—— **water,** agua subterránea, aguas freáticas, (A) aguas telúricas; (al) agua infiltrada.
—— **wave** (ra), onda terrestre o de tierra.
—— **ways** (sb), durmientes de grada, varaderas.
—— **wire** (elec), línea de tierra, conductor a tierra, alambre de masa, (aéreo) alambre de guardia.
ground-controlled approach (ap), acceso dirigido desde tierra.
ground-lead logging, arrastre de troncos en el suelo.
ground-lifting jack, gato de oreja.
ground-loop area (ap), área libre de seguridad para vuelta a tierra.
ground-speed meter (pmy), indicador de velocidad respecto a tierra.
ground-water *a,* freático.
—— **contours,** curvas freáticas.
—— **divide,** divisoria de las aguas freáticas.
—— **mound,** protuberancia de aguas subterráneas.
—— **ridge,** lomo de agua subterránea.
—— **runoff,** escurrimiento subterráneo.
—— **table,** nivel freático.
grounded (elec), puesto o conectado a tierra.
—— **capacitance,** capacitancia con puesta a tierra.
grounding, (eléc) conexión a tierra; (náut) varada, encalladura.
—— **conductor,** conductor a tierra.
—— **connector** (elec), conector a tierra.
—— **elbow** (elec), codo para conexión a tierra.
—— **electrode,** electrodo de conexión a tierra.
—— **switch,** interruptor de tierra.
—— **transformer,** transformador para puesta a tierra.
groundmass (geol), base vidriosa del pórfido.
groundsill, durmiente, solera o carrera de fondo, (M) rastra.
group, *s* grupo; *v* agrupar.
—— **drive,** transmisión en grupo.
group-operated, maniobrado por grupos.
grouser, (mec) garra de zapata, oreja de tracción; pata, puntal.
grout, *s* lechada de cemento, (V) carato de cemento; *v* inyectar lechada, lechadear, enlechar.
—— **curtain,** cortina de inyecciones.
—— **hole,** barreno de enlechado, agujero de inyección, perforación para lechada.
—— **machine,** inyector de lechada o de cemento, máquina de inyectar.
—— **pipe,** tubo de enlechado, caño para inyección.
grouting, inyecciones, enlechado, (A) inyecciones cementicias, (M) lechadeado.

Grove cell (elec), pila de Grove.
growler (elec), probador de inducidos.
growth ring (timber), anillo anual.
grub, desraizar, desyerbar, desbrozar, descuajar.
—— **ax,** picaza, legón.
—— **hook,** arado desarraigador.
—— **saw,** serrucho para mármol.
—— **screw,** tornillo prisionero, tornillo ranurado sin cabeza.
grubber, desyerbador, arrancador de raíces.
grubbing, desenraíce, descuaje, deshierbe, desbroce, (A) desyuye.
guaiacum (lbr), guayacán.
guarantee, garantizar, dar fianza.
guarantor, fiador.
guaranty, garantía, caución.
—— **bond,** fianza.
guard n, (dispositivo) guardia, resguardo; (hombre) guarda, resguardo.
—— **band** (ra), faja o banda de guardia.
—— **fence** (rd), barrera de guardia.
—— **log** (rr), véase **guard timber.**
—— **pile,** véase **fender pile.**
—— **ring,** anillo de protección.
—— **stake** (surv), estaca indicadora.
—— **strip,** tira protectora.
—— **timber** (rr), guardarriel exterior, (A) solera.
—— **valve,** válvula de guardia.
—— **wall** (rd), murete de guardia.
—— **wire** (elec), hilo o alambre de guardia.
guarded (elec), protegido.
guardrail, (fc) guardarriel, guardacarril, riel de guía, guardarrana (corazón), guardaaguja (cambio); (ca) barrera de guardia, guardacamino.
—— **brace,** abrazadera de guardacarril.
—— **cable** (rd), cable guardacamino.
—— **clamp,** grampa de guardacarril.
—— **gage,** calibre de guardacarril, gálibo de guardarriel; trocha de guardarrana.
—— **post** (rd), poste para guardacamino.
—— **strand** (rd), torón o cabo guardacamino.
—— **support** (rd), portabarrera.
Guastavino arch, véase **timbrel arch.**
gudgeon, (mec) gorrón, muñón, macho, turrión, pernete; (náut) muñonera, hembra de gorrón, encastre de muñón.
—— **pin** (auto), pasador de émbolo.
—— **socket,** encastre de muñón.
guide, s (mec) guía, guiadera, montante, deslizadera; v guiar.
—— **bars,** barras de guía.
—— **bearing,** cojinete de guía.
—— **block,** pasteca.
—— **bushing** (mt), casquillo de guía.
—— **holes** (mt), agujeros de guía.
—— **meridian** (surv), meridiano de guía.
—— **pile,** pilote de guía, estaca directriz.
—— **post** (mt), montante de guía.
—— **pulley,** polea-guía, polea de desviación.
—— **rack** (elec), montante guiacable.
—— **rail,** (fc) guardarriel; (puerta) riel de guía.
—— **rails** (elev), montantes o rieles de guía.
—— **roll** (road roller), cilindro de dirección, rodillo de guía.
—— **sheave,** garrucha de guía.

—— **shoe** (pet), zapata guía.
—— **shoes** (elev), patines o zapatas de guía.
—— **stem,** espiga guía, vástago de guía.
—— **vane** (turb), álabe director, paleta fija o guiadora, aleta directriz o distribuidora.
—— **wheel,** rueda guía.
guide-vane ring (turb), anillo portapaletas.
guided wave (ra), onda guiada o dirigida.
guided-bend test, prueba de flexión con plantilla.
guidepost (rd), hito, poste de guía.
guiding ring (pet), anillo guía.
guillotine shear, cizalla de guillotina.
guillotine valve, válvula de guillotina.
gulch, cañada, quebrada.
gulf, golfo.
gullet, (hid) canal; (si) entrediente, garganta.
┬— **tooth** (saw), diente biselado o de lobo.
gulleting file, lima para entredientes.
gully, arroyo, quebrada, cárcava, arroyada, (M) barranquilla.
gum, s goma; (mad) ocozol; v (aceite) engomarse.
—— **streak** (lbr), mancha gomosa.
gumbo, especie de suelo arcilloso, gumbo.
gummer (saw), dentador, rebajador.
—— **shear** (saw), cizalla de dentar.
gummy, gomoso, pegajoso, engomado.
gun (bl), barreno ensanchado por el tiro sin romper la roca.
—— **barrel** (pet), decantador, tanque de asentamiento.
—— **grease,** grasa para inyector.
—— **metal,** bronce de cañón.
—— **perforating** (pet), perforación a bala.
—— **perforator** (pet), pistola de perforación, perforadora a bala.
—— **stick** (lg), indicador del sentido de caída del árbol.
—— **tackle,** aparejo de un motón fijo y uno movible.
gunboat (min), cajón para carbón.
guncotton, algodón pólvora, fulmicotón, algodón explosivo.
gunite, gunita, torcreto, (M) mortero lanzado, (AC) concreto a soplete.
—— **worker,** gunitista, torcretador.
gunpowder, pólvora.
Gunter's chain (66 feet), cadena de Gunter o de agrimensor.
gunwale (naut), borda, regala.
gush, brotar, chorrear, borbollar, borbotar.
gusher, pozo surgente de petróleo.
gushing, chorreo.
gusset (str), escuadra de refuerzo, cartela, esquinero; (tún) corte en V.
—— **plate,** escuadra de ensamble, placa nodal o de empalme o de unión, chapa de nudo, (M) cartón.
gut, estrecho, canalizo, pasa.
—— **lacing,** cuerda de tripa.
gutta-percha, gutapercha.
gutter n, (calle) cuneta, arroyo; (to) canal, canalón, canaleta, albedén; (top) cárcava; (eléc) canal para alambres, acanaladura auxiliar, canalón.
—— **box** (sw), boca de admisión, caja de cuneta.

—— **hanger** (rf), portacanalón, colgador de canalón.

—— **offtake** (rd), emisario o desembocadura de la cuneta.

—— **spike**, clavo para canalones.

—— **tile**, teja canalón.

—— **tool**, llana de cuneta.

—— **turnout** (rd), descarga lateral de la cuneta.

guy, *s* retenida, viento, contraviento, obenque, tirante, tensor, (A) rienda, patarraez; *v* atirantar, contraventar, (V) ventear.

—— **anchor**, ancla de tierra o para retenida.

—— **arm** (pole), brazo para retenida.

—— **cable**, cabo muerto, contraviento, cable de retención; cable para vientos.

—— **cap** (de), placa de contravientos.

—— **clamp** (elec), mordaza para cabo de retenida.

—— **derrick**, grúa de contravientos de cable, grúa atirantada o de retenidas.

—— **guard** (elec), guardarretenida, (A) guardarrienda.

—— **hook**, gancho de retenida.

—— **insulator**, aisladora para cable de retenida.

—— **plate** (elec), placa de retenida.

—— **ring**, anillo de retenidas.

—— **rod**, barra tirante.

—— **shim** (pole line), planchita de retenida, guardaposte para retenida.

—— **spider** (de), placa de contravientos.

—— **strand** (wr), cabo para vientos o de retenida.

—— **tackle**, aparejo de retenida.

—— **wire**, viento o retenida de alambre.

guy-eye bolt, perno con ojo para retenida.

guy-eye nut, tuerca de ojo para retenida, tuerca de guardacabo.

guy-strain insulator, aislador para viento.

guy-wire protector (elec), guardarretenida.

gypsum, yeso, sulfato de calcio, aljez, aljor.

—— **block**, bloque hueco de yeso para construcción.

—— **partition tile**, bloques de yeso para paredes.

—— **pit**, yesar, aljezar.

—— **plaster**, yeso de enlucir o de estucar; revoque de yeso.

—— **sand**, yeso arenoso.

—— **sheathing board**, cartón de yeso.

—— **wallboard**, cartón de yeso.

gypsum-fiber concrete, concreto de yeso con agregado de virutas de madera.

gypsy winch, torno de mano.

gypsy yarder (lg), malacate de molinete.

gypsyhead, molinete, carrete, torno exterior.

gyrate, girar.

gyratory crusher, trituradora o chancadora o quebrantadora o machacadora giratoria.

gyrocompass, brújula giroscópica.

gyrometer, girómetro.

gyropilot (sb), timonel mecánico, dispositivo giroscópico de timonear.

gyroscope, giroscopio.

gyroscopic, giroscópico.

gyrostat, giróstato.

gyrostatic, girostático.

gyrostatics, girostática.

H beam, viga H.

H column, columna en H.

H frame (transmission line), caballete en H.

H hinge, gozne en H.

H network (elec), red forma H.

H pile, pilote de perfil en H.

hachures (dwg), sombreado, hachuras.

hack file, lima de cuchilla.

hack hammer, martillo para desbastar piedra.

hackly fracture (miner), fractura mellada.

hackmatack, alerce.

hacksaw, *s* (herr) sierra cortametales o para metales, serrucho de cortar metales, (M) segueta para fierro, (M) tajadera; (mh) sierra mecánica para metal; *v* serrar o aserrar metales.

—— **blade**, hoja de sierra para metales, (M) segueta para arco.

—— **frame**, arco o bastidor de sierra, marco de segueta, codal, (C) armadura de segueta.

hade (geol), recuesto.

haft, mango, asa, agarradera.

hail, granizo.

hair, pelo; cabello.

—— **cracks**, grietas capilares.

—— **felt**, fieltro de pelo.

—— **hygrometer**, higrómetro de cabello.

—— **seam** (met), costura de pelo.

—— **side** (belt), cara de la flor o de pelo.

hairpin antenna (ra), antena con acoplamiento de horquilla.

hairspring dividers (dwg), compás de división a resorte, compás de precisión.

hairstone, especie de cuarzo.

halation (pmy), halo.

half, *s* mitad; (mat) medio; *a* medio.

—— **bend** (p), curva de 180°.

—— **broadax**, hacha de media labor.

—— **hatchet**, hachuela de media labor, semihachuela.

—— **hitch**, cote.

—— **nut**, media tuerca, tuerca partida o dividida.

—— **section**, semisección, media sección.

—— **set** (min), medio marco.

—— **siding** (na), la mitad de la faja plana a lo largo de la quilla.

—— **sole** (pet), media suela.

—— **tide**, media marea.

—— **wave** (ra), media onda, semionda.

half-breadth plan (na), media planta.

half-circle lamp (fluorescent), lámpara semicircular.

half-dog-point setscrew, opresor de macho corto.

half-full, a medio llenar.

half-head adz, azuela de medio cotillo.

half-lap joint (carp), junta a media madera, unión a medio corte.

half-miter joint, ensamblaje a medio inglete.

half-moon tie (rr), traviesa de caras aserradas y ancho del tronco completo.

half-mortise hinge, bisagra medio superficial.

half-nut lever (lathe), manija de la media tuerca, palanca de la tuerca dividida.

half-on working (min), labor a 45° con el clivaje principal.

half-open, a medio abrir.

— corner joint (w), junta esquinada medio
abierta.
half-oval, medio ovalado.
half-round, de mediacaña.
half-S trap (p), sifón en S a 90°.
half-shadow polariscope, polariscopio de penumbra.
half-surface hinge, bisagra medio superficial.
half-track (tk), semicarril, semitractor, (M)
media oruga.
half-turn socket (pet), pescasondas de media
vuelta.
half-turn stairs, escalera de media vuelta o de
ida y vuelta.
half-turned shackle, grillete de media vuelta.
half-wave
— antenna (ra), antena de media onda.
— radiator (ra), transmisor de media onda.
— rectifier (elec), rectificador de media onda.
halite (miner), halita, sal gema.
Hall effect (elec), efecto Hall.
hallway, pasadizo, zaguán.
halved joint (carp), junta a media madera, empalme a medias, unión a medio corte.
halved tie (rr), una de dos traviesas aserradas de
un tronco.
halyard, driza.
hammer, s (mano) martillo, porrilla; (dos manos)
mandarria, acotillo, comba, maceta, combo,
destajador, porra, macho, maza; (calafate) maceta; (pav) aciche; (mam) piqueta; (picapedrero) escoda, alcotana; (de
caída) maza, pilón, martinete; (maq) golpeteo, golpeo; v martillar, amartillar;
machar; (maq) golpetear.
— blow, martillazo.
— crusher, triturador de martillos.
— drill, perforadora de martillo, taladro de
percusión.
— fall, cable para manejo del martinete.
— handle, mango o cabo de martillo.
— head, cabeza de martillo.
— mill, trituradora o chancadora de martillos,
molino a martillos.
— scale, costra de forjadura, batiduras.
— slag, escoria de fragua.
— tamper, pisón de martillo.
— test, ensayo a martillo.
— union (p), unión con orejas para ajuste a
martillazos.
— weld, soldadura a martillo o de forja.
hammer-dressed, labrado a escoda.
hammer-forge, forjar a martinete.
hammer-hard, endurecido a martillo.
hammer-harden, endurecer a martillo.
hammer-head crane, grúa de martillo.
hammering, martilleo; (maq) golpeo, golpeteo.
hand, (hombre) operario; (inst) aguja, manilla,
manecilla, índice, puntero; (est) mano;
(dirección) lado.
— ax, hacha de mano o de mango corto.
— brake, freno manual o de mano.
—, by, a mano, a brazo, a fuerza de brazos, a
pulso.
— capacitance (ra), efecto capacitivo de la
mano.

— crosscut saw, serrucho de trozar.
— drill, barrena o taladro de mano; (V) chompa,
chompín.
— drilling, perforación a mano.
— feed, avance a mano, alimentación manual.
— hammer, porrilla, partillo de mano.
— jointer, cepillo mecánico de alimentación
manual.
— labor, obra de mano, trabajo manual.
— lathe, torno de mano.
— level, nivel de mano.
— mixing, mezcladura a mano, mezcla a brazos.
— operation, maniobra o accionamiento a mano.
— power, fuerza de brazos; cabria de mano.
— pump, bomba manual o de mano.
— reset (elec), reposición manual.
— ripsaw, serrucho de hilar.
— riveting, remachadura o roblonado a mano.
— rope (wr), cable extraflexible (6 x 42), cable
de mano.
— screw (carp), grapa o prensa de madera, (A)
sargento de madera.
— template (pmy), plantilla de mano.
— throttle (auto), estrangulador manual.
— tools, herramientas manuales o de mano.
— truck, carretilla, zorra, carretilla para depósitos, (A) manomóvil.
— vise, tornillo de mano, entenallas.
— winch, cabria de mano.
hand-driven (re), remachado a mano.
hand-fired (bo), alimentado o cargado a mano.
hand-held (inst)(t), de mano.
hand-lever tailstock (lathe), contrapunta con
palanca de mano.
hand-placed, colocado o arreglado o acomodado
a mano.
hand-set bit, barrena afilada a mano.
hand-tooled, labrado a mano.
handbarrow, parihuela, angarillas.
handbook, manual.
handcar, carrito o carro de mano, (A) zorra de
vía, (C) cigüeña.
handhole, registro de mano, orificio de limpieza,
agujero manual, agujero de acceso, portezuelo.
— cover, tapa de registro.
— trap, sifón con orificio de limpieza.
handle, s mango, cabo, astil; cogedero, asa, agarradera, puño; manigueta, manija; palanquita, manivela; v manejar, manipular,
maniobrar.
handling, manejo, maniobra, manipulación.
— stresses, esfuerzos de manipulación.
handmade, hecho a mano.
handrail, baranda, barandal, pasamano, verja,
guardacuerpo, (náut) batayola.
— bracket, canecillo de pasamano, palomilla
de barandilla.
handsaw, serrucho, sierra bracera o de mano.
handshield (w), guardamano.
handspike, espeque, palanqueta, palanca de
maniobra.
handwheel, rueda de mano, volante, volante-
manubrio, volante de maniobra.
handwork, obra de mano, trabajo manual.
hangar, hangar, cobertizo.

hanger, colgadero, barra de suspensión, suspensor, péndola; (eje) consola o apoyo o soporte colgante.
— bolt, véase hanger lag screw.
— lag screw, pija con cabeza roscada.
— screw, tirafondo para consola.
hangfire (bl), explosión demorada.
hanging, colgadizo, suspendido.
— compass (min), brújula suspendida.
— door, puerta colgante o corrediza.
— gutter (rf), canalón suspendido.
— leads (pi), guías colgantes.
— road, camino de media ladera; camino de un agua o de simple vertiente.
— scaffold, andamio colgante o suspendido, (A) balancín.
— stairs, escalera voladiza.
— stile (door), larguero de suspensión o de bisagra, montante.
— valley, valle colgante.
— wall (geol), respaldo alto, cubierta del filón, pendiente, (M) reliz del alto, (M) tabla de alto, (B) hastial de techo.
harbor, puerto, rada; abrigo, dársena.
— dues, derechos portuarios o de puerto.
— master, capitán del puerto.
hard, duro.
— bronze, bronce duro o de campana.
— coal, antracita.
— fiber, fibra vulcanizada.
— lead, plomo crudo; aleación de plomo y antimonio.
— metal, véase hard bronze.
— rubber, caucho endurecido, ebonita.
— service, trabajo recio, servicio difícil.
— solder, soldadura fuerte o amarilla.
— surfacing (w), revestimiento duro.
— tube (ra), tubo de alto vacío, (A) válvula dura.
— wall plaster, yeso duro o negro.
— water, agua dura o gruesa o gorda o cruda.
hard-burned brick, ladrillo santo o recocho.
hard-burned plaster, yeso anhidro.
hard-drawn, estirado en frío o en duro.
hard-facing (w), revestimiento con metal duro.
hard-finish plaster, yeso duro para última capa.
hard-laid (rope), de torcido apretado.
hard-rolled (met), laminado en duro.
hard-surfacing (w), revestimiento con metal duro.
harden, endurecer; endurecerse; (met) acerar.
hardenability (met), templabilidad.
hardener, endurecedor.
— bath (pmy), baño endurecedor.
hardenite (met), hardenita.
hardness, dureza; (agua) dureza, crudeza, gordura.
— indicator, indicador de dureza.
— number, índice de dureza.
hardpan, tosca, tierra endurecida, arcilla compacta, (M) tepetate, (AC) talpetate, (Ec) cangahua.
hardstand, hardstanding (ap), área firmada para estacionamiento de un avión.
hardware, ferretería, cerrajería, herraje.
— dealer, ferretero.

— store, ferretería, (Ch) barraca de hierro.
hardwood, madera dura.
hardy (bs), tajadera de yunque.
harmonic n a (math)(elec), armónico.
— analysis, análisis armónico.
— analyzer, analizador de armónicos.
— antenna (ra), antena larga.
— balancer (auto), compensador o balanceador armónico, amortiguador de sacudidas.
— distortion (ra), distorsión armónica.
— generator, generador de armónicos.
harpings (sb), tracas de proa; apuntalamiento de las cuadernas durante la construcción.
harrow, s rastra, grada, rastro, escarificador; v gradar, escarificar, rastrear.
harsh concrete, concreto grueso o agrio, hormigón áspero, (A) hormigón tosco.
harshness (conc), aspereza.
Harveyized steel, acero harveyizado.
hasp, aldaba de candado, broche, portacandado.
— and staple, broche y picolete.
— lock, candado de aldaba.
hat flange (p), brida de copa.
hatch, s (náut) escotilla; v (dib) rayar, sombrear, (Ch) hachurar, (M) achurar.
— bar (sb), barrote, barrotín.
— batten, barrotín, galápago.
— coaming, brazola.
— cover, cubierta de escotilla, cuartel, tapa de la escotilla.
— winch (sb), malacate de escotilla.
hatchet, hachuela, hacheta, destral, machado, segureta.
— stake, bigorneta de arista viva.
hatching (dwg), rayado, sombreado, (Ch) hachuras, (M) achurada.
— pen, tiralíneas para rayado.
hatchway, escotilla, boca escotilla.
— trunk (sb), pozo de escotilla.
haul, s acarreo, transporte; distancia de transporte, (Ec) tirada; v (tr) halar, acarrear, transportar; arrastrar; (cab) aballestar, halar.
haulage, acarreo, transporte, halaje, arrastre.
— drift (min), galería de arrastre.
— rope (wr), cable de tracción.
haulageman (min), maquinista de arrastre.
haulageway (min), galería de arrastre.
haulback (lg), cable de retroceso o de alejamiento.
hauling, tracción, arrastre; transporte, acarreo, carretonaje, halaje.
— contractor, contratista acarreador o de transporte.
— drum (cy), tambor de tracción o de traslación.
— line (cy), cable tractor sin fin o de tracción o de traslación, (A) cable de recorrido.
— scraper, traílla o pala transportadora.
— speed, velocidad de tiro.
haunch, (arco) riñón; (ca) espaldón, banqueta; (est) ménsula, cartela.
haversine (math), medio seno verso.
hawk (mas), gamella, tabla portamezcla, esparavel.
hawse (sb), escobén.

—— **bolster** (sb), almohada del escobén.

hawsehole (sb), escobén.

hawsepipe (sb), cañón de escobén.

hawser, cable de remolque, calabrote, toa, estacha, guidaleza, sirga.

—— **bend,** vuelta de escota, gorupo.

—— **thimble,** guardacabo de estacha.

hawser-laid (rope), acalabrotado.

hawsing

—— **beetle,** maceta de calafatear.

—— **iron,** herramienta de calafatear.

—— **mallet,** mazo de calafate, maceta de calafatear.

hazard beacon (ap), faro de peligro.

head, *s* (hid) carga, salto, caída, desnivel, altura, (Col) cabeza; (re) cabeza; (martillo) cabeza; (riel) cabeza, hongo; (cilindro) fondo, tapa, (mg) culata; (cal) fondo; (semovientes) cabeza; (barril) fondo; (cantería) dirección del clivaje más resistente; *v* (re) (perno) encabezar; *a* principal, jefe.

—— **block,** (carp) cabecero, cabezal; (martinete) cabezal; (as) cabezal portatronco; (fc) traviesa de cambio; (ef) tronco cabecero.

—— **canal,** canal de aducción o de acceso.

—— **chainman,** cadenero delantero o de frente.

—— **fast** (naut), proís, amarra a rejera de proa.

—— **flume** (irr), canaleta de repartición.

—— **gate,** compuerta de toma o de cabecera o de arranque, boquera, (Es) templadera.

—— **guy** (elec), retenida final o terminal.

—— **house,** (min) caseta de cabezal, tinglado del pozo; (pa) casa de control del filtro.

—— **lamp** (auto), farol delantero, reflector.

—— **loss** (hyd), pérdida de carga.

—— **meter** (hyd), contador a carga diferencial.

—— **of approach** (hyd), carga de llegada o de velocidad.

—— **of the firm,** jefe de la casa.

—— **piles** (tun), listones de avance.

—— **pulley** (conveyor), polea motriz.

—— **receiver** (ra), véase **headphone.**

—— **rod** (rr), barra de chucho.

—— **saw** (sa), sierra cabecera o preliminar.

—— **shaft** (elev), árbol de cabezal, eje motor.

—— **shield** (w), casco para soldador, máscara de cabeza.

—— **spar** (lg), árbol grúa o de anclaje.

—— **tapeman** (surv), cintero delantero.

—— **tie** (rr), traviesa de chucho o de las agujas.

—— **tower** (cy), torre de cabeza o de máquina, (PR) torre principal.

—— **tree,** (tún) cabezal, solera superior; (ef) árbol grúa.

headache post (pet), poste parabalancín.

headchair (rr), placa de chucho.

header, (carp) travesaño, cabecero, testera, brochal, atravesaño; (cal) cabezal, colector-cabezal, (A) cabeza de hervidores; (mam) tizón, asta, cabecero, cabezal, (Col) llave, (Col) citarón; (tub) cabezal de tubos; (eléc) canal transversal; (re) encabezador.

—— **bar** (reinf), barra cabecero.

—— **beam,** cabecero, brochal.

—— **course** (bw), hilera de tizones, hilada atizonada o de cabezal.

headframe (min), horca, castillo, marco, caballete de extracción.

heading, (tún) avance, galería de avance; frente; (fma) orientación.

—— **course** (mas), hilada de tizones.

—— **die,** matriz encabezadora.

—— **joint** (mas), junta entre dovelas de la misma hilada.

—— **tool,** encabezadora de pernos.

—— **wire,** alambre para remachar en frío.

heading-and-bench method (tun), método de avance y banco.

headlamp, véase **headlight.**

headland, promontorio, morro, farallón.

headledge (sb), contrabrazola.

headless bushing (p), boquilla sin cabeza.

headless setscrew, tornillo opresor sin cabeza.

headlight, farol delantero o de frente, farola, reflector, luz de cabeza, (Es) fanal.

—— **deflector** (auto), desviador del rayo de luz.

—— **dimmer,** reductor de luz, amortiguador de los faroles.

headphone (tel)(ra), receptor o teléfono de cabeza, audífono, auriculares.

headquarters, oficina central, dirección general, administración, jefatura.

headrace, canal de alimentación o de llegada, saetín, caz de traída, (Es) canal de carga.

headroom, franqueo superior, altura libre o de paso.

headset (ra), receptor y transmisor de cabeza.

headstock (lathe), muñeca fija, cabezal fijo, cabezal.

—— **cap,** casquete del cabezal.

—— **clamp,** abrazadera del cabezal.

headwall, cabecera, muro de cabeza, (V) muro de remate.

headwater, río arriba; nacientes.

headwaters, nacientes, (Col) cabeceras, (C) cabezada, (PR) aguas de cabecera, (Pe) nacimiento.

headway, ímpetu, velocidad; altura libre, franqueo superior; intervalo entre trenes.

headworks, (hid) obras de cabecera o de toma, (Pe) obras de captación, obras de arranque (canal); (ef) cabria flotante.

health department, departamento de sanidad o de salubridad.

heaped capacity, capacidad colmada o amontonada.

heart, (mad) corazón, alma; (cab) núcleo, alma.

—— **cam,** leva forma corazón.

—— **pine,** pino de hoja larga o de Georgia; pino de corazón.

—— **shackle,** grillete forma corazón.

—— **shake** (lbr), raja, hendedura, pie de gallo.

hearth, (hid) platea, zampeado, contraescarpa, acolchado, antesolera, (M) delantal; (met) hogar, crisol.

heartwood, madera de corazón.

heat, *s* calor; calefacción; (met) hornada, calda, calentada, turno de fundición; *v* calentar, caldear.

—— **balance,** equilibrio de calor, balance calórico.

— **capacity,** capacidad para absorción de calor, capacidad térmica.

— **coil** (tel), bobina térmica.

— **content,** contenido de calor.

— **dissipation,** dispersión de calor.

— **endurance,** aguante al calor.

— **engine,** máquina térmica, termomotor, motor térmico.

— **exchanger,** intercambiador de calor, permutador térmico, (M) cambiador de calor.

— **indicator** (auto), termómetro del motor.

— **insulation,** aislación térmica o contra el calor, revestimiento calorífugo.

— **interchanger,** intercambiador de calor.

— **loss** (elec), pérdida por resistencia.

— **of compression,** calor de compresión.

— **of hydration** (ct), calor de hidratación.

— **of setting** (conc), calor del fraguado.

— **of sublimation** (ac), calor de sublimación.

— **of wetting,** (ms) calor de humedecimiento; (aa) calor de remojo.

— **pump** (ac), equipo de enfriamiento utilizado como calentador.

— **stability,** estabilidad térmica.

— **transfer** (ac), traspaso de calor.

— **transmission,** transmisión o traspaso de calor.

— **treatment,** tratamiento térmico o al calor.

— **unit,** unidad térmica.

— **up** *v*, calentar, recalentar; calentarse, recalentarse.

— **value,** valor calorífico.

— **valve** (ve), ventilador continuo de caballete.

heat-conducting, conductor de calor.

heat-reactive, termorreactivo.

heat-resisting, resistente al calor, calorífugo.

heat-setting mortar (rfr), mortero de fraguado al fuego.

heat-treated, tratado térmicamente o al caldeo o al calor.

heater, calentador; calorífero; calefactor; (hombre) calentador de remaches.

— **cord** (elec), cordón para calefactor.

heating, caldeo, (ed) calefacción; (maq) calentamiento.

— **appliance** (elec), artefacto calentador.

— **boiler,** caldera de calefacción, calorífero de vapor.

— **coil,** serpentín calentador.

— **contractor,** calefaccionista.

— **element,** elemento calentador o de caldeo.

— **fan,** ventilador de calefacción, (M) caloventilador.

— **load** (ac), demanda para calefacción, carga de calefacción.

— **power,** potencia calorífica, poder calorífico, (A) potencia calentadora.

— **surface,** superficie de caldeo o de calefacción.

— **system,** sistema de calefacción; instalación de calefacción.

heatproof, a prueba de calor.

heave, *s* (min) dislocación de un filón; *v* (terreno) levantar.

Heaviside layer (ra), ionosfera, capa de Heaviside.

heavy, pesado; (plancha) espeso, grueso; (pendiente) fuerte; (aceite) denso, espeso; (cons) macizo; (monte) tupido; (mar) bravo, agitado, picado; (lluvia) fuerte, copioso, torrencial; (tráfico) denso.

— **duty,** servicio pesado.

— **force fit,** véase **shrink fit.**

— **hardware,** ferretería gruesa, herraje.

— **spar,** sulfato de bario, baritina, espato pesado.

— **timber construction** (bldg), construcción de maderos pesados o de combustión lenta.

heavy-duty insulator, aislador extrafuerte o para servicio pesado.

heavy-duty pavement, pavimento para tráfico denso.

hectare, hectárea.

hectogram, hectogramo.

hectoliter, hectolitro.

hectometer, hectómetro.

hectowatt, hectovatio.

hedgehog transformer, transformador erizo.

heel, (presa) talón, tacón, taco; (mec) dorso, talón, lomo; (herr) espaldón, taco; (to) extremo inferior del par.

— **block** (rr frog), bloque de patas.

— **blocks** (lg), motones de compensación.

— **distance** (rr), distancia entre talón de la aguja y riel maestro.

— **dolly** (re), sufridera de palanca.

— **of switch** (rr), talón de la aguja.

— **sheave** (pet), garrucha posterior.

— **trench** (dam), zanja de talón.

— **wedge,** cuña de oreja.

heelpost (nav lock), poste de quicio.

Hefner candle (il), bujía Hefner.

height, altura, alto.

— **of instrument** (surv), altura de la línea de mira, altura del ojo o del instrumento.

helical, hélico, helicoidal.

— **gear,** engranaje espiral o helicoidal.

— **meter** (hyd), contador helicoidal.

helical-flow turbine, turbina helicoidal.

helicoid, helicoide.

helicoidal, helicoidal.

helicopter, helicóptero.

heliocentric, heliocéntrico.

heliogram, heliograma.

heliograph, heliógrafo.

heliographic, heliográfico.

heliography, heliografía.

heliostat, helióstato.

heliostatic, heliostático.

heliotrope, (inst) helióstato, heliotropo, heliógrafo; (miner) heliotropo.

helium (chem), helio.

— **arc welding,** soldadura por arco protegido de helio.

helix, hélice.

— **angle** (t)(th), ángulo de la hélice.

helm (naut), timón, gobernalle; caña del timón, aparato de guiar; movimiento del timón.

— **port** (sb), limera.

helmet, casco, casquete, yelmo; (pi) casquete de hincar.

— **shield** (w), casco protector o de soldador.

helper, ayudante.

—— **tractor,** tractor auxiliar.

helve, (herr) mango, cabo, astil; (maq) palanca.

—— **hammer,** martinete de báscula.

hem (sml), dobladillo.

hematite, hematita, hematites (mineral de hierro).

hematitic, hematítico.

hemicellulose (sen), hemicelulosa.

hemicrystalline, hemicristalino.

hemicycle, hemiciclo.

hemiellipsoidal, semielipsoidal.

hemihydrate, hemihidrato.

hemimorphic, hemimórfico.

hemimorphism (miner), hemimorfía.

hemimorphite (miner), calamina, hemimorfita.

hemisphere, hemisferio, semiesfera.

hemispherical, hemisférico, semiesférico.

—— **candle power** (il), intensidad luminosa hemisférica, bujía hemisférica.

—— **ratio** (il), relación hemisférica.

hemlock, abeto, pinabete, cicuta.

—— **fir, hemlock spruce,** véase **hemlock.**

hemp, cáñamo, abacá (Manila).

—— **center** (wr), alma o núcleo de cáñamo, eje de henequén.

—— **packing,** empaquetadura de cáñamo, cáñamo de empaquetar.

—— **rope,** cuerda o cable de cáñamo.

hemp-clad cable, cable de alambre forrado de cáñamo.

henequen, henequén, (C) pita.

henry (elec), henrio, henry.

heptane (chem), heptano.

heptode (ra), heptodo, (Es) eptodo.

heptoxide, heptóxido.

hermaphrodite calipers, calibre o compás hermafrodita.

hermetic, hermético.

herringbone, espiguilla, espina o espinazo de pescado.

—— **bond** (bw), trabazón de tizones en espiguilla, aparejo espigado.

—— **gear,** engranaje doble helicoidal o de espinas de pescado.

—— **pinion,** piñón doble helicoidal.

—— **stope** (min), grada de espiguilla.

hertz (unit of frequency), hertzio.

hertzian telegraphy, radiotelegrafía.

hertzian wave (elec), onda hertziana o eléctrica.

hessite, hesita (mineral de plata).

heterodyne, s heterodina; v heterodinar; a heterodino.

—— **detector,** detector heterodino.

—— **frequency,** frecuencia heterodina o de pulsación.

—— **reception,** recepción heterodina o de batido.

—— **wavemeter,** ondámetro o frecuencímetro heterodino.

—— **whistle,** silbido heterodino.

heterogeneous, heterogéneo.

heterostatic, heterostático.

heterotrophic, heterotrófico.

heumite (geol), heumita.

hew, desbastar, labrar, hachear, dolar.

hewing, desbastadura, desbaste, doladura.

hexagon, hexágono, exágono.

hexagon-center nipple (p), entrerrosca con tuerca.

hexagonal, hexagonal, hexágono, exagonal, exágono, seisavado.

hexahedron, exaedro, hexaedro.

hexahydrate (chem), hexahidrato.

hexahydric (chem), hexahídrico.

hexametaphosphate, hexametafosfato.

hexamethylenetetramine (sen), hexametilentetramina.

hexane, hexano.

hexangular, hexángulo.

hexanitrodiphenylamine, exanitrodifenilamina (explosivo).

hexavalent (chem), hexavalente.

hexode, s (ra) exodo, hexodo; a (tel) hexodo.

hickey, doblador de tubos (eléctricos); casquillo conectador (de artefacto eléctrico), manguito sujetador.

hickory, nogal americano, hicoria.

hide rope, soga de cuero crudo.

hiding power (pt), capacidad encubridora.

high, alto.

—— **brass,** latón rico en cinc.

—— **conductivity,** alta conductibilidad.

—— **definition** (tv), definición alta, plena definición, alta nitidez.

—— **duty,** alto rendimiento, (C) alta tarea.

—— **explosive,** explosivo instantáneo, alto explosivo.

—— **frequency,** alta frecuencia.

—— **gear** (auto), toma directa.

—— **light** (tv), brillantez máxima.

—— **oblique photograph** (pmy), fotografía oblicua con horizonte sensible.

—— **pressure,** alta presión.

—— **rod** (surv), mira extendida.

—— **temper,** temple vivo.

—— **tension,** alta tensión.

—— **tide,** marea alta o llena, pleamar.

—— **water,** altas aguas; marea alta.

high-alkali cement, cemento de alto álcali.

high-alloy steel, acero de aleación rica.

high-alumina brick, ladrillo de alta alúmina.

high-ammonia dynamite, dinamita de alto amoníaco.

high-angle fault (geol), falla de inclinación parada (mayor de 45°).

high-calcium lime, cal grasa.

high-capacity filter, filtro de gran capacidad.

high-carbon steel, acero de alto carbono.

high-density dynamite, dinamita de alta densidad.

high-density plywood, madera laminada por presión alta.

high-early-strength cement, cemento de fraguado rápido o de alta resistencia inicial, (M) cemento de alta resistencia a corto plazo.

high-fidelity receiver (ra), receptor de alta fidelidad.

high-frequency telephony, telefonía de alta frecuencia.

high-geared, de alta multiplicación.

high-grade, de alta calidad, superior, de primera clase.

—— ore, mineral de alta ley.

high-gravity battery (elec), acumulador de alta gravedad, batería con electrolito denso.

high-gravity oil, petróleo de alta gravedad.

high-heat cement, cemento de alto calor.

high-heat-duty firebrick, ladrillo altamente refractario.

high-heat-level evaporator, evaporador a temperatura alta (245° F).

high-helix drill (mt), mecha de paso corto.

high-impedance tube (ra), válvula de alta impedancia.

high-lead bronze, bronce de alto plomo.

high-lead logging, arrastre de troncos por cable aéreo.

high-lift pump, bomba de carga alta.

high-line logging, véase high-lead logging.

high-low thermostat, termóstato de dos temperaturas.

high-manganese steel, acero de alto manganeso.

high-octane, de alto índice octánico, de alto octanaje.

high-pass filter (ra), filtro pasa-altos o de paso alto.

high-penetration asphalt (rd), asfalto de alta penetración.

high-power, de gran potencia, extrafuerte, extrapotente.

high-rate filter, filtro rápido o de alta capacidad.

high-resistance rotor (elec), rotor de alta resistencia.

high-speed

—— drill, broca de alta velocidad.

—— emulsion (pmy), emulsión rápida.

—— film (pmy), película rápida.

—— generator, generador de gran velocidad o de marcha rápida.

—— steel, acero rápido o ultrarrápido o de alta velocidad.

high-spiral drill, mecha de ángulo grande de la hélice (40°±), broca de paso corto.

high-strength gray iron, semiacero.

high-temperature cement, cemento refractario.

high-tensile steel, acero extrafuerte o de alta resistencia.

high-test

—— gasoline, gasolina de alta volatilidad.

—— metal, metal de alta resistencia.

—— sugar, azúcar de alta polarización.

high-torque motor, motor de fuerte momento de torsión.

high-turbulent head (ge), culata de turbulencia.

high-vacuum tube (ra), tubo electrónico, válvula de alto vacío.

high-volatile coal, carbón muy volátil.

high-voltage ammeter, amperímetro de alta tensión.

high-voltage porcelain (inl), porcelana para alta tensión.

high-water mark, línea de la marea alta; línea de aguas altas.

higher mathematics, matemáticas superiores.

highway, carretera, camino troncal o real, carrera.

—— bridge, puente carretero o de carretera, (V) puente de calzada.

—— crossing, cruce caminero.

—— department, departamento de carreteras, dirección de vialidad.

—— engineer, ingeniero vial o de vialidad.

—— engineering, ingeniería vial o de caminos.

—— guard, cable guardacarretera, resguardo de cable para carreteras; defensa caminera.

—— signs, señales de carretera, avisos de camino, señales de tráfico.

—— torch, antorcha de camino.

—— tractor, tractor caminero o para carretera.

—— transit (inst), tránsito vial.

—— transportation, transporte vial.

hill, cerro, alto, colina; lima; otero, altozano; collado, alcor; cuesta.

—— gravel, grava de mina o de cantera.

hillside, ladera, falda.

hilly, accidentado, quebrado, montuoso.

Hindley's screw, tornillo albardillado sin fin.

hinge, s (carp) bisagra, gozne, pernio; (mec) charnela, articulación, alguaza; (est) articulación, charnela; v (carp) embisagrar, engoznar; (mec) enquiciar, articular.

—— fault (geol), falla girada.

—— hasp, portacandado de charnela.

—— jaw, mordaza de articulación.

—— nail, clavo para bisagra.

—— pin, pasador o espiga de bisagra.

—— plate (str), placa de ensamblaje o de pasador, telera.

—— stile (carp), larguero de bisagra o de suspensión.

hinged

—— arch, arco articulado o rotulado.

—— door, puerta a bisagra o de charnela.

—— joint, articulación, unión de charnela, junta de bisagra, rotulación.

—— vise, prensa a bisagra, tornillo a charnela.

—— window, ventana batiente o de bisagra.

hinged-leaf gate (hyd), compuerta de tablero engoznado, alza de tablero basculante.

hinged-spring-rail frog (rr), corazón con carril de muelle engoznado.

hip (rf), lima tesa, (A) aristero, (C) loma.

—— joint (tu), junta de la cuerda superior con el poste extremo inclinado.

—— rafter, lima tesa.

—— roof, techo a cuatro vertientes o a cuatro aguas, cubierta a copete.

—— vertical (tu), péndola extrema.

hire (men), ajornalar, emplear, enganchar.

hissing (elec arc), silbido, siseo.

histogram, histograma.

hit-and-miss governor, regulador a toma y deja, regulador por admisión periódica.

hitch, (cab) vuelta, ahorcaperro; (mec) enganche; (min) muesca.

—— cutter (min), muescadora.

hob, s fresa; fresa madre; macho maestro de roscar; v fresar.

—— tap, macho maestro o para hacer hembras de rosca.

hobbing machine, fresadora.

hod, cuezo, capacho, cubo.

—— carrier, manobre, peón de albañil, (M) zoquitero.

—— hoist, elevador de cuezos.
hodometer, odómetro, hodómetro.
hoe, azada, azadón, (C) guataca, (Col) palito.
hog, *s* trituradora de madera; *v* triturar (madera);
(an) combarse, arquearse.
—— rod, tirante de armadura.
—— sheer (na), quebranto.
hogback, (geol) lomo; (ca) lomo.
hogframe (sb), armadura contraquebranto,
arriostramiento longitudinal.
hoggin, recebo.
hogging (na), quebranto.
—— out (mt), corte de leve penetración y alta
velocidad.
—— in (mt), penetración excesiva (con atascamiento de la herramienta).
hognose drill, mecha de punta chata aguda.
hogshead, bocoy, tonel, pipa.
hoist, *s* malacate, torno, torno izador o elevador,
(Ch) huinche, (A)(U) guinche, (V)(C)
winche; montacarga, grúa; *v* izar, alzar,
levantar, elevar.
—— block, motón de gancho.
—— cable (cy), cable de izar.
—— hook, gancho de motón, gancho de cable de
izar.
—— runner, maquinista, malacatero, tornero,
(Ch) huinchero, (A) guinchero, (U) motorista.
—— tower, torre de montacarga.
hoisting, elevación, alzadura, izado.
—— blocks, aparejo, polispasto.
—— cable, cable izador o de elevación; cable
para izar.
—— drum, tambor elevador o de izar.
—— engine, malacate, torno, (Ch) huinche, (A)
(U) guinche, (V)(C) winche; (pl) máquina
de elevación.
—— line (cy), cable izador o de elevación o de
alzar.
—— speed, velocidad de ascenso o de izar.
hoistman (min), maquinista de extracción, malacatero.
hoistway, pozo de izar.
hoistway-door interlock (elev), dispositivo que
impide mover el camarín sin cerrar la
puerta.
hold (naut), bodega, cala.
—— beam (sb), bao de bodega.
—— controls (tv), control manual de los oscila-
dores barrederos.
—— time (w), período de presión después de
cortar la corriente eléctrica.
—— yard (rr), patio de retención.
hold-down anchor (pet), dispositivo de anclaje
para bomba insertada.
holder-on (re), (herr) sufridera, aguantadora,
taco de remachar, contrarremachadora;
(hombre) sufridor, aguantador.
holding
—— anode (ra), ánodo retenedor.
—— coil (elec), bobina de retención.
—— company, compañía tenedora.
—— drum (de), tambor de retención.
—— ground, fondeadero de anclaje seguro, tenedero.

—— jig, gálibo de fijación.
—— line (bu), cable de retención.
holding-up bar (rr), alzaprima de traviesa.
holding-up hammer, martillo-sufridera.
holdover storage (hyd), almacenamiento para
más de un año.
hole, (re) agujero; (lechada) perforación, barreno; (vol) barreno; (ca) bache; (llave)
ojo; (prueba) pozo; (top) hoyo; (nudo)
agujero; (exc) excavación, cavadura, tajo;
(conc) cavidad, hueco; (criba) perforación; (maq) taladro.
—— conditioner (pet), enderezador de pozos.
—— enlarger (pet), escariador, ensanchador,
agrandahoyos.
—— gage, calibre para agujeros.
—— opener (pet), abrehoyos.
—— saw, sierra perforadora.
—— spotter, indicador de agujeros; situador de
barrena.
—— through (tun), encontrarse las dos labores,
(M) comunicarse, (M)(min) barrenarse.
holiday, día feriado o de fiesta; (pt) superficie
pasada por alto.
holing (min), roza, descalce.
hollow, *s* hueco, ahuecamiento; (top) hoyo, depresión; *a* hueco, ahuecado.
—— brick, ladrillo hueco o alivianado.
—— core wall, pantalla central hueca, diafragma
hueco.
—— dam, presa hueca o de pantalla, (A) dique
aligerado.
—— hexagonal steel, acero hexagonal hueco.
—— metal door, puerta metálica hueca, (A)
puerta metálica a calón.
—— mill, fresa frontal para superficies cilíndricas.
—— plane, cepillo cóncavo, guillame hembra.
—— punch, sacabocado.
—— setscrew, tornillo prisionero encajado (sin
cabeza), perno hueco.
—— tile, bloque hueco de arcilla cocida, (V) losa
celular.
hollow-back saw, sierra de lomo curvo.
hollow-back shovel, pala de reverso abierto.
hollow-chisel mortiser, escopleadora de broca
hueca.
hollow-core cable (elec), cable hueco.
hollow-flame burner, quemador de llama hueca.
hollow-ground (t), afilado con cara cóncava.
hollow-horning (lbr), huecos de curación.
holly (lbr), acebo.
holoclastic (geol), holoclástico.
holometer, holómetro.
Holophane (trademark), holófano.
holosteric, holostérico.
holozoic (sen), holozoico.
home office, oficina matriz.
home signal (rr), señal local o de entrada.
homing beacon (ap), radiofaro direccional.
homing device (ra), indicador automático de
ruta.
homoclinal (geol), homoclinal.
homocline, homoclinal.
homodyne (ra), homodina.
homogeneity, homogeneidad.
homogeneous, homogéneo.

homogenize, homogenizar.
homologous, homólogo.
homologue, homóloga.
homology (math), homología.
homopolar (elec), homopolar, unipolar, monopolar.
homoseismal, homosista, homosísmico.
hone, s piedra de afilar o de asentar; rectificador de cilindro; (ca) rastra; v asentar, rectificar; (ca) rastrar.
honestone, piedra de asentar.
honeycomb, (conc) hormigueros, panales, carcomida, (M) alveolado, (A) nido de abeja; (mad) huecos de curación; (pi) abromado.
—— coil (ra), bobina nido de abeja, bobina de panal; (A) bobina de devanado universal.
—— radiator, radiador de colmena o de panal.
honing
—— fixture, sujetadora para rectificar.
—— machine, máquina esmeriladora, rectificadora.
—— tool, herramienta rectificadora.
hood, sombrerete, caperuza, cubierta, capota; (auto) cubierta del motor, capó, capote, (M) cofre; (pi) macaco, sombrerete.
—— insulator, aislador de caperuza.
hooding end (sb), plancha extrema de la traca.
hook, s gancho, garfio; v enganchar.
—— and keeper, gancho y hembra, gancho y picolete.
—— block, motón con gancho.
—— bolt, perno o tornillo de gancho.
—— gage, escala de gancho.
—— ladder, escala de garfios, escalera de ganchos.
—— plate (p), portatubo o placa de ganchos.
—— rule, regla de gancho.
—— socket (wr), encastre con gancho.
—— switch (tel), interruptor de portarreceptor.
—— tap, macho de gancho.
—— up v (elec), acoplar; entrelazar.
—— wrench, llave de gancho, (Es) ganzúa.
hook-and-eye turnbuckle, torniquete de gancho y ojo.
hook-and-hook turnbuckle, torniquete de dos ganchos.
hookaroon, pica con gancho.
hooker-on, enganchador.
hookup (ra), sistema de conexión, red de circuitos.
hoop, s (barril) zuncho, aro, anillo, cerco; (ref) zuncho, aro, (M) cincho, (A) estribo, (Pe) abrazadera, (V) ligadura, virola; v enzunchar, zunchar, anillar, cinchar.
—— iron, hierro en flejes o de llanta.
—— stress, esfuerzo tangencial o de zuncho.
hooped column, columna zunchada.
hopper, tolva, (U)(M) embudo.
—— barge, chalana de compuerta.
—— closet, inodoro con fondo de tolva.
—— dredge, draga de tolvas.
hopper-bottom car, carro de tolva, vagón tolva, (C) carro de embudo.
hopper-cooled (eng), enfriado por tanque de agua.
horizon, horizonte; (geol) estrato, horizonte.

—— camera (pmy), cámara de horizonte.
—— glass (inst), espejo de horizonte.
—— line (pmy), línea del horizonte.
—— plane (pmy), plano del horizonte.
—— trace (pmy), horizonte de imagen.
horizontal, horizontal.
—— check valve, válvula horizontal de retención.
—— component, componente horizontal.
—— projection, proyección horizontal.
—— shearing stress, esfuerzo cortante horizontal.
—— union, gremio, gremio del oficio.
horizontal-deflection oscillator (ra), oscilador de desviación horizontal.
horizontality, horizontalidad.
horizontalize (pmy), rectificar.
horizontally-polarized wave (ra), onda polarizada horizontalmente.
horn, (ra)(auto) bocina; (yunque) pico; (cv) cuerno, asta.
—— button (auto), botón de bocina.
—— ore, cloruro de plata nativo.
—— quicksilver, mercurio córneo.
—— silver, cerargirita, plata córnea.
—— socket (pet), cono sacabarrena, (M) pescaherramientas abocinado.
—— spoon (lab), cuchara de cuerno.
horn-gap gage (elec), calibrador de distancia entre cuernos.
horn-gap switch (elec), interruptor de cuernos apagaarcos.
horn-type lightning arrester, pararrayos de cuernos o de antena.
hornbeam, carpe, ojaranzo.
hornblende (miner), hornablenda, anfíbol, (M) blenda córnea.
—— schist (geol), hornablenda esquistosa, anfibolosquisto.
hornblendic, hornabléndico.
hornblendite (geol), hornablendita.
hornfels (geol), corneana, hornfelsa.
horning (sb), montaje perpendicular al eje del buque.
hornstone, especie de cuarzo, piedra córnea.
horse, s caballo; (carp) caballete, burro, asnillo; (est) bastidor, castillete, pila; (es) zanca, gualdera; (min) masa de roca dentro de un filón; (cons) pila, caballete, armazón, machón; v (cn) calafatear.
—— dam (lg), presa provisoria de troncos.
—— dolly (str), sufridera acodada.
—— iron (sb), pitarrasa.
horse-drawn, arrastrado por caballos, de tracción a sangre, de tracción hipomóvil.
horseback (min), intrusión de roca en la veta de carbón.
horsehead, (pet) cabezal del balancín; (cons) caballete.
horsepower (hp), caballo de fuerza (c de f), caballo de vapor, caballo, (C) caballaje; cabria de caballo.
—— rating (mot), caballos de régimen.
horsepower-hour, caballo-hora.
horseshoe, herradura.
—— draintile, tubo de avenamiento forma herradura.

—— **magnet,** imán de herradura.
—— **nail,** clavo de herradura o de herrar.
horseshoe-shaped tunnel, túnel de herradura.
horseshoer, herrador.
horsing (sb), calafateo.
hose, manguera, manga, (A) caño.
—— **band,** abrazadera para manguera, (A) abrazadera para caño.
—— **bibb,** llave de manguera, grifo para manguera, canilla para manga.
—— **bushing,** buje para manguera.
—— **cap** (p), tapa con rosca de manguera.
—— **cart,** carretilla para manguera de incendio, carro de mangueras.
—— **clamp,** abrazadera de manguera, grampa para manguera.
—— **connector,** conectador o conector de manguera.
—— **coupling,** manguito o empalme para manguera.
—— **mender,** remendador de mangueras.
—— **nipple,** niple para manguera.
—— **nozzle,** lanza o boquilla de manguera; (hidrante) toma para manguera.
—— **spanner,** llave para manguera.
—— **valve,** válvula con rosca para manguera.
—— **wrench,** llave de manguera.
hosecock, apretatubo.
hospital lock (compressed air), esclusa-hospital.
hostler (rr), encargado de la locomotora al fin del recorrido.
hot, caliente; (eléc) cargado.
—— **bearing,** cojinete recalentado.
—— **chisel,** cortadera en caliente, cincel para metal caliente, tajadera en caliente.
—— **cutter,** cortador o tajadera en caliente.
—— **elevator** (rd), elevador del material caliente.
—— **immersion,** inmersión en caliente.
—— **mix** (asphalt), mezcla en caliente.
—— **patch** (rd), remiendo caliente.
—— **plant** (rd), equipo mezclador de material caliente.
—— **plate** (lab), placa calentadora.
—— **reserve** (elec), capacidad de reserva fuera de servicio.
—— **riveting,** remachado en caliente.
—— **saw,** sierra para metales calientes, aserradora en caliente.
—— **spot** (di)(met), punto caliente.
—— **well** (se), depósito de agua caliente.
hot-air
—— **engine,** máquina de aire caliente.
—— **furnace,** calorífero de aire.
—— **heating,** calefacción por aire caliente.
hot-bent, doblado al fuego o en caliente.
hot-bulb ignition, inflamación por bola caliente, encendido a cabeza ardiente.
hot-cathode lamp, lámpara de cátodo caliente.
hot-coiled spring, resorte formado en caliente.
hot-dip galvanizing, galvanización por inmersión en caliente.
hot-dipped, bañado en caliente.
hot-drawn, estirado en caliente.
hot-forged, forjado en caliente.
hot-forming, moldeado en caliente.

hot-galvanized, galvanizado al fuego o en caliente, cincado a fuego.
hot-laid (pav), colocado en caliente.
hot-line jumper (elec), conector provisional para línea cargada.
hot-made bolt, perno fabricado en caliente.
hot-poured (rd), colocado caliente, vaciado en caliente.
hot-pressed, prensado en caliente.
hot-process water softener, suavizador a vía caliente.
hot-rolled, laminado en caliente.
hot-scarfed, charpado en caliente.
hot-short (iron), quebradizo en caliente.
hot-strip mill, laminador de tira en caliente.
hot-swage v, estampar en caliente.
hot-tube ignition, encendido por tubo incandescente.
hot-twisted, torcido o retorcido en caliente.
hot-water heating, calefacción por agua caliente.
hot-wire
—— **ammeter,** amperímetro de hilo caliente, amperómetro térmico.
—— **cutter** (elec), cortador de alambre cargado.
—— **fuse lighter** (bl), encendedor a hilo caliente.
—— **voltmeter,** voltímetro de hilo caliente.
hot-work v, labrar en caliente.
hotbox, chumacera recalentada.
hour, hora.
—— **angle,** ángulo horario.
—— **meter,** contador de horas.
hourglass roller (bearing), rodillo ahuecado o albardillado.
hourglass worm, tornillo albardillado sin fin.
house, s casa, caseta, casilla; (com) casa; v (mec) encajar, envolver.
—— **bracket** (elec), palomilla de pared.
—— **connection,** (agua) acometida, conexión domiciliaria, derivación particular, conexión de entrada, (A) enlace, (Col) pluma; (al) cloaca domiciliaria, atarjea doméstica, derivación particular, acometida, servicio domiciliario, (Pe) cachimba, (Col) acometimiento; (eléc) conexión particular, derivación de servicio, (A) enlace domiciliario.
—— **derrick,** cabria, cabrestante.
—— **drain** (inside of building), desagüe domiciliario, colector de desagüe, (V) cloaca del edificio.
—— **service,** véase **house connection.**
—— **sewage,** aguas negras, aguas cloacales sanitarias, (Pe) aguas caseras, (A) aguas residuales domiciliares, (C) albañal.
—— **sewer** (outside of building), cloaca domiciliaria, derivación particular, atarjea doméstica, (V) cloaca de empotramiento.
—— **tank,** tanque de servicio.
—— **track,** vía del galpón de cargas.
—— **trap** (pb), sifón de servicio.
—— **turbine,** turbina auxiliar o de servicio.
—— **valve,** llave de servicio.
houseline, piola.
housing, viviendas, (M) habitación; (carp) muesca, encaje (de escuadría completa)

(mec) envoltura, caja, bastidor; (auto) cárter.
— **plane**, guimbarda.
hovel (lg), caballeriza.
Howe truss, armadura Howe.
howel, doladera, abladera, (M) tajadera.
howl (ra), chillido, (Es)(A) aullido.
howler (elec), zumbador.
hub, s (rueda) cubo, maza; (tub) campana, enchufe; (lev) estaca de tránsito, estacón, (A) mojón, (M) trompo; (cerradura) cubo; v (mh) fresar.
— **and spigot** (p), enchufe y espiga, enchufe y cordón, campana y espiga.
— **bead** (p), reborde de la campana.
— **end** (p), extremo acampanado.
— **nut**, tuerca de cubo.
— **puller** (auto), sacacubo.
hubcap (auto), tapacubo, sombrerete, tapón de cubo, (C) bocina, (U) taza de rueda, (M) sombrero.
huddling chamber (va), cámara acumuladora de presión.
huebnerite, huebnerita (mineral de tungsteno).
hull, casco.
hum n (elec), zumbido.
humate, humato.
humic acid, ácido húmico.
humid, húmedo.
humidifier (ac), humedecedor, (A) humidificador.
humidify, humedecer, (A) humidificar.
humidifying efficiency (ac), rendimiento de humedecimiento.
humidistat (ac), humidistato, higróstato.
humidity, humedad.
— **controller** (ac), regulador de humedad, (M) controlador de humedad.
— **ratio** (ac), relación de humedad, humedad específica.
humification, formación de mantillo.
hump
— **signal** (rr), señal de lomo.
— **track**, vía sobre el lomo.
— **yard**, patio de lomo para maniobras por gravedad.
humpmaster (rr), jefe del lomo.
humus, mantillo, humus.
— **sludge** (sd), cieno húmico.
— **tank** (sd), tanque para cieno húmico.
hundred, ciento, cien.
hundred-thousandth n, cienmilésimo.
hundredth n a, centésimo.
hundredweight, cien libras.
hunting, (eléc) fluctuación, variación; (maq) oscilación, penduleo.
— **link**, eslabón suplementario o de ajuste.
— **tooth** (gear), diente suplementario.
hurdle, zarzo, valla.
hurdy-gurdy (hyd), especie primitiva de turbina de chorro libre.
hurricane, huracán.
hurter, refuerzo, guarda, defensa.
hush pipe (sw), tubo de baldeo o de sifonaje.
hushing (min), exploración a media ladera con chorro de agua.
hutch (min), cajón, cuba.

hyaline a, hialino.
hyalobasalt, basalto vítreo, hialobasalto.
hyalolith (geol), vidrio volcánico.
hyalopsite (geol), vidrio volcánico.
hybrid (elec)(geol), híbrido.
hydracid, hidrácido.
hydrant, boca de incendio o de agua, hidrante, caja de incendio, (Pe) grifo.
— **stop**, llave o robinete para hidrante.
— **wrench**, llave para boca de agua.
hydratable, hidratable.
hydrate, s hidrato, hidróxido; v hidratar.
hydrated lime, cal hidratada o apagada.
hydration limit, límite de hidratación.
hydrator, hidratador.
hydraucone, cono hidráulico.
hydraulic, v excavar por chorro de agua; a hidráulico.
— **accumulator**, acumulador hidráulico.
— **bore**, aguaje, oleaje; maremoto.
— **bronze**, bronce hidráulico.
— **cement**, cemento hidráulico.
— **clamp**, abrazadera hidráulica.
— **classifier**, clasificador hidráulico.
— **dredge**, draga hidráulica o de succión.
— **dredging**, dragado hidráulico, (A) refoulado.
— **elements**, elementos hidráulicos.
— **engineer**, ingeniero o técnico hidráulico, aguañón.
— **fill**, relleno hidráulico, terraplén depositado por agua, (A) refulado.
— **gate**, compuerta.
— **giant**, lanza, monitor.
— **glue**, cola resistente al agua.
— **governor**, regulador de turbina hidráulica.
— **grade** (sw), altura hidráulica.
— **grade line**, línea piezométrica.
— **gradient**, pendiente hidráulica, gradiente piezométrico.
— **inclination**, véase **hydraulic gradient**.
— **jack**, gato hidráulico.
— **joint**, junta sellada por agua.
— **jump**, brinco o salto o resalto hidráulico.
— **lime**, cal hidráulica.
— **mean depth**, radio hidráulico medio.
— **mining**, minería por chorros de agua.
— **modulus**, módulo hidráulico.
— **oil**, aceite para mecanismo hidráulico.
— **packing**, empaquetadura resistente al agua.
— **radius**, radio hidráulico.
— **ram**, ariete hidráulico.
— **regimen**, régimen hidráulico.
— **scraper** (ea), pala hidráulica de arrastre, traílla hidráulica o de mando hidráulico, (M) escrepa hidráulica.
— **similarity**, semejante hidráulico, semejanza hidráulica.
— **slope**, pendiente hidráulica, línea de carga.
— **sluicing**, transporte hidráulico, movimiento de tierra por agua, acarreo o laboreo hidráulico.
— **valve**, válvula accionada hidráulicamente; válvula para alta presión.
hydraulically operated, accionado hidráulicamente, de manejo hidráulico, de manipulación hidráulica.

hydraulicity, hidraulicidad.
hydraulicking, véase hydraulic sluicing.
hydraulics, hidráulica, hidrotecnia, técnica hidráulica.
hydric, hídrico.
hydride, hidruro.
hydriodic (chem), hidriódico, yohídrico.
hydrobarometer, hidrobarómetro.
hydrobiological, hidrobiológico.
hydrobiology, hidrobiología.
hydrobromic, hidrobrómica, bromhídrico.
hydrocarbon, hidrocarburo.
hydrocarbonate, hidrocarbonato.
hydrochlorate, hidroclorato, clorhidrato.
hydrochloric acid, ácido hidroclórico o clorhídrico.
hydrochloride, hidrocloruro.
hydrocodimer (pet), hidrocodímero.
hydrocyanate, cianhidrato, hidrocianato.
hydrocyanide, hidrocianuro.
hydrodiffusion, hidrodifusión.
hydrodynamic, hidrodinámico.
hydrodynamics, hidrodinámica.
hydrodynamometer, dinamómetro hidráulico.
hydroelectric, hidroeléctrico.
—— development, aprovechamiento hidroeléctrico.
—— power plant, central o planta hidroeléctrica, (A)(U) usina hidroeléctrica.
hydroelectricity, hidroelectricidad.
hydroextractor, hidroextractor.
hydrofoil, superficie de reacción hidráulica, (A) hidromodelo.
hydroforming (pet), hidroformación.
hydrogen, hidrógeno.
—— chloride, cloruro de hidrógeno.
—— electrode (lab), electrodo de hidrógeno.
—— iodide, yoduro de hidrógeno, ácido hidriódico.
—— ion, ion de hidrógeno, hidrogenión.
—— oxide, óxido hídrico, agua.
—— sulphide, sulfuro de hidrógeno, hidrógeno sulfurado.
hydrogen-ion
—— concentration (sen), concentración hidrogeniónica o hidrógeno-ion.
—— determination, determinación hidrogeniónica.
—— exchanger (wp), intercambiador de hidrogeniones.
—— meter (sen), medidor de pH.
—— testing set, equipo de prueba del ion hidrógeno.
hydrogenate, hidrogenar.
hydrogenator, tanque hidrogenador.
hydrogeneration (elec), hidrogeneración.
hydrogenize, hidrogenar.
hydrogenous, hidrogenado.
hydrognosy, hidrognosia.
hydrograph, gráfico hidráulico o fluviométrico, (A) hidrograma, hidrógrafo.
hydrographer, hidrógrafo.
hydrographic, hidrográfico.
hydrography, hidrografía.
hydrokinetic, hidrocinético.
hydrolase (sen), hidrolasa.

hydrologic, hidrológico.
hydrologist, hidrólogo, hidrologista.
hydrology, hidrología.
hydrolysis, hidrólisis.
hydrolyte, hidrolita.
hydrolytic, hidrolítico.
hydrolyze, hidrolizar.
hydromechanical, hidromecánico.
hydromechanics, hidromecánica.
hydrometallurgy, hidrometalurgia.
hydrometer, areómetro, densímetro, (A)(C) hidrómetro.
hydrometric, hidrométrico.
hydrometry, (hid) hidrometría; (quím) areometría, (A)(C) hidrometría.
hydromotor, hidromotor.
hydrophilic, hidrófilo.
hydrophone, hidrófono.
hydrophore, hidróforo.
hydroplane, hidroavión.
hydropneumatic, hidroneumático.
hydropress, prensa hidráulica, hidroprensa.
hydroquinone, hidroquinona.
Hydroseparator (trademark), hidroseparador.
hydrosilicate, hidrosilicato.
hydrostat, hidrostato.
hydrostatic, hidrostático.
—— excess pressure (sm), sobrepresión hidrostática.
—— press, prensa hidráulica o hidrostática.
hydrostatics, hidrostática.
hydrosulphate, hidrosulfato.
hydrosulphide, hidrosulfuro, sulfhidrato.
hydrosulphite, hidrosulfito.
hydrosulphuric, sulfhídrico.
hydrotachymeter, hidrotaquímetro.
hydrotasimeter, hidrotasímetro.
hydrotechnical, hidrotécnico.
hydrothermal, hidrotermal, hidrotérmico.
hydrotimeter, hidrotímetro.
hydrotimetric, hidrotimétrico.
hydrotimetry, hidrotimetría.
Hydrotite (trademark), hidrotita.
Hydrotreator (trademark), hidrotratador.
hydroturbine, turbina hidráulica.
hydrous, hidratado, hidroso.
hydroxide, hidróxido.
hydroxyl (chem), hidroxil, oxidrilo.
—— ion, ion hidroxilo, oxidrilión.
hydroxylamine hydrochloride (sen), hidrocloruro de hidroxilamina.
hydroxylate, hidroxilar.
hyetal, pluvial, hietal.
hyetograph, mapa pluviométrico; pluviómetro registrador, hietógrafo.
hyetography, hietografía.
hyetological, hietológico.
hyetology, hietología.
hyetometer, pluviómetro, hietómetro.
hyetometrograph, pluviómetro registrador, hietometrógrafo.
hygiene, higiene.
hygienic, higiénico.
hygienist, higienista.
hygienize, higienizar.

hygrograph, higrómetro registrador, higrógrafo.
hygrometer, higrómetro.
hygrometric, higrométrico.
hygrometry, higrometría.
hygroscope, higroscopio.
hygroscopic, higroscópico.
—— **coefficient** (irr), coeficiente higroscópico.
—— **depression,** depresión higroscópica.
—— **water** (irr), agua higroscópica.
hygroscopicity, higroscopicidad.
hygrostat, higróstato, humidistato.
hygrostatics, higrostática.
hygrothermal, higrotérmico.
hygrothermograph, higrotermógrafo.
hyperbola, hipérbola.
hyperbolic, hiperbólico.
hyperboloid, hiperboloide.
hypereutectoid steel, acero hipereutéctico.
hyperfocal, hiperfocal.
hyperfrequency (ra), hiperfrecuencia.
Hypernik (trademark), aleación de níquel y hierro de alta permeabilidad magnética.
hypersensitized, hipersensibilizado.
hypo (pmy), hiposulfito de sodio.
hypochlorinator, hipoclorador.
hypochlorite, hipoclorito.
hypochlorous (chem), hipocloroso.
hypocrystalline (geol), hipocristalino, hemicristalino.
hypocycloid (math), hipocicloide.
hypoeutectoid steel, acero hipoeutéctico.
hypoid *a* (machy), hipoidal.
—— **gears,** engranaje hipoidal.
hyposulphite, hiposulfito.
hypotenuse, hipotenusa.
hypothesis, hipótesis.
hypsograph, hipsógrafo.
hypsographic, hipsográfico.
hypsography, hipsografía.
hypsometer, hipsómetro.
hypsometric, hipsométrico.
hypsometry, hipsometría.
hysteresimeter, histeresímetro.
hysteresis (mech)(elec), histéresis.
—— **coefficient,** coeficiente de histéresis.
—— **lag,** atraso histerético.
—— **loop,** curva o lazo de histéresis.
—— **loss,** pérdida por histéresis.
—— **meter,** indicador de pérdida por histéresis, histeresímetro.
—— **motor,** motor sincrónico de histéresis.
hysteretic, histerético.

I bar, barra I.
I beam, viga I, viga o perfil doble T, tirante I, viga laminada o de acero.
I-beam trolley, carretilla corrediza, trole.
I-head cylinder (eng), cilindro con válvula en la culata.
IR drop (elec), caída *IR*.
ice, hielo.
—— **apron,** guardahielo, tajamar.
—— **chute** (hyd), conducto para hielo.
—— **floe,** témpano o banco de hielo.

—— **jam,** atascamiento de hielo.
—— **machine,** máquina de refrigeración.
—— **pack,** banco de hielo.
—— **plant,** fábrica de hielo.
—— **point,** punto de congelación.
—— **pressure,** empuje del hielo, presión de los hielos.
—— **screen,** barrera parahielos.
icebreaker, rompehielos.
Iceland spar (miner), espato de Islandia.
ichnographic, icnográfico.
ichnography, icnografía.
icing track (rr), vía para servicio de carros neveras.
iconometer, iconómetro.
iconometry, iconometría.
iconoscope, iconoscopio.
iconoscopic, iconoscópico.
identification light (ap), luz de identificación.
identification plate, chapa de identificación.
idiostatic (elec), idiostático.
idle *v* (machy), marchar en vacío.
—— **current** (elec), corriente desvatada, (A) corriente en vacío.
—— **gear,** engranaje intermedio o loco.
idler
—— **car** (rr), carro separador.
—— **pinion,** piñón loco.
—— **pulley,** polea tensora o muerta o loca o de guía.
—— **shaft,** eje loco.
—— **wheel,** rueda loca o guía.
idling jet (ge), chorro de marcha en vacío.
idocrase (miner), idocrasa, vesuviana.
igneous rock, roca ígnea o volcánica o eruptiva.
ignite, inflamar, encender; incinerar; inflamarse, encenderse.
igniter (bl)(di)(ge)(ra), encendedor.
ignitible, inflamable.
ignition, ignición; (mg) encendido, inflamación.
—— **cam,** leva del encendido.
—— **coil,** bobina o carrete de encendido.
—— **cup** (di), copa de inflamación.
—— **cutout,** interruptor del encendido.
—— **distributor** (auto), distribuidor del encendido.
—— **lag,** retardo de la inflamación.
—— **lock** (auto), cerradura del encendido.
—— **pliers,** alicates para encendido.
—— **point,** punto de inflamación o de combustión o de encendido.
—— **stroke** (eng), carrera de encendido.
—— **switch,** interruptor o llave del encendido.
—— **system,** sistema de encendido.
—— **timing,** distribución del encendido.
—— **wrench,** llave para encendido.
ignitor (ra), ignitor, encendedor.
ignitron (elec), ignitrón.
illuminant, *s* iluminador; *a* iluminante, iluminador.
illuminate, iluminar, alumbrar.
illuminating
—— **engineer,** ingeniero de alumbrado, (A) luminotécnico.
—— **engineering,** ingeniería de iluminación, (A) luminotecnia.
—— **gas,** gas rico o de alumbrado.

—— oil, aceite de alumbrado, kerosina.
illumination, iluminación.
—— meter, medidor de iluminación.
illuminator, iluminador.
illuminometer, iluminómetro, (Es) lumenmetro, (A) lumímetro.
ilmenite (miner), ilmenita.
image (all senses), imagen.
—— carrier, (fma) portaimagen; (tv) portadora de imagen.
—— dissector (tv), disector de imágenes.
—— field (pmy), campo de imagen.
—— frequency (ra)(tv), frecuencia de imagen.
—— interference (ra), interferencia de la frecuencia imagen.
—— plane (pmy), plano de imagen.
—— point (geop), punto de imagen.
—— ratio (tv), relación señal-imagen.
—— ray (pmy), rayo de imagen.
—— reconstructor (tv), reproductor de imágenes.
—— response (ra), respuesta de imagen.
imbibe, embeber.
imbibition, imbibición.
—— roller (su), rodillo de imbibición.
imbricated, imbricado, encaballado, sobrepuesto.
Imhoff cone (sd), cono Imhoff.
Imhoff tank (sd), tanque Imhoff o tipo Imhoff.
immerse, sumergir.
immersible (elec), sumergible.
immersion heater (elec), hervidor o calentador de inmersión.
immersion refractometer, refractómetro de inmersión.
immersion-type thermostat, termóstato de inmersión.
immiscibility, inmiscibilidad.
immiscible, no mezclable, inmiscible.
impact, s choque, impacto; v embutir, encastrar, atibar.
—— breaker, triturador de martillos, quebradora de impacto.
—— excitation (ra), excitación por choque.
—— loss (hyd), pérdida por choque.
—— meter (hyd), contador de choque.
—— mill, trituradora de martillos.
—— pressure, presión dinámica o de impacto.
—— screwdriver, destornillador de golpe o de percusión.
—— separator (steam), separador de impacto.
—— strength, resistencia a los impactos.
—— stress, esfuerzo debido al impacto.
—— tamper, pisonador de impacto.
—— test, ensayo al choque o de golpe, prueba de impacto.
—— wrench, llave de choque o de golpe o de impacto.
impact-resistant, resistente al impacto.
impactor, impactor.
impalpable, impalpable.
impedance (elec), impedancia.
—— bond (rr), ligazón de impedancia, ligadura a bobina de reacción.
—— bridge (elec), puente de impedancia.
—— coil, bobina de reacción, reactor, bobina de choque.
—— component, componente de impedancia.

—— coupling (ra), acoplamiento por impedancia.
—— drop, caída por impedancia, caída de tensión de impedancia.
—— matching (ra), igualación de impedancia.
—— meter, impedómetro.
—— ratio, relación de impedancia.
—— relay, relevador o relai de impedancia.
—— triangle, triángulo de impedancias.
impedometer, impedómetro.
impeller, impulsor, propulsor, rodete.
—— pump, bomba impelente o de impulsor.
—— shaft, eje del impulsor.
imperial gallon, galón imperial.
impermeability, impermeabilidad.
impermeable, impermeable.
impervious, impermeable, estanco.
imperviousness, impermeabilidad.
impetus, ímpetu.
impinge, chocar.
impingement, choque.
—— nozzle, tobera de choque.
implement, implemento, herramienta.
implicit (math), implícito.
import v, importar.
—— duty, derechos de entrada o de aduana.
importer, importador.
impost (ar), imposta.
impotable, impotable.
impound (hyd), captar, embalsar, represar, rebalsar, (Es) remansar.
impoundage, véase impounding.
impounding, captación, embalse.
—— dam, presa de embalse o de retención, dique de represa o de captación.
—— reservoir, embalse, depósito de captación, embalse de retención, (Pe) reservorio de almacenamiento.
impregnant n, líquido impregnante.
impregnate, impregnar.
impressed electromotive force, fuerza electromotriz aplicada.
impressed voltage, tensión aplicada, voltaje impreso o de carga.
improper fraction, fracción impropia.
improved plow steel (wr), acero de arado superior, acero mejorado para arado.
improved road, camino mejorado o afirmado.
impulse, impulso, impulsión, (eléc) onda.
—— coupling, acoplamiento impulsor.
—— excitation (ra), excitación pulsitiva o por impulsos.
—— generator (elec), generador de ondas.
—— pump, bomba de impulso.
—— separator (tv), separador de sincronización.
—— steam trap, trampa de impulso, separador tipo de impulso.
—— transformer, transformador de impulso.
—— turbine, (hid) turbina Pelton o de impulsión o de acción o de chorro libre; (vapor) turbina de impulsión.
impulse-type telemeter, telémetro de impulso.
impurities, impurezas.
in-and-out system (sb), plancheado endentado.
in-curve edger, canteador cóncavo.
in-feed grinding, amolado de avance normal.
inaccessible, inaccesible.

inaccurate, inexacto.
inactivation (chem), inactivación.
inactive (chem), inactivo, inerte.
inboard (sb)(machy), hacia dentro.
—— profile (na), perfil interior.
—— stroke (eng), carrera hacia dentro.
inbond (mas), atizonado.
inby (min), interior; hacia dentro.
incandescence, incandescencia, candencia.
incandescent, incandescente, candente.
—— lamp, lámpara incandescente, bombilla, lamparilla, (Ch) ampolleta, (C) bombillo, (M)(Col)(Pan) foco incandescente.
incase, encerrar, encajar, encajonar.
inch, pulgada.
—— of water (ac), pulgada de agua.
inch-pound, pulgada-libra.
inch-yard (rd), pulgada-yarda (yarda cuadrada de espesor 1 pulg).
inching, avance poco a poco.
—— speed, avance lento o por pulgadas.
incidence, incidencia.
incident a (math), incidente.
—— nodal point (pmy), punto nodal anterior.
incinerate, incinerar.
incinerator, incinerador, horno crematorio o incinerador.
incipient failure, fractura incipiente.
incised, inciso.
inclinable press, prensa inclinable.
inclination, inclinación; buzamiento.
—— compass, inclinómetro.
—— gage, indicador de inclinación.
incline n, declive, rampa, repecho.
inclined
—— fault (geol), falla inclinada, (A) falla diagonal.
—— fold (geol), pliegue inclinado.
—— plane, plano inclinado.
inclinometer, clinómetro, inclinómetro.
included angle, ángulo comprendido o incluso.
inclusion (mech)(geol)(w), inclusión.
inclusive, inclusivo.
incombustible, incombustible.
income, ingresos, entradas; utilidades, renta, rédito.
—— tax, impuesto a la renta o a las utilidades o a los réditos.
incompetent (geol), no competente.
incompressible, incompresible.
incondensable, incondensable.
Inconel (trademark), aleación de níquel y cromo (80% níquel, 13% cromo, 6.5% hierro).
inconsistent (material), inconsistente.
incorporate, incorporar; incorporarse.
incorporation papers, escritura social.
increaser (p), aumentador, tubo cónico de unión.
increasing gear, engranaje multiplicador.
increment, incremento.
—— borer (for), calador para árboles.
incremental, incremental.
—— induction (eléc), inducción de incremento.
incrustant n, incrustante.
incrustation, incrustación, escamación.
incubation (sen), incubación.
incubator (sen), incubadora.

indemnify, indemnizar.
indemnity, indemnización, indemnidad.
—— bond, contrafianza.
indent, indentar, dentar.
indentation hardness, dureza a indentación.
independent, independiente.
—— chain crowd (sh), empuje independiente con cadena.
—— chuck, plato de mordazas independientes.
—— suspension (auto), suspensión independiente.
—— variable (math), variable independiente.
—— wire-rope core, núcleo de cable metálico.
indeterminate plane structure, estructura plana indeterminada.
index, s (inst)(mat)(mec) índice; v (mec) espaciar, graduar.
—— base (mt), placa de división.
—— card, tarjeta índice.
—— correction, corrección para error del índice.
—— crank, manivela divisora.
—— die, matriz de división.
—— error (inst), error de ajuste del índice.
—— fixture (mt), montaje de división.
—— head, cabezal divisorio.
—— mark (pmy), marca de referencia.
—— of refraction, índice de refracción.
—— pin (mt), clavija de división.
—— plane (geol), plano de referencia.
—— plate (mt), plato divisor.
India
—— ink, tinta china.
—— oilstone, piedra India.
—— rubber, caucho.
indicated horsepower, fuerza indicada en caballos.
indicating
—— floor stand (hyd), pedestal de maniobra indicador.
—— instrument (elec), instrumento indicador.
—— light, luz indicadora.
—— liquid-level meter (sd), indicador de nivel de líquido.
—— locking (rr), enclavamiento indicador.
indication (all senses), indicación.
indicator, (mec)(quím)(eléc) indicador; cursor (regla de cálculo).
—— board, cuadro anunciador.
—— calipers, calibre indicador.
—— card (eng), gráfica del indicador.
—— cock, llave indicadora.
—— diagram (eng), diagrama del indicador.
—— dye (lab), tinte indicador.
—— post (p), poste indicador.
—— solution (sen), solución indicadora.
indifferent equilibrium, equilibrio neutro o indiferente.
indigo copper, covelita, cobre añilado.
indirect, indirecto.
—— lighting, alumbrado indirecto o reflejado.
—— wave (ra), onda indirecta o de cielo, (A) onda celeste, (A) onda espacial.
indirect-radiation heating, calefacción por radiación indirecta.
indirectly heated cathode (ra), cátodo equipotencial o de calentamiento indirecto.
indissoluble, indisoluble.

indivisible, indivisible.
indole (sen), indol.
indoor transformer, transformador tipo interior.
indraft, corriente hacia dentro.
induce, inducir.
induced
—— **break-point chlorination** (wp), producción de residuo libre disponible por adición de amoníaco antes de clorar.
—— **current,** corriente inducida o inductiva.
—— **draft,** tiro inducido o aspirado.
—— **feed-water heater,** calentador inducido.
induced-draft cooling tower, torre de enfriamiento de tiro inducido.
induced-draft fan, ventilador eductor o aspirador.
inductance (elec), inductancia.
—— **bridge** (elec), puente medidor de inductancia.
—— **coil,** bobina de inductancia.
—— **loss,** pérdida por inductancia.
induction, (eléc) inducción; (mg) aspiración, inducción.
—— **accelerator** (ra), betatrón, reotrón.
—— **aerator,** aereador de inducción.
—— **balance,** balanza de inducción.
—— **brazing,** soldadura- de inducción con latón, soldadura fuerte por inducción.
—— **coil,** bobina inductora, carrete de inducción.
—— **compass,** brújula de inducción o de inducción magnética o de inducción terrestre.
—— **flowing,** flujo por aspiración.
—— **furnace,** horno de inducción.
—— **generator,** generador asincrónico o de inducción.
—— **hardening** (met), endurecimiento por inducción.
—— **loudspeaker,** altoparlante tipo de inducción.
—— **meter,** contador de inducción.
—— **microphone,** micrófono inductivo.
—— **motor,** motor de inducción.
—— **regulator,** regulador de inducción, regulador de voltaje por inducción.
—— **resistance welding,** soldadura a resistencia por inducción.
inductive, inductivo, inductor.
—— **coupling** (elec), acoplamiento inductivo, conexión por inductancia mutua.
—— **feedback** (ra), realimentación inductiva.
—— **load** (elec), carga inductiva.
—— **reactance,** reactancia inductiva o de inducción.
inductivity (elec), inductividad.
inductometer (elec), inductómetro.
inductophone, inductófono.
inductor (elec), inductor, bobina de inductancia; bobina de reactancia.
—— **alternator,** alternador de inductor fijo e inducido fijo.
indurate, endurecer.
industrial, industrial.
—— **car,** vagoneta, carro industrial.
—— **insurance,** seguro contra accidentes del trabajo.
—— **railway,** ferrocarril o carrilera industrial.
—— **sewage,** aguas cloacales industriales.

—— **track,** vía decauville o angosta, línea decauville, carrilera industrial.
—— **tractor,** tractor industrial o para fábricas.
—— **union,** sindicato industrial.
—— **wastes,** desperdicios o aguas industriales.
industry, industria.
inefficient, ineficiente.
inelastic, no elástico, (M) inelástico.
inequality, desigualdad.
inert, inerte.
inertia, inercia.
—— **governor,** regulador de inercia.
—— **starter,** arrancador por inercia.
—— **wheel,** volante de inercia.
inertia-pressure gaging (hyd), aforo por procedimiento inercia-presión.
infected water, agua infectada.
infection, infección.
infectious, infeccioso.
infeed (mt), avance normal o radial.
inferential meter (hyd), contador tipo ilativo.
infiltration, infiltración.
—— **gallery,** galería de infiltración o de captación.
—— **index,** índice de infiltración.
—— **water** (sw), agua infiltrada.
infinite, infinito.
infinite-impedance detector (ra), detector de impedancia infinita.
infinity (math), infinidad.
—— **plug** (elec), clavija de infinidad.
inflammability, inflamabilidad.
inflammable, inflamable.
inflate, inflar.
inflection point, punto de inflexión.
inflow, caudal afluente, afluencia, influjo, aporte, caudal afluído, aportación, aflujo.
influence lines, líneas de influencia.
influence machine (elec), máquina de influencia, generador electroestático.
influent, afluente, influente, incurrente.
—— **ground water,** agua freática afluente.
—— **seepage,** percolación afluente.
information for bidders, bases de licitación o del concurso.
infradyne (ra), infradino.
infrared, infrarrojo, ultrarrojo.
infrasonic (ra), infrasónico.
infringe (patent), violar, infringir.
infringement (patent), violación, infracción.
infusible, infusible, infundible.
infusoria, infusorios.
infusorial earth, tierra infusoria o de infusorios, diatomita.
ingot, lingote, tocho, arrabio (hierro), galápago (cobre).
—— **iron,** hierro dulce o de lingote.
—— **lathe,** torno para lingotes.
—— **mold,** lingotera.
ingredient, ingrediente.
ingress, ingreso, entrada.
inhalator, inspirador, inhalador.
inhaul (cy), cable de aproximación o de acercamiento o de tracción de retorno.
inherent (elec), inherente.
inhibitive dye (lab), tinte inhibitorio.

inhibitor (chem), inhibidor, retardador, impedidor.

initial *a*, inicial.

—— **cost**, costo inicial o primitivo u original o de instalación.

—— **distortion** (w), prebombeo, contraalabeo.

—— **set**, fragua o fraguado inicial.

—— **stress**, esfuerzo inicial, prefatiga.

inject, inyectar.

injection, inyección.

—— **carburetor**, carburador de inyector.

—— **grid** (ra), rejilla de inyección.

—— **lag** (di), retardo de la inyección.

—— **nozzle**, tobera de inyección.

—— **pump** (di), bomba inyectora o de inyección.

—— **valve**, válvula de inyección.

injection-gneiss (geol), migmatita.

injector, inyector.

ink eraser, borrador de tinta; raspador, raedor de tinta.

ink in (dwg), entintar.

inland bill of lading, conocimiento terrestre.

inland waterway, vía de navegación interior.

inleakage (ac), infiltración.

inlet, caleta, estuario; (mv)(mg) admisión; (hid) toma, tomadero, bocatoma, arranque.

—— **head** (su), cabezal de entrada.

—— **pipe**, tubo de admisión o de entrada o de llegada.

—— **valve**, válvula de entrada o de admisión.

—— **well** (sw), pozo de entrada.

inlier (geol), asomo.

inner, interior.

—— **race** (bearing), anillo interior.

—— **spindle** (transit), eje interior.

—— **tube** (auto), cámara, tubo interior, (Col) manguera, (V) tripa.

inoculation (sen), inoculación.

inodorous, inodoro.

inorganic wastes, desechos inorgánicos.

inositol (lab), inosita.

inphase (elec), de la misma fase.

—— **component**, componente vatada o en fase.

input, (mec) consumo, gasto, energía absorbida, potencia consumida; (eléc) entrada, alimentación.

—— **admittance** (ra), admitancia de entrada.

—— **capacitance** (ra), capacitancia o capacidad de entrada.

—— **conductance** (ra), conductancia de entrada.

—— **filter** (geop), filtro de entrada.

—— **power**, potencia absorbida o de entrada.

—— **shaft**, eje impulsor.

—— **stage** (ra), etapa de entrada.

—— **voltage**, tensión de entrada.

—— **water** (pet), agua inyectada.

—— **well** (pet), pozo de inyección.

inscribe (math), inscribir.

insect-resistant, resistente a los insectos.

insert, *s* (conc) encastre, insertado, inserto, (Col) aditamento; (mec) guarnición, accesorio de inserción, inserción, inserto; *v* insertar.

—— **pump** (pet), bomba insertada.

—— **wave** (ra), onda insertada.

inserted joint (p), junta insertada, acoplamiento de inserción.

inserted valve seat, asiento de válvula insertado.

inserted-blade cutter, fresa de cuchillas postizas.

inserted-chaser tap, macho de peines insertados.

inserted-cutter tool (mt), herramienta de cuchillas postizas.

inserted-tooth milling cutter, fresa de dientes postizos.

inserted-tooth saw, sierra de dientes postizos.

inserting machine (tub), máquina de inserción.

inserting valve, válvula para insertar.

insertion loss (elec), pérdida por inserción.

insertion thermostat (ac), termóstato de conducto.

inside, *s* interior; *a* interior, interno; *adv* dentro, adentro; *pr* dentro de.

—— **calipers**, compás para el interior.

—— **chaser**, peine de rosca hembra.

—— **diameter**, diámetro interior.

—— **head bushing** (p), boquilla de reborde macho.

—— **lap** (se), recubrimiento interior.

—— **lead** (se), avance del escape.

—— **measurement**, medida interior o por dentro.

—— **micrometer**, micrómetro de medida interna o para interiores.

—— **screw** (va), rosca interior.

—— **spring calipers**, compás interior de resorte.

inside-mix burner, quemador de mezcla interna.

inside-packed plunger (pu), émbolo buzo de empaque central.

inslope (rd), talud interior de la cuneta.

insolubility, insolubilidad.

insoluble, insoluble.

insolvency, insolvencia.

insolvent, insolvente.

inspect, inspeccionar, revisar, fiscalizar.

inspecting engineer, ingeniero inspector.

inspection, inspección, revisión, registro, fiscalización.

—— **box**, caja de visita o de acceso, registro.

—— **chamber**, cámara de visita.

—— **gage**, calibre de inspección.

—— **gallery**, galería de inspección o de visita o de revisión.

—— **hole**, orificio de revisión.

—— **plate** (auto), tapa del orificio de revisión, placa de inspección.

—— **shaft**, chimenea de visita.

—— **well**, pozo de visita o de revisión.

inspector, inspector, revisador, fiscalizador, (U) sobrestante, (Pe) vigilante técnico.

inspirator (mech), inspirador.

instability (str)(chem), inestabilidad, instabilidad.

install, instalar, poner en obra.

installation, instalación, puesta en obra, colocación.

installed capacity, potencia instalada, (Es) caballos de establecimiento.

installing electrician, montador electricista, electricista de obras.

instantaneous, momentáneo, instantáneo.

—— **axis**, eje momentáneo, eje de rotación momentáneo.

—— **blasting cap**, detonador instantáneo.

—— **current** (elec), corriente momentánea.
—— **peak** (elec), pico momentáneo.
—— **power**, potencia momentánea o instantánea.
—— **storage** (hyd), almacenamiento momentáneo.
instantaneous-trip circuit breaker, cortacircuito de disparo instantáneo.
institutional sewage, aguas residuales de establecimientos públicos.
instrument, instrumento.
—— **board**, panel o tablero o cuadro de instrumentos.
—— **case**, (eléc) caja de instrumento; (dib) estuche de instrumentos.
—— **desk** (elec), pupitre de instrumentos.
—— **landing** (ap), aterrizaje ciego o por instrumentos.
—— **light** (auto), luz del tablero.
—— **maker**, instrumentalista, (Es) aparatista.
—— **runway** (ap), pista para aterrizaje ciego.
—— **transformer**, transformador de medida o para instrumentos.
instrument-approach zone (ap), zona de aproximación a ciegas.
instrumentation (elec), provisión de instrumentos.
instrumentman (surv), instrumentista, encargado del tránsito (o del nivel), (M) topógrafo, (Es)(A) operador.
insulant n (elec), aislante.
insulate, aislar.
insulated fork, horquilla portaaislador.
insulated wire, alambre aislado o forrado.
insulating, aislador, aislante.
—— **board**, tablilla aislante, tabla aisladora.
—— **brick**, ladrillo aislador.
—— **bushing**, manguito aislador, tubo de aislación, boquilla aisladora.
—— **compound**, compuesto aislador.
—— **coupling** (p), manguito o acoplamiento aislador.
—— **felt**, fieltro de aislación.
—— **firebrick**, ladrillo refractario aislante.
—— **glass**, vidrio aislador, cristal aislante.
—— **joint** (elec), unión con aislación.
—— **oil**, aceite aislante.
—— **paper**, papel aislador.
—— **ring** (elec), anillo aislante, aro aislador.
—— **sleeve**, manguito aislador o aislante.
—— **strength** (elec), resistencia dieléctrica.
—— **tape**, cinta aislante o de aislar, (Ch) huincha aisladora, (C) teipe eléctrico.
—— **twine**, bramante aislador.
—— **varnish**, barniz aislador.
insulation, aislamiento, aislación, forro aislante.
—— **resistance**, resistencia de aislamiento.
insulator, aislador.
—— **bracket**, portaaislador.
—— **clevis**, horquilla para aislador.
—— **pin**, espiga o estaquilla de aislador.
—— **string**, cadena de aisladores.
Insulite (trademark)(inl), insulita.
insurance, seguro.
—— **adjuster**, asesor de avería.
—— **certificate**, certificado de seguro.
—— **company**, compañía aseguradora o de seguros.

—— **policy**, póliza o escritura de seguro.
—— **premium**, prima o premio de seguro.
—— **rate**, tipo de seguro.
insure, asegurar.
insured n, asegurado.
insurer, asegurador.
intake, (hid) toma, bocatoma, tomadero, arranque (canal), cabecera (canal); (mv) admisión; (min) galería de ventilación.
—— **chamber**, cámara de toma, (Pe) cámara captadora.
—— **custodian**, guardatoma.
—— **gate**, compuerta de toma.
—— **manifold**, (auto) múltiple de admisión; (hid) tubería múltiple de toma.
—— **muffler** (auto), silenciador de admisión, amortiguador del ruido de aspiración.
—— **openings** (hyd), lumbreras de toma, vanos de toma.
—— **pipe**, tubo de llegada o de admisión, (Pe) tubo de captación.
—— **port**, lumbrera de admisión.
—— **silencer** (auto), silenciador de admisión.
—— **stroke** (ge), carrera de admisión, tiempo de aspiración.
—— **tower** (hyd), torre de toma.
—— **valve**, válvula de admisión.
—— **well** (pet), pozo de inyección.
—— **works** (hyd), obras de toma, (Pe) obras de captación; dispositivos de toma.
integer n a, entero.
integral, s (mat) integral; a (mec) enterizo.
—— **calculus**, cálculo integral.
—— **cement flooring**, piso de acabado monolítico.
—— **curb**, cordón monolítico con el pavimento.
—— **sign** (math), signo de la integral.
—— **waterproofing**, impermeabilización por compuesto hidrófugo.
integral-furnace boiler, caldera de hogar contenido, caldera enteriza con hogar.
integraph, intégrafo.
integrate v, integrar.
integrating
—— **accelerometer**, acelerómetro integrador.
—— **indicator**, indicador totalizador o integrador.
—— **meter**, contador integrador.
—— **photometer**, fotómetro integrador.
integration, integración.
integrator, integrador.
intensifier, intensificador, intensador.
—— **electrode** (ra), electrodo intensificador.
intensity, intensidad.
—— **meter** (elec), indicador de intensidad.
—— **modulation** (tv), modulación de brillantez o de intensidad.
interaction, interacción.
interbanded (geol), entrelaminado con estratos de rocas diversas.
interbedded (geol), interestratificado, entrelaminado, intercalado.
intercalated (geol), intercalado.
intercalation (geol), intercalación.
intercept, s interceptado; v interceptar.
—— **time** (geop), tiempo de intercepción.
intercepting
—— **channel**, canal interceptador.

—— **ditch**, contracuneta, cuneta de guardia.

—— **sewer**, cloaca o alcantarilla interceptadora, colector.

interception (hyd), interceptación, (Pe) intercepción (lluvia interceptada por y evaporada de la vegetación).

interceptor, (cal) separador de vapor; (al) cloaca interceptadora; (pb) interceptador.

interchange, *s* intercambio; (ca) sistema de intercambio de tráfico sin cruzar a nivel; *v* intercambiar.

—— **point** (rd), punto de acceso o de intercambio.

—— **track** (rr), vía de intercambio.

interchangeability, intercambiabilidad.

interchangeable, intercambiable.

interchanger, intercambiador.

interchannel interference (ra), interferencia entre los canales.

intercolumniation, intercolumnio, intercolunio.

intercommunicator (tel), intercomunicador.

intercondenser, intercondensador, condensador intermedio.

interconnect, interconectar.

interconnection, interconexión.

intercooler, interenfriador, enfriador intermedio, interrefrigerador.

intercooling, enfriamiento intermedio, interenfriamiento.

intercostal (sb), intercostal.

intercrossed, entrecruzado.

interdeck superheater, recalentador entre tubos.

interelectrode capacitance (ra), capacitancia interelectródica, capacidad entre electrodos.

interest, interés.

interface, (geof) superficie de contacto; (quím) interfaz.

interfacial angle, ángulo interfacial.

interference (mech)(elec)(ra)(hyd), interferencia.

—— **eliminator** (ra), eliminador de interferencia.

—— **filter** (ra), filtro de interferencia.

interfering signal (ra), señal parásita.

interferometer, interferómetro.

interferometric, interferométrico.

interferric, interférrico.

interfingering (geol), interdigitación.

interflange (machy), entrerreborde.

intergranular, intergranular.

intergrind, moler juntamente, intermoler.

intergrown knot (lbr), nudo encerrado por los anillos anuales (rama viva), nudo apretado.

interior, interior, interno.

—— **angles**, ángulos interiores.

—— **differential needle valve**, válvula de aguja gobernada por presiones diferenciales interiores (tipo mejorado de **internal differential needle valve**).

—— **orientation** (pmy), orientación interior o interna.

interjacent, interyacente.

interlace (tv), entrelazar; entrerrenglonar, interlinear.

interlaced scanning (tv), exploración entrelazada.

interlaminated, interlaminado.

interlap, intersolapar.

interleave, entrelaminar; interestratificar.

interlock, *s* (mec)(eléc) enclavamiento, trabado, entrecierre, (M) intercierre; *v* entrelazar, trabar.

interlocking (rr), sistema de enclavamiento o de encerrojamiento.

—— **armor** (elec), blindaje cerrado, coraza trabada.

—— **machine** (rr), máquina de enclavamiento.

—— **sheet piling**, tablestacas de traba o de enlace.

—— **signals** (rr), señales enclavadas o entrelazadas.

—— **tower** (rr), torre de maniobra del sistema de encerrojamiento.

intermediate, intermedio.

—— **frequency** (ra), frecuencia intermedia.

intermediate-heat-duty firebrick, ladrillo medianamente refractario.

intermittent, intermitente.

—— **current** (elec), corriente intermitente.

—— **duty**, servicio o trabajo intermitente.

—— **filtration** (sd), filtración intermitente.

—— **integrating meter**, contador integrador a intervalos.

—— **sand filter**, filtro intermitente de arena.

—— **welding**, soldadura intermitente o por puntos.

intermitter valve (pet), válvula intermitente.

intermitting (pet), intermitencia.

intermix, entremezclar.

intermodulation (elec), intermodulación.

intermolecular, intermolecular.

internal, interno, interior.

—— **angle**, ángulo interior.

—— **brake**, freno interior.

—— **circuit**, circuito interior.

—— **differential needle valve**, válvula de aguja gobernada por presiones diferenciales interiores.

—— **friction**, rozamiento interno.

—— **gear**, engranaje interior.

—— **safety valve**, válvula atmosférica.

—— **thread**, rosca hembra.

—— **upset joint** (p), acoplamiento recalcado interior.

—— **vibrator** (conc), vibrador interno.

internal-atomizing oil burner, quemador de mezcla interna.

internal-bullnose brick, ladrillo de ángulo entrante redondo.

internal-combustion engine, máquina de combustión, motor a combustión interna.

internal-expanding clutch, embrague de expansión interior.

internal-focusing telescope, anteojo de foco interior.

internal-gear pump, bomba rotativa de engranaje interior.

internal-wrenching bolt, perno de cabeza hueca o de cabeza hembra.

internally fired boiler, caldera de hogar interior.

internally guided expansion joint, junta de expansión de guía interior.

international, internacional.

—— **ampere**, amperio internacional.

—— **candle** (il), bujía internacional.
—— **Morse code**, código Morse internacional.
—— **thread**, rosca internacional.
—— **volt**, voltio internacional.
interpavement area (ap), área entre pavimentos.
interphase (elec), entre fases, (A) interfásico.
interpile sheeting, tablas horizontales de forro apoyadas por los pilotes.
interpolar (elec), interpolar.
interpolate, interpolar; (geol) intercalar.
interpolator (tel), interpolador.
interpole, interpolo, polo auxiliar o de conmutación.
interregional highway, carretera interregional.
interrupted continuous wave (ra), onda continua interrumpida.
interrupted spot welding, soldadura por puntos con corriente intermitente.
interrupter (elec), interruptor.
interrupting capacity (elec), capacidad de interrupción.
intersect, intersecar, intersectar; intersecarse, intersectarse.
intersection, intersección; (calles) encrucijada, bocacalle, (ca) empalme.
interstage, (turb) intergrado; (ra) interetapa.
—— **filter** (geop), filtro intermedio.
—— **transformer** (ra), transformador entre etapas.
interstices, intersticios.
interstitial, intersticial.
interstratified, interestratificado.
intertube (ra), intervalvular.
interurban, interurbano.
interval (math), intervalo.
—— **regulator** (pmy), intervalómetro.
intervalometer (pmy), intervalómetro.
intervalve coupling (ra), acoplamiento entreválvula, (A) acoplamiento intervalvular.
intervalve transformer (ra), transformador entreválvula.
intervisibility (rd), intervisibilidad.
intrados, intradós.
intradosal, intradosal.
intrinsic (math)(elec)(il), intrínseco.
—— **induction** (elec), inducción férrica o intrínseca.
intrude (geol), intrusar, (V) intrusionar.
intrusion (geol), intrusión, (V) intrusiva.
intrusive (geol), intrusivo.
inundate, inundar, anegar, apantanar, enlagunar, alagar.
inundation, inundación, anegación, aniego; (arena) inundación.
inundator (ce), medidor a inundación, (M) inundador.
invar, aleación de acero con 36% níquel.
invariant *n a*, invariante.
invent, inventar.
invention, invención, invento.
inventor, inventor.
inventory, *s* inventario; *v* inventariar.
inverse, inverso.
—— **anode voltage** (ra), tensión anódica inversa.
—— **feedback** (ra), degeneración, regeneración negativa.
—— **peak volts** (ra), tensión inversa máxima.

inverse-feedback amplifier (ra), amplificador de realimentación inversa.
inverse-relation telemeter, telémetro de relación inversa.
inverse-square law, ley del inverso de los cuadrados.
inverse-time relay (elec), relai de retardo inversamente proporcional a la carga.
inversely proportional, inversamente proporcional.
inversion (math)(chem)(geol)(elec)(su), inversión.
invert, *s* invertido, (A) solera, (M) plantilla, (V) indos; *v* volver, invertir.
—— **strut** (tun), puntal de piso o de invertido.
—— **sugar**, azúcar invertido.
invertase (su), invertasa.
inverted, invertido, inverso.
—— **arch**, arco invertido o vuelto, contrabóveda.
—— **filter** (hyd), filtro invertido.
—— **penetration** (rd), penetración invertida.
—— **screw jack**, gato de tornillo invertido.
—— **siphon** (sw), sifón invertido.
—— **vault**, contrabóveda.
—— **Y** (p), Y de ramal invertido.
inverted-bucket trap (steam), separador de cubeta invertida, trampa de cubo invertido.
inverted-L antenna (ra), antena de L invertida.
inverter (elec), inversor.
inverting telescope, anteojo de imagen invertida.
investment, revestimiento; (fin) inversión.
investor, inversionista, imponente.
invitation to bidders, llamada a licitación, anuncio del concurso, invitación a proponentes.
invoice, *s* factura; *v* facturar.
involute, involuta, evolvente.
—— **spline**, lengüeta en espiral.
—— **standard tooth** (gear), diente de evolvente normal.
involutometry, involutometría.
inward-flow turbine, turbina centrípeta.
iodate, yodato.
—— **paper** (lab), papel yodatado.
iodic, yódico.
iodide, yoduro.
iodine, yodo.
—— **number**, número de yodo.
—— **pentoxide**, pentóxido de yodo.
iodize, yodurar.
iodometric, yodométrico.
iodometry (sen), yodometría.
ion, ion.
—— **exchanger**, intercambiador de iones.
—— **migration**, migración de los iones.
ionic, iónico.
—— **focusing** (ra), enfoque iónico o a gas.
ionization current (ra), corriente de ionización.
ionize, ionizar.
ionized layer (ra), ionosfera.
ionizer, ionizador.
ionometer, ionómetro.
ionosphere (ra), ionosfera.
ionospheric, ionosférico.
—— **wave** (ra), onda indirecta o de cielo, (A) onda espacial.

iridescence, iridescencia.
iridescent, iridescente.
iridium (chem), iridio.
iridosmine (miner), iridosmina.
iris diaphragm, diafragma iris.
irisation, irisación.
iron, hierro, fierro.
—— alloy, aleación de hierro, ferroaleación.
—— body bronze mounted (va), cuerpo de fundición guarnecido de bronce.
—— carbide, carburo de hierro, cementita.
—— casting, fundición de hierro.
—— cement, cemento de hierro (generalmente limaduras de hierro con sal amoníaco).
—— clay, arcilla ferruginosa.
—— coat, revoque de cemento de hierro.
—— dust, hierro pulverizado, partículas de hierro.
—— filings, limaduras de hierro.
—— founding, fundición de hierro.
—— foundry, fundición de hierro.
—— glance, hierro oligisto, hematita.
—— hat (min), quijo o sombrero de hierro.
—— loss (elec), pérdida por alza en la temperatura del hierro.
—— oak, roble de hierro o de pilotes.
—— ore, mineral de hierro.
—— oxide, óxido de hierro.
—— putty, masilla de óxido férrico con aceite de linaza cocido.
—— pyrites, pirita de hierro, pirita.
—— sand, mineral de hierro arenoso (por lo general magnetita).
—— scrap, hierro viejo, desechos de hierro.
—— spinel (miner), hierro espinela, hercinita.
—— sponge (trademark), material poroso para absorción de gases sulfurosos.
—— strap, fleje, zuncho, llanta.
—— sulphate, sulfato ferroso o de hierro.
—— tire, llanta.
—— zeolite, zeolita férrica.
iron-body valve, válvula de caja de hierro o de cuerpo de fundición.
iron-core coil (elec), bobina de núcleo de hierro.
iron-core transformer, transformador de núcleo.
iron-nickel storage battery, acumulador de hierro-níquel.
iron-removal filter, filtro desferrizador.
iron-rust cement, cemento de limaduras y sal amoníaco.
ironclad (mech)(elec), blindado.
ironstone, mineral de hierro.
ironwood, palo o madera de hierro, quiebrahacha.
ironwork, herraje, ferretería, ferrería, herrería, cerrajería, enferradura.
ironworks, herrería, ferrería, cerrajería, fábrica de hierro.
ironworker, herrero de obra; herrero de arte, (U) cerrajero.
irradiate, irradiar.
irradiation, irradiación.
irrational (math), irracional.
irregular, irregular.
—— curve (dwg), curva irregular, (A) pistoleta, (C) plantilla de curvas, (C) curvígrafo, regla de curvas.

—— reflection (il), reflexión difusa o irregular.
—— refraction (il), refracción irregular.
irreversible (mech)(elec), irreversible.
—— steering gear (auto), dirección irreversible.
irrevocable credit, crédito irrevocable.
irrigable, regadizo, regable, irrigable.
irrigate, regar, irrigar.
irrigation, riego, irrigación, regadío, (Ec) reguío.
—— canal, canal de riego, conducto de irrigación.
—— ditch, acequia, reguera, brazal, regadera, agüera, azarbe (de retorno), almatriche, almenara (de retorno), tijera (pequeña), hijuela (secundaria).
—— dues, acequiaje, derechos de riego.
—— rate, canon de riego.
—— requirement, dotación de agua.
—— subscribers, regantes, usuarios, (Ch) canalistas, (M) canaleros.
—— workman, acequiador, acequiero.
irrigator, regador, irrigador.
isentropic, isentrópico.
isinglass, colapez; mica.
island, isla.
—— platform (rr), andén de entrevía.
isobar, (mrl) isobara; (quím) de masa igual y número atómico diferente.
isobaric, isobárico.
isobarometric, isobarométrico.
isobath, isóbato.
isobel (elec), isobela.
isobutane (chem), isobutano.
isocandle (il), isobujía.
isocenter, isocentro.
isochlor (chem), isoclor.
isochor, línea isocórica, curva isocora.
isochromatic, isocromático.
isochronal, isochronic, isócrono.
isochrone, s isócrona; a isócrono.
isochronism, isocronismo.
isochronous, isócrono.
isoclinal, s línea isóclina; a isóclino, isoclínico.
—— fold, pliegue cerrado o isoclínico.
isocline (geol), isoclinal.
isoclinic, isoclínico, isóclino.
isocyanate, isocianato.
isocyanic, isociánico.
isodiabatic, isodiabático.
isodynamic, isodinámico.
—— lines, isodinas.
isoelectric, isoeléctrico.
isoelectronic, isoelectrónico.
isogal (geop), isógala.
isogam (geop), isógama.
isogonal, isógono.
isogonic, isógono, isogónico.
—— lines, isógonas, líneas isogónicas.
isogram, isograma.
isograph, isógrafo.
isographic, isográfico.
isography, isografía.
isohyet (mrl), isohieta.
isohyetal, isopluvial, isohieto.
Isolantite (trademark)(inl), isolantita.
isolate (elec)(chem), aislar.
isolating shaft, eje separador.

isolating switch (elec), interruptor separador; desconectador.
isolation (all senses), aislamiento.
isolator valve, válvula aisladora.
isolux (il), isolux.
isometric, isométrico.
isometrograph, isometrógrafo.
isomorph, isomorfo.
isomorphic (chem)(miner)(math), isomorfo, isomórfico.
isomorphism, isomorfismo.
isomorphous, isomorfo, isomórfico.
isoctane, isooctano.
isopachous, de igual espesor.
—— lines, isopacas.
isophase curve, curva isofase.
isopiestic line, isopiécica.
isopluvial (mrl), isopluvial.
isoptic (math), isóptico.
isoradial (pmy), isorradial.
isosceles, isósceles.
isoseismic, isosísmico, isosista.
isostatic, isoestático, isostático.
isostere (mrl), línea isoestérico.
isotherm, isoterma.
isothermal, isothermic, isotermo, isotérmico.
isotime lines (geop), líneas de igual tiempo.
isotropic (math), isotrópico, isótropo.
isotropy, isotropía.
isthmus, istmo.
itabirite (geol), itabirita.
itacolumite (geol), itacolumita.
iterative (math), iterativo.
ivory, marfil.
—— black, negro de marfil.

J-groove weld, soldadura de ranura en J.
Jablochkoff candle, bujía eléctrica o de Jablochkoff.
jacaranda (lbr), abey.
jack, s (herr) gato, cric, (A) crique, (Pe)(Ch) gata; (bm) guimbalete; (eléc) receptáculo, (A) ficha hembra; (min) esfalerita; v mover con gato.
—— arch (bw), arco plano; arco provisorio.
—— chain, cadena liviana de eslabones de alambre plegado; (ef) cadena transportadora.
—— ladder (lg), rampa de entrada al aserradero.
—— leg (ce), poste extensible o de gato.
—— plane, cepillo desbastador, garlopa, garlopín.
—— rafter (rf), cabrio corto o secundario.
—— squib (bl), cebo que consiste de un trozo de tubo lleno de dinamita con detonadores.
—— stringer (bdg), viga auxiliar.
—— truss, armadura corta o secundaria o de largo parcial.
—— works (lg), plataforma de carga.
ackbit (trademark), broca postiza para perforadora de roca, (M) dado.
—— grinder, amoladora de brocas.
acker chain (lg), cadena transportadora.
cket, chaqueta, envoltura, camisa.
cketed, enchaquetado.

jackhammer, perforadora de mano, martillo perforador, (M) pistola, (B) chicharra.
jacking dice (underpinning), bloques provisionales de relleno.
jackknife v, acodillarse.
—— chute, canaleta plegadiza.
—— door, puerta plegadiza horizontal.
jackscrew, gato o cric de tornillo.
jackshaft, contraeje, eje intermedio.
Jacob's ladder (naut), escala de jarcia o de gato.
Jacob's staff (surv), vara portabrújula, chuzo portabrújula.
jam, s atascamiento, acuñamiento, apiñadura, atoramiento; v atascarse, atorarse, acodalarse, acuñarse, ahorcarse, (M) agolparse; trabar, acuñar.
—— nut, tuerca fiadora, contratuerca, tuerca de presión.
—— riveter, remachadora para espacio estrecho.
—— weld, soldadura de tope.
jamb, montante, jamba, quicial, quicialera, batiente, (A) mocheta.
—— brick, ladrillo de jamba.
—— leaf (hinge), contrabisagra de jamba.
jamesonite (miner), jamesonita.
jammer (lg), máquina cargadora de troncos.
jamming (ra), obliteración.
japan, s charol, negro Japón, laca negra o japonesa; v charolar, acharolar.
—— drier, barniz japonés.
jar, choque, golpe; recipiente (acumulador); percusor (perforación de pozos).
jar-squeeze molding machine (fdy), prensapercusor de moldeo.
Jarno taper, ahusado Jarno.
jarring machine (fdy), moldeadora de percusión.
jaspilite (geol), jaspilita.
jaw, (trituradora) mandíbula, quijada; (llave) boca; (tornillo) mordaza, telera.
—— clutch, embrague de mordaza o de quijadas.
—— coupler, enganche de garras.
—— coupling, acoplamiento dentado o de garras.
—— crusher, chancadora a quijadas, trituradora de mandíbula, machacadora o quebradora de mandíbulas.
—— plate, cachete.
—— vise, tornillo de mordazas.
jaw-and-eye turnbuckle, torniquete de horquilla y ojo.
jaw-and-jaw turnbuckle, torniquete de dos horquillas.
jeep, automóvil militar para transporte liviano.
jenny winch, grúa liviana de brazos rígidos.
jerk line (pet), cable agitador.
jerk-pump injection (di), inyección directa por bomba de émbolo buzo.
jet, s (hid) chorro, surtidor, (M) chiflón; (fund) bebedero; (miner) azabache; v (pi) hundir con chorro de agua.
—— agitator, agitador de chorro.
—— auger (tb), tubo inyector con barrena.
—— carburetor, carburador de inyector.
—— compressor (ac), compresor de chorro.
—— condenser, condensador de chorro o de inyección.
—— disperser, dispersador de chorro.

—— **interrupter,** interruptor de chorro de mercurio.
—— **motor,** motor a chorro.
—— **pipe,** tubo inyector.
—— **pump,** bomba de chorro.
jetty, espolón, espigón, rompeolas, (C) tajamar, (V) molo, (Es) trenque.
jewel bearing (inst), cojinete de piedra o de zafiro.
jib, brazo giratorio, pescante, aguilón.
—— **crane,** pescante, grúa de brazo o de pared o de aguilón, trucha.
jig, s gálibo, calibre, patrón, plantilla; montaje, guía; (min) clasificadora hidráulica; v (min) separar por vibración y lavado.
—— **borer,** taladradora de plantillas.
—— **bushing,** boquilla de guía.
—— **saw,** sierra caladora o para contornear.
—— **vise,** cárcel para taladradora.
jigger, aparejo liviano.
jim-crow (rr), encorvador de rieles.
jinnywink, grúa de pescante ligera generalmente con torno de mano o con malacate de tambor sencillo.
job, trabajo, tarea; empleo; la obra.
—— **accounting,** contaduría de campo.
—— **overhead,** gastos generales de la obra.
jobber, comerciante.
jobber's reamer, escariador corriente de máquina-herramienta.
jockey
—— **pulley,** polea de tensión.
—— **weight,** pesa corrediza.
—— **wheel,** polea de tensión.
jog feeder, alimentador basculante.
jogging (elec), avance poco a poco.
joggle, s (carp)(mam)(ch) nervadura, lengüeta, reborde; endentado; espiga; v ensamblar, replegar, empalmar; (cn) acodillar, plegar, (A) embayonetar.
—— **joint** (mas), junta de ranura y lengua.
joggling machine (sb), replegadora, acodilladora.
join, unir, juntar, empalmar, enlazar, empatar, trabar; (carp) embarbillar, (Col) engalabernar.
joiner, ebanista, ensamblador.
—— **bulkheads** (sb), mamparos divisorios, tabiques, mamparos de carpintería o de carpintería metálica.
—— **door** (sb), puerta de carpintería, puerta no estanca.
joiner's gage, gramil.
joinery, ebanistería.
joint, s (conc) junta; (carp) ensamblaje, empate, empalme, unión; (tub) acoplamiento, unión, acopladura, conexión; (tub) enchufe; (est) juntura, ensamblaje, conexión, unión; (est) nudo, punto de encuentro; (mec) articulación; (geol) grieta; (fc) junta, unión; v juntear; (mec) articular; (si) igualar.
—— **bar** (rr), eclisa.
—— **box** (elec), caja de empalme.
—— **cap** (bdg), tapa de junta.
—— **chisel** (bw), punzón para raspar las juntas.
—— **compound** (p), compuesto para enchufes.

—— **file,** lima redonda pequeña.
—— **filler,** relleno para juntas.
—— **hinge,** gozne, bisagra de paletas.
—— **rate** (tr), tarifa consolidada.
—— **runner** (p), burlete, (V) collar de vaciado.
—— **shield** (rd), placa de guardia para la junta de expansión, chapa guardajunta.
joint-sealing compound (rd), compuesto sellador de juntas.
jointed, (mec) articulado; agrietada (roca).
jointer, (carp) juntera; (em) cepillo mecánico de banco; (mam) marcador de juntas; (lad) escarbador de juntas; (si) igualador· (tub) dos piezas acopladas.
—— **gage,** guía para cepillo mecánico.
—— **stone,** piedra de igualar.
jointing, junteo; articulado; (geol) agrietamiento.
—— **plane,** cepillo-juntera, garlopa, guillame.
—— **tool** (mas), llana de juntar.
joist, viga, vigueta, cabio, abitaque, cabrio.
—— **anchor,** ancla o trabilla de viga.
—— **facer,** placa de revestimiento para vigas de concreto.
—— **hanger,** estribo, colgador de vigueta.
jolt-ramming molding machine (fdy), moldeadora de percusión.
joule (elec), joule, julio.
Joule's law (elec), ley de Joule.
joulean effect (elec), efecto Joule.
joulemeter (elec), juliómetro.
journal, (mec) muñón, gorrón, macho, pezón; (cont) diario.
—— **bearing,** chumacera.
—— **box,** chumacera, cojinete, muñonera, caja de chumacera; (fc) caja de engrase.
—— **brasses** (car), forros de chumacera.
—— **jack,** gato para muñones.
journeyman, oficial.
juice (su), guarapo, jugo, zumo de caña.
—— **guards,** zunchos postizos de las mazas.
—— **outlet,** salida del guarapo.
—— **pan,** plato de guarapo, recogedor.
—— **pit,** depósito del guarapo crudo.
—— **ring,** anillo de guarapo.
—— **strainer,** colador o filtro de guarapo.
—— **trough,** canal de jugo.
jumbo, (tún) carro de perforadoras, vagón barrenador; andamio corredizo; (conc) andadera con andamio y moldes; (ef) rastra, grada; (ef) pasteca grande.
—— **boom** (sb), aguilón para cargas pesadas.
jump v (bs), recalcar.
—— **frog** (rr), cruce del riel de la línea principal sin cortarlo, (Es) saltacarril.
—— **saw** (sa), sierra levadiza de recortar.
—— **set** (tun), marco intermedio, cerco auxiliar.
—— **spark,** chispa de entrehierro.
—— **weld,** soldadura de tope en ángulo recto.
jumper, barrena corta de mano; (eléc) alambre de cierre, cable de empalme, puente; (ef) trineo.
—— **switch** (rr), cambiavía saltacarril.
junction, (fc) empalme, entronque; (eléc) empalme; (r) confluencia, horcajo, bifurcación; (al) confluencia, empalme.

—— **box** (elec), caja de empalmes o de distribución o de derivación.

—— **chamber** (sw), cámara de bifurcación o de confluencia.

—— **manhole** (sw), pozo de confluencia, registro de encuentro.

—— **piece** (p), derivación, injerto, bifurcación.

jungle, maraña, selva, matorral.

junior beam, viga I muy liviana.

junior mortgage, hipoteca secundaria o posterior.

junk, s hierro viejo o de desecho o de desperdicio, despojos de fierro, (A) rezago, chatarra; chicote, jarcia trozada; (pet) herramienta rota, ripio; v (mtl) desechar, desperdiciar; (pet) abandonar (el pozo).

—— **basket** (pet), cesta pescarripio, cesto de pesca.

—— **catcher** (pet), extractor de piezas rotas o de ripio, pescarripio, atraparripio.

—— **dealer**, chatarrero.

—— **ring**, anillo de estopas o de prensaestopa o de empaquetado.

—— **shop**, chatarrería.

—— **yard**, chatarrería.

jurisdictional strike, huelga por jurisdicción entre gremios.

jute, yute, cáñamo.

juvenile waters (geol), aguas juveniles.

K truss, armadura en K.

kalamine, véase **calamine**.

kalsomine, s pintura al agua o a la cola; v pintar con pintura al agua.

kaolin, caolín.

kaolinic, caolínico.

kaolinite (miner), caolinita, caolín.

Kaplan turbine, turbina Kaplan.

kapok, kapok.

karstic (geol), cárstico.

kation, véase **cation**.

kedge anchor, ancla de espiar, anclotillo.

keel, creyón de ocre rojo; (náut) quilla.

—— **blocks** (sb), picaderos.

—— **rider**, placa superior de la quilla.

keelage, derechos de quilla o de puerto.

keelson (sb), sobrequilla, contraquilla, (A) quilla interna.

Keene's cement (trademark). especie de yeso duro para última capa.

keep to the right (rd), conservar la derecha.

keeper, (mec) fijador, abrazadera; (puerta) hembra de cerrojo, cerradero; (imán) armadura.

keg, cuñete, barrilete, cubeta.

kelly (pet), vástago cuadrado de transmisión, barra cuadrada giratoria.

Kelvin balance, balanza de Kelvin.

Kelvin scale, escala absoluta o de Kelvin.

Kelvin's law (elec), ley de Kelvin.

kenotron (ra), kenotrono, kenotrón.

kentledge, enjunque.

keratophyre (geol), keratófiro, queratófiro.

kerf, corte, ranura.

kerite (inl), kerita.

kern (math), kern; (est) núcleo central.

—— **distance**, factor de flexión.

kernel (elec)(ra), núcleo.

kernite, kernita (mineral de bórax).

kerogen, kerógeno.

kerosene, kerosina, petróleo de alumbrado, keroseno, aceite de alumbrado o de carbón, (C) luz brillante (marca de fábrica); (PR) gas brillante.

—— **engine**, máquina de kerosina.

Kerr effect (elec), efecto Kerr, fenómeno de Kerr.

kersantite (geol), kersantita.

kettle, (alquitrán) caldera, marmita; (geol)(A) marmita.

—— **hole** (geol), olla glacial.

kevel (sb), cornamusa, bita.

key, s (cerradura) llave; (conc) dentado, clave, llave, rediente, muesca, (M) amarre; (eje) chaveta; (mec)(carp) llave, cuña; (yesería) traba, trabazón; (eléc) interruptor, llave; (tel) manipulador, llave; tecla (máquina de escribir); (isla) cayo; v (mec) acuñar, enchavetar, calzar, encuñar; (ra) manipular.

—— **aggregate** (rd), capa ligadora.

—— **blank**, llave ciega.

—— **bolt**, perno de chaveta.

—— **brick**, ladrillo de clave.

—— **file**, lima de cerrajero.

—— **joint** (rd), junta ranurada; junta muescada.

—— **plate**, bocallave, chapa del ojo de llave.

—— **rock** (pet), roca determinante.

—— **seat**, cajera, ranura, (C) cuñero, (U) chavetero.

—— **socket**, portalámpara con llave giratoria.

—— **switch** (elec), interruptor de llave.

key-seat rule, regla de cajera.

key-seating chisel, asentador de chavetas.

keyboard, teclado.

keyhole, ojo de la cerradura o de la llave, bocallave.

—— **caliper**, calibrador para bocallave.

—— **escutcheon**, bocallave, chapa del ojo.

—— **hacksaw**, serrucho calador de metales.

—— **plate**, bocallave.

—— **saw**, sierra caladora o de punta, serrucho de punta, segueta.

keying (ra), manipulación.

keyless socket (elec), portalámpara sin llave.

keyseater, ranuradora.

keystone, (mam) clave, llave de arco; (ca) agregado de relleno.

keyway, (mec) chavetero, cuñero, cajera, ranura; (conc) llave, clave, adaraja, endentado.

—— **cutter**, cortadora de ranuras.

kick (bw), clave de trabazón.

—— **plate**, placa metálica en el peinazo inferior de una puerta.

kick-up (auto), comba, bombeo.

kickback, rechazo, contragolpe, reculada.

kicker, (az) nivelador de caña; (as) lanzador de troncos.

kicking coil (elec), bobina de reacción.

kicking piece (min), puntal corto.

kickoff (mech)(elec), arranque.

—— **pressure** (pet), presión inicial.
kidney ore, especie de hematita.
kier, cuba, tanque.
kieselguhr, quiselgur, kieselgur, diatomita.
kilerg, kiloergio.
kiliare, kiliárea.
kill (met), calmar, matar.
killas, esquisto arcilloso.
killed spirits (soldering), solución de cinc en ácido clorhídrico.
killed steel, acero muerto.
kiln, horno; horno de secar.
—— **block** (rfr), bloque radial de forro.
kiln-dried, secado al horno, (M) estufado.
kiloampere, kiloamperio.
kilobar, kilobara.
kilocalorie, kilocaloría, caloría grande.
kilocycle, kilociclo.
kilodyne, kilodina.
kilogram, kilogramo.
kilogram-calorie, caloría-kilogramo, caloría grande.
kilogram-meter, kilográmetro.
kilojoule, kilojulio.
kiloline (elec), kilolínea, kilomaxwell.
kiloliter, kilolitro.
kilometer, kilómetro.
kilometric, kilométrico.
kilo-pound, kilolibra.
kilovar, kilovoltamperio reactivo.
kilovolt, kilovoltio, kilovolt.
kilovolt-ampere, kilovoltamperio.
kilovoltmeter, kilovoltímetro.
kilowatt, kilovatio, kilowatt.
kilowatt-hour, kilovatio-hora.
kinematic, cinemático.
kinematics, cinemática.
kinescope (tv), kinescopio.
kinetic energy, energía cinética.
kinetic friction, fricción cinética.
kinetics, cinética.
king
—— **closer** (bw), ladrillo cortado a tamaño mayor de medio ladrillo.
—— **pile**, pilote central del duque de Alba.
—— **post**, pendolón, pendolón sencillo, (Col) pendolón rey; (cn) palo de grúa.
king-post truss, armadura de pendolón.
kingbolt, (fc) perno pinzote, perno real; (mec) tornillo o perno maestro; (est) péndola, suspensor.
kingpin, gorrón; (auto) pivote de dirección.
kink, s coca, doblez, ensortijamiento, encarrujamiento; v ensortijar; ensortijarse, enredarse.
—— **iron**, enderezador de cocas.
kip, kilolibra.
Kirksite (trademark), aleación a base de plomo.
kirve (min), socavar, minar.
kit, equipo, juego de herramientas.
klystron (ra), clistron.
knap, v, picar.
knapping hammer, martillo de picapedrero.
knee (cons), codo, escuadra, ángulo, codillo.
—— **action** (auto), suspensión independiente (ruedas delanteras).

—— **brace**, esquinal, cartela, cuadral, diagonal, esquinero, acartelamiento, riostra angular, (M) chaflán.
—— **joint**, articulación.
knee-brace strut, sopanda.
kneeler (mas), piedra de anclaje en una albardilla inclinada.
kneestone, véase **kneeler**.
knife, cuchillo, cuchilla.
—— **blade**, hoja de cuchillo.
—— **file**, lima de navaja, lima-cuchillo.
—— **fuse** (elec), fusible de cuchilla.
—— **plug** (elec), clavija a cuchilla.
—— **switch** (elec), interruptor de cuchilla, conmutador de cuchillas, (C) chucho de cuchilla.
knife-edge bearing, soporte de cuña.
knob, (puerta) perilla, botón, (A) pomo; (top) collado, alcor; (eléc) botón.
—— **and tube work** (elec), canalización con aisladores de perilla y tubos aisladores, instalación a botón y tubo.
—— **insulator**, aislador de botón.
—— **lock**, cerradura movida por perilla.
—— **spindle**, husillo de perilla.
knock v (eng), golpetear, cojear.
—— **meter**, indicador o medidor de golpeo.
—— **off** (pet), desenganchar.
—— **rating**, valor antidetonante.
—— **suppressor**, antidetonante.
knocked down, desmontado, desarmado, desensamblado, abatido.
knocking (eng), retintín, golpeteo, detonación, golpeamiento, detonancia, golpeo.
knockout, (eléc) disco removible, destapadero; (pet) deshidratador.
—— **cutter**, cortador de agujeros ciegos.
—— **punch**, punzón de agujeros ciegos.
knot, (cab) nudo, lazo; (mad) nudo, (M) botón; (náut) nudo.
knothole, agujero de nudo.
knotted tap joint (elec), derivación de nudo.
knotting (pt), tratamiento de los nudos con laca antes de pintar.
knotty (lbr), nudoso.
knuckle (mech), charnela, articulación, rótula; junta de charnela.
—— **connection** (str), conexión por ángulos en las alas de la viga.
—— **gear**, engranaje de dientes semicirculares.
—— **joint**, unión a charnela, junta de charnela, articulación de bisagra.
—— **pin** (auto), pivote de dirección.
—— **sheave**, polea de guía, garrucha desviadora.
—— **tooth** (mech), diente de perfil semicircular.
knuckling (sb), deformación, distorsión, desviación.
knurl, n moleteado, cerrillado; (herr) moleteador v estriar, moletear, cerrillar, acordonar.
—— **roller**, rodillo moleteador.
knurling tool, herramienta estriadora o moleteadora.
konimeter (min), konímetro.
Koppel car (ce), carro decauville.
Kovar (trademark)(alloy), kovar.
kraft paper, papel kraft o de pulpa sulfítica.

kryptol, criptol.
krypton (chem), criptón.
kyanite (miner), cianita, distena.
kyanize, kianizar.
kymograph, quimógrafo.

L beam (conc), viga L.
L head (ge), culata en L.
L network (elec), red forma L.
LCL (less than carload), carga menor de carro completo.
—— **container,** recipiente para cargas menores.
labeled equipment (bldg)(US), equipo aprobado por la Junta de Aseguradores.
labeled fire extinguisher, extinguidor aprobado por la Junta de Aseguradores.
labile (chem)(ra), lábil.
labor, mano de obra, labor, trabajo; brazos, personal a jornal.
—— **agent,** enganchador, agente de colocaciones.
—— **exchange,** agencia de colocaciones.
—— **foreman,** capataz, jefe de operarios.
—— **union,** gremio, sindicato obrero, asociación obrera.
laboratory, laboratorio.
—— **equipment,** útiles o aparato de laboratorio.
laborer, peón, jornalero, peón común, trabajador, obrero, bracero, operario.
laborsaving, economizador de trabajo.
labyrinth (mech), laberinto.
—— **condenser,** condensador de laberinto.
—— **packing,** empaquetadura de laberinto, guarnición espiraloide.
—— **stuffing box,** prensaestopa laberíntico o de laberinto.
lac, laca.
lace v, (est) armar con enrejado; (correa) coser, empalmar con cordón.
.acing, (est) enrejado simple, entrenzado, (C) enlace; (correa) cordón, tiras de cuero, enlaces (acero); costura, enlazamiento.
—— **messenger** (elec), mensajero enlazador.
lacmoid (lab), lacmoide.
lacquer, s laca; v laquear.
lactase (sen), lactasa.
lactose (chem), lactosa.
—— **bile,** bilis lactosa.
—— **broth,** medio flúido lactoso, caldo lactoso.
lacustrine, lacustre.
ladder, escala, escalera de mano, escalera; elevador de capachos.
—— **chain,** cadena de escalera.
—— **dredge,** draga de escalera o de rosario o de cangilones o de arcaduces.
—— **rung,** barrote, escalón, cabillón, clavija de escala.
—— **track** (rr), vía maestra o de enlace o de escala.
adder-type trencher, zanjadora de rosario.
adderway (min), pozo de escaleras, bajada.
.ding, carga.
dle, cucharón, cuchara; (fund) cazo de colada, caldero.
—— **analysis** (met), análisis de hornada.
g, s (eléc) retraso, retardo, atraso, retarda-

miento; (mr) retraso; (mv) retardación, retardo; (hid) atraso, retraso; (elástico) retraso; (tún) madero de revestimiento; v (cal) forrar, aforrar, aislar, revestir; (tún) revestir; (mo) entablar, enlatar; (eléc) atrasarse.
—— **fault** (geol), falla de desplazamiento desigual.
—— **screw,** pija, (A)(C) tirafondo.
lags (pi), enlatado, enlistonado.
lag-screw eye, pija de ojo.
lag-screw shield, manguito de expansión para pija.
lagging, (cal) envoltura aisladora, camisa, revestimiento, forro aislante; (mo) entablado; (torno) listones, tablillas de forro; (tún) revestimiento, forro, costillas, estacas, listones, encostillado; (pi) costillas, encostillado.
—— **current** (elec), corriente retrasada o de atraso.
—— **load** (elec), carga inductiva.
—— **phase** (elec), fase retrasada.
lagoon, s laguna; v enlagunar.
laitance, nata, (V) lechosidad, (Pe) lechada.
lake, lago, laguna, pantano.
—— **asphalt,** asfalto lacustre.
Lalande cell (elec), pila Lalande o de soda cáustica.
Lally column (trademark), columna Lally, columna tubular llena de hormigón.
lambert (il), lambert.
lamellar, laminar.
lamina (geol), lámina.
laminar flow (hyd), flujo laminar.
laminar velocity (hyd), velocidad laminar.
laminate, s laminado; v laminar; a laminado.
laminated, laminado, (mad) terciado.
—— **floor** (mill construction), piso sólido de tablones de canto.
—— **shutter** (pmy), obturador laminado o de laminillas.
—— **spring,** ballesta, muelle de hojas.
lamination, laminación.
laminator, laminador.
lamp, lámpara, farol, linterna, fanal.
—— **base** (elec), pie de lámpara, base de bombilla.
—— **bracket,** portafarol.
—— **bulb,** bombilla de lámpara o de alumbrado, ampolleta.
—— **changer** (ap), cambiador de lámpara.
—— **cord** (elec), cordón de lámpara.
—— **guard,** guardalámpara, protector de lámpara; guardafarol.
—— **hanger,** suspensor de lámpara.
—— **holder,** portalámpara, portalinterna, portafarol.
—— **receptacle,** portalámpara.
—— **shade,** reflector, pantalla.
—— **socket,** portalámpara, receptáculo, (C) portabombillo, (A) enchufe.
—— **tender,** farolero.
lampblack, hollín de lámpara, negro de humo.
lamphole (sw), pozo o registro de lámpara.
lamppost, poste de lámpara o de alumbrado o de farol.

lamprophyre (geol), lamprófiro.
lampwick, mecha, pabilo.
Lancashire boiler, caldera de dos fluses de llama.
lance tooth (saw), diente de lanza.
lancewood, palo de lanza.
land, *s* tierra; terreno; (mec) superficie entre
   estrías, (A) hoja interranura; *v* aterri-
   zarse (aeroplano); (hidroavión) amarar,
   acuatizar.
—— **freight,** flete terrestre.
—— **measure,** medidas agrarias, medida de área.
—— **plane** (irr), enrasador de tierra.
—— **surveying,** agrimensura, levantamiento, (M)
   topografía.
—— **surveyor,** agrimensor, apeador, (M) topógrafo.
land-clearing tackle (lg), aparejo de destronque.
landfill, relleno de tierras, terraplén.
landing, (es) descanso, rellano, meseta, descansillo; (tr) desembarcadero; (ef) plataforma
   de cargar; (min) botadero, vertedero; (re)
   (cn) distancia del borde al eje de remaches;
   (ap) aterrizaje; acuatizaje (hidroavión).
—— **angle** (ap), ángulo de aterrizaje.
—— **base** (pet), base de tope.
—— **beacon** (ap), radiofaro de aterrizaje.
—— **beam** (ap), rayo de aterrizaje.
—— **field,** campo o cancha de aterrizaje.
—— **gear** (ap), tren de aterrizaje.
—— **impact** (ap), impacto de aterrizaje.
—— **light** (ap), fanal o luz o farol de aterrizaje.
—— **mat** (ap), estera de aterrizaje (acero perforado).
—— **run** (ap), recorrido de aterrizaje, carrera al
   aterrizar.
—— **sequence** (ap), orden de aterrizaje.
—— **stage,** embarcadero flotante.
—— **strip** (ap), pista o faja de aterrizaje.
—— **T** (ap), T de aterrizaje.
landing-direction light (ap), luz de sentido de
   aterrizaje.
landlooker (lg), apreciador de madera en pie.
landmark, (lev) mojón; (náut) señal fija de
   tierra.
—— **beacon,** faro localizador o de identificación.
landowner, terrateniente.
landplane, avión terrestre.
landscape
—— **architect,** arquitecto paisajista.
—— **architecture,** arquitectura paisajista.
—— **engineer,** ingeniero paisajista.
landside (ce), placa guía, plancha de empuje.
landslide, derrumbe, desprendimiento, dislocación, resbalamiento, corrimiento, lurte.
lane (rd)(ap), vía de tráfico, trocha, faja.
lang lay (wr), colchado lang, cableado tipo lang,
   trama lang, (M) torcido paralelo, (Es)
   corchado directo.
lantern, linterna, farol, fanal; (to) lucernario,
   linternón.
—— **chisel,** cortahierro para canaletas.
—— **globe,** globo, bombillo.
—— **holder,** portalinterna.
—— **pinion,** piñón de linterna.
—— **ring** (pu), anillo de cierre hidráulico.
—— **wheel,** piñón o rueda de linterna.

lap, *s* (mv) recubrimiento, avance; (herr) pulimentadora; (met) astilla, solapadura; (est)
   traslapo, sobrepuesta, (C) monta; (fma)
   superposición, solapadura; *v* traslapar,
   solapar, sobreponer, encaballar; traslaparse, recubrirse; (mh) pulir, afinar.
—— **joint,** unión o empalme o empate de solapa,
   junta montada o solapada o de superposición.
—— **link,** eslabón de solapa.
—— **seam,** costura con solapa o por recubrimiento.
—— **sidings** (rr), apartaderos solapados.
—— **switch** (rr), chucho biselado.
—— **winding** (elec), arrollamiento de lazo, (A)
   devanado imbricado.
lap-riveted, remachado a solapa, roblonado con
   recubrimiento.
lap-welded, soldado a solapa o por recubrimiento o por superposición.
lapped joint (p flange), junta montada o Van
   Stone, unión de reborde.
lapping compound, compuesto de pulir.
lapping machine, pulimentadora.
lapstreak (sb), traca solapada.
larboard, babor.
larch, alerce, pino alerce.
lard oil, aceite de manteca, (A) aceite de grasa de
   cerdo.
large calorie, caloría grande, caloría-kilogramo.
Larimer column, dos vigas I doblados por el eje
   del alma y remachados a lo largo de los
   dobleces.
larry, vagoneta automotriz de volcadura.
larvae, larvas.
larvae-destroying, antilarvario.
larval, larval.
larvicide, larvicida.
lash, *s* (vá) juego; *v* amarrar, atar, abarbetar.
lashing, ligadura, atadura, amarre.
latch, *s* candado, pestillo, aldaba, seguro, tarabilla, picaporte, cerrojo, corchete; *v* sujetar
   con pestillo.
—— **bolt,** pestillo de resorte.
—— **hasp,** aldaba de picaporte.
—— **jack** (pet), pescador a pestillo.
latchkey, llavín.
latent, latente.
—— **heat of fusion,** calor latente de fusión.
—— **image** (pmy), imagen latente.
lateral, *s* (irr) secundario, ramal; (min) galería
   lateral; (tub) Y, lateral; *a* lateral.
—— **bracing,** riostras laterales, arriostramiento
   lateral, cruceros laterales.
—— **chromatic aberration** (pmy), aberración cromática lateral.
—— **moraine** (geol), morena lateral.
—— **sewer,** cloaca derivada o lateral, albañal.
—— **support,** apoyo lateral.
lateral-flow spillway, vertedero lateral.
laterite (geòl), laterita.
lateritic, laterítico.
laterization, laterización.
latex (inl), látex.
lath, *s* listón, latilla, tablilla, lata, listón yeser

listoncillo; *v* listonar, enlistonar, alistonar, enlatar.
— **binder,** atadora de listones.
— **mill,** sierra para listones.
lathe, torno, torno mecánico.
— **attachments,** accesorios de torno.
— **bed,** bancada o bancaza del torno.
— **carriage,** carro de torno, carrito.
— **center,** punta de torno o de centrar.
— **chuck,** mandril, plato.
— **dog,** perro de torno, brida, (A) brida grapa.
— **file,** lima de tornero.
— **head,** cabezal de torno.
— **operator,** tornero.
— **shop,** tornería.
— **spindle,** husillo o huso de torno.
— **tools,** herramientas torneadoras.
— **work,** tornería.
lathe-center grinder, rectificadora de puntas de torno.
lather, listonador, listonero.
lathing, enlistonado, listonaje, chillado, encostillado, listonería.
— **hatchet,** hachuela de listonador o de media labor.
— **nail,** clavo de chilla o para listonaje, chillón.
latite (geol), latita.
latitude, latitud.
latitudes and departures (surv), latitudes y desviaciones, (M) alejamientos y desviaciones.
latitudinal, latitudinal.
latrine, letrina, excusado, retrete.
lattice, (est) enrejado, celosía; (mat)(quím) celosía.
— **bar,** barra de celosía o de enrejado, listón.
— **girder,** viga de alma abierta o de celosía o de enrejado, jácena de celosía, (V) viga armada en celosía.
— **network** (elec), red de celosía.
— **truss,** armadura de enrejado.
— **web,** alma calada o de celosía.
lattice-wound coil (elec), bobina de panal.
latticed column, columna de celosía, poste enrejado.
latticing, enrejado, celosía, entrenzado, (Es) enverjado.
latus rectum (math), lado recto.
launch, *s* lancha, chalupa; *v* botar, echar al agua.
launching *n,* botadura, botada.
— **cradle,** cuna de botadura, basada.
— **ways,** grada de astillero, imadas, varadero, anguilas.
launder *n,* artesa, batea.
laundry wastes (sen), desechos de lavandería.
lauryl (lab), laurilo.
lautal, aleación de aluminio con 4.7% cobre, 1% a 2% silicio, $\frac{1}{2}$% manganeso.
lava, lava.
— **bed,** escorial.
lavatic, lavic, lávico.
lavatory, (pb) lavabo, lavamanos, lavadero; (cuarto) lavatorio, lavadero.
law of tangents, ley tangencial.
laws of electric networks, leyes de Kirchhoff.
lay, *s* (cab) cableado, colchado, corchado, colchadura, torcido, trama, retorcido, (M) tren-

zado, (M) acomodamiento; *v* (tub) tender, colocar; (rieles) enrielar; (pav) adoquinar, enladrillar, entarugar, afirmar; (lad) enladrillar; (cab) colchar, acolchar, torcer, cablear; (polvo) matar, asentar.
— **days** (naut), estadía.
— **off** (men), despedir, desahuciar.
— **out,** (lev) replantear, trazar, localizar; (dib) proyectar, estudiar; (mam) aparejar.
layer, capa, hilada, hilera, tongada, (C) camada.
layer-out, trazador, replanteador, aparejador.
laying length (p), tramo de instalación, largo neto colocado.
laying out, replanteo, trazado, demarcación.
layout engineer, ingeniero localizador o trazador.
layout of plant, disposición del equipo.
lazulite (miner), lazulita, espato azul.
leach, lixiviar, percolar; (irr) desalar por irrigación y drenaje.
leaching (conc), acción disolvente del agua, deslave de los compuestos solubles.
— **cesspool,** pozo absorbente o de percolación, (Es) absorbedero.
— **tank,** estanque de lixiviación.
leachy, poroso.
lead, *s* (metal) plomo; (náut) sonda, escandallo; *v* (metal) emplomar.
— **acid cell,** acumulador ácido de plomo.
— **azide,** azida de plomo.
— **burning,** unión de piezas de plomo por fusión.
— **carbonate,** carbonato de plomo, (miner) cerusita.
— **chromate,** cromato de plomo, (miner) crocoita, amarillo de cromo (pigmento).
— **dioxide,** dióxido o peróxido de plomo.
— **furnace,** hornillo para derretir plomo.
— **glance,** galena.
— **groove** (p), ranura para plomo.
— **joint** (p), junta plomada.
— **line** (sounding), sondaleza.
— **ore,** mineral de plomo.
— **oxide,** óxido o monóxido de plomo.
— **peroxide,** dióxido o peróxido de plomo.
— **pipe,** tubo o cañería de plomo.
— **pot,** crisol para fundir plomo.
— **shield,** taquete o cincho de plomo.
— **spar,** cerusita.
— **sponge** (elec), plomo esponjoso.
— **sulphate,** sulfato de plomo, (miner) anglesita.
— **sulphide,** sulfuro de plomo, galena.
— **washer,** arandela de plomo.
— **wool,** hilacha o filástica o lana de plomo, (M) fibra de plomo, (A) estopa de plomo.
lead-base alloy, aleación a base de plomo.
lead-coated, emplomado.
lead-covered cable, cable forrado de plomo o acorazado con plomo.
lead-encased, revestido de plomo.
lead-headed nail, clavo con cabeza de plomo.
lead-lead acid cell, acumulador ácido de plomo.
lead-lined, forrado de plomo.
lead-sheathed wire, alambre forrado de plomo.
lead-zinc storage battery, acumulador de plomo-zinc.
leaded, emplomado.

—— **cable** (elec), cable revestido de plomo.

—— **nickel alloy**, aleación de níquel al plomo.

—— **red brass**, latón rojo al plomo.

—— **tin bronze**, bronce al estaño-plomo.

—— **zinc pigment**, pigmento de sulfato de plomo con óxido de cinc.

lead *n*, (exc) distancia de acarreo; (fc) arranque, avance, (C) tira; (rs) avance, paso; (sol) conductor; (mv) avance, adelanto; (min) venero, filón; (eléc) avance; (eléc) conductor; (geof) adelanto; (torno) avance.

—— **block**, pasteca.

—— **curve** (rr), curva del desviadero entre aguja y corazón.

—— **rails** (rr), rieles de arranque.

—— **screw** (mt), tornillo patrón o principal o de avance.

—— **track**, vía que une el patio con la vía de recorrido.

leads, (pi) guías del martinete, (A) cabriada, (sol) cables conductores.

lead-in wire (elec), alambre de entrada (servicio); hilo de conexión (bombilla).

leader, (min) guía, nervadura, ramita de filón, vetilla; (ed) tubo de bajada, caída, canal de bajada, caño pluvial, bajante; (cf) conducto de aire caliente.

—— **boot**, botaguas.

—— **head**, cubeta, embudo de azotea.

—— **strainer**, colador de caño pluvial.

leadin (ra), alambre de bajada.

leading

—— **current** (elec), corriente avanzada o en adelanto.

—— **edge**, borde de entrada o de ataque.

—— **phase** (elec), fase avanzada.

—— **wheel** (auto)(loco), rueda directriz o conductora.

—— **wire** (bl), alambre conductor (entre máquina y fulminante).

leading-in insulator, aislador tubular o de entrada.

leading-in wire, alambre de entrada.

Leadite (trademark), ledita.

leadout (mech)(elec), conexión de salida.

leadwork, emplomadura, plomería.

leadworker, emplomador.

leaf, hoja; (bisagra) contrabisagra, ala, aleta; (ballesta) hoja, plancha; (compuerta) tablero; (puerta) hoja, ala.

—— **catcher** (hyd), trampa de hojas.

—— **filter**, filtro de hojas.

—— **metal**, hoja metálica.

—— **mold**, mantillo.

—— **screen**, colador para hojas, deshojador.

—— **spring**, ballesta, resorte de hojas.

leak, *s* escape, fuga, salidero, gotera, filtración, escurridero; (eléc) dispersión, pérdida; *v* gotear, salirse, escurrirse; dejar escapar, tener fugas; (náut) hacer agua.

—— **clamp** (pet), abrazadera contrafuga.

—— **detector**, indicador de escapes, detector de fugas.

leakage, (hid) escapes, filtraciones, goteo, fugas, salideros; merma; (eléc) dispersión.

—— **conductance** (elec), conductancia de dispersión.

—— **current** (elec)(ra), corriente de fuga o de escape.

—— **factor**, (eléc) coeficiente o factor de dispersión; (aa) factor de infiltración.

—— **flux** (elec), flujo de dispersión, dispersión magnética.

—— **indicator** (elec), indicador de pérdidas a tierra.

—— **load** (ac), demanda por infiltración.

—— **reactance** (elec), reactancia de dispersión.

—— **resistance**, resistencia de dispersión.

leakance (elec), conductancia de dispersión, (A) perditancia.

leakproof, a prueba de escapes o de goteras o de filtración.

lean, *v* inclinarse, ladearse; *a* magro, pobre.

—— **concrete**, concreto pobre, hormigón magro o enjuto.

—— **lime**, cal pobre.

—— **mixture** (auto), mezcla pobre.

lean-to, tinglado, colgadizo, techo de un agua o a simple vertiente.

leaning-frame grader, explanadora de armazón inclinable, conformadora de bastidor inclinable.

leaning-wheel grader, explanadora o conformadora de ruedas inclinables.

leaping weir, desviador de aguas de tormenta.

lease, *s* arrendamiento, arriendo; contrato de arrendamiento; *v* arrendar, alquilar.

leasehold, inquilinato.

leaseholder, arrendatario.

least

—— **common multiple**, mínimo común múltiplo.

—— **squares**, mínimos cuadrados.

—— **work**, trabajo mínimo.

leather, cuero, suela, vaqueta, piel.

—— **belt**, correa de cuero o de suela, banda de cuero.

—— **link belting**, correaje articulado de cuero.

—— **washer**, arandela o anillo de cuero, zapatilla.

leatherboard, cartón de cuero artificial.

leaving edge, borde de salida.

Leclanché cell (elec), pila Leclanché.

ledge, (ed) retallo, escalón, resalto; (náut) arrecife; (puerta) peinazo; (cn) cuerda.

—— **rock**, cama o lecho de roca, roca viva, (Col) roca fresca, (M) roca fija, (Es) roca virgen.

ledged and braced door, puerta de peinazos y riostra (sin largueros y paneles).

ledger, (carp) cinta, carrera, larguero; (cont) libro mayor.

lee (naut), sotavento.

—— **shore**, costa de sotavento.

—— **tide**, marea de sotavento.

leeward, sotavento.

leeway, deriva, abatimiento.

left lay (wr), colchado o torcido o trama a la izquierda.

left turn (rd), vuelta o giro a la izquierda.

left-hand, de mano izquierda, zurdo.

—— **centrifugal pump**, bomba centrífuga siniestrogira (vista del lado de accionamiento).

—— **door**, puerta de mano izquierda.

—— **drive**, conducción o mando a la izquierda.
—— **offset toolholder**, portaherramienta descentrada a la izquierda.
—— **rotation**, rotación siniestrogira.
—— **rule** (elec), regla de la mano izquierda.
—— **thread**, rosca zurda o a la izquierda, filete de paso izquierdo, (M) cuerda izquierda.
leg, (perfil ángulo) ala, rama, brazo, (M) patín, (C) lado; (cb) pata, pie derecho, paral; (p) rama; (trípode) pierna, pata; (compás) brazo, pierna; (cal) placa de agua, hervidor; (sol) superficie de fusión; (eléc) circuito derivado; (mat) cateto.
—— **bridge**, puente de marco rígido.
—— **of fillet weld**, cateto.
—— **vise**, tornillo o morsa de pie, (A) torno de pie.
—— **wires** (bl), alambres del detonador.
legend (dwg), clave, (A) leyenda.
lemniscate (math), lemniscata.
length, largo, longitud, largura; (náut) eslora; tiro, tira, tramo, tirada.
—— **between perpendiculars** (na), eslora entre perpendiculares.
—— **on water line** (na), eslora de flotación.
—— **over-all** (na), eslora total.
lengthen, alargar; alargarse.
lengthening bar (compass), alargadera.
lens, lente; (geol) lente.
—— **cone** (pmy), tubo portalente.
—— **element** (pmy), elemento del objetivo.
—— **holder** (w), portavidrio.
lenticle (geol), lenteja.
lenticular, lenticular.
lentil (geol), lenteja.
leptometer, leptómetro.
less-carload, menos de un carro completo.
lessee, arrendatario.
lessor, arrendador.
let
—— **down**, bajar, abatir.
—— **go** (cab), aflojar, soltar.
—— **in** (carp), empotrar, embutir, encastrar, insertar.
—— **off steam**, desvaporar.
—— **the contract**, adjudicar el contrato.
letter, *s* letra; carta; *v* (dib) rotular.
—— **of credit**, carta de crédito.
lettering (dwg), rotulación, (M) letreros, (C) inscripciones.
—— **angle** (dwg), cartabón de rotulación.
—— **guide** (dwg), plantilla o guía de rotular.
—— **machine**, máquina rotuladora, aparato rotulador.
—— **nib** (dwg), pico de rotular.
—— **pen**, pluma de dibujo.
levee, dique, borde, endicamiento, borde de encauzamiento, dique marginal o de defensa, ribero, (A) malecón, (U) dique de ribera.
level, *s* (inst) nivel; (top) altura; *v* nivelar, aplanar, allanar, emparejar, enrasar, explanar, igualar; (lev) nivelar; *a* plano, llano, nivelado.
—— **bar** (inst), barra maestra o portadora.
—— **board**, regla, escantillón, tablón de nivelar.
—— **book** (surv), cuaderno de nivelación, libreta de nivel.

—— **control** (wp), regulador de nivel.
—— **full**, rasado, al ras.
—— **gage**, indicador de nivel.
—— **net** (surv), red de nivelación
—— **recorder**, registrador de nivel (del agua).
—— **rod** (surv), mira de corredera o de nivelar, jalón de mira, mira, (M) estadal.
—— **rodman**, portamira de nivel, (M) estadalero.
—— **sights**, pínulas para nivelar.
—— **vial** (inst), tubo de burbuja o de nivel.
—— **with**, a flor de, al ras con.
leveler (irr), rastra.
leveling, enrasamiento, explanación, banqueo, enrase; (lev) nivelación.
—— **course** (rd), capa de enrase o de emparejamiento.
—— **head** (inst), cabezal de nivelación.
—— **screws** (inst), tornillos niveladores.
leveling-screw cups (inst), casquillos de los tornillos niveladores.
levelman (surv), nivelador, ingeniero de nivel.
Levelometer (trademark), nivelómetro, indicador de nivel de líquido.
lever, palanca, espeque, alzaprima.
—— **arm**, brazo de palanca.
—— **handle** (va), mango de palanca.
—— **jack**, gato de palanca.
—— **nut**, tuerca de puños.
—— **punch**, punzadora de palanca.
—— **safety valve**, válvula de seguridad de palanca.
—— **shear**, cizalla a palanca, (M) guillotina de palanca.
—— **switch** (elec), interruptor de palanca.
—— **tumbler** (hw), tumbador de palanca.
lever-sealed, cerrado por palanca.
leverage, brazo de palanca.
levigation, levigación.
levorotation, levorrotación.
levorotatory, levógiro, levorrotatorio.
lewis, castañuela de cantera, grapa de cuñas para izar.
—— **bolt**, (mam) perno harponado o hendido o de anclaje; (cantería) perno de castañuela.
liabilities, pasivo, obligaciones, créditos pasivos.
liability insurance, seguro contra responsabilidad civil.
license, *s* licencia, patente, matrícula; *v* licenciar.
—— **plate** (auto), chapa de patente, placa de número.
license-plate bracket (auto), portaplaca, portamatrícula, soporte de chapa de número, portachapa de patente.
license-plate light (auto), luz de matrícula.
licensed engineer, ingeniero matriculado.
licensed plumber, plomero licenciado.
licensee, concesionario.
lid, tapa, tapadera, cubierta.
lifeboat, lancha o bote salvavidas.
lift, *s* alza, elevación, altura de alzamiento; (conc) colada, hormigonada, tirada, (A) levante; (compuerta) carrera, elevación; (bm) altura de aspiración; (ed) ascensor, montacargas; (esclusa) diferencia de nivel, altura de elevación; (ventana) manigueta; (auto)

levantacoches; *v* levantar, alzar; (ca) escarificar.

— **bridge,** puente levadizo, puente basculante.

— **check valve,** válvula horizontal de retención.

— **fittings** (p), accesorios elevadores del condensado.

— **line** (conc), línea de colado, nivel de hormigonado.

— **trap** (steam), trampa de retorno.

— **truck,** camión elevador; carro montacargas o elevador; carretilla alzadora.

— **valve,** válvula de cierre vertical.

lifted template (sb), gálibo trazado del buque mismo.

lifter, alzador, elevador, izador; (min)(tún) barreno de voladura al pie del frente.

lifting, alza, levaje, levantamiento.

— **door,** puerta levadiza.

— **foot** (jack), pie de alzar.

— **head** (jack), cabezal alzador.

— **injector,** inyector aspirante o de aspiración.

— **magnet,** imán levantador.

— **nipple** (pet), niple elevador.

— **power,** fuerza de elevación; capacidad de levantamiento.

— **trap** (p), trampa elevadora, interceptor elevador.

light, *s* luz, alumbrado, iluminación; luz, lumbre; (ventana) vidrio, cristal; *v* alumbrar, iluminar; encender; *a* iluminado, alumbrado; (peso) liviano, ligero; (color) claro; (aceite) ralo, ligero, flúido; (plancha) delgado; (buque) aligerado, sin carga; (tráfico) escaso.

— **beacon,** baliza luminosa.

— **box** (tun), caja de luz.

— **brick,** ladrillo rosado o mal cocido.

— **buoy,** boya luminosa.

— **button** (auto), botón del alumbrado.

— **construction,** construcción liviana.

— **displacement** (na), desplazamiento sin carga, (A) desplazamiento en rosca.

— **draft** (na), calado sin carga, (A) calado en rosca.

— **duty,** servicio liviano, trabajo ligero.

— **flux** (il), flujo luminoso.

— **grade,** pendiente suave o leve o ligera.

— **meter,** medidor de iluminación.

— **red silver ore,** plata roja clara, proustita.

— **ruby silver,** proustita.

— **shaft,** pozo de luz.

— **socket,** portalámpara.

— **switch,** interruptor de alumbrado, (M) apagador.

— **truck,** camioneta, camión liviano.

— **work,** trabajo liviano.

light-draft, de menor calado.

light-flux meter, medidor de pies-bujías.

light-resistant, resistente a la luz.

light-sensitive, fotosensible, sensible a la luz.

lighten, aligerar, (A) alivianar, (náut) zafar, alijar.

lightening holes (sb), aberturas de aligeramiento, agujeros de alivianamiento.

lighter, *s* (náut) barcaza, chalana, pontón, lanchón, alijadora, embarcación de alijo, lancha, (PR) ancón; (vol) encendedor; *v* transportar por barcaza, llevar en alijadora.

lighterage, lanchaje, arrimaje, gabarraje, (PR) anconaje; derechos de lanchaje.

lighterman, lanchero, barquero, lanchonero, alijador.

lighthouse, faro.

— **dues,** derechos de faro.

lighting, alumbrado, iluminación, alumbramiento.

— **fixtures,** artefactos de alumbrado.

— **load,** carga de alumbrado.

— **outlet,** tomacorriente para lámpara.

— **post,** poste de alumbrado, (M) albortante.

lightning, rayo; relámpago.

— **arrester,** pararrayos, descargador, (ra) apartarrayos.

— **conductor,** pararrayos.

— **file,** lima triangular.

— **rod,** barra pararrayos.

— **switch** (ra), conmutador antena-tierra o para rayos.

— **tooth** (saw), diente en M.

lightningproof, a prueba de rayos.

lightproof, a prueba de luz.

lightship, faro flotante, buque faro o fanal.

lighttight, hermético a la luz.

lightweight concrete, hormigón liviano.

lightweight pipe, tubería extraliviana.

lightwood, pino resinoso.

lignin, lignina.

lignite, lignito.

lignitic, lignítico.

lignitize, lignitizar.

lignum vitae, guayacán, cañahuate, palo santo.

limb, (árbol) rama; (inst) limbo; (geol) flanco, limbo.

— **protractor,** transportador de limbo.

limber *n* (lg), cortador de ramas.

limbers (sb), imbornales de varenga.

lime, *s* cal; *v* encalar; (az) alcalizar.

— **feeder** (sen), alimentador de cal.

— **feldspar,** feldespato calizo o de cal, anortita.

— **hydrator,** hidratador de cal.

— **modulus,** módulo cálcico.

— **mortar,** mortero de cal.

— **pop** (brick), burbuja de cal.

— **putty, lime paste,** pasta o masilla de cal, (V) mezclilla de cal.

— **slaker,** apagador de cal.

— **sludge** (wp), lodo de cal.

lime-barium softener (wp), suavizador de calbario.

lime-coated, encalado.

lime-soap grease, grasa de jabón de cal.

lime-soda softening (wp), suavización por el método cal-sosa.

limekiln, calera, horno de cal, calería.

limelight, luz de calcio.

limestone, caliza, piedra calcárea o caliza.

limewater, agua de cal.

liming tank (su), alcalizador.

limit, límite.

— **design** (tu), proyecto a base de la carga tota

al punto cedente o de pandeo de la última pieza redundante.

—— **gage,** calibre de límites o de tolerancia.

—— **switch** (elec), interruptor limitador.

limited-access highway, camino de acceso limitado.

limited-liability company, sociedad de responsabilidad limitada.

limiter (elec), limitador.

limiting

—— **curvature** (rr), límite de agudeza.

—— **grade,** pendiente de límite.

—— **resistor** (elec), resistencia limitadora.

limnimeter (hyd), limnímetro.

limnimetric, limnimétrico.

limnite, limnita (mineral de hierro).

limnograph (hyd), limnógrafo, limnímetro.

limnology, limnología.

limonite, limonita, hierro fangoso o pantanoso.

limonitic, limonítico.

linchpin, pezonera, sotrozo.

Lincoln miller, fresadora Lincoln.

linden, tilo.

line, *s* línea; fila; cuerda; soga, jarcia, cable; (lev) trazado, traza; (eléc) línea; maxwell; (fc) vía, línea; *v* (fc) alinear, enderezar; (tún) revestir, forrar, encachar; (freno) forrar, aforrar, guarnecer; (cilindro) forrar; (canal) revestir, encachar.

—— **and grade,** alineación y rasante, traza y nivel, alineamiento y pendiente.

—— **blind** (pet), cierre de línea, cortador de flujo.

—— **breaker** (elec), interruptor de línea.

—— **circuit** (rr), circuito de línea.

—— **conductor** (elec), conductor de línea.

—— **drawing,** dibujo de líneas.

—— **drilling** (exc), perforación de límite.

—— **drop** (elec), caída de potencial de línea.

—— **frequency** (tv), frecuencia de línea.

—— **guys** (elec), retenidas de línea.

—— **holes** (exc), barrenos limitadores.

—— **in** (surv), alinear.

—— **level,** nivel de cuerda.

—— **load,** carga lineal.

—— **loss** (elec), pérdida de transmisión.

—— **manhole** (sw), pozo de línea o de paso.

—— **map,** mapa planimétrico.

—— **of collimation** (surv), línea o eje de colimación.

—— **of creep** (hyd), recorrido de filtración.

—— **of force** (elec), línea de fuerza.

—— **of levels,** línea de nivelación.

—— **of saturation,** línea de saturación.

—— **of sight,** línea de mira, eje de visación, (A) línea visual, (V) línea de puntería, (Es) rayo visual.

—— **pipe,** tubería de conducción, cañería conductora de petróleo.

—— **radio,** radiocomunicación por corrientes portadoras de una red alambrada.

—— **relay** (elec), relai de línea.

—— **scale** (pet), indicador de peso suspendido.

—— **shaft,** eje maestra o de transmisión o de línea.

—— **spectrum,** espectro lineal.

—— **switch** (elec), interruptor de línea.

—— **up** *v*, alinear, enderezar, enfilar, (C) ahilar.

—— **valve,** válvula de paso.

—— **walker** (pet), corredor de línea, inspector de oleoducto.

—— **wiper** (pet), limpiador del cable.

line-drop compensator (elec), compensador de pérdida de tensión.

line-jump scanning (tv), exploración entrelazada, (Es) exploración a salto de línea.

lineal, lineal.

—— **meter,** metro corrido o lineal.

lineal-expansion limit (sm), límite de expansión lineal.

lineal-shrinkage limit (sm), límite de contracción lineal.

lineameter, lineámetro.

linear, lineal, linear.

—— **coefficient,** coeficiente lineal.

—— **detection** (ra), desmodulación lineal.

—— **detector** (ra), detector lineal o de placa.

—— **distortion** (ra), deformación o distorsión lineal.

—— **lead** (se), avance lineal.

—— **measure,** medida de longitud.

—— **perspective** (dwg), perspectiva lineal.

linearity control (tv), control de lineamento.

lineman (elec), instalador de líneas, recorredor de la línea, guardalínea, guardahilos.

linemen's belt, cinturón de guardalínea

linemen's pliers, alicates de guardalínea.

linen tape, cinta de lienzo.

liner, (maq) calza, calce, placa de cuña; (cilindro) forro; (cn) plancha de relleno, embono; (pet) revestidor.

—— **bushing,** boquilla de forro.

—— **hanger** (pet), colgador del revestidor.

—— **plates,** placas de revestimiento.

—— **puller** (pet), extractor de revestidor.

lining, (tún) revestimiento, forro, aforro, (conc) encachado; (fc) alineación, enderezamiento; (freno) forro, guarnición, cinta; (canal) revestimiento, encachado.

—— **bar** (rr), barra de alinear.

—— **machine** (canal), máquina de revestimiento.

link, eslabón; (mv) colisa, sector, corredera, cuadrante oscilante.

—— **belt,** correa articulada.

—— **coupling** (ra), eslabón de acoplamiento, acoplamiento eslabón, (A) acoplamiento cadena.

—— **fuse** (elec), fusible de cinta.

—— **motion** (se), distribución por cuadrante oscilante.

link-grate stoker, cargador a parrilla articulada.

linkage, (mec) varillaje, articulación, eslabonamiento; (quím) enlace, afinidad; (eléc) concadenamiento, enlace; (mat) articulación.

—— **drive** (elec loco), impulsión a varillaje.

linseed oil, aceite de linaza o de lino.

lintel, dintel, lintel, cabecero, (V) clave, (Col) cabezal, (M) umbral, (Col) arquitrabe, (M) platabanda.

linters, borra de algodón.

lip, (mec) reborde, borde; (broca) filo.

—— **angle** (drill), ángulo del labio, (A) ángulo labial.

—— **curb,** guarnición de carretera, bordillo de labio.

—— **nozzle,** tobera de labios.

—— **relief** (drill), espacio libre labial.

—— **union** (p), unión de reborde o de empaque.

lipase (sen), lipasa.

liquation (met), licuación.

liquefaction, licuación, licuefacción.

liquefied petroleum gas, gas licuado de petróleo.

liquefier, liquidador.

liquefy, licuar, liquidar; liquidarse.

liquid *n a,* líquido.

—— **air,** aire líquido.

—— **assets,** activo circulante, valores realizables.

—— **carburizing** (met), carburación por agente líquido.

—— **compass,** brújula líquida.

—— **limit** (sm), límite líquido o de fluidez.

—— **manometer,** manómetro para líquidos.

—— **measure,** medida de volumen de líquidos.

—— **rheostat,** reóstato líquido.

—— **switch** (elec), interruptor de líquido.

liquid-cooled, enfriado a líquido.

liquid-level controller (sd), regulador de nivel de líquido.

liquid-level recorder, registrador de nivel de líquido.

liquid-oxygen explosives, explosivos de oxígeno líquido.

liquid-to-liquid heat exchanger, intercambiador de calor líquido a líquido.

liquidity, liquidez, fluidez.

Liquidometer (trademark), liquidómetro, indicador de nivel de líquido.

liquor (chem), licor, solución.

liter, litro.

litharge, litargirio, almártaga, litarge.

lithium chloride, cloruro de litio.

lithoclase (geol), litoclasa.

lithograph, *s* litografía; *v* litografiar.

lithographic, litográfico.

lithological, litológico.

lithology, litología.

lithomarge (miner), litomarga (caolín).

lithophysae (geol), litofisuras.

lithopone, litopono, (M)(A) litopón.

lithoprint, impreso litográfico.

lithotracing, calco litográfico.

litmus, tornasol.

—— **paper** (lab), papel de tornasol.

littoral (geol), litoral.

—— **current,** corriente litoral.

litz wire (ra), conductor de hilos esmaltados y trenzados.

live, vivo; activo; cargado.

—— **axle,** eje motor o impulsor o vivo; (auto) árbol del diferencial.

—— **boom,** (gr) aguilón activo.

—— **center** (lathe), punta giratoria, (A) punta viva.

—— **load,** carga viva o accidental, (A) sobrecarga.

—— **oak,** roble vivo o siempre verde.

—— **parts** (elec), partes bajo corriente o vivas.

—— **roll** (sa), rodillo activo.

—— **spindle** (mt), husillo giratorio.

—— **steam,** vapor vivo, (C) vapor directo.

—— **wire,** alambre cargado.

live-front (switchboard), con mando de frente.

live-steam feed-water heater, calentador a vapor vivo.

live-steam separator, separador de vapor vivo.

living expenses, gastos de mantenimiento o de manutención o de estadía.

lixiviate, lixiviar.

lixiviator, lixiviador.

lizard (lg), rastra.

load, *s* carga, cargamento, carguío; vagonada, furgonada, camionada, carretada, carretonada; (hid) carga; (eléc) carga; *v* (tr) (vol)(eléc)(est) cargar; (tr) embarcar.

—— **binder,** (ef) atador de troncos; (pet) perro.

—— **block** (de)(cy), motón de gancho o de izar.

—— **brake** (crane), freno de la carga.

—— **cable,** cable sustentador o mensajero o de carga; cable tractor.

—— **center** (elec), centro de la carga o de distribución.

—— **diagram,** diagrama de las cargas.

—— **dispatcher** (elec), repartidor de carga.

—— **displacement** (na), desplazamiento con carga.

—— **distribution,** repartición de las cargas.

—— **draft** (na), calado en plena carga.

—— **factor,** (eléc) factor de carga, coeficente de aprovechamiento; (compresora) factor de rendimiento, coeficiente de producción; (tr) coeficiente de cargamento, factor de utilización; (contador de agua) factor de gasto.

—— **fall** (de), cable de carga o de izar.

—— **indicator,** indicador de carga.

—— **line,** (cv) cable de elevación; (dib) línea de las cargas; (náut) línea de flotación con carga; (ra) línea de cargas.

—— **recorder** (elec), registrador de carga.

—— **regulator** (elec), regulador de carga.

—— **resistor** (ra), resistencia de carga.

—— **test,** prueba de carga.

—— **water line** (na), línea de mayor carga o de flotación con carga.

load-indicating resistor (elec), resistencia indicadora.

load-shifting resistor (elec), resistencia conmutadora.

loaded, cargado.

—— **antenna** (ra), antena cargada (de inductancia).

—— **filter** (sm), filtro con sobrecarga.

—— **governor,** regulador recargado.

—— **line** (tel), línea cargada (de inductancia).

—— **on cars,** libre abordo, cargado o puesto sobre vagón, cargado en carro.

loader, cargador (hombre); (maq) cargadora, cargador.

—— **attachment** (ce), accesorio cargador.

loading, carga, cargamento, embarque; (pte) distribución de cargas; (ra) carga.

—— **apron** (ap), delantal de embarcar, andén.

—— **carriage** (lg), carrito cargador.

—— **chain** (lg), cadena para apilar troncos.

—— **chute,** canaleta de carga.
—— **coil** (elec), bobina de carga; inductor.
—— **dock** (ap), puentecillo de acceso, pasarela de embarcar.
—— **drift** (min), galería de carga.
—— **hopper,** tolva de cargar.
—— **inductance** (elec), inductancia de la bobina de carga.
—— **jack** (lg), plataforma de carga.
—— **platform,** embarcadero, cargadero, plataforma de carga, muelle.
—— **rack** (pet), llenaderas.
—— **skip,** cajón cargador, cargador mecánico, cucharón de carga.
—— **track,** vía de carga.
—— **trap** (conveyor), escotillón de cargar, trampa para cargar.
—— **wharf,** muelle embarcadero.
—— **yard,** patio de carga.
Loadometer (trademark), cargómetro.
loadstone, magnetita, piedra imán.
loam, greda, marga, (M) migajón; tierra negra; (fund) arcilla de moldeo.
loamy, margoso.
loan, s préstamo; v prestar.
lobar-type rotary pump, bomba de lóbulos.
lobe, (mec) oreja, lóbulo; (ra) lóbulo de radiación.
—— **gear,** engranaje de lóbulos.
loblolly (lbr), especie de pino.
local, s gremio; a local, regional.
—— **action** (battery), descarga espontánea, acción local.
—— **attraction** (surv), atracción magnética local.
—— **battery** (tel), pila local, batería para instrumentos.
—— **current** (elec), corriente parásita o local.
—— **horizon** (pmy), horizonte sensible o visible.
—— **oscillator** (ra), oscilador local.
—— **traffic** (rd), tráfico local o de corta distancia.
local-service road, camino de acceso ilimitado.
localizer, localizador.
—— **beam** (ap), rayo localizador.
locate, localizar, emplazar, ubicar, colocar, situar; (fc)(ca) trazar.
locating
—— **back** (pmy), placa de vacío; placa de presión.
—— **center punch,** granete espaciador o de resorte.
—— **engineer,** ingeniero localizador o trazador.
location, localización, situación, ubicación; (fc) (ca) trazado.
—— **plan,** plano de ubicación o de situación.
—— **survey** (rr)(rd), trazado definitivo.
lock, s (puerta) cerradura, chapa; (nav) esclusa, (V) represa; (aire) esclusa; (ch) junta plegada; (fc) enclavamiento; v (puerta) cerrar con llave; (nav) esclusar; (mec) enclavar; (ruedas) trabar, trabarse.
—— **canal,** canal con esclusas.
—— **case** (hw), caja de la cerradura.
—— **chamber** (nav), cámara o cuenco de esclusa.
—— **cock** (p), llave de cierre con candado.
—— **gate** (nav), portillo, compuerta o puerta de esclusa.
—— **head** (nav), cabeza o cabecero de esclusa.

—— **nut,** contratuerca, tuerca inaflojable o de seguridad o de sujeción o de apriete; (tub) tuerca.
—— **rail** (door), travesaño o peinazo de la cerradura.
—— **ring** (tire), anillo de cierre o de retén.
—— **set** (hw), juego de cerradura.
—— **sill** (nav), busco, umbral, batiente, (U) zócalo.
—— **stile** (door), larguero de cerradura, montante de la cerradura.
—— **strike** (hw), hembra de cerrojo.
—— **tender** (tun)(nav), esclusero.
—— **trim** (hw), guarnición de cerradura.
—— **washer,** arandela fiador o de presión o de seguridad.
Lock-bar pipe (trademark), tubería de barra enclavada, (Col) tubería de barra de seguridad, (A) tubería de barra de cierre.
lock-joint calipers, calibre de articulación ajustable.
lock-nut bushing (elec), boquilla de tuerca fiadora, buje de contratuerca.
lock-seam pipe, tubería de costura engargolada.
lock-shield valve, válvula con manguito sobre el vástago para maniobra por llave.
lockage, esclusaje; derechos de esclusa.
Locke level, nivel de mano.
locked-coil cable, cable de espira cerrada, cable arrollado con encaje, (Es) cable cerrado.
locked-wire cable, cable de alambres ajustados.
lockful (nav), esclusada.
locking, s cerradura; enclavamiento; trabadura; esclusado; a trabador, cerrador.
—— **connector** (elec), conector cerrador.
—— **gear,** engranaje trabador.
—— **handle** (auto), manija con cerradura.
—— **relay** (elec), relai enclavador o fijador.
—— **sheet** (rr), planilla del enclavamiento.
lockout, cierre, huelga o paro patronal; cierre eléctrico.
lockscrew, tornillo seguro o de traba.
locksmith, cerrajero.
locksmith's shop, cerrajería.
locksmithing, cerrajería.
locomobile n a, locomóvil.
locomotive, locomotora.
—— **crane,** grúa locomotora, pescante locomóvil, (A) guinche de carril, grúa de vía.
—— **engineer,** maquinista, conductor de locomotora, (A) maquinista conductor.
—— **fireman,** fogonero.
locomotive-type boiler, caldera tipo locomotora; caldera locomóvil.
locus, lugar geométrico.
locust (lbr), algarrobo, robinia.
lode, filón, veta, vena, venero.
lodestone, piedra imán, magnetita.
lodgepole pine, pino alerce.
loess (geol), loes, marga.
lofting template (sb), gálibo de ajuste.
loftsman (sb), galibador.
log, s (mad) tronco, troza. toza, leño, rollo, rollizo, madero cachizo, (V) rola; (náut) corredera; (libro) registro, diario; (geof) per-

fil, registro; v tumbar, extraer madera; registrar.

—— anchor, tronco de ancla, muerto.

—— boat, rastra, narria.

—— boom, viga flotante, cadena de troncos, barrera o estacada flotante.

—— calipers, calibre para troncos.

—— carriage (sa), carro para troncos.

—— chute, conducto de troncos, (M) rápida para troncos.

—— dump (lg), tiradero, depósito; muelle, embarcadero; descargador de troncos.

—— frame, sierra múltiple para hacer tablas.

—— haul-up rig (sa), montatrozas.

—— jack, rampa de entrada al aserradero.

—— maker (lg), trozador.

—— measure, medida para troncos.

—— of borings, registros de perforación.

—— rule, regla para apreciar troncos.

—— run (lbr), de todo el tronco, tal como sale del aserradero.

—— scale, escala para apreciar los pies de tabla en los troncos.

—— skidder, máquina arrastradora de troncos.

—— slide, conducto de troncos.

—— slip (sa), rampa de entrada.

—— sluice, canal de flotación, portillo de flotación de maderas, paso de maderadas, esclusa para armadías, (M) rápida para troncos.

—— turner (sa), volteador de trozas.

logarithm, logaritmo.

logarithmic, logarítmico.

—— decrement, decremento logarítmico.

—— sine, seno logarítmico.

logbook, registro.

logger, maderero, explotador forestal; (maq) cargadora de troncos.

logging, explotación forestal o maderera, aprovechamiento forestal; registro.

—— arch, grúa transportadora de troncos, arco forestal o para troncos, cabria transportadora de troncos.

—— machinery, maquinaria de explotación forestal.

—— sled, trineo doble.

—— splice (cab), ayuste de maderero.

—— sulky, véase logging wheels.

—— thimble, guardacabo de maderero.

—— wheels, dos ruedas grandes con eje para transporte de troncos, (Ch)(M) diablo, (AC) troque.

logway, (hid) conducto para troncos; (as) rampa de entrada.

long, largo.

—— chord (rr), cuerda larga.

—— elbow (p), codo abierto o largo.

—— hundredweight, 112 lib.

—— measure, medida de longitud.

—— nipple (p), entrerrosca larga, niple largo.

—— quarter bend (p), codo de 90° con un brazo extendido.

—— shunt (elec), larga derivación.

—— splice (cab), ayuste o empalme largo.

—— ton, tonelada bruta o larga.

long-handle shovel, pala de mango largo.

long-nose pliers, tenacillas de punta larga, alicates narigudos.

long-oil varnish, barniz de alto aceite.

long-pitch chain (flat link), cadena de paso largo.

long-radius elbow (p), ele de curva abierta, codo suave o de curva alargada.

long-sweep bend (p), curva abierta o suave.

long-tangent elbow (p), codo de tangente larga.

long-term debt, deuda a largo plazo.

long-wire antenna, antena larga.

longitude, longitud.

longitudinal, longitudinal.

—— bracing, arriostramiento longitudinal.

—— chromatic aberration (pmy), aberración cromática longitudinal.

—— relief (drill), ahusado al revés.

—— section, corte o sección longitudinal.

—— shear, esfuerzo cortante longitudinal, (Es) tronchadura longitudinal.

longleaf pine, pino de hoja larga o de fibra larga.

longshoreman, estibador.

longwall (min), frente largo de ataque, frente corrido.

—— system (min), arranque del filón entero (sin dejar pilares).

loom (elec), conducto fibroso flexible.

loop n, lazo, gaza; (eléc) curva cerrada, espira, circuito cerrado; (fc) ramal cerrado, vía de circunvalación; (lab) lazo; (ra) antinodo, (Es) comba.

—— antenna (ra), antena de lazo o de cuadro, (Es) antena de vientre.

—— in (elec), conectar en circuito.

—— rod, tirante ojaladò, barra de argolla.

—— splice, ayuste de ojal.

—— test (elec), prueba de lazo.

—— traverse, trazado cerrado.

loose, desatado; suelto; flojo.

—— cement, cemento a granel.

—— coupler (ra), acoplador ajustable.

—— coupling (elec), acoplamiento débil o incompleto, (Es) acoplamiento flojo.

—— fit, ajuste holgado o con holgura.

—— flange, platillo suelto, brida loca, (C) brida postiza.

—— ground, tierra suelta, terreno flojo.

—— knot (lbr), nudo vicioso o flojo.

—— pulley, polea loca.

—— rivet, remache flojo.

—— rock, roca suelta o floja.

loose-hook block, notón de gancho libre.

loose-leaf field book, cuaderno de hojas sueltas.

loose-pin butt, bisagra de pasador suelto.

loose-powder fuse (bl), mecha de pólvora suelta.

loose-tongue joint (carp), unión de lengüeta postiza.

loosen, aflojar, soltar, desatar, desagarrar, desapretar; aflojarse, desatarse, soltarse.

lorry, autocamión.

lose prime, descebarse.

loss (all senses), pérdida.

—— factor (elec), factor de pérdida.

—— of head (hyd), pérdida de carga.

—— of prime (pu), descebamiento.

—— on ignition, pérdida por ignición, (Es) pérdida al fuego.

loss-of-head gage (hyd), indicador de pérdida de carga.

losser circuit (ra), circuito amortiguador.

lost motion, juego muerto o en vacío, movimiento perdido, marcha muerta.

lost-wax casting, vaciado a cera perdida.

lot, (cantidad) lote; (terreno) solar, lote.

loudness level (ra), nivel de intensidad de sonido, nivel de ruido.

loudspeaker, altoparlante, altavoz, parlante, (M) magnavoz.

louver, lucerna, lumbrera, persiana, rejilla de ventilación, (U) celosía de ventilación.

—— boards, tablas pluviales.

—— shutter (pmy), obturador de persiana o de cortinilla.

low, bajo.

—— brass, latón pobre en cinc.

—— definition (tv), baja definición, definición escasa.

—— explosive, explosivo lento o no detonante, pólvora negra.

—— frequency, baja frecuencia.

—— gear (auto), engranaje de baja o de baja velocidad.

—— head (hyd), salto bajo, baja carga, caída baja.

—— heat of hardening (ct), bajo calor de endurecimiento.

—— oblique photograph (pmy), fotografía oblicua sin horizonte sensible.

—— powder (bl), explosivo intermedio, explosivo lento detonante, compuesto de pólvora negra con nitroglicerina.

—— pressure, baja presión.

—— speed (auto), primera velocidad.

—— temper (met), temple suave.

—— tension (elec), baja tensión.

—— tide, marea baja, bajamar.

—— water, estiaje, aguas estiales o mínimas, corriente baja, mengua, aguas bajas, bajante; marea baja.

low-alkali cement, cemento de bajo álcali.

low-alloy steel, acero de aleación pobre.

low-angle fault (geol), falla de inclinación tendida (menor de 45°).

low-bed trailer, remolque de plataforma baja.

low-carbon steel, acero dulce o suave o de bajo carbono.

low-density dynamite, dinamita de baja densidad.

low-freezing explosive, explosivo de bajo punto de congelación.

low-grade ore, mineral pobre o de baja ley.

low-gravity battery (elec), acumulador de baja gravedad, batería con electrólito de baja densidad.

low-heat cement, cemento de bajo calor de fraguado.

low-heat-duty firebrick, ladrillo ligeramente refractario.

low-heat-level evaporator, evaporador a temperatura baja (210°F).

low-impedance tube (ra), válvula de baja impedancia.

low-lift pump, bomba de carga baja.

low-loss condenser (ra), condensador de bajas perdidas.

low-melting alloy, aleación de punto bajo de fusión.

low-octane rating, de bajo octanaje, de bajo índice octánico.

low-pass filter (ra), filtro de paso bajo, (A) filtro pasa-bajos.

low-pressure turbine, turbina de baja presión.

low-shrink a, de baja contracción.

low-speed engine, motor lento.

low-speed jet (auto), surtidor de baja.

low-tension, véase low-voltage.

low-volatile coal, carbón poco volátil.

low-voltage protection, protección de bajo voltaje.

low-voltage transformer, transformador de baja tensión.

low-water alarm (bo), alarma de falta de agua.

low-water mark, línea de aguas mínimas; línea de bajamar.

lower, v bajar, arriar, abatir; a inferior.

—— berth (rr), litera baja, cama inferior.

—— chord (tu), cuerda o cordón inferior.

—— flange (gi), ala o cordón inferior.

—— floor, piso bajo.

—— parallel plate (transit), placa paralela inferior.

—— side band (ra), banda lateral inferior.

lowering speed, velocidad de descenso.

lowland, hondonada, tierra baja, hoyada, bajío, (PR) bajura.

loxodromic curve (pmy), curva loxodrómica.

lube oil, aceite lubricante.

luber, máquina lubricadora.

lubricant, lubricante, lubrificante.

lubricate, lubricar, lubrificar, engrasar, aceitar.

lubricating oil, aceite lubricante o de engrase.

lubrication, lubricación, lubrificación, engrase, aceitado, aceitaje.

—— limit (soil), límite de lubricación.

lubricator, lubricador, lubrificador, aceitador; lubricante.

lubricity, lubricidad, aceitosidad.

lubrifaction, lubrification, lubricación, lubrificación.

luff v (de), amantillar.

—— tackle, aparejo de combés.

luffing engine (de), máquina de amantillar.

lug n, (mec) oreja, uña, talón, aleta, tetón, lengüeta; tope; (eléc) talón, asiento; (neumático) taco.

—— bar (reinf), barra de orejas.

—— brick, ladrillo pavimentador con talones separadores.

—— hook, tenazas para maderos.

—— shank (drill steel), espiga de reborde.

—— sill (bldg), umbral empotrado en las jambas.

—— splice (elec), empalme de aletas.

—— terminal (elec), terminal de oreja.

—— tire, neumático de orejas.

lumber, madera.

—— crayon, creyón de marcar, lápiz de tiza o de maderero.

—— dealer, maderero, maderista.

—— kiln, horno de secar madera.

—— **market,** mercado maderero.

—— **rule,** regla para calcular pies de tabla.

—— **shed,** galpón de maderas, (Ch) barraca de maderas.

lumber-core plywood, madera laminada con alma maciza.

lumbering, explotación de bosques, aprovechamiento forestal, beneficio de madera, explotación o industria maderera.

lumberjack, maderero.

lumberman, maderero.

lumberyard, maderería, depósito de madera, (Ch) barraca de madera, (A) corralón de madera.

lumbricoid (sen), lumbricoide.

lumen (il), lumen.

lumen-hour, lumen-hora.

Lumiline (trademark)(il), lumilina.

luminaire, unidad de iluminación.

luminescence, luminiscencia.

luminescent, luminiscente.

luminiferous, luminífero.

luminometer (il), iluminómetro, (Es) lumen-metro.

luminosity, luminosidad, brillantez.

—— **factor,** coeficiente de luminosidad.

luminous, luminoso.

—— **efficiency,** rendimiento luminoso o lumínico.

—— **flux,** flujo luminoso.

—— **intensity,** intensidad luminosa o lumínica.

—— **power,** flujo luminoso, potencia lumínica.

—— **sensitivity** (ra), sensibilidad luminosa.

—— **source,** fuente luminosa.

Lumnite cement (trademark), cemento de alúmina de fraguado rápido.

lump (ct)(earth), terrón.

—— **coal,** carbón bituminoso de más de 4 pulg.

—— **lime,** cal viva como sale del horno.

—— **sum,** suma alzada, precio alzado o global, cifra global, (C) precio englobado.

lump-sum

—— **bid,** propuesta a suma alzada.

—— **contract,** contrato a precio global o a suma alzada.

—— **item,** partida global.

lunar, lunar.

lunation, lunación.

lunicurrent (ti), lunicorriente.

lunitidal interval, intervalo entre tránsito de la luna y pleamar siguiente.

luster (miner), brillo, lustre.

lute, arcilla para junturas, potea; (herr) raedera, rastr.

lux (il), lux, metro-bujía.

lyddite, lidita (explosivo).

lydite (miner), lidita.

lye, lejía.

Lynite (trademark), aleación de aluminio, magnesio, cobre y hierro.

lysimeter, lisímetro.

M.C.B. coupler (rr), enganche de la Sociedad de Maestros Constructores de Carros.

macadam, macádam.

—— **aggregate** (rd), agregado grueso de tamaño uniforme.

macadamize, macadamizar.

macadamizing hammer, martillo para picar piedra.

macerate, macerar.

macerator, macerador.

machete, machete, (F) bolo, (AC) chafirro.

machinability, labrabilidad, fresabilidad.

machinable, labrable, fresable.

machine, *s* máquina; *v* fresar, labrar, tornear, ajustar.

—— **bit,** mecha de espiga redonda para madera.

—— **bolt,** perno común, perno o bulón ordinario, (A) bulón, (C) tornillo de máquina.

—— **brad,** puntilla de máquina (para uso con la máquina de clavar pisos de madera dura).

—— **burn** (lbr), mancha debida al calor de la acepilladora.

—— **oil,** aceite para maquinaria.

—— **reamer,** escariador corriente de máquina-herramienta.

—— **screw,** tornillo para metales.

—— **shop,** taller mecánico o de mecánica, taller, (Ch) maestranza, (PR) taller de máquinas.

—— **steel,** acero para maquinaria.

—— **tap,** macho girado mecánicamente.

—— **tools,** máquinas-herramientas, herramientas mecánicas.

—— **vise,** morsa de máquina-herramienta.

—— **wrench,** llave de ajustador.

machine-banded pipe, tubería de duelas zunchada mecánicamente.

machine-cut gears, engranajes fresados.

machine-cut thread, rosca fresada a máquina.

machine-dressed bit, barrena afilada a máquina.

machine-head rivet, remache de cabeza cilíndrica.

machine-laid (rd), nivelado mecánicamente.

machine-made, hecho a máquina.

machine-mixed, mezclado mecánicamente.

machine-tooled (mas), labrado a máquina.

machined bolt, perno torneado.

machinery, maquinaria, mecánica.

machining, labrado, fresado, (A) ajustaje.

machinist, mecánico, ajustador.

machinist's hammer, martillo de ajustador.

machinist's vise, tornillo de mecánico.

macrocrystalline (geol), macrocristalino.

macrograph, macrógrafo.

macroseism, macrosismo, terremoto severo.

macroseismic, macrosísmico.

macrostructure, macroestructura.

made land, terreno de relleno, tierra transportada.

magazine, (vol) polvorín, depósito de explosivos, almacén de pólvora, (U) magazín; almacén (cámara fotográfica).

maggot (sen), cresa.

magic eye (ra), indicador de sintonización, (M) ojo mágico.

magistral (met), magistral.

magma (geol), magma.

—— **basalt,** magma basáltico.

magmatic, magmático.

Magnaflux (trademark)(met), sistema de inspección magnética.
Magnalite (trademark), aleación de aluminio, magnesio, cobre y otros metales.
magnalium (alloy), magnalio.
magnesia, magnesia, óxido de magnesio.
—— **cement,** cemento magnésico o de magnesia.
magnesian, magnesiano.
—— **limestone,** dolomía, caliza magnesiana.
magnesic, magnésico.
magnesite (miner), magnesita, carbonato de magnesio nativo.
—— **brick,** ladrillo refractario de magnesita.
—— **flooring,** piso de compuesto magnésico.
magnesium, magnesio.
—— **carbonate,** carbonato magnésico, (miner) magnesita.
—— **chloride,** cloruro magnésico o de magnesio.
—— **hydroxide,** hidróxido de magnesio, (miner) brucita.
—— **lime,** cal pobre.
—— **oxide,** óxido de magnesio, magnesia.
—— **sulphate,** sulfato de magnesio, epsomita.
magnesium-base alloy, aleación de magnesio o a base de magnesio.
magnet, imán, (Ch) magneto.
—— **crane,** grúa para imán levantador.
—— **wire,** alambre para imanes.
magnetic, magnético.
—— **amplifier** (ra), amplificador magnético.
—— **anomaly** (geop), anomalía magnética.
—— **axis,** eje magnético.
—— **battery,** imán laminado.
—— **bearing,** rumbo magnético, marcación magnética.
—— **blowout,** soplo o apagachispas magnético.
—— **brake,** freno magnético o de solenoide.
—— **bridge,** puente magnético, puente medidor de permeabilidad.
—— **chuck,** mandril electromagnético.
—— **circuit,** circuito magnético, recorrido del flujo magnético.
—— **clutch,** embrague electromagnético o magnético.
—— **compensator** (naut), neutralizador de atracción local.
—— **component** (ra), componente electromagnética.
—— **conductivity,** conductividad magnética, permeabilidad.
—— - **contactor,** contactor magnético, contactador electromagnético.
—— **couple,** par magnético.
—— **creeping,** histéresis viscosa.
—— **curves,** curvas de fuerza magnética.
—— **cycle,** ciclo de imanación.
—— **damping,** amortiguación magnética.
—— **declination,** declinación o variación magnética.
—— **deviation,** desviación magnética o de la brújula.
—— **dip,** inclinación magnética o de la brújula.
—— **disturbance** (compass), perturbaciones magnéticas.
—— **doublet,** doblete o dipolo magnético.
—— **equator,** ecuador magnético, línea aclínica.

—— **explorer,** bobina de prueba.
—— **field,** campo magnético.
—— **flux,** flujo inductor o magnético.
—— **flux density,** densidad de flujo magnético, inducción magnética.
—— **force,** fuerza o intensidad magnética.
—— **friction,** fricción magnética; histéresis magnética.
—— **high** (geop), máximo magnético.
—— **inclination,** inclinación magnética o de la brújula.
—— **induction,** inducción magnética, densidad de flujo magnético.
—— **intensity,** intensidad o fuerza magnética, densidad de flujo magnético.
—— **iron ore,** magnetita.
—— **iron oxide,** óxido ferrosoférrico.
—— **lag,** atraso o retardo de imanación.
—— **latitude,** inclinación de la brújula.
—— **leakage,** dispersión magnética.
—— **limit,** límite de temperatura para imanación.
—— **low** (geop), mínimo magnético.
—— **needle,** aguja magnética o imanada.
—— **oxide,** óxido magnético o ferrosoférrico.
—— **parallel,** línea isóclina.
—— **permeability,** permeabilidad magnética, permeabilidad.
—— **pickup** (ra), fonocaptor magnético.
—— **pyrites,** pirita magnética, pirrotita, pirrotina.
—— **remanence,** magnetismo remanente.
—— **resistance,** reluctancia, resistencia magnética.
—— **resistivity,** reluctancia específica, resistividad magnética.
—— **retardation,** atraso de imanación.
—— **screen,** blindaje antimagnético, pantalla magnética.
—— **separator,** separador de imán, separadora magnética.
—— **shield,** véase **magnetic screen.**
—— **slope** (geop), pendiente magnética.
—— **speaker,** altoparlante magnético.
—— **strength,** véase **magnetic force.**
—— **survey,** estudio o levantamiento magnético.
—— **susceptibility,** susceptibilidad magnética, susceptibilidad.
—— **variation,** declinación o variación magnética.
—— **variometer,** magnetómetro.
magnetic-armature loudspeaker, altoparlante electromagnético.
magnetic-drag brake, dinamómetro de retraso magnético.
magnetics, magnética.
magnetism, magnetismo.
magnetite, magnetita (mineral de hierro).
—— **arc lamp,** lámpara de arco con cátodo de magnetita.
—— **sand filter** (wp), filtro de magnetita triturada.
magnetizable, magnetizable.
magnetization, imanación, magnetización, imantación.
magnetize, imanar, magnetizar, imantar.
magnetizer, imanador.
magnetizing force, fuerza magnetomotriz.
magneto, magneto, magneto alternador.

—— **alternator,** magneto alternador.
—— **ignition,** encendido por magneto.
magnetodynamo, magneto.
magnetoelectric, magnetoeléctrico.
magnetogenerator, magneto alternador, magneto.
magnetometer, magnetómetro.
magnetometry, magnetometría.
magnetomotive, magnetomotor, magnetomotriz.
—— **force,** fuerza magnetomotriz.
—— **gradient,** gradiente magnetomotriz.
magnetophone, magnetófono.
magnetoscope, magnetoscopio.
magnetostriction, magnetoestricción.
magnetostrictive, magnetoestrictivo.
magnetron (ra), magnetrón.
magnification (pmy), amplificación, magnificación.
—— **factor** (vibration), factor de amplificación.
magnifier (all senses), aumentador, aumentadora, amplificador.
magnifying glass, lente, (A)(V) lupa.
magnifying stereoscope, estereoscopio magnificador.
magnitude, magnitud.
magnolia (lbr), magnolia.
—— **metal,** metal antifricción—plomo 78%, antimonio 16%, estaño 6%, metal magnolia.
mahogany, caoba (madera); caobo (árbol).
mail crane (rr), agarrabolsas.
main *n*, (tub) tubo o cañería matriz, tubería madre o maestra; (eléc) conductor principal.
—— **beam** (sb), bao maestro.
—— **bearing,** cojinete principal.
—— **cable** (cy), cable portador.
—— **canal** (irr), acequia madre o principal, canal maestro o troncal, (Pe) canal madre.
—— **deck** (sb), cubierta principal.
—— **ditch,** zanja maestra; acequia principal.
—— **floor,** primer piso, planta baja.
—— **jet** (auto), surtidor principal o de potencia.
—— **leaf** (spring), hoja maestra.
—— **line** (rr), vía férrea troncal.
—— **phase** (elec), fase principal.
—— **road,** camino troncal o real, carretera matriz.
—— **sewer,** cloaca maestra, albañal madre, colector cloacal.
—— **shaft,** (maq) árbol o eje principal; (min) pozo maestro.
—— **switch** (elec), interruptor principal.
—— **track** (rr), vía principal o de recorrido.
main-line engine (de), máquina de izar.
mainmast, palo mayor.
maintain, conservar, mantener.
maintainer, conservadora caminera.
maintenance, conservación, manutención, mantenimiento, mantención, (C) sostenimiento, (Es) entretenimiento.
—— **charges,** gastos de conservación.
—— **of equipment,** conservación de equipo, manutención de material móvil.
—— **of way,** conservación de la vía, mantención de vía.
—— **of way and structures,** conservación de vía y obras, mantención de la vía y estructuras.

major *a*, mayor, principal.
—— **axis,** eje mayor.
—— **diameter** (th), diámetro máximo o exterior o mayor.
—— **head** (hyd), carga principal.
—— **hydraulic radius,** radio hidráulico principal.
—— **principal stress,** esfuerzo principal primero.
make, *s* marca; *v* hacer; fabricar; ganar.
—— **fast,** amarrar, abitar.
make-and-break, distribuidor de encendido, conjuntador-disruptor.
make-up water (bo), agua de reemplazo o de complemento o de rellenar.
making, hechura, fabricación.
—— **iron,** herramienta de calafatear.
malachite, malaquita (mineral de cobre).
malaria, paludismo, malaria.
—— **parasite,** parásito palúdico o del paludismo.
malarial, palúdico.
malchite (geol), malquita.
male (mech), macho.
—— **and female,** macho y hembra.
—— **gage,** calibrador macho, calibre interior.
—— **pivot,** gorrón, muñón.
—— **thread,** filete o rosca macho.
mall (rd), faja elevada entre dos calzadas.
malleability, maleabilidad, forjabilidad.
malleable, maleable, forjable.
—— **cast iron,** fundición maleable.
—— **casting,** fundición maleable.
—— **iron,** hierro maleable o forjable.
malleableize, maleabilizar.
mallet, mazo, maceta, maza, mallete.
Mallet locomotive, locomotora articulada.
maltase (sen), maltasa.
maltha, especie de brea mineral.
man *v*, tripular.
—— **cage** (min), camarín para trabajadores.
—— **lock** (tun), esclusa para trabajadores.
—— **power,** fuerza de brazos.
management, dirección, administración.
—— **fee,** honorario por administración.
manager, administrador, gerente.
manager's office, gerencia, administración.
mandrel, (mh) mandril, husillo; (si) árbol, eje; (tub) mandril, alineador, raspatubos.
—— **lathe,** torno para formar chapa metálica.
—— **press,** prensa para asentar mandriles.
maneuverability (ce), maniobrabilidad.
maneuverable (ce), maniobrable.
manganate, manganato.
manganblende (manganese ore), alabandita.
manganeisen, aleación de hierro y manganeso.
manganese, manganeso.
—— **bronze,** bronce manganésico.
—— **dioxide,** peróxido o bióxido de manganeso.
—— **epidote,** epidoto manganésico, piamontita.
—— **oxide,** óxido de manganeso; peróxido de manganeso.
—— **spar,** espato de manganeso (rodonita o rodocrosita).
—— **steel,** acero manganésico o al manganeso.
—— **zeolite,** zeolita manganésica.
manganic, mangánico.
—— **oxide,** óxido mangánico, sesquióxido de manganeso.

manganiferous, manganesífero.

manganin (alloy), manganina.

manganite, (quím) manganito; manganita (mineral de manganeso).

manganous sulphate, sulfato manganoso.

mangle rolls (sb), laminador enderezador, cilindros de enderezar.

mangrove, mangle.

—— swamp, manglar.

mangum terrace, terraza mangum.

manhead, boca de registro.

manhole, (al) pozo de visita, registro de inspección, pozo de acceso, boca de inspección, caja de registro, pozo de entrada, cámara de visita, (Pe) buzón; (tún) nicho; (cal) boca de acceso, agujero de hombre, (M) puerta de hombre.

—— capstan (elec), molinete de pozo.

—— chimney, pozo de entrada.

—— coaming (sb), marco o brazola de registro.

—— cover, tapa del registro o de pozo, (Pe) tapa de buzón.

—— frame, marco de pozo.

—— head, cabecero de pozo.

—— hook, gancho alzador de tapa, gancho saca-tapa.

—— step, escalón de barra, peldaño de registro, escalón de hierro en U, (Pe) paso de buzón, (Es) pate de registro, (Ch) escalín.

manifold n (mech), tubo múltiple, múltiple, distribuidor.

—— header, colector de tubos.

—— heater (auto), calorífero en el múltiple de escape.

—— valve (pet), válvula de distribución.

Manila

—— hemp, abacá.

—— paper, papel de Manila.

—— rope, cable o cabo Manila, cuerda de cáñamo, cable de abacá, soga, (Ch) jarcia, (V) mecate de Manila.

manipulator (mech), manipulador.

Manning's formula (hyd), fórmula de Manning.

manometer, manómetro.

manometric, manométrico.

manostat, manóstato.

mantissa, mantisa.

mantle (geol), regolita, manto.

mantle-rock, roca suelta sobre la roca viva, manto.

manual n a, manual.

—— blocking (rr), bloqueo manual.

—— controller (elec), combinador de mano.

—— cutout (elec), cortacircuito de mano.

—— labor, trabajo manual.

—— operation, maniobra manual (no automática).

—— rates (ins), tipos de premio según el manual de los aseguradores.

—— switch (elec), interruptor de mano.

manufacture, s fabricación, manufactura, (M) elaboración; v fabricar, manufacturar, labrar.

manufactured head (re), cabeza de la fábrica.

manufacturer, fabricante, manufacturero; industrial.

manuscript map, dibujo original del mapa.

manway, pozo de acceso; pasaje angosto.

—— raise (min), contracielo de acceso.

map, s mapa, carta geográfica, planimetría; v levantar un plano, hacer mapas.

—— measure, medidor para mapas.

maple, arce, meple, ácer.

mapping, levantamiento de planos, planimetría.

—— camera, cámara cartográfica.

—— pen, pluma de cartógrafo.

marble, mármol.

—— contractor, marmolero.

—— dust, marmolina.

—— setter, marmolista, (A) marmolero.

—— shop, marmolería.

—— work, marmolería.

marc (su), fibra.

marcasite (miner), marcasita, pirita blanca.

marekanite (geol), marecanita.

mareograph, mareógrafo.

margarodite, margarodita (mica).

margin (twist drill), margen.

—— of safety, margen de seguridad.

marginal, marginal.

—— beam, viga exterior o marginal.

—— ditch, foso de cintura, zanja de circunvalación.

—— fault (geol), falla marginal.

—— land, terreno marginal.

—— wharf, muelle marginal, atracadero paralelo.

marigram, mareograma.

marigraph, mareógrafo, mareómetro registrador.

marigraphic, mareográfico.

marina n, dársena para embarcaciones menores, marina.

marine a, marino, marítimo.

—— airport, aeropuerto marítimo.

—— borer, tiñuela, broma, (M) polilla de mar.

—— engineer, ingeniero naval o marino; maquinista naval.

—— engineering, ingeniería marina.

—— glue, cola marina.

—— hardware, herrajes marinos.

—— insurance, seguro marítimo.

—— railway, vía de carena.

—— risk, riesgo marítimo, riesgos del mar.

—— underwriters, aseguradores contra riesgos marítimos.

—— valve, válvula para servicio de buques.

—— varnish, barniz marino.

mariner's compass, brújula marítima, aguja de marear, compás de mar.

maritime, marítimo.

mark, s marca; v marcar.

—— boundaries, alindar, deslindar, (AC) alinderar.

—— out, agramilar, aparejar, trazar; localizar.

marker, indicador; marcador; (ef) aparejador; (ca) rayadora.

—— beacon, radiofaro o faro marcador.

—— lamp (rr), lámpara de cola.

—— light (ap), farol marcador.

market, plaza; mercado; (ef) cantidad de madera en un tronco de 13 pies de largo con diámetro mínimo de 19 pulg.

—— price, precio corriente o de plaza, costo en plaza.
—— rate, tipo del mercado.
—— value, valor en plaza.
marking, marca.
—— awl, lesna de marcar, punta de trazar, trazador.
—— brush, pincel de marcar.
—— caliper, calibre trazador.
—— crayon, creyón de marcar.
—— gage, gramil.
—— hammer (lg), martillo de marcar.
—— iron, abecedario para marcar, ferrete.
—— pin (surv), aguja de agrimensor o de cadeneo, (A)(M) ficha.
—— wave (tel), onda marcadora.
marl, marga, arcilla calcárea, (A) marna.
marline, merlín, filástica.
marline-clad rope, cable de alambre revestido de merlín.
marlinespike, pasador de cabo, ayustadera, burel.
marlite, marlita.
marly, margoso.
marry (naut), hacer ayuste largo.
marsh, pantano, marjal, bajial, aguazal, ciénaga, fangal.
—— gas, gas de los pantanos, metano.
marshy, pantanoso, cenagoso, palustre.
marteline, martellina.
martensite (met), martensita.
martensitic, martensítico.
mash welding, soldadura de estampado.
mask, s máscara, careta; v enmascarar.
masked valve, válvula con deflector.
masking edge, borde de obturación.
mason, albañil, mampostero, alarife.
mason's
—— hammer, martillo de albañil, piqueta.
—— helper, peón de albañil, (M) zoquitero.
—— hydrate, cal hidratada.
—— level, nivel aplomador o de albañil.
—— trap, sumidero.
masonite (miner), masonita.
Masonite (trademark), tabla artificial para edificación.
masonry, mampostería, albañilería, fábrica.
—— dam, presa de mampostería, presa fabricada, dique de albañilería, (M) cortina de mampostería.
—— nail, clavo para albañilería.
—— structures (rr or canal), obras de arte.
mass, masa; macizo.
—— concrete, concreto macizo, hormigón en masa.
—— curing, curado en masa.
—— curve, curva de volúmenes acumulados.
—— diagram, (hid) diagrama de acumulación o de masas; (ot) diagrama de volúmenes.
—— excavation, excavación en masa, (M) excavación a granel.
—— number (chem), número de masa.
—— production, fabricación de artículos idénticos en gran cantidad, producción en masa, fabricación en serie.
—— specific gravity, peso específico de masa.

massecuite (su), masacocida.
massicot, masicote.
massive, macizo.
mast, mástil, palo, árbol; (eléc) poste.
—— arm, brazo, pescante, aguilón.
—— bail (de), estribo del mástil.
—— bottom (de), accesorio que sostiene el mástil sobre la rangua.
—— bracket (de), ménsula del mástil.
—— collar (sb), collar de mástil.
—— hole (sb), fogonadura.
—— step, (gr) portamástil (a veces la quicionera se llama mast step); (cn) carlinga.
—— table (sb), asiento de los aguilones.
—— top (de), sombrerete del mástil.
master, s maestro; a maestro, principal.
—— bushing, buje maestro.
—— carbuilders, maestros constructores de carros.
—— carpenter, carpintero maestro.
—— clutch, embrague principal o maestro.
—— controller, combinador de gobierno; controlador maestro.
—— cylinder (auto), cilindro maestro (freno hidráulico), cilindro principal.
—— die, matriz maestra o de comparación, matriz-patrón.
—— gage, calibre maestro o patrón o de comparación.
—— gate (pet), válvula maestra.
—— gear, engranaje maestro.
—— key, llave maestra o de paso.
—— level tube (pmy), tubo de burbuja maestro.
—— lode, filón principal.
—— map, mapa original o maestro.
—— mason, maestro albañil.
—— mechanic, jefe mecánico, contramaestre; maestro mecánico.
—— meter, contador principal; contador maestro.
—— oscillator (ra), oscilador maestro.
—— pile, tablestaca maestra.
—— plan, plan o plano maestro.
—— plumber, maestro plomero.
—— screw, tornillo maestro.
—— service (elec), derivación maestra (para servicio de varios edificios).
—— switch, conmutador de gobierno; interruptor maestro o principal.
—— tap, macho maestro de roscar.
—— thermostat (ac), termóstato maestro o piloto.
—— valve, válvula maestra.
—— workman, maestro.
master-keyed (hw), amaestrado.
masthead, (cn) tope; (pet) remate de torre.
mastic, mástique, (V) masilla.
masticator, máquina picadora.
mastodon locomotive, locomotora mastodonte.
mat, (hid) platea, zampeado; (ed) losa de cimiento, carpeta de fundación; (bl) estera; (náut) pallete, empalletado; (or) estera; (ca) capa.
—— finish, acabado mate.
—— reinforcement, armadura de malla.
mat-surface glass, vidrio mate.
match v (rivet holes), coincidir.
—— box (bl), caja para mechas.

—— **head** (bl), dispositivo de encendido.
—— **hooks**, gancho doble, ganchos gemelos.
match-hook block, motón con ganchos gemelos.
matched (lbr), machihembrada.
—— **and plowed** (lbr), machihembrada y rebajada.
—— **impedance** (ra), impedancia equilibrada.
—— **lumber**, madera machihembrada.
—— **siding** (carp), tablas machihembradas para forro de casas.
matcher, máquina machihembradora.
—— **head**, portacuchillas de machihembrar.
matching plane, machihembra, cepillo machihembrador.
matchmark, *s* marca de guía; *v* contramarcar.
mate *v* (mech), hermanar; engranar; ajustar.
material, material.
—— **handling**, manejo o manipuleo de materiales.
—— **hoist**, montacarga, ascensor de materiales.
—— **lock** (tun), esclusa para escombros.
—— **yard**, corralón de materiales.
mathematical, matemático.
mathematics, matemáticas.
mating gage, contracalibre.
matrass, matraz.
matrix, (mec)(mat) matriz; (quím) aglomerante; (min) ganga.
matt-face brick, ladrillo mate.
matt-glazed tile, baldosa de vidriado mate.
matte (met), mata.
—— **finish** (pmy), acabado mate.
matter, materia.
mattock, zapapico, alcotana, piqueta, espiocha, (C) piocho.
mattress, (cons) colchón de concreto, placa de revestimiento; (r) defensa de ramaje con tejido de alambre.
maul, (hierro) mandarria, macho, combo; (madera) mazo, mandarria, maceta, porra, (M) abatanador, mallo, machota; (fc) martillo clavador de escarpias.
maximum, máximo.
—— **cutout**, interruptor de máxima intensidad.
—— **thermometer**, termómetro de máxima.
maximum-flow gage (sw), registrador de gasto máximo.
maxwell (elec), maxwell, (Pe) máxwel, (A) maxvelio.
maxwell-turn (elec), maxwell-vuelta.
Maxwell's law (elec), regla de Maxwell.
Mazda (trademark), mazda (lámpara de tungsteno).
meadow ore, especie de limonita.
mean (math), *s* medio, media; *a* medio.
—— **depth** (hyd), profundidad media.
—— **draft** (na), calado medio.
—— **effective pressure**, presión media efectiva.
—— **flow**, caudal medio.
—— **hemispherical candle**, media bujía hemisférica.
—— **high tide**, marea alta media, pleamar media.
—— **higher high tide**, pleamar media más alta.
—— **horizontal candle power** (il), intensidad luminosa horizontal.
—— **hydraulic radius**, radio medio hidráulico.
—— **low tide**, bajamar media.

—— **lower low water**, bajamar media más baja.
—— **proportional**, medio proporcional, promedio geométrico.
—— **sea level**, nivel medio del mar.
—— **solar time**, tiempo medio solar.
—— **spherical candle** (il), bujía media.
—— **tide**, marea media.
meander, *s* (r) vuelta, meandro; *v* (r) serpentear, serpear.
—— **corner** (surv), intersección del trazado con una línea de meandro.
—— **line** (surv), línea quebrada auxiliar, línea de meandro.
meandering, serpenteo, meandro.
measure, *s* medida; *v* medir, mensurar; aforar.
measures (min), formación carbonífera.
measured-in-place, (conc) medido en el lugar o en la obra; (ot) medido en corte.
measurement cargo (naut), carga que paga por cubicaje.
measurement ton (na), cabida de 40 pies cúbicos.
measurements, medidas, mediciones, mensuras; (hid) aforos.
measuring *n*, medición, medida.
—— **chain**, cadena de medir o de agrimensor.
—— **flume**, canal o canalizo medidor, canalón aforador.
—— **frame** (inst), marco de medición.
—— **pipet** (lab), pipeta medidora.
—— **pump**, bomba de medición o de dosaje.
—— **spark gap**, chispómetro, espinterómetro.
—— **tank**, tanque medidor.
—— **tape**, cinta para medir.
—— **weir**, vertedero medidor o aforador.
mechanic, mecánico, ajustador; artesano, oficial.
mechanical, mecánico.
—— **drawing**, dibujo mecánico.
—— **efficiency**, rendimiento mecánico.
—— **engineer**, ingeniero o técnico mecánico.
—— **engineering**, ingeniería o técnica mecánica.
—— **equivalent of heat**, equivalente mecánico del calor.
—— **hysteresis**, histéresis mecánica o elástica.
—— **mixture**, mezcla mecánica.
—— **stoker**, cargador, alimentador mecánico.
—— **template** (pmy), plantilla mecánica.
mechanical-atomizing burner, quemador mecánico.
mechanics, mecánica.
mechanism, mecanismo, mecánica.
mechanize, mecanizar.
medial moraine (geol), morena central.
median, mediana.
—— **strip** (rd), faja central, línea divisoria.
medical lock (tun), esclusa-hospital.
medium, *s* (mat) medio; (pint) vehículo, aceite; (quím) medio; *a* mediano.
—— **fit**, ajuste mediano.
—— **force fit**, ajuste forzado mediano.
—— **lamp holder** (elec), portalámpara de tamaño mediano (diám 1 pulg con 7 roscas por pulg).
—— **steel**, acero mediano o intermedio.
—— **temper**, temple mediano.
medium-curing cutback, asfalto mezclado con

kerosina, asfalto rebajado de curación mediana.

medium-fine, entrefino.

medium-hard, semiduro.

medium-hard-drawn wire, alambre estirado medio duro.

medium-sized, de tamaño mediano.

medium-speed motor, motor entrerrápido o de velocidad mediana.

medium-volatile coal, carbón de volatilidad mediana.

medullary ray (lbr), rayo medular.

meeting rail (lbr), travesaño de encuentro (ventana de guillotina).

meeting stile (casement), montante o larguero de encuentro.

megabar, megabara.

megacycle, megaciclo.

megadyne, megadina.

megaerg, megaergio.

megafarad, megafaradio.

megaphone, megáfono, portavoz.

megaline (elec), megalínea, megamaxwell.

megameter, megámetro.

megampere, megamperio.

megaseism, megasismo, terremoto violento.

megaseismic, megasísmico.

megavolt, megavoltio.

megawatt, megavatio.

megger (elec), megóhmmetro.

megohm, megohmio.

megohmit (inl), megohmita.

megohmmeter, megóhmmetro, megohmiómetro.

megotalc (inl), megotalco.

melanterite (miner), melanterita, caparrosa nativa.

melaphyre (geol), meláfido, meláfiro, roca ígnea porfídica.

melinite, melinita (explosivo).

mellow (soil), de consistencia muy floja.

melt, s (met) hornada, vaciada, colada, (M) lance; (az) derretido; v derretir, fundir; derretirse, deshelarse, fundirse.

melt-off rate (w), razón de fusión, fusión unitaria.

melter, fundidor, derretidor.

melting n, fundición, fusión, derretimiento.

—— **furnace,** horno de fusión, hornillo de fundir, horno para derretir.

—— **point,** punto de fusión o de derretimiento.

—— **pot,** olla para fundir, crisol.

—— **ratio** (w), relación de fusión.

member, socio; vocal; (est) pieza, miembro, elemento; (mec) órgano, pieza, parte.

membrane, membrana.

—— **curing** (conc), utilización de membrana para retención del agua, curación con membrana.

—— **waterproofing,** impermeabilización por membrana alquitranada.

mend (rd), resanar, bachear.

menhaden oil, aceite de pescado.

meniscus, menisco.

mensuration, medición.

mercaptan (chem), mercaptán, mercaptano.

mercaptide, mercáptido.

Mercator's projection, proyección de Mercator.

merchant, comerciante.

—— **bar,** barra comercial o de tamaño corriente.

—— **marine,** marina mercante.

—— **mill** (met), laminador de perfiles corrientes.

—— **pipe,** tubería corriente, (U) tubería mercante.

merchantable (lbr), comerciable.

Mercoid switch (trademark)(elec), interruptor de mercurio.

mercurial, mercurial.

—— **barometer,** barómetro de mercurio.

mercuric, mercúrico.

—— **chloride,** bicloruro de mercurio, sublimado corrosivo.

—— **oxide,** óxido mercúrico.

mercurous, mercurioso.

mercury, mercurio, azogue.

—— **arc,** arco por vapor de mercurio.

—— **boiler,** caldera vaporizadora de mercurio.

—— **contact,** contacto de mercurio.

—— **fulminate,** fulminato mercúrico o de mercurio, mercurio fulminante.

—— **iodide,** yoduro mercúrico o de mercurio.

—— **sulphide,** sulfuro mercúrico o de mercurio.

—— **switch** (elec), interruptor de mercurio.

mercury-arc lamp, lámpara de vapor de mercurio.

mercury-arc rectifier, rectificador de mercurio.

mercury-pool tube (ra), válvula de charco.

mercury-resistant, resistente a la acción del mercurio.

mercury-vapor

—— **lamp,** lámpara de vapor de mercurio.

—— **tube** (ra), válvula a mercurio.

—— **turbine,** turbina a vapor de mercurio.

meridian n a, meridiano.

—— **distance** (surv), apartamiento meridiano.

—— **instrument,** anteojo meridiano.

—— **line,** meridiana.

—— **plane,** plano del meridiano.

meridional, meridiano, meridional.

mesa (top), mesa.

mesh, s malla; (eléc) triángulo; v engranarse, endentar, engargantar.

—— **exhaust head,** amortiguador de escape tipo de malla.

—— **reinforcement,** armadura tejida o de malla, estera de refuerzo.

mesh-connected (elec), conectado en triángulo.

mesh-type steam separator, separador de malla.

mesophilic digestion (sen), digestión mesofílica.

mesothermal, mesotérmico, mesotermal.

mess hall, rancho.

messenger (elec), cable mensajero.

—— **hanger,** suspensor para cable mensajero, colgador de mensajero, portamensajero.

—— **line,** cable mensajero.

—— **strand,** torón mensajero.

meta-anthracite, metaantracita.

metabasite (geol), metabasita.

metabisulphite (chem), metabisulfito.

metabolism (sen), metabolismo.

metaborate (chem), metaborato.

metacenter (na), metacentro.

metacentric, metacéntrico.

—— **height** (na), altura metacéntrica.

metaclase (geol), metaclasa.

metacresol purple (lab), púrpura de metacresol.
metadyne (ra), metadina.
metal, metal.
—— floor pan, relleno de chapa de metal entre vigas, ahuecador metálico.
—— foil, laminilla metálica.
—— lath, listonado metálico, chilla de metal.
—— lumber, piezas estructurales de chapa metálica prensada.
—— molding (elec), conducto metálico superficial.
—— powder, polvo metálico.
—— sash, ventana metálica.
—— spraying, rocío metálico, metalización.
—— tile, véase metal floor pan.
metal-arc cutting, cortadura con arco metálico.
metal-arc welding, soldadura de arco metálico.
metal-armored cable (elec), conductor con coraza metálica.
metal-clad switchgear (elec), dispositivos de conexión blindados.
metal-covered door, puerta forrada de hojalata.
metal-cutting band saw, sierra de cinta para metales.
metal-dip brazing, soldadura por inmersión en metal de aporte.
metal-envelope tube (ra), válvula de ampolla metálica.
metal-insertion packing, empaquetadura con inserción de metal.
metal-lined forms, moldes forrados de metal.
metal-packed piston, émbolo de empaque metálico.
metaline, aleación de cobre 30%, aluminio 25%, hierro 10%, cobalto 35%.
metalize, metalizar.
metallic, metálico.
—— gasket, junta metaloplástica.
—— luster (miner), brillo metálico.
—— packing, empaquetadura metálica, guarnición metaloplástica.
—— paint, pintura para metales.
—— tape, cinta o lienza metálica, cinta de tela reforzada.
metallic-arc welding, soldadura por arco metálico.
metallic-oxide catalyst, catalizador de óxido metálico.
metallicize (tel), hacer completamente metálico.
metalliferous, metalífero.
metallographic, metalográfico.
metallography, metalografía.
metalloid, metaloide.
metallurgical, metalúrgico.
metallurgist, metalurgista, metalúrgico.
metallurgy, metalurgia, metálica.
metalwork, metalistería.
metalworker, metalista.
metalworking, elaboración de metales, metalistería.
metamorphic, metamórfico.
metamorphism (geol), metamorfismo.
metamorphosed, metamorfoseado, metamorfizado.
metamorphosis, metamorfosis.
metanitrophenol, metanitrofenol.
metaphosphate (chem), metafosfato.

metaphosphoric (chem), metafosfórico.
metapole (pmy), metapolo.
metasilicic, metasilícico.
metasomatic, metasomático.
metasomatism (geol), metasomatismo.
metatitanate (chem), metatitanato.
metatrophic (sen), metatrófico, saprófito.
meteoric, meteórico, meteorológico.
—— waters, aguas meteóricas.
meteorograph (mrl), meteorógrafo.
meteorological, meteorológico, meteórico.
meteorologist, meteorologista, meteorólogo.
meteorology, meteorología.
meter, s (mec) contador, medidor, (C) metro contador; (med) metro; v medir por contador.
—— cock (p), llave de contador.
—— master, instrumento registrador de gasto máximo y mínimo.
—— panel (elec), cuadro de contador.
—— prover, probador de contadores.
—— reading, lectura del contador.
—— tester, probador de contadores, comprobador de medidores.
—— trough (elec), caja de contador.
—— yoke, estribo que sostiene el contador de agua, horquilla para medidor.
meter-candle (il), metro-bujía, lux, bujía métrica.
meter-ton, metro-tonelada, (Ch) tonelámetro.
metergate (irr), compuerta medidora o aforadora.
metering
—— passage (eng), paso de calibración, abertura de dosificación.
—— pin (carburetor), aguja dosificadora o de medición.
—— pump, bomba contadora.
metes and bounds (surv), trazado, descripción.
methane, metano.
methanol, metanol, alcohol metílico.
methanometer, metanómetro.
methyl, metilo.
—— alcohol, alcohol metílico.
—— bromide, bromuro metílico o de metilo.
—— chloride, cloruro metílico.
—— orange, anaranjado de metilo, (Es) metilo de naranja.
—— red, rojo de metilo.
methylate, s metilato; v metilar.
methylated spirit, alcohol desnaturalizado, espíritu metilado.
methylene, metileno.
—— blue (sen), azul de metileno.
—— chloride, cloruro de metileno.
methylic, metílico.
methylphenol, metilfenol.
metol, metol.
metol-hydroquinone (pmy), metol-hidroquinona.
metric, métrico.
—— centner, quintal métrico (100 kilo).
—— chain (surv), cadena métrica de medir.
—— horsepower, caballo métrico.
—— hundredweight, 50 kilo.
—— quintal, quintal métrico (100 kilo).
—— system, sistema métrico.

—— thread, rosca métrica o internacional.
—— ton, tonelada métrica, tonelámetro.
metrological, metrológico.
metrology, metrología.
metrophotography, fotogrametría.
mezzanine, entresuelo, entrepiso.
mho (elec), mho.
miarolitic (geol), miarolítico.
miaskite (geol), miascita.
mica, mica.
—— condenser (elec), condensador de mica.
—— diorite, diorita micácea.
—— grease, grasa micácea.
—— schist, micasquisto, micacita, esquisto micáceo.
micaceous, micáceo.
—— iron ore, hematites.
micacite (geol), micacita.
Micanite (trademark)(inl), micanita.
Micarta (trademark)(inl), micarta.
microammeter (elec), microamperímetro
microampere (elec), microamperio.
microanalysis, microanálisis.
microanalytical, microanalítico.
microbalance, microbalanza.
microbarograph (mrl), microbarógrafo.
microbattery (elec), microbatería.
microbe, microbio.
microbian, microbial, microbiano, micróbico.
microbic, micróbico, microbiano.
microbiological (sen), microbiológico.
microbiology, microbiología.
microclastic (geol), microclástico.
microcline (miner), microclina (feldespato).
Micrococcus (sen), micrococo.
microcolorimeter (sen), microcolorímetro.
microcrystal (geol), microcristal, microlito.
microcrystalline (geol), microcristalino.
microelectroscope, microelectroscopio.
microfarad (elec), microfaradio.
microfelsite (geol), microfelsita.
microflora (sen), microflora.
microgalvanometer, microgalvanómetro.
microgram, microgramo.
microgranite (geol), microgranito.
microgranitic, microgranítico.
microgranular, microgranoso, microgranular.
micrograph, micrografía; (inst) micrógrafo.
micrographic (geol), micrográfico.
micrography, micrografía.
microhenry (elec), microhenrio.
microhm (elec), microhmio.
microinch, micropulgada.
microindicator, microindicador.
microlite, (geol) microlito, microcristal; (miner) microlita.
microliter, microlitro.
microlux (il), microlux.
micromanipulator (lab), micromanipulador.
micromanometer, micromanómetro.
micromeasurement, micromedición.
micrometer (meas), micrón.
micrometer (inst), micrómetro.
—— calipers, micrómetro de precisión, calibre micrométrico, (A) pálmer.
—— collar, collar o anillo micrométrico.

—— depth gage, micrómetro de profundidad.
—— saw tool, herramienta micrométrica para sierras.
—— screw, tornillo micrométrico.
—— target (surv), mira micrométrica.
micrometric, micrométrico.
micromho (elec), micromho.
micromicrofarad, micromicrofaradio.
micromicron, micromicrón.
micromicrowatt, micromicrovatio.
micromillimeter, micromilímetro.
micromineralogy, micromineralogía.
micron, micrón, micra.
microorganism, microorganismo.
micropegmatite (geol), micropegmatita.
microphone, micrófono.
microphotogrammetry, microfotogrametría.
microphotography, microfotografía.
microphotometer, microfotómetro.
microphysics, microfísica.
microporous, microporoso.
microscope, microscopio.
microscopic, microscópico.
microscopy, microscopia.
microsecond, microsegundo.
microseism, microsismo.
microseismic, microsísmico.
microspherulitic (geol), microesferulítico.
microstructure, microestructura.
microtelephone, microteléfono.
microvolt, microvoltio.
microvoltmeter, microvoltímetro.
microwatt, microvatio.
microwave (ra), microonda.
mid gear (se), punto muerto del sector.
mid perpendicular (na), perpendicular media.
mid-channel buoy, boya de medio canalizo.
mid-point circle (sm), círculo de punto medio.
middle n a, medio.
—— body (na), cuerpo central o maestro.
—— fiber, fibra media.
—— oil, carboleína.
—— ordinate, flecha, ordenada media, sagita.
—— overhang, (fc) vuelo medio (carro sobre vía curva).
—— rail (carp), peinazo central, travesaño intermedio.
—— strip (flat slab), faja central.
—— third (dam), tercio central o medio.
middle-cut file, lima de talla mediana.
middle-line keelson (sb), sobrequilla central.
midget receiver (ra), receptor miniatura.
midship (na)
—— beam, bao maestro; manga maestra.
—— frame, cuaderna maestra.
—— section, sección maestra.
migmatite (geol), migmatita.
migration (pet), migración.
mikado locomotive, locomotora micado.
mil, milipulgada, mil (0.001 pulg).
mil-foot, mil-pie.
mild steel, acero dulce o suave.
mild temper, temple dulce o suave.
mile, milla.
mile-ohm, ohmios por milla.
mileage, millaje.

—— **indicator** (auto), indicador de recorrido.
milepost, poste miliar, jalón; poste kilométrico, (Es) cipo.
milestone, piedra miliaria, mojón, jalón.
milinch (hyd), un milésimo de pulgada.
milk of lime, lechada de cal.
mill, *s* fábrica, taller; molino, ingenio, (az) trapiche; laminador; carpintería mecánica; aserradero; (mh) fresa; (fin) milésimo de dólar; (min) pozo ciego; *v* (mec) fresar, acepillar, labrar; (as) aserrar; (min) moler; (met) laminar; (est) refrentar, carear; moletear, cerrillar.
—— **bent** (str), pórtico.
—— **building,** edificio industrial.
—— **chain,** cadena transportadora para aserraderos.
—— **cheeks** (su), cabezales, vírgenes.
—— **cinder** (met), escoria de horno de pudelaje.
—— **construction** (bldg), construcción de combustión lenta (muros de ladrillos con pisos de tablones gruesos sobre vigas grandes de madera).
—— **dog,** grapa de aserradero.
—— **engine** (su), máquina motora de los molinos.
—— **engineer,** ingeniero constructor de fábricas.
—— **extraction** (su), extracción de los molinos.
—— **file,** lima plana para sierra, lima plana de picadura simple.
—— **floor,** piso de tablones gruesos machihembrados, piso sin viguetas.
—— **holder** (mt), portafresa.
—— **hole** (min), embudo, tolva de extracción; pozo de préstamo; alcancía, pozo auxiliar.
—— **house** (su), casa de los molinos.
—— **housing** (su), cabezales, vírgenes.
—— **juice** (su), guarapo crudo.
—— **lengths** (p), longitudes diversas, largo como sale de la fábrica.
—— **pick,** pico de dos cortes.
—— **roll** (su), maza, maza de trapiche
—— **saw,** sierra con armazón.
—— **scale,** (met) costras, escamas, costra de laminado, batiduras. (V) concha; (ef) medición al aserradero.
—— **test,** prueba en fábrica.
—— **tooth** (saw), diente triangular.
—— **train,** (met) tren de rodillos; (az) tren de molinos, molino.
—— **white,** pintura blanca brillante para interiores industriales.
mill-edge plate (met), plancha de canto laminado.
mill-hydrated lime, cal hidratada en la fábrica.
mill-run (lbr), tal como sale del aserradero.
millboard, cartón.
milled nut, tuerca estriada o rayada o cerrillada.
miller (mech), fresa.
milliammeter (elec), miliamperímetro.
milliampere, miliamperio.
milliare, miliárea.
millibar (mrl), miliatmósfera, milibara.
millier, tonelada métrica.
millifarad, milifaradio.
milligal (geop), miligal.
milligram, miligramo.

millihenry (elec), milihenrio, milihenry.
millilambert (il), mililambert.
milliliter, mililitro.
millilux (il), mililux.
millimeter, milímetro.
millimicron, milimicrón.
milling, fresado; molienda, molido; (cantería) labrado.
—— **attachment** (lathe), aditamento para fresar, accesorio de fresar.
—— **cutter,** cortador rotatorio de metales, fresa.
—— **machine,** fresadora; máquina de moler; (cantería) talladora; cerrilladora.
—— **machinery** (su), maquinaria de moler.
—— **planer,** fresadora cepilladora.
—— **plant** (su), planta de moler, equipo de trapiches.
—— **shoe** (pet), zapata fresadora.
milliohm, miliohmio.
milliohmmeter, miliohmímetro.
milliphot (il), milifot.
millisecond, milisegundo.
millivolt, milivoltio.
millivoltmeter, milivoltímetro.
milliwatt, milivatio.
millstone, piedra de molino.
millwork (carp), carpintería mecánica, (A) obra blanca, (V) ebanistería.
millworker, molinero, trapichero.
millwright, montador de ejes y poleas, instalador de transmisiones.
minable, extraíble, explotable, minable.
mine, *s* mina; *v* minar, extraer.
—— **bucket,** cucharón o balde de extracción.
—— **cage,** caja o jaula de extracción.
—— **car,** vagoneta de mina, carro de extracción.
—— **cock,** robinete para minas.
—— **dial,** brújula de minero.
—— **entrance,** bocamina, cabeza de mina.
—— **guard,** guardamina.
—— **hoist,** malacate de extracción o de mina, (Ch) huinche de extracción.
—— **jack,** gato minero o ademador.
—— **pig,** lingotes hechos totalmente de mineral.
—— **shaft,** pozo de mina o de extracción, tiro de mina.
—— **surveyor,** agrimensor de minas.
—— **transit,** tránsito para minas.
—— **working,** labor minera.
miner, minero, barretero, minador.
miners (tun), hilera de barrenos debajo de los de destrozo.
miner's
—— **ax,** hacha de minero.
—— **inch,** pulgada de minero.
—— **lamp,** lámpara de minero o de seguridad.
—— **needle,** varilla para la colocación de tronadores.
—— **pick,** pico con punta y martillo, pico minero, piocha.
—— **squib** (bl), tronador o incendiario de minero.
mineral *n a,* mineral.
—— **blue** (pigment), azul mineral, ocre azul.
—— **charcoal,** carbón bituminoso fibroso.
—— **filler** (rd), rellenador, harina mineral, (A) agregado de relleno.

—— **jelly,** jalea mineral.
—— **lard oil,** aceite de manteca mineral.
—— **matter,** materia mineral.
—— **naphtha,** nafta de petróleo.
—— **oil,** aceite mineral; petróleo.
—— **orange** (pigment), albayalde anaranjado.
—— **pitch,** brea mineral, asfalto.
—— **pulp,** especie de talco.
—— **rubber,** goma o caucho mineral.
—— **seal oil,** aceite mineral de foca.
—— **spirits,** esencia mineral, espíritu de petróleo.
—— **tar,** brea mineral.
—— **wool,** lana mineral o de escoria o de asbesto, escoria filamentosa, huaipe mineral.
mineral-filled asphalt, asfalto mezclado con agregado en polvo.
mineral-surfaced (rf), revestido de grava o de escoria.
Mineralead (trademark), compuesto para juntas de tubería de hierro fundido.
mineralize, mineralizar.
mineralizer (chem), mineralizador.
mineralogical, mineralógico.
mineralogist, mineralogista.
mineralogy, mineralogía.
mingler (su), mezclador.
miniature lamp holder (elec), portalámpara de tamaño mínimo (diám $1\frac{1}{32}$ pulg con 14 roscas por pulg).
miniature tube (ra), válvula en miniatura, tubito.
minimum, s a mínimo; s mínimum.
—— **thermometer,** termómetro de mínima.
mining, minería, explotación de minas, mineraje.
—— **compass,** brújula de minero.
—— **engineer,** ingeniero minero o de minas.
—— **engineering,** ingeniería de minas.
—— **machinery,** maquinaria minera o de extracción.
—— **royalty,** derechos de mineraje.
—— **target** (surv), mira para minas.
minium, minio.
minor, menor.
—— **control** (pmy), control fotogramétrico.
—— **diameter** (th), diámetro mínimo o interior o menor.
—— **principal stress,** esfuerzo principal secundario.
minuend (math), minuendo.
minus, menos.
—— **difference,** diferencia en menos.
—— **quantity,** cantidad negativa.
—— **sight** (leveling), mira de frente, visual adelante o por restar.
—— **sign,** signo menos.
—— **ten power** (math), potencia menos diez.
—— **tolerance,** tolerancia en menos.
minute n (arc)(time), minuto.
—— **book,** libro de actas.
minutes (meeting), actas.
mirror, espejo.
—— **stereoscope,** estereoscopio de espejos.
misalignment, desalineamiento.
miscibility, miscibilidad.
miscible, mezclable, miscible.
misclosure (geop), error de cierre.

misdriven pile, pilote mal hincado.
misfire, s (auto) falla de encendido, (A) rateo; (vol) falla de tiro, mechazo; v (auto) fallar, (A) ratear; (vol) dar mechazo, (M) cebarse.
mismatch (ra), desequilibrio de impedancia.
mismatching (lbr), machihembrado imperfecto.
mispickel, arsenopirita, mispíquel, pirita arsenical.
misrating, tasación errónea.
miss v (ge), fallar.
missed hole (bl), (M) barreno cebado, (M) barreno fallido.
Missing link (trademark), eslabón de compostura.
mission tile, teja semicircular.
mist (ac), neblina.
—— **extractor** (pet), extractor de neblina.
—— **remover** (pet), extractor de vapor de petróleo.
miter, s inglete; v juntar con inglete, (A) angaletar, (M) mitrar.
—— **box,** caja de ingletes, (A) angalete.
—— **cutoff gage,** guía de trozar ingletes.
—— **elbow** (p), codo angular o de inglete.
—— **gear,** engranaje de inglete.
—— **joint,** junta o empate a inglete, empalme biselado, unión de bisel, (M) junta mitrada.
—— **knife,** cuchilla para ingletes.
—— **plane,** cepillo para inglete, (A) cepillo de angaletar.
—— **post** (lock), poste de busco.
—— **rod** (plasterer), plancha de inglete, escantillón de bisel.
—— **saw,** serrucho de cortar a inglete.
—— **sill,** busco, batiente de esclusa.
—— **square,** falsa escuadra, escuadra de inglete.
—— **T** (p), T angular, T de rincón vivo.
miter-box saw, sierra para ingletes.
mitering gate (lock), puerta de busco.
mix, s mezcla, dosificación; v mezclar, amasar (mortero).
—— **in place** (conc)(rd), mezclar en la obra o en sitio o en el lugar.
mixed-base asphalt, asfalto a base de una mezcla de petróleos.
mixed-cycle engine, máquina de ciclo compuesto.
mixed-flow turbine, turbina mixta.
mixed-pressure turbine, turbina de presión doble.
mixer, (conc) mezcladora, hormigonera, (Ch) betonera, (M) revolvedora, (V) terceadora, (C) concretera, (PR) ligadora; (ra) mezclador; (az) mezclador.
—— **bins,** tolvas cargadoras, buzones cargadores.
—— **blades,** paletas, álabes.
—— **foreman,** jefe de la cuadrilla mezcladora.
—— **operator,** maquinista de la mezcladora.
—— **stage** (ra), etapa mezcladora.
—— **tube** (ra), tubo mezclador, válvula mezcladora, (M) bulbo mezclador.
mixing, mezclado, mezcladura, (V) terceo.
—— **and placing,** mezclado y colado, fabricación y colocación.
—— **board** (conc), plataforma de mezcladura.
—— **chamber,** cámara de mezcla, (auto)(U) cámara de pulverización.

—— drum, tambor mezclador.
—— head (w), cabezal mezclador.
—— nozzle, boquilla mezcladora.
—— plant (conc), planta mezcladora u hormigonera, (A) central de hormigón.
—— tank, estanque mezclador.
—— valve (pb), válvula o llave mezcladora.
—— water, agua de mezclado, (A) agua de elaboración.
mixture, mezcla, (V) terceo, (M) revoltura; dosificación.
mizzenmast, palo de mesana.
mobile, móvil, movible.
mock n (sb), horma.
—— ore, esfalerita.
mock-up, modelo de tamaño real.
mockernut (lbr), especie de hicoria.
model, modelo, (V)(M) maqueta.
—— tests, pruebas sobre modelos.
moderate-heat-duty firebrick, ladrillo moderadamente refractario.
moderate-heat-of-hardening cement, cemento de calor moderado de fraguado.
moderator (mech), regulador, moderador.
modified cement, cemento modificado (variante del cemento Portland).
modular ratio, relación modular.
modulate (ra), modular.
modulated wave (ra), onda modulada.
modulating valve (ht), válvula moduladora.
modulation, modulación.
—— capability (elec), capacidad de modulación.
—— factor, modulation index, coeficiente de modulación.
—— meter, modulómetro, medidor de modulación.
—— monitor, monitor de modulación, (A) modulómetro.
modulator (ra), modulador.
—— tube (ra), válvula moduladora, (M) bulbo modulador.
module, (mec)(hid) módulo.
—— gear, engranaje métrico.
modulus, módulo.
—— of elasticity, módulo o coeficiente de elasticidad.
—— of elasticity in shear, módulo de elasticidad en corte, coeficiente de rigidez.
—— of incompressibility (sm), módulo de incompresibilidad.
—— of resilience, módulo de rebote.
—— of rigidity, módulo o coeficiente de rigidez.
—— of rupture, módulo de ruptura.
—— of shear (vibration), módulo de corte.
—— of soil reaction, módulo de reacción del suelo.
—— of transverse elasticity, coeficiente de rigidez.
mogul lamp holder, portalámpara mogol (diám 1½ pulg con 4 roscas por pulg).
mogul locomotive, locomotora mogol.
Mohr's circle, círculo de Mohr.
moil, barreta de minero.
—— point (t), punta de barreta.
moist curing (conc), curación húmeda.
moist loose (ag), mojado y suelto.
moisten, humedecer.
moisture, humedad.

—— content, contenido de agua o de humedad.
—— equivalent (sm), equivalente de humedad.
—— index (sm), relación de humedad.
—— indicator or meter, indicador de humedad.
—— scale, balanza de humedad.
—— separator or trap, colector de humedad.
moisture-repellent, a prueba de humedad.
moisture-resistant, resistente a la humedad.
moistureproof, a prueba de humedad.
moisturetight, estanco a la humedad.
molar, molal (chem), molar, molal.
—— conductance (chem), conductancia molar, conductividad molecular.
—— resistivity (elec), resistividad molar.
—— solution, solución molar.
molasses (su), melaza, miel.
—— factor, factor de mieles.
mold, s molde, matriz, coquilla (para hierro); (arq) moldura; moho, verdín; (suelo) mantillo, tierra vegetal; v moldear; moldurar.
—— loft (sb), sala de gálibos.
moldboard, vertedera, cuchilla.
molded, moldeado.
—— breadth (na), manga de construcción.
—— depth (na), puntal de construcción.
—— displacement (na), desplazamiento de construcción o sin plancheado.
—— frame line (na), línea entre plancha y cuaderna.
—— surface (na), superficie interior del casco.
—— thread, rosca moldeada.
—— tooth (gear), diente moldeado.
molder, moldeador; (em) máquina de moldurar, molduradora.
molder's spoon, espátula, cuchara.
molding, moldeado, vaciado; (arq) moldura, bocel; (eléc) canal superficial.
—— knife, cuchilla de moldurar.
—— machine, (em) molduradora, tupí (eje vertical); (fund) máquina de moldear.
—— plane, bocel, cepillo bocel o de molduras, molduradora, (A) viter.
—— press, moldeadora.
mole, muelle, malecón, espolón, rompeolas; gramomolécula, molécula-gramo, mol.
molecular, molecular.
—— conductivity, conductividad molecular, conductancia molar.
—— volume, volumen molecular.
—— weight, peso molecular.
molecule, molécula.
molten, derretido.
molybdate (chem), molibdato.
molybdenite, molibdenita (mineral de molibdeno).
molybdenum, molibdeno.
—— steel, acero al molibdeno.
molybdic, molíbdico.
moment (math), momento.
—— indicator, indicador de momento de flexión.
—— of flexure, momento flector.
—— of inertia, momento de inercia.
—— of resistance, momento resistente o de resistencia.
momentary flow, caudal instantáneo o momentáneo, gasto instantáneo.

momentary load (elec), carga momentánea.
momentary-contact switch (elec), interruptor momentáneo, llave momentánea.
momentum, impulsión, impulso.
monatomic, monoatomic (chem), monoatómico.
monazite (miner), monacita.
monel metal, metal monel (aleación de níquel y cobre).
monitor, *s* (hid) monitor, lanza de agua, (Ch) pistón; (ed) lucernario, linterna, sobretecho, linternón; (ra) escuchador de prueba, radioescucha, (Es) avisador, (Es) (A) monitor; *v* (ra) probar escuchando.
—— **chuck** (mt), plato de ángulo.
monitoring key (tel), llave de prueba o de supervisión.
monitoring receiver (ra), receptor de prueba, (Es) receptor monitorio.
monkey, (pi) maza; (met) esclusa para escoria; (min) conducto de ventilación.
—— **block**, motón giratorio.
—— **board** (pet), plataforma de la torre, balconcillo, encuelladero.
—— **drift** (min)(tun), galería de exploración o de avance.
—— **way** (min), conducto de ventilación.
—— **wrench**, llave inglesa o universal.
monoacid *n a*, monoácido.
monoammonium phosphate, fosfato monoamónico.
monobasic (chem), monobásico.
monobloc, monobloque.
monocable tramway, tranvía de un cable.
monocalcic, monocálcico.
monocalcium aluminate, aluminato monocálcico.
monocarbonate, monocarbonato.
Monocast (trademark)(p), univaciado.
monochloramine (sen), monocloramina.
monochloroacetic, monocloroacético.
monochromatic, monocromático.
monochromator, espectroscopio monocromático.
monochrome transmission (tv), transmisión monocromática.
monoclinal (geol), monoclinal.
monocline, pliegue monoclinal.
monoclinic (miner), monoclínico, monoclino, (A) monoclinal.
monocular, monocular.
monocyclic (elec)(chem), monocíclico.
monohydrate (chem), monohidrato.
monohydric (chem), monohídrico.
monolith, monolito.
monolithic, monolítico.
—— **finish** (conc), capa monolítica de acabado.
monomagnesium phosphate, fosfato monomagnésico.
monometallic, monometálico.
monomial (math), monomio.
monomineral (geol), monomineral.
monomolecular (chem), monomolecular.
mononitrate (chem), mononitrato.
monophase (elec), monofásico.
monopolar, monopolar, unipolar.
monopotassium *a*, monopotásico.
monorail, monorriel, monocarril, de un solo carril, de carril único.

monosaccharide (su), monosacárido.
Monoscope (trademark)(tv), monoscopio.
monosilicate, monosilicato.
monosilicic, monosilícico.
monosodium phosphate, fosfato monosódico.
monosulphide, monosulfuro.
monosymmetric, monosimétrico.
monotonic (math), monótono.
Monotube (trademark)(pi), monotubo.
monovalent (chem), monovalente.
monoxide, monóxido.
monthly estimate, certificación mensual, estado de pago mensual, planilla de pago.
monument, *s* (lev) mojón, hito, (Ch) monolito, (Col)(V) zócalo; *v* amojonar, mojonar, acotar.
monumentation (surv), mojonamiento.
monzonite (geol), monzonita.
moor *v*, amarrar, aferrar, anclar.
mooring, fondeo, amarre; amarra fija o de puerto, proís.
—— **bitt**, bita o bitón de amarre, proís, noray.
—— **buoy**, boya de anclaje o de amarre.
—— **cable**, cable de amarre; cable de remolque (tipo de cable de alambre generalmente 6 por 24).
—— **chain**, cadena de fondeo.
—— **hook**, gancho de amarrar.
—— **post**, poste de amarre, amarradero, bolardo, noray; duque de Alba.
—— **winch** (sb), malacate de amarre.
mop, *s* estropajo, aljofifa; *v* aljofifar, (M) estropajear.
morainal, morainic, morénico.
moraine (geol), morena.
morass ore, especie de limonita.
morbidity, morbility (sen), morbilidad.
morning-glory spillway, pozo vertedero, (A) embudo sumidero, bocina-vertedero.
morphological, morfológico.
morphology (geol), morfología.
Morse code (tel), código Morse.
Morse taper, ahusado Morse.
mortality (sen), mortalidad.
mortar, (mam) mortero, argamasa, mezcla, (Col) pañete; (lab) mortero.
—— **and pestle** (lab), mortero con maja, almirez y mano.
—— **barrow**, carretilla para mortero.
—— **box**, cuezo, artesón.
—— **chisel**, escoplo degradador.
—— **mixer**, mezclador de mortero.
—— **tub**, artesa, batea, artesón.
mortarboard, esparavel.
mortgage, *s* hipoteca; *v* hipotecar.
—— **bond**, bono hipotecario, (A) cédula hipotecaria.
mortise, *s* muesca, entalladura, mortaja, cajuela, caja; *v* escoplear, enmuescar, muescar, mortajar, cajear, (M) enmechar.
—— **and tenon**, caja y mortaja, mortaja y espiga.
—— **bolt**, cerrojo de embutir.
—— **floor hinge**, charnela de piso de embutir.
—— **gage**, gramil doble o para mortajas.
—— **gear**, engranaje de dientes postizos.
—— **latch**, picaporte de embutir.

—— **lock,** cerradura embutida o de embutir.
—— **strike,** hembra de cerrojo de embutir.
mortiser, escopleadora.
mortising n, escopleadura.
—— **attachment** (ww), accesorio de escoplear.
—— **chisel,** formón, bedano de mortaja, escoplo.
—— **machine,** escopleadora, mortajadora, máquina de enmuescar.
mosaic, (ed) mosaico; (fma) mosaico; (tv) pantalla mosaica.
—— **setter,** mosaiquista.
mosquito, mosquito, zancudo.
—— **netting,** redecilla para mosquiteros, tela mosquitera.
—— **screen,** mosquitero.
—— **trap,** trampa de mosquitos.
mosquito-breeding area, criadero de mosquitos.
mother lode (min), filón principal.
motile (lab), movible, mótil.
motility, motilidad, movilidad.
motion, movimiento.
motional impedance (tel), impedancia cinética.
motive a, motor, motriz.
—— **power,** fuerza motriz, potencia motora.
motocrane, grúa de camión.
motometer (auto), motómetro.
Motomixer (trademark)(conc), hormigonera de camión.
motopaver, pavimentadora de camión.
motor, s motor; v trabajar como motor.
—— **converter,** motor-convertidor.
—— **drive,** accionamiento o impulsión por motor.
—— **element** (tel), elemento motor o impulsor.
—— **frame,** bastidor del motor.
—— **generator,** motor-generador, motogenerador.
—— **generator set,** grupo de motor y generador, juego de motor y dínamo.
—— **grader** (rd), motoniveladora, explanadora de motor, motocaminera, autoniveladora, motoconformadora, conformador de motor.
—— **launch,** lancha automotriz.
—— **meter** (elec), contador de motor.
—— **oil,** aceite lubricante para motores.
—— **patrol** (rd), patrulladora automotriz, (A) autopatrol, (A) autopatrullera.
—— **roller,** aplanadora automotriz.
—— **scooter,** motopatín, (A) andador, (A) monopatín mecánico.
—— **scraper** (ea), traílla automotriz.
—— **ship,** motonave.
—— **spirit,** gasolina, autonafta.
—— **traffic,** tráfico automotor.
—— **transport,** transporte automotor o a motor, autotransporte, (M) transporte motorizado.
—— **truck,** camión, autocamión, camión automóvil.
—— **vehicle,** vehículo automotor, (M) vehículo motorizado, (A) autovehículo, (A) automotor.
motor-circuit switch (elec), interruptor de circuito de motor.
motor-driven, accionado o impulsado por motor.
motor-operated switch (elec), interruptor a motor, interruptor accionado por motor.

motor-running protection (elec), protección de motor en funcionamiento.
motor-starting switch (elec), interruptor para arranque de motor.
motorboat, autobote, lancha automotriz.
motorboating (ra), trepidación, (A) tableteo, (A) crepitación.
motorbus, autobús, autoómnibus.
motorcar, (fc) vagón motor, carro o coche automotor, (Ec) autocarril; (auto) automóvil.
motorize, motorizar.
motorized speed reducer, reductor de velocidad a motor.
motorman, motorista, (Es) conductor.
motoshovel, pala de camión.
mottled iron, fundición truchada o atruchada.
mottled soil, suelo abigarrado.
mottramite, mottramita (mineral de vanadio).
mount v (machy), montar.
mountain, monte, montaña.
—— **barometer,** barómetro portátil de alturas.
—— **leather, mountain paper,** especie de amianto.
—— **oak,** roble montañés o de montaña.
—— **range,** cordillera, sierra, serranía, cadena de montañas.
—— **transit,** tránsito para montañas.
mountainous, montañoso.
mounted drawing paper, papel pegado sobre muselina.
mounting, montaje, (auto) suspensión; instalación, puesta en obra; marco, armadura.
mousehole (pet), hueco o hoyo de conexión.
mousetrap (pet), pescadespojos.
mousing (naut)(elec), trinca.
—— **hook,** gancho de seguridad.
mouth, (r) desembocadura, boca, desemboque, emboque; (pozo) bocal; (horno) tragante, embocadero; (min) bocamina; (fc corazón) boca.
mouthpiece (tel)(hyd), boquilla.
movable dam, presa movible o móvil.
movable-blade propeller (turb), hélice de aletas regulables.
movable-point crossing (rr), corazón de agujas, crucero de puntas movibles.
movable-point frog (rr), corazón de punta móvil.
moving
—— **contact member** (elec), pieza móvil de contacto.
—— **load,** sobrecarga móvil, carga rodante o dinámica.
—— **sidewalk,** acera de transporte.
moving-coil
—— **galvanometer,** galvanómetro de bobina móvil.
—— **loudspeaker,** altoparlante dinámico o de bobina móvil.
—— **regulator,** regulador de bobina móvil.
—— **voltmeter,** voltímetro de bobina móvil.
moving-conductor loudspeaker, altoparlante de conductor móvil.
moving-iron meter (elec), medidor electromagnético o de hierro móvil.
mu (ra), coeficiente de amplificación.
muck, s tierra turbosa; fango; (exc) escombros, cascotes, detritos, descombro, (M) rezaga;

(min) sobrecarga, material encima del mineral; v escombrar, descombrar, desescombrar, (M) rezagar.
—— bar (met), barra de primera laminación.
—— bin, depósito de escombros.
—— box (exc), cajón de madera.
—— rolls (met), primera laminadora.
—— skip, véase muck box.
mucker, (ec) máquina cargadora; (hombre) cargador, limpiador, (M) rezaguero.
mucking
—— drift (min), galería de escombrar.
—— machine, máquina cargadora, (M) rezagadora.
—— shovel, pala para túnel.
mud, lodo, fango, barro, cieno, limo, lama, tarquín; (pet) lodo, barro; (az) cachaza.
—— cock, grifo descargador de barro, grifo de desagüe.
—— collar (pet), collar de circulación.
—— conditioner (pet), regulador o acondicionador del lodo.
—— construction, adobe, tapia.
—— ditch (pet), canal o foso del lodo.
—— drum (bo), colector de sedimentos.
—— gun, inyector de lodo, inyector de barro.
—— lubricator (pet), lubricador a lodo.
—— mixer (pet), mezcladora de lodo.
—— pit (pet), foso del lodo.
—— plastering, embarrado.
—— plug (bo), tapón del agujero de limpieza.
—— pump, bomba barrera o de lodo o para fango.
—— ring (bo), colector de barro.
—— scow, chata barrera, pontón de fango, chalana o lancha barrera; gánguil.
—— screen (pet), colador o criba del lodo.
—— seal (pet), empaquetadura del lodo.
—— socket (pet), achicador o campana de lodo.
—— tank (su), cachacera.
—— tap (bo), macho para agujeros de limpieza.
—— trap, colector de barro o de fango.
—— valve, válvula purgadora de sedimentos, válvula para cieno.
—— volcano (pet), volcán de lodo.
—— wall, tapia, tapial, albarrada.
Mud jack (trademark), gato o bomba de lodo, inyector de barro.
mud-pressure indicator (pet), indicador de la presión del lodo.
mudcap blast, voladura sin barreno o con adobe.
muddy, barroso, limoso, lodoso, fangoso.
mudguard, guardabarro, guardalodos, guardafango, botafango, salpicadero, parafango, cubrerrueda.
mudsill, durmiente, larguero, dormido, morillo.
mudstone, esquisto de barro.
muff coupling, acoplamiento de árboles con collar y chaveta.
muffle, s mufla; v (auto) asordar el escape, apagar el ruido.
—— furnace, horno de mufla.
—— pit (eng), pozo silenciador.
muffler (auto), silenciador del escape, amortiguador de ruido, (M) mofle.
mulberry (lbr), morera, moral.
mulch (rd), cubierta retenedora de humedad.

mule, mulo, mula, acémila.
—— pulley, polea de guía ajustable, (M) polea híbrida.
—— stand, soporte para polea de guía.
muley
—— axle, eje de carro sin rebordes en los muñones.
—— head, guías para sierra muley.
—— saw, sierra muley, sierra mecánica de guías.
muller, moleta; maza trituradora.
mullion, (arq) parteluz, montante, entreventana, (Col) mainel; larguero central de puerta; (geol) espejo de falla.
mullite porcelain (inl), porcelana de mullita.
Multdigestor (trademark)(sen), digestor múltiple.
multianode rectifier, rectificador de ánodos múltiples.
multiband antenna (ra), antena de fajas múltiples, (A) antena multibanda.
multiblade fan, ventilador de aletas múltiples, (M) ventilador multipaleta.
multibreak (elec), de interrupción múltiple.
multibreaker (elec), disyuntor múltiple.
multicellular, multicelular.
multicentered arch, arco de centros múltiples.
multicentric, multicéntrico.
multichannel (ra), multifaja, multicanal.
multicommutator generator, generador de colectores múltiples.
multicompound spiral (rr), curva de transición de radios múltiples.
multiconductor (elec), de conductores múltiples.
multicone aerator (sen), aereador de cono múltiple.
multicycle indicator, indicador multicíclico.
multicylinder, policilíndrico, de varios cilindros.
multidigestion (sd), multidigestión.
multidirectional, multidireccional.
multidisk brake, freno de discos múltiples.
multidrum boiler, caldera de colector múltiple.
multielectrode tube (ra), tubo multielectródico, válvula multielectrodo.
multielement detector (ra), detector de elementos múltiples.
multiflow
—— condenser, condensador de paso múltiple.
—— feed-water heater, calentador de paso múltiple.
—— grid (elec), rejilla de flujo múltiple.
multifrequency (elec), multifrecuencia.
multifuel burner, quemador para combustibles múltiples.
multigang faceplate (elec), chapa de varias salidas.
multigap arrester (elec), pararrayos de entrehierro múltiple.
multigrid tube (ra), válvula multirrejilla.
multigrounded (elec), de conexión múltiple a tierra.
multijet condenser, condensador de chorro múltiple.
multilane highway, carretera de varias vías o de trochas múltiples.
multilayer
—— glass, vidrio laminado.
—— welding, soldadura de capas múltiples.

—— winding, devanado multicapa.
multimeter (elec), multímetro.
multimotor (elec), de motor múltiple.
multinomial, multinomio.
multioutlet (elec), de toma múltiple.
—— assembly (elec), conjunto de varias salidas.
multipanel filter (ac), filtro de cortina automática.
multipass condenser, condensador de paso múltiple.
multipass weld, soldadura de paso múltiple.
multipath (ra), de vía o de paso múltiple.
multiphase (elec), polifásico, multifásico.
multiple, s múltiplo; a múltiple, multíplice.
—— circuit, circuito múltiple.
—— control, mando múltiple.
—— drill, taladro múltiple.
—— dry-disk clutch, embrague de discos múltiples secos.
—— mill (su), molino múltiple.
—— resistance welding, soldadura múltiple a resistencia.
—— screw thread, filete múltiple.
—— spot welding, soldadura múltiple de puntos.
—— tool block (lathe), bloque portaherramienta múltiple.
—— transformer, transformador múltiple.
—— tuning (ra), sintonización múltiple.
—— winding (elec), arrollamiento o devanado múltiple.
multiple-arch dam, presa de bóvedas múltiples o de arco múltiple, (M) cortina de arcos múltiples.
multiple-batch truck, camión para varias coladas, (A) camión multicelular.
multiple-blade maintainer (rd), conservadora de cuchillas múltiples.
multiple-conductor cable, cable de conductor múltiple.
nultiple-contact a, de contacto múltiple.
multiple-core cable, cable de almas múltiples.
multiple-disk clutch, embrague de discos múltiples.
multiple-dome dam, presa de cúpulas múltiples.
multiple-drift tunneling, avance por galerías múltiples de avance.
multiple-duct conduit (elec), conducto múltiple.
multiple-effect a, de múltiple efecto.
multiple-electrode welding, soldadura con electrodos múltiples.
multiple-flame welding, soldadura de llama múltiple.
multiple-hearth incinerator, incinerador de hogar múltiple.
multiple-lens camera, cámara múltiple.
multiple-lens condenser (pmy), condensador de lentes múltiples.
multiple-lift penetration macadam, macádam a penetración de capas múltiples.
multiple-line contact (elec), contacto múltiple.
multiple-loop superheater, recalentador de vuelta múltiple.
multiple-louver damper (ac), compuerta de aletas ajustables.
multiple-orifice nozzle, tobera de orificios múltiples.

multiple-part sling (cab), eslinga de cables múltiples.
multiple-plate culvert, alcantarilla de chapas múltiples.
multiple-ply, de varias capas.
multiple-point thermostat, termóstato de acción múltiple.
multiple-pole a (elec), multipolar.
multiple-purpose dam, presa de aprovechamiento múltiple, dique de utilización múltiple.
multiple-purpose tester (elec), multímetro.
multiple-retort stoker, cargador de retortas múltiples.
multiple-series connection (elec), conexión en serie-paralelo.
multiple-span bent (bldg), pórtico de claro múltiple.
multiple-span bridge, puente de tramo múltiple.
multiple-spindle boring machine, taladradora múltiple.
multiple-spindle lathe, torno de árboles múltiples.
multiple-spot welder, soldadora de puntos múltiples.
multiple-step, de etapas múltiples.
multiple-story bent, caballete de múltiples tramos.
multiple-story tank, tanque de varios pisos.
multiple-thread, de varios filetes.
multiple-tray clarifier (sen), clarificador de batea múltiple.
multiple-tuned antenna (ra), antena múltiple.
multiple-unit train, tren de varios carros motores controlado por un combinador.
multiple-unit tube (ra), tubo múltiple.
multiple-V belt, correa en V múltiple.
multiple-valued function, función de valuación múltiple.
multiple-way switch (elec), interruptor de contacto múltiple.
multiple-way valve, válvula de paso múltiple.
multiple-web beam, viga de almas múltiples.
multiple-wrap cable splice (elec), empalme de enrollado múltiple.
multiple-wrap cable tap (elec), derivación de enrollado múltiple.
multiplex, s múltiplex; a múltiple, múltiplex.
—— telegraphy, telegrafía múltiplex.
—— transmission (ra), transmisión múltiplex.
multiplicand, multiplicando.
multiplication, multiplicación.
multiplier (elec)(math), multiplicador.
—— phototube, fototubo multiplicador.
—— tube, válvula multiplicadora.
multiply, multiplicar.
multipoint cutting tool, herramienta de puntas múltiples.
multipoint welder, soldadora de puntos múltiples.
multipole (elec), multipolar, (A) polipolar.
multiport valve, válvula de paso múltiple.
multiposition action, acción de posición múltiple.
multiposition switch (elec), interruptor de vía múltiple.
multiradial drill, taladradora multirradial.

multirange ammeter, amperímetro de alcance múltiple.

multirate meter (elec), contador de tarifas múltiples.

multirow ball bearing, cojinete de filas múltiples.

multisheave block, motón de garruchas múltiples.

multisided, de caras múltiples.

multisize screw anchor, ancla para tornillos de varios tamaños.

multispan, de varios tramos, de tramos múltiples.

multispeed motor, motor de velocidades múltiples.

multispindle milling machine, fresadora de husillos múltiples.

multispiral disk (tv), disco multiespiral.

multistabilizer (pet), multiestabilizador.

multistage (pu), multigradual, de etapas múltiples, multietapa.

— transmitter, transmisor de varias etapas.

— turbine, turbina de expansión múltiple.

multistory (bldg), de pisos múltiples.

multistrand (cab), de trenza múltiple.

multistrip highway guard, guardacarretera de tiras múltiples.

multistrip pavement (ap), pista de fajas múltiples.

multisymmetrical, multisimétrico.

multitap (elec), derivación múltiple.

multitube (ra), multiválvula.

— oil burner, quemador de surtidores múltiples.

multitubular, multitubular.

multiunit a, multiunitario.

multi-V belt, correa en V múltiple.

multivalent (chem), polivalente.

multivelocity, multivelocidad.

multivibrator (ra), multivibrador.

multivoltage, multivoltaje.

multiwire, de alambres múltiples, multifilar.

multizone (pet), zona múltiple.

mumetal, aleación de níquel-hierro-cobre para usos eléctricos.

municipal engineering, ingeniería municipal.

municipal utilities, empresas municipales.

muntin, parteluz, barra de ventana; larguero central de puerta.

Muntz metal, metal Muntz.

muriate, muriato, cloruro.

muriatic acid, ácido muriático o clorhídrico.

muscovadite (geol), muscovadita.

muscovado (su), muscovado.

muscovite, muscovita, mica blanca.

mushroom v (rd), abombarse, hincharse.

— air diffuser (ac), dispersor tipo de hongo.

— anchor, ancla de campana o de seta.

— head (screw)(column), cabeza fungiforme o de hongo.

— valve, válvula tipo hongo.

— ventilator, ventilador de campana, ventilador tipo hongo.

muskeg, turbera.

muslin insulation, aislación de muselina.

muting switch (ra), interruptor silenciador.

mutual, mutuo.

— capacitance (elec), capacitancia mutua.

— conductance (elec), transconductancia, conductancia mutua.

— inductance (elec), coeficiente de inducción mutua, inductancia mutua.

— inductor, inductor mutuo.

Mycalex (trademark), plástico aislador, micalex.

mylonite (geol), milonita.

mylonitic, cataclástico, milonítico.

myriagram, miriagramo.

myriameter, miriámetro.

myriawatt, miriavatio.

nth power (math), potencia enésima.

nadir, nadir.

nadir-point triangulation (pmy), triangulación nadiral.

nadiral, nadiral.

nail, s clavo, punta, puntilla; v clavar, enclavar.

— anchor, sujetador de clavo.

— cleat (elec), mordaza aisladora clavada.

— clippers, cortaclavos.

— hammer, martillo de uña o de carpintero.

— hole, agujero de clavo, clavera.

— knob (elec), aislador a botón clavado.

— puller, sacaclavos, arrancaclavos, desclavador, barra de uña.

— set, botador, embutidor, punzón para clavos.

— shank, espiga de clavo.

— wire, alambre para clavos.

Nailcrete (trademark), concreto de clavar.

nailer joist, vigueta de acero con listón de clavar.

nailhead, cabeza de clavo.

nailing, clavadura.

— block, nudillo, bloque de clavar, (Col) chazo.

— concrete, concreto de clavar, (A) hormigón clavadizo.

— plug, tarugo para clavado.

— strip, listón de clavar o para clavado.

name plate, placa-marca, placa de fabricante, chapa de identidad o de nombre.

naphtha, nafta.

naphthalene, naftalina.

Napierian logarithm, logaritmo neperiano.

nappe, (hid) lámina vertiente, napa; (geol) manto de corrimiento.

napping hammer, martillo de picapedrero con dos cabezas pulidas.

narrow, v estrechar, angostar; estrecharse; a estrecho, angosto.

— gage, trocha angosta.

narrow-gage

— car, carro decauville o de vía angosta, carretilla, vagoneta decauville.

— railroad, ferrocarril de vía angosta.

— track, vía angosta o decauville.

— washer, arandela delgada.

narrows (top), garganta, angostura, apretura, desfiladero, estrechura, portezuelo; bocal; estrecho.

National Board of Fire Underwriters (US), Junta Nacional de Aseguradores.

National Electric Code (US), Código Eléctrico Nacional.

native, (miner) natural, nativo; (geol) nativo, metálico, virgen.
—— **asphalt,** asfalto natural o nativo.
—— **coke,** coque natural.
—— **rubber,** caucho silvestre.
—— **salt,** halita.
natural, natural.
—— **cement,** cemento natural.
—— **draft,** tiro normal o natural, aspiración normal.
—— **foresight** (surv), punto de mira natural y permanente.
—— **frequency** (ra), frecuencia propia.
—— **gas,** gas natural.
—— **gasoline,** gasolina natural.
—— **logarithm,** logaritmo natural o hiperbólico.
—— **resonance,** resonancia periódica o natural.
—— **scale** (profile), escala natural.
—— **sine** (math), seno natural.
—— **slope** (ea), talud de reposo, inclinación natural.
—— **tangent** (math), tangente natural.
—— **wave length** (ra), frecuencia propia.
natural-draft cooling tower, torre de enfriamiento con tiro natural.
nautical, náutico, marino, marítimo.
—— **mile,** milla marina o marítima, (M) milla náutica.
naval, naval.
—— **architect,** arquitecto naval.
—— **architecture,** arquitectura naval.
—— **base,** base naval.
—— **brass,** latón naval (62% cobre, 37% cinc, 1% estaño).
—— **station,** arsenal, astillero, estación de la marina, apostadero naval.
nave (mech), cubo, maza.
navigable, navegable.
navigation, navegación.
navy yard, arsenal, astillero.
neap tide, marea muerta o de apogeo.
near side (str), cara anterior.
neat cement, cemento puro o sin arena.
neat line, línea de la estructura (sin anchura adicional para excavación).
neck, (mec) cuello, gollete; (agua) estrecho; (tierra) istmo; península.
—— **bolt,** cerrojo acodado.
—— **brick,** ladrillo de cuello.
—— **down** (mt), rebajar, cortar cuello.
—— **flange** (p), brida de collar.
necking (rr), desgaste de la escarpia debajo de la cabeza.
—— **tool** (mt), herramienta acabadora; ranuradora.
needle, s (inst) aguja; (mec) aguja, espiga, punzón; (vol) varilla de polvorero; (ed) aguja de pared, (Es) asnilla; v (ed) colocar agujas de pared.
—— **beam** (tun), volador.
—— **beams** (hyd), agujas verticales.
—— **bearing,** cojinete de agujas.
—— **file,** lima de aguja.
—— **galvanometer,** galvanómetro de aguja.
—— **gap** (elec), distancia entre puntas.
—— **lifter screw** (inst), tornillo levantaaguja.

—— **nozzle,** boquilla de aguja.
—— **valve,** válvula de aguja, llave de punzón, (M) válvula de espiga; compuerta de aguja.
needle-point
—— **globe valve,** válvula de globo con tapón de punta.
—— **nail,** clavo punta de aguja.
—— **valve,** válvula de globo tipo aguja.
negative, s (fma) negativo, (M) negativa; a negativo (all senses).
—— **acceleration,** retardación, deceleración, aceleración negativa.
—— **allowance** (mech), huelgo negativo.
—— **booster** (elec), reductor de tensión.
—— **feedback** (ra), degeneración, regeneración o realimentación negativa.
—— **lens,** lente cóncavo.
—— **plate** (elec), placa negativa.
—— **reinforcement** (conc), refuerzo para tensión sobre el apoyo.
—— **resistance** (ra), resistencia negativa.
—— **sequence component** (elec), componente negativa de secuencia.
—— **sheer** (sb), quebranto.
negatron, (ra) negatrón; electrón.
nekton (sen), necton.
neon (chem), neón.
—— **lamp, neon tube,** lámpara o tubo neón.
neoprene, neopreno.
neovolcanic (geol), neovolcánico.
neper (math), néper.
nephelinite (geol), nefelinita.
nephelite, nepheline (miner), nefelina, nefelita.
nephelite-diorite (geol), diorita nefelínica.
Nernst lamp, lámpara Nernst.
Nessler tube (lab), tubo Nessler.
nesslerize (sen), nesslerizar.
nest, s (geol) depósito aislado de mineral, bolsa; v (mec) formar paquete, anidar.
—— **of rollers,** juego de rodillos.
—— **of saws,** juego de serruchos.
—— **of tubes,** grupo de tubos.
nestable, anidable, encajable, empacable.
nested, anidado, enchufado.
nesting a, telescópico, enchufado.
net, s red; a neto, líquido.
—— **earnings,** utilidades líquidas, ganancia neta.
—— **head** (hyd), salto neto, desnivel efectivo.
—— **line,** véase **neat line.**
—— **opening,** luz libre o neta, abertura libre.
—— **pitch-diameter tolerance,** tolerancia neta para diámetro primitivo.
—— **ton,** tonelada neta o de 2000 lib.
—— **tonnage** (na), arqueo neto.
—— **weight,** peso neto.
netting, malla, red.
network (all senses), red.
—— **calculator** (elec), calculador de red.
—— **distribution** (elec), distribución por parrilla.
—— **feeder** (elec), alimentador de la red.
—— **protector** (elec), protector de la red.
—— **transformer,** transformador para parrilla.
neutral n a (elec)(mech)(chem), neutro, neutral.
—— **axis,** eje neutro o neutral.
—— **depth** (hyd), profundidad normal o neutra.
—— **equilibrium,** equilibrio neutro o indiferente.

—— **fiber,** fibra neutra o neutral.
—— **oil,** aceite neutro.
—— **point** (elec), punto neutro.
—— **position,** (eléc) línea neutral; (auto) punto muerto o neutral, posición neutra.
—— **relay** (elec), relai neutro o no polarizado.
—— **stress,** esfuerzo neutro.
—— **surface,** superficie neutra.
—— **zone** (mech), huelgo positivo.
neutralization number (oil), número de neutralización.
neutralize, neutralizar.
neutralizer, neutralizador.
neutralizing capacitor (ra), condensador neutralizador.
neutralizing voltage (ra), voltaje de neutralización.
neutrodyne (ra), neutrodino.
neutron curve (pet), curva de neutrones.
New York rod (surv), tipo de mira de corredera.
new-billet steel, acero de tocho nuevo o de lingote.
nib, punta, pico.
nibbler (sb), cortadora.
nibbling machine (sml), cortadora.
niccolite (miner), niquelina, níquel arsenical.
niche, nicho.
Nichrome (trademark)(alloy), nicromio, (A) nicrom.
nick, s mella; v mellar.
nick-break test, prueba de mella.
nickel, níquel.
—— **bloom,** flores de níquel.
—— **bronze,** cuproníquel.
—— **glance,** sulfarsenuro de níquel.
—— **hydrate,** hidrato de níquel.
—— **ocher,** niquelocre, anabergita.
—— **silver,** plata níquel o alemana.
—— **steel,** acero al níquel, aceroníquel.
nickel-base alloy, aleación a base de níquel.
nickel-clad, revestido de níquel.
nickel-copper alloy, aleación níquel-cobre.
nickel-iron storage battery, acumulador Edison o hierro-níquel.
nickel-plated, niquelado.
nickel-tin bronze, bronce de níquel-estaño.
nickeliferous, niquelífero.
nickeline (alloy)(miner), niquelina.
nigger (sa), volteador de troncos.
niggerhead, (piedra) morrillo, cabezón, pedernal; (torno) molinete, torno ahuecado exterior.
night, s noche; a nocturno.
—— **latch** (hw), pestillo de resorte.
—— **shift,** turno de noche; equipo de noche.
—— **watchman,** sereno.
—— **work,** trabajo nocturno.
nine-lens camera (pmy), cámara de nueve lentes, cámara nónupla.
nine-sixteenths plate, plancha de nueve dieciseisavos (de pulg).
ninepenny nail, clavo de 2¾ pulg.
nip (min), contracción del filón.
nipper, (vol) herramentero llevabarrenas, (Es) pinche; (fc) alzaprimador.
nippers, (herr) tenazas, cortalambre; (martinete) tenazas de disparo.

nipping (drilling), acarreo de barrenas entre perforista y herrero.
nipple, (tub) niple, entrerrosca, boquilla, (C) entredós, (C) rosca corrida; (lab) chupador, biberón.
niter, nitro, salitre.
Nitralloy (trademark), acero para nitruración.
nitrate, s nitrato; v nitrar.
—— **bed,** salitral, nitral, nitrera.
—— **car,** (Ch) carro calichero; (Ch) carro salitrero.
—— **deposit,** salitrera, salitral.
—— **nitrogen,** nitrógeno de nitratos.
—— **of soda,** nitrato de sosa, caliche (crudo), (Ch) salitre.
—— **works,** nitrería, (Ch) oficina.
nitratine, nitratina, nitrato de sosa nativo, caliche.
nitrator, nitradora.
nitric, nítrico, azótico.
—— **acid,** ácido nítrico.
—— **anhydride,** anhídrido nítrico, pentóxido de nitrógeno.
—— **oxide,** óxido nítrico.
nitride, nitruro.
nitriding (met), nitruración.
nitrifier, nitrificador.
nitrify, nitrificar.
nitrifying bacteria (sen), bacterias nitrificantes.
nitrite, nitrito.
nitrobacter, nitrobacteria.
nitrobacteria, nitrobacterias.
nitrobenzene, nitrobenceno.
nitrobenzol, nitrobenzol, nitrobenceno.
nitrocellulose, nitrocelulosa.
nitrocotton (bl), algodón pólvora, nitroalgodón.
nitrogelatin (bl), nitrogelatina.
nitrogen, nitrógeno, ázoe.
—— **iodide,** yoduro de nitrógeno.
—— **pentoxide,** pentóxido de nitrógeno, anhídrido nítrico.
nitrogen-cooled, enfriado por nitrógeno.
nitrogenize, nitrogenar.
nitrogenous, nitrogenado.
nitroglycerin, nitroglicerina.
nitrometer, nitrómetro.
nitronaphthalene, nitronaftalina.
nitrosomonas (sen), nitrosomonas.
nitrososulphuric, nitrososulfúrico.
nitrostarch (bl), nitroalmidón.
nitrotoluene, nitrotoluol, nitrotolueno, nitrotoluol.
nitrous, nitroso; salitroso, salitral.
—— **oxide,** óxido nitroso.
niveau surface (geop), superficie de nivel.
no-load
—— **circuit breaker,** interruptor de mínima.
—— **current,** corriente en vacío.
—— **losses** (elec), pérdidas sin carga o en vacío.
—— **speed** (mot), velocidad sin carga.
no-voltage release, disparador de tensión nula.
noble (met), estable.
noctovision (tv), noctovisión.
nodal (math), nodal.
—— **plane** (pmy), plano nodal.
—— **point** (pmy), punto nodal.

—— point of admission, punto nodal de incidencia.
—— point of emergence, punto nodal de salida.
—— point of incidence, punto nodal de incidencia.
node, (mat)(eléc) nodo; (mec) punto de unión,
nudo; nudo (caña dulce).
Nodon valve (ra), válvula nodón.
nodular, nodular.
nodulation, nodulación.
nodule (geol), nódulo.
nog (min), madero de entibación.
nogging, relleno de ladrillos entre montantes de
madera.
noise, ruido.
—— analyzer (ra), analizador de ruidos.
—— field intensity (ra), intensidad del campo de
perturbaciones.
—— filter (ra), filtro de ruidos.
—— killer (tel), supresor de ruidos.
—— level (ra), nivel de ruido.
—— limiter (ra), limitador de ruidos.
—— silencer (ra), silenciador de ruidos.
noise-reducing (ra), reductor de ruidos.
noiseproof, a prueba de ruidos, antisonoro.
nomograph, nomogram, nomograma, (A) ábaco.
nomographic, nomográfico.
nonabsorbent, no absorbente.
nonactinic, no actínico.
nonadjustable, no regulable.
nonarcing metal, metal antiarcos.
nonbearing partition, pared divisoria sin carga.
noncaking coal, carbón no aglutinante o no aglomerante.
noncarbonate hardness (wp), dureza no de carbonatos, (V) dureza no-carbonática.
nonclogging, que no se atasca.
noncoking coal, carbón no aglutinante.
noncombustible, no combustible, incombustible.
noncondensing, sin condensación, de escape
libre.
nonconducting, (eléc) no conductor; (calor) calorífugo, antitérmico.
nonconductor n (elec), mal conductor.
noncontinuous beam, viga no continua, viga
libremente apoyada.
noncorrodible, no corrosible, no oxidable.
noncorrosive, no corrosivo, anticorrosivo.
nondetachable, irremovible.
nondetonating explosive, explosivo no detonante.
nondimensional (mat), sin dimensión.
nonexplosive, inexplosible.
nonextruding joint filler (rd), relleno no expri-
mible.
nonferrous metals, metales no ferrosos.
nonfloating, ahogadizo, anegadizo.
nonfluid oil, aceite viscoso.
nonfoaming, antiespumante.
nonforgeable, no forjable.
nonfreezing, incongelable.
nonfrosting, inescarchable.
nonglare, antideslumbrante.
nonhardening, antiendurecedor.
nonheating, sin calentarse.
    wheel (va), rueda aislante.

nonhygroscopic, no higroscópico, (A) antihigroscópico.
noninductive, no inductivo.
noninflammable, no inflamable, ininflamable.
nonleaded gasoline, gasolina sin plomo tetraetilo.
nonlifting injector, inyector sin aspiración.
nonlinear distortion (ra), distorsión no lineal.
nonluminous flame, llama no luminosa.
nonmachineable, no fresable.
nonmagnetic, no magnético.
nonmetallic, no metálico.
nonmetallic-sheathed cable (elec), cable con revestimiento no metálico.
nonmountable separator (rd), separador no sobrepasable.
nonoperating income (rr), producto neto fuera
de la operación.
nonoverflow dam, presa insumergible o de retención, (M) cortina.
nonperformance, falta de ejecución.
nonpolarized relay (elec), relai neutro.
nonpolarizing, impolarizable.
nonpressure welding, soldadura sin presión.
nonputrescible, no putrescible.
nonquadded cable (elec), cable de alambres
pareados.
nonreactive, no reactivo.
nonrenewable, no recambiable.
nonresonant, no resonante.
nonreturn steam trap, trampa de vapor sin retorno del condensado.
nonreturn valve, válvula de retención de vapor.
nonreversible engine, máquina irreversible o ininvertible.
nonrigid, no rígido.
nonrising stem (va), vástago fijo o no ascen-
diente.
nonrotating wire rope, cable antigiratorio.
nonrusting, inoxidable, incorrosible.
nonscoring, antiarañador.
nonseizing, antiagarrador, antiaferrador.
nonselective operation (elev), manejo no selectivo.
nonsettleable solids (sen), sólidos no sedimentables.
nonshattering glass, vidrio inastillable, cristal de
seguridad, (M) cristal irrompible.
nonshrink, anticontracción.
nonsinusoidal, no sinusoidal.
nonskid, antideslizante, antideslizable, (M) antiderrapante.
nonslam check valve, válvula de retención silenciosa.
nonslip, antirresbaladizo, antideslizante.
nonsoftening, antiablandecedor.
nonspark metal, metal sin chispas.
nonspinning rope, cable antigiratorio.
nonsplash funnel, embudo antisalpicadura.
nonstaining cement, cemento que no descolora.
nonsticking, a prueba de atollamiento.
nonstop, sin escala, sin parada.
—— switch (elev), conmutador para movimiento
sin paradas.
nonsynchronous, no sincrónico.
nontamperable fuse (elec), fusible con adaptador
que impide reemplazo por tamaño mayor.

nontilting mixer (conc), mezcladora no inclinable o no basculante, hormigonera no volcable.

nonturbulent head (ge), culata antiturbulente.

nonunion job, obra en que no se reconocen los gremios.

nonunion man, obrero no agremiado, operario fuera del gremio.

nonventilated motor, motor sin ventilación.

nonwarping, antialabeo.

norm, norma.

normal (all senses), normal.

—— chord (surv), cuerda de 100 pies.

—— depth (hyd), profundidad normal o neutra.

—— fault (geol), falla simple o normal.

—— pitch (gear), paso normal.

—— solution, solución normal.

normality (chem), normalidad.

normalize (iron), normalizar.

normalizing furnace, horno normalizador.

north, s norte; a del norte; adv al norte.

—— point (compass), punta norte.

—— star, estrella polar.

northeast n a, nordeste.

northern, del norte, septentrional, boreal.

northing (surv), diferencia de latitud hacia el norte.

northwest n a, noroeste.

Norway

—— iron, hierro de Noruega.

—— pine, pino rojo o de Noruega.

—— saltpeter, nitrato de calcio.

nose, s (mec) oreja, talón, aleta; (geol) nariz; (herr) boca; v (ef) redondear (cabo del tronco).

—— hangar (ap), hangar para encerrar solamente la nariz del avión, hangar de nariz.

nosing, (pilar) tajamar, rompehielos, (M) parteaguas; (es) vuelo; (loco) serpenteo.

—— plane, cepillo para vuelo de huella, cepillo de encabezar escalones.

not-go gage, calibre que no debe entrar o dejar entrar, calibre de juego máximo.

notch, s entalladura, escopleadura, mella, tajadura, escotadura, entalle, muesca, escote; v entallar, escoplear, ranurar, mellar, muescar, tajar, dentar, dentellar, escotar, amellar.

notching (elec), escalonamiento.

note (com), pagaré, (Es) abonaré.

—— keeper, apuntador, anotador, (M) tarjero.

notes (surv), apuntes del trabajo de campo minutas.

notebook (surv), libreta de campo, cuaderno (Col) cartera, (AC) carneta.

novaculite (geol), novaculita.

novelty siding (carp), especie de tablas de forro.

nozzle, boquilla, tobera, lanza, boquerel, trompa, pico, boca, pitón, (M) chiflón, (V) cachimbo.

—— aerator, aereador de boquilla.

—— holder, portatobera, soporte de la tobera.

—— plate, tobera plana.

nozzleman, operario de la boquilla.

nuclear, nuclear, nucleal.

nucleus, núcleo.

nugget (min)(w), pepita.

null (ra), radiación nula.

—— detector or indicator (elec), indicador de corriente cero.

—— method (elec), método de cero.

—— point (geop), punto cero o nulo.

number plate (auto), chapa de patente.

numerator, numerador.

numerical, numérico.

nummulitic (geol), numulítico.

nun buoy, boya cónica o de doble cono.

nut, tuerca, hembra de tornillo, (M) rosca.

—— coal, carbón bituminoso de tamaño ¾ pulg a 1½ pulg.

—— extractor, sacatuerca.

—— lock, fiador de tuerca, contratuerca.

—— mandrel (mt), mandril de tuerca.

—— retainer, retén de tuerca.

—— runner or setter or tightener (t), entuercadora, ajustador o atornilladora de tuercas, (Ch) apretador de tuercas.

—— tap, macho para tuercas.

nut-tapping machine, roscadora de tuercas, terrajadora para tuercas.

nutation, nutación.

nutrient agar (sen), agar nutritivo.

oak, roble, encina, encino, carrasco.

oak-tanned, curtido al roble.

oakum, estopa, empaque.

object glass (inst), objetivo, lente objetiva.

object-glass cap, tapaobjetivo.

objective (inst), objetivo.

—— slide, cursor del objetivo.

oblate (math), achatado.

oblique, oblicuo.

—— fault (geol), falla oblicua.

—— perspective, perspectiva oblicua o de tres puntos.

—— triangle, triángulo oblicuángulo.

oblique-angled, oblicuángulo.

obliquity, oblicuidad.

obscured glass, vidrio translúcido.

obsequent stream (geol), arroyo obsecuente.

observation, observación.

—— car, coche de observación.

—— well, pozo de observación.

observed bearing (surv), rumbo observado.

observer, observador.

observing tower (surv), torre de observación.

obsidian (geol), obsidiana.

obsidianite (geol), obsidianita.

obsolescence, desuso, (Ch) obsolescencia.

obsolete, desusado, anticuado, (C) obsoleto.

obsoleteness, desuso.

obstruct, atascar, atorar, atrancar; obstruir, estorbar.

obstruction, obstrucción; obstáculo.

—— light (ap), farol indicador de obstáculo.

—— ratio (ap), ángulo de planeo.

—— wrench, llave angular o de ángulo.

obstruction-proof, inatascable.

obtuse angle, ángulo obtuso.

obtuse-angled, obtusángulo.

occlude (chem), absorber.

occlusion, oclusión; (quím) absorción.
occulting light, farol de ocultación.
occupancy load (ac), demanda por ocupación, carga de ocupación.
occupation, empleo, oficio, ocupación.
occupational disease, enfermedad profesional.
ocean, océano.
—— bill of lading, conocimiento marítimo.
—— freight, flete marítimo.
ocher, ocre.
octagon, octágono, octógono.
octagonal, octágono, ochavado, octagonal, octogonal.
octahedral, octaédrico.
—— iron ore, magnetita.
octal (ra), octal.
octane, octano.
—— index or number, índice octánico, número de octano.
—— rating, grado de octano.
—— scale, escala de octanos.
—— selector (auto), selector de octano, (A) selector octánico.
—— rating, grado de octano, graduación octánica, octanaje.
octant (math)(inst), octante.
octavalent (chem), octavalente.
octave (ra), octava.
octode (ra), octodo.
octose (su), octosa.
ocular n a, ocular.
—— micrometer, micrómetro ocular.
odd (number), impar.
odd-leg caliper, calibrador de dos piernas curvas en un sentido.
odograph, odógrafo, hodógrafo.
odometer, odómetro, cuentapasos, hodómetro.
odontograph, odontógrafo.
odor, olor.
odor-removal filter (wp), filtro desodorizador.
odorimeter, odorometer, olorímetro.
odorless, inodoro.
oersted (elec), oersted, (A) erstedio.
off time (w), período de separación de los electrodos.
off-center, fuera de centro, descentrado.
off-peak energy, energía suministrada durante horas de menos carga.
off-the-road hauling, transporte fuera del camino.
off-the-road tires, neumáticos para maquinaria de construcción.
office, despacho, oficina, escritorio.
—— employee, oficinista, (Ch)(V) empleado.
official, s oficial, funcionario; a oficial.
offset, s (conc) rebajo, retallo, rebajada; (tub) pieza de inflexión, pieza en S, (A) codo doble; (lev) saledizo, resalto, desecho, ordenada, desplazamiento; (min) labor atravesada; (geol) desplazamiento horizontal; (herr) descentrado, rebajo; v (conc) retallar, rebajar; (lev) acodar, escalonar.
—— hinge, bisagra acodada.
—— line (surv), línea paralela; línea acodada.
—— screwdriver, destornillador acodado.

—— tool (mt), herramienta descentrada o acodada.
—— U bend (p), curva de compensación con doble desplazamiento.
—— valve, válvula escalonada o en S o con inflexión.
—— wrench, llave acodada.
offset-head nail, clavo de cabeza excéntrica.
offtake (mech), toma.
ogee, perfil de gola, cimacio, talón.
—— washer, arandela de cimacio o de gola.
ogive (ar), ojiva.
ohm (elec), ohmio.
ohm-mile, ohmio-milla.
Ohm's law (elec), ley de Ohm.
ohmic, óhmico.
—— resistance, resistencia real u óhmica.
ohmmeter, ohmiómetro, ohmímetro, óhmmetro.
oil, s aceite, petróleo, óleo; v (maq) lubricar, aceitar; (ca) petrolizar, (Ch) aceitar.
—— and gas separator, separador de petróleo y gas.
—— asphalt, asfalto artificial.
—— barge, lanchón petrolero.
—— bath, baño de aceite.
—— boiler, hervidor de aceite.
—— brake, freno de aceite.
—— burner, quemador de petróleo.
—— car, carro tanque.
—— chamber, cámara de aceite.
—— circuit breaker, interruptor automático en aceite.
—— crane (rr), grúa cargadora de petróleo combustible.
—— cup, copilla de aceite, aceitera, aceitador, (M) taza lubricadora.
—— derrick, torre petrolera o de taladrar, (M) faro de perforación.
—— drum, bidón o tambor para petróleo.
—— eliminator, separador o eliminador de aceite.
—— engine, máquina a petróleo, motor de aceite.
—— extractor, extractor de aceite.
—— feed, alimentación del aceite.
—— feeder, lubricador.
—— field, campo o yacimiento petrolífero, campo petrolero.
—— film, película de aceite.
—— filter, filtro de aceite.
—— fuel, combustible de petróleo.
—— furnace, horno a petróleo, horno quemador de petróleo.
—— gage, manómetro del aceite, indicador de la presión del aceite; indicador del nivel de aceite.
—— gas, gas de petróleo, (C) gas de aceite.
—— groove, ranura de lubricación, estría de lubrificación, conducto de aceite.
—— gun, aceitera de resorte, inyector o jeringa de aceite.
—— heater, calentador quemador de aceite.
—— house, aceitería, casilla de aceites.
—— intake, toma de aceite.
—— joint, junta de aceite.
—— lands, terreno petrolífero.
—— macadam, macádam de penetración.
—— meter, contador de aceite.

—— of turpentine, aceite o esencia de trementina.

—— of vitriol, aceite de vitriolo o de azufre, ácido sulfúrico.

—— paint, pintura al óleo o de aceite.

—— pan (auto), colector de aceite, batea.

—— pipeline, oleoducto, tubería para petróleo.

—— plug, tapón del agujero de lubricación.

—— pool, criadero de petróleo.

—— reclaimer, depuradora de aceite.

—— recovery, extracción de petróleo.

—— reserves, reservas petrolíferas o de petróleo.

—— reservoir, tanque de aceite; cámara para aceite lubricante dentro de una garrucha.

—— retainer, retenedor o retén de aceite, (auto) arandela de aceite.

—— rights, derechos petroleros.

—— ring, anillo aceitador o de engrase o de lubricación.

—— rock, roca petrolífera.

—— sand, arena o arenisca petrolífera.

—— saver, economizador de petróleo.

—— seal, sello de aceite o de lubricación, (M) retén de lubricación.

—— separator, separador de aceite.

—— shale, esquisto petrolífero.

—— slinger (lu), véase oil thrower.

—— sludge, residuo gomoso, cieno.

—— stain (pt), tinte al óleo.

—— string (pet), tubería de producción, tubería final de revestimiento.

—— structure, estructura petrolífera.

—— switch (elec), interruptor en aceite, disyuntor de aceite.

—— tanker, barco tanque para petróleo, buque petrolero.

—— tar, alquitrán de petróleo.

—— thrower (lu), deflector de aceite.

—— trap, interceptor o colector de aceite.

—— treater, tratador de aceite.

—— varnish, barniz graso o craso o al aceite o al óleo.

—— well, pozo petrolífero o de petróleo.

—— zone, zona petrolífera.

oil-bearing, petrolífero.

oil-break switch (elec), interruptor de aceite.

oil-control ring, anillo de regulación de aceite, aro regulador de aceite.

oil-cooled, enfriado por aceite.

oil-country boiler, caldera para campo petrolero.

oil-dispensing equipment, equipo para surtido de lubricantes.

oil-electric locomotive, locomotora petróleoeléctrica.

oil-filled cable (elec), cable de aceite.

oil-filled transformer, transformador lleno de aceite, transformador en aceite.

oil-fired (bo), alimentado a petróleo.

oil-gas tar, alquitrán de gas de aceite.

oil-gravel mat (rd), carpeta de grava petrolada.

oil-hardening (met), recocido en aceite.

oil-immersed switch (elec), interruptor en aceite o de aceite.

oil-immersed transformer, transformador en aceite.

oil-impregnated, impregnado de aceite.

oil-insulated, con aislación de aceite.

oil-leak detector, indicador de escape de aceite.

oil-level indicator, indicador de nivel del aceite.

oil-mat road, camino de grava petrolada.

oil-pressure gage, manómetro de aceite, (M) medidor de presión de aceite.

oil-pressure governor, regulador por presión de aceite.

oil-quenched, templado en aceite.

oil-removal filter, filtro desaceitador.

oil-resisting, resistente al aceite.

oil-sealed, estanco al aceite.

oil-tempered (met), templado al aceite o en aceite.

oil-tube drill, broca con canal para aceite entre estrías, broca de canal de aceite.

oil-well gas, gas natural.

oil-well jack, gato para herramientas de perforación.

oilcan, aceitera, alcuza; lata para aceite.

oiled earth road, camino de tierra petrolada.

oiled paper (ins), papel aceitado.

oiler, (herr) aceitera; (hombre) aceitador, engrasador, aceitero; (ca) petrolizador.

oilhole, agujero de lubricación, boquilla de engrase.

—— drill, broca con agujeros para aceite.

oiliness (lu), oleosidad.

oiling, aceitado, engrase, lubricación, aceitaje.

—— chain, cadena lubricadora.

—— washer, arandela lubricadora.

—— wick, mecha aceitadora.

oilless bearing, cojinete autolubricador o sin aceite.

Oilostatic cable (trademark)(elec), cable dentro de tubería llenado de aceite.

oilproof, a prueba de aceite.

oilskins, impermeables, traje de tela barnizada, encerados.

oilstone, piedra afiladora o de aceite, (A) piedra de asentar.

oiltight, hermético o estanco al aceite.

oily, aceitoso, oleoso.

okonite (inl), oconita.

old man (t), el viejo, abrazadera de taladrar, (C) hombre viejo.

Oldham coupling, unión de Oldham.

oleaginous, oleaginoso.

oleate (chem), oleato.

oleoduct, oleoducto.

oleometer, oleómetro, acrómetro.

oleopneumatic, oleoneumático.

oligist (miner), oligisto, hematita.

oligoclase (miner), oligoclasa.

oligoclasite (geol), oligoclasita.

olive oil (lu), aceitón.

ombrograph (mrl), pluviómetro registrador.

ombrometer (mrl), pluviómetro.

omnibus bar, véase bus bar.

omnidirectional beacon (ap), faro omnidireccional.

omnigraph (tel), omnígrafo.

omnimeter (surv), omnímetro.

on edge, de canto, (lad) a sardinel, (lad) a panderete.

on end, de cabeza, de punta.

on the flat, de plano.

on-off switch (elec), interruptor conectador-desconectador.

on-peak energy, energía suministrada durante horas de máxima demanda.

once-through boiler, caldera de paso continuo o de paso único.

ondogram (elec), ondograma.

ondograph (elec), ondógrafo.

ondometer (ra), ondámetro.

ondoscope (elec), ondoscopio.

ondulatory winding (elec), devanado ondulado.

one-course pavement, pavimento de una sola capa.

one-dimensional, unidimensional.

one-fluid cell (elec), pila de un solo líquido.

one-gang outlet box (elec), caja de salida simple.

one-man
—— **crosscut saw,** trozador con mango para un hombre.
—— **operation,** mando por un solo hombre.
—— **stone** (mas), piedra manejable por un hombre, (M) piedra braza.

one-piece, enterizo, de una pieza.

one-pipe system (ht), sistema de tubería única.

one-point perspective, perspectiva paralela o de punto único.

one-stone aggregate (rd), agregado de tamaño uniforme.

one-time fuse (elec), fusible no recolocable.

one-way
—— **communication** (ra), comunicación en un sentido.
—— **side dump** (tk), descarga de un lado.
—— **slab** (conc), losa armada en una dirección.
—— **traffic,** tráfico unidireccional o en un solo sentido.

one-wheel landing (ap), aterrizaje sobre una rueda.

onsetter (min), cajonero, enganchador.

oölite (geol), oolita.

ooze, s fango, lama; v filtrar, percolar.

opacity, opacidad.

opalescence, opalescencia.

opalescent globe (il), globo opalescente.

opaline-glass globe (il), globo opalino.

opaque, opaco.

open, v abrir; a abierto, descubierto.
—— **aggregate** (rd), agregado de alta relación de huecos.
—— **arc lamp,** lámpara de arco abierto.
—— **bevel** (sb), chaflán abierto (más de 90°).
—— **bridge socket** (wr), encastre abierto para puente.
—— **caisson,** cajón abierto.
—— **channel** (hyd), canal descubierto, conducto abierto, cauce libre.
—— **chock** (sb), escotera abierta.
—— **circuit** (elec), circuito abierto.
—— **contact** (elec), contacto abierto.
—— **cut,** tajo o corte abierto, excavación a cielo abierto.
—— **delta connection** (elec), conexión en V.
—— **flap valve,** válvula de charnela de disco exterior.
—— **mix** (rd), mezcla porosa.
—— **motor,** motor abierto.

—— **nozzle,** tobera abierta.
—— **shop,** taller franco.
—— **socket** (wr), grillete abierto o en horquilla, encastre abierto.
—— **spillway** (no gates), vertedero fijo o abierto o de cresta libre.
—— **stope** (min), escalón abierto; escalón de cielo.
—— **trench,** zanja abierta.
—— **winding** (elec), devanado o arrollamiento abierto.
—— **wire** (elec), alambre descubierto o aéreo.
—— **wiring** (elec), alambrado descubierto.

open-bottom raceway (elec), conducto sin fondo, canal de fondo abierto.

open-circuit voltage, tensión de circuito abierto.

open-coil winding (elec), devanado de inducido abierto.

open-cycle turbine, turbina de ciclo abierto.

open-die forging, forja con matriz abierta.

open-divided scale (dwg), escala subdividida en los extremos solamente.

open-end wrench, llave española o de maquinista o de boca.

open-eye eyebolt, tornillo de ojo abierto.

open-float trap (steam), trampa de flotador abierto, separador de cubeta abierta.

open-flume turbine, turbina de cámara abierta o de canal abierto.

open-graded (ag), de relación alta de vacíos, de tamaño uniforme.

open-grained, de grano grueso, (mad) porosa.

open-hearth
—— **furnace,** horno Siemens-Martin.
—— **process,** procedimiento Siemens-Martin.
—— **steel,** acero Siemens-Martin o al hogar abierto.

open-impeller pump, bomba de impulsor abierto.

open-joint pipe, tubería de juntas abiertas o sin juntear.

open-panel truss, armadura Vierendeel o sin diagonales.

open-phase relay, relai de fase abierta.

open-pit mining, minería a cielo abierto, labor de cantera.

open-root weld, soldadura de fondo abierto.

open-side toolpost (mt), poste portaherramienta abierto.

open-sight alidade, alidada de pínulas.

open-spandrel arch, arco de enjuta abierta.

open-throat pliers, alicates de garganta.

open-top truck mixer, camión agitador abierto.

open-web joist, vigueta de celosía o de alma abierta.

open-wire circuit, circuito abierto.

opencast (min), labor al aire libre.

opening, abertura, vano; apertura.

openside planer, acepilladora de un lado abierto.

operable, operable.

operate, (maq) operar, manejar; actuar, accionar, impulsar; funcionar, marchar; (empresa) explotar.

operating
—— **bridge,** puente de maniobra o de servicio, pasarela de mando.
—— **cable,** cable de mando.

—— **company,** compañía operadora.
—— **current,** corriente de servicio.
—— **duty** (elec), trabajo de operación.
—— **expenses,** gastos de explotación o de operación.
—— **head** (hyd), carga o desnivel de funcionamiento.
—— **house,** casilla de mando, caseta de maniobras.
—— **income,** entrada neta de operación, rentas de explotación.
—— **lever,** palanca de maniobra.
—— **mechanism,** mecanismo de maniobra.
—— **nut,** tuerca de maniobra, (V) dado de operación.
—— **point** (ra), punto de trabajo.
—— **profit,** beneficio o ganancias de explotación.
—— **ratio** (rr), coeficiente de explotación o de operación.
—— **rise and fall** (rr), subida y bajada del perfil de velocidad.
—— **stand,** pedestal de maniobra.
—— **table,** mesa de control, (Pe) mesa de operaciones.
—— **temperature,** temperatura de trabajo.
—— **voltage,** tensión de servicio.
—— **weight** (ce), peso de trabajo o de operación.
operation, operación, manejo, maniobra; accionamiento; funcionamiento; explotación.
—— **factor,** factor de funcionamiento.
—— **waste** (irr), pérdidas de explotación.
operative, s operario; a operativo.
operator, (maq) operador, maquinista; (mec) ajustador, operador; (negocio) explotador, empresario; telegrafista; telefonista; (mat) operador.
operator's panel (elev), tablero del ascensorista.
ophite (geol), ofita.
opposed impellers (pu), impulsores opuestos.
opposed pistons, émbolos opuestos.
opposing spring, resorte antagonista.
opposite, opuesto.
—— **phase** (elec), fase opuesta, antifase.
opposition (elec), oposición.
optic angle, ángulo óptico.
optical, óptico.
—— **axis,** eje óptico.
—— **center** (inst), centro óptico, (fma) punto principal.
—— **sight** (surv), anteojo de puntería.
—— **switch** (pmy), llave óptica.
optimum coupling (ra), acoplamiento crítico u óptimo.
option, opción.
orange lead (pigment), albayalde anaranjado.
orange-peel bucket, cucharón tipo cáscara de naranja, cucharón de granada, (M) cucharón de cuatro gajos, (M) cucharón de gajos de naranja.
order, (com) orden, pedido; (sequence) orden.
—— **bill of lading,** conocimiento negociable.
ordinary lay (wr), torcido corriente.
ordinate (math), ordenada.
ore, mineral, mena, mineral metálico.
—— **body,** criadero de mineral, cuerpo mineral.

—— **bridge,** grúa de puente para manejo de mineral.
—— **bucket,** cubo o tonel de extracción, cucharón para mineral, (M) chalupa.
—— **car,** carro para mineral, vagón de mineral.
—— **crusher,** bocarte, trituradora de mineral.
—— **deposit,** yacimiento de mineral.
—— **dressing,** preparación mecánica, beneficio.
—— **reduction,** beneficio de minerales.
—— **shoot,** clavo, columna rica.
—— **washer,** lavador de mineral.
ore-bearing, metalífero.
Oregon pine, pino del Pacífico, abeto Douglas o rojo, (A) pino oregón.
organic, orgánico.
—— **matter,** materia orgánica.
—— **waste,** desechos orgánicos.
organism, organismo.
organoleptic (sen), organoléptico.
orient, orientar.
orientation (surv)(cnem)(math)(miner), orientación.
orientator, orientador.
orifice, orificio.
—— **box** (hyd), caja de orificio.
—— **flange,** brida de orificio.
—— **gaging tank,** tanque aforador de orificio.
—— **meter,** contador de orificio.
—— **plate** (hyd), placa o plancha de orificio.
—— **steam trap,** trampa de orificio, separador tipo de orificio.
origin (surv)(math), origen.
original cost, costo inicial u original o primitivo.
original ground, terreno primitivo, suelo natural.
orlop (sb), sollado.
ornamental ironwork, cerrajería, herrería, herraje ornamental, herrería artística, (A) carpintería metálica.
ornamental-iron worker, herrero de arte, cerrajero.
orograph, orógrafo.
orographic, orográfico.
orohydrographic, orohidrográfico.
orohydrography, orohidrografía.
orometer, orómetro.
orpiment, oropimente.
Orthicon (trademark)(tv), orticón.
orthiconoscope (ra), orticonoscopio.
orthoaluminate, ortoaluminato.
orthochromatic, ortocromático.
orthoclase (miner), ortoclasa, ortosa.
orthoclasite (geol), ortoclasita.
orthoclastic, ortoclástico.
orthogneiss (geol), ortogneis.
orthogonal, ortogonal.
orthographic projection, proyección ortográfica u ortogonal.
orthophosphate (chem), ortofosfato.
orthophyre (geol), pórfido feldespático, (A) ortofira.
orthose (miner), ortosa, ortoclasa.
orthosilicate, ortosilicato.
orthosilicic, ortosilícico.
orthotolidine, ortotolidina.
oscillate, oscilar.
oscillating current (elec), corriente oscilante

oscillating **wave**, onda de oscilación.

oscillating-piston **meter** (hyd), contador de émbolo oscilatorio.

oscillating-spindle **sander** (ww), lijadora de husillo oscilante.

oscillation, oscilación, (U) penduleo.

—— **transformer** (elec), transformador de corriente oscilante.

oscillator (mech)(elec)(ra), oscilador.

oscillatory, oscilatorio, oscilante.

—— **circuit** (ra), circuito oscilador.

—— **discharge** (elec), descarga oscilatoria.

—— **surge** (elec), onda oscilatoria.

oscillogram, oscilograma.

oscillograph, oscilógrafo.

—— **tube** (ra), tubo de oscilógrafo.

oscillographic, oscilográfico.

oscillography, oscilografía.

oscilloscope, osciloscopio.

osmium **lamp**, lámpara de osmio.

osmondite (met), osmondita.

osmosis, ósmosis.

osmotic, osmótico.

ounce, onza; onza líquida.

—— **metal**, aleación de cobre con estaño, plomo y cinc.

out-curve **edger**, canteador convexo.

out-of-adjustment, fuera de ajuste; (inst) descorregido.

out-of-balance, desequilibrado.

out-of-center, descentrado, fuera de centro.

out-of-face **replacement** (rr), reemplazo de todas las traviesas de un trecho.

out-of-face **surfacing** (rr), nivelación continua con leve alzamiento.

out-of-focus, desenfocado.

out-of-gear, desengranado, fuera de toma.

out-of-level, desnivelado.

out-of-line, desalineado, fuera de línea, descentrado; (maq) falseado.

out-of-order, descompuesto, inhabilitado, desarreglado.

out-of-phase, fuera de fase.

out-of-plumb, desaplomado, en desplome, desplomado, fuera de plomo, ladeado.

out-of-round, fuera de redondo.

out-of-service, fuera de servicio.

out-of-square, fuera de escuadra.

out-to-out, de extremo a extremo.

outage, merma, cantidad que falta para llenar; (eléc) parada, paralización.

outboard (naut), fuera de bordo, exterior.

—— **bearing**, chumacera o cojinete o soporte exterior.

—— **motor**, motor de fuera de bordo.

—— **profile** (na), perfil exterior.

outbond (mas), de soga.

outcrop, *s* afloramiento, crestón, asomo, brotazón, (C) brote; (min)(Ch) reventón; *v* aflorar, brotar.

outdoor

—— **lamp socket**, portalámpara de intemperie.

—— **paint**, pintura para intemperie.

—— **substation** (elec), subestación exterior o al aire libre o a la intemperie.

—— **transformer**, transformador a prueba de intemperie.

outdraft, corriente hacia afuera.

outer **race** (bearing), anillo exterior.

outer **spindle** (transit), eje exterior.

outfall, descarga, boca, salida, desembocadura, emisario.

—— **ditch** (rr), zanja de descarga, emisario.

—— **sewer**, alcantarilla de descarga, cloaca emisaria, emisario general.

outfit, *s* equipo, habilitación, aperos, apresto; *v* equipar, habilitar.

outflow, efluente.

outgoing **track**, vía de salida.

outhaul (cy), cable de alejamiento.

outlet, (hid) boca de salida, emisario, boquera, descargador, escurridero, escape, vano de descarga, embocadero; (eléc) toma de corriente o de derivación, caja de salida, conectador; (tub) salida; (aa) boca de salida.

—— **box** (elec), caja de salida.

—— **pipe**, tubo de salida.

—— **works** (hyd), dispositivos de salida, (M) obras de aprovechamiento, (A) estructuras de descarga.

outlier (geol), roca apartada.

outline **lighting**, alumbrado de contorno.

outlooker, volador, viga volada, arbotante, almojaya.

outphasing (ra), desfasaje.

outpost (pet), pozo de avanzada.

output, rendimiento, producción; energía de salida.

—— **capacitance** (ra), capacitancia o capacidad de salida.

—— **circuit**, circuito de salida.

—— **factor**, factor de producción.

—— **filter** (geop), filtro de salida.

—— **meter** (ra), indicador de nivel de salida.

—— **stage** (ra), etapa de salida.

—— **tube** (ra), tubo de potencia, válvula amplificadora.

outrigger, voladizo, volador, arbotante, almojaya; (eléc) oreja de anclaje, cuerno de amarre.

—— **scaffold**, andamio volado.

outside, *s* exterior; *a* exterior, externo; extremo.

—— **calipers**, calibre exterior o de espesor, compás de gruesos.

—— **chaser**, peine de rosca macho.

—— **diameter**, diámetro exterior, (rs) diámetro máximo.

—— **head bushing** (p), boquilla de reborde hembra.

—— **lead** (eng), avance de la admisión.

—— **micrometer caliper**, micrómetro exterior o de medida externa.

—— **molder** (ww), molduradora exterior.

—— **screw and yoke** (va), tornillo exterior y caballete, tornillo exterior con marco.

—— **spring calipers**, compás exterior de resorte.

outside-end-packed **plunger** (pu), émbolo buzo de prensaestopa exterior.

outside-mix **burner**, quemador de mezcla externa.

outsize, sobretamaño; tamaño especial.

outward-flow turbine, turbina centrífuga.

outwash (geol), material aluvional fuera del cauce.

oval, s óvalo; a ovalado.

—— **chuck** (lathe), plato para óvalos.

oval-head machine screw, tornillo de cabeza ovalada para metales.

oval-pin shackle, grillete de perno ovalado.

ovalization, ovalización.

ovate, ovado.

oven, horno.

ovendry, seco al horno.

over-all

—— **coefficient of heat transfer** (ac), coeficiente completo de traspaso de calor.

—— **dimensions,** dimensiones extremas.

—— **efficiency,** rendimiento total.

—— **length,** largo total, longitud de extremo a extremo; (náut) eslora total.

—— **thermal resistance** (ht), resistencia térmica total.

—— **width,** ancho total, anchura de extremo a extremo.

over-and-under baffle (wp), tabique de desviación vertical.

over-gear, engranaje multiplicador.

overalls, zahones, (A) traje de fajina o de trabajo.

overblasting, fractura excesiva por voladura.

overbreak (exc), sobreexcavación; excedente desprendido, (B) sobrerrajado.

overbunching (ra), agrupación excesiva.

overburden n, (exc) sobrecapa, (M) cubierta, terreno de recubrimiento, sobrecarga, (M) capa de desperdicio, material encima de la roca; (min) montera; (pet) capas encima del criadero.

overburned, (lad) requemado, santo; (az) sobrecarbonizado (carbón animal).

overcast (min), paso superior (conducto de aire).

—— **joint** (pb), unión solapada y soldada.

overcharge (elec), s sobrecarga; v sobrecargar.

overchlorination, cloración excesiva.

overchoking (auto), estrangulación excesiva.

overchute (hyd), aliviadero superior.

overcompounded generator, generador hipercompound.

overcompounding (elec), hipercompoundaje.

overcool, sobreenfriar.

overcorrection, sobrecorrección.

overcoupled (elec), sobreacoplado.

overcrossing, véase **overhead crossing.**

overcure n, exceso de curación.

overcurrent (elec), sobrecorriente.

—— **device,** dispositivo de sobrecorriente.

—— **protection,** protección contra sobrecorriente.

—— **relay,** relai de sobrecorriente.

overcut (file), primera talla.

overcutter (tun), sobrecortador.

overdamped (vibration), sobreamortiguado.

overdeck superheater, recalentador encima de los tubos.

overdevelopment (pmy), exceso de revelación.

overdischarge (elec), descarga excesiva.

overdosing (wp), sobredosificación.

overdrive, s (auto) sobremando, sobremarcha,

(A) velocidad de crucero; v (pi) astillar por golpeo excesivo.

overexcavate, excavar fuera de las líneas establecidas, sobreexcavar.

overexcitation, sobreexcitación.

overexpansion, sobreexpansión.

overexposed (pmy), sobreexpuesto.

overexposure (pmy), sobreexposición.

overfall (hyd), vertedero; lámina vertiente, aguas de derrame.

—— **spillway,** rebosadero, derramadero, vertedero libre.

overfeed stoker, alimentador de vaciado superior, cargador de alimentación superior.

overfired furnace, horno de combustión arriba.

overflex, sobredoblar.

overflow, s derrame; (presa) rebosadero, derramadero; v desbordarse, rebosar, sobreverterse, derramarse, rebasar, (A)(Ch)(Pe) rebalsar; (r) aplayar.

—— **bin** (ag), depósito de rebose.

—— **box** (su), caja de derrame.

—— **classifier** (met), clasificador de rebose.

—— **dam,** vertedero, presa sumergible o de rebose.

—— **pipe,** tubo de rebose, caño de desborde.

—— **rings** (sen), anillos reguladores del nivel de derrame.

—— **stand,** tubo rebosadero.

—— **weir** (sw), desviador del agua de tormenta.

overfold (geol), pliegue invertido o tumbado, (A) sobreplegamiento.

overfrequency (elec), sobrefrecuencia.

overhand knot, medio nudo.

overhand stope (min), testero, grada al revés, escalón de cielo, (M) rebajo del cielo, (M) rebaje de cabeza.

overhang, s vuelo; (cn) bovedilla; v volar, sobresalir.

overhanging, voladizo, volado, sobresaliente, saledizo.

—— **crankshaft,** cigüeñal voladizo.

overhaul, s (exc) transporte adicional, sobreacarreo, acarreo extra; v componer, rehabilitar, acondicionar; (aparejo) separar los motones.

overhead, s gastos generales; a superior, de arriba.

—— **crossing** (rd)(rr), paso o cruce superior, paso por encima.

—— **expense,** gastos generales.

—— **frog** (elec rr), cruzamiento aéreo, aguja aéria.

—— **ground wire** (elec), alambre de protección, cable de pararrayos.

—— **products** (pet), productos de evaporación.

—— **valve** (ge), válvula en la culata.

—— **weld,** soldadura hecha desde la cara inferior de las piezas soldadas, soldadura sobrecabeza.

overheat, s recalentamiento; v recalentar.

overheated (eng), recalentado, sobrecalentado.

overhung, volado; de suspensión superior.

—— **arc gate** (min), compuerta de arco superior.

—— **crank,** manubrio saliente, manivela volada.

overinflate (auto), sobreinflar.

overlap, s recubrimiento, solapadura, encaballadura; (sol) metal de aporte derramado, so-

bremonta, traslapo; (fc) traslapo (de los tramos); (fma) traslapo, solapadura, superposición; (geol) recubrimiento, solapadura; *v* solapar, traslapar; solaparse, traslaparse.
—— **bead** (w), cordón de traslapo.
—— **fault** (geol), falla inversa.
—— **regulator** (pmy), regulador de traslapo.
overlay *n*, capa superpuesta; (dib) hoja sobrepuesta.
overlie, descansar sobre, yacer encima de.
overload, *s* (todos sentidos) sobrecarga; *v* sobrecargar.
—— **circuit breaker** (elec), disyuntor de máxima.
—— **protection** (elec), protección contra sobrecargas.
—— **relay** (elec), relai de sobrecarga.
—— **release** (clutch), desembrague por sobrecarga.
—— **release coil** (elec), bobina de máxima.
overlying, superyacente.
overmining (tun), excavación fuera de la línea proyectada.
overmodulation (ra), sobremodulación.
overneutralization (ra), sobreneutralización.
overpass, *s* paso superior o por encima, (A) pasadera; *v* pasar sobre de.
overpower *n* (elec), sobrepotencia.
overrunning clutch (auto), embrague de rueda libre.
overrunning third rail, riel de contacto superior.
oversail (mas), acartelar.
oversanded (conc), que contiene demasiado arena.
overship, despachar con exceso.
overshoot (ap), rebasar la pista.
overshooting (bl), voladura excesiva.
overshot *n* (pet), enchufe de pesca.
—— **wheel** (hyd), rueda de alimentación superior.
oversize, *s* sobretamaño, supermedida; *a* extra grande, (A) sobredimensionado.
—— **aggregate**, piedras que exceden el límite de tamaño.
overslung (auto), sobresuspendido.
overspeed, sobrevelocidad, velocidad excesiva.
—— **governor**, regulador por velocidad excesiva.
—— **switch** (elec), interruptor automático para exceso de velocidad.
—— **tachometer**, indicador de exceso de velocidad.
overstrain, deformación excesiva.
overstress, *s* sobrefatiga, sobreesfuerzo; *v* sobrefatigar, (U)(M) sobreesforzar.
overtake, alcanzar, dar alcance.
overtemperature indicator (elec), indicador de sobretemperatura.
overthrust fault (geol), falla acostada, (M) falla por empuje, (A) sobreescurrimiento.
overtilt (pmy), sobreinclinación.
overtime, tiempo extra, horas extraordinarias, sobretiempo.
overtone (ra), sobretono.
overtop, sobrepasar.
overtravel (mt), recorrido muerto, sobrecarrera.
overturn, volcar, voltear.
overturned fold (geol), pliegue tumbado o invertido.

overturning, volcamiento, vuelco, volteamiento.
—— **force**, fuerza volcadora o de volcamiento.
—— **moment**, momento volcador o de vuelco.
overvibration (conc), vibración excesiva.
overvoltage, sobretensión, sobreintensidad.
—— **cutout**, cortacircuito para sobretensiones.
—— **relay**, relevador de sobretensión.
overweight, peso excesivo, sobrepeso.
overwet, demasiado húmedo.
overwind (tun)(min), izar la jaula más allá del punto de descarga.
overwinding (eng), enrollado por encima.
ovoid, ovoide.
owner, propietario, amo, dueño.
oxalate, oxalato.
—— **blasting powder**, pólvora que contiene oxalato de aluminio.
oxbow (r), vuelta.
oxidant *n*, oxidante.
oxidase (sen), oxidasa.
oxidation, oxidación.
—— **inhibitor**, inhibidor de oxidación.
oxide, óxido.
—— **of copper**, óxido cuprico o de cobre.
—— **of iron**, óxido de hierro.
oxide-coated (ra), bañado con óxidos.
oxide-film arrester (elec), pararrayos de película de hidróxido o a capa de óxido.
oxidizability, oxidabilidad.
oxidizable, oxidable.
oxidize, oxidar.
oxidizing
—— **bed** (sd), lecho de oxidación.
—— **flame**, llama oxidante.
—— **furnace**, horno de oxidización.
oxter plate (sb), plancha moldeada que une codaste y cuaderna sesgada.
oxyacetylene torch, soplete oxiacetilénico, antorcha oxiacetilénica, (C) mecha.
oxyacetylene welding, soldadura oxiacetilénica
oxychloride, oxicloruro.
oxygen, oxígeno.
—— **balance** (sd), balance del oxígeno, equilibrio de oxígeno.
—— **bomb**, bomba de oxígeno.
—— **lance** (w), soplete perforador.
—— **ratio** (geol), relación de oxígeno, coeficiente de acidez.
—— **regulator**, regulador de oxígeno.
—— **sag** (sen), curva de oxígeno colgante, combada de oxígeno disuelto.
oxygen-demand meter (sd), indicador de falta de oxígeno.
oxygen-hydrogen welding, soldadura oxihidrógeno.
oxygenated water, agua oxigenada.
oxygenation, oxigenación.
Oxygraph (trademark), tipo de máquina cortadora por llama de gas.
oxyhydrate, oxihidrato.
oxyhydric, oxhídrico.
oxyhydrogen blowpipe, soplete oxhídrico.
oxynitrate, oxinitrato.
oxyquinoline, oxiquinolina.
oxysulphate, oxisulfato.
oxysulphide, oxisulfuro.

oyster shells, conchas de ostra.
ozonation, ozonización.
ozonator (wp), ozonizador, ozonador.
ozone, ozono, ozona.
— paper (lab), papel de ozono.
ozonic, ozonizado.
ozonize, ozonizar, ozonar, ozonificar.
ozonizer, ozonador, ozonizador.
ozonometer, ozonómetro.
ozonometry, ozonometría.
ozonoscope, ozonoscopio.
ozonoscopic, ozonoscópico.

P trap (p), sifón en P.
pace, s paso; v medir a pasos.
pack, s fardo; (hielo) banco; (min) relleno de desechos; v embalar, empacar, envasar, encajonar; (maq) empaquetar, estopar; (min) rellenar, atibar; (ct) embolsar.
— animal, acémila, cabalgadura.
— carburizing (met), carburación por agente sólido.
— horse, caballo de carga.
pack-hardening (met), endurecimiento de acero calentándolo encerrado con material carbonoso.
pack-off element (pet), elemento obturador.
package, s paquete, bulto; v envasar.
— boiler, caldera enteriza o unitaria.
— freight, menos de un carro completo.
— substation (elec), subestación unitaria.
packbuilder (min), constructor de pilares.
packer, (barreno o pozo) tapador, obturador, tapón; (min) constructor de pilares, pedricero; (ct) embolsador.
packing, embalaje, envase, encajonamiento; (maq) empaque, empaquetadura, guarnición; (tún) retaque, relleno; (est) disposición, arreglo.
— block, espaciador, separador.
— box (mech), prensaestopas.
— case, cajón, envase.
— chamber, caja de empaquetadura.
— diagram (str), diagrama del arreglo de las piezas en el pasador.
— felt, fieltro de empaque.
— follower, casquillo del empaque.
— gland, casquillo de prensaestopa, portaempaquetadura.
— head (pet), cabezal obturador.
— hook, gancho para empaquetaduras.
— list, lista de los bultos, planilla de envasamiento.
— nut, tuerca del prensaestopas.
— piece, espaciador.
— plant, frigorífico.
— retainer, retenedor del empaque.
— ring, aro o anillo de guarnición, aro empaquetador, anillo de estopas; anillo de émbolo.
— spacer, espaciador del empaque.
— spool, separador, espaciador.
— washer, arandela de guarnición o de empaque.

packing-retaining ring, anillo de retención del empaque.
packless, sin empaquetadura.
packoff (pet), obturador.
packsaddle, albarda, aparejo.
packthread, bramante.
packwall (min), pared de relleno.
paco (miner), paco.
pad n, cojín, almohadilla; (si) mango; portabroca (berbiquí); disco de taladrar (torno); (eléc) atenuador.
— eye, ojillo de platillo.
— saw, serrucho de punta o de calar.
padder (ra), condensador de compensación.
padding, (sol) almohadillo; (ra) compensación.
paddle n, (mec) paleta; (mam) paleta de yesero.
— aerator, aereador de paletas.
— sand washer, lavador de paletas.
padlock, candado.
— eye, ojal de candado, cerradero.
paid-up capital, capital integrado o realizado.
paid-up stock, acciones cubiertas o liberadas.
pail, cubo, balde, cubeta.
pailful, baldada, balde.
paint, s pintura; v pintar.
— drier, desecador.
— gun, atomizador de pintura.
— remover, sacapintura, removedor de pintura.
— scaler, raspapintura.
— shop, taller de pintura, (A) pinturería.
— sprayer, pulverizador de pintura, soplete atomizador, pistola.
— thinner, diluente.
paintbrush, brocha, pincel.
painter, pintor; (náut) boza, amarra de bote.
painter's triangle, rasqueta triangular.
painting, pintura, (A) pinturería.
paired cable (elec), cable de alambres pareados.
palagonite (geol), palagonita.
pale brick, ladrillo rosado o mal cocido.
palette (mech), paleta.
paling fence, palizada, estacada, cerca de estacas.
palladium, paladio.
pallet (mech), paleta.
palm, (árbol) palma, palmera; (cn) cara plana para conexión.
palmetto, palmito.
palnut, tuerca de fijación, contratuerca.
paludal, pantanoso.
pampas, pampa, llano, sabana.
pan, s (ot) traílla; (min) gamella; (az) tacho; v (min) lavar para separación del oro.
— conveyor, transportador de artesas, conductor de bateas.
— humidifier (ac), humedecedor de artesa.
— room (su), cuarto de los tachos.
pancake coil (elec), bobina achatada o plana.
pancake landing (ap), aterrizaje aplastado.
panchromatic, pancromático.
panchromatism, pancromatismo.
pane, hoja de vidrio, cristal, vidrio.
panel, (puerta) entrepaño, panel, painel, tablero, (V) panela; (armadura) tramo, panel, (M) tablero, (M) recuadro, (Ch) paño; (eléc) placa, cuadro; (eléc) tablero; (pared) lienzo, tramo, recuadro.

—— board, tablero de cortacircuitos o de control, cuadro.

—— door, puerta ensamblada o de entrepaños, (M) puerta entablerada.

—— heating, calefacción a panel.

—— length (bdg), distancia entre nudos, longitud de tramos.

—— lights (auto), luces del tablero.

—— point (tu), nudo, junta de entrepaño, punto de encuentro o de tramo, (A)(M) nodo.

—— radiator, calefactor de panel.

—— saw, serrucho de dientes finos.

—— wall (bldg), antepecho; pared de relleno o sin carga.

—— working (min), laboreo por cuadros.

paneling, artesonado, alfarje, (V) empanelado.

panhead rivet, remache de cabeza de cono achatado, (A) remache de cabeza chanfleada.

panic bar (door), barra de emergencia.

panic bolt, falleba de emergencia.

panman (su), tachero, puntista.

panoramic photograph, fotografía panorámica.

pantelegraph, pantelégrafo.

pantellerite (geol), pantellerita.

pantile (rf), teja de cimacio; teja canalón.

panting beams (sb), baos de los raceles.

panting frames (sb), cuadernas de los raceles.

pantograph, (dib) pantógrafo; (eléc) colector pantógrafo.

—— pan (elec rr), patín del colector pantógrafo.

—— trolley, colector pantógrafo.

pantographic, pantográfico.

pantometer, pantómetro, pantómetra.

pantometric, pantométrico.

pantometry, pantometría.

pantoscope, pantóscopo, pantoscopio.

paper, papel.

—— coal, lignito en láminas delgadas.

—— location (rr), trazado gráfico.

—— mill, fábrica de papel.

—— shale, esquisto de láminas delgadas.

—— spar, especie de calcita.

paper-covered wire, alambre forrado de papel.

paper-insulated, aislado de papel.

papier-maché, cartón piedra.

parabola, parábola.

parabolic, parabólico.

paraboloid, paraboloide.

paracentric lock (hw), cerradura de cilindro paracéntrico.

paracolon (lab), paracolon.

paradichlorobenzene, paradiclorobenceno.

paradox control, tipo (patentado) de control para válvulas equilibradas.

paradox gate, tipo de compuerta levadiza que tiene anillo seguidor y que se desliza contra trenes de rodillos.

paraffin, s parafina; v parafinar.

—— oil, aceite de parafina; kerosina.

—— scraper (pet), raspador de parafina.

—— series, serie parafínica.

—— wax, parafina sólida, cera de parafina.

paraffin-base oil, petróleo de parafina.

paraffined paper (inl), papel parafinado.

paraffinic, parafínico.

paraffinicity, parafinicidad.

paragneiss (geol), paragneis.

parallactic, paraláctico.

—— angle, paralaje angular, ángulo paraláctico.

—— displacement (pmy), desplazamiento de paralaje.

parallax, paralaje.

—— difference, diferencia paraláctica.

parallel, n (geog) paralelo; (mat) paralela, paralelo; a paralelo.

—— circuits (elec), circuitos paralelos.

—— connector (elec), conector paralelo.

—— feed (ra), alimentación en paralelo.

—— perspective (dwg), perspectiva paralela.

—— plates (transit), placas paralelas.

—— resonance (ra), resonancia en paralelo.

—— resonant circuit (ra), circuito resonante en paralelo.

—— ruler, reglas paralelas.

—— vise, tornillo paralelo, morsa paralela.

—— winding (elec), arrollamiento o devanado en paralelo.

parallel-blade plug (elec), ficha de cuchillas paralelas.

parallel-flange I beam, viga I de ala sin ahusar.

parallel-flow jet condenser, condensador de corrientes (vapor y agua) paralelas.

parallel-flow turbine, véase axial-flow turbine.

parallel-jaw pliers, alicates paralelos.

parallel-leaf shutter (pmy), obturador de hojas paralelas.

parallel-plate capacitor (elec), capacitor de placas paralelas.

parallel-series circuit (elec), circuito en paraleloserie.

parallel-slide gate valve, válvula de compuerta plana.

parallelepiped (math), paralelepípedo.

paralleling reactor (elec), reactor en paralelo.

parallelism, paralelismo.

parallelogram, paralelogramo.

paramagnetic, paramagnético.

paramagnetism, paramagnetismo.

parameter (math), parámetro.

parametric, paramétrico.

paramo, páramo.

paranitrophenol (lab), paranitrofenol.

parapectin (su), parapectina.

parapet, parapeto, pretil, antepecho, (Col) trincho, (V) ático.

parasite n a, parásito.

parasitic current (elec), corriente parásita.

parasitic oscillation (ra), oscilación parásita.

paratrophic (sen), paratrófico.

paraxial, paraxial.

parbuckle, tiravira.

parcel v (cab), precintar.

parceling (cab), precintas.

parchment insulation, aislante de pergamino.

parent metal (w), metal de las piezas por soldar.

pargasite (miner), pargasita (hornablenda).

parge, parget (mas), s repello, enlucido; v revocar, enlucir.

paring chisel, formón o escoplo de mano.

paring gouge, gubia de mano.

park v (auto)(ap), estacionar, situar; estacionarse, situarse.

Parkerize (trademark)(met), parquerizar.
parking (auto)(ap), estacionamiento.
—— apron (ap), faja de estacionamiento.
—— brake (auto), freno de estacionamiento.
—— lane (rd), faja de estacionamiento
—— lights (auto), luces de estacionamiento.
—— meter (auto), contador de estacionamiento.
—— space, plaza o playa o lugar de estacionamiento.
parkway, bulevar, prado, (B) carretera-parque;
faja central; camino de acceso limitado.
—— cable, cable eléctrico armado con cinta de
acero.
Parshall flume, canal medidor de Parshall, canalón de Parshall.
part gate (turb), paletas entreabiertas.
part list (machy), lista de partes, tabla de piezas
de repuesto.
parts (machy), repuestos, partes.
partial, parcial.
—— disability, incapacidad parcial, invalidez
relativa.
—— load, carga fraccionada o parcial.
particle, partícula.
particular average (ins), avería particular o simple.
particulate, particulado.
parting (min), lámina de material estéril entre
filones; (miner) separación; (fund) plano
de separación (del molde).
—— chisel, escoplo separador.
—— flask (lab), frasco separador.
—— slip (window), listón separador (de los contrapesos).
—— strip, (carp) listón separador; (ca) faja central o divisora.
—— tool (mt), fresa partidora.
partition, s tabique, pared divisoria, acitara, medianería; v (ed) tabicar, entabicar.
—— builder, tabiquero.
—— bulkhead (na), mamparo divisorio.
—— cross (p), cruz para tabiques.
—— tile, bloques huecos para paredes divisorias.
—— wall (bldg), pared divisoria.
partitioning, tabiquería.
party (surv), cuadrilla, cuerpo, brigada, equipo,
(C) comisión.
—— wall, muro medianero, pared medianera,
arrimo.
pass n, (top) portezuelo, abra, boquerón, desfiladero, boca, collado, (Ch) atravieso, (M)
puerto; (min) paso entre niveles; (fc) pase;
(laminador) canal; (sol)(cal)(met) pasada,
paso.
—— band (ra), banda de transmisión libre.
—— key, llave maestra.
—— welding, soldadura por pasos longitudinales.
passageway, pasadizo, pasillo, pasaje, corredor.
passenger, viajero, pasajero.
—— car, vagón de viajeros, coche, (Ch) vagón de
pasajeros.
—— station, estación de viajeros.
—— train, tren de viajeros.
passer (re), agarrador.
passing
—— lane (rd), faja de pasar, trocha para pasar.

—— siding (rr), apartadero o vía de paso.
—— tongs (str), tenazas para tirar remaches.
passive (all senses), pasivo.
passivity (chem)(elec), pasividad.
passometer, cuentapasos.
passport, pasaporte.
paste n, (ct) pasta; (oficina) goma, engrudo.
pasted plate (elec), placa empastada.
pat n (ct), galleta, pan, pastilla, torta.
—— stain test (rd), prueba de mancha.
patch, s remiendo; (auto) parche, emplasto; (cal)
planchuela de compostura; (ra) conexión
provisional; v remendar; (conc) resanar;
(auto) parchar; (ca) bachear.
—— bolt, perno prisionero de remendar.
—— roller (rd), rodillo de bachear o para remiendos.
patching, remiendo, (ca) bacheo.
—— and pointing (conc), resanado, subsana-
miento.
patent, s patente, privilegio de invención; v patentar.
—— applied for, patente en tramitación.
—— infringement, violación de patente.
—— office, oficina o negociado de patentes.
—— plaster, yeso duro o negro.
—— royalty, derechos de patente.
patentee, poseedor de patente, concesionario de
la patente.
patenting (met), recocido especial antes de estirar en frío.
patentor, dueño de patente.
path, sendero, vereda, senda; (mec) recorrido;
(mat) trayectoria.
—— of seepage (hyd), paso o recorrido de filtración.
—— of travel (mech), recorrido.
pathogen (lab), patógeno.
pathogenic bacteria (sen), bacterias patógenas.
patina (met), pátina.
patinize (met), patinar.
patrol (rd machy), patrulladora, patrullera, conservadora.
—— grader (rd), niveladora de patrulla.
—— sweeper (rd), barredora patrulladora.
patrolman (rr), corredor de vía, guardavía.
patronite, patronita (mineral de vanadio).
pattern, plantilla, patrón, (Ec) grifa; (fund)
modelo.
—— shop, taller de modelado, (Ch) modelería.
patterned lumber, molduras.
patternmaker, carpintero modelador, modelista;
plantillero.
patternmaking, carpintería de modelos, modelaje.
paulin, véase tarpaulin.
pave, pavimentar, afirmar, solar, empedrar; adoquinar; enladrillar; embaldosar; entarugar;
enguijarrar; enchinar; asfaltar; (hid) zampear, encachar.
paved ford (rd), vado pavimentado, (V) batea,
(A) badén.
paved roadway, calzada, camino afirmado.
pavement, pavimento; (ed) solado, solería, embaldosado; (ca) afirmado, empedrado; ado-

quinado; enladrillado; entarugado; enchinado.

paver, empedrador, adoquinador; enladrillador; asfaltador; solador; (maq) mezcladora pavimentadora.

paver's hammer, martillo de adoquinador, aciche.

paving, pavimentación; pavimento, afirmado, soladura, adoquinado; (hid) revestimiento, zampeado, encachado.

— **bar,** barra de empedrador.

— **block,** adoquín, (C) bloque; (mad) tarugo, adoquín de madera.

— **breaker,** rompepavimentos, martillo rompedor, rompedor de hormigón, (M) pistola rompedora, partidora de hormigón.

— **brick,** ladrillo pavimentador o para pavimento.

— **mixer,** mezclador pavimentador, hormigonera pavimentadora, mezcladora caminera, (Ch) betonera pavimentadora.

— **roller,** cilindro apisonador.

— **stone,** adoquín.

— **tile,** baldosa.

pawl, trinquete, retén, linguete, uña, seguro, crique.

— **catcher** (pet), trabalinguetes.

pay, s sueldo, salario; v pagar, liquidar, cancelar; (náut) embrear; producir ganancia.

— **dirt,** (exc) cubicación pagada; (min) terreno aurífero.

— **gravel** (min), grava provechosa.

— **line** (exc), línea o perfil de pago.

— **load,** carga útil o pagada.

— **ore,** mineral productivo.

— **out** (rope), lascar, arriar.

— **sand** (pet), arena productiva.

— **streak** (min), guía de filón.

payday, día de pago.

payer (sb), dispositivo de embrear, embreadora.

paymaster, pagador.

paymaster's office, pagaduría.

payment bond, fianza de pago.

payroll, nómina, planilla de pago, (M) lista de raya, (Ec) rol de pago.

pea

— **coal,** antracita de tamaño ½ pulg a 1¹⁄₁₆ pulg, (M) garbanzo.

— **gravel,** gravilla, (M) confitillo, (Ch) espejuelo.

— — **stone,** piedra chancada de ½ pulg, (M) confitillo.

peacock ore, bornita.

peak, s (top) cima, cumbre, pico, picota; (to) vértice, cúspide; v (aguilón) amantillar.

— **current** (elec), intensidad máxima de corriente.

— **factor** (elec), factor de amplitud.

— **hour** (rd), hora de tráfico máximo.

— **inverse potential** (ra), tensión inversa máxima.

— **limiter** (ra), limitador de máximo o de pico.

— **load,** carga o demanda máxima, pico de la carga, (A) carga de punta.

— **of a flood,** pico de la crecida, gasto máximo.

— **plate current** (ra), cresta de la corriente anódica.

— **tanks** (sb), tanques extremos de la popa y proa.

— **traffic,** tráfico máximo.

— **value** (elec), valor máximo o de cresta.

— **voltage,** voltaje máximo.

— **voltmeter,** voltímetro de picos.

peak-hour traffic, tráfico máximo por hora.

peaked bent (bldg), pórtico de dos aguas.

peaked roof, cubierta a dos aguas, techo a dos vertientes.

peaking line (de), amantillo.

pear wood, peral.

pear-shaped, periforme.

pearlite (met)(geol), perlita.

pearly luster (miner), brillo anacarado o nacarado.

peat, turba.

— **bed** or **bog,** turbal, turbera.

— **tar,** alquitrán de turba.

peavy, pica o palanca de gancho.

pebble mill, molino de piedras.

pebble powder (bl), pólvora de grano gordo.

pebbles, guijarros, piedrecitas, guijas, piedrezuelas, chinarros, rodaditos, guijarrillos, (A) cantos rodados.

pebbly, guijoso.

pecan (lbr), pacana.

pecking hammer (sml), martillo desabollador.

pecky (lbr), podrido en manchas separadas.

pectin (lab), pectina.

pectinous, pectínico.

pedal, pedal.

pedestal, pedestal, basamento; (tv) base, pedestal.

— **comparator,** comparador de pie.

— **crane,** poste grúa.

— **grinder,** rectificadora de pedestal, esmeriladora de pie.

— **level** (tv), nivel base.

— **light** (ap), luz de pedestal o de pie.

— **pile,** pilote de pedestal o de pie abultado.

— **urinal,** orinal de pie.

pedestrian traffic, tráfico caminante o de peatones.

pedology, pedología.

pedometer, pedómetro, cuentapasos.

peel v (pi), descortezar.

peeler (lbr), descortezador; tronco para hoja de madera.

peeling ax, hacha de descortezar.

peen, s peña, boca; v martillar con la peña.

— **hammer,** martillo de peña; martillo de peña doble o de dos bocas.

peening flange (p), brida para martillar.

peep-sight alidade, alidada de mirilla.

peephole (furnace), mirilla, atisbadero, abertura de observación.

peg, espiga, clavija, espárrago, pernete, estaquilla, turrión, (M) alfiler; (lev) estaca, piquete, (M)(V) trompo.

— **adjustment** (level), verificación por medio de dos estacas.

— **tooth** (saw), diente común.

peg-tooth harrow, rastra de dientes.

peirameter, peirámetro.
pelican hook, tipo de gancho soltador.
pellet powder (bl), pólvora de grano gordo.
pellicle, película.
pellicular water (sm), agua pelicular.
pelorus (surv), peloro.
Peltier effect (elec), efecto Peltier.
Pelton wheel (hyd), turbina de acción o de impulsión.
pen point (dwg), tiralíneas del compás.
penal interest, interés punitorio.
penalty, multa.
—— **clause,** cláusula penal.
pencil, s lápiz; v (mec) sacar punta.
—— **chuck,** portalápiz.
—— **cloth** (dwg), tela para dibujar a lápiz.
—— **compass,** compás de punta de lápiz.
—— **holder** (compass), lapicero.
—— **of light rays,** haz o cono de rayos.
—— **point** (compass), portalápiz, lapicero, (A) portamina.
—— **rod** (met), varilla de $\frac{1}{4}$ pulg.
—— **sharpener,** aguzador de lápices, (M) sacapuntas.
—— **tracing,** calco a lápiz.
pendant n, colgadero, suspensor; (náut) brazalote; (eléc) dispositivo suspendido, colgante.
pendent, pendiente, colgante, suspendido.
—— **lamp holder** (elec), portalámpara colgante.
—— **switch,** interruptor suspendido o pendiente, llave suspendida o colgante.
pendular, pendular.
pendulum, péndulo, perpendículo; (ventana) listón separador de los contrapesos.
—— **leads** (pi), guías colgantes.
peneplain (geol), penellanura, peneplanicie, (M) peniplano.
peneseismic, penesísmico.
penetrability, penetrabilidad.
penetrable, penetrable.
penetrating oil, aceite penetrante.
penetration, penetración.
—— **frequency** (ra), frecuencia crítica.
—— **macadam,** macádam bituminoso a penetración.
—— **seal** (rd), sellado de penetración.
penetrator (inst), penetrador.
penetrometer, penetrómetro.
peninsula, península, procurrente.
Pennsylvania truss, armadura Pennsylvania.
pennyweight, escrúpulo.
penstock, conducto forzado, tubería de carga, tubo o cañería de presión, tubo de entrada; canal de carga.
pent roof, techo de un agua.
pentachlorophenol, pentaclorofenol.
pentagon, pentágono.
—— **nut,** tuerca pentagonal.
pentagonal, pentagonal.
pentagrid converter (ra), convertidor pentarrejilla o pentagrilla, válvula pentarreja.
pentane lamp, lámpara de pentano.
pentatron (ra), pentatrón.
pentavalent (chem), pentavalente.

penthouse, cobertizo, sobradillo, tejadillo; altillo, sotechado; casa de azotea.
pentode (ra), pentodo.
pentosan (su), pentosana.
pentose (su), pentosa.
pentoxide, pentóxido.
pentrough (hyd), canal de carga.
peptize (chem), peptizar.
peptone (sen), peptona.
per cent, por ciento.
—— **ripple** (elec), porcentaje alternado (del voltaje total).
peracid, perácido.
percentage, porcentaje.
—— **contract,** contrato a costo más porcentaje.
—— **modulation** (elec), porcentaje de modulación.
perceptor, perceptor.
perch (meas), pértiga.
perched ground water, agua subterránea aislada, (A) agua subterránea endicada.
perchlorate, perclorato.
perchloric, perclórico.
perchloride, percloruro.
Perchloron (trademark)(wp), perclorón.
perchromic, percrómico.
percolate, colarse, filtrarse, rezumarse, percolarse.
percolating filter, filtro percolador.
percolation, filtración, (C) percolación.
—— **coefficient** (hyd), coeficiente de permeabilidad.
—— **factor** (hyd), factor de filtración.
percussion, percusión.
—— **drill,** perforadora o sonda de percusión.
—— **wrench,** llave neumática.
percussive welding, soldadura por percusión o de impacto.
perforate, perforar, agujerear, horadar, calar.
perforating die, matriz perforadora.
perforating gun (pet), cañón perforador.
perforation, perforación.
perforator, perforador.
performance, cumplimiento (contrato); (mec) rendimiento, (Es) performancia.
—— **bond,** fianza de cumplimiento.
—— **compound** (inl), compuesto de caucho según especificación de la Sociedad Americana para Ensayo de Materiales.
—— **factor,** factor de rendimiento.
—— **test,** ensayo de producción o de rendimiento, prueba de capacidad.
periclase, periclasite, periclasa, magnesia nativa.
periclinal (geol), periclinal.
peridot (miner), peridoto.
peridotite (geol), peridotita.
perigean tides, mareas de perigeo.
perigee, perigeo.
perikon detector (ra), detector perikón.
perilla oil, aceite de perilla.
perimeter, perímetro.
—— **lighting** (ap), luces delimitadoras o de demarcación.
—— **shear,** esfuerzo de corte perimétrico, (A) corte perimetral.
perimetric, perimétrico, (A) perimetral.

period (eng)(elec), período.
—— **resonance** (elec), resonancia natural.
periodic, periódico; (quím) peryódico.
—— **current** (elec), corriente periódica.
—— **decimal**, decimal periódica o repetidora.
—— **duty**, servicio o trabajo periódico.
—— **resonance**, resonancia periódica o natural.
periodicity, periodicidad.
peripheral, periférico.
periphery, periferia.
periscope, periscopio.
periscopic inspection, inspección periscópica.
perlite (geol), perlita.
perm (elec), perm, maxwell por amperio-vuelta.
Permalloy (trademark), aleación níquel-hierro para usos eléctricos.
permanence (math), permanencia.
permanent
—— **hardness** (wp), dureza permanente.
—— **load**, carga muerta o permanente.
—— **magnet**, imán permanente.
—— **set**, deformación permanente.
—— **way** (rr), vía permanente.
permanent-magnet generator, generador de imanes permanentes.
permanganate, permanganato.
permeability (all senses), permeabilidad.
permeable, permeable.
permeameter, permeámetro.
permeance (elec), permeancia.
Perminvar (trademark), aleación hierro-níquel-cobalto.
permissible
—— **explosives**, explosivos aprobados o permisibles.
—— **gelatin** (bl), gelatina aprobada.
—— **mine locomotive**, locomotora aprobada.
—— **overload**, sobrecarga admisible.
—— **velocity** (hyd), velocidad admisible.
permissive blocking (rr), bloqueo facultativo o condicional.
permit n, licencia, permiso, patente.
permittance (elec), capacidad electroestática, permitancia.
permittive reactance (elec), reactancia permitiva.
permittivity (elec), permitividad, capacidad inductiva específica, (Es) permitibilidad.
permittor (elec), condensador.
permutation (math), permutación.
permutator (elec), permutador.
pernitric, pernítrico.
peroxide, peróxido.
peroxidize, peroxidar.
perpend (mas), perpiaño.
perpendicular, s perpendicular, perpendículo; a perpendicular.
perpendicularity, perpendicularidad.
persistence (ra), persistencia.
personnel, personal, dotación.
perspective, s perspectiva; a perspectivo.
—— **center** (pmy), centro de perspectiva.
—— **drawing**, dibujo en perspectiva.
—— **grid** (pmy), cuadrícula perspectiva o de perspectiva.
—— **plane**, plano de la perspectiva.

—— **projection**, proyección perspectiva o en perspectiva.
—— **view**, vista en perspectiva.
perspectivity, perspectividad.
perspectogram, perspectograma.
perspectograph, **perspectometer**, perspectógrafo.
persulphide, persulfuro.
pervious, permeable.
pestle (lab), majadero, pistadero, maja, mano.
petcock, llave o robinete de purga, llave de desagüe o de escape.
Petit truss, armadura Petit.
Petri dish (sen), taza Petri, plato de Petri.
petrographer, petrógrafo.
petrographic, petrográfico.
petrography, petrografía.
petrol, gasolina, bencina, nafta.
petrolatum, petrolato.
petroleum, petróleo, (Es) nafta.
—— **asphalt**, asfalto de petróleo, brea.
—— **coke**, coque de petróleo.
—— **engineer**, ingeniero petrolero.
—— **ether**, éter de petróleo.
—— **geologist**, geólogo petrolero o de petróleo.
—— **pitch**, alquitrán de petróleo.
—— **products**, productos de petróleo.
—— **resources**, riqueza petrolífera, recursos petroleros.
—— **spirit**, destilado ralo de petróleo.
petroliferous, petrolífero.
petrolific, petrolífico.
petrolithic, petrolítico.
petrolize, petrolizar.
petrologic, **petrological**, petrológico.
petrologist, petrólogo.
petrology, petrología.
petrosilex (geol), petrosílex, felsita.
petrosiliceous, petrosilíceo.
petticoat insulator, aislador de campana.
petticoat pipe (loco), tubo de escape de la caja de humos.
petty average (ins), avería ordinaria o menor.
petty cash, caja chica o de menores.
p**H** (sen).
—— **indicator**, indicador de pH.
—— **meter**, medidor de pH, medidor de iones de hidrógeno.
—— **number**, número pH.
phanotron (ra), fanotrón.
phantom
—— **antenna** (ra), antena fantasma.
—— **circuit** (elec), circuito fantasma.
—— **horizon** (geop), horizonte imaginario.
—— **view**, vista translúcida o fantasmagórica, (A) vista transparente.
phase, (eléc)(quím)(met) fase; (lev) error aparente de dirección.
—— **advancer**, adelantador de fases.
—— **angle**, ángulo de retraso de fase, ángulo de desfasamiento.
—— **coincidence**, concordancia de fases.
—— **constant** (ra), constante de fase.
—— **converter**, convertidor de fase.
—— **corrector** (ra), igualador de retardo.
—— **difference** or **displacement**, desplazamiento

o avance de fase, desfasamiento, desfasado, (A) defasaje.

—— **distortion** (ra), distorsión o deformación de fase.

—— **indicator**, indicador de fases.

—— **inverter** (ra), inversor de fase.

—— **lag**, retraso de fase.

—— **lead**, avance de fase.

—— **meter**, fasómetro.

—— **modulation** (ra), modulación de fase.

—— **relation** (elec), relación de fase.

—— **resonance** (elec), resonancia de fase o de velocidad.

—— **reversal**, inversión de fase.

—— **shift**, desplazamiento de fase; cambio de fase.

—— **shifter**, decalador de fase, desfasador.

—— **splitter**, divisor de fase.

phase-balance relay, relevador de equilibrio de fase.

phase-failure protection, protección contra interrupción de una fase.

phase-out v, apareav las fases.

phase-reversal protection, protección contra inversión de fases.

phase-rotation or **phase-sequence relay**, relai para cambio de fase.

phasing (tv), ajuste de fase.

—— **transformer**, transformador de fase.

phenic, fénico.

phenol, fenol.

—— **red** (sen), rojo de fenol.

phenolic, fenólico.

phenolize, fenolizar.

phenolphthalein (sen), fenolftaleína.

phenomenon, fenómeno.

phenosafranine (pmy), fenosafranina.

Philadelphia rod (surv), tipo de mira de corredera.

phlogopite (miner), flogopita (mica).

Phoenix column (str), columna Phoenix o fénix.

phon (unit of loudness), fon.

phonic wheel (tel), rueda fónica.

phono adapter (ra), fonoadaptador.

Phonoelectric (trademark), fonoeléctrico.

phonograph pickup, fonocaptor.

phonolite (geol), fonolita.

phonometer, fonómetro.

phonophore (tel), fonóforo.

phosphate, s fosfato; v fosfatar, fosfatizar.

—— **feeder**, alimentador de fosfato.

—— **of lime**, fosfato de cal.

—— **proportioner**, dosificador de fosfato.

phosphatic, fosfático.

phosphatize, fosfatizar.

phosphide, fosfuro.

phosphite, fosfito.

phosphor (ra), fósfor, fósforo.

—— **bronze**, bronce fosforado.

—— **dust**, polvo de fósforo.

—— **tin**, estaño fosforado.

phosphorate, fosforar, fosforizar.

phosphoresce, fosforescer.

phosphorescence, fosforescencia.

phosphorescent, fosforescente.

phosphoric, fosfórico.

—— **anhydride**, anhídrido fosfórico.

phosphorite (miner)(geol), fosforita.

phosphorize, fosforar, fosforizar.

phosphorous, fosforoso.

phosphorus, fósforo.

phot (il), fot.

photoactive, fotoactivo.

photoalidade (pmy), fotoalidada.

photocartograph, fotocartógrafo.

photocathode (ra), fotocátodo.

photocell, fotocélula, pila fotoeléctrica.

photoclinometer, fotoclinómetro.

photoconductive cell (ra), célula fotoconductiva.

photoconductivity, fotoconductividad.

photocopy, fotocopia, fotocalco.

photodisintegration, fotodesintegración.

photoelastic, fotoelástico.

photoelasticity, fotoelasticidad.

photoelectric, fotoeléctrico.

—— **cell**, pila fotoeléctrica, (A) célula fotoeléctrica.

—— **emission**, desprendimiento fotoeléctrico.

—— **resistance**, (A) fotorresistencia.

—— **scanner** (tv), explorador fotoeléctrico.

—— **tube**, fototubo, tubo fotoeléctrico, (A) bulbo fotoeléctrico.

photoelectricity, fotoelectricidad.

photoelectron, fotoelectrón.

photoemissive (ra), fotoemisivo, fotoemisor.

photoengraving, fotograbado.

photogen, fotógeno.

photogenic, fotogénico.

photogoniometer, fotogoniómetro.

photogoniometry, fotogoniometría.

photogram (pmy), fotograma.

photogrammeter, fotográmetro.

photogrammetric, fotogramétrico.

photogrammetrist, fotogrametrista.

photogrammetry, fotogrametría.

photograph, s fotografía; v fotografiar.

—— **axis** (pmy), eje fiducial.

—— **center** (pmy), centro fotográfico.

—— **nadir** (pmy), nadir fotográfico.

—— **pyramid** (pmy), pirámide fotográfica.

photographer (pmy), fotógrafo.

photographic, fotográfico.

—— **mapping**, levantamiento fotográfico, fotocartografía.

—— **surveying**, levantamiento fotográfico, fotogrametría.

—— **topography**, fototopografía.

photo-ionization, fotoionización.

photoluminescence, fotoluminiscencia.

photomap, fotomapa, fotocarta.

photomapping, fotocartografía.

photomechanical, fotomecánico.

photometer, fotómetro.

photometric, fotométrico.

photometry, fotometría.

photomicrograph, fotomicrógrafo.

photomicrography, fotomicrografía.

photomicroscope, fotomicroscopio.

photon (optics), fotón.

photoperspectograph (pmy), fotoperspectógrafo.

photophone, fotófono.

photoplan (pmy), fotoplano.
photoprint, fotocalco.
photoprinting, impresión fotográfica.
photoprocessing (pmy), tratamiento fotográfico, producción de copias fotomecánicamente.
photoreproduction, fotorreproducción.
photorestitution (pmy), fotorrestitución.
photosensitive, fotosensible, sensible a la luz.
photostat, s fotóstato; v fotostatar.
photostatic, fotostático.
photostereograph (pmy), fotoestereógrafo.
photosurveying, levantamiento fotográfico.
photosynthesis (chem), fotosíntesis.
photosynthetic, fotosintético.
phototelegraphy, fototelegrafía.
phototheodolite (pmy), fototeodolito.
phototopographer, fototopógrafo.
phototopographic, fototopográfico.
phototriangulate, fototriangular.
phototube, fototubo, tubo fotoeléctrico, (A) bulbo fotoeléctrico.
photovoltaic, fotovoltaico, fotoeléctrico.
Photronic (trademark)(il), fotrónico.
phreatic wave, onda freática.
phreatic water, agua freática.
phreatophytes, freatofitas.
phthalate (chem), ftalato.
phthalic anhydride, anhídrido ftálico.
phyllite (miner)(geol), filita.
physical, físico.
physicist, físico.
physics, física.
phytoplankton (sen), fitoplancton.
pi network (elec), red en pi.
pick, s (exc) pico, piqueta; (cantero) alcotana; v picar; (min) separar mineral a mano.
—— handle, mango o cabo de pico.
pick-mattock, pico de punta y pala.
pickaroon, pica de espuela.
pickax, pico, piqueta, alcotana.
picket, estaca, piquete.
pickle, s baño químico para limpiar metales; v limpiar con baño químico.
pickler (met), tanque de ácido.
pickling liquors, licores de los baños limpiadores de metales.
pickling tank, tanque de ácido diluído para limpiar metales.
picklock, llave falsa, ganzúa.
pickup n, (auto) aceleración, (A) pique; (eléc) escobilla; (eléc) fonocaptor; (ra) dispositivo captador; (ra) captación, recuperación.
—— cart, ruedas y eje con lanza para mover maderas, tubos, etc.
—— coil (elec), bobina captadora.
—— load (ht), carga de arranque en frío.
—— pump (pet), bomba recogedora.
—— tongs (bs), tenazas para metal caliente.
—— truck, camión de reparto o de expreso, camioneta.
—— voltage, tensión de funcionamiento.
picrate (chem), picrato.
picric acid, ácido pícrico.
picrite (geol), picrita.
pictufe, cuadro; fotografía; imagen

—— black (tv), señal de densidad máxima.
—— control points (pmy), puntos de control emplazados en la fotografía.
—— frequency (tv), frecuencia de imágenes.
—— plane (pmy), plano de la imagen.
—— signal (tv), señal de la imagen o de video.
—— trace (pmy), trazo de la imagen.
—— tube (tv), tubo de imagen, válvula catódica.
—— white (tv), señal de densidad mínima.
piece n, pieza; pedazo, trozo.
piecework, trabajo por pieza o por medida, trabajo a tarea o a destajo, (C) ajuste, (Ch) trabajo a trato, (M)(min) cuarteo, (AC) estaje.
pieceworker, destajero, destajista, (Ch) tratero, (Col) conchabero, (AC) estajero.
piedmont, pie de monte.
pier, (mam) pilar, pilón, machón, dado (pequeño), (Ch) cepa, (V) estribo; (op) espigón, muelle saliente.
—— dam, espigón, espolón.
pierced steel plank (ap), producto patentado para afirmado de pistas de aterrizaje.
piercer press, prensa perforadora.
piercing dies, matrices perforadoras.
pierhead line, límite de proyección de los muelles.
piezo oscillator (elec), oscilador piezoeléctrico, piezooscilador.
piezo resonator (elec), resonador piezoeléctrico, piezorresonador.
piezodielectric, piezodieléctrico.
piezoelectric, piezoeléctrico.
piezoelectricity, piezoelectricidad.
piezograph, piezógrafo, (A) piezograma.
piezometer, piezómetro.
piezometric, piezométrico.
—— head, altura piezométrica.
pig, s (fund) lingote, galápago; (ef) trineo de aparejo; (pet) taco de limpiar; v (pet) limpiar con taco.
—— iron, lingotes de hierro, hierro cochino o de primera fusión, hierro en lingotes, lingote de fundición, arrabio, (A) fundición bruta.
—— lead, plomo en lingotes, galápago de plomo.
—— tin, estaño en galápagos, lingotes de estaño.
pigment, pigmento.
pignut (lbr), especie de hicoria.
pigtail (elec), cable flexible de conexión.
pike pole, pica, chuzo, lanza, (M) garrocha.
pilaster, pilastra.
pile, s montón, pila; (cons) pilote, (V) estaca, (Es) zampa; (eléc) pila; v apilar, entongar, amontonar, (V) empilar, (M)(C)(PR) apilonar; hincar pilotes.
—— band, zuncho de pilote.
—— bent, caballete o pila de pilotes.
—— bridge, puente de pilotaje.
—— butt, tope de pilote, coz.
—— cap, travesero, larguero, cabezal, cabecero, cepo, (M) remate; anillo de protección para el tope del pilote.
—— clamps, carreras, largueros, cepos.
—— cluster, grupo de pilotes, duque de Alba.
—— driver, martinete, machina, (Col) maza de Fraga, (A) hincapilotes.
—— driving, hinca o hincado de pilotes.

—— **extractor,** sacapilotes, arrancapilotes.

—— **fall,** cable izador de pilotes, cable para manejo de los pilotes.

—— **follower,** embutidor, falso pilote; macaco.

—— **formula,** fórmula para capacidad resistente de pilotes.

—— **foundation,** cimentación sobre pilotes.

—— **gins, pile guides,** véase **pile leads.**

—— **hammer,** maza, martinete.

—— **leads,** guías de hincar o del martinete.

—— **point,** punta de pilote, cogollo.

—— **puller,** arrancapilotes, sacapilotes.

—— **ring,** anillo para hincar.

—— **saw,** sierra para cortar pilotes bajo el agua.

—— **shell,** envoltura del pilote.

—— **shoe,** azuche, zueco, (Col) regatón, (V) zapato.

pile-driver engineer, malacatero de martinete.

pile-driver leads, machina, castillete, cabria de martinete, (A) cabriada; guías de martinete.

piler (machy), entongadora.

pilework, pilotaje.

piling, amontonamiento, apilamiento; pilotaje, estacada, (M) piloteado.

pillar, poste, columna; (min) pilar.

—— **crane,** grúa de columna.

—— **file,** lima paralela de un canto liso.

—— **shaper,** limadora de columna.

pillar-and-stall mining, minería con pilares y cámaras, labor de anchurón y pilar.

pillow block, cojinete, descanso, tejuelo, cojín, caja de chumacera, cajera del eje.

pilot, (náut) piloto, práctico; (mec) macho centrador; (loco) trompa, quitapiedras, limpiavía, rastrillo, barredor, (A) meriñaque, (M) guardaganado, (PR) botavaca; (fma) piloto.

—— **bearing,** cojinete piloto o de guía.

—— **bit** (drill), broca piloto.

—— **bore** (tun), galería de avance.

—— **brush** (elec), escobilla de prueba.

—— **cell** (elec), elemento testigo.

—— **cut** (exc), corte preliminar o piloto o de avance.

—— **door,** postigo.

—— **drift, pilot heading** (tun), galería piloto o de avance.

—— **drill,** taladro piloto; barrena piloto.

—— **engine,** locomotora piloto.

——— **exciter** (elec), excitador piloto.

—— **flame,** llama piloto.

—— **hole,** agujero piloto, orificio guía.

—— **injection** (di), inyección piloto.

—— **lamp** (elec), lámpara indicadora o testigo, (M) foco piloto.

—— **light,** (horno) luz piloto; (eléc) lámpara indicadora.

—— **motor** (elec), motor piloto.

—— **nut** (str), tuerca guía.

—— **plant,** planta de ensayo, instalación piloto.

—— **raise** (min), contracielo piloto.

—— **shaft** (tun), pozo piloto o de avance.

—— **spark** (elec), chispa piloto.

—— **thermostat** (ac), termóstato maestro o piloto.

—— **truck** (rr), bogie piloto.

—— **tunnel,** galería de avance.

—— **valve,** válvula piloto o de mando.

—— **wire,** alambre o hilo piloto.

pilot-operated, accionado por piloto.

pilotage, practicaje, cabotaje, pilotaje.

pilotaxitic (geol), pilotáxico, (A) pilotaxítico.

pilothouse (sb), timonera.

pin, *s* (est) pasador; (lev) aguja, (A) ficha; (carp) espiga, espárrago, cabilla; (mec) clavija, chaveta, pernete, espiga, macho; (llave) pezón, pernete, espiga; *v* (carp)(est)(mec) espigar, encabillar, empernar, enclavijar, apernar.

—— **bearing,** apoyo de pasador.

—— **drill,** broca con espiga de guía.

—— **gear,** engranaje de linterna.

—— **handle** (t), manivela de cabilla.

—— **insulator,** aislador de espiga.

—— **jack** (elec), receptáculo de aguja.

—— **joint,** junta de pasador.

—— **knot** (lbr), nudo sano de diámetro menos de ½ pulg.

—— **lewis,** gatillos con cadena para izar piedras.

—— **oak,** roble carrasqueño.

—— **packing** (str), disposición, arreglo.

—— **plate** (str), placa o planchuela de pasador.

—— **punch,** punzón botador.

—— **reamer,** escariador para pasador.

—— **shackle,** grillete de pasador sin rosca.

—— **socket** (pet), pescaespigas.

—— **spanner,** llave de gancho con espiga.

—— **tumbler** (hw), tumbador de clavija.

—— **valve,** válvula de aguja.

—— **vise,** tornillo de mano.

—— **welding,** soldadura de espiga.

—— **wrench,** llave de pernete o de espiga.

pin-connected, armado con pasadores, con juntas de pasador, de ensamble articulado.

pincers, tenazas, alicates.

pinch (min), contracción del filón.

—— **bar,** pie de cabra, alzaprima, barreta con espolón, (A) barreta de pinchar.

—— **effect** (elec), reostricción.

—— **out** (min), agotarse el filón.

—— **point** (t), punta de espolón.

pinchcock, apretadora para tubo flexible, abrazadera de compresión.

pine, pino.

—— **oil,** aceite de pino.

—— **tar,** alquitrán de madera.

pine-tar oil, aceite de alquitrán de madera.

pinhole, (est) agujero para pasador; (ais) agujero para espiga.

—— **camera,** cámara de abertura minuta sin lente.

pinholes (lbr), horadación por insectos.

pinion, piñón.

—— **gear,** piñón diferencial.

—— **puller,** extractor de piñón, sacapiñón.

pinking (ge), detonación.

pint, pinta.

pintle, (mec) macho, clavija; (ed) cabilla, pata, clavija.

—— **chain,** cadena articulada.

—— **hook,** gancho de clavija.

—— nozzle, tobera de aguja.

Pintsch gas, gas de petróleo comprimido.

pioneer

—— cut, corte preliminar, tajo primero.

—— grade, cuesta preliminar, pendiente provisoria para transporte del material excavado.

—— tunnel, túnel provisorio o auxiliar.

pipe, s tubo, caño, tubería, cañería; (presa de tierra) venero, (M) tubificación; (met) bolsa de contracción; (geol) formación cilíndrica vertical; v entubar, encañar, conducir por tubería; (presa de tierra) formar venero, agujerearse, (M) entubarse.

—— bend, curva, codo.

—— bender, doblador de tubos, curvatubos.

—— bracket, ménsula para tubería.

—— clamp, collar o abrazadera de tubo, abrazadera para caño.

—— coil, serpentín.

—— column, columna tubular.

—— coupling, manguito, acoplamiento, nudo, (pet) cuello.

—— covering, forro aislador de tubería, revestimiento de tubos.

—— crimper, plegador de tubos.

—— culvert, alcantarilla de caño.

—— cutter, cortatubos, cortador de tubos, cortacaño.

—— dies, dados para rosca de tubería.

—— dip, baño bituminoso para tubos.

—— drill, barrena hueca para albañilería.

—— driver, hincador de tubo, empujador de tubos.

—— electrode, electrodo de tubo.

—— finder, buscatubo.

—— fitter, tubero, cañero, cañista, gasfiter.

—— fittings, accesorios para tubería, ajustes, accesorios de cañería, (Col) aditamentos, (pet) guarniciones.

—— flange, brida, platina, platillo.

—— gage, calibrador de tubos.

—— grip (pet), mordaza para tubos.

—— hanger, portacaño, suspensor de tubería, colgadero de tubo, cuelgatubo.

—— hook (pet), gancho aguantatubos.

—— jack (pet), gato alzatubos.

—— jointer, burlete.

—— layer (ce), tendedor de tubería, tiendetubos.

—— laying, instalación de tubería, tendido de cañería.

—— line, tubería, conducto; acueducto; oleoducto; gasoducto.

—— locator, indicador de tubería, descubridor de tubos.

—— pile, pilote tubular o de tubo.

—— puller, arrancatubos, arrastratubos.

—— pusher, empujador de tubos.

—— railing, baranda de tubería, baranda o pasamano de tubos.

—— reamer, escariador de tubos.

—— roller, rodillo tubular; rodillo para tubos, ruedatubos.

—— rot (lbr), podredumbre fungosa de la madera de corazón.

—— saddle, silleta, dado.

—— scaffold, andamio tubular.

—— separator, separador o virotillo de tubo, tubo separador.

—— sewer, cloaca tubular, albañal de cañería.

—— shaft (bldg), pozo para tubería, cañón para tubos.

—— sleeve, manguito, casquillo de tubo, cañíto pasador.

—— snips, tijeras para tubos.

—— still, alambique de tubos.

—— stock, terraja para roscar tubos.

—— straightener, enderezador de tubos.

—— swage, abretubos.

—— tap, macho para rosca de tubería.

—— thread, rosca de tubería, filete de tubo.

—— tongs, tenazas para tubería; llave de cadena para tubos, tenazas atornilladoras.

—— turnbuckle, torniquete de manguito, tensor tubular.

—— vise, prensa para cañería, tornillo para tubos, (C) mordaza.

—— wiper (pet), limpiatubos.

—— wrapping, envoltura de tubería.

—— wrench, llave para tubos, llave Stillson, (Ch) tenaza para cañería.

pipe-cleaning machine, máquina limpiatubos.

pipe-coil radiator, calorífero de tubería.

pipe-cutter wheels, cuchillas para cortatubo.

pipe-cutting and threading machine, máquina de cortar y roscar tubos.

pipe-line compensator, compensador de expansión térmica en la tubería.

pipeless furnace, calorífero sin conductos de distribución.

pipeman, tubero, cañero, cañista, instalador de cañería, gasfiter, (U) fontanero.

pipet, pipeta.

—— stand, portapipeta.

pipeway (min), tiro para tubería.

pipework, tubería, cañería, gasfitería.

piping, tubería, cañería, canalización, fontanería, tubuladura, entubación; (met) bolsas de contracción; (presa de tierra) socavación, venero, (M) escurrimiento, (M) entubación, (M) tubificación.

pisolite (geol), pisolita.

pistol grip, mango o cabo o empuñadura o agarradera de pistola, pistolín.

pistol light (ap), proyector de mano.

piston, émbolo, pistón.

—— assembly, conjunto del émbolo.

—— barrel, cuerpo del émbolo.

—— check valve, válvula de émbolo de retención.

—— clearance, juego lateral del émbolo.

—— displacement, desplazamiento del émbolo, cilindrada, embolada.

—— drag (auto), arrastre de émbolo.

—— drill, perforadora neumática que tiene la barrena unida al émbolo.

—— grinder, amoladora de émbolo.

—— meter (water), contador de émbolo.

—— pin, pasador o perno o bulón o eje del émbolo.

—— pump, bomba de émbolo o de pistón.

—— ring, aro del émbolo, anillo de émbolo, aro del pistón.

—— rod, vástago del émbolo, varilla del pistón.

—— **sampler** (sm), muestreador de pistón.

—— **skirt,** falda del émbolo, (A) camisa del pistón.

—— **slap,** pistoneo, golpeteo del émbolo.

—— **speed,** velocidad del émbolo.

—— **stroke,** carrera del émbolo, pistonada, embolada.

—— **tail rod,** contravástago.

—— **travel,** recorrido del émbolo.

—— **valve,** distribuidor cilíndrico o de émbolo; válvula de pistón.

piston-pin plug, tapón del perno de pistón.

piston-ring

—— **compressor** (t), compresor de anillo.

—— **expander,** expandidor de aros de émbolo, expansor de aros.

—— **groove,** ranura de aro.

piston-rod guide, guía del vástago del émbolo.

pistonhead, fondo o disco o cabeza del émbolo.

pit, *s* foso, hoyo, hondón, cava; *v* picar; picarse.

—— **boards** (exc), brocal de tablas horizontales.

—— **cattle guard,** guardaganado de pozo.

—— **furnace,** horno de foso.

—— **gravel,** grava de cantera o de mina.

—— **head** (min), bocal.

—— **lathe,** torno con foso para obra grande.

—— **liner,** forro metálico del pozo de la turbina.

—— **sand,** arena de mina o de cantera.

—— **saw,** serrucho braguero, sierra al aire.

—— **scale,** báscula de pozo.

pit-cast, fundido o vaciado en foso de colada.

pit-run gravel, grava como sale de la mina, (M) grava en bruto.

pitch, *s* pez, betún, brea, alquitrán; (mad) resina; (to) declive, inclinación; (re) espaciado, equidistancia, separación, distanciamiento, (A) paso; (rs) paso, avance; (A) paso; (cab) paso; (hélice) inclinación; (min) buzamiento; (cadena) paso; (eléc) avance, paso; (física) tono; *v* alquitranar, betunar, brear, abetunar, (C) betunear; (cantería) cantear, escuadrar; (náut) cabecear.

—— **chain,** cadena articulada o de engranaje o para ruedas dentadas.

—— **circle,** círculo primitivo (engranaje); círculo de agujeros (para pernos).

—— **coal,** carbón lustroso o pezoso.

—— **coke,** coque de alquitrán.

—— **cone** (gear), cono primitivo.

—— **cylinder** (gear), cilindro primitivo.

—— **diameter** (gear)(th), diámetro primitivo, (A) diámetro de paso.

—— **elbow** (p), codo de pendiente o de rosca inclinada.

—— **increment** (th), incremento para paso.

—— **line,** (mam) línea de escuadría; (maq) línea primitiva.

—— **pine,** pinotea, pino de tea, (M) ocote.

—— **pocket** (lbr), bolsa de resina.

—— **point** (gear), punto de contacto de los círculos primitivos.

—— **seam** (lbr), hendidura llena de resina.

—— **streak** (lbr), veta llena de resina.

—— **surface** (gear), superficie primitiva.

—— **working** (min), labor de vetas de inclinación fuerte.

pitch-faced (mas), desbastado, de cara en bruto.

pitchblende (miner), pechblenda, pechurana.

pitching (naut), cabeceo, cabezadas.

—— **tool** (mas), canteadora, escoplo de cantear, (A) picadera.

pitchstone, vidrio volcánico.

pitchy luster (miner), brillo de betún.

pith, meollo, médula; paránquima (caña de azúcar).

—— **fleck** (lbr), mancha debida a larva horadadora.

—— **knot,** nudo sano con médula al centro.

—— **ray** (lbr), rayo medular.

pitman, (maq) barra de conexión, biela; (ot) peón excavador.

—— **stirrup** (pet), estribo de la biela.

pitometer, pitómetro.

—— **survey,** estudio pitométrico.

Pitot tube (hyd), tubo de Pitot.

pitted, picado, cacarañado, tuberculizado, (M) punteado.

pitting, picaduras, cacaraña.

pivot, *s* pivote, muñón, gorrón; *v* pivotar.

—— **bearing,** rangua, quicionera.

—— **valve,** válvula pivotada o de mariposa.

pivot-point setscrew, prisionero espigado.

pivotal fault (geol), falla girada.

Pivotdozer (trademark)(ea), hoja de empuje angular.

pivoted transom, claraboya de pivote, (A) banderola a balancín.

pivoted window, ventana de fulcro o a balancín.

pivoted-bucket carrier, transportador de cangilones pivotados.

pivoting, pivotaje.

place *v,* colocar, instalar, poner en la obra; localizar.

—— **measurement** (ea), medición en corte.

placeability (conc), manejabilidad, (M) colocabilidad.

placement, placing (conc), colado, colocación, vaciado.

placer (min), placer, mina de aluvión.

—— **mining,** explotación de placeres.

plagioclase (geol), plagioclasa.

plagioclasite (geol), plagioclasita.

plagiophyre (geol), plagiófido.

plain, *s* llanura, llano, llana, llanada, sabana; *a* simple, sencillo.

—— **bar** (reinf), barra lisa.

—— **chlorination** (wp), cloración simple.

—— **concrete,** hormigón simple, concreto sin refuerzos, (V) concreto ordinario.

—— **mill** (mt), fresa de dientes finos.

—— **thermit,** termita simple.

—— **tire** (rr), llanta sin pestaña.

—— **tooth** (saw), diente común.

plain-back shovel, pala de reverso liso.

plain-laid rope, soga de cableado corriente o de colchado simple o de cableado cruzado.

plain-sawing, aserramiento simple.

plan, *s* proyecto, plan; (dib) plano, dibujo; planimetría; planta (vista de plano); *v* proyectar, planear, trazar.

—— **file,** archivo de planos, armario de dibujos, (V) planoteca.

—— **, in,** en planta, en planimetría.

—— **view,** planta, vista en planta.

plane, s plano; (carp) cepillo, garlopa, guillame; v acepillar, cepillar, alisar; a plano, llano.

—— **coordinates,** coordenadas planas.

—— **deformation,** deformación plana.

—— **frog,** cuña de cepillo.

—— **geometry,** geometría plana.

—— **iron,** hierro o cuchilla de cepillo.

—— **linear perspective,** perspectiva lineal plana.

—— **of cleavage,** plano de hendidura.

—— **of polarization** (optics), plano de polarización.

—— **of projection,** plano de proyección.

—— **of sight** (surv), plano de visación.

—— **of weakness** (rd), junta simulada.

—— **polar coordinates,** coordenadas planas polares.

—— **resection** (surv), resección plana.

—— **stock,** caja de cepillo.

—— **surface,** superficie plana.

—— **surveying,** levantamiento plano u ordinario, planimetría.

—— **table** (surv), plancheta, plancheta de pínulas.

—— **trigonometry,** trigonometría plana.

—— **wave** (ra), onda plana.

plane-polarized (optics), de polarización plana.

plane-table alidade, alidada para plancheta.

planeometer, planeómetro.

planer, (mh) cepillo mecánico, cepilladora, acepilladora; (ca) alisadora de asfalto.

—— **head,** cabezal de la cepilladora.

—— **knife,** cuchilla de acepillar.

planer-type milling machine, fresadora acepilladora.

planet carrier (gear), portaengranajes.

planet differential, engranaje diferencial planetario.

planetary (mech), planetario.

—— **gear,** engranaje planetario o satélite.

—— **hoist,** izador planetario.

—— **transmission,** transmisión planetaria.

planigraph, planígrafo.

planimeter, n planímetro; v medir con planímetro.

planimetric, planimétrico.

planimetry, planimetría.

planing, acepilladura.

—— **machine,** cepillo mecánico.

—— **mill,** taller de acepillado; maquinaria acepilladora.

planish (met), allanar, alisar.

plank, s tablón, madero; v entablonar, enmaderar, encofrar, entablar.

—— **cap** (sp), grapón de hincar.

—— **puller,** arrancatablas.

plank-sheer (sb), regala.

planking, entablonado, tablazón, entarimado, entablado, encofrado, tablonaje.

plankton (sen), plancton.

plano-concave, plano-cóncavo.

plano-convex, plano-convexo.

plano-parallel, plano-paralelo.

planomiller, fresadora acepilladora.

plant, s planta, (A) establecimiento; fábrica; instalación; (fuerza) central, estación, fábrica, (A)(U)(B) usina; (ec) equipo, planta,

(A) planteles, (A) obrador; v sembrar, plantar; (cons) equipar.

—— **capacity factor** (elec), factor de capacidad de la estación.

—— **load factor** (elec), factor de carga de la estación.

—— **mix** (rd), mezcla de planta central, mezclado en planta.

Planté battery, acumulador Planté.

planted (carp), aplicado, no empotrado.

plasma, (miner) prasma, plasma; (ra) descarga neutra, plasma.

plasmolysis (sen), plasmólisis.

plaster, s yeso, repello, jaharro, (C) masillo; v enlucir, revocar, enyesar, repellar, jaharrar, aljorozar, (Col) empañetar; (vol) véase **mudcap blast.**

—— **bond,** pintura bituminosa para cara interior de una pared exterior.

—— **coat,** enlucido, revoque, tendido; (**scratch coat,** ensabanado, enfoscado, jaharro, capa de base; **brown coat,** guarnecido, tendido, segunda capa; **white coat,** enlucido, capa de acabado.

—— **mixer,** mezcladora enyesadora.

—— **of Paris,** yeso mate o de París, aljez.

plasterboard, cartón de yeso.

plasterer, yesero, enlucidor, revocador, enyesador, estuquista, (C) albañil.

plasterer's saw, serrucho de estuquista.

plasterer's trowel, llana, fratás, paleta para yesero, llana de enlucir, (C) cuchara.

plastering, enlucido, aljorozado, yesería, revoque, enyesado, jaharro, (V) encalado; (vol) voladura sin barreno.

—— **arch,** arco hueco para enyesado.

—— **sand,** arena de revocar.

plastic, s plástico; a plástico, pastoso.

—— **deformation,** deformación plástica.

—— **equilibrium** (sm), equilibrio plástico.

—— **firebrick,** material refractario en forma plástica.

—— **flow,** movimiento o escurrimiento plástico, (A) deformación plástica, (A) deslizamiento plástico.

—— **lag** (sm), retraso plástico.

—— **limit** (sm), límite de plasticidad, (Col)(C) límite plástico.

—— **recovery,** recuperación plástica.

—— **slate,** cemento de techar hecho de asfalto con polvo de pizarra.

—— **wood,** madera plástica.

plastic-tipped hammer, martillo de peña plástica o de cotillo plástico.

Plasticator (trademark), plasticador.

plasticimeter, plasticímetro.

plasticity, plasticidad.

—— **index** (sm), índice de plasticidad.

—— **needle** (sm), aguja de plasticidad.

plasticize, plastificar.

plasticizer (pt), plastificante.

plastics, plástica; productos de la plástica.

plastometer, plastómetro.

plat, s (lev) trazado, mapa; (min) piso de cargar; v trazar, (V) plotear.

platband (ar), platabanda.

plate							540							plug

plate, s (acero) plancha, placa, chapa, lámina; (carp) solera superior; (eléc) placa; (fma) placa; (ra) ánodo, placa; v (cn) planchear.
—— **arch** (rd), arco de placa corrugada.
—— **axis** (pmy), eje fiducial.
—— **azimuth** (pmy), azimut del plano principal.
—— **battery** (ra), batería B o anódica o de placa.
—— **cam,** leva de disco.
—— **carrier** (pmy), portaplaca.
—— **center** (pmy), centro fotográfico.
—— **characteristic** (ra), característica anódica.
—— **circuit** (ra), circuito de placa.
—— **clamp** (wr), mordaza de placas para cable.
—— **condenser** (elec), condensador de placa.
—— **conductance** (ra), conductancia anódica.
—— **coordinates** (pmy), coordenadas planas basadas en el punto principal.
—— **crossing** (rr), cruzamiento remachado o de plancha.
—— **current** (ra), corriente anódica o de placa.
—— **detection** (ra), detección por placa.
—— **detector** (ra), detector lineal o de placa.
—— **efficiency** (ra), rendimiento de placa o anódico.
—— **electrode,** electrodo de placa.
—— **friction clutch,** embrague de platillo de fricción.
—— **frog** (rr), corazón de plancha.
—— **gear,** engranaje sólido.
—— **girder,** viga de alma llena, jácena compuesta, (V)(M) viga de palastro, (M) trabe armada.
—— **glass,** vidrio o cristal cilindrado.
—— **hinge,** gozne de placa.
—— **hook** (sb), placa con gancho.
—— **hooks,** ganchos para manejo de planchas de acero.
—— **impedance** (ra), impedancia de placa.
—— **liner** (tun), placa revestidora.
—— **load resistance** (ra), resistencia de carga de placa.
—— **mill,** laminador de planchas.
—— **modulation** (ra), modulación de placa.
—— **nadir point** (pmy), nadir fotográfico, punto nadiral.
—— **potential** (ra), potencial de placa.
—— **resistance** (ra), resistencia de placa.
—— **screen,** harnero de placa perforada.
—— **shears,** cizalla para planchas de acero.
—— **staple** (door bolt), hembra de placa.
—— **transformer** (ra), transformador de placa.
—— **valve,** válvula de placa.
—— **voltage** (ra), tensión de batería B, voltaje de placa.
—— **washer,** arandela de placa.
—— **web** (str), alma llena.
plate-and-angle column, columna de plancha y escuadras.
plate-and-frame press (su), prensa de placas y cuadros.
plate-bearing test (ap), prueba del suelo por placa de asiento.
plate-bending machine, máquina plegadora de chapas.
plate-bending rolls, curvadora de planchas.
plate-sheer (sb), regala.

plate-type preheater, precalentador de placa.
plateau, meseta, mesa, altiplanicie, altiplano, alcarria, (Col) altillano.
plated, estañado; encobrado; niquelado; (A) enchapado.
plateholder (pmy), portaplaca, (V) chasis.
platelayer, rielero.
platen, platina; plancha; mesa.
platform, plataforma, tarima; (fc) andén (pasajeros), cargadero (carga), muelle (carga); (an) cubierta parcial.
—— **car,** carro de plataforma.
—— **framing** (carp), tipo de construcción con pies derechos apoyados sobre las vigas de cada piso.
—— **scale,** romana o balanza de plataforma, báscula.
—— **truck,** camión plano.
—— **vibrator,** vibrador de plataforma.
plating, (cn) plancheado; (lab) cultivo sobre placa.
platinic chloride, cloruro platínico.
platinite (alloy)(miner), platinita.
platinize, platinar.
platinoid (alloy), platinoide.
platinous, platinoso.
platinum, platino.
—— **cobalt scale** (wp), escala platino cobalto.
—— **lamp,** lámpara incandescente de filamento de platino.
—— **points,** platinos, puntas de platino.
platinum-tipped screw (auto), tornillo platinado.
platoon system (rd), serie de luces de tráfico cambiando color simultáneamente.
platy (geol), escamoso, laminado.
play (machy), juego, huelgo, holgura.
playa (geol), playa.
plenum, pleno.
—— **absorber** (ve), pleno absorbedor de sonido.
—— **chamber** (ve), cámara de pleno.
—— **process** (tun), método de aire comprimido.
pliability, flexibilidad.
pliable, flexible, doblegable.
plication (geol), pliegue.
pliers, pinzas, alicates, tenazas, tenacillas.
Plimsoll mark (naut), línea de carga máxima.
plinth, plinto, orlo.
—— **course,** zócalo, embasamiento, plinto.
pliodynatron (ra), pliodinatrón.
pliotron (ra), pliotrón.
plot, s solar, parcela de terreno; v trazar, (V) plotear.
plotter, plotting machine, máquina trazadora.
plotting grid (pmy), cuadrícula de trazar.
plow, s arado; (carp) cepillo ranurador; (fc eléc) zapata de toma, carrillo de contacto; v arar; (carp) ranurar, rebajar.
—— **bolt,** perno de arado.
—— **plane,** cepillo rebajador o de ranurar.
—— **steel,** acero de arado o para arado.
plowshare, reja.
plowshoe, portarreja.
plug, s tapón, obturador, tapador, tapadero; (tub) tapón; (eléc) clavija de contacto, enchufe, ficha, tapón de contacto; (lev) estaca de tránsito; (vá) macho; (cerra-

dura) cilindro; (mad) taco, tarugo; (geol) masa de roca ígnea intrusiva; (mg) bujía; (cantería) cuña, aguja; v taponar, atarugar, entarugar, cegar, tapar; (eléc) enchufar; (mot) parar invertiendo la rotación.

—— adaptor (elec), clavija de contacto.

—— and feathers, cuña con agujas, aguja infernal.

—— and socket, tapón y enchufe.

—— cluster (elec), toma de corriente.

—— cock, llave de macho.

—— cutout (elec), disyuntor de tapón.

—— drill, barrena de canteador.

—— fuse, tapón eléctrico o de fusión, fusible de tapón.

—— gage, calibrador de macho, calibre cilíndrico.

—— in v (elec), enchufar.

—— patch (rd), remiendo interior.

—— puller (elec), sacatapón.

—— receptacle (elec), toma de enchufe, caja de contacto, receptáculo o tomacorriente de clavija.

—— saw, sierra de tapón.

—— switch (elec), interruptor de ficha o de clavija.

—— switchboard (tel), taquilla, cuadro de enchufes.

—— tap, macho paralelo.

—— valve, llave de macho.

—— weld, soldadura de tapón.

plug-in

—— coil (ra), bobina intercambiable.

—— outlet (elec), véase plug receptacle.

—— strip (elec), tira para cajas de salida, moldura para tomacorrientes.

plugging chisel, escarbador.

plum (conc), mampuesto, cabezote, rajón.

plumb, v aplomar, plomar; a a plomo.

—— and level, nivel aplomador o de albañil.

—— bob, plomada, perpendículo.

—— candle (tun), bujía plomada.

—— level, nivel con plomada o de perpendículo.

—— line, tranquil, hilo o cuerda de plomada; línea vertical; sondaleza.

—— point (pmy), nadir, punto nadiral, punto V.

—— rule, regla plomada.

plumb-bob gage (hyd), escala de plomada.

plumbago, grafito, plombagina.

plumbate (chem), plumbato.

plumber, plomero, tubero, fontanero, cañero, instalador sanitario.

plumber's

—— chain, cadena para tanque de inodoro, cadena de plomero.

—— furnace, hornillo para soldar.

—— solder, soldadura de plomero.

—— toggle bolt, tornillo de fiador para plomero (tuerca tapa).

—— torch, soplete de gasolina, lámpara o antorcha de plomero.

plumbic (chem), plúmbico.

plumbing, plomería; instalación sanitaria.

—— contractor, plomero contratista.

—— fixtures, artefactos o aparatos sanitarios, (V) sanitarios, (M) muebles para baño.

—— level (surv), nivel de plomar.

plumbite (chem), plumbito.

plummet, plomada.

—— lamp (min), lámpara plomada.

plunge, s (geol) inclinación, buzamiento; v (tránsito) invertir, (Es) revertir.

—— battery (elec), batería de inmersión.

plunger, (bm) émbolo buzo o macizo; (eléc) macho de imán; (pb) chupón.

—— elevator, ascensor hidráulico.

—— piston, émbolo buzo.

—— pump, bomba de émbolo buzo o de émbolo macizo.

plus, más; (eléc) positivo.

—— difference, diferencia en más.

—— distance (surv), distancia fraccionada (menor de 100 pies) desde la última estación.

—— sight (leveling), visual aditiva o inversa o de espalda.

—— station (surv), progresiva fraccionada.

—— tolerance, tolerancia en más.

plutonic (geol), plutónico.

pluvial, pluvial.

pluviogram, pluviograma.

pluviograph, pluviógrafo.

pluviographic, pluviográfico.

pluviography, pluviografía.

pluviometer, pluviómetro, pluvímetro.

pluviometric, pluviométrico.

pluviometry, pluviometría.

pluvioscope, pluviómetro.

ply, hoja, pliegue, capa.

Plyform (trademark), madera laminada para moldes de concreto.

plymetal, madera terciada con inserción de aluminio, (A) contraplacado metálico.

Plywall (trademark), madera laminada para paredes.

plywood, madera laminada o terciada, (M) madera contrachapada, (A) madera compensada, (Es) madera contrapeada, tabla multilaminar, chapeado, contraplacado.

Pneudyne (trademark), dispositivo neumático de control de fuerza.

pneumatic, neumático.

—— caisson, cajón neumático o de aire comprimido.

—— digger, pala neumática, martillo de pala.

—— placing equipment (conc), colocadora neumática.

—— roller, apisonadora de neumáticos.

—— tire, neumático, goma, llanta neumática.

—— tools, herramientas neumáticas.

—— wrench, llave neumática o de choque.

pneumatics, neumática.

pocket, bolsillo; cavidad, bolsada.

—— ammeter, amperímetro de bolsillo.

—— boom (lg), barrera para troncos clasificados.

—— chisel, escoplo de mano.

—— compass, brújula de bolsillo.

—— level, nivel de bolsillo.

—— rot (lbr), bolsas de podrición.

—— sextant, sextante de caja o de bolsillo.

—— tape, cinta de bolsillo (para medir).

—— transit, tránsito de bolsillo.

—— wheel, polea de cadena, garrucha de garganta farpada.

pockety (min), en bolsadas.
pod (t), canal, canaleta, ranura.
—— **auger**, barrena de canaleta recta.
—— **bit**, broca de canaleta recta o de cuchara.
podometer, podómetro, pedómetro.
podsol, podsol.
podsolic, podsólico.
point, s punto; (inst) punta; (herr) punta, puntero; (fc cambio) aguja; v (inst) apuntar; (herr) aguzar; (mam) rejuntar, recalcar, (C) repasar, (A) tomar, (Col) zaboyar; (conc) resanar; (lev) apuntar, (A) visar.
—— **chisel** (stonecutter), puntero.
—— **gage** (hyd), escala de aguja.
—— **load**, carga concentrada.
—— **of compound curve** (rr), punto de curva compuesta.
—— **of contraflexure** (str), punto de inflexión.
—— **of curve** (rr), punto de la curva, (M) punto de comienzo.
—— **of frog** (rr), punto de corazón (teórico); punta del corazón (real).
—— **of intersection** (rr), punto de intersección.
—— **of sight** (dwg), punto de la vista.
—— **of spiral** (rr), punto de espiral.
—— **of spiral-curve** (rr), punto de espiral-curva.
—— **of support**, punto de apoyo.
—— **of switch** (rr), punto de cambio (teórico); punta de la aguja (real).
—— **of tangency** (rr), punto de tangencia, (M) punto de término.
—— **of tongue** (rr), punta del corazón.
—— **rail** (rr), carril de aguja.
—— **resistance** (pi), resistencia de punta o de columna.
—— **selector** (pmy), selector de puntos.
—— **switch** (rr), cambio o chucho de aguja.
point-bearing pile, pilote de columna o con resistencia de punta.
point-cutting edge (reamer), arista cortante de la punta.
point-to-point, punto a punto, entre puntos fijos.
pointed, apuntado, puntiagudo, aguzado, alesnado.
—— **arch**, arco ojival.
—— **finish** (stone), acabado a puntero.
pointer, máquina de aguzar; (inst) índice, manecilla, puntero.
pointing (mam) rejuntado, (A) toma de juntas; (cab) rabo de rata.
—— **chisel**, punta, puntero.
—— **sill** (lock), busco.
—— **tool** (mt), apuntadora.
—— **trowel**, rejuntador, palustrillo, lengua de vaca, (A) cucharín.
poise n, (mec) pesa, contrapeso; (med) unidad de viscosidad.
Poisson's ratio, coeficiente de Poisson.
poke welding, soldadura por puntos con presión sobre un solo electrodo.
poker, atizador, espetón, (Es) allegador, picafuego, (A) lanza doblada.
polar, polar.
—— **axis** (inst), eje polar.
—— **diagram** (ra), diagrama polar.
—— **distance**, distancia polar, codeclinación.

—— **planimeter**, planímetro polar.
polarimeter, polarímetro.
polarimetric, polarimétrico.
polarimetry, polarimetría.
Polaris, estrella polar.
polariscope, polariscopio.
polariscopic, polariscópico.
polarite (sd), polarita.
polarity, polaridad.
—— **indicator** (elec), indicador de polaridad.
polarity-directional relay, relevador polarizado.
polarization, polarización.
polarize, polarizar.
polarized light, luz polarizada.
polarizer, polarizador.
polarizing current (elec), corriente polarizadora.
polarograph, polarógrafo.
polarographic analysis, análisis polarográfico.
polarography, polarografía.
pole, palo, poste, asta, paral, vara, pértiga, percha; (mat)(geog)(eléc) polo; (lev) jalón, baliza; (med) percha; (tel) poste; (carretón) lanza, botavara.
—— **arm** (planimeter), brazo o varilla polar.
—— **band**, zuncho para poste.
—— **buck** (t), tijeras para poste.
—— **changer** (elec), cambiador de polos.
—— **derrick**, cabria para colocar postes de líneas eléctricas; poste grúa.
—— **dinkey**, carretilla para postes.
—— **distance** (dwg), distancia del polo a la línea de cargas.
—— **finder**, buscapolos, indicador del sentido de la corriente.
—— **fittings**, accesorios para postes.
—— **gain** (elec), accesorio soportador de la cruceta, portacruceta.
—— **indicator** (elec), indicador de polos o de sentido de corriente.
—— **jack**, gato para postes.
—— **line**, línea de postes, postería, (Ch)(B) postación.
—— **mast** (sb), palo macho.
—— **piece** (elec), pieza polar.
—— **pitch** (elec), paso polar, distancia entre polos.
—— **scaffold**, andamio de parales.
—— **shoe** (elec), zapata del polo.
—— **step**, clavija de trepar, peldaño de poste, (C) paso para poste.
—— **strut**, puntal para atirantada de poste.
—— **tie** (rr), traviesa redonda o de palo o de media luna.
—— **trailer**, remolque para postes.
—— **transformer**, transformador para postes.
—— **trolley** (elec rr), colector de pértiga.
pole-hole digger, perforadora de hoyos para postes.
pole-line hardware, ferretería de postería, herrajes para postes.
polestar, estrella polar.
policy (ins), póliza.
policyholder, tenedor de póliza.
poling
—— **boards** (tun), listones o estacas de avance, tablas de revestimiento, costillas, (min) (Es) tablestacas, (min)(Es) agujas.

—— **plates** (tun), placas costillas o de avance.
—— **track** (rr), vía de maniobra por palo.
polish v, pulir.
polished
—— **plate glass**, vidrio cilindrado pulido.
—— **rod** (pet), vástago pulido.
—— **wire glass**, vidrio armado transparente.
polisher, pulidora.
polishing lathe, torno de pulir.
polishing wheel, muela pulidora, rueda de bruñir.
poll (ax), cotillo.
—— **pick**, pico de punta de cotillo, picacho, pico con martillo.
pollute, contaminar, (Pe) polucionar, (Pe) infeccionar, (M) corromper.
polluted, contaminado, poluto, (Pe) polucionado, (M) corrompido.
pollution, contaminación, polución.
polonium (chem), polonio.
polyatomic, poliatómico.
polybasic (chem), polibásico.
polybasite, polibasita (mineral de plata).
polycased glass, vidrio laminado.
polycentric, policéntrico.
polyconic projection, proyección policónica.
polycyclic (elec)(chem), policíclico.
polyethylene, polietileno.
polygon, polígono.
—— **of forces**, polígono de fuerzas.
polygonal, polígono, poligonal.
polyhedral, poliédrico, poliedro.
polyhedron, poliedro.
polymeter (mrl), polímetro.
polynomial (math), polinomio.
polyphase (elec), polifásico, multifásico.
polyphotal (elec), polifoto.
polyspeed motor, motor de velocidad variable.
polystyrene, poliestireno.
polysulphide, polisulfuro.
polysynthetic, polisintético.
polytechnic, politécnico.
polytropic, politrópico.
polyvalent, polivalente.
polyvinyl, polivinilo.
poncelet (elec), poncelet.
poncelet-hour, poncelet-hora (360,000 kilográmetros por hora).
pond, s charca, charco, remanso, laguna, pantano, alberca, balsa, rebalsa, alcubilla; v embalsar, rebalsar.
—— **pine**, especie de pino de madera inferior.
pondage, almacenamiento, acopio, (A) pondaje; almacenamiento para regulación diaria.
ponderal, ponderal.
ponderosa pine, especie blanda de pino amarillo.
ponding (conc rd), inundación.
ponton (military), pontón.
pontoon, pontón.
—— **bridge**, puente flotante o de barcas o de pontones.
—— **roof** (pet), techo flotante o a pontón.
pony
—— **car** (rr), carretilla de riel.
—— **rod** (pet), vástago pulido.
—— **truck** (loco), bogie giratorio delantero, carretilla portante, bogie de un solo eje.

—— **truss**, armadura rebajada o enana o rechoncha o sin arriostramiento superior.
pool, s charca, balsa, alberca, rebalsa, aljibe; (pet) criadero, depósito; (nadar) piscina, (Pan) noria; v (dac) encharcarse.
—— **cathode** (ra), cátodo de charco (de mercurio).
—— **tank or tube** (ra), válvula de cátodo de charco.
poop (sb), bovedilla, popa.
—— **bulkhead**, mamparo de bovedilla.
—— **deck**, cubierta de la bovedilla, toldilla, castillo de popa, alcázar.
pop v, (auto) petardear; disparar (válvula de seguridad).
—— **safety valve**, válvula de seguridad de disparo, válvula de disparo.
—— **shot** (bl), bocazo.
pop-holing (bl), véase **blockholing**.
poplar, álamo, chopo, pobo.
poppet, (torno) véase **poppethead**; (cn) cuna de botadura de proa o de popa.
—— **check valve**, válvula de retención tipo de disco con varilla.
—— **valve**, válvula de disco con movimiento vertical.
poppethead, (mh) contrapunta, cabezal móvil, muñeca; (min) horca, caballete.
popping (tun), desconchamiento de la roca por deformación elástica.
population, población, (Col) populosidad.
porcelain, porcelana, loza.
—— **cleat** (elec), abrazadera de porcelana.
—— **finish**, enlozado.
—— **insulator**, aislador de porcelana.
porcelain-enameled, esmaltado en porcelana.
porcelaneous, de porcelana.
porcelanite (geol), porcelanita.
pore ratio (sm), relación de porosidad o de huecos.
pore water (sm)(conc), agua dentro de los poros.
pores, poros.
porometer, porosímetro.
pororoca (ti), pororoca.
porosity, porosidad.
porous, poroso, permeable.
porous-cup cell (elec), pila con vaso poroso.
porphyrite (geol), porfidita, porfirita.
porphyritic, porfídico, (M) porfirítico.
porphyry (geol), pórfido.
—— **copper**, mineral de cobre de baja ley.
Porro prism (optics), prisma Porro.
port, puerto; (mv) lumbrera; (náut) babor; (cn) portañola, porta.
—— **bar**, cadena de maderos para cerrar un puerto.
—— **captain**, capitán del puerto.
—— **charges o duties**, derechos portuarios.
—— **light** (sb), ojo de buey.
—— **of call**, puerto de escala.
—— **of registry** puerto de matrícula.
—— **works**, obras portuarias; instalaciones portuarias.
portability, transportabilidad.
portable, portátil, transportable, locomóvil, móvil; desmontable; acarreadizo.
—— **boiler**, caldera portátil; caldera locomóvil.

—— **building,** casita o galpón desmontable.
—— **compressor,** compresor móvil o portátil.
—— **elevator,** apiladora, hacinador.
—— **loader,** cargador transportable, cinta transportadora portátil.
—— **track,** vía decauville o portátil, (Es) vía armada.
portal, (pte) portal; (tún) boca, emboquillado, portal.
—— **bracing,** riostras o contravientos del portal.
—— **crane,** grúa de pórtico.
porter (met), barra portadora.
Porter governor (se), regulador recargado.
porthole (sb), porta, ojo de buey, portañola, (A) porta espía.
Portland cement, cemento pórtland.
position, s posición; empleo, puesto; v colocar.
—— **head** (sm), carga de posición.
—— **indicator,** indicador de posición.
positioner, posicionador, colocadora.
positive, s (fma) positivo; a (mat) positivo; (mec) de acción directa; (eléc) positivo, electropositivo.
—— **allowance** (mech), huelgo positivo.
—— **column** (elec), columna positiva.
—— **displacement pump,** bomba de desplazamiento positivo.
—— **drive,** propulsión positiva.
—— **electron,** electrón positivo, positrón.
—— **feedback** (elec), regeneración.
—— **meter** (hyd), contador positivo o de desplazamiento.
—— **plate** (elec)(ra), placa positiva.
—— **ray** (ra), rayo positivo o canal.
—— **sequence component** (elec), componente positiva de secuencia.
positive-ray current (ra), corriente de rayos anódicos.
positron (elec), positrón, electrón positivo.
post, poste, puntal, pie derecho, montante, paral, (C) horcón, (cb) pata.
—— **bracket** (railing), ménsula portaposte.
—— **brake,** freno de poste.
—— **cap** (mill construction), volador, can, cartela.
—— **drill,** taladro de poste, agujereador de columna.
—— **driver,** hincadora de postes para cerca.
—— **hanger,** consola para poste.
—— **holder** (railing), sujetaposte.
—— **indicator** (p), indicador de columna.
—— **maul,** maza para hincar postes.
—— **oak,** roble de cerca o de estacas o de pilotes.
—— **shovel,** pala para hoyos.
—— **spade,** azada para hoyos.
—— **spoon,** cuchara para hoyos.
post-and-rail fence, cerco de postes y barandales.
post-office box, apartado, casilla.
post-type insulator, aislador de columna.
postammoniation (wp), postamoniación.
postanneal, posrecocer.
postchlorination, postcloración.
postforming, postformación.
postheating, postcalentamiento.
posthole, hoyo o agujero de poste.
—— **digger,** barrena para hoyos de postes, cava-

dor de agujeros de postes, barrena de tierra, (C) hoyador.
posting, postería, (min) posteo.
postmineral fault (geol), falla postmineral.
postulate n, postulado.
pot, pote, marmita, olla; recipiente, vaso.
—— **annealing,** recocido en cofre.
—— **chuck** (mt), mandril de copa.
—— **furnace,** horno al crisol.
—— **signal** (rr), señal baja.
—— **trap** (p), trampa de pote.
potability, potabilidad.
potable, potable.
potamology, potamología.
potash, potasa.
—— **alum,** alumbre potásico, sulfato alumínico potásico.
—— **feldspar,** feldespato potásico.
—— **granite,** granito potásico.
—— **mica,** moscovita.
—— **niter,** nitrato de potasio, nitro potásico.
potassic, potásico.
potassium, potasio.
—— **alum,** alumbre potásico.
—— **aluminum sulphate,** sulfato alumínico potásico, alumbre potásico.
—— **bichromate,** bicromato potásico o de potasa o de potasio.
—— **carbonate,** carbonato de potasio, potasa.
—— **chloroplatinate** (sen), cloroplatinato de potasio.
—— **hydrate, potassium hydroxide,** hidróxido de potasio, hidrato potásico.
—— **iodide** (sen), yoduro de potasio.
—— **nitrate,** nitrato de potasio o de potasa, nitro.
—— **oxalate,** oxalato potásico o de potasio.
—— **phthalate** (lab), ftalato de potasio.
potential, s (eléc) potencial, tensión; a potencial.
—— **coil** (inst), bobina en derivación.
—— **difference,** diferencia de potencial o de tensión.
—— **divider,** divisor de voltaje o de tensión.
—— **drop,** caída de potencial.
—— **energy,** energía potencial.
—— **function** (math), función potencial.
—— **gradient,** gradiente de potencial.
—— **regulator** (elec), regulador de tensión o de voltaje.
—— **switch,** interruptor de potencial.
—— **transformer,** transformador de tensión o de potencial.
—— **vector** (math), potencial vector.
—— **winding** (inst), devanado en derivación.
potentiometer, potenciómetro.
potentiometric, potenciométrico.
pothead (elec), terminador de cable.
—— **compound,** compuesto para terminador de cable.
pothole, (ca) nido, bache; (top) olleta; (geol) marmita de gigante, olla o pozo de remolino.
pound, s libra; v batir, golpear, machacar, majar.
—— **price,** precio por libra.
—— **sterling,** libra esterlina.
poundal, poundal.

pour, *s* (conc) colada, hormigonada, vaciada, vertido; *v* colar, vaciar, verter.
— point (oil), punto de fluidez o de congelación.
— test, prueba de fluidez.
poured-in-place (conc), hecho o vaciado en sitio, colado en el lugar.
pouring ladle, cuchara de vaciar, cazo de colada.
powder, polvo; (vol) pólvora.
— drift (min), túnel de voladura.
— factor (exc), factor de explosivos.
— magazine, polvorín.
— post (lbr), podrición seca.
— train (bl fuse), núcleo de pólvora.
powder-post beetle (lbr), escarabajo de podrición seca.
powdered admixture (conc), aditivo en polvo.
powdered metal, metal pulverizado o en polvo.
powderman, polvorero, dinamitero, (M) poblador.
power, autoridad; (leg) poder; (mat) potencia; (mec) potencia, fuerza motriz; (eléc) energía, fuerza, potencia; (machy) unidad de potencia o de fuerza.
— amplification (elec), amplificación de potencia.
— amplifier (ra), amplificador de energía o de potencia, (A) amplificador de poder.
— ax, hacha mecánica.
— broom, escoba mecánica.
— company, empresa de fuerza motriz.
— consumption, consumo de energía.
— control unit (tc), unidad controladora o de gobierno o de control mecánico, unidad de gobierno por potencia.
— control winch (tc), malacate de mando, torno de gobierno.
— detection (ra), desmodulación de potencia.
— development, aprovechamiento de fuerza eléctrica, producción de fuerza, desarrollo de potencia.
— divider (auto), divisor de fuerza.
— drag scraper, draga de arrastre, traílla mecánica.
— drive, unidad impulsora.
— dump, descarga mecánica.
— factor, factor de potencia.
— feed, alimentación mecánica; avance mecánico.
— float (ce), aplanadora mecánica.
— grader, motoniveladora, motocaminera.
— hacksaw, sierra mecánica para metal, sierra de potencia para metales.
— input, potencia alimentada.
— kerosene, kerosina para máquinas.
— landing (ap), aterrizaje con motor.
— level (elec), nivel de potencia.
— line, línea de fuerza eléctrica.
— loading (ap), peso por caballo.
— pack (ra), fuente de energía.
— plant, planta de fuerza, central de energía, planta generadora, (A)(U)(B) usina; (gr) (auto) grupo motor, planta motriz, (M) tren de fuerza, (A) conjunto motriz, (A) grupo motopropulsor.
— pump, bomba de potencia (bomba de émbolo con máquina motriz independiente).

— rating, potencia nominal.
— relay (elec), relai de potencia.
— saw, sierra mecánica, (M) segueta mecánica, (A) sierra a máquina.
— scraper, excavadora de arrastre, traílla de cable de arrastre.
— shovel, pala mecánica, (A) excavadora, (Pe) paleadora, (C) apaleadora.
— spade, pala neumática, martillo de pala.
— sprayer, rociador de potencia.
— station, estación generadora, central de energía, (A)(U)(B) usina.
— stroke (eng), carrera motriz o de impulsión o de fuerza, tiempo motor o de trabajo.
— system, red de energía.
— take-off, toma de fuerza o de potencia, toma-fuerza.
— tools, herramientas mecánicas.
— transformer, transformador de fuerza o de energía.
— transmission, transmisión de fuerza o de energía.
— tube (ra), tubo de potencia, válvula amplificadora, (M) bulbo de fuerza.
— unit, unidad de fuerza o de potencia.
— wrench, llave mecánica o de impacto.
power-controlled, de control mecánico, mandado a potencia.
power-directional relay, relai para sentido de fuerza.
power-driven, mandado a potencia; (re) remachado mecánicamente, roblonado a presión.
power-factor meter, contador de factor de potencia.
power-off indicator, indicador de interrupción.
power-operated, mandado a potencia.
power-pressed brick, ladrillo prensado a máquina.
power-transfer relay, relai de transferencia.
powerboat, autobote.
powerful, potente, poderoso, fuerte.
powerhouse, estación o casa de fuerza, central eléctrica o generadora, (A)(U)(B) usina eléctrica.
pozzolan, puzolana.
pozzolanic cement, cemento puzolánico.
Pozzolith (trademark), tipo de cemento puzolánico.
practical lead (rr), arranque práctico, avance de trabajo.
practical system of units (elec), sistema práctico.
prairie, pampa, pradera, llanura.
Pratt truss, armadura Pratt.
preaeration, preaeración.
preaerator, preaereador.
preamplifier, preamplificador, (Es)(A) amplificador previo.
preassembled, prearmado, preensamblado.
prebored (lbr), prebarrenado.
prebuilt forms (conc), moldes prefabricados.
precalked, precalafateado.
precamber (w), precombadura.
precast (conc), prevaciado, premoldeado, precolado, (PR) hormigonado aparte.
precession, precesión.

prechlorination, precloración, preclorinación.
precipice, precipicio, barranca, despeñadero.
precipitable, precipitable.
precipitant, precipitante.
precipitate, *s* precipitado; *v* precipitar.
precipitation, precipitación.
— **hardening** (met), endurecimiento por precipitación.
— **number** (chem), número de precipitación.
— **softener** (wp), suavizador por precipitación.
— **station** (mrl), estación medidora de precipitación.
precipitator, (quím) precipitante; (mec) precipitador.
Precipitron (trademark)(ac), precipitrón.
precise leveling, nivelación de precisión.
precision, precisión.
— **balance**, balanza de precisión.
— **caliper**, calibre de precisión.
— **casting**, vaciado de precisión o a cera perdida.
— **grinder**, rectificadora de precisión.
— **lamp**, lámpara de precisión.
— **landing** (ap), aterrizaje de precisión.
— **lathe**, torno de precisión.
precision-ground thread, rosca esmerilada de precisión.
precleaner, predepurador.
precombustion, precombustión.
precompression, precompresión.
precondenser, precondensador.
preconsolidation (sm), preconsolidación.
precool, preenfriar, prerrefrigerar.
precooler (ac), preenfriador.
precrusher, predesmenuzadora.
precurve (rail), precurvar.
predisinfection (wp), predesinfección.
pre-evaporator, preevaporador.
prefabricated, prefabricado.
preferential shop, fábrica que da preferencia a los miembros del gremio.
preferred creditor, acreedor privilegiado.
preferred stock, acciones preferidas o privilegiadas o de preferencia.
prefilter, prefiltro.
prefiltration, prefiltración.
prefix (ra), prefijo.
preflash tower (pet), torre de destilación preliminar.
preflocculation, prefloculación.
prefocus, prefocar.
— **lamp base** (elec), tipo de base de bombilla para proyector.
preformed (wr), preformado.
— **joint filler** (rd), rellenador premoldeado.
preframed (lbr), prefabricado (antes de tratar).
pregwood, madera laminada impregnada.
preheat, precalentar.
preheater, precalentador.
prehydrated, prehidratado.
preignition, encendido anticipado o prematuro, preignición, preencendido.
preinsulated, preaislado.
preliminary, preliminar.
— **data**, antecedentes.
— **design**, anteproyecto, proyecto preliminar.

— **estimate**, antepresupuesto, presupuesto preliminar.
— **study**, anteestudio, estudio preliminar, antestudio.
— **survey**, levantamiento preliminar, estudio.
preloaded, precargado.
prelubricated, prelubricado.
premineral fault (geol), falla premineral.
premium (ins), prima, premio.
— **rate**, tipo de premio.
premix, *s* (ca) premezcla; *v* premezclar.
premolded, premoldeado.
prepared
— **joint** (p), unión preparada.
— **paint**, pintura preparada o hecha.
— **roofing**, techado prearmado o preparado.
prerotation, prerrotación.
presaturated, presaturado.
presedimentation, presedimentación.
preselector (elec), preselector.
present worth, valor actual, tasación corriente.
preservative *n a*, preservativo.
preset button (elev), botón de parada automática.
presettled (hyd), presedimentado.
prespringing (w), contraalabeo, prebombeo.
press, *s* prensa; *v* prensar; apretar.
— **cake** (su), torta del filtro-prensa.
— **fit**, ajuste forzado o de presión.
— **juice** (su), jugo de las filtro-prensas.
— **riveting**, remachadura a presión.
— **welder**, soldadora por presión, prensa de soldar.
press-forge, forjar a presión.
pressboard, cartón comprimido o de Fuller.
pressed, prensado.
— **brick**, ladrillo prensado o de prensa o de máquina.
— **glass**, vidrio o cristal prensado.
— **steel**, acero prensado.
— **thread**, rosca prensada, filete troquelado.
pressman, prensador.
pressure, presión, empuje (tierra), compresión (cimiento); (eléc) tensión.
— **angle** (gear), ángulo de presión.
— **back** (pmy), placa de presión.
— **bomb** (pet), bomba de presión.
— **booster**, reforzador o aumentador de presión.
— **bottle** (lab), botella de presión.
— **conduit** (hyd), conducto forzado o a presión.
— **connector** (elec), conector a presión o sin soldadura.
— **controller**, regulador de la presión.
— **distributor** (bitumen), distribuidor a presión.
— **feed**, alimentación a presión; avance por presión.
— **feed-water heater**, calentador a presión.
— **filter**, filtro a presión.
— **gage**, manómetro, indicador de presión.
— **gradient** (sm), gradiente de presión.
— **grouting**, inyección de cemento a presión.
— **head** (hyd), carga de presión, altura debida a la presión.
— **indicator**, indicador de presión.
— **pan** (su), vaso o tacho de presión.
— **piping**, tubería de impulsión.

—— **plate,** (fma) placa de presión; (auto) platillo de presión, (A) placa presionante.
—— **pump,** bomba impelente o de presión.
—— **recorder,** registrador de presión.
—— **regulator,** (mec) regulador de presión; (eléc) regulador de tensión.
—— **relay** (elec), relevador a presión.
—— **softener** (wp), suavizador a presión.
—— **staging** (turb), graduación de presión.
—— **switch** (elec), interruptor automático por caída de presión.
—— **tank,** depósito compresor, tanque de presión, recipiente.
—— **tap** (p), injerto a presión.
—— **tunnel,** túnel a presión o forzado.
—— **valve,** válvula de presión.
—— **wave,** onda de presión.
—— **welding,** soldadura por presión.
—— **wires** (elec), alambres indicadores de potencial.
pressure-connector lug (elec), orejeta de conector a presión.
pressure-creosoted, creosotado a presión.
pressure-differential valve, válvula controlada por presión diferencial.
pressure-gun grease, grasa para inyector.
pressure-operated, mandado por presión.
pressure-reducing regulator, regulador reductor de la presión.
pressure-reducing valve, válvula de reducción de presión.
pressure-regulating valve, válvula reguladora de presión, llave reguladora.
pressure-relief trap, aliviador, desahogador.
pressure-relief well (dam), pozo de alivio.
pressure-seal casing head (pet), cabezal de sello a presión de la tubería de revestimiento.
pressure-sensitive, sensible a la presión.
pressure-treated, tratado a presión.
pressurestat (ac), controlador de presión.
pressurize, hacer sobrepresión.
prestress n, prefatiga.
prestressed, prefatigado.
prestretched, preestirado.
pretest, método patentado de aplicación de presión al terreno de cimentación antes de asentar la carga.
pretreatment, pretratamiento.
prevailing winds, vientos reinantes, viento predominante.
Price current meter (hyd), molinete acopado o de cubetas.
prick punch, punzón de marcar o de puntear.
pricker, (dib) agujón, lesna; (vol) aguja de polvorero.
primary (elec)(geol)(chem), primario.
—— **battery,** pila, pila primaria.
—— **cell,** pila.
—— **circuit,** circuito primario o inductor.
—— **crusher,** trituradora primaria.
—— **current,** corriente inductora.
—— **energy,** energía primaria o permanente o continua.
—— **fault** (elec), falla primaria.
—— **focal plane** (pmy), plano focal primario.
—— **focal point** (pmy), punto focal primario.

—— **power,** fuerza primaria, potencia permanente; energía primaria.
—— **shaft** (auto), árbol o eje primario.
—— **treatment,** tratamiento primero.
—— **voltage,** tensión primaria.
prime, v (bm) cebar, abrevar; (auto) cebar; (vol) cebar; (pint) imprimar, aprestar, aparejar; (ca) estabilizar con material aglutinante; a (mat) prima (x').
—— **cost,** costo neto.
—— **meridian,** primer meridiano.
—— **mover,** generadora de energía, máquina motriz, motor primario.
—— **radiation** (ht), radiación primaria.
—— **structural grade** (lbr), estructural de primera calidad.
primer, (vol) cebo; (pint) imprimador, aprestador, tapaporos; (ca) aceite imprimador; (bm)(auto) cebador.
—— **valve,** válvula de cebado.
priming, (vol)(bm) cebadura; (pint) aparejo, apresto, imprimación; (cal) arrastre de agua, espumación.
—— **coat** (pt), primera mano, mano imprimadora o aprestadora o de aparejo o de fondo, capa de imprimación, apresto.
—— **cock,** llave de cebar, grifo de aparejamiento, (Es) grifo descompresor.
—— **cup,** robinete de copa, copilla de cebar.
—— **ejector** (pu), eyector cebador.
—— **needle** (bl), aguja de polvorero.
—— **of the tide,** adelanto de la marea alta.
—— **oil** (rd), aceite imprimador.
—— **solution** (pu), solución acondicionadora.
principal a, principal.
—— **axis of inertia,** eje principal de inercia.
—— **distance** (pmy), distancia principal.
—— **plane** (sm)(pmy), plano principal.
—— **point** (pmy), punto principal.
—— **stress,** esfuerzo o fatiga principal, (A) tensión principal.
—— **visual rays** (pmy), rayos principales.
print washer (pmy), lavadora de impresiones.
print-drying machine (pmy), secadora de impresiones.
printer (pmy), máquina impresora.
printing machine (dwg), máquina de imprimir.
prism, prisma.
—— **glass,** vidrio prismático.
—— **level,** nivel de prisma.
prismatic, prismático.
—— **coefficient** (na), coeficiente prismático.
—— **compass,** brújula de reflexión.
prismoid, prismoide.
prismoidal correction (ea), corrección prismoidal.
prismoidal formula, fórmula prismoidal o del prismoide.
private siding (rr), apartadero particular.
privy, letrina, retrete, privada, casilla.
pro forma invoice, factura simulada o pro forma.
probe screw, tornillo de prueba.
problem, problema.
procedure turn (ap), vuelta de orientación.
process, s procedimiento, método, (M) proceso v fabricar, tratar, beneficiar, elaborar manufacturar; (fma) revelar.

—— annealing, recocido por tratamiento.
—— cooling, enfriamiento de elaboración.
—— dust, polvo de elaboración.
—— lens, lente de elaboración.
—— plate, placa fotomecánica.
—— steam, vapor de elaboración.
—— ventilation, ventilación industrial (remoción del polvo de elaboración).
—— water, agua de elaboración.
processed glass, vidrio tratado.
processing
—— equipment, equipo de elaboración.
—— plant (aggregates), instalación de tratamiento.
—— tower (pet), torre de elaboración.
produce v, (ag) producir; (dib)(lev) prolongar.
producer, gasógeno, generador de gas; (mtl) productor.
—— gas, gas pobre.
producing bottom-hole pressure (pet), presión al fondo del pozo en producción.
producing field (pet), campo productor.
product, producto.
production, producción.
—— line, cadena de producción, línea de montaje.
—— packer (pet), obturador de producción.
productive, productivo.
productivity index (pet), coeficiente o índice de productividad.
profile, perfil.
—— cloth, tela para perfiles.
—— cutter, fresa perfilada.
—— paper, papel para perfiles.
profiler, profiling machine, máquina perfiladora.
profilograph, perfilógrafo.
Profilometer (trademark)(inst), perfilómetro.
profit, utilidad, ganancia, beneficio.
—— and loss, ganancias y pérdidas, lucros y daños.
—— sharing, participación en los beneficios.
progress, progreso, marcha, desarrollo.
—— estimate, estado de pago parcial.
—— payment, pago parcial o a cuenta.
—— profile, perfil del avance del trabajo.
—— report, informe del avance.
—— schedule, plan del avance del trabajo, planilla del desarrollo de la obra.
progression, (mat) progresión; (lev) trazado.
progressive, progresivo.
—— die, matriz progresiva.
—— scanning (tv), exploración progresiva.
—— spot welding, soldadura progresiva por puntos, soldadura automática por puntos.
project n, proyecto; obra; v, sobresalir, volar, resaltar; (dib) proyectar.
—— manager, jefe de obras.
projected window (steel), ventana saliente (desliza verticalmente mientras gira sobre pivote).
projectile-type composite pile, pilote tipo proyectil.
projecting, saledizo, voladizo, saliente.
projection, vuelo, resalte, saliente; proyección.
—— camera, cámara proyectora.
—— printing (pmy), impresión a proyección.

—— ratio (culvert), relación de resalto.
—— welding, soldadura a resistencia con salientes o de resalto.
projector, proyector.
—— lamp (elec), lámpara de proyección.
—— lens, lente proyector.
projectoscope, proyectoscopio.
prolate, alargado.
promenade deck (sb), cubierta de paseo.
promontory, promontorio.
promote, (proyecto) fomentar, promover; (empleado) adelantar.
promoter, gestor, promotor, promovedor; (mec) (quím) activador, acelerador, aumentador.
promotion, (proyecto) promoción, fomento; (empleado) ascenso.
prong chuck (ww), mandril de púas.
prong die (th), dado de resorte.
Prony brake, freno Prony o dinamométrico.
proof, prueba.
—— coil chain, cadena (de acero) comprobada o soldada ordinaria o común de adujadas.
—— load, carga de prueba.
—— stick (su), bastón, sonda, varilla muestradora.
—— stress, esfuerzo de prueba.
—— test n (chain), prueba de la cadena terminada.
proof-test v, probar la cadena terminada.
prop, s puntal, entibo, adema, tentemozo; v apuntalar, entibar, jabalconar.
—— slicing (min), minería por escalones ademados.
propagation, propagación.
—— blasting, voladura propagada o difundida.
—— constant (elec), constante de propagación.
—— factor (ra), factor o relación de propagación.
propane, propano.
propeller, hélice; propulsor.
—— arch (sb), arco de la hélice.
—— blade, aleta de hélice.
—— boss, cubo de la hélice.
—— meter, contador de hélice.
—— pitch, paso de la hélice.
—— post (sb), codaste proel o de la hélice, albitana, contracodaste.
—— pump, bomba de hélice.
—— shaft, (náut) eje portahélice, árbol de la hélice, eje de hélice; (auto) eje cardán o de propulsión, árbol de mando, (M) flecha motriz, (M) flecha de propulsión.
—— turbine, turbina de hélice.
—— wash (ap), flujo de la hélice.
propeller-type current meter, molinete de paletas.
propeller-type fan, ventilador de hélice.
proper fraction, fracción propia, quebrado propio.
properties, (est) características; (quím) propiedades.
property, bienes; propiedad.
—— line, linde, lindero, (Pan) línea de propiedad.
proportion, s (mat) proporción; v proporcionar; dosificar.
proportionability, proporcionalidad, proporcionabilidad.
proportional, proporcional, proporcionado.

—— **dividers,** compás de proporción o de reducción.
—— **limit,** límite de elasticidad.
—— **weir,** vertedero proporcional.
proportionality, proporcionalidad.
proportioner, dosificador, proporcionador.
proportioning (conc), dosaje, dosificación, proporcionamiento.
—— **equipment,** equipo de dosificación.
—— **feeder** (wp), alimentador de dosificación.
proposal, propuesta, proposición, oferta.
—— **form,** formulario de propuesta.
propulsion, propulsión.
propulsive, propulsor, propulsivo.
—— **coefficient** (na), coeficiente de propulsión.
propyl alcohol, alcohol propílico.
propylite (geol), propilita.
propylitic, propilítico.
propylitization, propilitización.
prorate *v,* prorratear, ratear.
prorating, prorrateo, rateo.
prospect *v,* catear, explorar.
prospecting, cateo, exploración.
—— **drill,** perforadora de cateo, taladro explorador, sonda de prospección.
—— **tunnel,** socavón de cateo.
prospector, cateador, explorador.
prospector's pick, pico de cateador.
protected machine, máquina protegida.
protection, protección, defensa; abrigo; (eléc) protección.
protective, protector.
—— **clothing** (w), prendas de protección.
—— **device,** dispositivo protector.
—— **relay** (elec), relai protector o de protección.
—— **resistance** (ra), resistencia protectora.
protector (mech)(elec), protector.
—— **thimble** (cab), guardacabo protector.
—— **tube** (ra), válvula protectora.
proteic, proteinaceous (sen), protéico.
protein (sen), proteína.
protochloride (chem), protocloruro.
protogenic (geol), protógeno.
proton (ra), protón.
protoplasm (sen), protoplasma.
protore (geol), protomena.
protosulphide (chem), protosulfuro.
prototype, prototipo.
protoxide (chem), protóxido.
protozoa (sen), protozoos.
protractor, transportador.
—— **scale,** escala-transportador.
—— **triangle,** cartabón con transportador, (Es) cartabón dilatable.
proustite, proustita (mineral de plata).
proven reserves (pet), reservas probadas.
provisional acceptance, recepción provisional o provisoria.
prow (naut), proa.
proximate analysis, análisis inmediato.
proximity effect (ra), efecto de proximidad.
Prussian blue (dwg), azul de Prusia.
prussiate, prusiato.
—— **of potash,** cianuro o prusiato de potasio.
prussic, prúsico.
pry *v,* alzaprimar, palanquear, apalancar.

pry-out (elec), destapadero a palanquita.
psammite (geol), psamita, arenisca.
psephite (geol), psefita.
psephitic, psefítico.
pseudocolloidal solids, sólidos seudocoloidales.
pseudomorphic (miner), seudomórfico.
pseudopodia (sen), seudópodos.
psilomelane (miner), psilomelano.
psophometer (tel), psofómetro.
psophometric, psofométrico.
psychrograph (ac), psicrógrafo.
psychrometer (mrl)(ac), psicrómetro.
psychrometric chart, gráfica psicrométrica.
public *n a,* público.
—— **health,** salubridad o higiene pública.
—— **letting,** licitación o subasta pública, concurso público.
—— **liability,** responsabilidad civil o pública, responsabilidades ante terceros.
—— **utilities,** empresas de servicio público.
—— **works,** obras públicas, (Ch) obras fiscales.
public-service corporation, empresa de servicio público.
puddening (naut), anetadura.
pudding stone, conglomerado.
puddle, *s* terraplén sedimentado, relleno amasado; *v* (ot) sedimentar, amasar; (met) pudelar.
—— **ball** (met), masa de hierro del horno de pudelar.
—— **bar** (met), barra de hierro crudo.
—— **core** (dam), núcleo sedimentado, corazón o pantalla de arcilla.
—— **rolls** (met), laminadores desbastadores.
puddle-wall cofferdam, ataguía de encofrado y relleno.
puddled clay, arcilla batida, barro amasado.
puddler (met), pudelador.
puddling (w), mezcla del metal de aporte con el metal de base fundido.
—— **furnace** (met), horno de pudelar.
—— **rod** (lab), varilla sedimentadora.
pug, *s* barro amasado, arcilla amasada, gres; (geol) salbanda; *v* amasar, embarrar.
pugmill, amasadero, (Es)(M) malaxadora.
pull, *s* tracción, tiro; (ft) agarradera, tirador; *v* (tr) halar, arrastrar, tirar; (cab) tirar; (conductor eléc) tender; (clavo) arrancar, sacar; (vol) romper, arrancar.
—— **box** (elec), caja de paso o de acceso.
—— **chain** (elec), cadenilla de tiro.
—— **grader** (rd), nivelador o explanadora de arrastre.
—— **hook,** gancho de tracción o de arrastre.
—— **nails,** desclavar, sacar clavos, desenclavar.
—— **piles,** deshincar, sacar pilotes.
—— **pin,** pasador fiador, espiga enclavadora.
—— **rods** (pet), varillas de tracción.
—— **socket** (elec), portalámpara de cadena.
—— **switch** (elec), interruptor de cordón.
—— **wire** (elec), cinta pescadora.
pull-in torque (mot), momento torsional de ajuste a sincronismo.
pull-off (elec rr), tirante.
pull-out test (reinf), ensayo de adherencia.
pull-out torque (mot), par motor crítico o límite.

pull-push rule, regla rígida flexible de acero.
pull-stroke shovel, pala de tiro, retroexcavador.
pull-up torque (mot), momento mínimo de torsión de aceleración.
pullback cylinder, cilindro de retroceso.
pullboat (lg), lanchón de arrastre.
puller (t), extractor, arrancador, tirador.
—— dog, grapa para arranque de tablestacas.
—— press, prensa para sacar cojinetes.
pulley, polea, garrucha, roldana, (A) motón.
—— block, motón, cuadernal.
—— guard, guardapolea.
—— hanger, colgador de polea.
—— lathe, torno para poleas.
—— stile, cara anterior de la caja de contrapeso de una ventana de guillotina.
—— tap, macho largo de mano.
pulley-type clutch, embrague para polea.
pulling (ra), arrastre.
—— jack, gato de tirar.
pulling-in iron (elec), estribo de anclaje o de tiro.
pullshovel, retroexcavadora, pala de arrastre o de tiro o de azadón.
pulmotor, pulmotor.
pulp, pulpa, pasta.
pulpwood, madera de pulpa.
pulsate, pulsar.
pulsating, pulsante, (eléc) pulsativo.
pulsation, pulsación.
—— dampener, amortiguador de la pulsación.
—— welding, soldadura a pulsación.
pulsator, pulsador.
pulse (elec), pulsación.
—— generator, generador de pulsación.
—— power, potencia pulsativa.
—— selector (ra), selector de pulsación.
pulsometer (pu), pulsómetro.
pulverize, pulverizar, aciberar.
pulverizer, pulverizador, desmenuzadora.
pulverulent, polvoriento, pulverulento.
pumice, pómez, piedra pómez.
pumicite, piedra pómez.
pump, s bomba; v bombear.
—— barrel, cuerpo de bomba.
—— bowl, caja o carcasa de bomba.
—— brake, amortiguador hidráulico; guimbalete, balancín.
—— casing, caja o cuerpo de bomba, envoltura de la bomba.
—— dale, dala, adala de bomba.
—— house, casa de bombas.
—— jack, guimbalete, balancín.
—— liner (pet), forro del cilindro de bombeo.
—— primer, cebador.
—— rod, varilla de bombeo.
—— room, sala de bombas.
—— runner, rodete, impulsor, rotor, rueda.
—— slip, pérdidas.
—— valve, válvula de bomba, sopapa.
—— well, pozo de la bomba.
pumpable, bombeable.
pumpage, bombeo.
Pumpcrete (trademark), bomba de concreto.
pumper, bombero; bomba; (pet) pozo bombeado.
—— nozzle (hydrant), toma para bomba de incendios.

pumping, bombeo, bombeado, bombaje; (fc) movimiento vertical de las juntas bajo las ruedas.
—— booster (rd), calentador de material bituminoso.
—— head, altura total de bombeo (aspiración, descarga y rozamiento).
—— plant, planta o estación de bombas, planta de bombeo, (Col) central de bombeo, (U) usina elevadora, (A) establecimiento de bombeo.
—— well (pet), pozo bombeado o a bomba.
pumpman, bombero.
punch, s punzón, punzonadora, agujereadora, (Ec) ojalador; sacabocado, granete; (her) rompedera; v punzonar, punzar.
—— bar (bl), barra punzón.
—— boring, sondeo por barra punzón.
—— drill, barra punzón.
—— holder (mt), portapunzón.
—— pliers, pinzas punzonadoras, alicates punzonadores.
—— press, prensa punzonadora.
puncheon (carp), poste corto, puntal.
puncher (sb), punzador, punzonador.
punching, punzonado, punzonadura, punzado, (V) punción.
—— die, troquel de punzonar.
—— shear, esfuerzo cortante de penetración.
—— test, ensayo a punzón.
puncture, s (auto) pinchadura, pinchazo, picadura, (M) ponchadura; (eléc) perforación, falla de aislamiento; v pinchar, punzar, picar, (M) ponchar.
—— voltage (elec), tensión disruptiva.
punctureproof, a prueba de pinchazo, imperforable.
punk, yesca.
pupil (optics), pupila.
purchase, s (mec) aparejo, palanca; (com) compra; v (com) comprar.
—— contract, contrato de compraventa.
—— order, orden de compra.
—— price, precio de compra.
purchasing agent, agente comprador, jefe de compras, (M) jefe de servicio.
pure bending, flexión simple, (A) flexión pura.
pure shear, esfuerzo cortante puro.
purge, (cal)(aa) limpiar, purga; (az) purgar.
purger, purgador.
purification, depuración, purificación, (C) epuración.
—— plant, planta o estación depuradora, instalación purificadora, (A) establecimiento de depuración.
purifier, depurador, purificador.
purify, depurar, purificar, apurar.
purine (lab), purina.
purlin, carrera, correa, hilera, larguero, nervadura, nervio, vigueta.
purple copper ore, bornita.
push, s empuje; v empujar.
—— brace, taladro espiral automático, trépano.
—— broach, escariador de empuje.
—— broom, escobillón.
—— bumper (tc), paragolpes de empuje.

— **button** (elec), pulsador, botón de presión o de contacto.
— **car** (rr), carro de mano.
— **drill**, taladro de empuje o de movimiento alternativo.
— **fit**, ajuste sin holgura.
— **joints** (bw), juntas empelladas.
— **pole** (rr), madero para empujar carros.
— **rod**, varilla de empuje; levantaválvula.
— **tractor**, tractor empujador.
— **wave** (vibration), onda de empuje o de compresión.
— **welding**, véase **poke welding.**
push-button
— **control** (elev), manejo por botones de contacto, mando por botón.
— **plate**, escudete de interruptor de botón.
— **starter**, arrancador a botón.
— **switch** (elec), llave a pulsador o a botón, interruptor de botón, (A) llave botonera.
push-down blasting machine, estalladora de empuje.
push-load v, cargar por empuje.
push-off (elec rr), puntal.
push-out chuck (mt), boquilla de quijadas convergentes.
push-pull
— **amplifier** (ra), amplificador equilibrado.
— **circuit** (elec), circuito equilibrado.
— **microphone**, micrófono simétrico.
— **oscillator** (ra), oscilador equilibrado.
push-through socket (elec), portalámpara con llave de botón de empuje.
pusher engine, locomotora de refuerzo o de empuje o en cola.
pusher-loaded (ea), cargado con tractor empujador.
putlog, mechinal, almojaya, (Col) almanque, (Col) puente.
— **hole**, mechinal, (Col) ojada.
putrefaction, putrefacción.
putrefactive, putrefactivo.
putrefy, podrirse, pudrirse.
putrescibility, putrescibilidad.
putrescible, putrescible.
putrid, podrido, pútrido.
putty, s masilla, (M)(V) mástique; v amasillar, enmasillar.
— **coat** (plaster), capa blanca o de acabado.
— **knife**, espátula, cuchilla para masilla, cuchillo de vidriero.
puttyless skylight, claraboya sin masilla.
pycnometer (lab), picnómetro.
pylon, pilón.
pyogenic (lab), piógeno, piogénico.
pyramid, pirámide.
— **cut** (tun)(min), corte piramidal.
— **oiler**, aceitera cónica.
— **stope** (min), testero abovedado.
pyramidal, piramidal.
pyranol, piranol.
pyranometer, piranómetro.
pyrargyrite (miner), pirargirita, plata roja.
pyrheliometer, pirheliómetro, piroheliómetro.
pyrite (miner), pirita, pirita de hierro.
pyrites (miner), piritas.

pyritic, piritoso, pirítico.
pyritize, piritizar.
pyro (pmy), ácido pirogálico.
pyrobitumen, pirobitumen.
pyrobituminous, pirobituminoso.
pyrochemical, piroquímico.
pyroclastic (geol), ígneo, (M) piroclástico.
pyroconductivity, piroconductividad.
pyroelectric, piroeléctrico.
pyroelectricity, piroelectricidad.
pyrogallic, pirogálico.
pyrogenic (geol), pirogénico.
pyrogenous, pirogénico.
pyrolusite, pirolusita (mineral de manganeso).
pyromagnetic, piromagnético, termomagnético.
pyrometallurgy, pirometalurgia.
pyrometer, pirómetro.
pyrometric cone, cono pirométrico.
pyromorphite, piromorfita, mineral verde de plomo.
pyrophosphate, pirofosfato.
pyrophosphoric, pirofosfórico.
pyrosulphuric, pirosulfúrico.
pyroxene (miner), piroxena, piróxeno, pirogena, pirógeno.
pyroxenite (geol), piroxenita.
pyroxylin, piroxilina (explosivo).
pyrrhotite (miner), pirrotita, pirita magnética, (A) pirrotina.

Q signals (ra), señales Q.
quad (elec), unidad de cuatro alambres aislados dentro de un cable.
quadded cable, cable compuesto de unidades de cuatro alambres.
quadrangle, cuadrángulo.
quadrangular, cuadrángulo, cuadrangular.
quadrant, (mat)(inst)(eléc) cuadrante; (mec) codo de palanca, sector oscilante.
— **compass**, compás de arco.
— **electrometer**, electrómetro de cuadrante.
quadrantal, cuadrantal.
quadratic, cuadrático.
— **equation**, ecuación cuadrática.
quadrature (math)(elec), cuadratura.
— **component** (elec), caída de tensión de la reactancia.
quadrilateral n a, cuadrilátero.
quadrivalent (chem), tetravalente.
quadruple, s cuádruplo; v cuadruplicar; a cuádruple, cuádruplo.
quadruple-effect evaporator (su), evaporador de cuádruple efecto.
quadruplex, cuádruple; (eléc) cuádruple, cuádruplex.
qualitative analysis, análisis cualitativo.
quantitative analysis, análisis cuantitativo.
quantity, cantidad.
— **meter** (hyd), contador a cantidad.
— **survey**, cómputo de cantidades de trabajo.
quantometer, cuantómetro.
quantum
— **efficiency** (ra), rendimiento cuántico.
— **number**, número cuántico.

—— **theory,** teoría cuántica o de los tantos.
quaquaversal (geol), cuacuaversal.
quarantine buoy, boya de cuarentena.
quarry, *s* cantera, pedrera; *v* sacar piedra de una cantera.
—— **bar,** barra portadora de un juego de perforadoras.
—— **pick,** pico de cantera.
—— **sap,** véase **quarrv water.**
—— **spalls,** residuos o desperdicios o astillas de cantera.
—— **stone,** piedra bruta o sin labrar.
—— **tile,** baldosa colorada sin vidriar para piso exterior.
—— **waste,** desperdicios de cantera, cascajo.
—— **water,** agua o humedad de cantera.
quarry-faced, de cara en bruto.
quarry-run, tal como sale de la cantera (sin cribar).
quarrying, cantería.
—— **machine,** máquina de acanalar, acanaladora.
quarryman, cantero.
quart, cuarto de galón.
quarter, *s* cuarto, cuarta parte; (an) aleta, cuadra de popa; *v* cuartear; *a* cuarto.
—— **bend** (p), codo de $\frac{1}{4}$, curva de 90°, acodado recto.
—— **bend with heel inlet,** codo de $\frac{1}{4}$ con derivación acampanada.
—— **deck** (sb), cubierta del alcázar.
—— **fast** (naut), amarra de aleta.
—— **round,** cuarto bocel (moldura), cuarto de caña, óvolo, (A) chanfle (cóncavo).
—— **section** (US), área de 160 acres (media milla en cuadro).
—— **tie** (rr), traviesa aserrada por cuartos.
—— **turn,** cuarto de vuelta.
quarter-inch, de cuarto de pulgada.
quarter-ondulation plate (optics), placa de un cuarto de onda.
quarter-phase (elec), bifásico.
quarter-wave antenna (ra), antena de un cuarto de onda.
quarter-wave tuner (ra), sintonizador de cuarto de onda.
quartered oak, roble aserrado por cuartos.
quartered tie (rr), una de cuatro traviesas de un tronco.
quartering, cuarteo.
—— **level,** nivel probador de ángulo recto.
quarterman (sb), capataz, cabo.
quartersaw, aserrar por cuartos.
quartz, cuarzo.
—— **crystal,** cristal de cuarzo.
—— **lamp,** lámpara de vapor de mercurio en un tubo de cuarzo, lámpara de cuarzo.
—— **plate** (ra), placa de cuarzo.
—— **porphyry,** pórfido cuarzoso.
—— **rock,** cuarcita.
—— **sand,** arena cuarzosa.
—— **schist,** esquisto cuarzoso.
quartz-basalt, basalto cuarzoso.
quartz-monzonite, cuarzo-monzonita.
quartz-syenite, sienita cuarzosa.
quartziferous, cuarcífero.
quartzite, cuarcita.

quartzitic, cuarcítico.
quartzose, cuarzoso.
quaternary, (geol) cuaternario; (mat) cuaterno, cuaternario.
—— **alloy,** aleación cuaternaria.
quaternion (math), cuaternio.
quay, muelle.
—— **wall,** muro de muelle.
Quebec standard deal, medida de madera 3 por 11 pulg con 12 pies de largo.
Quebec standard hundred, medida para madera 100 deals 3 por 11 pulg con 10 pies de largo.
quebracho (hardwood), quebracho.
queen
—— **closer** (bw), ladrillo cortado longitudinalmente por el lecho.
—— **bolt** (su), perno horizontal de la virgen.
—— **post,** péndola, pendolón lateral, (Col) reina.
queen-post truss, armadura de dos péndolas.
quench, (fuego) apagar; (met) enfriar por inmersión, ahogar, templar, sumergir.
—— **aging** (met), envejecimiento por sumersión.
—— **fluid** (met), flúido enfriador.
quenched gap (ra), descargador de chispa apagada.
quenched spark (elec), chispa apagada.
quencher (elec), extinguidor.
quenching frequency (ra), frecuencia amortiguadora.
quenching oil, aceite para temple.
quick-acting
—— **bolt,** perno de acción rápida o de montaje.
—— **thermostat,** termóstato positivo.
—— **valve,** válvula de acción rápida o de cierre rápido.
quick-break switch (elec), interruptor rápido o instantáneo o de ruptura brusca.
quick-breaking emulsion (rd), emulsión de penetración o de demulsibilidad rápida.
quick-change gear lathe, torno con cambio rápido de engranajes.
quick-dumping car, carro de vaciado rápido.
quick-make (elec), de contacto instantáneo.
quick-setting (ct), de fraguado o endurecimiento rápido.
quicklime, cal viva, (A) cal gruesa.
quicksand, arena movediza o corrediza, (C) arena flúida.
quicksilver, azogue, mercurio.
quiescent point (ra), punto de trabajo.
quieting system (ra), sistema silenciador.
quill (mech), manguito.
—— **drive** (elec loco), impulsión a vaina.
—— **gear,** engranaje de manguito.
—— **shaft,** eje hueco o de vaina.
quilt (inl), colcha, manta.
quintal, (100 lib) quintal; (100 kilo) quintal métrico.
quintant (inst), quintante.
quintillion, quintillón.
quintuplex pump, bomba quíntupla.
quoin, piedra angular; clave.
—— **post,** poste de quicio, quicial.
quotation (price), cotización.
quote (prices), cotizar.
quotient, cociente.

rabbet, s rebajo, encaje, ranura, alefriz, (Col) mocheta; v rebajar, encajar, ranurar.
—— gage, gramil para rebajos.
—— plane, quillame, rebajador, cepillo de ranurar, guimbarda, (A) acanalador.
rabbeted
—— door frame, marco rebajado para puerta.
—— joint, ensamblaje de rebajo.
—— lock, cerradura rebajada.
rabble, s hurgón; v rastrear, desnatar, agitar.
race, s (hid) canal, caz, saetín; raudal; (cojinete) anillo o collar de bolas; (pb) conducto para tubería; v (maq) embalarse, dispararse, desbocarse.
raceway, (mec) caja, canal, anillo de rodadura; (eléc) canal para alambres, conducto eléctrico; conducto para tubería.
—— terminal fittings (elec), guarniciones terminales de conducto.
racing (eng), embalamiento, disparada.
rack, (mec) cremallera, escalerilla; (hid) reja, rejilla, enrejado; (tub) casillero, astillero; (cab) ganchos portacables; (auto) rejilla para equipajes; (co) adrales; (lab) atril, gradilla.
—— and pinion, cremallera y piñón.
—— back (bw), escalonar.
—— bar, barra de cremallera.
—— cleaner (hyd), rastrillo limpiador, limpiarrejas.
—— rail, carril de cremallera, riel dentado.
—— railroad, ferrocarril de cremallera.
—— saw, sierra de corte ancho.
—— truck, camión con adrales altos de rejilla.
Rack-a-rock (trademark), tipo de explosivo instantáneo.
rack-and-pinion press, prensa de cremallera.
rack-type gate valve, válvula de compuerta tipo cremallera.
racking, (an) deformación transversal; (lad) escalonado, dentado.
radar, radar.
Radiagraph (trademark), tipo de máquina cortadora por llama de gas.
radial, radial.
—— bearing, cojinete radial.
—— cableway, cablevía radial, cablecarril giratorio.
—— drill (mt), taladradora radial.
—— gate (hyd), compuerta radial o Tainter, (M) compuerta de abanico.
—— triangulator, triangulador radial, (A) radio-triangulador.
radial-bladed centrifugal compressor, compresora centrífuga de aletas radiales.
radial-cone tank, tanque cilíndrico con fondo de sectores de conos radiales.
radial-flow
—— condenser, condensador radial.
—— tank (sd), tanque de corriente radial.
—— turbine, turbina radial.
radial-group distribution (elec), distribución por grupos radiales.
radial-leaf shutter (pmy), obturador de laminillas radiales.
radian (math), radián, radiante.

—— frequency, frecuencia angular.
radiance, radiancy, intensidad específica de radiación, radiancia.
radiant, radiante.
—— flux (elec), flujo radiante.
—— superheater, recalentador radiante.
radiant-panel heating, calefacción por paneles radiantes.
radiant-power density, densidad de fuerza radiante.
radiant-tube furnace, horno de tubos radiantes.
radiant-type boiler, caldera tipo radiante.
radiate, radiar.
radiation (all senses), radiación.
—— counter (ra), contador de radiación.
—— field (ra), campo de radiación.
—— fog, niebla de radiación.
—— pattern (ra), característica de radiación.
—— pyrometer, pirómetro de radiación.
—— resistance (ra), resistencia de radiación.
radiator, (cf) calorífero, radiador; (auto) radiador, (U) refrigerante; (ra) transmisor, radiador; radiador (transformador).
—— bushing (ht), boquilla de calorífero.
—— cap (auto), tapa del radiador.
—— cement (auto), cemento para radiadores.
—— core (auto), núcleo del radiador.
—— grille (auto), rejilla del radiador, (A) parrilla del radiador.
—— guard (tc)(auto), guardarradiador, blindaje del radiador.
—— shell (auto), casco del radiador.
—— shutter (auto), enrejado del radiador, persiana.
—— valve (ht), válvula o ventosa para calorífero.
radical (chem)(math), radical.
—— sign (math), signo radical.
radio n, radio.
—— beacon, radiofaro.
—— beam, rayo del radio, haz electrónico.
—— bearing, marcación por radiofaro, rumbo radiogoniométrico.
—— channel, faja de frecuencia, canal de radio, (Es)(A) radiocanal.
—— circuit, circuito de radio.
—— communication, radiocomunicación.
—— compass, radio brújula, brújula goniométrica.
—— control, mando por radio, (A) radiocontrol.
—— direction finder, radiogoniómetro, radiorientador.
—— directional beacon, véase radio range beacon.
—— engineer, radiotécnico, ingeniero de radio, (A) radioingeniero.
—— engineering, radiotécnica, ingeniería de radio.
—— fix, situación por intersección de rayos de radio.
—— loop, antena de cuadro.
—— marker beacon, radiofaro de orientación.
—— mechanic, radiomecánico, (A) radiotricista.
—— range beacon, radiobaliza, radiofaro de alineación.
—— range station, estación radiofaro.
—— receiver, radiorreceptor.

—— **serviceman**, radiomecánico.
—— **set**, radio, equipo de radio.
—— **signals**, señales radioeléctricas.
—— **spectrum**, radioespectro.
—— **station**, radioestación.
—— **tower**, torre radiodifusora.
—— **transmission**, radiotrasmisión.
—— **transmitter**, radiotrasmisor.
—— **tube**, tubo electrónico.
—— **wave**, onda de radio, (A) radioonda.
radio-shielded, radioblindado.
radio-shielding, radioblindaje.
radioacoustics, radioacústica.
radioactive, radioactivo, radiactivo.
radioactivity, radioactividad, radiactividad.
radiobroadcasting, radioemisión, radiodifusión.
radiochemistry, radioquímica.
radioconductor, radioconductor.
radiodetector, radiodetector.
radiodynamic, radiodinámico.
radioelectric, radioeléctrico.
radioelement, radioelemento, elemento radioactivo.
radiofrequency, radiofrecuencia.
—— **amplifier**, amplificador de radiofrecuencia.
—— **resistance**, resistencia efectiva o de radiofrecuencia o de alta frecuencia.
—— **transformer**, transformador para radiofrecuencias.
radiogenic, radiogénico.
radiogoniometer, radiogoniómetro, indicadora de dirección.
radiogoniometry, radiogoniometría.
radiogram, radiograma.
radiograph, s radiografía, radigrafía; v radiografiar, radigrafiar.
radiographer, radiógrafo.
radiographic inspection, inspección radiográfica.
radiography, radiografía, radigrafía.
Radiolaria (sen), radiolarios.
radiologist, radiólogo.
radiology, radiología.
radioluminescence, radioluminiscencia.
radioman, radiomecánico; radiotelegrafista.
radiometallography, radiometalografía.
radiometer, radiómetro.
radiometry, radiometría.
radiomicrometer, radiomicrómetro.
radiopaque, radiopaco.
radiophare, radiofaro.
radiophone, radiófono.
radiophonic, radiofónico.
radiophotography, radiofotografía.
radioscope, radioscopio.
radioscopy, radioscopia.
radiosensitive, radiosensible.
radiosonic, radiosónico.
radiotechnology, radiotécnica.
radiotelegraph operator, radiotelegrafista, (A) radiooperador.
radiotelegraphic, radiotelegráfico.
radiotelegraphy, radiotelegrafía.
radiotelephone, radioteléfono.
—— **operator**, radiotelefonista.
radiotelephony, radiotelefonía.
radiotrician, perito en radio.

radiotron, radiotrón.
radiovision, radiovisión.
radiovisor, radiovisor.
radium, radio.
radius, radio, rayo.
—— **gage**, plantilla de radio.
—— **of gyration**, radio de giro.
—— **of inertia**, radio de inercia.
—— **planer**, acepilladora para curvas.
—— **rod** (auto), tirante de radio, barra radial.
—— **tap** (hyd), injerto de radio.
—— **vector**, radio vector.
radix (math), base.
raft, s balsa, almadía, armadía, maderada, jangada; v balsear.
—— **foundation** (conc), zampeado, cimiento de platea, placa de cimentación.
rafter, par, cabio, cabrio, cabrial, alfarda, (Col) cuchillo.
—— **dam** (lg), presa de encofrado con talud aguas arriba.
—— **set** (min), marco armado o de pares.
—— **square**, escuadra para cabrios.
rafting, balsaje, balseo.
—— **dog**, gancho agarrador, espiga de balsar.
rag v (min), quebrar, chancar.
—— **felt**, fieltro de trapo o de hilacha.
—— **wheel**, rueda dentada.
ragged bolt, perno arponado, (Pe) tornillo garfiado.
ragging (min), trituración de mineral a mano.
raglet, raggle, ranura, (Col) regata.
rail, (fc) riel, carril, rail; (or) carril; (puerta) peinazo, cabio; (ventana) peinazo, travesaño; (cerco) baranda, barandal; (asc) montante o riel de guía; (cn) cairel.
—— **bender**, doblador o encorvador de rieles, curvarrieles, (C) el viejo, (A) santiago, (Ch) donsantiago, (A)(M) diablo.
—— **bond**, ligazón, ligadura, conectador eléctrico de carriles, (C) fusible, (Ch) eclisa eléctrica.
—— **brace**, tacón, abrazadera de carril, silla de respaldón, mordaza de vía, (A) silleta de empuje.
—— **clamp** (crane), abrazadera de anclaje.
—— **clip**, planchuela, presilla, abrazadera, sujetador de riel, placa de apretamiento, (A) banquito.
—— **fastening**, sujetarriel.
—— **flange**, base de riel, patín del riel.
—— **fork**, horquilla para riel.
—— **grinder**, alisadora portátil para rieles.
—— **hacksaw frame**, marco de sierra para cortar rieles.
—— **head**, cabeza de carril, hongo de riel.
—— **joint**, junta de rieles, unión de carriles.
—— **layer**, máquina tendedora de rieles.
—— **laying**, enrieladura, tendido de carriles.
—— **section**, perfil del riel.
—— **shoe** (ce), puente de unión.
—— **steel**, acero para rieles o de carriles; acero relaminado.
—— **straightener**, prensa enderezadora de carriles.
—— **tongs**, tenazas para carriles.

—— **train** (met), tren laminador de rieles.

rail-joint expander (rr), ensanchador de entre-carril de expansión.

rail-steel reinforcing bars, barras relaminadas de rieles de desecho.

railhead, termino de la vía.

railing, baranda, barandaje, barandal, ante-pecho, barandilla, guardacuerpo; (madera laminada) cercado, guardacanto.

—— **fittings** (p), accesorios para baranda.

railless (trolley), sin carriles.

railroad, ferrocarril, vía o línea férrea, ferrovía.

—— **adz,** azuela ferrocarrilera o ancha.

—— **bridge,** puente ferroviario o de ferrocarril.

—— **company,** empresa ferroviaria.

—— **crossing,** cruce de ferrocarril, paso a nivel.

—— **curves** (dwg), curvas para vía.

—— **maul,** martillo para clavar escarpias.

—— **oiler,** aceitera ferrocarrilera.

—— **pen** (dwg), tiralíneas doble.

—— **pick,** pico de punta y pisón, pico ferroca-rrilero, (Ch) pico carrilano.

—— **station,** estación de ferrocarril.

—— **system,** red ferroviaria.

—— **track,** vía, línea, carrilera, vía ferroviaria.

railway, véase **railroad.**

—— **guide,** guía de ferrocarriles.

rain, s lluvia; v llover.

—— **gage** (saw), pluviómetro, udómetro, pluviógrafo (registrador), ombrógrafo (registrador).

—— **leader,** tubo de bajada pluvial.

—— **shed** (elec), botaguas, vierteaguas.

—— **water,** agua pluvial o llovediza, aguas llo-vidas, agualluvia.

rain-gaging station, estación pluviométrica.

rainfall, precipitación o caída pluvial, aguas lluvias, (Col) pluviosidad.

—— **coefficient,** coeficiente de precipitación.

—— **records,** registros pluviométricos.

raintight, a prueba de lluvia, estanco a la lluvia.

rainy season, estación pluvial o lluviosa, época de lluvias, temporada de aguas.

raise, s (min) contracielo, tiro, chimenea; v ele-var, alzar; (ed) erigir; (sueldo) aumentar; (mat) elevar a potencia; (fondos) recoger.

raised face (t), cara saliente.

raiseman (min), minero de contracielo.

raising, elevación, alce, alzadura, levantamiento; (tún) excavación del pozo hacia arriba.

—— **bar** (rr), alzaprima de traviesa.

—— **hammer,** martillo de hojalatero o de cha-pista.

rake, s rastro, rastrillo; (hid) limpiarrejas, lim-piador de rejas; (hogar) rascacenizas; (cons) inclinación; (mh) inclinación; (geol) (min) inclinación; (cn) caída o inclinación del palo, lanzamiento (de la roda): v ras-trillar; inclinarse.

—— **angle** (drill), ángulo de inclinación.

—— **classifier** (sand), clasificador de rastrillo.

—— **joints** v, raspar o degradar las juntas, escar-bar juntas.

—— **vein** (min), filón en cuña; filón inclinado.

raker, rastrillador (hombre); (ed) puntal incli-nado.

—— **gage** (saw), calibre para los dientes limpia-dores.

—— **tooth** (saw), diente limpiador.

raking

—— **arm** (sen), brazo rastrillador.

—— **bond** (mas), trabazón de tizones diagonales.

—— **brace,** puntal inclinado.

—— **course** (mas), hilera diagonal.

ram, s (mec) pisón; (hid) ariete hidráulico; (pi) pisón, martinete; (mh) corredera, carre-tilla; v apisonar, pisonar; (vol) atacar.

rammer, pisón, apisonador, machota.

ramming, apisonamiento, pisonadura.

—— **bar** (bl), atacadera.

ramp, rampa, repecho; (es) curva de enlace o de transición.

rampant arch, arco rampante.

Ramsbottom safety valve, válvula de seguridad Ramsbottom.

random

—— **acceleration** (pmy), aceleración casual.

—— **clearing,** desbroce por áreas definidas.

—— **cracking** (conc), grietas irregulares.

—— **fill** (hyd), terraplén común (no impermea-ble).

—— **grubbing,** desenraíce por áreas definidas.

—— **lengths,** longitudes diversas, largos irregu-lares.

—— **line** (surv), línea perdida.

—— **rubble,** véase **random-range masonry.**

—— **traverse** (surv), trazado auxiliar.

random-range masonry, mampostería de piedras escuadradas de alturas diversas.

range n, (velocidades) límites; (mr) amplitud, carrera; (gr) alcance; (lev) línea de vista, enfilación; (top) cordillera, sierra; (min) faja de mineral; (US) faja de terreno de seis millas de ancho entre meridianos.

—— **light,** farol de enfilación, luz de baliza-miento.

—— **masonry,** mampostería en hiladas.

—— **marker,** baliza fija.

—— **pile,** pilote de enfilación.

—— **pole,** jalón, vara de agrimensor.

—— **work** (mas), sillería.

ranger (sp), carrera, larguero, cepo.

ranging rod, véase **range pole.**

ranking bar (lg), parihuela.

rape oil, aceite de colza o de nabina.

rapid sand filter (wp), filtro rápido de arena, filtro de arena de acción rápida.

rapid-curing cutback (rd), asfalto mezclado con nafta o gasolina, asfalto rebajado de cura-ción rápida.

rapid-duty contactor (elec), contactor de opera-ción rápida.

rapids, rápidos, rabión, recial, raudales, (C) cascadas.

rare earths, tierras raras.

rarefaction, rarefacción.

rarefy, rarificar, rarefacer, enrarecer.

rasing iron, magujo, máujo, descalcador.

rasp, s escofina, raspa, limatón, raspador; v ras-par, escofinar.

rasp-cut file, escofina.

rat guard (naut), guardarratas.

rat-tailed joint (elec), empalme a cola de rata.

ratchet, matraca, trinquete, carraca, chicharra, cric, (A) crique, (A) catraca.

—— **brace,** carraca, berbiquí de matraca, chicharra.

—— **drill,** taladro de trinquete o de matraca.

—— **jack,** gato a crique o de cremallera, cric de cremallera.

—— **reamer,** escariador de trinquete.

—— **screwdriver,** destornillador a crique.

—— **shank,** espiga para trinquete.

—— **tooth,** diente para trinquete.

—— **wheel,** rueda de trinquete.

—— **wrench,** llave de trinquete o a crique o de chicharra.

rate, s (seg) tipo; (tr) tarifa; (irr) canon; (interés)(cambio) tipo; (impuesto) cupo, tipo; (agua, etc.) tasa, cuota, contribución; (mortalidad) razón, coeficiente; v tasar, valuar, justipreciar; (maq) fijar la capacidad normal, tasar, (A) tarar.

—— **base,** valuación que sirve de base a las tarifas.

—— **controller** (wp), controlador de gasto.

—— **making,** tarificación.

—— **of acceleration,** grado de aceleración.

—— **of deposition** (w), rapidez de depósito, depósito unitario.

—— **of discharge,** volumen descargado por unidad de tiempo, descarga unitaria.

—— **of flow,** velocidad del gasto.

—— **of grade,** grado de pendiente, porcentaje de declive.

—— **of pay,** tipo de sueldo, razón de salario.

—— **of progress,** rapidez de avance (del trabajo).

—— **of rental,** canon de arrendamiento.

—— **of slope,** relación del talud.

—— **of speed,** velocidad unitaria.

—— **recorder** (water), medidor de gasto.

rate-of-flow controller, regulador de gasto.

rate-of-flow gage or **indicator,** indicador de gasto.

rated

—— **capacity,** capacidad asignada o nominal.

—— **frequency,** frecuencia nominal.

—— **power,** potencia nominal.

—— **pressure,** presión asignada o de régimen.

—— **short-time current** (elec), corriente momentánea máxima.

—— **speed,** velocidad de régimen.

—— **torque,** momento torsional de régimen.

—— **voltage,** tensión nominal o de régimen.

rathole (pet), ratonera.

rating, (maq)(eléc) clasificación, potencia indicada, capacidad normal, tasación; (fin) apreciación, clasificación; (hid) calibración, aforo.

—— **curve** (hyd), curva de gastos.

—— **flume,** conducto de calibración.

ratio, relación, razón.

—— **gage,** indicador de relación.

—— **print** (pmy), impresión ampliada o reducida.

ratiometer, indicador de relación.

rational (math), racional.

rattail file, lima de cola de rata.

rattan, rota, roten, caña de Indias o de Bengala.

rattler, tambor giratorio para el ensayo de ladrillos o piedras.

—— **test,** ensayo de golpeo; (Es) ensayo de batido.

ravebook, descalcador, magujo, máujo, pico de cuervo.

ravel (rd), desmoronarse en el borde.

ravine, barranca, cañada, hondonada, quebrada.

raw, crudo, bruto.

—— **material,** material crudo o en bruto, materia prima.

—— **oil,** aceite crudo o sin cocer.

—— **sewage,** aguas crudas de albañal, líquidos cloacales crudos.

—— **sienna** (dwg), siena natural.

—— **sludge** (sd), cieno crudo.

—— **water** (wp), agua cruda o basta o bruta.

rawhide, cuero crudo o verde.

Rawlplug (trademark), ancla de fibra para tornillo.

ray, rayo.

rayon, rayón, artisela.

raze, demoler, arrasar, abatir.

reach n, (r) tramo; (gr) alcance; (co) barra de extensión.

—— **rod** (se), varilla de cambio de marcha.

—— **truck,** camión de extensión, carretón de largo regulable.

react, reaccionar.

reactance (elec), reactancia.

—— **bond** (rr), ligadura de impedancia, ligazón a bobina de reacción.

—— **coil,** bobina de reacción o de reactancia.

—— **drop,** caída de tensión de la reactancia.

—— **relay,** relevador o relai de reactancia.

—— **voltage,** tensión de reactancia.

reaction (all senses), reacción.

—— **chamber** (pet), cámara de reacción.

—— **motor,** motor de reacción.

—— **turbine,** turbina de reacción, (hid) turbina tipo Francis.

reactivate (chem)(ra), reactivar.

reactivation, reactivación.

reactivator, reactivador.

reactive, reactivo, antagonista.

—— **current,** corriente desvatada o reactiva.

—— **factor** (elec), coeficiente de reactancia.

—— **kilovolt-ampere,** kilovoltamperio reactivo.

—— **kva meter,** contador de energía desvatada.

—— **load** (elec), carga reactiva.

—— **power,** potencia desvatada.

—— **spring,** resorte antagonista.

—— **volt-ampere-hour meter,** varhorímetro.

reactive-factor meter, contador de factor de reactancia.

reactivity, reactividad.

reactor, (eléc) reactor, bobina de reacción; (pet) reactor, cámara de reacción.

reactor-start motor, motor de arranque con reactor.

read (rod), leer; indicar, marcar.

reading (inst), lectura, leído, indicación; apreciación (nonio).

—— **glass** (surv), lente, (A) lupa.

ready roofing, techado prearmado o preparado.

ready-mixed concrete, concreto premezclado

(A) hormigón elaborado, (A) hormigón de fábrica, (M) concreto ya mezclado.

ready-mixed paint, pintura preparada o hecha.

ready-sanded plaster, enlucido con arena premezclada.

reaeration, reaeración.

reagent, reactivo.

real, verdadero, real.

—— **estate,** bienes raíces o inmuebles.

—— **focus,** foco real.

—— **image** (optics), imagen real.

realgar (miner), rejalgar, (M) realgar.

realignment (rd)(rr), cambio de trazo, variante.

ream *v*, (mec)(est) ensanchar, alegrar, escariar, (C) fresar, (C) rimar; (náut) descalcar.

reamed and drifted pipe, tubería escariada y mandrilada.

reamer, escariador, ensanchador, alegrador, (C) fresador, (C) rima, (A) alisador, legra, (A) calisuar.

—— **chuck,** portaescariador, portaalegrador.

—— **wrench,** giraescariador.

reaming shell, escariador hueco, casquillo escariador.

rear *a*, trasero, de atrás, posterior.

—— **assembly,** tren trasero.

—— **axle,** eje trasero, (auto) puente posterior o de atrás.

—— **chainman,** cadenero trasero o de atrás.

—— **dump,** vaciado por atrás, descarga trasera o por detrás.

—— **elevation,** alzado trasero, elevación posterior.

—— **nodal point** (pmy), punto nodal posterior o de salida.

—— **tapeman** (surv), cintero trasero.

—— **view,** vista posterior o desde atrás.

—— **wall,** pared trasera, muro posterior.

rear-axle assembly, conjunto del eje trasero.

rear-axle housing, caja del puente trasero.

rear-cleaning stoker (bo), alimentador con descarga por detrás.

rear-connected switch (elec), véase **back-connected switch.**

rear-vision or **rearview mirror** (auto), espejo retrovisor, (M) espejo retroscópico.

rebate, *s* descuento, rebaja; (carp) véase **rabbet;** *v* descontar, rebajar.

reboil, rehervir.

reboiler, rehervidor.

rebore (cylinder), rectificar, remandrilar.

rebound, *s* rebote, rechazo; *v* rebotar.

—— **sand** (gunite), arena de rebote.

rebuild, reconstruir, reedificar.

recalescence (met), recalescencia.

recalescent (met), recalescente.

recalibrate, recalibrar.

recalibrator, recalibrador.

recap (auto), recubrir, recauchar, (C) recapar.

recapping, recubrimiento, recauchado, (A) recauchutaje.

—— **mold,** molde para recauchado.

recarbonation, recarbonatación, (Pe) recarbonación.

recarbonator, recarbonatador.

recarburize, recarburar.

recarburizer, recarburador.

receder (sa), retirador.

receding line (lg), cable de retroceso.

receiver, (aire) tanque de compresión, receptor de aire, depósito, recipiente; (eléc) receptor, receptriz; (tel) receptor; (fin) síndico, receptor, administrador judicial.

—— **support** (tel), portarreceptor.

receivership, sindicatura, administración judicial.

receiving, receptor.

—— **antenna** (ra), antena receptora.

—— **basin** (sw), pozo de entrada.

—— **circuit** (ra), circuito receptor.

—— **gage,** calibre hembra.

—— **hopper,** tolva receptora o de recepción.

—— **set** (ra), radiorreceptor.

—— **station** (ra), estación receptora.

—— **track** (rr), vía de llegada.

—— **tube** (ra), tubo receptor, válvula receptora.

—— **yard** (rr), patio o playa de llegada.

receptacle (elec), receptáculo, caja de contacto, tomacorriente.

—— **outlet,** toma de receptáculo.

—— **plate,** escudete de receptáculo.

—— **plug,** tapón de receptáculo.

reception (ra), recepción.

receptive power (ra), fuerza de audición, (A) potencia receptora.

receptor (pb)(ra)(tel), receptor.

recess, *s* rebajo, caja, cajuela, cajera, escotadura, encaje, rebajada, (Col) receso, (U) encastre; *v* rebajar, cajear.

recessed nut, tuerca ahuecada o de rebajo.

recessed-head screw, tornillo de cabeza en cruz.

recession curve (hyd), curva de retrocesión o de retroceso.

recessional hydrograph, hidrógrafo de retroceso.

recessional moraine (geol), morena terminal de retroceso.

recharge, recargar.

—— **well** (ground water), pozo de restablecimiento.

rechlorination (wp), recloración.

reciprocal, *s* (mat) recíproca; *a* recíproco.

—— **gradient** (geop), gradiente recíproco.

reciprocating, alternativo, de vaivén, (Pe) recíproco.

—— **drill,** véase **piston drill.**

—— **feeder,** alimentador oscilante.

—— **pump,** bomba de movimiento alternativo, (A) bomba de vaivén, (Pe) bomba recíproca.

—— **saw,** sierra alternativa.

reciprocating-rake classifier (sand), clasificador de rastro de vaivén.

reciprocating-table planer, cepilladora de banco oscilante.

reciprocation (mech), alternación, vaivén.

reciprocity (chem)(elec), reciprocidad.

recirculating furnace, horno de recirculación.

recirculation, recirculación.

reclaim, (terreno) aprovechar, ganar, (A) redimir; (mtl) utilizar, recuperar.

reclaimed rubber, goma recuperada, caucho regenerado.

reclaimer (lu), recuperador.

reclamation, recuperación; (irr) aprovechamiento, (M) bonificación.
recloser (elec), recerrador.
reclosing (elec), recierre.
— fuse cutout (elec), cortacircuito de fusible restablecedor.
recoil, s reculada, culatazo, culateo; v recular.
— spring, resorte antagonista o recuperador.
recombination, recombinación.
recompression, recompresión.
recondition, reacondicionar, rehabilitar.
reconnaissance, reconocimiento.
— transit, tránsito para reconocimiento.
reconnoitering prism (pmy), prisma de reconocimiento.
reconstruct, reconstruir.
reconstruction, reconstrucción.
recorder, (inst) contador, indicador, registrador; (hombre) anotador, apuntador.
recording, s registro; a registrador.
— altimeter, altímetro registrador, altígrafo.
— ammeter, amperímetro registrador.
— barometer, barómetro registrador, barógrafo.
— camera (pmy), cámara registradora.
— controller, regulador registrador.
— current meter (hyd), fluviómetro registrador.
— demand meter (elec), contador registrador de demanda.
— differential gage (hyd), escala registradora diferencial.
— gage, manómetro marcador; (hid) aforador registrador.
— gravitometer, gravitómetro registrador.
— instrument, instrumento registrador o gráfico.
— liquid-level meter (sd), registrador de nivel de líquido.
— meter, medidor o contador registrador.
— rain gage, pluviógrafo.
— regulator, regulador registrador.
— steam gage, manómetro registrador.
— tachometer, tacógrafo.
— temperature gage, registrador de temperatura.
— thermometer, termómetro registrador, termógrafo.
— truck (geop), camión de registro.
— wattmeter, vatímetro registrador.
— wind gage, anemógrafo, anemometrógrafo.
records, registros.
recover, recuperar.
recoverable, recuperable; (min)(pet) extraíble.
recovery, (eléc)(mec)(quím) recuperación; (min) (pet) producción, extracción.
— ratio (sm), relación de recuperación (de la muestra).
— value, valor de recuperación.
recruiting (labor), enganche, reclutamiento.
recrush, retriturar, rechancar, remachacar.
recrusher, triturador secundario.
recrystallization, recristalización.
rectangle, rectángulo, cuadrilongo.
rectangular, rectangular, cuadrilongo.
rectification, rectificación; (fma) proyección, transformación, rectificación, (A) enderezamiento.

— factor (ra), coeficiente de rectificación.
rectifier, (mec) rectificador; (eléc) rectificador, enderezador; (fma) rectificador, (A) enderezador.
— filter (ra), filtro rectificador.
— transformer, transformador para rectificador.
— tube (ra), válvula rectificadora.
rectify, corregir; (quím) refinar, rectificar; (eléc) enderezar, rectificar; (mat) rectificar; (fma) transformar, rectificar, (A) enderezar.
rectifying camera, cámara rectificadora.
rectifying tube (ra), válvula rectificadora.
rectilinear, rectilíneo.
recumbent fold (geol), pliegue recostado, (A)(V) pliegue recumbente.
recup (re), reestampar.
recuperative furnace, horno de recuperar.
recuperative preheater, precalentador recuperador.
recuperator, recuperador, regenerador.
recurring decimal, decimal repetidora o periódica, decimal repetidor o periódico.
recycle (pet), repasar.
— ratio (pet), proporción de repaso.
red, rojo, colorado.
— antimony, antimonio rojo.
— arsenic, rejalgar, arsénico rojo.
— brass, latón cobrizo o rojo.
— cedar, cedro colorado.
— copper, cuprita, cobre rojo.
— dog, ceniza roja residuo de la combustión de los desperdicios de minas de carbón.
— fir, abeto rojo; abeto Douglas, pino del Pacífico, (A) pino oregón.
— gum (lbr), ocozol.
— heart (lbr), corazón rojo, mancha que indica podrición incipiente.
— heat, calor rojo.
— hematite, hematita, hematites roja.
— iron, hematites.
— keel, creyón de ocre rojo.
— knot (lbr), nudo sano.
— lead, minio, albayalde rojo, azarcón, (M) plomo rojo.
— lead ore, crocoíta.
— oak, roble rojo o colorado.
— ocher (miner), ocre rojo, hematita.
— oxide of copper, óxido cuproso, subóxido de cobre.
— oxide of iron, óxido férrico.
— oxide of lead, minio.
— pine, pino rojo; pino marítimo.
— prussiate of potash, prusiato rojo de potasa, ferricianuro potásico.
— rot (lbr), carcoma roja.
— silver, plata roja, pirargirita.
— spruce, abeto o pino rojo, picea roja.
— zinc ore, red oxide of zinc, cincita, óxido rojo de cinc.
red-hard (met), duro al rojo.
red-hot, candente, calentado al rojo, enrojecido.
red-lead putty, masilla de minio y albayalde con aceite de linaza cocido.
red-short (met), quebradizo cuando se calienta al rojo.

redefecation (su), segunda defecación.
redirecting blade (turb), aleta desviadora, álabe de guía.
redirecting surface (il), superficie de redirección.
redrawing wire, alambre por reestirar.
reduce (math)(chem), reducir.
reduced height (sm), altura reducida.
reduced-rake point (drill), punta de inclinación reducida.
reduced-shank bolt, perno recalcado o de fuste reducido.
reducer, (tub) reductor, reducido, reducción; (quím) agente reductor; (mec) reductor de velocidad; (fma) reductora.
reducing, s reducción; a reductor.
—— agent (chem), agente reductor.
—— camera, cámara de reducción.
—— coupling (p), unión o cupla de reducción.
—— cross (p), crucero o cruz reductor.
—— die, matriz de reducción.
—— elbow (p), codo de reducción.
—— flame, llama reductora.
—— flange, brida reductora.
—— gear, engranaje reductor, desmultiplicador.
—— joint (elec), empalme de reducción.
—— lateral (p), Y de reducción, Y reductora.
—— nipple (p), niple reductor.
—— printer (pmy), impresora reductora.
—— sleeve, manguito reductor.
—— sugar, azúcar reductor o invertido.
—— T (p), T de reducción.
—— turbine, turbina reductora de presión.
—— valve, válvula reductora.
—— Y (p), Y de reducción.
reducing-outlet T (p), T de ramal reductor.
reductant (chem), agente reductor.
reductase (sen), reductasa.
reduction (all senses), reducción.
—— crusher, trituradora de reducción, chancadora reductora.
—— factor (su), factor de reducción.
—— gear, engranaje reductor, engrane de reducción.
—— rolls (met), laminadores de reducción.
—— to center (surv), corrección para colocación excéntrica.
reductive, reductivo.
reductor (chem), reductor.
redundant member (str), pieza redundante, (M) miembro superabundante.
redwood, pino gigantesco o de California, secoya.
reed plane, cepillo de mediacaña, argallera.
re-edger (sa), segundo canteador.
reef, arrecife, restinga, rompiente, escollo, abrojos; (min) filón.
—— knot, nudo llano o derecho o de rizos.
reel, s carrete, devanadera, tambor, enrollador, carretel, torno, (A) ruleta; v enrollar, arrollar, devanar.
—— holder (pmy), portacarrete.
reeming beetle, maceta de calafatear.
reeming iron, magujo, descalcador, legra.
re-entrant, entrante, reentrante.
re-entry turbine, turbina de reentrada.
reeve, laborear, guarnir.
reeving, laboreo.

re-exchange (all senses), recambio.
refacer (va), refrentador de válvulas
reference v (surv), fijar por mediciones de referencia.
—— fuel, combustible tipo.
—— gage, calibre de comparación.
—— level (ra), nivel de referencia.
—— point (surv), punto de referencia, testigo.
—— temperature (elec), temperatura de referencia.
refill, rellenar.
refillable pencil, lápiz rellenable.
refiltration (su), refiltración.
refine, refinar, acrisolar, afinar, acendrar.
refined iron, hierro refinado o afinado.
refined sugar, azúcar refino o refinado.
réfiner, refinador.
refinery, refinería, (pet)(A) destilería.
—— wastes, desechos de refinería.
refining, refinación, afino.
reflect, reflejar.
reflectance (il), coeficiente de reflexión, reflectancia.
reflected impedance (ra), impedancia reflejada.
reflected wave (ra), onda reflejada.
reflecting, reflector, reflectante.
—— button (rd), botón reflector.
—— curb (rd), cordón reflector.
—— galvanometer, galvanómetro de espejo o de reflexión.
—— horizon or layer (geop), horizonte o capa de reflexión.
—— stereoscope, estereoscopio de espejos.
reflection, reflexión, reflejo.
—— coefficient (elec), coeficiente de reflexión.
—— factor (il), coeficiente de reflexión, reflectancia.
—— goniometer, goniómetro de reflexión.
—— seismograph, sismógrafo de reflexión.
reflective efficiency, rendimiento de reflexión.
reflective insulation, aislación reflectora.
reflectivity (ac)(il), reflexividad.
reflectometer (il), reflectómetro.
reflector, reflector.
—— beads (rd), glóbulos reflectores.
—— buttons (rd), botones o glóbulos reflectores.
—— holder, portarreflector.
—— lamp (elec), lámpara con reflector.
—— sign, señal reflector.
reflectorize (rd), poner reflectores.
reflectoscope, reflectoscopio.
reflex circuit (ra), circuito reflejo.
reflexion, véase reflection.
reflux, reflujo.
—— condenser, condensador de reflujo.
reforestation, rearborización, reforestación.
reforming (pet), reformación.
refract, refractar.
refraction, refracción.
—— coefficient (surv), coeficiente de refracción.
—— seismograph, sismógrafo de refracción.
refractionate (pet), refraccionar.
refractive index, índice de refracción.
refractivity, refractividad.
refractometer, refractómetro.
refractometric, refractométrico.

refractometry, refractometría.
refractor, refractor; telescopio de refracción.
refractoriness, alto punto de fusión.
refractory n a, refractario.
refrangibility, refrangibilidad.
refrangible, refrangible.
refrigerant n a, refrigerante.
refrigerating
— **coil** (ac), serpentín enfriador.
— **engineering,** técnica frigorífica.
— **plant,** heladera, planta refrigeradora, (A) frigocentral.
refrigeration, refrigeración, (A) frigorificación; (aa) enfriamiento.
— **coil,** serpentina de refrigeración.
refrigerator, refrigerador, nevera.
— **car,** carro nevera.
— **drain** (pb), desagüe para nevera.
— **ship,** buque frigorífico.
refringency, refringencia.
refringent, refringente.
refuge, (tún) nicho de seguridad; (pte) plataforma de seguridad.
refunding bonds, bonos para liquidación de obligaciones anteriores.
refusal pressure (grout), presión de rechazo.
refusal, to, (pi) hasta el rebote o el rechazo.
refuse (elec), renovar el fusible.
refuse n, desperdicios, desechos, basura.
— **destructor,** destructor de basuras.
— **disposal,** disposición de basuras.
— **incinerator,** incinerador de basuras.
— **landfill,** relleno con basuras.
regain (ac), recuperación.
regenerate (all senses), regenerar.
regenerated catalyst, catalizador regenerado.
regeneration (elec)(mech), regeneración, restitución.
regenerative, regenerador, regenerativo.
— **braking,** frenaje de regeneración o de recuperación.
— **detector** (ra), detector regenerativo.
— **preheater,** precalentador regenerador.
— **quenching** (met), inmersión regenerativa.
— **repeater** (tel), repetidor de regeneración.
regenerative-cycle gas turbine, turbina de gas de ciclo regenerador.
regenerator, regenerador, recuperador.
regimen (r), régimen hidráulico.
regional metamorphism (geol), metamorfismo regional.
register, compuerta de tiro; (cf) rejilla; (contador) mecanismo integrador.
— **beam** (sb), manga de arqueo.
— **depth** (sb), puntal de arqueo.
— **marks** (pmy), marcas registradoras.
registered letter, carta certificada.
registered tonnage (na), tonelaje de registro u oficial, arqueo de registro.
regolith (geol), regolita.
regression (math), regresión.
regrind, refrentar, reafilar; remoler.
regrinding valve, válvula refrentable o reesmerilable.
regular, regular; corriente.
— **lay** (wr), cableado corriente, trama en cruz,

colchado regular, colchadura cruzada, (M) torcido encontrado, (M) trenzado normal, (Es) corchado cruzado.
— **reflection** (il), reflexión especular o regular.
— **refraction** (il), refracción regular.
— **transmission factor** (il), factor de transmisión directa.
regulate, (maq) ajustar, arreglar, regular; (r) regularizar, reglar, regular.
regulated flow (r), caudal regularizado o graduado o regulado.
regulating, s regulación; a regulador.
— **relay** (elec), relai regulador.
— **reservoir,** embalse o vaso regulador, depósito compensador.
— **ring** (turb), anillo regulador.
— **transformer,** transformador regulador.
— **valve,** válvula reguladora.
— **winding** (elec), devanado o arrollamiento regulador.
regulation, regulación, reglaje.
regulator (all senses), regulador.
regulus (chem), régulo.
rehandle, remanejar, remanipular.
rehandling, remanejo, remanipuleo.
— **bucket,** cucharón de maniobra o para remanipuleo, balde de maniobra.
reheat, recalentar.
reheater, recalentador.
reheating load (ac), demanda de recalefacción.
reheating pan (pav), recalentador (de asfalto).
reimburse, reembolsar.
reimbursement, reembolso.
rein (mech), rienda, caña, asta.
reinforce, armar, reforzar.
reinforced brickwork, enladrillado reforzado.
reinforced concrete, concreto reforzado, hormigón o cemento armado.
reinforcement, armadura, refuerzos; reforzamiento.
reinforcing bars, barras de refuerzo o de armadura, varillas de refuerzo, (Ch) enferradura.
reinforcing fabric, tejido de refuerzo.
reinsurance, reaseguro, contraseguro.
reject, rechazar.
— **gate** (hyd), compuerta de purga o de esclusa.
rejects (screen), desechos, rechazos.
rejection, rechazo.
rejector, (mec) rechazador; (ra) rechazador, repulsor, (M) reyectador.
rejuvenated water (geol), aguas rejuvenecidas.
rejuvenation (geol), rejuvenecimiento.
rel (elec), rel, unidad de reluctancia.
relative, relativo.
— **humidity** (mrl)(ac), humedad relativa.
— **orientation** (pmy), orientación relativa.
— **permittivity** (elec), constante dieléctrica relativa.
relaxation (met)(ra), relajamiento.
— **factor** (str), coeficiente de relajamiento.
— **oscillator** (ra), oscilador de relajamiento.
relay n (elec), relevador, relai, relais, relé.
relay-operated, mandado a relevador.
relaying rails, rieles adecuados para la recolocación.

release, *s* (mec) disparo; disparador, relevador; (mv)(mg) escape; (eléc) desenganche, interruptor; *v* (mec) desenganchar, soltar, disparar.
—— coil (elec), bobina de desenganche.
—— hook, gancho soltador.
—— spring, resorte antagonista.
—— the brake, desfrenar, soltar el freno.
—— the clutch, desembragar, soltar el embrague.
releasing, *s* disparo, desenganche, desprendimiento.
—— and circulating spear (pet), arpón de circulación y desprendimiento.
—— gear, mecanismo de desenganche, órganos de desprendimiento.
—— overshot (pet), enchufe desprendedor.
—— socket (pet), enchufe desalojador o desprendedor.
—— spear (pet), arpón desprendedor o desalojador.
relict *n a* (geol), residuo.
reliction (leg), terreno ganado por receso de las aguas.
relief, (mec) relieve; (hombres) relevo; (presión) alivio, desfogue, desahogo; (maq) rebajo, franqueo.
—— angle (mt), ángulo de rebajo o de relieve, (A) ángulo de juego.
—— culvert, alcantarilla de alivio.
—— displacement (pmy), desplazamiento de relieve.
—— gate (hyd), compuerta de desfogue.
—— holes (tun), barrenos de alivio.
—— map, mapa en relieve.
—— port (eng), lumbrera de escape.
—— sewer, cloaca de alivio, albañal de rebose.
—— track (rr), vía auxiliar de recorrido, vía larga de paso.
—— valve, válvula de desahogo o de alivio, aliviador.
—— well, (hid) pozo de alivio; (pet) pozo de auxilio.
relieve (mech), rebajar.
relievers (tun), barrenos de alivio.
relieving *a*, aliviador, descargador.
—— arch, arco de descarga, bóveda de aligeramiento, sobrearco.
—— lathe, torno de despojar.
—— platform (bulkhead), plataforma de descarga.
reline, reforrar, revestir de nuevo.
reliner (auto), reforrador de frenos.
relocation, retrazado, cambio de trazo, (M)(B) relocalización, (U) desplazamiento.
reluctance (elec), reluctancia, resistencia magnética.
—— motor, motor de reluctancia.
reluctivity (elec), resistencia o reluctancia específica, reluctividad.
remainder (math), residuo, resto.
remanence, remanencia, magnetismo remanente.
remanent, remanente.
remeasure, remedir.
remelt (su), rederretido.
—— pan (su), tacho de rederretido.

remittance, remesa.
remix, remezclar, volver a mezclar.
remodel, reconstruir, (A)(C) remodelar.
remoldability (conc), remoldabilidad.
remolding index (sm), coeficiente de remoldeo.
remolding test (conc), ensayo de remoldaje (para trabajabilidad).
remote control, gobierno o maniobra a distancia, control remoto, telerregulación, (A) telecontrol.
remote-control circuit, circuito de gobierno a distancia.
remote-control switch, teleinterruptor, interruptor a distancia.
remote-cutoff tube (ra), válvula de corte remoto o de supercontrol.
removable, de quita y pon, postizo, amovible, soltadizo, removible, desmontable.
remove, quitar, sacar.
—— a handle, desenmangar, quitar el mango.
—— boiler scale, descostrar, desincrustar, quitar escamas.
—— boiler tubes, desentubar.
—— bolts, desapernar, quitar pernos.
—— carbon, descarbonizar, quitar carbón.
—— packing, desempaquetar.
—— shores, desapuntalar, quitar puntales.
—— silt, desenlodar, desembancar, desenfangar, deslamar, desaterrar, (M) desazolvar.
—— sludge, desbarrar, sacar los cienos.
—— wedges, desacuñar, quitar cuñas, descalzar.
remover (pt), sacapintura, quitapintura.
renew, renovar.
renewable, renovable, recambiable.
—— fuse (elec), fusible renovable.
—— seat (va), asiento postizo o de recambio.
renewable-jaw wrench, llave de mordaza renovable.
renewal, renovación.
—— parts, partes de repuesto.
reniform, reniforme.
rent, *s* alquiler, renta; *v* alquilar, arrendar.
rental, arrendamiento, alquiler.
—— rate, canon de arrendamiento, tipo de alquiler.
reoxygenation, reoxigenación.
repack, reempaquetar.
repair *v*, reparar, componer, remendar.
—— clamp, abrazadera de reparación.
—— gang, cuadrilla o equipo de reparaciones.
—— parts, repuestos, refecciones, piezas de reparación o de recambio.
—— shop, taller de reparaciones.
—— sleeve, manguito de compostura.
—— track (rr), vía para reparación de carros.
repairs, reparaciones, composturas, refecciones, reparos.
repairman, reparador.
repairman's taper reamer, escariador cónico para reparador.
repave, repavimentar, reafirmar, reempedrar, readoquinar.
repeated load, carga repetida.
repeater (math)(met)(tel), repetidor.
—— compass (naut), brújula repetidora.
repeating, *a* repetidor.

—— **coil**, transformador para teléfono.
—— **transit**, tránsito o teodolito repetidor.
repel (elec), repeler.
repellent *n a*, repelente.
repetitive welding, soldadura repetida.
rephosphorization (met), refosforización.
replaceable, reemplazable, recambiable.
replaceable-shell bearing, cojinete de casco reemplazable.
replacement, renovación, repuesto.
—— **cost**, costo de reproducción.
—— **fund**, fondo de renovación.
replacements, piezas o partes de repuesto, recambios, (PR) reposiciones.
report *n*, informe, memoria, relación, (M) reporte.
repose slope (ea), talud de reposo.
representative fraction (dwg), fracción representativa, escala fraccionaria.
repressed brick, ladrillo reprensado.
repressuring (pet), aumento de presión, renovación de la presión natural.
reproducer (ra)(pmy), reproductor.
reproduction (dwg)(pmy), reproducción.
—— **tracing cloth**, tela para duplicación de calcados.
repulsion (elec), repulsión.
—— **induction motor**, motor tipo repulsión-inducción.
—— **motor** (elec), motor de repulsión.
repulsion-start induction motor, motor de arranque con repulsión.
repurge *n* (su), segunda purga.
reradiation, rerradiación.
rerail (rr), encarrilar.
rerailer, encarrilador.
reroll (boiler tubes), remandrilar.
rerolled steel, acero relaminado o de rieles.
rerubber (tire), recauchotar, recauchar.
rerun still (pet), alambique para redestilación.
resale price, precio para reventa.
resaw, *s* máquina o sierra de reaserrar, reaserradora; *v* reaserrar.
research, investigación.
reseater (va), rectificadora.
resection, *s* (lev) resección; *v* (lev) seccionar de nuevo.
resequent (geol), resecuente.
reserve, *s* reserva; *v* reservar.
—— **buoyancy** (na), reserva de flotabilidad.
—— **coal bunker** (sb), carbonera de reserva o de respeto.
—— **equipment** (elec), planta de reserva.
—— **fund**, fondo de reserva.
reserves (min), reservas.
reservoir, embalse, vaso, represa, pantano, estanque, depósito, (C) reservorio, (M) presa, (Pe) atarjea, alcubilla (cubierta); (pet) yacimiento.
—— **attendant**, estanquero, presero, guardaestanque, alberquero.
—— **pressure** (pet), presión del criadero.
reset *n*, (eléc) dispositivo de reposición; (fc) dispositivo de reajuste (frenaje automático).
—— **contactor**, contactor de reposición.

resharpen, reafilar.
resident engineer, ingeniero residente.
residual, *s* (mat) residual; *a* remanente, residual, restante.
—— **charge**, carga remanente, residuo eléctrico.
—— **clay**, residuos arcillosos.
—— **deflection**, flecha residual.
—— **error** (math), error restante.
—— **induction**, inducción remanente.
—— **iron**, hierro restante.
—— **magnetism**, magnetismo remanente, remanencia.
—— **placer**, placer de roca disgregada en el sitio.
—— **soil**, tierra formada en el sitio por disgregación.
—— **stress**, esfuerzo restante.
residue, residuo.
—— **gas** (pet), gas seco o residual.
residuum, residuo.
resilience, elasticidad, rebote, (M) resorteo, (C) resiliencia.
resilient, elástico.
resin, resina, colofonia.
resinify, resinificar.
resinoid, resinoide.
resinous, resinoso.
—— **luster** (miner), brillo resinoso.
resist, aguantar, soportar; rechazar.
resistance, resistencia, aguante; (eléc) resistencia, reóstato.
—— **box** (elec), caja de resistencias.
—— **braking**, frenaje reostático.
—— **brazing**, soldadura con latón por resistencia, soldadura fuerte de resistencia.
—— **butt welding**, soldadura de resistencia a tope.
—— **coil**, bobina de resistencia.
—— **coupling**, acoplamiento por resistencia.
—— **drop**, caída de tensión por resistencia.
—— **furnace**, horno de resistencia eléctrica.
—— **gradiometer** (geop), gradiómetro de resistencia.
—— **welding**, soldadura por resistencia.
—— **wire**, alambre de resistencia.
resistance-capacitance coupling (ra), acoplamiento por resistencia-capacidad.
resistance-capacity filter (ra), filtro de resistencia-capacidad.
resistance-start motor, motor de arranque con resistencia.
resisting
—— **moment**, momento resistente o de estabilidad.
—— **spring**, resorte antagonista.
—— **torque**, momento resistente de torsión.
resistive (elec), resistivo.
—— **coupling** (elec), acoplamiento resistivo, conexión por resistencia mutua.
resistivity (elec)(ht), resistividad, resistencia específica.
resistor (elec), resistencia, resistor.
—— **element** (elec), elemento de resistencia.
—— **furnace**, horno de calentadores eléctricos.
resnatron (ra), resnatrón.
resolution, (quím) separación; (mat) descomposición, resolución; análisis (óptica).
—— **of forces**, descomposición de fuerzas.

resolve, (mat) descomponer; (quím) reducir; resolver (óptica).
resolving power (inst), poder resolutivo.
resonance, resonancia.
—— indicator (ra), indicador de resonancia.
—— meter (ra), medidor de resonancia.
resonant, resonante.
—— frequency, frecuencia resonante o de resonancia.
resonant-cavity magnetron (ra), magnetrón de cavidad resonante.
resonate, resonar.
resonator, resonador.
respirator, respirador.
response (ra), respuesta.
—— curve (ra), curva de respuesta.
responsiveness (inst), sensibilidad.
rest on, apoyarse en.
restarting injector, inyector automático.
resting frequency (ra), frecuencia portadora fijada.
restitute (pmy), restituir.
restitution (geop), restitución.
—— machine (pmy), aparato restituidor.
—— printer (pmy), impresora restituidora.
restorer (ra), restaurador.
—— circuit (tv), circuito restaurador.
restoring mechanism (governor), mecanismo de reposición.
restoring torque, torsión de reposición.
restrained beam, viga empotrada o fija; viga semiempotrada.
restrainer (pmy), retrasador, retardador.
restraining moment, momento de fijación.
restraint (str), sujeción, fijación.
—— index (str), índice de fijación.
resuing (min), labor por grada en la roca de respaldo, (M) desanche.
resulphitation (su), resulfitación.
resultant n a, resultante.
resurface, (mec) realisar, reafinar; (ca) reafirmar.
resurfacer, (ca) máquina acabadora de la capa bituminosa superficial; (eléc) piedra pulidora de colectores.
resurvey n, nuevo levantamiento.
resynthesis, resíntesis.
retainer, (mec) fiador, retén, aldaba; (cojinete) caja o jaula de bolas, separador; (com) anticipo.
—— spring, resorte retenedor.
retaining, a retenedor.
—— coil (elec), bobina de retención.
—— nut, tuerca de retención.
—— ring, anillo de retención.
—— wall, muro de retención o de sostenimiento o de contención o de apoyo.
—— washer, arandela de retención.
retard, s (hid) dique de retardo; v retrasar, retardar, atrasar.
—— the spark (auto), atrasar o retardar la chispa.
retardation, retraso, retardo, retardación.
—— coil (elec), bobina de reacción.
retarder (mech)(elec)(ct)(pmy), retardador.
retarding
—— basin, embalse retardador.
—— dam, presa retardadora de crecientes.

—— field (ra), campo retardador.
retemper, (met) retemplar, reacerar; (conc) retemplar, (V) renovar.
retention period (wp), período de retención.
retentivity, retentividad.
retest, reensayar.
rethread, refiletear, rerroscar.
reticle (inst), retículo.
reticular, reticular.
reticulation (pmy), reticulación.
retirement fund, fondo de retiros.
retonation wave, onda de retroceso.
retort, retorta.
—— stand, portarretorta.
retrace, s (tv) línea de retroceso; v (lev) retrazar.
retract (sh), retirar.
retractable, retraíble, replegable, retráctil.
retraction, retracción.
—— spring, resorte de retracción, muelle de retorno.
retransmission (ra), retransmisión.
retransmitting station, estación retransmisora.
retread, (auto) recauchar, recauchotar, regomar; (ca) colocar nueva capa de desgaste.
—— paver (rd), niveladora para la capa de rodamiento bituminoso.
retreading, recauchado, (A) recauchutaje, (Ec) reencauchutaje.
—— mold, molde para recauchado.
retreating, tratamiento adicional.
—— system (min), laboreo en retirada.
retroaction (ra), retroacción.
retroactive (ra), retroactivo.
retrograde, retrógrado.
retrogression (hyd)(elec), retroceso.
retube, instalar tubos nuevos.
return, s regreso, vuelta; (cons) ala, vuelta; v volver, regresar.
—— bend (p), codo de 180°, codo en U, (A) codo doble.
—— bend-close type (p), curva en U estrecha o de retorno cerrado, codo en U.
—— bend-open type (p), curva en U ancha o de retorno abierto.
—— circuit (elec), circuito de vuelta.
—— conductor (elec), conductor de retorno.
—— conveyor (ce), transportador de regreso, conductor de retorno.
—— current (elec), corriente de retorno.
—— ditch (irr), canal evacuador, azarbe, canalizo de evacuación, colector.
—— feeder (elec), alimentador de retorno.
—— idler, rodillo de retorno (correa).
—— piping (ht), tubería de retorno.
—— spring, resorte retractor o de retroceso o de retorno.
—— strand (belt conveyor), tramo de retorno.
—— stroke (eng), carrera de regreso o de retroceso.
—— trap (bo), separador del condensado, trampa de retorno.
return-tubular boiler, caldera tubular de retorno, caldera de tornallama.
reveal (ar), distancia del marco de la ventana a la cara exterior de la pared.
revenue, ingresos.

reverberate, reverberar.
reverberator, reverberador, reverbero.
reverberatory, reverberatorio.
—— furnace, horno de reverbero.
reversal (battery), cambio de polaridad.
—— of stresses, inversión de esfuerzos.
reverse v, (maq) cambiar marcha, invertir, dar contramarcha, dar contravapor; (lev) invertir.
—— arm (elec), cruceta atravesada.
—— bearing (surv), rumbo inverso.
—— contact (elec), contacto de inversión.
—— current, contracorriente.
—— curve (rr), curva inversa, contracurva.
—— fault (geol), falla invertida.
—— filter (hyd), filtro invertido.
—— frame (sb), contracuaderna, ángulo de varenga, (A) cuaderna invertida.
—— gear (auto), engranaje de marcha atrás o de contramarcha o de retroceso, (M) engranaje de reversa.
—— grade, contrapendiente, contragradiente.
—— idler gear (auto), piñón loco de marcha atrás.
—— lay (cab), trama inversa, colchado inverso.
—— lever, palanca de inversión o de cambio de marcha o de contramarcha.
—— polarity, polaridad inversa.
—— power (elec), potencia inversa.
—— speed, velocidad de retroceso.
reverse-current
—— circuit breaker, disyuntor de contracorriente.
—— relay, relai para sentido de corriente, (A) relevador de corriente inversa.
—— steam separator, separador a contracorriente.
reverse-flow valve, válvula de contraflujo.
reverse-phase relay, relai de inversión de fase.
reverse-point spike (rr), escarpia de filo paralelo.
reverse-refrigeration cycle (ac), ciclo de enfriamiento invertido.
reversed
—— eye hook, gancho de ojo atravesado.
—— filter (hyd), filtro invertido.
—— polarity, polaridad invertida.
reverser (elec), inversor.
reversibility, reversibilidad.
reversible, reversible, de inversión, invertible.
—— booster (elec), elevador-reductor.
—— cell (elec), pila reversible.
—— ratchet, matraca invertible.
—— steering gear (auto), dirección reversible.
reversing (eng), contramarcha, cambio o inversión de marcha.
—— bath (pmy), baño de inversión.
—— gear, mecanismo de inversión, dispositivo de retroceso.
—— switch (elec), conmutador inversor o de polos.
reversion (pmy), inversión.
revert (pmy), invertir.
revetment, revestimiento.
revised plan, dibujo enmendado, plano revisado.
revision (plans), enmienda, corrección, revisión, modificación.

revivification (chem), revivificación.
revolution (machy), revolución, rotación; vuelta, giro.
—— counter, contador de vueltas, cuentarrevoluciones.
revolve, girar, revolver, dar vueltas.
revolving, giratorio, rotativo, rotatorio.
—— armature, inducido giratorio.
—— door, puerta giratoria.
—— field (elec), inductor o campo giratorio.
—— fund, fondo rotativo.
—— light (lighthouse), luz giratoria, fanal giratorio.
—— punch, sacabocado a tenaza.
—— scraper (ce), traílla giratoria.
—— screen, harnero giratorio, criba rotativa, tambor clasificador.
—— table (mt), mesa rotativa.
rewasher, relavador.
rewind, redevanar; reenrollar.
Reynolds number, número de Reynolds.
rheometer, reómetro.
rheophore (elec), reóforo.
rheostat, reóstato.
rheostatic, reostático.
rheotan, reotano (aleación).
rheotome (elec), reótomo.
rheotron (ra), reotrón, betatrón.
rheotrope (elec), reótropo.
rhodium, rodio.
rhodochrosite (miner), rodocrosita.
rhomb spar, espato romboidal, dolomía.
rhombic, rómbico, rombal.
rhomboid, romboide.
rhomboidal, romboidal.
rhombus, rombo.
rhumb line, curva loxodrómica, línea de rumbo.
rhumbatron (ra), rumbatrón.
rhyolite (geol), riolita.
rhysimeter, risímetro.
ria, riachuelo, estero angosto.
rib, (est) nervadura, nervio, costilla, (A) nervura, pestaña; (geol) dique; (cn) cuaderna; (herr) costilla, nervio, lomo.
—— bolt, perno nervado o rayado, bulón nervado.
—— lath, malla de nervadura.
ribband (sb), vágara.
ribbed (str), nervado, (A) nervurado; acostillado.
—— arch, arco nervado.
—— cast-iron washer, arandela nervada.
—— glass, vidrio rayado o acanalado, vidrio o cristal estriado.
—— metal lath, listonado metálico costillado.
—— plate, plancha o placa nervada, chapa rayada.
—— slab (conc), losa nervada.
ribbing, costillaje.
ribbon (carp), larguero, carrera, cepo, cinta.
—— connector, cinta conectora.
—— conveyor, conductor de cinta en espiral.
—— microphone, micrófono de cinta o de velocidad.
—— rock (min), roca veteada.
rice coal, antracita de tamaño $\frac{3}{16}$ pulg a $\frac{1}{4}$ pulg.
rich, rico, graso.

—— concrete, concreto graso, hormigón rico o gordo.
—— lime, cal grasa.
—— mixture, (auto) mezcla rica; (conc) mezcla grasa.
—— ore, mineral graso.
—— soil, tierra fértil.
Richardson effect (elec), desprendimiento termiónico.
ricinus oil, aceite de ricino o de castor.
riddle (min), criba, zaranda.
rider (sb), buiárcama, sobreplán.
—— cap, véase pile cap.
—— keelson, véase rider plate.
—— plate (sb), placa superior de la quilla.
ridge, (top) lomo, loma, serranía, filo, (M) camellón, (A) lomada, (Col) crestería, (U) cuchilla; (irr) camellón, caballete; (to) cumbrera, caballete, lomera.
—— cap (rf), cumbrera.
—— iron (elec), cumbrera de poste.
—— line (top), crestería, cumbrera, serranía.
—— reamer, escariador de lomo.
—— roll (rf), caballete, cumbrera, (Col) bocelón.
—— tile (rf), teja lomada o de cumbrera, (Col) roblón.
—— ventilator, ventilador de cumbrera o para caballete.
ridgepole, parhilera, hilera, cumbrera, caballete, lomera.
ridger (irr), bordeadora.
ridging (irr), camellones, lomos, rebordes.
riding bitt (naut), bitón de fondeo.
riding light (naut), luz de fondeo.
riffle, (hid) tabla de retención en una escala de peces; (min) separador de mineral, rifle; (r) rabión.
riffler, lima o escofina encorvada.
rifle bar (drill), barra rayada.
rifle tie (rr), traviesa de palo.
rifling, rayado en espiral.
rift (stone), crucero principal.
—— saw, sierra de hender o de rajar.
rift-sawed (lbr), aserrado por cuartos.
rig, s equipo; v aparejar, enjarciar, guarnir.
rigger, aparejador, (M) cablero.
rigger's vise, mordaza de ayustar.
rigging, aparejos, enjarciaduras, cordelería, soguería, cabuyería.
—— screw, prensa o tornillo de ayustar.
—— sled (lg), trineo de aparejo.
—— turnbuckle, torniquete de aparejador.
—— yard, cordelería.
right, v (náut) adrizar; a (mano) derecho.
—— angle, ángulo recto.
—— ascension, ascensión recta.
—— cone, cono recto.
—— hand n, derecha.
—— lay (wr), colchadura o torcido o trama a la derecha.
—— line, línea recta.
—— of way, servidumbre de paso, derecho de paso o de vía, (V) permiso de paso; (fc) zona de vía, faja expropiada.
—— prism, prisma recto.
—— section (math), sección normal.

—— triangle, triángulo rectángulo.
—— turn (rd), vuelta o giro a la derecha.
right-angle bend (p), codo en escuadra.
right-angled, rectángulo, rectangular.
right-hand, de mano derecha.
—— centrifugal pump, bomba centrífuga destrógira (vista del lado de accionamiento).
—— door, puerta de mano derecha.
—— offset toolholder, portaherramienta descentrado a la derecha.
—— rotation, movimiento destrógiro, rotación a la derecha.
—— rule (elec), regla de la mano derecha.
—— switch (rr), cambio a la derecha.
—— thread, rosca a la derecha.
right-line pen (dwg), tiralíneas.
righting
—— arm (na), palanca o brazo de adrizamiento.
—— lever (na), véase righting arm.
—— moment (na), momento de adrizamiento.
rigid, rígido.
—— frame, marco rígido, pórtico, (U) cuadro rígido.
—— steel conduit (elec), tubo-conducto rígido.
—— wheel base (rr), separación de los ejes fijos extremos.
rigidity, rigidez.
rill stope (min), testero escalonado.
rim, (auto) llanta, pestaña, aro, cerco, anillo, (U) corona; (polea) corona, llanta.
—— clutch, embrague de anillo.
—— holes (tun), barrenos del perímetro.
—— latch (hw), picaporte de arrimar.
—— lock (hw), cerradura de caja o de arrimar, (A) cerradura de aplicar, (M) cerradura recercada.
—— strike (hw), hembra de cerrojo de arrimar.
—— wrench (auto), llave para llanta o de llanta metálica.
rim-bearing drawbridge, puente giratorio de apoyo circunferencial.
rimmed steel, acero encerrado.
rind (sugar cane), corteza.
ring, anillo, aro, anilla, argolla, virola, viorta.
—— action (sm), acción de anillo.
—— armature, inducido Gramme o de anillo.
—— auger, barrena de ojo.
—— chuck, boquilla de collar.
—— connector (carp), anillo conector.
—— crusher, trituradora de anillos.
—— dog, gatillo con anillo.
—— friction clutch, embrague de anillo.
—— gage, calibre de anillo, vitola.
—— gate (hyd), compuerta cilíndrica o de anillo.
—— gear, corona, aro dentado, corona dentada.
—— girder, viga circular.
—— groove (eng), ranura para aro.
—— header (bo), cabezal de cerco.
—— joint (p), junta de anillo.
—— lubrication, lubricación por anillo, engrase por anillos.
—— magnet, imán anular.
—— nozzle, boquilla de anillo.
—— oiling, lubricación por anillo.
—— rot (lbr), podrición a lo largo de los anillos anuales.

—— **shake** (lbr), separación de los anillos anuales.
—— **sign** (rr), indicador para campaneo.
—— **stone**, dovela en la cara de una bóveda en cañón.
—— **tension**, tensión circunferencial.
—— **winding** (elec), devanado de anillo, arrollamiento anular.
ring-and-groove joint (p), unión de anillo y ranura.
ring-follower gate (hyd), compuerta de anillo seguidor, (Col) compuerta de anillo corredor.
ring-seal gate (hyd), compuerta de anillo estancador o de cierre anular.
ring-porous (lbr), de porosidad decreciente hacia el exterior de cada anillo anual.
ringbolt, perno de aro o de argolla.
ringer (tel), dispositivo de llamada.
rinse, deslavar.
rip, (terreno) romper, rasgar; (mad) hender, cortar al hilo, serrar a lo largo.
—— **gage** (ww), guía de cortar al hilo.
riparian, ribereño, (A)(Ch)(Ec) riberano.
—— **owners**, riberanos, ribereños.
—— **rights**, derechos ribereños.
ripe (filter), maduro.
ripen (filter), madurar.
ripper, (herr) arrancador; (ec) rasgador, escarificador, rompedor de caminos, desgarrador, arrancarraíces, (Ec) trinche.
ripping *a*, hendedor; rasgador.
—— **chisel**, trencha.
—— **fence** (ww), guía de cortar al hilo.
—— **hammer**, martillo de uña recta.
—— **iron**, descalcador, pico de cuervo.
—— **machine**, máquina de aserrar al hilo.
ripple *n*, (agua) escarceo, rizo; (eléc) fluctuación.
—— **current** (elec), corriente directa con fluctuaciones.
—— **filter** (elec), filtro para fluctuaciones, (A) filtro de pulsaciones.
—— **voltage**, componente alternada de voltaje unidireccional.
—— **weld**, soldadura ondulada.
riprap, *s* escollerado, escollera de defensa, pedraplén, enrajonado, enrocamiento, (M) pedriscal; revestimiento del talud, losas de defensa, zampeado; *v* enrajonar, enrocar, defender con piedra grande; zampear, revestir de piedra.
ripsaw, *s* sierra de hender o de cortar a lo largo o para rajar; *v* aserrar al hilo o a lo largo.
rise, *s* (arco) peralte, flecha, montea; (escalón) peralte, altura; (top) cuesta, subida, elevación; (mr) flujo, creciente; (r) creciente, crecida; (min) chimenea; (barómetro) alza, alza; (temperatura) elevación, subida, alza; (precio) alza, aumento; *v* (mr) subir, crecer; (r) subir, crecer; (r) nacer; (terreno) subir; (precio) subir, aumentarse.
—— **and fall** (rr), subida y bajada.
riser, tubería vertical o de elevación, tubo ascendente o montante, caño de subida; (es) contrahuella, contrapeldaño, contragrada, contraescalón, (M) peralte, (Pe) contrapaso, (C) tabique, (Pan) espejo; (eléc) conductor vertical; (pet) prolongación de la tubería de revestimiento.
—— **plate** (rr), placa elevadora, platina de corredera.
rising, elevación, levantamiento, alzamiento; *a* levadizo, ascendente, elevador.
—— **anvil**, bigorneta de dos picos.
—— **gate** (hyd), compuerta elevadora o levadiza.
—— **hinge**, bisagra con levante.
—— **stem** (va), vástago ascendente o saliente o corredizo.
—— **stem and yoke** (va), vástago corredizo con horqueta.
risings (sb), galeotas.
risk (ins), riesgo.
rive, rajar, hender.
river, río.
—— **basin**, hoya de río, cuenca fluvial.
—— **bed**, lecho o fondo del río; álveo, cauce, madre.
—— **clamp** (p), mordaza para tubería subfluvial.
—— **development**, aprovechamiento de los ríos.
—— **drift**, acarreo fluvial, basuras de río.
—— **gage**, véase **stream gage**.
—— **gravel**, grava fluvial o de río.
—— **navigation**, navegación fluvial.
—— **port**, puerto fluvial.
—— **sand**, arena fluvial o de río.
—— **sleeve** (p), manguito para tubería subfluvial.
—— **transportation**, transporte o acarreo fluvial.
—— **wall**, muro de encauzamiento o de margen o de ribera, (M) muro de flanqueo.
river-bar placer, placer de bajío.
river-run plant (elec), central de fuerza sin almacenamiento, (PR) central de escorrentía.
riverbank, orilla, ribera, margen, banda del río.
rivet, *s* remache, roblón; *v* remachar, roblonar, roblar.
—— **buster**, romperremaches, tajadera.
—— **eyebolt**, perno de ojillo para remacharse.
—— **forge**, fragua u hornillo para remaches.
—— **grip**, agarre del remache.
—— **header**, encabezador de remaches.
—— **heater**, hornillo para roblones, calientarremaches.
—— **hole**, agujero de remache, taladro para roblón.
—— **passer** (t), lanzador de remaches.
—— **pitch**, equidistancia de remaches, paso de remachado, separación de roblones.
—— **point**, cabo por remachar.
—— **ringbolt**, perno de argolla para remachar.
—— **set**, boterola, embutidor, estampa, cazarremaches.
—— **shank**, caña de remache, espiga del roblón.
—— **snap**, boterola, embutidor, cazarremaches.
—— **squeezer**, prensa remachadora, remachador de presión.
—— **steel**, acero de remaches o para roblones.
—— **tongs**, tenazas de remache.
rivet-set retainer, fiador de boterola.
riveted girder, viga remachada o de remache, (M) trabe remachada.
riveted seam, costura remachada.
riveter (tool)(man), remachador, roblonador.

rivethead, cabeza de remache.

riveting, remachadura, remachado, roblonado, roblonadura.

—— die, matriz de remachar.

—— gang, cuadrilla de remachado.

—— hammer, martillo remachador o roblador o roblonador, (M) pistola remachadora.

—— washer, contrarroblón.

Rivnut (trademark), remache de tuerca.

road, camino, carretera.

—— broom, escoba caminera, barredora.

—— builder (man), constructor vial o de caminos.

—— building, construcción vial, vialidad.

—— clearance (auto), luz, despejo.

—— crossing, crucero, cruce de camino, paso a nivel, encrucijada.

—— disk, escarificador de discos.

—— drag, rastra, aplanadera, narria.

—— engine (rr), locomotora de recorrido.

—— engineering, ingeniería vial o de caminos, vialidad.

—— finisher, acabadora de caminos.

—— gang, cuadrilla caminera.

—— grader, explanadora caminera, conformadora.

—— guard, tira guardacamino, placa guardacarretera.

—— hone, rastra, aplanadora.

—— locomotive, locomotora de recorrido.

—— machinery, maquinaria caminera o vial, equipo para construcción de caminos.

—— maintainer, conservador de caminos, mantenedor.

—— map, mapa caminero o vial, (Ch) carta de caminos.

—— metal, agregado, árido, piedra triturada para caminos, (Ec) lastre.

—— mix, mezclado en sitio, mezcla en camino.

—— oil, petróleo o aceite para caminos.

—— oiler, petrolizador.

—— patrol, patrulla caminera, patrulladora, (A) autopatrullera.

—— planer, rastra, aplanador o igualador de caminos.

—— plow, arado de caminos.

—— pug, mezcladora de materiales bituminosos.

—— ripper, rompedor de caminos.

—— roller, apisonadora, cilindradora, rodillo aplanador o compresor, cilindro de caminos.

—— rooter, rompedor de caminos.

—— scraper, aplanadora, conformadora, niveladora, explanadora caminera, alisadora de caminos, (Pan) cuchilla.

—— striper (rd), máquina fajadora, rayadora.

—— system, red vial o caminera.

—— tar, alquitrán para caminos.

—— torch, antorcha de camino.

—— traffic, tráfico o tránsito vial.

—— transportation, transporte vial.

—— widener, ensanchadora de caminos.

—— work, obra caminera, obras viales.

road-building equipment, maquinaria caminera, equipo para construcción de caminos.

road-marking equipment, equipo marcador de caminos.

roadbed, lecho de la vía, explanación, plataforma; piso de camino, firme, (V) apisonado, (V) afirmado, (Ec) banco del camino, (M) plantilla.

Roadbuilder (ce), hoja de empuje angular, constructor de caminos, topadora angular.

roadbuilder (ce), mezcladora de materiales bituminosos para caminos.

roader (lg), malacate de tres tambores montado sobre trineo.

roadmaster (rr), encargado o agente o maestro de vía.

roads (naut), rada.

roadside (rd), faja de la zona de vía fuera del afirmado.

roadstead, rada.

roadstone, piedra picada para caminos, balasto.

roadway, calzada; camino; (fc) lecho de la vía.

—— clearance (auto), despejo.

roast (met), calcinar, tostar, (V) sinterizar.

roaster (min), calcinador.

robbing (min), arranque con destrucción de la mina.

rock, s roca, piedra, (M) peña; (geol) roca; (mec) oscilación; v oscilar, bascular, bambolear.

—— asphalt, asfalto mineral o de roca.

—— basin, depresión en el lecho de roca.

—— bit, barrena para roca.

—— burst (min), estalladura de roca resultado de presión.

—— crusher, trituradora de piedra, chancadora de roca.

—— crystal, cristal de roca.

—— cut, corte de roca, excavación en roca.

—— drill, perforadora, barrena, taladro.

—— dust n (min), polvo de roca.

—— fill, escollera, enrocamiento, enrocado, (C) pedraplén, (A) escollerado.

—— fill dumped, escollera a granel o a piedra perdida, enrocamiento vertido o arrojado.

—— fill placed by hand, escollera acomodada u ordenada o a mano, roca aparejada.

—— flour (geol), polvo de roca.

—— grab, tenazas para roca.

—— grapple, garabato para roca.

—— guy anchor, ancla de retenida para roca.

—— hammer, martillo para machacar piedra; martillo perforador.

—— ladder (ag), escalonamiento..

—— meal, roca desintegrada.

—— salt, sal gema o de piedra o de roca o de mina.

—— trap (dredge), recogedor de piedras.

—— wool, lana mineral o pétrea.

rock-dust v (min), rociar con polvo de roca.

rock-faced, de cara en bruto, (M) de cara chipodeada.

rock-fill dam, presa de escollera, dique de enrocamiento, (Ch) tranque de escollera, (M) cortina de enrocamiento, (Pe) presa de roca suelta.

rocker, oscilador, balanceador; (pte) pedestal de oscilación.

—— arm, brazo oscilante, balancín, palanca de vaivén, basculador.

—— bearing (str), apoyo de oscilación.

—— bent, caballete oscilante.

—— **dump car** (ce), vagoneta de segmento, carro decauville.
—— **lever**, palanca oscilante o de balancín.
—— **shovel**, tipo de cargador para túnel.
—— **valve**, válvula oscilante.
rocker-arm shaft, eje de balancín, (A) árbol balanceador.
rocking *a*, oscilante.
—— **axle**, eje-balancín.
—— **furnace**, horno de balanceo.
—— **grate**, parrilla oscilante.
rockman, peón excavador de roca.
rockshaft, eje oscilante.
rockwork, excavación de roca.
rocky, rocalloso, roqueño, rocoso.
rod, *s* (acero) varilla, barra, cabilla; (tránsito) jalón, baliza, (M) báculo; (nivel) mira de corredera, jalón de mira; (maq) vástago, varilla; (med) pértiga; (yesero) regla, escantillón; *v* varillar, (M) varear; (mam) maestrear; (eléc) trabajar con las varillas tiracables.
—— **bender**, doblador de barras, curvabarras.
—— **cutter**, cortador de barras, cortabarras.
—— **drive** (elec loco), impulsión a barra de acoplamiento.
—— **electrode**, electrodo de varilla.
—— **float**, varilla flotadora, flotador de bastón.
—— **gage**, varilla calibradora.
—— **gap** (elec), distancia entre varillas.
—— **level** (surv), nivel de mira o para jalón.
—— **line** (pet), varilla de tracción.
—— **mat** (rd), malla de barras.
—— **mill**, molino de cabillas; laminador de barras.
—— **packing**, empaquetadura para varilla, empaque de vástago.
—— **reading** (surv), lectura de mira, indicación de la mira.
rodability, manejabilidad por varillado.
rodded aggregate (conc), agregado varillado.
rodded joint (bw), junta cóncava.
rodding, varillado, (M) vareamiento.
—— **machine** (conc), varilladora.
rodman, jalonero, portamira, portabandera, (M) estadalero (nivel), (M) balicero.
roentgen (unit), roentgen.
Roentgen rays, rayos X.
roentgenization, roentgenización.
roentgenogram, roentgenograma, radiografía.
roentgenography, roentgenografía.
roll, *s* rollo; (mec) rodillo, cilindro; (trituradora) maza; (met) laminador; (cont) nómina, planilla, lista; (sol) reborde; *v* rodar; hacer rodar; (met) laminar; (cal) mandrinar; (ca) cilindrar, rodillar, allanar; (arena) moler; (náut) balancear; (ot) cilindrar, consolidar con cilindradora.
—— **caliper**, calibrador para rodillos.
—— **crusher**, triturador o molino de rodillos, rompedora a cilindros, desmenuzadora de mazas, (M) quebradora de roles, (M) molino de rulos.
—— **feeder**, alimentador de rodillos.
—— **film** (pmy), película en carrete.
—— **grinder**, molino de rodillos.
—— **roofing**, techado prearmado o preparado.

—— **sander** (ww), lijadora de rodillos.
—— **scale** (met), costras de laminado.
—— **scraper**, raspador de cilindro.
—— **shell** (su), tambor de la maza.
—— **stand** (met), juego de laminadores.
—— **straightener**, cilindros enderezadores.
—— **up**, enrollar, arrollar.
—— **welding**, soldadura por laminador, caldeo a rodillo.
roll-film dryer (pmy), secadora de película en rollos.
rolled, laminado; cilindrado.
—— **earth fill**, terraplén consolidado con cilindradora.
—— **edge** (steel plate), canto o borde laminado.
—— **glass**, vidrio laminado; vidrio de cilindro.
—— **lumber**, madera que tiene separación entre los anillos anuales.
—— **sand**, arena molida.
—— **steel shape**, acero perfilado, sección laminada o perfilada.
—— **thread**, rosca laminada o prensada.
roller, rodillo, rollete (pequeño); (ot) aplanadora, cilindradora, rodillo aplanador; (hid) onda; (hid) remolino.
—— **bearing**, (maq) chumacera de rodillos, cojinete de rulemán, descanso de rodamiento, cojinete de rolletes, (M) balero de rodillos; (pte) soporte de rodillos, asiento de expansión, apoyo de rodillos.
—— **bit** (pet), barrena de rodillos.
—— **cage**, anillo portarrodillos.
—— **chain**, cadena de rodillos o de rolletes.
—— **chock**, escotera con rodillo.
—— **clutch**, embrague de rodillos.
—— **conveyor**, transportador de rodillos.
—— **dam**, presa de cilindro.
—— **gate** (hyd), compuerta rodante o de rodamiento o de rodillos; compuerta cilíndrica.
—— **mill**, molino o trituradora de cilindros.
—— **race**, caja o corona de rodillos.
—— **support**, soporte o apoyo de rodillos.
—— **swage** (p), abretubos de rodillos.
—— **train**, tren de laminar o de rodillos.
—— **turner** (mt), torneador de rodillos.
roller-bushed, encasquillado con rodillos.
roller-hearth furnace, horno de hogar de rodillos.
rolling *n*, rodadura, rodamiento; laminación; cilindraje, cilindreo; molienda; (náut) balanceo, (A) rolido.
—— **chock** (sb), carenote, quilla lateral, (A) quilla de rolido, (A) quilla de balanceo.
—— **circle** (gear), círculo primitivo.
—— **contact**, contacto rodante.
—— **country**, terreno undulado o quebrado.
—— **door**, puerta arrolladiza.
—— **friction**, fricción de rodamiento, frotamiento o rozamiento de rodadura, roce rodadero.
—— **gate** (hyd), compuerta cilíndrica.
—— **grade** (rd), rasante undulada.
—— **grill**, reja metálica arrolladiza.
—— **impact stress** (ap), esfuerzo de impacto de rodaje.
—— **lift bridge**, puente levadizo rodante.
—— **load**, carga rodante.

—— **mill** (met), taller de laminación, laminador, tren de laminar.

—— **planimeter,** planímetro móvil o de rodillos.

—— **resistance,** resistencia al rodamiento.

—— **sector gate** (hyd), compuerta rodante o de sector rodante.

—— **shutter,** cortina enrollable.

—— **steel door,** puerta arrolladiza de acero, puerta de cortina articulada, cortina metálica de enrollar, cortina-puerta.

—— **stock** (rr), equipo rodante, material móvil, (A) tren rodante.

rollway, (presa) vertedero sin compuertas, cimacio vertedor; (ef) plataforma inclinada para cargar troncos.

rolock wall, véase **rowlock.**

roof, *s* techo, techumbre, cubierta, azotea (plana); *v* techar, entechar; tejar; empizarrar; ripiar.

—— **beams,** vigas del techo.

—— **bolt,** perno de techo.

—— **covering,** techado, cubierta de techo.

—— **drain** (pb), desagüe de azotea.

—— **gutter,** canalón, canaleta de techo.

—— **irons** (scaffold), herrajes de anclaje al techo.

—— **paint,** pintura para techos.

—— **putty,** masilla para techos.

—— **rafter,** par, cabio, (Col) cuchillo.

—— **slab,** losa de azotea.

—— **tile,** teja, (V) tablilla (plana), (A) baldosa de techar.

—— **truss,** armadura para techo, cabriada de techo, cercha, caballo (madera).

—— **weir,** compuerta de alzas (tableros alzados por presión).

roofer (man), techador.

roofers (lbr), tablas machihembradas de $\frac{7}{8}$ pulg y de largos diversos.

roofing, (ed) techado; (hid) ahuecamiento (debajo de una presa).

—— **bracket,** cartela para andamio de techar.

—— **cap,** arandela de hojalata para clavo de techar.

—— **cement,** cemento plástico para techos, (A) tapagoteras.

—— **clip,** abrazadera para sujetar el acero corrugado a las carreras.

—— **felt,** fieltro impermeable o de techar, (C) techado felpa, (U) cartón fieltro.

—— **nail,** clavo de techar o para techo.

—— **slate,** pizarras de tejar.

—— **tin,** hojalata de techar; arandela de clavo de techar.

room, cuarto, pieza, habitación; lugar; (min) anchurón, salón, cámara.

room-and-pillar mining, labor de anchurón y pilar.

rooming (min), labor de anchurón y pilar.

rooster (lg), barra de acoplamiento.

—— **sheave** (de), garrucha guía encima del gorrón.

root, raíz; (mat) raíz; (sol) fondo de la soldadura.

—— **circle** (gear), círculo de ahuecamiento, circunferencia de raíz.

—— **cutter,** cortador de raíces, cortarraíces.

—— **face** (w), hombro, cara de la raíz.

—— **hook,** gancho arrancador de raíces.

—— **of thread,** fondo de la rosca, (A) raíz de la rosca.

—— **of weld,** fondo o raíz o base de la soldadura.

—— **opening** (w), abertura de la raíz.

—— **out,** arrancar.

—— **zone** (irr), zona de las raíces.

root-mean-square current (elec), corriente efectiva.

root-mean-square value, raíz cuadrada de la media de los cuadrados.

rooter (ce), desarraigadora, rompedor de caminos, rasgador, escarificador, desenraizadora, arrancarraíces.

—— **plow,** arado desarraigador.

rope, *s* soga, cuerda, cable, cordel, maroma, jarcia, cabo; *v* ensogar; laborear.

—— **brake,** freno de cuerda.

—— **core** (elec cab), núcleo de cuerda.

—— **drive,** transmisión por maroma, accionamiento por cable.

—— **grab,** amarra de cable.

—— **grease,** grasa o compuesto para cable.

—— **ladder,** escala de cable o de jarcia o de gato, escalera de cuerda.

—— **spear** (pet), arpón pescacable.

—— **yarn,** filástica.

rope-lay cable (elec), cable acalabrotado o de conductores trenzados.

ropemaker, cordelero, soguero.

ropewalk, cordelería, soguería.

ropeway, cablevía, andarivel, vía aérea de cable.

rose, (tub) regadera; (cerradura) escudilla.

—— **mill,** fresa semiesférica.

—— **reamer,** escariador de cabeza cortante o tipo rosa.

rosehead, boquilla para baño de ducha.

—— **countersink,** abocardo tipo rosa.

rosette (elec), roseta.

rosewood, palo de rosa.

rosin, resina, abetinote, pez griega.

—— **oil,** aceite de resina.

—— **varnish,** barniz de resina.

rosin-core solder, soldadura con núcleo de resina.

rosser (lg), descortezador.

rot, *s* podrimiento, podrición; *v* podrirse, corromperse.

rot-resistant, resistente a la podrición.

rotameter, rotámetro.

rotary, giratorio, rotativo, rotatorio.

—— **condenser** (elec), condensador rotatorio o sincrónico.

—— **converter,** convertidor rotativo o sincrónico.

—— **displacement meter,** contador rotativo de desplazamiento.

—— **distributor,** esparcidor giratorio.

—— **drill,** perforadora rotatoria, taladro o sonda de rotación.

—— **engine,** máquina rotativa.

—— **fault** (geol), falla girada.

—— **feeder,** alimentador rotatorio.

—— **field** (elec), campo o inductor giratorio.

—— **hose** (pet), manguera para equipo rotatorio.

—— **intersection** (rd), encrucijada con glorieta.

—— **line** (pet), cable de equipo rotatorio.

—— planer, fresadora acepilladora, acepilladora rotatoria.

—— pump, bomba rotatoria o rotativa.

—— rig (pet), perforadora rotatoria.

—— ripper, rasgador rotativo.

—— scraper (ce), traílla o pala de arrastre giratoria.

—— shears, cizalla rotatoria.

—— squeezer (met), cinglador rotativo o de leva.

—— switch (elec), interruptor giratorio, llave rotativa.

—— table (pet), mesa rotatoria, plato giratorio.

—— traffic (rd), tráfico unidireccional por la glorieta.

—— transformer, véase rotary converter.

—— vacuum filter, filtro rotatorio de vacío.

—— valve, válvula rotativa.

rotary-beam antenna (ra), antena giratoria.

rotary-cut (lbr), cortado del tronco por movimiento circular.

rotary-disk feeder, alimentador de disco rotatorio.

rotary-disk meter, contador de disco rotatorio.

rotary-drum drier (ac), desecador de tambor rotatorio.

rotary-hearth furnace, horno de hogar rotatorio.

rotary-leaf filter (su), filtro rotativo.

rotatable transformer, transformador girable.

rotate, girar.

rotating, giratorio, rotativo.

—— beacon (ap), faro giratorio, fanal rotatorio.

—— compass (dwg), compás giratorio o de muelle giratorio.

—— field (elec), campo giratorio o rotativo.

rotating-leaf shutter (pmy), obturador de laminillas giratorias.

rotation, rotación, giro; (irr) riego por turnos.

rotational, rotacional.

—— fault (geol), falla giratoria.

rotative, rotativo.

Rotifera (sen), rotíferos.

Rotocast (trademark), de fundición centrífuga.

rotometer, rotómetro.

rotor, rotor, rodete.

Rototrol (trademark)(elec), regulador giratorio.

rotten, podrido; cariado.

—— knot (lbr), nudo blando.

—— rock, roca muerta o deshecha o descompuesta.

rottenstone, trípol.

rotundity, redondez.

rouge (abrasive), rojo de pulir, colcótar.

rough, (superficie) áspero; (top) escabroso, barrancoso; (tejido) basto, tosco; (cálculo) aproximado, aproximativo; (mar) agitado, alborotado.

—— ashlar, canto sin labrar.

—— cut (file), talla basta, picadura gruesa.

—— draft n, borrador.

—— estimate, presupuesto aproximado, (A) estimación grosera, (M) tosca estimación.

—— file, lima basta.

—— finish (stone), acabado áspero (tolerancia ½ pulg).

—— ground, terreno escabroso o accidentado.

—— lumber, madera tosca o sin labrar.

—— plaster, revoque rústico, embarrado.

—— reaming, escariado de desbaste, (A) escariado rústico.

—— sketch, bosquejo, croquis aproximativo.

—— turner (mt), torneador desbastador.

rough-cast, colar en basto.

rough-cut joint (bw), junta recortada sin terminar.

rough-dress, desbastar, desguazar, labrar toscamente, (mad) aparejar.

rough-dressing, desguace.

rough-face brick, ladrillo áspero.

rough-plaster, jaharrar, embarrar.

roughen (conc), rascar, picar, rasquetear.

rougher, (herr) rascador, picador, cepillo de alambre; (mh) fresadora de desbastar.

roughing (pb), tubería, sifones, etc., de la instalación sanitaria que se hallan dentro de las paredes y los pisos.

—— box tool (mt), caja portacuchilla desbastadora.

—— cut, corte de desbaste.

—— cutter, fresa desbastadora.

—— filter (sen), filtro preliminar, (A) filtro desbastador.

—— lathe, torno desbastador.

—— mill, laminador preliminar; molino preliminar.

—— reamer, escariador escalonado.

—— rolls (met), rodillos desbastadores.

—— tap, macho desbastador.

roughing-in (elec), instalación de los conductos y cajas de salida dentro de los pisos y las paredes.

roughness, aspereza, escabrosidad.

—— coefficient (hyd), coeficiente de aspereza.

roughometer (rd), viágrafo.

round, s barra redonda; (escala) peldaño o escalón redondo; (vol) juego de barrenos, (B) serie de taladros; a redondo.

—— arch, arco de medio punto.

—— file, lima cilíndrica.

—— in (tackle), hacer acercarse los motones.

—— off, redondear, descantear.

—— plane, cepillo convexo o bocel.

—— splice (cab), ayuste redondo.

—— taper file, lima redonda puntiaguda.

—— turn, vuelta completa de cable.

round-back angle (str), ángulo de arista redonda.

round-bottom, de fondo redondo.

round-crested weir, vertedero de cresta curva.

round-edge file, lima de cantos redondos.

round-end column, columna de asiento esférico.

round-point setscrew, prisionero de punta ovalada.

round-point shovel, pala punta redonda, pala redonda, (A) pala punta corazón.

round-the-end baffle (wp), tabique de desviación horizontal.

round-top weir, vertedero de cresta redondeada.

roundabout (rd), proyecto para tráfico giratorio.

rounded, redondeado, rodado.

rounded-approach orifice (hyd), orificio de entrada redondeada.

roundhead stove bolt, pernillo de cabeza de hongo ranurada.

roundhead-buttress dam, presa de machones o de contrafuertes de cabeza redonda.

roundhouse, casa de máquinas, depósito de locomotoras, cocherón, (M) casa redonda, (A) rotonda.

roundness, redondez.

roundnose

—— **chisel,** formón de punta redonda; cincel de pico redondo.

—— **clamshell bucket,** cucharón de almeja de labios curvos.

—— **pliers,** alicates de punta redonda.

roundup (sb), boleo, vuelta, comba, brusca.

roundway valve, llave de macho con orificio circular.

roustabout, estibador; (min)(pet) peón.

—— **crane,** grúa arrumadora o de muelle.

rout, contornear, perfilar.

route, *s* recorrido, trazado, línea, ruta, vía; *v* encaminar, trazar.

—— **locking** (rr), enclavamiento de trazado.

—— **marker** (rd), señal de ruta.

—— **surveying,** levantamiento de ruta (reconocimiento, levantamiento preliminar y trazado definitivo).

router, contorneador; buriladora, rebajadora.

—— **bit,** broca buriladora.

—— **plane,** guimbarda, ranurador.

row *n*, hilera, fila.

rowlock, (lad) sardinel; (bote) escalamera, chumacera.

—— **wall,** pared hueca de ladrillos a sardinel.

royalty, derecho de patente; derecho de mineraje, regalía.

rub, frotar; rozar, ludir, raer.

rubbed finish (conc), acabado a ladrillo frotador.

rubber, goma, caucho, hule.

—— **belt,** correa de caucho, banda de hule, cinta de goma, correa de balata.

—— **boots,** botas de goma o de hule.

—— **cement,** cemento de goma o de caucho o de hule.

—— **gasket,** empaque o arandela de goma, junta de hule.

—— **insulation,** aislamiento de caucho, aislante de goma.

—— **tape,** véase **splicing compound.**

—— **tiling,** embaldosado de caucho.

—— **tire,** goma neumática, llanta de caucho.

rubber-bushing coupling, acoplamiento de casquillos de caucho.

rubber-covered cable, cable forrado de hule o de caucho, cable revestido de caucho, (M) cable ahulado.

rubber-filled tape (elec), cinta impregnada de caucho.

rubber-jacketed cable (elec), cable forrado de caucho.

rubber-lined pipe, tubería forrada de caucho.

rubber-lined valve, válvula forrada de caucho.

rubber-tired roller, aplanadora de neumáticos.

rubberized, engomado, impregnado de caucho, (A) cauchotado.

rubbing *n*, frotación, roce, fricción.

—— **brick,** ladrillo frotador.

—— **plate,** placa de rozamiento, rozadera.

—— **varnish,** barniz de frotar.

rubbish, escombros, derribos, despojos, cascote; hojarasca, basura.

rubble, piedra bruta; cascote, escombros.

—— **aggregate,** bolones, chinos, rodados, (A) cascajo.

—— **concrete,** concreto ciclópeo.

—— **masonry,** mampostería concertada o de piedra bruta, (Col) mampostería de cascote.

—— **stone,** piedra bruta o sin labrar, morrillo, cabezote, bolón.

rubidium (chem), rubidio.

rubstone, frotador; afiladera.

ruby, rubí.

—— **blende,** blenda roja, esfalerita.

—— **copper ore,** cuprita.

—— **silver,** pirargirita.

—— **sulphur,** rejalgar.

—— **zinc,** especie de esfalerita.

rudder, timón.

—— **bearding,** chaflán de la pala del timón.

—— **bearing,** chumacera del timón.

—— **blade,** pala del timón.

—— **brake,** freno de timón.

—— **crosshead,** cruceta del timón.

—— **frame,** armazón del timón, azafrán.

—— **gudgeons,** hembras del timón.

—— **indicator,** indicador de la posición del timón.

—— **pintles,** machos del timón.

—— **stops,** topes del timón.

—— **trunk,** bocina de la limera.

rudderhead, cabeza del timón.

rudderhole, limera.

rudderpost, vástago del timón; codaste popel.

rudderstock, vástago del timón, (A) mecha del timón.

ruddle, almagre, ocre rojo.

rugged (machy), resistente, robusto.

rule, *s* (med) regla, medida, cartabón; regla, reglamento; *v* rayar, reglar.

—— **of three,** regla de tres.

—— **planimeter,** planímetro de regla.

rule-of-thumb method, método práctico (no científico).

ruler, regla.

ruling grade, pendiente determinante o dominante, (C) rasante dominante, (M) pendiente reguladora.

ruling pen (dwg), tiralíneas, (M) grafio.

rumble seat (auto), asiento de zaga o de cola.

rumbler, barril de frotación.

run, *s* (es) huella, paso; (pet) tanda; (filtro) jornada; (fc) recorrido; (tub T) paso principal; (maq) carrera, recorrido, marcha; (min) derrumbe; (tub) tramo, tendido; (exc) derrumbe, dislocación, desprendimiento; (an) racel de popa, pique de popa; *v* (r) correr; (lev) trazar; (maq) manejar, operar, dirigir; (maq) impulsar, accionar, impeler; (maq) marchar, funcionar, andar; (empresa) administrar, dirigir; (alambres) tender, tirar; (tub) vaciar, colar (la junta).

—— **a line** (surv), trazar o correr o llevar una línea, trazar alineación.

—— **aground,** encallar, zabordar, embarrancarse, varar.

—— **down** (battery), descargar, agotar; descargarse, agotarse.

—— **hot** (machy), calentarse, recalentarse.

—— **idle,** marchar en vacío.

—— **in** (machy), estrenar, (A) asentar.

—— **levels,** correr o llevar niveles.

—— **light** (machy), marchar en vacío.

—— **off** (rainfall), escurrirse, derramarse.

—— **off the track,** descarrilarse.

—— **over** (hyd), rebosar.

run-around system (ac), combinación de recalentamiento con preenfriamiento.

run-around track, vía de paso.

run-of-bank gravel, grava tal como sale o sin cribar; (V) granzón.

run-of-kiln lime, cal tal como sale o sin escoger.

run-of-mill pipe, tubos de largos como salen de la fábrica.

run-of-mine, tal como sale de la mina.

run-of-river power plant, estación de fuerza sin almacenamiento.

run-up (eng), embalamiento.

runaway speed, velocidad de embalamiento.

rundown (rd), cuneta de escape.

rung, escalón, barrote, peldaño, cabillón, (C) paso.

runner, (turb)(bm) rodete, rotor, rueda, impulsor; (tub fund) burlete, anillo de asbesto; (maq) maquinista, operador; (mec) corredera; patín, zapata; aparejo de un motón movible; (fund) vaciadero, piquera, bebedero.

—— **blades,** aletas del rodete.

—— **channels,** canales de enrasillado para listonado metálico.

—— **vanes** (turb), aletas del rotor, álabes del rodete.

running, s trazado; operación; dirección; accionamiento; funcionamiento; administración, explotación; a corrido, lineal; corriente.

—— **balance,** equilibrio dinámico o en marcha.

—— **board,** (ed) carrera, larguero; (loco)(auto) estribo.

—— **bond** (bw), trabazón ordinaria o americana.

—— **bowline,** ahorcaperro.

—— **clearance** (machy), juego de funcionamiento.

—— **fit,** ajuste de rotación libre.

—— **foot,** pie lineal o corrido.

—— **gear,** tren rodante, (Ch) tren de rodaje.

—— **ground,** tierra corrediza, terreno movedizo.

—— **in** (machy), estreno.

—— **knot,** nudo corredizo.

—— **lights,** luces de marcha.

—— **meter,** metro corrido o lineal.

—— **protection** (elec), protección en funcionamiento.

—— **rail,** riel de recorrido, carril maestro.

—— **rigging,** jarcias de labor.

—— **rope,** cabo o cable de labor, cable corredor o de corrida.

—— **splice** (cab), ayuste largo.

—— **track** (rr), vía principal o de recorrido.

—— **trap** (p), sifón en U, trampa de flujo a nivel.

—— **water** (stream), agua corriente o viva.

—— **winding** (elec), devanado de marcha, arrollamiento de trabajo.

runoff, (hid) escurrimiento, derrame, aporte, afluencia, aflujo, derramamiento, (Col) rendimiento, (PR)(Pe) escorrentía; (ca) cuneta de descarga; (fc) inclinación del riel exterior para alcanzar el peralte.

—— **coefficient,** coeficiente de derrame o de escurrimiento o de afluencia.

—— **rate,** gasto de derrame.

runout, (maq) alcance, carrera; (cf) derivación al calorífero.

runover area (ap), área para sobrerrecorrido (de aterrizaje).

runway, (gr) carrilera; (ap) pista, pista de despegue; (ed) pasadizo.

—— **light** (ap), farol de pista.

—— **localizing beacon** (ap), faro localizador de pista.

Ruptor (trademark)(elec), interruptor.

rupture, s rotura, ruptura; v quebrar, romper.

—— **load,** carga de ruptura.

—— **strength,** esfuerzo de rotura.

rust, s moho, orín, herrumbre, (C) ferrumbre; v aherrumbrarse, enmohecerse, oxidarse, (Ch)(Pe) azumagarse.

—— **cement,** cemento de limaduras de hierro con sal amoníaco.

—— **joint,** junta estanca formada por limaduras de hierro y sal amoníaco.

—— **preventive,** anticorrosivo.

rust-inhibitive paint, pintura anticorrosiva.

rust-resisting, anticorrosivo, incorrosible, antioxidante, antiherrumbroso.

rustic siding, tablas rebajadas para forro exterior de una casa.

rusticated (mas), de aristas biseladas o rebajadas.

rustless steel, acero inoxidable o inmanchable.

rustproof, a prueba de oxidación o de herrumbre, inoxidable, incorrosible, a prueba de moho.

rusty, mohoso, herrumbroso, (Ch) ferrumbroso.

rut, bache, rodada, rodadura, huella, surco, rodera.

rutter (lg), cortador de baches.

S bend (p), acodado en S, codo invertido, contracodo.

S curve, curva inversa o en S.

S hook, gancho en S.

S trap (p), sifón en S.

S wrench, llave forma S o de doble curva.

sabicu, sabicú (madera dura de las Antillas).

sabin, sabine (unit of acoustic absorption), sabin.

sabulite, sabulita (explosivo).

saccharate, sacarato.

saccharetin (su), sacaretina.

saccharimeter (su), sacarímetro.

saccharose, sacarosa, sucrosa.

sack, saco, costal, bolsa.

—— **baler,** máquina empacadora de sacos.

—— **boom** (lg), barrera colectora.

—— **borer** (min), máquina perforadora de pozos con bolsas de extracción.

—— **cleaner,** máquina limpiadora de sacos de cemento.

—— **elevator,** elevador de sacos, montasacos.

sackcloth, arpillera.

saddle, silla de montar, montura, silla, galápago, (C) albardilla; (puerta) umbral; (top) depresión, (M) puerto, (U) hondonada, (A) portezuelo; collado; (cv) silla, asiento; (mec) silleta, caballete, silla, albardón; (min) silla; (mh) carro, carro-soporte, silla, (A) asiento; (to) banquillo, chaflán.

—— **clamp** (p), abrazadera de silla.

—— **dam,** cierre o dique lateral, presa auxiliar.

—— **flange,** brida curva.

—— **horse,** caballo de montar o de silla.

—— **hub** (pb), silla de campana.

—— **joint** (sml)(mas), junta saliente.

—— **key** (mech), chaveta cóncava.

—— **stone** (bldg), albardilla de cumbre.

—— **T** (p), T de silla.

saddle-tank locomotive, locomotora con tanque sobre la caldera.

saddle-type meter, contador de silla.

saddleback

—— **car,** vagoneta de descarga doble, carro en V invertido.

—— **coping,** albardilla, coronamiento de dos aguas.

—— **stull** (min), estemple en V invertido.

safe n, caja fuerte o de seguridad, (C) caja de caudales, (A) tesoro de seguridad; (pb) recogegotas.

—— **load,** carga límite o admisible o de seguridad.

—— **slope** (ea), talud de seguridad o de trabajo.

—— **stress,** esfuerzo de trabajo, fatiga de seguridad.

—— **yield** (ground water), rendimiento seguro.

safe-edge file, lima de canto liso.

safety, seguridad.

—— **arch** (bw), arco de descarga.

—— **belt,** cinturón o cincha de seguridad.

—— **catch,** fiador, retén de seguridad.

—— **clutch,** garra de seguridad.

—— **device,** dispositivo de seguridad.

—— **dog** (mt), perro de seguridad.

—— **factor,** factor de seguridad, coeficiente de trabajo.

—— **fuel,** combustible de seguridad.

—— **fuse** (bl), mecha de seguridad.

—— **glass,** vidrio inastillable, cristal de seguridad.

—— **grating,** rejilla de seguridad para piso.

—— **head** (pet), cabezal de seguridad.

—— **hook,** gancho de cerrojo o de seguridad.

—— **isle** (rd), isla de seguridad, refugio.

—— **lamp** (min), lámpara de seguridad, davina.

—— **lintel** (bw), dintel detrás del arco de descarga.

—— **outlet** (elec), tomacorriente a tierra.

—— **setscrew,** tornillo prisionero encajado (sin cabeza), tornillo tapón de enchufe, tornillo prisionero hueco, opresor hueco.

—— **shunt** (bl), derivador de seguridad.

—— **switch** (elec), interruptor de seguridad.

—— **tread,** huella antirresbaladiza, peldaño de seguridad, (A) guardaescalón.

—— **tube** (lab), tubo de seguridad.

—— **valve,** válvula de seguridad o de alivio o de desahogo.

safranin (sen), safranina.

sag, s (est) flecha, flambeo, pandeo; (cab) flecha, seno; (ot) desprendimiento; v (est) combarse, empandarse, pandear; (pint) correrse, fluir; (ot) desprenderse, deslizarse.

—— **pipe** (hyd), sifón invertido.

—— **rod** (str), barra atiesadora.

—— **vertical** (rd)(rr), curva vertical cóncava.

sagging (na), arrufo.

sail needle, aguja de velero.

sail twine, hilo de velas.

sailcloth, lona, lino.

sailmaker, velero.

sailmaker's awl, punzón de velero.

sal ammoniac, sal amoníaco, almohatre.

salamander, (ec) salamandra, estufa, brasero; (met) lobos, zamarras.

salary, sueldo, salario.

salband (geol), salbanda.

sales agent, agente vendedor.

salicin (lab), salicina.

salicylic acid, ácido salicílico.

salient, s saliente, resalto; a saliente, saledizo.

—— **pole** (elec), polo saliente.

saliferous, salífero.

salimeter, pesasales, salinómetro.

saline, salino.

—— **coefficient,** coeficiente salino.

salinity, salinidad.

salinization, salinización.

salinometer, salinómetro, pesasales.

salmon brick, ladrillo rosado o mal cocido, (Col) bizcocho.

salt, s (quím) sal; a salado, salobre.

—— **content,** salobridad.

—— **desert,** salitrera.

—— **dome,** domo salino.

—— **glazing,** vidriado común.

—— **water,** agua salada o salobre.

salt-dilution method (hyd), procedimiento de disolución de sal, medición con disolución salina.

salt-titration method, véase **salt-dilution method.**

salt-velocity method (hyd), procedimiento de velocidad de sal.

saltation (r), saltación.

salting (min), enriquecimiento artificial de una mina o de una muestra de mineral.

saltpeter, salitre, nitrato de potasio.

salvage, s salvamento; derechos de salvamento; v (náut) salvar; (mtl) recobrar.

—— **materials,** material sobrante, rezago.

—— **pump,** bomba de salvatage.

—— **value,** valor rezago o de recuperación.

sample, s muestra; testigo; v muestrar, catar, catear.

—— **core** (drill), alma de ensayo, corazón de prueba, testigo de perforación.

—— **cutter,** cortamuestras.

—— **splitter,** partidor o divisor de muestras.

—— **spoon** (tb), cuchara muestreadora.

sampler, sacamuestras, muestreador, recoge-muestras, sacador de muestras.

sampling, muestreo, catadura, cateo.

—— **hatch** (sd), escotilla de muestrear, agujero de muestreo.

—— **machine,** máquina tomamuestras.

—— **nozzle** (steam), boquilla muestreadora.

—— **pipets,** pipetas para muestreo.

—— **scoop,** cucharón para muestreo.

—— **table,** mesa muestreadora.

—— **tube,** tubo muestreador.

samson (lg), s palanca con cadena para maniobra de troncos; v guiar con palanca la caída de un árbol.

—— **post,** poste de amarre; (pet) poste maestro.

sand, s arena; v arenar, enarenar; lijar.

—— **bar,** arenal, banco, bajío, barra, alfaque, playa de río, restinga, placel.

—— **boil,** venero, borbotón.

—— **casting,** pieza fundida en arena.

—— **catcher** (sd), interceptor de cascajo o de arena.

—— **cement,** cemento de arena.

—— **classifier,** clasificador de arena.

—— **crusher,** trituradora de finos o de arena.

—— **dome** (loco), cúpula de arena, arenador, arenero.

—— **drain** (ea), aliviadero vertical de arena.

—— **dredger,** draga aspirante.

—— **drier,** secador de arena.

—— **dune,** médano, algaida, duna, mégano.

—— **ejector,** eyector de arena.

—— **eliminator** (ce), eliminador de arena.

—— **fence** (rr), valla paraarena.

—— **filter,** filtro de arena.

—— **finish,** acabado arenoso.

—— **gate** (hyd), compuerta desarenadora o desripiadora.

—— **hog,** trabajador en aire comprimido.

—— **hole** (casting), escarabajo.

—— **holes** (gl), picaduras.

—— **house** (rr), casilla para arena de locomotora.

—— **jack,** gato de arena.

—— **jacket** (ag), camisa para arena.

—— **line** (pet), cable de la cuchara.

—— **pile** (foundation), pilote de arena.

—— **pipe** (loco), caño arenero.

—— **pit,** mina o cantera de arena, arenal.

—— **pump,** bomba desarenadora o para arena; cubeta sacalodo.

—— **rammer,** pisón neumático para arena.

—— **reel** (pet), carrete o malacate de la cuchara.

—— **roll,** rodillo triturador, triturador de finos, molino de arena.

—— **seal** (rd), capa final de arena.

—— **separator,** colector o separador de arena.

—— **shale,** arenisca esquistosa.

—— **sheave** (pet), garrucha de la cuchara.

—— **slinger** (fdy), lanzadera de arena.

—— **sluice,** desarenador, purga de arena.

—— **spreader** (rd), arenadora.

—— **streak** (conc), área superficial arenosa, (A) veteado de arena.

—— **tank,** lavadora de arena.

—— **track** (rr), vía para llenar los arenadores de las locomotoras.

—— **trap,** desarenador, trampa de arena, guardaarenas, arenero; (pet) atrapadora de arena.

—— **washer,** lavador de arena.

—— **well** (ea), pozo de arena.

sand-cast, vaciado en molde de arena, fundido en arena.

sand-cutting (fdy), desbaste por chorro de arena.

sand-expansion indicator (wp), indicador de expansión de la arena.

sand-expansion recorder (wp), contador de expansión de la arena.

sand-float finish (conc), acabado por llana de madera con adición de arena.

sand-lime brick, ladrillo de cal y arena.

sand-molded brick, véase **sand-struck brick.**

sand-packing machine (fdy), moldeadora.

sand-sealed (rd), ligado con arena.

sand-spun pipe, tubería colada centrífugamente en moldes de arena.

sand-struck brick, ladrillo moldeado en arena.

sandbag, saco de arena.

sandbank, banco o bajío de arena, encalladero, bancal.

sandblast, s soplete o chorro o soplo de arena, (M) chiflón de arena; v limpiar por chorro de arena.

—— **hose,** manguera para chorro de arena.

—— **nozzle,** tobera o boquilla lanzaarena.

sandbox, caja de arena, arenero, arenador.

sanded plaster, yeso con arena.

sander, lijadora; arenadora.

sandglass, reloj de arena.

sandpaper, s papel de lija, lija; v lijar, alijar.

sandpapering machine, lijadora.

sandstone, arenisca, (Col) piedra de arena.

sandy, arenoso, arenisco, arenáceo.

—— **loam,** greda arenosa.

sanidine (miner), sanidina, feldespato vítreo.

sanidinite (geol), sanidinita.

sanitarian n, sanitario.

sanitary, sanitario.

—— **base** (bldg), zócalo sanitario, base sanitaria.

—— **cross** (p), cruz sanitaria.

—— **door,** puerta lisa o llana.

—— **engineer,** ingeniero sanitario.

—— **engineering,** ingeniería sanitaria.

—— **fill,** relleno con basuras.

—— **fittings** (p), accesorios sanitarios.

—— **sewage,** aguas negras o fecales, aguas cloacales sanitarias.

—— **sewer,** alcantarilla sanitaria, colector sanitario.

—— **squad,** brigada sanitaria, cuadrilla de sanitación.

—— **survey,** estudio sanitario, (V) encuesta sanitaria.

—— **T** (p), T con conexión redondeada, T sanitaria.

—— **valve,** válvula sanitaria.

sanitation, saneamiento, sanidad, higienización, (C) sanitación.

Santorin, santorina (puzolana).

sap, savia.

—— **ring** (lbr), anillo de albura.

—— **stain,** mancha de savia.

—— tie (rr), traviesa de albura.
saponifiable, saponificable.
saponification number, número de saponificación.
saponifier, saponificador.
saponify, saponificar.
saprogenic, saprogénico.
saprolite (geol), saprolita.
saprophyte (sen), saprófito.
saprophytic (sen), saprófito, saprofítico.
saprozoic (sen), saprozoico.
sapwood, albura, sámago, madera alburente o tierna o de savia.
Sargol joint (trademark)(p), tipo de unión para brida Van Stone.
sash (window), hoja, vidriera, (Col) bastidor.
—— balance, ajustador de hoja de guillotina.
—— bar, parteluz, montante.
—— bolt, tarabilla.
—— brace (pi), larguero provisional.
—— chain, cadena para contrapeso de ventana.
—— cord, cuerda para contrapeso de ventana.
—— fast, fiador de ventana.
—— lift, manija para ventana de guillotina, levantaventana.
—— lock, fiador de ventana.
—— operator, ajustador de ventana.
—— plane, cepillo rebajador.
—— pulley, roldana para ventana de guillotina, polea para ventana.
—— tool, brocha para pintar ventanas.
—— weight, contrapeso de ventana.
satellite (gear), satélite.
satin finish (hw), acabado satinado o semimate.
satin spar, espato lustroso.
saturable, saturable.
saturant, saturante.
saturate, saturar, empapar; (eléc) saturar.
saturated
—— soil, terreno empapado o saturado.
—— solution, solución saturada.
—— steam, vapor saturado.
saturating reactor (elec), reactor de saturación.
saturation (all senses), saturación.
—— current (ra), corriente de saturación.
—— curve, curva de saturación magnética.
—— factor, factor de saturación.
—— index (sen), índice de saturación.
—— induction, inducción de saturación.
—— limit (soil), límite de saturación.
—— point, punto de saturación.
—— temperature (mrl)(ac), temperatura de saturación.
saturator, saturador.
sault, rápidos, rabión de un río.
save-all, (az) artesa de rebose, vaso de seguridad.
saw, s sierra, serrucho; v aserrar, serrar, serruchar.
—— arbor, eje de sierra.
—— bench, banco de sierra.
—— blade, hoja de sierra.
—— carriage, carro portasierra.
—— clamp, prensa para sierra, tornillo para serruchos.
—— crew (lg), cuadrilla aserradora.
—— cut, corte o trazo de sierra, aserradura.
—— drill, sierra cilíndrica, taladro-sierra.

—— file, lima para sierra; limadora.
—— frame, marco o bastidor de sierra.
—— gage, calibre de dientes; guía de aserrar.
—— gate, marco de sierra.
—— grinder, rectificador de sierras.
—— guard, guardasierra.
—— guide, guía de sierra.
—— handle, mango o puño de serrucho.
—— jointer, igualador de dientes.
—— knife, cuchillo-serrucho.
—— log, tronco serradizo o por aserrar.
—— mandrel, eje o árbol de sierra.
—— pad, mango o agarradera de serrucho.
—— pit, foso de aserrar.
—— rod, tensor.
—— set, triscador, tenazas de triscar, (A) trabador.
—— swage, recalcador para sierra.
—— table, banco aserrador, mesa de serrar, banco de sierra.
—— timber, madera serradiza.
—— tooth, diente de sierra.
—— vise, prensa para afilar sierras, tornillo para serrucho.
saw-setting hammer, martillo de triscar.
saw-setting machine, máquina de triscar, triscadora.
saw-tooth
—— roof, techo de diente de sierra, techo dentado.
—— voltage, voltaje dentado, tensión diente de sierra.
—— wave (ra), onda diente de sierra.
sawbuck, cabrilla, tijera.
sawdust, aserrín, serrín, aserraduras.
—— blower, soplador de aserrín.
—— collector, aspirador de aserrín.
—— concrete, concreto con agregado de aserrín, concreto de clavar, hormigón de aserrín.
sawer, aserrador.
sawhorse, caballete de aserrar, burro, camellón, asnillo, borriquete, cabrilla, caballo.
sawing, aserradura.
sawmill, aserradero, (C)(M) aserrío, serrería, taller de aserrar.
—— carriage, carro de aserradero o para trozos.
—— worker, aserrador.
sawyer, aserrador, serrador.
Saybolt seconds, segundos de viscosidad Saybolt.
Saybolt viscosity, viscosidad Saybolt.
scab, s (carp) tapajunta, cubrejunta, costanera, platabanda, cachete; (met) costra; (hombre) rompehuelgas, esquirol; v sobrejuntar.
scabble, desbastar.
scaffold, s andamio, castillete, castillejo, (Col) percha; (A) balancín (colgante); v andamiar.
—— bracket, consola de andamio.
—— builder, andamiador.
—— horse, borricón, caballete de andamio.
—— plank, tablón de andamio.
—— pole, alma o zanco o paral de andamio.
scaffolding, andamiaje, andamiada, castillejo.
scagliola, escayola.
scalar, escalar.
scale, s (pesar) báscula, balanza, romana; (cal) incrustación, costras, escamas; (met) lami-

nilla, cascarilla, (V) concha; (orín) escama, costra, (V) concha; (dib) escala; (med) escala, regla; *v* descamarse, descascararse, descostrarse; (dib) medir con escala, escalar; (ef) medir; (met) desconchar.

—— **book** (lg), libreta de medición.

—— **box,** caja de báscula; (exc) cajón de madera.

—— **drawing,** dibujo a escala.

—— **factor** (pmy), factor de escala.

—— **fraction** (pmy), relación de escala.

—— **house,** caseta de balanza.

—— **model,** modelo a escala, (M) maqueta a escala.

—— **of hardness,** escala de dureza.

—— **of miles,** escala de millas.

—— **of wages,** escalafón, escala de sueldos.

—— **off,** desconcharse, descamarse, (Pe) escamarse.

—— **protractor** (dwg), transportador de escala.

—— **remover,** quitacostra.

—— **separator** (condenser), interceptor de escamas.

—— **track** (rr), vía de báscula.

—— **trap** (pet), colector de escamas.

scale-forming, incrustante.

scaled dimension, dimensión a escala.

scalene, escaleno.

scalepan, (exc) cajón, (M) esquife, (M) concha; (lab) platillo de balanza.

scaler, (herr) descamador; (ef) medidor de troncos.

scaling chisel, desescamador.

scaling hammer, desincrustador; martillo burilador (neumático).

scalper, separador preliminar.

scalping screen, criba preliminar de malla ancha.

scaly, escamoso, costroso.

scanner (tv), explorador, analizador.

—— **amplifier,** amplificador de exploración.

scanning (tv), exploración, escudriñamiento, analización.

—— **disk,** (eléc) disco analizador; (tv) disco explorador o de orificios.

—— **head,** proyector de exploración.

—— **line,** línea de exploración.

—— **spot,** área exploradora, punto de exploración.

scantling (carp), tirantillo, alfarda.

scantlings (sb), dimensiones, escantillones.

scapolite (miner), escapolita.

scarf, *s* rebajo, charpado; *v* (carp) charpar, rebajar; (met) desconchar.

—— **joint,** junta charpada o biselada; (eléc) empalme charpado.

—— **weld,** soldadura al sesgo.

scarifier, escarificador.

scarify, escarificar.

scarp, *s* declive, escarpa; *v* escarpar.

scattering surface (il), superficie de dispersión.

scavenge (di), barrer.

—— **pump,** bomba de barrido.

scavenging stroke, carrera de barrido o de expulsión.

scavenging valve, válvula del barrido.

scheelite, scheelita (mineral de tungsteno).

schematic drawing, dibujo esquemático.

schist, esquisto.

—— **oil,** petróleo o aceite de esquisto.

schistic, esquistoso.

schistoid *a,* esquistoideo.

schistose, esquistoso.

schistosity, esquistosidad.

schistosomes (sen), esquistosomas.

schistosomiasis (sen), esquistosomiasis.

schizomycetes (sen), esquizomicetos.

schmutzdecke (wp), colchón de cieno encima del filtro rápido.

science, ciencia.

scientific, científico.

scissors fault (geol), falla girada.

scissors truss, armadura de tijera.

sclerograph (pet), esclerógrafo.

sclerometer, esclerómetro.

sclerometric, esclerométrico.

scleroscope, escleroscopio.

—— **hardness,** dureza escleroscópica o de escleroscopio.

scoop, cucharón, cuchara; pala carbonera.

—— **shovel,** pala carbonera o para carbón o de cuchara.

scoot (lg), trineo de arrastre.

score *v,* rayar, arañar, estriar.

scored tile, bloque estructural rayado.

scoria, escoria, cagafierro.

scorifier, escorificador.

scorify, escorificar.

scotch, *s* zoquete, cuña; (ef) barra de refrenamiento; *v* acuñar, calzar, engalgar.

—— **block** (rr), calzo de detención.

Scotch marine boiler, caldera marina escocesa, caldera multitubular escocesa.

Scotch yoke (machy), yugo escocés.

Scott connection (elec), conexión en T.

scour (hyd), *s* socavación, derrubio, abrasión, arrastre; *v* socavar, derrubiar, arrastrar.

scouring barrel, tambor giratorio de frotación.

scouring sluice, compuerta de limpia; desagüe de limpia.

scove kiln (brick), horno con retención de calor por enlucido de barro.

scow, chalana, lancha, bongo, gánguil (de vaciamiento), chata, pontón, (A) balandra.

scrap *v,* desechar, (Ch) dar de baja.

—— **bin,** buzón de metralla, depósito de hierro viejo.

—— **iron,** hierro viejo, desecho, despojos de hierro, hierro de desperdicio o de metralla, chatarra, (A) rezago.

—— **rail,** carril o riel de desecho.

—— **shear,** cizalla para metralla.

—— **value,** valor como desecho, (A) valor rezago.

scrape, raspar, rascar, raer.

scraper, (de caballo) pala de arrastre, traílla, cucharón de arrastre, (Ch) pala bucy, (M) escrepa, (V) rastrillo, (A) rastrón, (Ec) barredera, (Pe) rufa; (de tractor) pala transportadora, excavadora acarreadora; (pa) raedera giratoria; (cal) limpiatubos, raspatubos; (carp) rasqueta, raedor, raspador; (min) limpiador de barrenos, sacabarro; (yesería) cuchilla.

—— **bucket,** cucharón cogedor o recogedor, traílla de cable.

—— conveyor, transportador de cadena sin fin con paletas.

—— plane, cepillo-rasqueta, cepillo raspador.

—— pusher (ce), empujadora de traílla.

—— ring (piston), aro rascador o rascaceite, anillo restregador.

scraper-loader, traílla cargadora.

scratch v, arañar, rayar.

—— awl, lesna de marcar.

—— coat (plaster), capa rayada o de base, ensabanado, (U) capa azotada, (V) friso.

—— filter (ra), filtro de ruido de púa, (Es) filtro de rascadura.

—— gage, gramil.

—— hardness, dureza esclerométrica.

—— template (rd), plantilla rayadora.

scree (Great Britain), véase talus.

screed, s plantilla, maestra, rastrel, listón-guía; escantillón, regla recta, cercha, raedera, emparejador, (V) corredera; v enrasar, atablar, raer, emparejar.

—— board, escantillón, regla recta, raedera, emparejador, rasero, rastrel, corredera, (M) tablón-llana.

screen, s criba, harnero, cedazo, cribadora, tamiz (fino), cernedor, zaranda; (ra) pantalla; v cernir, cribar, tamizar, zarandar, zarandear, (Col)(Ch) harnear; (ra) apantallar.

—— analysis, análisis de tamices o de cedazo.

—— battery (ra), batería de pantalla.

—— bulkhead (sb), mamparo no estanco entre compartimientos de calderas y de máquinas.

—— chamber, cámara separadora o de cribas, (Pe) cámara cernidora.

—— chute, canal cribador.

—— classifier, clasificador de cedazo.

—— door, puerta mosquitera o de tela metálica.

—— grid (ra), rejilla-pantalla.

—— pan, artesa de criba.

—— pipe, tubo colador.

—— tender, zarandero, cribador, harnerero.

—— test, ensayo de cernido.

—— voltage (ra), voltaje de pantalla.

—— wheel, rueda-cedazo.

screen-grid tube (ra), válvula de rejilla-pantalla, (Es) válvula de rejilla blindada.

screening, cribado, cernido, zarandeo.

—— hopper, tolva cribadora.

—— plant, planta cribadora o clasificadora, equipo clasificador, instalación cribadora.

screenings, cerniduras; granzón, granza, grancilla, (C) recebo.

—— grinder (sd), triturador de cerniduras.

screw, s tornillo; (náut) hélice; v atornillar, enroscar.

—— anchor, ancla de tornillo, manga de expansión para tornillo; ancla de hélice (para retenida).

—— aperture (sb), vano de la hélice.

—— auger, barrena salomónica o espiral.

—— bell, campana de tuerca, machuelo arrancasondas.

—— cap, tapa roscada, tapón de tuerca.

—— chaser, plantilla de filetear, peine de roscar, engastador de tornillo.

—— chuck, mandril enroscado.

—— clamp, prensa de hierro para carpinteros, prensa de tornillo.

—— conveyor, transportador de tornillo sin fin, conductor espiral o de gusano.

—— coupling, manguito roscado.

—— extractor, sacatornillos.

—— eye, pitón.

—— eyebolt, pija de ojillo.

—— feed, avance por tornillo.

—— feeder, alimentador de tornillo o sin fin.

—— gear, engranaje de tornillo sin fin.

—— grab, machuelo arrancasondas.

—— hook, gancho roscado o de tornillo.

—— jack, gato de tornillo o de rosca o de gusano, cric de tornillo.

—— joint, junta roscada.

—— machine, máquina de fabricar tornillos, torno de roscar.

—— nail, clavo de rosca, clavo-tornillo.

—— pile, pilote de rosca.

—— pin, pasador roscado.

—— pitch, paso de tornillo.

—— plate, cojinete de roscar, portahembra; terraja.

—— plug, tapón roscado.

—— press, prensa de tornillo.

—— propeller, hélice.

—— pump, bomba espiral; bomba centrífuga de rodete de hélice.

—— punch, punzón de tornillo.

—— spike, tirafondo, (A) perno aterrajador.

—— spreader (rd), extendedor de tornillo.

—— stock (steel), barras para fabricación de tornillos (tiene alta labrabilidad).

—— stoker, alimentador a tornillo.

—— tap, macho de terraja o de tornillo.

—— terminal (elec), borne de tornillo.

—— thread, filete o rosca de tornillo.

—— union (p), unión roscada.

—— wheel, engranaje helicoidal.

screw-cutting lathe, torno de roscar o de filetear.

screw-lock tubing head (pet), cabezal de cierre a tornillo.

screw-pin shackle, grillete con perno roscado.

screw-pitch gage, medidor de roscas, plantilla para filetear, escantillón para roscas, calibrador de roscas.

screw-propeller-type current meter, molinete con hélice de aristas biseladas.

screw-shell receptacle (elec), receptáculo de caja roscada.

screw-slotting cutter, ranuradora para tornillos.

screw-spike driver, clavador de tirafondos.

screw-thread insert, filete insertado, rosca inserta.

screw-thread micrometer, micrómetro de roscas o para filetes.

screwdriver, atornillador, destornillador, (M) desarmador.

—— bit, broca destornilladora, destornillador de berbiquí.

—— socket, casquillo destornillador.

screwed, atornillado, enroscado.

—— **contact** (elec), contacto de rosca.

—— **fittings** (p), accesorios roscados o de tornillo.

—— **flange**, brida roscada, platina atornillada, (C) platillo con rosca.

—— **joint** (p), acoplamiento de rosca, junta atornillada.

—— **pipe**, tubería con rosca o de tornillo, cañería roscada.

screwhead, cabeza de tornillo.

screwstock, terraja.

scribe, trazar, contornear.

scriber, punzón de trazar, aguja de marcar.

scribing, trazado; ajuste.

—— **block**, verificador de superficies planas.

—— **compass**, compás de marcar.

—— **gouge**, gubia de mano.

—— **iron**, herramienta de trazar.

scrive board (sb), piso de gálibos.

scroll, caracol, espiral, voluta.

—— **case** (turb), caja de caracol, cámara o caja o carcasa espiral.

—— **chuck** (mt), plato con ajuste espiral.

—— **conveyor**, conductor espiral.

—— **lathe**, torno para labrar madera.

—— **saw**, sierra de calar o para contornear.

scrubbed finish (conc), acabado con cepillo de alambre o de fibra tiesa.

scrubber, lavador, limpiador, depurador.

—— **plates** (ac), placas lavadoras.

—— **tank** (pet), tanque depurador.

scrubbing screen (gravel), criba lavadora.

scuff v, desgastarse, rascarse, rayarse.

scuffing (tire), desgaste, arrastre.

scuffle hoe, azadón de pala.

scum, espuma, nata.

—— **breaker** (sd), rompedor de espuma.

—— **cock**, grifo purgador de espumas, espumadera.

—— **collector**, colector o recogedor de espumas.

—— **grid** (sd), rejilla de espumas.

—— **pipe**, tubo despumador.

—— **remover**, quitaespumas, separador de espumas.

—— **trap**, separador de espumas.

—— **trough** (sd), artesa de espumas o de despumación.

—— **weir**, vertedor de espumas.

scumboard (sd), separador de espumas.

scupper, imbornal, embornal.

scutch, martillo cortador de ladrillos.

scuttle n (rf), escotillón, trampa.

scythe, guadaña.

sea, mar; mar, marejada.

—— **cock** or **valve**, llave o grifo de mar.

—— **head**, estructura de desembocadura.

—— **level**, nivel del mar.

—— **mile**, milla marina o marítima.

—— **wall**, malecón, murallón de defensa o de ribera, muralla de mar, muro de muelle, (Ch) molo, (A) defensa marítima.

—— **water**, agua de mar.

sea-level canal, canal al nivel del mar (sin esclusas).

seacoast, costa marítima, marina, litoral.

seal, s (hid) cierre, sello; v sellar, tapar, cerrar.

—— **bar** (gate), barra de estancamiento.

—— **cap** (va), casquete sellador.

—— **coat**, (ca) capa final (betún), capa sellante o de sellado; (mam) capa impermeable.

—— **ring**, anillo de estancamiento.

—— **weld**, soldadura estancadora o de obturación o de sello.

sealable (elec), cerrable, encerrable.

sealant n, sellador, tapador.

Seale construction (wr), construcción o trama Seale.

sealed-beam headlight (auto), farol de reflector contenido.

sealing n, sellado; tapado.

—— **compound** (elec), compuesto de sellar, pasta de cierre.

—— **current** (elec), corriente de cierre o de asentamiento.

—— **gasket** (elec), guarnición de sellar.

—— **strip**, listón de cierre.

—— **voltage**, tensión de asentamiento.

seam, (roca) hendedura, fisura, grieta, veta, fractura; (est) junta, costura; (min) filón, criadero, vena; (cn) costura; (met) costura, veta.

—— **strap** (sb), cubrejunta longitudinal.

—— **welding**, soldadura de costura.

seaming (sml).

—— **dies**, estampas de empatar.

—— **roll**, rodillo de empatar.

—— **stake**, bigorneta de costura.

seamless tubing, tubos enterizos o de acero sin costura, tubería sin soldadura, fluses de acero enterizo.

seamy, grietoso, hendido.

seaplane, hidroavión, hidroplano.

—— **base**, base o apostadero de hidroaviones.

seaport, puerto marítimo o de mar.

search coil (elec), bobina exploradora.

searchlight, proyector, reflector, faro.

season s estación; v desecar, secar, sazonar, curar.

—— **check** (lbr), hendedura o grieta de desecación.

—— **cracking** (met), grietas debidas a esfuerzos de elaboración.

seasonal lumber, madera entresecada.

seasoned lumber, madera desecada o curada o sazonada o estacionada.

seat, s (est)(vá) asiento; v asentar.

—— **angle** (str), ángulo de asiento.

—— **bar** (gate), barra de asiento.

—— **reamer**, escariador de asiento de válvula.

—— **ring** (va), anillo del asiento.

—— **stiffeners** (str), apoyaderos del asiento.

seated connection (str), conexión con asiento.

seating, s asentamiento; a asentador.

—— **cup** (pet), empaque acopado.

—— **nipple** (pet), niple de asiento.

—— **pressure** (gate), presión de asentamiento.

seatless valve, válvula sin asiento.

seaworthy, marinero.

secant, secante.

second, s (tiempo)(ángulo) segundo; avería; a segundo.

—— **cross member** (auto), segundo travesaño.

—— **growth** (lg), árboles renacidos.

—— **speed** (auto), segunda velocidad, (Ec) segunda marcha.

second-cut file, lima entrefina o de segundo corte.

second-foot (hyd), pie cúbico por segundo.

second-foot-day, un pie cúbico por segundo durante 24 horas.

secondary n a, secundario.

—— **battery**, acumulador.

—— **cell**, elemento de acumulador.

—— **circuit**, circuito inducido.

—— **crusher**, quebradora secundaria.

—— **emission** (ra), desprendimiento secundario.

—— **energy**, energía secundaria o provisoria.

—— **fault** (elec), falla secundaria.

—— **neutral grid** (elec), red neutra secundaria.

—— **power**, potencia secundaria, fuerza provisoria; energía secundaria.

—— **shaft** (auto), eje secundario.

—— **stresses**, esfuerzos secundarios.

secondhand, de segunda mano, de ocasión, usado, (M)(C) de uso.

secret block, motón sencillo de cuerpo cerrado.

secret bond (bw), aparejo de sogas biseladas para astas diagonales.

sectile (miner), sectil.

sectility, sectilidad.

section, s (exc) sección; (mad) escuadría; (fc) tramo, trayecto; (dib) corte, sección, (M) tajada; (EU) extensión de terreno de una milla en cuadro; v seccionar.

—— **foreman** (rr), capataz de tramo.

—— **gang** (rr), cuadrilla de tramo.

—— **hand**, peón ferrocarrilero.

—— **house** (rr), casa de tramo; bodega de tramo.

—— **insulator**, aislador seccionador o de sección.

—— **locking** (rr), enclavamiento de tramo.

—— **modulus**, módulo de resistencia o de la sección.

—— **post** (rr), poste de tramo.

—— **switch** (elec), interruptor seccionador.

section-line v (dwg), rayar.

section-liner (inst), rayador.

sectional, seccionado, seccional.

—— **area**, área de la sección.

—— **boiler**, caldera seccional.

—— **cast-iron radiator**, calorífero seccionado de fundición.

—— **elevation**, alzada en corte.

—— **view**, vista seccional.

sectionalize (mech)(elec), seccionar.

sectionalizing box (elec), caja de seccionamiento.

sector, sector.

—— **cable** (elec), cable de conductores de sector.

—— **gate** (hyd), compuerta de sector.

—— **gear**, sector dentado.

—— **switch** (elec), interruptor de sector.

secular variation, variación secular.

sedentary soil, terreno sedentario, (M) suelo residual.

sediment, sedimentos, depósitos de azolve.

—— **faucet**, grifo de asiento vertical.

—— **separator**, separador de sedimentos.

—— **trap**, trampa o separador de sedimentos.

sedimentary, sedimentario.

—— **basin** (geol), cuenca de sedimentación.

sedimentation, sedimentación, decantación, (Pe) subsidencia.

—— **basin**, tanque de decantación, depósito de sedimentación.

—— **test**, ensayo de sedimentación.

Seebeck effect (elec), efecto termoeléctrico, corriente térmica.

seed, s semilla; (vi) burbuja pequeña; v sembrar.

seeder (su), semillero.

seeding, siembra; (dac) inoculación del tanque digestor con organismos vivos.

seep, s rezumadero; agua infiltrada; v filtrarse, rezumarse, colarse, percolarse.

—— **water**, agua infiltrada.

seepage, filtración, percolación, infiltración, (M) trasminación.

—— **force** (sm), fuerza de filtración.

—— **outcrop**, brote de filtración.

—— **pit** (sd), pozo absorbente.

—— **well**, pozo de colección.

segment, segmento.

—— **block**, bloque segmental, dovela.

—— **gear**, sector dentado; cremallera en segmento.

—— **rack**, cremallera en segmento.

—— **set** (min), marco de segmento.

segmental, segmental.

—— **arch**, bóveda escarzana, arco rebajado o segmental.

—— **conductor** (elec), conductor de segmento.

—— **gate** (hyd), compuerta radial o de segmento, compuerta Tainter.

segregation, (conc) separación, segregación, desmezclado; (met) segregación.

seiche (hyd), ondulación periódica del espejo de agua.

seismic, sísmico.

—— **prospecting** (geop), prospección o exploración sísmica.

—— **ray**, onda sísmica.

—— **shooter** (geop), dinamitero sísmico.

—— **survey**, estudio sísmico.

seismicity, sismicidad.

seismism, sismo.

seismochronograph, sismocronógrafo.

seismogram, sismogramo, sismograma.

seismograph, sismógrafo.

—— **survey**, exploración sismográfica, estudio sismográfico.

seismographer, sismólogo, sismógrafo.

seismographic, sismográfico.

seismography, sismografía.

seismological, sismológico.

seismologist, sismólogo.

seismology, sismología.

seismometer, sismómetro.

seismometric, sismométrico.

seismometrograph, sismometrógrafo.

seismophone (pet), sismófono, geófono.

seismoscope, sismoscopio.

seismotectonic, sismotectónico.

seize, (cab) abarbetar, barbetar, trincar, aforrar; (maq) aferrarse, agarrarse.

seizing, (cab) barbeta; (maq) aprieto, adhesión.

—— **iron**, herramienta para barbetar cable de alambre.

—— **strand,** torón de barbetar.
select grade (lbr), calidad selecta.
selectance (ra), selectividad, selectancia.
selective, selectivo.
—— **absorption** (ra), absorción selectiva.
—— **assembly,** armadura selectiva, ensamblaje selectivo o escogido.
—— **fit,** ajuste escogido.
—— **flotation** (met), flotación selectiva.
—— **transmission,** transmisión selectiva de velocidades.
—— **tuning** (ra), sintonización selectiva.
selectivity (ra), selectividad.
selector, (auto) selector, cambio de velocidades; (eléc) selector; (tel) selector; (mec) selector.
—— **switch** (elec), conmutador selector, selector.
—— **valve,** válvula selectora.
selenide, seleniuro.
selenite, (quím) selenito; (miner) selenita, espejuelo.
selenium, selenio.
—— **cell,** pila de selenio.
—— **rectifier** (elec), rectificador de selenio.
self-acting plane (min), rampa autoactuadora o de gravedad.
self-adjusting, autoajustador, de ajuste propio.
self-aeration, autoaeración.
self-air-cooled transformer, transformador de enfriamiento propio por aire.
self-aligning, autoalineador, de alineación propia.
self-annealing, autorrecocido.
self-balancing (elec), autoequilibrador.
self-bias (ra), autobias.
self-bonding, autoligador.
self-calibrating, autocalibrador.
self-calking, autocalafateador.
self-capacitance (ra), capacitancia propia, autocapacidad.
self-centering, autocentrador, de centraje propio.
—— **center punch,** punzón autocentrador, granete a campana.
self-cleaning, autolimpiador.
self-closing, de cierre automático.
self-coalescence, autocoagulación.
self-compensating, autocompensador.
self-computing level rod, mira de cómputo automático.
self-contained (mech)(elec), completo, enterizo, independiente.
self-cooled, enfriado automáticamente.
—— **transformer,** transformador enfriado por circulación natural de aire.
self-discharge (elec), descarga espontánea.
self-discharging (mech), descarga automática.
self-docking, autocarenaje.
self-draining, de drenaje automático.
self-dumping, autovolcante, autobasculante.
self-energizing brake, freno de automultiplicación de fuerza.
self-equalizing, autoigualador.
self-evaporation, evaporación automática.
self-excitation, autoexcitación, excitación propia.
self-excited oscillator (ra), oscilador autoexcitado, (A) oscilador autocontrolado.
self-extinguishing, de extinción automática.

self-feeding, de avance automático; autoalimentador.
self-filtering lens, lente autofiltrador.
self-fluxing, autofundente.
self-focusing, de foco automático, autofocador.
self-furring, autoenrasillante.
self-generative, autogenerador.
self-hardening, autoendurecedor.
self-heterodyne (ra), autodino.
self-ignition, autoencendido, encendido espontáneo, autoignición.
self-impedance, autoimpedancia, (A) impedancia propia.
self-indicating, autoindicador.
self-inductance, coeficiente de autoinducción, autoinductancia.
self-induction, autoinducción, (A) inducción propia.
self-inductive, autoinductivo.
self-inductor, autoinductor.
self-lengthening, autoalargador.
self-loading, autocargador.
self-locking, autocerrador, de encerrojamiento automático; autotrabador.
self-lowering jack, gato autobajador.
self-lubricating, autolubricador, autoengrasador.
self-moving, automotor, autopropulsor, locomotor.
self-mulching soil, suelo retenedor de humedad.
self-oiling, s autolubricación; a autolubricador.
self-opening, autoabridor.
self-operating, automático.
self-oscillation (ra), autooscilación.
self-oscillator (ra), autooscilador.
self-potential methods (geop), métodos autopotenciales.
self-powered scraper, traílla automotriz o automóvil, mototraílla.
self-priming, s autocebadura; a autocebador.
self-propelled electric locomotive, locomotora eléctrica automotriz.
self-protected transformer, transformador autoprotector.
self-purification (r), autopurificación, autodepuración.
self-raising, autoelevador.
self-reading rod (surv), mira parlante.
self-recording, autorregistrador.
self-rectifying (ra), autorrectificador.
self-reducing, autorreductor.
self-regulating, autorregulador, de regulación automática.
self-rotating, autorrotativo.
self-scrubbing, autolavador.
self-sealing, autosellador, de cierre propio.
self-sharpening, autoaguzador, autoafilador.
self-siphoning, autosifonaje.
self-starter, arrancador, autoarrancador.
self-starting, arranque automático.
self-stowing (naut), autoestibante.
self-supporting, autoestable; de sostén propio, (A) autoportante.
self-synchronizing, de sincronización automática.
self-tapping screw, tornillo autorroscante.
self-tightening, de apretamiento automático.

self-tipping, autovolcante, autobasculante.
self-ventilating, autoventilador.
self-vulcanizing, de vulcanización automática.
Sellers coupling, acoplamiento Sellers o de doble cono.
Sellers hob, herramienta rotativa de torno para cortar roscas.
Sellers thread, filete Sellers.
selvage, (geol) salbanda; (cerradura) placa de frente.
semaphore, semáforo.
—— blade, aleta de semáforo.
semiadjustable, semiajustable.
semiangle, semiángulo.
semianthracite, semiantracita.
semiarch, semiarco, semibóveda.
semiarid, semiárido.
semiartesian, semisurgente.
semiasphalt a, semiasfáltico.
semiaustenitic (met), semiaustenítico.
semiautomatic, semiautomático.
semiaxis, semieje.
semiaxle, semieje.
semibastard (file), semibastardo.
semibituminous coal, carbón semigraso o semibituminoso.
semicantilever, semicantilever.
semichord, semicuerda.
semicircle, (mat) semicírculo; (inst) semicírculo, grafómetro.
semicircular, semicircular.
—— arch, arco de medio punto o de centro pléno, bóveda de medio cañón.
semicircumference, semicircunferencia.
semicircumferential flow (sd), flujo semicircunferencial.
semicloverleaf intersection (rd), intercambio a medio trébol o por dos cuadrantes.
semicoated electrode (w), electrodo semirrevestido.
semicoke, semicoque.
semiconducting (elec), semiconductor.
semicrystalline, semicristalino.
semicubical, semicúbico.
semicylindrical, semicilíndrico, a medio cañón.
semidiameter, semidiámetro.
semi-Diesel, semi-Diesel.
semielliptical, semielíptico.
—— spring, ballesta de arco o de media pinza, elástico semielíptico, (A) semiballesta, (A) semielástico.
semienclosed impeller (pu), impulsor semiencerrado.
semienclosed motor, motor semiencerrado.
semifinished, semiacabado, semielaborado.
semifireproof construction, construcción semiincombustible.
semifixed beam, viga semiempotrada.
semifloating axle, eje semiflotante.
semifluid, semiflúido.
semiflush joint (p), acoplamiento semirrás.
semiflush light (ap), luz semirrasante.
semigelatin dynamite, dinamita semigelatina.
semihard rubber, caucho semiduro.
semihydraulic fill, terraplén semihidráulico.
semi-indirect lighting, alumbrado semiindirecto.

semi-infinite, semiinfinito.
semikilled steel, acero semimuerto.
semilogarithmic paper, papel semilogarítmico.
semilow-pressure tire, neumático de media baja presión.
semimagnetic controller, combinador semimagnético.
semimat (il), semimate.
semimetallic packing, empaquetadura semimetálica.
semioutdoor station (elec), central medio encerrada.
semiportable, semiportátil, semifijo.
semiprotected, semiprotegido.
semired brass, latón semicobrizo.
semirefined, semirrefinado.
semirefractory, semirrefractario.
semirigid, semirrígido.
semiskilled workman, medio oficial o mecánico, oficial.
semispan, semiluz.
semisteel, semiacero, hierro acerado.
semistrain insulator, aislador de semianclaje.
semitrailer, semirremolque, (A) semiacoplado.
—— scraper, traílla automotriz o semirremolque.
semivault, semibóveda.
semiwildcat (pet), semiexploratorio.
senarmontite, senarmontita (mineral de antimonio).
senary (math), senario.
sender (tel)(ra), transmisor, manipulador (telégrafo).
sending (ra), transmisión.
—— station (ra), estación transmisora.
sense finder (ra), indicador de sentido.
sensibility (inst), sensibilidad.
sensible heat (ac), calor sensible.
sensible-heat factor (ac), relación de calor sensible.
sensitive drill, taladro sensible.
sensitive plate, placa sensible.
sensitivity, sensibilidad, sensitividad.
sensitized (pmy), sensibilizado.
sensitometer (pmy), sensitómetro.
sensitometry, sensitometría.
separable, separable.
separate, v separar, apartar; a separado.
—— sewage, aguas cloacales separadas.
—— system (sw), sistema separado o de doble canalización, red doble de alcantarillado, (A)(Pe) sistema separativo.
separating
—— baffle, deflector separador, placa de choque separadora.
—— calorimeter, calorímetro de separación.
—— trap, interceptor separador.
separation (geol), separación.
—— factor (ve), factor de separación.
—— strip (rd), faja divisora o central.
separator, (est) espaciador, separador; (tub) separador o colector de agua; (min) escogedor, separador; (eléc) separador; (mec) separador.
separatory funnel (lab), embudo separador.
sepia (dwg), sepia.
—— print (pmy), impresión sepia.

sept-aer-sed method (sd), sistema septización-aeración-sedimentación.

septic, séptico.

—— **sewage,** aguas negras sépticas.

—— **tank,** tanque o pozo séptico, cámara o fosa séptica.

septicity, septicidad.

septicization, septización.

sequence (all senses), serie.

sequoia, pino gigantesco, secoya.

serial taps, machos de serie.

series (math)(elec), serie.

—— **circuit,** circuito en serie.

—— **connection,** conexión o acoplamiento en serie.

—— **excitation,** excitación en serie.

—— **motor,** motor devanado en serie, motor-serie.

—— **resonance,** resonancia en serie.

—— **resonant circuit,** circuito resonante en serie.

—— **welding,** soldadura en serie.

series-multiple circuit, circuito múltiple-serie.

series-parallel control, control en serie paralelo.

series-wound, devanado o arrollado en serie.

serpentine (geol), serpentina.

serrated, dentado, estriado.

serve (cab), aforrar, abarbetar, barbetar, amarrar.

service, *s* servicio; *v* prestar servicio (de limpieza, engrase, suministro, reparación, etc.).

—— **apron** (ap), faja de estacionamiento para servicio de los aviones.

—— **band** (ra), faja de servicio.

—— **bay** (powerhouse), área para servicio (de la maquinaria); tramo de servicio.

—— **box,** (agua) caja de llave de servicio; (eléc) caja de servicio o de abonado.

—— **brake** (auto), freno de pedal o de servicio.

—— **cable** (elec), cable para derivación particular.

—— **clamp** (water), abrazadera de servicio.

—— **cock,** llave o robinete de servicio, llave de cierre de la derivación.

—— **conductor** (elec), conductor de servicio.

—— **connection,** conexión domiciliaria, arranque domiciliario, derivación particular, conexión de entrada; (agua) acometida, toma particular, (A) enlace, (Col) pluma, (V) empotramiento; (al) acometida, atarjea doméstica; (eléc) derivación de servicio o del abonado, enlace domiciliario, acometida.

—— **connector** (elec), conector de servicio.

—— **drift** (min), galería de servicio.

—— **drop** (elec), el conductor del poste hasta la casa, colgante de servicio.

—— **elbow** (p), codo de toma particular o de servicio, codo macho y hembra.

—— **entrance cable** (elec), cable para entrada de servicio.

—— **equipment** (elec), dispositivos de servicio.

—— **factor** (elec), factor de servicio.

—— **head** (elec), cabezal de conducto de servicio, terminal de derivación.

—— **jack** (auto), gato de garage.

—— **life,** duración de servicio.

—— **meter,** contador de servicio o de consumo, medidor de abonado.

—— **pipe,** tubería de toma particular.

—— **pit** (ap), foso de servicio.

—— **road,** camino para tráfico local o de acceso ilimitado.

—— **saddle** (water main), silla de derivación.

—— **station,** estación o taller de servicio.

—— **stop,** llave de cierre en la derivación particular.

—— **switch** (elec), interruptor de derivación particular.

—— **T** (p), T de toma particular, T de servicio, T macho y hembra.

—— **test,** prueba de servicio.

—— **tools,** herramientas de servicio.

serviceman, reparador, mecánico.

serving (cab), aforro, amarraje, barbeta.

—— **board,** tabla de aforrar.

—— **mallet,** maceta de aforrar.

servo brake, servofreno.

servo cylinder, servocilindro.

servomechanism, servomecanismo, mecanismo servomotor.

servomotor, servomotor.

servoregulator, servorregulador.

sesquioxide, sesquióxido.

sesquisilicate, sesquisilicato.

sessile (sen), sesil.

set, *s* (planos) juego; (ct) fraguado; (pi) penetración; (mr) sentido; (est)(mec) flecha, deformación permanente; (sierra) triscado; (herr) triscador; (herr) cortador de bisel único; (min) marco; (tún) nervadura, marco, cuadro, cerco; *v* (ct) fraguar; (sierra) triscar, trabar; (mo) colocar, erigir; (mam) asentar, colocar; (maq) montar; (freno) poner, apretar; (her) formar con martillo-estampa; (inst) poner, ajustar.

—— **chisel,** cortafrío de herrero.

—— **gage,** calibre de triscado.

—— **hammer,** martillo-estampa.

—— **nut,** tuerca fiadora o de sujeción, contra-tuerca.

—— **shaft** (sa), eje de ajuste.

—— **shoe** (well), zapata.

—— **up** *v*, (ct) fraguar; (mec) armar, montar; (lev) colocar, sentar, poner, hacer estación; (empresa) fundar, establecer, instituir.

set-in (bw), retallo, rebajo.

setback, (ed) retallo; (lev) retroceso.

—— **line** (rd), línea para estructuras fuera de la explanación.

setbolt (sb), espiga, torillo; botador.

setoff, retallo.

setover (mt), dispositivo de ahusar; desplazamiento, excentricidad.

setscrew, tornillo opresor o prisionero o de ajuste o de presión o de apriete.

—— **wrench,** llave para tornillo opresor.

sett, adoquín de piedra.

setting, (ct) fraguado, fragüe; (cal) montadura; (mo) colocación, erección; (mam) asentado, colocación; (inst) ajuste, arreglo.

—— **angle** (mt), ángulo de decalaje.

—— **block** (saw), bloque para triscar.
—— **coat** (plaster), capa final.
—— **gage**, calibre de comprobación.
—— **point** (chem), punto de solidificación.
—— **stake**, triscador para sierra circular.
settle, (hid) sedimentarse, reposarse, posarse, asentarse, (V) aposarse; (cimiento) hacer asiento, asentarse; (com) ajustar, arreglar; (fin) saldar, liquidar.
settleable (hyd), asentable, sedimentable.
settlement, (hid) sedimentación, decantación, (Pe) subsidencia; (ot) asiento, asentamiento; arreglo; (com) saldo, liquidación.
settler, (pa) sedimentador; (met) tanque de sedimentación; (az) decantador; (pet) asentador.
settling, sedimentación, decantación.
—— **basin**, cámara o depósito de sedimentación, estanque decantador, arenero.
—— **solids**, sólidos sedimentables.
—— **tank**, tanque asentador o decantador.
—— **velocity**, (pa) velocidad de sedimentación; (hid) velocidad límite de sedimentación.
setup, instalación, montaje; (lev) colocación; (perforadora) colocación; (hid) sobreelevación del espejo de agua debido al viento.
setworks (sa), colocador, mecanismo de ajuste.
seven-bearing crankshaft, cigüeñal de siete cojinetes.
seven-eighths bar, barra de siete octavos (de pulg).
seven-ply belt, correa de siete capas.
seven-prong tube (ra), válvula de siete patas.
seven-sixteenths plate, plancha de siete dieciseisavos (de pulg).
sevenpenny nail, clavo de $2\frac{1}{4}$ pulg.
sewage, aguas cloacales, alcantarillaje, aguas negras o inmundas o servidas, (Pe) aguas excluídas, (C) albañal.
—— **disposal**, disposición del agua de cloacas, (M) eliminación de aguas negras, (C) disposición del albañal.
—— **distributor**, esparcidor de aguas negras.
—— **ejector**, eyector de aguas negras.
—— **farm**, área para disposición de aguas negras por irrigación de legumbres.
—— **field**, área para disposición de aguas cloacales.
—— **gas**, gas generado en la disposición de aguas negras.
—— **gate**, compuerta para aguas cloacales.
—— **meter**, contador de aguas negras.
—— **pump**, bomba para aguas de albañal, bomba cloacal.
—— **sampler**, sacamuestras de aguas negras.
—— **sludge**, lodos de aguas de cloaca.
sewage-borne disease, enfermedad llevada por las aguas cloacales.
sewage-disposal plant, estación depuradora de aguas cloacales.
sewage-treatment plant, instalación de tratamiento de aguas cloacales.
sewer, s cloaca, albañal, alcantarilla, albollón, conducto de desagüe, (M) desaguadero; v alcantarillar, (Ch) sanear.
—— **builder**, albañalero, (A) cloaquista.

—— **cleaner**, albañalero.
—— **gas**, gas cloacal.
—— **inlet**, tragante de cloaca, boca de admisión, imbornal, (C) caño.
—— **manhole**, pozo de acceso, registro de inspección.
—— **pipe**, tubo de albañal, caño de cloaca, (Pe) canal de desagüe; tubo de arcilla vitrificada o de barro, (Col) tubo de gres, (U) caño de barro gres.
—— **regulator**, regulador del gasto cloacal.
—— **rods**, varillas de madera para limpiar cloacas.
—— **system**, sistema de alcantarillado, red cloacal o de saneamiento.
sewer-cleaning machine, limpiadora de cloacas.
sewer-pipe locator, buscacloaca.
sewerage, alcantarillado, desagüe cloacal, saneamiento.
—— **system**, red de saneamiento, canalización de desagüe.
—— **works**, obras de alcantarillado.
sexagesimal, sexagesimal.
sextant, sextante.
shackle, s grillete, argolla; v engrilletar, agrilletar.
—— **bar**, alzaprima con grillete para arrancar clavos.
—— **block**, motón con grillete.
—— **bolt**, pasador o perno de grillete.
shackle-and-shackle turnbuckle, torniquete de doble grillete.
shade, (eléc) pantalla, reflector; (inst) pantalla.
—— **carrier** (elec), portarreflector, portapantalla.
shaded-pole motor, tipo de motor monofásico de inducción.
shading (dwg), sombreado; rasgueo.
—— **coil** (elec), bobina auxiliar de arranque.
shadow, sombra.
—— **zone** (geop), zona de sombra.
shadowgraph, radiografía, (Es) sombrógrafo.
shadowproof, inanublable.
shadrach (met), lobos, zamarras.
shaft, (maq) eje, árbol, (M) flecha; (asc) caja, pozo; (min)(tún) pozo, (M) tiro, (Ch) pique, (Col) tronera, (B) cuadro, (M) lumbrera; (cajón) chimenea; (columna) fuste, cañón, cuerpo, caña; (carretón) limonera, limón.
—— **alley** (sb), callejón o túnel del eje.
—— **bucket**, balde de pozo, capacho para pozo.
—— **gage**, jaula de pozo, camarín para pozo.
—— **collar**, cuello o collarín del eje.
—— **drive** (auto), transmisión a cardán.
—— **furnace**, horno de cuba o de cubilote.
—— **governor**, regulador axial o de árbol.
—— **hanger**, consola o apoyo o silla o soporte colgante.
—— **hoist**, malacate de pozo.
—— **horsepower**, caballos al eje.
—— **house** (tun)(min), edificio que encierra la boca del pozo.
—— **pocket** (min), nicho para el cajón.
—— **seal**, sello del eje.
—— **set** (min), marco de pozo.
—— **sinker** (drill), perforadora para barrenos profundos.

—— sinking, profundización del pozo.
—— spillway, pozo vertedero, vertedero de pozo, (A) embudo sumidero.
—— strut (sb), codal del eje.
—— tunnel (sb), callejón o túnel del eje.
shaft-plumbing bob, plomada para pozos.
shafting, sistema de ejes.
—— lathe, torno para ejes.
shaftway (bldg), pozo.
shake, s (mad) rodadura, venteada, venteadura, arrolladura, acebolladura; tejamaní hacheado; v sacudir.
Shakeproof (trademark), a prueba de vibración.
shaker, sacudidora.
shaking, sacudimiento, vibración; (min) ensanchamiento del fondo del barreno.
—— conveyor, transportador sacudidor.
—— grate, parrilla sacudidora, emparrillado oscilante.
—— screen, criba vibradora o de vaivén, reja sacudidora, zaranda vibratoria.
—— skip loader (mx), cargador sacudidor.
—— table, mesa sacudidora u oscilatoria o trepidante.
shale, esquisto, arcilla esquistosa, pizarra, (V) lajilla, (V) lutita.
—— oil, petróleo o aceite de esquisto.
—— saw, sierra mecánica para esquisto.
—— separator (pet), separador de esquistos, (V) separador de lutitas.
—— shaker (pet), criba del lodo, separadora de lutita.
—— spade, cavadora neumática para esquisto.
shallow, poco profundo, bajo, vadoso.
shallow-draft, de poco calado.
shaly, pizarroso, esquistoso, pizarreño.
shank, s (barrena) espiga, mango, rabo, cola, (Ch) culatín; (re) caña, fuste, cuerpo, vástago, husillo, (V) pata; (llave) caña, cañón; (ancla) asta, caña; (si) media luna; v (barrena) espigar.
—— gage (drill), calibrador de espigas.
—— grinder (drill), amoladora de espigas.
—— punch, punzón para espigas.
shanty (cons), galpón, cobertizo, tinglado, chozo.
shape, s (est) perfil, perfilado, (U) forma; v conformar, formar, modelar, amoldar; limar.
shaper, (mh) limadora; (mh) cepillo-limador; (mh) perfilador; (ca) conformadora, abovedadora; (em) trompo, tupí, fresadora.
shaping planer, cepillo limador, acepilladora limadora.
shareholder, accionista.
shares of stock, acciones.
sharp, (herr) afilada, aguzada, cortante; puntiaguda; (canto) vivo; (ángulo) agudo; (arena) angulosa, angular; (curva) cerrada, fuerte, estrecha, forzada, brusca, aguda; (pendiente) fuerte, parada.
—— tuning (ra), sintonización aguda.
sharp-crested weir, vertedero de pared delgada o de umbral agudo, (Pe) vertedero de cresta afilada.
sharp-edged orifice, orificio de aristas vivas o de borde afilado.
sharp-pointed, puntiagudo, alesnado.

sharpen, afilar, aguzar, amolar, (A) agudizar.
sharpener, afilador, aguzador, afiladera.
sharpening, afiladura, aguce.
—— stone, piedra de afilar, afilón.
sharpness, (herr) agudeza; (curva) estrechez; (ángulo) agudeza; (pendiente) grado.
shatter, despedazar, quebrar, destrozar, fragmentar, fracturar; despedazarse, quebrarse; (pilote) astillar.
shattered rock, roca fracturada o resquebrajada o despedazada (muy quebrada).
shatterproof, a prueba de despedazamiento o de fractura.
—— glass, vidrio laminado de seguridad, cristal inastillable.
shave v (mt), acepillar.
—— hook, rasqueta.
shaving die, matriz acabadora.
shavings, virutas, alisaduras, acepilladuras.
shear, s corte, cizallamiento, esfuerzo cortante; (mh) tijera mecánica, cizalla, (A) guillotina; v cizallar, recortar; (mh) trasquilar, (A) esquilar.
—— bolt (pet), perno rompible o cortable.
—— gate, compuerta de cizalla o de guillotina.
—— legs, machina, tijeras, grúa de tijeras o de tijera, cabria de tres patas, trípode de alzar.
—— pattern (sm), diagrama de corte, contorno de deslizamiento.
—— plates, tipo de conector metálico para ensamblaje de maderas.
—— wave (vibration), onda transversal o de corte.
—— zone (geol), zona de fallas menudas, (V) zona de cizallamiento.
shears, (herr) tijeras; (ec) machina, grúa de tijeras.
shear-pin splice (carp), ensamblaje con cabillas de acero empotradas en la junta.
sheared plate, plancha recortada o cizallada.
shearer (sb), cizallador.
shearing, cizallamiento, cortadura.
—— die, matriz de cizalla.
—— strain, deformación de corte.
—— strength, resistencia al corte o al cizalleo.
—— stress, esfuerzo cortante o de corte, cizallamiento, cizalleo, cortadura, (A) tensión de corte, (A) tensión tangencial.
—— tool (mt), herramienta trasquilante, (A) herramienta esquilante.
sheath, s estuche, vaina; forro, revestimiento; coraza; v entablar, entarimar, encofrar; (cab) forrar, acorazar.
sheathing, (carp) entablado, tablazón, entarimado; (cab) forro, revestimiento.
—— board, cartón de yeso para revestimiento de casas.
—— paper, papel de revestimiento.
sheave, garrucha, polea acanalada o de garganta, roldana.
—— block, motón.
—— bracket, ménsula de garrucha.
—— factor, relación del diámetro de la garrucha al diámetro del cable.
—— pin, eje, macho, husillo, pasador.

shed, tinglado, cobertizo, galpón, barraca, colgadizo, sotechado, chozo, tejadillo.
—— roof, techo de un agua, colgadizo.
shedder (mt), eyector.
sheepnose a (mech), de mediacaña.
sheepsfoot roller, aplanadora de pie de cabra, rodillo de pata de cabra, apisonadora de patitas de carnero, (Ec) rodillo de pata de oveja, aplanadora de pezuña.
sheepsfoot tamper, véase sheepsfoot roller.
sheepshank (knot), margarita.
sheer (na), arrufadura, arrufo.
—— boom (lg), barrera de guía.
—— plan (na), sección longitudinal.
—— skid (lg), corredera de guía.
—— strake (sb), traca de cinta.
sheet, s (acero) chapa, plancha, lámina; (geol) capa; (dib) hoja; v (exc) tablestacar, forrar.
—— asphalt, plancha de asfalto, carpeta asfáltica.
—— bars, barras para laminación de planchas.
—— bend, vuelta de escota.
—— brass, hoja o chapa de latón, (C) chapa metálica.
—— copper, cobre en hojas o en planchas.
—— gage, calibre para chapas.
—— glass, vidrio laminado o común o de cilindro.
—— ice, hielo congelado en el sitio.
—— iron, chapa de hierro, palastro.
—— lead, plomo en planchas o en hojas.
—— metal, palastro, chapa metálica o de palastro, chapa, hoja metálica.
—— packing, empaquetadura laminar.
—— pavement, pavimento de asfalto.
—— pile n, tablestaca.
—— piling, tablestacado, forros de zanja; pilotes de palastro.
—— rubber, hoja de caucho, lámina de goma.
—— steel, palastro o planchas de acero.
—— zinc, chapa de cinc, plancha de zinc.
sheet-iron folder, máquina plegadora de palastro.
sheet-metal
—— brake, máquina plegadora de chapa metálica.
—— cutter, cortachapa, cortador de hoja metálica.
—— shop, hojalatería, (A) cinguería.
—— work, chapería, chapistería, hojalatería, (A) cinguería.
—— worker, chapista, chapistero, hojalatero, (A) cinguero, (V) latonero.
sheet-pile v, tablestacar.
sheetflood, inundación de avenida.
sheeting, forros de zanja, estacadas, encofrado, revestimiento de la zanja, (A) empalizadas.
—— cap, grapón de hincar.
—— hammer, martillo hincador de tablestacas, clavaestacadas.
Sheetrock (trademark), tipo de cartón de yeso.
shelf, anaquel; (geol) cama de roca; (cn) larguero asiento de los baos.
—— angle (str), ángulo de asiento.
—— depreciation (elec), depreciación de desuso.
—— test (elec), prueba de desuso.
shell, concha; (mec) casco, cáscara; (tub) casco,

pared; (cal) cuerpo, casco, cilindro; (motón) cuerpo, cepo; (cn) forro exterior, casco; (aislador) campana, casco; (eléc) casco; (est) placa curva.
—— bit, mecha de mediacaña, cuchara taladradora.
—— chuck, anillo sujetador.
—— drill, broca de manguito.
—— end mill, fresa escariadora hueca.
—— file, lima curva de chapista.
—— limestone, piedra caliza de conchas.
—— longitudinal (sb), larguero del casco.
—— plating (sb), plancheado del casco, forro exterior.
—— reamer, escariador hueco, (A) escariador corona.
—— road, camino afirmado con conchas.
—— sand, arena de conchas.
—— still (pet), alambique acorazado o de casco, cilindro alambique.
—— stringer (sb), larguero del casco o del forro exterior.
shell-and-tube condenser, condensador acorazado o del casco.
shell-type transformer, transformador acorazado.
shellac, s laca, goma laca, barniz de laca; v lacar, (M) enlacar.
shelly, conchudo.
shelter deck (sb), cubierta de abrigo.
sherardize, esherardizar, (Es) cherardizar.
shield, s escudo, broquel, defensa; (eléc) pantalla; (tún) escudo; v (ra) apantallar.
shield-driven (tun), perforado con escudo.
shielded, protegido, encerrado.
—— arc (w), arco cubierto o protegido.
—— cable (elec), cable protegido.
—— joint (elec), empalme cubierto.
shielded-conductor cable (elec), cable de conductores encerrados.
shift, s (horas) turno, jornada, período de trabajo; (hombres) tanda, equipo, relevo, revezo, (Ch) faena, (M) parada; (geol) desplazamiento, (A) rechazo horizontal; v (auto) cambiar engranajes o velocidades; (eléc) decalar (escobillas).
—— boss, jefe o capataz de turno.
—— fault (geol), falla horizontal.
shifter, cambiador; decalador.
—— fork, cambiacorrea; (auto) horquilla de cambio.
—— shaft (auto), eje de cambio.
—— yoke (auto), horquilla de cambios.
shifting a, movedizo, corredizo.
—— plate (inst), placa de centrar.
—— ring (turb), anillo regulador.
—— sand, arena acarreadiza.
shim, s plancha de relleno, planchita, calza, calzo, zoquete, calce, laminita; v calzar.
—— stock, material para laminitas.
shimmy (auto), s bamboleo, zigzagueo, abaniqueo, (A) baile; v zigzaguear, oscilar las ruedas, bambolear, (M) colear, (A) bailar.
shingle, s (to) tejamaní, ripia, teja de madera; (r) grava, ripio; v (to) ripiar; (met) cinglar.
—— bolt, bloque de madera para aserrar en ripias.

—— **chisel**, sacarripias.
—— **lath**, listón debajo de las ripias.
—— **machine**, máquina para hacer tejamaníes.
—— **nail**, clavo de ripias, abismal, puntilla.
shingler, (to) ripiador, tejador de ripias; (met) cinglador, batidor.
shingling hatchet, hachuela ancha o para tejamaníes.
ship, s barco, buque, embarcación, navío; vapor; v mandar, enviar, embarcar, despachar, expedir.
—— **auger**, barrenador, barrena, taladra.
—— **broker**, corredor marítimo o de buques, agente naviero.
—— **canal**, canal navegable para buques de alta mar, canal marítimo.
—— **carpenter**, carpintero de ribera o de buque o de navío.
—— **carpenter's adz**, azuela de ribera o de espiga.
—— **carpenter's ax**, hacha de marina.
—— **carpenter's brace**, berbiquí de ribera.
—— **carpentry**, carpintería naval.
—— **chandler**, proveedor de buques, cabullero, cabuyero.
—— **chandlery**, cabullería, cabuyería.
—— **curves** (dwg), curvas del arquitecto naval.
—— **maul**, mandarria de marinero.
—— **point** (saw), punta estrecha.
—— **railway**, vía de carena.
—— **repair**, carena de naves.
—— **scraper**, rasqueta para cubiertas.
—— **surveyor**, arqueador.
ship's side, al costado del buque.
shipbuilder, constructor naval o de buques.
shipbuilding, construcción naval.
—— **channel**, perfil U para construcciones navales.
—— **crane**, grúa de grada.
shipfitter, armador de buques, oficial constructor de buques.
shipfitting, fabricación y armadura de buques.
shiplap (lbr), traslapos.
shipload, carga de buque completo.
shipment, cargamento, partida, consignación; despacho, embarque, envío, remesa, expedición.
shipowner, naviero, armador.
shipper, embarcador, cargador, remitente.
—— **shaft** (sh), eje en el aguilón con que se maniobra el brazo del cucharón.
shipping, despacho, envío, embarque; barcos.
—— **agent**, embarcador, transportista, expedidor.
—— **documents**, documentos de embarque.
—— **marks**, marcas de embarque.
—— **memorandum**, factura de embarque.
—— **notice**, aviso de embarque.
—— **ton** (ocean freight), 40 pies cúbicos.
—— **weight**, peso de embarque.
shipway, grada de astillero, varadero.
shipworm, broma, tiñuela, (C) teredo.
shipwreck, naufragio.
shipwright, carpintero de ribera o de buque.
shipyard, astillero, arsenal, varadero, carenero.
—— **slab**, banco cuadriculado de trabajo.
shiver, esquisto, pizarra.
—— **spar**, especie de calcita.

shoal, s bajo, bajío, rompiente, vado, barra de río, alfaque, encalladero; v disminuir en profundidad; a bajo, vadoso.
shock n, (mec) golpe, choque, impacto; (eléc) golpe, choque, (U) sacudida; (terremoto) sacudida.
—— **absorber**, (mec) amortiguador de choque; (hid) amortiguador de ariete.
—— **excitation** (ra), excitación por choque.
—— **loss** (hyd), pérdida por choque.
—— **test**, ensayo de golpe.
shock-absorbing bumper, tope amortiguador.
shock-resistant (elec), resistente a golpes.
shockproof (elec), a prueba de golpes.
shoe, (est) calzo, zapata, calza; (est) pedestal; (freno) zapata, calzo; (pi) azuche; (or) zapata; (auto) cubierta, llanta; (fc eléc) patín; zapata; (bocarte) caja, zapato; (aa) accesorio de transición.
shole (sb), calzo, zoquete.
shoofly track (rr), vía provisional.
shooks, tablillas para hacer cajas.
shoot, s (min) columna rica de mineral, (M) chimenea; (r) rabión, raudal, recial; v (vol) volar, hacer saltar, tronar, disparar.
—— **in** (grade points), usar línea de mira paralela a la rasante y lectura constante del jalón.
shooter (geop), disparador.
shooting
—— **box** (geop), detonador.
—— **flow**, caudal supercrítico.
—— **truck** (geop), camión de disparo.
shop, taller, fábrica, obrador, (Ch) maestranza.
—— **carpenter**, carpintero de banco o de taller.
—— **carpentry**, carpintería de taller o de blanco, (A) carpintería a vapor.
—— **drawing**, dibujo de construcción en fábrica o de taller.
—— **foreman**, jefe o capataz de taller.
—— **lumber**, madera por elaborar.
—— **number**, número de serie o de fábrica.
—— **rivet**, remache o roblón de taller.
—— **steward**, representante del gremio en una obra o un taller.
—— **test**, ensayo de fábrica; ensayo de taller.
—— **weld**, soldadura de taller.
shopwork, trabajo de taller.
shopworker, tallerista.
shoran (short-range aid to navigation), shoran.
shore, s (mar) costa, ribera, playa; (cons) puntal, puntal inclinado, codal, zanca, tentemozo, asnilla, apoyadero, entibo, (min) adema, ademe, (M) esteo; (ds) escora; v entibar, jabalconar, apuntalar, acodar, acodalar, apear, ademar, (ds) escorar.
—— **protection**, defensa de orillas, protección de riberas.
shorer, entibador, ademador, enmaderador.
shoring, apuntalamiento, entibamiento, entibación, acodamiento, apeo, ademado, (ds) escoraje.
—— **jack**, gato acodador o ademador.
short, corto; (met) quebradizo; (peso) falto, deficiente; (embarque) falto; v (eléc) poner en corto circuito.
—— **chord** (surv), subcuerda.

—— circuit *n*, corto circuito.
—— elbow (p), codo cerrado.
—— finish (gl), pulido defectuoso.
—— nipple (p), entrerrosca corta, niple corto, (A) rosca doble.
—— shunt (elec), corta derivación.
—— splice (cab), ayuste o empalme corto.
—— sweep (p), curva cerrada.
—— ton, tonelada neta o corta.
—— turn, vuelta cerrada.
short-body T (p), T de cuerpo corto.
short-circuit *v*, poner en corto circuito, (A) corto-circuitar.
short-circuiter, dispositivo de corto circuito.
short-oil varnish, barniz de bajo aceite.
short-pitch chain, cadena de paso corto.
short-pitch winding (elec), devanado o arrollamiento de cuerdas.
short-radius bend (p), curva cerrada.
short-term bond, bono a corto plazo.
short-time duty (elec), servicio de corta duración, trabajo de corto tiempo.
short-wave receiver (ra), receptor de ondas cortas.
shorten, acortar; acortarse.
shorthorn working (min), labor a 45° con el clivaje principal.
shorting bar (elec), barra de corto circuito.
shortleaf pine, pino de hoja corta o de fibra corta.
shortness (met), fragilidad.
shortwall machine (min), tipo de cortador de carbón.
shot, (sonda) municiones; (vol) tiro, voladura.
—— blast, chorro de municiones o de perdigones.
—— break (geop), instante de explosión.
—— cap (lab), tapa de municiones.
—— drill, sonda de municiones o de perdigones, taladro a municiones, perforadora a munición, (Es) sonda de granalla.
—— effect (ra), (A) efecto ametralladora.
—— hole, (vol)(geof) pozo de explosión, hoyo de disparo, (mad) agujero de barrenillo.
—— line (pet), alambre de disparo.
—— point (geop), punto de explosión o de disparo.
—— saw (stone), sierra de municiones.
shot-blast *v*, limpiar con chorro de perdigones.
shot-firer (bl), dinamitero, polvorero, (min) pegador.
shot-peen (met), picar con chorro de perdigones.
shotcrete, torcreto, torcretado.
shoulder, (mec)(carp) resalto, espaldón, hombro; (ca) banqueta, berma lateral, espaldón, respaldo, (C)(V) hombrillo, (C) paseo, (M) acotamiento, (M) banquina, (PR) paseo; (sol) hombro, cara de la raíz.
—— bushing (p), buje de reborde.
—— eyebolt, cáncamo de cuello, armella de resalto, perno de ojo con resalto.
—— nipple (p), niple sin rosca continua.
—— screw, tornillo de tope.
—— stud, prisionero de resalto.
—— ties (rr), las dos traviesas de una junta suspendida.
shove joints (bw), juntas empelladas.
shovel, *s* pala, (Pe)(B) lampa, (Col) palendra; pala mecánica, (Col)(A) excavadora, (Pe) paleadora, (C) apaleadora; *v* traspalar, palear.
—— boom, aguilón o botalón de pala.
—— cut, corte por pala mecánica.
—— dipper, cucharón de pala.
—— runner, maquinista de pala.
shovel-run material, material excavado por la pala sin clasificar.
shoveler, paleador, palero.
shovelful, palada.
shoveling, traspaleo, paleadura, paleo, apaleo.
shoving (rd), desplazamiento.
shower, aguacero.
—— bath, baño de ducha o de regadera o de lluvia.
—— condenser, condensador de rocío.
—— drain (pb), desagüe para ducha.
—— head, boquilla de ducha, regadera, (A) flor de lluvia.
shred *v*, picar, desmenuzar, triturar.
shredder, desfibradora; (dac) triturador, desmenuzador.
shrink, contraerse, acortarse; (ot) consolidarse.
—— fit, ajuste por contracción, ajuste empotrado en caliente.
—— on, montar o zunchar en caliente.
—— rule (fdy), regla de contracción.
—— welding, soldadura a contracción.
shrink-mixed concrete, hormigón de mezcla empezada en planta fija y terminada en tránsito.
shrinkage, contracción; merma; (ot) consolidación.
—— cavity (met), bolsa de contracción.
—— crack, grieta de contracción.
—— factor (ea), coeficiente de consolidación.
—— limit (sm), límite de contracción o de encogimiento.
—— ratio (sm), razón o relación de contracción.
—— stope (min), grada al revés dejando los escombros.
—— stress (conc), esfuerzo de contracción.
shroud (machy), aro de refuerzo; gualdera, guardera.
shrouds (sb), obenques.
shroud-laid rope, soga de cuatro torones con alma.
shrouded impeller (pu), impulsor encerrado.
shrouded pinion, piñón con bridas o con gualderas.
shunt, *s* (eléc) derivación; *v* (eléc) poner en derivación; (fc) apartar, desviar.
—— attachment (bl), dispositivo derivador.
—— coil, bobina o carrete en derivación.
—— dynamo, dínamo con excitación en derivación.
—— excitation, excitación en derivación.
—— leads (elec), conductores de derivación.
—— reactor, reactor en derivación.
shunt-wound, de arrollamiento en derivación, devanado en derivación.
shunting engine, locomotora de maniobras.
shunting resistor (ra), resistencia derivadora.
shut down *v*, parar, paralizar.
shut off (steam, etc.), cortar.
shut-in bottom-hole pressure (pet), presión a

fondo del pozo cerrado; presión estática de fondo.

shutdown *n*, paro, paralización.

—— **device** (elev), dispositivo de interrupción automática.

shutoff, cierre.

—— **cock,** llave de cierre o de paso.

—— **gate,** compuerta de paso.

—— **valve,** válvula de cierre, (Pe) válvula de interrupción.

shutter, (ventana) contraventana, sobrevidriera, persiana; (presa) tablero, alza; (fma) obturador; (auto) persiana, enrejado.

—— **assembly** (pmy), grupo del obturador.

—— **bar,** aldaba de contraventana.

—— **dam,** presa de hojas engoznadas al pie, presa de abatimiento.

—— **fastener,** fiador de contraventana.

—— **gate** (hyd), portillo.

—— **screen** (well), criba de persiana.

—— **weir,** vertedero de alzas; alza de tablero basculante, compuerta de tablero engoznado.

shutting stile (door), larguero de la cerradura.

shuttle

—— **armature,** inducido Siemens.

—— **conveyor,** transportador corto reversible.

—— **saw,** sierra de vaivén.

—— **train,** tren que hace viajes cortos de ida y vuelta.

Siamese connection (p), unión gemela.

siccation, secamiento.

siccative, secante.

sickle bend (pet), curva tipo hoz.

side, *s* lado, costado, flanco; (plancha) cara; (r) margen; (cerro) ladera, flanco; (ef) cuadrilla; (cn) banda; *a* lateral, de lado.

—— **adjustment** (surv), corrección de los iados.

—— **band** (ra), faja o banda lateral.

—— **cap** (pi), cepo lateral.

—— **chisel,** cortafrío de bisel único; formón de filo oblicuo o de bisel.

—— **clearance,** (maq) juego lateral; (fc) espacio libre lateral, franqueo lateral; (mh) espacio libre lateral, (A) despeje lateral.

—— **construction** (hollow tile), construcción cara a cara (células paralelas a las juntas.)

—— **cutter,** fresa de disco.

—— **drift** (tun), galería lateral de avance.

—— **dump,** descarga lateral, vaciado al lado, volquete lateral.

—— **elevation,** elevación o alzado lateral, alzado de costado.

—— **file,** lima de canto liso; (si) lima lateral.

—— **fillister,** guillame de costado.

—— **frequency** (ra), frecuencia lateral.

—— **hammer,** martillo de picapedrero de filo al lado.

—— **hatchet,** hachuela con filo biselado.

—— **heading** (tun), galería lateral.

—— **hole cutter** (pet), cortahoyo lateral, escofina cortapared.

—— **keelson** (sb), sobrequilla lateral.

—— **lap** (pmy), solapadura o superposición lateral, recubrimiento transversal.

—— **milling cutter,** fresa de corte lateral.

—— **plane,** cepillo de costado.

—— **planer,** cepilladora de un lado abierto.

—— **play,** juego lateral.

—— **plow** (rr), arado descargador por un lado, arado de descarga simple.

—— **rail** (auto), larguero del bastidor.

—— **rake** (mt), ángulo lateral de caída, inclinación lateral.

—— **rod** (loco), biela paralela o de acoplamiento.

—— **shot** (surv), visual desviada o auxiliar.

—— **slope,** talud lateral; (ca) talud interior.

—— **strake** (sb), traca de costado.

—— **suction** (pu), succión lateral.

—— **tone** (ra), onda de vuelta (al receptor de la misma emisora).

—— **tool** (mt), herramienta de corte lateral.

—— **trees** (min), postes laterales del marco.

—— **valves** (ge), válvulas laterales.

—— **view,** vista lateral o de costado o de lado.

—— **wall,** (ed) pared lateral; (neumático) costado, flanco.

side-cast *v* (ea), arrojar al lado, tirar lateralmente.

side-channel spillway, canal vertedor, vertedero lateral.

side-cleaning stoker (bo), alimentador de descarga lateral.

side-cut brick, ladrillo de lechos cortados por alambre.

side-cut lumber, madera sin médula.

side-cutting pliers, tenazas o alicates de corte lateral, pinzas de corte al costado.

side-feed filter press, filtroprensa de alimentación lateral.

side-fired furnace, horno de combustión lateral.

side-flow weir (sw), desviador del agua de tormenta, vertedero de alivio.

side-inlet T (p), T con toma auxiliar lateral.

side-inlet Y (p), Y con toma auxiliar lateral.

side-lap chain, cadena de eslabones soldados por el lado.

side-outlet elbow (p), codo con salida lateral o con derivación.

side-outlet T (p), T con salida lateral.

side-point nail, clavo de punta excéntrica.

side-rake angle (mt), ángulo de inclinación lateral.

side-retort stoker, cargador de retorta lateral.

side-skew brick (rfr), ladrillo de costado oblicuo.

side-telescope transit, tránsito de anteojo lateral.

sideboards (wagon), adrales, barandillas, (Ch) barrales, costaneras.

sidecar, cochecito lateral.

sidehill excavation, excavación a media ladera o a media falda, faldeo, (M) excavación en balcón, (Es) excavación en vertiente.

sidereal, sidéreo, sideral.

—— **time,** tiempo sidéreo.

siderite (iron ore), siderita, siderosa, espato ferrífero.

siderurgical, siderúrgico.

siderurgy, siderurgia.

sidesway (str), ladeo.

sidetrack, *s* apartadero, desvío, vía apartadera o derivada o lateral, (M) ladero; *v* desviar. apartar.

sidewalk, acera, vereda, (M) banqueta, (Col) andén, (Col) alar.
—— bridge, cubierta de acera (estructura protectora durante construcciones o demoliciones).
—— doors, escotillones de acera.
—— elevator, montacarga o ascensor de acera.
—— plow, quitanieva para aceras.
—— vault, bóveda, sótano bajo la vereda.
siding, (fc) desvío, desviadero, apartadero, (M) ladero, (M) espuela, (C) chucho; (mad) tablas de forro, tingladillos, tablas de chilla, traslapos, costaneras; (met) chapas para paredes; (cn) anchura de la cuaderna.
—— nail, clavo para tablas de forro.
—— tool (mt), herramienta de corte lateral.
sienna (dwg), siena.
sieve, s cedazo, tamiz, zaranda, cernedor; v cerner, cribar, zarandar.
—— analysis, análisis de tamices o de cedazo.
—— shaker, sacudidor para cedazos, vibradora de tamices.
sift, tamizar, zarandar, cerner, (Col)(Ch) harnear; colarse.
sifter, cernidor, tamizador, cribador.
sifting, zarandeo, cernido, tamizado.
sight, s (inst) pínula; (lev) visual, mira; v alinear con visual, apuntar, (A) visar.
—— distance (rd), alcance de la vista, distancia de visibilidad.
—— draft, giro a la vista.
—— edge (sb), canto exterior, borde de solapa.
—— feed, alimentación visible.
—— glass, vidrio de nivel, tubo indicador.
—— meter (il), medidor de pies-bujías.
—— rod (surv), jalón, vara de agrimensor.
sight-feed lubricator, aceitador cuentagotas, lubricador de alimentación visible, engrasador de gotas visibles.
sight-feed oil cup, aceitera con gota visible.
sight-flow, de flujo visible.
sighting (pmy), puntería.
—— telescope (pmy), anteojo de puntería.
sign n, señal, rótulo, letrero; (mat) signo.
signal, s señal; v señalar.
—— board, cuadro de señales.
—— bridge (rr), puente para señales.
—— code, código de señales.
—— cord, cuerda de señal.
—— flag, banderín, bandera de señales.
—— generator (ra), generador de señales, generador u oscilador de toda onda.
—— lamp, farol o lámpara de señal.
—— level (ra), nivel de señal.
—— light, linterna avisadora.
—— operation (elev), manejo por señales eléctricas.
—— tower, (fc) torre o garita de señales.
—— tracing (ra), investigación de la señal.
—— wave (ra), onda de señal, (A) onda de trabajo.
—— wire, alambre para señales.
signal-control elevator, ascensor de parada automática.
signal-noise ratio (ra), relación señal a ruido.
signalman, señalador, (Ch) señalero.

silencer, silenciador, amortiguador de ruido, sordina.
silent chain, cadena silenciosa o sorda.
silent discharge (elec), descarga silenciosa o sin ruido.
silent-chain drive, transmisión por cadena silenciosa.
silex, sílice.
silica, sílice, dióxido de silicio.
—— brick, ladrillo de sílice.
—— cement, cemento de sílice.
—— gel, sílice gelatinosa.
—— sand, arena silícea o de sílice.
silica-sesquioxide ratio (sm), relación sílice-sesquióxido.
silicate, silicato.
—— cotton, lana mineral.
—— of lime, silicato de cal.
—— of soda, silicato de sosa o de sodio.
silicated road surfacing, afirmado silicatado.
silication, silicación.
siliceobituminous, siliceobituminoso.
siliceous, silíceo, (Pe)(M) silicoso.
—— sinter, toba silícea.
silicic, silícico.
silicide, siliciuro.
silicomanganese, aleación de silicio y manganeso con un poco de hierro.
silicon, silicio.
—— brass, latón silícico.
—— bronze, bronce silíceo o silicado.
—— carbide, carburo de silicio, carborundo.
—— copper, aleación de silicio y cobre.
—— dioxide, dióxido de silicio, sílice.
—— ketone, silicón.
—— steel, acero al silicio.
silicone (inl), silicón.
silicosis, silicosis.
silk-covered wire (elec), alambre forrado de seda.
silky luster (miner), brillo sedoso.
sill, (puerta) umbral; (hid) busco, reborde, umbral, (U) zócalo; (ventana) umbral, solera, repisa; (cons) durmiente, solera inferior; (gr) larguero, durmiente; (esclusa) busco; (min) fondo del filón; (geol) capa o lámina intrusiva.
—— cock, grifo de manguera.
—— course (bldg), cordón al nivel del umbral de ventana.
silo, silo, silero.
—— block, bloque de segmento para silos.
silt, sedimentos, depósito o acarreo fluvial, azolve; limo, fango, lama, légamo, barro, suelo de granos 0.005 a 0.05 milímetro.
—— basin (sw), desarenador, sumidero, decantador, cámara de sedimentación.
—— deposition (hyd), depósito de acarreos.
—— load, arrastres, (A) derrame sólido, (M) acarreos de azolve.
—— removal, desembanque, desenlodamiento, (M) desazolvamiento.
—— runoff (hyd), escurrimiento sólido, acarreos del escurrimiento.
—— sluice (dam), conducto de desembanque, galería desarenadora o de evacuación, descargador de fondo.

—— **transportation,** acarreo de sedimentos.

—— **up,** sedimentar, embancarse, azolvarse, aterrarse, atarquinarse, enlegamarse, enfangarse, (A) colmatarse.

siltation, sedimentación, embanque, azolvamiento.

silting up, sedimentación, embanque, enlodamiento, atarquinamiento, embancamiento, azolvamiento, (A) colmataje.

silty, fangoso, limoso, barroso.

silver, plata.

—— **brazing,** soldadura de plata.

—— **bromide,** bromuro de plata, (miner) bromirita.

—— **bullion,** plata en barras.

—— **chloride,** cloruro de plata, (miner) cerargirita.

—— **cyanide,** cianuro de plata.

—— **foil,** hoja de plata.

—— **fulminate,** fulminato de plata, plata fulminante.

—— **glance,** argentita, plata agria.

—— **iodide,** yoduro de plata, (miner) yodirita.

—— **nitrate,** nitrato de plata.

—— **ore,** mineral de plata.

—— **solder,** soldadura de plata.

silver-alloy brazing, soldadura con aleación de plata.

silver-bearing, argentífero.

silver-copper glance, sulfuro de plata y cobre.

silvery iron, fundición argéntea.

silviculture, silvicultura.

silviculturist, silvicultor.

similar (math), semejante.

—— **fold** (geol), pliegue similar.

similitude (math), similitud.

simonize, simonizar.

simple, simple, sencillo.

—— **beam,** viga simplemente apoyada.

—— **curve,** curva de radio constante.

—— **engine,** máquina de simple expansión.

—— **equation,** ecuación del primer grado.

—— **fraction,** quebrado o fracción común.

—— **governor,** regulador centrífugo de bolas.

—— **harmonic current** (elec), corriente sinusoidal.

—— **ore,** mineral de un solo metal.

simple-cycle gas turbine, turbina de gas de ciclo simple.

simple-tuned transformer (ra), transformador de sintonización sencilla.

simplex, simple.

—— **pile,** tipo de pilote de concreto que se vacía en el lugar mientras se saca el molde.

simplexed circuit (tel), circuito aprovechable para telefonía y telegrafía simultáneamente.

simply-supported beam, viga sostenida o simplemente apoyada o libremente apoyada.

simultaneous (math), simultáneo.

sine, seno.

—— **bar,** regla de senos.

—— **curve,** curva sinoidal.

—— **galvonometer,** brújula o galvanómetro de senos.

—— **law,** ley senoidal.

—— **wave,** onda senoidal o sinusoide.

singing (tel), zumbido.

—— **arc,** arco voltaico sonoro.

—— **point** (tel), límite de rendimiento sin zumbar.

single, simple, sencillo.

—— **back-geared lathe,** torno de engranaje simple.

—— **grid wiring** (elec), canalización de red simple.

—— **groove weld,** soldadura de ranura sencilla.

—— **jack** (min), porrilla.

—— **latticing** (str), enrejado sencillo.

—— **purchase,** engranaje simple; aparejo simple.

—— **riveting,** remachadura sencilla, roblonado simple.

—— **roller chock** (sb), escotera simple con rodillo.

—— **run-around wiring** (elec), canalización de circunvalación simple.

—— **shear,** esfuerzo cortante sencillo o simple, cortadura simple.

—— **shift,** jornada simple, turno único, una sola jornada, (M) tiempo sencillo.

—— **track,** vía única o simple o sencilla.

—— **whip,** aparejo de un motón fijo o de lantia.

—— **winding** (elec), devanado simple.

single-acting, de simple efecto, de acción simple, de efecto único.

single-arch dam, presa en arco o de bóveda sencilla, (M) cortina de un solo arco.

single-bevel groove (w), ranura monobiselada.

single-bitted ax, hacha de un solo filo.

single-braid (elec), forro de trenza simple.

single-break switch (elec), interruptor de ruptura única.

single-cable control, mando por un cable.

single-case turbine, turbina de envoltura simple.

single-compensating polariscope, polariscopio de simple compensación.

single-conductor cable (elec), cable de un solo conductor.

single-cut file, lima musa o de picadura sencilla o de talla simple.

single-cycle, monocíclico.

single-cylinder, monocilíndrico, de un solo cilindro.

single-dial control (ra), monocontrol.

single-direction roller bearing, cojinete de efecto simple.

single-disk, monodisco, de disco único.

single-drum (eng), de tambor sencillo, de torno único.

single-duct conduit (elec), conducto simple o de vía única.

single-duty, de servicio simple.

single-end tenoner (ww), espigadora simple.

single-expansion, de expansión simple.

single-flow condenser, condensador de un paso.

single-flow turbine, turbina de efecto simple.

single-flute drill, broca de acanalado simple.

single-gang faceplate (elec), chapa de salida simple.

single-image photogrammetry, fotogrametría por imagen única.

single-inlet impeller (pu), impulsor de admisión simple.

single-lane road, camino de una sola vía.

single-lens camera, cámara simple.

single-line bucket, cucharón de un solo cable.

single-line contact (elec), contacto sencillo.

single-loop weldless chain, cadena de eslabones de vuelta simple.

single-offset quarter bend (p), codo recto con desplazamiento.

single-offset U bend (p), curva en U con desplazamiento.

single-orifice nozzle, tobera de orificio único.

single-pass superheater, recalentador de paso único.

single-pass weld, soldadura de paso simple.

single-phase (elec), monofásico.

single-pitch roof, techo de agua simple o a simple vertiente.

single-plate clutch, embrague de platillo único.

single-point thermostat, termóstato de acción simple.

single-point tool (mt), herramienta de punta única o de punta simple.

single-pole, unipolar, monopolar.

single-purpose dam, presa de aprovechamiento simple o de uso único.

single-reduction gearing, engranaje de reducción simple.

single-retort stoker, cargador de retorta única.

single-row ball bearing, cojinete de bolas de fila única.

single-sheave block, monopasto, motón sencillo.

single-shielded ball bearing, cojinete de bolas de protección simple.

single-shot drop-out (elec), caída de un solo tiro.

single-side-band transmission (ra), transmisión de banda lateral única.

single-signal (ra), monoseñal.

single-speed, de velocidad única.

single-spindle shaper, limadora de un solo huso o de husillo simple.

single-stage, de un grado, de etapa única, de un escalón.

—— turbine, turbina de expansión simple o de grado único.

single-suction, de aspiración simple.

single-sweep T (p), T de curva simple, tubo en T con codo.

single-thick window glass, vidrio simple o común sencillo.

single-thread screw, tornillo de rosca simple.

single-throw

—— crankshaft, cigüeñal simple o de un codo.

—— lock (hw), cerradura de una vuelta.

—— switch (elec), interruptor de vía única.

single-tube injector, inyector de tubo único.

single-V butt weld, soldadura en V simple.

single-valued function (math), función de simple valuación.

single-wall cofferdam, ataguía de tablestacado simple.

single-wedge polariscope, polariscopio de cuña simple.

single-welded, de soldadura simple.

single-whip tackle, tecle.

single-wire, monofilar.

—— cleat (inl), presilla para un solo hilo.

single-wrap cable splice (elec), empalme de enrollado simple.

singletree, barra articulada de tiro, balancín.

sink, s sumidero, sentina; (geol) depresión; (pb) fregadero, pileta; v (cimiento) hundirse, asentarse; (pozo) profundizar, ahondar, cavar, (M) colar; (cajón) bajar, hundir, calar; (buque) hundir, echar a pique; hundirse, echarse a pique, anegarse.

—— water (sw), aguas de fregadero.

sinkage, hundimiento; (carp) (mam) depresión, muesca, entalladura, caja.

sinker bar (pet), barra perforadora o de percusión.

sinker drill, martillo perforador para barrenos profundos, perforadora de piso.

sinkhead (met), cabeza caliente.

sinkhole, sumidero.

sinking, hundimiento; profundización.

—— bucket (min), capacho para profundizar pozos.

—— fund, fondo de amortización.

—— pump, bomba colgante o suspendida.

sinoidal, sinusoidal.

sinter, s concreción; v concrecionar, (V) sinterizar.

sinuous flow (hyd), flujo turbulento.

sinusoid, sinusoide.

siphon, s sifón; v sifonar.

—— air valve, válvula de sifón para aire.

—— breaker, destructor de acción de sifón.

—— can, bote-sifón.

—— chamber, véase siphon tank.

—— primer, cebador de sifón.

—— spillway, sifón vertedero o aliviadero, vertedor-sifón.

—— tank, tanque sifónico.

siphon-jet water closet, inodoro sifónico a chorro, (A) inodoro de evacuación sifónica, (Es) inodoro de sifón inyector.

siphonage, sifonaje.

siphonic, sifónico.

siphoning, sifonaje.

siren, sirena.

sirup (su), meladura; melaza.

sisal, henequén, sisal, (C) pita.

—— rope, cable de henequén, soga de sisal, cabuya.

sister block, motón de dos garruchas una sobre la otra.

sister hooks, ganchos gemelos.

sister-type hook (crane), gancho de dos cuernos.

site, ubicación, sitio, situación, asiento, (PR) emplazamiento.

—— angle (surv), ángulo vertical.

sitka spruce, picea del Pacífico.

six, seis.

six-bolt splice (rr), junta de seis bulones.

six-circuit switch, interruptor de seis circuitos.

six-cut finish (stone), acabado con martellina de seis hojas.

six-cylinder, de seis cilindros.

six-inch pipe, tubería de 6 pulg.

six-phase, hexafásico.

six-pin crossarm (elec), cruceta de seis espigas.

six-ply, de seis capas.

six-point bit, broca de seis filos.

six-pole, hexapolar.

six-prong tube (ra), válvula de seis patas.

six-tube receiver (ra), receptor de seis válvulas.
six-wheel truck, camión de seis ruedas.
sixpenny nail, clavo de 2 pulg.
sixteen-pitch thread, rosca de dieciocho vueltas por pulgada.
sixteenpenny nail, clavo de $3\frac{1}{2}$ pulg.
sixteenth n, un dieciseisavo.
—— **bend** (p), codo de $22\frac{1}{2}°$.
sixth bend (p), codo de 60°.
sixth-round, sexto de tubo.
sixty-fourth n, sesenticuatroavo.
—— **bend** (p), codo de $5\frac{5}{8}°$.
sixtypenny nail, clavo de 6 pulg.
size, s tamaño; v clasificar por tamaño; (pint) aparejar, plastecer, encolar; (mad) igualar, dimensionar; (mad) calibrar; (mec) labrar a tamaño.
sizer, medidor, calibrador; clasificador; (mad) igualador, dimensionador.
—— **die** (th), cojinete acabador.
—— **tap,** macho acabador.
sizing, clasificación por tamaño; (pint) encolado, aparejo, encolaje, barniz de apresto, plaste; (mad) igualación, labrado.
—— **rolls** (met), rodillos de formación.
—— **table,** mesa medidora.
—— **tool,** herramienta para cortar a tamaño.
skate (rr), patín de frenaje.
—— **machine** (rr), mecanismo manipulador del patín.
skatole (sen), escatol.
skeg (sb), patilla, zapata.
skeleton (str), esqueleto, armazón.
—— **car,** carro sin caja.
—— **construction,** construcción esquelética (muros apoyados sobre el esqueleto).
—— **key,** llave maestra; ganzúa.
—— **lagging** (tun), revestimiento abierto, forro incompleto.
skelp (met), plancha para tubos.
sketch, s croquis, esquema, esbozo, bosquejo; v esbozar, bosquejar.
—— **plate,** plancha cortada según croquis.
skew, s sesgo, sesgadura, oblicuidad, esviaje; v sesgar, oblicuar, esviar.
—— **arch,** arco oblicuo o sesgado o en esviaje.
—— **bridge,** puente sesgado u oblicuo o en esviaje.
—— **chisel,** formón de filo oblicuo.
—— **corbel** (mas), piedra de anclaje en una albardilla inclinada.
—— **hinge,** bisagra con levante.
skew-back saw, serrucho de lomo ahuecado.
skewback, sotabanco, imposta, salmer, sillar de arranque.
skiagraph, radiografía.
skid, s (ec) larguero, corredera, patín, viga de asiento; (cargar) varadera, polín; (auto) patinada, patinazo, resbalón, (M) derrapada; (ef) deslizadera, corredera; v mover deslizando; (ef) arrastrar; (auto) patinar, resbalar, (M) derrapar.
—— **hoist,** malacate de patines o sobre largueros.
—— **road** (lg), camino de arrastre.
skid-mounted, montado sobre largueros.
skid-resistant, resistente al patinaje.

skidder (lg), arrastrador de troncos; carretilla, carrito.
skidding, (auto) patinaje, resbalamiento; (ef) arrastre.
—— **carriage** (lg), carrito corredizo.
—— **chain** (lg), cadena de arrastre.
—— **crew** (lg), cuadrilla de arrastre.
—— **grab** (lg), agarradora; tenazas de arrastre.
—— **line** (lg), cable de arrastre.
—— **pan** (lg), placa de arrastre.
—— **sled** (lg), rastra.
—— **tongs** (lg), tenazas.
—— **trail** (lg), vía de arrastre, arrastradero.
skidway (lg), embarcadero, varaderas.
skilled labor, trabajo experto o de artesano.
skilled workman, artesano; oficial.
skim, s (vi) línea de burbujas pequeñas; v desnatar, despumar.
—— **coat** (plaster), capa de acabar.
skimmer, (ec) desencapadora, pala niveladora, (A) pala aplanadora; (dac) espumadera, desnatador; (fund) desescoriador.
—— **scoop** (ce), desencapadora, cucharón desencapador, pala niveladora, (U) rasador.
skimming, (hid) derivación del agua superficial; (pet) destilacion inicial o primaria.
—— **dipper** (sh), cucharón aplanador.
—— **gate,** (hid) compuerta de basuras; (fund) espumadera.
—— **ladle,** cuchara de desnatar.
—— **trough,** artesa de despumación.
—— **weir** (water supply), vertedero rozador.
skin, piel, forro, revestimiento.
—— **coat,** capa delgada; (yesería) capa de acabar.
—— **effect** (elec), efecto superficial o pelicular, efecto Kelvin.
—— **friction,** fricción superficial.
—— **patch** (rd), bacheo superficial.
—— **plate,** placa de cara o de forro.
—— **resistance** (na), resistencia friccional.
skip n, (exc) cajón, cucharón, (M) esquife, (M) concha, (M) bote, (M) chalupa, (min) (Es) vasija; (mad) área sin acepillar.
—— **distance** (ra), distancia de mala recepción.
—— **hoist,** montacarga de cajón (por vía inclinada).
—— **indexing,** división alternativa.
—— **loader,** cargador, cucharón de cargar, (A) cuchara, (A) balde cargador.
—— **shaker** (mx), sacudidora del cargador, vibrador de cucharón.
—— **welding,** soldadura alternativa o salteada.
skip-tooth saw, sierra de garganta ancha.
skipper road (lg), vía de arrastre con correderas atravesadas o diagonales.
skirt, faldón de émbolo; costado o faldón de guardabarro.
—— **board** (conveyor), tabla delantal.
—— **plate,** placa delantal.
skirting (carp), tablas de zócalo; guarnición de pozo de escalera.
skive, adelgazar, ahusar, biselar.
skull cracker, bola rompedora.
sky line (lg), cable aéreo o portante.
sky wave (ra), onda indirecta o de cielo, (A) onda espacial, (A) onda celeste.

skylight, claraboya, tragaluz, lumbrera, luceta, (A) buhardilla, (C) lucernario, (Col) luz cenital, (Col) aojada.
— operator, ajustador de claraboya.
skyscraper, rascacielos.
slab, *s* (conc) losa, placa, (V) platabanda, (M) dala, (U) carpeta; (est) palastro, plancha; (met) zamarra; (mad) costero, costanera; (mármol) losa; (min) laja, lámina; *v* (mad) quitar los costeros.
— analogy, analogía de la placa.
— band (bldg), viga ancha y poco profunda de concreto armado.
— chipper (wood), picadora de costeros.
— dog (sb), gatillo de banco.
— miller, fresadora de superficie.
— pin (sb), pasador de banco.
slab-and-buttress dam, presa tipo Ambursen, dique de pantalla plana.
slabbed tie (rr), traviesa redonda o de palo.
slabbing (min), labor por lajas.
— cutter, fresa cilíndrica helicoidal.
— machine, tipo de fresadora.
— mill, laminador de palastro en bruto.
slack, *s* (cab) flojedad, seno; (carbón) cisco, carbón menudo; *v* aflojar, amollar, arriar, lascar; (carbón) desmenuzarse; *a* (cab) flojo.
— adjuster, regulador de juego.
— tide, repunte de la marea, estoa.
— water, cilanco, agua muerta; marea muerta.
slack-cable switch (elev), interruptor automático para cable flojo.
slackline cableway, excavadora funicular o de cable aéreo o de cable aflojable, cablevía flojo, draga de arrastre, (Ec) draga cavadora.
slackline scraper, traílla de cable de arrastre.
slackline-dragline, excavadora de cable aéreo o de cable aflojable, draga de arrastre.
slag, *s* escorias, escorias de alto horno, cagafierro, moco; *v* escorificar, escoriar; escoriarse.
— brick, ladrillo de escoria y cemento.
— cement, cemento de escoria.
— concrete, concreto de escorias.
— dump, escorial, (M) grasero.
— filter, filtro de escoria triturada.
— furnace, horno de escorificación.
— hearth, hogar escoriador.
— inclusion (w), inclusión de escoria.
— roofing, tejado de fieltro y alquitrán con capa superficial de escoria.
— sand, escoria triturada al tamaño de arena.
— tap (met), bigotera.
— wool, lana mineral o de escoria, (A) algodón mineral.
slagging producer, gasógeno escorificador.
slake, (cal) apagar, azogar, matar; (roca) desmoronarse, desmenuzarse.
slaked lime, cal apagada o muerta.
slaker, apagador.
slaking (soil), deleznamiento.
slant *n*, tubo biselado; (al) bifurcación; (lab) cultivo sesgado.
slash (lg), ramalla, ramojo.

— bar, atizador, hurgón.
— pine, pino de hoja corta.
slasher (sa), cortador.
slat, tablilla, listón, tableta.
— conveyor, transportador de listones, conductor de tablillas, (C) estera.
— door, puerta persiana o romanilla o de rejilla.
— machine, máquina para hacer listones y tablillas.
slate, *s* pizarra, esquisto; *v* empizarrar, apizarrar.
— cement, cemento de asfalto con polvo de pizarra.
— clay, arcilla pizarrosa.
— quarry, pizarral.
— roof, empizarrado.
— saw, sierra para cortar pizarra.
— spar, especie de calcita.
— tile, baldosa de pizarra.
slater, pizarrero.
slater's
— cement, cemento de empizarrar.
— felt, fieltro de empizarrar.
— hammer, martillo de pizarrero.
— stake, bigorneta de pizarrero.
slating nail, abismal de tejar, clavo de pizarrero.
slatted pulley, polea ancha de rejilla.
slaty, pizarroso, esquistoso.
slaughterhouse wastes, desechos de matadero.
sled, trineo, narria, rastra.
sledge hammer, mandarria, marra, combo, marrón, marro, macho, acotillo.
sledge handle, mango de marra, cabo de combo.
sledging wrench, llave para martillar.
sleek, película oleosa.
— stone, piedra pulidora.
sleeker, alisador.
sleeper, durmiente, dormido, corredera empotrada; (piso) plantilla.
sleeping car, coche dormitorio.
sleeping table (min), gamella fija, mesa durmiente.
sleet, aguanieve, cellisca; hielo.
— cutter, cuchilla quitahielo.
— hood, guardacellisca.
— wheel, polea quitahielo.
sleetproof, a prueba de cellisca; a prueba de hielo.
sleeve, manguito, camisa, manga, casquillo.
— axle, eje hueco.
— bearing, cojinete de manguito, chumacera de camisa.
— brick, ladrillo refractario tubular o de manguito.
— clutch, embrague de manguito.
— coupling, unión o acoplamiento de manguito.
— nut, manguito tensor o de tuerca, tensor, torniquete de manguito.
— puller, sacamanguito.
— turnbuckle, torniquete de manguito.
— valve, válvula de manguito o de camisa.
— wrench (elec), torcedor de manguito de unión.
sleeving (elec), manguito.
slenderness ratio (str), razón de delgadez, relación de esbeltez.

slice *n* (sb), cuña de grada.
— bar, hurgón, atizador, limpiaparrilla, (A) lanza.
slicer, desguazador.
slicing (min), tajado, rebanado.
slick (rd), *s* película oleosa; *a* resbaladizo.
— chisel, escoplo ancho de torno.
— sheet (exc), plancha de metal para paleo.
slickenside (geol), espejo de falla, (A) espejo de fricción, (A) superficie de deslizamiento.
slicker, gabán de lona encerada, (C) capa; (herr) alisador.
slide, *s* (mec) resbaladera, corredera, colisa, reglilla (regla de cálculo); (ms) deslizamiento; (tierra) desprendimiento, derrumbe, dislocación, (min) atierre; (inst) cursor, colisa; platina (microscopio); *v* deslizar, resbalar; deslizarse; (tierra) derrumbarse, desprenderse.
— bar, guía de la corredera.
— block (eng), corredera de cuadrante oscilante.
— calipers, calibre corredizo de espesor, calibre a colisa, regla de calibrar, cartabón corredizo, calibrador a cursor.
— comparator, comparador corredizo.
— rule, regla de cálculo.
— valve, corredera, distribuidor, válvula corrediza.
slide-wire bridge (elec), puente de hilo y cursor.
slide-wire potentiometer, potenciómetro de conductor corredizo.
sliding, *s* (presa) deslizamiento, resbalamiento; *a* corredizo, corredero, deslizante.
— and overturning (dam), resbalamiento y giro.
— bearing, asiento de deslizamiento.
— contact (elec), contacto rozante o corredizo.
— door, puerta corrediza.
— factor (dam), factor de seguridad contra deslizamiento.
— failure (wall), derrumbe o falla por deslizamiento.
— fit, ajuste corredizo.
— friction, frotamiento o fricción de deslizamiento, roce resbaladizo.
— gate, (hid) compuerta deslizante o de guillotina; (fc) barrera corrediza.
— gears, tren de engranajes corredizos, engranajes desplazables.
— knot, nudo corredizo.
— pinion, piñón deslizable o desplazable.
— shaft, árbol corredizo.
— ways (sb), cuna de botadura.
slider, cursor, resbalador, deslizadora.
sliding-bar handle (t), manivela de barra corrediza.
sliding-stem valve, válvula de vástago corredizo.
sliding-vane rotary compressor, compresora de aletas corredizas.
slim file, lima delgada.
slim-hole rig (pet), perforadora para pozo angosto, equipo para perforación de hoyos pequeños.
slime (water mains), babaza.
slimes (ore reduction), fango mineral, lama, (Ch) barro.

sling, *s* eslinga, braga; *v* eslingar, embragar.
— hook, gancho para eslinga.
— link, eslabón para eslinga.
— psychrometer, psicrómetro giratorio, (V) termómetro de fronda, (Es) psicrómetro de honda.
slinging charge (naut), eslingaje.
slip, *s* (tierra) derrumbe, desprendimiento; (geol) desplazamiento; (met) desliz; (cn) grada; (op) espacio entre espigones; (op) arrimadero (barco de transbordo); (correa) deslizamiento; (bm) escape, pérdida; (hélice) resbalamiento; (mot) deslizamiento, (C) resbalamiento; (pet) cuña; (ef) rampa de entrada al aserradero; *v* resbalar, patinar, deslizarse; desprenderse.
— bushing, casquillo deslizante.
— clay, arcilla fácilmente fusible.
— clutch, embrague deslizante.
— dock, dique con vía de carena.
— form, molde deslizante o corredizo.
— gage, calibrador de espesor.
— grab (lg), eslabón de retención.
— hook, gancho por el cual puede deslizarse la cadena, gancho de deslizamiento.
— joint, unión resbaladiza o corrediza, junta movediza.
— knot, nudo corredizo.
— lines (met), líneas microscópicas de falla incipiente.
— plane (sm), plano de deslizamiento.
— ring (elec), anillo colector o rozante o de frotamiento.
— scraper (ea), traílla, pala de arrastre, (Ch) pala buey, (M) escrepa.
— sill (carp), umbral entre jambas.
— skids (lg), deslizaderas.
— stone, piedra achaflanada para afilar.
— switch (rr), cruzamiento con cambiavía, cambio corredizo, (A) cambio de cruzamiento, (A) cambio inglés, (C) cruzamiento enlazado.
— tongue (carp), lengüeta postiza.
— washer, arandela abierta.
slip-joint pliers, alicates de articulación movible o de expansión, (A) pinza ajustable.
slip-on flange (p), brida loca o postiza, (V) brida de deslizamiento.
slip-ring motor, motor de anillos rozantes o de anillo o de inducido devanado.
slipband, véase slip lines.
slippage, (correa) resbalamiento; (mec) pérdida; (contador) gasto no medido; (ms) desprendimiento.
— course (ap), lecho de arena entre pavimento viejo y capa superpuesta.
slipper, (maq) zapata, patín; (cn) deslizadera.
— brake (rr), freno de patín.
slippery, resbaladizo, resbaloso.
slipproof, a prueba de resbalamiento, antideslizante.
slipway (sb), grada de halaje, deslizadero, varadero.
slit, *s* raja, hendedura; *v* rajar, hender.
slit-edge plate, plancha de cantos recortados.
slitter, tajadera.

—— **knife**, cuchilla de rajar.
slitting, hendedura.
—— **file**, lima-cuchillo, lima de hender.
—— **saw**, sierra para ranurar metales, cortador rotativo delgado.
—— **shears**, cortador mecánico para hojalata, cizalla para chapa metálica.
sliver, astilla, brizna; cinta (rope).
slogging chisel, romperremaches.
sloop (lg), especie de trinco.
slop molding (brick), moldeado con lubricación de agua.
slope, *s* cuesta, recuesto; (ot) talud, declive, pendiente; (cerro) ladera, falda, vertiente, flanco; (to) inclinación, declive, vertiente, faldón; *v* ataludar, ataluzar, taludar; inclinarse.
—— **circle** (sm), círculo de talud.
—— **gage**, plantilla de talud, gálibo de inclinación; clisímetro, nivel de pendiente.
—— **level**, clinómetro, nivel de pendiente.
—— **meter**, indicador de pendiente.
—— **of repose** (ea), talud natural o de reposo.
—— **of 1½ to 1**, talud de 1½ por 1 o de 1½ sobre 1.
—— **paving**, revestimiento de taludes.
—— **protection**, defensa de taludes.
—— **ratio**, relación del talud.
—— **stake**, estaca limitadora de talud, (M) estaca de declive.
—— **wall**, muro de defensa del talud.
slope-stake rod, mira limitadora de taludes.
sloper blade (road machine), hoja para taludes, ataludadora.
sloping-flange I beam, viga I de ala ahusada.
sloppy (conc), aguado.
slot, *s* ranura, muesca, canal; *v* ranurar, acanalar; cepillar verticalmente.
—— **cutter**, cortadora de ranuras.
—— **rail**, riel de ranura, carril partido.
—— **system** (elec rr), sistema de contacto subterráneo.
—— **weld**, soldadura de muesca o de ranura.
slotted, ranurado.
—— **hole** (str), agujero oblongo, taladro ovalado.
—— **nut**, tuerca encastillada.
—— **screw**, tornillo de cabeza ranurada.
—— **thumbtack**, chinche de ranura.
—— **washer**, arandela abierta.
slotter (mt), ranuradora.
slotting
—— **auger**, barrena para mortajas.
—— **file**, lima ranuradora.
—— **machine**, máquina de ranurar; limadora vertical.
slough (ea), *s* derrumbe, desprendimiento; *v* desprenderse, derrumbarse, deslizarse.
slow sand filter (wp), filtro de arena de acción lenta.
slow-burning
—— **construction** (bldg), construcción de combustión lenta o de maderos pesados.
—— **fuse** (bl), mecha de avance lento.
—— **wire** (elec), alambre con aislación de combustión lenta, alambre de lenta quemadura.

slow-curing cutback, asfalto rebajado de curación lenta.
slow-motion screw (inst), tornillo de aproximación.
slow-opening valve, válvula de acción lenta.
slow-setting cement, cemento de fraguado lento.
slow-speed generator, generador de marcha lenta.
slowdown device (elev), dispositivo de retardación al fin del recorrido.
sludge, barro de barreno; (dac) cieno, lodo, fango, heces, barro cloacal, (M) bahorrina; (pa) cienos, sedimentos; (min) fango mineral, lama; (auto) cieno, fango.
—— **acid** (pet), ácido sucio o lodoso.
—— **blanket** (sd), colchón de cieno.
—— **bed** (sd), lecho secador para cienos.
—— **cake** (sd), pan de cieno, terrón de lodos, (B) torta de lodos.
—— **collector**, recogedor de cieno, colector de lodo.
—— **conditioner**, acondicionador de cienos.
—— **conditioning** (sd), acondicionamiento de cienos.
—— **digestion** (sd), digestión de cienos o del fango.
—— **disintegrator**, disgregador de cienos.
—— **drier** (sd), desecador de cienos.
—— **elevator**, elevador de cienos.
—— **gas** (sd), gas de cieno o de los lodos.
—— **incinerator**, incinerador de cienos.
—— **index** (sd), índice de sedimentación.
—— **mixer**, mezclador de cienos.
—— **pressing** (sd), desecación de cienos por presión.
—— **pump**, bomba de lodo.
—— **remover**, quitador de cienos.
—— **scraper**, raedera de cienos, raspadora de barros.
—— **sounder**, sondador de cieno.
—— **splitter** (min), partidor del fango.
—— **thickener**, espesador de cieno.
—— **trough**, artesa de cienos.
—— **well**, pozo de cienos.
sludge-digestion chamber, cámara de digestión.
sludge-drying bed, lecho secador de cienos, (A) secadero.
sludger, cubeta sacalodo, sacaarena.
slue, girar, dar vueltas; hacer girar.
sluff, véase **slough**.
slug, pedazo de metal; (min) pepita; (pet) tarugo.
slugging wrench, llave de martillo o para martillar.
sluggish (r), despacioso.
sluice, *s* (hid) esclusa, conducto de evacuación, vano de limpieza; (min) conducto separador de oro, canalón, esclusa; *v* mover con corriente de agua; desfogar.
—— **box**, caja de esclusa.
—— **gate**, compuerta de desagüe o de evacuación o de esclusa o de purga, compuerta desarenadora o desripiadora, boquera.
—— **valve**, válvula esclusa o de desagüe; válvula de compuerta.
sluiceway, conducto de evacuación, vaciadero,

esclusa; (presa) aliviadero o descargador de fondo, (Col) escape de fondo.

sluicing, transporte o acarreo hidráulico, arrastre con chorros de agua; esclusaje.

sluing, giro, viración.

—— **attachment** (de), dispositivo de giro.

—— **engine** (sh), máquina de giro.

—— **gear,** mecanismo de giro.

—— **plates** (de), placas de fijación de los cables de tiro.

—— **ring** (crane), corona dentada de giro.

—— **rods,** tirantes de giro.

slump *n,* (conc), asentamiento, abatimiento, asiento, (M) revenimiento, (A)(Pe)(U) aplastamiento; (geol) hundimiento; (ms) derrumbe, desprendimiento.

—— **cone** (conc), molde cónico para la prueba de asentamiento, (M) cono de revenimiento.

—— **pan** (conc), bandeja para la prueba de asentamiento.

—— **test** (conc), prueba de asentamiento, ensayo de abatimiento, (M) prueba de revenimiento.

slurry, pasta aguada, lechada.

—— **base** (rd), base de agregado sin cribar consolidado por agua.

slush, *s* (pet) lodo, barro; (maq) compuesto antiherrumbroso; *v* (mam) rellenar con mortero blando; (min) llenar hidráulicamente; (min) mover por pala de arrastre.

—— **ice,** chispas de hielo.

—— **pump** (pet), bomba de lodo.

slusher, (min) limpiador de barrenos; (tún) trailla cargadora.

slushing drift (min), galería de arrastre o de pala de arrastre.

slushing oil, grasa de protección para superficies brillantes de metal.

slushproof (pet), a prueba de lodo.

small calorie, caloría pequeña, caloría-gramo, (M) gramocaloría.

small end (eng), pie de la biela.

smalls (min), finos.

smaltite (miner), esmaltina, esmaltita, cobalto arsenical.

smashboard signal (rr), señal de brazo roto.

smear (sm), remoldeo del suelo a la periferia de un pozo de arena.

—— **ratio,** relación de remoldeo.

smeared zone, zona de remoldeo.

smelt, fundir, beneficiar.

smelter, hacienda de beneficio o de fundición, oficina de fusión.

smelting furnace, horno de fundición o de beneficio.

smith forging, forja con matriz abierta.

smithing, herrería.

—— **coal,** carbón de forja o de herrero.

smithsonite (miner), esmitsonita, (M) smithsonita.

smog, niebla con humo.

smoke, *s* humo; *v* humear.

—— **detector,** indicador de humo.

—— **helmet,** casquete guardahumo.

—— **indicator,** indicador de humo.

—— **meter,** medidor de humo.

—— **pipe,** conducto de humo.

—— **washer,** lavador de humo.

smoke-consuming, fumívoro.

smoke-density recorder, registrador de la densidad del humo.

smokebox (loco), caja de humos.

smoked glass, vidrio ahumado.

smokejack (rr), tragante, humero (depósito de locomotoras).

smokeless, sin humo, fumívoro, fumífugo.

—— **arch** (ht), deflector fumívoro.

smokeproof, a prueba de humo, estanco al humo.

smokestack, chimenea.

smooth *a,* liso, alisado; llano; suave.

—— **file,** lima musa o dulce.

—— **finish** (stone), acabado liso (tolerancia $\frac{1}{16}$ pulg).

—— **nozzle,** boquilla lisa.

—— **plane,** cepillo alisador o acabador.

—— **rasp,** escofina dulce.

—— **soil,** suelo suave o arcilloso o de granos redondeados.

—— **up,** alisar, aplanar.

smooth-coil cable, cable de arrollado liso.

smooth-face brick, ladrillo liso.

Smooth-on (trademark), cemento para hierro.

smooth-wheel roller, rodillo de ruedas planas (sin patas de cabra).

smoother *n* (fdy), alisador, espátula.

smoothing, alisadura.

—— **blade** (road machine), cuchilla alisadora.

—— **capacitor** (ra), capacitor filtrador.

—— **iron** (asphalt), alisador.

—— **tool** (mt), herramienta alisadora.

snag, *s* astilla, púa; (r) tronco sumergido; (ef) árbol roto; *v* desbarbar, desbastar.

snagging grinder, esmeriladora desbastadora.

snagging wheel, desbarbadora.

snail curve (rd), curva espiral.

snail-head countersink, abocardo tipo caracol.

snake, *s* (eléc) cinta pescadora; *v* (ef) arrastrar.

—— **fence,** (C) cerca alemana.

—— **hole** (bl), (cantera) barreno horizontal al pie del frente; agujero en el suelo debajo de un canto rodado.

snakeholing (bl), voladura por barrenos de levantamiento.

snaking machine (lg), máquina de arrastre.

snaking trail (lg), vía de arrastre, arrastradero.

snap *n* (re), boterola.

—— **flask** (fdy), caja de charnela.

—— **gage,** calibre exterior.

—— **header** (bw), tizón falso, medio tizón.

—— **hook,** mosquetón, gancho de mosquetón o de resorte.

—— **lock** (hw), cerradura de resorte.

—— **ring** (piston), aro de resorte.

—— **shackle,** grillete de pestillo o de resorte.

—— **switch** (elec), interruptor de resorte.

—— **team,** pareja auxiliar o ayudante, (C) tiradero.

—— **tractor,** tractor suplementario de tiro.

—— **wrench,** llave de agarre automático.

snap-on reflector (il), reflector de resorte.

snap-ring-type ball bearing, cojinete de bolas con anillo de resorte.

snaphead (re), cabeza de botón.

snatch

—— **bar,** barra de enganche para tractor suplementario.

—— **block,** pasteca, (M) garrucha de bisagra.

—— **cleat,** cornamusa escotera.

—— **hitch,** enganche de gancho.

—— **loading,** carga con pareja o tractor de tiro.

—— **team,** véase **snap team.**

—— **tractor,** tractor suplementario de tiro.

sneak current (tel), corriente casual poco fuerte.

snifting valve, llave roncadora o de alivio.

snipe *v* (lg), redondear (cabo del tronco).

snips, tijeras de hojalatero.

snore holes (pu), agujeros de aspiración.

snore piece (pu), coladera, alcachofa.

snow, nieve; nevada.

—— **blower,** soplador de nieve.

—— **course,** zona nivométrica.

—— **fence,** palizada para nieve, paranieve, valla paranieves.

—— **gage,** medidor de nevada, nivómetro.

—— **line,** límite de las nieves perpetuas.

—— **load,** carga de nieve o debida a la nieve.

—— **loader,** máquina cargadora de nieve.

—— **manhole** (sw), registro para nieve, (Es) traganieves.

—— **sampler,** medidor de nieve, probador de nevada.

—— **shovel,** pala para nieve.

—— **survey,** relevamiento nivométrico.

—— **sweeper,** barredora de nieve.

—— **trap** (rd), trampa paranieve.

snowdrift, ventisca, ventisquero.

snowfall, nevada.

snowplow, arado de nieve, quitanieve, limpianieve.

—— **wings,** quitanieve de camión.

snowshed, guardanieve, cobertizo para nieve.

snowslide, avalancha de nieve, alud.

snub *v,* (cab) detener, refrenar, amarrar; (correa) doblar, plegar.

snubber, tambor de frenaje; (auto) amortiguador; (pet) empaquetadura de fricción.

snubbing (min), socavación.

—— **line,** cable de refrenamiento.

—— **machine** (lg), máquina de refrenamiento.

—— **post,** poste de amarre.

snug *n,* reborde, oreja, nervadura.

—— **fit,** ajuste sin holgura.

soakaway, sumidero ciego.

soaking

—— **chamber** (pet), cámara de reacción.

—— **charge** (battery), carga poco fuerte de larga duración.

—— **furnace** (met), horno de recalentar.

—— **pit** (met), foso de recalentamiento.

soap, jabón.

—— **brick,** ladrillo angosto.

—— **earth,** jaboncillo, esteatita.

—— **hardness** (wp), dureza de jabón.

—— **test** (wp), ensayo al jabón.

soapstone, esteatita, jaboncillo, saponita.

socket, *s* (mec) casquillo, rangua, boquilla, tejuelo, quicionera, cubo; (cab) encastre, enchufe, grillete; (eléc) portalámpara; (pet) pescasondas, campana de pesca; (herr) manguito, casquillo estriado; (ra) portaválvula, portatubo; (ra) zócalo; *v* (cab) encastrar, engrilletar.

—— **attachments,** herrajes para casquillo.

—— **bowl** (wr), casco del encastre, taza del enchufe.

—— **bushing** (elec), manguito aislador para portalámpara.

—— **chisel,** formón, escoplo de espiga hueca.

—— **flange** (p), brida de enchufe.

—— **gage,** calibrador de cubo, calibre de copa.

—— **gouge,** gubia de espiga hueca.

—— **peavy,** pica de gancho de espiga hueca.

—— **punch,** sacabocado, sacabocado a golpe.

—— **setscrew,** opresor hueco.

—— **welding fittings** (p), accesorios de boquilla para soldar.

—— **wrench,** llave de casquillo o de cubo, (A) bocallave.

socket-end elbow (p), codo de enchufes (por soldar).

socket-head cap screw, prisionero de cabeza hueca.

sod, *s* césped, tepe, gallón, (Ec) chamba; *v* encespedar, enyerbar, engramar, (A) entepar.

—— **cloth,** defensa al pie de tienda de campaña.

soda, sosa, soda.

—— **alum,** alumbre sódico.

—— **ash,** carbonato sódico anhidro, ceniza de soda, sosa comercial.

—— **feldspar,** feldespato sódico, albita.

—— **niter,** nitro sódico o de sodio.

soda-soap grease, grasa de jabón de soda.

sodium, sodio.

—— **aluminate** (sen), aluminato sódico o de sodio.

—— **bicarbonate,** bicarbonato de soda, carbonato ácido de sodio.

—— **chloride,** cloruro de sodio, sal común.

—— **cholate** (lab), colato de sodio.

—— **desoxycholate** (lab), desoxicolato de sodio.

—— **hydrate** or **hydroxide,** hidróxido o hidrato de sodio, sosa cáustica.

—— **hyposulphite,** hiposulfito o hidrosulfito de sodio.

—— **ion,** ion sódico o de sodio.

—— **light,** luz de vapor de sodio.

—— **mercaptide,** mercáptido de sodio.

—— **metasilicate,** metasilicato de sodio.

—— **nitrate,** nitrato de sodio o de soda.

—— **silicate,** silicato de sodio o de sosa.

—— **thiosulphate** (sen), tiosulfato o hiposulfito de sodio.

—— **vapor,** vapor de sodio.

—— **zeolite,** zeolita sódica.

sodium-cooled, enfriado por sodio.

soffit, sofito, plafón, paflón; intradós.

soft, blando.

—— **coal,** hulla grasa, carbón bituminoso o graso.

—— **iron,** hierro dulce o blando.

—— **phototube,** fototubo a gas.

—— **solder,** soldadura blanda o de estaño.

—— **steel,** acero dulce o suave.

—— **temper,** temple blando.

—— **tube** (ra), tubo de vacío parcial, (A) válvula blanda, (Es) tubo dulce.

—— **water,** agua suave o blanda o delgada.
soft-annealed, de temple blando.
soft-burned brick, ladrillo rosado o mal cocido.
soft-drawn wire, alambre recocido.
soft-laid (rope), de torcido flojo.
soft-mud brick, ladrillo de barro blando.
soft-tipped hammer, martillo de peña blanda.
soften, reblandecer, ablandar, ablandecer; reblandecerse, ablandarse; (agua) suavizar, ablandar, endulzar, adelgazar, adulzar.
softener, (met) ablandador; (agua) suavizador, ablandador.
softening, ablandamiento, reblandecimiento.
—— **filter** (wp), filtro suavizador.
—— **plant** (wp), planta suavizadora o de ablandamiento.
—— **point,** punto de reblandecimiento.
—— **tank** (wp), tanque suavizador.
softness, blandura; (agua) suavidad, blandura, (Pe) dulzura.
softwood, madera blanda, (U) madera tierna.
soil n, tierra negra o vegetal; suelo, tierra; terreno.
—— **auger,** barrena de tierra.
—— **branch** (pb), derivación de la tubería de evacuación.
—— **cake,** pan de tierra, pastilla, galleta.
—— **mechanics,** mecánica de los suelos.
—— **mortar** (rd), mortero terrizo (fracción que pasa tamiz No. 10).
—— **physicist,** físico de suelos.
—— **physics,** física de suelos.
—— **pipe,** tubo evacuador de inodoros; cañería de fundición liviana, (V) tubería de hierro negro.
—— **piping** (pb), tubería de evacuación, cañería residual.
—— **profile** (rd), sección del terreno.
—— **punch,** punzón de tierra.
—— **sampler,** muestreador de tierra.
—— **stabilizer** (rd), estabilizador de suelos.
—— **stack** (pb), tubo vertical para evacuación de inodoros, bajada de inmundicias, bajante de aguas negras.
—— **stress** (pet), esfuerzo de adhesión (del terreno).
—— **survey,** estudio de suelos, investigación de los suelos.
—— **technology,** tecnología de los suelos.
—— **tube,** tubo muestreador de tierra.
soils engineer, ingeniero de suelos.
soil-bound macadam, macádam ligado con tierra.
soil-cement road, camino de tierra estabilizado con cemento.
sol-air temperature (ac), temperatura del aire exterior que al barlovento (del edificio) produciría la misma entrada de calor que las condiciones existentes.
solar, solar.
—— **attachment** (transit), accesorio solar.
—— **compass,** brújula con anteojo solar.
—— **constant,** constante solar.
—— **navigator** (pmy), instrumento que facilita seguir la faja de vuelo.
—— **oil,** aceite solar.
—— **paper,** papel para negrosinas.

—— **spectrum,** espectro solar.
—— **telescope** (transit), anteojo solar.
—— **time,** tiempo solar o aparente o verdadero.
solarization (pmy), solarización.
solder, s soldadura; v soldar, estañar, (A) sopletear.
—— **dipper** (elec), cuchara soldadora.
—— **pot,** olla para soldadura, crisol de soldadura.
solder-joint fittings (p), accesorios soldables o para soldar.
soldering, soldadura.
—— **bolt,** cabeza de cobre del soldador.
—— **bushing** (p), casquillo de soldar, boquilla para soldar.
—— **copper,** soldador de cobre.
—— **flux,** fundente para soldar.
—— **furnace,** hornillo para hierro de soldar.
—— **iron,** soldador, cautín, hierro para soldar.
—— **lug,** oreja para conexión soldada, orejeta de soldadura.
—— **nipple** (p), niple roscado por un solo extremo, niple por soldar.
—— **paste,** pasta para soldar, compuesto de soldar.
solderless connector (elec), conector a presión o sin soldadura.
soldier course, hilera de ladrillos colocados de cabeza, ladrillos de testa, (M) ladrillos parados.
soldier frame (min), marco a la entrada de la galería.
sole leather, vaqueta.
sole-flue coke oven, horno de tiro inferior.
solenoid (elec), solenoide.
—— **brake,** freno de solenoide.
solenoid-operated, mandado por solenoide.
solenoidal, solenoidal.
solepiece, solera, durmiente, solera de base, bancada.
soleplate, (est) placa de asiento; (carp) solera inferior; (maq) bancada, bancaza.
solid, sólido, macizo; enterizo.
—— **angle,** ángulo sólido.
—— **bearing,** cojinete cerrado, chumacera enteriza.
—— **dam,** presa maciza.
—— **geometry,** geometría tridimensional.
—— **injection** (di), inyección sin aire.
—— **line** (dwg), línea llena.
—— **measure,** medida para sólidos.
—— **pulley,** polea enteriza.
—— **rock,** roca fija o sólida o maciza.
—— **solution,** solución sólida.
—— **sprocket,** rueda de cadena enteriza.
—— **thimble** (cab), guardacabo enterizo.
—— **tire,** goma o llanta maciza, bandaje macizo.
—— **web** (str), alma llena.
—— **wedge** (va), cuña sólida o enteriza.
—— **wire** (elec), alambre enterizo.
solid-core fuse (bl), mecha de núcleo sólido.
solid-drawn tubing, tubo estirado o sin costura.
solid-neutral switch (elec), interruptor de neutro sólido.
solid-tooth saw, sierra enteriza o de dientes fijos.
solidified water (sm), agua solidificada.
solidify, solidificar, solidificarse.

solidity, solidez.
solidus curve (chem), curva solidus.
solifluction, solifluceión.
sollar (min), plataforma, descanso, rellano.
solstice, solsticio.
solubility, solubilidad.
solubilize, solubilizar.
soluble, soluble.
solute (chem), s substancia disuelta; a soluble.
solution, (quím) solución, disolución; (mat) solución.
— cavity (geol), caverna debida a disolución de la caliza.
— channel (geol), paso de agua por disolución de la roca.
— feeder, alimentador de solución.
solve (math), resolver, (Pe) reducir.
— for (math), despejar.
solvent, s solvente, disolvente, disolutivo; a solvente.
sonic, sónico.
— fog dispersal (ap), dispersión sónica de la niebla.
sonograph, sonógrafo.
sonometer, sonómetro.
soot, hollín.
— blower, aventador de hollín.
— catcher, hollinero, deshollinador.
— ejector, eyector de hollín.
— fall (ac), deposición de hollín.
sooty, holliniento.
— ore, especie de calcocita.
sorbent, absorbente; adsorbente.
sorbite (met), sorbita.
sorbitic, sorbítico.
sorption, absorción; adsorción.
sorting, clasificación.
— belt, correa seleccionadora.
— boom (lg), barrera de clasificación.
— hammer (min), martillo para machacar mineral.
— jack (lg), balsa de clasificación.
— track, vía de acomodación.
— yard (rr), patio de clasificación.
sound, s sonido; (geog) estrecho, sonda; v (náut) sondar, sondear; a (roca) sólida, resistente, sana; (mad) densa, resistente, sana; (ct) de volumen constante; (ag) durable, resistente al intemperismo, inalterable; (com) solvente.
— absorber, absorbedor de sonido, amortiguador del sonido.
— insulation, aislación de sonido.
— gate (tv), entrada de sonido.
— knot, nudo fijo o sano.
— transmission, transmisión de sonido.
— wave, onda sonora o acústica.
sounder, (náut) sondador, sondeadora; (tel) resonador, receptor.
sounding, sondeo.
— bottle, botella de sondeo.
— lead, escandallo.
— line, sonda, sondaleza, bolina.
— machine, máquina sondadora.
— pipe (sb), tubo de sondaje.

— rod, sonda, tientaaguja, vara de sondear, tienta.
soundings, sondajes, sondeos.
soundness, sanidad, resistencia, solidez; constancia de volumen; solvencia.
— test (ct), ensayo de inalterabilidad de volumen, prueba de sanidad.
soundproof, antisonoro, insonoro, sordo.
soundproofing, aislación del sonido, amortiguamiento de ruido, revestimiento sordo.
sour, agrio, ácido; (pet) sulfuroso.
source, fuente.
— of supply (water), fuente de abastecimiento.
— wire (elec), alambre alimentador o de fuente.
south, s sud, sur; a del sur, austral, meridional; adv al sur.
— point (compass), punta sur.
southeast n a, sudeste.
southern, del sur, austral, meridional.
— pine, pino del sur, (M) pino austral.
southing (surv), diferencia de latitud hacia el sur.
southwest n a, sudoeste.
sow n, (her) matriz; (met) reguera, fosa; (met) goa, galápago.
space, s espacio, lugar; v espaciar.
— charge (ra), carga espacial o de espacio.
— coordinates, coordenadas en el espacio.
— current (ra), corriente espacial.
— factor (elec), factor de espacio.
— frame (str), armadura de tres dimensiones.
— heater, calentador unitario o de espacio.
— quadrature (elec), cuadratura de espacio.
— resection (surv), resección en espacio.
— structure, estructura estérea.
space-charge grid (ra), rejilla de carga espacial.
spaced column, columna de tablones ensamblados.
spacer, espaciador, separador.
spacing, separación, espaciamiento, equidistancia.
— bars (reinf), barras espaciadoras o repartidoras.
— interval (tel), intervalo de reposo.
— ring, anillo espaciador.
— washer, arandela separadora o espaciadora.
— wave (tel), onda separadora o de reposo, (A) onda espaciadora.
spad (surv), alcayata, escarpia.
spadable sludge (sd), cieno traspalable.
spade, s azada, azadón, laya, palín, garlancha, (C) legón; (conc) paleta; v azadonar, azadonear; (conc) consolidar con paleta, (M) picar.
— handle (elec switch), agarradera D, manija.
— vibrator (conc), vibrador de pala.
spader, (conc) paletador; (herr) pala neumática, martillo de pala.
spaghetti insulation (elec), tubo de algodón tejido.
spall, s laja, astilla de piedra, lasca, (U) escalla, (A) descantilladura, (M) rejón, (PR) estilladura; v astillarse, desconcharse, desgajarse, descostrarse, (PR) estillarse.
spalling hammer, dolobre, almádana.
span, s (pte) luz, claro, ojo; tramo; (avión) envergadura; v salvar, pontear, franquear.

—— guy (elec), retenida aérea.

spandrel, (arco) enjuta, embecadura; (ed) antepecho, pared de relleno.

—— arches, arcos de descarga o de enjuta.

—— filling, (Es) enjutado.

—— steps (mas), escalones triangulares.

—— wall, (arco) tímpano, muro de enjuta; (ed) pared de relleno (entre ventana y piso superior).

Spanish, español.

—— oak, roble colorado.

—— white, blanco de España.

—— windlass, tortor, molinete.

spanner, llave de manguera o de gancho o de horquilla.

spar, (miner) espato; (náut) palo, pértiga, berlinga.

—— buoy, baliza, boya de pértiga o de palo o de asta.

—— deck (sb), cubierta superior.

—— tree (lg), árbol grúa o de anclaje.

—— varnish, barniz exterior o marino o de intemperie.

spare, de repuesto, de reserva.

—— boiler, caldera de reserva.

—— equipment, equipo o planta de repuesto.

—— parts, repuestos, piezas de recambio o de repuesto o de reserva, (M) refacciones.

—— tire, neumático de repuesto, goma de recambio, (M) llanta de refacción.

spare-wheel rack (auto), portarrueda.

sparge, rocío.

—— pipe, tubo rociador.

spark, s chispa; v chispear, chisporrotear.

—— arrester, (fc) chispero, parachispas, guardachispas; (eléc) apagachispas, amortiguador de chispas.

—— catcher, chispero, arrestachispas.

—— coil (ge), bobina de chispas o de encendido.

—— condenser (elec), supresor de chispas.

—— extinguisher, apagachispas.

—— gap (elec), distancia disruptiva; descargador a distancia explosiva.

—— ignition (eng), encendido de chispa o por chispa.

—— killer (elec), supresor de chispas.

—— knock (eng), golpeo por encendido.

—— lever (auto), manija de ignición, palanquita del encendido.

—— micrometer (elec), micrómetro de chispas.

—— plug (ge), bujía, bujía de encendido.

—— transmitter (ra), transmisor de chispas, radiotransmisor a chispa.

spark-gap oscillator, oscilador tipo explosor.

spark-over (elec), salto de chispa.

spark-plug socket, casquillo para bujía.

spark-plug wrench, llave para bujías.

sparker, (eléc) apagachispas; (auto) encendedor.

sparking, chisporroteo, chispeo.

—— distance (elec), distancia explosiva máxima.

—— points (ge), puntas de chispa.

sparkless, sin chispas.

sparkproof, a prueba de chispas.

sparry (geol), espático.

—— iron, siderita, espato ferrífero o de hierro.

spathic, espático.

—— iron, siderita, hierro espático, espato ferrífero.

spatial, de espacio, espacial.

spatter (w), salpicadura.

—— loss (w), pérdida por salpicadura o por chisporroteo.

spattle, espátula.

spatula (lab), espátula.

speaking arc (ra), arco parlante.

speaking rod (surv), mira parlante.

spear (pet), arpón.

—— pyrites, marcasita.

spear-point chisel, formón punta de lanza.

special-purpose motor, motor para uso especial.

special-purpose outlet (elec), tomacorriente para artefacto especial.

specials (p), piezas especiales, accesorios, auxiliares.

specific, específico.

—— absorptive index, absorbencia específica.

—— capacity, capacidad específica; (bm) rendimiento específico.

—— conductance (sen), conductancia específica.

—— conductivity, conductividad específica.

—— consumption, consumo unitario.

—— curvature, curvatura escalar o específica.

—— energy (hyd), energía específica.

—— fuel consumption, consumo específico o unitario de combustible.

—— gravity, peso específico, gravedad específica.

—— heat, calor específico.

—— humidity (ac), relación de humedad, humedad específica.

—— illumination, iluminación unitaria.

—— inductive capacity (elec), capacidad inductiva específica, constante dieléctrica.

—— irradiation, irradiación unitaria.

—— luminous intensity, intensidad luminosa unitaria.

—— magnetic rotation, rotación magnética específica.

—— modulus, módulo específico.

—— permeance (elec), permeabilidad.

—— radiant intensity, intensidad específica de radiación, radiancia.

—— refractive power, constante de refracción.

—— refractivity, refractividad específica.

—— reluctance (elec), reluctancia específica, reluctividad.

—— resistance (elec), resistividad, resistencia específica.

—— retention (irr), retención específica.

—— shear, corte específico.

—— speed, velocidad específica o característica.

—— surface (ct), superficie específica.

—— viscosity, viscosidad específica.

—— volume, volumen específico.

—— yield, rendimiento específico; (hid) escurrimiento específico.

specifications, especificaciones, pliego de condiciones, (U) prescripciones.

specify, especificar.

specimen, espécimen, muestra.

spectacles (rr), juego de lentes del semáforo.

spectral, espectral.

—— emission (il), emisión espectral.

—— **emissivity** (il), emisividad espectral.
—— **irridation** (il), irradiación espectral.
—— **reflection factor** (il), factor de reflexión espectral.
—— **transmission factor** (il), factor de transmisión espectral.
spectrograph, espectrógrafo.
spectrometer, espectrómetro.
spectrometry, espectrometría.
spectromicroscope, espectromicroscopio.
spectrophotoelectric, espectrofotoeléctrico.
spectrophotometer, espectrofotómetro.
spectrophotometric, espectrofotométrico.
spectroradiometer (il), espectrorradiómetro
spectroradiometric, espectrorradiométrico.
spectroscope, espectroscopio.
spectroscopic, espectroscópico.
spectroscopy, espectroscopia.
spectrum, espectro.
—— **analysis,** análisis espectral o espectroscópico.
—— **crowding** (elec), apiñamiento del espectro.
specular, especular.
—— **coal,** lignito.
—— **iron,** hierro especular.
—— **iron ore,** hematita.
—— **reflection** (il), reflexión especular o regular.
—— **schist,** itabirita.
—— **stone,** mica.
speculum metal, aleación 2 partes cobre y 1 parte estaño.
speech amplifier (ra), amplificador de audiofrecuencia, (A) amplificador de oratoria.
speech frequency (ra), audiofrecuencia.
speed, velocidad; rapidez.
—— **box,** caja de cambio o de velocidades.
—— **clamp,** grapa de ajuste rápido.
—— **cone,** polea escalonada.
—— **controller,** controlador de velocidad.
—— **droop** (turb), disminución de velocidad.
—— **gage,** tacómetro, indicador de velocidad.
—— **gear,** engranaje de cambio o de cambio de velocidad.
—— **handle** (t), manivela para trabajo rápido.
—— **increaser,** aumentador de velocidad.
—— **indicator,** indicador de velocidad; contador de vueltas.
—— **lathe,** torno de mano.
—— **layer** (geop), capa de velocidad.
—— **nut,** tuerca de ajuste rápido.
—— **recorder,** registrador de vueltas.
—— **reducer,** reductor de velocidad.
—— **regulator,** regulador o limitador de velocidad.
—— **ring** (turb), anillo de entrada, corona fija, rueda directriz, distribuidor, (U) anillo de traviesas.
—— **schedule,** programa del avance de la obra, cuadro de la marcha del trabajo.
—— **selector** (pmy), selector de rapidez.
—— **variator,** variador de velocidad.
speed-change gears, engranaje cambiador de velocidad.
speed-change lane (rd), trocha de deceleración.
Speed-changer (trademark), cambiador de velocidad, correa transmisora de velocidad regulable.

speed-increasing gear, engranaje aumentador de velocidad.
speed-limit indicator (rr), indicador de velocidad admisible.
speedometer, velocímetro, indicador de velocidad; contador kilométrico, cuentamillas, (M) espidómetro.
speiss (met), speiss.
spelter, peltre; cinc.
—— **solder,** soldadura de cinc y cobre, peltre.
sperm oil, aceite de esperma de ballena.
spessartite (geol), espesartita.
sphalerite (zinc ore), esfalerita.
sphene (miner), esfeno, titanita, esfena.
sphere, esfera.
—— **gap** (elec), distancia entre esferas.
—— **photometer,** fotómetro de globo.
spherical, esférico.
—— **aberration,** aberración esférica o de esfericidad.
—— **angle,** ángulo esférico.
—— **candle power** (il), intensidad luminosa media, bujía esférica.
—— **coordinates,** coordenadas esféricas.
—— **excess** (math), exceso esférico.
—— **geometry,** geometría esférica.
—— **reduction factor** (il), relación intensidad esférica a la horizontal.
—— **roller bearing,** cojinete de rodillos esféricos.
—— **trigonometry,** trigonometría esférica.
spherical-race bearing, cojinete de anillo esférico.
sphericity, esfericidad.
spheroid, esferoide.
spheroidal, esferoidal, esferoédrico.
spheroidize (met), esferoidizar.
spherometer, esferómetro.
spider, (mec) araña, estrella; (si) calibre de triscado; (pet) cubo de garras.
—— **template** (pmy), plantilla mecánica desarmable.
spider-type fan, ventilador de estrella.
spider-web antenna (ra), antena telaraña.
spiegeleisen (met), hierro especular.
spiel line (sb), línea de guía.
spigot, grifo, canilla; (tub) espiga, cordón, macho.
—— **bead** (p), reborde del macho.
spike, s clavo, perno, chillón real, (M) estoperol; (fc) escarpia, alcayata; v clavar, enclavar, empernar; (fc) escarpiar, clavar.
—— **bar** (rr), arrancaescarpias.
—— **dowel** (rr), tarugo par a escarpia.
—— **driver,** martillo neumático para clavar.
—— **grid,** tipo de conector metálico para ensamblaje de maderas.
—— **iron** (sb), calafateador angosto.
—— **knot** (lbr), nudo que se ve longitudinalmente en el canto del tablón.
—— **maul** (rr), martillo escarpiador.
—— **puller,** arrancapernos; (fc) arrancaescarpias, arrancaalcayata.
spike-kill (rr), destruir la traviesa clavando escarpias.
spike-tooth harrow, grada de dientes, rastra de clavos.
spiker, clavador, (fc) escarpiador.

spiking, clavadura.

—— hammer (rr), martillo escarpiador.

spile (tun)(min), estaca volada o de avance, listón voladizo.

spiling (sb), curva de estrechamiento.

spilite (geol), espilita.

spill n, (mad)(met) astilla; (carp) lengüeta postiza.

—— light (il), luz difusa.

—— over, verterse, rebosar.

—— shield (il), pantalla antidifusora.

—— water, agua vertiente o de rebose.

spilling (tun), listones o estacas de avance.

spillway, vertedero, vertedor, aliviadero, limitador, derramadero, (Col) rebosadero.

—— apron (hollow dam), losa delantera, paramento exterior del vertedero, delantal, (U) carpeta del vertedero, (PR) faldón del vertedero.

—— bucket, terminal del vertedero, taza de vertedero, deflector, (A) cubeta, (M) cimacio.

—— channel, canal vertedor o evacuador o de descarga o de fuga.

—— crest, umbral vertedor o derramador o limitador, solera del vertedero.

—— dam, presa sumergible, dique vertedor, presa vertedora, (M) cortina vertedora.

—— gates, compuertas del vertedero o de demasías o de derrame.

spilly (steel), astilloso.

spin (wheel), girar sin avanzar, girar loco, patinar.

spin-hardening (met), temple con rotación.

spindle, s eje. árbol, husillo, huso, macho, gorrón, mandril, nabo, vástago, perno; areómetro; v usar areómetro.

—— cone (lathe), polea escalonada.

—— nose (mt), nariz del husillo.

—— oil, aceite para husillos.

—— sander (ww), lijadora de husillo.

—— staybolt tap, macho de husillo.

spindlehead (mt), portahusillo.

spinel (miner), espinela.

spinning

—— cathead (pet), carretel auxiliar para conexión de tubos.

—— chain (pet), cadena enroscadora.

—— lathe, torno de chapista o de conformar.

—— line (pet), cable auxiliar para enroscar tubos.

—— reserve (elec), capacidad de reserva conectada y lista para carga.

Spiractor (trademark)(wp), espiractor.

spiral, s espiral, espira, caracol; a espiral, salomónico, acaracolado.

—— bevel gear, engranaje cónicohelicoidal o cónico espiral.

—— casing (turb), caja o carcasa o cuerpo espiral.

—— chute, conducto espiral.

—— classifier (sand), clasificador espiral o helicoidal.

—— conveyor, conductor espiral.

—— curve (rr), curva o espiral de transición.

—— flow, corriente en espiral.

—— gear, engranaje helicoidal o espiral.

—— milling cutter, fresa de dientes espirales.

—— reinforcement, armadura en espiral.

—— screwdriver, atornillador de empuje, destornillador automático.

—— spring, resorte o muelle en espiral.

—— stairway, escalera de caracol o de espiral.

—— winding, devanado o arrollamiento espiral.

spiral-flow tank (sd), tanque de flujo espiral.

spiral-fluted reamer, escariador de estrías espirales.

spiral-geared planer, acepilladora con engranajes espirales.

spiral-pointed tap, macho de punta espiral.

spiral-riveted pipe, tubo remachado en espiral.

spiral-welded pipe, tubo soldado en espiral.

spirilla (sen), espirilos.

spirit

—— level, nivel de burbuja o de aire.

—— stain (pt), tinte al alcohol.

—— varnish, barniz de alcohol o a la esencia.

spirits of turpentine, esencia o aceite de trementina.

spirket (sb), espacio entre varengas.

spissitude, densidad, viscosidad.

spit v (bl fuse), chisporrotear.

spitter (bl), chisporroteador.

splash, s salpique, chapoteo, barboteo; v salpicar, chapotear.

—— aerator, aereador a salpicadura.

—— dam (lg), presa niveladora.

—— lubrication, lubricación al chapoteo o por barboteo o a salpique.

—— plates (sd), salpicaderos, platos difusores.

—— ring (ra), anillo salpicador.

—— trough, artesa de salpicadura.

splashguard, salpicadero.

splashproof, a prueba de salpicaduras.

splatter (w), salpicaduras.

splay, s bisel, chaflán; (ventana) alféizar, derrame, mocheta; v achaflanar, descantear; abocardar, abocardar, abocardar, embocardar, emboquillar.

splice, s (cab) ayuste; (est) empalme, unión, juntura, empate; (carp) empate, unión; (cab eléc) empalme; (fc) junta, unión; (correa) juntura, amarre; v (cab) ayustar; (est) empalmar, unir, empatar; (carp) empatar, empatillar, empalmar; (cab eléc) empalmar; (fc) eclisar; (correa) empalmar, amarrar.

—— bar (rr), eclisa, brida, barra angular o de brida, (C) mordaza.

—— box (elec), caja de empalme.

—— plate, cubrejunta, tapajunta, platabanda, brida, sobrejunta, plancha o chapa de unión, cachete.

splicer, (cab) ayustador; (eléc) empalmador.

splicing, empalme; ayuste.

—— bench, mesa de ayustar.

—— chamber (elec), pozo o cámara o caja de empalme.

—— clamp, mordaza de amarrar.

—— compound (elec), cinta de caucho para aislación de empalmes.

—— ear (elec rr), oreja de empalme.

—— fid, pasador de cabo.

—— gum (elec), goma aisladora o de empalme.

—— kit (elec), juego de herramientas para empalmar.

—— **pin,** pasador de cabo con mango de madera.

—— **sleeve** (elec), manguito de empalme o de unión.

—— **tongs** (wr), alicates de ayustar.

—— **wrench,** llave para amarrar alambre.

spline, s (mec)(carp) lengüeta postiza; ranura; (dib) regla flexible, cercha; v fijar con lengüeta postiza; ranurar.

—— **grinder,** muela ranuradora.

—— **milling machine,** fresadora ranuradora.

—— **shaft,** eje acanalado o ranurado.

splineway, ranura.

splining tool (mt), herramienta ranuradora.

splint coal, carbón bituminoso duro laminado, carbón de astilla.

splinter, s astilla de madera, brizna, raja; v astillar; astillarse.

splinterproof (gl), inastillable.

splintery, astilloso.

—— **fracture** (miner), fractura astillosa.

splintwood, alburno.

split, s hendedura, raja, cuarteadura, resquebrajo; ladrillo cortado longitudinalmente por la cara; (min) ramal; v hender, rajar, resquebrar, cuartear; henderse, rajarse, quebrarse, resquebrarse.

—— **anode** (ra), ánodo partido.

—— **bearing,** chumacera partida, cojinete seccional.

—— **bolt,** castañuela, perno hendido.

—— **brick,** ladrillo partido; ladrillo de medio espesor.

—— **bushing,** casquillo o buje partido.

—— **cable tap** (elec), derivación de cable partido.

—— **cap** (trestle), travesaño partido, cabezal doble.

—— **casing** (pu), caja o cámara partida, cuerpo dividido.

—— **coupling,** acoplamiento partido.

—— **die,** matriz partida.

—— **filter** (il ap), filtro dividido o de dos colores.

—— **fittings** (elec), accesorios partidos, guarniciones divididas.

—— **knob** (elec), perilla partida.

—— **phase** (elec), fase partida.

—— **pillow block,** cojinete partido.

—— **pin,** chaveta hendida, pasador de aletas.

—— **pulley,** polea partida o dividida.

—— **shaft,** eje dividido, árbol partido.

—— **sprocket,** rueda de cadena partida.

—— **switch** (rr), cambio o chucho de agujas.

—— **tie** (rr), traviesa desbastada o dolada.

—— **tile,** bloque partido de enrasillar.

—— **timber,** madera de raja.

—— **treatment** (wp), sobretratamiento y mezcla, (C) tratamiento por desdoblamiento.

—— **washer,** arandela partida.

—— **wedge** (va), cuña partida.

split-anode magnetron (ra), magnetrón de ánodo hendido.

split-beam T, perfil T producido por división longitudinal de una viga I.

split-bolt connector, conector de perno partido.

split-conductor cable (elec), cable de conductores separados.

split-field motor, motor monofásico de campo dividido.

split-knob insulator, aislador de botón partido.

split-ring connector, conector de anillo partido.

splitter, (mec) partidor; (as) placa abridora; (lab) partidor de muestras; (min) partidor del fango.

—— **damper** (ac), compuerta partidora.

splitting, hendedura, hendidura.

—— **chisel,** cincel hendedor.

—— **shears,** cizalla hendedora.

—— **wedge,** cuña para hender.

spoil n (exc), escombros, descombro; desechos.

—— **bank,** vaciadero, escombrera, botadero, terrero, caballero, (M) tiradero, (M) terraplén de desperdicio, (M) banco de desperdicio.

spoke, rayo.

—— **sheave,** garrucha de rayos.

spokeshave, bastrén, cuchillo para rayos, (A) pulidor de madera, raspadera.

sponge, esponja.

—— **lead,** plomo esponjoso.

—— **rubber** (dwg), goma esponjosa de borrar.

spongy, esponjoso.

spontaneous combustion, combustión espontánea, autoinflamación.

spontaneous ignition, inflamación espontánea, encendido espontáneo.

spool, s carrete, carretel, devanadera, molinete (hoisting engine); v devanar.

—— **donkey** (lg), malacate de molinete.

—— **insulator,** roldana aisladora, aislador de carrete.

—— **valve,** válvula de carrete.

spooler (pet), bobinadora.

spoon (t), cuchara, (ch) cuchara desabolladora.

—— **bit,** mecha o broca de cuchara.

sporadic reflection (ra), reflexión esporádica o anormal.

sporeformer (lab), productor de esporas.

sporeforming (lab), esporífero, productor de esporas.

spores (sen), esporas.

sporular (sen), esporulario.

sporulation (sen), esporulación.

spot v, colocar, situar; (fc) marcar (traviesas) por reemplazar.

—— **board** (rr), escantillón indicador de nivel para la vía.

—— **cooling** (ac), enfriamiento de punto.

—— **elevation** (top), elevación acotada.

—— **heating,** calefacción de punto.

—— **landing** (ap), aterrizaje de precisión.

—— **lighting,** iluminación proyectada.

—— **map,** mapa estadístico o llave.

—— **plate** (lab), plancheta.

—— **priming** (rd), estabilización con aglutinante.

—— **test** (su), ensayo por gotas.

—— **welder,** soldadora por puntos.

spot-faced (flange), fresado para las tuercas.

spot-facer, fresadora de puntos.

spot-weld, soldar por puntos.

spotlight (auto), reflector buscahuellas, faro buscador, (A) faro de banquina.

spotter, (ef) marcador; (mec) situador.

spotting tool (mt), herramienta centradora.
spotting winch, malacate situador.
spout, s pitón, surtidor; pico; (conc) canaleta; v (conc) colocar por canaletas distribuidoras.
—— adz, azuela curva.
spouter (pet), pozo brotante o surgente.
spouting plant (conc), equipo de torre y canaletas distribuidoras.
sprag, s zoquete; espuela; palanca de detención; (min) puntal, separador; (ef) barra de refrenamiento; v (min) apuntalar, ademar.
spray, s rocío, rociada; v rociar, regar.
—— aerator, aereador a rocío.
—— air washer (ac), lavador de rocío.
—— bar, barra rociadora.
—— carburetor, carburador pulverizador o de chorro, (Es) carburador de surtidor.
—— chamber (ac), cámara de rocío.
—— cone, cono de pulverización.
—— cooling, enfriamiento de rocío.
—— drier (ac), desecador de rocío.
—— gun, pistola pulverizadora.
—— head, rociador.
—— nozzle, boquilla de regar, pico regador, surtidor, pitón atomizador.
—— painting, pintura por pulverización.
—— pond, estanque de rociada, tanque de rocío.
—— tower, torre rociadora.
—— valve, válvula de pulverización.
spray-type air conditioner, acondicionador de rocío.
spray-type feed-water heater, calentador a rocío.
sprayer (pt), rociador, pulverizador, pistola pulverizadora.
spraying compressor, compresora rociadora.
spraying varnish, barniz de rociar.
spread, s (avión) envergadura; v distribuir, esparcir, extender, tender, desparramar.
—— footing, cimiento ensanchado; cimiento aproximadamente cuadrado.
—— reflection (il), reflexión mixta.
—— refraction (il), refracción irregular.
spreader, (ec) viga cepo o de separación, travesaño, balancín; (mo) tornapunta, aguja, separador, taco; (ts) tornapunta, puntal; (her) desplegador, repartidor; (vá) partidor; (ca) esparcidor, extendedor, distribuidor; (neumático) desplegador, ensanchador; (ef) igualador, estirador; (lab) extendedor.
—— box (rd), caja distribuidora o esparcidora.
—— plate, placa esparcidora.
—— ridge (hyd), camellón distribuidor.
—— stoker, cargador esparcidor o distribuidor.
spreader-finisher (rd), paleta esparcidora, esparcidora acabadora.
spreading rate (pt), extensión específica.
sprig, s espiga, puntilla, hita; v espigar.
—— bolt, perno arponado.
sprigging (hyd), plantación de hierba burda para evitar la erosión.
spring, s elasticidad, flexión elástica; (agua) manantial, fuente, ojo de agua, venero; (mec) resorte, muelle, ballesta (laminado), elástico (auto); (estación) primavera; v (arco) arrancar; (est) bombearse; (vol)

ensanchar el fondo, (A) hacer una marmita; (mec) armar con resortes.
—— balance, balanza de resorte o de tensión, tensor de resorte.
—— bolt, cerrojo de resorte.
—— bushing (auto), buje de ballesta o del elástico.
—— calipers, calibre de resorte.
—— catch, pestillo o retén de resorte.
—— clip (auto), abrazadera de ballesta, (A) grampa de elástico.
—— collet, collar ahusado, boquilla ahusada.
—— constant (vibration), constante de elasticidad, (A) constante elástica.
—— contact (elec), contacto de resorte.
—— cotter, clavija hendida.
—— die (th), dado de resorte.
—— dividers (dwg), compás de división de resorte.
—— dolly (re), sufridera de resorte.
—— faucet, grifo de resorte.
—— floods, crecientes de primavera.
—— governor, regulador de resorte.
—— hanger, (loco)(auto) cuelgaballesta, suspensor de muelle, (A) cuelgamuelle; (tub) portacaño de resorte.
—— hinge, bisagra de resorte o de muelle.
—— latch, picaporte o aldaba de resorte.
—— leaf, hoja de ballesta o de elástico, lámina de ballesta.
—— line (arch), arranque, línea de imposta, (Es) nacimiento.
—— lock (hw), cerradura de resorte o de muelle.
—— needle (bldg), aguja cantilever.
—— plug cock, llave de macho invertido y resorte.
—— punch, punzón de resorte.
—— saddle (auto), asiento de ballesta.
—— safety valve, válvula de seguridad de resorte.
—— seat, asiento del resorte; silla de la ballesta.
—— shackle (auto), grillete o abrazadera de ballesta, gemelo de elástico.
—— steel, acero para ballestas.
—— switch (rr), cambio o agujas de resorte.
—— tide, marea viva.
—— toggle bolt, tornillo con fiador de resorte.
—— trailer, remolque sobre muelles.
—— washer, arandela elástica o de resorte.
—— water, agua de manantial o de pie.
—— wire, alambre para resortes.
spring-actuated pump, bomba de resorte.
spring-hinge ruling pen, tiralíneas de articulación de resorte.
spring-loaded cock, robinete de resorte, llave con resorte de compensación.
spring-loaded governor, regulador de resorte.
spring-pressure injection (di), inyección por bomba de resorte.
spring-rail frog (rr), corazón con carril de muelle, (M) sapo con riel de muelle.
spring-set a (saw), trabado.
spring-tooth harrow, rastra de dientes de resorte.
spring-winding tape (measuring), cinta de resorte.
spring-wing toggle bolt, tornillo con aletas de resorte.
springboard (lg), trampolín.

springer (arch), salmer.

springwood, albura de primavera, madera de invierno.

sprinkle, rociar, regar.

sprinkler, rociador, regadera, regadora.

—— **fittings** (sk), accesorios para rociadores automáticos.

—— **head** (sk), regadera automática, rociador.

—— **nozzle** (sd), boquilla rociadora.

—— **system,** instalación para la extinción de incendios por rociadura automática.

—— **truck,** camión regador.

sprinkling, rociada, riego, regadura.

—— **cart,** carro aguatero o regador o de riego, carricuba.

—— **filter,** filtro rociador o de regadera.

—— **hydrant,** boca de riego.

sprocket, rueda o corona dentada, rueda o polea de cadena, (C) catalina.

sprocket-wheel chain, cadena de transmisión o para rueda dentada.

spruce, abeto, picea, pino abete.

—— **pine,** pino abeto.

sprung, (est) bombeado; (mec) armado con resortes.

spud, *s* (draga) pata, puntal, (A) pilón; (vibrador conc) macho, cabeza vibradora, (Pan) zapador; (pi) punzón; (mad) laya, escoplo; (her) punzón, azadón; (pet) barrena inicial; (mec) copa, lomo; (min) clavo marcador, alcayata; *v* (pi) perforar, punzar; (pet) iniciar la perforación.

—— **wrench,** llave de cola.

spudder, (pet) perforadora, perforadora inicial; (ef) descortezador; (herr) laya, escoplo.

—— **arm** (pet), balancín tiracable.

spudding

—— **beam** (pet), balancín.

—— **bit** (pet), barrena principiadora o iniciadora.

—— **line** (pet), cable de maniobra.

—— **shoe** (pet), corredera.

—— **unit** (pet), perforadora inicial.

spun centrifugal pipe, tubería centrifugada.

spun lining (p), forro centrifugado, revestimiento por rotación.

spur, trepadera, escalador; (top) contrafuerte, estribación; (carp) puntal, codal, tornapunta; (fc) desvío muerto.

—— **brace,** puntal inclinado.

—— **center** (lathe), punta de espuela.

—— **chuck** (ww), mandril de púas.

—— **dike,** espigón, espolón; contradique.

—— **gear,** engranaje recto o cilíndrico.

—— **grommet,** ojal de púas.

—— **pile,** pilote inclinado.

—— **pinion,** piñón recto.

—— **point** (drill), punta de espuela.

—— **timber** (min), montante, estemple.

—— **track** (rr), desvío muerto, (M) espuela.

—— **wheel,** engranaje recto.

spur-geared planer, acepilladora de engranaje recto.

spur-head adz, azuela de espiga.

spurious radiation (ra), emisión a frecuencia falsa, (A) radiación espuria.

spurious response (ra), respuesta indebida.

sputtering, (met) deposición electrónica; (sol) chisporroteo; (ra) peterreo.

squad, cuadrilla, brigada.

—— **boss,** jefe de cuadrilla.

—— **of draftsmen,** brigada de dibujantes.

square, *s* (mat) cuadrado, segunda potencia; (carp) escuadra, cartabón; (to) cuadrado; (ciudad) cuadra, manzana; (ciudad) plaza; *v* (mat) cuadrar, elevar al cuadrado; (mad) escuadrar, acodar; *a* cuadrado; a escuadra.

—— **channel,** hierro U cuadrado.

—— **edge,** canto vivo o escuadrado.

—— **foot,** pie cuadrado.

—— **groove weld,** soldadura de ranura recta, caldeo a ranura cuadrada.

—— **inch,** pulgada cuadrada.

—— **knot,** nudo llano o derecho.

—— **measure,** medida de superficie.

—— **meter,** metro cuadrado.

—— **mil,** milipulgada cuadrada.

—— **mile,** milla cuadrada.

—— **root,** raíz cuadrada.

—— **set** (min), cuadro, marco.

—— **shank,** espiga cuadrada.

—— **taper file,** lima cuadrada puntiaguda.

—— **taper shank,** espiga cuadrada cónica.

—— **twisted bar,** barra cuadrada torcida.

—— **wave** (ra), onda cuadrada.

—— **with,** a escuadra con.

—— **yard,** yarda cuadrada.

square-bottom valve, válvula de compuerta de fondo plano.

square-drive socket, casquillo de boca cuadrada.

square-head setscrew, tornillo prisionero de cabeza cuadrada.

square-head stopcock, llave de cierre con cabeza cuadrada.

square-law detector (ra), detector a ley de cuadrados.

square-point shovel, pala cuadrada o de punta cuadrada.

square-ring nozzle, boquilla de anillo a escuadra.

square-root angle (steel), ángulo de rincón vivo.

squaring, cuadratura; escuadreo.

—— **shear,** cizalla de escuadrar.

squatting (naut), asentamiento de la popa a toda velocidad.

squeak, *s* (maq) rechinado, rechinido, chirrido, chillido; *v* (maq) rechinar, chillar, chirriar.

squealing (ra), chillido, aullido.

squeegee, escoba de goma; barredora de goma.

—— **buggy** (pav), escoba de goma sobre ruedas.

squeeze *n* (min), estrechamiento del filón.

—— **damper** (ac), compuerta reguladora de gasto.

—— **riveter,** remachadora de presión.

—— **time** (w), período de presión antes de aplicar la corriente eléctrica.

squeezer, (met) cinglador; (fund) prensa moldeadora.

squeezing rock (tun), roca descompuesta que fluye hacia la galería.

squelch voltage (ra), voltaje silenciador.

squib (bl), carretilla eléctrica, incendiario; tronador, detonador.

squirrel-cage

—— **fan,** ventilador a jaula de ardilla.

—— **motor,** motor de inducido de jaula o de jaula de ardilla o de inducido de barras.

—— **winding,** devanado en jaula.

squirt can, aceitera a presión o de fondo flexible.

stabbing (pet), enchufado.

stability (str)(chem)(elec), estabilidad.

—— **against overturning** (dam), estabilidad al giro o al vuelco.

—— **against sliding** (dam), estabilidad al deslizamiento o al resbalamiento.

—— **factor** (sm)(elec), factor de estabilidad.

—— **indicator** (wp), indicador de estabilidad.

—— **limit** (elec), límite de estabilidad.

stabilization, estabilización.

stabilize (all senses), estabilizar.

stabilized feedback (ra), realimentación estabilizada.

stabilized shunt-wound motor, motor devanado en derivación con estabilización.

stabilizer, (mec)(quím) estabilizador; (auto) amortiguador.

stabilizing plant (pet), planta estabilizadora.

stabilizing winding (elec), devanado estabilizador o terciario.

stable, s establo, caballeriza, cuadra, pesebrera, pesebre; boyera (bueyes); a (est)(quím) estable.

—— **equilibrium,** equilibrio estable.

stack, s (mtl) pila, montón, rimero; (cal) chimenea, (C) torre; (pb) tubo vertical de evacuación, bajante; (aa) conducto vertical; (eléc) grupo de unidades aisladoras; v apilar, hacinar, entongar.

—— **effect** (ac), efecto de chimenea.

stack-cutting, cortadura múltiple de planchas.

stacked array (ra), antenas entongadas.

stacked dipoles (ra), dipolos entongados.

stacker, hacinador, apiladora, amontonadora.

—— **conveyor,** transportador hacinador.

stacking (ap), mantenimiento de alturas escalonadas por aviones que esperan turno para el aterrizaje.

—— **board** (pet), percha.

stadia, estadia, taquímetro.

—— **arc,** arco taquimétrico.

—— **circle** (inst), círculo taquimétrico.

—— **constant,** constante taquimétrica.

—— **distance,** distancia taquimétrica.

—— **hairs,** hilos taquimétricos, pelos de la estadia, (M) hilos estadimétricos.

—— **hand level,** nivel taquimétrico de mano.

—— **interval,** separación de los hilos.

—— **leveling,** nivelación taquimétrica.

—— **rod,** mira taquimétrica, (M) estadal estadimétrico.

—— **slide rule,** regla de cálculo para reducción taquimétrica.

—— **survey,** taquimetría, levantamiento taquimétrico o estadimétrico.

—— **table,** cuadro estadimétrico, tabla taquimétrica.

—— **transit,** taquímetro, tránsito taquimétrico, estadia.

—— **traverse,** trazado taquimétrico.

—— **wires,** hilos taquimétricos.

stadia-interval factor, constante del retículo.

stadiagraph (inst), estadiágrafo.

stadimeter, especie de sextante.

stadimetric interval, intercepto estadimétrico.

stadiometer, estadiómetro.

stadium, estadio.

staff, personal de administración; palo, vara; (ed) mezcla de yeso y fibra; (fc) bastón.

—— **bead,** moldura sobre junta entre marco de ventana o puerta y la pared.

—— **gage,** escala hidrométrica, limnímetro.

stage, s (mec) grado, etapa; (r) altura, estado; (ra) etapa, paso; v (maq) graduar.

—— **construction,** construcción por etapas.

—— **digestion** (sd), digestión por etapas.

—— **filtration,** filtración por etapas.

—— **grouting,** inyección por etapas.

stage-discharge curve (r), curva de altura-gasto.

stagebuilder, andamiador.

stagger, poner al tresbolillo, alternar, saltear.

staggered, al tresbolillo, en zigzag, salteado.

—— **fillet weld,** soldadura de filetes alternados.

—— **intermittent weld,** soldadura alternada o salteada.

staggered-tooth cutter, fresa de dientes escalonados.

staggered-tooth gear, engranaje de dientes escalonados.

staging, andamiaje, cadalso; (maq) graduación.

stagnant, estancado.

stain, s tinte, tintura; descoloración, mancha; v teñir, manchar, descolorar.

—— **test** (rd), prueba de mancha.

stainless steel, acero inoxidable o inmanchable.

stainless-clad steel, acero suave con revestimiento de acero inoxidable.

stair, escalera.

—— **landing,** rellano, descansillo, descanso, mesa.

—— **rail,** pasamano de escalera.

—— **string,** zanca, limón, gualdera, larguero de escalera.

—— **tread,** véase **tread** y **safety tread.**

—— **well,** caja o pozo o cañón o hueco de escalera, (M) tiro de escalera, (M) vacío de escalera.

stair-landing fittings (p), accesorios para (pasamano de) descanso de escalera.

stair-railing fittings (p), accesorios para barandilla de escalera.

stairbuilder, constructor de escaleras, (A) escalerista.

staircase, escalera con su armazón.

stairway, escalera.

stake n, (lev) estaca, estaquilla, piquete; (co) telero, varal, (PR) barandilla; (herr) bigorneta.

—— **out,** replantear, estacar, estaquillar, estaquear.

—— **marker** (surv), marcador de estacas.

—— **tack** (surv), tachuela de punto o para estaca.

stake-body truck, camión de estacas o de teleros.

stakeman (surv), estaquero.

staking out, estacado, replanteo, piqueteo, piquetaje.

stalagmometer (lab), estalagmómetro.

stale sewage, aguas cloacales libres de oxígeno pero aún sin putrefacción.

stall, s pesebre; (min) cámara, anchurón, salón·

v (maq) parar, ahogar, atascar; pararse, ahogarse, atascarse.

—— **landing** (ap), aterrizaje con velocidad crítica.

—— **urinal**, orinal recto.

stalling speed (ap), velocidad crítica.

stalling torque (mot), momento de torsión de parada.

stamp, *s* (min) mazo, pisón; *v* troquelar, estampar; (min) triturar.

—— **mill**, bocarte, molino o batería de mazos.

stamped

—— **metal**, metal estampado, chapa estampada.

—— **paper** (official), papel sellado o timbrado.

—— **thread**, filete troquelado.

stamping, estampado.

—— **die**, matriz de estampa, estampa.

—— **hammer** (lg), martillo de marcar.

—— **machine**, estampadora, troqueladora.

—— **press**, prensa de estampar o de troquelar.

stanchion, poste, pie derecho, montante; (cn) candelero, puntal.

stand

—— **of rolls** (met), bastidor de rodillos, pedestal del laminador.

—— **of the tide**, estoa, marea muerta.

—— **of timber**, conjunto de madera en pie.

stand-by

—— **boiler**, caldera de reserva.

—— **power plant**, central auxiliar, planta de reserva, (A)(U) usina auxiliar.

—— **tank** (sw), tanque de reserva.

standard, *s* norma, patrón, modelo, tipo; (mec) estante, soporte, pata, pie, poste, pilar; *a* normal, tipo, corriente, de norma.

—— **atmosphere**, atmósfera tipo.

—— **candle**, bujía patrón o normal.

—— **capacitor** (ra), condensador patrón.

—— **cell** (elec), pila patrón.

—— **color**, color patrón.

—— **crest** (hyd), cresta normal.

—— **deal**, medida de madera de varios valores.

—— **drilling**, perforación normal.

—— **equipment** (auto)(machy), dotación corriente, equipo normal, accesorios de norma.

—— **fit** (machy), ajuste de tolerancia normal.

—— **fittings** (p), accesorios corrientes.

—— **frequency** (ra), frecuencia patrón.

—— **gage**, (mec) calibre patrón o normal; (fc) trocha o entrevía normal, (M) ancho tipo.

—— **gravity**, presión atmosférica.

—— **hundred**, medida para madera de varios valores.

—— **knot** (lbr), nudo sano de $1\frac{1}{2}$ pulg de diámetro o menor.

—— **lengths** (lbr), largos corrientes.

—— **loading** (bdg), carga tipo.

—— **pipe**, tubería corriente.

—— **plan**, dibujo patrón, plano tipo.

—— **sand**, arena normal.

—— **section**, perfil normal, sección típica o tipo.

—— **shaft** (machy), eje de tolerancia normal.

—— **size**, tamaño normal o modelo.

—— **slump** (conc), asentamiento normal.

—— **solution** (chem), solución normal.

—— **specification**, especificación modelo o normal.

—— **time**, tiempo normal u oficial.

standard-duty insulator, aislador corriente.

standard-traverse expansion joint, acoplamiento de expansión de carrera normal.

standardize, normalizar, (M) estandardizar, uniformar.

standing *n* (ap), área de estacionamiento.

—— **balance**, equilibrio estático.

—— **block**, motón fijo.

—— **fid**, pasador de cabo con base.

—— **level** (well), nivel de equilibrio.

—— **rigging**, jarcias muertas.

—— **rope**, cabo muerto.

—— **seam** (sml), junta de plegado saliente.

—— **timber**, madera viva o en pie.

—— **valve** (pu), válvula fija.

—— **water**, agua estancada.

—— **wave**, (hid)(op) marejada de reflexión, ola fija o estacionaria o de interferencia; (eléc) onda estacionaria.

standing-wave flume, aforador de resalto, (M) medidor de resalto.

standoff insulator, aislador de pie, (Es) aislador distanciador.

standpipe, (hid) depósito regulador, columna reguladora, (A) torre-tanque; (ed) tubo vertical, bajante; (fc) grúa hidráulica o de agua; (carburador) tubo vertical.

standstill (machy), parada.

stannate (chem), estannato.

stannic, estánnico.

—— **oxide**, óxido estánnico, bióxido de estaño.

stannide (chem), estannuro.

stannite, (quím) estannito; (miner) estannita, estaño piritoso.

stannous, estañoso, estannoso.

—— **oxide**, óxido estañoso.

staphylococci (lab), estafilococos.

staple, *s* picolete, armella, cerradero, grampa; argolla, (C) alcayata, (Es) escarpia; *v* engrampar.

—— **puller**, sacaarmellas.

star (all senses), estrella.

—— **bit**, broca estrellada, barrena de cruz.

—— **connection** (elec), conexión en estrella.

—— **drill**, barrena de cruz o de filo en cruz, broca estrellada.

—— **wheel**, rueda de estrella.

star-delta connection (elec), conexión estrella-triángulo o Y-delta.

star-star connection (elec), conexión estrella-estrella o Y-Y.

starboard, estribor.

starch solution (sen), solución de almidón.

starch-iodine (sen), almidón-yodo, almidón yodado.

starkwater (bdg), tajamar.

starling (bdg), tajamar, espolón.

starred angles (str), columna de dos ángulos formando cruz, ángulos en cruz.

starshake (lbr), rajaduras radiales, (Es) pata de gallina.

start *v*, comenzar; aflojarse; (maq) arrancar; aflojar; (maq) poner en marcha, echar a andar.

start-stop switch (elec), interruptor de contacto momentáneo.

starter, (perforadora) barrena primera; (auto) arrancador; (il) encendedor; primer ladrillo de una hilada.

—— **drive** (auto), arranque automático.

—— **pedal,** botón o pedal de arranque, (A) botón de la puesta en marcha.

starter's panel (elev), panel del despachador.

starting (machy), arranque, puesta en marcha.

—— **acceleration,** aceleración de arranque.

—— **bar** (lg), palanca de pico curvo.

—— **box** (elec), arrancador, reóstato o caja de arranque.

—— **button** (elec), botón de arranque.

—— **compensator** (elec), compensador de arranque, arrancador.

—— **crank** (auto), manivela de arranque.

—— **duty,** trabajo de arranque.

—— **friction,** fricción de arranque, rozamiento estático.

—— **motor** (auto), motor de arranque, (M) motor de marcha.

—— **point** (surv), punto de arranque o de partida.

—— **punch,** punzón aflojador.

—— **reactor** (elec), reactor de arranque.

—— **resistance,** resistencia de arranque o de puesta en marcha.

—— **rheostat** (elec), reóstato de arranque.

—— **switch,** interruptor de arranque.

—— **torque,** par o momento de torsión de arranque.

—— **vibrator,** vibrador de arranque.

—— **winding** (mot), devanado de arranque.

state (ac), condición.

—— **railway,** ferrocarril del estado, (Ch) ferrocarril fiscal.

stated-speed sign (rd), señal de velocidad obligatoria.

statement (com), estado de cuenta.

stateroom, (cn) camarote; (fc) departamento, compartimiento, gabinete.

static, s (ra) véase **atmospherics;** a estático.

—— **balance,** equilibrio estático.

—— **characteristic** (ra), característica estática.

—— **condenser,** condensador estático, condensador.

—— **formula** (pi), fórmula estática.

—— **friction,** fricción estática.

—— **head** (hyd), carga estática.

—— **induction,** inducción electrostática.

—— **metamorphism,** metamorfismo de carga o de presión.

—— **moment,** momento estático.

—— **sensitivity** (ra), sensibilidad estática.

—— **torque,** momento de torsión de arranque.

—— **transformer,** transformador estático.

statical, estático.

—— **electricity,** electricidad estática.

—— **friction,** fricción de arranque, rozamiento estático.

statically indeterminate, estáticamente indeterminado, (A) hiperestático.

staticproof (ra), a prueba de interferencia atmosférica.

statics, estática.

station, (fc) estación; (fuerza) central, estación, planta, (A)(U)(B) usina; (lev) progresiva, estación, punto de marca; distancia acumulada.

—— **adjustment** (surv), corrección de estación.

—— **wagon** (auto), coche de estación, camioneta, (A) ómnibus de estación.

station-power switchboard, tablero de consumo propio.

station-yards (ea), yardas cúbicas haladas 100 pies.

stationary, fijo, estacionario.

—— **contact member** (elec), pieza fija de contacto.

—— **wave** (elec), onda estacionaria.

stationary-leaf press (su), prensa de hojas fijas.

stationmaster (rr), jefe de estación.

statistics, estadística, datos estadísticos.

stator (elec), estator.

statoscope, estatóscopo, (V) estatoscopio.

statute mile, milla legal inglesa, milla terrestre, (M) milla de estatuto.

staurolite (miner), estaurolita, piedra de cruz.

stave n, duela.

—— **bolt,** bloque de madera para duelas.

—— **jointer,** juntera de duelas.

—— **pipe,** tubería de duelas.

stay, s tirante, riostra, (C) estai; v atirantar, arriostrar, riostrar.

—— **bolt,** virotillo, contrete, estay, perno de puntal, trabante, riostra, tirante, espárrago.

—— **lathing** (pi), cintas provisionales.

—— **plate** (str), placa atiesadora o de refuerzo, plancha de rigidez.

—— **ring** (turb), anillo distribuidor.

—— **rod,** tirante.

—— **roller,** rollete de guía.

—— **tube,** tubo tirante.

stay-bolt hammer, martillo para virotillos.

stay-bolt tap, herramienta que combina escariador, macho ahusado y macho recto.

steady

—— **brace** (elec rr), riostra lateral.

—— **pin,** clavija de fijación.

—— **rest** (mt), centrador fijo, soporte fijo, (A) luneta fija.

—— **span** (elec rr), tirante lateral.

stealer (sb), traca fraccionada.

steam, s vapor; v tratar a vapor; emitir vapor; (cal) generar o dar vapor.

—— **accumulator,** acumulador de vapor.

—— **bath,** baño de vapor.

—— **blower,** soplador de vapor.

—— **boiler,** caldera de vapor.

—— **chest,** cámara o caja de vapor.

—— **coal,** carbón para calderas, hulla de caldera.

—— **cock,** robinete para vapor, llave de cierre para tubería de vapor; (cal) llave de nivel.

—— **coil,** serpentín de vapor.

—— **cure,** vulcanización a vapor.

—— **dome** (loco), cúpula o domo de vapor, cúpula de caldera.

—— **drum,** tambor o colector de vapor.

—— **emulsion number** (oil), número de emulsión a vapor.

—— emulsion test (oil), prueba de emulsificación a vapor.
—— engine, máquina de vapor o a vapor.
—— fit, ajuste a prueba de vapor.
—— fitter, tubero, cañero.
—— gage, manómetro.
—— gas, vapor altamente recalentado.
—— generator, generador de vapor.
—— hammer, martinete a vapor, (A) maza de vapor, (M) pilón de vapor.
—— heating, calefacción por vapor.
—— hose, manguera para vapor, (A) caño para vapor.
—— humidifier (ac), humedecedor a vapor.
—— jacket, camisa de vapor.
—— jammer (lg), máquina cargadora de troncos.
—— jet, chorro de vapor.
—— joint, junta a prueba de vapor.
—— lap (se), recubrimiento de admisión.
—— lead (se), avance de admisión.
—— metal, aleación resistente al vapor.
—— packing, empaquetadura para tubería de vapor.
—— plant, instalación de calderas, planta generadora de vapor; planta eléctrica a vapor.
—— point (min), tobera para chorro de vapor.
—— port (se), lumbrera de admisión.
—— power, fuerza térmica o a vapor.
—— power plant, planta de vapor, (A) usina térmica; central termoeléctrica.
—— pump, bomba a vapor.
—— purifier, depurador de vapor.
—— ram, ariete a vapor.
—— roller, aplanadora o rodillo a vapor, cilindro o apisonador de vapor.
—— scrubber, depurador de vapor.
—— separator, separador de vapor.
—— shovel, pala de vapor, (A) excavadora a vapor, (Pe) paleadora.
—— siphon, eyector a chorro de vapor.
—— sizes (coal), los cuatro tamaños de antracita hasta el máximo de 1 pulg.
—— specialties, accesorios para instalación de fuerza a vapor.
—— stand-by plant, planta térmica auxiliar, planta de reserva a vapor, (A) usina térmica auxiliar.
—— trap, interceptor o separador o atrapadora de agua, trampa de vapor, colector de condensado.
—— turbine, turbina de vapor o a vapor.
—— valve, válvula de admisión; válvula para tubería de vapor.
steam-atomizing oil burner, quemador a chorro de vapor.
steam-blown asphalt, asfalto refinado al vapor.
steam-cushioned, con amortiguación de vapor.
steam-driven, a vapor, accionado por vapor.
steam-electric locomotive, locomotora vapor-eléctrica.
steam-electric power plant, central termoeléctrica, (A) usina termoeléctrica, central eléctrica a vapor.
steam-hammer forging, forja con martinete a vapor.
steam-jet ejector, eyector a chorro de vapor.

steam-thrown valve, corredera mandada por vapor.
steamboat coal, antracita del tamaño mayor (más de 4½ pulg).
steamboat ratchet, manguito roscado con trinquete.
steamer connection (hydrant), boquilla para bomba de incendios.
steamproof, a prueba de vapor.
steamship, buque de vapor, vapor.
steamtight, estanco o hermético al vapor.
steaning, revestimiento de pozo.
steatite (miner), esteatita, jaboncillo.
steel, acero; barrenas (perforación).
—— casting, fundición de acero.
—— emery, abrasivo de acero de crisol pulverizado.
—— erector, armador de acero.
—— foundry, fundición de acero.
—— frame, armazón o armadura de acero.
—— grit, limaduras de acero.
—— holder (drill), portabarrena.
—— joist, viga de acero prensado para construcciones livianas.
—— mill, fábrica de acero, acería, taller siderúrgico.
—— plate, plancha o palastro de acero.
—— retainer (drill), retén de la barrena.
—— shape, perfil de acero.
—— sheet piling, tablestacas de acero, pilotes de palastro.
—— slab, palastro o plancha gruesa de acero.
—— tape (surv), cinta de acero, (Ch) huincha de acero.
—— turnings, alisaduras de acero, virutillas.
—— wool, virutas de acero, (C) estopa de acero.
steel-armored conductor, conductor blindado de acero.
steel-back bushing, casquillo de cuerpo de acero.
steel-clad hoisting rope, cable de alambre de seis torones cada uno forrado de acero plano.
steel-frame building, edificio de armazón de acero.
steel-tray wheelbarrow, carretilla de cuerpo de acero.
steelwork, estructura de acero; montaje de acero estructural.
steelworks, fábrica de acero, oficina siderúrgica, acería, (A)(U) usina siderúrgica.
steelworker, erector, montador, herrero de obra; trabajador en un taller siderúrgico.
steelyard, romana.
steep, parado; empinado, escarpado, pino, acantilado.
steeple-head rivet, remache de cabeza de cono.
steer v, (auto) guiar, dirigir; (náut) timonear.
steerage (na), compartimientos inferiores para pasajeros.
steering, (auto) dirección, gobierno; (náut) timoneo.
—— arm, brazo de dirección.
—— assembly (auto), conjunto de dirección.
—— axle, eje director.
—— booster (tk), dispositivo de dirección mecánica.
—— brake, freno de dirección.

—— column (auto), columna de dirección.

—— engine (sb), máquina timoneadora.

—— gear, (auto) mecanismo de dirección; (cn) tren o aparato de timoneo.

—— knuckle (auto), muñón de dirección; charnela de dirección.

—— lock (auto), ángulo máximo de desviación de las ruedas delanteras.

—— shaft (auto), árbol de la dirección, eje de dirección.

—— stop (auto), tope de dirección.

—— wheel, (auto) volante de dirección, (C) timón; (náut) rueda del timón.

—— wheels (auto), véase leading wheel.

—— worm (auto), tornillo sin fin de dirección.

steering-clutch assembly (auto), conjunto del embrague de dirección.

steering-gear connecting rod (auto), barra de acoplamiento de la dirección.

steering-knuckle arm, brazo del muñón de dirección.

steering-wheel puller (auto), sacavolante.

stellate (math), estrellado.

stellite (met), estelita.

stem, s (vá) vástago, varilla; (viga T) alma; (cn) roda, branque; (llave) caña, tronco; espiga (bombilla); v (vol) atacar.

—— holder (pet), portavástago.

—— post (sb), roda.

—— straightener, enderezador de vástago.

stemless funnel (lab), embudo sin vástago.

stemmer (min), atacadera.

stemming (bl), taco, atacadura, (A) carga de atraque.

stemple (min), estemple, montante.

stemson (sb), contrarroda, contrabranque.

stench trap (sd), trampilla guardaolor.

stencil, s estarcido, (C) calado, (A) abecedario (para letras); v estarcir.

stenode (ra), estenodo.

stenographer, estenógrafo, taquígrafo.

stenographer-typist, taquimecanógrafo.

step, s paso; (escalera) escalón, peldaño, grada; (auto)(fc) estribo; (mec) quicionera, rangua; (náut) carlinga; v medir a pasos; escalonar, retallar; plantar (mástil).

—— aerator, aereador de escalones.

—— bearing, rangua, quicionera, tejuelo.

—— bolt (st), perno para peldaños.

—— chuck, mandril escalonado.

—— dies, matrices escalonadas.

—— edger (st), canteador de peldaños.

—— fault (geol), falla escalonada.

—— gage, calibre escalonado.

—— grate, parrilla escalonada o de grada.

—— joint, junta escalonada.

—— splice (rr), junta escalonada.

—— tap, macho escalonado.

—— vein (min), filón escalonado o en escalera.

step-back sequence (w), orden de retroceso.

step-by-step (elec)(tel), por grados.

step-down ratio (elec), relación reductora.

step-down transformer, transformador reductor, (A) transformador disminuidor.

step-thread joint (p), acoplamiento de rosca escalonada.

step-up gear, engranaje multiplicador.

step-up transformer, transformador elevador.

stephanite, estefanita (mineral de plata).

Stephenson link (se), cuadrante oscilante, sector o corredera o colisa de Stephenson, sector de cambio de marcha.

stepladder, escalera de mano o de tijera.

steppe, estepa.

stepped, escalonado.

—— arch, arco de trasdós escalonado.

—— column (str), columna escalonada

—— footing, cimiento de retallo, fundación escalonada.

—— gear, engranaje de dientes escalonados.

—— key, llave de paletón.

—— level board (rr), patrón de peralte.

—— pulley, polea escalonada.

—— reamer, escariador escalonado.

—— socket (wr), grillete o encastre escalonado.

Sterbon (trademark), esterbón (abrasivo).

stere, estéreo, metro cúbico.

stereo base, base estereoscópica.

stereo pair (pmy), par estereoscópico.

stereo-radial plotter (pmy), estereotrazador radial.

stereoautograph (pmy), estereoautógrafo.

stereocamera (pmy), cámara estereofotogramétrica.

stereocartograph (pmy), estereocartógrafo.

stereocomparagraph (pmy), estereocomparágrafo.

stereocomparator (pmy), estereocomparador.

stereogoniometer (pmy), estereogoniómetro, goniómetro estereoscópico.

stereogram (pmy), estereograma.

stereograph (pmy), estereógrafo.

stereographic (pmy)(dwg), estereográfico.

stereography (dwg), estereografía.

stereomeasurement, medición estereoscópica.

stereometer, estereómetro.

stereometric map, mapa estereométrico.

stereometry (math), estereometría.

stereomicrometer, estereomicrómetro.

stereophonic (ra), estereofónico.

stereophotogram, estereofotograma.

stereophotogrammetric, estereofotogramétrico.

stereophotogrammetry, estereofotogrametría.

stereophotograph, estereofotografía.

stereophotography, estereofotografía.

stereoplanigraph (pmy), estereoplanígrafo.

stereoplotter (pmy), estereotrazador.

stereoplotting (pmy), estereotrazado (de las curvas de nivel).

stereoscope (pmy), estereoscopio, estereóscopo.

stereoscopic, estereoscópico.

—— correspondence, correspondencia estereoscópica.

—— pair, par estereoscópico.

—— platting, trazado estereoscópico.

stereoscopy (pmy), estereoscopía.

stereosimplex (pmy), estereosimplex.

stereostatic, geostático, estereostático.

stereosurveying, estereolevantamiento.

stereotelemeter (pmy), estereotelémetro.

stereotomy (stonecutting), estereotomía.

stereotopograph (pmy), estereotopógrafo.

stereotopographic (pmy), estereotopográfico.
stereotopometer (pmy), estereotopómetro.
sterile, estéril.
sterilize, esterilizar, desinfectar.
sterilizer (lab), esterilizador.
stern (sb), popa.
—— fast (naut), amarra o rejera de popa.
—— frame (sb), codaste, marco de la hélice, peto de popa.
—— tube (sb), bocina, tubo del eje de hélice.
sternpost (sb), codaste, roda de popa.
stevedore, estibador.
stevedore's hook, gancho para estibadores.
stevedoring crane, grúa arrumadora o de muelle.
stibnite (miner), antimonio gris, estibnita.
stick, s palo; cartucho (dinamita); v pegar; pegarse, adherirse.
—— weld, soldadura para adhesión con poca resistencia.
sticker (lbr), listón separador.
sticky soil, suelo pegajoso.
stiff a, (est) rígido, tieso; (conc) tieso, duro, consistente, (A) denso; espeso (líquido).
stiff-hook block, motón con gancho rígido.
stiff-mud brick, ladrillo de barro duro.
stiffen, atiesar, atesar; endurecer; endurecerse.
stiffened beam seat (str), ángulo de asiento con atiesadores ajustados.
stiffener (str), atiesador, montante de refuerzo, ángulo atiesador.
stiffening, refuerzo, atirantamiento.
—— angles (gi), ángulos atiesadores, montantes de refuerzo.
—— beam (bdg), viga atiesadora o de rigidez.
—— rib, nervio de refuerzo.
—— truss (bdg), armadura atiesadora o de rigidez, (M) trabe de rigidez.
stiffleg derrick, grúa de brazos rígidos o de patas rígidas, (M) grúa de piernas rígidas, (M) grúa de pie de gallo.
stiffleg irons, herrajes del brazo rígido.
stiffness, (est) rigidez; (maq) dureza, tesura.
—— factor, factor de rigidez.
—— index, índice de rigidez.
stile (door), larguero, montante, (V) ligazón.
still n, alambique, destiladera, destiladora.
—— air, aire tranquilo, aire quieto.
—— water, agua muerta o estancada; agua mansa o tranquila.
stilling
—— box (hyd), pozo o cámara de calma, cámara de tranquilización.
—— pool (hyd), lecho o cuenco o estanque amortiguador, tazón, (M) colchón hidráulico, (Col) artesa de amortiguación.
—— rack (hyd), rejilla amortiguadora.
—— well (hyd), pozo amortiguador o de calma.
stilling-pool weir, (A) contrapresa.
stillman (pet), alambiquero.
Stillson wrench, llave Stillson o para tubos, caimán, (C) picoloro.
stilted arch, arco peraltado.
Stinger blade (trademark)(ce), hoja punzante.
stinkdamp (min), hidrógeno sulfurado.
stippled, punteado, picado, puntillado.
stir, agitar, batir.

stirrer (lab), agitador.
stirring rod (lab), varilla agitadora.
stirrup (all senses), estribo.
—— pump, bomba de estribo.
stitch
—— bolt, perno de punto; bulón provisional.
—— rivet, remache de punto (que une dos piezas sin trasmitir esfuerzo); (M) remache de hilván.
—— riveting, roblonado de simple unión, remachado de punto.
—— welding, soldadura por puntos.
stock, s (rs) terraja, tarraja, portacojinete; (mtl) existencias; cepo (ancla); cepo (yunque); caja (cepillo); caballería (caballos), semovientes; (herr) mango; (mh) material por labrar; (geol) intrusión de roca ígnea; (fin) acciones; v almacenar, acopiar; tener en existencia.
—— and dies, terraja y dados, terraja.
—— bottle (su), botella para solución de ensayo.
—— certificate, certificado o título de acciones.
—— company, sociedad anónima, (A) sociedad por acciones, (C) compañía por acciones.
—— door, puerta de existencia o de tamaño normal.
——, in, en existencia, en almacén.
—— lengths, largos corrientes.
—— pass (rr), paso inferior para ganado.
—— pile, pila de existencia, montón de reserva o de acopio.
—— rail (switch), riel maestro o continuo, carril contraaguja.
—— size, tamaño corriente.
—— solution, solución madre.
stocks (sb), grada, varadero, astillero.
stock-pile, apilar material de existencia, almacenar en montones.
stockcar, carro ganadero, vagón jaula.
stockholder, accionista, tenedor de acciones.
Stockholm tar, alquitrán de leña.
stocking cutter, fresa desbastadora.
stocking tool (mt), herramienta de filo ancho.
stockless anchor, ancla sin cepo.
stockwork (min), arranque de mineral en masa (sin filones).
stoke, s stoke (viscosidad); v (cal) cargar, (M) foguear.
stokehold (sb), cuarto de calderas.
stoker, (mec) alimentador, cargador; (hombre) fogonero, cargador, foguista.
stoker-fired (bo), alimentado mecánicamente.
stone, piedra.
—— ax, martillo para desbastar piedra.
—— bolt, castañuela.
—— crusher, chancadora de piedra, quebradora de roca, trituradora.
—— dust, polvo de trituración o de piedra.
—— fork (rr), horquilla para balasto.
—— hammer, dolobre, almádana, marra.
—— hooks, ganchos para manejo de bloques de piedra.
—— masonry, mampostería o albañilería de piedra, calicanto, cal y canto.
—— pavement, empedrado.
—— quarry, cantera, pedrera.

—— **sand,** arena artificial o molida.
—— **saw,** sierra de cantero.
—— **screenings,** residuos de chancado, recebo, grancillas.
—— **seal** (rd), capa final de granzón.
—— **sledge,** mandarria, marra, almádena, (M) macetón.
—— **tongs,** tenazas para manejar piedras.
—— **wedge,** cuña de cantero.
—— **wire,** alambre en paquetes de 12 lib.
stone-hoist hooks, ganchos para izar sillares.
stone-sawing strand, cabo de tres alambres para sierra de piedra.
stoneboat, rastra.
stonecutter, cantero, cincelador, picapedrero, tallista de piedra, pedrero.
stonecutter's
—— **chisel,** puntero, acodadera.
—— **drill,** barrena de canteador.
—— **hammer,** martillo de cantero, alcotana.
stonecutting, cantería, labrado de piedra.
—— **yard,** cantería.
stonemason, albañil, mampostero, asentador.
stonework, obra de mampostería.
Stoney gate (hyd), compuerta Stoney, compuerta levadiza con tren de rodillos.
stony soil, suelo pedregoso o cascajoso.
stool (window), repisa.
stoop (min), pilar.
stoop-and-room mining, minería de cámara y pilar.
stop, *s* (mec) tope, limitador, parador; (tub) llave de paso o de cierre; moldura de guía (ventana); (fc) parada, paradero, alto; seguro (cerradura); tope (puerta); (fma) obturador; (náut) baderna, barbeta; *v* parar, detener; pararse, detenerse; tapar, atascar, obstruir.
—— **bead** (window), batiente.
—— **button** (slackline), botón de tope.
—— **collar,** collar de tope.
—— **key,** llave de seguridad.
—— **light** (auto), lámpara de alto, luz de parada, farolito señalero.
—— **logs** (hyd), vigas horizontales de cierre, tableros de cierre, travesaños corredizos, (A) palconcellos.
—— **nut,** tuerca limitadora o de tope.
—— **plank,** tablón de cierre.
—— **plug,** tapón de tope.
—— **screw,** tornillo limitador o de tope.
—— **selector** (elev), selector de paradas.
—— **signal,** señal de alto o de parada.
—— **valve,** válvula de cierre.
—— **watch,** reloj de segundos muertos.
stop-and-check valve (bo), válvula de retención de vapor.
stop-and-waste cock, llave de cierre con orificio de drenaje.
stop-bead adjuster, ajustador de batiente.
stop-log groove (hyd), ranura de ataguiamiento o para viguetas de cierre.
stopcock, robinete, llave de cierre o de paso.
stope (min), *s* labor escalonada o vertical, grada; *v* avanzar por escalones.
—— **cutout,** grada ramal.

—— **raise,** contracielo escalonado.
stoper, perforadora de realce o para agujeros verticales.
stoperman (min), perforista de barrenos verticales.
stopper, tapón, tapadero, tapador, taco; (náut) boza; (pi) placa de asiento; (cab) retén, fiador.
stopping (machy), parada.
—— **condenser** (elec), condensador de bloqueo.
—— **distance** (rd), distancia para parada.
—— **switch** (elev), interruptor de parada.
stopworks (lock), dispositivo para fijación del pestillo o cerrojo.
storage, almacenaje, almacenamiento, acopio.
—— **battery,** acumulador, batería.
—— **cell,** acumulador, elemento de acumulador.
—— **charges,** derechos de almacenaje o de depósito, bodegaje.
—— **dam,** presa de almacenamiento o de embalse, dique de represa.
—— **level** (hyd), cota de retenida.
—— **pile,** pila de acopio.
—— **reservoir,** embalse de almacenamiento, estanque almacenador, pantano o embalse de reserva, depósito de acumulación, (M) presa de almacenamiento.
—— **tank,** tanque almacenador.
—— **track** (rr), vía de reserva.
—— **yard** (rr), patio de reserva.
store, *s* tienda, almacén; *v* almacenar, acopiar.
—— **yard** (mtl), patio de almacenaje, plaza de acopio, cancha de almacenaje, corralón de materiales.
stored-energy welding, soldadura con energía acumulada.
storehouse, almacén, bodega, depósito.
storekeeper, almacenista, bodeguero, despensero, almacenero, (C) guardaalmacén.
storeroom, despensa, bodega, almacén, pañol.
storm, tormenta, temporal.
—— **door,** cancel, contrapuerta, guardapuerta.
—— **drain,** desagüe de agua pluvial.
—— **overflow** (sw), aliviadero de agua sobrante o de crecidas.
—— **sash,** contraventana, contravidriera.
—— **sewage,** agua pluvial de albañal, aguas cloacales pluviales, (Pe)(A) aguas blancas.
—— **water,** agua pluvial, aguas meteóricas.
—— **window,** guardaventana.
storm-water sewer, colector de agua de lluvia, conducto pluvial, (A) colector de aguas blancas, (A) pluvioducto, (A) conducto de tormenta, (Pe) pluvioconducto.
stormproof, a prueba de tormenta.
story (bldg), piso, alto, (C) planta.
stove, estufa, hornillo.
—— **bolt,** perno de ranura o de cabeza ranurada o de muesca.
—— **coal,** antracita de tamaño $1\frac{9}{16}$ a $2\frac{1}{2}$ pulg.
stow, estibar, arrumar, abarrotar, (Col) atibar.
stowage, estiba, arrumaje; bodega.
straddle
—— **hoist,** cabria de pórtico, grúa de marco.
—— **mill** (mt), fresas de disco acopladas.

—— **truck,** camión a horcajadas o de caballete, carretilla a horcajadas.

straddle-mounted (mech), montado a horcajadas.

straddle-type dipper sticks (sh), brazos de cucharón a horcajadas.

straddler (rr), barra U para asentar silletas.

straight *a*, recto, derecho.

—— **bill of lading,** conocimiento no traspasable.

—— **boiler tap,** macho paralelo para calderas.

—— **dynamite,** dinamita corriente.

—— **file,** lima derecha.

—— **gelatin,** gelatina explosiva corriente.

—— **grain** (lbr), veta recta, fibra derecha.

—— **line,** línea recta, recta.

—— **polarity,** polaridad directa.

—— **reamer,** escariador cilíndrico o paralelo.

—— **roller bearing,** cojinete de rodillos rectos.

—— **shank** (t), espiga cilíndrica o pareja.

—— **tap,** macho cilíndrico.

—— **time,** sueldo uniforme por horas (sin recargo por sobretiempo); sueldo constante (sin deducción por horas perdidas).

straight-back saw, serrucho de lomo recto.

straight-blade fan, ventilador de aletas planas.

straight-flute drill, broca de acanalado recto.

straight-line

—— **capacitance** (ra), capacitancia lineal, capacidad directa.

—— **compressor,** compresora en línea recta.

—— **depreciation,** depreciación por reducción anual de un porcentaje uniforme del costo primitivo.

—— **distribution,** repartición lineal.

—— **gravel plant,** planta chancadora y cribadora en línea recta.

—— **rate** (elec current), tasa constante (sin modificar por cantidad).

—— **splice** (elec), empalme derecho.

—— **wave length** (ra), longitud de onda lineal.

straight-peen hammer, martillc de peña derecha.

straight-run gasoline, gasolina de destilación directa.

straight-run pitch, pez de la primera destilación.

straight-run valve, válvula de paso recto.

straight-through joint (elec), empalme.

straight-web sheet piling, tablestacas de alma recta.

straight-wheel grader, niveladora de rueda recta.

straightedge, *s* escantillón, regla, gálibo, regla recta, aplanadera, emparejador, raedera, reglón, (C) formaleta, (M) tablón-llana; *v* nivelar con escantillón.

straighten, enderezar, rectificar, desencorvar; desalabear, desabollar.

straightening

—— **machine,** máquina enderezadora.

—— **press,** prensa enderezadora.

—— **rolls,** cilindros de enderezar.

—— **tool,** enderezador, (A) grifa.

straightway pump, bomba de paso recto.

straightway valve, válvula de paso recto.

strain, *s* (cab) tirón, tirantez; deformación (mecánica); *v* estirar, forzar, someter a esfuerzo; deformar (mecánica); colar (líquido).

—— **aging** (met), envejecimiento por deformación.

—— **clamp** (elec), abrazadera de anclaje, grapa de tensión.

—— **ear** (elec rr), oreja de anclaje, ojete tensor.

—— **energy,** energía de deformación.

—— **gage,** medidor de deformación.

—— **hardening** (met), endurecimiento por deformación.

—— **insulator,** aislador de amarre o de anclaje.

—— **meter,** medidor de deformación, (M) fatigámetro.

—— **plate** (pole line), placa guardaposte.

—— **pole,** poste de retención.

—— **tower,** torre de retención.

strainer, colador, coladera, cedazo, criba, tamizador; (bm) cesta de aspiración, chupador, alcachofa; (mec) tensor.

straining tank, tanque colador.

strainslip (geol), falla minuta.

strait, estrecho, pasaje, bocal.

strake (sb), traca, (A) curso.

strand, *s* (cab) cordón, torón, trenza, ramal, torcido, (Ch) hebra, (M) hilo, (M) torzal; cabo; tramo (correa); *v* (náut) encallar, vararse, zabordar.

—— **connector,** conector de torones.

strand-laid (cab), acolchado.

stranded, (cab) trenzado, trefilado; (náut) varado, encallado.

stranding machine, máquina torcedora.

strap *n*, correa; (acero) barra chata, solera, llanta; (motón) guarnición, manzanillo, vinatera.

—— **anchor,** trabilla de fleje.

—— **hinge,** gozne, bisagra de paleta o de ramal, (A) bisagra gozne.

—— **iron,** fleje o cinta de hierro.

—— **key** (elec), llave de lengüeta.

—— **nail,** clavo para flejes.

—— **staple,** hembra de fleje acodado.

—— **weld,** soldadura reforzada o con cubrejunta.

—— **wrench,** llave de correa.

strapping (ra), zunchamiento.

stratameter (tb), estratómetro.

stratification, estratificación.

stratified, estratificado.

—— **discharge** (elec), descarga estratificada.

stratigraphic, estratigráfico.

—— **throw** (geol), separación estratigráfica.

—— **trap** (pet), trampa estratigráfica.

stratigraphy, estratigrafía.

stratosphere, estratosfera.

stratum, capa, estratificación, estrato, camada, cama, lecho, manto, horizonte, (U) banqueto.

straw, paja.

—— **boss,** cabo de cuadrilla, subcapataz.

—— **line** (lg), cable auxiliar o de traslación.

strawboard, cartón de paja.

stray *a*, (eléc) vagabundo, perdido; (ra) parásito.

—— **capacitance,** capacidad dispersa, capacitancia vagabunda.

—— **current,** corriente desviada o vagabunda.

—— **power,** energía perdida en el generador.

strays (ra), interferencia, perturbaciones (que no son de otras radioemisoras), parásitos.

streak, (min) filón, veta; (miner) huella, (B)(A) raya.

—— **plate** (lab), placa de huellas.

stream, río, arroyo; corriente.

—— **bed,** lecho, álveo.

—— **capture** (geol), captura, (A) captación, (A) decapitación.

—— **enclosure,** confinamiento o encañado de corriente.

—— **flow,** gasto, caudal.

—— **gage,** escala hidrométrica, hidrómetro, aforador, escala fluviométrica, limnímetro, mira.

—— **gager,** aforador, (Ch) hidromensor, (Es) hidrómetra.

—— **gaging,** aforo, hidrometría, hidromensura.

—— **gold,** oro en placeres.

—— **piracy,** véase **stream capture.**

—— **pollution,** polución fluvial.

—— **tin,** estaño de acarreo, casiterita.

stream-flow records, registros del gasto, registro hidrométrico.

streaming flow, caudal subcrítico.

streamline flow, flujo laminar o viscoso.

streamlined, aerodinámico, perfilado, fusiforme, fuselado, (U) de línea de corriente, hidrodinámico, (M) correntilíneo, (Es) en forma de huso.

street, calle.

—— **elbow** (p), codo macho y hembra, codo de servicio.

—— **flusher,** camión-tanque lavador de calles.

—— **form** (conc), molde para cordón y cuneta.

—— **inlet** (sw), boca de calle o de entrada, sumidero, (A) boca de tormenta, (C) caño.

—— **intersection,** bocacalle, intersección de calles.

—— **plates** (cr), protectores para pavimentos.

—— **railway,** tranvía, ferrocarril urbano, (PR) trole.

—— **sprinkler,** regadora de calles.

—— **sweeper,** barredor de calles.

—— **T** (p), T roscada macho y hembra.

—— **washer,** lavador de calle.

street-cleaning, limpieza de calles, aseo urbano.

—— **equipment,** equipo para aseo de calles.

streetcar, coche de tranvía.

—— **rail,** riel acanalado o tranviario, carril de tranvía.

—— **track,** vía tranviaria o de tranvía, tranvía.

stremmatograph (rr), estrematógrafo.

strength, fuerza; (mtl) resistencia; (eléc) intensidad; concentración (solución); potencia (dinamita).

—— **member** (sb), pieza que contribuye a la resistencia del casco.

—— **of materials,** resistencia de materiales.

—— **welding,** soldadura para resistencia.

strengthen, fortalecer, reforzar, fortificar.

streptococci (lab), estreptococos.

stress, s esfuerzo, fatiga, solicitación, trabajo, (A) tensión; (eléc) esfuerzo; v someter a esfuerzo, fatigar, solicitar, (U) esforzar.

—— **corrosion,** corrosión con esfuerzo.

—— **diagram,** diagrama de los esfuerzos.

—— **distribution,** repartición de los esfuerzos.

—— **grading** (lbr), clasificación según esfuerzo de seguridad.

—— **meter,** indicador o medidor de esfuerzo.

—— **recorder,** registrador de esfuerzos.

—— **relaxation,** relajamiento del esfuerzo, (A) relajamiento de tensión.

—— **relief,** alivio de esfuerzos, desfatigamiento.

stress-grade lumber, madera clasificada por esfuerzo admisible.

stress-strain curve, curva de deformaciones.

stretch, s alargamiento, extensión; trecho, tramo, tirada, trayecto; v estirar, extender; extenderse, alargarse.

stretcher, camilla; (mec) tensor, atiesador; (lad) soga, ladrillo al hilo; (tún)(min) separador.

—— **bond** (bw), ladrillado sin tizones.

—— **course** (bw), hilera de soga, hilada de faja.

—— **jack** (lg), atador de troncos.

—— **strains** (met), líneas de deformación por elongación local.

stretching, estiraje.

—— **press,** prensa de estirar.

stria, (geol) estría; (vi) cuerdas.

striated, estriado.

striation, estriación, estriadura.

strickle, s escantillón, (M) tablón-llana; (met) terraja; v enrasar; (fund) aterrajar.

striding level, nivel montado o montante, (Es) nivel caballero.

strike, s (hombres) huelga, paro, paro obrero; (geol) rumbo, arrumbamiento, dirección; (cerradura) hembra; (az) templa; v golpear; parar, ir a la huelga.

—— **an arc** (w), formar arco, establecer el arco.

—— **board,** aplanadera, escantillón, (M) tablón-llana.

—— **centers,** descimbrar, quitar las cimbras.

—— **fault** (geol), falla corriente, (A) dislocación longitudinal, (A) dislocación rumbeante.

—— **joints** (bw), biselar hacia adentro.

—— **off** (mas), enrasar, nivelar.

—— **pan** (su), tacho de punto.

—— **slip** (geol), desplazamiento horizontal.

—— **valve** (su), válvula descargadora de la templa.

strike-off board, escantillón, regla recta, emparejador.

strikebreaker, esquirol, (C)(PR) rompehuelgas.

striker, golpeador; huelguista.

striking, golpeo, martilleo.

—— **hammer,** macho, mandarria, acotillo, porra, porrilla, combo.

—— **plate,** (ft) hembra de cerrojo; macaco (martinete); travesaño de acuñamiento (arco).

—— **stile** (door), montante de la cerradura.

—— **wrench,** llave de martillo.

string n, cuerda, cordel, bramante; (es) limón, zanca, gualdera; montante (escala); (vi) cuerdas; (pet) juego (de herramientas), sarta.

—— **galvanometer,** galvanómetro de cuerda.

—— **insulator,** aislador de cadena.

—— **of pipe** (pet), juego de tubos acoplados, sarta de tubería.

—— of tools (pet), cadena de herramientas.
—— polygon, polígono funicular.
stringcourse (bldg), cordón.
stringer, (pte) larguero, viga longitudinal; (cb) viga; (fc) carrera, durmiente longitudinal; (cn) larguero, trancanil; (min) venilla, venita.
—— angle (sb), ángulo trancanil.
—— bar (sb), barra trancanil.
—— lode (min), filón que contiene muchas vetillas irregulares.
—— plate (sb), plancha trancanil.
—— strake (sb), traca de trancanil.
stringpiece (dock), carrera, larguero, cepo.
strip, s franja, faja, tira, cinta; (met) fleje, tira; (mad) tabla de ancho menos de 8 pulg y grueso menos de 2 pulg; (mad) listón separador; v (exc) escarpar, desmontar, despejar, desencapar; (mo) desencofrar, desmoldar, quitar formas; (rs) estropear, desgarrar; (corteza) descortezar; (aislamiento) desforrar, desaislar, pelar; (maq) desguarnecer, desencapillar; (pet) despojar, separar; (pet) raspar.
—— ballast v, deslastrar, quitar lastre.
—— battens v, deslatar, quitar listones.
—— boards v, desentablar, desentarimar.
—— finder (pmy), buscador de fajas.
—— flooring, piso sólido de tablones de canto.
—— fuse (elec), fusible de cinta, tira fusible.
—— insulation v, desaislar, desforrar.
—— lighting (ap), iluminación de fajas.
—— load (sm), carga de faja.
—— mill (met), laminador de tiras.
—— mine, mina a cielo abierto, hullera a tajo abierto.
—— mosaic (pmy), tira mosaica.
—— plaster v, desenyesar, quitar repello.
—— radial triangulation (pmy), triangulación radial por fajas.
—— rigging v, desenjarciar, desguarnir, desaparejar.
—— roof tiles v, desentejar, quitar tejas.
—— sheathing v, desaforrar, quitar la tablazón.
—— sod v, desencespedar, quitar césped.
—— steel, chapa de acero en tiras.
stripe, s raya, franja; v rayar.
striping machine (rd), máquina fajadora, rayadora.
stripped gasoline, gasolina estabilizada.
stripped joint (bw), junta degrada formada por tiras de madera.
stripper, (mo) desmoldador; (mec) separador; (pet) raspador, limpiador, enjugador; (aislación) desaislador, desforrador.
stripping, (exc) despejo, desmonte, escarpado; (mo) desmolde, desencofrado; (pet) despojo, separación.
—— bar (fo), barra sacaclavos.
—— foreman (fo), jefe desmoldador, capataz del desencofrado.
—— shovel, desencapador, pala desencapadora.
—— still (pet), alambique despojador.
—— tower (pet), torre de primera destilación.
stroboscope (ra), estroboscopio.
stroboscopic, estroboscópico.

strobotron (ra), estrobotrón.
stroke (piston), carrera, recorrido, embolada; golpe; (mg) tiempo.
—— counter (se), cuentaemboladas.
—— transformer (pu), regulador de carrera.
strong, (mtl) resistente; (maq) fuerte, potente; (eléc) intenso; (solución) concentrado, fuerte.
—— sewage, aguas negras de gran contenido de materia orgánica.
strongback, larguero, carrera, cepo.
strontium (chem), estroncio.
—— oxide, óxido de estroncio, estronciana.
—— white, pigmento de sulfato de estroncio.
struck joint (bw), junta biselada hacia adentro y hacia abajo.
struck measure, volumen enrasado, capacidad rasada o al nivel o al ras.
structural, de construcción, estructural.
—— bronze work, broncería de obra.
—— carpentry, carpintería de obra, (V) carpintería de armar.
—— engineer, ingeniero de estructuras.
—— grade (steel)(lumber), calidad o grado estructural.
—— ironwork, herrería de obra, herraje estructural.
—— ironworker, herrero de obra o de grueso, armador de herrería.
—— shape, perfilado, hierro perfilado, perfil estructural.
—— soundness, sanidad estructural.
—— steel, acero estructural o de construcción.
—— tile, bloque refractario de construcción, (A) cerámica de construcción, (C) teja estructural.
—— timber, madero, madera de construcción (6 pulg y mayor).
—— worker, montador, erector, herrero de obra.
—— wrench, llave de cola o para armador de acero.
structure, estructura, construcción; (geol) estructura.
—— contours (geol), curvas de nivel.
structureless (soil), sin estructura.
strut, s puntal, codal, jabalcón, asnilla, apoyadero, (A) machón, (min) estemple; v apuntalar, acodar, acodalar.
stub, s (cerradura) guarda; (cheque) talón; (poste) cepa, tope; v (poste) reforzar al pie.
—— end, (est) cabilla recalcada y roscada; (maq) cabeza de muñón; (ca) extremo muerto; (tub) extremo corto para soldar, casquillo.
—— involute tooth (gear), diente de evolvente truncado.
—— iron, hierro de clavos viejos.
—— mortise, mortaja ciega.
—— reamer, escariador corto.
—— shaft, gorrón.
—— switch (rr), chucho o cambio de tope.
—— tap, macho corto.
—— track (rr), desvío muerto.
stub-end taxiway (ap), pista cerrada de rodaje.
stub-tooth gear, engranaje de dientes cortos.
Stubs wire gage, calibre Stubs o de Birmingham.
stucco, s estuco, revoque, guarnecido, repello,

(C) betunado, (Ch) estuque; *v* estucar, repellar, guarnecer, revocar, (C) betunar, (Col) acerar.

stuck-down floor (bldg), piso de madera asentado en el concreto sin clavar, piso pegado.

stud, *s* (carp) pie derecho, montante; travesaño (cadena); (mec) perno, husillo; perno prisionero; (eléc) portaartefacto; (eléc) clavija de conexión; (sol) espárrago; (mh) husillo giratorio; *v* (mec) fijar con pernos prisioneros; (carp) armar con pies derechos.

—— **bolt,** tornillo opresor, perno prisionero, (A) espárrago, perno de dos filetes sin cabeza.

—— **puller,** sacaprisionero.

—— **wall** (bldg), pared de entramado.

—— **welding,** soldadura de espárragos.

stud-link chain, cadena de contretes o de eslabón con travesaños.

studding, pies derechos, montantes, entramado.

studdle (min), puntal separador del ademado.

stuffing box, caja de estopas o de empaquetadura, prensaestopas, (M) estopera.

stuffing nut, tuerca del prensaestopas.

stuffing-box recess (sb), nicho popel del túnel.

stull (min), estemple.

stump *n,* tocón, cepa, toza.

—— **pillar** (min), pilar subsidiario.

—— **prop** (min), pilar corto.

—— **puller,** arrancatocón, destroncadora.

—— **pulling,** destronque.

—— **splitter** (ce), rajatocones.

—— **spud,** pala chica con mango de palanca.

stumpage, precio de madera viva; derecho de bosque; madera en pie.

stumping explosives, explosivos para destroncar.

style (marking), estilete, estilo.

stylus (dwg), estilete.

styrene (chem), estireno.

subacid, subácido.

subangular, subangular, medio angular.

subaqueous, subácueo.

subarea, subárea.

subartesian, subartesiano.

subassembly, subconjunto, subgrupo.

subatmospheric, subatmosférico.

subatomic, subatómico.

subballast (rr), subbalasto.

subbase, (ca)(maq) subbase.

subbasement, subsótano.

subbed (rr), sublecho.

subbench (tun), subbanco.

subbid *n,* propuesta para subcontrato.

subbituminous, subbituminoso.

subcarbide, subcarburo.

subcarbonate, subcarbonato.

subcarrier (ra), subportadora.

subcellar, subsótano.

subcenter, subcentro.

subchord, subcuerda.

subcontract, *s* subcontrato; *v* subcontratar.

subcontractor, subcontratista.

subcooling (ac), subenfriamiento.

subcritical flow (hyd), gasto subcrítico.

subcrystalline, subcristalino.

subculture (lab), subcultivo.

subcurrent, subcorriente.

subdeflection angle (surv), subángulo de desviación.

subdiagonal (tu), subdiagonal.

subdistribution center (elec), subcentro de distribución.

subdivide, subdividir.

subdivision, subdivisión.

subdrain, *s* desagüe inferior, tubo de avenamiento, subdrén; *v* desaguar el subsuelo.

subdrainage, avenamiento, desagüe inferior, drenaje del subsuelo, subdrenaje.

subdrift (min), subgalería.

subdrill, subtaladrar.

subfeeder (elec), subalimentador.

subflooring, contrapiso.

subflow (r), gasto subálveo.

subfluvial, subfluvial.

subforeman, ayudante capataz, subcapataz, subjefe, (U) segundo capataz, (min) sotominero.

subframe (auto), bastidor auxiliar, subbastidor, (U) falso chassis.

subgrade, subrasante, rasante, explanación, plantilla, plataforma de la vía, (V) apisonado, (V) subfirme.

—— **felt** (rd), fieltro para subrasantes.

—— **modulus** (ap), módulo de reacción del subrasante.

—— **paper** (rd), papel para subrasante.

—— **planer,** acabadora de subrasante.

—— **reaction** (sm), reacción del cimiento.

—— **tester,** probador de la explanación.

subgrader (rd), conformadora, abovedadora, niveladora de subrasantes.

subharmonic (elec), subarmónica.

subhouse drain (pb), subdesagüe domiciliario (tubería debajo del nivel de la cloaca).

subhumid, subhúmedo.

subincline (min), subrampa.

subindex (math), subíndice.

subirrigation, irrigación subterránea, subirrigación, subregadío.

subjective brightness (il), brillo subjetivo, brillantez, luminosidad.

subjoist, durmiente.

sublateral (irr), subramal.

sublayer, subcapa.

sublease, *s* subarriendo; *v* subarrendar.

sublet, subcontratar; subarrendar.

sublevee (r), dique secundario, borde auxiliar.

sublevel (min), subnivel.

—— **stoping** (min), laboreo de subniveles.

sublimate *n,* sublimado.

sublimation, sublimación.

sublime *v* (chem), sublimar, sublimarse.

submain, conducto secundario.

—— **sewer,** cloaca secundaria.

submarine, submarino.

submaster thermostat (ac), termóstato reajustable a distancia.

submember (tu), pieza subsidiaria, subpieza.

submerge, sumergir, ahogar, anegar, empantanar.

submerged

—— **condenser** (ac)(rfg), condensador sumergido

—— **orifice,** orificio sumergido o ahogado.

—— **weir,** vertedero sumergido o ahogado o incompleto o anegado.

submerged-tube boiler, caldera vertical de tubos sumergidos.

submergence, sumersión, (M) sumergencia.

submersible, sumergible.

submersion, sumersión.

submetallic, submetálico.

submicron, submicrón.

submicroscopic, submicroscópico.

subminiature (ra), subminiatura.

submultiple, submúltiplo.

subnitrate, subnitrato.

suboil (rd), petrolizar la capa inferior.

suboxide, subóxido.

subpanel (elec), subcuadro, subtablero, (A) subpanel.

subpermanent magnetism, magnetismo subpermanente.

subpier, subpilar.

subpunch v (str), subpunzonar.

subpunching and reaming, subpunzonado y escariado.

subpurlin (rf), subcarrera.

subsampling, submuestreo.

subscreen size, tamaño microscópico.

subscript (math), subíndice.

subsealing (rd), inyección de asfalto caliente bajo la losa de concreto.

subsequent stream (geol), río o arroyo subsecuente.

subsequent valley, valle subsecuente.

subsidence (ea), asiento.

—— **basin,** depósito de sedimentación, (Pe) depósito de subsidencia.

subsidiary, s empresa subsidiaria; a subsidiario.

subsidy, subvención, subsidio.

subsill, subsolera.

subsoil, subsuelo.

subsonic, subsónico.

substance, materia, (quím) substancia.

substation, (eléc) subestación, subcentral, (A) subusina; (lev) subestación.

substitute (all senses), s substituto, sustituto; v substituir, sustituir; a substitutivo, sustitutivo.

—— **center** (pmy), centro substituto.

substoping (min), laboreo de subniveles.

substoreroom, subalmacén.

substratum, capa inferior, subhorizonte, subestrato, (A) substrato.

substringer (bdg), sublarguero.

substructure, subestructura, infraestructura, estructura inferior.

substrut, subpuntal.

subsurface, subterráneo, (M) subsuperficial; submarino; subálveo.

—— **dam,** dique de afloramiento.

—— **float,** flotador sumergido.

—— **flow,** corriente freática.

—— **irrigation** (irr)(sd), irrigación subterránea, riego subterráneo.

—— **perched stream,** corriente subterránea aislada.

—— **pressure gage,** medidor de presión subterránea.

—— **stream flow,** gasto subálveo.

—— **water,** agua freática.

subsynchronous, subsíncrono.

subtangent, subtangente.

subtenant, subarrendatario.

subtend, subtender.

subtense bar (surv), reglón, barra subtensa.

subterranean, subterráneo.

subtie (str), subtirante.

subtotal, subtotal.

subtract, restar, substraer.

subtraction, resta, substracción, sustracción.

subtractive, sustractivo, substractivo.

subtrahend (math), substraendo, sustraendo.

subtransient (elec), submomentáneo.

subtransmission system (elec), red de subtransmisión.

subtropical, subtropical.

subvention, subvención.

subvertical (tu), subvertical.

subway, paso inferior; (cab)(tub) galería, conducto; (fc) ferrocarril subterráneo.

—— **transformer** (elec), transformador tipo subterráneo.

subzero, subcero.

suck (pu), chupar, aspirar, succionar.

sucker, émbolo, (M) succionador.

—— **rod** (pu), vástago de succión, varilla de bombeo.

sucrate, sucrato, saccarato.

sucrocarbonate (su), sucrocarbonato, sacarocarbonato.

sucrose, sucrosa, sacarosa.

—— **balance** (su), balance de la sacarosa, equilibrio de sucrosa.

suction, aspiración, succión.

—— **anchor,** ancla de succión.

—— **chamber** (eng), cámara de aspiración.

—— **dredge,** draga aspirante o de succión o de bomba centrífuga.

—— **flask,** frasco de succión para filtrado.

—— **head,** carga de aspiración, altura de succión.

—— **hose,** manguera aspirante o de succión, (A) caño aspirante.

—— **lift,** altura de aspiración.

—— **nozzle,** tobera de aspiración.

—— **pipe,** tubo aspirante, aspirador.

—— **pit,** pozo de succión o de aspiración, (M) cárcamo de succión.

—— **port** (pu), lumbrera de aspiración.

—— **pump,** bomba aspirante o chupadora.

—— **silencer** (auto), silenciador de aspiración o de admisión.

—— **stroke,** carrera o golpe de aspiración.

—— **valve,** válvula de aspiración o de succión.

suds (lu), jabonaduras.

sugar, azúcar.

—— **balance,** balanza para azúcar.

—— **cane,** caña dulce o de azúcar, cañamiel.

—— **dust,** polvo de azúcar.

—— **industry,** industria azucarera.

—— **maple,** arce sacarino o de azúcar.

—— **mill,** central de azúcar, ingenio, (PR) hacienda de azúcar; trapiche.

—— **pine,** especie de pino blanco.

—— **refinery,** refinería azucarera.

—— refractometer, refractómetro azucarero.
—— technologist, técnico de azúcar, azucarero.
sugar-ash bridge (lab), puente para ceniza de azúcar.
sugarhouse, fábrica de azúcar, central azucarera.
sugarworks, fábrica o refinería de azúcar.
sulkey (lg), véase logging wheels.
sulky derrick, cabria, cabrestante.
sulphanilic acid, ácido sulfanílico.
sulphate, s sulfato; v sulfatar.
—— hardness (wp), dureza de sulfatos.
—— ion, ion sulfático.
sulphate-resisting cement, cemento resistente a los sulfatos.
sulphated ash (su), ceniza sulfatada.
sulphatize, convertir en sulfato.
sulphide, sulfuro.
sulphitation (su), sulfitación.
sulphite, sulfito.
sulphitor (su), sulfitador.
sulpho salt, sulfosal.
sulphocarbonic, sulfocarbónico.
sulphocyanide, sulfocianuro.
sulphonate, sulfonato.
sulphonation, sulfonación.
sulphonephthalein (lab), sulfonaftaleína.
sulphonic, sulfónico.
sulphur, azufre.
—— box (su), caja de sulfitación.
—— dioxide, anhídrido sulfuroso, dióxido de azufre.
—— mine, mina de azufre, azufrera.
—— ore, pirita.
—— tower (su), torre de sulfitación.
sulphureous, véase sulphurous.
sulphureted hydrogen, hidrógeno sulfurado.
sulphuric acid, ácido sulfúrico.
sulphuric anhydride, anhídrido sulfúrico, trióxido de azufre.
sulphurize, sulfurar.
sulphurous, azufroso, sulfuroso, sulfúreo, azufrado.
—— anhydride, anhídrido sulfuroso, dióxido de azufre.
sulphydrate, sulfhidrato, hidrosulfuro.
sum, suma.
summation, suma.
summator, totalizador, sumador.
summer, verano; (cons) dintel; viga maestra; imposta.
—— solstice, solsticio vernal.
summer-cut (lbr), tumbado en verano.
summerwood, albura de verano, madera de estío.
summit, cima, cumbre, ápice.
—— level, nivel más alto.
—— vertical (rd), vertical convexa o de cumbre.
—— yard (rr), patio de lomo para maniobras por gravedad.
sump, sumidero, resumidero, poceta, rezumadero, pozo de recogida; (maq) colector de aceite.
—— pump, bomba de sumidero o de sentina.
sumping cut (min), socavación del frente de ataque.
sun, sol.
—— effect (ac), efecto del sol.

—— gear, engranaje planetario o sol.
—— print, heliografía, copia heliográfica.
—— visor (auto), visera.
sunflower (tun), tipo de mira para seccionado de la galería.
sunk key, chaveta embutida.
sunshade (inst), pantalla.
superalkaline, superalcalino.
superaudible (ra), de frecuencia más alta de la audible.
supercapillary, supercapilar.
supercentrifuge, supercentrífuga.
supercharger, supercargador, sobrealimentador.
supercharging (ge)(di), sobrealimentación.
superchlorinate, superclorinar, superclorar.
supercompaction (ea), superconsolidación.
supercompressibility, supercompresibilidad.
supercompression, supercompresión.
superconductivity, superconductividad.
supercontrol (ra), supercontrol.
supercool, sobreenfriar.
supercritical flow, gasto supercrítico.
superduty firebrick, ladrillo superrefractario.
superelevation (rr), peralte, superelevación, sobreelevación, (V) peraltamiento, (V) peraltaje, (C) realce.
superficial, superficial.
superfine file, lima superfina o finísima.
superfinish, superacabado.
superfinisher, superacabadora.
superfractionator, superfraccionador.
supergene (geol), supergénico.
superheat, s supercalor; v recalentar, sobrecalentar.
superheated steam, vapor recalentado.
superheater, recalentador, supercalentador, sobrecalentador.
superheating, recalentamiento.
superheterodyne (ra), superheterodino.
superhigh frequency (ra), frecuencia superelevada.
superhighway, supercarretera, camino de acceso limitado.
superimpose, sobreponer.
superimposed load, carga sobrepuesta.
superincumbent, superyacente.
superintend, superentender, dirigir.
superintendence, superintendencia.
superintendent, superintendente, maestro de obras, jefe de construcción.
supernatant (chem), sobrenadante.
superoxidation, superoxidación.
superpose, superponer.
superposed, superpuesto.
—— turbine, turbina superpuesta.
superposition, superposición.
superpower, superpotencia.
superpressed plywood, madera laminada por presión alta, contraplacado superprensado.
superpressure boiler, caldera de superpresión.
superrefractory, superrefractario.
superregeneration (ra), superregeneración.
superregenerative (ra), superregenerativo.
supersaturate, supersaturar.
supersensitive (pmy), supersensible.
supersonic (ra), supersónico, (A) de ultrasonido

superstratum, estrato superior.
superstructure, superestructura, estructura superior.
supersynchronous (elec), supersincrónico.
supertonic (ra), supersónico.
supervise, superentender, dirigir, (M)(Ec) supervisar.
supervision, superintendencia, administración, dirección, (Pan) supervigilancia.
supervisor (rr), agente o encargado de vía.
supervisory wiring (elec), alambrado de gobierno a distancia.
supplement (math), suplemento.
supplementary (math), suplementario.
—— jet (auto), surtidor suplementario o auxiliar.
supplier, suministrador, abastecedor.
supplies, pertrechos, materiales menores del trabajo, suministros, abastecimientos.
supply, s aprovisionamiento, abasto, abastecimiento; v aprovisionar, suministrar, abastecer.
—— duct (ac), conducto de aducción.
—— main, tubería de conducción, acueducto, conducto de aducción o de abastecimiento.
—— pipe, surtidor, conducto de aducción, caño de alimentación, tubo abastecedor.
support, s apoyo, sostén, soporte; v apoyar, sostener, soportar, sustentar; aguantar.
supported joint (rr), unión soportada, junta apoyada.
suppressed
—— contraction (hyd), contracción eliminada.
—— orifice (hid), orificio sin contracción.
—— weir, vertedero sin contracción.
suppressed-carrier transmission (ra), transmisión a portadora suprimida.
suppressor, supresor, amortiguador.
—— grid (ra), rejilla de supresión, rejilla o grilla supresora.
surcharge, s (ot) sobrecarga; (com) recargo, sobreprecio; v (tierra) sobrecargar.
—— storage (hyd), almacenamiento de sobrecarga.
surd (math), irracional.
surety, fiador; caución, fianza.
—— bond, fianza.
surf, marejada, resaca, rompiente.
surface, s superficie; (ca) afirmado, carpeta; v (fc) emparejar, nivelar; (conc) acabar, alisar, afinar; (sol) revestir; a superficial.
—— bolt (door), cerrojo de aplicar.
—— broaching, escariado de superficie.
—— carburetor, carburador de evaporación.
—— coefficient (ag), coeficiente de superficie, factor de área superficial.
—— condenser, condensador de superficie.
—— contact (elec), contacto de superficie.
—— contraction (hyd), contracción superficial.
—— cooling (ac), enfriamiento de superficie.
—— course (rd), capa superior o superficial.
—— curve (hyd), curva superficial; pendiente hidráulica.
—— drainage, drenaje de la superficie, desagüe superficial.
—— fatigue, fatiga superficial.

—— film (hyd), superficie pelicular, película superficial.
—— foot (lbr), pie cuadrado.
—— gage, calibre de altura, verificador de superficies planas.
—— grinder, esmeriladora o amoladora de superficie.
—— hardening (met), endurecimiento de superficie.
—— heater (asphalt), calentador de superficie.
—— hinge, bisagra de superficie.
—— irrigation, riego superficial, irrigación de la superficie.
—— leakage (elec), descarga superficial.
—— metal raceway (elec), conducto metálico superficial.
—— of evaporation, superficie de evaporación.
—— of revolution, superficie de revolución.
—— plates, placas para probar superficies planas.
—— resistance (elec)(ht), resistencia superficial.
—— roller (hyd), torbellino superficial de eje horizontal.
—— runoff (hyd), escurrimiento superficial.
—— strike (hw), hembra de cerrojo de aplicar.
—— switch (elec), interruptor de aplicar, (M) apagador visible.
—— tension, tensión superficial.
—— velocity, velocidad superficial o de la superficie.
—— vibrator (conc), vibradora superficial.
—— wooden raceway (elec), conducto superficial de madera, moldura-conducto.
surface-area factor (ag), factor de área superficial, coeficiente de superficie.
surface-bent (rail), desalineado verticalmente.
surface-cooled, enfriado por contacto superficial.
surface-dry, seco superficialmente.
surface-mounting lamp holder, portalámpara de superficie o de aplicar.
surface-treated, tratado superficialmente.
surface-type air conditioner, acondicionador de tubos o de radiación.
surface-type thermostat, termóstato de superficie.
surfaced lumber, madera labrada.
surfacer, (conc) alisadora; (em) acepilladora; (cantería) acabadora, afinadora.
surfacing, acabado; revestimiento; (ca) afirmado; (fc) nivelación.
—— machine, máquina alisadora o acabadora.
surge, s (hid) oleaje, oleada; (eléc) onda; v (pozo) limpiar por oleaje.
—— bin (ag), depósito de compensación.
—— chamber, cámara de compensación o de carga o de oleaje.
—— gap (elec), entrehierro para ondas.
—— generator (elec), generador de ondas o de sobrecorrientes.
—— hopper (ag), depósito o buzón de compensación, tolva igualadora.
—— impedance (elec), impedancia característica o de sobretensión.
—— snubber (hyd), amortiguador de oleaje.
—— suppressor (hyd), amortiguador de oleaje, supresor de ondas.
—— tank, (hid) tanque igualador o de oleaje o

de oscilación, chimenea de equilibrio, cámara de compensación, (V) tanque de ruptura de carga, (Col) almenara; (ca) depósito de compensación.
—— valve, válvula de alivio de sobrepresión.
surgeproof (elec), a prueba de oleaje.
surging (elec), pulsación.
surmountable curb (rd), cordón sobrepasable.
surplus (com), superávit, excedente.
—— power, potencia o energía secundaria.
surround n (carp), cerco.
survey, s levantamiento, planimetría, apeo; estudio, examen; (náut) arqueo; v levantar un plano o una planimetría, levantar, apear; estudiar, examinar; (náut) arquear.
surveying, levantamiento de planos, agrimensura, (A)(Col)(M) topografía.
—— altimeter, altímetro de agrimensor.
—— aneroide barometer, aneroide de topógrafo.
—— instruments, instrumentos de agrimensura.
—— sextant, sextante hidrográfico.
surveyor, agrimensor, (A)(Col)(M) topógrafo; (náut) arqueador.
surveyor's
—— chain, cadena de agrimensor (66 pies).
—— compass, brújula o compás de agrimensor, (M) brújula de topógrafo.
—— transit, tránsito de ingeniero o de agrimensor.
—— umbrella, paraguas para agrimensor.
susceptance (elec), susceptancia.
susceptibility (elec), susceptibilidad.
suspend, suspender.
suspended, suspenso, colgado.
—— ceiling, cielo raso colgante.
—— joint (r), junta al aire, unión suspendida.
—— matter (r), arrastres.
—— solids (hyd), sólidos en suspensión.
—— span (bdg), tramo suspendido.
—— water, aguas suspendidas, agua freática.
suspender cable (bdg), cable suspendedor.
suspension (all senses), suspensión.
—— bar (tu), barra de suspensión, pendolón.
—— bearing, cojinete de suspensión.
—— boss, saliente para suspensión.
—— bridge, puente colgante o suspendido, (V) puente de suspensión.
—— cable, cable portante.
—— clamp (elec), grampa para suspensión.
—— insulator, aislador colgante o de cadena o de suspensión.
—— mount (pmy), montaje de suspensión.
—— strand, torón portante, cabo mensajero.
suspensoid (chem), suspensoide.
swab, s (pet) pistón de achique, chupador, succionador, limpiapozo; v (pet)(pozo artesiano) achicar con émbolo buzo.
swabbing line (pet), cable de achique.
swage, s (her) estampa, (M) suaje; (sierra) recalcador; (pet) abretubos; v (her) estampar, forjar en estampa; (si) recalcar, extender.
—— bar, barra de recalcar.
—— block, (her) bloque o tas de estampar, placa sufridera; (si) bloque de recalcar.
swaging hammer, martillo de recalcar.
swaging machine, máquina de estampar.

swale, pantano, bajial, bajío.
swallow (tackle block), la abertura entre cuerpo y garrucha.
swamp, s pantano, ciénaga, bañado, marisma, aguazal, cenegal; v encharcar, alagar, empantanar; (ef) desbrozar, limpiar.
—— hook, gancho para trozas.
—— ore, limonita, hierro pantanoso o fangoso.
—— white oak, roble blanco de pantano.
swamper, (min) frenero de atrás; (ef) cortador de ramas, desbrozador.
swampy, cenagoso, pantanoso, encharcado.
swarf, virutas de taladro, limaduras de hierro.
swash bulkhead (sb), mamparo amortiguador o de obstrucción.
swash plate (eng), placa oscilante.
swath (grader), anchura de corte.
sway (str), s ladeo, cimbreo; v cimbrarse, ladearse.
—— bracing, (est) arriostramiento contraladeo o contracimbreo, tijerales verticales, (pi) arriostramiento transversal.
—— frame (str), armazón contraladeo.
sweat v, soldar; zunchar en caliente.
sweating (p), transpiración, condensación, resudamiento.
—— pan (pet), bandeja de resudación.
—— thimble, casquillo de soldar.
swedge, véase swage.
—— bolt, perno arponado, (Pe) tornillo garfiado.
Swedish iron, hierro sueco.
sweep, s (mec) cigüeña, guimbalete; (ef)(tel) (eléc) curvatura (de tronco o de poste); (tv) (ra) barrido; v barrer.
—— circuit (ra), circuito oscilante barredero.
—— oscillator (ra), oscilador barredero.
—— voltage (ra), voltaje del oscilador barredero.
sweeper, (maq) barredora, escoba mecánica barrendera; barredor, barrendero (hombre).
sweet, (quím) dulce; alcalino (suelo).
—— gum (lbr), ocozol.
—— oil (pet), petróleo dulce.
—— water (su), agua dulce.
sweeten (pet), desulfurar, destufar, endulzar, desazufrar.
sweetener (pet), destufador, desulfurador.
sweetening still (pet), alambique desulfurador o destufador.
swell, s (náut) oleada, marejada; (ot) aumento del volumen del terraplén sobre el volumen en desmonte; v hinchar; hincharse, engrosarse.
—— limit (soil), límite de hinchamiento.
swell-butted (lg), abultado a la base.
swelling (sm), hinchazón, esponjamiento.
—— index (sm), índice de hinchamiento.
swifter n (lg)(naut), travesaño, crucero, sujetador, amarre.
swimming pool, piscina, (Pan) noria.
swing, s (fma) giro; (mh) diámetro máximo admisible; v (gr)(puerta) girar; oscilar (péndulo); (náut) bornear.
—— arm (pet), brazo oscilante.
—— bolt, perno de charnela.
—— bridge, puente giratorio.

—— **check valve,** válvula de retención a bisagra o de charnela o de columpio.

—— **cutoff saw,** sierra colgante de vaivén o de recortar.

—— **diffuser** (sd), difusor oscilante.

—— **hammer crusher,** molino a martillos.

—— **jack,** gato de tornillo corredizo.

—— **joint** (p), unión giratoria.

—— **line** (dredge), cable de maniobra.

—— **link,** eslabón pivotante.

—— **offset** (surv), distancia normal a una línea (por tanteo).

—— **saw,** sierra colgante o de columpio o de péndulo.

—— **shift,** turno de tarde.

—— **span** (bdg), tramo giratorio.

swing-cowl ventilator, ventilador de capucha oscilante.

swing-frame grinder, amoladora de armazón oscilante.

swing-rail frog (rr), cruzamiento de carril engoznado.

swingdingle (lg), especie de trineo.

swinger (de), mecanismo de giro.

swinging, oscilación, balanceo, vaivén; viraje; (ra) variaciones de frecuencia; (pl) giro.

—— **clutch,** embrague oscilante; (pl) embrague de giro.

—— **door,** puerta engoznada o a bisagra; puerta de vaivén.

—— **engine** (de), máquina de giro.

—— **gear** (de), mecanismo o dispositivo de giro.

—— **leads** (pi), guías colgantes.

—— **rack** (crane), cremallera de girar.

—— **scaffold,** andamio suspendido, (A) balancín.

—— **shaft** (sh), eje de viración.

swinging-vane rotary pump, bomba de paletas oscilantes.

swirl v (hyd), arremolinarse.

—— **meter,** medidor de remolinos.

—— **ratio,** relación de torbellino.

switch, s (fc) cambiavía, cambio, chucho, (Col) suiche; (eléc) interruptor, conmutador, (C) cortacircuito, (C) chucho; v (fc) desviar, cambiar, (C) enchuchar.

—— **blade,** (fc) aguja de cambio, (Es) espadín; (eléc) cuchilla del interruptor.

—— **block** (rr), traviesa de cambio.

—— **box** (elec), caja del interruptor o de llave.

—— **heater** (rr), calentador de cambiavía.

—— **house** (elec), casa de distribución, caseta de control.

—— **key** (elec), llave del conmutador.

—— **lamp** (rr), farol de cambio.

—— **lever** (rr), palanca de cambio o de agujas.

—— **off** (elec), desconectar, interrumpir, apagar.

—— **on** (elec), conectar.

—— **plate** (elec), placa de interruptor, chapa para llave o de pared.

—— **point,** (fc) aguja de cambio o de chucho, lengüeta; (fc) punta de aguja; (eléc) punto de interruptor.

—— **rail** (rr), riel o carril de cambio, carril de aguja.

—— **rod** (rr), tirante de agujas, barra de chucho.

—— **signal** (rr), señal de cambio o de chucho, (A) indicador de cambio.

—— **stand** (rr), caballete de maniobra, pedestal de chucho, poste de cambiavía.

—— **stick** (elec), palo de interruptor.

—— **target** (rr), banderola, placa de señal, (C) (PR) abanico.

—— **tie** (rr), traviesa de cambio, durmiente de aguja.

—— **timber** (rr), traviesas de desvío, (C) polines de desvío.

—— **tower** (rr), torre de maniobra de cambios.

switch-and-lock movement (rr), dispositivo de maniobra y enclavamiento.

switch-point adjuster (rr), regulador de agujas.

switchback, vía en zigzag, pendiente de vaivén.

switchboard (elec), tablero, tablero de distribución o de control, cuadro de distribución o de conmutadores.

switched outlet (elec), tomacorriente con interruptor.

switchgear (elec), mecanismo de control, dispositivos de distribución.

switching (rr), desviación; maniobras.

—— **device** (elec), aparato conmutador.

—— **engine** (elec), locomotora de maniobras.

—— **rope** (rr), cable para maniobras.

—— **yard** (rr), playa de maniobras.

switchman (rr), cambiador, guardaagujas, agujista, guardacambio, (C) chuchero, (A) cambista.

switchman's shanty, casilla de cambiador, caseta del guardaagujas.

switchyard (elec), playa de distribución.

swivel, s eslabón giratorio; (mh) placa giratoria v girar.

—— **anchor,** ancla de asta giratoria.

—— **bar** (mt), barra rotatoria, (A) barra colisa.

—— **block,** motón giratorio.

—— **eye,** ojillo giratorio.

—— **harp** (elec rr), horquilla giratoria (del trole).

—— **hitch,** enganche giratorio.

—— **hook,** gancho giratorio.

—— **joint,** unión o articulación giratoria.

—— **plate** (mt), placa giratoria.

—— **plug,** tapón giratorio.

—— **shackle,** grillete giratorio.

—— **socket** (wr), encastre giratorio.

—— **spindle** (lock), eje de articulación giratoria.

—— **table** (mt), mesa giratoria.

—— **vise,** morsa giratoria.

swivel-eye block, motón con ojal giratorio.

swivel-hook socket (wr), encastre con gancho giratorio.

sycamore, sicomoro, falso plátano.

syenite (geol), sienita.

syenodiorite (geol), sienodiorita.

sylvanite, silvanita (mineral de oro y plata).

symbiosis (lab), simbiosis.

symbiotic (sen), simbiótico.

symbol, símbolo.

symmetrical, simétrico.

symmetry, simetría.

sympathetic strike, huelga para ayudar a otros huelguistas.

sympathetic vibration, vibración simpática.

sympiesometer, simpiezómetro.

synchromesh (auto), dispositivo de cambio sincronizado.

synchronism indicator, indicador de sincronismo.

synchronize, sincronizar.

synchronizer, sincronizador.

synchronizing, s sincronización; a sincronizador.

—— **plug,** clavija sincronizadora.

—— **relay,** relevador de sincronización.

—— **ring** (auto), anillo sincronizador.

—— **separator** (tv), separador de amplitud, sincronizador separador.

—— **switch** (elec), interruptor sincronizador.

synchronous, sincrónico, síncrono.

—— **condenser** (elec), condensador sincrónico o rotatorio.

—— **converter** (elec), convertidor rotativo o sincrónico.

—— **motor,** motor sincrónico.

—— **speed,** velocidad de sincronismo.

synchroscope, sincroscopio.

synclastic (math), sinclástico.

synclinal, sinclinal.

syncline (geol), sinclinal.

synclinorium (geol), sinclinorio.

syndicate, s sindicato; v sindicar.

synergism (sen), sinergismo.

syngenetic (geol), singenético.

Synthane (trademark), baquelita.

synthesis, síntesis.

synthesize, sintetizar.

synthetic, sintético.

synthol (fuel), sintol.

syntonize, sintonizar.

syntony (ra), sintonía, resonancia.

syringe, jeringa.

system, procedimiento; (eléc)(fc) red; (mec) instalación; (geol) formación.

—— **efficiency** (elec), rendimiento de la red.

—— **grounding conductor** (elec), conductor a tierra de la red.

—— **load factor** (elec), factor de carga de la red.

—— **reserve** (elec), reserva de la red.

T, (tub) T, te, injerto; (est) hierro T, perfil T, (C) angular T.

—— **bar** (str), barra T, perfil T, (C) angular T.

—— **beam** (conc), viga en T o con losa o de placa.

—— **bevel** (t), falsa escuadra en T.

—— **bolt,** perno de cabeza en T.

—— **branch** (p), ramal T.

—— **connection** (elec), conexión en T.

—— **connector,** conector en T.

—— **crank,** palanca en T.

—— **cutter,** máquina cortadora de hierros T.

—— **handle** (va), mango de T.

—— **head** (ge), culata en T.

—— **hinge,** gozne o bisagra en T.

—— **iron** (str), perfil T, barra T.

—— **joint** (elec), derivación.

—— **lock** (tun), esclusa en T.

—— **network** (elec), red forma T.

—— **nut,** tuerca forma T.

—— **rail** (rr), riel Vignoles o de hongo, riel o carril de patín, carril americano.

—— **slot,** ranura en T.

—— **spike,** pasador de cabo en T.

—— **square** (dwg), regla T, T de dibujante, escuadra en T, doble escuadra.

—— **wrench** (va), llave en T, (Es) muleta.

T-head cylinder (eng), cilindro de culata T.

T-head stopcock, llave de cierre con cabeza en T.

T-joint weld, soldadura en T.

T-slot cutter, fresa para ranuras en T.

T-Y branch (p), T-Y.

table, mesa; (mec) banco; (cifras) cuadro, tabla.

tabled joint (carp), ensamblaje de rebajo dentado.

tableland, altiplanicie, mesa.

tabling (canvas), dobladillo.

tabular (geol), laminado.

tabulation, cuadro, tabla, planilla.

tacheometer, taquímetro, taqueómetro.

tachogram, tacograma.

tachograph, tacógrafo, tacómetro registrador.

tachometer, tacómetro, contador de velocidad, cuentavueltas.

tachoscope, tacóscopo.

tachylite (geol), taquilita.

tachymeter (surv), taquímetro, taqueómetro.

tachymetric, taquimétrico.

tachymetry (surv), taquimetría.

tack, s tachuela, puntilla, clavete, clavito; v clavetear; (sol) soldar por puntos; soldar provisionalmente.

—— **coat** (rd), capa ligante, (M) capa pegajosa. (A) riego de liga, (V) capa de pega.

—— **lifter** (dwg), sacachinche.

—— **welding,** soldadura provisional o por puntos.

tack-weld, soldar por puntos o provisionalmente.

tacker (sb), ayudante de soldador.

tackle, aparejo, polispasto.

—— **block,** motón de aparejo, motón, cuadernal, (C) roldana.

tacky, pegajoso.

taffrail (sb), pasamano de la borda a popa.

tag, marbete, etiqueta, rótulo.

—— **chains** (lg), cadenas de cola.

—— **line,** cable de cola, (M) cable de maniobra.

tagger iron, chapa aplomada u hojalata muy delgada.

tail, cola.

—— **beam** (bldg), viga apoyada en el cabecero.

—— **bearing,** (mv) chumacera del contravástago; (pet) cojinete de cola.

—— **block,** motón de cola o de rabiza.

—— **gate,** compuerta inferior (esclusa); (co) puerta trasera, (Es) puerta zaguera· compuerta de cola (carro).

—— **hook** (lg), gancho agarrador.

—— **joist,** vigueta corta apoyada en el cabecero.

—— **lamp,** lámpara de cola, linterna trasera, farol trasero.

—— **lock** (nav), esclusa de salida.

—— **pipe,** (pozo) tubo de cola; (bm) tubo de aspiración.

—— **pulley** (conveyor), polea impulsada, (Es) contrapolea, (A) polea de cola.

—— **rod** (eng), contravástago, vástago guía.

—— **rope,** cable de cola.

—— **shaft,** árbol de cola, contraeje, eje de guía; (cn) eje fuera de bordo.

—— **tower** (cy), torre terminal o de cola.

—— **tree** (lg), árbol de cola.

—— **water,** agua de salida o de descarga, (M) agua perdida, (PR) aguas de retroceso.

tail-gate loader (tk), compuerta trasera cargadora.

tailings, (min) desechos, deslave, lamas, relaves, colas, (M) jales, (V) residuos; (az) chicharrones, residuos.

—— **dam** (min), represa para colas, presa para decantación de desechos.

—— **pond,** laguna de decantación, estanque decantador.

taillight, fanal trasero o de cola, luz trasera, (M) calavera.

tailpost (slackline), poste de ancla.

tailrace, canal de descarga o de fuga, cauce de escape, caz de descarga, socaz, (M) canal de desfogue.

tailstock (lathe), muñeca corrediza, cabezal móvil, contrapunta.

—— **spindle,** eje de contrapunta, husillo de la contrapunta.

Tainter gate (hyd), compuerta Tainter o radial o de segmento, (M) compuerta de abanico.

take bids, licitar, rematar, subastar.

take off (airplane), despegarse, decolar, levantar vuelo.

take-off n, (maq) toma de fuerza, tomafuerza; (tub) derivación; (ap) despegue, decolaje.

—— **distance** (ap), distancia de despegue o de decolaje.

—— **insulator** (elec), aislador de derivación múltiple.

—— **rating** (ap), potencia de despegue.

—— **run** (ap), recorrido de despegue.

—— **speed** (ap), velocidad de despegue.

take-up n (turnbuckle), compensación.

—— **bearing,** chumacera ajustable.

—— **screw,** tornillo tensor.

—— **tackle,** aparejo atesador o de compensación, aparato tensor.

talc, talco.

—— **schist** (geol), esquisto talcoso, talquita.

talcose, talcoso.

Talide (trademark), carburo de tungsteno.

tall oil, subproducto de la producción de pulpa química de madera.

tallow, sebo.

—— **oil,** aceite de sebo.

tally pin (surv), aguja de medición.

talpetate (geol), talpetate.

talus (geol), talud detrítico, (A) detrito de falda, (B) salleríos, (B) llamperas, (A) pedregullo de ladera.

—— **breccia,** brecha de talud.

tamarack (lbr), alerce.

—— **pine,** pino alerce.

tamidine (elec), tamidina.

tamp, (conc) pisonear, pisonear, apisonar, (C) batir; (ot) pisonar, consolidar, (Ch) compactar; (vol) atacar, taconear; (fc) acuñar, recalcar, batear.

tamper, pisón, apisonadora, machota; (conc)

palita; (vol) atacadora; (fc) bateador, barra de acuñar.

—— **foot** (ea), pata de apisonadora.

tamperproof cable (elec), cable a prueba de entremetido.

tamping, apisonamiento, pisonadura; (vol) ataque, atacadura; (vol) taco, (A) carga de ataque; (fc) bateo, recalcadura, retaque.

—— **and leveling machine** (rd), apisonadora niveladora.

—— **bag** (bl), bolsa de atacadura.

—— **bar** (rr), barra de batear, bateador de balasto.

—— **block** (bl), atacadera de bloque.

—— **finisher** (rd), acabadora-pisonadora.

—— **machine,** máquina apisonadora.

—— **pad,** almohadilla de apisonar.

—— **pick,** pico pisón o bate o ferrocarrilero o de acuñar.

—— **plug** (bl), tapón atacador.

—— **pole** (bl), varilla atacadera.

—— **rod,** varilla compactadora.

—— **roller,** rodillo apisonador, apisonadora de patitas de carnero, aplanadora de pezuña.

—— **stick** (bl), atacadera.

tampion (pb), tarugo ensanchador.

tandem n a (machy), tándem.

—— **camera** (pmy), cámara tándem.

—— **drive,** accionamiento por dos poleas.

—— **roller,** cilindradora tándem.

—— **strip mill** (met), laminador de fleje tipo tándem.

—— **switch** (rr), cambiavía tándem.

—— **valve,** válvula doble o tándem.

tandem-blade plug (elec), ficha o clavija tándem.

tandem-compound engine, máquina tándem compound o compound en tándem.

tandem-drum hoist, malacate de tambores en tándem.

tandem-operated, manejado en tándem.

tang (t), cola, rabo, rabera.

—— **chisel,** escoplo con rabo, formón de espiga.

—— **gouge,** gubia con rabo.

tangency, tangencia.

—— **bracket** (sb), cartela atiesadora o de tangencia.

tangent, s (mat)(fc) tangente; a tangente.

—— **distance** (rr), distancia tangencial, tangente.

—— **galvanometer,** brújula o galvanómetro de tangentes.

—— **offset** (rr), ordenada desde la tangente.

—— **point** (rr), punto de tangencia.

—— **screw** (inst), tornillo tangencial o de aproximación, (V) tornillo tangentímetro, (Es) tornillo de coincidencia.

—— **spoke,** rayo tangencial.

tangent-sawing, aserrado simple.

tangential, tangencial.

—— **burner,** quemador tangencial.

—— **stress,** esfuerzo tangencial, fatiga de corte.

tangential-flow turbine, turbina tangencial.

tank, tanque, depósito, (C) aljibe; (fc) ténder; (ra) válvula de cátodo de charco.

—— **barge,** chalana cisterna, barca tanque.

—— **car,** carro tanque, vagón cuba o tanque, (Ch) carro petrolero.

—— **circuit** (ra), circuito de absorción, (A) circuito tarque.

—— **farm** (pet), patio de tanques.

—— **flange** (p), brida curva o para tanque.

—— **gage**, indicador de nivel.

—— **locomotive**, locomotora de tanque, locomotora-ténder, locomotora-alijo.

—— **nipple** (p), niple de roscado especial para tanques, niple de tanque.

—— **staves**, duelas de tanque (de madera).

—— **steamer**, vapor tanque, buque cisterna.

—— **trailer**, tanque remolcado o de remolque, remolque tanque.

—— **truck**, camión tanque o cuba, (Col) tanque automotor, (Es) autotanque.

—— **wagon**, carretón tanque, carro de tanque, carricuba, (A) aguatero.

tanker, barco tanque o petrolero, buque cisterna, (A) tanquero.

tannate, tanato.

tannery, curtiduría, tenería, curtiembre.

—— **wastes** (sen), desechos de curtido, aguas cloacales de curtiduría.

tannic acid, ácido tánico.

tannin, tanino.

tantalum (chem), tántalo, tantalio.

—— **lamp**, lámpara incandescente con filamento de tántalo.

Tantiron (trademark), acero al silicio a prueba de ácidos.

tap, *s* (herr) macho, macho de tarraja o de roscar; (pb) grifo; (eléc) derivación, toma de corriente; (cañería matriz) injerto, férula de toma, (V) empotramiento; *v* (rs) roscar a macho, atarrajar con rosca interior, terrajar con macho, (M) machuelar; (cañería matriz) taladrar y roscar; (eléc) derivar, tomar derivación; (horno) vaciar, sangrar; horadar (barril).

—— **and drill** (p), mecha-macho.

—— **bolt**, perno prisionero, tornillo opresor, prisionero.

—— **box** (elec), caja de derivación.

—— **changer** (elec), cambiador de toma.

—— **chuck**, boquilla para macho, sujetamacho.

—— **cinder**, escoria de horno de pudelar.

—— **circuit** (elec), derivación.

—— **connector** (elec), conector de derivación.

—— **drill**, taladro para macho.

—— **extractor**, sacamacho.

—— **grinder**, rectificadora de machos.

—— **holder**, portamacho.

—— **joint** (elec), empalme de derivación.

—— **rivet**, tornillo prisionero con extremidades remachadas.

—— **screw**, tornillo opresor.

—— **splice** (elec), empalme de derivación.

—— **switch** (elec), conmutador de derivaciones.

—— **wrench**, volvedor, giramacho, manija para machos, desvolvedor, (A) mandril de mano, (C) bandeador.

tap-end stud bolt, prisionero de macho.

tape, *s* cinta para medir, (M) cinta métrica, (M) longímetro; (eléc) cinta de aislar, (C) teipe; *v* (lev) medir con cinta; (eléc) forrar con cinta, encintar.

—— **fuse** (bl), mecha forrada de cinta.

—— **gage** (hyd), escala o aforador de cinta.

—— **grip** (surv), agarradera de cinta.

—— **holder** (surv), portacinta.

—— **mender** (t), reparador de cintas de acero.

—— **rod** (surv), mira de cinta.

—— **rule**, regla-cinta.

—— **size** (wheel), medición de cinta (octavos de pulgada en exceso de circunferencia de 4 pies o 7 pies).

—— **splice** (surv), empate para cinta.

—— **stretcher** (surv), tensor de cinta.

tape-repair outfit, herramientas para reparar cintas de acero.

tapeline, cinta para medir.

tapeman (surv), medidor, cintero, cadenero.

taper, *s* ahusado, ahusamiento, despezo; *v* ahusar, despezar, adelgazar.

—— **attachment** (lathe), accesorio para torneado cónico, dispositivo de ahusar.

—— **elbow** (p), codo reductor.

—— **file**, lima ahusada o puntiaguda, lengua de pájaro.

—— **fit**, ajuste ahusado.

—— **gage**, calibrador de ahusamiento.

—— **key**, llave de cuña.

—— **pin**, pasador ahusado.

—— **punch**, punzón ahusado.

—— **reamer**, escariador ahusado.

—— **reducer** (p), reductor ahusado o cónico, reducido ahusado.

—— **shank**, espiga cónica o ahusada, mango cónico.

—— **spline**, lengüeta ahusada.

—— **tap**, macho cónico o ahusado.

—— **thread** (p), rosca de diámetro que aumenta ligeramente desde el extremo del tubo.

—— **turning**, torneado cónico.

taper-bored, de horadado ahusado.

taper-pin reamer, escariador para agujero ahusado.

tapered, ahusado.

—— **aeration** (sen), aeración graduada.

—— **rod** (fo), barra ahusada.

—— **roller bearing**, cojinete de rodillos ahusados.

tapering curve (rr), curva de transición.

tapestry brick, ladrillo de cara peinada.

tapper (mt), tarrajadora.

—— **tap** (mt), macho para tuercas.

tappet, botador, impulsor, (auto) alzaválvulas, levantaválvulas.

—— **motion**, mecanismo de distribución por varillas levantadoras.

—— **rod**, varilla de empuje de válvula, impulsor de la válvula, varilla levantaválvula.

—— **valve**, válvula de platillo.

—— **wrench**, llave para levantaválvulas.

tapping, enrosque hembra.

—— **boss** (p), protuberancia de conexión roscada.

—— **chuck**, mandril para macho.

—— **fit**, ajuste a golpe ligero.

—— **hole**, agujero por roscar.

—— **key** (elec), llave de lengüeta.

—— **machine**, máquina taladradora de tubería bajo presión.

—— **saddle** (water), silla de derivación.

—— **sleeve,** manguito de derivación o para taladrado, collar de toma.

—— **valve,** válvula de la máquina taladradora de tubería bajo presión.

tar, *s* alquitrán, brea, chapapote; *v* alquitranar, embrear.

—— **burner,** quemador de brea.

—— **concrete,** hormigón de alquitrán.

—— **distillate,** destilado de alquitrán.

—— **kettle,** caldero de brea, marmita, hornillo para brea.

—— **macadam,** macádam alquitranado.

—— **melter,** hornillo para alquitrán, marmita.

—— **oil,** aceite de alquitrán.

—— **paper,** papel impermeable o alquitranado o embreado, cartón embetunado.

—— **roofing,** techado de papel impermeable con brea.

—— **well,** pozo de alquitrán.

tar-spraying machine, alquitranadora.

tare, *s* tara; *v* tarar.

—— **bar** (scale), barra de taras.

—— **weight,** taraje.

target, (lev) corredera, mira, mirilla, galleta, (C) tablilla; (fc) placa de señal, banderola; (física) anticátodo, blanco, superficie de emisión.

—— **lamp** (rr), farol de cambio con banderola.

—— **rod** (surv), mira de corredera, (C) mira de tablilla.

—— **tie** (rr), traviesa de palo.

tariff, (fc) tarifa; derecho (aduana), arancel.

tarpaulin, encerado, lona impermeable, manta, cubierta de lona, alquitranado, (Ch) carpa, (A) lona.

tarred felt, fieltro embreado o alquitranado.

tarred marline, merlín alquitranado, cáñamo embreado, (M) estopa alquitranada.

tarry, alquitranoso.

tarvia (rd), tarvia.

tasco (rfr), talque.

taseometer, taseómetro.

tasimeter, tasímetro.

tasimetric, tasimétrico.

tasimetry, tasimetría.

taskwork, trabajo a medida, tarea, destajo, (C) ajustes, (AC) estaje.

taskworker, destajero, destajista, (Ch) tratero, (Col) conchabero, (AC) estajero.

tasmanite (geol)(miner), tasmanita.

taste *n*, sabor, gusto.

—— **removal** (wp), eliminación de sabor.

taut, tenso, tieso, teso, tirante.

Tautline cableway (trademark), cablecarril, cablevía.

tautness, tesura.

tautochrone (math), curva tautócrona.

tax, *s* impuesto, contribución; *v* gravar, cargar.

—— **rate,** tipo de impuesto, cupo.

tax-exempt, libre de impuesto.

taxation, imposición de impuestos; tributación.

taxi *v* (ap), rodar por tierra, taxear, (A) carretear.

—— **lights** (ap), luces de rodaje.

—— **strip** (ap), véase **taxiway.**

axiing (ap), carreteo, rodaje.

aximeter, taxímetro.

taxiway (ap), pista de rodaje o de maniobras, antepista.

teache (su), tacho.

teak, teca.

team, pareja, tronco, par; yunta (bueyes).

—— **track** (rr), vía para trasbordo entre carro y camión.

teamster, tronquista, carretero, carrero, carretonero.

tear *n* (pt), gota.

teardown, desmontaje, abatimiento.

teaser transformer, transformador de conexión en T.

technical adviser, asesor técnico.

technician, técnico.

technique, técnica.

technochemistry, química industrial.

technological, tecnológico.

technology, tecnología.

tectonic, arquitectónico; (geol) tectónico.

—— **earthquake,** terremoto tectónico, sismo de dislocación.

tectonics (geol), tectónica; estructura terrestre.

tee, véase **T.**

teeming (met), vaciado.

teeth grommet, ojal de púas.

tego, tego (adhesivo para madera laminada).

telautograph, telautógrafo.

telecast (tv), teledifundir.

telecommunication, telecomunicación.

telectroscope, telectroscopio.

telegage, teleindicador.

telegraph, *s* telégrafo; (cn) dispositivo de señales entre puente de mando y cuarto de máquinas; *v* telegrafiar; (cons) mover una carga suspendida atesando un cable mientras se afloja otro.

—— **chain** (sb), cadena de señales.

—— **code,** código telegráfico.

—— **key,** manipulador, llave.

—— **office,** despacho de telégrafos, oficina telegráfica.

—— **operator,** telegrafista.

—— **pole,** poste telegráfico.

—— **shovel,** pala para hoyos.

—— **spoon,** cuchara para hoyos.

—— **wire,** alambre telegráfico.

telegraph-modulated wave (elec), onda modulada por llave.

telegraphic, telegráfico.

telegraphone, telegráfono.

telegraphy, telegrafía.

telelectric, teleléctrico.

telemanometer, telemanómetro.

telemechanics, telemecánica.

telemechanism, telemecanismo.

telemeter, *s* telémetro, (Es)(A) distanciómetro; *v* medir a distancia.

telemetering, telemedición.

telemetric, telemétrico, distanciométrico.

telemetry, telemetría.

teleobjective (pmy), teleobjetivo.

telephone *n*, teléfono.

—— **booth,** casilla de teléfono, caseta telefónica.

—— **cable,** cable telefónico.

—— **exchange,** central telefónica.

—— **pole**, poste telefónico.
—— **receiver**, receptor telefónico.
—— **switchboard**, tablero de distribución telefónica; taquilla.
—— **transmitter**, transmisor telefónico.
—— **wire**, alambre de teléfono; alambre telefónico o para teléfonos.
telephonic, telefónico.
telephonograph, telefonógrafo.
telephony, telefonía.
telephoto *n*, fototelegrafía.
—— **lens**, lente telefotográfico.
telephotography, telefotografía.
telephotometer, telefotómetro.
teleprinter (ra), teleimpresora.
teleran (television-radar air navigation), telerán.
telescope, *s* telescopio, catalejo; (lev) anteojo; *v* enchufar, telescopiar; enchufarse.
—— **joint**, unión telescópica.
telescopic, telescópico.
—— **alidade**, alidada de anteojo.
—— **finder** (pmy), anteojo buscador.
—— **hoist** (tk), elevador telescópico.
telescoping, enchufador.
—— **derrick** (pet), torre de extensión.
teleseismic, telesísmico.
telestereoscope, telestereoscopio.
telethermograph, teletermómetro registrador.
telethermometer, teletermómetro.
teletype, teletipo.
televise, transmitir por televisión, televisar.
television, televisión.
—— **broadcasting**, teledifusión.
—— **camera**, cámara televisora.
—— **engineer**, ingeniero de televisión, (A) teleingeniero, (A) teletécnico.
—— **mechanic**, montador de equipos de televisión, (A) telemecánico, (A) telerreparador.
—— **receiver**, receptor de televisión, telerreceptor.
—— **signal**, señal de televisión, (A) teleseñal.
—— **transmitter**, transmisor de televisión, teletransmisor, (A) teleemisora.
televisor, televisora.
telford pavement, pavimento telford.
telltale (rr), dispositivo de aviso frente a un túnel o paso superior.
—— **float**, flotador indicador de nivel.
—— **lamp**, lámpara de aviso.
—— **position** (elec), posición indicadora.
telluric, telúrico.
—— **silver** (miner), hesita.
telluride, telururo.
tellurite, (miner) telurita; (quím) telurito.
tellurium, telurio.
telodynamic, teledinámico.
telpher, télfer, vía de transporte aéreo; ferrocarril suspendido.
—— **conveyor**, transportador telférico.
telpherage, telferaje.
temper, *s* temple; *v* templar (acero); templar, ablandar (mortero); (pint) mezclar; (cf) atemperar, templar; amasar (gres).
temper carbon (met), carbono de temple.
temper color, color de recocido.
  black red, negro rojizo.
  blue, azul.

bright blue, azul brillante.
brown yellow, castaño amarillento.
dark blood red, rojo sangre oscuro.
dark blue, azul oscuro.
dark cherry red, rojo cereza oscuro.
dark straw, pajizo oscuro.
dark yellow, amarillo oscuro.
faint yellow, amarillo pálido.
full blue, azul puro.
full cherry red, rojo cereza puro.
light cherry, cereza claro.
light salmon, salmón claro.
light yellow, amarillo claro.
medium cherry red, rojo cereza mediano.
pale straw, pajizo pálido.
purple, púrpura.
purple brown, castaño purpúreo.
salmon, salmón.
spotted red brown, castaño rojizo moteado.
straw color, pajizo, amarillo de paja.
very light yellow, amarillo muy claro.
white, blanco.
yellow, amarillo.
temper mill (met), laminador de temple.
temper rolling (met), templado por laminación en frío.
temper screw, (mec) tornillo graduador; (pet) tornillo alimentador.
temperature, temperatura.
—— **coefficient**, coeficiente de temperatura.
—— **compensator**, compensador de temperatura.
—— **controller**, regulador de temperatura.
—— **correction** (surv), corrección por temperatura.
—— **detector**, indicador o detector de temperatura.
—— **gage**, indicador de temperatura, termómetro.
—— **gradient**, pendiente de temperatura.
—— **indicator**, termómetro, indicador de temperatura, (M) medidor de temperatura.
—— **recorder**, registrador de temperatura.
—— **regulator**, regulador de temperatura.
—— **reinforcement**, refuerzo contra esfuerzos de temperatura.
—— **relay**, relai de temperatura.
—— **stress**, esfuerzo por temperatura o de temperatura.
temperature-sensitive, sensible a la temperatura.
tempering, templadura, temple, templado; atemperación.
—— **coil** (ac), serpentín atemperador.
—— **furnace**, horno de templar.
—— **heater** (ac), calentador atemperador.
—— **valve** (ht), válvula atemperadora.
template, plantilla, gálibo, patrón, (Col) cercha, (Ec) grifa.
—— **holder**, portaplantilla.
—— **triangulation** (pmy), triangulación a plantilla.
temporary hardness (wp), dureza temporal.
ten-chord spiral (rd), espiral de diez cuerdas.
ten-millionth *n*, diezmillonésimo.
ten-thousandth *n*, diezmilésimo.
tenacious soil, suelo cohesivo.
tenacity, tenacidad.

tender *n*, propuesta, oferta; (fc) ténder, (C) alijo; (náut) transbordador, alijadora.

tenon, *s* espiga, almilla, barbilla; *v* espigar, desquijerar.

—— **tooth** (saw), diente común.

tenoner, espigadora.

tenpenny nail, clavo de 3 pulg.

tensile, de tensión.

—— **strength,** resistencia a la tensión o a la tracción, (M) resistencia tensora.

—— **stress,** esfuerzo de tensión, fatiga de tracción, esfuerzo tractor, (A) tensión de tracción.

—— **test,** ensayo a la tracción.

tensimeter, manómetro.

tensiometer, tensiómetro.

tension, tensión, tracción; (re) descabezamiento; (eléc) tensión.

—— **block,** motón de tensión.

—— **dowel** (rd), cabilla de tensión.

—— **handle** (tape), cogedero indicador de tensión, tensor de resorte, agarrador de tensión.

—— **indicator,** indicador de tensión.

—— **member,** tirante, tensor.

—— **pile,** pilote para subpresión.

—— **pulley,** polea tensora o de gravedad o de tensión.

—— **roller,** rodillo tensor.

—— **spring,** resorte o muelle tensor.

—— **tackle,** aparejo tensor o de compensación.

—— **wrench,** llave indicadora de tensión.

tensional stress, esfuerzo o fatiga de tensión.

ꞌent, tienda de campaña, toldo, carpa.

tenth *n a*, décimo.

tephigram (mrl), tefígrama.

tephrite (geol), tefrita.

teredo, broma, tiñuela, (C) teredo, (M) polilla de mar.

teredoproof paint, pintura a prueba de la broma.

term, (mat) término; (fin) plazo.

terms (com), condiciones de pago.

terminal, *s* (fc) terminal, término; (eléc) borne, borne de conexión, terminal; *a* terminal, final.

—— **block** (elec), tablero de bornes; bloque terminal.

—— **board** (elec), tablero terminal o de bornes.

—— **bushing** (elec), boquilla de borne.

—— **housing** (elec), caja de borne.

—— **lug** (elec), talón terminal.

—— **moraine** (geol), morena terminal o frontal.

—— **plate** (elec), placa de borne.

—— **screw** (elec), tornillo de sujeción.

—— **station,** término, estación terminal, (A) estación cabecera.

—— **strain insulator,** aislador de anclaje.

—— **stud** (elec), clavija de conexión.

—— **velocity,** velocidad final.

—— **voltage,** tensión en los bornes.

terminating impedance (elec), impedancia terminal.

terminus, término, estación terminal.

termite, comején, hormiga blanca, (M) polilla.

—— **shield,** guardacomején.

ternary (math)(chem)(met), ternario.

terneplate, chapa aplomada, lámina de estaño emplomado, chapa plomo-estaño.

terra cotta, terracota, barro cocido, tierra cocida.

terrace, *s* terraza, bancal, terrado, parata, balate; (ed) azotea; (geol) terraza; *v* terrazar, abancalar, (M) terracear.

terracer, máquina terrazadora.

terrain, terreno.

terrane (geol), terreno, campo.

terrazzo, terrazo (pavimento de mármol triturado con mortero de cemento pórtland).

terrestrial, terrestre.

—— **eyepiece** (inst), ocular terrestre o de imagen recta.

—— **horizon** (pmy), horizonte terrestre.

—— **latitude,** latitud terrestre.

—— **photographic surveying,** fotogrametría terrestre.

—— **telescope,** anteojo de imagen recta o de erección.

tertiary winding (elec), devanado terciario o estabilizador.

Tesla coil (elec), transformador de corriente oscilante.

tesselated floor, pavimento teselado.

test, *s* prueba, ensayo, (A) experiencia; *v* probar, ensayar.

—— **bar,** barra patrón.

—— **boring,** perforación de prueba, cala, sondeo, sondaje de exploración.

—— **certificate,** certificado de ensayo.

—— **clip** (elec), presilla de prueba.

—— **coupon,** muestra para ensayo.

—— **cylinders** (conc), cilindros de prueba, (A) probetas cilíndricas.

—— **hole,** agujero de prueba; pozo de exploración.

—— **indicator,** indicador de ensayo.

—— **knife** (sb), lengüeta de prueba.

—— **lamp,** lámpara de prueba.

—— **lead,** plomo puro (para ensayos).

—— **light,** luz de prueba.

—— **load,** carga de prueba o de ensayo.

—— **oscillator** (ra), oscilador de prueba.

—— **paper,** papel reactivo o indicador o de ensayo.

—— **pieces,** piezas de ensayo, probetas, muestras para ensayo.

—— **pile,** pilote de prueba o de ensayo.

—— **pit,** pozo de exploración o de sondeo o de reconocimiento o de prueba, cata, cala, (A) calicata, (U) pozo de ensayo.

—— **plug,** tapón de prueba.

—— **pressure,** presión de prueba o de ensayo.

—— **sample,** probeta, muestra para ensayo.

—— **signal** (ra), señal probadora o de prueba.

—— **stand,** banco de pruebas.

—— **trench,** zanja de exploración.

—— **tubo,** probeta, tubo de ensayo.

—— **tunnel,** socavón de cateo, túnel de exploración.

—— **weld,** soldadura de prueba.

—— **well,** pozo de prueba.

test-tube rack, gradilla, estante de probetas portaprobeta.

tester, probador, ensayador.

testing, ensayo, prueba.

—— laboratory, laboratorio de ensayos.
—— machine, máquina de ensayo o de prueba.
—— meter, contador portátil de prueba.
—— transformer, transformador de ensayo.
tetraborate, tetraborato.
tetrabromide, tetrabromuro.
tetracalcium aluminoferrite (ct), ferroaluminato tetracálcico.
tetrachloride, tetracloruro.
tetraethyl lead, plomo tetraetilo.
tetragon (math), tetrágono
tetragonal, tetrágono, tetragonal.
tetrahedral, tetraédrico.
tetrahedrite, tetraedrita (mineral de plata y cobre).
tetrahedron, tetraedro.
—— indicator (ap), tetraedro indicador de viento.
tetranitro-diglycerin (bl), tetranitrodiglicerina.
tetrasodium pyrophosphate, pirofosfato tetrasódico.
tetrathionate (lab), tetrationato.
tetravalent (chem), tetravalente.
tetrode (ra), tétrodo.
tetrose (su), tetrosa.
tetryl, (quím) tetrilo, butilo; tetril (explosivo).
Textolite (trademark), textolita.
textural, textural.
texture, textura.
thalassometer, talasómetro.
thallium, talio.
thalofide cell (ra), célula talófido.
thalweg (top), línea de pendiente máxima o de corriente, (Pe) talweg.
thaw, s deshielo, derretimiento, desnevado; v deshelar, derretir, descongelar; deshelarse, derretirse.
thawing kettle, dispositivo para deshelar dinamita.
theodolite, teodolito.
theorem, teorema.
theoretical lead (rr), arranque o avance teórico.
theoretical point of frog (rr), punto de corazón (punta del corazón significa actual point of frog).
therm, mil unidades térmicas inglesas.
thermal, térmico, termal.
—— aging (met), envejecimiento térmico.
—— ammeter, amperímetro térmico o de hilo caliente.
—— capacity, capacidad termal.
—— coefficient, coeficiente térmico o de expansión por calor.
—— conduction, conducción térmica o de calor.
—— conductivity, conductividad térmica, conductibilidad calorífica.
—— cracking (pet), desintegración térmica.
—— cutout (elec), cortacircuito térmico, disyuntor termal.
—— detector, detector térmico.
—— efficiency, rendimiento térmico.
—— endurance, resistencia térmica.
—— fog dispersal (ap), dispersión térmica de la niebla.
—— insulation, aislamiento para calor.
—— metamorphism (geol), metamorfismo geotérmico.

—— overload relay, relai térmico para sobrecarga.
—— reforming, reformación térmica.
—— relay (elec), relai térmico.
thermic, térmico.
thermion (physics), termión.
thermionic, termiónico, termoiónico.
—— amplifier, amplificador termiónico.
—— detector, detector termiónico.
—— emission (ra), desprendimiento termiónico, efecto Richardson.
—— rectifier (ra), rectificador termiónico.
—— tube, válvula termiónica.
thermionics, termiónica.
thermistor (elec), resistencia térmica.
thermit (w), termita.
—— weld, soldadura aluminotérmica o de termita.
thermoammeter, amperímetro térmico, termoamperímetro.
thermobarograph, termobarógrafo.
thermobarometer, termobarómetro.
thermobattery, termopila.
thermocatalytic, termocatalítico.
thermocline, termoclinal.
thermocompressor, termocompresor.
thermoconductor, termoconductor.
thermocouple (elec), pila termoeléctrica, par térmico, termocupla, termopar.
thermocurrent, corriente térmica.
thermocutout, termocortacircuito.
thermodetector (ra), termodetector.
thermodiffusion, difusión térmica.
thermodynamic, termodinámico.
thermodynamicist, termodinamicista.
thermodynamics, termodinámica.
thermoelastic, termoelástico.
thermoelectric, termoeléctrico.
—— couple, véase thermocouple.
—— effect, efecto termoeléctrico, corriente térmica.
thermoelectricity, termoelectricidad.
thermoelectromotive force, fuerza termoelectromotriz.
thermoelement (elec), termoelemento.
thermogalvanometer, termogalvanómetro.
thermogenic, termogénico, termógeno.
thermogram, termograma.
thermograph, termógrafo, termómetro registrador.
thermoguard, termoguarda.
Thermoid (trademark), termoide.
thermointegrator (ac), termointegrador.
thermojunction (elec), termounión, empalme termoeléctrico.
thermokinematics, termocinemática.
thermoluminescence, termoluminiscencia.
thermomagnetic, termomagnético, piromagnético.
thermometer, termómetro.
—— scale, escala termométrica.
thermometric, termométrico.
thermometrograph, termómetro registrador, termometrógrafo.
thermomotive, termomotor.
thermomultiplier (elec), termomultiplicador, termopila.

thermopair (elec), par térmico.
thermophilic digestion (sen), digestión termofílica.
thermophone, termófono.
thermopile (elec), termopila, pila termoeléctrica.
thermoplastic, termoplástico.
thermoreduction (chem)(met), termorreducción.
thermoregulator, termorregulador.
Thermo-rupter (trademark), termorruptor.
thermosetting, endurecimiento por calor, fraguado térmico.
thermosiphon, termosifón.
thermostat, termóstato.
thermostatic, termostático.
— trap (ht), trampa termostática.
— valve, válvula de gobierno termostático.
thermotank, tanque térmico, caja térmica.
Thermo-tector (trademark)(elec), termotector.
thermotension (met), termotensión.
thick, (plancha) espeso, grueso; (líquido) denso, espeso, viscoso; (monte) tupido.
thick-walled, de pared espesa o gruesa.
thickener, espesador.
thickening, espesamiento.
thicket, matorral.
thickness, espesor, grueso, grosor, espesura, (min) potencia (del filón).
— gage, lengüeta calibradora, calibre o plantilla de espesor.
thicknessing (carp), igualación de guresos.
thief
— hatch, portillo para muestrar.
— sand (pet), arena de escape.
— tube, tubo muestreador, recogemuestras.
thimble, (mec) manguito; (cab) guardacabo, (M) asa.
— clevis (elec), horquilla con guardacabo; horquilla para guardacabo.
— splice (cab), ayuste de ojal.
thimble-eye bolt, perno de guardacabo.
thimble-eye nut, tuerca con guardacabo.
thin, a delgado (plancha); (líquido) diluído, ligero, ralo; ligero (tejido); v (líquido) desleír, adelgazar.
— out (min), adelgazarse el filón.
thin-plate orifice meter, contador de orificio con placa delgada.
thin-wall tubing, tubería de pared delgada.
thin-walled structure, estructura de pared delgada.
thinner (pt), diluyente, diluente, adelgazador.
thiocyanate, thiocyanide, tiocianuro.
thiosulphate (sen), tiosulfato.
thiothrix (sen), tiotrix.
third, s un tercio, una tercera parte; a tercero.
— rail, carril conductor, tercer carril, riel conductor o de toma.
— speed (tk), tercera velocidad
— wire, conductor neutro.
third-brush regulation (elec), regulación a tercera escobilla.
third-rail shoe, patín de toma.
third-round, tercio de tubo.
thirl (min), crucero, galería transversal.
thirty-second n, un treintaidosavo.
— bend (p), codo de $11\frac{1}{4}°$.

thirtypenny nail, clavo de $4\frac{1}{2}$ pulg.
thistle tube (lab), tipo de tubo embudado.
Thomson effect (elec), efecto Thomson.
thong, tireta de cuero.
thoria (chem), toria, dióxido de torio.
thoriated tungsten (ra), tungsteno toriado.
thorite (miner)(explosive), torita.
thorium, torio.
thorough cut, véase through cut.
thoroughfare, vía pública.
— heater (bo), calentador de escape directo.
— track (rr), vía de recorrido (a través del patio).
thousand, mil.
thousandth n a, milésimo.
thread, s (mec) rosca, filete, (M) cuerda, (C) hilo; v roscar, enroscar, tarrajar, filetear, atarrajar, hacer rosca.
— angle, ángulo de las dos caras de la rosca.
— compound, compuesto para roscas.
— cutter, máquina o herramienta de roscar.
— dope, compuesto de tarrajar.
— gage, calibre o plantilla para roscas.
— grinder, esmeriladora o rectificadora de roscas.
— interval, paso.
— miller, fresadora para roscas.
— paste, compuesto para roscas.
— protector, guardarrosca.
— roller, laminador de roscas.
thread-cutting stop (mt), tope de filetear.
thread-cutting tool (mt), fresa de roscar, herramienta de filetear.
threaded, roscado, fileteado.
— coupling, manguito roscado o de tornillo, (C) nudo.
— fittings, accesorios enroscados o de rosca o de tornillo.
— joints, juntas atornilladas, uniones roscadas.
— stem, vástago roscado.
— valve, válvula de rosca.
threading, enrosque.
— die, cojinete de roscar, dado.
— lathe, torno para roscar.
— machine, máquina de enroscar, tarrajadora, cortarroscas, fileteadora.
threadless connector, conector sin rosca.
three-armed protractor, transportador de tres brazos.
three-blade orange-peel bucket, cucharón de tres gajos.
three-centered arch, arco apainelado o carpanel o tricéntrico o de tres centros.
three-coat work, enlucido de tres capas.
three-conductor angle pothead, terminador de tres ramas en ángulo.
three-conductor cable (elec), cable de tres conductores.
three-cycle engine, motor de tres etapas.
three-dimensional, tridimensional.
three-drum boiler, caldera de tres colectores.
three-drum hoist, malacate de tres tambores.
three-edge bearing test, prueba de tres aristas.
three-eighths plate, plancha de tres octavos (de pulgada).

three-electrode tube (ra), tubo de tres electrodos, triodo.

three-element gas tube (ra), tubo de gas de tres elementos.

three-fluted drill, broca de acanaladura triple.

three-gang outlet box (elec), caja de salida triple.

three-halves power, potencia tres-medios.

three-hinged arch, arco trirrotulado o de triple charnela o de tres articulaciones.

three-lane highway, carretera triviaria, camino de tres trochas.

three-leg bridle sling (cab), eslinga de brida de tres partes.

three-lens camera, cámara triple.

three-lobe rotary pump, bomba de engranaje de oreja triple.

three-part line, aparejo triple o de tres partes.

three-phase (elec), trifásico.

three-plate clutch, embrague de placa triple o de tres discos.

three-ply, de tres capas.

three-point
— landing (ap), aterrizaje en tres puntos.
— perspective (dwg), perspectiva de tres puntos.
— problem (surv), problema de tres puntos.
— resection (surv), trisección.
— suspension (auto), suspensión en tres puntos.
— switch (elec), llave de tres puntos.

three-pole, tripolar.

three-port plug (va), macho de tres orificios.

three-position weld, soldadura en tres posiciones.

three-position selector valve, válvula selectora de tres posiciones.

three-quarter
— cable, cable de tres cuartos (de pulgada).
— elliptical spring, ballesta de cayado, ballesta tres cuartos elíptica, (U) muelle de pincetas, (U) muelle de medias pinzas.
— S trap (p), sifón en S a 45°.

three-quarter-floating axle, eje tres cuartos flotante.

three-roller crusher (su), desmenuzadora de tres mazas.

three-roller mill (su), molino de tres mazas.

three-shift, de jornada triple, de tres turnos.

three-speed, de tres velocidades.

three-square file, lima triangular.

three-stage, de tres grados o etapas.

three-story, de tres pisos.

three-throw crankshaft, cigüeñal de tres codos.

three-throw switch (rr), cambio de vía triple, chucho de tres tiros.

three-tie joint (rr), junta de tres traviesas, unión sobre tres durmientes.

three-way
— elbow (p), codo doble o de tres salidas.
— switch (elec), conmutador de tres direcciones, llave de tres puntos.
— valve, válvula de tres pasos, llave de tres conductos.

three-wheel pipe cutter, cortatubo de tres cuchillas.

three-wheel roller, aplanadora de tres rodillos.

three-winding transformer, transformador de triple devanado.

three-wire, trifilar, de tres hilos.

threefold purchase, aparejo de tres motones triples.

threepenny nail, clavo de 1¼ pulg.

threshold (carp), umbral, solera de puerta.
— frequency (physics), frecuencia crítica.
— light (ap), luz de acceso.
— number (wp), intensidad de olor.
— of audibility or of hearing (ra), umbral de audibilidad.
— of feeling (ra), umbral de sensación.
— value (wp), concentración mínima.
— visibility (il), visibilidad mínima.
— voltage (ra), voltaje de entrada.

throat, (top) angostura; (mec)(sol) garganta, gollete; (fc corazón) cuello, garganta.
— flume, canalón de garganta.
— plate (loco), placa delantera (de la caja de fuego).
— ring (turb), anillo de la garganta.
— valve, válvula de garganta.

throttle, s (auto) válvula de estrangulación, mariposa, obturador de la gasolina; v estrangular, obturar.
— lever, palanquita de estrangulación, manija de admisión, palanca del regulador, (U) palanquita del obturador.
— valve, válvula de estrangulación, (C) válvula de cuello, regulador (loco), (auto) mariposa, (auto)(M) papelote.

throttling
— calorimeter, calorímetro de estrangulación.
— governor, regulador estrangulador o de gollete.
— nozzle, tobera de estrangulación.
— orifice, orificio de estrangulación.

through, a pasante; adv a través; pr a través de; por.
— bill of lading, conocimiento corrido o directo.
— bolt, perno o tornillo pasante.
— bridge, puente de tablero inferior o de paso a través o de vía inferior.
— check (lbr), grieta pasante.
— coal, todouno, carbón como sale de la mina (sin cribar).
— cut, corte pasante, cortada, (A)(M) corte en cajón.
— feed-water heater, calentador de escape directo.
— girder, viga de tablero inferior.
— highway, camino troncal; camino de acceso limitado.
— hole, agujero pasante.
— shake (lbr), rodadura pasante.
— terminal (rr), término de paso continuo.
— traffic (rd), tráfico de larga distancia.
— train, tren directo.
— truss, armadura de tablero inferior.

through-cord switch (elec), llave de cordón pasante.

through-feed grinding, amolado de avance pasante.

through-tube boiler, caldera de tubo directo, caldera tubular sin retorno.

throughput, rendimiento, producto; (hid) gasto.

throw n, (maq) carrera, juego; alcance; (geol)

dislocación vertical, (M) salto, (A) rechazo vertical; (ca) desplazamiento de la curva de transición.

—— in *v* (clutch), embragar.

—— out *v*, (en) desengranar; (embrague) desembragar.

throw-over switch (elec), conmutador, interruptor de dos vías.

throwout *n*, desembrague, desacople.

thrust *n*, empuje, presión, (M) coceo; (geol) corrimiento, paraclasa, falla.

—— **ball bearing**, cojinete de empuje a bolas.

—— **ball race**, anillo de bolas tipo empuje, portabolas de empuje.

—— **ball retainer**, tope retén de bolas, retén de bolas tipo empuje.

—— **bearing**, cojinete de empuje, quicionera.

—— **collar**, anillo o collarín de empuje.

—— **fault** (geol), falla acostada, (M) falla por empuje.

—— **recess** (sb), nicho proel del túnel.

—— **screw**, tornillo de empuje.

—— **washer**, arandela de empuje.

—— **wheel** (cy), rueda horizontal de empuje.

thruway, camino de acceso limitado.

thumb, pulgar.

—— **bolt**, cerrojo movido por botón de presión.

—— **clamp**, grampa de mariposa.

—— **latch**, picaporte.

—— **nut**, tuerca manual o de alas o de mariposa.

thumbscrew, tornillo de orejas o de mariposa.

thumbtack, chinche, chincheta.

thump (tel), golpeteo.

thymol blue (sen), azul de timol.

thymolphthalein (sen), timolftaleína.

thyratron (ra), tiratrón.

Thyrite (trademark)(elec), (A) tirita.

tickler, (auto) cebador (del carburador); (fc) dispositivo avisador de proximidad de túnel o paso superior.

—— **coil** (elec), bobina de regeneración.

tidal, de marea.

—— **amplitude**, amplitud de la marea.

—— **basin**, dársena de marea.

—— **constant**, factor de marea.

—— **current**, corriente de la marea.

—— **epoch**, retraso de la marea máxima después del plenilunio.

—— **flood**, maremoto.

—— **graph**, gráfica de las mareas.

—— **powerhouse**, (A) usina mareamotriz.

—— **river**, río de marea.

—— **wave**, aguaje.

tide, marea.

—— **day**, día de la marea.

—— **gage**, mareómetro; mareógrafo, escala de marea.

—— **gate**, compuerta de marea o de retención de marea.

—— **lock**, esclusa contra la marea.

—— **register**, mareógrafo.

—— **rip**, corriente fuerte de marea en un bajío.

tidehead, límite de subida de la marea.

tideland, terreno inundado por la marea, marisma.

—— **spruce**, picea del Pacífico.

tiderace, estrecho o angostura de la marea, aguaje.

tidewater, agua de marea; orilla del mar.

tideway, canal de mareas.

tie, *s* ligadura, atadura, enlace, amarra, amarre, ligazón; tirante, estay; (fc) traviesa, durmiente, travesaño, (C) polín; (lev) medición de referencia; (lev) medición de comprobación; *v* atar, amarrar, afianzar, ligar.

—— **armor** (rr), placa de defensa asentada por presión.

—— **bar** (rr), barra separadora de las dos agujas de cambio.

—— **beam**, tirante, riostra, viga tensora.

—— **carrier** (rr), portatraviesa.

—— **cutter** (rr), cortatraviesa, máquina cortadora de durmientes.

—— **feeder** (elec), alimentador de enlace.

—— **mill**, aserradero para durmientes.

—— **plate**, (fc) placa de asiento o de defensa, silleta, silla de asiento, plancha de traviesa, (M) plaqueta; (est) plancha atiesadora o de refuerzo.

—— **plug** (rr), tapón para traviesa, tarugo, escarpia de madera.

—— **point** (surv), punto de cierre.

—— **rod**, tirante, barra tirante, tensor, varilla de tensión, trabante.

—— **tamper** (rr), bateadora, apisonadora o recalcadora de traviesas.

—— **tongs** (rr), tenazas para traviesas, (M) agarradurmientes.

—— **wire** (reinf), alambre para ataduras.

tie-plate gage (rr), gálibo de silletas.

tie-plug gage (rr), embutidor de tapones.

tieback, brandal, burda, retenida.

tied column (conc), columna zunchada.

tier, tonga, tongada; (lad) media citara.

—— **array** (ra), antena de capas.

—— **building**, edificio de pisos múltiples.

tiering crane, grúa amontonadora.

tiering machine, elevador de tongadas.

tight, (mec) apretado, ajustado, justo; (cab) tieso, atesado, teso; (hid) estanco, hermético.

—— **cesspool**, pozo negro estanco.

—— **coupling** (elec), acoplamiento estrecho.

—— **fit**, ajuste forzado o apretado.

—— **knot** (lbr), nudo sano.

—— **manhole cover** (sd), tapa sin agujeros.

—— **pulley**, polea fija.

—— **soil**, suelo compacto, cohesivo e impermeable.

tighten, apretar (perno); (cab) tesar, atesar, atiesar.

tightener, atiesador, templador, tensor, estirador; apretador.

tightening line (lg), cable atesador o de compensación.

tightness, tirantez; impermeabilidad; apretura.

tile, *s* (techo) teja, (V) tablilla (plana); (piso) baldosa, loseta, baldosín, (M) solera, (A) (M) mosaico; azulejo (vidriado); (ed) bloque hueco de construcción, (V) losa celular; *v* entejar, tejar, trastejar; enlosar,

alosar, embaldosar, baldosar, losar; azulejar.
— **barrow,** carretilla para bloques refractarios.
— **drain,** desagüe inferior de tubos de arcilla cocida con juntas abiertas.
— **field** (sd), campo de percolación.
— **floor,** embaldosado, enlosado.
— **layer,** entejador, tejero, solador, trastejador, (A) mosaísta (floor).
— **nail,** clavo para tejas.
— **ore,** especie de cuprita.
— **pipe,** tubo de barro cocido.
— **setter,** azulejero.
tilemaker, tejero, azulejero.
tiler, tejador, trastejador· solador, enlosador; azulejero.
tilework, tejado, enlosado, azulejería, (V) alfarería.
tileworks, tejar, tejería, azulejería, alfarería.
tiling, tejado, trastejadura; enlosado, embaldosado; azulejería.
till (geol), morena, terreno de acarreo por ventisqueros.
tiller (naut), caña del timón.
— **rope** (wr), cable extraflexible (torón de 42 alambres).
tillite (geol), tilita.
tilt, s (fma) inclinación; v bascular; ladearse, inclinarse; (mz) volcar, voltear; (met) forjar con martinete de báscula; (geol) inclinarse.
— **finder** (pmy), indicador de inclinación.
— **hammer,** martinete de báscula.
— **indicator** (pmy), indicador de inclinación.
— **works** (sa), mecanismo de inclinar.
tilting
— **bracket** (sb), cartela atiesadora.
— **failure** (wall), derrumbe o falla por volcamiento.
— **gate** (hyd), compuerta basculante.
— **grate,** parrilla basculante, emparrillado de báscula.
— **level** (inst), nivel basculante.
— **mixer** (conc), hormigonera volcadora, mezcladora basculante o inclinable o volcable.
— **saw table,** banco de sierra inclinable.
— **trap** (steam), trampa basculadora, separador de agua tipo basculante.
tilting-insulator switch (elec), interruptor de aislador ladeante.
tiltmeter, medidor de inclinación.
timber, s madera, madera de construcción; madero, leño, abitaque, cuartón, (C) timba; v entibar, ademar; enmaderar.
— **bar,** alzaprima con punta piramidal.
— **carrier,** tenazas para maderos, (M) portatrozas.
— **compass** (lg), indicador del sentido de caída del árbol.
— **cruiser,** estimador de madera en pie.
— **dolly,** rodillo para maderos, (A) zorra.
— **grapple,** tenazas para maderos.
— **hitch,** vuelta de braza.
— **line,** altitud máxima de árboles.
— **mill,** aserradero para maderos pesados.
— **rights,** derecho de monte o de bosque.
— **tongs,** tenazas para maderos.

— **tree,** árbol maderable.
— **wheels,** véase logging wheels.
— **worm,** carcoma, coso.
timber-joint connector, conector para madera.
timbered, arbolado; (exc) entibado, tablestacado.
timbering, entibado, enmaderado, apeo, entibación; (min) ademado, asnado, fortificación.
timberland, terreno maderable.
timberman, entibador, ademador, enmaderador.
timberwork, maderaje, maderamen.
timbrel arch, arco de varias capas de tejas planas.
time, tiempo; plazo.
— **and a half,** tiempo y medio.
— **book,** libreta de jornales, (M) libreta de tiempo.
— **clock,** reloj registrador o marcador de tiempo.
— **constant** (elec), constante de tiempo.
— **datum** (geop), origen del tiempo.
— **flow** (str), deformación plástico, bombeo de tiempo.
— **fuse** (bl), espoleta de tiempo.
— **lag,** retraso, período de atraso, (Es) retardo de tiempo.
— **locking** (rr), enclavamiento de tiempo.
— **of completion,** plazo del contrato.
— **of delivery,** plazo de entrega.
— **of setting** (ct), duración del fraguado.
— **quadrature** (elec), cuadratura de tiempo.
— **release** (elec), desenganche de retraso.
— **sheet,** hoja de jornales devengados.
— **switch** (elec), interruptor de reloj, limitador horario.
— **yield** (conc), deformación anelástica resultante de la aplicación continua de la carga, escurrimiento plástico.
time-delay relay (elec), relai de retardo.
time-lag fuse (elec), fusible de acción retardada.
timecard, tarjeta registradora de horas trabajadas.
timekeeper, tomador o alistador de tiempo, apuntador, pasatiempo, listero, (M) rayador, (Ec) guardatiempo, (C) marcador de tiempo.
timer, contador de tiempo; (mg) distribuidor del encendido; (mot) regulador de aceleración.
timetable (rr), itinerario, horario, (Ch) guía.
timing (eng), regulación o distribución del encendido.
— **chain** (auto), cadena de distribución.
— **gears** (ge), engranaje de distribución.
— **lever** (ge), palanca de distribución, (A) balancín de tiempo.
— **marker** (auto), marcador de sincronización.
— **relay,** relai de acción retardada.
tin, s estaño; v estañar.
— **bronze,** bronce al estaño.
— **container,** bote de lata.
— **dichloride,** cloruro estañoso, bicloruro de estaño.
— **dioxide,** óxido estánnico, bióxido de estaño.
— **foil,** hoja o papel de estaño.
— **monoxide,** óxido estañoso, monóxido de estaño.
— **ore,** casiterita, mineral de estaño.

—— **oxide,** óxido estánnico o de estaño; óxido estannoso.

—— **plate,** hojalata, chapa o lámina estañada, hoja de lata.

—— **putty,** potea de estaño.

—— **pyrites,** estaño piritoso, estannita, pirita de estaño.

—— **roof,** techado de hojalata.

—— **shop,** hojalatería.

—— **spar,** casiterita.

—— **stream,** depósito aluvional de casiterita.

tin-base alloy, aleación de estaño o a base de estaño.

tin-bearing, estañífero.

tin-coated filler rod (w), varilla revestida de estaño.

tin-dipped, bañado en estaño.

tin-folding machine, máquina plegadora de hojalata.

tin-lead alloy, aleación de estaño y plomo.

tin-lined, forrado de estaño; revestido de hojalata.

tin-plate v, estañar.

tincal, tincal, bórax nativo.

tinclad, forrado de hojalata.

tincture, tintura.

tinder, yesca.

tinguaite (geol), tinguaita.

tinker, hojalatero, chapistero.

tinned, estañado.

tinner's

—— **furnace,** hornillo de estañador.

—— **hammer,** martillo de hojalatero.

—— **mallet,** maceta de hojalatero.

—— **rivet,** remache de hojalatería.

—— **snips,** tijeras de hojalatero.

—— **solder,** soldadura de hojalatero.

tinsel cord (elec), cordón de oropel.

tinsmith, hojalatero, chapista, chapistero.

tinsmith's shears, tijeras de hojalatero.

tinsmith's stake, bigorneta.

tinsmithing, hojalatería.

tinstone, casiterita, estaño vidrioso.

tint v (dwg), colorar.

—— **photometer,** tintofotómetro.

tintometer, tintómetro.

tintometry, tintometría.

tinwork, estañadura; hojalatería.

tinworker, estañador, estañero; hojalatero.

tip, s boquilla, punta; (sol) pico; (fma) inclinación; (herr) calza; v volcar, voltear, bascular; volcarse, ladearse; (herr) calzar.

—— **bucket,** cubo volcador, balde volquete, cubeta volcadora, cangilón basculante.

—— **cart,** carro de vuelco.

tipover bucket, balde basculable, cucharón volcable.

tipover cone (ap), cono basculable.

tipped tool (met), herramienta calzada.

tipple, volcadero.

tippleman, tippler, volcador, basculador.

tire, (hierro) llanta, calce, bandaje, cerco; (goma) neumático, goma, llanta, bandaje, (A)(U) cubierta, (V) caucho.

—— **bolt,** perno para llanta de hierro.

—— **buffer,** raspador de neumáticos.

—— **carrier,** portaneumático.

—— **casing,** cubierta de neumático.

—— **cement,** cemento para neumáticos.

—— **chains,** cadenas antideslizantes o de rueda.

—— **cover,** funda de neumático, cubreneumático.

—— **demounter,** desmontador de neumáticos.

—— **gage,** manómetro para neumáticos.

—— **holder,** portaneumático, portallanta.

—— **imprint** (rd)(ap), área de presión del neumático.

—— **iron,** herramienta para neumáticos, (A) palanca sacagomas, (M) llantera, (M) espátula.

—— **press,** prensa para montar llantas macizas.

—— **pump,** inflador, bomba de neumáticos, (U) bomba de inflar.

—— **rack,** portaneumático.

—— **remover** (t), desmontador de neumáticos, (M) llantera.

—— **shoe,** cubierta de neumático, (M) envoltura de neumático.

—— **spreader** (t), desplegador, ensanchador, (A) extensor de cubiertas, (M) abridor de llantas.

—— **tread,** rodadura, banda de rodamiento.

—— **tube,** cámara, tubo de neumático, (V) tripa.

—— **valve,** válvula de neumático.

tire-repair kit, estuche de reparación de neumáticos.

titan crane, grúa gigante.

titania, óxido de titanio.

titanic (chem), titánico.

—— **anhydride,** anhídrido titánico.

—— **iron ore,** ilmenita.

titaniferous, titanífero.

titanium, titanio.

—— **dioxide,** dióxido de titanio; (miner) rutilo, octaedrita, brookita.

—— **steel,** acero al titanio.

title, (dib) título, letrero; (leg) título.

titrable, titulable.

titrate, determinar por análisis volumétrico, titular.

titration, análisis volumétrico, titulación, titración.

—— **method** (hyd), procedimiento de disolución de sal, sistema de titulación.

titrator, titulador.

titrimeter, medidor por titulación.

titrimetry, análisis por titulación.

Tobin bronze, bronce Tobin.

toe, (presa) línea de base aguas abajo; (fc corazón) boca; (fc cambio) punta; (talud) pie, base; (maq) gorrón; (min) base de talud; (sol) intersección soldadura con metal de base, borde de la soldadura; (min) fondo del barreno.

—— **bracket** (sb), cartela aguantadora.

—— **circle** (sm), círculo o circunferencia de pie.

—— **hole** (bl), barreno horizontal al pie del frente.

—— **rail** (rr), riel de boca (corazón).

—— **wall** (hyd), rastrillo, dentellón, muro de pie, endentado.

toe-in (auto), convergencia (ruedas delanteras).

—— **gage** (auto), indicador de convergencia.

toe-out (auto), divergencia.

toeboard, tabla de guardia o de pie.

toenail, s clavo oblicuo, (M) clavo lancero; v sujetar con clavos oblicuos.

toggle, fiador atravesado.

— bolt, tornillo de fiador.

— chain, cadena de ajuste.

— joint, junta de codillo.

— plate (crusher), placa de articulación.

— press, prensa de palanca acodillada o de rótula.

— switch (elec), interruptor de volquete.

toilet (pb), inodoro, (V) sanitario, (V) excusado.

— room, excusado, retrete.

tolerance, tolerancia, variación.

toll, peaje, portazago, (pte) pontaje; (tel) tarifa.

— bridge, puente de peaje.

tolyl red (sen), rojo de tolil.

tombolo (naut), tómbolo.

tommy, pasador.

— hole, agujero de argüe.

ton, tonelada.

— of refrigeration, tonelada de refrigeración (288,000 Btu).

tons

— burden (na), arqueo, capacidad.

— displacement (na), tonelaje de desplazamiento.

— register, tonelaje oficial o de registro o de arqueo.

ton-mile, milla-tonelada.

Toncan iron (trademark), aleación de hierro con cobre y molibdeno.

tone control (ra), control de tono.

tong counterbalance (pet), contrapeso de las tenazas.

tong line (pet), cable de las tenazas.

tongs, alicates, tenazas.

tongue, (carp)(mec)(est) lengüeta; (fc) punta movible de cambiavía.

— switch (rr), cambio de aguja.

tongue-and-clevis insulator, aislador de lengüeta y horquilla.

tongued and grooved (lbr), machihembrado, a ranura y lengüeta.

tonic (ra), tónico.

tonite (bl), algodón pólvora nitrado.

tonnage, tonelaje; (náut) arqueo.

— deck (sb), cubierta de arqueo.

— dues (naut), derechos de tonelaje.

— openings (na), aberturas en los mamparos superiores para limitar el tonelaje de registro.

tool, s herramienta, útil (generalmente plural); v labrar, trabajar; instalar máquinas-herramientas.

— angle (mt), ángulo de filo o de la herramienta.

— bag, bolsa de herramientas, mochila, barjuleta.

— belt, cinturón para herramientas.

— block (mt), bloque portaherramienta.

— boy, herramentero, (Es) pinche, (min)(M) abajador.

— brace (pet), gato de enroscar.

— cabinet, armario para herramientas.

— car, carro herramental o de herramientas.

— carriage (lathe), carro portaherramienta.

— carrier, portaherramienta; herramentero, (min)(M) abajador.

— chest, caja de herramientas.

— grinder, rectificador de herramientas.

— heater (asphalt), calentador de herramientas.

— house, bodega o depósito o casilla de herramientas.

— keeper, guardaherramientas, utilero.

— kit, juego de herramientas.

— post (mt), poste portaherramienta.

— rest, soporte o apoyo de herramienta, apoyaherramienta.

— roll, funda para herramientas.

— steel, acero para herramientas o de herramientas.

— wagon, carretón herramental.

toolbox, herramental, caja o arca de herramientas.

tooled finish (conc), acabado mecánico (por bucharda, cincelador, puntero, etc.).

toolhead (mt), cabezal giratorio.

toolholder, portaherramienta, portaútil.

toolmaker, fabricante de herramientas; herrero de herramientas.

toolmaker's lathe, torno para tallador de herramientas.

toolmaker's buttons, botones de herramentero.

toolroom lathe, torno de herramentista, torno corriente de precisión.

toolslide (mt), cursor portaherramienta.

toolsmith, herrero de herramientas.

toolstock (mt), poste portaherramienta.

tooth, s (mec) diente; v dentar, adentar, adentellar, endentar.

— ax (stonecutting), martillo de peña dentada.

— chisel (stonecutter), cincel dentado.

— gage, calibre para dientes.

— harrow, grada de dientes.

— pitch, paso de dientes.

tooth-set gage (saw), calibre de triscado.

toothed, dentado, endentado, dentellado; en adaraja.

— ring connector (carp), conector de anillo dentado.

toother (bw), adaraja, diente.

toothing, (mec) dentado; (mam) enjarje, adarja, endentado, adentelladura, (C) mordiente.

— plane, cepillo dentado.

top, s (cerro) cima, cumbre; (pared) remate, coronamiento; tapa (caja); (auto) capota, toldo; (cn) cofa; v amantillar (aguilón); a superior.

— capping (auto), recubrimiento angosto.

— chord (tu), cordón superior.

— dead center (eng), punto muerto superior.

— die, contramatriz.

— dressing (rd), recebo, ligante.

— flange (gi), ala o cordón superior.

— fuller (bs), copador o degüello superior.

— heading (tun), galería de avance superior, (A) calota.

— iron (plane), contrahierro.

— maul, mandarria de marinero.

— out, coronar, rematar.

—— **rail** (door), peinazo superior.
—— **rake** (mt), complemento del ángulo de corte.
—— **roll** (su), maza mayor o superior.
—— **swage** (bs), estampa superior.
—— **view** (dwg), vista desde arriba o por encima, planta vista.
—— **water** (pet), agua superior.
top-set beds, depósitos sobre un delta.
Topeka pavement, pavimento de concreto asfáltico con agregado fino.
topographer, topógrafo.
topographic, topográfico.
—— **anomaly**, anomalía topográfica.
—— **relief**, relieve topográfico.
topographical, topográfico.
—— **latitude**, latitud geodésica.
—— **plane**, plano topográfico o acotado, planialtimetría.
—— **survey**, levantamiento topográfico, relevamiento, altimetría, planialtimetría.
topography, topografía.
topological (top), topológico.
topology (math), topología.
topped petroleum, residuos de petróleo:
topping, (conc) acabado, capa de desgaste; (mam) capa final; (pet) destilación inicial o primaria; (ca) capa de rodamiento o de desgaste.
—— **block**, motón de amantillar.
—— **lift**, perigallo, amantillo.
—— **plant** (pet), planta de primera destilación.
—— **turbine**, turbina superpuesta.
topside strake (sb), traca subcinta.
topsoil, tierra vegetal o mantillosa o negra, capa vegetal superior, (U) tierra húmica, (M) migajón, (Col) capote, (M) tierra franca.
torch, soplete, antorcha.
—— **brazing**, soldadura fuerte a soplete.
—— **welding**, soldadura a soplete.
tornado, tornado.
toroid (math), toroide.
toroidal, toroidal.
torpedo, *s* (fc) torpedo, petardo; (pet) torpedo; *v* (pet) dinamitar, (M) torpedear.
—— **level**, nivel de torpedo.
—— **sand**, arena gruesa ($\frac{3}{8}$ pulg).
torque, momento torsional o de torsión, par motor, (A) cupla.
—— **arm** (auto), barra de torsión.
—— **converter**, convertidor de torsión.
—— **gage**, indicador de torsión.
—— **meter**, medidor de torsión.
—— **shaft**, árbol de torsión.
—— **tube** (auto), tubo que encierra el eje motor.
—— **wrench**, llave de torsión.
torrefaction, torrefacción.
torrent, torrente, raudal.
torrential, torrencial, (V) torrentoso.
Torricellian tube, tubo de Torricelli.
torsigram, diagrama del torsímetro.
torsigraph, torsímetro.
torsimeter, torsiometer, torsímetro, torsiómetro.
torsion, torsión.
—— **balance**, balanza de torsión.
—— **dampener**, amortiguador de torsión.
—— **dynamometer**, dinamómetro de torsión.

—— **electrometer**, electrómetro de torsión.
—— **galvanometer**, galvanómetro de torsión.
—— **meter**, torsímetro, indicador de torsión, torciógrafo.
—— **pendulum**, péndulo de torsión.
—— **spring**, resorte de torsión.
—— **tube**, tubo de torsión.
torsional, torsional.
—— **instability**, inestabilidad torsional.
—— **moment**, momento de torsión.
—— **strength**, resistencia a la torsión.
—— **stress**, esfuerzo de torsión, (A) tensión de torsión.
—— **test**, ensayo de torsión.
tortuous flow (hyd), flujo turbulento.
torus (math), toro.
total, total.
—— **acidity**, acidez total.
—— **disability**, incapacidad o invalidez absoluta.
—— **earth** (elec), conexión completa a tierra.
—— **hardness** (water), dureza total.
—— **slip** (geol), desplazamiento máximo.
totalize, totalizar.
totalizer, totalizador, integrador.
totally enclosed motor, motor blindado o acorazado o totalmente encerrado.
touch welding, soldadura de contacto.
touchstone (miner), piedra de toque.
tough, tenaz, correoso.
tough-pitch copper, cobre tenaz o bien refinado.
toughness, tenacidad.
—— **index**, índice de tenacidad.
tour, turno, jornada, período.
tow, *s* remolque, acoplado, atoaje; estopa; *v* remolcar, atoar, sirgar, toar.
—— **broom** (rd), escoba de arrastre.
—— **tractor**, tractor remolcador.
—— **truck**, camión remolcador.
towage, remolque, atoaje; derechos de remolque.
towboat, remolcador.
tower, torre, castillete.
—— **bucket** (conc), cucharón para torre, capacho de torre.
—— **car** (elec rr), carro andamio o de torre.
—— **derrick**, grúa de torre.
—— **drill**, perforadora de torre.
—— **excavator**, excavadora de torre.
—— **hopper** (conc), tolva para torre.
—— **truck** (elec rr), camión andamio o de torre.
towerman (rr), cambiador de torre, torrero guardacambio.
towing, remolque, atoaje.
—— **bar**, barra de remolque.
—— **bitt**, bitón de remolcar, córnamusa de remolque.
—— **charges**, derechos de remolque.
—— **chock**, escotera de remolcar.
—— **hitch**, enganche para remolque.
—— **jack**, gato de remolque.
—— **machine**, máquina de remolcar.
—— **post**, poste de amarre para cable de remolque.
—— **winch** (tc), torno de remolcar, cabria remolcadora, montacarga para tractor, cabrestante para remolcar, malacate de arrastrar.
towline, cable de remolque, estacha.

towpath, camino de sirga o de remolque, andén.

towrope, cable de remolque.

toxic, tóxico.

toxicity, toxicidad.

trace, *s* (dib) trazo; (geof) línea de registro; *v* (dib) calcar; (tr) comprobar el tránsito.

traces, (quím) indicios, vestigios, (M) trazas; (carretón) tirantes, tiraderas.

tracer, (mh) trazadora; (dib) calcador; (inst) estilete; (tr) cédula de investigación.

—— **arm** (planimeter), brazo trazador, barra trazadora.

trachyandesite (geol), traquiandesita.

trachybasalt (geol), traquibasalto.

trachydolerite (geol), dolerita traquítica.

trachyte (geol), traquita.

trachytic, traquítico.

tracing (dwg), calco, calcado, (C) tela.

—— **cloth,** tela de calcar.

—— **instrument** (ra), instrumento investigador.

—— **linen,** lino de calcar.

—— **paper,** papel de calcar, (Col) papel tela.

—— **point** (planimeter), aguja trazadora.

—— **projector** (pmy), proyector trazador.

—— **table** (dwg), mesa de calcar.

—— **vellum,** papel superior de calcar.

tracing-cloth

—— **cleaner,** líquido limpiador de calcados.

—— **powder,** polvo para matar tela brillante.

—— **renewer,** líquido para renovación de la transparencia de calcados viejos.

track, (fc) vía, línea, carrilera; (or) oruga, carrilera, vía o banda de rodamiento; (ft) riel.

—— **accessories** (rr), accesorios de vía.

—— **bolt** (rr), perno para eclisa, perno o bulón de vía, tornillo de eclisa.

—— **brake,** freno sobre carril.

—— **braking,** frenaje sobre carril.

—— **cable** (cy), cable de vía, cablerriel, cable portador.

—— **chisel,** cortarriel, cortador de carriles.

—— **circuit,** circuito de vía.

—— **drill,** taladro para rieles.

—— **foreman,** capataz de la vía.

—— **frame** (cr), armazón de orugas, bastidor de carril.

—— **gage** (rr), trocha; patrón de ancho, gálibo, escantillón, vara de trocha.

—— **indicator,** registrador de asperezas de la vía.

—— **jack,** gato de vía, levantavía, levantarrieles.

—— **layer** (machy), colocador de vía.

—— **level** (t), nivel de vía o de peralte.

—— **pad** (cr), zapata.

—— **pan** (rr), canaleta de toma en marcha, artesa de vía.

—— **punch,** punzón de rieles.

—— **relay,** relai de vía.

—— **rollers** (tc), rodillos de carril.

—— **scale,** báscula o romana de vía.

—— **shifter,** máquina trasladadora de vía.

—— **spike,** clavo rielero o de vía, escarpia, (C) alcayata de vía.

—— **standpipe,** grúa alimentadora de agua, grúa hidráulica, (A) grúa hidrante.

—— **strand** (wr), torón para tranvías o para cablevía.

—— **tank** (rr), véase **track pan.**

—— **velocipede,** velocípedo de vía.

—— **wagon,** carretón de orugas o de carriles.

—— **wrench,** llave ferrocarrilera o de eclisas.

track-laying machine, tendedora de carriles.

—— **track-type tractor,** tractor de carriles o de orugas.

trackage, sistema de vías.

—— **rights,** derechos para uso de vía.

trackbarrow, carretilla de vía.

tracking (ra), arrastre.

tracklaying, tendido de la vía.

trackless, sin rieles.

trackman, rielero, peón de vía, obrero de la vía, (A) caminero, (Ch) carrilano.

trackwalker, guardavía, corredor de vía.

trackwork, trabajo de vía.

traction, (mec) tracción; (r) arrastre.

—— **company,** empresa de tranvía.

—— **engine,** máquina de arrastre por camino.

—— **line** (cy), cable tractor o de traslación.

—— **motor,** motor de tranvía.

—— **shovel,** pala mecánica sobre ruedas planas, pala de tracción.

—— **steel,** acero de tracción.

—— **tread** (tire), rodadura de tracción.

—— **wheel,** rueda de tracción; polea impulsora de banda de cadena.

traction-type elevator, ascensor de tracción.

tractive, de tracción, tractivo.

—— **effort,** esfuerzo de tracción.

—— **force,** fuerza o potencia tractora, fuerza de arrastre.

—— **resistance** (rd), resistencia a la tracción.

tractoline, tractolina.

tractor, tractor.

—— **crane,** grúa de tractor.

—— **donkey,** malacate de tractor.

—— **equipment,** accesorios o aditamentos de tractor; equipo manejado por tractor, dispositivos para tractor.

—— **excavator,** pala de tractor.

—— **gate** (hyd), tipo de compuerta para cargas altas (se levanta por cables y se mueve contra trenes de rodillos).

—— **hoist,** malacate de tractor.

—— **loader,** cargador de tractor.

—— **operator,** tractorista, maquinista, conductor.

—— **shovel,** pala o cargador de tractor.

—— **sweeper,** barredora de tractor.

—— **truck,** camión tractor.

—— **yarder,** malacate de tractor para explotación forestal.

tractor-drawn, tirado o arrastrado por tractor.

tractor-scraper (ea), traílla automotriz, mototraílla.

trade *n* comercio; oficio, (Ch) profesión.

—— **name,** nombre de fábrica.

—— **wastes,** desechos o aguas cloacales industriales.

—— **winds,** alisios.

trade-union, gremio, sindicato gremial, (Ch) asociación profesional obrera.

trademark, marca registrada o de fábrica.

traffic, tráfico, tránsito.

—— **beam** (auto), luz de pase, haz de tráfico, (A) luz de cruce.

—— **capacity**, capacidad de tráfico.

—— **census**, censo de tráfico.

—— **circle**, glorieta, (M) rotonda.

—— **congestion**, concentración de tráfico.

—— **density**, intensidad del tráfico.

—— **guard**, tira guardacamino, placa guardacarretera.

—— **interchange** (rd), intercambio de tráfico.

—— **island**, isla de seguridad, refugio.

—— **lane**, línea de tránsito, carril, trocha, faja, (M) callejuela.

—— **light**, farol o fanal o luz de tráfico.

—— **locking** (rr), enclavamiento de tráfico.

—— **manager**, jefe de tráfico.

—— **marker** (rd), limitador de tráfico.

—— **plates** (bdg), planchas de desgaste.

—— **separator** (rd), separador de tráfico.

—— **signs**, señales de tráfico.

—— **signals**, señales para tráfico o de tráfico.

—— **striping** (rd), rayas de tráfico, rayado de guía.

—— **tape** (rd), barrera de cinta.

traffic-actuated (rd), mandado por el tráfico.

traffic-bound (rd), consolidado o ligado por el tráfico.

traffic-control projector (ap), proyector de control de tráfico.

traffic-control tower (ap), torre de control.

traffic-marking button, botón de tráfico.

traffic-signal lights (ap), luces de tráfico.

trafficway, véase **traffic lane.**

trail *n*, sendero, vereda, andada, trillo, trocha, camino de herradura, (V) pica; (geol) material fracturado que marca la dirección de la falla.

—— **car** (elec rr), coche de remolque.

—— **dog** (lg), cadena de acoplamiento.

—— **grader** (rd), niveladora de remolque.

trailbuilder (ce), hoja de empuje angular, abreveredas, abretrochas, abrebrechas, constructor de veredas, (M) brechero.

trailer, carro de remolque, remolque, (A) acoplado.

—— **hitch**, enganche para remolque.

—— **mixer** (conc), hormigonera remolcable.

—— **patrol** (rd), patrulladora de remolque.

trailer-mounted, montado sobre remolque.

trailing

—— **axle** (tk), eje muerto.

—— **edge**, borde de salida.

—— **truck** (loco), bogie de arrastre, carretilla de atrás.

trailing-point switch (rr), cambio o chucho o agujas de arrastre, cambio de talón.

train, *s* (fc) tren, (Es)(A)(U) convoy; (mec) tren: *v* adiestrar, amaestrar; guiar.

—— **dispatcher**, despachador de trenes.

—— **oil**, aceite de pescado o de ballena.

—— **pipe**, tubería de frenaje.

—— **plow** (rr), arado descargador de tierra o balasto.

—— **shed**, cobertizo de trenes.

train-mile, milla de tren.

training

—— **dike**, dique de guía.

—— **idler**, polea de guía.

—— **wall** (hyd), muro guía o de margen o de encauzamiento, (M) muro de encauce, (M) muro de flanqueo.

trainload, carga de un tren completo.

trainman, guardafreno, vagonero, trenista.

trajectory, trayectoria.

tram *v* (min), arrastrar por vía decauville.

—— **rail**, riel de télfer; riel de tranvía.

tramcar, carro de tranvía.

trammel, compás de vara.

—— **points**, puntas para compás de vara.

trammer (tun), peón empujador, carretillero.

tramp iron, fragmentos extraños de hierro, hierro casual, (M) pedacería de fierro, (A) trozo suelto de hierro.

tramway, tranvía; andarivel, funicular aéreo, teleférico, vía aérea, tranvía de cable aéreo; (min) tranvía.

—— **bucket**, cubo de andarivel, carro de suspensión, vagoneta.

—— **strand** (wr), torón para tranvías, cordón de andariveles.

transadmittance (ra), transadmitancia.

transceiver (ra), transmisor y receptor, (A)(Es) transceptor.

transcendental (math), trascendental.

transconductance (ra), transconductancia, conductancia mutua.

transcrystalline (met), transcristalino.

transducer (elec), transductor.

transfer, *s* transferencia, traspaso, transbordo; (fc) vía de transferencia; desviadero corredizo; (fc eléc) billete de transferencia; *v* transbordar, trasladar, transferir.

—— **blocks** (sa), cabezales transferentes.

—— **caliper**, calibre de traspaso.

—— **car**, carro de traslación.

—— **carriage**, carro de traspaso, transbordador.

—— **case** (tk), caja de transferencia.

—— **characteristic** (ra), característica de traspaso.

—— **conveyor**, transportador transferente o de transbordo.

—— **crane** (rr), grúa de transbordo.

—— **factor** (ra), factor de propagación.

—— **impedance** (elec), impedancia de traspaso.

—— **platform**, (carga) plataforma o muelle de transbordo; (viajeros) andén de transbordo.

—— **pump** (sb), bomba de traslado (aceite), bomba de trasiego.

—— **roll** (sa), rodillo transversal o transferente.

—— **shed**, cobertizo de transbordo.

—— **slip** (rr), atracadero de los barcos transbordadores de vagones.

—— **switch** (elec), conmutador.

—— **table**, transbordador, mesa de traslación.

—— **track**, vía de transbordo.

—— **wharf**, muelle de transbordo.

transference number (chem), número de transferencia.

transfinite (math), transfinito.

transform, transformar.

transformation, (mec)(mat) transformación; (fma) transformación, rectificación.
— **printing** (pmy), transformación, rectificación.
transformator, transformador.
transformer (elec)(pmy), transformador.
— **case,** caja o envoltura del transformador.
— **coil,** bobina transformadora.
— **compound,** compuesto aislador para transformadores.
— **core,** núcleo del transformador.
— **coupling** (ra), acoplamiento de transformador.
— **house,** caseta de transformador.
— **losses,** pérdidas de transformación.
— **oil,** aceite para transformadores.
— **rating,** capacidad normal del transformador.
— **ratio,** razón o relación de transformación.
— **station,** estación transformadora, central de transformación, (U) usina transformadora.
— **tank,** envoltura o caja del transformador.
— **trimmer** (ra), compensador de transformador.
— **vault,** bóveda de transformador, cámara para transformador.
transforming printer (pmy), impresora transformadora, transformador.
transgression (geol), transgresión.
transgressive (geol), transgresivo.
transient *n* (elec), oscilación momentánea.
— **current,** corriente momentánea.
— **power limit** (elec), límite de estabilidad momentánea.
— **reactance,** reactancia momentánea.
— **voltage,** tensión momentánea.
transit, *s* (inst) tránsito, teodolito; *v* pasar por, transitar; invertir (tránsito).
— **crane,** grúa viajera o corrediza.
— **mixer** (conc), hormigonera de camión, camión mezclador, automezclador.
— **party** (surv), brigada del tránsito.
— **point** (surv), punto del tránsito, (A) mojón.
— **rod** (surv), jalón, vara de agrimensor.
— **station** (surv), punto de tránsito, estación del tránsito.
transit-mixed (conc), mezclado en camión o en tránsito.
transitable (rd), transitable, (M) viajable.
Transite pipe (trademark), tubería de asbestocemento.
transition, transición.
— **curve** (rr), curva de enlace o de acuerdo, espiral de transición.
— **piece,** pieza de acordamiento, adaptador, tubo de ajuste o de acuerdo.
— **point** (elec), punto de transición.
— **strip** (ap), faja de transición.
— **width** (rd), ancho de transición.
— **zone** (geol), zona de transición.
transitional, de transición.
transitman, ingeniero del tránsito.
translation, (mec)(tel) traslación; traducción (idioma).
translator, (eléc) traslador; (ra) repetidora; traductor (idioma).
translatory wave, onda de translación.

translucent, translúcido, trasluciente.
transmissibility, transmisibilidad.
transmissible, transmisible.
transmission, (mec) transmisión; (eléc) transmisión, transporte; (auto) transmisión, caja de engranajes o de cambio; (ra) transmisión; (il) transmisión.
— **assembly** (auto), conjunto de la transmisión.
— **belt,** correa transmisora, banda de transmisión.
— **belting,** correaje transmisor.
— **brake** (auto), freno en la transmisión, (A) freno al cardán.
— **cable,** cable de transmisión.
— **case,** caja de la transmisión o de velocidades.
— **chain,** cadena de transmisión o de mando.
— **countershaft,** contraeje de velocidades.
— **dynamometer,** dinamómetro de transmisión.
— **efficiency,** rendimiento o efecto útil de transmisión.
— **factor** (il), coeficiente de transmisión.
— **gears,** engranajes de transmisión.
— **grease,** grasa para caja de engranajes.
— **line,** línea de transmisión, línea de transporte de energía.
— **load** (ac), demanda de transmisión.
— **losses,** pérdidas por transmisión.
— **rope,** cable de transmisión.
— **shaft,** eje motor o de transmisión.
— **tower,** torre o mástil o castillete de transmisión.
transmission-line hardware, herrajes para línea de transmisión.
transmissivity trasmisividad.
transmissometer (ap), transmisómetro.
transmit, transmitir.
transmittance (il), transmitencia.
transmittancy, capacidad transmisora, trasmitencia.
transmitter (mech)(tel)(ra), transmisor.
transmitting antenna (ra), antena transmisora o emisora.
transmitting tube (ra), válvula transmisora.
transmutation, transmutación, trasmutación.
transom, (barra) traviesa, travesaña, travesero; (ventana) luceta, claraboya, tragaluz, lumbre, (A) banderola, (AC) linternilla.
— **bar,** travesaño entre puerta y claraboya.
— **beam** (sb), bao del peto de popa.
— **frame** (sb), última cuaderna a popa, peto de popa.
— **lifter,** alzador de claraboya, levantador de banderola.
— **operator,** ajustador de claraboya, regulador de banderola.
transparent, transparente.
transpiration (irr), transpiración.
transport *v,* transportar, acarrear.
— **number** (chem), número de transferencia.
— **speed** (ce), velocidad de marcha o de traslación.
transportation, transporte, acarreo, transportación, conducción, acarreamiento; (geol) transportación.
transported clay, arcilla transportada.
transporter bridge, puente transbordador.

transpose, transponer.

transposing gear, engranaje de transposición.

transposition, (quím) transposición; (eléc) cruce de los hilos, transposición.

transrectification (elec), transrectificación.

transrectifier (elec), transrectificador.

transship, transbordar.

transshipment, transbordo.

transverse, transversal, transverso.

— section, sección o corte transversal.

transverter, transvertidor.

trap, *s* (tub) sifón, trampa, bombillo, (V) inodoro; (aceite) interceptor, separador; (vapor) purgador, colector o separador de agua; (geol) trapa, roca trapeana; *v* atrapar; (pb) proteger con sifón.

— boom (lg), barrera interceptadora.

— bushing, casquillo para sifón.

— circuit (ra), circuito trampa.

— door, escotillón, trampilla, trampa.

— grate, rejilla atrapadora.

— seal (pb), profundidad del cierre de agua.

trapezial, trapezoidal.

trapezium, trapezoide.

trapezoid, trapecio.

trapezoidal thread, rosca trapecial.

trapezoidal weir, vertedero trapecial.

trappean (geol), trapeano.

traprock, roca trapeana, trapa (basalto, andesita o cualquier roca ígnea de grano fino v color oscuro se llama trap).

trash, (hid) basuras, hojarasca; (az) bagacillo.

— chute, conducto de basuras, paso de hojarasca.

— conveyor (su), conductor de bagacillo.

— elevator (su), elevador de bagacillo.

— pump, bomba centrífuga que pasa hojarasca sin atascarse.

— screen, criba para basuras.

— sluice, desaguador de basuras.

— turner (su), plancha de guía del bagazo.

trashrack, rejilla coladera o contra basuras, reja, canastillo, (A) parrilla.

— rake, rastrillo limpiarrejas, raedera.

trass, tras.

travel *n* (machy), carrera, recorrido, corrida, curso.

— mechanism (sh), mecanismo de avance.

— plant (rd), equipo locomóvil.

— times (geop), tiempos de propagación.

travel-time curve (vibration), curva de recorrido-tiempo.

traveler, (ec) andamio móvil o ambulante, torre movible, grúa corrediza, andadera; (puente-grúa) carrito.

— block, motón corredizo o viajero.

traveler's check, cheque de viajero.

traveling, corredizo, móvil, ambulante.

— block (pet), motón izador o viajero.

— cableway, cablecarril corredizo, cablevía trasladable.

— crane, grúa corrediza o rodante o de puente, puente-grúa, (A) puente rodante.

— derrick, grúa viajera o corrediza o corredera.

— distributor (sd), esparcidor corredizo.

— excavator, excavadora ambulante o movible.

— expenses, gastos de viaje; viáticos.

— forms, moldes corredizos, encofrado deslizante.

— gear (crane), mecanismo de marcha.

— grate, parrilla corrediza.

— hoist, torno móvil, malacate corredizo, (A) guinche corredizo, (A) guinche trasladable.

— nut, tuerca corrediza.

— scaffold, andamio móvil o ambulante o corredizo.

— screen, criba corrediza, cedazo o harnero corredizo; (hid) pantalla corrediza; (hid) rejilla rotatoria.

— speed (sh)(cy), velocidad de traslación o de marcha o de recorrido.

— spindle (va), vástago corredizo.

— table (mt), mesa corrediza.

— valve (pet), válvula viajera o corrediza.

— wave (hyd), aguaje, oleaje.

traveling-cylinder pump (pet), bomba de cilindro corredizo o de cilindro viajero.

traveling-grate stoker, alimentador de parrilla corrediza.

traveling-grizzly feeder, alimentador de criba corrediza.

traveling-head planer, acepilladora de herramienta móvil.

traveling-head shaper, limadora de cabeza móvil.

traverse, *s* crucero, travesero; (mec) carrera, juego; (lev) trazado, rodeo, (M) poligonal; *v* (mec) trasladar; (lev) trazar; (tv) atravesar, recorrer.

— board (surv), plancheta con alidada de mirilla.

— drill, taladro de ajuste lateral; taladro ranurador.

— feed, avance lateral.

— plane table, plancheta.

— shaper, limadora de cabeza móvil.

— table, (fc) transbordador; (lev) cuadro de latitudes y desviaciones; (lev) plancheta.

traverseman (surv), trazador.

traverser, transbordador, transportador.

traversing (tv), travesía.

— drum (cy), tambor de tracción o de traslación.

— jack, gato corredizo.

travertine (miner), travertino.

Travis tank (sd), tanque séptico tipo Travis.

travois (lg), rastra.

tray, batea, bandeja, artesa; (carretilla) caja, cuerpo.

— clarifier (sen), clarificador de bateas.

— elevator, elevador de cadena con rejillas.

— feeder, alimentador de bandeja.

— thickener (sen), espesador de batea.

tread *n*, (es) escalón, peldaño, huella, (Pan) paso; (rueda) cara, llanta, rodadura, (C) llanura; (auto) anchura de vía, trocha, huella.

— band (tire), banda de rodamiento.

— diameter (sheave), diámetro efectivo o de rodamiento, (M) diámetro de huella.

— plate (cr), zapata.

treading shop (auto), taller de reencauchar.

treadle, pedal.
treadway, carril, rodada, carrilada.
treat (water, lumber, etc.), tratar.
treater (sd)(pet), tratador.
treating boiler, caldera de tratamiento.
treating tank, tanque de tratamiento.
treatise, tratado.
treatment, tratamiento.
tree arrangement (elec), sistema de derivaciones múltiples.
tree compass, calibrador de árboles.
treedozer (ce), tumbador de árboles, destroncadora, derribaárboles.
treenail, cabilla, espiga.
trembler (ge), temblador, vibrador.
— coil, bobina vibratoria.
tremie, (M) alcancía, (Pe) tolva, (A) tolva y tubería, (A) manga, (M) tubo-embudo.
— pipe, (Pe) tubo-trompa.
tremolite (miner), tremolita (anfíbol).
trench, s zanja, foso, trinchera, fosa; canal, cuneta; v zanjar, zanjear, trincherar.
— brace, codal, puntal, jabalcón.
— bracing, apuntalamiento, entibación, acodamiento, acodalamiento.
— bucket, balde volcable para zanjas.
— digger (t), zanjadora neumática, excavadora de zanjas.
— cover, tapa de cuneta o de canal.
— excavation, excavación en zanja.
— hoe (ce), pala de tiro, azadón mecánico, retroexcavadora, trincheradora, zanjadora.
— jack, gato puntal, puntal ajustable.
— roller, aplanadora para zanjas.
trencher, máquina zanjadora, trincheradora.
trenching, zanjeo, zanjamiento.
— machine, zanjadora, cavador de zanjas, trincheradora, excavadora a cangilones.
trepan (min), trépano.
trepanning tool (mt), herramienta de ahuecar.
trestle, s viaducto o puente de caballetes; v construir caballetes; salvar con viaducto de caballetes.
— bent, caballete, castillete, burro, pila, (Ch) cepa, (M) banco.
— bridge, puente de caballetes.
— dam, presa de caballetes engoznados al pie.
— excavator, excavadora teleférica de caballetes.
— horse, borricón, cabrilla, caballete.
— ladder, escalera doble o de tijera.
trestlework, estructura de caballetes, castillejo; construcción de caballetes.
triad a, triple; (quím) trivalente.
trial, ensayo, prueba; tanteo.
— and error, tanteos, (A) aproximaciones sucesivas.
— balance, balance de comprobación o de saldos.
— batch (conc), carga de tanteo, revoltura de prueba.
— cut (mt), corte de prueba.
— flight (pmy), vuelo de prueba.
— grid (pmv), cuadrícula de tanteo.
— mix, mezcla de prueba o de tanteo.
— run, marcha de ensayo.

trial-load analysis (hyd), análisis por cargas de prueba.
triamidotriphenyl (lab), triamidotrifenilo.
triangle, triángulo; (dib) escuadra, cartabón.
triangular, triangular, triangulado, triángulo.
— compass, compás de tres piernas.
— scale (dwg), escala triangular, (A) escalógrafo, (A) escalímetro.
— truss, armadura Warren o triangular.
triangular-notch weir, vertedor de entalladura triangular.
triangulate, triangular.
triangulation, triangulación.
— net, red de triangulación.
— station, estación de triangulación, (V) punto trigonométrico.
triangulator, triangulador.
triaxial, triaxial, triaxil.
tribasic (chem), tribásico.
tribometer, tribómetro.
tributary n a, tributario, afluente, confluente.
tribute (min), destajo, pirquín.
tributer (min), destajista, pirquinero, destajero.
tricalcic, tricálcico.
tricalcium aluminate (ct), aluminato tricálcico.
tricalcium silicate (ct), silicato tricálcico.
trichloramine, tricloramina.
trichloride, tricloruro.
trichloroacetic, tricloroacético.
trichloroethylene (ac), tricloroetileno.
trickle charge (elec), carga continua y lenta.
trickle charger (elec), dispositivo de carga lenta.
trickling filter (sd), filtro percolador o de escurrimiento.
triclinic (miner), triclínico, triclino, (A) triclinal.
tricycle landing gear (ap), tren de aterrizaje triciclo.
tricyclic (chem), tricíclico.
tridimensional, tridimensional.
trieline (rfg), tricloroetileno.
trier, cateador.
trifluoride (chem), trifluoruro.
trifurcation, trifurcación.
trigger, gatillo; (cn) dispositivo botador.
— action (ra), acción disparadora.
— circuit (ra), circuito de disparo.
— tube (ra), especie de triodo.
triggering gap (ra), chispómetro disparador.
trigonal (miner), trigonal.
trigonometer, trigonómetro.
trigonometric, trigonométrico.
— functions, funciones o razones o líneas trigonométricas.
— lines, líneas trigonométricas.
trigonometry, trigonometría.
trihedral, triédrico.
trihedron (math), triedro.
trihydrate (chem), trihidrato.
trihydric (chem), trihídrico.
trilens camera, cámara triple.
trim, s (carp) contramarcos, chambranas, contracercos, guarnición, (C) vestidura, (A) obra blanca, (V) ebanistería; (cerradura) guarnición; (cn) asiento longitudinal; v desbastar, dolar; (carp) montar contramarcos; (náut) adrizar.

—— **brush,** brocha pequeña de pintar.
trimetallic, trimetálico.
trimethylene, trimetileno.
trimetric, trimétrico.
trimmer, (as) desbastador, recortadora; (ra) regulador, (A) compensador.
—— **arch** (bldg), arco entre cabios que soporta el hogar.
—— **beam,** viga que soporta el cabecero, cabio
—— **condenser** (ra), condensador variable.
—— **signal** (rr), señal de maniobras.
trimmers (tun), hilera más alta de barrenos.
trimming die, matriz recortadora.
trimming tank (sb), tanque de equilibrio.
trimmings (va), guarniciones.
trimstone (mas), piedra labrada para cornisa, albardilla, cordón, etc.
trinitrate (chem), trinitrato.
trinitrobenzene, trinitrobenceno.
trinitrotoluene, trinitrotolueno.
trinomial, trinomio.
triode (ra), triodo.
triose (su), triosa.
trioxide, trióxido.
trip, *s* (mec)(eléc) disparo; gatillo, relevador; *v* (mec) soltar, disparar· voltear (transportador); desgarrar (ancla).
—— **gear,** mecanismo de desenganche.
—— **hammer,** martillo-pilón.
—— **hook,** gancho de disparo.
—— **latch,** gatillo de descarga.
—— **lever,** palanca de disparo, palanquita de desenganche.
—— **line** (bu), cable soltador o de descarga.
—— **mechanism** mecanismo de desenganche, órganos de desprendimiento.
—— **relay,** relai disparador.
—— **spear** (pet), arpón de disparo.
trip-free circuit breaker, interruptor de desenganche libre.
triphenylmethane (lab), trifenilmetano.
triple, triple.
—— **block,** motón de tres garruchas.
—— **effect** (su), triple efecto.
—— **valve,** válvula de tres direcciones; (fc) válvula de control del freno neumático.
triple-acting, de triple efecto.
triple-duty, de triple oficio.
triple-expansion (eng), de triple expansión.
triple-field polariscope, polariscopio de triple campc.
triple-grid tube (ra), válvula de tres rejillas.
triple-petticoat insulator aislador de tres campanas.
triple-pole (elec), tripolar.
triple-reduction gearing, engranaje de triple reducción.
triple-thread screw, tornillo de rosca triple.
triple-throw switch (elec), interruptor de tres cuchillas.
triplex, tríplice, triple.
—— **chain block,** aparejo de engranaje triple.
—— **pump,** bomba triple.
tripod, trípode, (M) tripié, (C) trespatas.
—— **derrick,** cabria o grúa de trípode.
—— **drill,** perforadora de trípode.

—— **head** (inst), cabeza del trípode.
—— **signal** (surv), señal de trípode.
tripolar, tripolar.
tripolite, tripoli (geol), trípol.
tripotassium phosphate, fosfato tripotásico.
tripper, disparador; volteador, tumbador.
tripping, disparo.
—— **coil** (elec), bobina de interrupción o de disparo.
—— **lever,** palanca disparadora.
—— **transformer,** transformador de desenganche.
trirectangular, trirrectángulo.
trisect, trisecar.
trisection, trisección.
trisector, trisector.
trisilicate, trisilicato.
trisilicic, trisilícico.
trisodium phosphate fosfato trisódico.
trisulphide, trisulfuro.
triton, trinitrotolueno.
triturate, triturar.
trituration, trituración.
triturator, triturador.
trivalent (chem), trivalente.
trivet, trípode.
trochoid *n* (math), trocoide.
trolley, (mec) trole cargador, carretilla, carrillo; (eléc) trole.
—— **car,** coche de tranvía.
—— **coach,** ómnibus de trole.
—— **conveyor,** transportador telférico.
—— **frog,** desvío, cruzamiento aéreo.
—— **hanger** (door), suspensor de carrito.
—— **harp** (elec rr), horquilla de la polea de contacto, horqueta de trole.
—— **head** (elec rr), cabezal de la pértiga de trole.
—— **hoist,** montacarga colgante, (A) guinche colgante.
—— **line,** línea o red de tranvía.
—— **pole,** pértiga del trole.
—— **rail,** carril conductor.
—— **shoe** (elec rr), patín de contacto.
—— **wheel,** polea de trole o de contacto.
—— **wire,** alambre de contacto o del trole.
trommel (met), zaranda, trómel.
trompe (met), trompa.
troostite (met), troostita.
troposphere, troposfera.
trotyl (explosive), trotil.
trough, *s* artesa, batea, gamella, pileta; seno de las olas; *v* acanalar.
—— **belt,** correa cóncava, cinta acanalada.
—— **compass,** brújula de artesa.
—— **plate** (str), plancha Zorés, perfil Zoré.
—— **spillway,** canal vertedor, vertedero de saetín.
troughing (elec), canales.
—— **conveyor,** transportador de correa cóncava, transportadora acanalada.
—— **idler** (conveyor), rodillo albardillado.
trowel, *s* paleta, badilejo, llana metálica (yesero), fratás (yesero), palustre (albañil), trulla (albañil), (C) cuchara, (M) plana (yesero); *v* palustrear, fratasar, (A) flatachar, (Ch) platachar.
trowelful, paletada.
troy pound, libra troy.

truck, s camión, autocamión, (M) troque; carretón, carro; (fc) bogie, carretilla; (mec) carro, carretilla, juego de ruedas; (tc) bastidor de las orugas; (mano) carretilla, zorra; v acarrear, transportar por camión.
— agitator (conc), camión agitador.
— body, caja de camión, (A) carrocería.
— crane, grúa automóvil o autocamión, camión de grúa; carro grúa.
— driver, carretero, carretonero; conductor, chófer, camionero, (M) troquero.
— frame, bastidor de rodaje.
— mixer (conc), mezclador de camión, camión mezclador o batidor, automezclador, (A) camión agitador.
—— shovel, pala de camión.
— tractor, tractor de camión, camión tractor.
— trailer, remolque para camión.
— winch, cabrestante para camión, malacate de camión.
truck-body hoist, elevador de caja de camión.
truck-mounted, montado sobre camión.
truck-type gate (hyd), compuerta de ruedas fijas o de rodillos, (Es) compuerta de vagón.
truck-type switchboard, cuadro de carretillas.
truckage, camionaje, acarreo.
trucking, acarreo, camionaje, carretonaje.
truckload, carretonada, carrada, camionada, carga de camión; furgonada.
truckman, carretero, carretonero, carrero, camionero.
true, v rectificar; a alineado; nivelado.
— arc voltage (w), voltaje efectivo de arco.
— azimuth, azimut verdadero.
— bearing, marcación real, rumbo verdadero.
— cohesion (sm), cohesión verdadera.
— horizon, horizonte real.
— meridian, meridiano verdadero.
— north, norte verdadero.
— power (elec), vatios efectivos, potencia real.
— rake angle (mt), complemento del ángulo de corte.
— resistance (elec), resistencia real u óhmica.
— slip ratio (na), relación de retroceso real.
— time, tiempo verdadero o solar o aparente.
— watt, vatio eficaz o efectivo.
truncate, truncar, troncar.
truncated cone, cono truncado, tronco de cono.
truncated thread, rosca truncada.
trunk, s conducto; tronco (árbol); (cn) cañón, pozo; a troncal, principal.
— bulkhead (sb), mamparo encerrador de escotilla.
— feeder (elec), alimentador principal.
— line, (fc) línea principal, (M) línea troncal; (tel) línea interurbana o principal.
— piston, émbolo abierto.
— sewer, cloaca maestra o troncal o máxima, alcantarilla maestra.
trunnion, muñón, gorrón.
— jig, gálibo de muñones.
truss, s armadura, (U) cercha, (A) reticulado, (A) caballete, (A) cabriada, (Pan) caballo (madera); v armar, atirantar.
— bridge, puente de armadura, (Ec) puente de celosía.

— joist, vigueta de celosía.
— rod, tirante o tensor de armadura.
— set (min), marco armado.
— shoe, pedestal de armadura.
truss-head rivet, remache de cabeza segmental.
trussed beam, viga armada o atirantada o embragada.
trussed joist, viga de enrejado de barras.
trussing, armadura.
try, probar, tantear; purificar.
— cock (bo), llave o grifo o espita de prueba, robinete de comprobación.
— out, experimentar, probar, tantear.
— square (carp), escuadra, codal, cartabón, escuadra de espaldón.
trying plane, garlopín.
tryptone (sen), triptona.
tryptophan (lab), triptófano.
tub, cuba, cubeta; artesa, tina.
tubbing (min), entibado de pozo, encubado.
tube, tubo; (cal) tubo, flus; (auto) cámara, tubo interior, tubo; (ra) tubo, válvula, (M) bulbo.
— beader (bo), mandril de bordear, bordeadora.
— bender, curvador o doblador de tubos.
— brush, cepillo para limpiar tubos de caldera, limpiatubos.
— cleaner, raspador de tubos, limpiatubos, escobillón desincrustador.
— coupling, acoplamiento para tubos sin costura.
— cutter, cortatubos, cortador de tubos de vidrio.
— detection (ra), detección por válvula.
— drill, mecha o broca tubular.
— expander (bo), ensanchador o abocardador o abocinador de tubos, mandril de expansión, bordeadora, (M) abretubos, (A) expandidor para tubos.
— extractor, sacatubos, arrancatubos.
— float (hyd), flotador tubular, tubo flotador.
— generator (ra), generador de válvula.
— header (bo), cabezal de tubos.
— insulator, tubo aislador.
— mill, remoledor tubular, molino de tubos.
— of force (elec), tubo de fuerza.
— round (met), barra para fabricar tubos sin costura.
— sampler (ag), tubo de muestreo, (A) tubo calador.
— saw, sierra cilíndrica.
— scraper (bo), rascatubos, rasqueta para tubos.
— sheet (bo), placa tubular, plancha de tubos, chapa tubular, (C) cabezal de tubos.
— still, alambique de tubos.
— tester (ra), probador de válvulas.
— valve, válvula de tubo movible.
tube-in-sleeve alidade, alidada de manguito.
tubeaxial fan, ventilador tubo-axil.
tubeless fuse (elec), fusible sin tubo.
tubercle, tubérculo.
tuberculation, tuberculación, tuberculización.
tubing, entubado, tubería, tubuladura; (pet) tubo de producción.

—— anchor (pet), ancla para entubamiento.
—— block (pet), motón de tubería.
—— catcher (pet), sujetador de tubería, agarrador de tubos, agarratubos.
—— elevator (pet), elevador de tubería.
—— head (pet), cabeza de tubería, cabezal de tubo de producción.
—— pump (pet), bomba de la tubería.
—— tongs (pet), tenazas para tubos.
tubular, tubular.
—— boiler, caldera tubular; caldera de tubos de humo.
—— gasketing, empaquetadura tubular.
—— stay, tubo tirante.
—— valve, válvula tubular.
tubular-frame wheelbarrow, carretilla tubular.
tubulature, tubulure (lab), tubuladura.
tubule (inst), tubito.
tuck, s (cab) paso (por entre los torones); v (cab) pasar.
—— plate (sb), arco de popa o de la hélice.
—— splice (cab), ayuste corto.
tufa (geol), toba, tufa, tufo.
tufaceous, tufáceo.
tuff (geol), tufa.
tuffaceous, toboso, tobáceo.
tugboat, remolcador.
tugger hoist, torno chico accionado por aire comprimido, (Ch) huinche.
tulip (lbr), tulipero.
tumble bay (hyd), amortiguador de energía, lecho amortiguador.
tumble home n (na), disminución de la manga hacia arriba.
tumbler, (mec) tambor; (mec) volcador, pestillo; (cerradura) tumbador, volcador, rodete fiador.
—— gear (mt), engranaje desplazable de cambio o inversión.
—— switch (elec), interruptor de volquete.
tumbling
—— barrel, molino a tambor, barril de frotación.
—— lever (rr), palanca de tumba.
—— rod (rr), barra tumbadora.
—— toggle bolt, tornillo de fiador excéntrico.
tunable (ra), sintonizable.
tune v (ra), sintonizar, acordar.
tuned antenna, antena sintonizada.
tuned transformer, transformador sintonizado.
tuner (ra), sintonizador.
tung oil, aceite de palo o de tung.
Tungar rectifier (ra), rectificador Tungar.
tungstate (chem), tungstato.
tungsten, tungsteno, volframio, (M)(V) tungstenio.
—— carbide, carburo de tungsteno.
—— lamp, lámpara incandescente con filamentos de tungsteno.
—— ochre, trióxido de tungsteno nativo, tungstita.
—— steel, acero al tungsteno.
—— titanium carbide, carburo de tungsteno y titanio.
—— trioxide, trióxido de tungsteno, (miner) tungstita.
tungsteniferous, tungstenífero.

tungstic (chem), túngstico.
tuning (ra), sintonización.
—— band (ra), banda de sintonización.
—— coil (ra), bobina sintonizadora.
—— condenser (ra), condensador sintonizador.
—— constant, constante de sintonía.
—— indicator, indicador de sintonización, (A)(M) indicador de sintonía.
—— inductance, inductancia de sintonización.
—— knob (ra), perilla o botón de sintonización.
—— meter (ra), contador indicador de sintonización.
tunking fit (machy), ajuste sin holgura.
tunnel, s túnel; v perforar un túnel.
—— bar, barra portadora de perforadoras para obras de túnel.
—— kiln (brick), horno de túnel.
—— liner, placa de revestimiento.
—— loader, cargadora de túnel, pala para túnel.
—— recess (sb), nicho del túnel.
—— shield, escudo de perforación.
—— shovel, pala para obras de túnel, (M) rezagadora.
—— spillway, túnel vertedor.
—— target (surv), mira para túneles.
tunneling scoop, cuchara para horadar.
tup, mazo, maza.
tupelo (wood), nisa.
turbid, turbio, túrbido.
Turbidicator (trademark), indicador de turbidez.
turbidimeter, turbidímetro.
turbidimetric, turbidimétrico.
turbidity, turbieza, turbiedad, turbidez.
turbine, turbina.
—— case, distribuidor, anillo de rodete.
—— governor, regulador de la distribución.
—— pump, bomba de turbina.
—— setting (hyd), montura de la turbina.
turbine-type meter, contador de turbina.
turboaerator, turboaereador.
turboalternator, turboalternador.
turboblower, turbosoplador.
turbocharger, turbina alimentador.
turbocompressor, turbocompresor.
turboexciter, turboexcitador.
turboexhauster, turboaspirador, turboeductor.
turbofan, turboventilador.
turbogenerator, turbogenerador.
turbomixer, turbomezclador.
turbomotor, turbomotor.
turbopump, turbobomba.
turbosupercharger, turbosupercargador.
turbulence (hyd)(eng), turbulencia.
—— chamber (di), cámara de turbulencia.
turbulent, turbulento, tumultuoso.
—— burner, quemador de turbulencia.
—— flow (hyd), flujo turbulento.
—— velocity (hyd), velocidad que siempre produce flujo turbulento.
turf, s césped, tepe; v encespedar.
turgite (miner), turgita, hidrohematita.
turmeric paper (lab), papel de cúrcuma.
turn, s vuelta, revolución, giro, revuelta; v (maq) girar, revolver; hacer girar; (mh) tornear; (auto) doblar.
—— indicator (auto), indicador de viraje.

—— **knob** (hw), botón de cerrojo dormido.
—— **marker** (rd), señal de doblar, signo de curva.
—— **of the bilge** (sb), pantoque.
—— **over**, volver, volcar; volcarse.
—— **ratio** (elec), relación de vueltas.
—— **switch** (elec), interruptor giratorio.
turn-around n (ap), área de viraje.
turnbuckle, torniquete, templador, tensor, (C) tarabilla.
—— **fittings**, accesorios de tensor.
—— **insulator**, aislador tensor.'
turned bar (met), barra torneada.
turned bolt, perno torneado o ajustado, bulón torneado, (M) perno maquinado.
turner, tornero.
turnery, tornería.
turning, viraje, giro; tornería, torneado.
—— **area** (ap), área de viraje.
—— **basin**, dársena de maniobra, borneadero.
—— **chisel**, escoplo de torno, asentador, formón de tornero.
—— **engine**, torno; servomotor, máquina auxiliar de arranque o ajuste.
—— **gouge**, gubia de torno.
—— **handle**, mango de girar.
—— **lane** (rd), faja de doblar, vía de desviación.
—— **machine**, torneadora.
—— **point** (surv), punto de cambio.
—— **radius**, radio de viraje o de giro.
—— **saw**, sierra para contornear.
—— **tool**, herramienta de torno o para tornear.
—— **zone** (ap), zona de espera, área para dar vueltas.
turnings, virutas, alisaduras, acepilladuras.
turning-radius gage (auto), indicador de radio de viraje.
turnout, (fc) cambiavía, desviadero, desvío lateral, arranque, (C) chucho; apartadero de paso; (irr) toma, compuerta derivadora; (ca) salida.
turnpike, carretera troncal.
turnpin, mandril ensanchador para tubos de plomo, tarugo ensanchador, (A)(Ch) trompo.
turnplate, (min) plancha giracarro; (az) plancha de guía del bagazo.
turnsheet (min), plancha giracarro.
turnstile, torniquete, (A) molinete.
—— **antenna** (ra), antena de molinete.
turntable, (fc) placa giratoria, tornamesa, mesa giratoria, tornavía, (M) cambiavía; (ec) tornamesa.
—— **pit**, pozo de tornamesa.
turpentine, aguarrás, trementina.
—— **ax**, hacha angosta de maderero.
—— **substitute**, aguarrás mineral.
turret (lathe), torrecilla, torre.
—— **drill**, taladro de torrecilla.
—— **lathe**, torno revolvedor o de torrecilla.
—— **toolpost**, poste portaherramienta revólver.
tutwork (min), destajo, tarea.
tuyère (met), tobera, alcribís, soplete.
'tween decks (sb), entrepuentes.
tweeter (ra), altavoz para altas frecuencias.
tweezers (lab), pinzas, tenacillas.
twelve, doce.

twelve-pitch thread, rosca de doce vueltas por pulgada.
twelve-point socket, casquillo de doce estrías.
twelve-sided, dozavado.
twelvepenny nail, clavo de $3\frac{1}{4}$ pulg.
twentieth, s veintavo; a vigésimo.
twenty, veinte.
twenty-chord spiral (rd), espiral de veinte cuerdas.
twentypenny nail, clavo de 4 pulg.
twibill (t), azuela.
twin a, gemelo, doble.
—— **cable** (elec), cable doble.
—— **locks**, esclusas gemelas, esclusa doble.
—— **towers**, torres gemelas.
—— **triode** (ra), doble triodo, (A) triodos gemelos.
—— **valves**, válvulas gemelas.
—— **wire** (elec), cable de conductores gemelos.
twin-cable tramway, tranvía de dos cables.
twin-cylinder, de dos cilindros, de cilindros gemelos.
twin-eye nut, tuerca de ojo para dos retenidas.
twin-head nail, clavo de doble cabeza.
twin-screw, de dos hélices, de hélices gemelas.
twist, s torcedura, torsión; v torcer, retorcer; retorcerse.
—— **drill**, barrena espiral o salomónica o de caracol, broca helicoidal, mecha espiral.
—— **load**, carga torcedora.
—— **moment**, momento torsional.
—— **packing**, empaquetadura retorcida, torzal empaquetador.
—— **splice** (elec), empalme retorcido.
twist-link chain, cadena de eslabones torcidos.
twist-type blasting machine, estalladora de vuelta.
twisted, torcido, retorcido.
—— **bar** (reinf), barra torcida.
—— **pair** (tel), conductor doble retorcido.
—— **surface**, superficie alabeada.
twisted-cotton-covered cord (elec), cordón forrado de algodón torcido.
twisting moment, momento de torsión.
twitch v (lg), arrastrar.
two, dos.
two-batch truck, camión para dos cargas.
two-blocks, a besar, a rechina motón.
two-by-four (lbr), dos por cuatro pulgadas.
two-couple camera (pmy), cámara doble.
two-course pavement, pavimento de dos capas.
two-cycle engine, máquina de dos tiempos.
two-dimensional, bidimensional.
two-direction thrust ball bearing, cojinete de bolas de empuje doble.
two-drum boiler, caldera de dos colectores.
two-electrode tube (ra), tubo de dos electrodos.
two-fluid cell (elec), pila de dos líquidos.
two-foot rule, regla de dos pies de largo.
two-gang outlet box (elec), caja de salida doble.
two-hinged arch, arco birrotulado o de dos articulaciones.
two-image photogrammetry, fotogrametría por imágenes dobles, estereofotogrametría.
two-inch plank, tablón de dos pulgadas.
two-lane highway, carretera biviaria, camino de dos trochas.

two-leg bridle sling (cab), eslinga de brida de dos partes.
two-line bucket, cucharón de almeja de dos cables.
two-man saw, sierra bracera o de dos mangos, serrote.
two-motor, bimotor.
two-pass condenser, condensador de flujo doble o de dos pasos o de dos pasadas.
two-phase (elec), bifásico, (A) difásico.
two-pipe system (ht), sistema de tubería doble.
two-ply, de dos capas.
two-point
—— **landing** (ap), aterrizaje en dos puntos.
—— **perspective,** perspectiva angular o de dos puntos.
—— **problem** (surv), problema de dos puntos.
—— **seismograph,** sismógrafo de dos componentes.
two-pole, bipolar.
two-port plug (va), macho de dos orificios.
two-position selector valve, válvula selectora de dos posiciones.
two-prong plug (elec), clavija de contacto doble.
two-quadrant connection (rd), intercambio de tráfico por dos cuadrantes.
two-screed finishing machine (rd), acabadora de dos escantillones.
two-sheave block, motón doble.
two-shoe brake, freno de doble zapata.
two-shot cutout (elec), cortacircuito de doble acción.
two-sled (lg), trineo doble.
two-speed engine, máquina de dos velocidades.
two-stage, de dos etapas o grados o escalones.
two-step reamer, escariador escalonado.
two-stroke cycle (eng), ciclo de dos tiempos.
two-temperature thermostat, termóstato de dos temperaturas o de servicio doble.
two-thirds power (math), potencia dos-tercios.
two-throw crankshaft, cigüeñal de dos codos.
two-throw switch (rr), cambio de dos tiros.
two-way
—— **communication** (ra), comunicación en dos sentidos.
—— **dump** (car), descarga por los dos lados.
—— **radio,** equipo emisor y receptor.
—— **reinforcement** (conc), refuerzo cruzado, armadura cruzada.
—— **slab** (conc), losa con armadura cruzada.
—— **switch** (elec), conmutador de dos direcciones.
—— **valve,** válvula de dos pasos.
two-way-rib construction (conc), losa con nervaduras cruzadas.
two-wheel landing (ap), aterrizaje sobre dos ruedas.
two-wheel scraper (ea), traílla de dos ruedas.
two-winding transformer, transformador de doble devanado.
two-wire, bifilar.
twofold purchase, aparejo de dos motones dobles.
twopenny nail, clavo de 1 pulg.
tymp (met), timpa.
typewriter, máquina de escribir.
typhoid fever, fiebre tifoidea.

typhoon, tifón.
typical section, sección típica, corte típico.
typist, mecanógrafo, dactilógrafo, dactilografista.

U abutment, estribo en U.
U bar, barra en U.
U bend (p), curva en U.
U bolt, perno U, hierro en U.
U branch (p), bifurcación en U.
U butt weld, soldadura en U.
U trap (p), sifón en U.
U tube, tubo U, manómetro de tubo en U.
U turn (rd), vuelta U.
U-groove weld, soldadura de ranura en U.
U-packed cock, robinete de empaque acanalado.
U-tube manometer, manómetro de tubo U.
udometer, udómetro, pluviómetro.
udomograph, pluviómetro registrador.
ultimate, último.
—— **analysis,** análisis último.
—— **bearing power of soil,** presión unitaria al fallar.
—— **elongation,** alargamiento al fallar.
—— **factor of safety,** factor de seguridad final.
—— **mechanical strength** (inl), resistencia mecánica final.
—— **resilience,** rebote final.
—— **strength,** resistencia a la rotura o al fallar, fatiga de ruptura, (M) resistencia final.
ultrabasic (geol), ultrabásico.
ultradyne (ra), ultradino.
ultrafast, ultrarrápido.
ultrafilter, ultrafiltro.
ultrafiltration, ultrafiltración.
ultrahigh frequency, frecuencia ultraelevada, (A) frecuencia extra-alta.
ultrahigh-speed, ultrarrápido.
ultramicrometer, ultramicrómetro.
ultramicroscope, ultramicroscopio.
ultrared rays, rayos ultrarrojos o infrarrojos.
ultrashort wave (ra), onda ultracorta, (A) onda extracorta.
ultrasonic (ra), supersónico, (A) ultraacústico.
ultraspeed welding, soldadura ultrarrápida.
ultraudion (ra), ultraaudión.
ultraviolet rays, rayos ultravioleta o ultraviolados.
umbrella antenna (ra), antena paraguas o sombrilla.
umbrella-head clinch rivet, remache de redoblar con cabeza curva (para chapa ondulada).
umbrella-type generator, generador tipo paraguas.
umpire assay or **test,** ensaye por árbitro.
unavailable water, agua no aprovechable.
unbalance, *s* desequilibrio; *v* desequilibrar.
unbalanced
—— **bid,** propuesta desequilibrada.
—— **phases** (elec), fases desequilibradas.
—— **pressure,** presión no equilibrada.
unbolt, desempernar.
unbraced length (column), largo sin apoyo.
unburned brick, adobe, ladrillo crudo o sin cocer.
unclamp, soltar, desagarrar.

uncoil, desenrollar.
uncombined (chem), no combinado.
unconfined (sm), libre, sin soporte lateral.
unconformable (geol), discordante.
unconformity (geol), discordancia.
uncontrolled mosaic (pmy), mosaico sin control.
uncouple, desenganchar, desacoplar.
uncoursed (mas), sin hiladas.
undamped (elec), no amortiguado.
under, a inferior; adv debajo; pr bajo, debajo de.
underbid, hacer propuesta más baja.
underbody (sb), cuerpo sumergido.
underbush, malezas, arbustos, zarzales, chaparral, monte bajo, (C) manigua.
underburned brick, ladrillo rosado o mal cocido.
underburning, (ct) cocimiento incompleto; (az) calcinación insuficiente (carbón animal).
undercarriage, carro o carrito inferior.
undercast (min), conducto inferior de ventilación.
underclay (min), arcilla debajo del yacimiento de carbón.
undercoat (pt), mano interior.
undercompounded (elec), de compoundaje parcial.
underconditioning (sd), acondicionamiento insuficiente.
undercurrent, corriente submarina; (min) conducto ancho de poca pendiente para separación de oro fino.
—— relay (elec), relevador de baja corriente.
undercut, s (ef) muesca de guía; (sol) socavación; (min) roza, socava, regadadura; v (r)(sol) socavar, derrubiar; (ef) aserrar por debajo; (ef) cortar muesca de guía; (min) rozar.
undercut-ring nozzle, boquilla de anillo agudo.
undercutter, (ef) muescador; (herr ef) portasierra para corte inferior; (herr min) socavadora; (herr eléc) rebajadora (de mica).
undercutting, (r) derrubio; (min) roza, descalce.
underdamping (elec), amortiguación periódica.
underdevelopment (pmy), falta de revelación.
underdrain, s desagüe inferior; v desaguar.
underdrainage, desagüe inferior.
underdrive (auto), bajomando.
underestimate, hacer presupuesto demasiado bajo.
underexcitation (elec), subexcitación.
underexposure (pmy), falta de exposición, subexposición.
underfeed mains (ht), tubería de alimentación por debajo.
underfeed stoker, cargador por debajo.
underfilter, filtro inferior.
underfired furnace, horno de combustión por debajo.
underfloor raceway (elec), conducto embutido, canal debajo del piso.
underflooring, tablonado inferior.
underflow, corriente subálvea.
underframe, bastidor inferior.
underfrequency (elec), subfrecuencia.
undergear, mecanismo inferior.
undergrade crossing (rr), paso o cruce inferior, paso por debajo.

underground, subterráneo.
undergrowth, maleza, monte bajo.
underhand stope (min), escalón de banco, grada derecha, (M) rebaje descendente.
underhung rudder (sb), timón suspendido.
underinflation (tire), inflado insuficiente.
underlay (w), capa de metal blando debajo de la superficie de metal duro.
underlayment (bldg), contrapiso, capa bituminosa debajo del piso de madera.
underload switch (elec), interruptor para baja carga.
underlying, subyacente, (V) infrayacente.
undermine, socavar, minar, zapar, descalzar, descimentar.
undermining, socavación, socava, derrubio, descalce.
undermodulation (ra), modulación insuficiente.
underneutralization (ra), subneutralización.
underpass, paso inferior, paso por debajo.
underpin, socalzar, sotomurar, recalzar, (A) submurar, (M) apear.
underpinning, sotomuración, recalce, recalzo, (M) apeo.
underplaster extension (elec), extensión embutida, extensión dentro del revoque.
underpower relay (elec), relai de potencia baja.
underream (well), ensanchar al fondo.
underreamer (pet), ensanchador o escariador de fondo.
underriver, subfluvial.
underrunning third rail, riel de contacto inferior.
undersanded (conc), que contiene insuficiente arena.
undersea, submarino.
underseepage, percolación inferior.
undershooting (ap), aterrizaje corto.
undershot (wheel), de impulsión por abajo.
—— gate (hyd), compuerta de descarga inferior.
undersize, s subtamaño, (M) infratamaño; a de tamaño bajo el límite, (M) de infratamaño, (A) infranormal.
—— variation, variación en menos.
undersluice, desagüe o aliviadero de fondo, galería de evacuación.
underslung (auto), suspendido de las ballestas, colgante.
underswung arc gate (min), compuerta de arco inferior.
underthrust fault (geol), falla por empuje inferior.
undertow, corriente de fondo, resaca.
undertravel (mech), carrera incompleta.
undervoltage, bajo voltaje.
—— circuit breaker, disyuntor de mínima tensión.
—— protection, protección contra reducción de tensión.
—— relay, relevador de bajo voltage.
—— release, desconexión a tensión mínima.
underwater, subácueo.
underweight, falta de peso.
underwinding (eng), enrollado por debajo.
underwrite, (fin) subscribir; (seg) asegurar.
underwriters (ins), aseguradores.
underwriters'
—— hardware, herraje de los aseguradores.

—— knot (elec), nudo de los aseguradores.
—— standards, normas del consejo de aseguradores.
undisturbed sample (sm), muestra sin descomponer.
undivided profits, ganancias no dístribuídas.
undulating light, faro undulatorio.
undulation, ondulación.
undulatory, undulatorio, ondulatorio.
unearned increment, mayor valía, plus valía.
unemployed, s desocupados, (Ch) cesantes; a desocupado, sin empleo.
unemployment, desempleo, desocupación, cesantía.
unenclosed, no encerrado.
unequal, desigual.
—— legs (angle), alas o ramas o brazos desiguales.
uneven (number), impar.
unfair (rivet holes), desalineado, sin coincidir.
unfinished, sin acabar, bruto.
—— bolt (str), perno sin tornear.
unfreeze, deshelar.
unfunded debt, deuda flotante.
unglazed, sin vidriar, no vidriado.
ungrounded circuit (elec), circuito sin conexión a tierra.
unhinge, desgoznar, desengoznar, desquiciar, desbisagrar.
unhook, desenganchar, desganchar.
uniaxial, uniaxial, uniáxico.
unicellular, unicelular.
unidirectional, unidireccional.
unifilar, unifilar.
uniflow engine, máquina de flujo unidireccional.
uniform n a, uniforme.
—— field (elec), campo uniforme.
—— load, carga uniforme.
—— velocity or motion, velocidad uniforme.
uniformity, uniformidad.
—— coefficient (sm), coeficiente de uniformidad, (C) coeficiente uniforme.
uniformly distributed, repartido o distribuído uniformemente.
unigrounded (elec), de conexión simple a tierra.
unilateral (machy)(math), unilateral.
Unilet (trademark), tipo de accesorio para conducto eléctrico.
unimproved road, camino de tierra o sin afirmar.
uninsulated, sin aislación.
union, (tub) unión; (hombres) gremio, sindicato obrero.
—— bonnet (va), casquete de unión.
—— coupling (p), acoplador de unión.
—— elbow (p), codo de unión, unión en L.
—— fittings (p), accesorios de unión.
—— man, agremiado.
—— nipple (p), niple de unión.
—— nut, tuerca de unión.
—— shop, taller agremiado.
—— T (p), T con unión, unión en T.
unionism, unionismo.
unionize, agremiar, sindicar.
uniperiodic, uniperiódico.
unipolar, unipolar.
unipotential, unipotencial.
unisymmetrical, unisimétrico.

unit, s unidad; a unitario.
—— conditioner (ac), acondicionador unitario o enterizo.
—— convection conductance (ac), conductancia unitaria de convección.
—— cooler (ac), enfriador unitario.
—— cost, costo unitario.
—— heater, calentador unitario, unidad de calefacción.
—— hydrograph, hidrógrafo unitario.
—— load, carga unitaria o específica.
—— of force, unidad de fuerza.
—— pillow block, cojinete enterizo.
—— price, precio unitario o por unidad.
—— strain, deformación unitaria.
—— stress, esfuerzo unitario, fatiga específica.
—— substation (elec), subestación enteriza o unitaria.
—— vent (pb), un tubo ventilador para dos sifones.
—— weight, peso unitario.
unit-price bid, propuesta a precios unitarios.
unit-price contract, contrato a precios unitarios o por medida.
unitary, unitario.
unitgraph (hyd), hidrógrafo unitario.
unitize, unificar.
unity (math), la unidad.
univalent (chem), univalente.
universal, universal.
—— chuck (mt), mandril o plato universal.
—— clevis (elec), horquilla universal.
—— compasses, compás universal.
—— grinder, rectificadora universal.
—— hitch, enganche universal.
—— joint, junta o unión universal, junta cardánica, acoplamiento o articulación universal.
—— lathe, torno universal.
—— mill (met), laminador universal.
—— motor (elec), motor universal.
—— plate (steel), planchas producidas en el laminador universal (cantos laminados).
—— receiver (ra), receptor universal (corriente directa o alternada).
—— shear, tijera universal.
—— socket, casquillo universal.
—— turret lathe, torno revólver universal.
—— woodworker, máquina universal de elaborar madera, banco de sierra universal.
Universal cast-iron pipe (trademark), tubería universal (de enchufe fresado y orejas para pernos).
Universal clamp (trademark)(fo), abrazadera universal.
unjointed, desarticulado.
unkeying (tun), franqueo.
unkink, desensortijar.
unknown quantity, incógnita.
unlabeled equipment (bldg)(US), sin aprobación de la Junta de Aseguradores.
unlay (rope), destorcer, descolchar.
unload, descargar, desembarcar.
unloader (all senses), descargador.
—— valve, válvula descargadora.
unloading, descargue, descarga, (náut) alijo.
—— platform, descargadero.

unmesh, desengranar, desencajar.
unmeshed, desengranado, fuera de toma.
unmetered water, agua sin medir, (U) agua a
robinete libre.
unmixed (conc), desmezclado.
unmodulated (ra), sin modulación.
unpaved, sin pavimentar.
unprofitable, antieconómico, contraproducente.
unreel, desenrollar.
unreeve (cab), despasar, desguarnir.
unrefined, en bruto, no refinado.
unrestrained (str), sin fijar, no rígido.
unrig, desaparejar, desenjarciar, desencapillar,
desguarnir.
unroll, desarrollar.
unroof, destechar, (AC) desentechar, (Col)
desmochar.
unsafe, inseguro.
unscrew, destornillar, desatornillar, desenroscar.
unseasoned, sin sazonar; (mad) verde.
unseating pressure (hyd), presión de desasiento.
unserve (rope), desaforrar.
unshackle, desengrilletar.
unshielded arc (w), arco descubierto o no protegido.
unskilled, inexperto, imperito.
—— labor, peones, braceros, (Ch) rotos.
unslaked lime, cal viva.
unsling, deslingar.
unsound
—— cement, cemento de volumen variable.
—— knot (lbr), nudo vicioso.
—— project, proyecto improductivo.
—— timber, madera defectuosa.
unspool, desenrollar.
unsprung, sin resortes.
unstable, (est) inestable, instable; (terreno) deleznable, desmoronadizo, flojo; (quím)
inestable.
—— equilibrium, desequilibrio, equilibrio inestable.
unstratified, no estratificado.
unstressed, no fatigado, sin esfuerzo.
unsubmerged, desahogado, no sumergido.
unsupported length, largo sin apoyo, (A) largo
de pandeo.
unswitched outlet (elec), tomacorriente sin interruptor.
unsymmetrical, disimétrico, asimétrico.
untarred jute, yute sin embrear.
untreated, sin tratar.
untrue, desalineado; desaplomado, desplomado.
untwist, destorcer; destorcerse.
unwater, desaguar, achicar, desagotar, agotar.
unwatering, achicamiento, achicadura, achique,
(C) desagote.
unweathered, no intemperizado.
unwind, desenrollar.
up, a ascendente; adv arriba; pr hacia arriba de.
upbrow adv (min), recuesto arriba.
upcast (min), pozo de salida de aire.
upcut (file), segunda talla.
updip (geop), buzamiento arriba.
updraft, corriente ascendente.
—— carburetor, carburador de succión ascendente o de tiro hacia arriba.

—— kiln, horno de calor ascendente.
upfeed riser (pb), tubo vertical de flujo hacia
arriba.
upfeed system (ht), sistema de vapor ascendente.
upflow, flujo ascendente.
upgrade, s pendiente o declive en subida, (A)(Es)
rampa; adv cuesta arriba, pendiente arriba.
upheaval (geol), levantamiento, solevamiento.
upholstery (auto), tapicería, (C) vestidura.
upkeep, conservación.
upland, terreno elevado.
uplift, (hid) subpresión, solivio, sublevación,
fuerza de levantamiento; (geol) levantamiento.
—— pile, pilote contra subpresión.
upper, superior.
—— berth (rr), litera alta, cama superior.
—— chord (tu), cuerda o cordón o cabeza superior.
—— flange (gi), ala o cabeza o cordón superior.
—— floor, planta alta, alto, (A) entrepiso.
—— parallel plate (transit), placa paralela superior.
—— roll (su), maza mayor o superior o sobrepuesta.
—— side band (ra), banda lateral superior.
—— works (sb), obra muerta; superestructuras,
obras ligeras.
uppers (min), barrenos hacia arriba.
upraise n (min), contrapozo, (Ch) chimenea,
(Col) tambor.
upright n, pie derecho, montante, pierna, paral.
—— engine, máquina vertical.
—— urinal, mingitorio, orinal recto.
—— Y branch (p), bifurcación de ramal paralelo.
upriver, río arriba.
upset, s (mad) pandeo de las fibras debido al
aplastamiento; v (mec) recalcar, engrosar.
—— butt welding, soldadura a tope con recalcado.
—— pipe, tubo reforzado por recalcadura.
—— price, precio mínimo fijado.
upsetting forge, fragua de recalcar.
upsetting machine, recalcadora.
upstream, río arriba, aguas arriba; contracorriente, arriba de corriente.
—— cofferdam, (Es) antepresa.
—— elevation, alzada de aguas arriba.
—— face (dam), paramento mojado o de agua o
de aguas arriba.
—— hearth, antesolera.
—— sill, anteumbral.
—— slope, talud de aguas.
—— toe (dam), pie del talud de aguas.
upstroke (eng), carrera ascendente o de ascenso.
upstructure (pet), estructura arriba.
uptake chamber, cámara de subida.
uptake shaft (tun), pozo de subida.
upthrow (geol), desplazamiento hacia arriba,
deslocación ascendente.
upthrust (geol), solevantamiento.
upward
—— filtration (wp), filtración por corriente ascendente.
—— pressure, subpresión, presión de solivio.
—— system (ve), sistema de corriente ascendente.
upwarp (geol), pliegue anticlinal.

upwind, contra el viento.
uranin (sen), uranina.
uraninite (miner), uraninita (radio y uranio).
uranite group (miner), grupo de las uranitas.
uranium, uranio.
—— acetate, acetato de uranio o de uranilo.
uranyl acetate, acetato de uranilo o de uranio.
urban, urbano.
urbanize, urbanizar.
urease (sen), ureasa.
urinal, orinal, orinario, urinario, míngitorio (vertical), (F) orinola.
urine, orines, orina.
use factor (elec), factor de capacidad.
used equipment, equipo usado o de ocasión, planta de segunda mano.
useful, útil, provechoso.
—— head (hyd), caída o desnivel o salto útil.
—— heat, calor aprovechable.
—— load, carga útil.
—— power, potencia útil.
user, consumidor, usuario.
utilities, servicio de agua, gas, electricidad, alcantarillado, comunicaciones, etc.
utility, utilidad; empresa de servicio público.
—— hoist, malacate para uso general.
utilization, aprovechamiento, utilización.
—— factor (elec), coeficiente o factor de utilización.

V bar (met), barra V.
V belt, correa trapezoidal o en V o en cuña, banda V.
V branch (p), bifurcación.
V connection (elec), conexión en V.
V cut (tun)(min), corte de cuña.
V dump car, carro decauville, vagoneta volcadora tipo V.
V motor, motor en V, máquina de cilindros convergentes.
V point (pmy), punto V o nadiral.
V thread, filete triangular.
V way, guía en V.
V-belt sheave, garrucha para correa en V.
V-groove weld, soldadura de ranura en V.
V-notch weir, vertedero de aforo en V, vertedero triangular.
vacuation (sen), vaciamiento.
Vacuator (trademark)(sd), cámara de vacío.
vacuole (sen), vacuola.
vacuum, vacío, vacuo.
—— back (pmy), placa de vacío.
—— boiler, caldera de vacío.
—— booster, multiplicador de fuerza al vacío.
—— brake, freno de vacío o al vacío.
—— breaker, rompedor de vacío.
—— chamber, cámara de vacío.
—— chlorinator, clorador al vacío.
—— cleaner, limpiador de succión, aspirador de polvo, (M) barredora eléctrica.
—→ condenser, condensador a vacío.
—— crystallizer (su), cristalizador al vacío.
—— distillation, destilación al vacío.
—— drier (ac), desecador a vacío.

—— feed, alimentación por aspiración o al vacío
—— feed-water heater, calentador primario o a vacío.
—— filter, filtro al vacío.
—— gage, vacuómetro, indicador de vacío, manómetro al vacío.
—— governor, regulador a vacío.
—— head (hyd), carga de vacío.
—— heating system, calefacción a vacío.
—— hose, manguera para vacío.
—— mat (conc), cojín de vacío.
—— pan, tacho al vacío.
—— plate (pmy), placa de vacío.
—— process (conc), procedimiento al vacío (extracción del agua sobrante).
—— pump, bomba de vacío o al vacío.
—— regulator, regulador de vacío.
—— relief, alivio de vacío.
—— seal, sello del vacío.
—— still, alambique de vacío.
—— switch (ra), conmutador al vacío.
—— tank, tanque al vacío.
—— tube, tubo electrónico o al vacío, válvula termiónica o de vacío, (M) bulbo de vacío.
—— valve, ventosa al vacío.
vacuum-breaking valve, válvula de alivio.
vacuum-operated, mandado a vacío.
vacuum-tube
—— amplifier, amplificador a válvula.
—— oscillator, oscilador a válvula.
—— rectifier, rectificador termiónico.
—— transmitter (ra), transmisor a tubo de vacío.
—— voltmeter, voltímetro de tubo electrónico.
vacuumized concrete, concreto tratado al vacío (extracción del agua).
vadose water, agua subterránea más arriba de la capa freática, (A) agua vadosa.
valence, valency (elec)(chem), valencia.
valley, (top) valle, quebrada; (to) lima hoya, (A) combersa.
—— flat, llanura del río, piso del valle.
—— floor, véase valley flat.
—— line (top), línea de pen ₁nte máxima o de corriente.
—— rafter (rf), lima hoya.
—— storage (hyd), almacenamiento de desbordamiento.
—— tile (rf), teja canalón o canal.
—— train (geol), material depositado en el valle más abajo de la morena terminal.
valuation, apreciación, avaluación, avalorización, valoración.
—— engineer, ingeniero tasador o apreciador.
value, s valor; v valorar, tasar, apreciar.
valve, (hid) válvula, llave, robinete; (mv) distribuidor, corredera; (eléc) válvula.
—— action (electrochemical), efecto de válvula.
—— adapter (ra), adaptador de válvula.
—— amplifier (ra), amplificador de válvula.
—— bag, bolsa de válvula o de papel a válvula.
—— body, cuerpo de la válvula.
—— bonnet, casquete o sombrerete de la válvula.
—— box, caja o registro de válvula; (mv) caja de distribución.
—— cap (auto), tapita de válvula.
—— chamber, cámara de válvula.

—— chest (se), caja de distribución.
—— detector (ra), válvula detectora.
—— gear (se), mecanismo de distribución, (M) aparejo de válvula.
—— grinder, amoladora de asientos de válvulas, refrentador o rectificador o esmerilador de válvulas.
—— guide, guía de la válvula.
—— hammer, golpeteo.
—— house, caseta de válvulas.
—— insert, asiento postizo o insertado.
—— key, llave para válvula.
—— lash, juego de la válvula.
—— lever (ge), balancín, palanca de válvula.
—— lift, alza o carrera de la válvula.
—— lifter, desmontaválvulas; levantaválvula.
—— oil, aceite para válvulas.
—— receiver (ra), válvula receptora.
—— refacer, refrentador de válvulas.
—— remover, extractor de válvulas.
—— retainer, retén de válvula.
—— rod, varilla de la válvula, tirador de válvula, (A) tiraválvula.
—— seat, asiento de la válvula.
—— spear (pet), arpón pescaválvulas.
—— spring (auto), resorte de la válvula.
—— stem, vástago o varilla de válvula; barra de corredera, varilla de distribución.
—— tappet, botador de válvula, levantaválvula.
—— timing (auto), regulación de las válvulas.
—— travel, carrera de la válvula o del distribuidor.
—— trimmings, guarniciones de válvula.
—— twist, torzal para prensaestopas de válvula.
—— wrench, llave para válvula.
valve-grinding compound, compuesto para esmerilar, pasta para válvulas.
valve-guide keeper (auto), guardaguía de válvula.
valve-in-head, válvula en la culata.
valve-inserting machine, máquina insertadora de válvulas.
valve-operating device, dispositivo para maniobra de válvulas.
valve-spring remover (ge), levantador de resorte de válvula.
valveless, sin válvulas.
van (tr), furgón, galera.
Van Stone flange (p), brida Van Stone o de junta montada.
vanadate (chem), vanadato, vanadiato.
vanadic, vanádico.
vanadinite (miner), vanadinita.
vanadium steel, acero de vanadio o al vanadio.
vandyke print, negrosina.
vane (turb), paleta, álabe director, aleta.
—— meter (water), contador de paletas.
—— pump, bomba de paletas.
vane-type relay (elec), relai de aleta.
vaneaxial fan, ventilador axil con aletas de guía.
vang (sb), burro, retenida.
—— purchase (sb), aparejo de retenida.
vanishing
—— line (dwg), línea de fuga.
—— point (dwg), punto de la vista o de fuga.
—— trace (dwg), trazo de fuga.

vanner (met), máquina separadora de mineral por vibración.
vanning test, ensayo por agitación.
vapor, vapor.
—— cell (su), vaso de vapores.
—— condenser, condensador de vapor acuoso.
—— heating, calefacción a vapor de muy baja presión.
—— lock (ge)(pet), bolsa de vapor, (M) cierre de vapor.
vapor-to-liquid heat exchanger, intercambiador de calor vapor a líquido.
vaporimeter, vaporímetro.
vaporization, vaporización, vaporación.
vaporize, vaporizar, vaporar, volatilizar; volatilizarse.
vaporizer, vaporizador.
vaporous, vaporoso.
vaportight, estanco o hermético al vapor.
var (elec), voltamperio reactivo.
var-hour meter, varhorímetro.
variable n a, variable.
—— capacitor (elec), capacitor regulable, condensador variable o de placas ajustables.
—— field (elec), campo variable.
—— inductor, inductor variable, variómetro.
—— pitch (turb), paso regulable.
—— resistor (elec), resistor variable.
—— voltage, voltaje variable, multivoltaje.
variable-area meter (hyd), contador de área variable.
variable-discharge pump, bomba de gasto variable.
variable-displacement pump, bomba de carrera regulable o de caudal variable.
variable-frequency oscillator, oscilador de frecuencia variable.
variable-head permeameter (sm), permeámetro de carga descendente o de carga variable.
variable-mu tube (ra), válvula de mu variable.
variable-pressure turbine, turbina de presión variable.
variable-ratio drive, mando de relación ajustable.
variable-speed
—— jack, gato de velocidad regulable.
—— pulley, polea ajustable para velocidad.
—— transmission, transmisión de velocidad regulable.
variable-stroke system (di), sistema de carrera variable.
variable-volume pump, bomba de volumen variable.
variable-weight roller, aplanadora de peso regulable.
variant (math)(lab), variante.
variation, (mat) variación; (mec)(eléc) variación, desviación; declinación (brújula).
—— factor (il), factor de variación.
—— range (il), límites de variación.
variator (elec), variador.
variegated, (min)(M) abigarrado.
—— copper ore, bornita.
variety woodworker, sierra mecánica universal.
variocoupler (ra), varioacoplador, (M) variocúpler.
variometer, variómetro, inductor variable.

varistor (ra), varistor.
varmeter, contador de voltamperios reactivos.
varnish, s barniz, charol; v barnizar, charolar, embarnizar.
—— brush, brocha para barniz.
—— paint, pintura al barniz.
—— remover, quitabarniz.
—— thinner, diluyente para barniz.
varnished cambric (inl), cambray barnizado, batista barnizada.
varnished tape (elec), cinta barnizada.
varnisher, barnizador.
varved clay, arcilla estratificada.
varying duty (elec), servicio variable.
varying-potential transformer, transformador de tensión variable.
varying-speed motor, motor de velocidad variable.
varying-voltage control, control por voltaje variable.
Vaseline, vaselina.
vat, cuba, tina, tanque.
vault, s bóveda, alcuba; esquifada; depósito a prueba de incendio; v abovedar.
—— door, puerta de tesoro.
—— light, claraboya o luz de bóveda; vidrio de piso.
—— rib, aristón.
—— transformer, transformador a prueba de humedad o para bóveda.
vault-light cement, cemento para pisos de vidrio.
vaulting, abovedado, bóvedas.
vectograph, vectógrafo.
vector, vector.
—— addition, adición geométrica o de vectores.
—— current (elec), corriente vectorial.
—— diagram, diagrama vectorial o vector.
—— function, función vectorial.
—— potential, potencial vector.
—— product, producto vectorial.
—— quantity, cantidad vectorial.
—— sum, suma vectorial.
vectorial (math), vectorial.
vegetable n a, vegetal.
—— fat (lu), grasa vegetal.
—— glue, cola vegetal.
—— mold, tierra vegetal, mantillo.
—— oil, aceite vegetal.
vehicle, (tr) vehículo, (A) rodado; (pint) vehículo.
vehicular, vehicular.
veil (pmy), velo.
vein, (mad) veta, hebra; (min) vena, veta, filón, criadero, venero.
—— dike (geol), dique de filón.
—— quartz, ganga cuarzosa.
veined, veteado.
veinstone (min), ganga.
velocimeter, velocímetro.
velocity, velocidad.
—— bed (geop), capa de velocidad.
—— channel (hyd), canal regulador de velocidad.
—— gage, indicador de velocidad.
—— grade (rr), rasante que aprovecha la inercia del tren.
—— gradient (hyd), gradiente de velocidad.

—— head (hyd), carga de velocidad, altura dinámica.
—— meter, velocímetro, contador de velocidad.
—— microphone, micrófono de velocidad.
—— modulation (ra), modulación de velocidad.
—— of approach (hyd), velocidad de llegada o de acceso, (Es) velocidad de aflujo, (M) velocidad de aproximación.
—— of recession (hyd), velocidad de alejamiento.
—— of retreat (hyd), velocidad de alejamiento o de salida.
—— pressure, presión de velocidad.
—— profile (rr), perfil de velocidad.
—— ratio (machy), relación de velocidades.
—— resonance (elec), resonancia de fase o de velocidad.
—— stage (turb), grado o etapa de velocidad.
—— staging (turb), graduación de velocidad.
velometer, velómetro.
vena contracta (hyd), chorro contraído o contracto, (A) vena contraída.
veneer, s chapa, hoja de madera; (lad) revestimiento; v enchapar, chapear.
—— slicer, máquina rebanadora.
veneered wall, pared revestida (sin trabazón).
veneering, enchapado, chapeado.
vent, s respiradero, sopladero, orificio de ventilación, venteo, desfogue, desventador, resolladero; v desventar, desfogar, desahogar, purgar.
—— branch (p), ramal de 180° invertido.
—— cap (pb), tapa del respiradero.
—— flue, conducto de ventilación.
—— pipe, tubo de ventilación o de alivio, caño ventilador.
—— stack (pb), tubo vertical de ventilación.
—— trap, (al) sifón con conexión para tubo de ventilación; (cf) trampa de alivio.
—— valve, válvula respiradera.
ventilate, ventilar, airear, aerear.
ventilated piston ring (auto), aro de ventilación.
ventilating fan, ventilador, soplador ventilador.
ventilation, ventilación.
—— duct, conducto de ventilación.
—— raise (min), contracielo ventilador.
—— shaft, chimenea o pozo de ventilación, respiradero.
ventilator, ventilador; sección movible de una ventana de acero.
Venturi (auto), Venturi, tubo Venturi.
—— flume, canaleta de aforos Venturi.
—— meter, venturímetro, medidor Venturi.
—— throat, garganta del Venturi, cuello Venturi
—— tube, tubo Venturi.
verascope (camera), veráscopo.
verdigris, cardenillo.
verdunization (wp), verdunización.
vergeboard (carp), tabica.
vernal equinox, equinoccio vernal.
vernier, nonio, vernier.
—— caliper, calibre de nonio o a vernier.
—— compass, brújula de nonio.
—— level, nivel de nonio.
—— plate (inst), disco del nonio.
versed cosine, coseno verso.
versed sine, seno verso.

vertex, vértice.

vertical, vertical, aplomo.

—— **boiler,** caldera vertical.

—— **check valve,** válvula vertical de retención.

—— **clearance,** franqueo superior, altura libre.

—— **component,** componente vertical.

—— **curve** (rr)(rd), curva vertical.

—— **keel** (sb), sobrequilla central.

—— **point** (pmy), punto V, punto nadiral.

—— **shift** (geol), componente vertical de desplazamiento relativo.

—— **union,** gremio industrial.

—— **view finder** (pmy), buscador vertical.

vertical-deflection oscillator, oscilador de desviación vertical.

vertical-drive speed reducer, reductor de velocidad de eje vertical.

vertical-fiber paving brick, ladrillo de fibra vertical.

vertical-flow boiler, caldera de tubos verticales.

vertical-flow tank (sd), tanque de flujo hacia arriba.

vertical-grain (lbr), aserrado por cuartos.

vertical-lift bridge, puente levadizo vertical o de ascensión vertical.

vertical-lift door, puerta levadiza.

vertical-velocity curve (hyd), curva de velocidades en una vertical.

verticality, verticalidad.

vertically-polarized wave (ra), onda polarizada verticalmente.

vesicle (geol), vesícula.

vesicular (geol), vesicular.

vessel, barco, buque, embarcación; vasija, recipiente; (mad) vaso.

vestibule, (ed) zaguán, vestíbulo; (rr) vestíbulo.

viaduct, viaducto.

viagraph (rd), viágrafo.

vial, (lab) frasco, frasquito, pomo, botellita; (nivel) tubo.

viameter, odómetro.

vibrate, vibrar.

vibrating feeder, alimentador vibratorio o vibrante.

vibrating screen, criba o zaranda vibratoria, cedazo vibrante, reja sacudidora.

vibrating-reed frequency meter, frecuencímetro de lengüetas.

vibration, vibración, trepidación, sacudimiento.

—— **damper,** amortiguador de vibraciones.

—— **indicator,** indicador de vibración.

vibrator, vibrador, temblador.

—— **coil** (ge), bobina vibratoria o con temblador.

—— **tube,** tubo vibrador.

vibratory, vibratorio.

—— **slump** (conc), asentamiento con vibración.

vibrio (sen), vibrión.

vibrograph, vibrógrafo.

vibrometer, vibrómetro.

vibroscope, vibroscopio.

Vicat needle, aguja de Vicat.

Victaulic coupling (trademark)(p), acoplamiento Victaulic.

video *a* (tv), video.

—— **frequency** (ra), videofrecuencia, frecuencia de visión.

—— **signal,** señal de video.

video-frequency amplifier, amplificador para videofrecuencias.

Vierendeel truss, armadura Vierendeel.

view finder (pmy), visor, buscador.

view holder (pmy), portavista.

vignetted (pmy), viñeteado.

village, pueblo, población, poblado, caserío.

Vinsol resin (trademark), resina Vinsol.

Vinylite (trademark)(plastic), vinilita.

virgin timber, madera virgen.

virtual, virtual.

—— **amperes,** amperaje efectivo.

—— **axis,** eje instantáneo de rotación.

—— **cathode** (ra), cátodo virtual.

—— **grade,** pendiente virtual.

—— **image** (optics), imagen virtual.

—— **uplift** (hyd), subpresión virtual.

—— **velocity,** velocidad virtual.

—— **voltage,** voltaje efectivo.

—— **work,** trabajo virtual.

virus, virus.

viscosimeter, viscometer, viscosímetro, indicador de viscosidad.

Viscosine (trademark)(ac), viscosina.

viscosity, viscosidad.

—— **breaking** (pet), fraccionamiento de viscosidad.

—— **index,** índice de viscosidad.

—— **number,** número de viscosidad.

viscous, viscoso.

—— **drag** (wp), retardo viscoso.

—— **filter** (ac), filtro viscoso.

—— **flow** (hyd), flujo laminar o viscoso.

vise, prensa de tornillo, tornillo de banco, cárcel, morsa, (A) sargento.

—— **chuck** (mt), cárcel, prensa sujetadora.

visibility, visibilidad, (V) visualidad.

—— **distance** (rd), alcance de la vista, distancia de visibilidad.

—— **meter** (il), medidor de visibilidad.

visible horizon, horizonte sensible.

visible-vacuum chlorinator (sen), clorador de vacío visible.

Visitron (trademark)(il), visitrón.

visual, visual.

—— **angle,** ángulo visual.

—— **frequency** (ra), videofrecuencia, frecuencia de visión.

—— **point,** punto de vista.

vitiated air, aire viciado.

vitreous, vítreo, vidrioso.

—— **copper,** torbernita, cobre vítreo.

—— **fusion,** fusión gradual.

—— **silver,** plata vítrea, argentita.

vitrified clay, barro vitrificado, arcilla vitrificada.

vitrified pipe, tubería vitrificada.

vitrified-tile conduit, conducto de barro vitrificado.

vitrify, vitrificar.

vitriol, vitriolo.

vitrite (inl), vitrita.

vitrobasalt (geol), basalto vítreo.

vitrophyre (geol), vitriofido, vitrófiro.

Vixen file (trademark), lima de diente curvo.

voice coil (ra), bobina de la voz.

voice-frequency electric wave, onda de frecuencia acústica.
voids, huecos, vacíos, oquedades.
—— ratio, relación de huecos.
volatile, volátil.
—— oil, aceite volátil o esencial.
volatility, volatilidad.
volatilize, volatilizar.
volcanic, volcánico.
—— ash, lava pulverizada; cenizas volcánicas, escorial.
—— breccia, brecha volcánica.
—— cone, cono volcánico, cerro de materiales ígneos.
—— glass, vidrio volcánico, obsidiana.
—— neck (geol), cuello volcánico.
—— rock, roca eruptiva o volcánica.
—— tuff, tufa.
volcanicity, volcanicidad.
volcanism, volcanismo, vulcanismo.
volcanization, volcanización.
volcano, volcán.
volley (min), voladura, disparo.
volt, voltio.
—— efficiency (battery), rendimiento de voltios.
volt-ampere, voltamperio, voltio-amperio.
volt-milliammeter, voltio-miliamperímetro.
Volta effect (elec), efecto Volta, tensión de contacto.
voltage, voltaje, tensión.
—— amplification, amplificación de tensión.
—— amplifier, amplificador de voltaje o de tensión.
—— coil, bobina de tensión.
—— divider, divisora o partidor de tensión.
—— doubler (ra), duplicador de voltaje.
—— drop, caída de tensión.
—— gradient, gradiente de tensión o del voltaje.
—— indicator, indicador de tensión.
—— limiter, limitador de tensión o de voltaje.
—— loop, cresta de tensión.
—— node, nodo de tensión.
—— rating, voltaje nominal.
—— regulator, regulador de tensión o de voltaje.
—— relay, relai de tensión.
—— saturation, saturación de tensión.
—— step-down, reducción de tensión.
—— step-up, amplificación de tensión.
—— tap (transformer), derivación para variación de tensión.
—— tester, probador de tensión.
—— to ground, voltaje a tierra.
—— transformer, transformador de tensión.
voltage-directional relay, relai polarizado.
voltage-limiting tube (ra), tubo limitador de tensión.
voltage-type telemeter, telémetro de tensión.
voltaic, voltaico.
—— cell, elemento voltaico.
—— electricity, electricidad voltaica o dinámica.
—— pile, pila voltaica.
voltaism (elec), voltaismo.
voltameter, voltámetro.
voltametric, voltamétrico.

voltammeter, voltamperímetro, vatímetro, voltiamperímetro.
voltmeter, voltímetro.
volume, volumen, contenido; cubaje.
—— batcher (conc), medidor por volumen.
—— change, cambio volumétrico o de volumen.
—— compressor (ra), compresor de volumen.
—— damper (ac), regulador o compuerta de tiro.
—— expander (ra), expansor de volumen.
—— indicator (tel), indicador de volumen.
—— meter (hyd), contador de volumen.
—— of flow, gasto, caudal.
—— resistivity (elec), resistividad de volumen.
volumeter, volúmetro.
volumetric, volumétrico.
—— analysis, análisis volumétrico.
—— efficiency, rendimiento volumétrico.
volumetric-shrinkage limit (sm), límite de contracción volumétrica.
volute, voluta.
—— casing (pu), cuerpo espiral, envoltura voluta.
—— chamber, cámara de voluta, caja espiral.
—— compass, compás de espirales.
—— pump, bomba centrífuga con cuerpo de caracol.
—— spring, resorte de espira cónica.
vortex, vórtice.
vortical, vortiginoso.
vorticose cleaner (ac), limpiador vortiginoso.
voucher, comprobante, (M) resguardo.
voussoir, dovela; ladrillo de arco.
vug (geol), drusa, bolsa.
vulcanite (hard rubber), vulcanita.
—— pavement, pavimento de concreto asfáltico.
vulcanization, vulcanización.
vulcanize, vulcanizar.
vulcanized fiber, fibra vulcanizada.
vulcanizer, vulcanizador.
vulcanizing boiler, caldera vulcanizadora.

wacke (geol), vacia, waca.
wad (geol), ocre negro.
wafer socket (ra), zócalo de discos, portaválvula de chapas.
wage scale, escala de sueldos.
wages, jornal, sueldo, salario.
wagon, carretón, carro, carreta, galera.
—— body, caja de carretón, cajón.
—— drill, perforadora de carretilla, taladro de carreta, sonda locomóvil, taladro sobre ruedas, carro barrenador.
—— loader, cargador portátil
—— pole, lanza, timón.
—— road, camino carretero.
—— scraper, carro traílla.
—— shop, carretería.
—— sled (lg), trineo doble.
—— tongue, lanza.
wagon-box head (re), cabeza de hongo chata.
wagonload, carretada, carga de carro, carretonada, galerada, carrada.
wainscot, s alfarje, arrimadillo, friso; v alfarjar.
Wakefield pile, tablestaca de tablones ensamblados.

wale, (cn) traca; (cons) véase **waler.**

waler, carrera, larguero, cepo, cinta.

walker (ce), draga ambulante o caminante, draga de arrastre andadora.

walking

—— **beam** (eng), balancín.

—— **boss,** capataz general, ayudante de superintendente.

—— **delegate,** delegado del gremio.

—— **dragline,** excavadora ambulante de cable de arrastre, draga ambulante o andadora.

walkway, pasillo, pasaje, andén, pasadera, (C) sardinel, (A) pasarela.

wall, *s* muro, pared, muralla, tabique (divisorio), tapia (de barro), pirca (de piedra); (geol) reliz; *v* emparedar, murar, amurallar, tabicar, aparedar.

—— **anchor** (str), ancla de pared.

—— **beam** (bldg), viga exterior.

—— **box** (bldg), caja embutida para viga.

—— **bracket,** brazo de pared.

—— **brush,** brocha plana y ancha de pintar.

—— **crane,** grúa de pared.

—— **hanger,** estribo de pared.

—— **hook** (pet), gancho centrador.

—— **insulator tube,** aislador mural o tubular.

—— **outlet** (elec), tomacorriente mural o de pared.

—— **planer,** acepilladora vertical.

—— **plaster,** yeso duro para enlucir.

—— **plate,** (carp) carrera, solera, carrera de pared, (V) grada; (est) placa de asiento; (tub) brida para pared; (tún) carrera, larguero; (eléc) chapa de pared, escudete; (min) larguero.

—— **radiator,** calorífero mural, radiador de pared.

—— **rock** (geol)(min), roca de respaldo.

—— **sampler** (pet), sacanúcleos de pared.

—— **scraper,** cuchilla para yeseros; (pet) rascador de pared, escariador de paredes de pozo, raspaparedes.

—— **string** (st), gualdera contra la pared.

—— **switch** (elec), interruptor o llave de pared.

—— **tent,** tienda de costados verticales.

—— **tie,** ligadura para paredes, atadura de metal para ladrillado.

—— **torch,** antorcha de pared o de guitarra.

—— **washbasin,** lavadero de pared o de arrimar.

wallboard, hojas de fibra prensada, cartón de yeso, (C) cartón tabla; madera laminada para paredes.

walnut (lbr), nogal.

wandering marks (pmy), marcas flotantes.

wandering sequence (w), orden alternada.

wane (lbr), bisel, gema, (Es) jema, (M) mangua.

waney (lbr), biselado.

wanigan (lg), casa flotante.

wantage, espacio vacío (barril o tanque cilíndrico).

war risk (ins), riesgo de guerra.

ward, (cerradura) guarda, cacheta, morro, restrillo; (llave) rastrillo, guarda, rodaplancha.

warded key, llave de paletón entallado.

warding file, lima de cerrajero o para paletones.

warehouse, almacén, bodega, depósito, (Ch) barraca, (A) hangar.

—— **bond,** fianza de almacén.

—— **charges,** derechos de almacenaje, bodegaje.

—— **crane,** grúa para depósito.

—— **receipt,** conocimiento de almacén, guía de depósito.

—— **truck,** carretilla o zorra para depósitos, carretilla de mano.

warehouseman, almacenero, almacenador, (A) barraquero.

warehousing, almacenaje, bodegaje.

warm up (eng), calentar.

warm-air heating, calefacción por aire.

warming-up allowance (ht), carga de arranque en frío.

warming-up area (ap), área de calentamiento.

warning, caución, advertencia.

—— **indicator** (ap), dispositivo de aviso o de alarma.

—— **light,** luz de aviso.

—— **sign** (rd), señal de advertencia.

warp, *s* alabeo, comba; *v* alabearse, acombar, combarse, abombarse, bornearse, abarquillarse, (M) ladearse; (náut) espiar.

warpage, alabeo, bombeo, combadura.

warped surface, superficie alabeada.

warped-vane impeller (pu), impulsor de paletas alabeadas.

warping, alabeo, combadura, (M) ladeamiento.

—— **bridge** (sb), puente de espiar o de atracar.

—— **buoy,** boya de espía.

—— **cable,** espía.

—— **chock** (sb), escotera de espiar.

—— **drum,** torno de espiar.

—— **stress,** esfuerzo debido al alabeo.

—— **winch,** malacate o torno de espiar.

Warren girder, armadura Warren o triangular, jácena triangulada.

Warrenite pavement (trademark), tipo de macádam bituminoso, (C) warrenita.

Warrington construction (wr), construcción Warrington.

wash, *s* (top) lecho de río intermitente; cono aluvial; (mam) retallo de derrame; *v* lavar.

—— **away,** deslavar, derrubiar.

—— **boring,** perforación con lavado, sondeo con inyección de agua, (M) perforación lavada, (Pe) sondaje a chorro, (M) sondeo hidráulico.

—— **bottle** (lab), matraz de lavado, botella de lavar.

—— **bulkhead** (sb), mamparo de corrimiento.

—— **coat** (mas), capa brochada.

—— **drawing,** acuarela, dibujo lavado.

—— **gravel** (min), grava aurífera.

—— **load** (hyd), acarreos de superficie.

—— **mill** (ct), molino desleidor.

—— **out,** arrastrar, deslavar.

—— **strake** (sb), falca.

—— **trough** (wp), artesa de lavado.

—— **water** (wp), agua de lavado, (M) agua de enjuague.

wash-down water closet, inodoro de lavado hacia abajo.

wash-rate controller (wp), regulador del lavado.

wash-rate indicator (wp), indicador de gasto.

washbasin, lavamanos, lavabo, jofaina, palangana, lavadero, aguamanil.

washboard, (ca) ondulaciones; (cn) falca.

washbowl, palangana.

washer, (arena) lavadora, lavadero; (mec) arandela, roldana, golilla, rondela, platillo, volandera, vilorta, zapatilla (cuero); planchuela de perno.

—— cutter, cortaarandelas.

—— grommet, ojal de arandela.

—— plate, arandela de placa.

washer-head screw, tornillo de cabeza de arandela.

washery (min), lavadero.

washing, lavado, lavadura, lavaje.

—— machine, lavadora, máquina de lavar.

—— plant, instalación de lavado.

—— screen, criba lavadora.

washings, lavaduras.

washout, socavación, derrumbamiento, arrastre; (pet) fuga, escape.

—— plug, tapón de limpieza.

—— tap (bo), macho para agujeros de limpieza.

washtray, lavadero, tina de lavar.

—— T (p), T para lavadero.

washtrough (min), artesón, gamella de lavar, ábaco.

waste, s desgaste, derroche; desperdicios de algodón, hilacha de algodón, huaipe, (C) estopa; (min) escombros, desechos; (mad) desperdicios; (geol) erosión; v derrochar, desgastar, malgastar; (exc) botar, tirar, arrojar.

—— bank, terrero, escombrera, vaciadero.

—— conveyor (sa), conductor de desechos.

—— disposal, disposición de basuras.

—— gate (hyd), compuerta de desagüe o de descarga.

—— nut (pb), brida de piso.

—— pipe (pb), tubo de evacuación o de desagüe, desaguadero.

—— product, producto de desecho.

—— raise (min), tiro de escombros.

—— stack (pb), tubo vertical de evacuación, bajada de inmundicias, bajante de aguas servidas.

—— weir, aliviadero, vertedero.

wastes, desperdicios, despojos.

waste-gas burner, quemador de gas de desecho.

waste-heat boiler, caldera de calor de desecho o de calor residual.

wasteboard (sb), falca.

wasteless zinc (elec), cinc no gastable.

wasteway, canal evacuador o de descarga; conducto de desfogue; aliviadero, vertedero, (Ch) vertedero de rebalse.

watch glass (lab), cristal o vidrio de reloj.

watchmaker's lathe, torno de relojería.

watchman, sereno, velador, (M) vigilador, (U) guardián, celador.

watchman's clock, reloj para sereno.

water, s agua; v aguar; regar; abrevar.

—— back (pb), caja de agua caliente.

—— ballast, lastre de agua.

—— bar (rd), caballón desviador.

—— barge, lanchón para agua, aljibe.

—— bath, baño de María.

—— bearing (machy), cojinete lubricado por agua.

—— blender, mezclador de agua.

—— brake, freno de agua, dinamómetro a fricción de agua.

—— bridge (bo), altar de agua.

—— carrier, aguador, (A) aguatero.

—— cart, carro-tanque, carricuba, (A) aguatero.

—— closet, (pb) inodoro, (V) sanitario, (V) excusado; (cuarto) excusado, retrete, (Ec) casilla.

—— color (dwg), acuarela.

—— column (rr), columna de agua, grúa alimentadora de agua.

—— company, empresa de agua potable, compañía de acueducto.

—— conditioner, suavizador o acondicionador de agua.

—— cooling (eng), enfriamiento por agua.

—— crane (rr), grúa alimentadora de agua, grúa hidrante.

—— curing (conc), curado al agua.

—— curtain, cortina de agua contra incendios.

—— cushion, colchón o almohadón de agua.

—— drive (pet), impulsión por agua, empuje hidrostático.

—— gage (bo), indicador de nivel del agua.

—— gain (conc), exceso de agua en la parte superior de la colada.

—— gap (top), abra, boca, garganta.

—— gas, gas de agua.

—— glass, (cal) vidrio de nivel; (quím) vidrio soluble o líquido.

—— hammer, arietazo, golpes de ariete, ariete hidráulico, choque de ariete o de agua.

—— holes (min), barrenos hacia abajo.

—— jacket, camisa o chaqueta de agua, camisa de enfriamiento.

—— jet, chorro de agua, (M) chiflón de agua; inyección de agua.

—— leg (bo), hervidor; placa de agua.

—— level, nivel del agua; (inst) nivel de agua.

—— line, (cal) nivel del agua; (náut) línea de flotación; (pi) nivel del agua.

—— mains, cañería matriz o de acueducto, tubería maestra.

—— manifold (eng), múltiplo del agua.

—— meter, contador o medidor de agua, (C) reloj de agua.

—— motor, motor de agua.

—— oak, roble de agua.

—— of absorption (irr), agua de imbibición.

—— of compaction (sm), agua de consolidación, (A) agua de expulsión.

—— of condensation, agua de condensación.

—— of constitution (chem), agua de constitución.

—— of crystallization (chem), agua de cristalización.

—— of dilation (sm), agua de sobresaturación.

—— of hydration (chem), agua de hidratación.

—— of imbibition (irr), agua de imbibición.

—— paint, pintura al agua o a la cola, lechada.

—— pipe, caño o tubería de agua.

–— power, fuerza o energía o potencia hidráulica, fuerza de agua; salto de agua.

— **pressure,** presión de agua.
— **purification,** depuración o purificación de agua.
— **ram,** ariete hidráulico.
— **rate,** tasa o cuota de agua; (irr) canon de riego.
— **repellency** (ct), impermeabilidad, resistencia al agua.
— **resistance** (elec), reóstato de agua.
— **resources,** aguas aprovechables, recursos hidráulicos, (PR) fuentes fluviales, (Pe) recursos acuíferos.
— **retention** (ct), retención de agua.
— **rheostat** (elec), reóstato de agua, resistencia hidráulica.
— **rights,** derechos o merced de agua.
— **ring** (min), cuneta colectora en la pared del pozo.
— **seal,** cierre hidráulico o de agua.
— **service,** derivación de agua, toma de agua particular, (Col) pluma.
— **slide** (lg), canalizo, canalón.
— **softener,** equipo suavizador de agua, ablandador de agua.
— **softening,** ablandamiento o suavización o adelgazamiento o endulzamiento de agua, (A) edulcoración de agua.
— **stain** (pt), tinte al agua.
— **station,** aguadero, aguada.
— **stop,** dispositivo de estancamiento, (M) tapajunta.
— **supply,** abastecimiento o suministro o provisión de agua, abasto de agua potable, aprovisionamiento de agua, (V) proveimiento de agua.
— **surface,** espejo o lumbre del agua.
— **system,** red de aguas corrientes, acueducto; sistema fluvial.
— **table,** (ed) retallo de derrame, botaguas; (subsuelo) napa freática, lámina acuífera, nivel de agua freática, (Pe)(V) mesa de agua, (C) tabla de agua; (cal) placa de agua.
— **tower,** torre de agua, aguatorre.
— **trap,** colector de agua.
— **treatment,** tratamiento de agua.
— **trough** (rr), canaleta de toma en marcha.
— **truck,** camión tanque para agua.
— **tube** (bo), tubo hervidor o de agua.
— **turbine,** turbina hidráulica o de agua.
— **vapor,** vapor acuoso o de agua.
— **wheel,** rueda hidráulica o de agua.
water-bearing stratum, capa acuífera, manto freático, horizonte acuífero.
water-borne, llevado por las aguas.
— **disease,** (V) enfermedad hídrica.
water-bound macadam, macádam hidráulico o al agua.
water-cement ratio (conc), relación o razón agua-cemento.
water-closet bowl, taza, cubeta, palangana.
water-closet tank, tanque de inundación.
water-cooled (eng), enfriado por agua.
water-gas tar, alquitrán de gas de agua.
water-hammer suppressor, amortiguador de choques de agua, detenedor de ariete, ata-

jador de golpe de ariete, absorbedor de choque, supresor de ondas de presión.
water-hardened (met), templado en agua.
water-inch, pulgada de agua.
water-insoluble, insoluble en agua.
water-level
— **gage,** indicador de nivel de agua.
— **measurement,** medida de material enrasado.
— **recorder,** (hid) limnígrafo, registrador de niveles; (cal) registrador de nivel del agua.
water-line length (na), eslora de flotación.
water-line planes (na), planos paralelos a la línea de flotación.
water-lubricated, lubricado por agua.
water-packed piston, émbolo de cierre hidráulico.
water-power plant, planta hidroeléctrica, central de fuerza de agua, central hidráulica, (A) usina hidráulica.
water-relief valve, válvula de purga de agua.
water-repellent, impermeable, repelente al agua.
water-resistant, resistente al agua.
water-sealed, cerrado con agua.
water-smoking (brick), desecación por calor antes de cocer.
water-soluble, soluble en agua.
water-stage indicator, véase **water-level gage.**
water-struck brick, ladrillo moldeado con lubricación de agua.
water-table stream, corriente freática.
water-waste detector, detector de escapes.
water-waste survey, investigación de pérdidas de agua, estudio de desperdicios de agua.
waterboy, aguador.
watercourse, corriente de agua, curso fluvial o de agua, vaguada, río.
waterfall, salto o caída de agua, cascada, catarata.
watering cart, carro o pipa de riego, carro aguatero.
watering trough, abrevadero, (C) canoa, (M) aguaje.
waterlogged, anegado, (A) revenido, (A) inundado.
waterproof, v impermeabilizar; a impermeable, a prueba de agua, hidrófugo.
— **insulation,** aislación impermeable o a prueba de intemperie.
waterproofer, impermeabilizador.
waterproofing, impermeabilización, (A) estancamiento, (A) aislación.
— **compound,** material hidrófugo, compuesto impermeabilizador.
— **course,** capa impermeable, (A) capa aisladora de humedad.
watershed, (top) cuenca colectora, hoya tributaria o hidrológica, superficie de desagüe, (A)(U) cuenca imbrífera, (Col) cuenca pluviométrica; (top) vertiente; (ed) botaguas, vierteaguas.
— **line** (top), cresteria, cumbrera, serranía.
watertight, estanco, hermético, impermeable.
watertightness, hermeticidad, impermeabilidad, estanquedad.
watertube boiler, caldera acuotubular o con tubos de agua o con tubos hervidores.
waterwall, pantalla de agua.

waterway, vía fluvial o de agua; cauce, canal; (an) cuneta, trancanil.

waterworks, planta de agua potable, instalación de agua corriente, obras de agua, acueducto, (A) establecimiento de aguas corrientes.

watt, vatio, (Es) wat.

—— **current,** corriente vatada.

Watt governor (se), regulador de péndulo cónico.

watt-hour, vatihora, vatio-hora.

—— **efficiency,** rendimiento en vatihoras.

—— **meter,** contador de vatio-horas, vatihorámetro.

watt-second, vatiosegundo.

wattage, vatiaje, potencia en vatios, (A) wattaje.

wattle, zarzo, sebe.

wattless, desvatado.

—— **power,** voltamperios reactivos, potencia desvatada.

wattmeter, vatímetro, voltamperímetro.

wave, onda, ola.

—— **action,** oleaje, olaje.

—— **adapter** (ra), adaptador de onda.

—— **analyzer** (ra), analizador de ondas.

—— **antenna** (ra), antena de onda.

—— **band** (ra), faja o banda de ondas, (A) rango de ondas, (A) gama de onda.

—— **converter** (ra), convertidor de onda.

—— **form** (elec), forma de onda.

—— **front** (elec), frente o avanzada de la onda.

—— **generator** (elec), generador de ondas.

—— **guide** (ra), guía de ondas.

—— **length** (all senses), longitud de onda.

—— **mechanics** (physics), mecánica de ondas.

—— **propagation,** propagación de ondas.

—— **train** (physics), grupo de ondas.

—— **trap** (ra), selector de ondas, (A) atrapador de ondas, (Es) trampa de onda.

—— **winding** (elec), devanado ondulado o en serie.

wave-length constant (ra), constante de fase.

wavemeter (ra), ondámetro, medidor de ondas.

wax, cera; parafina.

—— **distillate,** destilado parafinoso.

—— **stripper** (pet), separador de la parafina.

waxy luster (miner), brillo ceroso.

way

—— **and structures** (rr), vía y obras.

—— **timbers,** largueros de vía.

—— **train,** tren local o de escalas.

ways, (cn) imadas, anguilas; (mh) guías, resbaladeras.

waybill (tr), hoja de ruta, guía de carga, (A) carta de porte, (A) guía de campaña.

weak, (est) poco resistente; (maq) poco fuerte; (eléc) débil; (solución) diluído; (mercado) flojo.

—— **coupling** (ra), acoplamiento flojo o débil.

—— **sewage,** aguas negras con poca materia orgánica.

weak-signal detector (ra), detector para señales débiles.

weaken, debilitar; atenuar; (fma) rebajar.

weakened plane (rd), junta simulada.

weakener (pmy), rebajador.

weakening (pmy), rebajado.

wear, s desgaste, uso; v desgastar, gastar, gastarse, desgastarse.

—— **and tear,** uso y desgaste, desgaste natural.

—— **away,** gastar, desgastar; gastarse, desgastarse.

—— **out,** desgastar, gastar; desgastarse, gastarse.

wear-resistant, resistente al desgaste.

wearing

—— **course,** capa de desgaste o de defensa, (ca) capa de rodadura.

—— **plate,** placa de frotamiento o de defensa, plancha de desgaste.

—— **ring,** anillo desgastable.

—— **strip,** listón de defensa.

—— **surface,** (ca) capa de desgaste o de rodamiento, carpeta de desgaste; (neumático) superficie de rodamiento.

weather, s tiempo; v desgastarse a la intemperie, intemperizarse.

—— **bureau,** oficina meteorológica.

—— **contact** (elec), contacto por humedad.

—— **deck** (sb), cubierta abierta superior.

—— **head** (elec), véase **service head.**

—— **joint** (mas), junta biselada para escurrimiento del agualluvia.

—— **map,** mapa meteorológico.

—— **protection,** protección contra la intemperie.

—— **shore,** costa de barlovento.

—— **strip,** burlete, gualdrín.

weather-resisting, resistente al mal tiempo o a la intemperie.

weatherboarding, tablas solapadas o de chilla, chillado.

weathered, intemperizado.

weathering, intemperización, intemperismo, (M) (Col) meteorización; (ed) botaguas, escurridero.

—— **correction** (geop), corrección por capa superficial.

—— **index** (coal), índice de intemperismo.

—— **test,** prueba de intemperismo.

weatherproof, a prueba de intemperie.

weathertight, estanco.

weaving, (sol) oscilación, soldadura de tejido o de vaivén; (ca) mezcla del tráfico en la encrucijada.

web, (viga)(riel) alma; (est) nervio; (rueda) plato; (taladro) ánima, alma; (armadura) tejido, trabazón; (llave) paletón.

—— **frame** (sb), cuaderna.

—— **member** (tu), pieza de enrejado o de armadura, barra de celosía, miembro del alma, (V) barra del tejido.

—— **plate** (gi), plancha de alma.

—— **stiffeners** (gi), montantes de refuerzo, ángulos atiesadores.

weber, weber (unidad de flujo magnético).

wedge, s cuña, calce, calza; v calzar, acuñar, encuñar, calar, recuñar, cuñar, (M) requintar.

—— **and shims** (stonecutting), aguja infernal.

—— **bar,** barra de cuña.

—— **bolt,** perno de cuña.

—— **brick** (rfr), ladrillo de cuña.

—— **cut** (min)(tun), corte de cuña.

—— **gage,** calibre de cuña.

—— gate (va), compuerta acuñada.
—— socket (wr), encastre o casquillo acuñado.
wedge-gate valve, válvula de cuña.
wedge-point crowbar, barra punta-de-cuña.
wedging, acuñadura, acuñamiento, calzadura, recalce.
weed, s maleza; v desmalezar.
—— burner, quemador de malezas.
—— cutter, cortador de maleza.
—— eradicator (ce), arrancador de yerbajos.
—— killer, destructor de malezas.
weep holes, agujeros de drenaje, mechinales, cantimploras, lloraderos, aliviaderos, goteros, barbacanas.
weep pipe, tubo de drenaje.
weigh v, pesar, romanear.
—— anchor, zarpar.
—— feeder, alimentador pesador o por peso.
—— hopper, medidor por peso, balanza-tolva.
—— larry, carretilla pesadora.
—— rail, carril de báscula.
weighbridge, puente-báscula, báscula-puente.
weigher, pesador.
weighhouse, caseta de balanza.
weighing, pesaje, pesada.
—— batcher (conc), medidor por peso, tolva pesadora, (A) báscula-tolva.
—— bucket, capacho pesador, (A) balanza-balde.
weighmaster, encargado de la báscula.
weight, s peso; pesa; v cargar, lastrar.
—— batching (conc), proporcionamiento por peso.
—— box (window), caja de contrapeso.
—— indicator, indicador de peso.
—— voltameter, voltámetro de peso.
weighted average, promedio compensado o pesado.
weighted filtration factor (hyd), factor gravado de percolación, factor compensado de filtración.
weightometer, registrador de peso.
weir, vertedero, presa sumergible, vertedor, azud.
—— aeration, aeración por vertedero.
—— chamber, cámara de vertedero.
—— crest, umbral vertedor.
—— gaging tank, tanque aforador de vertedero.
—— head, carga en el vertedero.
—— meter, contador vertedor.
weld, s soldadura; v soldar, caldear.
—— metal, metal de aporte; metal soldador.
—— recorder, registrador de soldadura.
weldability, soldabilidad.
weldable, soldable.
welded, soldado.
—— chain, cadena de eslabones soldados.
—— flange (p), brida soldada.
—— pipe, cañería o tubería soldada.
—— steel fabric, tejido de alambre soldado.
—— wire reinforcement, refuerzo de malla soldada.
welder, soldador (hombre); (maq) soldadora.
welder's
—— apron, delantal de soldador.
—— leggings, polainas de soldador.
—— sleeves, mangas de soldador.
welding, soldadura.
—— bell (p), campana de soldar.

—— booth, garita de soldar.
—— cable, cable de soldadora.
—— cap (p), tapa para soldar.
—— compound, soldadura fundente, fundente soldador.
—— elbow (p), codo para conexiones soldadas.
—— electrode, electrodo para soldar.
—— fittings (p), accesorios soldables o para conexiones soldadas.
—— fixture, plantilla sujetadora para soldar.
—— flux, fundente para soldar.
—— forge, forja de soldar.
—— furnace, horno de soldar.
—— goggles, gafas de soldador.
—— haze, niebla de la soldadura.
—— helmet, casquete o casco de soldador.
—— jig, plantilla de soldador.
—— lateral (p), Y para soldar.
—— lens, vidrio filtrante o de soldador.
—— mask, careta de soldador.
—— neck (p), casquillo por soldar.
—— nipple (p), niple para soldadura.
—— outfit, equipo soldador, soldadora.
—— pad (p), cojín roscado para soldar.
—— positioner, posicionador soldador.
—— powder, polvo fundente.
—— reducer (p), reductor soldable.
—— return (p), curva en U para soldar.
—— ring (p), anillo por soldar.
—— rod, varilla soldadora o fundente, (V) barreta de soldadura.
—— saddle (p), silla para soldar.
—— slab, banco de soldar.
—— sleeve (p), manguito para soldar.
—— symbols, signos o símbolos de soldadura.
—— T (p), T para conexiones soldadas.
—— table, banco de soldador.
—— tip, pico soldador.
—— tongs, tenazas de soldar.
—— torch, soplete soldador, antorcha soldadora.
—— union (p), unión para soldar.
—— valve, válvula para conexiones soldadas.
—— wire, alambre soldador o fundente.
welding-neck flange (p), brida de collar.
weldless chain, cadena sin soldar.
weldment, conjunto de partes soldadas, ensambladura soldada.
Weldwood (trademark), madera laminada.
well, (agua) pozo, (Ch)(M) noria; (es) caja, pozo; (náut) sentina.
—— auger, barrena de tierra.
—— bit, broca para sonda de pozos.
—— casing, entubado de pozos, tubería de revestimiento, (M) ademado.
—— curbing, brocal.
—— drill, sonda, barrena para pozos, perforadora a cable.
—— point, coladera-punta, punta coladora.
—— rater, tasador de pozos.
—— rig, equipo para perforación de pozos.
—— screen, tamiz o colador de pozo.
—— surveying (pet), estudio de pozos.
—— water, agua de pozo, (M) agua de noria.
well-burned brick, ladrillo recocho o cocido.
wellhead (pet), cabeza o boca de pozo; cabezal de pozo.

—— **assembly** (pet), grupo de cabeza de pozo.
—— **gas,** gas de boca de pozo.
wellhole, (ed) pozo de escalera; (al) pozo de caída.
west, *s* oeste; *a* del oeste, occidental; *adv* al oeste.
western, del oeste, occidental.
westing (surv), desviación hacia el oeste.
Weston cell (elec), elemento de cadmio.
wet, *v* remojar, mojar; *a* húmedo.
—— **cell,** pila húmeda.
—— **connection** (p), injerto, férula de toma; conexión bajo presión.
—— **dock,** dársena, dársena de flote.
—— **flashover voltage,** voltaje para salto de arco con aislador húmedo.
—— **grinder,** amoladora en húmedo.
—— **grinding,** esmerilado en húmedo.
—— **liner,** forro de cilindro tipo húmedo.
—— **process** (chem), procedimiento húmedo, vía húmeda.
—— **processing** (ag), clasificación con lavado.
—— **return** (ht), tubería de retorno debajo del nivel del agua en la caldera.
—— **rot** (lbr), putrefacción o podrición húmeda.
—— **screening** (ag), cribado con lavado, cernido húmedo, tamización por vía húmeda.
—— **steam,** vapor húmedo.
—— **storage** (battery), bodegaje en húmedo.
—— **vent** (pb), tubo de evacuación utilizado para venteo.
—— **well,** pozo sumidero o de aspiración.
wet-base boiler, caldera con placa de agua debajo del cenicero.
wet-bulb depression, diferencia entre la temperatura de ampolleta seca y la de ampolleta húmeda.
wet-bulb thermometer, termómetro húmedo o de ampolleta húmeda.
wet-process insulator, aislador de fabricación húmeda.
wetted perimeter (hyd), perímetro mojado, contorno bañado.
wetted surface (sb), superficie bañada.
wharf, muelle, embarcadero, atracadero, atraque.
—— **borer,** barrenillo de muelles.
—— **crane,** grúa de muelle.
—— **dues,** muellaje, derechos de muelle.
wharfage, muellaje, amarraje, atraque; derechos de muelle.
Wheatstone bridge (elec), puente de Wheatstone.
wheel, rueda.
—— **aligner** (auto), alineador de ruedas.
—— **balancer** (auto), contrapesador de ruedas, (A) compensador de ruedas.
—— **base,** base de ruedas, distancia entre ejes, batalla, (Ec) intereje, (A) base de rodado.
—— **dolly,** carrito para ruedas.
—— **dresser,** rectificador de ruedas abrasivas.
—— **guard,** guardarrueda, salvarruedas; guardacantón.
—— **lathe,** torno para rueda.
—— **load,** carga sobre una rueda.
—— **ore,** bournonita.
—— **pit,** cámara de turbina.

—— **puller** (auto), sacarrueda, extractor de ruedas.
—— **resistances** (rr), resistencias de las ruedas.
—— **screen** (hyd), tambor cribador.
—— **seat** (axle), asiento de rueda, collar para rueda.
—— **spindle** (auto), muñón de rueda.
—— **stop** (rr), tope de rueda.
—— **track** (rd), rodada.
—— **tractor,** tractor de ruedas.
wheel-mounted, montado sobre ruedas.
wheel-type ditcher, zanjadora tipo de rueda.
wheelbarrow, carretilla.
—— **load,** carretillada.
—— **man,** carretillero.
wheeled
—— **jack,** gato corredizo.
—— **roller,** aplanador de ruedas.
—— **scraper** (ea), pala o traílla de ruedas, (M) escrepa de ruedas, (V) rastrillo de ruedas.
wheelhouse (sb), timonera.
wheelwright, carretero, aperador, carpintero de carretas.
—— **work,** carretería.
wheeze bar (sb), palanca de quijada.
whet, afilar, aguzar.
whetstone, piedra de afilar, afiladera, aguzadera, (A) piedra de asentar.
whiffletree, balancín, volea.
whim (min), cabrestante.
whip, *s* conexión flexible para manguera de aire; *v* (cab) dar latigazos; abotonar, aforrar.
—— **and runner,** aparejo de un motón fijo y uno movible.
whipcord belt, correa de trallas.
whipping (cab), latigazo, vapuleo; barbeta.
Whipple truss, armadura Whipple.
whipsaw, sierra cabrilla.
whipstock (pet), desviador, guíasondas, guíabarrena.
whirl (hyd), remolino.
whirler, Whirley (trademark), grúa de aguilón activo y de rotación completa, grúa giratoria.
whirlpool, remolino, torbellino, vorágine, vórtice.
—— **breaker,** destructor del vórtice.
whirlwind, remolino de viento.
whistle, *s* pito, silbato; *v* pitar.
—— **sign** (rr), indicador para silbato.
—— **signal,** señal de silbato, pitazo, silbido.
whistling buoy, boya de silbato o de pito o de sirena.
white, blanco.
—— **ant,** hormiga blanca, comején.
—— **antimony,** antimonio blanco.
—— **arsenic,** trióxido de arsénico, arsénico blanco.
—— **ash** (lbr), fresno blanco.
—— **brass,** latón blanco (contiene más de 49% de cinc).
—— **bronze,** bronce blanco (alto contenido de estaño).
—— **coal** (water power), hulla blanca.
—— **coat** (plaster), capa de acabado, (V) encalado.
—— **copperas** (miner), coquimbita; goslarita.

—— **damp** (min), gas venenoso de minas de carbón.

—— **fir**, abeto blanco.

—— **heat**, calor blanco.

—— **iron**, fundición blanca.

—— **iron pyrites**, marcasita, pirita blanca.

—— **ironwood**, palo de hierro blanco.

—— **lead**, albayalde, cerusa, (V) blanco de plomo, (M) plomo blanco.

—— **lead ore**, cerusita.

—— **metal**, metal blanco.

—— **mica**, mica blanca, moscovita.

—— **mineral oil**, petrolato.

—— **oak**, roble o encino blanco, roble albar.

—— **pine**, pino blanco o albar.

—— **print**, fotocalco blanco, copia heliográfica blanca, fotocopia blanca.

—— **pyrite**, marcasita.

—— **rot** (lbr), carcoma o podrición blanca.

—— **spruce**, abeto blanco, picea albar.

—— **vitriol**, sulfato de cinc.

white-hot, calentado al blanco, incandescente.

white-side-wall tire (auto), neumático de costado blanco.

whitewash, *s* lechada, blanqueado, encalado, jalbegue, pintura de cal; *v* blanquear, enjalbegar, jalbegar, emblanquear, encalar.

—— **brush**, brocha de blanquear, pincel para blanqueo, brochón.

whitewashing, blanqueado, enjalbegado, lucidura.

whitewood, tulípero, palo blanco.

whiting, blanco de España o de yeso.

Whitworth thread, filete Whitworth.

whole number, entero, número entero.

wholesale, al por mayor.

wholesaler, comerciante al por mayor, mayorista.

wick, mecha, pabilo, estoperol.

—— **carburetor**, carburador de mecha.

—— **lubrication**, lubricación o engrase por mecha.

—— **oiler**, aceitera de mecha.

—— **packing**, empaquetadura de mecha.

wicket dam, presa de tableros; presa de abatimiento.

wicket gate, (turb) álabe giratorio o director o del distribuidor, paleta de regulación, compuerta de postigo, aleta distribuidora; (hid) compuerta de mariposa.

wicking, empaquetadura de algodón.

wide, ancho.

—— **gage** (rr), trocha ancha.

wide-angle camera, cámara granangular.

wide-flanged I beam, viga de ala ancha.

wide-mortise block, motón de muesca ancha.

wide-throw hinges, bisagras de tiro ancho.

widen, ensanchar; alegrar.

widener, ensanchador.

widening, ensanche, ensanchamiento.

—— **finisher** (rd), ensanchadora-acabadora.

width, anchura, ancho.

wiggle in (surv), encontrar por tanteos una estación entre puntos fijos.

wigwag signal (rr), señal de disco oscilatorio.

wild well (pet), pozo fuera de control.

wildcat well (pet), pozo exploratorio o de cateo, perforación de ensayo.

wildcatting (pet), exploración, perforación exploratoria.

willemite (miner), willemita.

willow, sauce, mimbre, mimbrera.

wilting coefficient (irr), coeficiente de sequedad.

wimble, berbiquí; barrena.

win (min), extraer, minar.

winch, cabrestante, cabria, cigüeña, malacate, montacarga, (Ch) huinche, (A) guinche; (A) guinche de mano.

—— **head**, molinete, huso, tambor exterior.

wind *n*, viento.

—— **bent** (str), tirantería en plano vertical arriostrada contra viento.

—— **bracing**, contravientos, contraventeo, arriostramiento contraviento, (U) contraventamientos.

—— **charger** (eléc), generador a viento.

—— **cone** (ap), indicador cónico de la dirección del viento.

—— **gage**, anemómetro.

—— **gap**, abra, garganta.

—— **indicator** (ap), indicador de la dirección del viento.

—— **load**, carga debida al viento.

—— **motor**, motor de viento.

—— **pressure**, presión del viento.

—— **rose**, diagrama de los vientos reinantes.

—— **shake** (lbr), venteadura.

—— **sock** (ap), indicador de la dirección del viento, mangaveleta, cono de viento.

—— **stop**, burlete.

—— **stress**, esfuerzo debido al viento.

—— **tee** (ap), T indicador del viento.

—— **tetrahedron** (ap), tetraedro indicador de viento.

—— **tower**, torre de enfriamiento atmosférico.

—— **tunnel**, túnel aerodinámico.

—— **vane**, veleta.

wind-borne deposit (geol), depósito eólico.

wind scale, escala de vientos.

    light wind, brisa ligera.

    gentle wind, brisa ligera.

    moderate wind, brisa moderada.

    fresh wind, brisa moderada.

    strong wind, brisote.

    gale, viento fuerte, galerna, ventarrón.

    whole gale, tempestad.

    hurricane, huracán.

wind, *s* (est)(carp) torcedura, alabeo, comba; *v* devanar, arrollar, bobinar, enrollar; (inst) dar cuerda.

—— **up**, enrollar.

windage (machy), fricción del aire.

windblasting, erosión por viento.

windbreak, rompevientos, cortavientos, abrigo, (C) guardabrisa.

winder, (eléc) devanadora; (es) peldaño radial, escalón de caracol.

winding (elec), devanado, arrollamiento, enrollado, bobinado, bobinaje.

—— **drum**, tambor de enrollar.

—— **machine**, bobinadora, devanadora.

—— **pitch**, paso del arrollamiento.

—— **tackle**, aparejo de candeletón.

windlass, montacarga, malacate, cabria, baritel,

argüe, torno de mano, molinete, cigüeña, (A) guinche de mano.
—— jack, gato de manivela.
windmill, motor o molino de viento, (M) papalote, (U) aeromotor.
window, ventana, ventanal (grande); vidriera.
—— bar, parteluz, barra de ventana.
—— blind, persiana, celosía, contraventana, contravidriera.
—— fastener, fiador de ventana.
—— frame, marco de ventana, alfajía, jambaje, cerco de ventana.
—— glass, vidrio común u ordinario.
—— guard, salvavidrio, guardaventana.
—— opener (auto), alzaventana, elevador de cristal.
—— opening, vano de ventana, ventanal.
—— sash, hoja de ventana, vidriera, (Col) bastidor.
—— screen, mosquitero.
—— shutter, contraventana, puertaventana, persiana, cerrador.
—— sill, umbral de ventana; solera del marco; repisa de ventana.
—— splay, mocheta.
—— stile, montante.
—— stool, repisa de ventana.
—— stop, tope de hoja de ventana, moldura de guía.
—— trim, contramarco de ventana, vestidura, chambranas.
windowpane, hoja de vidrio, cristal.
Windowstat (trademark), humidistato de ventana.
windrow, s camellón, caballete, (Ch) cordón, (M) montón; v arrastrar a camellones, amontonar en camellones, (U)(Ch) acordonar.
windshield, guardabrisa, parabrisa, cortaviento, guardaviento, (C)(PR) brisera, (Col) brisero.
—— wiper, limpiador del parabrisa, limpiaparabrisas, desempañador, limpiavidrio.
windward, barlovento.
wing, (presa) ala, alero; (ed) ala, aleta.
—— bolt, perno de orejas.
—— calipers, calibrador o compás de espesor con arco.
—— compass or dividers, compás con arco, (Es) compás de cuadrante.
—— dam, espolón, espigón.
—— lift (ap), sustentación.
—— loading (ap), carga por unidad de superficie, (A) carga alar.
—— nut, tuerca de orejas o de alas o de orejetas, (M) mariposa.
—— pictures (pmy), fotografías laterales.
—— pile, pilote de alas.
—— rail (rr), contracarril; contracorazón, pata de liebre, ala del corazón.
—— screen, criba de ala; harnero de alas, (Es) rejilla de paletas.
—— screw, tornillo de mariposa o de orejas.
—— snowplow, quitanieve de alas o de cuchillas laterales.
—— span (ap), envergadura.
—— stull (min), estemple de alas.

—— valve, válvula de ala.
—— wall (bdg), muro alero o de ala o de defensa o de acompañamiento, (M) guardatierra, (V) muro en ala.
wing-type crosshead (eng), cruceta abierta o de alas.
winning (min), extracción; desarrollo.
winter, invierno.
—— solstice, solsticio hiemal.
winze (min), pozo ciego.
wipe (pb), soldar.
—— joint, unión soldada.
wiper, (mec) álabe, leva; limpiador, desempañador; (eléc) contacto deslizante, rozador.
—— ring (piston), anillo rascador o restregador.
wiping contact (elec), contacto deslizante.
wiping sleeve (elec), manguito de soldar.
wire, s alambre, hilo; v (ref) atar; (eléc) alambrar, instalar conductores.
—— brad, alfilerillo de alambre, puntilla de París.
—— brush, cepillo metálico o de alambre o de acero, brocha o escobilla de alambre; (eléc) escobilla de alambres o de alambre tejido.
—— chisel, cortaalambre.
—— cloth, tejido de alambre, tela metálica.
—— cutters, tenazas, cortaalambre.
—— drawing, estirado de alambre.
—— drill, broca de alambre.
—— fabric, tejido o malla de alambre.
—— fence, alambrado, cerca alambrada, cerco de alambre.
—— finishing nail, alfilerillo de alambre.
—— fuse, alambre fusible.
—— gage, (herr) calibrador, calibre para alambres; (med) escala de diámetros, calibre.
—— gauze, gasa de alambre.
—— glass, vidrio armado o alambrado o reforzado, cristal armado.
—— lath, listonado metálico, tela de alambre para tabiques.
—— line (pet), cable de acero.
—— mesh, malla o reticulado o tela de alambre, (Ch) esterilla de alambre.
—— mill, hilera, planta estiradora de alambre.
—— molding, moldura con canal para alambrado eléctrico.
—— nail, punta de París, clavo francés o de alambre, (Ch) punta de alambre, (C) puntilla, (Es) alfiler de París.
—— netting, red o enrejado de alambre, alambrera, alambre tejido.
—— nippers, pinzas de corte frontal.
—— puller, tirador de alambre.
—— rod, barra por estirar, (M) alambrón.
—— rope, cable metálico o de alambre o de acero, (V) guaya.
—— saw, sierra de alambre (para piedra).
—— solder, alambre de soldadura.
—— spike, punta de París de 8 pulg.
—— strand, cordón o torón de alambre.
—— stretcher, estirador de alambre.
—— twister, torcedor de alambre, tortor.
—— wave communication, véase line radio.
—— wheel, rueda de rayos de alambre.

wire-brush v, limpiar con cepillo de alambre.

wire-cut brick, ladrillo recortado o de máquina hilera.

wire-fabric reinforcement, refuerzo de malla.

wire-gauze brush (elec), escobilla de tela metálica.

wire-insertion packing empaquetadura con inserción de alambre.

wire-line anchor (pet), sujetacable.

wire-rope

—— **block,** motón para cable de alambre.

—— **clamp,** grampa o mordaza para cable.

—— **clip,** abrazadera o grapa para cable.

—— **compound,** compuesto para cable de alambre.

—— **cutter,** cortador de cable.

—— **fittings,** accesorios para cable de alambre.

—— **sheave,** garrucha para cable de alambre.

wire-strand core, núcleo de cordón metálico.

wire-weight gage (hyd), aforador de alambre y pesa.

wire-wound hose, manguera alambrada o armada o entorchada.

wired radio, véase **line radio.**

wiredraw (steam), estrangular.

wireholder (elec), portahilo, portaalambre.

wireless telephony, telefonía sin hilos, radiotelefonía.

wireman (elec), electricista de obras; guardalíneas.

wireway (elec), conducto superficial de alambres, canal de alambres.

wiring, canalización eléctrica, alambrado, alambraje, instalación alámbrica, tendido eléctrico.

—— **accessories,** accesorios de alambrado.

—— **clip,** sujetahilo.

—— **diagram,** esquema alámbrico, diagrama de la instalación alámbrica.

—— **switch,** llave de alambrado, interruptor subsidiario interior.

—— **trough** (elec), canaleta de alambrado.

wishbone construction, construcción tipo de horquilla.

withe (bw), media citara, muro de media asta.

withstand voltage (inl), tensión no disruptiva.

witness, testigo.

—— **corner** (surv), vértice testigo o de referencia; mojón de referencia.

—— **mark,** marca índice.

—— **stake** (surv), estaca indicadora.

wobble saw, sierra elíptica o excéntrica, sierra circular oscilante.

wobble-wheel roller (ea), aplanadora de ruedas oscilantes.

wobbler, placa ondulante u oscilante; cabezal motor (laminador).

—— **thermit** (w), termita fresable o para engranajes.

wolfram, volframio, tungsteno.

wolframite (tungsten ore), volframita, wolframita.

Wollaston wire (inst), hilo de Wollaston.

wood, madera.

—— **alcohol,** alcohol metílico.

—— **block,** motón de cuerpo de madera; (pav) adoquín de madera, tarugo.

—— **borer,** (maq) barrenadora de madera; (insecto) carcoma, coso, xilófago.

—— **brick,** ladrillo de madera, bloque de clavar, nudillo, (Col) chazo.

—— **bushing,** manquito de madera.

—— **cement,** cemento para madera.

—— **chopper's maul,** martillo de leñador.

—— **fiber,** fibra de madera.

—— **file,** lima para madera.

—— **flour** (bl), polvo de madera.

—— **gas,** gas de madera.

—— **lot** (lg), área de explotación forestal.

—— **louse** (lbr), sochinilla, porqueta.

—— **meal** (bl), polvo de madera.

—— **molding** (elec), moldura-conducto, conducto superficial de madera.

—— **pulp,** pulpa de madera.

—— **punch,** punzón para madera.

—— **rasp,** escofina para madera.

—— **screw,** tornillo para madera.

—— **shavings,** virutas, acepilladuras.

—— **splitter,** hacha mecánica.

—— **tar,** alquitrán vegetal.

—— **tin,** casiterita, estaño leñoso.

—— **waste,** desechos de madera.

—— **wool,** lana de madera (virutas finas).

wood-block pavement, adoquinado de madera.

wood-boring machine, taladradora para madera, máquina barrenadora de madera.

wood-stave pipe, tubería de duelas de madera.

wood-turning lathe, torno para labrar o elaborar madera.

woodcutter, leñador, hachero.

wooded (land), arbolado, (M) boscoso.

wooden pin, tarugo, clavija, estaquilla, espiga.

wooden spike (rr), tarugo de traviesa, escarpia de madera.

woodland, monte, bosque.

woodrock, especie de asbesto.

woodwork, maderaje, enmaderado, maderamen.

woodworker, sierra mecánica portátil con varios accesorios.

woodworking, elaboración de maderas.

—— **lathe,** torno para madera.

woofer (ra), altavoz para bajas frecuencias.

wool felt, fieltro de lana.

wool waste, estopa o desperdicios de lana.

work, s trabajo, labor; faena, tarea; la obra; (mat) trabajo; v trabajar; obrar; (mtl) elaborar, labrar; (min) explotar; (maq) manejar, operar, maniobrar; (maq) actuar, impulsar, hacer funcionar; (maq) funcionar, marchar.

—— **hardness** (met), endurecimiento de trabajo.

—— **holder,** portapieza, portatrabajo.

—— **loose,** aflojarse, soltarse.

—— **sheet,** hoja de computaciones.

—— **surface** (mt), superficie por labrar.

—— **table** (mt), mesa de sujeción.

—— **train** (rr), tren de conservación o de construcción.

works, mecanismo; fábrica; la obra.

—— **manager,** jefe o director de obras.

work-over (pet), reacondicionamiento (del pozo)

workability (conc), trabajabilidad, manejabilidad, manuabilidad, (A)(V) laborabilidad.

workable, (conc) trabajable, manuable, manejable, (A)(V) laborable; (min) explotable.

workbench, banco o mesa de trabajo, banco de taller.

worked lumber, madera machihembrada o perfilada.

worked out (mine), agotado.

worker, trabajador, obrero, operario, labrador, jornalero.

workhead (mt), cabezal de sujeción.

working n (min), labor, laboreo, (Es) explotación.

— angle (mt), ángulo de ataque.

— barrel (min)(pet), cilindro de bomba.

— beam (eng), balancín.

— buoyancy (na), flotabilidad de servicio.

— capacity (rd), capacidad de servicio o de funcionamiento.

— capital, capital de explotación o en giro, activo circulante.

— chamber, cámara de trabajo.

— day, día laborable o útil o de trabajo, (A) dia hábil.

— depth (gear), altura efectiva.

— drawing, dibujo de trabajo, plano de ejecución.

— face, frente de ataque, faz de laboreo, (tún) fondo de laboreo.

— force, personal obrero.

— fit, ajuste sin holgura.

— gage, calibre de taller o de trabajo.

— hours, horas laborables o de trabajo.

— line (str), eje de la pieza (generalmente el eje de los remaches).

— load, carga de servicio o de trabajo.

— model, modelo de guía.

— pressure, presión de trabajo.

— speed, velocidad de trabajo o de funcionamiento.

— stress, esfuerzo o fatiga de trabajo, (A) tensión de trabajo.

— stroke (eng), carrera de trabajo o de encendido, tiempo motor o de trabajo.

— voltage, tensión de servicio.

workman, obrero, operario, trabajador, jornalero, obrador, bracero.

workmanship, mano de obra, hechura.

workmen's compensation, compensación por accidentes de trabajo.

workmen's compensation insurance, seguro contra compensación legal por accidentes de trabajo.

workpiece, pieza en elaboración, (A) pieza de trabajo.

workshop, taller, obrador, oficina, obraje.

workstand, mesa o banco de trabajo.

worm, s (mec) tornillo sin fin, (M) gusano; (tub) serpentín; v (cab) rellenar.

— and roller, sinfín y rodillo.

— auger, barrena de gusano.

— drive, transmisión por tornillo sin fin, mando a sinfín.

— feed, alimentación a sinfín.

— fence, cerca en zigzag, (C) cerca alemana.

— gear, engranaje de tornillo sin fin, engranaje helicoidal.

— thread, rosca de gusano, filete de tornillo sin fin.

— wheel, rueda dentada de tornillo sin fin.

worm-eaten, carcomido, agusanado, abromado, picado.

worm-wheel hob, fresa matriz para rueda dentada helicoidal.

wormhole, picadura de gusano, (Pe) carcomido.

worming (cab), relleno.

wormy (lbr), carcomido.

worn, gastado.

wound-rotor motor, motor de rotor devanado.

woven-wire belting, correaje de alambre tejido.

woven-wire fencing, malla para cerca.

wrap, s (cab) vuelta; v (eléc) revestir con cinta aisladora.

wrapped tap joint (elec), derivación enrollada de alambre.

wrapping machine (p), máquina de envolver.

wreath (st), codo, acodado.

wreck v, (ed) demoler, derribar, arrasar; (náut) naufragar.

— buoy, boya para señalar un barco hundido.

wrecker, (ed) demoledor, derribador; (auto) camión de auxilio; (fc) tren de auxilio; (fc) carro de grúa; (náut) salvador de buques.

wrecking, (ed) demolición, derribamiento, derribo; (náut) salvamento, salvataje.

— ball, bola rompedora.

— bar, barra sacaclavos o cuello-de-ganso.

— block, motón para obras de salvamento.

— car, (fc) carro de grúa o de auxilio o de socorro; (auto) camión de auxilio.

— crane (rr), grúa de auxilio; grúa de salvamento.

— crew, equipo de urgencia; cuadrilla de salvamento.

— frog (rr), rana encarriladora.

— jack (rr), gato encarrilador o de auxilio.

— pump (naut), bomba de salvataje.

— rope (rr), cable para encarrilamiento.

— train, tren de auxilio.

wrench, llave, llave de tuerca.

— fit, ajuste de rosca que no se puede hacer a mano, ajuste de llave.

— head, cabeza para llave.

wrench-operated valve, válvula a llave.

wringing fit, ajuste sin holgura.

wrinkle bending (p), curvatura por arrugas.

wrist pin, pasador de articulación.

wrist plate (eng), disco distribuidor.

wrought, forjado, fraguado.

— bronze, bronce forjado.

— iron, hierro forjado o fraguado; hierro dulce, (Pe) fierro dulce.

— pipe, tubería soldada o fraguada (puede ser acero o hierro).

wrought-iron casting, fundición de hierro maleable.

wrought-iron pipe, tubería de hierro forjado legítimo.

wulfenite (miner), wulfenita, plomo amarillo.

wye

— branch (p), ramal Y.

—— **connection** (elec), conexión de estrella.
—— **level** (inst), nivel en Y o de horquetas.
wythe (bw), media citara, muro de media asta.

X bracing, diagonales cruzadas, aspas, contravientos, crucetas.
X cut (ra crystal), corte X.
X radiation, radiación X.
X rays, rayos X.
X-ray spectrum, espectro de los rayos X.
X-ray tube, tubo o válvula de rayos X.
xanthate (chem), xantato.
xanthic, xántico.
xenomorphic (geol), xenomórfico, xenomorfo.
xylan (su), xilana.
xylene (chem), xileno.
xylometer (for), xilómetro.
Xylonite (trademark), xilonita (celuloide).

Y (p), Y, bifurcación, injerto oblicuo.
Y branch (p), ramal Y o de 45°, bifurcación.
Y connection (elec), conexión de estrella.
Y cut (ra crystal), corte Y.
Y level (inst), nivel en Y o de horquetas.
Y pile (sp), tablestaca en Y.
Y switch (rr), cambiavía en Y, cambio de desvío doble.
Y track (rr), triángulo de inversión de marcha.
yard, s (med) yarda; (fc) patio, playa; (mtl) cancha, patio, playa, corralón, plaza; corral (semovientes); (ef) embarcadero, muelle; v (ef) arrastrar al embarcadero.
—— **engine,** locomotora de patio o de maniobras.
—— **foreman,** capataz de patio, canchero.
—— **lumber,** madera de barraca (menos de 6 pulg).
—— **track,** vía de patio o de playa.
yard-station (ea), yarda-estación.
yardage, cubicación en yardas, yardaje.
yarding engine (lg), malacate de arrastre.
yarding sled (lg), trineo de arrastre.
yardmaster (rr), superintendente o jefe de patio.
yarn, s (calafateado) estopa, filástica, (Col) yute; (C) pabilo; filástica (soga); v (tub) calafatear con estopa.
yarning chisel, escoplo calafateador de estopa.
yarning iron, calafateador de estopa.
yellow, amarillo.
—— **brass,** latón corriente u ordinario.
—— **copper ore,** calcopirita.
—— **earth** (miner), amarillo de montaña.
—— **fever,** fiebre amarilla.
—— **fir,** pino del Pacífico, abeto Douglas.
—— **lead ore,** wulfenita, plomo amarillo.
—— **oak,** roble amarillo.
—— **ocher** (miner), ocre amarillo.
—— **pine,** pinotea, pino amarillo, (Pan) pino colorado.
—— **pyrites,** calcopirita.
—— **spruce,** abeto amarillo o rojo; picea del Pacífico.
—— **wax** (pet), cera amarilla.
yew, tejo.

yield, s rendimiento, producto; v producir, rendir; ceder.
—— **point,** punto cedente o de deformación, límite elástico aparente, (A) límite de fluencia.
—— **strength,** resistencia a punto cedente.
yoke, (mec) horqueta, horcajo, horquilla, culata, caballete, araña; (para bueyes) yugo, gamella; (de bueyes) yunta; (eléc) culata; cabecero (ventana).
—— **drive** (elec loco), impulsión a horquilla.

Z bar, hierro Z, perfil Z, barra Z, (C) angular Z.
Z-bar column, columna de barras Z.
Z-type steel sheet pile, tablestaca en Z.
zenith, cenit, zenit.
—— **distance,** distancia cenital.
zenithal, cenital, zenital.
zeolite, zeolita, ceolita.
zeolitic, zeolítico.
Zeon (trademark)(il), zeón.
zero, cero.
—— **adjuster** (elec), ajustador a cero.
—— **beat** (ra), pulsación cero.
—— **method** (elec), método de cero.
—— **potential** (elec), tensión nula, potencial cero.
—— **sequence component** (elec), componente nula de secuencia.
zero-beat reception (ra), recepción homodina.
zigzag connection (elec), conexión en zigzag.
zigzag-winding (elec), devanado en zigzag.
zinc, cinc, zinc, peltre.
—— **blende,** blenda, esfalerita, blenda de zinc.
—— **bloom,** flores de cinc.
—— **carbonate,** carbonato de cinc, (miner) esmitsonita.
—— **chloride,** cloruro de cinc.
—— **chrome,** pigmento de cromato de cinc.
—— **dust,** polvo de cinc.
—— **oxide,** óxido de cinc, (miner) cincita.
—— **spar,** esmitsonita.
—— **white,** blanco de cinc.
—— **work,** zincaje, (A) zinguería.
—— **yellow** (pigment), amarillo de cinc.
zinc-base alloy, aleación a base de cinc.
zinc-coated, bañado de cinc, cincado.
zinciferous, cincífero, zincífero.
zincification, galvanización, cincado.
zincite (miner), cincita, óxido rojo de cinc.
zincous, zincoso.
zipper, zíper, cierre relámpago, apretador de corredera.
zircon (rfr)(miner), circón.
—— **porcelain** (inl), porcelana circónica.
zirconate (chem), zirconato.
zirconia (rfr), circonia.
zirconic, circónico.
zirconium, circonio, zirconio.
zone, zona.
zoning (ht)(city), zonificación, (A) zonización.
zoogloea (lab), zoogloea, zooglea.
zooplankton (sen), zooplancton.
Zylonite (trademark), zilonita, cilonita.
zymase (sen), zimasa.
zymothermic, zimotérmico.